KU-799-738

Vorwort

Seit etwa anderthalb Jahrzehnten gibt die Globalisierung dem allgemeinen Interesse an Weltgeschichte zusätzlichen Auftrieb. Für den ADAC Verlag ist dies Grund genug, in einem kommentierenden Atlas den Lesern die universale Geschichte auch einmal in kartographischer Darstellung näher zu bringen – ungefähr chronologisch eingeteilt und modifiziert durch geographische Gesichtspunkte. Bei der Fülle an Details lohnt es sich, zur ersten Orientierung in gebotener Kürze zusätzlich ein paar übergreifende Perspektiven aufzuzeigen.

Geschichte, also bekannte Vergangenheit, speist ihre Überlieferung im Wesentlichen aus schriftlichen Quellen, zuerst und am meisten in den großen Zivilisationen. Daher konzentriert sich die Beschäftigung mit der älteren Weltgeschichte bis zur Entdeckung der Neuen Welt 1492 auf die mediterran-gemäßigten Zonen in Eurasien, wo seit Beginn der agrarischen Produktion vor etwa 10 000 Jahren die meisten Menschen lebten.

Das Eurasische System ruhte auf zwei Säulen, dem Westen und dem Fernen Osten (mit China als hartem Kern); dazwischen lagen Indien und Persien. Alle Macht- und Zivilisationszentren, an deren Peripherien wiederum Randkulturen sesshafter Bauern und/oder nomadischer Viehzüchter existierten, waren unterschiedlich organisiert und bewegten sich in eigenen Rhythmen, die Tendenzen zu herrschaftlicher Zersplitterung sowie zu imperialer Einheit einschlossen. Der Westen, geographisch wie ethnisch sehr vielfältig und dank reich gegliederter Meeressysteme zur Welt hin geöffnet, entfaltete zahlreiche rivalisierende, einander mit der Zeit gegenseitig ablösende Machtzentren, deren Schwerpunkte sich vom Nahen und Mittleren Osten des Alten Orients in Richtung Europa verschoben. China wuchs, von seinem imperialen Ausgangspunkt im Norden aus, in alle Richtungen zum ältesten und größten »national« geschlossenen sowie überdies am straffsten zentralisierten Zivilisations- und Machtzentrum der Welt, verharrte aber jahrhundertelang bis in die jüngste Zeit hinein in selbst gewählter Isolation.

In Indien überwog meist die staatliche Zersplitterung, die kurzen Phasen blutig erkämpfter Einheit blieben seltene Ausnahmen. Persien fasste vom sechsten bis zum vierten vorchristlichen Jahrhundert den alten Orient imperial zusammen. Zweimal explosiven Eroberungen erlegen (in spätgriechischer Zeit durch Alexander den Großen und knapp ein Jahrtausend später durch den Islam), erholte es sich danach jeweils nur langsam und bildete ein Großreich auf verkleinerter territorialer Basis.

Neue Machtzentren entstanden meist an der Peripherie älterer Zentren, zuletzt die USA als einstiger transatlantischer Auswuchs der kolonialen Ambitionen Alt-Europas. Seit 1989/91 sind die Vereinigten Staaten als einzige verbliebene Weltmacht vor Versuchungen nicht gefeit, dem Griff zur Weltherrschaft im Gewand einer »US-Globalisierung« zu erliegen.

Wer die Entwicklung solch weltweit wirksamer Veränderungsprozesse auch nur in Ansätzen verstehen will, muss sich mit Geschichte auseinander setzen. Die solide Kenntnis ihrer wichtigsten Vorgänge, Hintergründe und Entwicklungen gehört heute zum Rüstzeug nicht nur angehender Historiker oder Lehrer – sie ist Teil der notwendigen geistigen Ausstattung eines jeden bewusst lebenden Bürgers. In diesem Sinne wünsche ich dem Werk »Der große historische Weltatlas« guten Erfolg und eine weite Verbreitung.

Prof. Dr. Imanuel Geiss
Em. o. Professor für Neuere und Neueste Geschichte
an der Universität Bremen

South
East
West
North
20
30
40
50
Hanc continentem Au-
stralem nonnulli Magel-
lanicam regionem ab eius
inuentore nuncupant.
Magellanus

Der große historische Weltatlas

EIN ADAC ATLAS

Der große historische Weltatlas

Epochen – Ereignisse – Entwicklungen

IMPRESSUM

Dieses Buch entstand in Zusammenarbeit
zwischen dem ADAC Verlag, München,
und dem Wissen Media Verlag, Gütersloh/München.

Projektleitung: Dr. Hans-Joachim Völse, Detlef Wienecke-Janz

Projektmanagement: Dr. Martin-Andreas Schulz

Redaktion: Andreas Schimkus (Leitung), Barbara Römer

Autoren (deutsche Ausgabe): Johannes Ebert, Dirk Husemann, Dr. Martin-Andreas Schulz; Ferdinand Dupuis-Panther, Andreas Fiswick, Barbara Römer; Dr. Jochen Grube und Jobst-Christian Rojahn (deutsche Übersetzung)

Kartographie: Nathalie Johns, Richard Watts, Tim Williams;
KartoGraphisches Büro Günther Langehans, Dortmund

Kartenredaktion: Dr. Matthias Herkt

Visuelle Konzeption und Layout: Axel Brink, IMPULS, Hattingen

Titel- und Umschlaggestaltung: Parzhuber & Partner, München

Bildredaktion: Monika Flocke, Thekla Sielemann

Bildnachweis: Seite 400

Wissenschaftliche Beratung: Jeremy Black, *Professor für Geschichte, University of Exeter, Großbritannien;* J. I. Catto, *Oriel College, University of Oxford, Großbritannien;* K. M. Chaudhuri, *Professor für die Geschichte der europäischen Entdeckungsreisen am Istituto Universitario Europeo, Florenz, Italien;* Robin Cohen, *Professor an der University of Warwick, Großbritannien;* Barry Cunliffe, *Professor für europäische Archäologie, University of Oxford, Großbritannien;* J. H. Elliott, *Professor für Geschichte, University of Oxford, Großbritannien;* Brian M. Fagan, *Professor für Anthropologie, University of California, Santa Barbara, USA;* Harold James, *Professor an der Princeton University, New Jersey, USA;* Maldwyn A. Jones, *Professor an der University of London, Großbritannien;* Dr. Stuart Kewley, *University of Cambridge, Großbritannien;* Dr. Stewart Lone, *Australian Defense Force Academy, Canberra, Australien;* Dr. Oswyn Murray, *Balliol College, University of Oxford, Großbritannien;* A. J. S. Reid, *Professor an der Australian National University, Canberra, Australien;* Francis Robinson, *Professor am Royal Holloway, University of London, Großbritannien;* J. E. Spence, *Forschungsstipendiat am Royal Institute of International Affairs, Großbritannien;* John K. Thornton, *Professor an der Millersville University, Pennsylvania, USA*

Herstellung: John C. Bergener

DTP-Satz: IMPULS, Hattingen

Druck und Bindung: Officine Grafiche Novara/Italien

Printed in Italy

ISBN 3-89905-189-0

Wegweiser durch den Atlas

Dieser Band weist eine einheitliche Gliederung und – wo immer möglich – Darstellungsform auf, um dem Leser das Verständnis der auf den Seiten geschilderten und gezeigten Informationen zu erleichtern und um Entwicklungen von Region zu Region und von Periode zu Periode zu verfolgen. Das Buch ist in sechs Hauptabschnitte gegliedert. Jedes Thema unter den Hauptabschnitten wird auf einer Doppelseite durch Fließtext, Zeitleiste und eine Karte dargestellt.

Abriss der Weltgeschichte und Regionalkarten

Die **Weltkarten** zeigen in einheitlicher Form den Stand der sozialen oder politischen Entwicklung von der Ur- und Frühgeschichte bis in die Gegenwart. Die Namen von Staaten und Reichen sind in Großbuchstaben wiedergegeben, die ihnen untergeordneten Gebiete oder Territorien in Groß-/Kleinschreibung. Gesellschaften oder Völker vor ihrer Staatenbildung tauchen in Fettdruck und ebenfalls Groß-/Kleinschreibung auf, wobei die unterschiedliche Farbgebung den Grad ihrer sozialen Organisation anzeigt.
Die Weltkarten werden durch Zeitleisten ergänzt, die nach Regionen beziehungsweise Kontinenten unterteilt sind. Die Fließtexte auf diesen Doppelseiten enthalten eine Fülle von Querverweisen, die auf andere, für das jeweilige Thema relevante Seiten des Atlas aufmerksam machen.

Die **Regionalkarten** vermitteln einen Überblick der Entwicklung in jenem Teil der Welt und in jener Zeit, die in der Überschrift genannt sind. Die Karten der einzelnen Hauptabschnitte, die einen Kontinent oder eine größere Region darstellen, sind in Unterabschnitten zusammengefasst, deren Themen stets auf der linken Seite oben und auch im Inhaltsverzeichnis angegeben werden.

Die Karten entsprechen der flächentreuen Projektion; die Ausschnitte sind so gewählt, dass sie für das jeweils behandelte Thema ein Höchstmaß an Übersichtlichkeit bieten. Wie allgemein üblich, liegt Norden am oberen Kartenrand. Einige Karten können wegen der Größe der darzustellenden Fläche eine gewisse Verzerrung aufweisen (zum Beispiel Karten von Asien oder Nord- und Südamerika). Wo es sinnvoll erschien, wurden zusätzliche Kartenausschnitte aufgenommen.

Die Regionalkarten sind alle einheitlich gestaltet und folgen dem Muster der Weltkarten (beispielsweise bezeichnen dicke graue Linien Staatsgrenzen, dünne graue Linien Grenzen innerhalb eines Landes).

Feldzüge, Entdeckungsfahrten oder Reisen sind durch Linien mit einer Pfeilspitze dargestellt, Wanderungen oder Ortsveränderungen größerer Gruppen (Völker, Stämme) werden durch dickere graue oder farbige Pfeile, Handelswege durch dünnere farbige Linien mit einer Pfeilspitze dargestellt, wenn die Handelsströme vornehmlich in einer Richtung verliefen.

Auf die Informationen in den Legenden der Karten wird im Text Bezug genommen, das heißt, die Fließtexte der Doppelseiten erklären und erweitern einzelne Sachverhalte in den Karten.

Auch die Regionalkarten enthalten Zeitleisten, die nach geographischen oder thematischen Gesichtspunkten geordnet sind. Phänomene von längerer Zeitdauer (wie Kriege, Dynastien) sowie Perioden oder Epochen (»mittlerer Horizont«) sind farblich gekennzeichnet. Auf jeder Regionalkarte weisen zwischen vier und neun Orte Zahlen, so genannte »pointers«, auf. Sie sind in einer eigenen, numerisch geordneten Legende zusammengefasst; sie enthalten zusätzliche Informationen zum jeweiligen Ort oder zu Ereignissen, die mit ihm in Zusammenhang stehen.

Die **Deutschlandkarten** als Teil des Komplexes der Regionalkarten geben anhand markanter Stichdaten und Schlüsselereignisse den jeweiligen Stand der territorialgeschichtlichen Entwicklung im mitteleuropäischen Raum wieder. Kein anderes Land der Welt kennt seit dem Mittelalter eine größere Vielgestaltigkeit und Zerrissenheit in den Regional- und Staatszugehörigkeiten seiner Glieder – worauf sich nicht zuletzt sowohl unser traditioneller Föderalismus als auch manche der vielen speziellen Ausprägungen und Sonderwege unserer gesellschaftlichen und kulturellen Überlieferung zurückführen lassen. Durch kein anderes Medium lässt sich diese Entwicklung über einen Zeitraum von mehr als tausend Jahren hinweg deutlicher darstellen als mittels der politischen Landkarte. Wie die Kartographie des gesamten Werkes im Allgemeinen, so bietet die Deutschland betreffende Visualisierung historischer Strukturen und Vorgänge im Besonderen einen akzentuierten und konzentrierten Einblick in alles Wesentliche – von den Anfängen im ostfränkisch-deutschen Reich der Ottonen bis in unsere moderne Gegenwart.

Sonder-Doppelseiten, die sich in unregelmäßigen Abständen über das ganze Werk verteilen, berichten in Wort und Bild in Form einer essayistischen Spurensuche über besonders interessante Kapitel der vielfältigen Geschichte der Kartographie.

Das **Register** enthält aus Platzgründen nicht alle Begriffe, Namen und Orte der Karten, sondern nur solche, die für das vertiefte Verständnis notwendig sind.

Schreibweisen in den Weltkarten:

FRANKREICH	Staat oder Reich
Belgisch-Kongo	Kolonie oder abhängiges Gebiet
Mongolen	Stamm, Stammesfürstentum oder Volk
Anasazi-Kultur	Kulturgruppe

Schreibweisen in den Regionalkarten:

UNGARN	Staat oder Reich
Böhmen	Kolonie oder abhängiges Gebiet
Slawen	Stamm, Stammesfürstentum oder Volk
ANATOLIEN	Geographische Region
⚔	Schlacht
●	Ort oder Stadt

KAPITEL 1

Von der Urgeschichte bis zur Antike • 7 000 000 bis 500 v. Chr. 14

ABRISS DER WELTGESCHICHTE
Die Ursprünge der Menschheit • Vor 7 000 000 bis 100 000 Jahren 16
Die Erde bevölkert sich • Vor 100 000 bis 10 000 Jahren 18
Die Entwicklung der Landwirtschaft • 10 000 bis 500 v. Chr. 20
Die Welt • 2000 v. Chr. 22

SPURENSUCHE: DIE GESCHICHTE DER KARTOGRAPHIE
Sterne sehen – die Himmelsscheibe von Nebra 24

Die Welt • 1000 v. Chr. 26

DER VORDERE ORIENT
Die ersten Städte Mesopotamiens • 4300 bis 2400 v. Chr. 28
Die ersten Reiche • 2400 bis 1600 v. Chr. 30
Die Reiche der Hethiter und Assyrer • 1600 bis 1000 v. Chr. 32
Das assyrische und das babylonische Reich • 1000 bis 539 v. Chr. 34
Das Land der Bibel • 1000 bis 587 v. Chr. 36
Das persische Achaimeniden-Reich • 559 bis 480 v. Chr. 38

AFRIKA
Ägypten: Vor- und Frühgeschichte, Altes Reich • 6000 bis 2040 v. Chr. 40
Ägypten: Zwischenzeiten, Mittleres und Neues Reich, Spätzeit • 2040 bis 332 v. Chr. 42

SPURENSUCHE: DIE GESCHICHTE DER KARTOGRAPHIE
Orientierung schaffen – frühe Karten der Menschheit 44

EUROPA UND DER MITTELMEERRAUM
Europa in der jüngeren Altsteinzeit und Mittelsteinzeit • Vor 35 000 Jahren bis 5500 v. Chr. 46
Europa in der Jungsteinzeit • 5500 bis 2000 v. Chr. 48
Die Bronzezeit in Europa • 2000 bis 500 v. Chr. 50
Die ersten Kulturen im Mittelmeerraum • 2000 bis 1100 v. Chr. 52
Die Expansion der Phöniker und Griechen im Mittelmeerraum • 900 bis 500 v. Chr. 54
Die Entstehung der griechischen Stadtstaaten • 1100 bis 500 v. Chr. 56
Etrusker, Griechen, Karthager, Kelten • 800 bis 500 v. Chr. 58

SÜD- UND OSTASIEN
Die ersten Kulturen Südasiens • 6000 bis 500 v. Chr. 60

NORD- UND SÜDAMERIKA
Die ersten Hochkulturen in Amerika • 4000 bis 500 v. Chr. 62

KAPITEL 2

Die Welt der Antike • 500 v. Chr. bis 600 n. Chr.

64

ABRISS DER WELTGESCHICHTE

Die Welt • 500 v. Chr. 66
Die Welt • 323 v. Chr. 68
Die Welt • 1 v. Chr. 70

SPURENSUCHE: DIE GESCHICHTE DER KARTOGRAPHIE

Das Ganze im Blick: Luftbildarchäologie 72

Die Welt • 400 n. Chr. 74
Die Welt • 600 n. Chr. 76
Die Ausbreitung der Weltreligionen • 600 v. Chr. bis 600 n. Chr. 78

GRIECHENLAND UND VORDERASIEN

Die Perserkriege und Griechenland • 500 bis 435 v. Chr. 80
Der Peloponnesische Krieg und der Aufstieg Makedoniens • 435 bis 336 v. Chr. 82
Die Eroberungen Alexanders des Großen • 336 bis 300 v. Chr. 84
Die hellenistische Welt • 301 bis 30 v. Chr. 86
Parther und Sassaniden in Persien • 238 v. Chr. bis 651 n. Chr. 88

ROM UND DER MITTELMEERRAUM

Das frühe Rom und die Punischen Kriege • 509 bis 201 v. Chr. 90
Das Römische Reich wird größer • 201 v. Chr. bis 117 n. Chr. 92
Wirtschaft und Gesellschaft des Römischen Reiches • 27 v. Chr. bis 305 n. Chr. 94
Der Niedergang des Weströmischen Reiches • 376 bis 480 n. Chr. 96
Justinian und die Ursprünge des Byzantinischen Reiches • 480 bis 629 n. Chr. 98

SPURENSUCHE: DIE GESCHICHTE DER KARTOGRAPHIE

Plan aus Marmor – die Mosaikkarte in Madaba 100

EURASIEN

Die Kelten • 500 v. Chr. bis 600 n. Chr. 102
Germanen und Slawen • 750 v. Chr. bis 600 n. Chr. 104
Die Steppennomaden • 900 v. Chr. bis 600 n. Chr. 106

AFRIKA

Frühe Reiche in Afrika • 500 v. Chr. bis 600 n. Chr. 108

SÜD- UND OSTASIEN

Das Maurya-Reich in Indien • 550 v. Chr. bis 100 n. Chr. 110
Indien zur Zeit der Kushana und Gupta • 50 bis 570 n. Chr. 112
»Streitende Reiche« und erste Kaiserreiche in China • 481 v. Chr. bis 220 n. Chr. 114
China im Streit und der Aufstieg Japans • 220 bis 600 n. Chr. 116
Der Pazifik und Südostasien • 2000 v. Chr. bis 600 n. Chr. 118

NORD- UND SÜDAMERIKA

Südamerika und Mexiko • 500 v. Chr. bis 700 n. Chr. 120
Das alte Maya-Reich • 300 v. Chr. bis 800 n. Chr. 122

KAPITEL 3

Die Welt des Mittelalters • 600 bis 1492 n. Chr. 124

ABRISS DER WELTGESCHICHTE
Die Welt • 800 n. Chr. 126
Die Welt • 1000 n. Chr. 128
Die Welt • 1279 n. Chr. 130
Die Welt • 1492 n. Chr. 132

SPURENSUCHE: DIE GESCHICHTE DER KARTOGRAPHIE
Mittelalterlicher Fokus – die Ebstorfer Weltkarte 134

EUROPA
Der Aufstieg des Karolinger-Reiches • 600 bis 814 136
Europa zur Zeit der Wikinger • 793 bis 1050 138
Europa im Zeichen des Feudalismus • 1050 bis 1300 140
Das Römisch-Deutsche Reich zur Zeit der Ottonen und Salier • 919 bis 1125 142
Das Römisch-Deutsche Reich zur Zeit der Staufer • 1138 bis 1254 144
Krieg, Aufstand und Pest im Europa des 14. Jahrhunderts • 1300 bis 1400 146
Das Römisch-Deutsche Reich zur Zeit Karls IV. • 1347 bis 1378 148
Die europäische Wirtschaft im Mittelalter • 1000 bis 1500 150
SPURENSUCHE: DIE GESCHICHTE DER KARTOGRAPHIE
Stadtansichten – die Schedel'sche Weltchronik 152
Die Renaissance • 1400 bis 1492 154

VORDERASIEN
Die großen Eroberungen der Araber • 632 bis 750 156
Die Teilung der arabischen Welt • 750 bis 1037 158
Das Byzantinische Reich • 610 bis 1204 160
Die türkischen Reiche im Mittelalter • 1038 bis 1492 162
Die Kreuzzüge • 1096 bis 1291 164

AFRIKA
Afrika • 600 bis 1500 166

ZENTRAL-, SÜD- UND OSTASIEN
Das mittelalterliche Indien • 600 bis 1500 168
China unter der Sui- und Tang-Dynastie • 589 bis 906 170
China während der Song-Dynastie • 960 bis 1279 172
Das Mongolen-Reich entsteht • 1204 bis 1260 174
Der Zerfall des Mongolen-Reiches • 1260 bis 1502 176
Japan und Korea im Mittelalter • 600 bis 1500 178
Die südostasiatischen Reiche • 600 bis 1500 180

NORD- UND SÜDAMERIKA
Frühe Indianerkulturen in Nordamerika • 600 bis 1500 182
Tolteken und Azteken • 800 bis 1520 184
Anden-Hochkulturen bis zum Ende des Inka-Reiches • 700 bis 1533 186

KAPITEL 4

Von Kolumbus bis zur amerikanischen Unabhängigkeit • 1492 bis 1783 188

ABRISS DER WELTGESCHICHTE
Die Welt • 1530 190
Die Welt • 1600 192
Die Welt • 1650 194
Die Welt • 1715 196
Die Welt • 1783 198

SPURENSUCHE: DIE GESCHICHTE DER KARTOGRAPHIE
Der älteste erhaltene Globus – Martin Behaims »Erdapfel« 200

EUROPA
Europa zur Zeit der Reformation • 1492 bis 1560 202
Das Römisch-Deutsche Reich zur Zeit der Reformation • 1517 bis 1560 204
Europa und die Gegenreformation • 1560 bis 1600 206
Die Expansion Russlands • 1480 bis 1783 208
Europa zur Zeit des Dreißigjährigen Krieges • 1600 bis 1648 210
Deutschland nach dem Westfälischen Frieden • 1648 212
Europa im Zeitalter Ludwigs XIV. • 1648 bis 1715 214
Europa zur Zeit des Ancien Régime • 1715 bis 1783 216

VORDERER ORIENT
Der Aufstieg des Osmanischen Reiches • 1492 bis 1640 218
Der Niedergang des Osmanischen Reiches • 1640 bis 1783 220
Zentralasien und die Safawiden • 1500 bis 1800 222

AFRIKA
Afrika südlich der Sahara • 1500 bis 1800 224

SÜD- UND OSTASIEN
Der Aufstieg des indischen Mogul-Reiches • 1500 bis 1707 226
Die Nachfolger des Mogul-Reiches • 1707 bis 1783 228
Blüte und Niedergang der Ming-Dynastie in China • 1450 bis 1644 230
Der Aufstieg des chinesischen Mandschu-Reiches • 1644 bis 1783 232
Japan und das Tokugawa-Shogunat • 1500 bis 1800 234
Südostasien • 1500 bis 1800 236

NORD- UND SÜDAMERIKA
Die Entdeckung Spanisch-Amerikas • 1492 bis 1783 238
SPURENSUCHE: DIE GESCHICHTE DER KARTOGRAPHIE
Montezumas Stadt – die Karte von Tenochtitlán 240
Die Erforschung Nordamerikas • 1500 bis 1783 242
Die Kolonialzeit Nordamerikas • 1492 bis 1783 244
Der amerikanische Unabhängigkeitskampf • 1763 bis 1783 246

KAPITEL 5

Die Welt im 19. Jahrhundert • 1783 bis 1914 248

ABRISS DER WELTGESCHICHTE

Die Welt • 1812 250
Die Welt • 1848 252
Die Welt • 1880 254
Die Welt • 1914 256
Der Welthandel • 1830 bis 1914 258

EUROPA

Europa zur Zeit der Revolutionen • 1783 bis 1800 260
Europa zur Zeit Napoleons • 1800 bis 1815 262
Das Ende des Römisch-Deutschen Reiches • 1792 bis 1806 264
Der Deutsche Bund • 1815 bis 1866 266
Europa und das Aufkommen des Nationalismus • 1815 bis 1871 268
Die industrielle Revolution in Europa • 1783 bis 1914 270

SPURENSUCHE: DIE GESCHICHTE DER KARTOGRAPHIE

Zug der Zeit – das deutsche Eisenbahnnetz im 19. Jahrhundert 272

Die Einigung Deutschlands/Das Bismarckreich • 1871 bis 1890 274
Das Russische Reich • 1783 bis 1917 276
Das europäische Bündnissystem • 1871 bis 1914 278

NAHER OSTEN

Der Niedergang des Osmanischen Reiches • 1783 bis 1923 280

AFRIKA

Afrika vor dem europäischen Kolonialismus • 1800 bis 1880 282
Afrika und die europäischen Weltreiche • 1880 bis 1914 284
Die Entwicklung Südafrikas • 1800 bis 1914 286

ASIEN UND AUSTRALASIEN

Die Besiedlung Australiens und Neuseelands durch die Europäer • 1788 bis 1914 288
Der Niedergang des chinesischen Mandschu-Reiches • 1783 bis 1912 290
Japan im 19. Jahrhundert • 1800 bis 1914 292
Großbritannien und Indien • 1783 bis 1914 294
Südostasien und der Kolonialismus • 1800 bis 1914 296

NORD- UND SÜDAMERIKA

Lateinamerika • 1783 bis 1914 298
Die Karibik • 1783 bis 1914 300
Kanada • 1763 bis 1914 302
Die Vereinigten Staaten von Amerika • 1783 bis 1890 304
Der amerikanische Bürgerkrieg • 1850 bis 1865 306
Bevölkerung und Wirtschaft der USA • 1850 bis 1914 308

KAPITEL 6

Die Welt vom Ersten Weltkrieg bis heute • 1914 bis 2004 310

ABRISS DER WELTGESCHICHTE
Die Welt • 1920 312
Die Welt • 1942 314
Die Welt • 1950 316
Die Welt • 1974 318
Die Welt • 2004 320

EUROPA
Der Erste Weltkrieg • 1914 bis 1918 322
Europa zwischen den Weltkriegen • 1918 bis 1939 324
Die Weimarer Republik • 1919 bis 1933 326
SPURENSUCHE: DIE GESCHICHTE DER KARTOGRAPHIE
Städtebau und Verkehrsplanung – das Beispiel Berlin 328
Der Zweite Weltkrieg in Europa • 1939 bis 1942 330
Das NS-Reich • 1939 332
Konzentrationslager und organisierter Massenmord • 1933 bis 1945 334
Der Zweite Weltkrieg in Europa • 1942 bis 1945 336
Das geteilte Europa • 1945 bis 1989 338
Die deutsche Teilung • 1945 bis 1949 340
Deutschland im Kalten Krieg • 1948 bis 1972 342
Europa nach dem Ende des Kalten Krieges • 1989 bis 2004 344
Deutschland • 1990 346

NORD- UND SÜDAMERIKA
Nord- und Südamerika • 1914 bis 1945 348
Nord- und Südamerika • 1945 bis 2004 350
Mittelamerika und die Karibik • 1945 bis 2004 352

ASIEN UND AUSTRALASIEN
Die Entstehung der Sowjetunion • 1917 bis 1941 354
Der Niedergang der Sowjetunion • 1941 bis 1991 356
China – vom Kaiserreich zum Kommunismus • 1911 bis 1949 358
Japan und die Reiche in Asien • 1914 bis 1941 360
Der Zweite Weltkrieg in Asien • 1941 bis 1945 362
Ostasien • 1945 bis 1976 364
Die Kriege in Indochina • 1954 bis 1976 366
Mittel- und Südasien • 1945 bis 2004 368
Der Aufschwung der Pazifikregion • 1976 bis 2004 370

SPURENSUCHE: DIE GESCHICHTE DER KARTOGRAPHIE
Von oben betrachtet: die Möglichkeiten der Satellitenfotografie 372

DER VORDERE ORIENT UND AFRIKA
Der Vordere Orient und Nordafrika • 1914 bis 1948 374
Der arabisch-israelische Konflikt • 1948 bis 1977 376
Der Nahe Osten • 1977 bis 2004 378
Dekolonisierung und Nationalismus in Afrika • 1945 bis 2004 380
Das südliche Afrika • 1914 bis 2004 382

REGISTER 384

KAPITEL 1

Von der Urgeschichte bis zur Antike 7 000 000 bis 500 v. Chr.

Sieben Millionen Jahre an biologischer und kultureller Entwicklung gingen dem Zeitpunkt voraus, den wir als den Beginn der Geschichte im eigentlichen Sinn betrachten – nämlich jenen Augenblick vor etwas mehr als 5000 Jahren, als der Mensch das Schreiben und Lesen lernte und die ersten schriftlichen Berichte entstanden. Die bemerkenswerte Ur- und Frühzeit des Menschen reicht von den Ursprüngen in der afrikanischen Savanne bis zur Entstehung der ersten Kulturen und Reiche.

Was wir über diese Phase in der Entwicklung der Menschheit wissen, ist das Ergebnis wissenschaftlicher Forschungen auf vielen verschiedenen Gebieten, zum Beispiel der Evolutionsbiologie, der Geologie, der Paläontologie und der Zoologie. Einen ganz entscheidenden Anteil daran dürfen aber auch Tausende von archäologischen Grabungen für sich beanspruchen, die unauffällig verstreute Steinwerkzeuge und Tierknochen, Jagdlager und Bauerndörfer, große Orte und Aufsehen erregende Städte ans Licht der Welt brachten.

Archäologie – die »Wissenschaft vom Abfall«

Allein die Archäologie kann die Veränderungen der Gesellschaft, ja des Menschen selbst, die sich in diesem unendlich langen Zeitraum vollzogen haben, untersuchen und erklären. Der britische Archäologe Stuart Piggott hat sein Fachgebiet einmal als die »Wissenschaft vom Abfall« beschrieben. Und die Archäologen untersuchen ja auch tatsächlich beinahe alles:

Um 3000 v. Chr. entwickelten die Sumerer die Keilschrift. Auf diesen Fundamentsteinen sind mit einem Keil eingeschlagene Schriftzeichen zu erkennen.

die verlassenen Orte, die Kunst- und Gebrauchsgegenstände, sogar die Essensreste etwa von Steinzeitmenschen. Sie gehen jedoch über die bloße Beschreibung ihrer Funde hinaus und haben dabei vielfältige Antworten auf die Frage gegeben, warum sich die menschlichen Kulturen verändert haben. Warum, so kann gefragt werden, entwickelten unsere Vorfahren jene landwirtschaftlichen Techniken, die das spätere Dasein des Menschen so nachhaltig revolutionierten? Wie und warum zogen vor 15 000 Jahren Menschen von Sibirien nach Alaska, um in der Folge Nord- und Südamerika zu besiedeln? Zur Erklärung dieser und anderer Vorgänge fragt der Archäologe sowohl nach den Veränderungen in der sozialen Organisation des Menschen als auch nach jenen in Technologie und Umwelt.

In der Höhle von Trois-Frères, Frankreich, wurden 1904 neben 600 gravierten Tierbildern aus der jüngeren Altsteinzeit Darstellungen entdeckt, die menschlich-tierische Mischwesen wie dieses zum Motiv haben.

Darwin und »Der Ursprung der Arten«

Den bislang verlässlichsten Rahmen für die Erklärung unserer Ursprünge hat die Evolutionstheorie geliefert, die Charles Darwin in »Der Ursprung der Arten« (1859) darlegte. Ein anderer großer Biologe des viktorianischen 19. Jahrhunderts, Thomas Henry Huxley, hat die Suche nach den Ursprüngen als »die Frage aller Fragen« bezeichnet und den kurz zuvor in Deutschland gefundenen Schädel eines bald als Neandertaler berühmt gewordenen Hominiden kühn mit dem eines Schimpansen verglichen. Die Theorie der Evolution aufgrund natürlicher Auslese erlaubt die Vorstellung einer ungeheuer langen Zeitspanne, das heißt eines riesigen leeren Zeitraums von Hunderttausenden, ja Millionen von Jahren, in dem sich die evolutionäre Entwicklung vollzogen hat.

Die exakte zeitliche Aufteilung dieses einst leeren Riesenraums und die Entdeckung, ab wann er sich zu bevölkern begann, zählt zu den großen wissenschaftlichen Leistungen des 20. Jahrhunderts. Darwin und Huxley konnten über die menschliche Evolution nur Vermutungen anstellen. Heute sagen uns Untersuchungen der DNS, dass sich die hominide Linie – deren höchste Entwicklungsstufe der Homo sapiens sapiens, der Jetztmensch, darstellt – vor etwa sieben bis acht Millionen Jahren von den Entwicklungslinien der anderen Affen getrennt hat. Heute erklärt uns die Archäologie, dass unsere Vorfahren aus Afrika stammen, von wo sie vor etwa zwei Millionen Jahren losgezogen sind, um den Rest der Erde zu bevölkern, und der moderne Mensch, der Jetztmensch, sehr wohl ebenfalls aus Afrika gekommen sein könnte. Dank der Archäologie können wir nicht nur Kunstgegenstände bestaunen, die vor über 30 000 Jahren entstanden sind, sondern auch sehr differenzierte Zeitschemata erarbeiten, die auf wissenschaftlichen Analysen, aber auch auf stilvergleichenden Techniken basieren. Die Archäologie fordert ständig zur Neuinterpretation heraus. In diesem Sinn ermöglichte die Entwicklung der Radiokarbonmethode die Altersbestimmung auch kleinster Fundstücke, was in unserem Jahrzehnt zu einer notwendigen und gerechtfertigten Überprüfung der bis dahin geltenden Datierung der frühesten landwirtschaftlichen Aktivitäten führte. Der Archäologie verdanken wir beispielsweise auch das Wissen, dass sich Kulturen, die ein Schriftsystem erfanden, unabhängig voneinander überall auf dieser Erde entwickelten. Die Historiker, die mit schriftlichem Quellenmaterial arbeiten, und die Archäologen, die sich mit den materiellen Hinterlassenschaften einer früheren Vergangenheit beschäftigen, können nun gemeinsam darangehen, die weitere Entwicklung dieser Kulturen zu rekonstruieren.

Vom »Jäger und Sammler« zum »Staatsbürger«

Viele Wissenschaftler denken sich die natürliche Evolution heute gern als einen Baum. Die endlos aus dem Stamm gemeinsamer Vorfahren hervorsprießenden Äste und Zweige stehen in diesem Bild für die Vielfalt der inzwischen bekannten Arten. Aber auch die Sozialformen des Menschen haben sich auf sehr vielfältige Weise entwickelt, was sich zum Teil gewiss durch unterschiedliche Umweltbedingungen erklären lässt. Dennoch bestehen Ähnlichkeiten, vor allem in der sozialen und politischen Organisation und in den Methoden des Menschen, sich seinen Lebensunterhalt zu sichern. Von dem amerikanischen Kulturanthropologen Elman Service stammt die flexible Einteilung der Gesellschaften in »vorstaatliche« und »staatlich organisierte«.

Die einfachsten vorstaatlichen Gesellschaften bestanden aus kleinen Familienverbänden (Horden), also egalitären, weil soziologisch noch undifferenzierten Gruppen mit einer auf Erfahrung basierenden gemeinschaftlichen Führung. Diese »Gruppengesellschaften«, im Allgemeinen Jäger und Sammler, hielten sich bis zu den Anfängen der Landwirtschaft, also eine ungeheure Zeit lang, wobei manche sogar noch heute existieren, zum Beispiel die Inuit in Kanada oder die Buschmänner im südlichen Afrika.

Die frühen Bauern lebten in dörflichen Dauersiedlungen und sie brauchten neue gesellschaftliche Institutionen, um Streitigkeiten zu schlichten und die Besitzverhältnisse zu regeln. Viele Dorfgesellschaften lebten als Stämme oder egalitäre Gruppen in einer auf verwandtschaftlichen Beziehungen beruhenden Organisation zur Regelung des Landbesitzes oder zur Erledigung gemeinsamer Aufgaben. Die »Stammesfürstentümer« bildeten die nächsthöhere Stufe, aber auch sie beruhten auf verwandtschaftlichen Beziehungen; die Macht lag nun allerdings in den Händen weniger Menschen, die den Fernhandel kontrollierten und oft zu beträchtlichem Wohlstand gelangten.

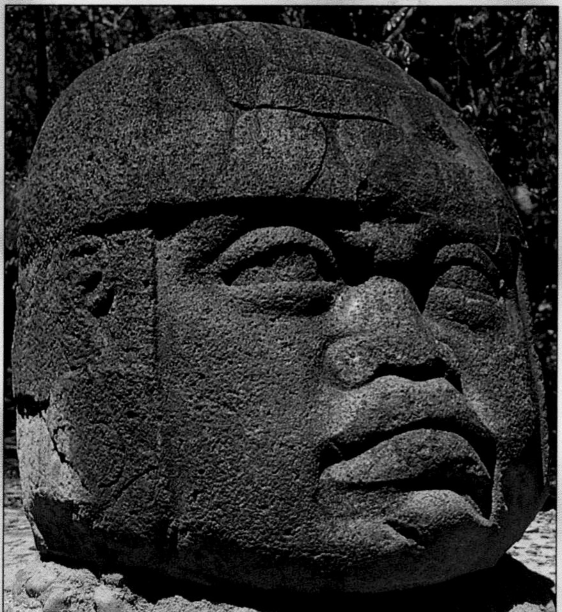

Kult-Steinkopf der olmekischen La-Venta-Kultur (800 bis 400 v. Chr.), von der die Hochkulturen der Maya, Tolteken und Azteken beeinflusst wurden

Die »staatlich organisierten Gesellschaften« oder Zivilisationen besaßen eine sehr viel breitere Basis als die Stammesfürstentümer. Die Menschen lebten häufig schon in Städten und verfügten über eine Schrift, um schwierigere Sachverhalte festzuhalten. Die frühen Kulturen wiesen eine zentralisierte politische und wirtschaftliche Organisation auf – die Macht lag allein bei einem Herrscher, der an der Spitze einer nun nach Schichten gegliederten Gesellschaft stand.

Das erste Kapitel unserer Geschichte behandelt vier Themen von zentraler Bedeutung:

- die Ursprünge der Menschheit,
- die Entwicklung des Menschen und seine Ausbreitung auf dem gesamten Erdball,
- den Beginn der Landwirtschaft und schließlich
- die Entstehung der Kulturen.

Alle vier sind eng mit der Frage nach den Methoden der Ernährung verknüpft. Den längsten Teil ihrer bisherigen Geschichte (99 Prozent) verbrachten die Menschen als Jäger und Sammler. Das erweckt den Eindruck, als sei die Jagd so alt wie der Mensch – historisch gesichert ist dieser Anschein indes nicht. Unsere frühesten Vorfahren nutzten wahrscheinlich nur in höchst opportunistischer Weise ihre größere Behändigkeit, um das Fleisch solcher Tiere zu rauben, die von Löwen und Leoparden geschlagen worden waren. Wann genau die echte Jagd begonnen hat, ist schwer festzustellen, denn die ersten Jagdwaffen bestanden aus kaum mehr als angespitzten, feuergehärteten Stöcken, die nicht erhalten geblieben sind. Das Auftreten des Jetztmenschen könnte der Augenblick gewesen sein, von dem an große oder kleine Tiere systematisch gejagt wurden. Stöcke mit Steinspitzen, angespitzte Wurfgeschosse aus Geweihen und Speere ermöglichten es den Jägern schließlich, das Wild aus sicherer Entfernung zu erlegen. Als vor etwa 10 000 Jahren Pfeil und Bogen in Gebrauch kamen, schlug die Stunde einer noch effektiveren Jagd auf Tiere jeder Größe und auf Vögel in der Luft. Zu dieser Zeit schmolzen außerdem die Gletscher ab, so dass sich die Menschen zusätzliche Nahrungsquellen erschließen konnten. Die Palette jagdbaren Wildes erweiterte sich nun noch um Meeressäugetiere und Fische und an geeigneten Stellen entstanden die ersten Dauersiedlungen der Menschen.

Von der Sesshaftwerdung zu den ersten Hochkulturen

Die Jagd wird nicht selten verherrlicht; darüber gerät ganz in Vergessenheit, dass sich die Menschen sieben Millionen Jahre lang im Wesentlichen von essbaren Pflanzen und Früchten ernährt haben. Unsere Vorfahren verfügten in Bezug auf die Pflanzenwelt über ein geradezu enzyklopädisches Wissen. So wussten sie beispielsweise genau, welche Gewächse sich nur für die tägliche Ernährung eigneten und welche – weil lagerfähig – für Notzeiten. Als zu Ende der Eiszeit die Zahl der Menschen rapide anstieg, gingen sie dazu über, wilde Gräser und Knollen zu kultivieren, um das Angebot an wild wachsenden Pflanzen zu ergänzen, von denen sie sich jahrtausendelang ernährt hatten. Innerhalb einer bemerkenswert kurzen Zeit (vermutlich nur knapp 3000 Jahre) waren der Anbau von Kulturpflanzen und die Tierhaltung weit verbreitet.

Mit dem Beginn der Landwirtschaft beschleunigte sich das Tempo der kulturellen Entwicklung. Am Anfang standen Hochkulturen – zum Beispiel die der Ägypter, der Shang-Dynastie in China oder der Sumerer in Mesopotamien – als unabhängig voneinander existierende »Einheiten«, die entweder keine oder nur geringe Kontakte unterhielten. Allmählich entwickelte sich jedoch der Handel mit kostbaren Gegenständen und nützlichen Rohstoffen – die Gemeinwesen waren zunehmend aufeinander angewiesen. Um 500 v. Chr. endet das erste Kapitel der Menschheitsgeschichte, denn nun entstand eine Welt, in der viel größere staatliche Gebilde, die wir als »Reiche« bezeichnen, die Hauptrolle spielten. Trotzdem wurde in diesen ersten sieben Millionen Jahren mit der biologischen und kulturellen Entwicklung des Menschen in sehr unterschiedliche Richtungen das Fundament unserer gegenwärtigen Welt gelegt.

Ausgrabungsstätte von Ur am unteren Euphrat, im Hintergrund die Zikkurat (Tempelturm). Ur war seit dem 3. Jahrtausend v. Chr. ein sumerischer Stadtstaat.

Von der Urgeschichte bis zur Antike (7 000 000 bis 500 v. Chr.)

Die Ursprünge der Menschheit • Vor 7 000 000 bis 100 000 Jahren

Die Evolution des Menschen setzte ein, als sich das Erdklima während des Miozäns (vor 25 bis 5 Millionen Jahren) langsam abkühlte, ein Vorgang, der sich bis zur Eiszeit des Pleistozäns fortsetzte. Im frühen Miozän war das Klima wärmer als heute. Große tropische Wälder in Afrika und Eurasien sicherten die Ernährung einer weit verzweigten Population früher hominider Affen (unter ihnen die Vorgänger der Gorillas, Schimpansen und Menschen).

Am Ende des Miozäns hatten sich an den Polen Eiskappen gebildet und trockenere Klimaverhältnisse ließen in Afrika die tropischen Wälder schrumpfen. In Ostafrika, der mutmaßlichen Geburtsstätte der Hominiden, verstärkten geologische Bewegungen diesen Veränderungsprozess; sie hoben das ostafrikanische Plateau an und rissen einen tiefen Graben auf. Die frühen Hominiden sahen sich auf schrumpfende »Inseln« des ursprünglichen Waldes zurückgedrängt, die von lichtem Waldland und Savannen umgeben waren. Daraus entwickelte sich ihr aufrechter Gang, der es ihnen erlaubte, am Boden größere Entfernungen zurückzulegen.

ERSTE HOMINIDEN

Einer der ältesten Hominiden, der 4,4 Millionen Jahre alte Ardipithecus ramidus, konnte wahrscheinlich schon auf zwei Beinen stehen, aber erst von dem etwas später lebenden Australopithecus afarensis wissen wir es genau; gleichwohl blieb er ein guter Baumkletterer wie auch spätere Angehörige dieser Gruppe. Vor etwa drei Millionen Jahren entwickelte sich der Australopithecus in zwei verschiedenen Gruppen weiter, von denen die eine wegen ihrer schweren Kiefer und großen Zähne als Australopithecus robustus bezeichnet wird. Er gehört nicht zu den Vorfahren des Menschen, wohl aber die zweite Spezies, der Australopithecus africanus. Er besaß kleine Zähne und Kiefer und ernährte sich von Pflanzen und dem Fleisch verendeter Herdentiere, die in den Savannen lebten. Der erste Hominide mit einigermaßen menschlichen Zügen ist der vor 2,4 Millionen Jahren auftauchende Homo habilis. Er lebte ähnlich wie die grazilen Angehörigen der Australopithecinen-Gruppe, besaß aber mit der Hälfte des Hirnvolumens heutiger Menschen ein größeres Hirn als sie. Während die Australopithecinen nur einfaches Werkzeug wie unbearbeitete Steine und Stöcke kannten, benutzte der Homo habilis scharfkantige Steine und Kiesel, um damit größere Tiere zu zerlegen. Diese einfache Werkzeuge herstellende Gruppe heißt nach den Funden in der Olduwai-Schlucht im ostafrikanischen Grabensystem Oldowan-Kultur.

Moustérien-Handspitzen, benannt nach dem Fundort Le Moustier, Département Dordogne (Frankreich)

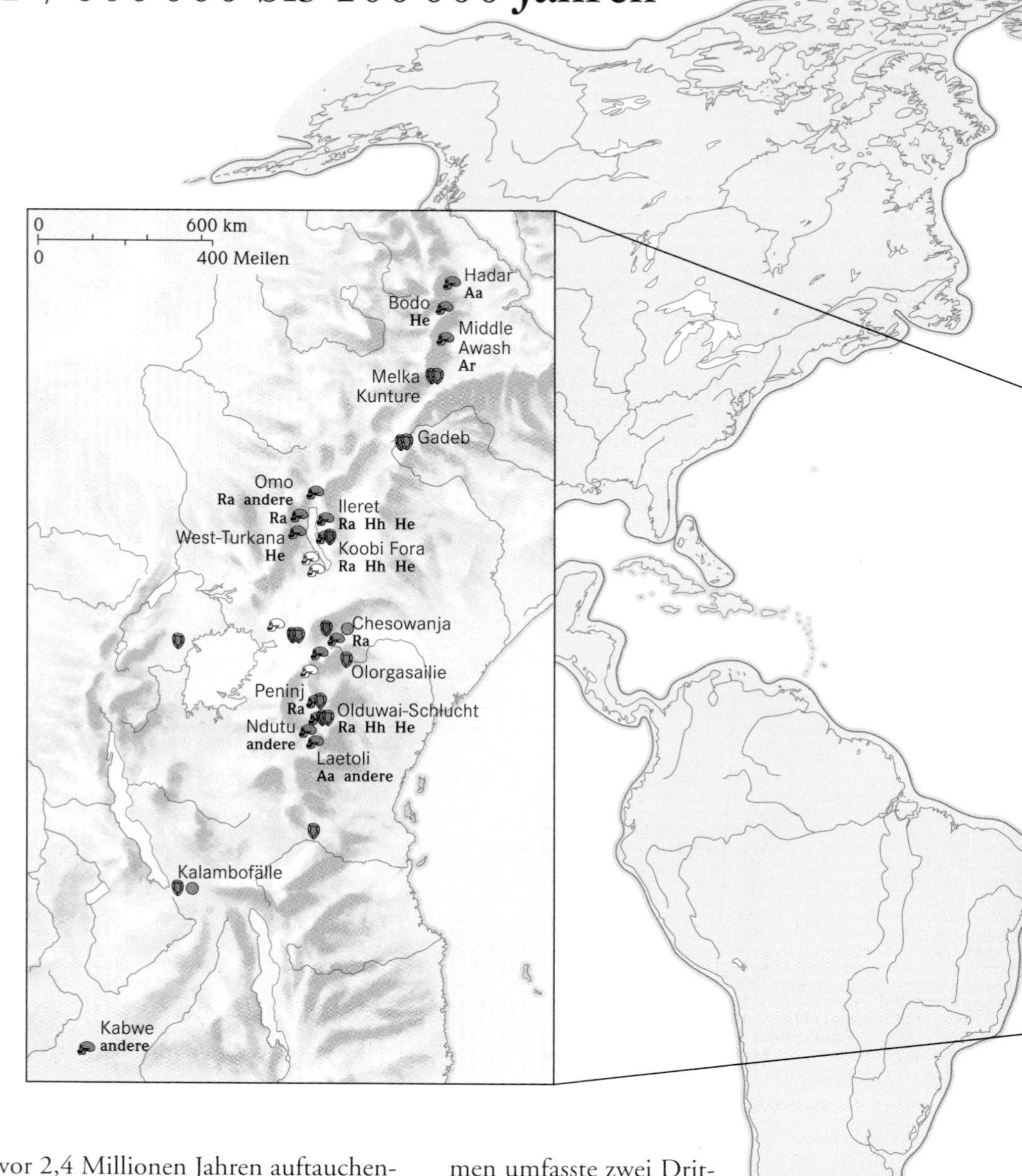
0
600 km
0
400 Meilen
Hadar
Aa
Bodo
He
Middle
Awash
Ar
Melka
Kunture
Gadeb
Omo
Ra andere
Ra
West-Turkana
He
Ileret
Ra Hh He
Koobi Fora
Ra Hh He
Chesowanja
Ra
Olorgasailie
Peninj
Ra
Olduwai-Schlucht
Ra Hh He
Ndutu
andere
Laetoli
Aa andere
Kalambofälle
Kabwe
andere

DER HOMO ERECTUS

Vor etwa 1,9 Millionen Jahren trat an die Stelle des Homo habilis der Homo erectus. Sein Gehirnvolumen umfasste zwei Drittel des Jetztmenschenhirns und erreichte im Lauf der folgenden Jahresmillion drei Viertel davon. Dieses Wachstum erfolgte so rasch, weil sich das Klima zwischen den trockenen Kälteperioden der Eiszeiten und den feuchteren und wärmeren Zwischeneiszeiten schnell veränderte; da blieb für die körperliche Anpassung nicht viel Zeit. Nur intelligente Tiere, die ihr Verhalten veränderten, besaßen eine evolutionäre Chance. Der Homo erectus lernte die Beherrschung des Feuers und erwies sich im Vergleich zum Homo habilis als der geschicktere Werkzeughersteller, wie seine durch

ZEITLEISTE

vor ca. 7 Mio. Jahren
Im Tschad wurde der Schädel des bisher ältesten bekannten Hominiden, Sahelanthropus tchadensis, entdeckt, der äffische und menschliche Merkmale aufweist.

vor ca. 6 Mio. Jahren
In Nairobi fanden Forscher die Knochenreste eines Hominiden, des Orrorin tugenensis (»Millennium-Mensch«).

vor ca. 3,6 Mio. Jahren
Fußabdrücke eines zweibeinigen Hominiden aus dieser Zeit wurden bei Laetoli in Tansania gefunden.

vor 4 Mio. Jahren

vor ca. 3,5 Mio. Jahren
Bei Hadar in Äthiopien entdeckte man den bisher vollständigsten Australopithecus afarensis, genannt »Lucy«.

vor 3 Mio. Jahren

vor ca. 2,4 Mio. Jahren
Die ältesten bisher bekannten Steinwerkzeuge werden hergestellt; ihr Fundort ist Hadar (Äthiopien). Beginn der Altsteinzeit in Afrika.

vor ca. 2 Mio. Jahren
Mit Steinmessern, die in der Olduwai-Schlucht (Tansania) gefunden wurden, beginnt die Oldowan-Kultur.

vor 2 Mio. Jahren

vor ca. 1,8 Mio. Jahren
Homo-erectus-Gruppen erreichen Süd- und Südostasien.

Ardipithecus ramidus

Australopithecus afarensis

Australopithecus africanus

Homo habilis

Australopithecus robustus

Oldowan-Kultur

PLIOZÄN

TERTIÄR

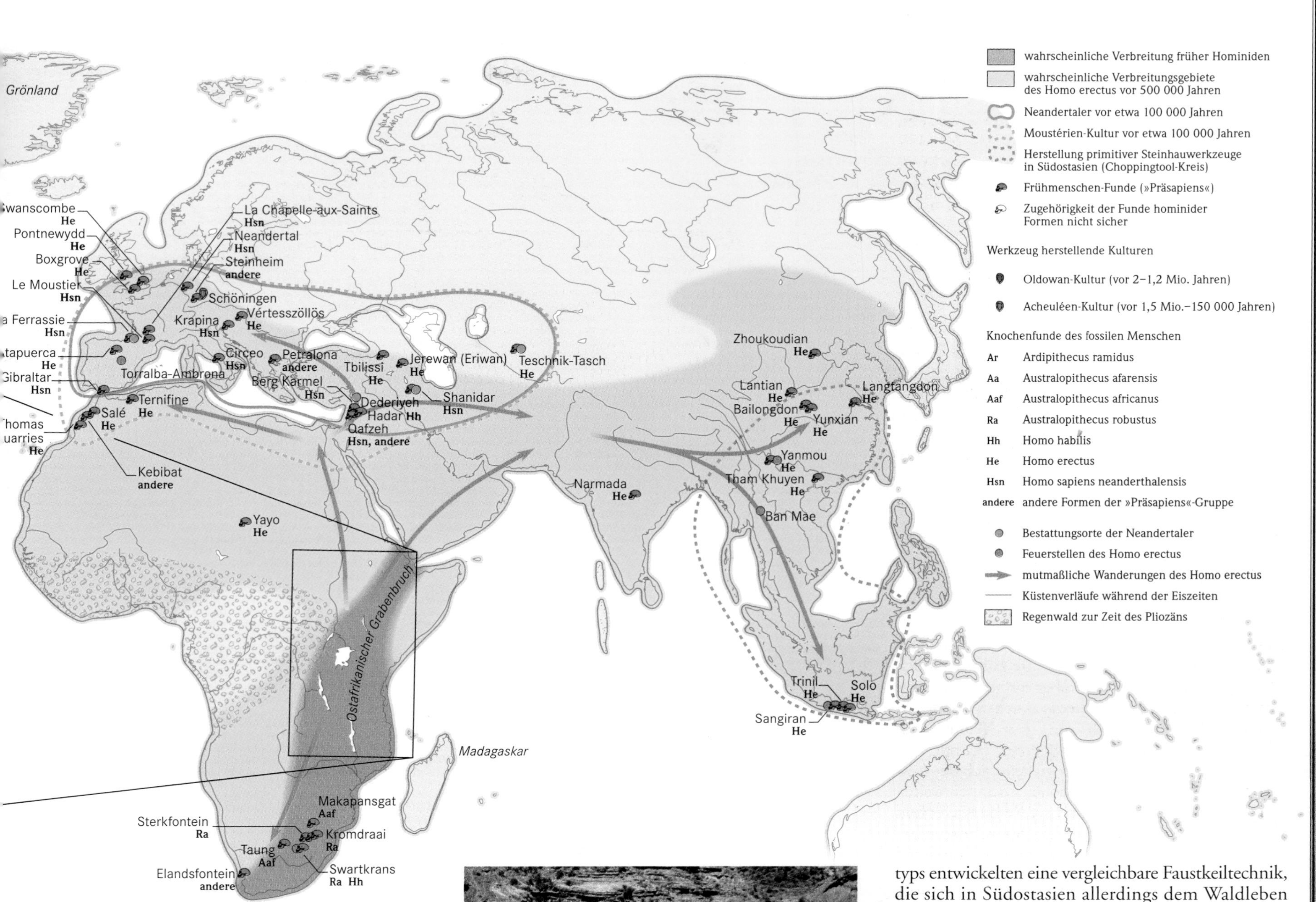

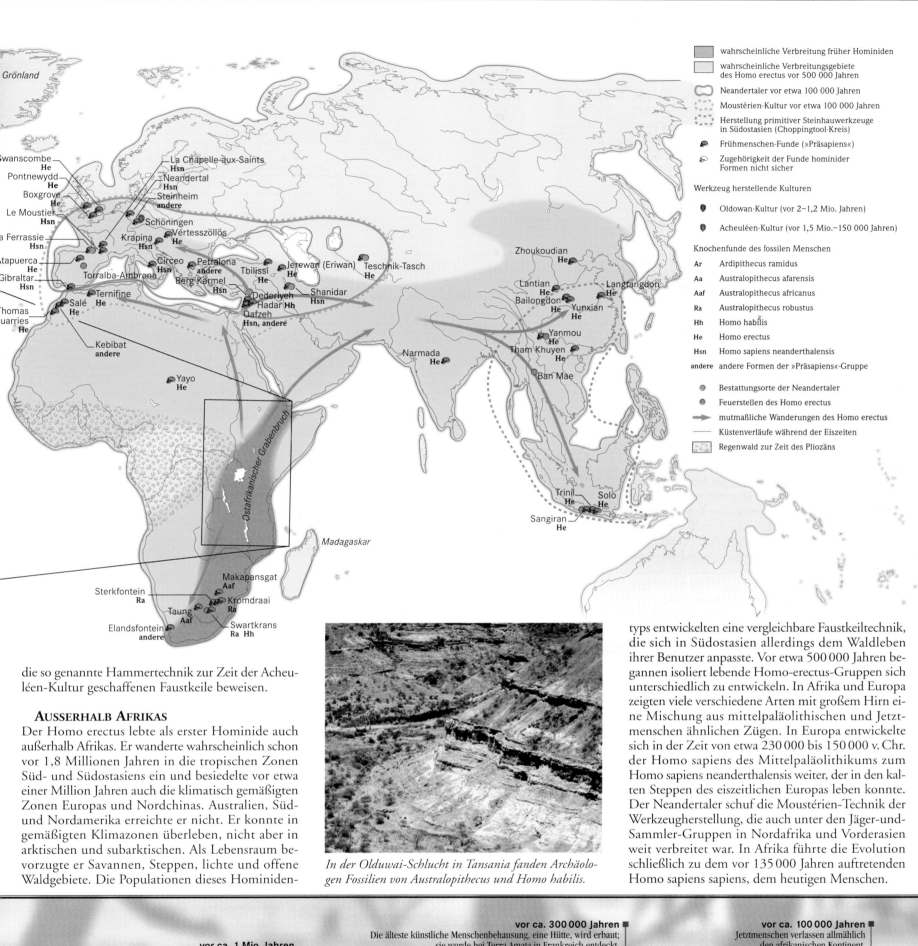

- wahrscheinliche Verbreitung früher Hominiden
- wahrscheinliche Verbreitungsgebiete des Homo erectus vor 500 000 Jahren
- Neandertaler vor etwa 100 000 Jahren
- Moustérien-Kultur vor etwa 100 000 Jahren
- Herstellung primitiver Steinhauwerkzeuge in Südostasien (Choppingtool-Kreis)
- Frühmenschen-Funde (»Präsapiens«)
- Zugehörigkeit der Funde hominider Formen nicht sicher

Werkzeug herstellende Kulturen

- Oldowan-Kultur (vor 2–1,2 Mio. Jahren)
- Acheuléen-Kultur (vor 1,5 Mio.–150 000 Jahren)

Knochenfunde des fossilen Menschen

Ar	Ardipithecus ramidus
Aa	Australopithecus afarensis
Aaf	Australopithecus africanus
Ra	Australopithecus robustus
Hh	Homo habilis
He	Homo erectus
Hsn	Homo sapiens neanderthalensis
andere	andere Formen der »Präsapiens«-Gruppe

- Bestattungsorte der Neandertaler
- Feuerstellen des Homo erectus
- mutmaßliche Wanderungen des Homo erectus
- Küstenverläufe während der Eiszeiten
- Regenwald zur Zeit des Pliozäns

die so genannte Hammertechnik zur Zeit der Acheuléen-Kultur geschaffenen Faustkeile beweisen.

Ausserhalb Afrikas

Der Homo erectus lebte als erster Hominide auch außerhalb Afrikas. Er wanderte wahrscheinlich schon vor 1,8 Millionen Jahren in die tropischen Zonen Süd- und Südostasiens ein und besiedelte vor etwa einer Million Jahren auch die klimatisch gemäßigten Zonen Europas und Nordchinas. Australien, Süd- und Nordamerika erreichte er nicht. Er konnte in gemäßigten Klimazonen überleben, nicht aber in arktischen und subarktischen. Als Lebensraum bevorzugte er Savannen, Steppen, lichte und offene Waldgebiete. Die Populationen dieses Hominidentyps entwickelten eine vergleichbare Faustkeiltechnik, die sich in Südostasien allerdings dem Waldleben ihrer Benutzer anpasste. Vor etwa 500 000 Jahren begannen isoliert lebende Homo-erectus-Gruppen sich unterschiedlich zu entwickeln. In Afrika und Europa zeigten viele verschiedene Arten mit großem Hirn eine Mischung aus mittelpaläolithischen und Jetztmenschen ähnlichen Zügen. In Europa entwickelte sich in der Zeit von etwa 230 000 bis 150 000 v. Chr. der Homo sapiens des Mittelpaläolithikums zum Homo sapiens neanderthalensis weiter, der in den kalten Steppen des eiszeitlichen Europas leben konnte. Der Neandertaler schuf die Moustérien-Technik der Werkzeugherstellung, die auch unter den Jäger-und-Sammler-Gruppen in Nordafrika und Vorderasien weit verbreitet war. In Afrika führte die Evolution schließlich zu dem vor 135 000 Jahren auftretenden Homo sapiens sapiens, dem heutigen Menschen.

In der Olduwai-Schlucht in Tansania fanden Archäologen Fossilien von Australopithecus und Homo habilis.

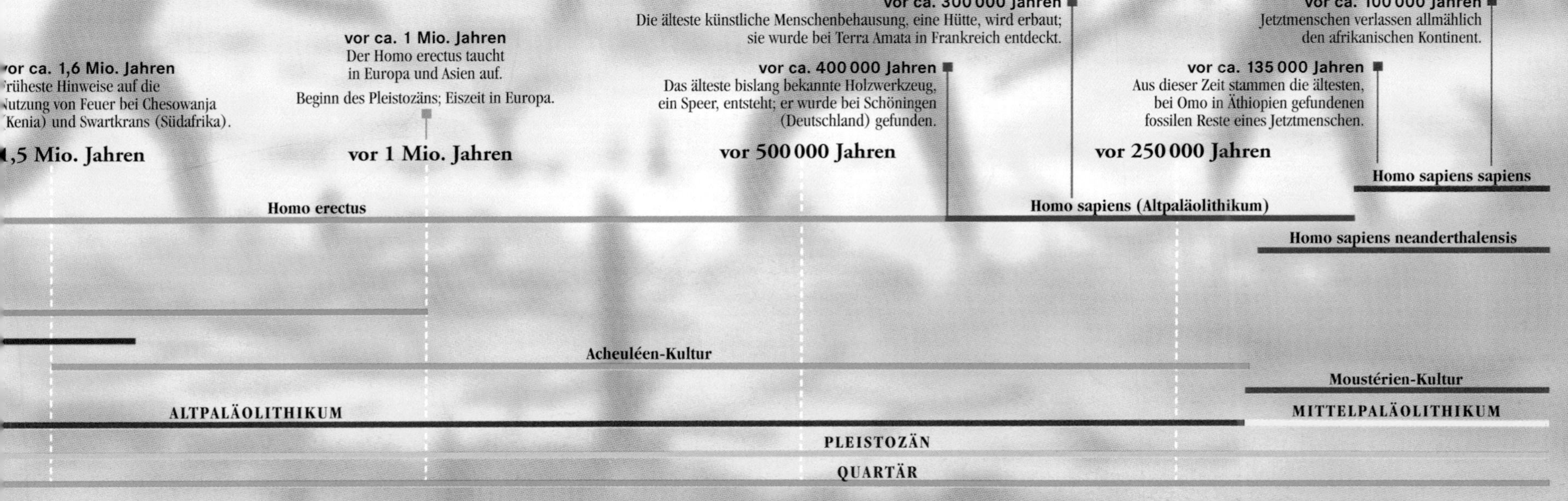
vor ca. 1,6 Mio. Jahren
Früheste Hinweise auf die Nutzung von Feuer bei Chesowanja (Kenia) und Swartkrans (Südafrika).
vor ca. 1 Mio. Jahren
Der Homo erectus taucht in Europa und Asien auf.
Beginn des Pleistozäns; Eiszeit in Europa.
vor ca. 300 000 Jahren
Die älteste künstliche Menschenbehausung, eine Hütte, wird erbaut; sie wurde bei Terra Amata in Frankreich entdeckt.
vor ca. 400 000 Jahren
Das älteste bislang bekannte Holzwerkzeug, ein Speer, entsteht; er wurde bei Schöningen (Deutschland) gefunden.
vor ca. 100 000 Jahren
Jetztmenschen verlassen allmählich den afrikanischen Kontinent.
vor ca. 135 000 Jahren
Aus dieser Zeit stammen die ältesten, bei Omo in Äthiopien gefundenen fossilen Reste eines Jetztmenschen.
1,5 Mio. Jahren
vor 1 Mio. Jahren
vor 500 000 Jahren
vor 250 000 Jahren
Homo erectus
Homo sapiens (Altpaläolithikum)
Homo sapiens sapiens
Homo sapiens neanderthalensis
Acheuléen-Kultur
Moustérien-Kultur
ALTPALÄOLITHIKUM
MITTELPALÄOLITHIKUM
PLEISTOZÄN
QUARTÄR

Von der Urgeschichte bis zur Antike (7 000 000 bis 500 v. Chr.)

Die Erde bevölkert sich • Vor 100 000 bis 10 000 Jahren

Der früheste bekannte, dem Jetztmenschen entsprechende Homo sapiens sapiens tauchte vor 135 000 Jahren in Afrika, vor 90 000 Jahren im Vorderen Orient, vor 75 000 Jahren in Asien und vor 40 000 Jahren in Europa und Australien auf. Am Ende der letzten Eiszeitepoche – vor 10 000 Jahren, während des Jungpleistozäns – waren nur noch einige Meeresinseln, die Antarktis und Teile der inneren Arktis unbewohnt.

Plastische Rekonstruktion des Kopfes eines Neandertalers, einer Nebenlinie des heutigen Homo sapiens, die vor rund 30 000 Jahren ausstarb

Für diese Tatsachen gibt es zwei Erklärungen. Der einen Theorie zufolge entwickelten sich die heutigen Menschenrassen direkt aus regionalen Populationen des Homo erectus, zum Beispiel die heutigen Afrikaner aus dem archaischen afrikanischen Homo sapiens, die Europäer der Gegenwart vom Homo erectus über den Homo sapiens und die Neandertalergruppe und so weiter. Kritiker dieser Theorie verweisen darauf, dass parallele Entwicklungen in einem so großen Gebiet unwahrscheinlich seien und es dafür auch keine fossilen Beweise gebe.

»Out of Africa«

Die zweite, als Theorie des einheitlichen Ursprungs aller Menschen oder als »Out-of-Africa«-Hypothese bekannte Erklärung stützt sich auf genetisches Material. Dieses lasse erkennen, dass alle modernen Menschen von afrikanischen Vorfahren abstammten, die dort vor etwa 285 000 bis 150 000 Jahren gelebt haben. Dabei würden sich, so heißt es, die nicht afrikanischen Menschen von einer einzigen afrikanischen Population herleiten, die den Kontinent vor rund 100 000 Jahren verließ. Entsprechend dieser zweiten Theorie breiteten sich die anatomisch modernen Nachkommen dieser Gruppe in ganz Eurasien aus und verfügten über besser entwickelte Sprachfähigkeiten als die bereits früher dort lebenden Ureinwohner. Letztere konnten mit den Neuankömmlingen nicht konkurrieren und starben allmählich aus.

Die zweite Theorie passt zu den allermeisten bisherigen fossilen und archäologischen Funden weit besser als die erste. In der Zeit von 120 000 bis 90 000 Jahren v. Chr. herrschte in Afrika ein feuchteres Klima als heute und Gruppen von Jägern und Sammlern könnten die Sahara-Region durchquert haben. Außerhalb Afrikas wurden die bislang frühesten fossilen, 90 000 Jahre alten menschlichen Überreste in Israel gefunden, so dass Zeitpunkt und Fundort zu der Theorie des einheitlichen Ursprungs passen. Allerdings fand man 1996 in Australien Spuren des Homo sapiens, die rund 60 000 Jahre alt sein dürften – was gegen die »Out-of-Africa«-Hypothese spräche. In Europa stellen die Neandertalergruppe und andere paläoanthropoide Gruppen getrennte Populationen dar, die 10 000 Jahre lang nebeneinander existierten. Die Neandertaler erreichten die Stufe des Jetztmenschen nicht. In Ost- und Südostasien gingen die Populationen des Homo erectus gegen jene des Homo sapiens sapiens unter; Zwischenstufen konnten bisher nicht nachgewiesen werden.

Ausbreitung nach Asien

Als die ersten Jetztmenschen Vorderasien erreichten, setzte global die kälteste Periode der Eiszeit ein. Die von den damals lebenden Menschen entwickelten Techniken genügten wahrscheinlich noch nicht, um in dem arktischen Klima zu überleben, das zu jener Zeit in Europa und Zentralasien herrschte, weshalb diese Bereiche dem robusteren Neandertaler überlassen blieben. Die Präsapiens-Gruppen zogen stattdessen nach Osten weiter und erreichten vor 75 000 Jahren China und Südostasien. Hier lernten sie, Boote und Flöße zu bauen, so dass sie vor 40 000 Jahren, von Insel zu Insel »springend«, auch bis Neuguinea und Australien vordrangen (beide Landmassen bildeten damals noch einen gemeinsamen Kontinent). Obwohl es sich bei den Entfernungen, die diese Frühmenschen zurückzulegen hatten, nur um kürzere Strecken handelte und der Meeresspiegel, weil sehr viel Wasser in den Eiskappen der Gletscher gebunden war, tiefer lag als heute, stellten diese frühen Seereisen doch große und für die »Seefahrer« gefährliche Leistungen dar.

Das Känguru und sein Jäger: Mehr als 20000 Jahre alt ist diese Felszeichnung im Nationalpark Kakadu im Norden Australiens.

Besiedlung Europas und Amerikas

Vor etwa 40 000 Jahren zogen Präsapiens-Gruppen auch nach Europa. Sie hatten die notwendigen geistigen Fähigkeiten und die Techniken entwickelt, um in den unfruchtbaren Steppen und Tundren Eurasiens zu überleben. Die Neandertaler hingegen starben während der nächsten 12 000 Jahre aus. Die Tundren und Steppen boten den Jägern der ausgehenden Eiszeit einen geeigneten Lebensraum, weil dort große

BERINGIA
Bluefish Cave 15 000–12 000
Präsapiens-Gruppen wandern um 15 000 in Alaska ein.
ca. 12 000–14 000 Jahre eisfreier Korridor
Kordilleren-Eisschild
Laurentischer Eisschild
Marmes 10 500
Folsom
Clovis
Der Clovis-Komplex wurde zwischen 11 500 und 11 000 v. Chr. besiedelt.
Little Salt Spring
Tepexpan 11 000–10 000
Pedra Pintada 11 200–10 500
Guittarero Cave um 10 000
Monte Verde 12 500
Paläoindianer erreichen Patagonien um 11 000.
Fell's Cave 11 000

ZEITLEISTE

Nord- und Südamerika ■ Europa ■ Vorderer Orient ■ Afrika ■ Ost- und Südostasien ■

120 000 v. Chr.

um 120 000 v. Chr. (Mittelpaläolithikum) Die Herstellung von Werkzeugen aus Steinsplittern ist im tropischen Afrika weit verbreitet.

um 120 000–90 000 v. Chr. Perioden mit vermehrten Niederschlägen ermöglichen das Leben des Menschen in der Sahara-Region.

um 115 000 v. Chr. Beginn des quartären Eiszeitalters (Pleistozän).

um 90 000 v. Chr. Bei Qafzeh (Israel) leben Hominiden mit ähnlichem Körperbau wie Jetztmenschen.

80 000 v. Chr.

um 75 000 v. Chr. Die Vergletscherung führt in Afrika zu Trockenheit – die Sahara wird für Menschen unpassierbar.

In China und Südostasien siedeln Präsapiens-Gruppen.

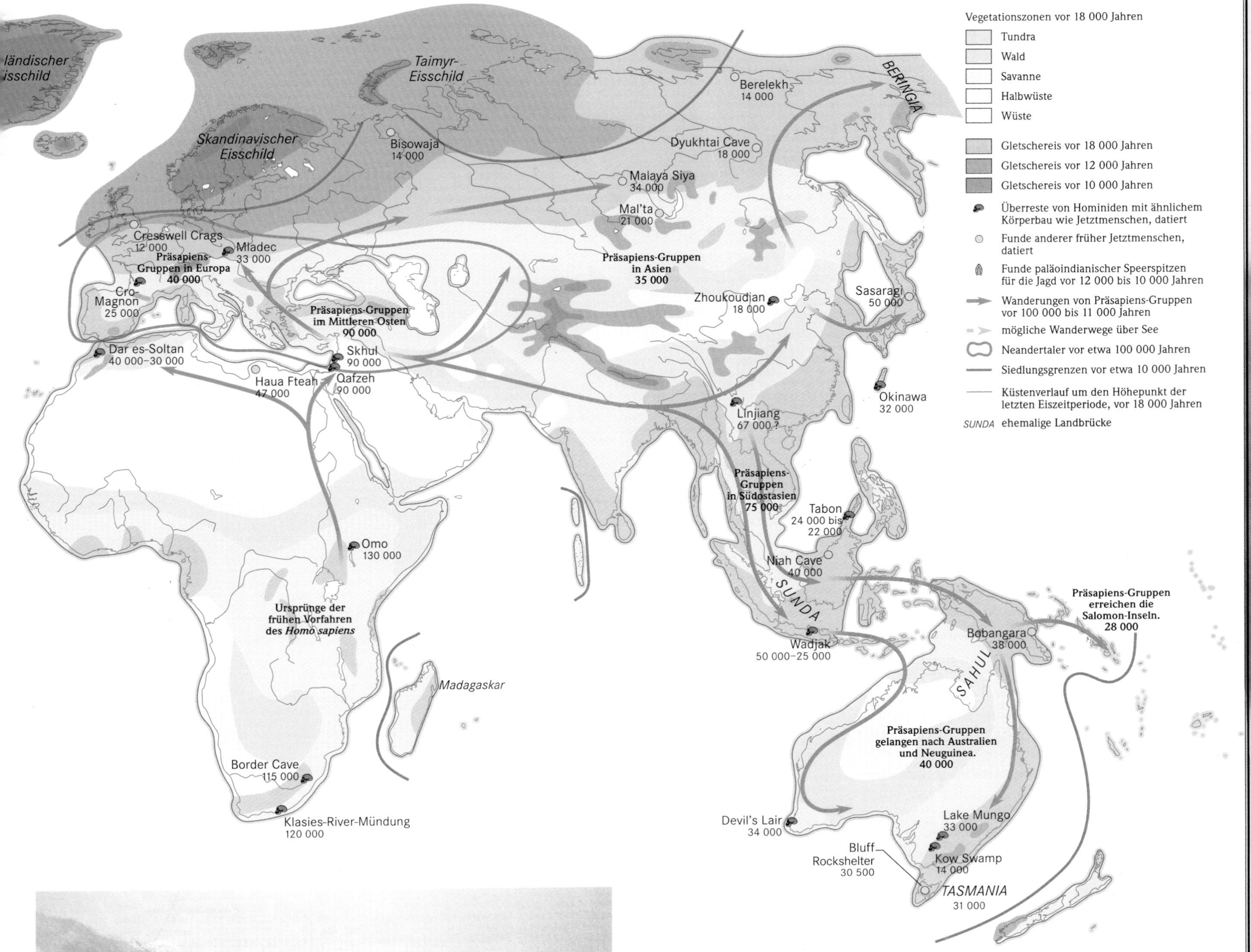

Vegetationszonen vor 18 000 Jahren
- Tundra
- Wald
- Savanne
- Halbwüste
- Wüste
- Gletschereis vor 18 000 Jahren
- Gletschereis vor 12 000 Jahren
- Gletschereis vor 10 000 Jahren
- Überreste von Hominiden mit ähnlichem Körperbau wie Jetztmenschen, datiert
- Funde anderer früher Jetztmenschen, datiert
- Funde paläoindianischer Speerspitzen für die Jagd vor 12 000 bis 10 000 Jahren
- Wanderungen von Präsapiens-Gruppen vor 100 000 bis 11 000 Jahren
- mögliche Wanderwege über See
- Neandertaler vor etwa 100 000 Jahren
- Siedlungsgrenzen vor etwa 10 000 Jahren
- Küstenverlauf um den Höhepunkt der letzten Eiszeitperiode, vor 18 000 Jahren
- *SUNDA* ehemalige Landbrücke

ländischer Eisschild
Taimyr-Eisschild
Skandinavischer Eisschild
BERINGIA
Berelekh 14 000
Bisowaja 14 000
Dyukhtai Cave 18 000
Malaya Siya 34 000
Mal'ta 21 000
Cresswell Crags 12 000
Mladec 33 000
Präsapiens-Gruppen in Europa 40 000
Cro-Magnon 25 000
Präsapiens-Gruppen in Asien 35 000
Präsapiens-Gruppen im Mittleren Osten 90 000
Zhoukoudian 18 000
Sasaragi 50 000
Dar es-Soltan 40 000–30 000
Skhul 90 000
Haua Fteah 47 000
Qafzeh 90 000
Okinawa 32 000
Liujiang 67 000 ?
Präsapiens-Gruppen in Südostasien 75 000
Tabon 24 000 bis 22 000
Omo 130 000
Niah Cave 40 000
SUNDA
Präsapiens-Gruppen erreichen die Salomon-Inseln. 28 000
Ursprünge der frühen Vorfahren des *Homo sapiens*
Bobangara 38 000
Wadjak 50 000–25 000
SAHUL
Madagaskar
Präsapiens-Gruppen gelangen nach Australien und Neuguinea. 40 000
Border Cave 115 000
Klasies-River-Mündung 120 000
Devil's Lair 34 000
Lake Mungo 33 000
Bluff Rockshelter 30 500
Kow Swamp 14 000
TASMANIA 31 000

So wie hier in einem Diorama im Niedersächsischen Landesmuseum in Hannover dargestellt, könnten die Urmenschen gelebt haben.

Herden von Rentieren, Wildpferden, Wildrindern und Mammuts lebten. Vor 35 000 Jahren drangen Jägergruppen nach Zentralasien und vor 20 000 Jahren andere – wahrscheinlich von China aus – in den Nordosten Sibiriens vor. Die Gegend der heute wasserüberfluteten Beringstraße war damals eine kalte Ebene, die einige der Präsapiens-Gruppen überquerten. Vor etwa 15 000 Jahren hatten sie Nordamerika erreicht. Ihr weiteres Vordringen verhinderten zunächst gewaltige Eisschichten. Vor 14 000 bis 12 000 Jahren schmolzen diese aber ab, so dass Gruppen von Jägern und Sammlern – die Paläoindianer – bis ins Zentrum Nordamerikas gelangen konnten. Die frühesten paläoindianischen Fundstätten weisen sehr schön gearbeitete, geriffelte Speerspitzen aus Stein auf, die für die Großwildjagd benutzt wurden. Die Paläoindianer breiteten sich dann sehr rasch auf beiden amerikanischen Kontinenten aus und erreichten vor 11 000 Jahren Patagonien an der Südspitze Südamerikas.

um 45 000 v. Chr.
Das früheste bisher bekannte Musikinstrument, eine Flöte, entsteht; sie wurde in Nordafrika gefunden.
um 40 000 v. Chr.
Präsapiens-Gruppen besiedeln Europa – sie leben neben den eingeborenen Neandertalern.
40 000 v. Chr.
um 35 000 v. Chr.
Hominide Gruppen jagen in Eurasien Großwild.
Die Jäger-Sammler-Kultur der australischen Aborigines entsteht.
um 32 000–14 000 v. Chr.
Die Zeit der Höhlenmalerei in Europa.
um 28 000 v. Chr.
Die Salomon-Inseln werden besiedelt.
um 28 000 v. Chr.
Die letzten Neandertaler sterben in Südspanien aus.
um 20 000–14 000 v. Chr.
Früheste bekannte Siedlung in Nordostasien (Dyukhtai-Höhle).
um 18 000 v. Chr.
Höhepunkt der letzten Erdvereisung. Die Meeresspiegel liegen um 100 bis 130 Meter niedriger als heute.
um 15 000 v. Chr.
Mögliches Datum der ersten Siedlung in Nordamerika (die Bluefish Cave in Alaska).
um 11 500 v. Chr.
Beginn der Clovis-Kultur in Nordamerika.
um 11 000–9000 v. Chr.
Die Folsome-Kultur tritt bei den Paläoindianern an die Stelle der Clovis-Kultur.
um 10 000 v. Chr.
Anfänge der Landwirtschaft in Vorderasien.
Chr. Geb.
um 10 000–3000 v. Chr.
Vermehrte Niederschläge machen die Sahara wieder bewohnbar.

Von der Urgeschichte bis zur Antike (7 000 000 bis 500 v. Chr.)

Die Entwicklung der Landwirtschaft • 10 000 bis 500 v. Chr.

Zwischen 10 000 und 500 v. Chr. entstanden wegen der Umweltveränderungen nach der Eiszeit überall auf der Erde Weiler oder Dörfer. Das wärmere Klima erwies sich aber nicht nur als ein Segen, denn mit steigendem Meeresspiegel aufgrund des Abschmelzens der Eisschilde wurden große Teile der tiefer gelegenen Jagdgründe überflutet. Die an Großwild so reichen Savannen, Steppen und Tundren schrumpften, während sich die Wälder wieder ausdehnten.

Im ägyptischen Sakkara wurde dieses Relief mit Erntearbeitern aus der Zeit des so genannten Alten Reiches (ab 2705 v. Chr.) gefunden.

In vielen Regionen gingen Jäger und Sammler dazu über, mehr als zuvor auch kleinere Fische, Vögel sowie Pflanzen zu nutzen: Gerade diese Gruppen trugen zur Entstehung der Landwirtschaft bei. Der erste Schritt bestand vermutlich darin, die Samen bevorzugter Wildpflanzen auszusäen, um ihre fortgesetzte Verfügbarkeit zu sichern. Als nächster Schritt wurden die Wildpflanzen durch die gezielte Züchtung von Arten mit erwünschten Eigenschaften kultiviert. Weil die Samen der verschiedenen Getreidearten einen hohen Kohlehydratgehalt hatten und sich leicht lagern ließen, wurden sie zu den wichtigsten Nutzpflanzen – so Weizen, Gerste, Hafer, Reis, Hirse und Mais. Die Tierhaltung beschränkte sich zunächst auf wenige Arten, im Wesentlichen auf solche Herdentiere, die Leittieren folgen, weil sie sich leichter zähmen ließen. Der erste Schritt bestand im Einfangen und Aussondern brauchbarer Tiere. Dann folgte das Einpferchen und die gezielte Zucht. Die meisten der frühen landwirtschaftlichen Zentren finden sich in Gebieten, in denen es reichlich Tiere und Pflanzen gab, die sich für eine Nutzung eigneten – dort, wo dies nicht zutraf, wurden sie aus den landwirtschaftlich bereits weiter entwickelten Gebieten eingeführt.

Vom Jäger und Sammler zum Bauern

Einige der Jäger-Sammler-Gruppen schafften den Schritt von der nebenher betriebenen Zucht wilder Pflanzen zur gezielten Landwirtschaft sehr viel schneller als andere. Vielleicht weil Bauern viel härter arbeiten mussten als Jäger und Sammler, vollzogen nur wenige Populationen diese Entwicklung freiwillig, aber wahrscheinlich erforderte die vielerorts wachsende Bevölkerung die Ergänzung der Versorgung mit Wildpflanzen durch den Ackerbau. Die Landwirtschaft begann zuerst im Fruchtbaren Halbmond Vorderasiens und dort dauerte es nur drei Jahrhunderte (8000 bis 7700 v. Chr.), bis sich der Übergang zu einer gezielten Agrarwirtschaft vollzogen hatte. In der Fleischversorgung ersetzten ein Jahrtausend später gezüchtete Haustiere das Jagdwild. In Mesoamerika entwickelte sich nach dem gelungenen Anbau von Mais in nur wenigen Jahrhunderten eine bäuerliche Lebensweise (vgl. S. 62/63), während im Osten Nordamerikas das Jagen und Sammeln noch drei Jahrtausende nach dem ersten Anbau kultivierter Pflanzen die Hauptquelle der Ernährung blieb.

Die »neue« Sesshaftigkeit

Der Ackerbau bewirkte folgenreiche Entwicklungen. Während die Sammler und Jäger noch ihre gesamte Habe von Lager zu Lager mit sich führen mussten, wurden die Bauern sesshaft und damit sank auch die Bedeutung der für Jäger und Sammler lebensnotwen-

Diese Felsmalerei aus dem 2. Jahrtausend v. Chr. wurde im Tassili-Bergland in der Sahara entdeckt und zeigt Hirten mit ihren Rindern.

ÖSTLICHES NORDAMERIKA
Gänsefuß
Kürbisse
Moschus-/Bisamschafgarbe
Ivakräuter
Sonnenblumen
um 1000
um 2300
um 1000
Hawaii-Inseln
Bahamas
Kuba
Hispaniola/Haiti
Jamaika
Puerto Rico
MITTELAMERIKA
Avocados
Bohnen
Baumwolle
Flaschenkürbisse
Mais
Chilipfeffer
Amarant
Sapotaäpfel
Tomaten
Truthähne
um 3500
um 4000
AMAZONASTIEFLAND
Maniok
Erdnüsse
Ananas
um 3000
um 2000
ANDEN
Alpakas
Bohnen
Chilipfeffer
Kürbisse
Meerschweinchen
Lamas
Kartoffeln
um 1000
um 500

ZEITLEISTE

Nord- und Südamerika
Europa
Vorderer Orient
Afrika
Ost- und Südostasien

12 000 v. Chr.

um 12 000 v. Chr. In Japan stellen Jäger und Sammler der Jomon-Kultur erste Töpferwaren her.

um 10 000 v. Chr. Jäger und Sammler der Natuf-Kultur ernten im Bereich des heutigen Syrien wild wachsendes Getreide.

um 9000 v. Chr. Im Zagros-Gebirge (Iran) werden Herden von Wildschafen gehalten.

9000 v. Chr.

um 9000–8000 v. Chr. Einfache Formen der Landwirtschaft (Anbau von Wildgetreide) im Fruchtbaren Halbmond.

um 8000 v. Chr. Die letzte Vereisung geht weltweit zu Ende.

um 8000–7700 v. Chr. Im Fruchtbaren Halbmond Zucht von Weizen und Gerste.

um 6500 v. Chr. Reisanbau im Ta[l] des Jangtsekiang.

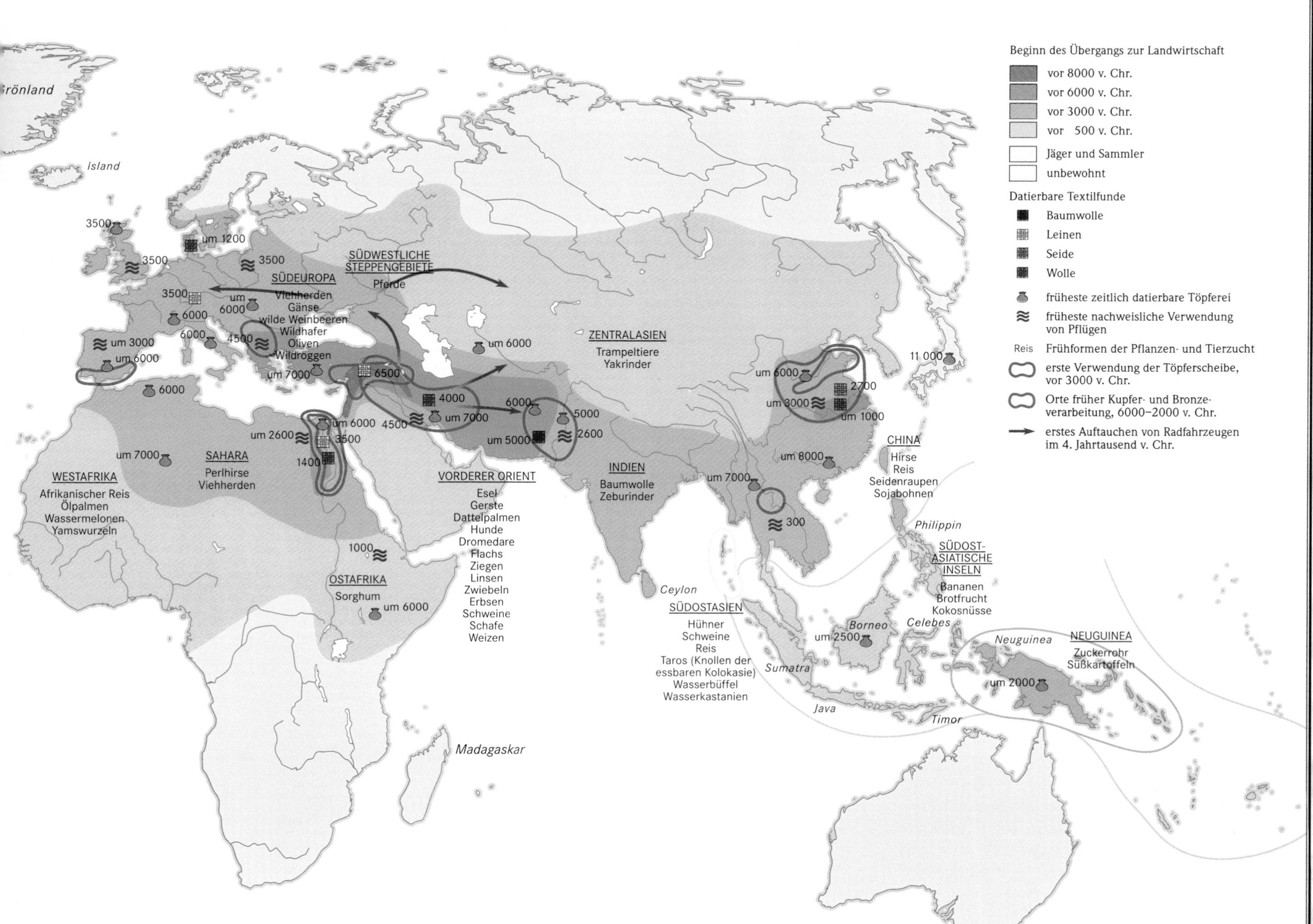

Beginn des Übergangs zur Landwirtschaft
- vor 8000 v. Chr.
- vor 6000 v. Chr.
- vor 3000 v. Chr.
- vor 500 v. Chr.
- Jäger und Sammler
- unbewohnt

Datierbare Textilfunde
- Baumwolle
- Leinen
- Seide
- Wolle
- früheste zeitlich datierbare Töpferei
- früheste nachweisliche Verwendung von Pflügen
- Reis Frühformen der Pflanzen- und Tierzucht
- erste Verwendung der Töpferscheibe, vor 3000 v. Chr.
- Orte früher Kupfer- und Bronzeverarbeitung, 6000–2000 v. Chr.
- erstes Auftauchen von Radfahrzeugen im 4. Jahrtausend v. Chr.

digen Besitztümer. Neue Werkzeuge wie geschliffene Steinäxte zum Roden der Wälder, Hacken, Sicheln und Mühlsteine kamen bald in Gebrauch, desgleichen Töpferwaren zum Kochen und für die Vorratslagerung. Die Töpferei führte ihrerseits zu einem weiteren technischen Durchbruch – die Brennöfen, die man in manchen Gegenden entwickelte, eigneten sich auch für das Schmelzen und Gießen von Metallen (zunächst Kupfer, Gold, Bronze und später Eisen). Auch das Rad, anfänglich als Töpferscheibe benutzt, fand schon bald Verwendung für den Transport. Wichtig für diese frühen bäuerlichen Gemeinschaften wurde ferner das Weben von Stoffen aus Tier- und Pflanzenfasern.

Entwicklung hierarchisch strukturierter Gesellschaften

Die sozialen Folgen der sich entwickelnden landwirtschaftlich orientierten Lebensweise reichten ebenfalls weit. Die Menschen erwarben nun sehr viel mehr materiellen Besitz, als es den Jägern und Sammlern je möglich gewesen war. Auf diese Weise bildeten sich allmählich deutliche gesellschaftliche Unterschiede heraus und die egalitäre Jäger-Sammler-Gesellschaft musste komplexeren hierarchischen Strukturen weichen. Noch wichtiger aber war, dass die Landwirtschaft ein gewaltiges Bevölkerungswachstum ermöglichte. Auch bei bestem Gelände brauchte ein Jäger und Sammler für seinen Lebensunterhalt etwa 25 Quadratkilometer, wohingegen ein einziger landwirtschaftlich genutzter Quadratkilometer selbst bei primitiven Methoden bis zu 20 Menschen ernähren kann. Wo die Nahrungsmittelproduktion durch Pflügen und Bewässerung gesteigert werden konnte, erhöhte sich diese Zahl noch, so dass dort nicht nur Dörfer mit Hunderten von Einwohnern, sondern auch kleinere Städte entstehen konnten, in denen über tausend Menschen lebten.

Im ägyptischen Sakkara wurde dieses Relief mit Erntearbeitern aus der Zeit des so genannten Alten Reiches (ab 2705 v. Chr.) gefunden.

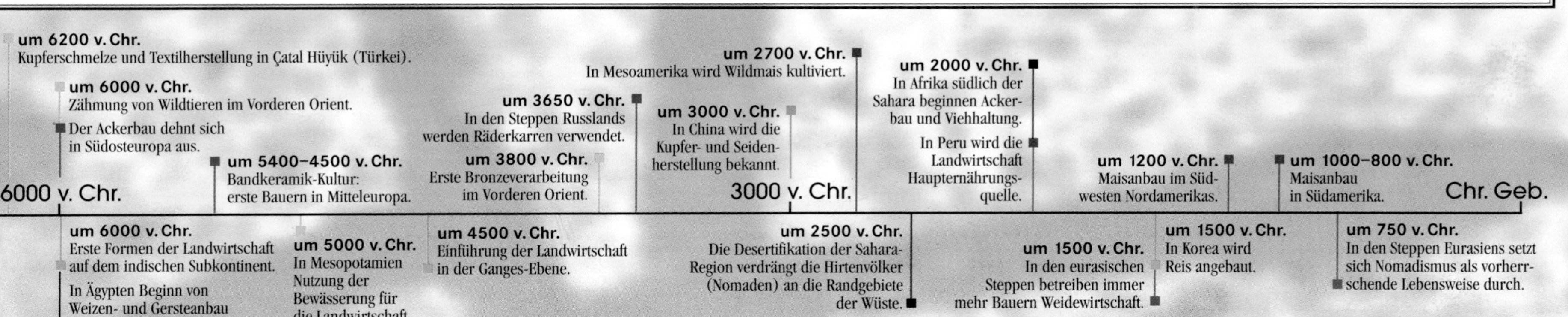
um 6200 v. Chr.
Kupferschmelze und Textilherstellung in Çatal Hüyük (Türkei).
um 6000 v. Chr.
Zähmung von Wildtieren im Vorderen Orient.
Der Ackerbau dehnt sich in Südosteuropa aus.
um 5400–4500 v. Chr.
Bandkeramik-Kultur: erste Bauern in Mitteleuropa.
6000 v. Chr.
um 6000 v. Chr.
Erste Formen der Landwirtschaft auf dem indischen Subkontinent.
In Ägypten Beginn von Weizen- und Gersteanbau sowie Schafzucht.
um 5000 v. Chr.
In Mesopotamien Nutzung der Bewässerung für die Landwirtschaft.
um 3650 v. Chr.
In den Steppen Russlands werden Räderkarren verwendet.
um 3800 v. Chr.
Erste Bronzeverarbeitung im Vorderen Orient.
um 4500 v. Chr.
Einführung der Landwirtschaft in der Ganges-Ebene.
um 2700 v. Chr.
In Mesoamerika wird Wildmais kultiviert.
um 3000 v. Chr.
In China wird die Kupfer- und Seidenherstellung bekannt.
3000 v. Chr.
um 2500 v. Chr.
Die Desertifikation der Sahara-Region verdrängt die Hirtenvölker (Nomaden) an die Randgebiete der Wüste.
um 2000 v. Chr.
In Afrika südlich der Sahara beginnen Ackerbau und Viehhaltung.
In Peru wird die Landwirtschaft Haupternährungsquelle.
um 1200 v. Chr.
Maisanbau im Südwesten Nordamerikas.
um 1500 v. Chr.
In den eurasischen Steppen betreiben immer mehr Bauern Weidewirtschaft.
um 1500 v. Chr.
In Korea wird Reis angebaut.
um 1000–800 v. Chr.
Maisanbau in Südamerika.
Chr. Geb.
um 750 v. Chr.
In den Steppen Eurasiens setzt sich Nomadismus als vorherrschende Lebensweise durch.

Von der Urgeschichte bis zur Antike (7 000 000 bis 500 v. Chr.)

Die Welt • 2000 v. Chr.

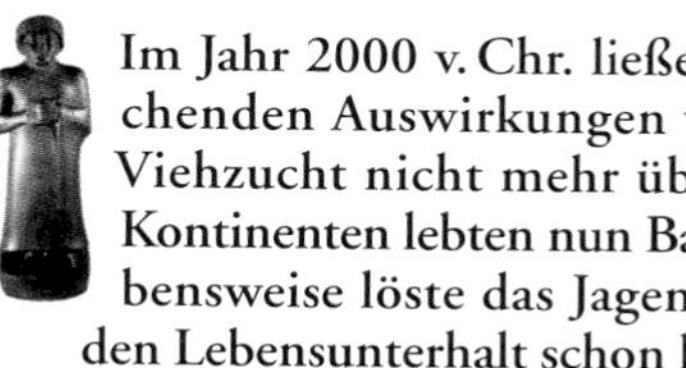

Im Jahr 2000 v. Chr. ließen sich die weit reichenden Auswirkungen von Ackerbau und Viehzucht nicht mehr übersehen. Auf allen Kontinenten lebten nun Bauern und deren Lebensweise löste das Jagen und Sammeln für den Lebensunterhalt schon lange vor der christlichen Zeitrechnung ab.

Nicht alle frühen bäuerlichen Kulturen erreichten das gleiche Maß an Komplexität. Schlechte Böden, das Klima, Krankheiten und der Mangel an Nutzpflanzen setzten der Entwicklung in vielen Regionen Grenzen. Je größer die Ressourcen einer Gesellschaft, desto komplexer wurden ihre Strukturen. In einigen Gebieten mit guten Bedingungen (zum Beispiel im Nordwesten Nordamerikas) bildete sich allerdings auch schon bei den Jäger-und-Sammler-Gesellschaften eine abgestuftere soziale Organisation aus.

Dieses Relief einer Frau mit einem Handwebstuhl stammt aus Mesopotamien (3. Jahrtausend v. Chr.).

Segmentärgesellschaften

Die meisten frühen Bauernkulturen bestanden aus Stämmen von ein paar Hundert oder sogar Tausend Mitgliedern. Obwohl sie verwandtschaftliche, religiöse oder sprachliche Beziehungen zu anderen anerkannten, wirkte sich das zumeist nicht auf die Unabhängigkeit der einzelnen Stämme aus. Innerhalb dieser Gruppen bestanden zwar Rang- und Statusunterschiede, aber die Führer waren kaum jemals in der Lage, von den Mitgliedern anderer Stämme irgendetwas zu erzwingen. Archäologisch sind solche Gesellschaften (die Kulturanthropologen sprechen hier von »Segmentärgesellschaften«) an ihren Bestattungsriten, den Überresten von Dauerwohnstätten und -siedlungen sowie an gemeinschaftlich errichteten Bauten (zum Beispiel die Megalithgräber im frühgeschichtlichen Westeuropa) zu erkennen. Bis zum Jahr 2000 v. Chr. beherrschten solche Segmentärgesellschaften auch Süd- und Südostasien, Neuguinea, Nordafrika, Nordeuropa und Teile Mittel- und Südamerikas.

Von der »Großfamilie« bis zum »Stammestum«

Wo es die Bodennutzung erlaubte, konnten große, hierarchisch gegliederte Gemeinwesen von bis zu 20 000 Menschen entstehen, die je nach Größe als »Großfamilien«, »Clans« oder »Stammestümer« bezeichnet werden. Der Rang und Status jedes Einzelnen hing von der Familienzugehörigkeit ab – der Älteste der älteren Familie hatte das Amt des Häuptlings oder Stammesführers inne und beherrschte damit das gesamte Gemeinwesen. Diese Stammesführer verschafften ihrer Macht durch eine Kriegerkaste Geltung und beschäftigten spezialisierte Handwerker. Archäologisch zeichnen sich viele der Stammestümer durch größere Bauprojekte aus, deren Realisierung eine große Zahl von Arbeitskräften und hohen Wohlstand voraussetzte, zum Beispiel Stonehenge in Südengland (vgl. S. 48/49). Im Allgemeinen gab es einen beherrschenden Mittelpunkt, den kleinere Siedlungen umgaben. Bis 2000 v. Chr. hatten sich in Vorderasien und im Südwesten Mitteleuropas, in China und in den Anden solche Stammestümer gebildet, während dieser Prozess in Westeuropa noch nicht abgeschlossen war.

Entwicklung grösserer Staatsgebilde

In Flussniederungen, wo die Landwirtschaft viele Tausend Menschen ernähren konnte, entstanden auch Städte. Aus diesen »Großgesellschaften« bildeten sich die ersten Reiche und Kulturen heraus. Um sie zusammenzuhalten, genügten verwandtschaftliche und abstammungsbedingte Bande nicht mehr; deshalb entwickelten die Herrscher Ideologien, die die Rechte und Pflichten ihrer Untertanen definierten. Eine zunehmend komplexere Verwaltung erforderte Kenntnisse im Schreiben und Rechnen. Obwohl die meisten Menschen nach wie vor in der Landwirtschaft arbeiteten, bildeten sich allmählich auch andere spezialisierte Tätigkeitsbereiche heraus, zum Beispiel der Handwerker, Geschäfts- und Kaufleute, Soldaten, Priester und Verwaltungsbeamten. Dies wiederum förderte die Entstehung von gesellschaftlichen Klassen.

Dieses glockenförmige Keramikgefäß aus der Bronzezeit wurde in Cova Toralla, Lérida, Spanien, gefunden.

Zeitleiste

Nord- und Südamerika ■ · Europa ■ · Vorderer Orient □ · Afrika ■ · Ost- und Südasien ■

4500 v. Chr.

um 5000–2000 v. Chr. Jägerkulturen breiten sich im arktischen Teil Nordamerikas und bis nach Grönland aus.

um 4300 v. Chr. In Westeuropa entstehen die ersten Megalithgräber.

um 4300–3100 v. Chr. Die Uruk-Periode in Mesopotamien. Bau erster Städte.

4000 v. Chr.

um 4000 v. Chr. In Gesamtamerika erstmals Gebrauch von Keramik (Guyana).

um 3800 v. Chr. Im Vorderen Orient finden erstmals Bronzegusstechniken Anwendung.

um 3500 v. Chr. In Peru Gründung von Dauersiedlungen an der Pazifikküste (Fischer).

Die Landwirtschaft besteht in ganz Europa.

3500 v. Chr.

um 3400 v. Chr. Frühe Zeugnisse der Schreibkunst in Uruk (Irak). Um Sumer (südliches Mesopotamien) entstehen Stadtstaaten.

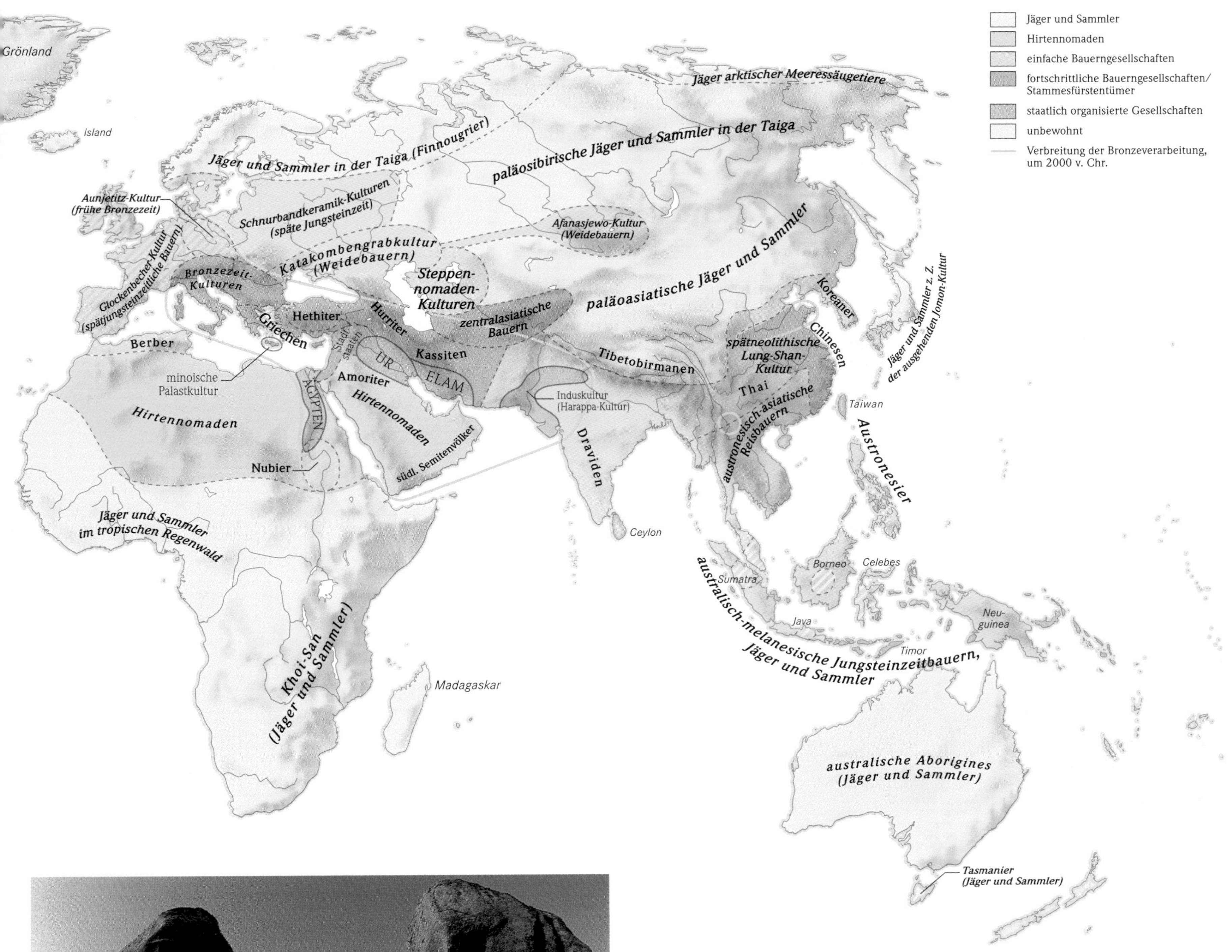

Jäger und Sammler
Hirtennomaden
einfache Bauerngesellschaften
fortschrittliche Bauerngesellschaften/ Stammesfürstentümer
staatlich organisierte Gesellschaften
unbewohnt
Verbreitung der Bronzeverarbeitung, um 2000 v. Chr.

Stonehenge: Einige Steinblöcke dieses Monuments der Megalithkultur wiegen bis zu 50 Tonnen; immer wieder wurde die Anlage umgestaltet und erweitert.

Im Jahr 2000 v. Chr. bestanden erst in wenigen Regionen der Erde größere Staatsgebilde. Zunächst waren um 3400 v. Chr. um Sumer im südlichen Irak unabhängige Stadtstaaten entstanden; ihnen folgten bis ins Jahr 2500 in ganz Vorderasien weitere. In Mesopotamien büßten sie später wieder an Bedeutung ein, weil hier Teilkönige ihr militärisches Potenzial nutzten, um König- oder Großkönigreiche zu errichten (vgl. S. 30/31). In Ägypten bildete ein solches Territorialreich von Anfang an die Grundlage des Staates. Bereits um 3000 v. Chr. entstand dort ein zentral regierendes Priesterkönigtum, das bis 2800 v. Chr. das gesamte Niltal nördlich von Nubien beherrschte (vgl. S. 40/41). Bis 2300 v. Chr. entwickelte sich auch im Industal ein solches Staatswesen (vgl. S. 60/61).

Der Nomadismus entstand wahrscheinlich in der Sahara-Region, wo die einsetzende Wüstenbildung nach 3000 v. Chr. die zunächst sesshaften Bauern immer wieder zwang, mit ihren Herden von einem kargen Weideland zum nächsten weiterzuziehen.

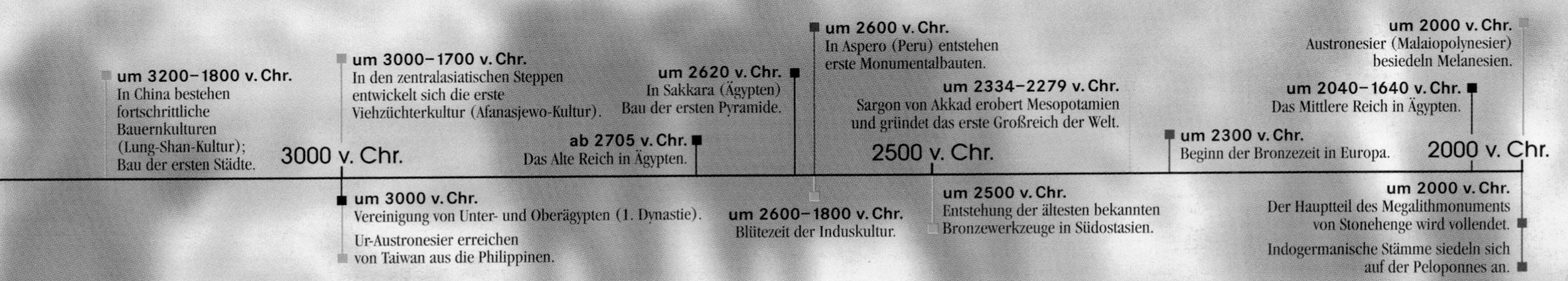
um 3200–1800 v. Chr.
In China bestehen fortschrittliche Bauernkulturen (Lung-Shan-Kultur); Bau der ersten Städte.
um 3000–1700 v. Chr.
In den zentralasiatischen Steppen entwickelt sich die erste Viehzüchterkultur (Afanasjewo-Kultur).
um 2620 v. Chr.
In Sakkara (Ägypten) Bau der ersten Pyramide.
ab 2705 v. Chr.
Das Alte Reich in Ägypten.
um 2600 v. Chr.
In Aspero (Peru) entstehen erste Monumentalbauten.
um 2334–2279 v. Chr.
Sargon von Akkad erobert Mesopotamien und gründet das erste Großreich der Welt.
um 2300 v. Chr.
Beginn der Bronzezeit in Europa.
um 2040–1640 v. Chr.
Das Mittlere Reich in Ägypten.
um 2000 v. Chr.
Austronesier (Malaiopolynesier) besiedeln Melanesien.
3000 v. Chr.
2500 v. Chr.
2000 v. Chr.
um 3000 v. Chr.
Vereinigung von Unter- und Oberägypten (1. Dynastie).
Ur-Austronesier erreichen von Taiwan aus die Philippinen.
um 2600–1800 v. Chr.
Blütezeit der Induskultur.
um 2500 v. Chr.
Entstehung der ältesten bekannten Bronzewerkzeuge in Südostasien.
um 2000 v. Chr.
Der Hauptteil des Megalithmonuments von Stonehenge wird vollendet.
Indogermanische Stämme siedeln sich auf der Peloponnes an.

Sterne sehen – die Himmelsscheibe von Nebra

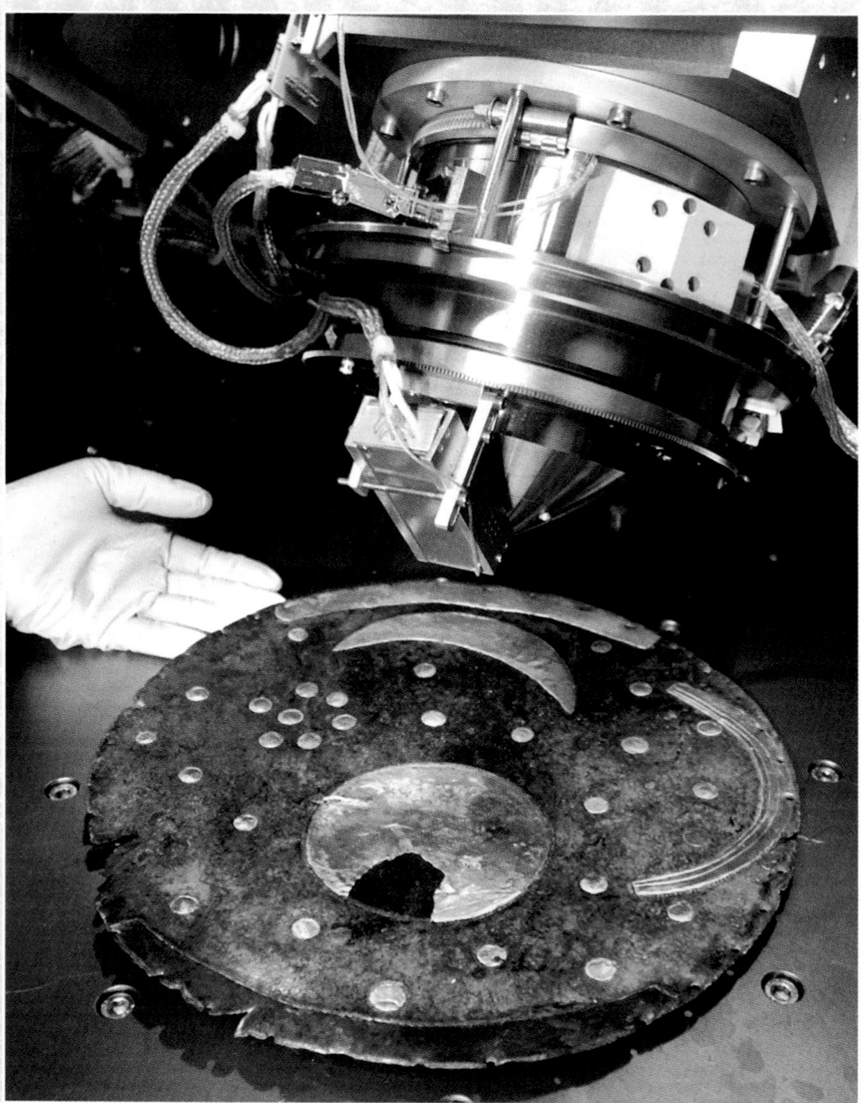

Die Himmelsscheibe von Nebra, etwa 32 Zentimeter im Durchmesser und zwei Millimeter dick, im Juli 2003 kurz vor der Untersuchung ihrer physikalischen Eigenschaften mit Hilfe eines Großkammer-Rasterelektronenmikroskops

Eine Szene wie aus einem Kriminalstück: Harald Müller, Leiter des Landesamts für Archäologie in Sachsen-Anhalt, handelt in der Kellerbar eines Hotels im schweizerischen Basel mit einem Hehler und dessen Komplizin die Übergabe einiger historischer Fundstücke aus der Bronzezeit aus.

Doch der Archäologe hat keine kriminellen Ambitionen. Als die Objekte ausgepackt werden, greift die Polizei ein und verhaftet die Hehler. Die Übergabe im Februar 2002 war fingiert und zwischen Müller und den schweizerischen Behörden abgesprochen.

Noch ungewöhnlicher als diese Übergabe aber sind die Fundstücke selbst, die Raubgräber 1999 auf dem Mittelberg bei Nebra gefunden hatten und die die Hehler jetzt anboten: Neben zwei Schwertern, zwei Beilen, einem Meißel und zwei Armreifen findet eine mattgrün schimmernde Scheibe aus Bronze Müllers besonderes Interesse – ein Objekt, das sich als archäologische Sensation des Jahres 2002 entpuppen soll: Die »Himmelsscheibe von Nebra«, in die mit einer speziellen Einlegetechnik goldene Sterne und Monde eingefügt sind, ist wahrscheinlich 3600 bis 3800 Jahre alt und kann daher auf die frühe Bronzezeit datiert werden.

EUROPA IN DER BRONZEZEIT

Was wissen wir über die Menschen in der frühen und mittleren Bronzezeit? – Der Entdeckung, dass weiches Kupfer durch Beigabe einer geringen Menge Zinn zu harter Bronze wird, verdankt die Epoche ihren Namen. Zwar blieb Bronze noch lange ein teures und seltenes Metall, doch war es nun möglich, Handwerkszeug und Schmuck, aber auch Waffen in zuvor nie da gewesener Qualität herzustellen. Gemeinsam mit anderen Faktoren gab dies den Anstoß zu einer beginnenden Differenzierung der Gesellschaft, in der sich einzelne Berufszweige herausbildeten: So gab es beispielsweise den Schmied und den Bauern, der an den Produkten des Schmieds interessiert war, sowie den zwischen beiden vermittelnden Händler. Da es bestimmte Rohstoffe und Agrarprodukte nicht überall gab, entwickelte sich nach und nach ein Fernhandel, der auch entfernte Völker und Kulturen in Kontakt zueinander brachte. Trotzdem existierten große Unterschiede in der Entwicklung. Während es in Ägypten oder auf Kreta bereits hoch entwickelte, hierarchisch gegliederte Gesellschaften gab, ist davon auszugehen, dass im nördlichen Europa noch einfache Stammesstrukturen und dörfliche Siedlungen vorherrschten.

NEUE WISSENSCHAFTLICHE ERKENNTNISSE

Historiker gingen bis zum Fund der Himmelsscheibe davon aus, dass die angewandten Techniken der Metallbearbeitung zu dieser Zeit zwar bereits im östlichen Mittelmeerraum, jedoch noch nicht so weit nördlich in Europa bekannt waren. Doch in Mitteldeutschland kreuzten sich mehrere Handelswege – und neben dem Warenaustausch scheint es auch zu einem Transfer von technischem Wissen gekommen zu sein. Die auf dem Mittelberg gemachten Funde belegen ebenfalls den Kontakt zu weit entfernten Regionen. So wurden die mit der Scheibe ausgegrabenen Schwerter offenbar im östlichen Mittelmeerraum hergestellt. Und bei der genauen Analyse der Materialien der Scheibe stellten die untersuchenden Wissenschaftler fest, dass das Kupfer wahrscheinlich aus dem Gebiet des heutigen Österreich, der überwiegende Teil des Goldes dagegen aus Siebenbürgen stammte. Doch das Gold eines am unteren Rand eingearbeiteten Bogens besteht nicht nur aus einer anderen Legierung, es scheint auch erst später eingefügt worden zu sein: ein erster Hinweis auf mehrere Umarbeitungsstadien der Scheibe. Man geht davon aus, dass es drei ergänzende Bearbeitungen gegeben hat, die wohl erst im Laufe von mehreren Generationen erfolgt sind. Vermutlich war die Scheibe ein wichtiger ritueller Gegenstand, der weitervererbt wurde.

Eine Mitarbeiterin des Landesamts für Archäologie auf dem Mittelberg im Ziegelrodaer Forst bei Vermessungsarbeiten am Fundort der Himmelsscheibe

Archäologiestudenten bei Ausgrabungsarbeiten in der Nähe von Weißenfels, Sachsen-Anhalt. Die dunklen Linien zeigen Bodenveränderungen über einem ehemaligen Graben.

DER FUNDORT

Die Scheibe wurde inmitten einer freigelegten ringförmigen Wallanlage auf dem 252 Meter hohen Mittelberg in der Nähe von Nebra in Sachsen-Anhalt ausgegraben. Diese Anlage war nach archäologischen Erkenntnissen möglicherweise schon seit Jahrtausenden ein heiliger Ort und wurde – wie beispielsweise auch Stonehenge in Großbritannien – als eine Art frühe Sternwarte genutzt. Gibt es einen Zusammenhang zwischen dem Fundort und der Funktion der Scheibe sowie deren Bedeutung?

ÄLTESTES ABBILD DES STERNENHIMMELS

Nähere Erkenntnisse erhofften sich die Archäologen von der genauen Untersuchung der Scheibe: Von den insgesamt 32 aufgebrachten Sternen sind 25 zufällig angeordnet, sieben dicht beieinander liegende Himmelskörper allerdings könnten für das Sternbild der Plejaden stehen, das in der griechischen Mythologie bedeutsam ist und in anderen Kulturen den Rhythmus von Aussaat und Ernte bestimmte. Zwei erst später angebrachte Bogen belegen, dass die Scheibe dort, wo man sie fand, auch wirklich genutzt wurde und dass sie überdies auch nur hier hergestellt worden sein kann: Denn der Winkel der am Rand der Scheibe auf gegenüberliegenden Seiten platzierten Bogen entspricht genau dem Sonnenverlauf der Breitengrade dieser Region während der frühen Bronzezeit. Der eine Eckpunkt verweist auf den Sonnenuntergang zur Sonnenwende am 21. Juni über dem am Horizont sichtbaren Brocken, der andere hingegen markiert die Wintersonnenwende am 21. Dezember.

Zwei Goldplatten in der Mitte der Scheibe hatte man zunächst als Sonne und Mond gedeutet, doch gibt es eine noch plausiblere Erklärung: In einem späteren Bearbeitungsgang wurde ein goldener Bogen zwischen die bereits vorhandenen Sterne gesetzt. Seine Bedeutung lässt sich vor dem Hintergrund der religiösen Vorstellungen der Menschen jener Epoche als Sonnenschiff deuten: Die Sonne als Licht- und Wärmespenderin, als Symbol für das Leben, spielte in vielen Kulturen der Bronzezeit eine bedeutsame Rolle. Die hochgezogene Bug- und Heckpartie erinnern allerdings sehr an ägyptische Nilbarken, einen Schiffstyp, der sicher auf Unstrut, Elbe oder Ostsee nicht anzutreffen war. Doch wenn man von weit reichenden Handelsbeziehungen ausgehen kann, dann ist es durchaus denkbar, dass ein ebenso reger kultureller Austausch zwischen den Gebieten rund um das Mittelmeer und dem heutigen Mitteldeutschland stattgefunden hat. In der Vorstellung der Ägypter musste das Sonnenschiff in der Nacht von Westen nach Osten ziehen, damit der Sonnengott Re mit ihm am nächsten Morgen von dort aus wieder auf seine Reise über den Taghimmel gehen konnte.

In dieser Lesart könnten die beiden oben genannten Figuren nicht als Sonne und Mond, sondern als Neumond und Vollmond gedeutet werden: Die Scheibe stellt also den Nachthimmel dar und lässt sich als eine Art Gebrauchsanweisung zur Beobachtung der Gestirne deuten. Wissenschaftler sehen in ihr die älteste konkrete Abbildung des Sternenhimmels.

VIELE UNGELÖSTE FRAGEN

Nicht genau geklärt ist, innerhalb welchen Zeitraums die Veränderungen und Ergänzungen auf der Scheibe erfolgten. Auch weiß man nicht, ob sie Fortschritte in der Beobachtung der Gestirne demonstrieren oder ob die Änderungen für einen Wandel der religiösen Vorstellungen stehen. Des Weiteren gibt es nur Vermutungen darüber, welche Funktion die in einem letzten Bearbeitungsschritt angebrachten Löcher am Rand der Scheibe haben könnten. Eine wichtige Frage schließlich konnte bis jetzt ebenfalls noch nicht beantwortet werden: Aus welchem Grund wurde die Scheibe irgendwann vergraben, obwohl sie doch offenbar in der Vorstellungswelt der Menschen eine so bedeutsame Rolle spielte? – Trotz dieser vielen ungelösten Fragen: Die Himmelsscheibe von Nebra liefert uns viele bis jetzt nicht gekannte Details und den Wissenschaftlern einige überraschende Erkenntnisse über die Bronzezeit.

Von der Urgeschichte bis zur Antike (7 000 000 bis 500 v. Chr.)

Die Welt • 1000 v. Chr.

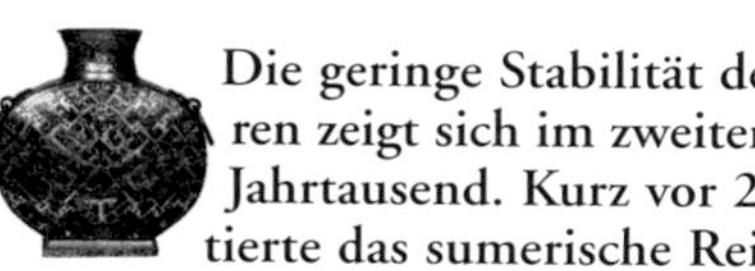

Die geringe Stabilität der frühen Kulturen zeigt sich im zweiten vorchristlichen Jahrtausend. Kurz vor 2000 v. Chr. existierte das sumerische Reich als politische Einheit nicht mehr, aber das babylonische und das assyrische Reich (beide entstanden im frühen 2. Jahrtausend) bauten auf seinen Errungenschaften auf (vgl. S. 30/31). Die Rivalität zwischen diesen beiden Reichen hielt bis zur Mitte des 1. Jahrtausends an. Eine weitere bedeutende Macht im Vorderen Orient stellte das Hethiter-Reich dar.

Diese Darstellung eines Fischers mit seinem Fang wurde im Palast von Knossos auf Kreta entdeckt und stammt aus spätminoischer Zeit (um 1500 v. Chr.).

Das Geheimnis des Erfolgs der Hethiter wird gern darin gesehen, dass sie schon früh – um 1500 v. Chr. – die Technik der Eisenherstellung beherrschten. Inzwischen hatte sich Ägypten im Süden bis nach Nubien hinein ausgedehnt und im Norden bis nach Vorderasien (vgl. S. 42/43). Im östlichen Mittelmeerraum verlor die minoische Kultur auf Kreta an Bedeutung, während um 1600 v. Chr. auf dem griechischen Festland die mykenische Kultur aufblühte. Um 1400 v. Chr. eroberten die Mykener Kreta und etablierten dort die griechische Sprache. Zudem siedelten sie sich in Zypern und Kleinasien an (vgl. S. 52/53).

Niedergang und Aufstieg in der zivilisierten Welt

Um 1200 v. Chr. wurde die zivilisierte Welt von einer Invasionswelle fremder Völker heimgesucht. Eindringlinge aus dem Norden zerstörten Mykene und Griechenland erlebte ein 400 Jahre währendes »dunkles Zeitalter«. Thraker, Phryger und anatolische Luwier überrannten das Hethiter-Reich, während semitische Nomaden (Aramäer) große Teile Mesopotamiens besetzten. In Ägypten drangen rätselhafte, aus der Ägäis kommende »Seevölker« ein, die zwar wieder vertrieben werden konnten, sich dann aber unter dem Namen »Philister« in der Küstenebene von Gaza ansiedelten.

Um 1000 stabilisierte sich die Lage wieder. Die Hethiter überlebten, erlangten allerdings ihre frühere Macht nicht mehr zurück. Die Aramäer siedelten sich an und vermischten sich mit den urbanisierten Völkern der eroberten Gebiete – ihre Sprache entwickelte sich im folgenden Jahrtausend in ganz Vorderasien zur Umgangs- und Verkehrssprache. Das assyrische und das babylonische Reich erholten sich langsam wieder (vgl. S. 32/33). Vorderasien bestand nun aus einem Mosaik vieler Kleinstaaten; unter ihnen erlangten die phönikischen Stadtstaaten und das Königreich Israel eine in keinem Verhältnis zu ihrer Größe stehende Bedeutung (vgl. S. 36/37). Die Macht Ägyptens zerfiel und die Nubier errichteten nach einem Jahrtausend ägyptischer Fremdherrschaft das Reich Kusch. Im Afrika südlich der Sahara vollzog sich der Übergang zu einer bäuerlichen Lebensweise.

Das Löwentor der Burg von Mykene aus dem 13. Jahrhundert v. Chr. Das deutlich schmalere Relief mit den Löwen entlastet die Monolithen der Torkonstruktion.

Jäger arktischer Meeressäuger
Aleuten
subarktische Waldlandjäger und -sammler
Nordwestküsten-Kultur (Küstenfischer und Jäger)
Gebirgslandfischer (Jäger und Sammler)
Jäger und Sammler in Halbwüsten und Wüsten
Bisonjäger der Prärien
östliches Waldland (Jäger und Sammler)
Poverty-Point-Kultur
Bahamas
Hawaii-Inseln
olmekischer Kulturkreis
Kuba
Jamaika
Hispaniola/Haiti
Puerto Rico
Jäger und Sammler in der Karibik
Maisbauern
Maniokbauern (ersetzen Jäger und Sammler)
Chorrera-Kultur
Jäger und Sammler im Amazonasbecken
El-Paraiso-Kultur
Kulturkreis von Chiripa
Savannenjäger und -sammler
Chinchoros-Kultur
zentralandine Jäger- und Sammlerkulturen
Schalentiersammler
Jäger und Sammler in der Pampa
Schalentiersammler und Jäger von Meeressäugetieren

Im Wandel der Kulturen

In Asien verfiel gegen 1700 v. Chr. die Induskultur (Harappa-Kultur) und etwa 200 Jahre später drangen die Arier, ein indoeuropäisches Hirtenvolk, in Indien ein. In China schritt die Entwicklung von den neolithischen Lung-Shan-Kulturen zum urbanisierten Staat der Shang-Dynastie (ab 1766 v. Chr.) fort, die den Beginn der chinesischen Kultur bezeichnet. Um 1122 wurde die Shang-Dynastie vom Herrscher des »Unterreiches« Zhou vertrieben.

ZEITLEISTE

Nord- und Südamerika ■
Europa ■
Vorderer Orient
Afrika ■
Ost- und Südasien ■

2400 v. Chr.

um 2300–1500 v. Chr. Erste bäuerliche Dauersiedlungen in Mesoamerika.

um 2040–1640 v. Chr. Das Mittlere Reich in Ägypten.

um 2000 v. Chr. Beginn der Viehzucht im ostafrikanischen Hochland.

um 2000–1600 v. Chr. Blütezeit der minoischen Palastkultur auf Kreta.

um 2000–1500 v. Chr. Die Wessex-Kultur führt die Bronzeherstellung auf den Britischen Inseln ein.

2000 v. Chr.

um 1900 v. Chr. Gründung von Assur, der Hauptstadt Assyriens.

um 1800 v. Chr. An der peruanischen Küste Bau u-förmig angelegter Heiligtümer.

1766 v. Chr. Herrschaftsbeginn der Shang-Dynastie in China (Nordost-Honan).

um 1700 v. Chr. Niedergang der Induskultur.

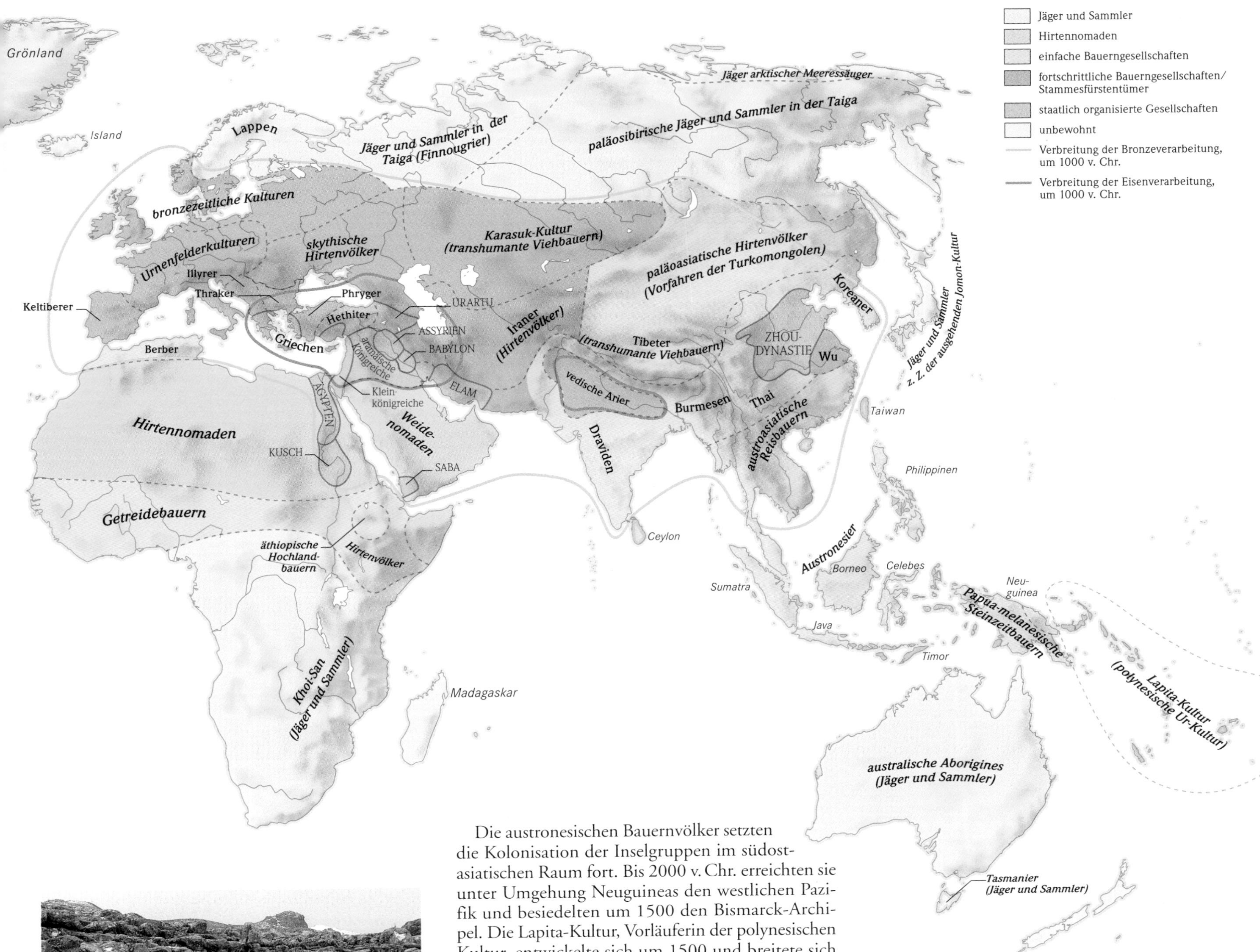

Jäger und Sammler
Hirtennomaden
einfache Bauerngesellschaften
fortschrittliche Bauerngesellschaften/ Stammesfürstentümer
staatlich organisierte Gesellschaften
unbewohnt
Verbreitung der Bronzeverarbeitung, um 1000 v. Chr.
Verbreitung der Eisenverarbeitung, um 1000 v. Chr.

Die austronesischen Bauernvölker setzten die Kolonisation der Inselgruppen im südostasiatischen Raum fort. Bis 2000 v. Chr. erreichten sie unter Umgehung Neuguineas den westlichen Pazifik und besiedelten um 1500 den Bismarck-Archipel. Die Lapita-Kultur, Vorläuferin der polynesischen Kultur, entwickelte sich um 1500 und breitete sich im Zuge von Handels- und Entdeckungsreisen – entscheidend dafür war die Erfindung des seetüchtigen Auslegerbootes – bis Samoa und Tonga aus (vgl. S. 118/119).

In den Steppen Ostasiens wendeten sich die Vorfahren der turkomongolischen Völker im 2. Jahrtausend unter dem Einfluss iranischer Hirtenstämme der westlichen Steppen der Weidewirtschaft zu. In den westlichen Steppen kam es bis zum Jahr 1000 v. Chr. zu folgenreichen Veränderungen: Die Träger der Karasuk-Kultur (wahrscheinlich Iraner) entwickelten das Prinzip der Transhumanz, der Wanderung zwischen Sommer- und Winterweiden. Von da an dauerte es bis zum echten Hirtennomadentum nicht mehr lange.

In Nordeuropa blühten die spätbronzezeitlichen Urnenfelderkulturen auf. Bis 1000 v. Chr. war die Herstellung von Bronze bei fast allen europäischen Bauernkulturen bekannt, die meisten unter ihnen hatten sich inzwischen zu Stammesverbänden mit einer aristokratischen Oberschicht entwickelt (vgl. S. 50/51).

In Nord- und Südamerika endete die archaische Zeit kurz nach 2000 v. Chr. mit dem Entstehen voll entwickelter Jäger-und-Sammler-Kulturen. Einige davon (etwa der Poverty-Point-Komplex im nördlichen Louisiana) bildeten bis um 1200 v. Chr. ein abgestufteres Sozialgefüge aus. In Mittelamerika kamen nach 2000 v. Chr. Dauersiedlungen auf. Bis 1250 v. Chr. hatten die Olmeken, Bauern der fruchtbaren Ebenen am Golf von Mexiko, organisierte Gemeinwesen entwickelt. In Südamerika entstanden an der Pazifikküste und in den Anden zunehmend strukturierte Gesellschaften und die Landwirtschaft dehnte sich bis ins Amazonasbecken aus (vgl. S. 62/63).

Die Ruinen von Hattusa, der alten Hauptstadt der Hethiter. Die Gefäße dienten als Vorratsbehälter.

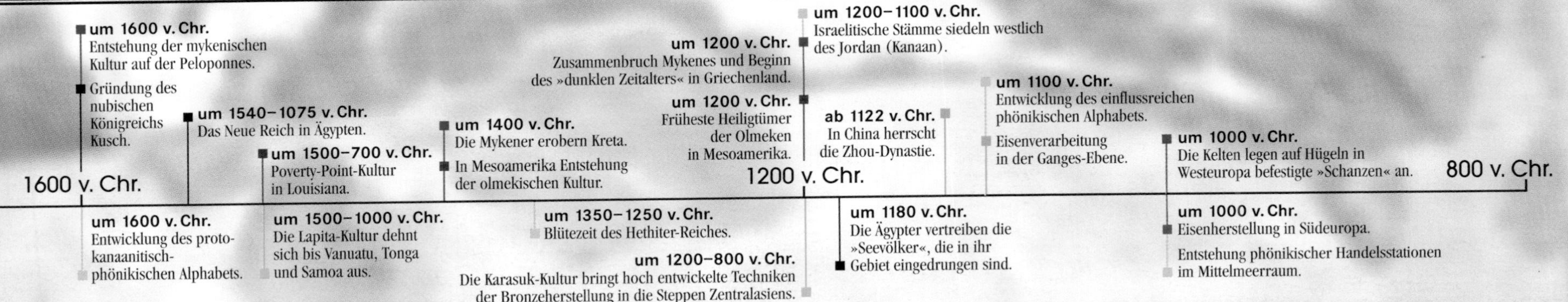
um 1600 v. Chr.
Entstehung der mykenischen Kultur auf der Peloponnes.
Gründung des nubischen Königreichs Kusch.
um 1540–1075 v. Chr.
Das Neue Reich in Ägypten.
um 1500–700 v. Chr.
Poverty-Point-Kultur in Louisiana.
um 1400 v. Chr.
Die Mykener erobern Kreta.
In Mesoamerika Entstehung der olmekischen Kultur.
um 1200 v. Chr.
Zusammenbruch Mykenes und Beginn des »dunklen Zeitalters« in Griechenland.
um 1200 v. Chr.
Früheste Heiligtümer der Olmeken in Mesoamerika.
um 1200–1100 v. Chr.
Israelitische Stämme siedeln westlich des Jordan (Kanaan).
ab 1122 v. Chr.
In China herrscht die Zhou-Dynastie.
um 1100 v. Chr.
Entwicklung des einflussreichen phönikischen Alphabets.
Eisenverarbeitung in der Ganges-Ebene.
um 1000 v. Chr.
Die Kelten legen auf Hügeln in Westeuropa befestigte »Schanzen« an.
1600 v. Chr.
1200 v. Chr.
800 v. Chr.
um 1600 v. Chr.
Entwicklung des proto-kanaanitisch-phönikischen Alphabets.
um 1500–1000 v. Chr.
Die Lapita-Kultur dehnt sich bis Vanuatu, Tonga und Samoa aus.
um 1350–1250 v. Chr.
Blütezeit des Hethiter-Reiches.
um 1200–800 v. Chr.
Die Karasuk-Kultur bringt hoch entwickelte Techniken der Bronzeherstellung in die Steppen Zentralasiens.
um 1180 v. Chr.
Die Ägypter vertreiben die »Seevölker«, die in ihr Gebiet eingedrungen sind.
um 1000 v. Chr.
Eisenherstellung in Südeuropa.
Entstehung phönikischer Handelsstationen im Mittelmeerraum.

Von der Urgeschichte bis zur Antike (11 000 bis 500 v. Chr.)

Die ersten Städte Mesopotamiens • 4300 bis 2400 v. Chr.

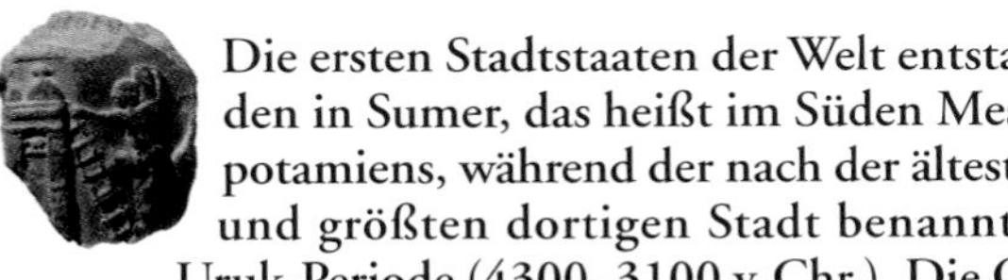

Die ersten Stadtstaaten der Welt entstanden in Sumer, das heißt im Süden Mesopotamiens, während der nach der ältesten und größten dortigen Stadt benannten Uruk-Periode (4300–3100 v. Chr.). Die Organisationsstruktur dieser Staatsgebilde erleichterte die Koordinierung der Maßnahmen gegen die Überschwemmungen (in dieser Region sehr wichtig) und anderer öffentlicher Arbeiten.

Die frühen sumerischen Städte standen im Schatten großer Tempelanlagen und wahrscheinlich übernahm deren Priesterschaft die führende Rolle bei diesen Gemeinschaftsaufgaben. Die Flüsse Euphrat und Tigris führten häufig Hochwasser, dessen Strömungsrichtung sich nicht vorhersehen ließ. Darin erblickten die Menschen vermutlich das Walten launischer Götter; die biblische Geschichte von der Sintflut stammt übrigens aus sumerischen Quellen.

Städtische Organisation

Die meisten sumerischen Städte der Uruk-Periode wiesen zwischen 2000 und 8000 Einwohner auf, Uruk selbst immerhin über 10 000 (bis zum Jahr 2700 v. Chr. waren es bereits 50 000 Menschen). Die Stadtbewohner waren zumeist Bauern. Sie produzierten einen derart großen Nahrungsmittelüberschuss, dass es sich die sumerische Gesellschaft als Erste leisten konnte, eine große Zahl von Menschen mit Spezialberufen – beispielsweise Bildhauer, Töpfer, Bronzegießer, Steinmetze, Bäcker, Brauer und Weber – zu ernähren.

Die Tempel entwickelten sich zu Zentren der Umverteilung, denn dort wurden die Früchte des Landes und seine Handwerksprodukte gesammelt, um dann in kleineren Mengen verteilt oder im Tausch gegen notwendige, aber anderswo vorhandene Güter verwendet zu werden. Die Handelsbeziehungen reichten bis nach Indien, Afghanistan und Ägypten und spielten bei der Ausweitung des sumerischen Einflusses im Vorderen Orient eine wichtige Rolle. Die Umverteilung der Produkte stellte sich als eine komplizierte Angelegenheit heraus, so dass um 3500 v. Chr. eine (wahrscheinlich aus einem früheren Zeichensystem abgeleitete) piktographische Schrift entstand.

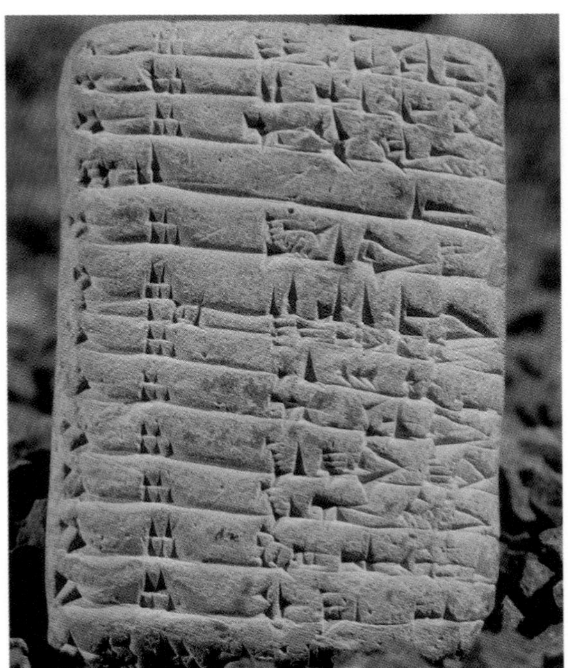

Auf dieser Tontafel aus der Stadt Ur in Mesopotamien ist in Keilschrift die monatliche Gerste-Ration für 17 Gärtner aufgelistet.

Die frühdynastische Zeit

In ihrer frühdynastischen Zeit (2900–2334 v. Chr.) durchlebte die sumerische Bevölkerung eine von neuem unruhige Phase. Um die Städte wurden starke Mauern gezogen und in öffentlichen Auftragsarbeiten tauchte das Thema Krieg unübersehbar auf. In dieser Zeit wurde auch die Schrift für andere als nur verwaltungstechnische Zwecke eingesetzt, denn die Herrscher begannen, zur Sicherung ihres Nachruhms ihre glorreichen Taten festhalten zu lassen. Neben die Priesterkönige traten jetzt auch weltliche Führer. Einige dieser Führer führten den Titel »Sangu« (Schatzmeister), was darauf schließen lässt, dass die Verwaltungsbeamten einen Status erlangt hatten, der sie den Spitzen der Priesterschaft gleichstellte. Andere nannten sich »Lugal« (großer Mann) – bei ihnen könnte es sich um die aus früheren Zeiten der Not bekannten Anführer handeln. Um zu beweisen, dass ihre Macht die göttliche Zustimmung fand, errichteten die weltlichen Machthaber neben den Tempeln stattliche Paläste. Nach ihrem Tod wurden ihnen – wie es die in Ur gefundenen Königsgräber zeigen – großartige Grabstätten gebaut. Da ihnen die geistliche Autorität der Priester fehlte, legitimierten die weltlichen Herrscher – wie Urukagina, König von Lagasch, um 2350 v. Chr. – ihren Machtanspruch durch Gesetzestexte. Verglichen mit späteren Gesetzestafeln, lassen die sumerischen Gesetze ein bemerkenswertes Maß an Humanität erkennen.

Kupfer aus Anatol
Silber
TAURUS
Bauhol
Orontes
Kupfer
Zypern
Muscheln
Ugarit
Har
Byblos
Bauholz
Mittelmeer
Alabaster Diorit Gold
KÖNIGREICH ÄGYPTEN (um 3000 v. Chr.)
Memphis
Kupfer

1 Nach mesopotamischer Überlieferung wurde Eridu als erste Stadt von einem König regiert.

2 Uruk war vermutlich die erste Stadt der Welt und hatte 2900 v. Chr. rund 50 000 Einwohner.

3 Nach mesopotamischer Überlieferung wurde Kisch als erste Stadt nach der Sintflut neu aufgebaut.

4 Habuba Kabira wurde um 3400 v. Chr. als sumerische Handelskolonie gegründet; dies zeigt, dass schon rege Handelsbeziehungen auch zu weiter entfernten Orten bestanden.

5 Euphrat und Tigris, die wichtigsten Verkehrswege Mesopotamiens.

6 In Hit wurde Bitumen gewonnen, das beim Bau mit Ziegelsteinen als Mörtel diente.

7 Die Bergvölker der Gutäer und Kassiten überfielen häufig sumerische Gebiete.

8 Susa war die Hauptstadt von Elam. Sumerer und Elamiter führten häufig Krieg gegeneinander.

9 Die Ausgrabungen der Königsgräber von Ur beweisen die Herrschaft einer mächtigen Dynastie (2600–2500 v. Chr.).

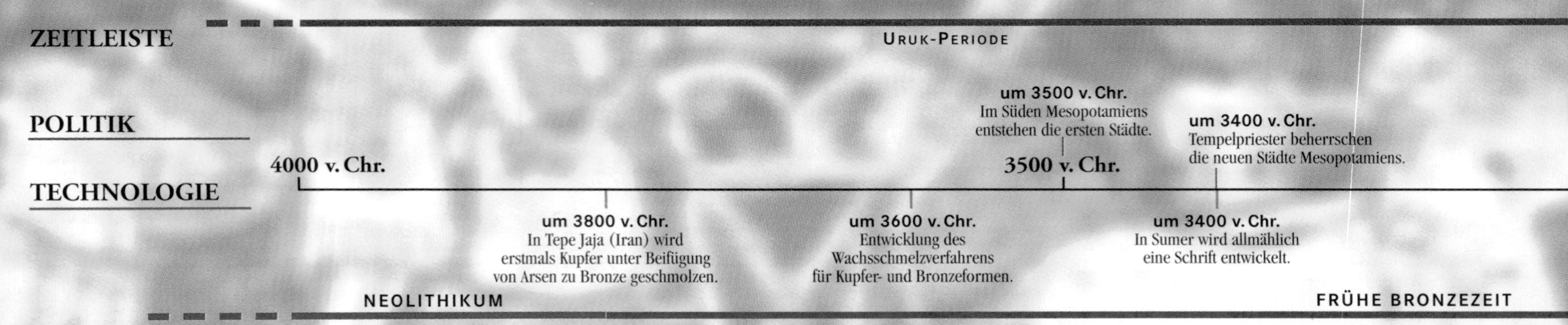
ZEITLEISTE
URUK-PERIODE
POLITIK
TECHNOLOGIE
4000 v. Chr.
um 3500 v. Chr.
Im Süden Mesopotamiens entstehen die ersten Städte.
3500 v. Chr.
um 3400 v. Chr.
Tempelpriester beherrschen die neuen Städte Mesopotamiens.
um 3800 v. Chr.
In Tepe Jaja (Iran) wird erstmals Kupfer unter Beifügung von Arsen zu Bronze geschmolzen.
um 3600 v. Chr.
Entwicklung des Wachsschmelzverfahrens für Kupfer- und Bronzeformen.
um 3400 v. Chr.
In Sumer wird allmählich eine Schrift entwickelt.
NEOLITHIKUM
FRÜHE BRONZEZEIT

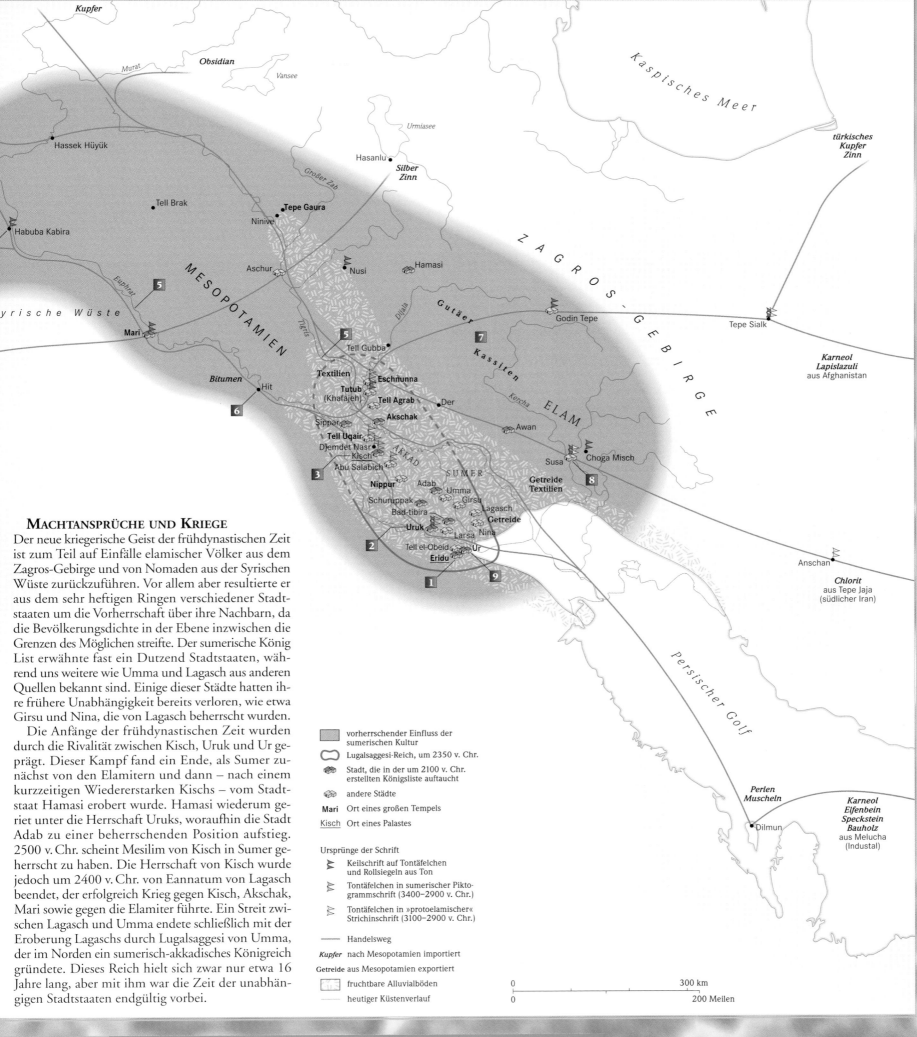

Machtansprüche und Kriege

Der neue kriegerische Geist der frühdynastischen Zeit ist zum Teil auf Einfälle elamischer Völker aus dem Zagros-Gebirge und von Nomaden aus der Syrischen Wüste zurückzuführen. Vor allem aber resultierte er aus dem sehr heftigen Ringen verschiedener Stadtstaaten um die Vorherrschaft über ihre Nachbarn, da die Bevölkerungsdichte in der Ebene inzwischen die Grenzen des Möglichen streifte. Der sumerische König List erwähnte fast ein Dutzend Stadtstaaten, während uns weitere wie Umma und Lagasch aus anderen Quellen bekannt sind. Einige dieser Städte hatten ihre frühere Unabhängigkeit bereits verloren, wie etwa Girsu und Nina, die von Lagasch beherrscht wurden.

Die Anfänge der frühdynastischen Zeit wurden durch die Rivalität zwischen Kisch, Uruk und Ur geprägt. Dieser Kampf fand ein Ende, als Sumer zunächst von den Elamitern und dann – nach einem kurzzeitigen Wiedererstarken Kischs – vom Stadtstaat Hamasi erobert wurde. Hamasi wiederum geriet unter die Herrschaft Uruks, woraufhin die Stadt Adab zu einer beherrschenden Position aufstieg. 2500 v. Chr. scheint Mesilim von Kisch in Sumer geherrscht zu haben. Die Herrschaft von Kisch wurde jedoch um 2400 v. Chr. von Eannatum von Lagasch beendet, der erfolgreich Krieg gegen Kisch, Akschak, Mari sowie gegen die Elamiter führte. Ein Streit zwischen Lagasch und Umma endete schließlich mit der Eroberung Lagaschs durch Lugalsaggesi von Umma, der im Norden ein sumerisch-akkadisches Königreich gründete. Dieses Reich hielt sich zwar nur etwa 16 Jahre lang, aber mit ihm war die Zeit der unabhängigen Stadtstaaten endgültig vorbei.

vorherrschender Einfluss der sumerischen Kultur
Lugalsaggesi-Reich, um 2350 v. Chr.
Stadt, die in der um 2100 v. Chr. erstellten Königsliste auftaucht
andere Städte
Mari Ort eines großen Tempels
Kisch Ort eines Palastes

Ursprünge der Schrift
Keilschrift auf Tontäfelchen und Rollsiegeln aus Ton
Tontäfelchen in sumerischer Piktogrammschrift (3400–2900 v. Chr.)
Tontäfelchen in »protoelamischer« Strichinschrift (3100–2900 v. Chr.)

Handelsweg
Kupfer nach Mesopotamien importiert
Getreide aus Mesopotamien exportiert
fruchtbare Alluvialböden
heutiger Küstenverlauf

0 300 km
0 200 Meilen

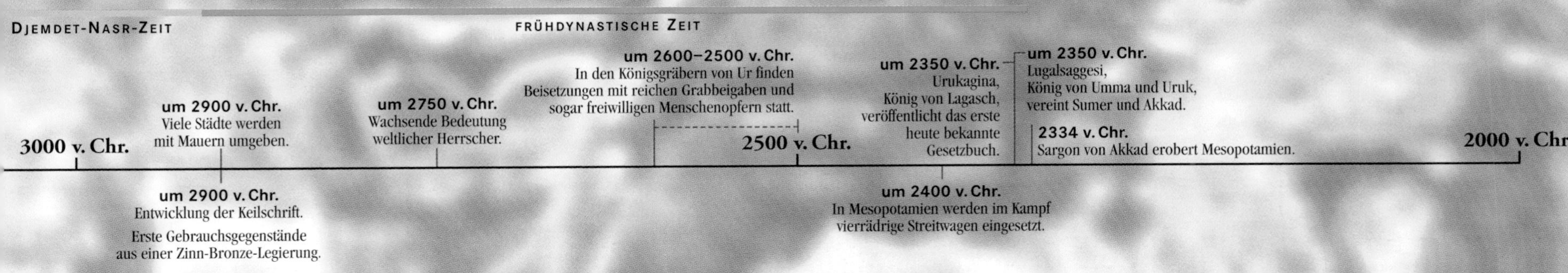
Djemdet-Nasr-Zeit
Frühdynastische Zeit
3000 v. Chr.
um 2900 v. Chr.
Viele Städte werden mit Mauern umgeben.
um 2900 v. Chr.
Entwicklung der Keilschrift.
Erste Gebrauchsgegenstände aus einer Zinn-Bronze-Legierung.
um 2750 v. Chr.
Wachsende Bedeutung weltlicher Herrscher.
um 2600–2500 v. Chr.
In den Königsgräbern von Ur finden Beisetzungen mit reichen Grabbeigaben und sogar freiwilligen Menschenopfern statt.
2500 v. Chr.
um 2400 v. Chr.
In Mesopotamien werden im Kampf vierrädrige Streitwagen eingesetzt.
um 2350 v. Chr.
Urukagina, König von Lagasch, veröffentlicht das erste heute bekannte Gesetzbuch.
um 2350 v. Chr.
Lugalsaggesi, König von Umma und Uruk, vereint Sumer und Akkad.
2334 v. Chr.
Sargon von Akkad erobert Mesopotamien.
2000 v. Chr.

Von der Urgeschichte bis zur Antike (11 000 bis 500 v. Chr.)

Die ersten Reiche • 2400 bis 1600 v. Chr.

Gegen Ende der frühdynastischen Zeit wurde Sumer als führendes Zentrum der mesopotamischen Kultur von Akkad überflügelt. Der Aufstieg dieser Stadt spiegelt sich in der Laufbahn des ersten großen Eroberers in der bekannten Geschichte, Sargons »des Großen« von Akkad (2334–2279 v. Chr.), wider. Seine Herkunft ist unklar, wie er an die Macht kam, ist ebenfalls ungewiss; möglicherweise hat er seinen Amtsvorgänger durch einen Staatsstreich entmachtet und sich selbst zum König von Kisch ausgerufen.

Sargons erstes Ziel, das er schließlich nach drei großen Schlachten erreichte, war die Ausschaltung des mächtigsten Herrschers in Mesopotamien, Lugalsaggesis von Umma und Uruk. Dann eroberte er das restliche Sumer, Akkad und Elam, um schließlich nach Westen bis ans Mittelmeer und bis nach Kleinasien vorzudringen. Sargon vereinte in seinem Großreich unterschiedliche Völker. Zur Feier seiner Eroberungen gründete er die Stadt Akkad, die bis heute niemand gefunden hat. Sargons Reich erlebte seine Blütezeit unter seinem Enkel Naramsin, verfiel dann und brach gegen 2200 v. Chr. wahrscheinlich unter den Einfällen der Gutäer und Amoriter zusammen.

Die Dioritstele aus Susa zeigt Babylons König Hammurabi in Anbetung des Sonnengottes Schamasch.

Diplomatie und Gewalt

Mit Diplomatie und Gewalt schuf Urnammu, der erste König der dritten Dynastie von Ur, in der Zeit um 2100 v. Chr. ein neues Reich. In seine Regierungszeit fällt der Bau der ersten Zikkurats (Tempelturmbauten), der bedeutendsten Baudenkmäler Mesopotamiens. Um 2030 v. Chr. geriet das Reich der dritten Dynastie unter den Druck semitischer Amoriter-Nomaden aus der Syrischen Wüste, aber seinen endgültigen Untergang leiteten erst die Elamiter ein, als sie Ur kurz vor der Jahrtausendwende einnahmen. Danach sollte Sumer seine frühere Vormachtstellung nie wieder zurückgewinnen.

Die Anfänge Assyriens und Babylons

Die zwei auf den Sturz der dritten Dynastie folgenden Jahrhunderte bieten neben den Vorstößen der Amoriter das Bild eines verwirrenden Nebeneinanders kleinerer Staaten. Aus ihm gingen zwei Reiche hervor, die die folgenden zweieinhalb Jahrtausende der mesopotamischen Geschichte bestimmen sollten: Assyrien und Babylon. Assyrien hatte zwar schon im 19. Jahrhundert v. Chr. den Rang einer bedeutenden Handelsmacht erreicht, aber es stieg erst nach der Eroberung seiner Hauptstadt Assur und des größten Teils Mesopotamiens durch den Amoriter-König Schamschi-Adad I. im 19. Jahrhundert v. Chr. zur Territorialmacht auf. Auch in Babylon übernahm eine amoritische Dynastie die Macht und als Hammurabi 1712 v. Chr. den Thron bestieg, beherrschte diese herausragende Führergestalt schon den größten Teil Akkads (von nun an »Babylonien« genannt). Wenig später marschierte Hammurabi mit seinen Truppen nach Süden und eroberte Sumer, bald darauf besiegte er mit Elam und dessen König Eschnunna auch die letzte mesopotamische Macht. Nun wurde Babylon zum religiös-kulturellen Mittelpunkt Mesopotamiens und blieb es auch nach dem Tod Hammurabis 1686 v. Chr., obwohl sein politischer Einfluss schwand.

Im 17. vorchristlichen Jahrhundert begannen sich neue und bedrohliche Kräfte an den Grenzen Mesopotamiens zu sammeln, als stärkste unter ihnen die Hurriter und Hethiter. Die Hurriter stammten aus Armenien und überrannten 1680 v. Chr. Assyrien, während die Hethiter, ein indogermanisches Volk, um 1800 v. Chr. aus Thrakien nach Kleinasien eingedrungen waren, um dort bis 1650 v. Chr. ein starkes Reich zu gründen. Als der Hethiter-König Mursili I. im 16. Jahrhundert v. Chr. Babylon eroberte, brach für Mesopotamien eine fast 200 Jahre dauernde »dunkle Zeit« an. Dann wanderten aus dem Osten die Kassiten in die Region ein und Babylonien erwachte als nun kassitisches Königreich zu neuem Leben.

Hethiter
Hattusa (Bogazköy)
Tuzsee
Puruschkanda
Kültepe (Kanisch)
3
TAURUS
Orontes
Ugarit
Zypern
LEVANTE
Byblos
Mittelmeer
Damaskus
Megiddo
Lachisch
ÄGYPTEN
Heliopolis
Memphis
Nil

Reliefplatten wie diese fand man seit 1846 bei Ausgrabungen von Tempeln und Palästen der Stadt Ninive in Mesopotamien.

ZEITLEISTE

SÜD-MESOPOTAMIEN

NORD-MESOPOTAMIEN

ALLGEMEIN

2500 v. Chr.

2334–2279 v. Chr. Herrschaft Sargons des Großen; Gründung des akkadischen Reiches.

2300 v. Chr.

um 2200 v. Chr. Das akkadische Reich bricht unter der Invasion der Gutäer zusammen.

um 2100 v. Chr. Urnammu begründet die 3. Dynastie von Ur.

2100 v. Chr.

um 2100 v. Chr. In Eridu, Ur, Uruk und Nippur werden die ersten Zikkurats (Tempeltürme) gebaut.

FRÜHE BRONZEZEIT

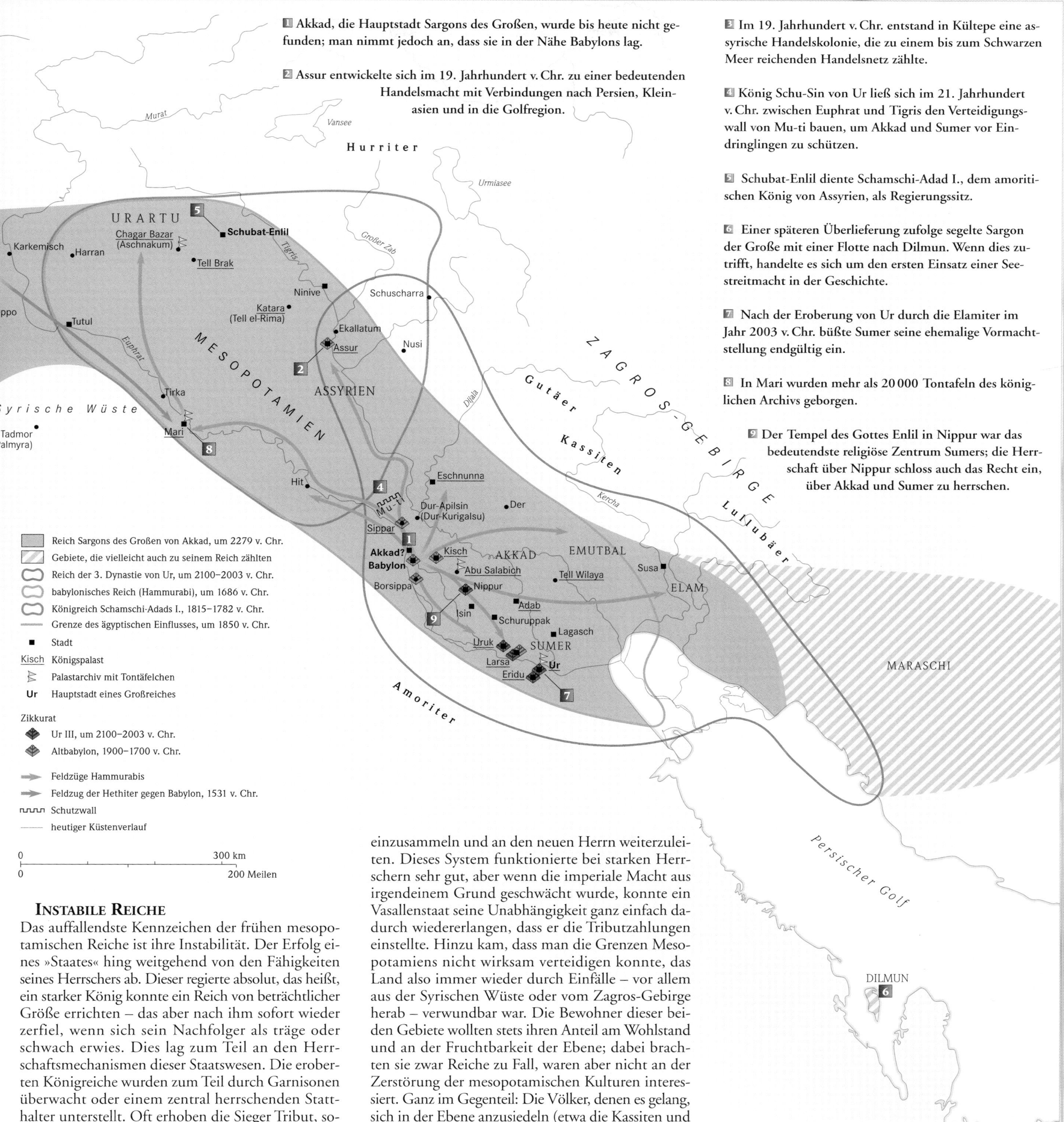
Hurriter
Vansee
Murat
Urmiasee
URARTU
Schubat-Enlil
Chagar Bazar (Aschnakum)
Karkemisch
Harran
Tell Brak
Tigris
Großer Zab
Ninive
Schuscharra
Katara (Tell el-Rima)
Tutul
Euphrat
Ekallatum
Assur
Nusi
MESOPOTAMIEN
ASSYRIEN
ZAGROS-GEBIRGE
Gutäer
Kassiten
Lullubäer
Diyala
Tirka
Syrische Wüste
Tadmor (Palmyra)
Mari
Hit
Eschnunna
Mu-ti
Dur-Apilsin (Dur-Kurigalsu)
Der
Kercha
Sippar
Akkad?
Babylon
Kisch
AKKAD
EMUTBAL
Abu Salabich
Tell Wilaya
Susa
ELAM
Borsippa
Nippur
Isin
Adab
Schuruppak
Lagasch
Uruk
SUMER
Larsa
Ur
Eridu
Amoriter
MARASCHI
Persischer Golf
DILMUN
Reich Sargons des Großen von Akkad, um 2279 v. Chr.
Gebiete, die vielleicht auch zu seinem Reich zählten
Reich der 3. Dynastie von Ur, um 2100–2003 v. Chr.
babylonisches Reich (Hammurabi), um 1686 v. Chr.
Königreich Schamschi-Adads I., 1815–1782 v. Chr.
Grenze des ägyptischen Einflusses, um 1850 v. Chr.
Stadt
Kisch Königspalast
Palastarchiv mit Tontäfelchen
Ur Hauptstadt eines Großreiches
Zikkurat
Ur III, um 2100–2003 v. Chr.
Altbabylon, 1900–1700 v. Chr.
Feldzüge Hammurabis
Feldzug der Hethiter gegen Babylon, 1531 v. Chr.
Schutzwall
heutiger Küstenverlauf
0 300 km
0 200 Meilen

1 Akkad, die Hauptstadt Sargons des Großen, wurde bis heute nicht gefunden; man nimmt jedoch an, dass sie in der Nähe Babylons lag.

2 Assur entwickelte sich im 19. Jahrhundert v. Chr. zu einer bedeutenden Handelsmacht mit Verbindungen nach Persien, Kleinasien und in die Golfregion.

3 Im 19. Jahrhundert v. Chr. entstand in Kültepe eine assyrische Handelskolonie, die zu einem bis zum Schwarzen Meer reichenden Handelsnetz zählte.

4 König Schu-Sin von Ur ließ sich im 21. Jahrhundert v. Chr. zwischen Euphrat und Tigris den Verteidigungswall von Mu-ti bauen, um Akkad und Sumer vor Eindringlingen zu schützen.

5 Schubat-Enlil diente Schamschi-Adad I., dem amoritischen König von Assyrien, als Regierungssitz.

6 Einer späteren Überlieferung zufolge segelte Sargon der Große mit einer Flotte nach Dilmun. Wenn dies zutrifft, handelte es sich um den ersten Einsatz einer Seestreitmacht in der Geschichte.

7 Nach der Eroberung von Ur durch die Elamiter im Jahr 2003 v. Chr. büßte Sumer seine ehemalige Vormachtstellung endgültig ein.

8 In Mari wurden mehr als 20 000 Tontafeln des königlichen Archivs geborgen.

9 Der Tempel des Gottes Enlil in Nippur war das bedeutendste religiöse Zentrum Sumers; die Herrschaft über Nippur schloss auch das Recht ein, über Akkad und Sumer zu herrschen.

Instabile Reiche

Das auffallendste Kennzeichen der frühen mesopotamischen Reiche ist ihre Instabilität. Der Erfolg eines »Staates« hing weitgehend von den Fähigkeiten seines Herrschers ab. Dieser regierte absolut, das heißt, ein starker König konnte ein Reich von beträchtlicher Größe errichten – das aber nach ihm sofort wieder zerfiel, wenn sich sein Nachfolger als träge oder schwach erwies. Dies lag zum Teil an den Herrschaftsmechanismen dieser Staatswesen. Die eroberten Königreiche wurden zum Teil durch Garnisonen überwacht oder einem zentral herrschenden Statthalter unterstellt. Oft erhoben die Sieger Tribut, sobald sich ein Königreich unterworfen hatte, und der bisherige Herrscher wurde verpflichtet, die Mittel einzusammeln und an den neuen Herrn weiterzuleiten. Dieses System funktionierte bei starken Herrschern sehr gut, aber wenn die imperiale Macht aus irgendeinem Grund geschwächt wurde, konnte ein Vasallenstaat seine Unabhängigkeit ganz einfach dadurch wiedererlangen, dass er die Tributzahlungen einstellte. Hinzu kam, dass man die Grenzen Mesopotamiens nicht wirksam verteidigen konnte, das Land also immer wieder durch Einfälle – vor allem aus der Syrischen Wüste oder vom Zagros-Gebirge herab – verwundbar war. Die Bewohner dieser beiden Gebiete wollten stets ihren Anteil am Wohlstand und an der Fruchtbarkeit der Ebene; dabei brachten sie zwar Reiche zu Fall, waren aber nicht an der Zerstörung der mesopotamischen Kulturen interessiert. Ganz im Gegenteil: Die Völker, denen es gelang, sich in der Ebene anzusiedeln (etwa die Kassiten und Amoriter), nahmen rasch mesopotamische Sitten und Gebräuche an und assimilierten sich.

ALTBABYLONISCHE ZEIT

2030 v. Chr. Amoriter dringen in Mesopotamien ein.

2003 v. Chr. Die Elamiter erobern Ur.

um 2000 v. Chr. In Mesopotamien werden Pferde gezähmt.

1900 v. Chr.

um 1830 v. Chr. In Babylon kommt eine amoritische Dynastie an die Macht.

1815–1782 v. Chr. Schamschi-Adad I. herrscht über Assyrien.

um 1710 v. Chr. Hammurabis Gesetzgebung.

um 1700 v. Chr. Kulturblüte in Babylon.

um 1700 v. Chr. Im Kampf werden von Pferden gezogene Streitwagen eingesetzt.

1700 v. Chr.

1695 v. Chr. Hammurabi zerstört die Stadt Mari.

um 1680 v. Chr. Die Hurriter besetzen Assyrien.

1531 v. Chr. Der Hethiter-König Mursili I. erobert Babylon.

1500 v. Chr.

MITTLERE BRONZEZEIT

JÜNGERE BRONZEZEIT

Von der Urgeschichte bis zur Antike (11 000 bis 500 v. Chr.)

Die Reiche der Hethiter und Assyrer • 1600 bis 1000 v. Chr.

In den zwei Jahrhunderten nach der Eroberung Babylons durch die Hethiter beherrschte das Mitanni-Reich den größten Teil des nördlichen Mesopotamiens und – auf dem Gipfel seiner Macht – auch das südliche Kleinasien. Das Reich war etwa um 1600 v. Chr. von den Hurritern gegründet worden, die zu Beginn des vorangehenden Jahrhunderts in das nördliche Mesopotamien eingedrungen waren.

Als Mitanni seinen Einflussbereich im Westen bis zu dem an das Mittelmeer angrenzenden Teil des Fruchtbaren Halbmonds ausweitete, geriet es mit Ägypten in Konflikt, das unter Thutmosis I. um 1500 v. Chr. diese Region kontrollierte und seine Grenze bis zum Euphrat vorgeschoben hatte.

Die Ägypter konnten diese Grenze gegen das Mitanni-Reich aber nicht halten und wurden über den Orontes zurückgedrängt. Während der Herrschaft Thutmosis' IV. (1400–1390 v. Chr.) wurde schließlich ein Bündnis zwischen Ägypten und dem Mitanni-Reich geschlossen. Als Ägypten zur Zeit Amenophis' IV. (Echnaton, 1353–1336 v. Chr.) stark mit inneren Angelegenheiten beschäftigt war, stand Mitanni seinen Feinden allein gegenüber.

Erfolgreiche Eroberer

Der Hethiter-König Suppiluliuma I. (1344–1322 v. Chr.) festigte die hethitische Vormachtstellung in Anatolien, um dann 1340 Wassuganni, die Hauptstadt des Mitanni-Reiches, zu erobern und bis nach Syrien vorzustoßen. Mitanni zerfiel in der Folge und als Suppiluliuma um 1328 v. Chr. (oder 1323 v. Chr.) zu einem zweiten Feldzug startete, konnte er die Westhälfte dieses Reiches erobern.

Die Hethiter, die nun anstatt des Mitanni-Reiches den östlichen Mittelmeerraum beherrschten, gerieten mit Ägypten in Konflikt, wo eine neue Dynastie die Regierung übernommen hatte und die Machtposition des Nilreichs in dieser Region unbedingt wieder festigen wollte. Bis 1290 v. Chr. hatten die Ägypter Kanaan zurückerobert, das unter Echnaton unabhängig geworden war, und 1275 drang Pharao Ramses II. (1279–1213 v. Chr.) mit einem Heer in hethitisches Territorium ein. Aber der Hethiter-König Muwatallis II. erwartete ihn bereits und besiegte Ramses in der Schlacht von Kadesch, in der beide Seiten Streitwagen einsetzten. Die Ägypter zogen sich zurück und die Hethiter weiteten ihren Einflussbereich nach Süden bis nach Damaskus aus. Die Beziehungen zwischen den beiden Reichen blieben gespannt, bis die Sorge der Hethiter über die wachsende Macht der Assyrer zu einem neuen Bündnis führte.

Dekor wie dieses Relief mit Harfe spielenden Musikern war typisch für die Palastbauten der Assyrer.

Reste der Stadtmauer von Hattusa; seit 1907 wurden in der Nähe des Dorfes Bogazköy in der Türkei die Ruinen der Hauptstadt des Hethiter-Reiches ausgegraben.

Die assyrische Expansion hatte unter Assuruballit I. (1364–1328 v. Chr.) begonnen, der um 1300 dem zerfallenden Mitanni-Reich Ninive abnahm. König Tukulti-Ninurta I. (1244–1207 v. Chr.) zog gegen die Hethiter und das kassitische Königreich Babylonien und errichtete ein Reich, das sich schließlich vom Oberlauf des Euphrat bis an den Persischen Golf erstreckte. Es zerfiel jedoch bald wieder, nachdem der König von unzufriedenen Adligen ermordet worden war.

Im Wechselbad der Geschichte

Um 1200 v. Chr. stürzten neue Wanderungswellen die Region in chaotische Verhältnisse. Das Hethiter-Reich wurde von phrygischen Angreifern zerschlagen, die von Thrakien nach Kleinasien eingedrungen waren. Ein halbes Jahrhundert zuvor war Ägypten von Volksstämmen angegriffen worden, die man dort als »Seevölker« bezeichnete. Deren Herkunft ist bis heute ungeklärt. Es gelang den Ägyptern, die Eindringlinge zu vertreiben, worauf diese sich zum Teil nach Kanaan zurückzogen und dort als Volk der Philister siedelten.

Am Ende des 12. Jahrhunderts v. Chr. wurde das Assyrer-Reich von den Muschki (wahrscheinlich Mysier, Verwandte der Phryger), die sich mit kleinasiatischen Völkern, zu denen auch die Kaskäer und Hurriter zählten, verbündet hatten, angegriffen. Der Assyrer-König Tiglatpilesar I. (1115 bis 1076 v. Chr.) zwang die Eindringlinge zwar zum Rückzug, hatte aber im Fall neuer Aramäer-Einfälle weniger Glück. Obwohl er 28 Feldzüge gegen sie unternahm, gelang es ihnen noch vor seinem Tod, in Assyrien mehrere Kleinstaaten zu gründen. Auch die Nachfolger Tiglatpilesars konnten die Ausbreitung der Aramäer nicht eindämmen, so dass sich Assyrien bis 1000 v. Chr. auf sein Kernland um Assur und Ninive zurückgeworfen sah.

Der Hauptwidersacher Babyloniens war vom 14. bis zum 12. Jahrhundert das Königreich Elam. Verheerende Invasionen der Elamiter führten um die Mitte des 12. Jahrhunderts zum Sturz der Kassiten-Dynastie. Aber Babylon erholte sich unter einem neuen Herrscherhaus und schlug die Elamiter um 1130 v. Chr. derart vernichtend, dass sie für 300 Jahre aus der Geschichte verschwanden. Im 11. Jahrhundert

ZEITLEISTE

MESOPOTAMIEN

- **um 1600 v. Chr.** Gründung des Mitanni-Reiches.
- **1531 v. Chr.** Babylon wird von den Hethitern erobert; Beginn einer »dunklen Zeit«.
- **um 1472 v. Chr.** Das Mitanni-Reich annektiert Assyrien.
- **um 1415 v. Chr.** In Babylon herrscht der erste anerkannte Kassiten-König.
- **um 1400 v. Chr.** Assyrien gewinnt seine Unabhängigkeit zurück.
- **um 1328 v. Chr.** Die Hethiter erobern den Westen des Mitanni-Reiches.
- **um 1300 v. Chr.** Die Assyrer erobern den Osten des Mitanni-Reiches.

1600 v. Chr. — 1500 v. Chr. — 1400 v. Chr. — 1300 v.

ÖSTLICHES MITTELMEER u. ANATOLIEN

- **um 1600 v. Chr.** Die Kanaaniter erfinden die erste alphabetische Schrift.
- **um 1500 v. Chr.** Das ägyptische Reich erstreckt sich bis zum Euphrat.
- **um 1500 v. Chr.** Im Hethiter-Reich wird Eisen verarbeitet.
- **1275 v. C** Die Hethiter auf dem Höhepunkt der Ma Schlacht von Kadesch gegen die Ägyp

SPÄTE BRONZEZEIT

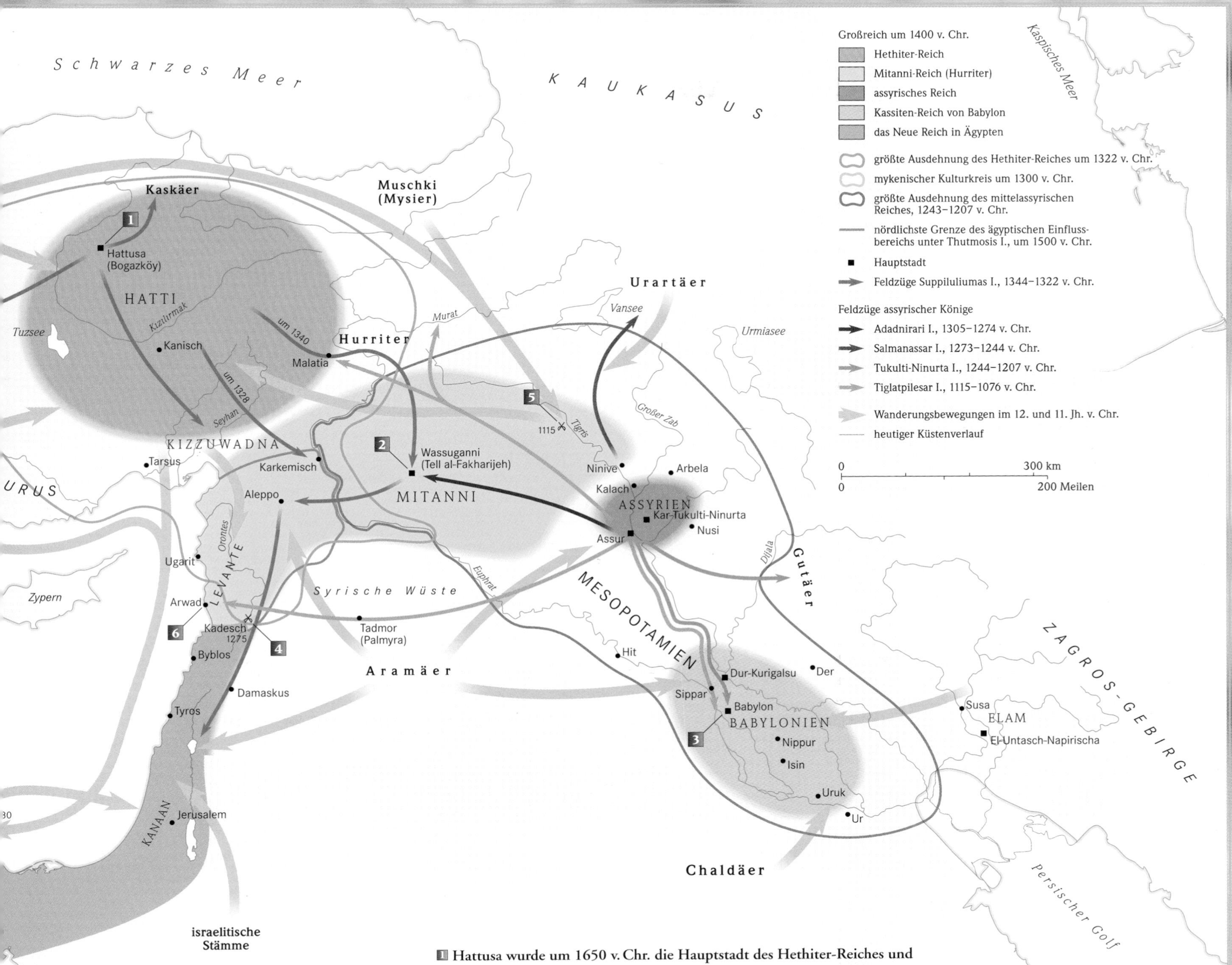

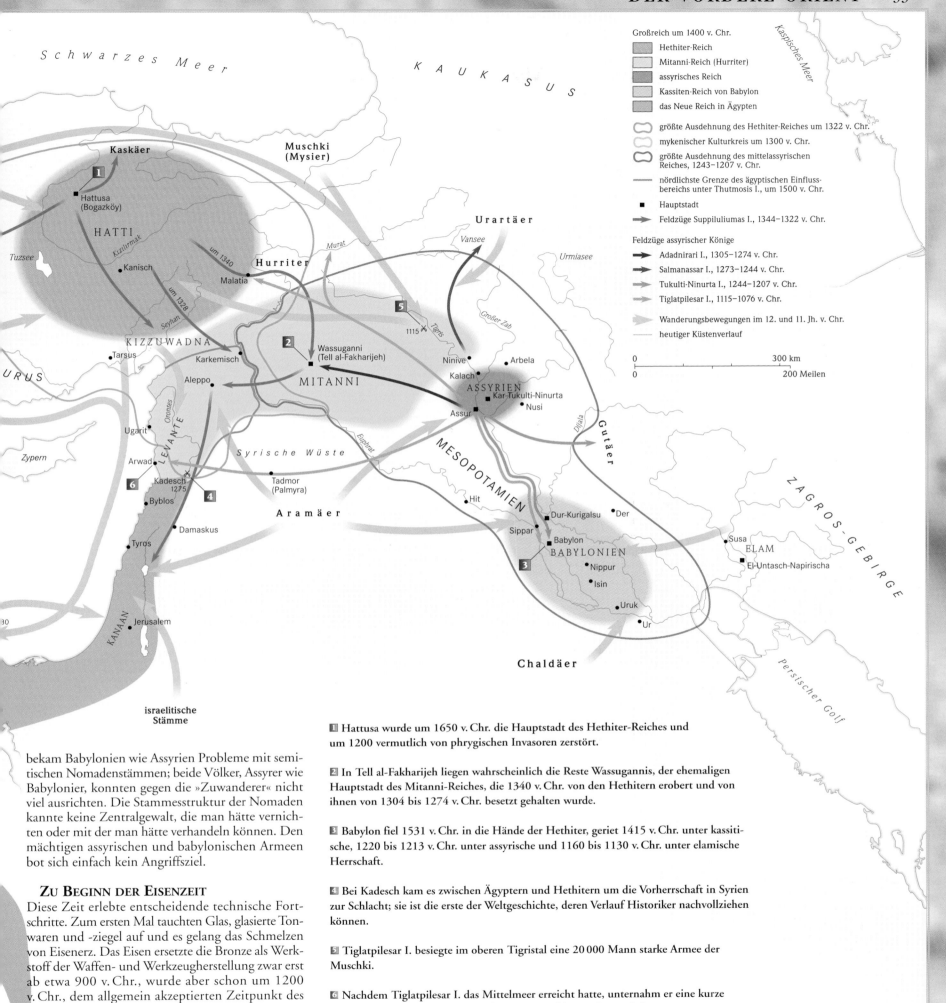

Großreich um 1400 v. Chr.
- Hethiter-Reich
- Mitanni-Reich (Hurriter)
- assyrisches Reich
- Kassiten-Reich von Babylon
- das Neue Reich in Ägypten

- größte Ausdehnung des Hethiter-Reiches um 1322 v. Chr.
- mykenischer Kulturkreis um 1300 v. Chr.
- größte Ausdehnung des mittelassyrischen Reiches, 1243–1207 v. Chr.
- nördlichste Grenze des ägyptischen Einflussbereichs unter Thutmosis I., um 1500 v. Chr.
- Hauptstadt
- Feldzüge Suppiluliumas I., 1344–1322 v. Chr.

Feldzüge assyrischer Könige
- Adadnirari I., 1305–1274 v. Chr.
- Salmanassar I., 1273–1244 v. Chr.
- Tukulti-Ninurta I., 1244–1207 v. Chr.
- Tiglatpilesar I., 1115–1076 v. Chr.

- Wanderungsbewegungen im 12. und 11. Jh. v. Chr.
- heutiger Küstenverlauf

0 – 300 km
0 – 200 Meilen

1 Hattusa wurde um 1650 v. Chr. die Hauptstadt des Hethiter-Reiches und um 1200 vermutlich von phrygischen Invasoren zerstört.

2 In Tell al-Fakharijeh liegen wahrscheinlich die Reste Wassugannis, der ehemaligen Hauptstadt des Mitanni-Reiches, die 1340 v. Chr. von den Hethitern erobert und von ihnen von 1304 bis 1274 v. Chr. besetzt gehalten wurde.

3 Babylon fiel 1531 v. Chr. in die Hände der Hethiter, geriet 1415 v. Chr. unter kassitische, 1220 bis 1213 v. Chr. unter assyrische und 1160 bis 1130 v. Chr. unter elamische Herrschaft.

4 Bei Kadesch kam es zwischen Ägyptern und Hethitern um die Vorherrschaft in Syrien zur Schlacht; sie ist die erste der Weltgeschichte, deren Verlauf Historiker nachvollziehen können.

5 Tiglatpilesar I. besiegte im oberen Tigristal eine 20 000 Mann starke Armee der Muschki.

6 Nachdem Tiglatpilesar I. das Mittelmeer erreicht hatte, unternahm er eine kurze Schiffsreise und behauptete hinterher, einen Wal harpuniert zu haben.

bekam Babylonien wie Assyrien Probleme mit semitischen Nomadenstämmen; beide Völker, Assyrer wie Babylonier, konnten gegen die »Zuwanderer« nicht viel ausrichten. Die Stammesstruktur der Nomaden kannte keine Zentralgewalt, die man hätte vernichten oder mit der man hätte verhandeln können. Den mächtigen assyrischen und babylonischen Armeen bot sich einfach kein Angriffsziel.

Zu Beginn der Eisenzeit

Diese Zeit erlebte entscheidende technische Fortschritte. Zum ersten Mal tauchten Glas, glasierte Tonwaren und -ziegel auf und es gelang das Schmelzen von Eisenerz. Das Eisen ersetzte die Bronze als Werkstoff der Waffen- und Werkzeugherstellung zwar erst ab etwa 900 v. Chr., wurde aber schon um 1200 v. Chr., dem allgemein akzeptierten Zeitpunkt des Beginns der Eisenzeit, weithin genutzt.

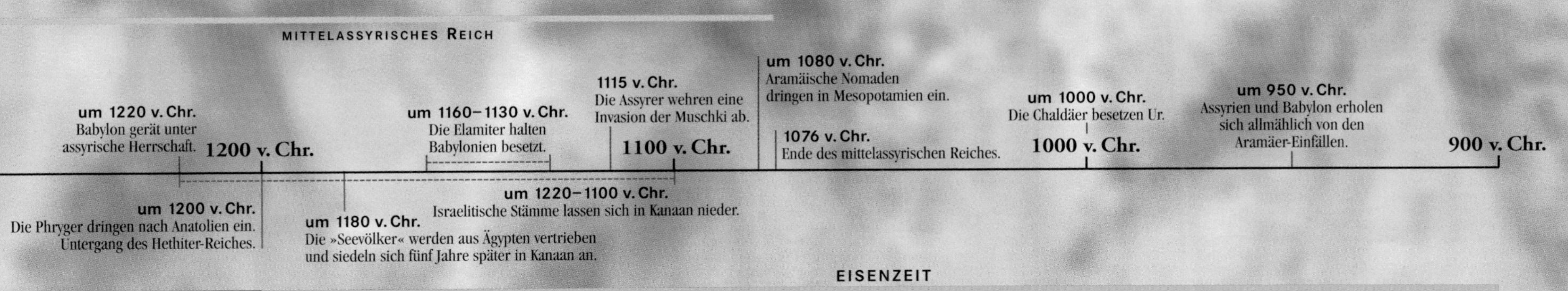

Mittelassyrisches Reich
um 1220 v. Chr.
Babylon gerät unter assyrische Herrschaft.
1200 v. Chr.
um 1160–1130 v. Chr.
Die Elamiter halten Babylonien besetzt.
1115 v. Chr.
Die Assyrer wehren eine Invasion der Muschki ab.
1100 v. Chr.
um 1080 v. Chr.
Aramäische Nomaden dringen in Mesopotamien ein.
1076 v. Chr.
Ende des mittelassyrischen Reiches.
um 1000 v. Chr.
Die Chaldäer besetzen Ur.
1000 v. Chr.
um 950 v. Chr.
Assyrien und Babylon erholen sich allmählich von den Aramäer-Einfällen.
900 v. Chr.
um 1200 v. Chr.
Die Phryger dringen nach Anatolien ein. Untergang des Hethiter-Reiches.
um 1180 v. Chr.
Die »Seevölker« werden aus Ägypten vertrieben und siedeln sich fünf Jahre später in Kanaan an.
um 1220–1100 v. Chr.
Israelitische Stämme lassen sich in Kanaan nieder.
Eisenzeit

Von der Urgeschichte bis zur Antike (11 000 bis 500 v. Chr.)

Das assyrische und das babylonische Reich • 1000 bis 539 v. Chr.

Etwa im 10. Jahrhundert begannen die Aramäer sesshaft zu werden und in einem großen Gebiet am östlichen Mittelmeerrand sowie im nördlichen Mesopotamien Stadtstaaten zu gründen. Eine ähnliche Entwicklung vollzog sich gleichzeitig bei den Chaldäern in Südmesopotamien. Durch ihr Sesshaftwerden verloren Aramäer wie Chaldäer viele Vorteile, die diese beiden Völker wegen ihrer lockeren, dem nomadischen Dasein angepassten Stammesorganisation bisher gegenüber den alten Militärmächten besessen hatten.

Wie die Amoriter ein Jahrtausend zuvor, nahmen auch die Aramäer und die Chaldäer die mesopotamische Kultur an, wobei aber zumindest die Aramäer ihre Identität bewahrten – ihre Sprache und ihr Alphabet beherrschten als gemeinsames Verständigungsmittel um 500 v. Chr. die Region. Während Mesopotamien in dieser Zeit von weiteren Zuwanderungen verschont blieb, wanderten in Kleinasien

Das Ischtar-Tor, eines der Stadttore Babylons, im Berliner Pergamon-Museum. Viele der blau glasierten Ziegel mussten durch Rekonstruktionen ersetzt werden.

und im Norden Mesopotamiens in Wellen iranische Völker ein, darunter auch die Meder und Perser, die bis zum 6. Jahrhundert mächtige Reiche errichteten.

Von den beherrschenden Mächten des Zweistromlandes bis 1200 v. Chr., dem Hethiter-Reich, Assyrien und Babylonien, erholten sich die Hethiter am wenigsten. Da sie ihr Kernland an die Phryger verloren hatten, gründeten die »Neuhethiter« (wie sie von nun an genannt wurden) im südlichen Anatolien eine Reihe kleinerer Staaten, als erfolgreichste unter ihnen Karkemisch, Kummuch (Kommagene)

Diese beiden geflügelten Sphingen bildeten die Basis für eine Säule im Palast des aramäischen Königs Barrekup (8. Jahrhundert v. Chr.).

und Khilakku (Kilikien). Die Neuhethiter wurden im 8. Jahrhundert v. Chr. von den Assyrern unterworfen und verschwanden als eigenständiger ethnischer Verband.

Assyriens Neuaufstieg …

Das assyrische Kernland um Assur und Ninive hatte die aramäischen Invasionen relativ unbeschadet überstanden, was seine Erneuerung außerordentlich begünstigte. Das alte Muster, das sich in mittelassyrischer Zeit herausgebildet hatte – der Ausdehnung des Reiches unter fähigen Kriegerkönigen folgten territoriale Verluste unter schwachen Königen – galt auch für das neuassyrische Reich. Unter König Adadnirari II. (911–891 v. Chr.) expandierte es wieder, so dass zur Zeit König Assurnassirpals II. (883–859 v. Chr.) die Assyrer ganz Nordmesopotamien beherrschten. Außerdem wurde ihnen Vorderasien bis nach Tyros tributpflichtig. In dieser Zeit verlor die Hauptstadt Assur ihre Bedeutung an die speziell als Regierungssitz gebaute Stadt Kalach.

Im Jahr 854 v. Chr. versuchte ein Bündnis vorderasiatischer Staaten, die assyrische Expansion aufzuhalten; dabei kam es bei Karkar am Orontes zur Schlacht. Obwohl sich Salmanassar III. (858–824) als Sieger fühlte, wurde die Macht der Assyrer in dieser Region eingedämmt. Die Beziehungen zwischen Assyrien und Babylon besserten sich, als sich 911 v. Chr. beide Reiche verbündeten. Salmanassar III. unterstützte die Babylonier gegen die Chaldäer und half ihnen auch gegen ihre inneren Feinde.

Nach der Herrschaft Salmanassars III. wurde Assyrien durch eigene Probleme geschwächt, so dass es einen 60 Jahre dauernden Niedergang erlebte. Erst unter Tiglatpilesar III. (744–727) erstarkte es wieder. Tiglatpilesar brachte die Oberherrschaft über Babylon an sich, eroberte Teile der östlichen Mittelmeerküste wieder zurück und zwang Juda und Israel zur Tributpflicht. Um die Zentralmacht zu festigen, führte der König eine umfassende Verwaltungsreform durch. Die erblichen Ämter der Provinzherrscher des Kernlandes wurden aufgelöst und durch eine dem König direkt verantwortliche Beamtenschaft ersetzt. Inspektoren reisten durchs Land und kontrollierten die Leistung der Beamten, die regelmäßig Berichte in die Hauptstadt schicken mussten. An die Höfe der Vasallenstaaten wurden Vertreter des Königs entsandt, die dort auf die Wahrung der assyrischen Interessen achteten. Um eine lokale Opposition zu verhindern, wurden viele der unterworfenen Völker umgesiedelt. Der vielleicht größte Bruch mit der gewohnten imperialen Tradition bestand im letztendlichen Verlust der nominellen Unabhängigkeit der Vasallenstaaten und in ihrer Umwandlung in assyrische Provinzen, die von Beamten des Königs regiert wurden.

Unter König Sargon II. (721–705) erreichte die assyrische Macht ihren Höhepunkt. Sargon schlug Urartu vernichtend und weitete seinen Herrschaftsbereich durch Kriegszüge gegen die Chaldäer (die inzwischen Babylon erobert hatten), Elamiter und Hebräer aus. Sein letzter Feldzug endete jedoch mit einer Niederlage, er fiel 705 v. Chr. in einer Schlacht in Anatolien. Seinen Nachfolger Sanherib (705–681) hielten ein Aufstand in Juda und in Babylon sowie Angriffe der Chaldäer und Elamiter von weiteren Expansionsplänen ab.

… und Verfall

Die assyrische Expansion wurde erst unter Assarheddon (680–669) fortgesetzt. Er leitete die Eroberung Ägyptens ein, die sein Nachfolger Assurbanipal (668 bis um 627) beendete. Diese Eroberung Ägyptens überforderte jedoch das Reich und Assurbanipals zunehmend tyrannische Herrschaft erzeugte Unzufriedenheit. Ägypten gewann 651 v. Chr. seine Unabhängigkeit zurück und obwohl Assurbanipal 648 Elam erobern konnte, endete seine Herrschaft im Chaos. Der babylonische König Nabupolassar (626–605) lehnte sich gegen die Assyrer auf und vertrieb sie nach zehnjährigem Kampf aus Babylon.

Babylonien Blüte und Niedergang

615 v. Chr. ging Nabupolassar zum Angriff über und eroberte 612 mit Unterstützung der Meder Ninive. Ein assyrisches Restkönigreich hielt bis 604 noch stand, dann war der Widerstand endgültig gebrochen. Pharao Necho II. (610–595) eroberte Vorderasien, wurde dann aber 605 vom babylonischen Kronprinzen Nebukadnezar II. bei Karkemisch geschlagen. Nebukadnezar bestieg im folgenden Jahr den Thron und widmete sich während seiner Herrschaftszeit (bis 562) der Konsolidierung des Reiches und dem Ausbau der Stadt Babylon. In seinem Regierungsstil blieb er weitgehend der assyrischen Tradition treu.

Nebukadnezars II. Dynastie bestand nur bis 556 v. Chr. Ein Hofbeamter namens Nabonid wurde zum neuen König gewählt (555 bis 539), machte sich aber mit seiner unorthodoxen religiösen Einstellung im

Zeitleiste

Neuassyrisches Reich

Mesopotamien

- **971–970 v. Chr.** Die traditionellen babylonischen Festlichkeiten werden wegen der Abwehr aramäischer Einwanderungswellen ausgesetzt.
- **um 934 v. Chr.** König Assurdan II. begründet das neuassyrische Großreich.
- **853 v. Chr.** Die babylonischen Könige werden von der Militärhilfe Assyriens abhängig.
- **729 v. C[hr.]** Besetzung Babylons durch die Ass[yrer]
- **734 v[. Chr.]** Babylon fällt in die Hände der Cha[ldäer]

1000 v. Chr. – 900 v. Chr. – 800 v. Chr.

Ägypten/Israel

- **um 1000 v. Chr.** Gründung des Königreichs Israel.
- **841 v. Chr.** Israel zahlt Assyrien Tribut.
- **721 v. C[hr.]** Eroberung Israels du[rch] Salmanassar V. von Assyri[en]

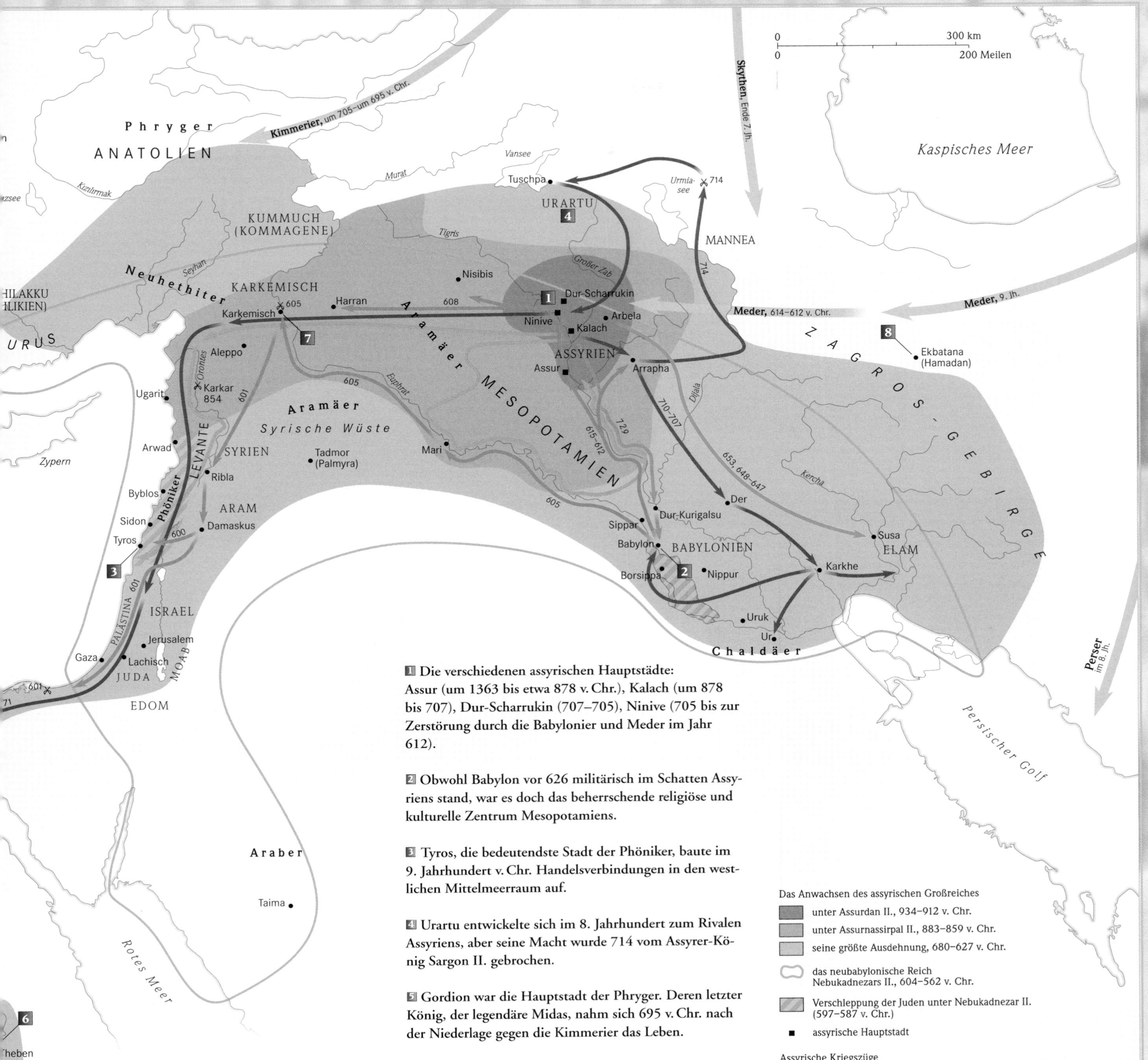

1 Die verschiedenen assyrischen Hauptstädte: Assur (um 1363 bis etwa 878 v. Chr.), Kalach (um 878 bis 707), Dur-Scharrukin (707–705), Ninive (705 bis zur Zerstörung durch die Babylonier und Meder im Jahr 612).

2 Obwohl Babylon vor 626 militärisch im Schatten Assyriens stand, war es doch das beherrschende religiöse und kulturelle Zentrum Mesopotamiens.

3 Tyros, die bedeutendste Stadt der Phöniker, baute im 9. Jahrhundert v. Chr. Handelsverbindungen in den westlichen Mittelmeerraum auf.

4 Urartu entwickelte sich im 8. Jahrhundert zum Rivalen Assyriens, aber seine Macht wurde 714 vom Assyrer-König Sargon II. gebrochen.

5 Gordion war die Hauptstadt der Phryger. Deren letzter König, der legendäre Midas, nahm sich 695 v. Chr. nach der Niederlage gegen die Kimmerier das Leben.

6 Theben, der südlichste Ort, den die Assyrer erreichten, wurde 663 v. Chr. von Assurbanipal zerstört.

7 Der Versuch Pharao Nechos II., Vorderasien zu erobern, endete mit der Niederlage gegen die Babylonier in der Schlacht von Karkemisch.

8 Nach dem Zerfall des Assyrer-Reiches wurde Ekbatana (Hamadan) zur Hauptstadt eines mächtigen Mederreiches.

Das Anwachsen des assyrischen Großreiches
- unter Assurdan II., 934–912 v. Chr.
- unter Assurnassirpal II., 883–859 v. Chr.
- seine größte Ausdehnung, 680–627 v. Chr.
- das neubabylonische Reich Nebukadnezars II., 604–562 v. Chr.
- Verschleppung der Juden unter Nebukadnezar II. (597–587 v. Chr.)
- assyrische Hauptstadt

Assyrische Kriegszüge
- Assurnassirpal II., 883–859 v. Chr.
- Tiglatpilesar III., 744–727 v. Chr.
- Sargon II., 721–705 v. Chr.
- Assarheddon, 680–669 v. Chr.
- Assurbanipal, 668 bis um 627 v. Chr.
- Feldzug der Babylonier gegen Assyrien und Ägypten, 616–600 v. Chr.
- Einwanderungswellen indoiranischer Völker, 9.–7. Jh.
- heutiger Küstenverlauf

babylonischen Kernland rasch unbeliebt. Als der Perserkönig Kyros der Große (559–529) im Jahr 539 v. Chr. Babylonien angriff, ergab sich Babylon kampflos und bereitete damit einer fast zweitausendjährigen imperialen Tradition ein stilles Ende. Die mesopotamische Kultur überlebte noch ein paar Jahrhunderte, verlor dann aber unter dem Einfluss zunächst der persischen und dann der hellenistischen Kultur immer mehr an Bedeutung. Zu Beginn der christlichen Zeit war sie endgültig untergegangen.

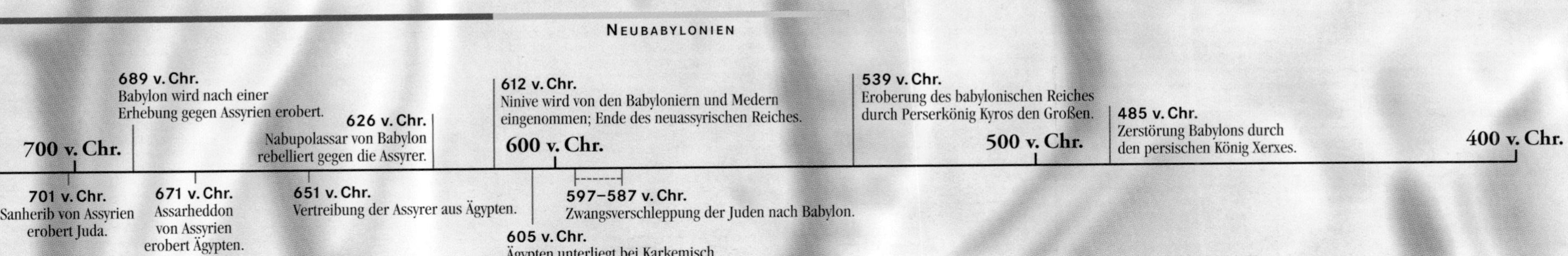
NEUBABYLONIEN
700 v. Chr.
600 v. Chr.
500 v. Chr.
400 v. Chr.
689 v. Chr. Babylon wird nach einer Erhebung gegen Assyrien erobert.
626 v. Chr. Nabupolassar von Babylon rebelliert gegen die Assyrer.
612 v. Chr. Ninive wird von den Babyloniern und Medern eingenommen; Ende des neuassyrischen Reiches.
539 v. Chr. Eroberung des babylonischen Reiches durch Perserkönig Kyros den Großen.
485 v. Chr. Zerstörung Babylons durch den persischen König Xerxes.
701 v. Chr. Sanherib von Assyrien erobert Juda.
671 v. Chr. Assarheddon von Assyrien erobert Ägypten.
651 v. Chr. Vertreibung der Assyrer aus Ägypten.
605 v. Chr. Ägypten unterliegt bei Karkemisch einem babylonischen Heer.
597–587 v. Chr. Zwangsverschleppung der Juden nach Babylon.

Von der Urgeschichte bis zur Antike (11 000 bis 500 v. Chr.)

Das Land der Bibel • 1000 bis 587 v. Chr.

Die israelitischen Königreiche erreichten hinsichtlich ihrer Größe und Langlebigkeit die Großreiche des Vorderen Orients bei weitem nicht – in Bezug auf ihre weltgeschichtliche Bedeutung entwickelten sie jedoch mindestens dieselbe Größe. Die Zeit des unabhängigen Königtums, die von der Herrschaft Davids bis zur Eroberung durch die Babylonier im Jahr 587 v. Chr. reichte, stellte für das Judentum eine entscheidende Entwicklungsphase dar.

In dieser Zeit entwickelten die Juden ein geschichtliches Sendungsbewusstsein, das sie zur Wahrung ihrer Religion und Identität durch Jahrhunderte der Fremdherrschaft, des Exils und der Diaspora befähigte. Ohne das Judentum des Alten Testaments hätten Christentum und Islam ihre heutige Bedeutung kaum erreicht.

Die Israeliten wanderten im frühen 12. Jahrhundert v. Chr. nach Kanaan ein, also zu einer Zeit, in der die großen Regionalmächte durch Probleme verschiedenster Art »neutralisiert« waren. Unter Josua besetzten die einzelnen israelitischen Stämme den größten Teil Kanaans und bildeten Stammesfürstentümer, an deren Spitze »Richter« (siehe das »Buch der Richter« im Alten Testament) standen.

David regierte um 1004–965 v. Chr.; etwa 2000 Jahre später entstand diese Miniatur des Königs der Israeliten (»Psalterum Egberti«, 10. Jahrhundert n. Chr.).

Das geeinte Reich

Die Notwendigkeit einer wirkungsvollen Verteidigung gegen die Philister bewegte die israelitischen Stämme, sich schließlich zu einem Königreich zu vereinigen. Der Bibel zufolge herrschte Saul als erster König (um 1020–1005/4 v. Chr.), aber erst seinem Nachfolger David (1004–965 v. Chr.) gelang die Festigung des Königtums und der Aufbau des ersten israelitischen Staates. König David besiegte die Philister, Ammoniter, Moabiter und Edomiter und zwang einige der aramäischen Stämme in Vorderasien zur Anerkennung seiner Oberhoheit. Diese Leistungen waren beachtlich, sie wurden jedoch auch durch die zeitweilige Schwäche der »Großmächte« begünstigt, die andernfalls sicher interveniert hätten. Das vielleicht wichtigste Ereignis der Regierungszeit Davids bestand jedoch in der Eroberung Jerusalems, das er zur Hauptstadt und zum religiösen Zentrum des israelitischen Reiches ausbaute.

In der Regierungszeit seines Sohnes und Nachfolgers Salomo (965–926 v. Chr.) herrschte weitgehend Frieden. Ein großartiges Hofleben entwickelte sich und man nahm große Bauprojekte in Angriff, zum Beispiel den Bau des Jahwetempels von Jerusalem. Allerdings erwies sich die Realisierung all dieser Vorhaben allmählich als große Belastung. Die Israeliten mussten Zwangsarbeit leisten oder wurden im Tausch gegen Handwerker und Baumaterial an Tyros abgetreten, desgleichen Teile ihres Landes. Salomo zog zudem Kritik auf sich, weil er die heidnischen Praktiken der nicht israelitischen Ehefrauen duldete, die er aus politischen Gründen geheiratet hatte. Als sein Nachfolger Rehabeam die wirtschaftlichen Klagen der nördlichen Stämme grob abwies, zerfiel das Königreich in die beiden Teile Israel und Juda, wobei die meisten nicht israelitischen Provinzen abfielen.

Israel und Juda

Uneinigkeit konnten sich die Israeliten aber kaum leisten, da sowohl Ägypten als auch Assyrien wieder erstarkten. 924 v. Chr. unternahm der ägyptische Pharao Scheschonk I. (945–924 v. Chr.) einen Feldzug nach Palästina (Land der Philister), Juda und Israel, zerstörte viele Städte und forderte Tributzahlungen. Immerhin überlebten beide israelitischen Königreiche den Überfall. Unter den Königen Omri und Ahab stieg Israel zum mächtigsten Königreich der Region auf und spielte bei den Versuchen der vorderasiatischen Staaten, die wachsende Macht Assyriens unter Salmanassar III. einzudämmen, eine wichtige Rolle. Unter Ahabs Nachfolger Jehu musste Israel jedoch den Assyrern Tribut zahlen. Im frühen 8. Jahrhundert erfreuten sich die Königreiche relativer Ruhe und großen Wohlstands, da sich Assyrien in einer Phase des Niedergangs befand. Die Ruhe war vorbei, als Tiglatpilesar III. (744–727 v. Chr.) Vorderasien überrannte und Israel zusammen mit Juda als Vasallenstaaten unterwarf. Als sich 724 v. Chr. König Hosea von Israel gegen Assyrien erhob, wurde seine Hauptstadt Samaria nach dreijähriger Belagerung erobert und viele Israeliten nach Assyrien verschleppt. Die Assyrer schlugen auch einen Aufstand Hiskias von Juda nieder, obwohl dieser von Ägypten unterstützt wurde. Als die assyrische Macht um 630 v. Chr. endgültig zerfiel, erlangte Juda unter König Josia (639 bis 609) seine Unabhängigkeit für kurze Zeit zurück. Josia dehnte seine Macht auch auf das alte Königreich Israel aus, aber 609 v. Chr. kam es bei Megiddo zur Schlacht gegen die Ägypter, in der Josia fiel. Die Ägypter besetzten ganz Vorderasien, wurden dann aber 605 in der Schlacht von Karkemisch von den Babyloniern geschlagen; Juda wurde Vasallenstaat Babylons.

Babylonische Gefangenschaft

Im Jahr 597 erhoben sich die Judäer gegen die Oberherrschaft Babylons. Dessen König Nebukadnezar II.

- – – vermutliche Grenze des Reiches von König Saul, um 1004 v. Chr.

Königreich Davids und Salomos
- Grenze, 1004–926 v. Chr.
- Kerngebiet
- Vasallen- oder tributpflichtige Staaten
- Feldzüge Davids, 1004–965 v. Chr.
- kanaanitische Enklave (von König David erobert)
- Gebiet, das König Salomo an Tyros abtrat
- von König Salomo erbaute Festung
- anderes geplantes Bauprojekt Salomos

0 – 200 km
0 – 150 Meilen

ZEITLEISTE

POLITISCHE VERÄNDERUNGEN

ALLGEMEIN

1300 v. Chr.

1200 v. Chr.

um 1220–1100 v. Chr. Ansiedlung der Israeliten in Kanaan.

1100 v. Chr.

um 1150–1050 v. Chr. Zeit der »Richter« (Stammesführer).

um 1020 v. Chr. Anfänge des Königtums unter Saul.

um 1000 v. Chr. König David (1004–965) erobert Jerusalem.

1000 v. Chr.

965–926 v. Chr. Salomo ist König von Israel.

um 950 v. Chr. Salomo baut den Tempel von Jerusalem.

(605–562 v. Chr.) schlug den Aufstand nieder, eroberte Jerusalem, zerstörte es und deportierte viele der Einwohner nach Babylon. Zehn Jahre später lehnte sich Juda erneut auf, aber wieder wurde der Aufstand niedergeschlagen und Jerusalem nach längerer Belagerung eingenommen. Das bedeutete das Ende eines unabhängigen Königreichs Juda. Sein letzter König Sedekias wurde von den Siegern geblendet und zusammen mit einem großen Teil des Adels gefangen gesetzt, während viele seiner Untertanen erneut verschleppt wurden. Andere Israeliten flohen nach Ägypten ins Exil. Unter politischem Aspekt eine Katastrophe, erwies sich die »Babylonische Gefangenschaft« als überaus kreative Zeit. Das Leben im Exil veranlasste zu religiöser Selbstbesinnung und ein großer Teil des Alten Testaments wurde in einer der heutigen sehr nahen Form aufgezeichnet. Zudem waren die Lebens-

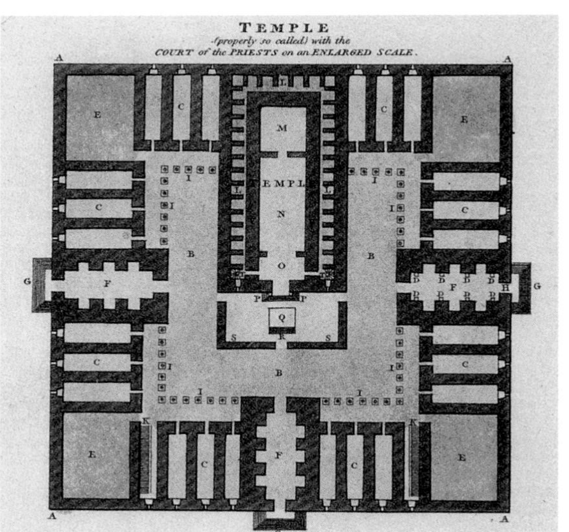
TEMPLE
(properly so called) with the
COURT of the PRIESTS on an ENLARGED SCALE.

König Salomo ließ den Jahwetempel in Jerusalem bauen – hier dessen rekonstruierter Grundriss auf einem Kupferstich aus dem Jahre 1814.

bedingungen nicht allzu hart. Als der Perserkönig Kyros der Große 539 v. Chr. das babylonische Reich zerstörte und den Juden die Heimkehr gestattete, zogen es Tausende vor zu bleiben. Auch viele der ins ägyptische Asyl geflüchteten Juden kehrten nicht mehr zurück – die Diaspora hatte begonnen.

- Grenze des ehemaligen Salomo-Reiches
- größte Ausdehnung des Königreiches Israel
- größte Ausdehnung des Königreiches Juda
- Grenze der von Israel oder Juda unabhängig gewordenen Reiche
- das Pharaonen-Reich Ägypten, 924 v. Chr.
- das assyrische Reich, 722 v. Chr.
- das babylonische Großreich, 597 v. Chr.

Feldzüge ausländischer Mächte in Israel und Juda
- Pharao Scheschonk I., 924 v. Chr.
- Assyrer-König Sanherib, 701 v. Chr.

0 150 km
0 100 Meilen

1 Saul fiel in der Schlacht von Gilboa gegen die Philister.

2 Hebron war die Hauptstadt König Davids, bevor dieser den Kanaanäern um das Jahr 1000 v. Chr. Jerusalem entrang.

3 Die Aramäer von Hamath ergaben sich David, nachdem er die Aramäer von Zobah und Damaskus unterworfen hatte.

4 Salomo ließ in Ezion-geber eine Flotte bauen, um über das Rote Meer hinweg mit Afrika und Arabien Handel treiben zu können.

5 Die Stämme im Norden erhoben sich gegen König Rehabeam und gründeten das Königreich Israel.

6 Ein Bündnis levantinischer Staaten, dem auch Israel angehörte, konnte durch den Sieg in der Schlacht von Karkar 854 die assyrische Expansion für kurze Zeit aufhalten.

7 Das aramäische Damaskus entwickelte sich um 850 zu einem ernsthaften Rivalen Israels, wurde dann aber 732 von Assyrien erobert.

8 Samaria, die Hauptstadt Israels, wurde 721 von den Assyrern nach dreijähriger Belagerung erobert.

9 Jerusalem, die Hauptstadt Judas, wurde 587 nach einem Aufstand gegen die Babylonier zerstört, die Bevölkerung der Stadt nach Babylon verschleppt. 539 gestatteten die siegreichen achaimenidischen Perser den Exilierten die Rückkehr.

926 v. Chr.
...stand gegen Rehabeam; ...spaltung des Königreichs ...die Teile Israel und Juda.

...24 v. Chr.
...harao Scheschonk I. von Ägypten ...ringt in Juda und Israel ein.

um 850 v. Chr.
Die Propheten Elias und Elisa verteidigen den jüdischen Glauben gegen fremde Lehren.

854 v. Chr.
Die Assyrer besiegen die Königreiche der östlichen Mittelmeerküste in der Schlacht von Karkar.

841 v. Chr.
Israel zahlt Tribut an Assyrien.

721 v. Chr.
Salmanassar V. erobert Israel und verschleppt die Einwohner von Samaria nach Assyrien.

um 735 v. Chr.
Der Prophet Jesaja warnt vor der Herrschaft der Assyrer.

701 v. Chr.
Die Assyrer erobern Juda.

716–671 v. Chr.
Eine nubische Dynastie beherrscht ganz Ägypten.

612 v. Chr.
Ende des assyrischen Reichs.

609–605 v. Chr.
Juda unter ägyptischer Herrschaft.

597 v. Chr.
Der babylonische König Nebukadnezar II. erobert Jerusalem.

587 v. Chr.
Nebukadnezar II. zerstört Jerusalem erneut und verschleppt seine Bewohner nach Babylon.

539 v. Chr.
Fall Babylons und Heimkehr der Israeliten.

587–539 v. Chr.
Zeit der »Babylonischen Gefangenschaft«; die wichtigsten Bücher des Alten Testaments erscheinen in ihrer weitgehend gegenwärtigen Form.

900 v. Chr. — 800 v. Chr. — 700 v. Chr. — 600 v. Chr. — 500 v. Chr.

Von der Urgeschichte bis zur Antike (11 000 bis 500 v. Chr.)

Das persische Achaimeniden-Reich • 559 bis 480 v. Chr.

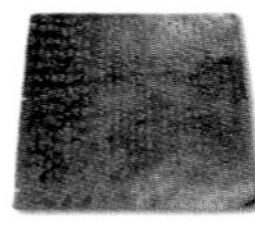

Die Perser, die 539 v. Chr. Babylon eroberten, waren ein indoiranisches Volk, das den mit ihnen verwandten Medern im 8. Jahrhundert auf ihrem Zug bis in das Gebiet des heutigen Iran gefolgt war. Als Gründer der persischen Monarchie gilt Achaimenes, nach dem die Dynastie benannt ist. Seine Regierungszeit ist nicht genau bekannt, vermutlich lebte er um 700 v. Chr.

Im Jahr 648 v. Chr., als der Assyrer-König Assurbanipal den Westen Elams besetzte, brachten die Perser den östlichen Teil dieses Reiches in ihre Gewalt. Gleichwohl unterstanden sie weiterhin der Oberhoheit der mächtigeren Meder, bis Kyros II. ein persisches Großreich gründete.

Der Weg zur Grossmacht

Der Aufstieg dieses Perserkönigs als großer Eroberer begann mit der Strafexpedition, die der nominelle Herrscher, der Mederkönig Astyages, um 550 v. Chr. nach einem Aufstand gegen die Perser unternahm. Bei Pasargadae stieß er auf Kyros, der ihn vernichtend schlug und danach die medische Hauptstadt Hamadan (Ekbatana) besetzte. Damit hatte Kyros sich zum mächtigsten Herrscher der Region aufgeschwungen. 547 v. Chr. vertrieb er den nach Medien eingedrungenen lydischen König Krösus, der sich in seine Hauptstadt Sardes zurückzog und seine Armee über den Winter auflöste. Kyros hingegen hinderte der Winter nicht und als er überraschend vor Sardes auftauchte, ergab sich die Stadt nach nur zweiwöchiger Belagerung. Die Eroberung Restlydiens überließ er seinen Generälen und wandte sich selbst wieder nach Osten. 539 krönte er seine Laufbahn mit der Eroberung Babylons. Die dortige Priesterschaft hasste König Nabonidus wegen seiner unorthodoxen Religionspolitik, so dass Kyros, der sich als Diener des babylonischen Gottes Marduk und Retter der Orthodoxie darstellte, sogar förmlich begrüßt wurde.

Unter König Dareios I. – hier eine Reliefdarstellung – konnte das Perserreich seinen Einflussbereich bis zum Indus und bis nach Europa ausdehnen.

In wenig mehr als zehn Jahren hatte Kyros mit bemerkenswert wenigen und nicht allzu aufwändigen Feldzügen das größte Reich errichtet, das die Welt bis zu jenem Zeitpunkt gesehen hatte. Im Falle der Meder spielte sicherlich die nahe Verwandtschaft beider Völker eine Rolle, denn hier ging es weniger um eine Unterwerfung, sondern eher um die Ablösung einer Dynastie. In Mesopotamien hatte Kyros II. leichtes Spiel, weil die ständig wechselnde Zugehörigkeit entweder zum assyrischen oder zum babylonischen Reich das Identitätsgefühl der kleineren Völker und Stämme geschwächt hatte; deshalb leistete man den neuen Herren keinen nennenswerten Widerstand. Kyros II. war nicht nur Soldat, sondern auch Diplomat, die Konsolidierung seines Reiches basierte also nicht zuletzt auch auf seiner maßvollen Haltung. Seine Tributforderungen blieben moderat, er mischte sich nicht in örtliche Angelegenheiten ein, bestätigte die Rechte der jeweiligen örtlichen Priesterschaft und ließ auch die lokalen Regierungsinstitutionen unangetastet.

Ausweitung des Reiches

Kyros II. fiel 529 oder 530 v. Chr. in einer Schlacht gegen die Saken in Mittelasien und sein Sohn Kambyses II. folgte ihm als Großkönig nach. Kambyses gliederte auch Ägypten und Lydien seinem Reich ein, bevor er unter ungeklärten Umständen starb. Möglicherweise tötete ihn sein eigener Bruder Smerdis,

Skythen
THRAKIEN
Schwarze
MAKEDONIEN
480
Skudra
Pferde, Waffen
Bosporus
Kappadok
300 Silbertal
Bekleidung,
Hellespont
GRIECHISCHE STADTSTAATEN
LYDIEN
547–546
Platää 479
Marathon 490
Salamis 480
Athen
Sparta
547–546 Sardes
Lydien
500 Silbertalente, Gefäße
Kilikische Tore
TAURU
Ionien
Bekleidung, Gefäße
Xantos
Kreta
Rhodos
Kilikien
360 weiße Pferde
Karien
zusammen mit Ionien 400 Silbertalente, Streitwagen, Waffen
Zypern
zusammen mit Palästina und Phönikien 300 Silbertalente
Barke
Kyrene
Libyen
Wagen, Ziegen
Mittelmeer
525
Jerus
Pelusium
Oase Siwa
Memphis
PHARAONEN-REICH ÄGYPTEN
Ägypten
700 Silbertalente, Rinder, Tücher
Große Oase (El-Kharga)
Theben
526
523
Königreich Meroë (Nubien)
Elefanten, Elfenbein, Giraffen, Gefäße
0 600 km
0 400 Meilen

1 Der Mederkönig Astyages wurde bei Pasargadae vom Perserkönig Kyros II. vernichtend geschlagen; Kyros eroberte Hamadan (Ekbatana) und bestieg den medischen Thron.

2 Kyros II. schlug bei Pteria die in sein Reich eingedrungenen Lyder zurück, eroberte deren Hauptstadt Sardes und setzte König Krösus gefangen.

3 Kyros II. ließ zum Schutz der Nordgrenze des Reiches eine Reihe von Festungen errichten, als stärkste unter ihnen Kyroschata.

4 525 v. Chr. eroberte Kyros' Sohn Kambyses II. das ägyptische Memphis und schleppte Pharao Psammetich III. in Ketten nach Susa.

5 Truppen, die Kambyses zur Eroberung der Oase Siwa abkommandiert hatte, verschwanden spurlos in der Wüste.

6 Perserkönig Dareios I. ließ 513 v. Chr. eine Bootsbrücke über den Bosporus bauen, um nach Europa vorzudringen. Xerxes folgte seinem Beispiel 480 v. Chr. am Hellespont.

7 Durch ihren Sieg in der Seeschlacht von Salamis trugen die Griechen wesentlich dazu bei, das weitere Vordringen der Perser nach Westen zu verhindern.

ZEITLEISTE

PERSERREICH

um 850 v. Chr. Die Meder wandern aus Mittelasien in den heutigen Iran ein.

850 v. Chr.

um 750 v. Chr. Die Perser folgen den Medern und lassen sich im südlichen Iran nieder.

750 v. Chr.

ALLGEMEIN

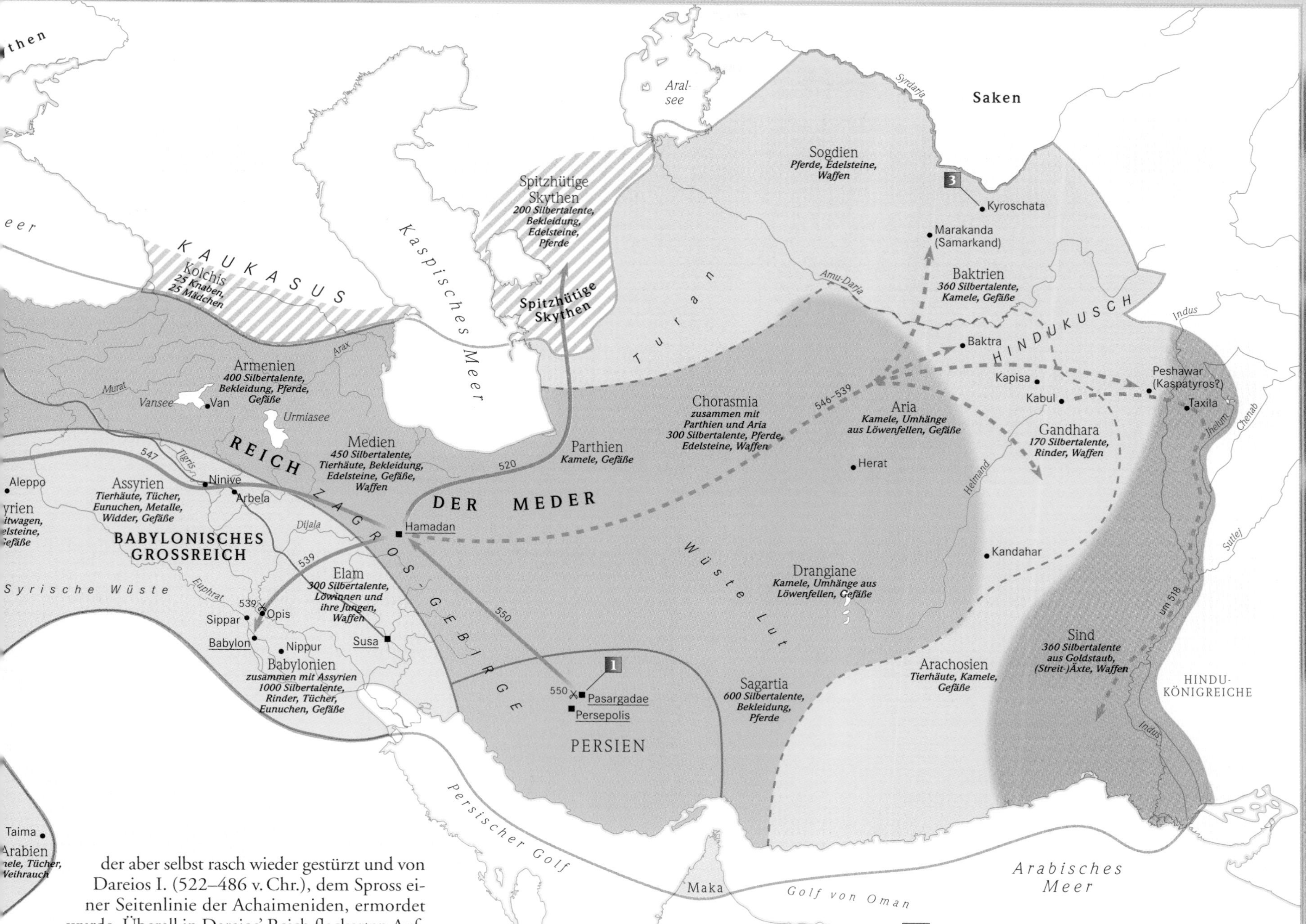

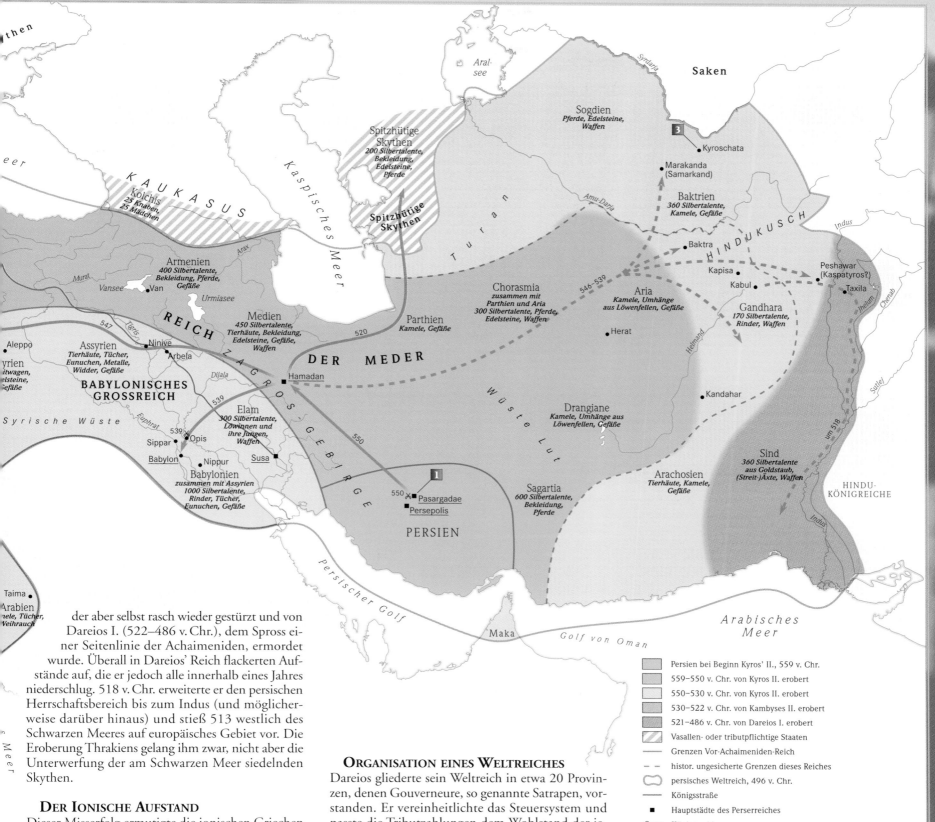

der aber selbst rasch wieder gestürzt und von Dareios I. (522–486 v. Chr.), dem Spross einer Seitenlinie der Achaimeniden, ermordet wurde. Überall in Dareios' Reich flackerten Aufstände auf, die er jedoch alle innerhalb eines Jahres niederschlug. 518 v. Chr. erweiterte er den persischen Herrschaftsbereich bis zum Indus (und möglicherweise darüber hinaus) und stieß 513 westlich des Schwarzen Meeres auf europäisches Gebiet vor. Die Eroberung Thrakiens gelang ihm zwar, nicht aber die Unterwerfung der am Schwarzen Meer siedelnden Skythen.

Der Ionische Aufstand

Dieser Misserfolg ermutigte die ionischen Griechen um 500 v. Chr. zu einem Aufstand, den die Perser 494 niederschlugen. Daraufhin schickte Dareios ein Expeditionskorps, das die Festlandgriechen für ihre Unterstützung der Aufständischen bestrafen sollte. Als diese Streitmacht 490 von einem Heer der griechischen Städte unter Führung der Athener bei Marathon geschlagen wurde, plante Dareios die Eroberung Griechenlands. Diesen Feldzug unternahm aber erst sein Sohn Xerxes. Die vernichtenden Niederlagen, die dessen Flotte 480 v. Chr. vor Salamis und sein Heer im folgenden Jahr bei Plataä erlitten, beendeten die Expansion des Perserreiches.

Organisation eines Weltreiches

Dareios gliederte sein Weltreich in etwa 20 Provinzen, denen Gouverneure, so genannte Satrapen, vorstanden. Er vereinheitlichte das Steuersystem und passte die Tributzahlungen dem Wohlstand der jeweiligen Provinzen an. Nur Persien selbst bildete eine Ausnahme, da es nicht als eroberte Provinz galt. Das Postsystem aus der Zeit der Assyrer wurde verbessert und das Straßennetz ausgebaut. Die Kommandeure der Garnisonen blieben dem Großkönig direkt unterstellt. Dieser verlegte den Regierungssitz nach Susa und gründete eine neue Hauptstadt: Persepolis. Unter Dareios benutzte die Reichsverwaltung noch verschiedene Lokalsprachen und für Dokumente die Keilschrift auf Tontafeln. Seine Nachfolger bevorzugten Pergament sowie die weit verbreitete aramäische Sprache und deren Alphabet.

Persien bei Beginn Kyros' II., 559 v. Chr.
559–550 v. Chr. von Kyros II. erobert
550–530 v. Chr. von Kyros II. erobert
530–522 v. Chr. von Kambyses II. erobert
521–486 v. Chr. von Dareios I. erobert
Vasallen- oder tributpflichtige Staaten
Grenzen Vor-Achaimeniden-Reich
histor. ungesicherte Grenzen dieses Reiches
persisches Weltreich, 496 v. Chr.
Königsstraße
Hauptstädte des Perserreiches
Susa Königsresidenz
LYDIEN erobertes Reich
Karien dem Perserreich tributpflichtige Provinz, um 500 v. Chr.
Pferde Tributzahlungen an Persien
heutiger Küstenverlauf

wichtige Feldzüge der Perser
Kyros II.
vermutlich Kyros II.
Kambyses II.
Dareios I.
vermutlich Dareios I.
Xerxes

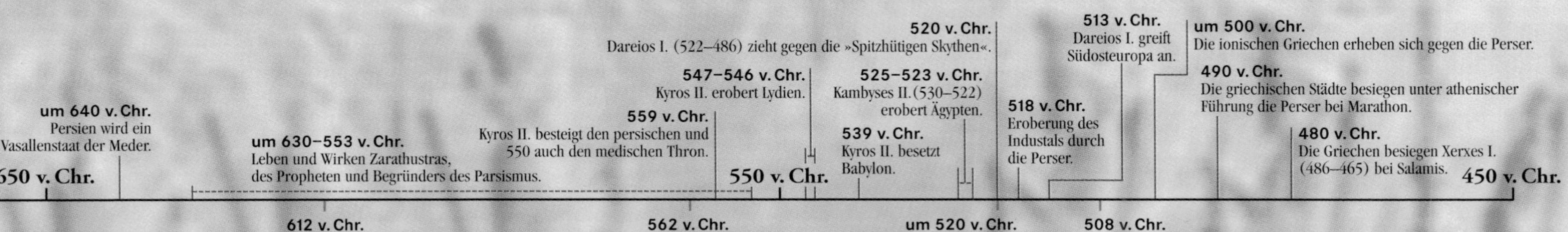

650 v. Chr.
um 640 v. Chr. Persien wird ein Vasallenstaat der Meder.
um 630–553 v. Chr. Leben und Wirken Zarathustras, des Propheten und Begründers des Parsismus.
612 v. Chr. Ninive fällt und das Assyrer-Reich bricht zusammen.
559 v. Chr. Kyros II. besteigt den persischen und 550 auch den medischen Thron.
562 v. Chr. Niedergang Babylons nach dem Tod Nebukadnezars II.
547–546 v. Chr. Kyros II. erobert Lydien.
550 v. Chr.
520 v. Chr. Dareios I. (522–486) zieht gegen die »Spitzhütigen Skythen«.
525–523 v. Chr. Kambyses II. (530–522) erobert Ägypten.
539 v. Chr. Kyros II. besetzt Babylon.
um 520 v. Chr. Dareios I. lässt einen Kanal zwischen Nil und Rotem Meer bauen.
518 v. Chr. Eroberung des Industals durch die Perser.
513 v. Chr. Dareios I. greift Südosteuropa an.
508 v. Chr. Kleisthenes schafft in Athen die Grundlagen für eine Demokratie.
um 500 v. Chr. Die ionischen Griechen erheben sich gegen die Perser.
490 v. Chr. Die griechischen Städte besiegen unter athenischer Führung die Perser bei Marathon.
480 v. Chr. Die Griechen besiegen Xerxes I. (486–465) bei Salamis.
450 v. Chr.

Von der Urgeschichte bis zur Antike (7000 bis 500 v. Chr.)

Ägypten: Vor- und Frühgeschichte, Altes Reich • 6000 bis 2040 v. Chr.

Das alte Ägypten hing vollständig vom Nil ab. Unterhalb des ersten Katarakts fließt er durch ein enges Tal und sein Überschwemmungsgebiet ist – mit Ausnahme des Deltas – nur wenige Kilometer breit. Der Nil trat alljährlich im Spätsommer über seine Ufer und im Herbst fiel der Wasserstand wieder, so dass die Felder – feucht und mit frischem Schlamm gedüngt – für ihre Neubestellung vorbereitet waren.

Die Nutzpflanzen wuchsen in den warmen Wintern und wurden im Frühjahr geerntet. Man brauchte die komplizierten Bewässerungsanlagen und Dämme Mesopotamiens nicht, wo die Überschwemmungen im Frühjahr nach dem Einsetzen der Wachstumsperiode auftraten. Gleichwohl bauten auch die Ägypter Kanäle, um das Hochwasser zu verteilen und so die landwirtschaftliche Nutzfläche zu vergrößern. Sie erzielten hohe Erträge und brachten die überschüssige Produktion in staatliche Lagerhäuser, wo sie an die Verwaltungsbeamten, Handwerker und Priester verteilt wurde. Mit solchen Vorräten ließ sich aber auch Handel treiben. Der Nil bildete zudem die Hauptverkehrsader Ägyptens. Normalerweise wehte der Wind aus dem Norden; deshalb konnten die Schiffe den Fluss hinaufsegeln und sich dann mit der Strömung wieder flussabwärts tragen lassen. Nur wenige Siedlungen lagen weit vom Fluss entfernt. Das erleichterte den Transport schwerer Lasten wie Getreide oder Steine über weite Entfernungen bis an ihren Bestimmungsort. Zu beiden Seiten des 800 Kilometer langen fruchtbaren Streifens befanden sich Wüsten, die Ägypten von anderen Kulturen abschnitten, aber auch vor Eindringlingen schützten: Die ägyptische Kultur bestand bereits seit 1300 Jahren, als die erste Invasionswelle über das Land schwappte.

Erste Reiche – Entwicklung der Schrift und Verwaltung

Die Landwirtschaft begann in Ägypten schon vor 6000 v. Chr. und bis zum Jahr 4000 v. Chr. war das Niltal dicht mit Subsistenzbauern besiedelt. Um 3300 v. Chr. entstanden Gaue (Stammestümer) und erste Städte. Schließlich vereinigten sich die Gaufürsten der »beiden Länder« Ober- und Unterägypten zu Königreichen, die um die Vorherrschaft kämpften. Der erste König des oberägyptischen Reiches hieß Narmer, der um 3000 v. Chr. Unterägypten eroberte und Memphis als Hauptstadt des Reiches gründete.

Bis zu dieser Zeit hatte sich auch die Hieroglyphenschrift, die an die sumerische Bilderschrift erinnerte, entwickelt. Allerdings leiteten sich die Hieroglyphen von Schmuckmotiven aus der Töpferei her. Erste Hieroglyphen finden sich auf Schiefertafeln, die Narmer hatte beritzen lassen, um an seine Siege zu erinnern. Diese Zeugnisse zeigen auch, dass das theokratische Königtum, die Grundlage des Alten Reiches, bereits weit fortgeschritten war. In der folgenden frühdynastischen Zeit (2965–2705 v. Chr.) bauten die Könige eine effiziente Verwaltung auf, die bis zur Entstehung des Alten Reiches 2705 v. Chr. eine gewaltige Erweiterung der königlichen Machtbefugnisse erlaubte.

Der König als göttliche Spitze der Macht

Die jährlichen Überschwemmungen galten als göttliche Gabe. Man glaubte, der König sei göttlicher Abstammung und damit unsterblich. Starb er, so löste sein Tod gewaltige Anstrengungen aus. Man balsamierte seinen Leichnam ein und baute ihm ein reich ausgestattetes Grab. Dabei handelte es sich zunächst um Gräber (Mastabas), die auf steinernen Plattformen standen. Unter Djoser (2620–2600 v. Chr.) traten an ihre Stelle Pyramiden. Der Pyramidenbau gipfelte um das Jahr 2550 v. Chr. im Bau der Pyramide für Cheops und der etwas kleineren für seinen Sohn Chephren. Diese gewaltigen Bauwerke bezeugen eindrucksvoll die Macht der Könige über ihre Untertanen. Der Pyramidenbau beanspruchte jedoch die Ressourcen des Königreiches so sehr, dass die späteren Pyramiden wieder bescheidener ausfielen und man gar nach dem 17. Jahrhundert v. Chr. überhaupt keine mehr baute, zumal sich bis dahin auch die Vorstellungen von einem Leben nach dem Tod gewandelt hatten.

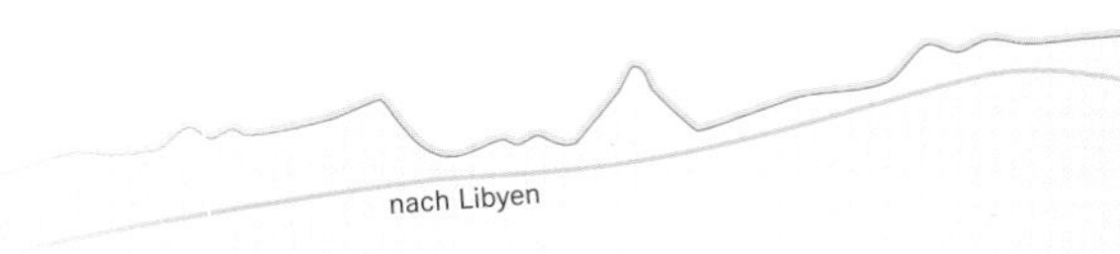
Mittelme
nach Libyen

Ägypten wurde von einer effizienten Bürokratie beherrscht. Das Königreich galt als Privateigentum des Königs und die Beamten der Zentralregierung gehörten zum königlichen Haushalt. An der Spitze der Beamtenschaft stand der Wesir, der die Rechtsprechung und Steuererhebung beaufsichtigte. Unter dem Wesir dienten Kanzler, Lagerhausaufseher und andere, denen in Mathematik und Schrift geübte Schreiber zur Seite standen. Zur Erleichterung der örtlichen Verwaltung war Ägypten in Gaue aufgeteilt, die Gouverneuren unterstanden.

Dezentralisierung: Das Alte Reich bricht auseinander

Während der 5. Dynastie (2520–2360 v. Chr.) wurde die Monarchie durch Landschenkungen an den Adel geschwächt. Diese Verleihung von Grundbesitz an hohe Beamte führte zur Entwicklung eines Beamtenadels und mit der Erblichkeit dieser Lehen wandelte sich der Beamtenstaat zum Feudalstaat, verbunden mit einer zunehmenden Dezentralisierung; die Macht des Königs schwand. Als um 2150 v. Chr. die jährlichen Überschwemmungen eine Zeit lang ausblieben und daraus eine große Hungersnot entstand, sank die Autorität des Königs noch weiter. Das Alte Reich zerfiel schließlich und Ägypten wurde in rivalisierenden Dynastien wieder in Ober- und Unterägypten aufgeteilt. Diese Periode ist als »Erste Zwischenzeit« bekannt.

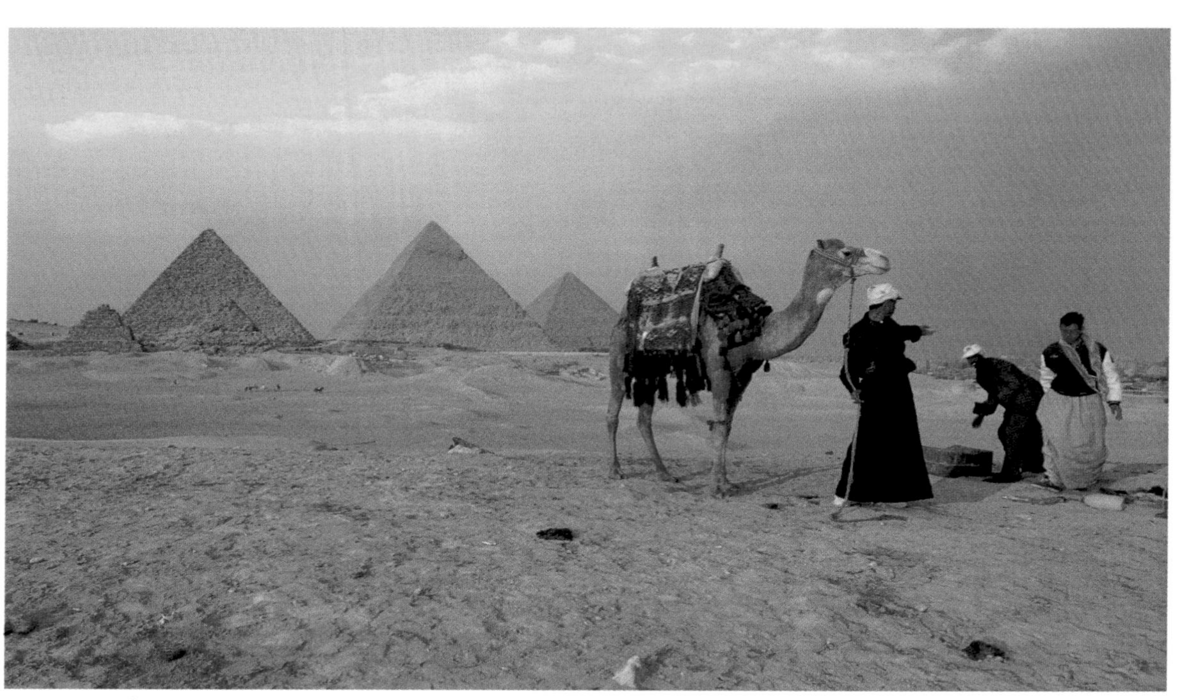

Die Pyramiden von Gizeh im Abendlicht: Um 2550 v. Chr. als Königsgräber gebaut, haben diese beeindruckenden Monumente auch heute noch nicht alle ihre Geheimnisse gelüftet.

1 Der erste Nilkatarakt bildete in der ägyptischen Geschichte meistens die Südgrenze des Landes.

2 Hierakonpolis und Nakada entwickelten sich um 3300 v. Chr. zu den ersten ägyptischen Städten. Narmer herrschte wahrscheinlich als König von Hierakonpolis.

3 Bei Sakkara steht die älteste Pyramide (Stufenpyramide, um 2620 v. Chr. erbaut).

ZEITLEISTE

DYNASTIEN

KULTUR

6000 v. Chr. — **5000 v. Chr.**

vor 6000 v. Chr.
Beginn der Landwirtschaft im Niltal.

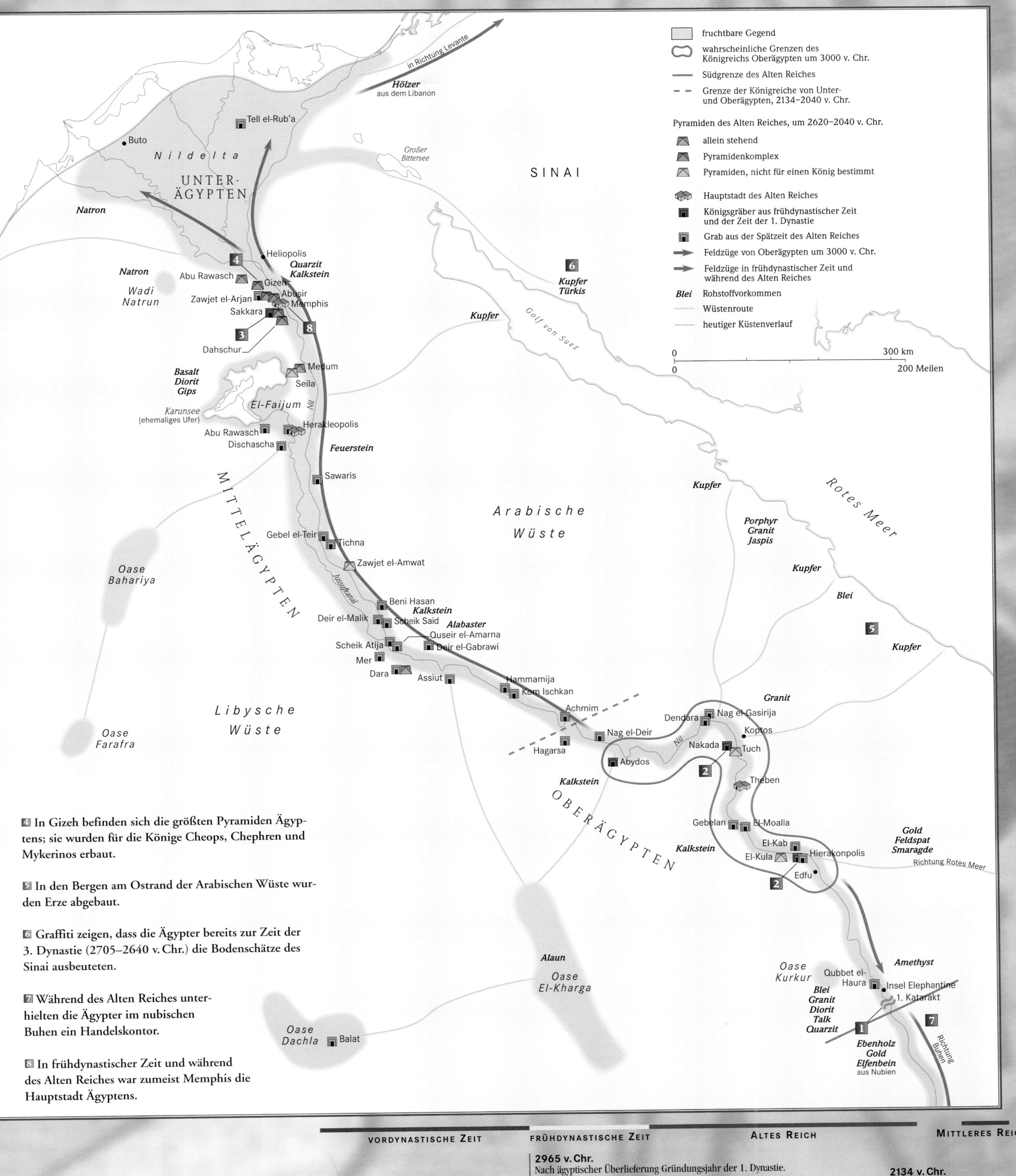
fruchtbare Gegend
wahrscheinliche Grenzen des Königreichs Oberägypten um 3000 v. Chr.
Südgrenze des Alten Reiches
Grenze der Königreiche von Unter- und Oberägypten, 2134–2040 v. Chr.
Pyramiden des Alten Reiches, um 2620–2040 v. Chr.
allein stehend
Pyramidenkomplex
Pyramiden, nicht für einen König bestimmt
Hauptstadt des Alten Reiches
Königsgräber aus frühdynastischer Zeit und der Zeit der 1. Dynastie
Grab aus der Spätzeit des Alten Reiches
Feldzüge von Oberägypten um 3000 v. Chr.
Feldzüge in frühdynastischer Zeit und während des Alten Reiches
Blei Rohstoffvorkommen
Wüstenroute
heutiger Küstenverlauf
0 300 km
0 200 Meilen
in Richtung Levante
Hölzer aus dem Libanon
Tell el-Rub'a
Buto
Nildelta
UNTER-ÄGYPTEN
Großer Bittersee
SINAI
Natron
Heliopolis
Quarzit Kalkstein
Natron
Wadi Natrun
Abu Rawasch
Gizeh
Abusir
Zawjet el-Arjan
Memphis
Sakkara
Dahschur
Kupfer Türkis
Kupfer
Golf von Suez
Meidum
Seila
Basalt Diorit Gips
Karunsee (ehemaliges Ufer)
El-Faijum
Nil
Herakleopolis
Abu Rawasch
Dischascha
Feuerstein
Sawaris
MITTELÄGYPTEN
Kupfer
Rotes Meer
Arabische Wüste
Porphyr Granit Jaspis
Oase Bahariya
Gebel el-Teir
Tichna
Zawjet el-Amwat
Kupfer
Blei
Jussufkanal
Beni Hasan
Kalkstein
Deir el-Malik
Scheik Said
Alabaster
Quseir el-Amarna
Scheik Atija
Deir el-Gabrawi
Mer
Dara
Assiut
Kupfer
Hammamija
Kom Ischkan
Libysche Wüste
Achmim
Granit
Oase Farafra
Dendara
Nag el-Gasirija
Koptos
Nag el-Deir
Hagarsa
Nil
Nakada
Tuch
Abydos
Kalkstein
Theben
OBERÄGYPTEN
Gebelan
El-Moalla
Gold Feldspat Smaragde
Kalkstein
El-Kab
El-Kula
Hierakonpolis
Richtung Rotes Meer
Edfu
Alaun
Oase El-Kharga
Amethyst
Oase Kurkur
Qubbet el-Haura
Insel Elephantine
1. Katarakt
Blei Granit Diorit Talk Quarzit
Oase Dachla
Balat
Ebenholz Gold Elfenbein aus Nubien
Richtung Buhen

4 In Gizeh befinden sich die größten Pyramiden Ägyptens; sie wurden für die Könige Cheops, Chephren und Mykerinos erbaut.

5 In den Bergen am Ostrand der Arabischen Wüste wurden Erze abgebaut.

6 Graffiti zeigen, dass die Ägypter bereits zur Zeit der 3. Dynastie (2705–2640 v. Chr.) die Bodenschätze des Sinai ausbeuteten.

7 Während des Alten Reiches unterhielten die Ägypter im nubischen Buhen ein Handelskontor.

8 In frühdynastischer Zeit und während des Alten Reiches war zumeist Memphis die Hauptstadt Ägyptens.

VORDYNASTISCHE ZEIT — FRÜHDYNASTISCHE ZEIT — ALTES REICH — MITTLERES REICH

4000 v. Chr.

um 4000 v. Chr. In Ägypten finden Kupfergegenstände Verwendung.

um 3300 v. Chr. Zur Zeit der Negade-II-Kultur entstehen im Niltal die ersten Städte.

um 3300–3000 v. Chr. Entwicklung der Hieroglyphenschrift.

um 3000 v. Chr. Verschmelzung Ober- und Unterägyptens; König Narmer gründet Memphis.

3000 v. Chr.

2965 v. Chr. Nach ägyptischer Überlieferung Gründungsjahr der 1. Dynastie.

2705 v. Chr. Sanacht gründet die 3. Dynastie und das mächtige Alte Reich, dessen Hauptstadt Memphis wird.

um 2620 v. Chr. Bau der Stufenpyramide von Sakkara.

um 2550 v. Chr. Bau der Cheopspyramide bei Gizeh.

um 2400 v. Chr. Die Monarchie verliert zunehmend an Macht.

2150 v. Chr. Eine Zeit geringer Nilüberschwemmungen führt zu Hungersnöten und Unruhen.

2134 v. Chr. Ende des Alten Reiches – Ägypten zerfällt in zwei rivalisierende Königreiche.

2000 v. Chr.

Von der Urgeschichte bis zur Antike (7000 bis 500 v. Chr.)

Ägypten: Zwischenzeiten, Mittleres und Neues Reich, Spätzeit • 2040 bis 332 v. Chr.

Nach wechselvollen Kämpfen in Mittelägypten gelang Mentuhotep I. (2061–2010, nach anderen Quellen 2008–1957 v. Chr.) aus der 11. Dynastie die Wiedervereinigung Ägyptens und begründete damit das Mittlere Reich. In wenigen Jahrzehnten war die königliche Autorität wiederhergestellt und der Einfluss der Gaufürsten eingeschränkt.

Für den Aufbau einer loyalen Verwaltung bedienten sich die Herrscher des Mittleren Reiches einer geschickten Propaganda, das heißt, Statuen stellten den König als »guten Hirten« seines Volkes dar. Der Pyramidenbau wurde neu belebt, wenn auch in bescheidenerer Form als im Alten Reich.

Neue Blüte im Mittleren Reich

Die Nachbarn Ägyptens lebten nun in kleinen Königreichen, so dass sich die Herrscher des Mittleren Reiches zu einer aggressiveren Außenpolitik als ihre Vorgänger genötigt sahen. In der Zeit Amenemhets I. (1938–1908 v. Chr.) wurde Unternubien erobert und die Grenze beim zweiten Katarakt von seinen Nachfolgern mit Garnisonen und Festungen gesichert. Sesostris III. (1836–1818 v. Chr.) dehnte den ägyptischen Einfluss bis nach Vorderasien aus und unterwarf die örtlichen Herrscher als seine Vasallen. Im 18. Jahrhundert befreite sich der Verwaltungsapparat allmählich wieder aus der Kontrolle des Königs und für längere Zeit leiteten die Wesire das Reich als die eigentlichen Herrscher. Im 17. Jahrhundert kamen viele Einwanderer aus Vorderasien ins Nildelta und wurden dort in die niederen Klassen der ägyptischen Gesellschaft integriert; Chendjer, einem dieser Einwanderer, gelang um 1718 v. Chr. allerdings sogar der Sprung auf den Königsthron.

Das mit kostbaren Beigaben ausgestattete, unversehrte Grab des Ägypterkönigs Tutanchamun wurde 1922 im Tal der Könige entdeckt.

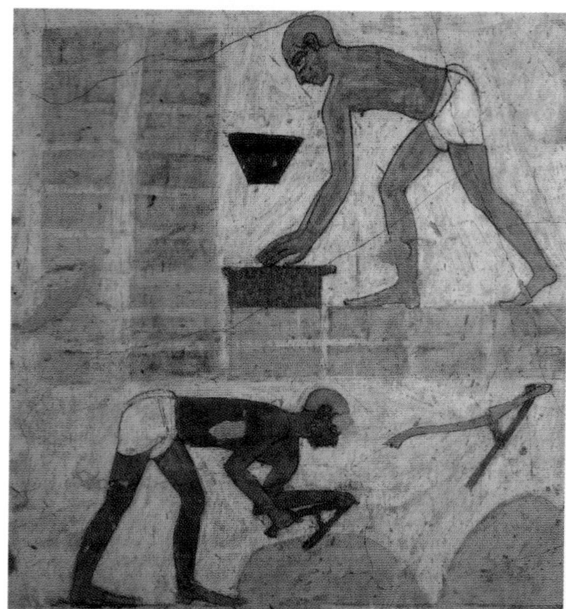

Maurer bei der Arbeit sind auf dieser Wandmalerei aus dem Grab eines ägyptischen Hofbeamten abgebildet (15. Jahrhundert v. Chr.).

Machtwechsel

Um 1650 v. Chr. drangen die Hyksos, eine durch hurritische Elemente verstärkte semitisch-kanaanäische Stammesgruppe, in Unterägypten ein und beherrschten es in der Folge von ihrer im Nildelta gelegenen Hauptstadt Avaris aus. Oberägypten blieb unter einer in Theben ansässigen Dynastie als Vasallenstaat weitgehend unabhängig, verlor aber die Herrschaft über Unternubien an das dort entstehende Reich Kusch. Die Herrschaft der Hyksos in der so genannten Zweiten Zwischenzeit öffnete Ägypten für fremdländische Einflüsse. Bronze kam zunehmend in Gebrauch, Streitwagen und andere neue Waffen wie Doppelbogen und Schuppenpanzer wurden eingeführt, desgleichen neue Moden, Musikinstrumente, Zuchttiere und Nutzpflanzen. Sonst aber erhielten die Hyksos die ägyptischen Traditionen aufrecht, so dass die historische Kontinuität gewahrt blieb.

Aggressive Expansionspolitik

Der über Ägypten herrschende thebanische König Sekenenre II. (gestorben um 1555) lehnte sich gegen die Fremdherrschaft der Hyksos auf und König Ahmose vertrieb sie schließlich um 1540 endgültig. Mit seinem Sieg begann das Neue Reich, in dem das alte Ägypten den Höhepunkt seiner Macht und seines Einflusses erreichen sollte. Das Neue Reich nahm ganz offen militaristische und expansive Züge an. Unter dem Kriegerkönig Thutmosis I. erreichte es um 1500 v. Chr. seine größte Ausdehnung – im Norden bis zum Euphrat und im Süden, wo es das Reich Kusch eroberte, bis zum vierten Katarakt. Der Hauptgrund der Expansion nach Norden lag in dem Bestreben, zu den aggressiven Mächten Vorderasiens eine Pufferzone zu errichten, während es im Fall Nubiens mit seinen reichen Goldvorkommen um rein wirtschaftliche Interessen ging. In Vorderasien wurden die örtlichen Herrscher ägyptischen Beamten unterstellt und die wichtigsten Städte durch Garnisonen verstärkt. Nubien dagegen erhielt einen dem König direkt unterstellten Vizekönig.

Gescheiterte Kulturrevolution

Die Macht Ägyptens zerfiel nach der Regierungszeit von Amenophis IV. (Echnaton, 1352–1336) wieder, der als radikaler religiöser Reformer den traditionellen ägyptischen Polytheismus abschaffte und den Sonnengott Aton (»Sonnenscheibe«) zum einzigen Gott erhob. Echnaton gründete eine neue Hauptstadt und förderte die Kunst, um den Bruch mit der Vergangenheit zu verdeutlichen, aber die neue Religion fand kaum Anklang und verschwand nach seinem Tod wieder. In der folgenden, unruhigen Zeit ging Vorderasien an die Hethiter verloren; die Feldzüge der Könige (oder »Pharaonen«, wie sie nun genannt wurden) Sethos I. (1290–1279) und Ramses II. (»der Große«, 1279–1213 v. Chr.) verliefen nur teilweise erfolgreich, so dass Ramses II. mit den Hethitern schließlich Frieden schloss.

Allmählicher Niedergang

Um 1180 v. Chr. landeten die »Seevölker«, ein Zusammenschluss ägäischer, anatolischer und vorderasiatischer Völker, in Ägypten. Zwar gelang es Ramses III. nach einer Seeschlacht im Nildelta, die Eindringlinge zurückzuschlagen, doch konnte er ihre Ansiedlung im Raum Gaza nicht verhindern.

Im Neuen Reich erhielt die Tempelpriesterschaft große Landschenkungen und kontrollierte bis zum 11. Jahrhundert v. Chr. ein Drittel des ägyptischen

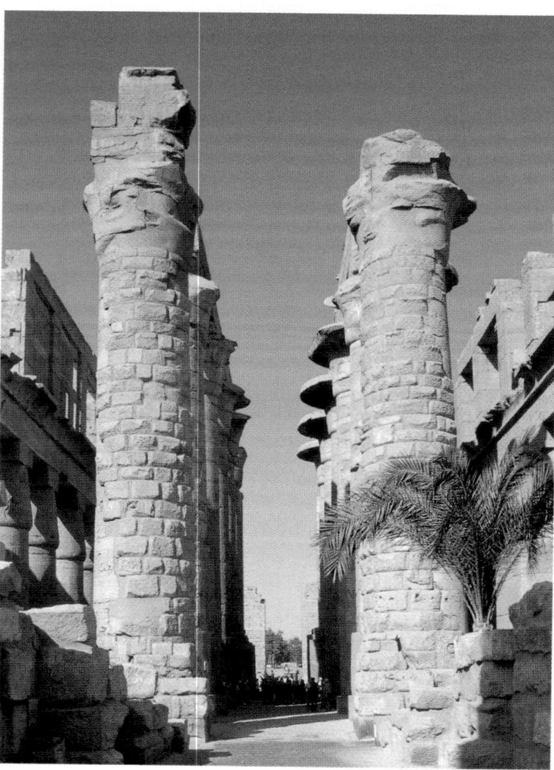

Blick auf Säulen und Innenhöfe des dem Gott Amun geweihten Tempels in Karnak, Ägypten

ZEITLEISTE

Mittleres Reich | Neues Reich

POLITIK

- **um 2040 v. Chr.** Wiedervereinigung Ägyptens unter der 11. Dynastie; Hauptstadt ist Theben.
- **um 1910 v. Chr.** Amenemhet I. erobert Nubien; der 2. Katarakt bildet die ägyptische Südgrenze.
- **1836–1818 v. Chr.** Sesostris III. reorganisiert die Lokalverwaltung Ägyptens.
- **1650 v. Chr.** Die 15. (Hyksos-) Dynastie beherrscht Unterägypten; Beginn der 2. Zwischenzeit.
- **um 1550 v. Chr.** Ahmose (18. Dyn.) beginnt die Wiedervereinigung Ägyptens.
- **um 1540 v. Chr.** Vertreibung der Hyksos aus Ägypten; Beginn des Neuen Reiches.
- **um 1500 v. Chr.** Unter Thutmosis I. erreicht Altägypten seine größte Ausdehnung.

2500 v. Chr. – 2000 v. Chr. – 1500 v. Chr.

KULTUR

- **um 2000–1650 v. Chr.** Klassische Periode der altägyptischen Literatur.
- **um 1800 v. Chr.** Beginn der Bronzeverarbeitung in Ägypten.
- **um 1600 v. Chr.** Einführung pferdegezogener Streitwagen in Ägypten.
- **um 1470 v. Chr.** Königin Hatschepsut schickt eine Handelsdelegation nach Ostafrika.

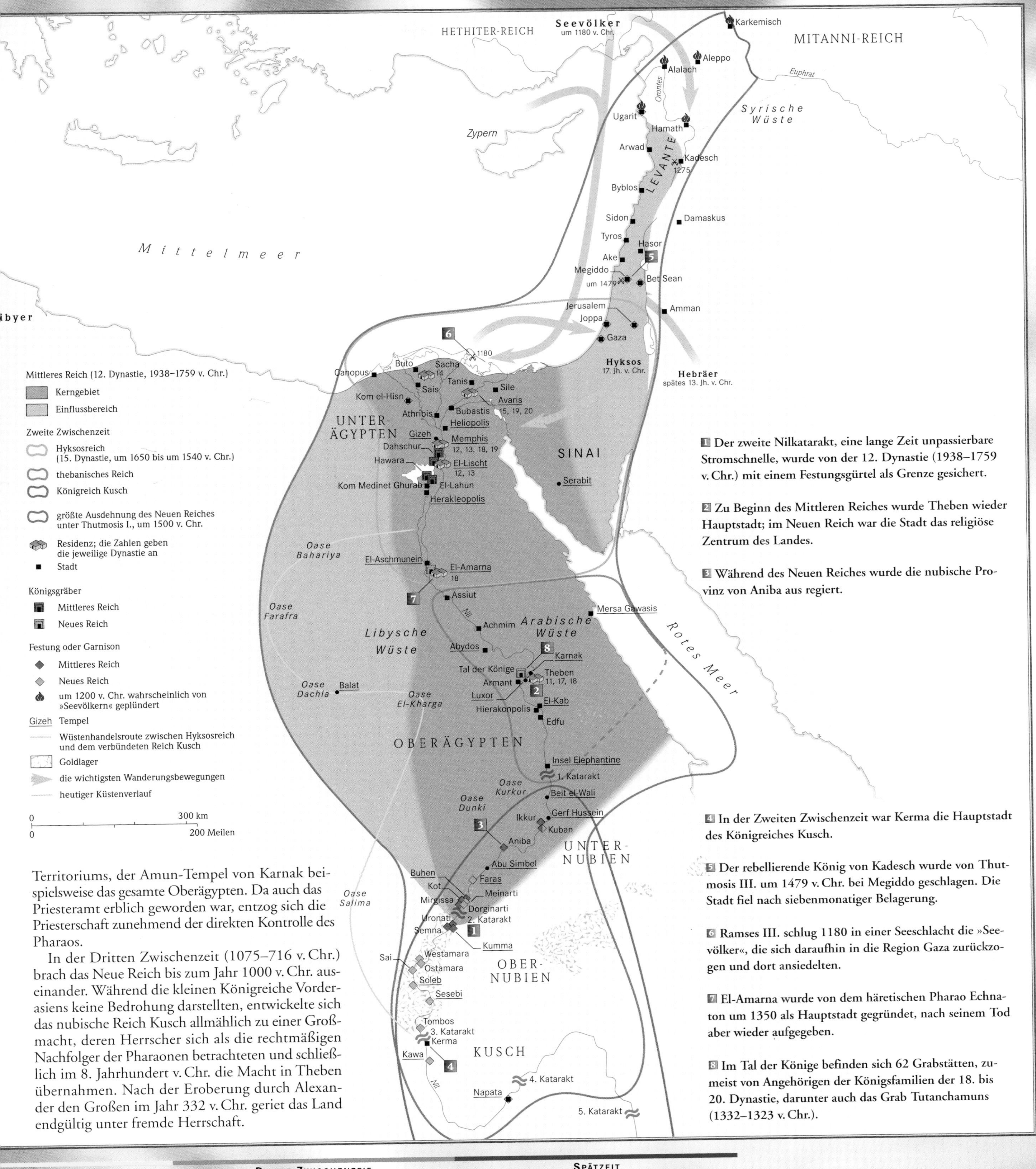

Mittleres Reich (12. Dynastie, 1938–1759 v. Chr.)
Kerngebiet
Einflussbereich
Zweite Zwischenzeit
Hyksosreich (15. Dynastie, um 1650 bis um 1540 v. Chr.)
thebanisches Reich
Königreich Kusch
größte Ausdehnung des Neuen Reiches unter Thutmosis I., um 1500 v. Chr.
Residenz; die Zahlen geben die jeweilige Dynastie an
Stadt
Königsgräber
Mittleres Reich
Neues Reich
Festung oder Garnison
Mittleres Reich
Neues Reich
um 1200 v. Chr. wahrscheinlich von »Seevölkern« geplündert
Gizeh Tempel
Wüstenhandelsroute zwischen Hyksosreich und dem verbündeten Reich Kusch
Goldlager
die wichtigsten Wanderungsbewegungen
heutiger Küstenverlauf
0 300 km
0 200 Meilen
HETHITER-REICH
Seevölker
um 1180 v. Chr.
Karkemisch
MITANNI-REICH
Aleppo
Alalach
Euphrat
Orontes
Ugarit
Syrische Wüste
Hamath
Zypern
Arwad
LEVANTE
Kadesch
1275
Byblos
Sidon
Damaskus
Mittelmeer
Tyros
Hasor
Ake
Megiddo
um 1479
Bet Sean
Libyer
Jerusalem
Joppa
Amman
Gaza
1180
Hyksos
17. Jh. v. Chr.
Hebräer
spätes 13. Jh. v. Chr.
Canopus
Buto
Sacha
14
Tanis
Sais
Sile
Kom el-Hisn
Avaris
15, 19, 20
Athribis
Bubastis
UNTER-ÄGYPTEN
Heliopolis
Gizeh
Memphis
12, 13, 18, 19
Dahschur
Hawara
El-Lischt
12, 13
SINAI
Kom Medinet Ghurab
El-Lahun
Serabit
Herakleopolis
Oase Bahariya
El-Aschmunein
El-Amarna
18
Assiut
Oase Farafra
Mersa Gawasis
Nil
Achmim
Arabische Wüste
Libysche Wüste
Abydos
Karnak
Rotes Meer
Tal der Könige
Theben
11, 17, 18
Armant
Oase Dachla
Balat
Luxor
Oase El-Kharga
El-Kab
Hierakonpolis
Edfu
OBERÄGYPTEN
Insel Elephantine
1. Katarakt
Oase Kurkur
Beit el-Wali
Oase Dunki
Gerf Hussein
Ikkur
Kuban
Aniba
UNTER-NUBIEN
Abu Simbel
Buhen
Faras
Kot
Meinarti
Oase Salima
Mirgissa
Dorginarti
Uronati
2. Katarakt
Semna
Kumma
Sai
Westamara
OBER-NUBIEN
Ostamara
Soleb
Sesebi
Tombos
3. Katarakt
Kerma
Kawa
KUSCH
4. Katarakt
Napata
5. Katarakt

Territoriums, der Amun-Tempel von Karnak beispielsweise das gesamte Oberägypten. Da auch das Priesteramt erblich geworden war, entzog sich die Priesterschaft zunehmend der direkten Kontrolle des Pharaos.

In der Dritten Zwischenzeit (1075–716 v. Chr.) brach das Neue Reich bis zum Jahr 1000 v. Chr. auseinander. Während die kleinen Königreiche Vorderasiens keine Bedrohung darstellten, entwickelte sich das nubische Reich Kusch allmählich zu einer Großmacht, deren Herrscher sich als die rechtmäßigen Nachfolger der Pharaonen betrachteten und schließlich im 8. Jahrhundert v. Chr. die Macht in Theben übernahmen. Nach der Eroberung durch Alexander den Großen im Jahr 332 v. Chr. geriet das Land endgültig unter fremde Herrschaft.

1 Der zweite Nilkatarakt, eine lange Zeit unpassierbare Stromschnelle, wurde von der 12. Dynastie (1938–1759 v. Chr.) mit einem Festungsgürtel als Grenze gesichert.

2 Zu Beginn des Mittleren Reiches wurde Theben wieder Hauptstadt; im Neuen Reich war die Stadt das religiöse Zentrum des Landes.

3 Während des Neuen Reiches wurde die nubische Provinz von Aniba aus regiert.

4 In der Zweiten Zwischenzeit war Kerma die Hauptstadt des Königreiches Kusch.

5 Der rebellierende König von Kadesch wurde von Thutmosis III. um 1479 v. Chr. bei Megiddo geschlagen. Die Stadt fiel nach siebenmonatiger Belagerung.

6 Ramses III. schlug 1180 in einer Seeschlacht die »Seevölker«, die sich daraufhin in die Region Gaza zurückzogen und dort ansiedelten.

7 El-Amarna wurde von dem häretischen Pharao Echnaton um 1350 als Hauptstadt gegründet, nach seinem Tod aber wieder aufgegeben.

8 Im Tal der Könige befinden sich 62 Grabstätten, zumeist von Angehörigen der Königsfamilien der 18. bis 20. Dynastie, darunter auch das Grab Tutanchamuns (1332–1323 v. Chr.).

DRITTE ZWISCHENZEIT — SPÄTZEIT

1275 v. Chr. Der Vorstoß der Ägypter unter Ramses II. nach Vorderasien wird von den Hethitern in der Schlacht bei Kadesch gestoppt.

um 1180 v. Chr. Die in das Nildelta eingedrungenen »Seevölker« werden zurückgedrängt.

1075 v. Chr. Der Sturz der 21. Dynastie führt in die 3. Zwischenzeit.

924 v. Chr. Scheschonk I. verwüstet Israel und Juda.

1000 v. Chr.

um 828–716 v. Chr. Ägypten wird in fünf Königreiche aufgeteilt.

716–671 v. Chr. Die nubische 25. Dynastie vereint Ägypten wieder.

671–651 v. Chr. Die Assyrer besetzen Ägypten.

525 v. Chr. Die Perser erobern Ägypten.

500 v. Chr.

332 v. Chr. Alexander der Große erobert Ägypten.

Chr. Geb.

1352–1336 v. Chr. Echnaton führt den monotheistischen Aton-Kult ein, der ihn allerdings nicht überlebt.

um 750 v. Chr. Einführung der Eisenverarbeitung in Ägypten.

Orientierung schaffen – frühe Karten der Menschheit

Die »babylonische Weltkarte« aus dem 6. Jahrhundert v. Chr.: Auf einer Tontafel fand man diese frühe Darstellung der Erde als Scheibe, umgeben von Wasser.

Wann dachten Menschen erstmals darüber nach, wie die sie umgebende Welt wohl aus der Vogelperspektive aussieht? Höhlenmalerei oder in Felsen geritzte Bilder beweisen es: Irgendwann begannen unsere steinzeitlichen Vorfahren damit, in Abstraktionen zu denken. Und bald gingen sie daran, das, was sie über Aussehen und Ausdehnung von Fläche und Raum mutmaßten, in einem vereinfachten, zweidimensionalen Bild darzustellen – auch wenn dieses Bild aus heutiger Sicht nur wenig mit der Wirklichkeit zu tun hatte.

Auf den ersten Blick überrascht es, dass erste »Landkarten« in der Geschichte der Menschheit viel später auftauchen als andere bildliche Zeugnisse. Dabei ist die Frage nicht leicht zu beantworten, inwieweit etwa die Darstellung eines Lagers von Jägern oder eines Dorfes schon als einfacher topographischer Lageplan zu betrachten sei. Wohl noch vor dem Erwerb der Fähigkeit, abstrakte Zeichen zum System einer einfachen Schrift zu verbinden, wusste der Mensch auch Zeichen zu definieren, die beispielsweise eine Behausung, einen Fluss oder einen Berg symbolisierten – und so zur Erstellung erster, landkartenähnlicher Pläne nutzbar waren.

Eine geographische Abbildung setzt die Fähigkeit zu abstraktem Denken in einem schon recht hohen Maß voraus. Um etwas zeichnerisch darzustellen, das man so noch nie gesehen hat, muss rein gedanklich eine Sicht auf die Welt »von oben« vorgenommen werden. Noch bevor Menschen erste Karten zeichneten, beschäftigten sie sich bereits ausgiebig mit Landvermessung. So wurden in Mesopotamien und Ägypten, auf Tontafeln und Papyrus fixiert, uralte Dokumente der Vermessungskunde gefunden.

VOM LAGEPLAN ZUR LANDKARTE

Als der Mensch daranging, erste »richtige« Landkarten zu erstellen, zeichnete er zunächst seine direkte Umgebung – sein Dorf und die Grenzlinien der Äcker. Als ältestes bekanntes kartographisches Dokument, datiert auf die Zeit um 3800 v. Chr., gilt ein babylonisches Tonplättchen, auf dem eine Karte des nördlichen Mesopotamien mit Bergen, mit dem Fluss Euphrat und mehreren Orten eingeritzt ist. Oft dienten Karten wie diese ganz praktischen Zwecken, halfen sie doch bei der Orientierung oder der Vermeidung von Grenzstreitigkeiten. In komplexer organisierten Gemeinwesen nutzte man entsprechende Pläne, um Abgaben zu berechnen und Steuern einzutreiben.

Im Naquane-Nationalpark im Val Camonica in Norditalien finden sich über 100 Felsen aus Permsandstein, in die Menschen seit dem Neolithikum über Hunderte von Generationen hinweg unzählige Felsbilder einritzten – Figuren, Jagdszenen, Waffen und anderes mehr. Um 1500 v. Chr. entstand dort mit der »Karte von Bedolina« auch eine Landkarte. Sie ist 4,16 mal 2,30 Meter groß und zeigt Felder, Dörfer und Wege. Wie auch die anderen in den Felsen geritzten Bilder ist diese Darstellung offenbar Ausdruck religiöser Vorstellungen. Als Opfergaben sollten sie die Götter dazu bewegen, für eine gute Ernte zu sorgen. Felsenkarten sind auch aus anderen Zeiträumen und Kulturen bekannt, beispielsweise aus Afrika, Amerika und Australien.

In der nördlich des Gardasees gelegenen Talschaft Val Camonica findet sich unter den unzähligen Felsgravierungen auch diese symbolische Sonnendarstellung.

Eine erste thematische Karte stammt aus der Zeit um 1300 v. Chr. und zeigt auf Papyrus neben weiteren Details wie Straßen, Bergzügen und Gebäuden die reichen nubischen Goldminen der ägyptischen Pharaonen.

SICH EIN BILD VON DER WELT MACHEN …

Den bisher genannten Landkarten ist gemeinsam, dass sie ein begrenztes, überschaubares Gebiet abbilden. Eine erste erhaltene Karte, die in ihrer Darstellung weit über das durch eigenen Augenschein Erlebbare hinausgeht, ist die »babylonische Weltkarte« aus dem 6. Jahrhundert v. Chr. Erstmals wird hier die Erde als eine Scheibe, die in einem Salzmeer schwimmt, dargestellt – eine Vorstellung, die annähernd zwei Jahrtausende Bestand hatte. Die Karte stellt Mesopotamien in den Mittelpunkt und ignoriert andere, den Babyloniern damals durchaus bekannte Länder wie Persien oder Ägypten. Ein großes Rechteck in der Mitte ist als »Babylon« gekennzeichnet. Hinweise auf fantastische Ungeheuer oder märchenhafte Orte zeugen von dem mythisch-religiösen Hintergrund dieser Darstellung.

DIE GRIECHEN UND DIE KUGEL

Zeitgenossen der griechischen Antike dachten bereits in größeren Zusammenhängen. Gelehrte jener Epoche verbanden die Beobachtung der Gestirne mit der Frage, welche Rolle die Erde im Kosmos spiele. Sie nutzten ihre mathematischen Kenntnisse zu erstaunlich genauen Erdumfangsberechnungen. – Bereits Aristoteles (384–322 v. Chr.) legte einen Beweis für die Kugelgestalt der Erde vor. Der Astronom Aristarchos von Samos (um 320 bis 250 v. Chr.) war aufgrund seiner Beobachtungen des Sternenhimmels sowie mathematischer Berechnungen gar davon überzeugt, dass die Erde sich um die Sonne drehe. Claudius Ptolemäus, der im 2. Jahrhundert n. Chr. in Alexandria wirkte, revidierte zwar – zu Unrecht, wie wir heute wissen – das heliozentrische Weltbild seines Vorgängers, ging aber wie Aristoteles davon aus, dass die Erde eine Kugel sei. In seiner der bis dato bekannten Welt und ihrer Bewohner gewidmeten Schrift »Explicatio geographica« benutzte er für seine Karten eine Projektion der Kugelfläche in der Ebene. Auch seine Hypothese vom unbekannten Südkontinent »Terra australis« legte der Gelehrte hier dar. Sind die Beschreibungen fremder Regionen und ihrer Völker auch oft ungenau oder falsch, so fußten doch Beschreibungen der Erde bis weit ins Mittelalter hinein auf dem ptolemäischen Weltbild.

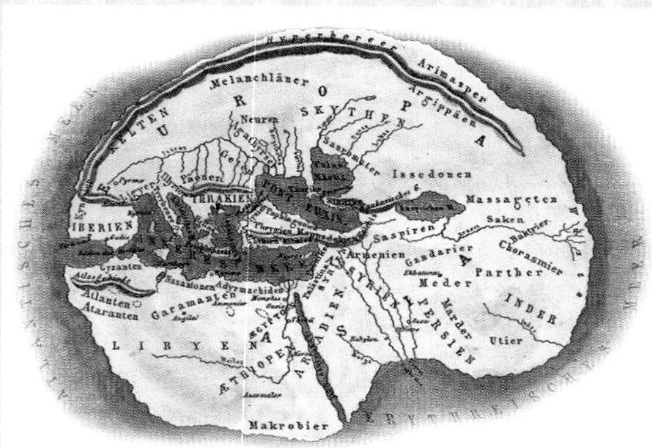

Etwa wie auf diesem Holzstich aus dem Jahre 1867 stellte sich der griechische Geschichtsschreiber Herodot die Gestalt der Erde vor.

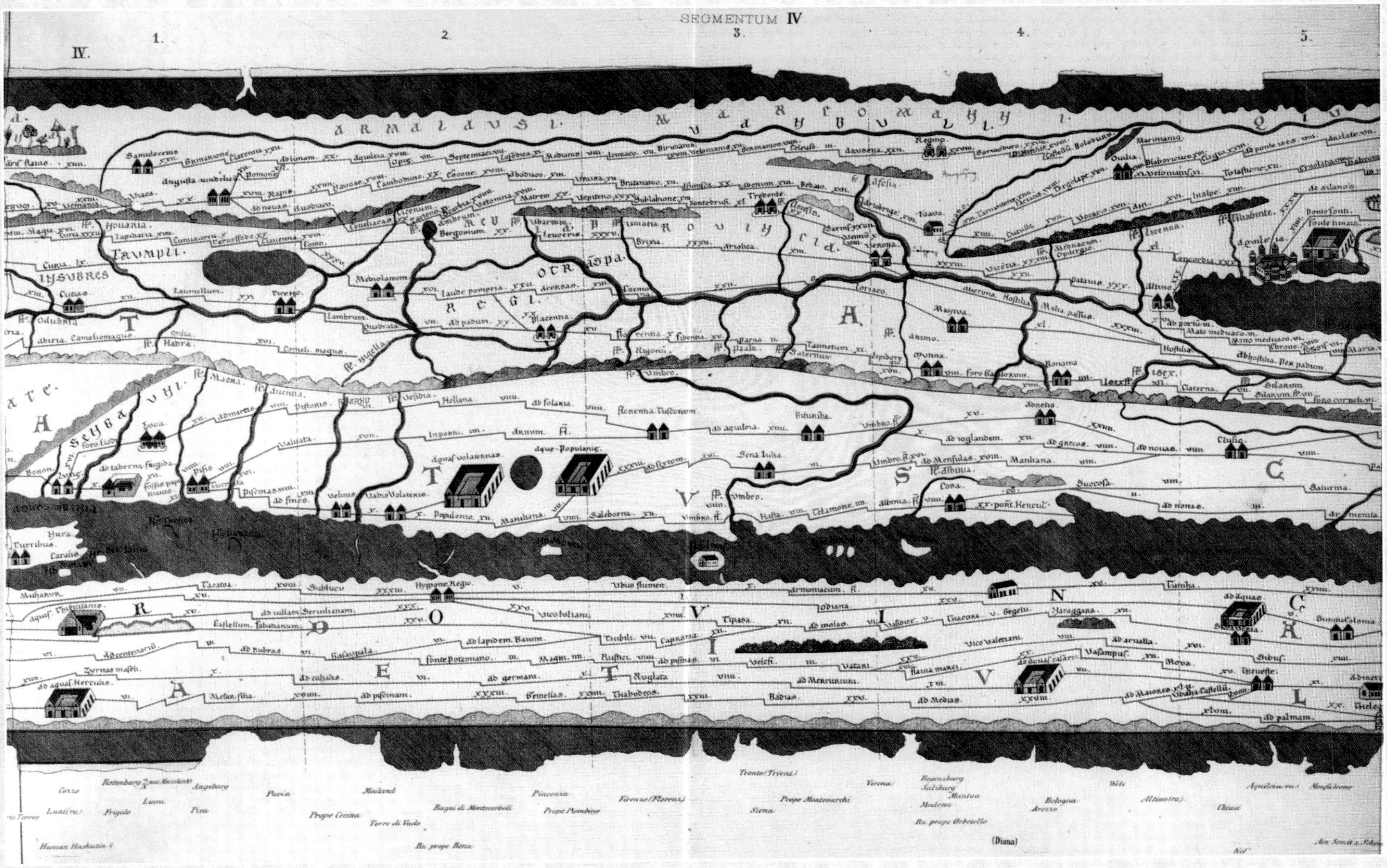

Ausschnitt aus der »Peutinger'schen Tafel«, dieses 4. Segment zeigt Straßen und Orte in Oberitalien und Nordafrika.

DIE »PEUTINGER'SCHE TAFEL«

Landkarten wurden in der Römerzeit mit ganz anderer Absicht produziert als während der griechischen Epoche. Roms Kartographen scherten sich nicht um Projektion, Maßstab oder wirklichkeitsgetreue Abbildung nach heutigem Verständnis. Ihre Werke waren ganz an der Praxis orientiert und sollten Reisenden bei der Orientierung helfen, was die Karten sehr übersichtlich und reich an konkreten Informationen machte. Allerdings ging man zu jener Zeit wieder davon aus, dass die Erde eine Scheibe sei. Zwar gibt es zeitgenössische Berichte von diesen Landkarten, allerdings blieb kein einziges Exemplar erhalten. Dennoch haben die Historiker eine recht genaue Vorstellung von diesem »römischen« Kartentyp – dank der aus dem 11. oder 12. Jahrhundert stammenden so genannten Peutinger'schen Tafel.

Diese Karte aus dem Besitz des Augsburger Humanisten Konrad Peutinger (1465–1547) ist die mittelalterliche Kopie einer römischen Landkarte des 4. Jahrhunderts n. Chr. Die bei einer Länge von stolzen 6,70 Metern nur 34 Zentimeter hohe Pergamentrolle zeigt das gesamte Römische Reich jener Zeit, abzüglich lediglich des äußersten Westens, etwa Teilen von Afrika, Spanien und der nördlich Großbritanniens gelegenen Gebiete. Wissenschaftler vermuten, dass dieser Teil bereits in der Vorlage fehlte.

Eine »T-Karte« aus dem 15. Jahrhundert: Die Karte ist nach Osten ausgerichtet, das »T« bildet das Mittelmeer mit seinen Fortsetzungen Schwarzes und Rotes Meer.

Die Darstellung wirkt also in West-Ost-Richtung extrem gespreizt und in Nord-Süd-Richtung stark gestaucht. Neben Meeren, Flüssen und Gebirgen werden Straßen, Orte und Zwischenstationen zeitüblicher Reiserouten akzentuiert dargestellt, wobei wichtige Städte wie Rom, Byzanz oder Antiochia symbolisch hervorgehoben sind. Dass etwa Küstenlinien oder Flussverläufe in keiner Weise der Realität entsprechen, minderte die Funktionalität dieser Karte in den Augen der Zeitgenossen nicht im Geringsten – bestand ihre Aufgabe doch hauptsächlich darin, Orte und römische Niederlassungen sowie die Verbindungsstraßen zu verzeichnen.

ANSICHTSSACHE ...

Richtig interpretiert, dürfte die Originalvorlage der Peutinger'schen Tafel genau so zweckdienlich handhabbar gewesen sein wie etwa eine Karte des Berliner U-Bahn-Liniennetzes. Denn auch die heutigen U-Bahn-Pläne zeigen ja in der Regel nicht die genauen Fahrtrassen und exakten Entfernungen – sie ziehen vielmehr stark vereinfachte Verbindungslinien zwischen den Stationen. Der Reisende römischer Zeiten sah auf einen Blick, dass er beispielsweise von Tolosa (Toulouse) nach Arelato (Arles) über Narbone (Narbonne) reisen musste, überdies konnte er die Entfernung zwischen den Orten ablesen. Ist es daher ganz abwegig, das frühe Zeugnis römischer Kartographiepraxis als die gedankliche Vorstufe einer Traditionslinie zu begreifen, an deren Ende unsere modernen Navigationssysteme stehen?

Von der Urgeschichte bis zur Antike (35 000 bis 500 v. Chr.)

Europa in der jüngeren Altsteinzeit und Mittelsteinzeit • Vor 35 000 Jahren bis 5500 v. Chr.

Vor etwa 90 000 Jahren wanderten Menschen von ähnlichem Körperbau wie die Jetztmenschen von Afrika nach Vorderasien, aber erst vor 40 000 Jahren, das heißt gegen Ende des Mittelpaläolithikums (der mittleren Altsteinzeit), drangen sie auch bis nach Europa vor. Anders als die eingeborenen Neandertaler besaßen die frühen Jetztmenschen nur geringe Voraussetzungen für ein Überleben in Europa.

Diesen Mangel konnten sie erst ausgleichen, als sie vor etwa 50 000 bis 40 000 Jahren die geistigen Fähigkeiten entwickelten, um die für eine erfolgreiche Anpassung erforderlichen technischen und sozialen Innovationen zu schaffen und damit dem Neandertaler mehr als ebenbürtig zu werden. Die Neandertaler sind vor etwa 28 000 Jahren ausgestorben – ob wegen eines gegen sie geführten Vernichtungskrieges oder weil sie als Jäger weniger fortschrittliche Techniken entwickelten und deshalb zunehmend in Randgebiete abgedrängt wurden, ist heute noch umstritten, obwohl die Fachwelt die zweite Möglichkeit inzwischen für die wahrscheinlichere hält.

Differenzierte Werkzeugherstellung

In den 10 000 bis 12 000 Jahren, die der Jetztmensch den europäischen Kontinent mit dem Neandertaler teilte, finden sich zwei parallele Verfahren der Geräteherstellung. Sie sind typisch für die Kulturgruppen, die während der Abschnitte Châtelperronien und Aurignacien in Europa lebten. Das Châtelperronien ist offenbar eine Weiterentwicklung der als »Moustérien« bezeichneten Gerätekultur der Neandertaler, wohingegen das Aurignacien Ähnlichkeiten mit vorderasiatischen Kulturen der damaligen Zeit zeigt. Deshalb glaubt man, dass diese Kultur von Jetztmenschen in Europa eingeführt worden ist. Das Aurignacien und das Gravettien zeigen noch eine deutliche, räumlich weit reichende Einheitlichkeit, während die späteren Gerätekulturen des Jungpaläolithikums eine größere regionale Verschiedenartigkeit aufweisen. Die Unterschiede sind oft eher stilistischer als funktionaler Natur und wahrscheinlich als Ausdruck unterschiedlicher ethnischer Identitäten zu betrachten. Zu den für das Jungpaläolithikum typischen Geräten gehören Schaber, geschärfte Klingen und Grabstichel aus Stein, Harpunen aus Rentiergeweihen sowie knöcherne Nadeln oder Speerspitzen. Im Solutréen entwickelte man verbesserte Techniken der Feuersteinbearbeitung sowie der Herstellung schöner blattförmiger Speerspitzen und anderer Geräte.

So wie auf dieser nach Grabungsfunden erstellten Rekonstruktion dargestellt, könnten Mammutjäger vor über 30 000 Jahren gelebt haben.

Kreativität

Das eindrucksvollste Merkmal der Kulturen der jüngeren Altsteinzeit sind jedoch ihre künstlerischen Ergebnisse – in Form verzierter Gebrauchsgegenstände und vor allem in der Höhlenmalerei. Die frühesten jungpaläolithischen Kunstwerke entstanden vor über 30 000 Jahren. Der Höhepunkt der Entwicklung wurde mit den Höhlenmalereien von Lascaux und Altamira vor 17 000 bis 11 000 Jahren während des Magdalénien erreicht. Die meisten Zeugnisse dieser Kunst finden sich in Südfrankreich und Nordspanien, also in einem Gebiet, das für damalige Verhältnisse relativ dicht besiedelt war. Die Ziele der Höhlenmalerei sind letzten Endes unbekannt, aber man glaubt, dass sie eine kultisch-religiöse Rolle gespielt hat. Die wichtigsten plastischen Kunstobjekte sind kleine, vor 25 000 Jahren aus Ton hergestellte »Venus«-Figürchen, die man überall in Europa gefunden hat.

Von Jägern und Sammlern ...

Trotz der Kälte bildeten die Tundren des eiszeitlichen Europas ein gutes Feld für Jäger, denn dort lebten Herden großer, Gras fressender Säugetiere. Die jungpaläolithischen Menschen jagten entweder von mehr oder weniger festen Basislagern oder von nur während der Jagd bezogenen Lagern aus. Höhlen in den Südhängen der Berge waren als Lagerplätze sehr beliebt; fand man aber keine Höhlen, so baute man Zelte und Hütten.

Mit dem Ende der letzten Eiszeit vor etwa 10 000 Jahren (um 8000 v. Chr.) endete auch das Jungpaläolithikum. Da das Klima sich erwärmte, stiegen die Meeresspiegel und dichter Wald breitete sich in großen Teilen Europas aus, was die durch die Großwildjagd geprägte Lebensweise beendete. Dafür gab es nun mehr essbare Pflanzen, Schalentiere, Fische, Vögel und kleinere Säugetiere. Die Jäger und Sammler jener Zeit ersannen viele Methoden, um das erweiterte Nahrungsangebot zu nutzen. Die wichtigste Neuerung stellte die Verwendung von Mikrolithen, also kleinen behauenen Feuersteinklingen, dar, die mit anderen Materialien zur Herstellung von Messern, Harpunen, Jagdspeeren und Pfeilspitzen gebraucht wurden. Auch Netze, Reusen und Einbäume für die Fischerei waren damals weit verbreitet.

... zur ersten Sesshaftigkeit

Im Mesolithikum (Mittelsteinzeit) wurden viele Gebiete Nordeuropas, die wegen der extremen Kälte oder der Vergletscherung unbewohnbar gewesen waren, erstmals von Jetztmenschen besiedelt, während die Bevölkerung in den bislang dicht besiedelten Gebieten, zum Beispiel im Südwesten Frankreichs oder in den südwestlichen Steppen, eher zurückging. Die dichtesten Siedlungsgebiete fanden sich jetzt an der Atlantikküste und im südlichen Skandinavien. Die hier lebenden Sammler und Jäger wurden zunehmend sesshaft und gründeten Dauersiedlungen. Von diesen Siedlungen aus zogen kleinere Gruppen für einen begrenzten Zeitraum in Lager, um das in ihrer Umgebung reichlich vorhandene Nahrungsangebot zu nutzen.

Die Mittelsteinzeit endete mit der Entstehung der sesshaft-bäuerlichen Lebensweise der Jungsteinzeit (Neolithikum). Diese Entwicklung setzte um 6000 v. Chr. in Südosteuropa und etwa 2000 Jahre später auf den Britischen Inseln und in Skandinavien ein. Im hohen Norden dagegen hielt sich bis zur Zähmung des Rentiers durch den Menschen, das heißt bis in die frühchristliche Zeit, eine im Wesentlichen mesolithische Lebensweise.

1 In der jüngeren Altsteinzeit gab es im Südwesten Frankreichs lichte Wälder, geschützte Täler mit Höhlen und viele Wanderwege ziehender Herden. Deshalb befand sich hier das am dichtesten besiedelte Gebiet Europas.

2 Die jungpaläolithischen Jäger bezogen Lager außerhalb ihrer Wohnhöhle nur vorübergehend, um bestimmte Wildarten zu jagen. Bei Solutré wurde ein Lager von Wildpferdjägern gefunden, bei Predmosti eines von Mammutjägern.

3 Die 1994 in der Grotte Chauvet (bei Vallon Pont d'Arc) gefundenen Höhlenmalereien, die langhaarige Nashörner, Pferde und Büffel zeigen, sind über 30 000 Jahre alt und gehören damit zu den ältesten bisher bekannten.

4 In den baumlosen Steppen wurden Mammutknochen zum Bau von Hütten verwendet: Ein bekanntes Beispiel sind jene von Mezhirich, die etwa 18 000 Jahre alt sein dürften.

5 In der gut erhaltenen mesolithischen Siedlung Lepenski Vir wurden Fischkopf-Skulpturen gefunden, die möglicherweise auf die Verehrung einer Fisch-Gottheit hinweisen.

6 Das Gebiet des heutigen Dänemark war im Mesolithikum aufgrund seines reichhaltigen Nahrungsangebots (Seefische, Pflanzen) und seiner Frischwasservorräte relativ dicht besiedelt.

7 Die ersten »Friedhöfe« wie jene von Cabeço da Arruda oder Oleneostrawski (beide mit ungefähr 170 Grabstätten) stammen aus dem späten Mesolithikum (um 6500 v. Chr.).

Moustérien — Châtelperronien — Aurignacien — Gravettien

ZEITLEISTE

KULTUR

vor etwa 41 000 Jahren
Europa lernt die technische Herstellung von Steinklingenwerkzeugen kennen.

vor etwa 32 000 Jahren
In Südfrankreich und Nordspanien entstehen die ältesten Höhlenmalereien.

MENSCHHEIT

vor 40 000 Jahren — vor 30 000 Jahren

vor etwa 40 000 Jahren
Die ersten Jetztmenschen (Homo sapiens praesapiens) erreichen Europa.

vor etwa 28 000 Jahren
Die letzten Neandertaler sterben aus.

MITTELPALÄOLITHIKUM

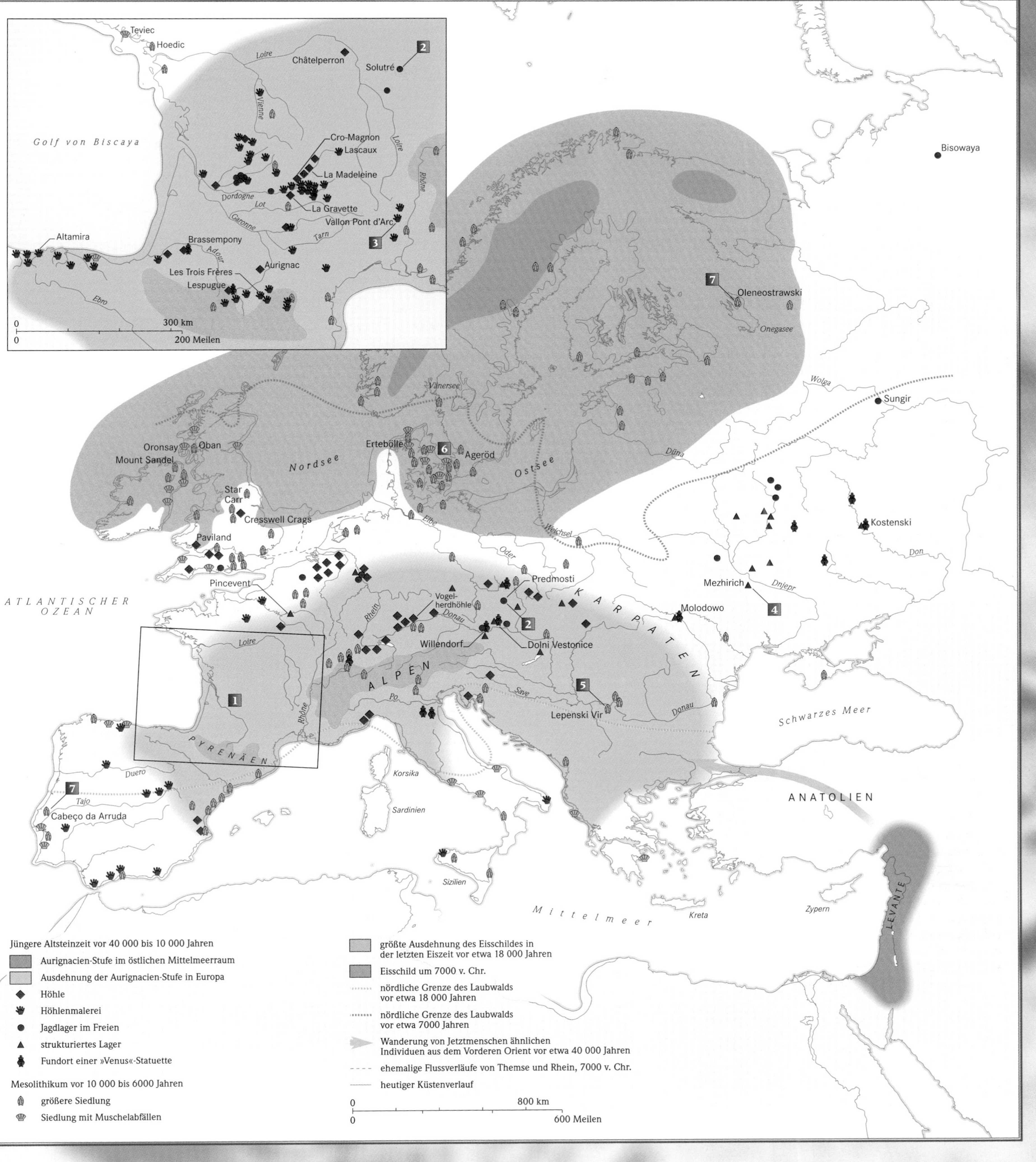
Teviec
Hoedic
Loire
Châtelperron
Solutré
Golf von Biscaya
Vienne
Cro-Magnon
Lascaux
La Madeleine
Dordogne
Lot
La Gravette
Garonne
Vallon Pont d'Arc
Rhône
Tarn
Altamira
Brassempony
Adour
Aurignac
Les Trois Frères
Lespugue
Ebro
0 300 km
0 200 Meilen
Bisowaya
Oleneostrawski
Onegasee
Vänersee
Wolga
Sungir
Oronsay
Oban
Mount Sandel
Nordsee
Ertebölle
Ageröd
Ostsee
Düna
Star Carr
Cresswell Crags
Elbe
Weichsel
Kostenski
Paviland
Oder
Don
Pincevent
Predmosti
Mezhirich
Dnjepr
ATLANTISCHER OZEAN
Vogelherdhöhle
Rhein
Donau
KARPATEN
Molodowo
Loire
Willendorf
Dolni Vestonice
ALPEN
Save
Po
Lepenski Vir
Donau
Schwarzes Meer
Rhône
PYRENÄEN
Duero
Korsika
ANATOLIEN
Tajo
Cabeço da Arruda
Sardinien
Sizilien
Mittelmeer
Kreta
Zypern
LEVANTE
Jüngere Altsteinzeit vor 40 000 bis 10 000 Jahren
Aurignacien-Stufe im östlichen Mittelmeerraum
Ausdehnung der Aurignacien-Stufe in Europa
Höhle
Höhlenmalerei
Jagdlager im Freien
strukturiertes Lager
Fundort einer »Venus«-Statuette
Mesolithikum vor 10 000 bis 6000 Jahren
größere Siedlung
Siedlung mit Muschelabfällen
größte Ausdehnung des Eisschildes in der letzten Eiszeit vor etwa 18 000 Jahren
Eisschild um 7000 v. Chr.
nördliche Grenze des Laubwalds vor etwa 18 000 Jahren
nördliche Grenze des Laubwalds vor etwa 7000 Jahren
Wanderung von Jetztmenschen ähnlichen Individuen aus dem Vorderen Orient vor etwa 40 000 Jahren
ehemalige Flussverläufe von Themse und Rhein, 7000 v. Chr.
heutiger Küstenverlauf
0 800 km
0 600 Meilen

SOLUTRÉEN

MAGDALÉNIEN

vor etwa 25 000–22 000 Jahren
»Venus«-Figürchen von Spanien bis Russland.

vor etwa 20 000 Jahren
Einführung verbesserter Techniken der Geräteherstellung in Europa.

vor 20 000 Jahren

vor etwa 17 000 Jahren
Die Wände der Höhle von Lascaux (Südfrankreich) werden bemalt.

vor etwa 18 000–15 000 Jahren
Kälteste Phase der letzten Eiszeit.

vor etwa 16 000 Jahren
Verwendung kleiner behauener Feuersteine (Mikrolithe) bei der Herstellung von Geräten.

vor etwa 14 000 Jahren
Bemalung der Höhle von Altamira in Nordspanien.

vor 10 000 Jahren

vor 10 000 Jahren
Ende der letzten Glazialzeit.

vor etwa 8000 Jahren
(6000 v. Chr.) In Südosteuropa beginnt der Übergang zur sesshaft-bäuerlichen Lebensweise.

vor 8000 Jahren

JUNGPALÄOLITHIKUM

MESOLITHIKUM

Von der Urgeschichte bis zur Antike (35 000 bis 500 v. Chr.)

Europa in der Jungsteinzeit • 5500 bis 2000 v. Chr.

Die Verbreitung der Landwirtschaft in Europa verlief genauso komplex wie die Wanderungen der Bauernvölker und die Übernahme ihrer Anbaumethoden durch mesolithische Sammler und Jäger.

Diese übernahmen von ihren bäuerlichen Nachbarn Neuerungen wie Tonwaren und geschliffene Steinäxte, befassten sich aber nur dann mit der Eigenproduktion von Nahrungsmitteln, wenn die natürlichen Quellen zu wenig hergaben. Der Übergang zur ortsfesten bäuerlichen Lebensweise bereitete allerdings kaum Schwierigkeiten, da die mesolithischen Sammler und Jäger bereits halbsesshaft waren.

Entwicklung bäuerlicher Kulturen

Eine auf dem Anbau von Getreide und Gemüse sowie der Haltung von Schafen, Ziegen und Rindern basierende Landwirtschaft entwickelte sich um das Jahr 6500 v. Chr. in Griechenland und in Südosteuropa. Dort wuchs wildes Einkorn und es gab Rinder, Schweine und Schafe, so dass sich hier die Landwirtschaft aus Experimenten der Jäger und Sammler mit Ackerbau und Viehzucht ergeben haben könnte. Wahrscheinlich hat sich in Südosteuropa die Viehhaltung unabhängig von Fremdeinflüssen entwickelt, während einige Nutzpflanzen wie Emmer und Gerste aus Vorderasien eingeführt wurden.

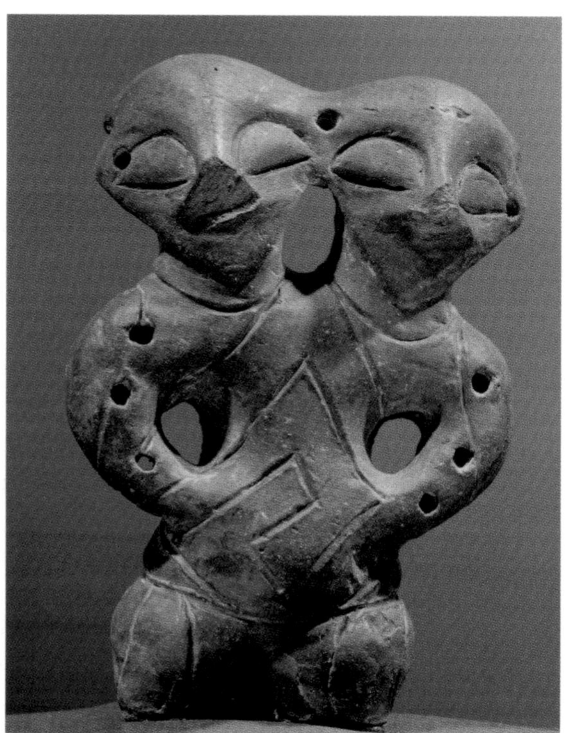

Terrakotta-Skulptur aus der südosteuropäischen Vinča-Kultur, 5. Jahrtausend v. Chr.

Als früheste bäuerliche Kultur Mitteleuropas ist die Bandkeramik-Kultur zu betrachten. Sie entwickelte sich ab etwa 5000 v. Chr. auf dem nördlichen Balkan und breitete sich in nur wenigen Jahrhunderten nach Norden und Westen aus. Sobald die Bevölkerung eines Dorfes zu groß wurde, gründete man einfach ein paar Kilometer entfernt eine »Tochtersiedlung«.

Grabhügel von Knowth (Irland); hauptsächlich durch Funde in solchen Megalithgräbern sind die Lebensformen neolithischer Gesellschaften zu rekonstruieren.

Die einheimischen Jäger und Sammler wurden von den Bandkeramikern nicht verdrängt, denn Letztere siedelten sich nur in den unbewohnten Gegenden an (zumeist entlang von Flussläufen). Das unaufhaltsame Vordringen der Bauern schmälerte jedoch die Existenzgrundlagen der Jäger und Sammler, so dass sich diese im Lauf der Zeit ebenfalls an landwirtschaftliche Arbeitsformen gewöhnen mussten, was dazu führte, dass beide Populationen allmählich miteinander verschmolzen.

Die Landwirtschaft in Mittel- und Nordeuropa unterschied sich deutlich von der im Süden. Die kalten Winter verlangten die Frühjahrsbestellung. Zudem wurde die Rinder- und Schweinezucht wichtiger, da diese Tiere in den Waldländern leichter zu halten waren als Schafe und Ziegen.

»Lebensart«

Die neolithischen Siedlungen waren im Allgemeinen klein und hatten 40 bis 60 Einwohner. Der übliche Gebäudetyp war das aus Holz gebaute Langhaus, in dem sowohl die Menschen als auch das Vieh unterkamen. Außer in baumlosen Gebieten, beispielsweise auf den Orkney-Inseln, wo man Steinhäuser baute, ist von diesen frühen Siedlungen nur wenig übrig geblieben. Wir verdanken im Wesentlichen Grabstätten und rituellen Zwecken dienenden Bauwerken nähere Hinweise auf die neolithischen Gesellschaften. In Europa wurden die Toten normalerweise auf »Friedhöfen« bestattet und man legte ihnen Steingeräte, Tongefäße und Schmuckstücke bei, die sich in ihrer Qualität und Quantität nur geringfügig unterschieden, was auf einen egalitären Charakter dieser Gemeinschaften hindeutet. In vielen Regionen Westeuropas wurden auch alle Toten einer Dorfgemeinde zusammen in Megalithgräbern bestattet, die viele Generationen lang genutzt wurden. Die Gräber lagen im Allgemeinen unter Erdhügeln, die gleichzeitig auch als Markierung des jeweiligen Territoriums gedient haben könnten – die Anwesenheit der Vorfahren legitimierte den Besitzanspruch ihrer lebenden Angehörigen. Die westeuropäische Atlantikküste, wo die frühesten Megalithgräber gebaut wurden, war zur Zeit des Mesolithikums schon relativ dicht besiedelt.

Ausbildung gesellschaftlicher Hierarchien

In der Jungsteinzeit und in der frühen Bronzezeit wurden in Nord- und Westeuropa kreisförmige Bauten aus Megalithen (zum Beispiel Stonehenge in England) oder Erde errichtet. Manche zeigen eine astronomische Ausrichtung, andere gehörten offenbar zu größeren, kultischen Zwecken dienenden Anlagen, aber welche Funktion sie genau erfüllten, blieb bis heute ungeklärt. Einige dieser Monumente sind so gewaltig, dass sie nur von Stämmen erbaut worden sein können, die über die entsprechenden Ressourcen an Menschen und Material verfügten. Das Entstehen hierarchisch gegliederter Gesellschaften im späten Neolithikum lässt sich auch an den Bestattungspraktiken ablesen. In der osteuropäischen Bandkeramik-Kultur oder in der Glockenbecher-Kultur Westeuropas bezeugen qualitativ und quantitativ unterschiedliche Grabbeigaben Unterschiede in Wohlstand und Status der Verstorbenen. In vielen Gebieten stehen diese Veränderungen in engem Zusammenhang mit der Einfuhr, der Gewinnung und der Verarbeitung von Kupfer und Gold.

Anfänge der Metallschmelze

Die Technik der Metallschmelze wurde unabhängig voneinander sowohl in Südosteuropa (um 5000 v. Chr.) als auch in Südspanien (1500 Jahre später) entwickelt. Kupfer und Gold fanden bei der Herstellung kleinerer Gebrauchs- und Ziergegenstände Verwendung. Anfangs bediente man sich nur der lokal vorkommenden Metalle, die kalt geschmiedet wurden, aber ab 4500 v. Chr. wurde in Südosteuropa auch Kupfererz abgebaut und geschmolzen. Bis 2400 v. Chr. beherrschte man dann auch in Spanien, Italien und auf den Britischen Inseln die metallurgische Gewinnung von Kupfer. Die Kupferwerkzeuge waren denen aus Stein kaum überlegen, aber die führenden Schichten schätzten das Metall als Material für Vorzeigeobjekte. Erst in der Bronzezeit verdrängten Werkzeuge aus Metall die bisher benutzten Steinwerkzeuge.

Zeitleiste

Süd-, Ost- und Mitteleuropa

- **um 6500 v. Chr.** Beginn der Landwirtschaft in Südosteuropa. Zähmung von Wildtieren in Südosteuropa.
- **um 6000 v. Chr.** Die Landwirtschaft dehnt sich bis Italien aus.
- **um 5000 v. Chr.** Beginn der bäuerlichen Bandkeramik-Kultur in Mitteleuropa. In Südosteuropa entstehen hierarchisch gegliederte Gesellschaften.
- **um 4500 v. Chr.** In Südosteuropa beginnt man, Kupfer zu schmelzen. In Südosteuropa kommt der Pflug in Gebrauch.

6500 v. Chr. — 5500 v. Chr. — 4500 v. Chr.

West- und Nordeuropa

- **um 4500 v. Chr.** Beginn der Landwirtschaft in Westeuropa.
- **um 4300 v. Chr.** In der Bretagne werden die ersten Megalithgräber errichtet

NEOLITHIKUM

Früheste Bauernkulturen

- frühe Buntkeramik-Kulturen in der Ägäis und in Anatolien, 7000–6000 v. Chr.
- Kulturen des anatolisch-balkanischen Kreises, 6500–4000 v. Chr.
- Impressokeramik-Kulturen, 6000–4000 v. Chr.
- Bandkeramik- und Schnurkeramik-Kulturen, 5000–4500 v. Chr.
- Becherkulturen, 4500–3300 v. Chr.
- Tripolje-Cucuteni-Kultur, 4200–3800 v. Chr.
- Trichterbecherkultur, 4200–2800 v. Chr.
- Großsteinbauten, 4300–2000 v. Chr.
- Steinkreise oder Steinreihen
- Megalithgräber
- Ausgrabung eines Jungsteinzeitdorfes
- andere Stätte
- Bereich der Kupferverarbeitung um 4500 v. Chr.
- Bereich der Kupferverarbeitung um 3000 v. Chr.
- Hauptrichtung der Ausdehnung der Landwirtschaft, 6000–3000 v. Chr.

0 – 600 km
0 – 400 Meilen

1 Starcevo stellte eine der frühesten dörflichen Siedlungen in Südosteuropa (6000 bis 4000 v. Chr.) dar. Neben dem Jagen und Sammeln wuchs nun auch die Bedeutung von Ackerbau und Viehhaltung.

2 In der Tripolje-Cucuteni-Kultur des 4. Jahrtausends v. Chr. wurden Pferde als Haustiere domestiziert.

3 Tontafeln aus Tartaria beweisen die Entstehung eines einfachen Schriftsystems bis 5000 v. Chr. in Südosteuropa.

4 Um 4500 v. Chr. wurden in der ältesten bekannten Mine bei Rudna Glava Kupfererze abgebaut.

5 Etwa 3500 bis 2400 v. Chr. wurde ein größerer Steintempel-Komplex bei Tarxien (Malta) errichtet.

6 Ungefähr 3000 aufrecht stehende Steine, die in mehreren Reihen angeordnet sind, weisen bei Carnac einen der größten Megalithbauten aus. Der Zweck dieser Steinreihen ist unbekannt.

7 Der Bau der Steinkreisanlage von Stonehenge dauerte vom Neolithikum bis in die Bronzezeit (etwa von 3000 bis 1500 v. Chr.).

8 In den Ötztaler Alpen erfror zwischen 3350 und 3120 v. Chr. ein Mann im Eis, dessen Mumie 1991 gefunden wurde.

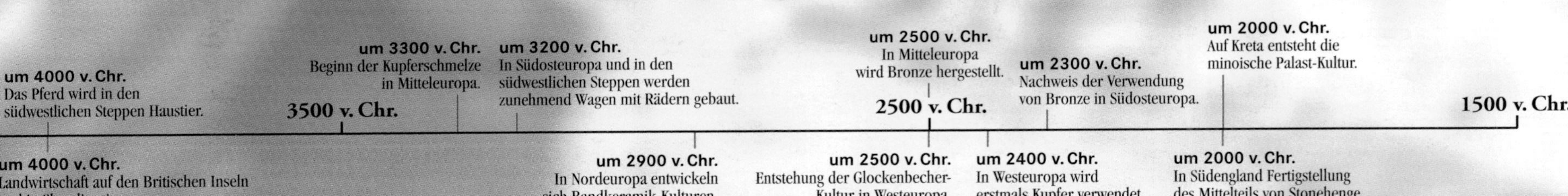
um 4000 v. Chr.
Das Pferd wird in den südwestlichen Steppen Haustier.
um 3300 v. Chr.
Beginn der Kupferschmelze in Mitteleuropa.
3500 v. Chr.
um 3200 v. Chr.
In Südosteuropa und in den südwestlichen Steppen werden zunehmend Wagen mit Rädern gebaut.
um 2500 v. Chr.
In Mitteleuropa wird Bronze hergestellt.
2500 v. Chr.
um 2300 v. Chr.
Nachweis der Verwendung von Bronze in Südosteuropa.
um 2000 v. Chr.
Auf Kreta entsteht die minoische Palast-Kultur.
1500 v. Chr.
um 4000 v. Chr.
Landwirtschaft auf den Britischen Inseln und in Skandinavien.
um 2900 v. Chr.
In Nordeuropa entwickeln sich Bandkeramik-Kulturen.
um 2500 v. Chr.
Entstehung der Glockenbecher-Kultur in Westeuropa.
um 2400 v. Chr.
In Westeuropa wird erstmals Kupfer verwendet.
um 2000 v. Chr.
In Südengland Fertigstellung des Mittelteils von Stonehenge.
BRONZEZEIT

Von der Urgeschichte bis zur Antike (35 000 bis 500 v. Chr.)

Die Bronzezeit in Europa • 2000 bis 500 v. Chr.

Während der Bronzezeit bildeten sich im größten Teil Europas Stammesfürstentümer mit Kriegereliten heraus. Außerhalb der Ägäis entstanden jedoch erst in der späten Bronzezeit Staaten, in Nord- und Osteuropa nicht vor dem frühen Mittelalter. Die Stammesfürstentümer wetteiferten um die Macht – Festungen wurden in großer Zahl gebaut und neue Waffen wie Schwerter und Hellebarden erfunden.

Von diesem Wettstreit legen kunstvoll gearbeitete Gegenstände, zum Beispiel Schmuck, Waffen, »Paraderüstungen«, Geschirre und Kultgegenstände, aus Bronze und Edelmetallen ein beredtes Zeugnis ab. Gehandelt wurde vor allem mit Zinn und Bernstein, um die Nachfrage nach Metallen und anderen hochwertigen Waren auch in entfernteren Gegenden zu befriedigen. Der lebhafte Handel wiederum half bei der Verbreitung von Ideen und Moden und bewirkte so ein hohes Maß an kulturellem Ausgleich.

Frühe Bronzezeit: technischer Fortschritt

Die früheste Verwendung von Bronze in Europa – in der Aunjetitz-Kultur um 2500 v. Chr. – resultierte aus einer eigenständigen, nicht auf vorderasiatische Einflüsse zurückgehenden Entwicklung. Zweihundert Jahre später stellte man Bronze auch in Südosteuropa, in der Ägäis und in Italien her, später folgten Spanien und – um 1800 v. Chr. – die Britischen Inseln. Skandinavien, das keine Zinn- und Kupfererzvorkommen besaß, verharrte bis ins zweite vorchristliche Jahrtausend in der Steinzeit – erst dann brachten Händler Bronze mit, um sie gegen Bernstein und Felle zu tauschen.

Ruine einer Nuraghe auf Sardinien; vermutlich dienten die 1500–300 v. Chr. erbauten Türme der Verteidigung.

Das Wissen um die Herstellung und Bearbeitung von Bronze förderte ihre rasch zunehmende Verwendung. Bronzewaffen und -werkzeuge blieben länger scharf als solche aus Stein oder Kupfer, konnten leicht geschärft oder, wenn nicht mehr brauchbar, wieder eingeschmolzen und neu hergestellt werden. Metall war jedoch auch teurer, weshalb seine Verwendung in der frühen Bronzezeit noch weitgehend den herrschenden Kreisen vorbehalten war. Für den alltäglichen Gebrauch blieben deshalb Steinwerkzeuge noch lange weit verbreitet. Große Mengen von Kunstgegenständen aus Bronze wurden als Opfergaben für die Götter in Moorgebieten vergraben oder versenkt.

Totenrituale

Die sozialen Ebenen der Bronzezeitgesellschaft lassen sich an ihren Bestattungspraktiken ablesen: Nur wenige der Gräber sind reich mit Grabbeigaben ausgestattet. In der frühen Bronzezeit lassen sich drei Bestattungsarten feststellen. In Südosteuropa wurden Reiche wie Arme normalerweise in ebenen Erdgräbern bestattet. In weiten Teilen Osteuropas sowie in Nord- und Westeuropa begrub man die Armen in ebenen Erdgräbern, die Reichen aber in Tumuli (Hügelgräbern). Um solche Grabstätten anzulegen, bedurfte es einer gemeinsamen Anstrengung aller, was die Macht der herrschenden Kreise belegt. In Süd- und Mitteleuropa entstanden große, oftmals befestigte Dörfer, während man in Nord- und Westeuropa meist in Gehöften siedelte. Da aber die Bevölkerungszahl wuchs, zogen bäuerliche Siedler auch häufig in höher gelegene Randgebiete. Diese Höfe wurden allerdings in der späten Bronzezeit wieder verlassen, weil sich das Klima verschlechtert hatte oder weil die kargen Böden nicht mehr genügend Ertrag erbrachten. Je wertvoller das landwirtschaftlich nutzbare Land wurde, desto häufiger zog man vor allem in Nordwesteuropa in vielen Regionen Grenzen. Darüber hinaus wurde das Ackerland in kleinere, intensiver zu bewirtschaftende Felder aufgeteilt. Die Bauern profitierten von der Einführung schwererer Pflüge, mit Rädern versehener Karren und der Pferde. Wildhafer wurde kultiviert – wahrscheinlich zunächst als Futter.

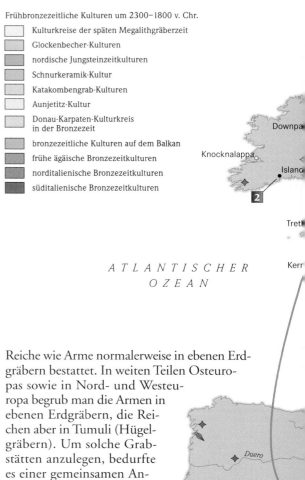

Frühbronzezeitliche Kulturen um 2300–1800 v. Chr.
Kulturkreise der späten Megalithgräberzeit
Glockenbecher-Kulturen
nordische Jungsteinzeitkulturen
Schnurkeramik-Kultur
Katakombengrab-Kulturen
Aunjetitz-Kultur
Donau-Karpaten-Kulturkreis in der Bronzezeit
bronzezeitliche Kulturen auf dem Balkan
frühe ägäische Bronzezeitkulturen
norditalienische Bronzezeitkulturen
süditalienische Bronzezeitkulturen
Knocknalappa
ATLANTISCHER OZEAN
Duero
Tajo
Cerro de Real
Huelva
2
7

Der berühmte Sonnenwagen von Trundholm. Dieser Kultwagen aus der Bronzezeit wurde in einem Moor an der Westspitze der Halbinsel Sjællands Odde, Dänemark, gefunden.

Späte Bronzezeit: Urnenfelderkulturen

Um 1300 v. Chr. entwickelte sich, vom heutigen Ungarn ausgehend, die Urnenfelderkultur, so genannt nach einer neuen Bestattungspraxis: Die Leichname

ZEITLEISTE

SÜD- UND OSTEUROPA

um 2300 v. Chr. Beginn der Bronzeverarbeitung in Südosteuropa.

um 2500–1800 v. Chr. In Mitteleuropa entsteht die Aunjetitz-Kultur.

um 2000 v. Chr. In Mitteleuropa werden auf Hügeln befestigte Siedlungen angelegt. Auf Kreta entsteht der erste europäische Staat. In Europa zunehmender Handel mit Metallen und Bernstein.

um 1650 v. Chr. Die mykenische Kultur entwickelt sich; in Süditalien treiben mykenische Kaufleute Handel.

2500 v. Chr. — 2000 v. Chr.

WEST- UND NORDEUROPA

um 2000 v. Chr. Auf den Britischen Inseln Blütezeit der Wessex-Kultur (reich ausgestattete Grabhügel). Die Hauptanlage von Stonehenge wird fertig gestellt.

NEOLITHIKUM — BRONZEZEIT

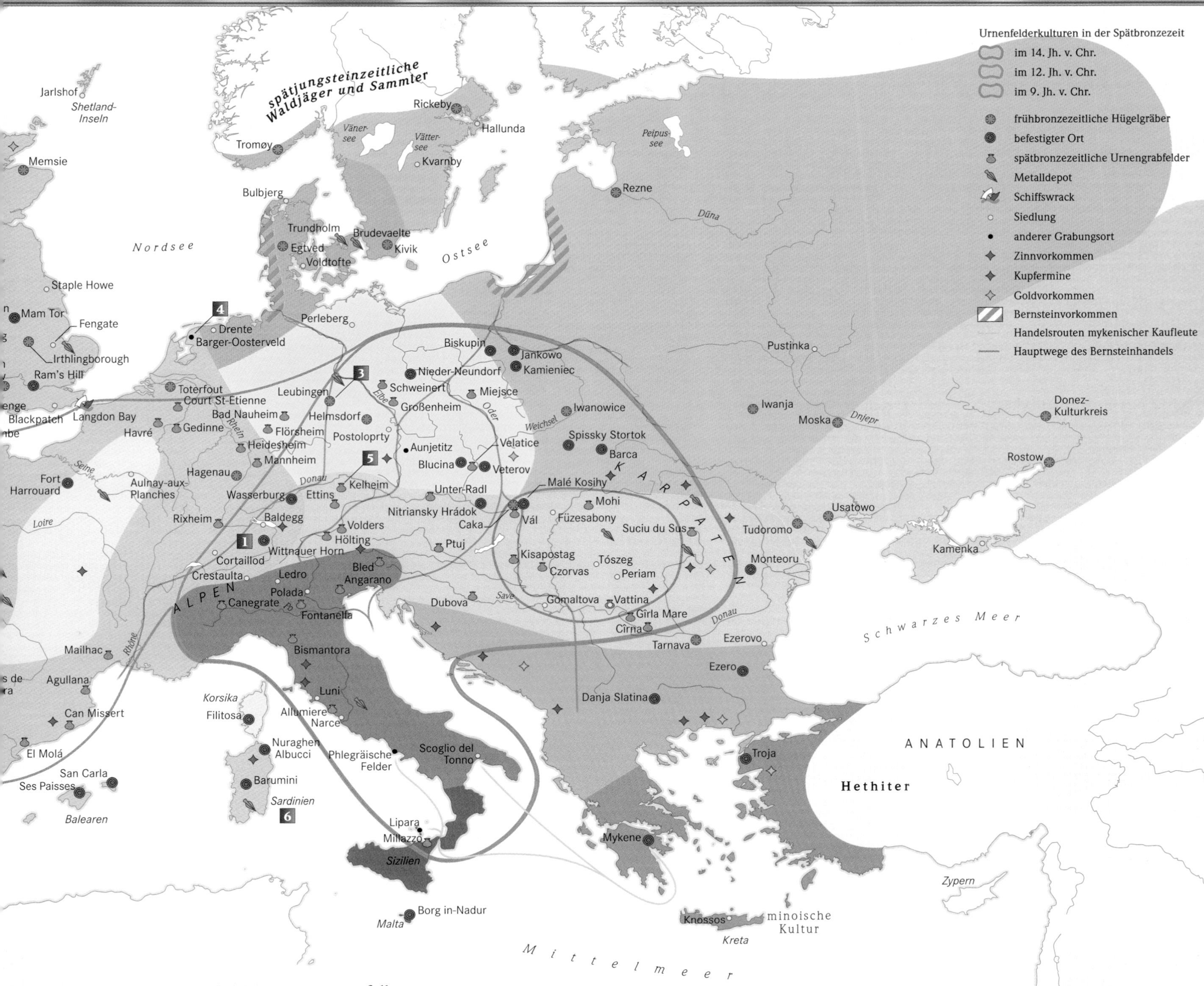

Urnenfelderkulturen in der Spätbronzezeit
- im 14. Jh. v. Chr.
- im 12. Jh. v. Chr.
- im 9. Jh. v. Chr.
- frühbronzezeitliche Hügelgräber
- befestigter Ort
- spätbronzezeitliche Urnengrabfelder
- Metalldepot
- Schiffswrack
- Siedlung
- anderer Grabungsort
- Zinnvorkommen
- Kupfermine
- Goldvorkommen
- Bernsteinvorkommen
- Handelsrouten mykenischer Kaufleute
- Hauptwege des Bernsteinhandels

0 600 km
0 400 Meilen

wurden verbrannt, die Asche dann in Urnen gefüllt und diese auf Urnenfriedhöfen in ebenen Gräbern beerdigt. Über einigen schüttete man noch Hügel auf, was zwar die Wahrung einer gewissen Kontinuität beweist, aber keineswegs überall üblich war. Im 9. Jahrhundert v. Chr. bestattete man fast im gesamten kontinentalen Europa die Toten in Urnen – vielleicht auch ein Ergebnis der inzwischen sehr viel engeren Handelsbeziehungen. Die späte Bronzezeit erlebte eine zunehmende Militarisierung – in ganz Westeuropa wurden befestigte Orte gebaut, außerdem bewaffnete man sich mit Bronzeschwertern und -rüstungen.

Um 1200 v. Chr. wurden in vielen europäischen Gebieten erstmals kleine Kunstgegenstände aus Eisen hergestellt; eiserne Werkzeuge kamen allerdings erst um 1000 v. Chr. in Griechenland und 250 Jahre später in Nordeuropa in Gebrauch.

1 Am Nordrand der Alpen wurden in der Bronzezeit viele Siedlungen aus Gründen der Verteidigung auf Inseln in Seen gebaut.

2 Eine der letzten Megalithgrabstätten findet sich in Island (Irland); hier wurden noch um 1200 v. Chr., also 1000 Jahre später als in vergleichbaren Anlagen, Menschen bestattet.

3 In einem bronzezeitlichen Grabhügel bei Leubingen wurde ein älterer Mann zusammen mit einem jungen Mädchen, mit Tonwaren, Stein- und Bronzegeräten sowie Goldschmuck als Beigaben bestattet.

4 Bei Barger-Oosterveld riss man in der späten Bronzezeit einen »Tempel« aus Holz absichtlich ab und versenkte ihn in einem Torfmoor.

5 Das Urnenfeld von Kelheim (900–800 v. Chr.) umfasst mehr als 10 000 Gräber.

6 Auf Sardinien wurden ab etwa 1500 v. Chr. Nuraghen (Verteidigungstürme) gebaut. Ähnliche Bauwerke finden sich auch auf Korsika und den Balearen.

7 Aus einem vor der Südwestküste Spaniens gefundenen Wrack aus der Zeit um 800 v. Chr. konnten mehr als 200 in der Loire-Region gefertigte Bronzewaffen geborgen werden.

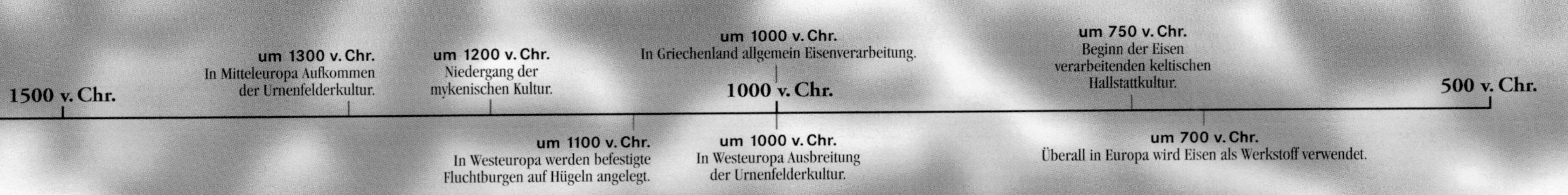
1500 v. Chr.
um 1300 v. Chr.
In Mitteleuropa Aufkommen der Urnenfelderkultur.
um 1200 v. Chr.
Niedergang der mykenischen Kultur.
um 1100 v. Chr.
In Westeuropa werden befestigte Fluchtburgen auf Hügeln angelegt.
um 1000 v. Chr.
In Griechenland allgemein Eisenverarbeitung.
1000 v. Chr.
um 1000 v. Chr.
In Westeuropa Ausbreitung der Urnenfelderkultur.
um 750 v. Chr.
Beginn der Eisen verarbeitenden keltischen Hallstattkultur.
um 700 v. Chr.
Überall in Europa wird Eisen als Werkstoff verwendet.
500 v. Chr.
EISENZEIT

Von der Urgeschichte bis zur Antike (35 000 bis 500 v. Chr.)

Die ersten Kulturen im Mittelmeerraum • 2000 bis 1100 v. Chr.

Der erste Staat und die ersten Städte Europas entstanden auf der Insel Kreta, wo die Minoer eine intensive Agrarwirtschaft betrieben. An den kargen Berghängen pflanzten sie Olivenbäume und Weinstöcke, die handelsfähige Früchte lieferten, während man auf dem wertvolleren Ackerland Weizen anbaute. Auf den Bergweiden grasten Schafe, deren Wolle von einer »Textilindustrie« verarbeitet wurde, die ihre Stoffe bis nach Ägypten exportierte. Minoische Keramik und Metallerzeugnisse waren im östlichen Mittelmeer überall gefragt.

Um das Jahr 2000 v. Chr. wurden die Minoer von Palästen in Knossos, Phaistos, Mallia und Chania aus regiert (wahrscheinlich handelte es sich um die Hauptorte kleiner Königreiche). Die Paläste mit ihren Lagerhäusern für Getreide, Öl und andere Produkte dienten als »Verteilerzentren«, die die landwirtschaftlichen Produkte der Bauern in festgelegten Rationen an Verwaltungsbeamte, Handwerker und Kaufleute abgaben.

Diese goldene Gesichtsmaske aus einem der Schachtgräber der mykenischen Kultur wurde von Heinrich Schliemann irrtümlich Agamemnon zugeordnet.

Die minoische Kultur

Bis zum Jahr 2000 hatten die Minoer auch eine Art Hieroglyphenschrift entwickelt, die aber drei Jahrhunderte später durch ein Silbenalphabet ersetzt wurde. Beide Schriften blieben bisher unentzifferbar, weshalb auch die Herkunft der Minoer bislang unklar ist. Ihre Sprache zählt aber nicht zur indoeuropäischen Sprachfamilie, das heißt, die Minoer waren wohl keine Griechen.

Um 1700 v. Chr. wurden die meisten minoischen Paläste durch Feuer zerstört – vermutlich bei kriegerischen Auseinandersetzungen zwischen den Palaststaaten. Man baute sie zwar wieder auf, doch konnte nur Knossos in der alten Pracht neu entstehen. Seine Herrscher brachten die gesamte Insel unter ihre Herrschaft und drückten die anderen Kleinkönigreiche auf die Ebene von Vasallentümern herab. 1625 v. Chr. wurden die Paläste erneut schwer beschädigt, diesmal durch ein Erdbeben und den Ascheregen eines Vulkanausbruchs auf der nahen Insel Thera (Santorin). Man baute sie wieder auf und die minoische Kultur lebte fort bis Mitte des 15. Jahrhunderts v. Chr., als die Insel von den Mykenern erobert wurde.

Die mykenische Kultur

Bei den Mykenern (oder »Achäern«, wie sie sich wahrscheinlich selbst nannten) handelte es sich um ein Griechisch sprechendes Volk, das um 2000 v. Chr. aus Südosteuropa nach Griechenland einwanderte. Ab etwa 1600 v. Chr. bildeten sich um befestigte Städte kleine Königreiche, deren Bewohner ein auf dem kretischen Silbenalphabet basierendes Schriftsystem benutzten. Das früheste Zeugnis der mykenischen Kultur ist in vielen reich ausgestatteten Schachtgräbern in Mykene zu sehen, die alle aus der Zeit zwischen 1650 und 1550 v. Chr. stammen. Die Grabbeigaben verweisen auf eine wohlhabende Kriegergesellschaft; es fanden sich Bronzewaffen, Tischgeschirre aus Gold, Silber und Elektrum, Schmuck und goldene Totenmasken. Die mykenischen Krieger fuhren auf Streitwagen in die Schlacht, kämpften dann allerdings zu Fuß mit Schwert, Speer und Dolch. Die Städte waren – vor allem nach dem 14. Jahrhundert – mit Mauern aus schweren Steinblöcken befestigt. Die mykenischen Herrscher wurden vom 15. Jahrhundert an in so genannten Tholoi (Kuppelgräbern) bestattet.

Die einzelnen mykenischen Städte wurden von Königen oder einer Kriegeraristokratie beherrscht. Die königlichen Paläste waren kleiner als die auf Kreta. Folgt man Homers »Ilias«, gab es etwa 20 Stadtkönigreiche, die die Oberhoheit Mykenes anerkannten.

Um 1450 v. Chr. erweiterte Mykene seine Herrschaft in die Ägäis, eroberte auch Kreta und gründete Milet an der anatolischen Küste. Möglicherweise drangen die Mykener auch bis nach Ägypten sowie in das Hethiter-Reich vor und zerstörten Troja.

Das »Gräberrund A« mit den Schachtgräbern, in denen die Könige von Mykene bestattet wurden

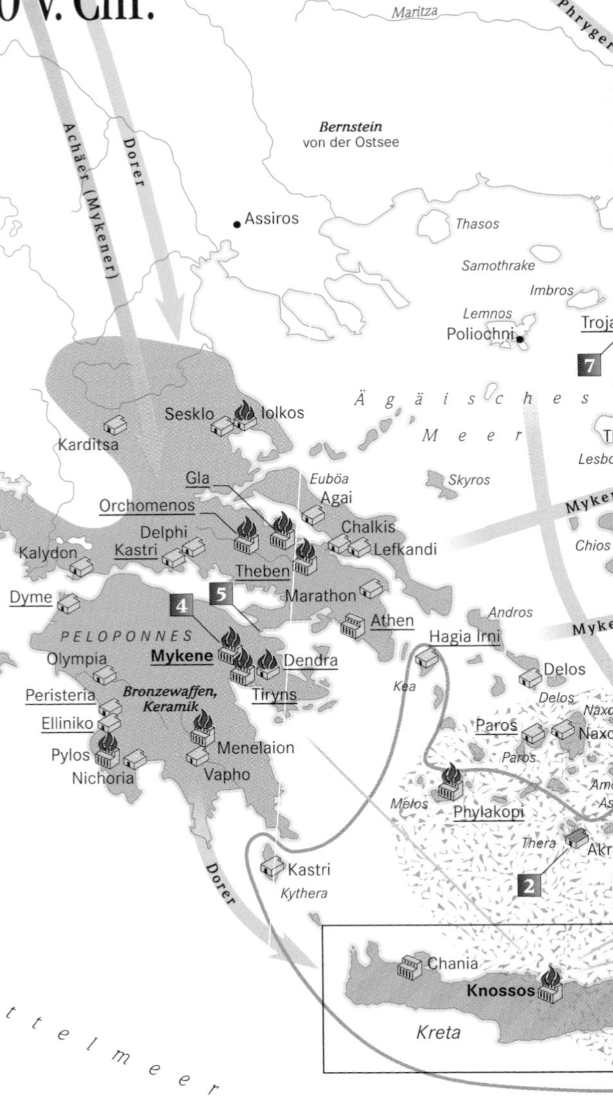

Maritza
Bernstein
von der Ostsee
Achäer (Mykener)
Dorer
Assiros
Thasos
Samothrake
Imbros
Lemnos
Poliochni
Troja
7
Ägäisches Meer
Sesklo
Iolkos
Karditsa
Gla
Euböa
Agai
Skyros
Orchomenos
Delphi
Kastri
Chalkis
Lefkandi
Chios
Kalydon
Theben
Dyme
4
5
Marathon
Athen
Andros
PELOPONNES
Olympia
Mykene
Dendra
Hagia Irni
Delos
Peristeria
Bronzewaffen, Keramik
Tiryns
Kea
Naxos
Elliniko
Paros
Pylos
Menelaion
Nichoria
Vapho
Melos
Phylakopi
Thera
2
Kastri
Kythera
Dorer
Chania
Knossos
Kreta
Mittelmeer

Im Sturm der Wanderungsbewegungen

Die mykenische Kultur erlebte um 1200 v. Chr. durch kriegerische Eindringlinge einen raschen Niedergang. Die gesamte Ägäis versank in einer 400 Jahre dauernden »dunklen Zeit«. Die Invasoren waren vermutlich eben jene »Seevölker«, die später zeitweise in Unterägypten und in Vorderasien einfielen. Einige Mykener suchten auf Zypern und an der Küste Kleinasiens Zuflucht, andere könnten sich auch den »Seevölkern« angeschlossen haben, denn ein Teil von ihnen siedelte sich später in Vorderasien an. In Griechenland entstand ein Machtvakuum, das schließlich von den Dorern, einem anderen Griechisch sprechenden Volk, beseitigt wurde. Diese wanderten um 1100 v. Chr. von Norden her ein und eroberten die Peloponnes, Kreta und Rhodos. Von den alten mykenischen Zentren behielt lediglich Athen seine Unabhängigkeit.

ZEITLEISTE

MINOISCHE KULTUR

KRETA

um 6000 v. Chr. Die erste Siedlung auf Kreta.

um 3000 v. Chr. Auf Kreta entstehen Steingräber, der Handel mit Vorderasien floriert.

um 2000 v. Chr. Bau der ersten Paläste auf Kreta. Die Minoer entwickeln eine Hieroglyphenschrift. In Kastri auf Kythera entsteht eine minoische Kolonie.

um 1700 v. Chr. Die minoische Linear-A-Schrift kommt auf. Knossos wird als Hauptpalast Kretas wieder aufgebaut.

6000 v. Chr. — 3000 v. Chr. — 2000 v. Chr.

GRIECHENLAND UND DIE ÄGÄIS

um 2300 v. Chr. In der Ägäis kommen Bronzegeräte in Gebrauch.

um 2000 v. Chr. Die Achäer (Mykener) wandern nach Süden und gelangen auf die griechische Halbinsel.

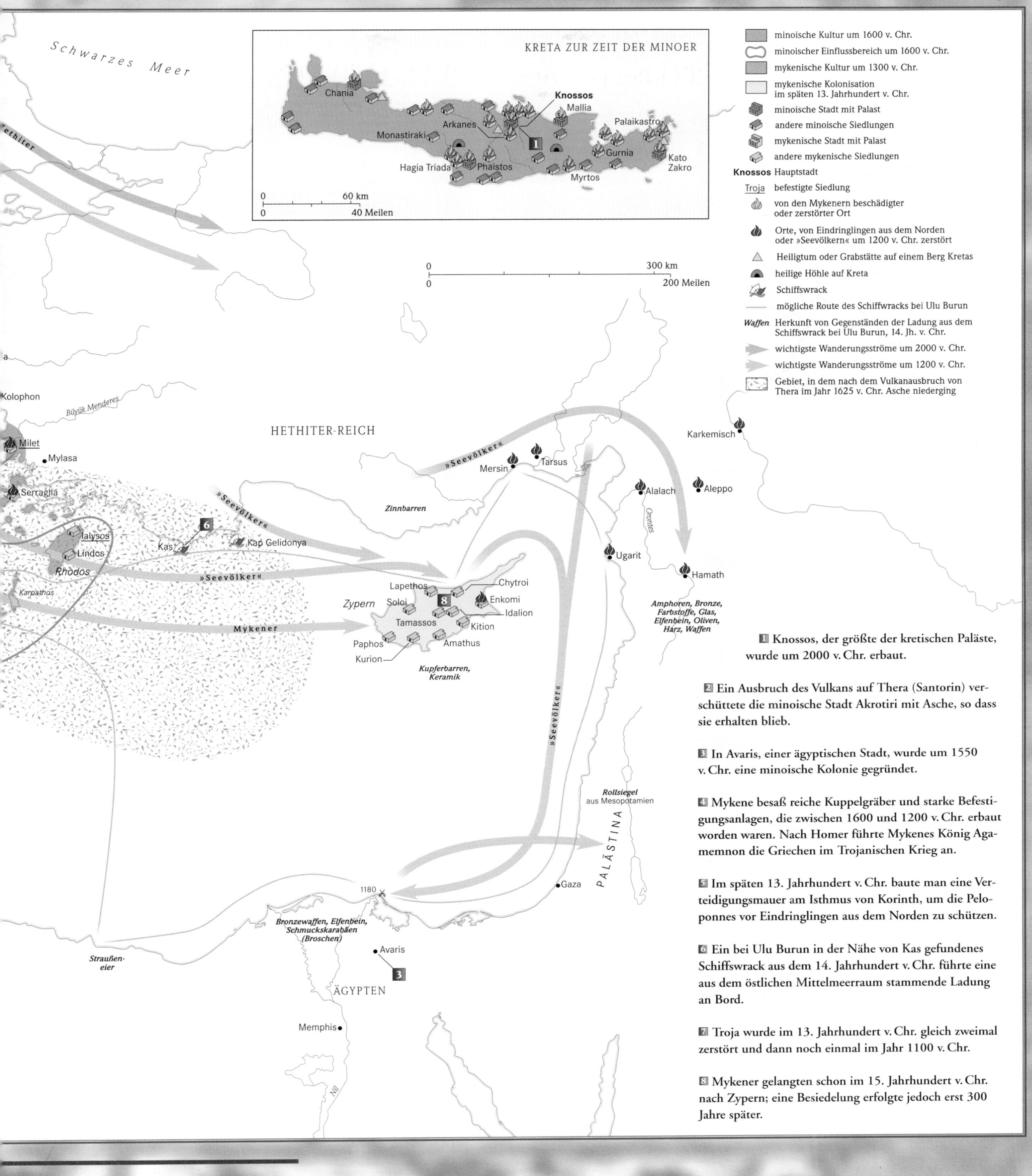

KRETA ZUR ZEIT DER MINOER
Chania
Knossos
Mallia
Arkanes
Monastiraki
Palaikastro
Gurnia
Kato Zakro
Hagia Triada
Phaistos
Myrtos
0 60 km
0 40 Meilen
minoische Kultur um 1600 v. Chr.
minoischer Einflussbereich um 1600 v. Chr.
mykenische Kultur um 1300 v. Chr.
mykenische Kolonisation im späten 13. Jahrhundert v. Chr.
minoische Stadt mit Palast
andere minoische Siedlungen
mykenische Stadt mit Palast
andere mykenische Siedlungen
Knossos Hauptstadt
Troja befestigte Siedlung
von den Mykenern beschädigter oder zerstörter Ort
Orte, von Eindringlingen aus dem Norden oder »Seevölkern« um 1200 v. Chr. zerstört
Heiligtum oder Grabstätte auf einem Berg Kretas
heilige Höhle auf Kreta
Schiffswrack
mögliche Route des Schiffswracks bei Ulu Burun
Waffen Herkunft von Gegenständen der Ladung aus dem Schiffswrack bei Ulu Burun, 14. Jh. v. Chr.
wichtigste Wanderungsströme um 2000 v. Chr.
wichtigste Wanderungsströme um 1200 v. Chr.
Gebiet, in dem nach dem Vulkanausbruch von Thera im Jahr 1625 v. Chr. Asche niederging
Schwarzes Meer
0 300 km
0 200 Meilen
Kolophon
Büyük Menderes
HETHITER-REICH
Milet
Mylasa
Serraglia
»Seevölker«
Ialysos
Lindos
Rhodos
Karpathos
Kas
Kap Gelidonya
Mersin
Tarsus
Zinnbarren
Alalach
Aleppo
Karkemisch
Orontes
Ugarit
Hamath
Lapethos
Chytroi
Enkomi
Idalion
Zypern
Soloi
Tamassos
Kition
Amathus
Paphos
Kurion
Mykener
Kupferbarren, Keramik
Amphoren, Bronze, Farbstoffe, Glas, Elfenbein, Oliven, Harz, Waffen
Rollsiegel aus Mesopotamien
PALÄSTINA
Gaza
1180
Bronzewaffen, Elfenbein, Schmuckskarabäen (Broschen)
Avaris
Straußeneier
ÄGYPTEN
Memphis
Nil

1 Knossos, der größte der kretischen Paläste, wurde um 2000 v. Chr. erbaut.

2 Ein Ausbruch des Vulkans auf Thera (Santorin) verschüttete die minoische Stadt Akrotiri mit Asche, so dass sie erhalten blieb.

3 In Avaris, einer ägyptischen Stadt, wurde um 1550 v. Chr. eine minoische Kolonie gegründet.

4 Mykene besaß reiche Kuppelgräber und starke Befestigungsanlagen, die zwischen 1600 und 1200 v. Chr. erbaut worden waren. Nach Homer führte Mykenes König Agamemnon die Griechen im Trojanischen Krieg an.

5 Im späten 13. Jahrhundert v. Chr. baute man eine Verteidigungsmauer am Isthmus von Korinth, um die Peloponnes vor Eindringlingen aus dem Norden zu schützen.

6 Ein bei Ulu Burun in der Nähe von Kas gefundenes Schiffswrack aus dem 14. Jahrhundert v. Chr. führte eine aus dem östlichen Mittelmeerraum stammende Ladung an Bord.

7 Troja wurde im 13. Jahrhundert v. Chr. gleich zweimal zerstört und dann noch einmal im Jahr 1100 v. Chr.

8 Mykener gelangten schon im 15. Jahrhundert v. Chr. nach Zypern; eine Besiedelung erfolgte jedoch erst 300 Jahre später.

1625 v. Chr.
Der Ausbruch des Vulkans auf Thera (Santorin) wirkt sich auch auf Kreta verheerend aus.

um 1450 v. Chr.
Die Mykener erobern Kreta und zerstören die dortigen Paläste.

1500 v. Chr.

1000 v. Chr.

1650 v. Chr.
…hung eines …en Lebens …kene.

um 1600 v. Chr.
In Mykene Bestattungen in Schachtgräbern mit reichen Grabbeigaben.

um 1450 v. Chr.
Bau der ersten mykenischen Paläste.
Entwicklung der mykenischen Linear-B-Schrift.

um 1400 v. Chr.
Befestigung der mykenischen Städte mit Mauern.

um 1200 v. Chr.
Einfälle der »Seevölker«.
Niedergang der mykenischen Kultur und des städtischen Lebens in Griechenland.

um 1100 v. Chr.
Die Dorer erobern die griechische Halbinsel. Griechisches Mittelalter.

um 1000 v. Chr.
Fast überall wird in Griechenland Eisen als Werkstoff verwendet.

MYKENISCHE KULTUR

»DUNKLE ZEIT« IN GRIECHENLAND

Von der Urgeschichte bis zur Antike (35 000 bis 500 v. Chr.)

Die Expansion der Phöniker und Griechen im Mittelmeerraum • 900 bis 500 v. Chr.

Nachdem der Mittelmeerraum die Umbrüche des späten 2. Jahrtausends v. Chr. überwunden hatte, knüpften die Phöniker und die Griechen mit dem westlichen Mittelmeerraum allmählich Handelsverbindungen an und gründeten dort erste Kolonien.

Den Anfang machten die Phöniker, ein levantinisches Volk, das kulturell und sprachlich eng mit den Kanaanitern verwandt war. Ihr Kerngebiet an der östlichen Mittelmeerküste verfügte über ausgezeichnete Naturhäfen, die schon im 3. Jahrtausend v. Chr. für den Handel mit Ägypten (Zedernholz, Farbstoffe und andere Güter) ausgebaut worden waren. Die größeren Hafenstädte hatten sich bis 1500 v. Chr. zu Stadtstaaten entwickelt, die frühen Aufzeichnungen zufolge von Stadtkönigen, ab dem 6. Jahrhundert v. Chr. von gewählten Beamten regiert wurden. Die phönikischen Städte besaßen nie ein größeres, von ihnen selbst kontrolliertes Hinterland und unterstanden im Verlauf ihrer Geschichte meist der einen oder anderen regionalen Großmacht.

Kühne Seefahrer, fleissige Kaufleute

Der früheste Beleg für eine phönikische Expansion um 1000 v. Chr .wurde in Kition (Zypern), einer einst mykenischen Kolonie, gefunden. Auf Zypern gab es Kupfer, weshalb schon Jahrhunderte zuvor enge Handelsbeziehungen zu Phönikien bestanden hatten. Die Erschließung neuer Märkte erfolgte aber erst zwischen dem späten 9. und dem frühen 7. Jahrhundert v. Chr., wobei sich die Phöniker bei der Gründung von Kolonien vor allem auf Tunesien, Sizilien und Sardinien konzentrierten. Karthago, eine Kolonie der Stadt Tyros, entwickelte sich bis zum 7. Jahrhundert zur führenden phönikischen Stadt im westlichen Mittelmeerraum. Im 8. Jahrhundert fuhren phönikische Handelsschiffe auch durch die Straße von Gibraltar und an den Atlantikküsten Spaniens und Marokkos entlang. In diesen Regionen unterhielten die Phöniker zunächst keine ständigen Handelsposten – erst im 7. Jahrhundert entstanden mit Tingis und Gades auch dort Kolonien. Alle Kolonien blieben ihren Gründerstädten unterstellt, erst als im 6. Jahrhundert die Babylonier Phönikien eroberten, wurden sie »gezwungenermaßen« unabhängig.

Ein Beispiel für funktionierende Handelsbeziehungen: Diese Kette aus dem 6. Jahrhundert v. Chr. besteht aus etruskischem Gold und phönikischen Glasperlen.

Die Schmalseite eines Sarkophags schmückt dieses detaillierte Relief, das ein phönikisches Segelschiff auf hoher See dargestellt.

Bevölkerungsüberschuss und Handelsinteressen

Nach dem Zusammenbruch Mykenes blieb Griechenland fast drei Jahrhunderte lang arm und dazu isoliert. Die wirtschaftliche Erholung begann erst um 900 v. Chr., als die Griechen den Handel mit Italien und der Levante wieder aufnahmen. Im 8. Jahrhundert v. Chr. war die Krise überwunden; in den Städten regte sich neues Leben und die Bevölkerungszahl stieg rapide an. Anlass der Gründung erster Kolonien wie Al Mina in Syrien und Kyme in Italien war der Handel – für Eisenerz, Sklaven und Luxusgüter boten die Griechen Wein oder ihre Dienste als Zwischenhändler an. Hinzu kam, dass die Kolonien den griechischen Städten schon vor dem Ausgang des 8. Jahrhunderts eine Möglichkeit boten, den dort herrschenden Bevölkerungsüberschuss abzubauen. Häufig wurde durch Los bestimmt, wer als Kolonist in die Ferne ziehen musste. Zu den aktivsten Kolonisten zählten die ionischen Griechen (Abkömmlinge der Mykener) und die Dorer. Anders als die phönikischen Kolonien waren die griechischen gleich von Anfang an unabhängig, wobei die Beziehungen zum jeweiligen »Mutterstaat« zumeist sehr eng blieben.

Die griechische Kolonisation

Die Griechen blickten am Anfang vor allem auf den Westen und gründeten die ersten Kolonien im 8. Jahrhundert v. Chr. in Süditalien und auf Sizilien. Die Beziehungen zu den einheimischen Völkern gestalteten sich nicht sonderlich gut, was jedoch nicht verhinderte, dass die griechische Kultur in Italien, vor allem bei den Etruskern Norditaliens, großen Einfluss gewann. Die Kolonien verzeichneten zu Anfang große Erfolge (so war Syrakus im 5. Jahrhundert die griechische Stadt mit der höchsten Einwohnerzahl), aber die ständigen Auseinandersetzungen mit den Einheimischen schwächten sie zusehends. Im 3. Jahrhundert v. Chr. begann ihr Niedergang. Weiter im Westen standen den Griechen die ihnen nicht gerade wohl gesonnenen Phöniker gegenüber. Gleichwohl war Massalia, das heutige Marseille, eine griechische Gründung (um 600 v. Chr.). Die keltischen Stammesfürsten profitierten vom Handel mit den Griechen, wie die Qualität griechischer Kunstgegenstände zeigt, die man etwa in den Gräbern von Vix gefunden hat.

Im 7. und 6. Jahrhundert siedelten Griechen auch an den Küsten Thrakiens und des Schwarzen Meeres. Kolonisten tauschten bei den Steppennomaden Luxusgüter gegen Weizen. In dieser Zeit entstanden auch in der Cyrenaika und in Ägypten Kolonien, wodurch die Griechen sehr genaue Kenntnisse der ägyptischen Kunst und Architektur erwarben.

Zeitleiste

Phönikien und seine Kolonien

- **1500 v. Chr.** Das Volk der Phöniker entsteht.
- **um 1400 v. Chr.** Entwicklung des phönikischen Alphabets.
- **um 1500–1000 v. Chr.** Phönikien unter ägyptischer Herrschaft.
- **um 1000 v. Chr.** In Kition (Zypern) entsteht die erste phönikische Kolonie.
- **um 965 v. Chr.** König Hiram von Tyros schickt Handwerker nach Jerusalem, die König Salomo bei seinen Bauprojekten helfen.
- **876 v** Phöni[…] zahlt A[…] Tribut.

1500 v. Chr. — 1000 v. Chr.

Griechische Kolonien

- **um 1450 v. Chr.** Die Mykener kolonisieren Kreta und die kleinasiatische Küste.
- **um 1200 v. Chr.** Die Mykener kolonisieren Zypern.
- **um 1100 v. Chr.** Die Dorer dringen in Griechenland ein und besiedeln es.
- **um 820 v[…]** Die Griechen gründen in Al Mina (Syrien) eine K[…]
- **um 800–700** Rasches Bevölkerungswachstum in Griech[…]

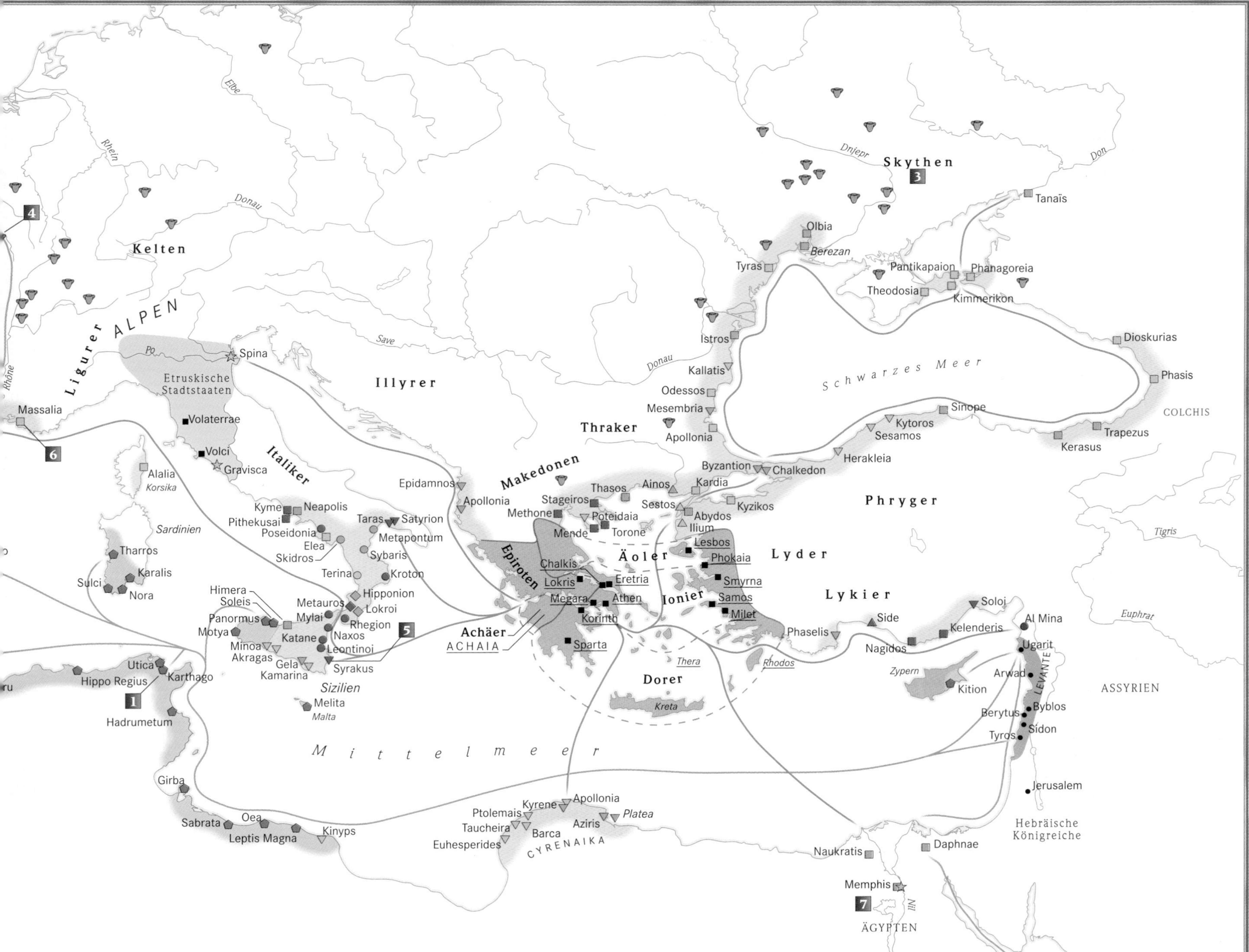

1 Karthago, 814 v. Chr. gegründet, war die bedeutendste phönikische Kolonie; im 6. Jahrhundert v. Chr. reifte es zu einem mächtigen und unabhängigen Staat.

2 Die phönikischen Handelsstationen an der Atlantikküste wie Mogador waren nur zu einem Teil des Jahres besetzt.

3 Die Skythen tauschten bei den griechischen Kolonien am Schwarzen Meer Getreide gegen Luxusgüter ein.

4 Der Grabhügel von Vix, unter dem im 6. Jahrhundert v. Chr. eine keltische Prinzessin bestattet wurde, enthielt die feinsten bisher gefundenen griechischen Bronzearbeiten.

5 Das um 733 v. Chr. von Korinth gegründete Syrakus entwickelte sich zur wohlhabendsten und mächtigsten griechischen Kolonie im westlichen Mittelmeerraum.

6 Massalia wurde um 600 v. Chr. von Griechen gegründet, die vom Zinnhandel profitieren wollten. Bereits um 500 v. Chr. verlor die Kolonie wieder an Bedeutung, weil sich die Handelsrouten zum Atlantik und zu den Alpenpässen hin verschoben hatten.

7 Um 600 v. Chr. spielten griechische Söldner im ägyptischen Heer eine Schlüsselrolle.

Phönikien
Küste unter phönikischem Einfluss, 6. Jh. v. Chr.
phönikische Kolonie (900–600 v. Chr.)
phönikische Handelsstation
Handelsroute der Phöniker
Griechen um 900 v. Chr.
Küste unter griechischem Einfluss, 6. Jh. v. Chr.

griechische Kolonien
achäische Kolonien
äolische Kolonien
dorische Kolonien
ionische Kolonien
andere Kolonien

Gründungsdatum einer griechischen Kolonie
9. Jh. v. Chr.
8. Jh. v. Chr.
7. Jh. v. Chr.
6. Jh. v. Chr.
griechische Handelsstation, 6. Jh. v. Chr.
griechische Fundgegenstände aus der Zeit um 700–500 v. Chr.
Sparta griechische Mutterkolonie/Region
griechische Teilvölker
Handelsroute der Griechen
Zinnhandel

0 600 km
0 400 Meilen

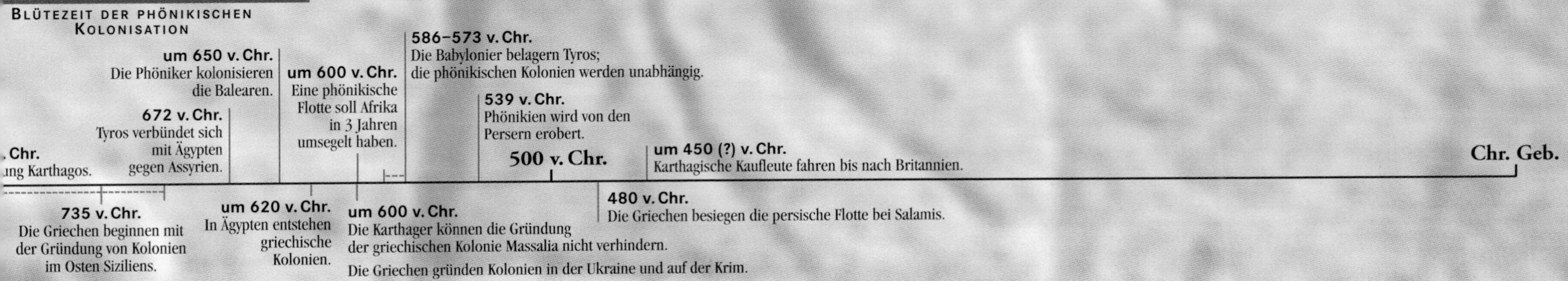

BLÜTEZEIT DER PHÖNIKISCHEN KOLONISATION
um 650 v. Chr. Die Phöniker kolonisieren die Balearen.
um 600 v. Chr. Eine phönikische Flotte soll Afrika in 3 Jahren umsegelt haben.
586–573 v. Chr. Die Babylonier belagern Tyros; die phönikischen Kolonien werden unabhängig.
672 v. Chr. Tyros verbündet sich mit Ägypten gegen Assyrien.
539 v. Chr. Phönikien wird von den Persern erobert.
. Chr.
ıng Karthagos.
500 v. Chr.
um 450 (?) v. Chr. Karthagische Kaufleute fahren bis nach Britannien.
Chr. Geb.
735 v. Chr. Die Griechen beginnen mit der Gründung von Kolonien im Osten Siziliens.
um 620 v. Chr. In Ägypten entstehen griechische Kolonien.
um 600 v. Chr. Die Karthager können die Gründung der griechischen Kolonie Massalia nicht verhindern. Die Griechen gründen Kolonien in der Ukraine und auf der Krim.
480 v. Chr. Die Griechen besiegen die persische Flotte bei Salamis.
BLÜTEZEIT DER GRIECHISCHEN KOLONISATION

Von der Urgeschichte bis zur Antike (35 000 bis 500 v. Chr.)

Die Entstehung der griechischen Stadtstaaten • 1100 bis 500 v. Chr.

Im »dunklen Zeitalter« (1200 bis 800 v. Chr.) lebten die Griechen unter Fürsten oder Königen, die sie im Krieg führten und zugleich ihre Oberpriester waren, alle gemeinsamen Angelegenheiten jedoch mit einem Ältestenrat berieten. Die Untertanen leisteten den Herrschenden manchmal Tribut, denn regelmäßige Steuerzahlungen gab es zu jener Zeit noch nicht.

Auch Paläste wurden zu dieser Zeit nicht gebaut und das Leben in den Städten war fast zum Erliegen gekommen; die einstigen Handelsbeziehungen zu entfernteren Partnern kontrollierten die Phöniker. Gekennzeichnet wurden diese Periode und ihre Kultur durch Kriege, die Jagd und eine üppige Gastfreundschaft. Als eine der wichtigsten Entwicklungen ersetzte das Eisen die Bronze.

Säulen des Heraion (Hera-Tempel; 6. Jahrhundert v. Chr.), des ältesten der drei Tempel von Olympia im Nordwesten der Peloponnes

Die Polis als Zentrum von Macht und Kultur

Im 9. Jahrhundert v. Chr. ging die politische Macht allmählich an den Adel über und zu Ende des 7. Jahrhunderts bestanden nur noch in Sparta, in Argos und auf Thera Monarchien. Über die Institutionen der Adelsherrschaft ist nur wenig bekannt. Die Polis (Stadtstaat) wurde zur herrschenden Form der politischen Organisation. Die Städte entwickelten sich zu Zentren der politischen Macht, des Handels und des kulturellen Lebens. Das Wiederaufleben des Handels im 8. Jahrhundert v. Chr. erforderte eine Neuerfindung der Schrift, da die frühere mykenische Schrift in Vergessenheit geraten war. Die Griechen übernahmen nun das phönikische Konsonantenalphabet, fügten eigene Zeichen für die Vokale hinzu und schufen so eine sehr flexible und einfache Schrift. Daraus resultierte, dass auch mehr Menschen schreiben und lesen konnten, was für das Aufblühen der griechischen Kultur im Laufe des 5. und 6. Jahrhunderts v. Chr. eine wesentliche Voraussetzung war.

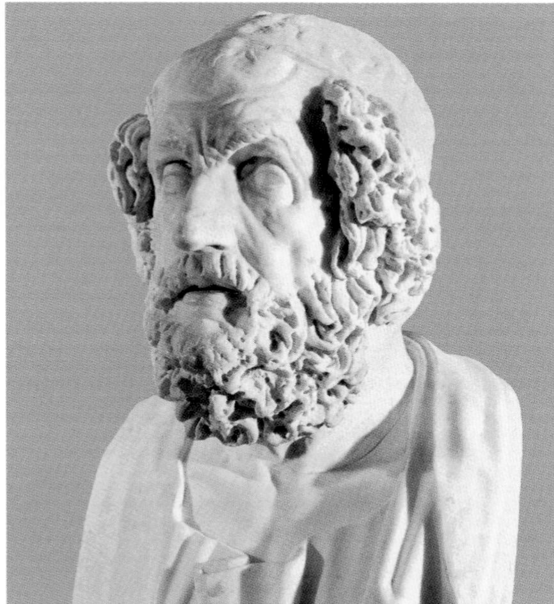

Büste Homers; der große Dichter lebte im 8. Jahrhundert v. Chr. in Kleinasien. Ihm werden die Epen »Ilias« und »Odyssee« zugeschrieben.

Von der Tyrannis zur Demokratie

Im 7. Jahrhundert v. Chr. verlor die Adelsherrschaft an Popularität. Neue militärische Taktiken, zum Beispiel der Einsatz zahlenmäßig starker und schwer bewaffneter Infanteriekräfte, schmälerten den elitären Status des Adels zunehmend. Zudem wuchs unter den Neureichen die Unzufriedenheit, weil sie – nicht dem Adel angehörend – von der politischen Macht ausgeschlossen waren. Diese Unzufriedenheit führte zwischen 660 und 485 v. Chr. in vielen Poleis zu Revolutionen unter populären Führern, die als »Tyrannen« bezeichnet wurden (womit zunächst Herrscher gemeint waren, die nicht aufgrund ihrer Herkunft, sondern dank eigener Tüchtigkeit an die Macht gekommen waren). Die meisten dieser Tyrannen hielten sich aber nur wenige Jahrzehnte und wurden dann von Oligarchien (Herrschaft kleiner Gruppen) abgelöst. Der Adel besaß kein Machtmonopol mehr. Andere Stadtstaaten reformierten ihre Verfassung auch ohne Revolution und bis zum 6. Jahrhundert regierten in den meisten von ihnen Oligarchien.

Die folgenreichsten politischen Umwälzungen ereigneten sich in Athen, wo 594 v. Chr. Solon mit einer Verfassungsreform beauftragt wurde. Das Ergebnis war ein Kompromiss, der letztlich niemanden zufrieden stellte, und 546 v. Chr. riss der Tyrann Peisistratos die Macht an sich. Er war ein geschickter und beliebter Herrscher, der den politischen Einfluss der Aristokratie verringerte und sich um die Probleme der Kleinbauern kümmerte. Ihm folgte sein weniger befähigter Sohn Hippias nach, den seine adligen Gegner 510 v. Chr. stürzten. Die dreijährigen inneren Auseinandersetzungen endeten mit der Niederlage der Adelspartei. Der Reformer Kleisthenes führte eine demokratische Verfassung ein, die allen 45 000 männlichen Bürgern in Athen die Teilnahme an der

Sybaris
Rhegion
Himera
Sizilien
Akragas
Gela
Syrakus

1 In einem Jahrhundert einschneidender Reformen (600–500 v. Chr.) wandelte sich Athen zu einem führenden Staatswesen.

2 Die Bevölkerung des von den Griechen als »barbarisch« betrachteten Königreichs Makedonien bestand aus Illyrern, Thrakern und Dorern.

3 In Olympia, dem reichsten religiösen Zentrum Griechenlands, fanden alle vier Jahre gesamtgriechische Spiele zu Ehren des Gottes Zeus statt (776 v. Chr. bis 393 n. Chr.).

4 Das Apollo-Orakel von Delphi wurde von vielen griechischen Staaten zu wichtigen politischen Fragen gehört. Es war für seine vieldeutigen Antworten berühmt.

5 Korinth profitierte von seiner Lage am Isthmus, der den Golf von Korinth vom Ägäischen Meer trennt, und stieg zu einer bedeutenden Handelsmacht auf.

6 Dank ihrer engen Beziehungen zu den vorderasiatischen Kulturen hatten die Ionier im 7. und 6. Jahrhundert v. Chr. die kulturell höchste Stufe aller Griechen erklommen.

7 Vom 7. bis zum 5. Jahrhundert v. Chr. kämpften Argos und Sparta um die Vorherrschaft auf der Peloponnes.

8 Die lydischen Könige führten um 700 v. Chr. Münzgeld ein; ab etwa 600 v. Chr. wurde es in ganz Griechenland verwendet.

ZEITLEISTE

POLITIK

um 900 v. Chr. Gründung Spartas.

um 900–800 v. Chr. In Ionien und Äolien entstehen die ersten Stadtstaaten.

um 800 v. Chr. Gründung Korinths.
Beginn der Hauptzeit der griechischen Expansion im Mittelmeerraum.

um 800–750 v. Chr. Sparta erobert Lakonien.

900 v. Chr. — **800 v. Chr.**

KULTUR

776 v. Chr. Die ersten Olympischen Spiele finden statt.

um 750 v. Chr. Homer dichtet die »Ilias« und die »Odyssee«.
Entwicklung des griechischen Alphabets.

um 800–700 v. Chr. Bevölkerungswachstu… in ganz Griechenland

griechische Besiedlung, 6. Jh. v. Chr.
Herrschaftsgebiet eines Königs oder adligen Führers, um 600 v. Chr.
Herrschaftsbereich Spartas, 505 v. Chr.
Verbündete Spartas, 505 v. Chr.
größere Polis im 6. Jh. v. Chr.
Athen 660–485 zeitweilig von Tyrannen regiert
Eroberungen der Perser, 513 v. Chr.
Ort eines Festes für alle Griechen
Heiligtum für einen Gott
anderer größerer Tempel oder heiliger Bezirk für einen Gott

Ostrakon aus dem 5. Jahrhundert v. Chr. Solche Tonscherben dienten im alten Athen bei Abstimmungen, beispielsweise beim »Scherbengericht«, als »Wahlzettel«.

Ratsversammlung und die Mitentscheidung in allen wichtigen Fragen (auch personellen) zugestand. Athen entwickelte sich bis zum Jahr 500 v. Chr. zu einem selbstbewussten Gemeinwesen, obwohl im 6. Jahrhundert der mächtigere Staat noch Sparta war, das bei der Entwicklung einer neuen Kampftaktik die Führung übernommen hatte: Von Rüstungen geschützte Speerträger traten in dichter Phalanx als eine undurchdringliche Mauer an. Sparta gründete mit anderen Städten den Peloponnesischen Bund und sicherte dadurch seine Vormacht.

Als erste Griechen gerieten die an der kleinasiatischen Küste lebenden Ionier unter persische Oberhoheit. Wohl zahlten sie seit etwa 600 v. Chr. dem König von Lydien Tribut, aber die Beziehungen zu den Lydern waren eigentlich gut – die Griechen übernahmen das lydische Münzgeld, während die Lyder kulturell zunehmend unter griechischen Einfluss gerieten. Die Perser erfreuten sich einer weit geringeren Beliebtheit als die liberaleren Lyder.

Gemeinsamkeiten

Trotz aller Rivalitäten hatten die Griechen bis zum 8. Jahrhundert v. Chr. ein starkes Zusammengehörigkeitsgefühl entwickelt, was sich in dem Namen »Hellenen«, den sie sich selbst gaben, ebenso ausdrückte wie in ihrer Religion. Alle Griechen huldigten denselben Göttern und veranstalteten für sie panhellenische Feste wie die Olympischen Spiele. Die Neutralität der Heiligtümer, die alle Griechen achteten, wurde durch religiöse Verbände (Amphiktyonien) geschützt und verwaltet; die bekannteste war die Amphiktyonie von Delphi. Zudem bestand ein reiches kulturelles Erbe, das sich im 8. Jahrhundert in den epischen Werken Homers niederschlug.

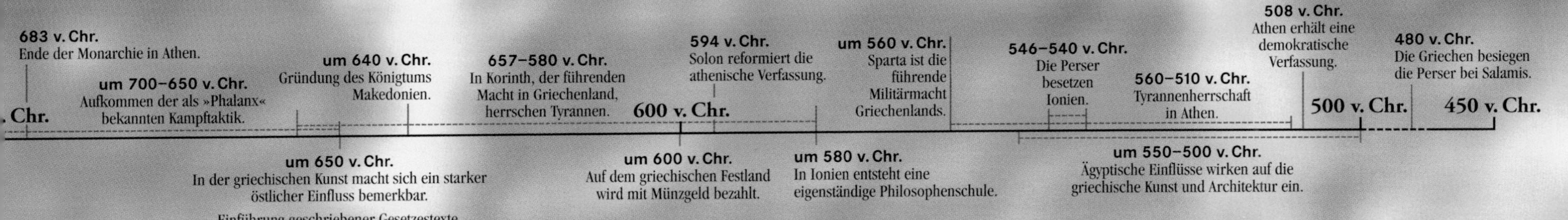
683 v. Chr.
Ende der Monarchie in Athen.
um 700–650 v. Chr.
Aufkommen der als »Phalanx« bekannten Kampftaktik.
um 640 v. Chr.
Gründung des Königtums Makedonien.
657–580 v. Chr.
In Korinth, der führenden Macht in Griechenland, herrschen Tyrannen.
600 v. Chr.
594 v. Chr.
Solon reformiert die athenische Verfassung.
um 560 v. Chr.
Sparta ist die führende Militärmacht Griechenlands.
546–540 v. Chr.
Die Perser besetzen Ionien.
560–510 v. Chr.
Tyrannenherrschaft in Athen.
508 v. Chr.
Athen erhält eine demokratische Verfassung.
500 v. Chr.
480 v. Chr.
Die Griechen besiegen die Perser bei Salamis.
450 v. Chr.
um 650 v. Chr.
In der griechischen Kunst macht sich ein starker östlicher Einfluss bemerkbar.
Einführung geschriebener Gesetzestexte.
um 600 v. Chr.
Auf dem griechischen Festland wird mit Münzgeld bezahlt.
um 580 v. Chr.
In Ionien entsteht eine eigenständige Philosophenschule.
um 550–500 v. Chr.
Ägyptische Einflüsse wirken auf die griechische Kunst und Architektur ein.

Von der Urgeschichte bis zur Antike (35 000 bis 500 v. Chr.)

Etrusker, Griechen, Karthager, Kelten • 800 bis 500 v. Chr.

Die ersten Stadtstaaten im westlichen Mittelmeerraum wurden durch die Etrusker in Norditalien (bis 800 v. Chr.) errichtet. Im 8. Jahrhundert gründeten dann phönikische und griechische Kolonisten an den Küsten Süditaliens, Frankreichs, Spaniens und Nordafrikas weitere Städte. Die Griechen beeinflussten die etruskische Kultur nachhaltig, während die phönikischen Kolonien in Spanien um 500 v. Chr. die Tartessier, Turdetani und Iberer zum Bau von Städten und zur Bildung von Staaten anregten.

Die Herkunft der Etrusker ist unklar. Ihre Sprache war mit keiner anderen europäischen verwandt, was den Schluss nahe legt, dass sie aus Nordosten eingewandert sind; es existieren jedoch keine überzeugenden Beweise dafür. Vorläuferin der etruskischen Kultur war die Villanova-Kultur (die erste in Italien, die Eisen schmiedete). Offenbar aus örtlichen Urnenfelderkulturen entstanden, entwickelte sie sich um 900 in Etrurien (der heutigen Toskana) und dehnte sich danach im Norden bis zur Po-Ebene aus. Während die Villanova-Kultur in Etrurien schließlich durch die etruskische Kultur ersetzt wurde, blieb sie in der Po-Ebene bis zum 6. Jahrhundert, als das Gebiet von den Etruskern besetzt wurde, lebendig.

Der so genannte Ehegattensarkophag (Terrakotta; etwa 530–520 v. Chr.) ist ein beeindruckendes Beispiel für den etruskischen Grabkult.

Phönikische und griechische Konkurrenz

In Etrurien gab es reiche Erz- und Kupfervorkommen, fruchtbares Land und eine Küste mit vielen Naturhäfen – ideale Voraussetzungen für die Etrusker, sich der Seefahrt und dem Handel zuzuwenden. Die meisten frühen etruskischen Siedlungen wurden aus Furcht vor Piraten einige Kilometer von der Küste entfernt angelegt. Die Städte lebten unabhängig voneinander, aber die wichtigsten zwölf schlossen sich schließlich zu einem lockeren Städtebund zusammen. Im 8. Jahrhundert bekamen die Etrusker die Konkurrenz der phönikischen und griechischen Kolonien zu spüren. Die Gründung von Massalia (lateinisch Massilia, heute Marseille) um 600 v. Chr. bedeutete eine besonders einschneidende Veränderung, weil diese griechische Kolonie die Etrusker von den transgallischen Zinnrouten abschnitt. Diesen Verlust bügelte deren Vorstoß in die Po-Ebene einigermaßen aus, da er ihnen die Kontrolle über die transalpinen und adriatischen Handelswege einbrachte und einigen Handel von den griechischen Kolonien abzog. Mit Hilfe der Karthager vertrieben die Etrusker 535 v. Chr. die Griechen von Korsika, aber die Vorstöße gegen die griechischen Einwohner von Kyme 524, 505 und 474 v. Chr. blieben erfolglos. Trotz dieser Feindseligkeiten wurde die etruskische Kultur bis zum 6. Jahrhundert stark »hellenisiert«.

Griff eines Eisenschwerts (7. Jahrhundert v. Chr.), das der Hallstattkultur zugerechnet wird. Der Griff besteht aus Elfenbein mit Bernsteineinlagen.

Erste Römische Republik

Die wichtigste Volksgruppe Italiens waren die Italisch sprechenden Stämme, die vermutlich zur Zeit der Urnenfelderkultur aus Mitteleuropa eingewandert waren. Obwohl noch 500 v. Chr. zumeist in Stämmen organisiert, begannen die Latiner unter etruskischem Einfluss mit dem Bau von Städten. Die führende latinische Stadt war Rom, das die Etrusker später besetzten. Im Jahr 509 v. Chr. vertrieben die Römer ihren etruskischen König und gründeten eine Republik, obwohl Rom damals kaum mehr als ein kleiner Marktflecken war.

Handelsmacht Karthago

Karthago war zwar nicht die älteste phönikische Kolonie in Nordafrika, aber sein vorzüglicher Hafen und seine strategische Lage erhoben es bis zum 7. Jahrhundert zur wichtigsten. Obwohl eigentlich noch Tyros unterstellt, begann Karthago zu dieser Zeit mit der Kolonisation der Balearen. 580 v. Chr. intervenierte es auf Sizilien, um Motya vor der griechischen Stadt Selinus zu schützen, und wenig später auf Sardinien, um den dortigen phönikischen Kolonien gegen die einheimische Bevölkerung beizustehen. Wegen dieser Operationen betrachtete man Karthago als Schutzmacht der phönikischen Kolonien im Westen; bis zum Jahr 500 v. Chr. hatte es sich zur Hauptstadt eines locker gefügten Reiches entwickelt, das den Handel im westlichen Mittelmeer kontrollierte.

Südspanien wurde von Phönikern und Karthagern am stärksten beeinflusst. Gades (Cádiz) galt spätestens seit dem 8. Jahrhundert als wichtige phönikische Handelsniederlassung und Huelva (höchstwahrscheinlich das antike Tartessos) war um 800 v. Chr. ein Hafen mit Handelsverbindungen nach Griechenland, Phönikien und dem atlantischen Europa. Die Stadt verdankte ihren Reichtum dem Export von Silber und anderen Metallen, die in Südspanien abgebaut wurden, sowie dem Zwischenhandel mit Zinn aus Galizien, der Bretagne und Cornwall. Im 6. Jahrhundert entstand ein tartessisches Königreich; im Tal des Guadalquivir wurden befestigte Städte gebaut. Zu ähnlichen Aktivitäten rafften sich um 500 v. Chr. auch die Iberer an der Ostküste auf. Hier wie dort wurde eine auf der phönikischen basierende Schrift eingeführt.

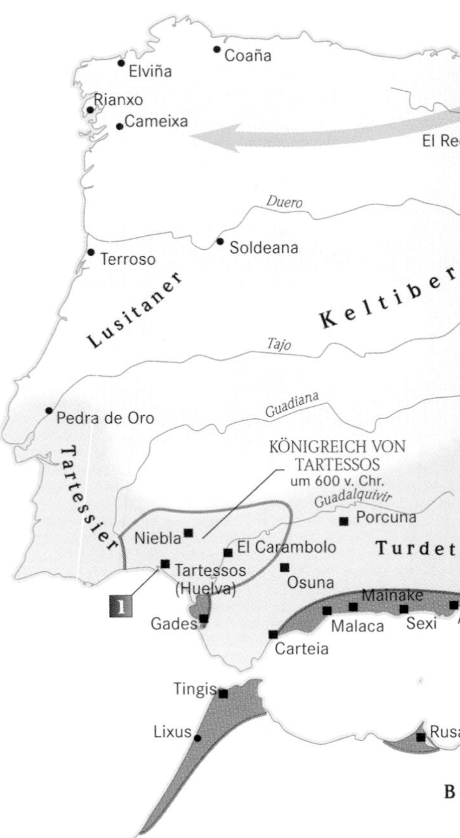
Coaña
Elviña
Rianxo
Cameixa
Duero
Terroso
Soldeana
Lusitaner
Tajo
Pedra de Oro
Guadiana
Tartessier
KÖNIGREICH VON TARTESSOS um 600 v. Chr.
Guadalquivir
Porcuna
Niebla
El Carambolo
Tartessos (Huelva)
Osuna
Mainake
Gades
Malaca
Sexi
Carteia
Tingis
Lixus
1

Die Kelten

In West- und Mitteleuropa übte im 7. und 6. Jahrhundert die allgemein mit den Kelten identifizierte Hallstattkultur einen beherrschenden Einfluss aus. Diese Kultur hatte sich im 12. Jahrhundert aus den regionalen Urnenfelderkulturen im Bereich der oberen Donau entwickelt. Im Frühstadium wurde noch

ZEITLEISTE

ETRUSKER UND ITALIEN

- 900 v. Chr.
- **um 900 v. Chr.** Entstehungszeit der Villanova-Kultur.
- 800 v. Chr.
- **um 800 v. Chr.** Auftauchen der etruskischen Kultur.
- **753 v. Chr.** Nach der Überlieferung das Jahr der Gründung Roms.
- **733 v. Chr.** Gründung der griechisc… Kolonie Syrakus (Sizilien…

KARTHAGO

- **814 v. Chr.** Nach der Überlieferung das Jahr der Gründung Karthagos.
- **um 800 v. Chr.** Die Phöniker gründen in Gades (Südspanien) eine Handelsniederlassung.
- **um 800–600 v. Chr.** Hauptzeit der phönikischen und griechischen Kolonisation im Westen.

KELTEN

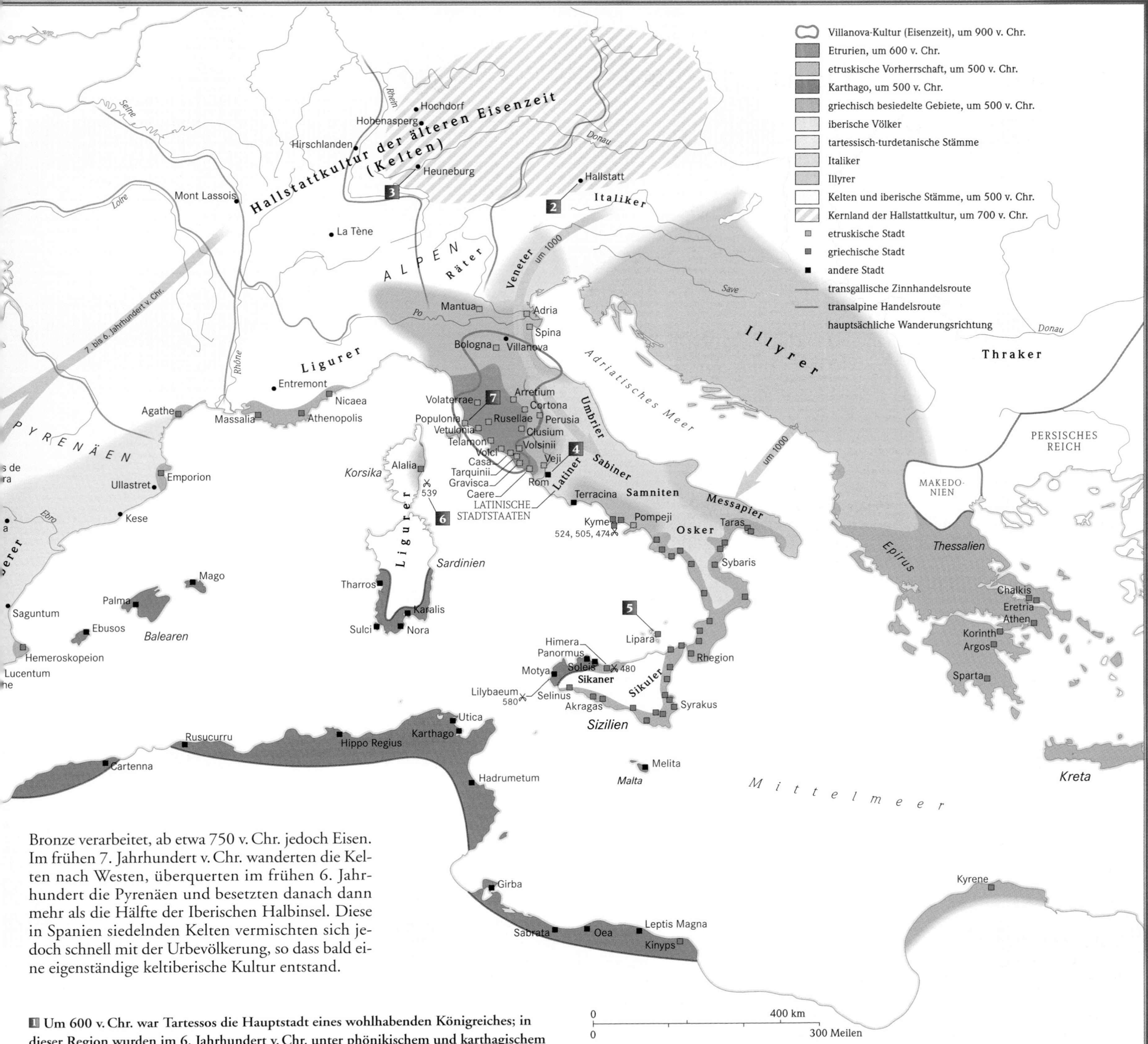

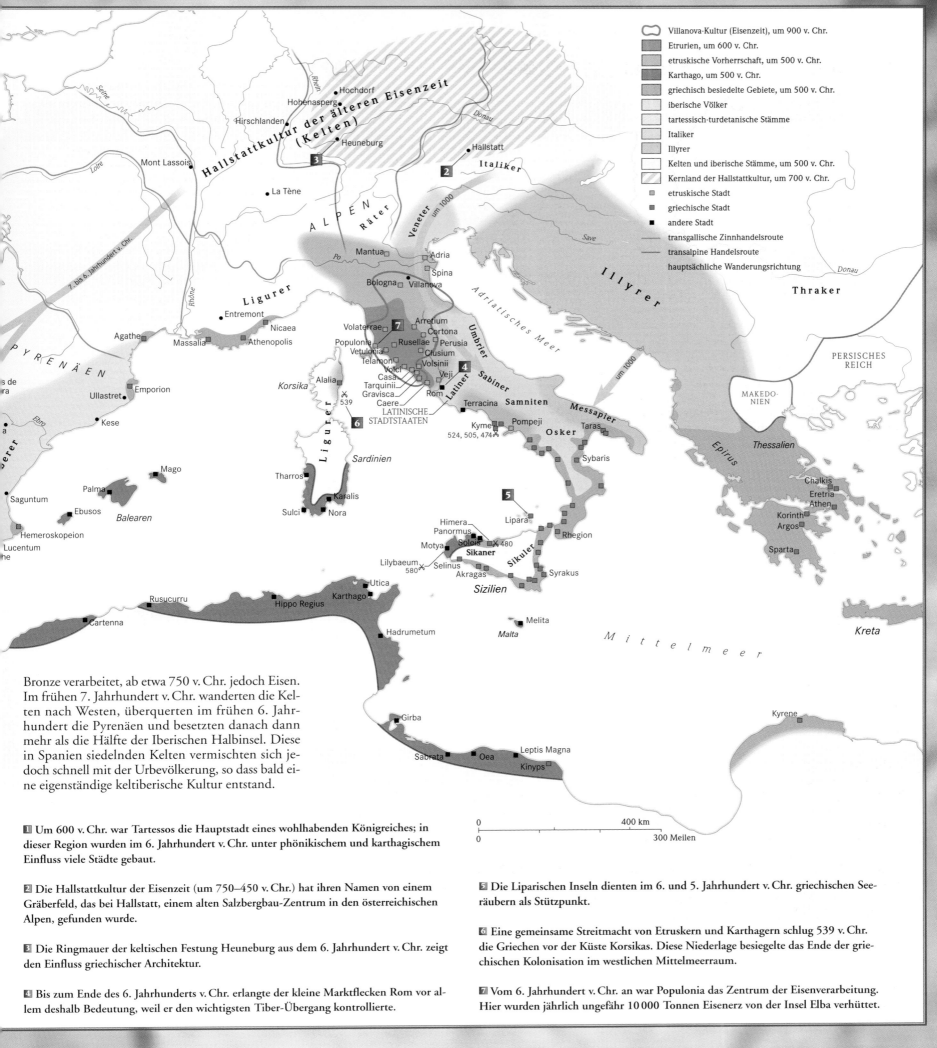

- Villanova-Kultur (Eisenzeit), um 900 v. Chr.
- Etrurien, um 600 v. Chr.
- etruskische Vorherrschaft, um 500 v. Chr.
- Karthago, um 500 v. Chr.
- griechisch besiedelte Gebiete, um 500 v. Chr.
- iberische Völker
- tartessisch-turdetanische Stämme
- Italiker
- Illyrer
- Kelten und iberische Stämme, um 500 v. Chr.
- Kernland der Hallstattkultur, um 700 v. Chr.
- etruskische Stadt
- griechische Stadt
- andere Stadt
- transgallische Zinnhandelsroute
- transalpine Handelsroute
- hauptsächliche Wanderungsrichtung

0 400 km
0 300 Meilen

Bronze verarbeitet, ab etwa 750 v. Chr. jedoch Eisen. Im frühen 7. Jahrhundert v. Chr. wanderten die Kelten nach Westen, überquerten im frühen 6. Jahrhundert die Pyrenäen und besetzten danach dann mehr als die Hälfte der Iberischen Halbinsel. Diese in Spanien siedelnden Kelten vermischten sich jedoch schnell mit der Urbevölkerung, so dass bald eine eigenständige keltiberische Kultur entstand.

1 Um 600 v. Chr. war Tartessos die Hauptstadt eines wohlhabenden Königreiches; in dieser Region wurden im 6. Jahrhundert v. Chr. unter phönikischem und karthagischem Einfluss viele Städte gebaut.

2 Die Hallstattkultur der Eisenzeit (um 750–450 v. Chr.) hat ihren Namen von einem Gräberfeld, das bei Hallstatt, einem alten Salzbergbau-Zentrum in den österreichischen Alpen, gefunden wurde.

3 Die Ringmauer der keltischen Festung Heuneburg aus dem 6. Jahrhundert v. Chr. zeigt den Einfluss griechischer Architektur.

4 Bis zum Ende des 6. Jahrhunderts v. Chr. erlangte der kleine Marktflecken Rom vor allem deshalb Bedeutung, weil er den wichtigsten Tiber-Übergang kontrollierte.

5 Die Liparischen Inseln dienten im 6. und 5. Jahrhundert v. Chr. griechischen Seeräubern als Stützpunkt.

6 Eine gemeinsame Streitmacht von Etruskern und Karthagern schlug 539 v. Chr. die Griechen vor der Küste Korsikas. Diese Niederlage besiegelte das Ende der griechischen Kolonisation im westlichen Mittelmeerraum.

7 Vom 6. Jahrhundert v. Chr. an war Populonia das Zentrum der Eisenverarbeitung. Hier wurden jährlich ungefähr 10 000 Tonnen Eisenerz von der Insel Elba verhüttet.

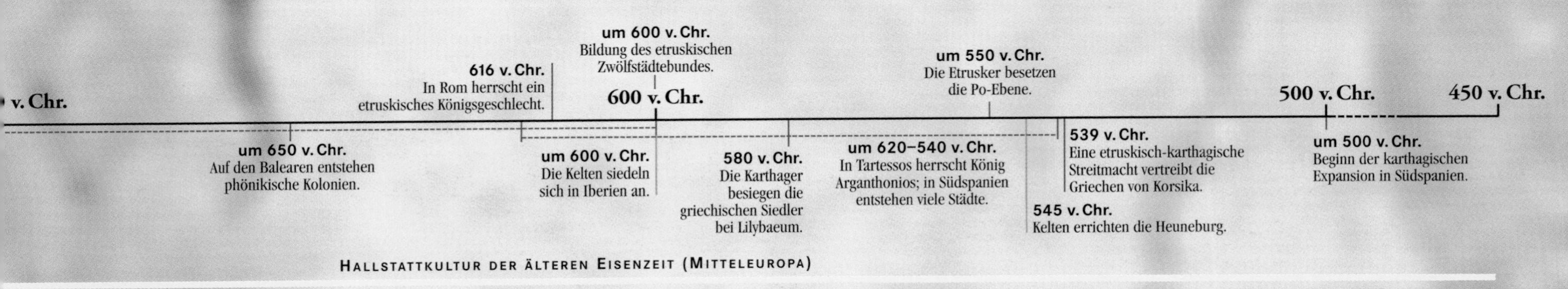
v. Chr.
616 v. Chr. In Rom herrscht ein etruskisches Königsgeschlecht.
um 600 v. Chr. Bildung des etruskischen Zwölfstädtebundes.
600 v. Chr.
um 550 v. Chr. Die Etrusker besetzen die Po-Ebene.
500 v. Chr.
450 v. Chr.
um 650 v. Chr. Auf den Balearen entstehen phönikische Kolonien.
um 600 v. Chr. Die Kelten siedeln sich in Iberien an.
580 v. Chr. Die Karthager besiegen die griechischen Siedler bei Lilybaeum.
um 620–540 v. Chr. In Tartessos herrscht König Arganthonios; in Südspanien entstehen viele Städte.
539 v. Chr. Eine etruskisch-karthagische Streitmacht vertreibt die Griechen von Korsika.
545 v. Chr. Kelten errichten die Heuneburg.
um 500 v. Chr. Beginn der karthagischen Expansion in Südspanien.
HALLSTATTKULTUR DER ÄLTEREN EISENZEIT (MITTELEUROPA)

Von der Urgeschichte bis zur Antike (6000 bis 500 v. Chr.)

Die ersten Kulturen Südasiens • 6000 bis 500 v. Chr.

Die erste Kultur in Südasien entstand um 2600 v. Chr. im Industal und entwickelte sich zur flächenmäßig größten der Bronzezeit. Sie ging von ähnlichen Bedingungen aus wie die mesopotamischen Kulturen, denn auch ihre Wurzeln lagen in der trockenen Überflutungsebene eines großen, unberechenbaren Flusses, wo man ein Bewässerungssystem brauchte und sich vor den Überschwemmungen schützen musste. Nur eine wohl organisierte, hierarchisch gegliederte Gesellschaft konnte dies sicherstellen.

Erste bäuerliche Siedlungen wie Mehrgarh entstanden in Südasien schon um 6000 v. Chr. in den Bergen Belutschistans; ihnen folgten bis zum 4. Jahrtausend Dorfgründungen im gesamten Industal. Zwischen den Siedlungen in den Bergen und jenen in den Flusstälern bestanden enge Kontakte. Die Bergbauern trieben ihre Herden über den Winter ins Tal und tauschten Erze, Halbedelsteine und Holz gegen Getreide und andere Nahrungsmittel ein. Die ersten Dörfer im Industal lassen noch keine soziale Rangabstufung erkennen, aber der Übergang zu einer schichtenspezifischen Gesellschaft vollzog sich um 2600 v. Chr. sehr schnell. Auslöser könnten Handelsbeziehungen zu Mesopotamien gewesen sein, aus denen Städte entstanden. In diesen Siedlungen wurden Erze und andere Handelswaren gesammelt, um schließlich ins Zweistromland weitertransportiert zu werden (es gibt einen Bericht, in dem 5900 Kilogramm Kupfer erwähnt werden). Die sehr lebhaften Handelsbeziehungen ließen am Ende auch in den Bergen kleinere Städte – wie Nindowari – entstehen.

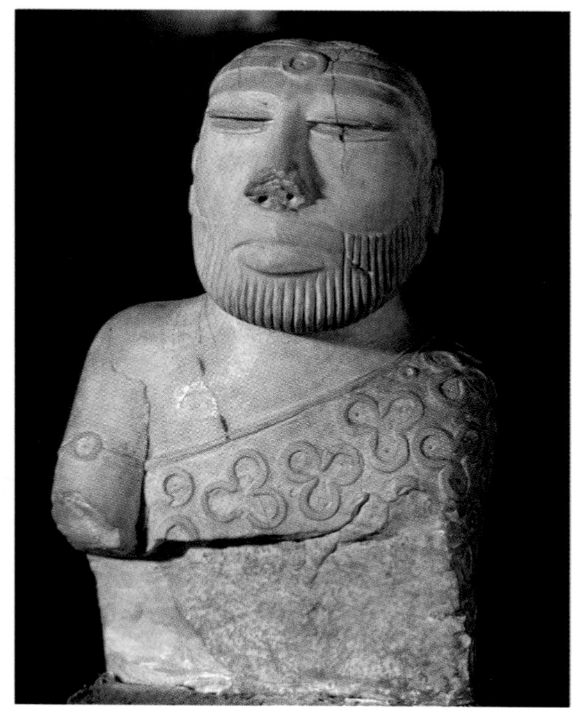

Figur eines königlichen Priesters (um 2500 v. Chr.) aus Mohenjo-Daro, der neben Harappa wichtigsten ausgegrabenen Stadt der Induskultur

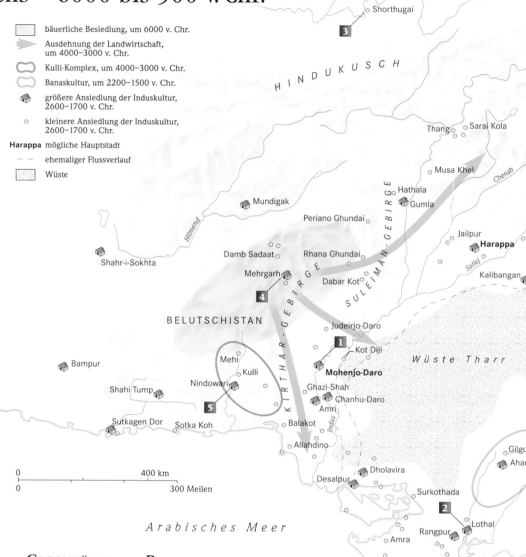

bäuerliche Besiedlung, um 6000 v. Chr.
Ausdehnung der Landwirtschaft, um 4000–3000 v. Chr.
Kulli-Komplex, um 4000–3000 v. Chr.
Banaskultur, um 2200–1500 v. Chr.
größere Ansiedlung der Induskultur, 2600–1700 v. Chr.
kleinere Ansiedlung der Induskultur, 2600–1700 v. Chr.
Harappa mögliche Hauptstadt
ehemaliger Flussverlauf
Wüste
Shorthugai
HINDUKUSCH
HIMALAYA
Indus
Thang
Sarai Kola
Musa Khel
Chenab
Hathala
Gumla
Mundigak
Periano Ghundai
Rupar
Jailpur
Harappa
Helmand
Damb Sadaat
Rhana Ghundai
Shahr-i-Sokhta
SULEIMAN-GEBIRGE
Sutlej
Banavali
Kalibangan
Mehrgarh
Dabar Kot
Alamgirpur
Yamuna
BELUTSCHISTAN
KIRTHAR-GEBIRGE
Judeirjo-Daro
Kot Diji
Wüste Tharr
Bampur
Mehi
Kulli
Mohenjo-Daro
Nindowari
Shahi Tump
Ghazi-Shah
Chanhu-Daro
Amri
Sutkagen Dor
Sotka Koh
Balakot
Allahdino
Gilgund
Ahar
0 400 km
0 300 Meilen
Dholavira
Desalpur
Surkothada
Arabisches Meer
Lothal
Rangpur
Amra
Narmada
Tapti
Bhagatrav
Somnath

Grossstädte der Bronzezeit

Die meisten Städte im Industal waren klein, aber zwei von ihnen, Mohenjo-Daro und Harappa, brachten es immerhin auf 30 000 bis 40 000 Einwohner (die Induskultur wird deshalb auch als »Harappa-Kultur« bezeichnet) und zählten zu den weltweit größten der Bronzezeit. Beide, aber auch kleinere Städte wie Kalibangan, besaßen Stadtmauern aus Lehmziegeln, eine Zitadelle, öffentliche Gebäude, Getreidespeicher und ein Straßennetz im Schachbrettmuster. Die Induskultur verfügte auch über ein Piktogrammsystem, das jedoch noch nicht entziffert wurde. Deshalb ist auch die Herkunft der Urbevölkerung des Industals ungeklärt.

Mit Specksteinsiegeln wie diesem verschloss man in der Induskultur beispielsweise große Vorratsgefäße.

Die vedischen Arier

Um 1800 v. Chr. begann der Niedergang der Städte im Industal, ein Jahrhundert später waren sie verlassen. Man hat bislang noch keine überzeugende Erklärung für diesen Vorgang gefunden. Die Tatsache, dass das Leben in den Dörfern noch einige Jahrhunderte unverändert weiterging, zeigt immerhin, dass die Kultur wohl keiner Invasion zum Opfer fiel. Erst um 1500 v. Chr. wanderten die Arier, ein halbnomadisches indoeuropäisches Hirtenvolk, von Zen-

ZEITLEISTE

INDUSREGION

um 6000 v. Chr. Älteste Bauernsiedlungen in den Bergen Belutschistans.

um 4000 v. Chr. In der Indusregion wird Kupfer verwendet.

um 4000–3000 v. Chr. Bauern siedeln sich im Überschwemmungsgebiet des Indus an.

um 3500 v. Chr. In der Indusregion kommt die Töpferscheibe auf.

INDUSKULTUR

um 2600 v. Chr. Im Industal entstehen die ersten Städte.

um 2350 v. Chr. Sumerische Berichte erwähnen den Handel mit »Meluhha«, was wohl Indusregion bedeutet.

6000 v. Chr. — 4000 v. Chr. — 3000 v. Chr. — 2500 v. Chr.

INDIEN

um 5500 v. Chr. Auf dem indischen Subkontinent wird Baumwolle angebaut.

um 4000 v. Chr. Das Zebu wird domestiziert.

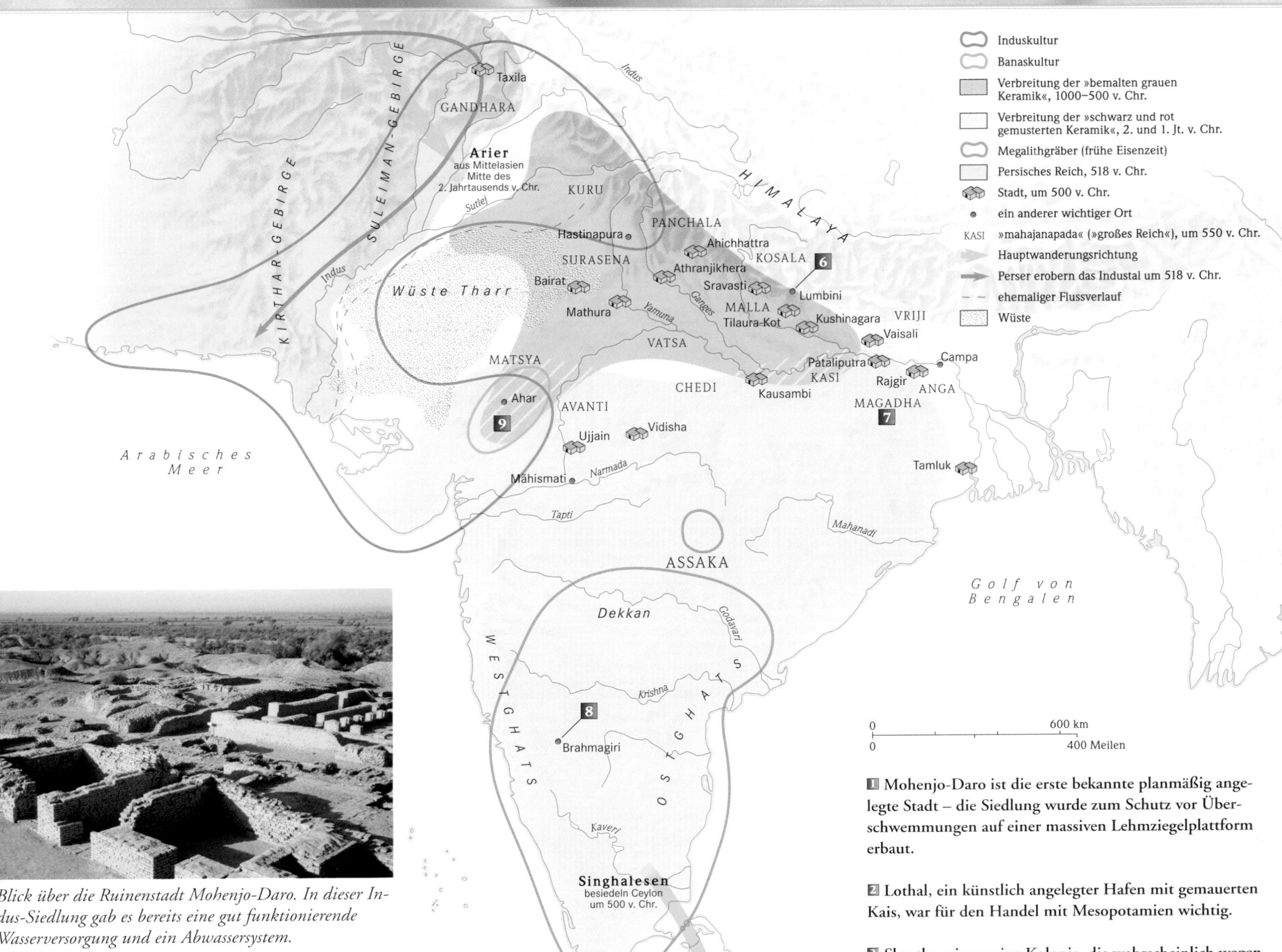
Induskultur
Banaskultur
Verbreitung der »bemalten grauen Keramik«, 1000–500 v. Chr.
Verbreitung der »schwarz und rot gemusterten Keramik«, 2. und 1. Jt. v. Chr.
Megalithgräber (frühe Eisenzeit)
Persisches Reich, 518 v. Chr.
Stadt, um 500 v. Chr.
ein anderer wichtiger Ort
KASI »mahajanapada« (»großes Reich«), um 550 v. Chr.
Hauptwanderungsrichtung
Perser erobern das Industal um 518 v. Chr.
ehemaliger Flussverlauf
Wüste
Taxila
GANDHARA
SULEIMAN-GEBIRGE
KIRTHAR-GEBIRGE
Indus
Arier
aus Mittelasien
Mitte des
2. Jahrtausends v. Chr.
KURU
Sutlej
HIMALAYA
PANCHALA
Hastinapura
Ahichhattra
SURASENA
Athranjikhera
KOSALA
6
Bairat
Wüste Tharr
Sravasti
Lumbini
Ganges
Mathura
Yamuna
MALLA
Tilaura-Kot
Kushinagara
VRIJI
Vaisali
VATSA
MATSYA
Pataliputra
KASI
Campa
Rajgir
ANGA
CHEDI
Kausambi
MAGADHA
7
Ahar
9
AVANTI
Ujjain
Vidisha
Arabisches Meer
Mahismati
Narmada
Tamluk
Tapti
Mahanadi
ASSAKA
Golf von Bengalen
Dekkan
Godavari
WESTGHATS
OSTGHATS
Krishna
8
Brahmagiri
Kaveri
Singhalesen
besiedeln Ceylon
um 500 v. Chr.
Ceylon
Veden
0 600 km
0 400 Meilen

Blick über die Ruinenstadt Mohenjo-Daro. In dieser Indus-Siedlung gab es bereits eine gut funktionierende Wasserversorgung und ein Abwassersystem.

tralasien aus auf den indischen Subkontinent ein und besetzten die nördliche Hälfte des Gebiets der Induskultur.

Fünf Jahrhunderte lang hinterließen die Arier keine sichtbaren Spuren ihrer Anwesenheit, aber ein mythischer Bericht von ihren Wanderungen und den Kriegen gegen die eingeborene Bevölkerung ist in den vedischen Hymnen erhalten geblieben. Diese heiligsten Texte des Hinduismus wurden über viele Jahrhunderte hinweg nur mündlich tradiert und erst im 6. Jahrhundert v. Chr. aufgezeichnet.

Erste Staatenbildungen

Um 1100 v. Chr. übernahmen die Arier die Eisenverarbeitung und zogen kurze Zeit darauf nach Osten weiter, um sich allmählich als Reisbauern in der Ganges-Ebene anzusiedeln (man hat das Auftauchen der »bemalten grauen Keramik« um 1000 bis 800 v. Chr. in der Region mit dieser Ansiedlung in Verbindung gebracht). Um 900 v. Chr. entstanden kleine, »janapadas« genannte Stammesreiche und -republiken, die sich dann bis 700 v. Chr. zu 16 »mahajanapadas« (großen Reichen) zusammenschlossen. Bis 500 v. Chr. entwickelte sich schließlich Magadha unter seinem energischen König Bimbisara zum mächtigsten dieser Reiche. Hand in Hand mit der Staatenbildung ging die Entstehung von Städten, von denen viele – wie etwa Ujjain oder Kausambi – eine Verteidigungsmauer aus Lehmziegeln bekamen. – Auch in der Religion fanden in dieser Zeit wichtige Entwicklungen statt. So entstand der Hinduismus und im späten 6. Jahrhundert lehrten Mahavira, der Begründer des Jainismus, und Siddharta Gautama, der Buddha.

Um 500 v. Chr. hatte sich die in der Ganges-Ebene entstandene Kultur bis zum Fluss Godavari in Mittelindien ausgebreitet. Südlich davon lebten Eisen verarbeitende Bauernvölker, von denen viele ihre Toten in Megalithgräbern bestatteten. In dieser Region kam es erst gegen Ende des 1. Jahrtausends zur Staatenbildung und zur Entstehung von Städten.

1 Mohenjo-Daro ist die erste bekannte planmäßig angelegte Stadt – die Siedlung wurde zum Schutz vor Überschwemmungen auf einer massiven Lehmziegelplattform erbaut.

2 Lothal, ein künstlich angelegter Hafen mit gemauerten Kais, war für den Handel mit Mesopotamien wichtig.

3 Shorthugai war eine Kolonie, die wahrscheinlich wegen des Handels mit Lapislazuli aus dem Hindukusch gegründet wurde.

4 Mehrgarh war eine der frühesten Bauernsiedlungen Südasiens (6000 v. Chr.).

5 Nindowari und Kulli sowie die umliegenden Städte unterhielten enge Handelsbeziehungen zu den Orten im Industal.

6 Lumbini war der Geburtsort Buddhas; er starb in Kushinagara.

7 500 v. Chr. war Magadha das führende Hindu-Reich. Es bildete später auch den Kern des Maurya-Reiches.

8 In Brahmagiri, einem wichtigen Zentrum der südindischen Eisenzeit, befinden sich 300 Megalithgräber und Steinkreise.

9 In der Region Banas entstand in der Zeit der späten Induskultur schwarz und rot gemusterte Keramik, die nach 1800 v. Chr. in ganz Indien Verbreitung fand.

um 2000 v. Chr. Im Industal wird Bronze verarbeitet.

um 1800 v. Chr. Der Niedergang der Städte im Industal setzt ein.

um 1500 v. Chr. Vedische Arier wandern auf den indischen Subkontinent ein.

518 v. Chr. Die achaimenidischen Perser erobern das Industal.

2000 v. Chr. — **1500 v. Chr.** — **1000 v. Chr.** — **500 v. Chr.** — **450 v. Chr.**

um 1100 v. Chr. In der Ganges-Ebene wird die Eisenverarbeitung eingeführt.

um 1000 v. Chr. Die vedischen Arier beginnen in der Ganges-Ebene mit dem Reisanbau.

um 560–480 v. Chr. Siddharta Gautama (Buddha).

um 540–490 v. Chr. König Bimbisara erhebt Magadha zum führenden Hindu-Reich.

MEGALITHGRÄBER-KULTUR

ENTSTEHUNG DES HINDUISMUS

Von der Urgeschichte bis zur Antike (4000 bis 500 v. Chr.)

Die ersten Hochkulturen in Amerika • 4000 bis 500 v. Chr.

Die Domestikation von Tieren sowie die Kultivierung und der Anbau von Mais (um 2700 v. Chr.) ließen in Mittelamerika bäuerliche Dauersiedlungen entstehen. Die meisten Bauern praktizierten die Brandrodung, aber damit ließen sich keine großen Bevölkerungsgruppen ernähren. In den Überschwemmungsgebieten der Tropenwälder Südost-Mexikos waren jedoch bis zu vier Maisernten im Jahr möglich. Dies schuf die wirtschaftliche Grundlage für die Kultur der Olmeken.

Um 1250 v. Chr. lebten die Olmeken in Stammestümern oder kleinen, von mächtigen Eliten regierten Staaten. Die für sie wichtigsten Orte waren Heiligtümer mit Erdpyramiden und Kolossalstatuen von Göttern und Häuptlingen. In der Umgebung dieser religiösen Zentren bestanden Siedlungen mit 2000 bis 3000 Einwohnern. Die heiligen Orte wurden immer wieder zerstört, die Skulpturen schwer beschädigt oder vergraben. Möglicherweise geschah dies aus kultischen Gründen oder markierte das Ende eines kalendarischen Zyklus, den Tod eines Herrschers oder die Übernahme der Macht durch eine neue Dynastie.

Wirtschaft und Kultur der Olmeken

Bei den Olmeken spielten der Handel und Austausch von Geschenken eine große Rolle. Ihr Land besaß nur wenige Bodenschätze. So waren sie gezwungen, das Material für Werkzeuge, Steinbilder und der Selbsterhöhung dienende Schauobjekte zu importieren. Der Austausch von Geschenken erwies sich für die Ausbreitung der olmekischen Kultur als entscheidend, denn er bewirkte, dass die Eliten, die sich bei den benachbarten Völkern herausbildeten, allmählich die Glaubensvorstellungen und Kunstgegenstände der Olmeken übernahmen. In ihrer Spätzeit entwickelten die Olmeken auch eine Art Hieroglyphenschrift, die sie für astronomische Aufzeichnungen verwendeten. Sie hielten sich an das (vielleicht von ihnen erdachte) heilige Jahr mit 260 Tagen und benutzten einen für 52 Jahre gültigen »Langzeitkalender«.

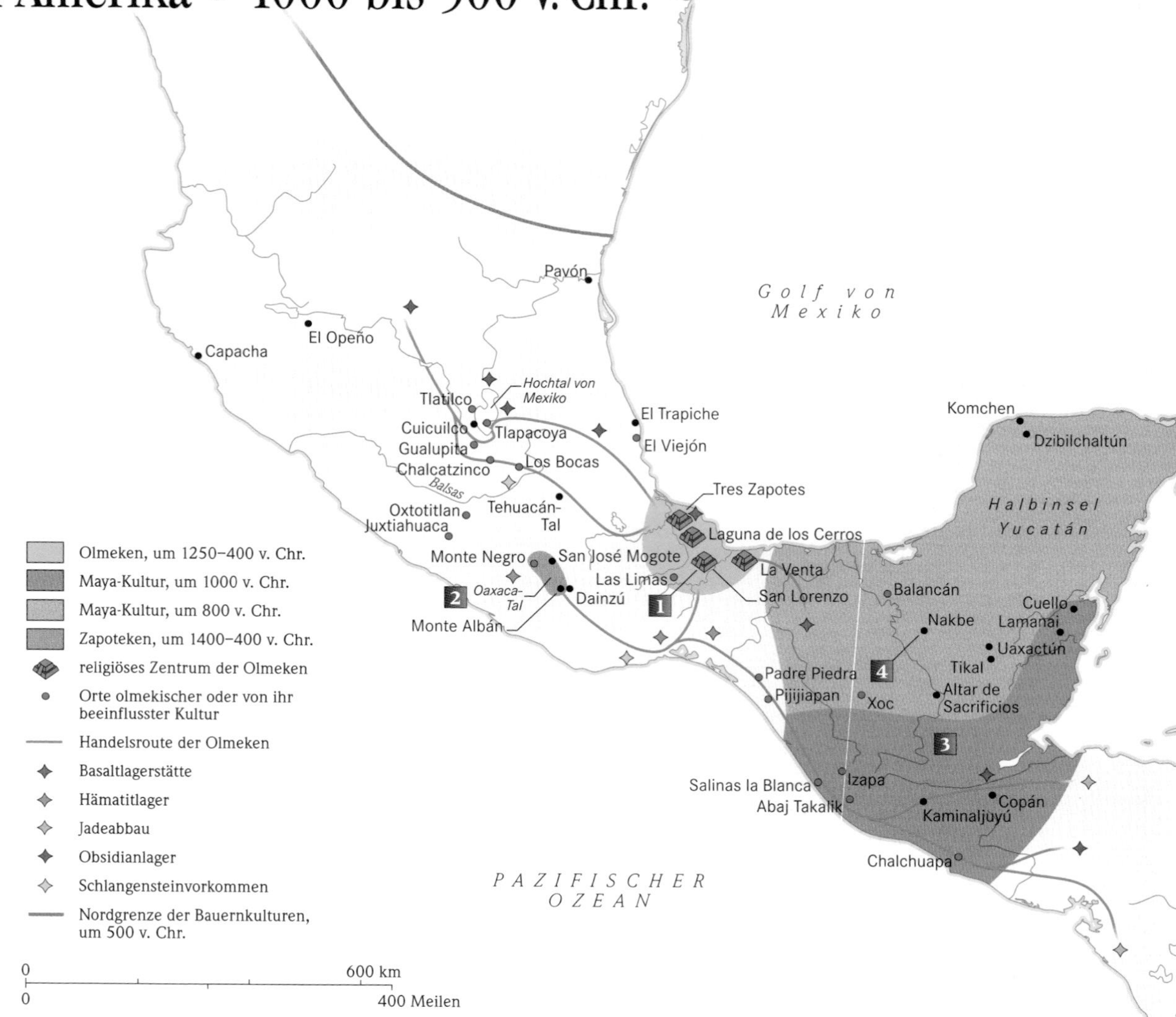
Golf von Mexiko
PAZIFISCHER OZEAN
Halbinsel Yucatán
Pavón
El Opeño
Capacha
Hochtal von Mexiko
Tlatilco
Cuicuilco
Tlapacoya
Gualupita
Chalcatzinco
Los Bocas
Balsas
Oxtotitlan
Juxtiahuaca
Tehuacán-Tal
Monte Negro
San José Mogote
Las Limas
Oaxaca-Tal
Dainzú
Monte Albán
El Trapiche
El Viejón
Tres Zapotes
Laguna de los Cerros
La Venta
San Lorenzo
Komchen
Dzibilchaltún
Balancán
Nakbe
Cuello
Lamanai
Uaxactún
Tikal
Altar de Sacrificios
Padre Piedra
Pijijiapan
Xoc
Izapa
Salinas la Blanca
Abaj Takalik
Kaminaljuyú
Copán
Chalchuapa
1
2
3
4
Olmeken, um 1250–400 v. Chr.
Maya-Kultur, um 1000 v. Chr.
Maya-Kultur, um 800 v. Chr.
Zapoteken, um 1400–400 v. Chr.
religiöses Zentrum der Olmeken
Orte olmekischer oder von ihr beeinflusster Kultur
Handelsroute der Olmeken
Basaltlagerstätte
Hämatitlager
Jadeabbau
Obsidianlager
Schlangensteinvorkommen
Nordgrenze der Bauernkulturen, um 500 v. Chr.
0
600 km
0
400 Meilen

Maya und Zapoteken

Die Kultur der Maya entstand aus archaischen Kulturen um 1200 v. Chr. im Hochland von Guatemala und breitete sich um das Jahr 1000 über die Halbinsel Yucatán aus. Entwässerungskanäle in den Sümpfen versetzten das Volk in die Lage, eine vielschichtige Gesellschaft mit Nahrungsmitteln zu versorgen. Bis zum Jahr 600 v. Chr. entstanden zahlreiche Städte mit gewaltigen Tempelpyramiden. Organisierte Gesellschaften entwickelten sich im 1. Jahrtausend v. Chr. auch bei den Zapoteken im Tal von Oaxaca, die die Nahrungsmittelproduktion durch einfache Bewässerungssysteme und den Terrassenbau der Felder steigerten. Bis 400 v. Chr. bestanden dort zumindest sieben »Kleinstaaten«; als der bedeutendste galt der um das Heiligtum von Monte Albán. Die Zapoteken entwickelten auch ein hieroglyphisches Schriftsystem. Im Hochtal von Mexiko bestand in trockengelegten Sümpfen eine hoch entwickelte Agrarwirtschaft, die den Aufbau von Handelsbeziehungen, die Entstehung einer Marktwirtschaft und die berufliche Spezialisierung begünstigte.

Ruinen der Kultstätte auf dem künstlich abgeflachten Monte Albán in der Nähe des Tals von Oaxaca

Präkeramische und präklassische Kulturen

Die erste organisierte Gesellschaft Südamerikas bildeten Fischer, die sich in präkeramischer Zeit (3750 bis 1800 v. Chr.) an der peruanischen Küste angesiedelt hatten. Der Fischreichtum in dieser Gegend war so groß, dass man Arbeitskräfte für den Bau von Tempeln und Heiligtümern freistellen konnte. Eines der frühesten Kultzentren entstand um 2600 v. Chr. bei

ZEITLEISTE

MITTELAMERIKA

ANDEN

ARCHAISCHE ZEIT

3500 v. Chr.

um 3500 v. Chr.
In Ecuador entstehen die frühesten keramischen Kulturen.
Fischer lassen sich an der peruanischen Küste nieder.

3000 v. Chr.

um 3000–2500 v. Chr.
Im Hochland der Anden Domestikation von Alpakas und Lamas, Anbau von Feldfrüchten und Quinoa.

um 2700 v. Chr.
In der Region wird fast überall Mais angebaut.

2500 v. Chr.

um 2600 v. Chr.
An der Pazifikküste werden nach dem Vorbild Asperos monumentale Heiligtümer gebaut.

um 2300 v. Chr.
In Südmexiko entstehen allmählich bäuerliche Dauersiedlungen.
Erste Verwendung von Keramik in Mittelamerika.

PRÄKERAMISCHE ZEIT

Aspero: sechs neun Meter hohe Erdhügel, auf denen gemauerte Tempel errichtet wurden. Man baute zwar Baumwolle, Kürbisse und Flaschenkürbisse an, aber die Landwirtschaft spielte noch keine große Rolle. Im Hochland ersetzte die Zucht von Alpakas oder Lamas sowie die Kultivierung von Nutzpflanzen wie Kartoffel, Ulluluku, Oka oder Quinoa allmählich das Jagen und Sammeln, so dass nun hier Dauersiedlungen mit kleinen Tempelbauten entstanden.

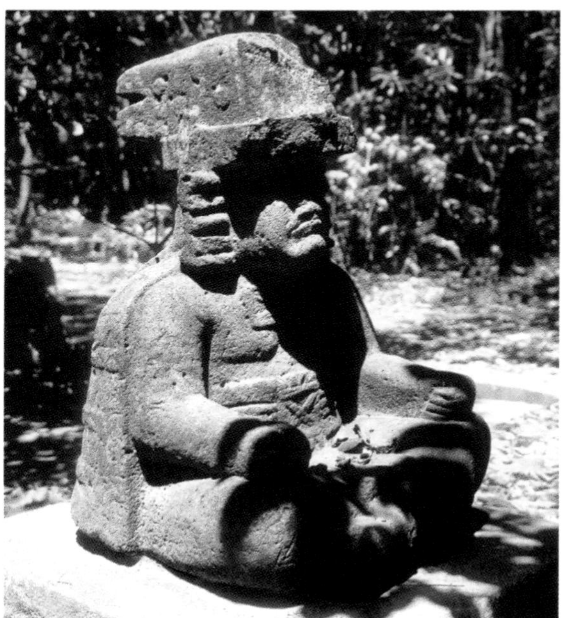

Die Figur eines Priesters im Park von La Venta (Mexiko) zeigt den charakteristischen nach unten gezogenen Mund.

Zwischen 1800 und 800 v. Chr. wurde die Fläche des anbaufähigen Landes in der tief gelegenen Küstenregion durch Bewässerungskanäle, die das Wasser der von den Anden durch die Wüste zum Pazifik führenden Flüsse nutzten, erheblich vergrößert. Gleichzeitig entstanden riesige, u-förmige Tempelanlagen. Diese bildeten wahrscheinlich die »Hauptstädte« der einzelnen Stammesfürstentümer. Zwischen den Fischern an der Küste und den Bauern in Flusstälern und Bergen bestanden enge Beziehungen – Salz, Tang und Trockenfisch wurden gegen Feldfrüchte und Getreide eingetauscht.

Zur Zeit des »frühen Horizonts«

In der Periode des »frühen Horizonts« (um 800 bis 200 v. Chr.) entwickelte sich eine stark verfeinerte Architektur und Bildhauerei, wie sich an dem im Hochland gelegenen Heiligtum von Chavín de Huántar ablesen lässt. Der Chavín-Stil bedeutete die Vollendung verschiedener Kunststile, die schon um das Jahr 1200 v. Chr. in anderen Andenregionen und an der Küste entstanden waren; bis 400 v. Chr. breitete er sich bis an die Nordküste Perus aus. Die Stadt Chavín bewohnten in ihrer Blütezeit im 4. Jahrhundert 2000 bis 3000 Menschen. Sie verfiel dann aber wieder. Während des »frühen Horizonts« entstanden auch im Becken des Titicacasees organisierte, durch einen gemeinsamen Glauben verbundene Kulturgruppen. Wichtig ist hier vor allem das Heiligtum von Chiripa (600–400 v. Chr. erbaut), weil sich dort die Ursprünge aller Architekturstile der späteren Tiahuanaco-Kultur (5. Jahrhundert n. Chr.) gut erkennen lassen.

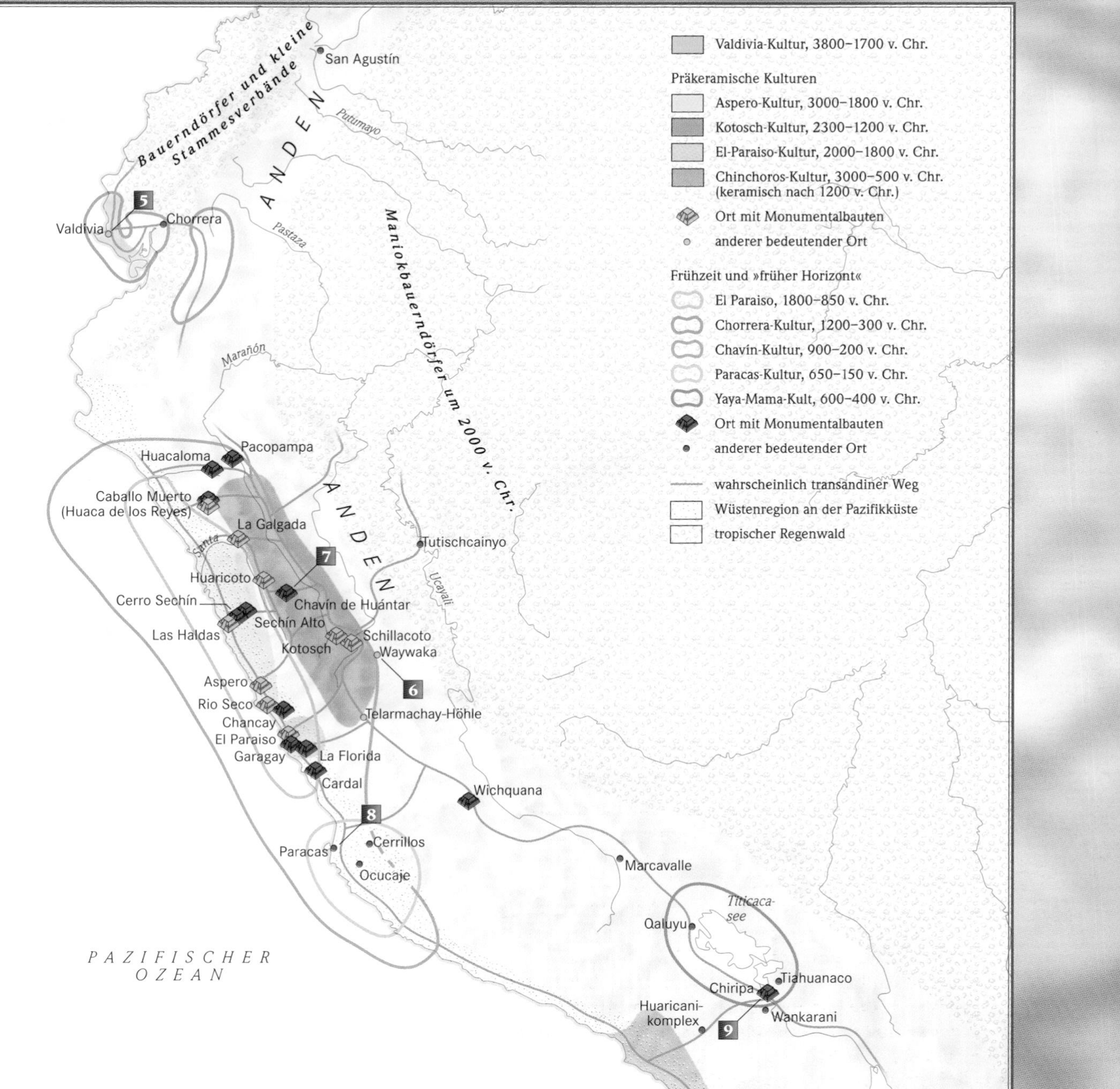

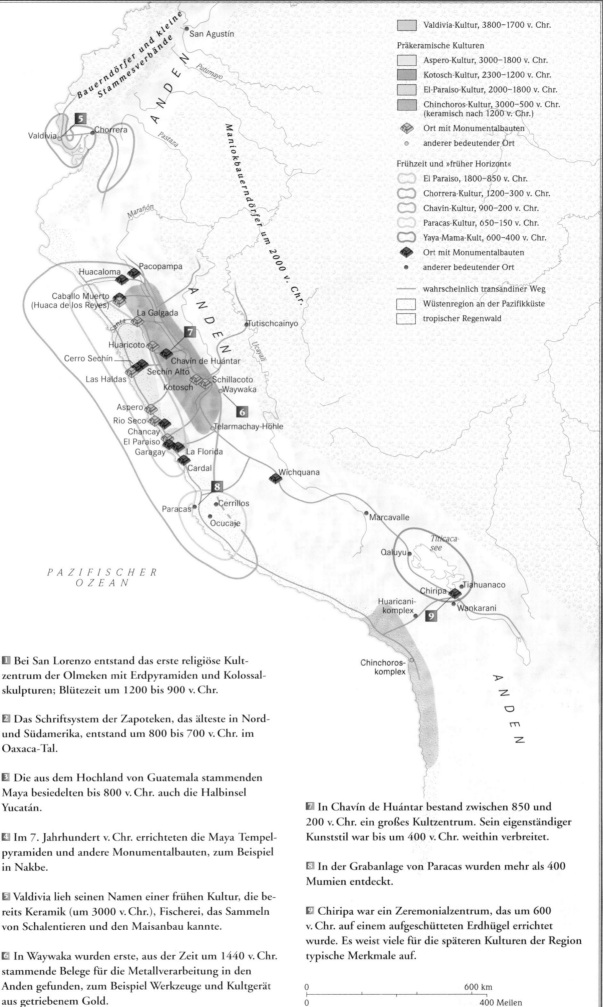

Valdivia-Kultur, 3800–1700 v. Chr.

Präkeramische Kulturen
- Aspero-Kultur, 3000–1800 v. Chr.
- Kotosch-Kultur, 2300–1200 v. Chr.
- El-Paraiso-Kultur, 2000–1800 v. Chr.
- Chinchoros-Kultur, 3000–500 v. Chr. (keramisch nach 1200 v. Chr.)
- Ort mit Monumentalbauten
- anderer bedeutender Ort

Frühzeit und »früher Horizont«
- El Paraiso, 1800–850 v. Chr.
- Chorrera-Kultur, 1200–300 v. Chr.
- Chavín-Kultur, 900–200 v. Chr.
- Paracas-Kultur, 650–150 v. Chr.
- Yaya-Mama-Kult, 600–400 v. Chr.
- Ort mit Monumentalbauten
- anderer bedeutender Ort
- wahrscheinlich transandiner Weg
- Wüstenregion an der Pazifikküste
- tropischer Regenwald

1 Bei San Lorenzo entstand das erste religiöse Kultzentrum der Olmeken mit Erdpyramiden und Kolossalskulpturen; Blütezeit um 1200 bis 900 v. Chr.

2 Das Schriftsystem der Zapoteken, das älteste in Nord- und Südamerika, entstand um 800 bis 700 v. Chr. im Oaxaca-Tal.

3 Die aus dem Hochland von Guatemala stammenden Maya besiedelten bis 800 v. Chr. auch die Halbinsel Yucatán.

4 Im 7. Jahrhundert v. Chr. errichteten die Maya Tempelpyramiden und andere Monumentalbauten, zum Beispiel in Nakbe.

5 Valdivia lieh seinen Namen einer frühen Kultur, die bereits Keramik (um 3000 v. Chr.), Fischerei, das Sammeln von Schalentieren und den Maisanbau kannte.

6 In Waywaka wurden erste, aus der Zeit um 1440 v. Chr. stammende Belege für die Metallverarbeitung in den Anden gefunden, zum Beispiel Werkzeuge und Kultgerät aus getriebenem Gold.

7 In Chavín de Huántar bestand zwischen 850 und 200 v. Chr. ein großes Kultzentrum. Sein eigenständiger Kunststil war bis um 400 v. Chr. weithin verbreitet.

8 In der Grabanlage von Paracas wurden mehr als 400 Mumien entdeckt.

9 Chiripa war ein Zeremonialzentrum, das um 600 v. Chr. auf einem aufgeschütteten Erdhügel errichtet wurde. Es weist viele für die späteren Kulturen der Region typische Merkmale auf.

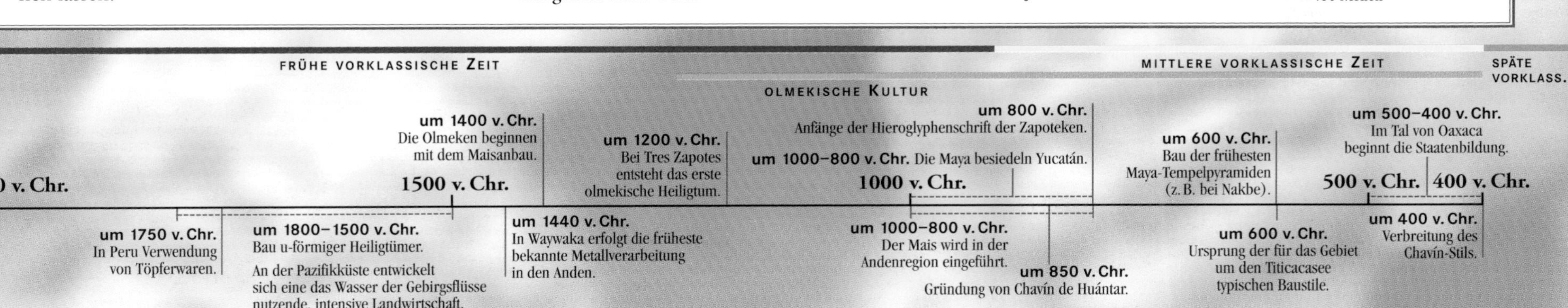
Frühe vorklassische Zeit
Mittlere vorklassische Zeit
Späte vorklass. Zeit
Olmekische Kultur
um 1400 v. Chr. Die Olmeken beginnen mit dem Maisanbau.
um 1200 v. Chr. Bei Tres Zapotes entsteht das erste olmekische Heiligtum.
um 800 v. Chr. Anfänge der Hieroglyphenschrift der Zapoteken.
um 1000–800 v. Chr. Die Maya besiedeln Yucatán.
um 600 v. Chr. Bau der frühesten Maya-Tempelpyramiden (z. B. bei Nakbe).
um 500–400 v. Chr. Im Tal von Oaxaca beginnt die Staatenbildung.
00 v. Chr.
1500 v. Chr.
1000 v. Chr.
500 v. Chr.
400 v. Chr.
um 1750 v. Chr. In Peru Verwendung von Töpferwaren.
um 1800–1500 v. Chr. Bau u-förmiger Heiligtümer. An der Pazifikküste entwickelt sich eine das Wasser der Gebirgsflüsse nutzende, intensive Landwirtschaft.
um 1440 v. Chr. In Waywaka erfolgt die früheste bekannte Metallverarbeitung in den Anden.
um 1000–800 v. Chr. Der Mais wird in der Andenregion eingeführt.
um 850 v. Chr. Gründung von Chavín de Huántar.
um 600 v. Chr. Ursprung der für das Gebiet um den Titicacasee typischen Baustile.
um 400 v. Chr. Verbreitung des Chavín-Stils.
Frühzeit
»Früher Horizont«

KAPITEL 2

Die Welt der Antike 500 v. Chr. bis 600 n. Chr.

In den 30 Generationen zwischen 500 v. Chr. und 600 n. Chr. erhielt die Welt ein neues Gesicht. Überall wuchs die Bevölkerung an, manchmal in geradezu beunruhigender Weise. Staaten mit komplexen sozialen und wirtschaftlichen Steuerungssystemen entstanden, es kam zu einer bedeutenden Steigerung der Nahrungsmittelproduktion. Im Zuge dieser Entwicklung gingen »Spezialisten« wie bildende Künstler, Baumeister, Dichter und Denker daran, ihre speziellen Fertigkeiten weiterzuentwickeln und die Welt zu schmücken, zu erkunden und zu erklären. Bis zum Jahr 600 n. Chr. entstanden überdies alle großen Religionen mit Ausnahme des Islam.

Bei aller überwältigenden Fülle der Einzelheiten lassen sich doch bestimmte Grundmuster erkennen. In einigen Gebieten, die durch ihren Zugang zu natürlichen Ressourcen oder ihre Lage an wichtigen Verbindungswegen begünstigt waren, beschleunigte sich das Tempo der Entwicklung. Hier entstanden die sozial und wirtschaftlich innovativen Zentren. Mächtige Individuen herrschten über eigene Territorien, die jetzt die Form von Stammesfürstentümern angenommen hatten. Diese Staatsgebilde überlebten dadurch, dass sie miteinander wetteiferten und einander nachahmten. Prestigeobjekte wurden erworben und im Leben wie nach dem Tode zur Schau gestellt, damit weniger hoch stehende Personen und die Rivalen sie bestaunen konnten. Der skythische Fürst, der um 600 v. Chr. in Pasyryk in Zentralasien bestattet wurde, bekam alles mit ins Grab, was sich ein Herrscher nur wünschen konnte – einen Wagen ebenso wie Fest- und Jagdgeräte sowie Gold. Diese Anhäufung von Luxusgütern diente der Familie des Verstorbenen jedoch nicht nur dazu, dessen jenseitiges Weiterleben angemessen zu gestalten und den Konkurrenten die eigene Wohlhabenheit und Macht eindrücklich vor Augen zu führen. Die mit dem spektakulären Begräbniskult verbundene Vernichtung von Luxusgütern hatte zur Konsequenz, dass man immer neue und mehr Güter solcher Art brauchte. Dieser Bedarf belebte den Handel und Warenaustausch und ließ gelegentlich auch latente Feindseligkeiten in tatsächliche Aggressionen einmünden.

Ruinen eines römischen Tempels in der griechischen Stadt Aphrodisias, die heute in der Türkei liegt

Die Skulptur des Asklepios zeigt den Gott der Heilkunde mit seinem Attribut, dem von der heiligen Schlange umwundenen Äskulapstab; Museum von Epidauros.

ALTE RIVALEN, NEUE GEMEINWESEN

In einigen Regionen ging der Umformung der Stammesfürstentümer in Staaten eine Zeit der Kriege und der raschen gesellschaftlichen Neuordnung voraus. So entwickelten sich beispielsweise aus den mykenischen Fürstentümern des späten 2. Jahrtausends v. Chr. erst nach zwei Jahrhunderten die jungen griechischen Stadtstaaten. Auf der anderen Seite der Erde schlossen sich um 500 v. Chr. im Tal von Oaxaca in Mesoamerika drei Stämme zusammen und gründeten auf der Kuppe des Monte Albán eine neue Hauptstadt, die dann mehr als eintausend Jahre lang ihre politische Bedeutung behielt. Die Vereinigung rivalisierender Gemeinwesen unter einer Herrschaft ist ein Muster, das man zu verschiedenen Zeiten und in unterschiedlicher Ausprägung überall auf der Welt wiederfinden kann. Im Jahr 480 v. Chr., also ein Jahr nach der Gründung Monte Albáns, kamen auf der Insel Rhodos drei rivalisierende Städte überein, die Stadt Rhodos zu bauen. Eine solche Form des Zusammenschlusses war den Griechen wohl vertraut – sie bezeichneten sie als Synoikismos.

Zwischen den innovativen Zentren und ihren Peripherien bestand eine dynamische Beziehung der gegenseitigen Abhängigkeit. Ein entwickeltes Staatswesen brauchte zu seinem Fortbestand Rohstoffe und Menschenkraft. Der regelmäßige Nachschub von seltenen Metallen, exotischen Steinen, Hölzern, Stoffen und Fellen erwies sich für die Aufrechterhaltung der sozialen Hierarchie als wesentlicher Faktor. Menschliche Arbeitskraft, ob in Gestalt von Sklaverei oder des Wirkens einer freien, mit Nahrungsmitteln zu versorgenden Arbeiterschaft, war eine Grundvoraussetzung für den Erhalt der arbeitsintensiven »Anhängsel« eines Staates – so beispielsweise des Beamtenapparats und der Berufsarmee des chinesischen Qin-Reiches im 3. Jahrhundert v. Chr. oder der Gelehrtenelite des indischen Gupta-Reiches im Jahrhundert davor, die in den Bereichen Recht, Medizin, Astronomie, Mathematik und Philosophie einige der wichtigsten in Sanskrit geschriebenen Werke hervorgebracht hat.

Handel und kultureller Austausch

Die Erfordernisse der Machtzentralisierung förderten den Handel mit der Peripherie. Die afrikanischen und indischen Gemeinwesen wurden in den ersten vier Jahrhunderten n. Chr. in die Wirtschaftssphäre des Römischen Reiches hineingezogen, obwohl sie nur wenig oder gar nichts über den römischen Staat wussten, der ihnen plötzlich Keramik, Münzgeld und allerlei unbedeutendes Handelsgut im Tausch gegen Rohstoffe und Arbeitssklaven bot. Die Gemeinwesen in größerer Nähe zu den Innovationszentren besaßen insofern Vorteile, als sie von ihren Nachbarn lernen, deren Methoden nachahmen und so selbst an Macht und Einfluss gewinnen konnten.

Vom Zentrum zur Peripherie bestand ein ständiger Fluss kreativer Kräfte und Energien. Die Folge war, dass dort die Saat der Innovation aufging, während der Kern allmählich verfiel. Das Zentrum des frühen Europa entwickelte sich vom 8. bis zum 6. Jahrhundert v. Chr. mit den griechischen Städten um das Ägäische Meer und verschob sich im 5. Jahrhundert v. Chr. zum griechischen Festland hin. Anschließend bündelten sich die Kräfte im zentralen Mittelmeerraum, wo nach dem 3. Jahrhundert v. Chr. Rom die Führung übernahm. Diese neue Macht hielt etwa sechs Jahrhunderte die Fäden in den Händen, bis das politische Gravitationszentrum dann mit dem Aufstieg Konstantinopels und des Byzantinischen Reiches in die bis dahin periphere Schwarzmeerregion wanderte. In Mittelamerika lässt sich ein ähnliches Muster erkennen – dort verlagerte sich das innovative Kräftezentrum vom Tal von Oaxaca, das in der zweiten Hälfte des 1. Jahrtausends v. Chr. tonangebend war, ins Hochtal von Mexiko und von dort im frühen 1. Jahrtausend weiter in das Gebiet der Maya auf der Halbinsel Yucatán.

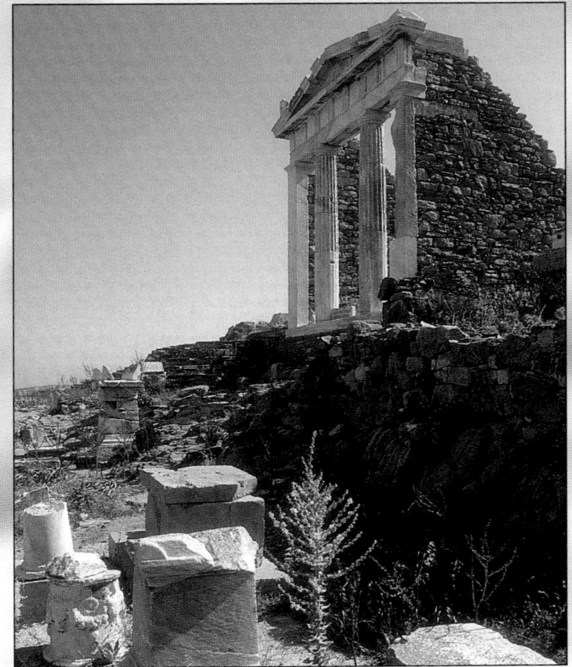

Das Mittelmeer war ein Schmelztiegel der Kulturen: Der Isis-Tempel auf der griechischen Insel Delos, wo man die altägyptische Göttin zeitweise verehrte.

ΜΕΓΑΣ ΑΛΕΞΑΝΔΡΟΣ
ΒΑΣΙΛΕΥΣ ΜΑΚΕΔΟΝΩΝ

Eine Münze mit dem Bildnis Alexanders des Großen, der bis zu seinem Tod im Jahr 323 v. Chr. ein Weltreich erobert hatte

Machtzentren entstehen und vergehen

Der Kreislauf des Werdens und Vergehens mit seiner unausweichlichen Verschiebung der Machtzentren wurde häufig durch Kriege und Invasionen beschleunigt. Die keltischen Stämme im östlichen Gallien und südlichen Germanien, die im 4. und 3. Jahrhundert v. Chr. die griechische und römische Welt attackierten, trafen auf starke Staaten, die sich sehr wohl zu verteidigen wussten. Als aber im 4. Jahrhundert n. Chr. die germanischen Stämme gegen das Römische Reich anrannten, befand sich dieses im Stadium des Zerfalls. Die »barbarischen« Germanen eroberten das alte Reich gewissermaßen im Handstreich und gründeten auf seinen Trümmern zahlreiche neue Königreiche.

Der Zerfall von Reichen – in dem Zeitraum von 500 v. Chr. bis 600 n. Chr. ein häufig auftretendes Phänomen – gibt hochinteressante Einblicke in historische Abläufe. Jeder Fall liegt anders und hat dabei auch immer viele, einander bedingende Ursachen: Naturkatastrophen, Bevölkerungsschwund, wirtschaftliche Überbeanspruchung, Invasionen oder Epidemien. Im Blick auf die mittelamerikanische Frühgeschichte können die Archäologen über eine mögliche Überspannung der wirtschaftlichen Leistungskraft und die destruktive Rolle einer parasitären Elite nur spekulieren. Im Falle Chinas jedoch zeigen sehr detaillierte schriftliche Zeugnisse die Ursachen auf, die etwa zum Zusammenbruch des Han-Reiches 220 n. Chr. geführt haben: Kriege gegen die Nachbarn, interne Machtkämpfe und Bauernaufstände. Am Ende zerfiel das Reich, das China vier Jahrhunderte zusammengehalten hatte, in die Interessensphären verschiedener miteinander rivalisierender Kriegsherren.

Reiternomaden als Faktor der Weltgeschichte

Zugleich ist es aber auch möglich, die Vorstellung von Zentrum und Peripherie umzudrehen: Die Staaten und Reiche Europas, Indiens und Chinas wären dann nicht mehr als Zentren zu sehen. Vielmehr verdankten sie ihr Entstehen nach dieser Sichtweise anderen Entwicklungen: Aus der Tiefe der riesigen zentralasiatischen Steppe brachen seit jeher Jahrhundert für Jahrhundert Reiternomaden hervor, um bei ihren sesshaft gewordenen, zivilisierten Nachbarn Furcht und Schrecken zu verbreiten. Als Erste fielen um 700 v. Chr. die Kimmerier in Europa ein, denen später Skythen, Sarmaten, Alanen und Hunnen folgten. Letztere trugen als Auslöser der germanischen Völkerwanderung wesentlich zum Zerfall des Römischen Reiches bei. Andere Stammesgruppen zogen durch das Industal zum indischen Subkontinent, während die nördlichen Grenzen Chinas nach dem 8. Jahrhundert v. Chr. ständig von nomadisierenden Steppenvölkern bedroht wurden. Um diese Bedrohung abzuwenden, wurden schließlich die Große Mauer und Garnisonen für mehr als eine halbe Million Soldaten gebaut. Die Geschichte der Kultur der Alten Welt ist jedenfalls eng mit dem Bevölkerungsdruck verknüpft, der von den Nomadenstämmen der weiten eurasischen Steppen ausging.

Im 6. Jahrhundert unter Ostroms Kaiser Justinian in Konstantinopel errichtet, wurde die Hagia Sophia nach 1453 türkische Moschee.

Während des Jahrtausends zwischen 500 v. Chr. und 600 n. Chr. entstanden viele der Grundlagen der modernen Welt. Der Mensch entwickelte pyrotechnische Fertigkeiten; Bronze und Eisen fanden weite Verbreitung und das China der Han-Zeit entwickelte Verfahren zur Erzeugung von Stahl. Die Kräfte von Wind und Wasser wurden gezähmt. Um 200 v. Chr. revolutionierte die Erfindung des Steigbügels die Reiterei. Und die Naturwissenschaften, die Astronomie und die Mathematik machten in der hellenistischen Welt, in Indien, China und in gewissem Maße auch in Mesoamerika gewaltige Fortschritte. Bis 600 n. Chr. hatte man einen relativ hohen Kenntnisstand und Zivilisationsgrad erreicht, der in der Folgezeit trotz Rückschlägen erweitert und verfeinert wurde.

Die Welt der Antike (500 v. Chr. bis 600 n. Chr.)

Die Welt • 500 v. Chr.

Die Zahl und Größe der organisierten Gemeinwesen wuchs zwischen 1000 und 500 v. Chr. in Vorderasien, Indien und im Mittelmeerraum gewaltig. Im Vorderen Orient herrschten verschiedene Reiche und das assyrische Reich, das sich bis zum 7. Jahrhundert vom Zagros-Gebirge bis nach Ägypten erstreckte, eröffnete diese Epoche.

Die Herrschaft der Assyrer war hart, so dass sich 625 v. Chr. die Babylonier erhoben und den größten Teil des Reiches in ihre Gewalt brachten (vgl. S. 34/35). Danach stießen die Meder nach Westen vor. Sie eroberten den Kaukasus und das östliche Kleinasien. Mitte des 6. Jahrhunderts v. Chr. unterwarf König Kyros II. (»der Große«) das Mederreich und gründete das Perserreich. Er eroberte auch das westliche Kleinasien und das Reich der Babylonier. Das Perserreich reichte zeitweise von Ägypten bis zum Indus (vgl. S. 38/39).

Aus dem 5. Jahrhundert v. Chr. stammt diese griechische Vase, die den Kampf zwischen einem griechischen und einem persischen Krieger abbildet.

Zuwachs staatlich organisierter Gemeinschaften

Auch im Mittelmeerraum entstanden immer mehr staatlich organisierte Gesellschaften. 700 v. Chr. bot Griechenland das Bild eines wahren Flickenteppichs aus kleinen, aber unabhängigen Stadtstaaten und um 500 v. Chr. traten diese Städte – allen voran Athen – in eine Phase beispielloser Kreativität ein (vgl. S. 56/57). Die Griechen gründeten wie die Phöniker überall im Mittelmeerraum Handelsniederlassungen und Kolonien. Phönikien verlor 500 v. Chr. allerdings seine Unabhängigkeit an seine ehemalige Kolonie Karthago in Nordafrika, das zur führenden Handelsmacht im westlichen Mittelmeerraum aufstieg. Die griechischen Städte auf Sizilien und in Süditalien übten großen Einfluss aus – nicht zuletzt auf die Etrusker, die um 500 v. Chr. Norditalien beherrschten. Nördlich der Alpen ersetzte um 600 v. Chr. die Eisen verarbeitende keltische Hallstattkultur die Urnenfelderkulturen der Bronzezeit (vgl. S. 58/59).

Auf dem indischen Subkontinent bildeten sich im 9. Jahrhundert erneut Staaten; diesmal vor allem in der Ganges-Ebene, wo vedisch-arische Stammesverbände zu Reichen – als das größte Reich unter ihnen das Reich von Magadha um 500 v. Chr. – und Republiken zusammenwuchsen. Zugleich drangen die Arier weiter nach Süden vor, unterwarfen die dravidische Urbevölkerung und zwangen ihr den Hinduismus auf (vgl. S. 60/61).

Jäger arktischer Meeressäuger
Aleuten
subarktische Waldlandjäger und -sammler
Nordwestküsten-Kultur
Gebirgslandfischer, Jäger und Sammler
Jäger und Sammler in Halbwüsten und Wüsten
Bisonjäger der Prärien
östliches Waldland (Jäger und Sammler)
Adena-Kultur
Maisbauern
Hawaii-Inseln
Bahamas
Kuba
Jamaika
Hispaniola/Haiti
Puerto Rico
Jäger und Sammler in der Karibik
Maya
Kultur der Zapoteken
olmekischer Kulturkreis
Maisbauern
Maniokbauern
Chorrera-Kultur
Chavín-Kultur
Paracas-Kultur
Yaya-Mama-Kultur
Chinchoros-Kultur
Savannenjäger und -sammler
Schalentiersammler
zentralandine Jäger- und Sammlerkulturen
Jäger und Sammler in der Pampa
Schalentiersammler und Jäger von Meeressäugetieren

Das chinesische Zhou-Reich expandierte nach dem Jahr 1000 v. Chr. nach Süden, aber was es an Territorien hinzugewann, verlor es an innerem Zusammenhalt. Dieses Reich war ein dezentralisierter Feudalstaat und bis zum 8. Jahrhundert hatten die mächtigen Lehnsherren die Monarchie so sehr untergraben, dass diese ihren eigenen Untergang nicht mehr verhindern konnte. In Korea und Van Lang entstanden um 500 v. Chr. die ersten Stammesbündnisse Südostasiens.

Nomadenleben

Im ersten Jahrtausend v. Chr. veränderte sich die Lebensweise der iranischen Völker – Skythen, Sarmaten, Saken und Yüeh-chih (Kushana) – in den eurasischen Steppen: Sie beendeten ihre halbjährlichen Wechsel zwischen Sommer- und Winterweiden (Transhumanz) und übernahmen die Lebensweise echter Hirtennomaden. Die Steppenvölker hatten bei der Nutzung von Pferden Pionierdienste geleistet: Um 4000 v. Chr. dienten ihnen die Tiere als Fleischlieferanten, im 2. Jahrtausend v. Chr. spannten sie sie vor ihre Streitwagen und bis zum Jahr 1000 v. Chr. züchteten sie Pferde auch als Reittiere. Erst die Berittenheit ermöglichte ein effizientes Nomadenleben, denn nun waren die Schnelligkeit und Beweglichkeit gewährleistet, um große Herden zusammenzuhalten. Bis 500 v. Chr. besaßen die iranischen Nomaden eine relativ homogene, vom Balkan bis fast an die Grenzen Chinas reichende Kultur. Für die bodenständigen Völker Eurasiens barg dieses Nomadentum positive wie auch negative Folgen. Die Wanderhirten förderten die Handelsbeziehungen in ganz Asien und um 500 v. Chr. gelangte zum Beispiel chinesische Seide auf dem später als »Seidenstraße« bekannten Handelsweg in den Westen. Ihre Mobilität machte die Nomaden jedoch auch zu gefährlichen Räubern: Die Völker Europas, Vorderasiens und Chinas hatten 2000 Jahre lang unter ihren Angriffen zu leiden.

ZEITLEISTE

Nord- und Südamerika ■
Europa ■
Vorderasien ■
Afrika ■
Ost- und Südasien ■

1000 v. Chr. – 900 v. Chr. – 800 v. Chr.

um 1000 v. Chr. Entstehung des Königreichs Israel.

um 1000–500 v. Chr. Entstehungszeit des Hinduismus.

um 900–700 v. Chr. Das Nomadentum stellt in den eurasischen Steppen die vorherrschende Lebensweise dar.

um 900 v. Chr. In der Ganges-Ebene tauchen die ersten organisierten Gemeinwesen auf.

um 800 v. Chr. In Mesoamerika entwickeln die Zapoteken eine Hieroglyphenschrift.

Die Arier dringen bis Südindien vor.

Entstehung der etruskischen Zivilisation in Italien.

814 v. Chr. Gründung der phönikischen Kolonie Karthago.

800–550 v. Chr. Gründung griechischer Kolonien im Mittelmeerraum und am Schwarzen Meer.

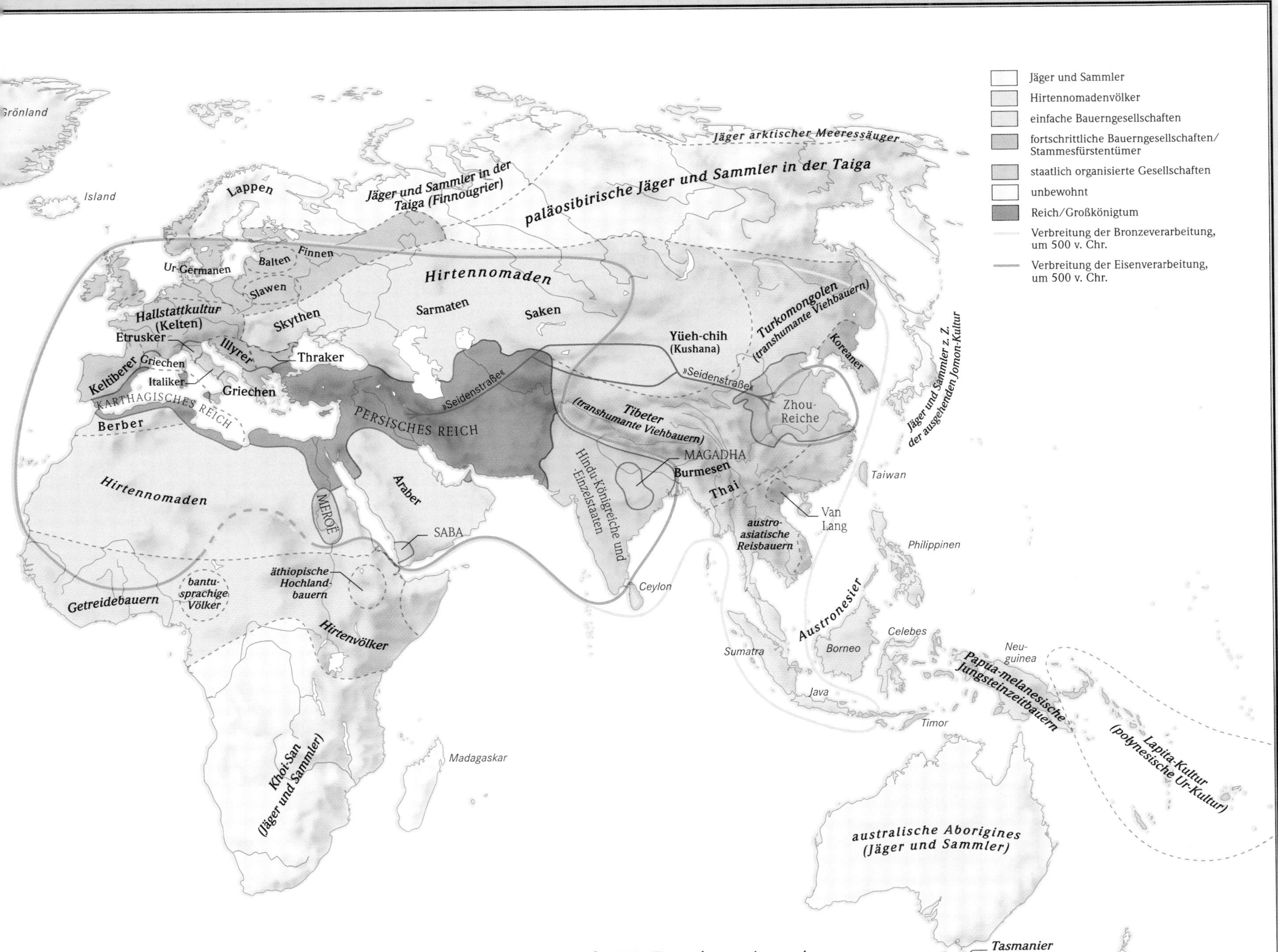

Jäger und Sammler
Hirtennomadenvölker
einfache Bauerngesellschaften
fortschrittliche Bauerngesellschaften/Stammesfürstentümer
staatlich organisierte Gesellschaften
unbewohnt
Reich/Großkönigtum
Verbreitung der Bronzeverarbeitung, um 500 v. Chr.
Verbreitung der Eisenverarbeitung, um 500 v. Chr.

Kulturen Afrikas und Amerikas

Um 600 v. Chr. gelang dem Afrika südlich der Sahara der Sprung aus der Stein- in die Eisenzeit. Die bantusprachigen Völker dehnten sich aus ihrer Urheimat Westafrika immer weiter aus und entwickelten sich im Zuge ihrer Wanderungen und dank ihrer Fähigkeit zur kulturellen Assimilation zur wichtigsten Sprachgruppe Afrikas in den nächsten 1500 Jahren.

In Mesoamerika entstanden die Kulturen der Maya und der Zapoteken (vgl. S. 62/63). Beide Volksgruppen wurden von gottgleichen Herrschern regiert, die sich hier und in den Anden eindrucksvolle Kultzentren errichteten. Um 500 v. Chr. war der Ackerbau im Amazonasbecken weit verbreitet; auch in verschiedenen Regionen Nordamerikas boten domestizierte Pflanzen bereits eine wertvolle Ergänzung zu wild wachsenden pflanzlichen Nahrungsmitteln. Im östlichen Waldland wohnten Jäger, Sammler und Ackerbauern zum Teil in Dauersiedlungen und entwickelten komplexere gesellschaftliche Kulturen. So bauten die Angehörigen der Adena-Kultur Erdpyramiden und Kultstätten; außerdem stellten sie Keramik her und verarbeiteten Kupfer. Die Entstehung einer reinen Agrarwirtschaft sollte aber noch viele Jahrhunderte auf sich warten lassen.

Die etruskische Stadt Rusellae, unweit des heutigen Grosseto (Italien) gelegen, gehörte zum im 6. Jahrhundert v. Chr. gegründeten Zwölfstädtebund der Etrusker.

um 750 v. Chr. Nördlich der Alpen entsteht die Hallstattkultur (Verwendung von Eisen als Werkstoff).
750–705 v. Chr. Die Assyrer auf dem Höhepunkt ihrer Macht.
770–481 v. Chr. »Frühling-und-Herbst-Periode« in China. Das Zhou-Königreich zerfällt in kleinere Staaten.
716–671 v. Chr. Ägypten wird von den nubischen Königen der 25. Dynastie beherrscht (Königreich Kusch).
um 700–100 v. Chr. Adena-Kultur in den östlichen Waldgebieten Nordamerikas (Erdpyramiden).
um 700 v. Chr. In Griechenland und im Ägäisraum Aufblühen von Stadtstaaten.
700 v. Chr.
um 590 v. Chr. Meroë wird die Hauptstadt Nubiens.
612 v. Chr. Zusammenbruch des Assyrer-Reichs.
600 v. Chr.
um 600 v. Chr. Eisen- und Bronzeverarbeitung in Westafrika.
Einführung der Eisenverarbeitung in China.
500 v. Chr. Die bantusprachigen Völker Westafrikas beginnen ihre Wanderung nach Süden.
551 v. Chr. In China wird Konfuzius geboren.
um 550 v. Chr. Kyros der Große gründet das persische Achaimeniden-Reich.
um 539 v. Chr. Die Perser erobern Babylon.
525–504 v. Chr. Die Perser erobern Ägypten.
508 v. Chr. Athen erhält eine demokratische Regierung.
500 v. Chr.
um 560 v. Chr. Siddharta Gautama, der Buddha, wird in Indien geboren.
um 540 v. Chr. Auf dem indischen Subkontinent wird Magadha das mächtigste Königreich.
509 v. Chr. Gründung der Römischen Republik nach der Vertreibung des letzten etruskischen Königs.

Die Welt der Antike (500 v. Chr. bis 600 n. Chr.)

Die Welt • 323 v. Chr.

Im Jahr 500 v. Chr. stellte das achaimenidische Perserreich unter Dareios I. das bedeutendste Reich der Erde dar. Es erstreckte sich von Libyen bis zum Indus. Keine zweihundert Jahre später sollte Alexander der Große in nur wenigen Jahren fast das gesamte Reich der Perser für Makedonien erobern.

Das Perserreich erlebte einen ersten Rückschlag, als Xerxes I. nach Griechenland vordrang (vgl. S. 80/81). Die griechischen Stadtstaaten schlossen sich vor dem gemeinsamen Feind zusammen und besiegten die Perser zuerst zur See bei Salamis und dann bei Platää auch zu Lande. Danach wendeten sich die Griechen wieder ihren internen Streitigkeiten zu und taten wenig, um den errungenen Sieg zu nutzen – Persien verlor zwar seinen europäischen Brückenkopf, beherrschte aber Vorderasien noch weitere 80 Jahre (vgl. S. 88/89). Im Jahr 404 v. Chr. rebellierte Ägypten und die Perser konnten das Land erst 343 v. Chr. wieder unter ihre Kontrolle bringen. 380 v. Chr. verloren sie ihre indischen Provinzen.

»Alexanderzeit«

Das Griechenland des 5. Jahrhunderts stand ganz im Zeichen der Rivalität zwischen Sparta und Athen, die sich im Peloponnesischen Krieg entlud. Obgleich in diesen Konflikt schließlich der größte Teil der griechischen Welt hineingezogen wurde, klärten sich die Fronten nicht. Gleichzeitig wurde im Norden der Makedonen-König Philipp II. immer mächtiger und zwang 338 v. Chr. alle griechischen Stadtstaaten in seinen Panhellenischen Bund. Philipp plante einen Feldzug gegen die Perser, fiel aber 336 einem Mordanschlag zum Opfer, so dass sein Sohn Alexander diesen Plan vollenden sollte. Alexander eroberte in nur sechs Jahren fast das gesamte Perserreich und öffnete ganz Vorderasien dem griechischen Einfluss (vgl. S. 84/85).

Im 4. Jahrhundert schlossen sich das alte arabische Königreich Saba und die neuen Staaten Kataban und Hadramaut zusammen, wozu sie sich angesichts der großen Nachfrage nach Weihrauch und Myrrhe, die ihre Region produzierte, gedrängt sahen. In dieser Zeit war der sabäische Einfluss auch in Damot an der ostafrikanischen Küste sichtbar. Im 5. und 4. Jahrhundert beherrschte Karthago den westlichen Mittelmeerraum. Den größten Teil Mittel- und Westeuropas prägten in dieser Zeit keltische Völker. Um 400 überquerten keltische Stämme auch die Alpen und drangen in Norditalien ein; sie brachen die Macht der Etrusker und siedelten sich in der Po-Ebene an. Obwohl auf der Landkarte noch immer bedeutungslos, stieg Rom bis 323 v. Chr. in Italien zu einer Regionalmacht auf, da es ihm gelang, seine latinischen und etruskischen Nachbarn im frühen 4. Jahrhundert zu unterwerfen (vgl. S. 90/91).

Jäger arktischer Meeressäuger
subarktische Waldlandjäger und -sammler
Aleuten
Nordwestküsten-Kultur (Küstenfischer und Jäger)
Gebirgslandfischer, Jäger und Sammler
Bisonjäger der Prärien
Jäger und Sammler in Halbwüsten und Wüsten
östliches Waldland (Jäger und Sammler)
Adena-Kultur
Maisbauern
Hawaii-Inseln
Bahamas
Kuba
Hispaniola/Haiti
Puerto Rico
Jäger und Sammler in der Karibik
Hochtal von Mexiko
Stadtstaaten der Zapoteken
olmekische Kultur
Maya-Fürstentümer und Stadtstaaten der Maya
Maisbauern
Maniokbauern
Chorrera-Kultur
Chavín-Kultur
Paracas-Kultur
Pukara-Kultur
Huari-Kultur
Savannenjäger und -sammler
Schalentiersammler
südandine Jäger und Sammler
Jäger und Sammler in der Pampa
Schalentiersammler und Jäger von Meeressäugetieren

Reichsentwicklungen

Mächtigster Staat Indiens war um 500 v. Chr. das Reich Magadha in der unteren Ganges-Ebene. Von 364 an brachte es den größten Teil Nordindiens unter seine Kontrolle. Der Süden dagegen bestand aus einem Mosaik von lauter kleinen Königreichen und

Dieses Detail eines Mosaiks aus dem 2. Jahrhundert v. Chr. zeigt Alexander den Großen in der Schlacht von Issos.

ZEITLEISTE

Nord- und Südamerika ■
Europa ■
Vorderasien ■
Afrika ■
Ost- und Südasien ■

550 v. Chr. – 500 v. Chr. – 450 v. Chr.

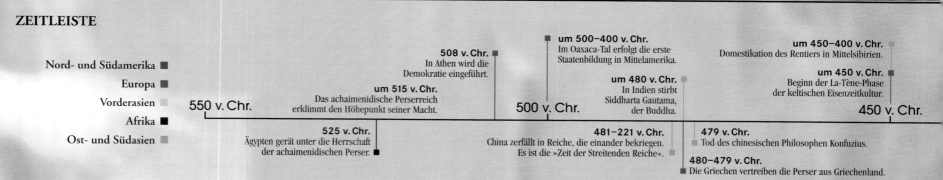

- **525 v. Chr.** Ägypten gerät unter die Herrschaft der achaimenidischen Perser.
- **um 515 v. Chr.** Das achaimenidische Perserreich erklimmt den Höhepunkt seiner Macht.
- **508 v. Chr.** In Athen wird die Demokratie eingeführt.
- **um 500–400 v. Chr.** Im Oaxaca-Tal erfolgt die erste Staatenbildung in Mittelamerika.
- **481–221 v. Chr.** China zerfällt in Reiche, die einander bekriegen. Es ist die »Zeit der Streitenden Reiche«.
- **um 480 v. Chr.** In Indien stirbt Siddharta Gautama, der Buddha.
- **480–479 v. Chr.** Die Griechen vertreiben die Perser aus Griechenland.
- **479 v. Chr.** Tod des chinesischen Philosophen Konfuzius.
- **um 450 v. Chr.** Beginn der La-Tène-Phase der keltischen Eisenzeitkultur.
- **um 450–400 v. Chr.** Domestikation des Rentiers in Mittelsibirien.

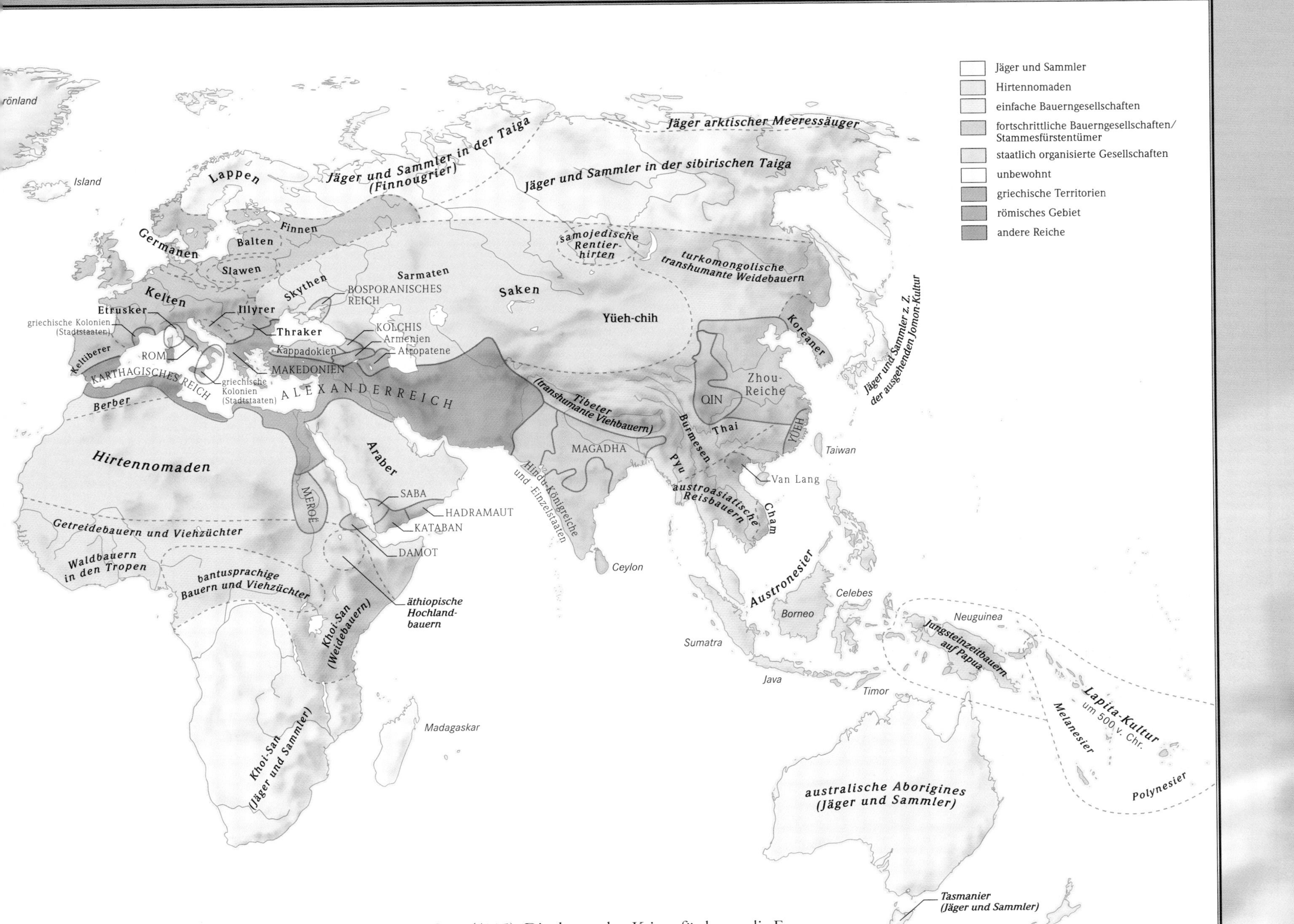

Ruinen der antiken Stadt Pergamon in Mysien, Kleinasien, Hauptstadt des Pergamenischen Reiches

Fürstentümern, in denen sich kaum Städte entwickelten. – Das Königreich Zhou in China, das im 8. Jahrhundert in ein Dutzend einander bekämpfender Teile zerfallen war, konnte noch nicht wieder vereint werden, obwohl sich die größeren Reiche inzwischen viele der kleineren einverleibt hatten (vgl. S. 114/115). Die dauernden Kriege förderten die Expansion, da die Reiche an den Grenzen neues Land und neue Ressourcen für die Auseinandersetzungen im Inneren zu gewinnen suchten. In dieser Hinsicht am erfolgreichsten agierte das östliche Reich Qin, das 323 das mächtigste von allen war. Das Königreich Yüeh (der einzige nicht chinesische Staat in Ostasien) entstand im 5. Jahrhundert v. Chr. – Das Verbreitungsgebiet der westpazifischen Lapita-Kultur verlor im 4. Jahrhundert seine relative Geschlossenheit, da im Westpazifik melanesische Einflüsse vorzuherrschen begannen, während sich auf Tonga und Samoa mit der Zeit eine polynesische Identität herausbildete.

Um 500 zogen bantusprachige Bauern, Hirten und Eisenverarbeiter von ihrem Stammgebiet in Westafrika nach Süden und Osten und hatten sich bis zum späten 4. Jahrhundert in Zentralafrika niedergelassen. Das einzige afrikanische Reich außerhalb der Küstenregion am Mittelmeer war Meroë. Da über Ägypten Fremde herrschten, erhielt es allein die Kultur des Pharaonen-Staates aufrecht.

Kulturblüten

Obwohl die olmekische Kultur in Mittelamerika um 500 v. Chr. noch die größte Ausstrahlung entwickelt hatte, zerfiel sie um 400 rasch. In dieser Zeit vollzog sich bei den Maya und den Zapoteken der Übergang von Kleinfürstentümern zu Königreichen (vgl. S. 122/123). Auch im Hochtal von Mexiko entstanden sozial gestufte Gesellschaften. – In den Anden und den Küstenebenen fanden sich zwar schon mächtige Fürstentümer, doch gab es in ganz Südamerika noch keine richtigen Staaten.

In Nordamerika bestimmten nach wie vor das Jagen, Sammeln und Fischen die Lebensweise seiner Einwohner. Viele Gruppen ergänzten ihr Nahrungsangebot jedoch durch die Kultivierung von Wildpflanzen.

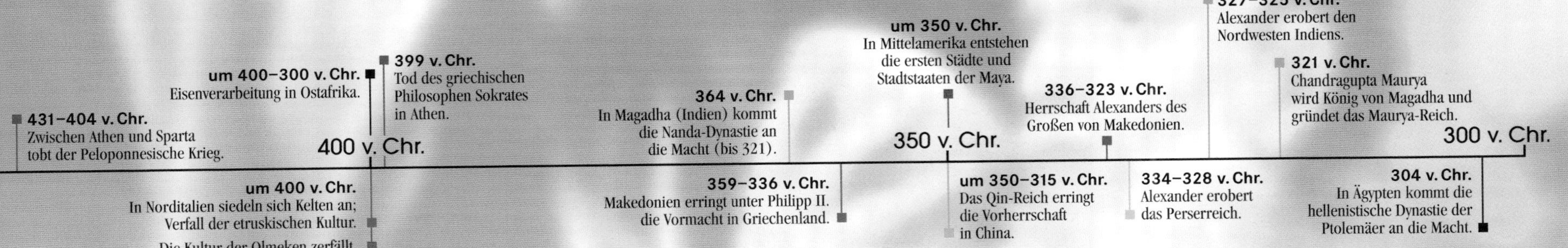

431–404 v. Chr.
Zwischen Athen und Sparta tobt der Peloponnesische Krieg.
um 400–300 v. Chr.
Eisenverarbeitung in Ostafrika.
399 v. Chr.
Tod des griechischen Philosophen Sokrates in Athen.
400 v. Chr.
um 400 v. Chr.
In Norditalien siedeln sich Kelten an; Verfall der etruskischen Kultur.
Die Kultur der Olmeken zerfällt.
364 v. Chr.
In Magadha (Indien) kommt die Nanda-Dynastie an die Macht (bis 321).
359–336 v. Chr.
Makedonien erringt unter Philipp II. die Vormacht in Griechenland.
um 350 v. Chr.
In Mittelamerika entstehen die ersten Städte und Stadtstaaten der Maya.
350 v. Chr.
um 350–315 v. Chr.
Das Qin-Reich erringt die Vorherrschaft in China.
336–323 v. Chr.
Herrschaft Alexanders des Großen von Makedonien.
334–328 v. Chr.
Alexander erobert das Perserreich.
327–325 v. Chr.
Alexander erobert den Nordwesten Indiens.
321 v. Chr.
Chandragupta Maurya wird König von Magadha und gründet das Maurya-Reich.
300 v. Chr.
304 v. Chr.
In Ägypten kommt die hellenistische Dynastie der Ptolemäer an die Macht.

Die Welt der Antike (500 v. Chr. bis 600 n. Chr.)

Die Welt • 1 v. Chr.

Im Jahr 197 v. Chr. hatten die Römer im Zweiten Makedonischen Krieg durch ihren Sieg in der Schlacht von Kynoskephalai die Macht Makedoniens, das im Zweiten Punischen Krieg die Karthager unterstützt hatte, gebrochen. Philipps V. Herrschaft wurde auf Makedonien beschränkt. Dieser Sieg öffnete Rom den Weg zur Vorherrschaft in Griechenland.

Rom brachte 146 v. Chr. ganz Griechenland unter seine Kontrolle und zerstörte im selben Jahr Karthago bis auf die Grundmauern, obwohl von dort schon lange keine Gefahr mehr ausging (vgl. S. 90/91). Die hellenistischen Reiche im Osten waren auch nicht in der Lage, die römische Expansion einzudämmen – 64 v. Chr. standen fast ganz Kleinasien und Vorderasien unter römischer Herrschaft; auch Ägypten war römisches Protektorat. 30 v. Chr. wurde es römische Provinz (vgl. S. 92/93).

Die Erfolge Roms ...

... überforderten sein republikanisches System, das eher auf einen Stadtstaat zugeschnitten war als auf ein Weltreich, und zwischen 50 und 31 v. Chr. führte eine Reihe von Bürgerkriegen zum Zusammenbruch der Republik. Der Sieger und Cäsar-Erbe Octavian schuf eine neue Regierungsform, die ihrem Wesen nach eine absolute Monarchie war. Er selbst nannte sich »Princeps« (erster Bürger) und Augustus, aber seine Nachfolger wählten dann den Titel »Imperator« (Oberbefehlshaber, Kaiser).

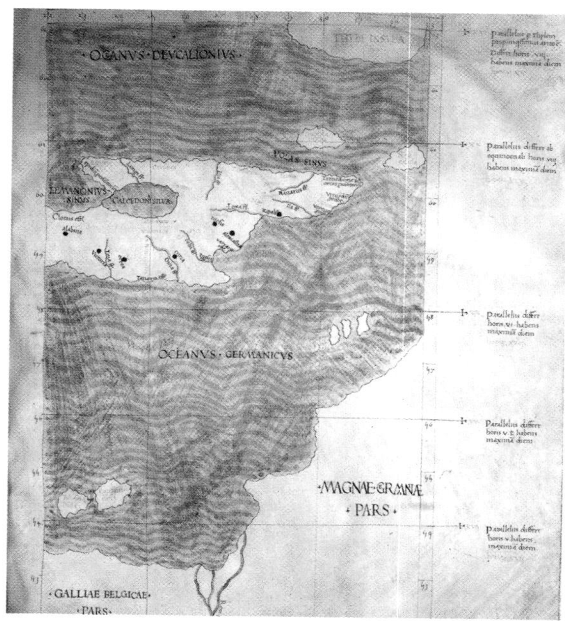

OCEANVS DEVCALIONIVS
OCEANVS GERMANICVS
MAGNAE BRITANNIAE PARS
GALLIAE BELGICAE PARS

Um die Zeitenwende dachte man sich eine äußerste Insel im nördlichen Ozean; in dieser Tradition entstand auch diese Karte von Thule (3. Jahrhundert n. Chr.).

In Nordeuropa sahen sich die Kelten von den nach Norden vorstoßenden Römern und den nach Süden drängenden Germanen in die Zange genommen – im Jahr 1 v. Chr. lebten nur noch in Britannien unabhängige Kelten (vgl. S. 102/103).

In Afrika war um 100 v. Chr. aus den sabäischen Kolonien das Reich Aksum entstanden. – Etwa um diese Zeit nutzte man in der Sahara-Region erstmals das Kamel als Reit- und Lasttier, wodurch sich das Leben der Wüstennomaden tief greifend veränderte. Nun war es leichter möglich, weite Züge zu unternehmen und fast nach Belieben sesshaft gewordene Völker zu überfallen. – Bis zum Jahr 1 v. Chr. war die Viehhaltung bei den Khoi-San sprechenden Völkern in Südafrika weit verbreitet, während bantusprachige Völker gleichzeitig allmählich die ostafrikanische Hochebene besiedelten (vgl. S. 108/109).

Siegeszüge

Nach seinem Sieg im chinesischen Bürgerkrieg (202 v. Chr.) führte Liu Bang Agrar- und Verwaltungsreformen durch und stellte den alten Wohlstand wieder her. Gleichzeitig gelang es ihm trotz heroischer Anstrengungen nicht, die verheerenden Raubzüge der Xiongnu zu beenden, die China bis 38 v. Chr. bedrohten. In der Han-Zeit expandierte China nach Süden (vgl. S. 114/115), wo die nicht chinesischen Reiche Min-Yüeh und Nan-Yüeh erobert wurden. Außerdem drangen die Chinesen nach Korea vor. In dem von ihnen nicht besetzten Teil entstanden um 50 v. Chr. kleinere Königreiche.

Der Aufstieg der Xiongnu wirkte sich im Westen destabilisierend auf die dort lebenden nomadischen Iraner aus. Im Jahr 170 brachten die Xiongnu den Yüeh-chih eine vernichtende Niederlage bei, worauf hin diese nach Westen flohen, die Saken verdrängten und dann – um 135 v. Chr. – das baktrische Reich überrannten. Die Saken wichen nach Süden aus und drangen erst in das Partherreich ein, um dann etwa 141 nach Nordindien weiterzuziehen. Hier eroberten sie große Teile des Nordwestens, ohne auf nennenswerten Widerstand zu stoßen. In den Steppen Westasiens schlugen und absorbierten die Sarmaten im 2. Jahrhundert die Skythen; bis etwa 150 v. Chr. waren drei verschiedene sarmatische Hauptstämme entstanden: die Jazygen, die Roxolanen und die Alanen.

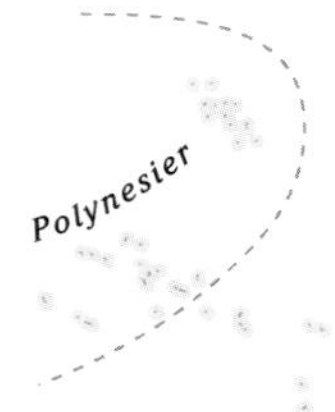

Polynesier

Jäger arktischer Meeressäuger
Aleuten
subarktische Waldlandjäger und -sammler
Nordwestküsten-Kultur (Küstenfischer und Jäger)
Gebirgslandfischer, Jäger und Sammler
Bisonjäger der Prärien
Korbmacher-Kultur
Jäger und Sammler in Halbwüsten und Wüsten
Hopewell-Kultur
östliches Waldland (Jäger und Sammler)
Maisbauern
Hawaii-Inseln
Bahamas
Teotihuacán
Kuba
Hispaniola/Haiti
Puerto Rico
Monte Albán
olmekische Kultur
Jäger und Sammler in der Karibik
Bauern in der Karibik
Maya-Fürstentümer und Stadtstaaten der Maya
Maisbauern
nordandine Kleinfürstentümer
Maniokbauern
MOCHE-REICH
zentralandine Kleinfürstentümer
Tiahuanaco-Kultur
Nazca-Kultur
Savannenjäger und -sammler
südandine Kleinfürstentümer
Schalentiersammler
südandine Jäger und Sammler
Jäger und Sammler in der Pampa
Schalentiersammler und Jäger von Meeressäugetieren

Bis zur Invasion der Saken war die Geschichte Indiens weitgehend die Geschichte des Nordens gewesen, nun aber entstanden ab Mitte des 1. Jahrhunderts v. Chr. auch im Süden größere Reiche. Das erste war das Kalinga-Reich an der Ostküste, das bis ungefähr ins 1. Jahrhundert n. Chr. existierte; länger hielt sich das in Mittelindien gelegene Satavahanihara-Reich, das bis in das 3. Jahrhundert hinein überdauerte.

Korbmacher und Hügelgräber

Um 100 v. Chr. entstand in Südamerika im Tal von Moche an der peruanischen Küste ein erster Staat.

ZEITLEISTE

Nord- und Südamerika ■
Europa ■
Vorderasien
Afrika ■
Ost- und Südasien

200 v. Chr.

um 185 v. Chr. Nach Einfällen der Baktrer in den Pandschab Ende der Maurya-Dynastie.

170 v. Chr. Die Xiongnu besiegen die Yüeh-chih und übernehmen in den östlichen Steppen die Herrschaft.

170–141 v. Chr. Die Parther erobern das Seleukiden-Reich.

149–146 v. Chr. 3. Punischer Krieg. Rom macht Karthago dem Erdboden gleich.

150 v. Chr.

146 v. Chr. Ganz Griechenland gerät unter römische Herrschaft.

um 141 v. Chr. Die Saken dringen in das Partherreich und in Nordindien ein.

um 135 v. Chr. Die nach Westen abgedrängten Yüeh-chih überrennen Baktrien.

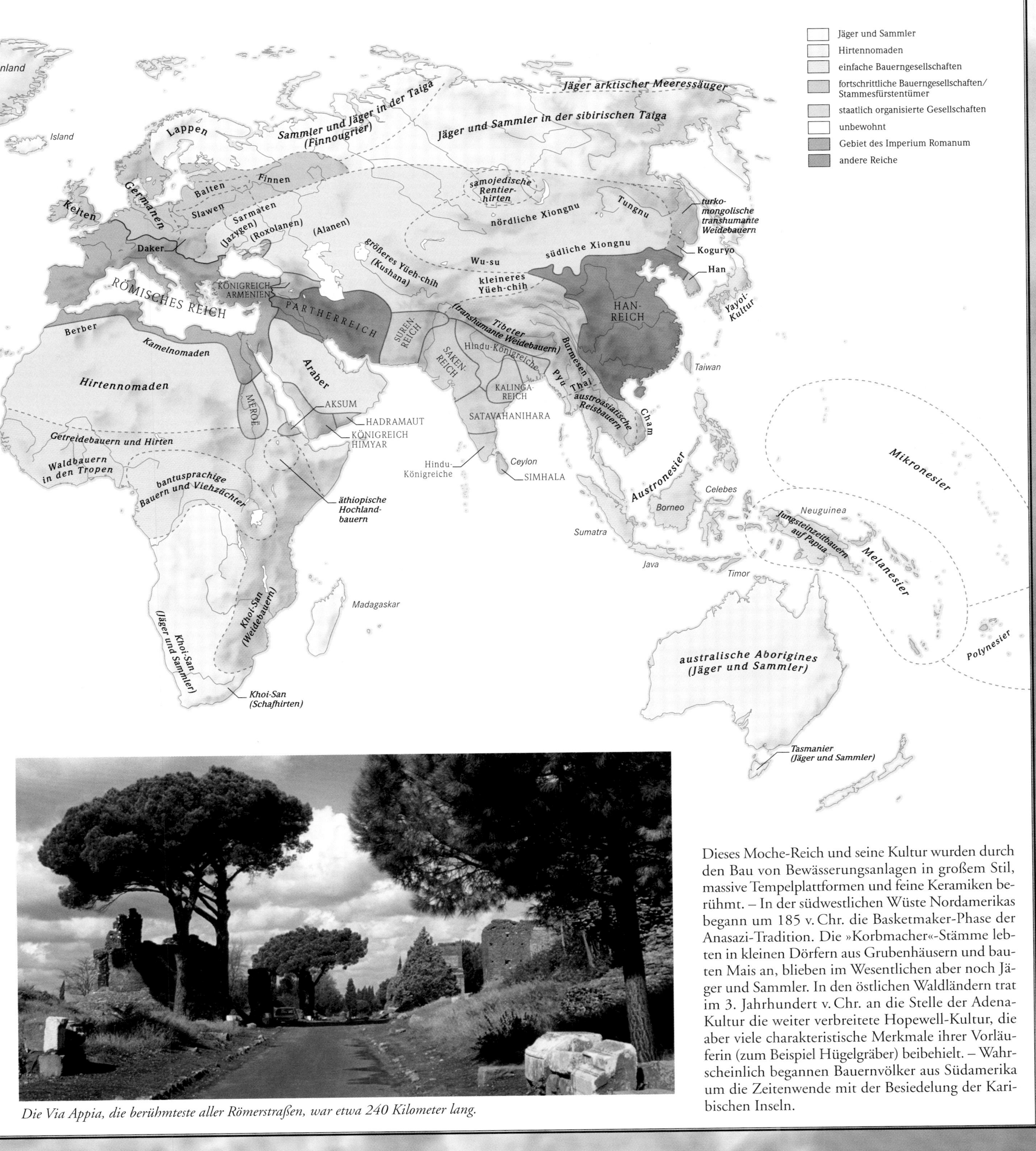

Jäger und Sammler
Hirtennomaden
einfache Bauerngesellschaften
fortschrittliche Bauerngesellschaften/ Stammesfürstentümer
staatlich organisierte Gesellschaften
unbewohnt
Gebiet des Imperium Romanum
andere Reiche
Island
Lappen
Sammler und Jäger in der Taiga (Finnougrier)
Jäger arktischer Meeressäuger
Jäger und Sammler in der sibirischen Taiga
Germanen
Kelten
Balten
Finnen
Slawen
Sarmaten (Jazygen) (Roxolanen)
(Alanen)
samojedische Rentier-hirten
Tungnu
turko-mongolische transhumante Weidebauern
nördliche Xiongnu
südliche Xiongnu
Koguryo
Han
Daker
größeres Yüeh-chih (Kushana)
Wu-su
kleineres Yüeh-chih
KÖNIGREICH ARMENIEN
RÖMISCHES REICH
PARTHERREICH
SUREN-REICH
Tibeter (transhumante Weidebauern)
HAN-REICH
Yayoi-Kultur
Berber
Kamelnomaden
Hindu-Königreiche
SAKEN-REICH
Burmesen
Pyu
Thai
Taiwan
Hirtennomaden
Araber
MEROE
AKSUM
KALINGA-REICH
austroasiatische Reisbauern
Cham
HADRAMAUT
KÖNIGREICH HIMYAR
SATAVAHANIHARA
Getreidebauern und Hirten
Waldbauern in den Tropen
Hindu-Königreiche
Ceylon
SIMHALA
Mikronesier
bantusprachige Bauern und Viehzüchter
äthiopische Hochland-bauern
Austronesier
Celebes
Borneo
Neuguinea
Jungsteinzeitbauern auf Papua
Sumatra
Melanesier
Java
Timor
Madagaskar
Khoi-San (Weidebauern)
Khoi-San (Jäger und Sammler)
australische Aborigines (Jäger und Sammler)
Polynesier
Khoi-San (Schafhirten)
Tasmanier (Jäger und Sammler)

Die Via Appia, die berühmteste aller Römerstraßen, war etwa 240 Kilometer lang.

Dieses Moche-Reich und seine Kultur wurden durch den Bau von Bewässerungsanlagen in großem Stil, massive Tempelplattformen und feine Keramiken berühmt. – In der südwestlichen Wüste Nordamerikas begann um 185 v. Chr. die Basketmaker-Phase der Anasazi-Tradition. Die »Korbmacher«-Stämme lebten in kleinen Dörfern aus Grubenhäusern und bauten Mais an, blieben im Wesentlichen aber noch Jäger und Sammler. In den östlichen Waldländern trat im 3. Jahrhundert v. Chr. an die Stelle der Adena-Kultur die weiter verbreitete Hopewell-Kultur, die aber viele charakteristische Merkmale ihrer Vorläuferin (zum Beispiel Hügelgräber) beibehielt. – Wahrscheinlich begannen Bauernvölker aus Südamerika um die Zeitenwende mit der Besiedelung der Karibischen Inseln.

um 100 v. Chr.
Gründung des Moche-Reiches im Küstengebiet des heutigen Peru.

Beginn des Kamelnomadentums in der Wüste Sahara.

100 v. Chr.

101 v. Chr.
Unter der Han-Dynastie erobert China Van Lang.

58–51 v. Chr.
Julius Cäsar erobert Gallien und unternimmt Feldzüge nach Britannien.

50 v. Chr.

um 50 v. Chr.
In den von Chinesen unbesetzten Teilen Koreas entstehen kleine unabhängige Königreiche.

27 v. Chr.
Augustus (Octavian) wird erster römischer Kaiser.

31 v. Chr.
In Mesoamerika entstehen die ältesten kalendarischen Aufzeichnungen.

30 v. Chr.
Nach dem Tod Kleopatras wird Ägypten römische Provinz.

um 1 v. Chr.
Bauern wandern auf den südlichen Karibischen Inseln ein.

Chr. Geb.

um 1 v. Chr.
Im südlichen Afrika dehnt sich das Nomadentum aus.

Das Ganze im Blick: Luftbildarchäologie

Crawford ist zufrieden: Bei klarer Sicht hat er aus der Vogelperspektive einige gute Aufnahmen der Monolithen von Stonehenge machen können. Als er sein Flugzeug zum Abschluss noch eine Schleife über die Umgebung ziehen lässt, fällt ihm in den Getreidefeldern etwas Geheimnisvolles auf.

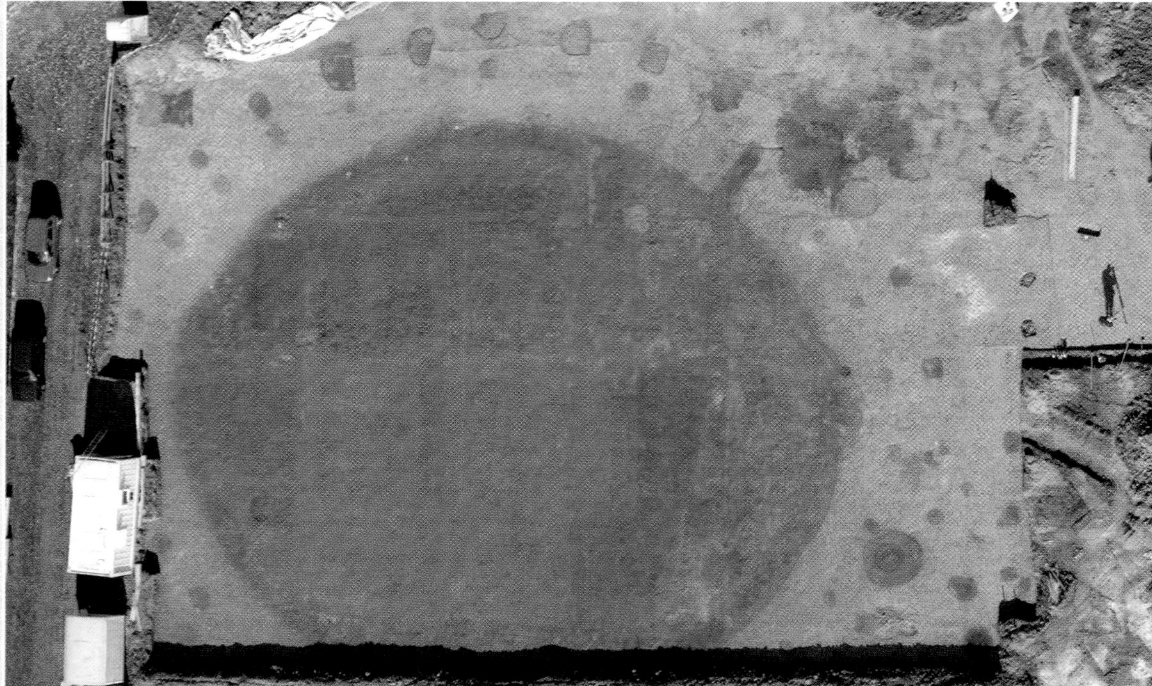

Luftbild der Ausgrabungsstätte eines römischen Amphitheaters im niederbayerischen Künzing. Sehr gut ist die ovale Bodenverfärbung über der Arena auszumachen.

Die Fotos der eindeutig zu erkennenden Muster und Linien im Kornfeld, die Osbert Guy Stanhope Crawford (1886–1957) in den 1920er-Jahren aus seinem Flugzeug heraus schoss, sollten einen neuen Zweig der Archäologie begründen. – Dass eine geänderte Perspektive eine völlig neue Sicht auf die Welt ermöglicht, ist eine Binsenweisheit. Dass diese Erkenntnis aber in bisher nicht geahnter Weise der archäologischen Forschung helfen könnte, viele vergessene Bauwerke wieder sichtbar und beschreibbar zu machen, ist das Verdienst O. G. S. Crawfords. Bereits im Ersten Weltkrieg, den er als erfolgreicher Militärflieger erlebte, begann der Brite mit dem Fotografieren archäologischen Geländes vom Flugzeug aus. Von 1920 bis 1940 als Seiner Majestät erster »Archaezological Officer« tätig, erkannte er auch als Erster die Möglichkeiten der Luftbildfotografie für die Archäologie – was sein 1928 erschienener Fotoband »Wessex from the Air« eindrucksvoll dokumentiert. Erst im Laufe der Zeit wuchs in ihm die Erkenntnis, dass mittels der Fotografie auch Spuren von unter der Erdoberfläche liegenden Ruinen sichtbar gemacht werden können.

Etwa zeitgleich mit Crawford nahm auch der Franzose Antoine Poidebard (1878–1955) vom Flugzeug aus seine Spurensuche nach archäologischen Resten von Bauwerken auf. Der »fliegende Jesuitenpater« wählte sich den Sand der kargen Wüstensteppe Vorderasiens zu seinem Studienobjekt. Um 1930 legte er mit Luftaufnahmen von brillanter Qualität das Fundament für die systematische Erforschung antiker römischer Militärbauten in Syrien.

Sowohl der Brite als auch der Franzose gelten als Pioniere der noch relativ jungen historischen Zunft der Luftbildarchäologie, die gelegentlich allgemein Luftbildforschung oder – wissenschaftlich ausgedrückt – Luftbildprospektion genannt wird. Lange Zeit hielt man die archäologische Forschung vom Flugzeug aus für zu teuer und tat sie daher als ineffektiv ab. Ihr Nutzen erschien umso fragwürdiger, als allgemein die Überzeugung galt, dass die meisten noch vorhandenen Bodendenkmäler ohnehin bekannt seien. Erst seit wenigen Jahren weiß man, dass unter der Erdoberfläche noch sehr vieles auf seine Entdeckung wartet.

Trotz intensiver landwirtschaftlicher Nutzung ist die halbkreisförmige Umwallung des Wikinger-Handelsplatzes Haithabu bei Schleswig klar zu erkennen.

Überdimensionale Scharrbilder der rätselhaften Nazca-Kultur in Peru

OBERFLÄCHLICH BETRACHTET …

Die Luftbildarchäologie ist eine Hilfswissenschaft. Sie zeitigt nur indirekte Ergebnisse, die einer sehr sorgfältigen Interpretation bedürfen, um zu konkreten Erkenntnissen zu werden. Zu oberirdischen Bodendenkmälern immerhin liefert sie schnell verwertbare Resultate, etwa wenn Veränderungen des natürlichen Bodenreliefs bis heute nachweisbar sind. So ist beispielsweise der Verlauf der Umwallung Haithabus, jener berühmten Wikingersiedlung bei Schleswig, die seit etwa 1000 n. Chr. nicht mehr bewohnt wurde und verödete, aus der Luft noch immer eindeutig zu erkennen. Auch die weltberühmten »Scharrbilder« der Nazca-Kultur in Peru sind nur auf diese Art als grafische Figuren wahrzunehmen, die von Menschenhand planvoll geschaffen wurden. Erst die Vogelperspektive macht ihre wie mit dem Lineal gezogenen Linien oder die riesigen Tierfiguren sichtbar. Bei solch großen Untersuchungsfeldern kann darüber hinaus auch die Satellitenfotografie mit ihren Präzisionskameras die Fotografie vom Flugzeug aus ergänzen und zu neuen Erkenntnissen verhelfen.

Andere Fälle werfen größere Probleme auf. Sind Fundstellen verschüttet oder völlig eingeebnet, so spricht man von unterirdischen Bodendenkmälern. Doch wie können diese Zeugnisse vergangener Kulturen aufgespürt werden? Eine Voraussetzung dafür ist die Erkenntnis, dass jede vom Menschen herbeigeführte Veränderung der Bodenschichten noch nach Tausenden von Jahren nachweisbar bleibt. Selbst wenn die Palisadenwand eines römischen Kastells schon vor mehr als 1500 Jahren völlig vermoderte, kann aufgrund der Bodenverfärbung ihre Lage noch heute auf einem frisch gepflügten Feld nachgewiesen werden. Gerade der Bewuchs von Getreidefeldern zeigt dem Luftbildarchäologen, wo vor Tausenden von Jahren Menschen siedelten, ihre Toten bestatteten oder ihre Götter verehrten.

FÄHRTENSUCHE AUS DER LUFT

Dabei kann der geübte Beobachter sogar erkennen, ob an dieser Stelle zum Beispiel einst ein Feldlager mit Palisadenwänden oder ein aus Stein erbautes Kastell stand. Denn dort, wo sich einmal Holzwände befanden, hat der Boden eine bessere Qualität, so dass er das Wasser besser speichern kann. Ergebnis: Die Halme wachsen hier etwas höher als in der Umgebung. Liegen hingegen unter der Oberfläche die Reste von Steinmauern, so können an dieser Stelle die Wurzeln des Getreides nicht ungehindert wachsen – weshalb hier das Korn etwas niedriger steht und schneller gelb wird. So entstehen für das geübte Auge Muster und Linien. Um nun die Luftbildarchäologie für optimale Ergebnisse zu nutzen, müssen zusätzlich Faktoren wie Jahreszeit, Wetterlage und Sonnenstand berücksichtigt werden. So brachte beispielsweise der sehr trockene Sommer 2003, der das auf Ruinen wachsende Getreide schneller verdorren ließ, für die »fliegenden Archäologen« viele verwertbare Erkenntnisse. Allerdings mussten sie sich sehr beeilen, da die Erntezeit früher begann als üblich. Auch die Tageszeit und der Sonnenstand können von Bedeutung sein, da beispielsweise nur bei einem bestimmten Lichteinfall der Schattenwurf einen Hinweis auf potenzielle Fundstellen gibt.

DIE ZEICHEN ERKENNEN

Selten sind Befunde eindeutig. Der unterschiedliche Bewuchs eines Kornfelds kann etwa auch durch die geologischen Gegebenheiten bedingt sein. Und nicht jede unterirdische Ruine sorgt für eine historische Sensation. So ist eine sich deutlich unter einem Acker abzeichnende Bunkeranlage aus dem Zweiten Weltkrieg für Archäologen meist weit weniger interessant als die kaum noch zu ahnenden Umrisse eines Hügelgrabes aus der Bronzezeit.

Magnetogramm des Römerkastells Ruffenhofen in Mittelfranken

In den seltensten Fällen kann die Identifizierung von Bodendenkmälern direkt vor Ort beziehungsweise aus der Luft erfolgen. In der Regel werden viel versprechende Gebiete erst einmal fotografiert, dann

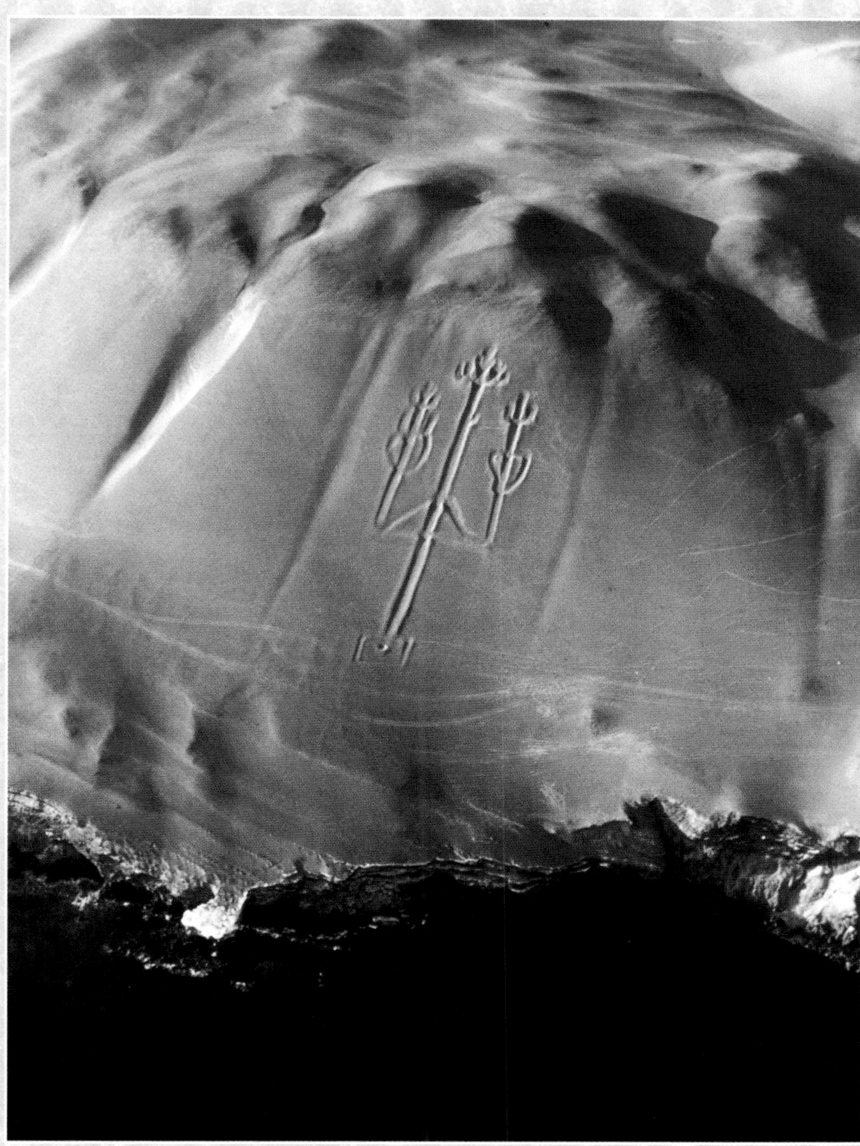

Nur aus der Luft erkennt man das Ganze – wie diesen im Ica-Tal (Peru) in den Boden eingefurchten »Candelabro« (mehrarmigen Leuchter) aus der Zeit der Paracas-Kultur. Das Scharrbild ist insgesamt 128 Meter hoch und 74 Meter breit.

per Computer bearbeitet und schließlich am Bildschirm ausgewertet. Oft werden auch für andere Zwecke erstellte Fotografien auf die typischen Merkmale unterirdischer Bebauungsreste hin untersucht. Bei nur ungenauer Kenntnis eines potenziellen Grabungsgebiets kann mit Hilfe eines Luftbilds, das entzerrt und auf eine Landkarte übertragen wird, eine präzise Ortung erfolgen.

NEUE METHODEN DER PROSPEKTION

Die technische Entwicklung bietet auch der Archäologie verbesserte Möglichkeiten, bisher unbekannte oder nur ungenau zu ortende Grabungsstellen zu entdecken. So kann die »geophysikalische Prospektionsmethode« mit Hilfe der Messung elektrischer Widerstände oder der unregelmäßigen Magnetfelder eines Grabungsgeländes unterirdisch verlaufende Strukturen – wie Reste von Grundmauern – auf einem so genannten Magnetogramm sichtbar machen. Werden die so erzielten Ergebnisse beispielsweise mit Luftaufnahmen verglichen und führen Probegrabungen zu ersten Resultaten, kann es sich als lohnend erweisen, ein Gebiet archäologisch zu erschließen. – Letztlich ist fast immer eine langwierige kombinierte Auswertung verschiedener Methoden und Hilfswissenschaften erfolgt, bevor ein Archäologe stolz seinen Grabungsfund der Öffentlichkeit präsentiert.

Die Welt der Antike (500 v. Chr. bis 600 n. Chr.)

Die Welt • 400 n. Chr.

Im Vergleich zum Stand um die Zeitenwende hatte sich das Römische Reich zwar noch ein wenig vergrößert, aber seine Lage gab um 400 n. Chr. kaum Anlass für Optimismus. Kaiser Diokletian, der von 284 bis 305 regierte, hatte das Reich in eine westliche und eine östliche Hälfte geteilt. Zudem hatte er die Verwaltung zentralisiert und rationalisiert sowie das Heer grundlegend reformiert. Doch die Erfolge der Reformen konnten nicht darüber hinwegtäuschen, dass sich Rom im »Belagerungszustand« befand.

Auf den Grenzen des Reiches lastete ein enormer Druck und die Verteidigungskosten hatten (insbesondere im ärmeren Westen) ruinöse Ausmaße angenommen. Als die Hunnen, ein von Turkvölkern beherrschter Zusammenschluss zentralasiatischer Nomaden, im Jahr 372 in Europa einfielen und die germanischen Stämme vor sich her trieben, geriet das Römische Reich erneut in eine schwere Krise. Im Osten stellten zudem die Sassaniden, die 226 n. Chr. das Partherreich erobert hatten, eine ernste Bedrohung dar.

Gründung und Zerfall

In Zentralasien hatte der Klan der Kushana, der bei den Yüeh-chih eine beherrschende Rolle spielte, ein Reich aufgebaut, das sich im späten 4. Jahrhundert vom Aralsee bis zum Indischen Ozean und bis weit nach Nordwestindien hinein erstreckte. Nordindien blieb in kleinere Staaten geteilt, bis dann um 350 n. Chr. Samudragupta (gestorben um 380) das Gupta-Reich gründete (vgl. S. 112/113), das unter seinem Nachfolger Chandragupta II. (380–414 n. Chr.) seine größte Ausdehnung erreichte.

In den Pyramiden bei Meroë, einst Hauptstadt des Reiches Kusch, wurden die kuschitischen Könige bestattet.

Im Fernen Osten begann die Macht der Han-Dynastie zu schwinden. 189 n. Chr. brachen in ihrem Reich chaotische Zustände aus, als Gruppierungen am Hof und in der Armee um die Bevormundung eines isolierten und machtlosen Kaisers stritten. Die Dynastie wurde schließlich im Jahr 220 n. Chr. gestürzt und das Reich löste sich in drei Staaten auf (vgl. S. 116/117). Die Reichseinheit wurde 280 n. Chr. für kurze Zeit wiederhergestellt, aber ein neuer Bürgerkrieg brach aus, der es den Xiongnu ermöglichte, den Norden des Landes unter ihre Kontrolle zu bringen. Zudem brandete 386 mit den türkischen Tuoba-Stämmen eine zweite Welle von Nomaden heran, die sich nun im Norden festsetzten. Das Tuoba-Reich Wei wiederum wurde von den Juan-juan bedroht, einem Zusammenschluss verschiedener mongolischer Nomadenstämme, der im 4. Jahrhundert entstanden war und die östlichen Steppen bis zum Jahr 400 beherrschte.

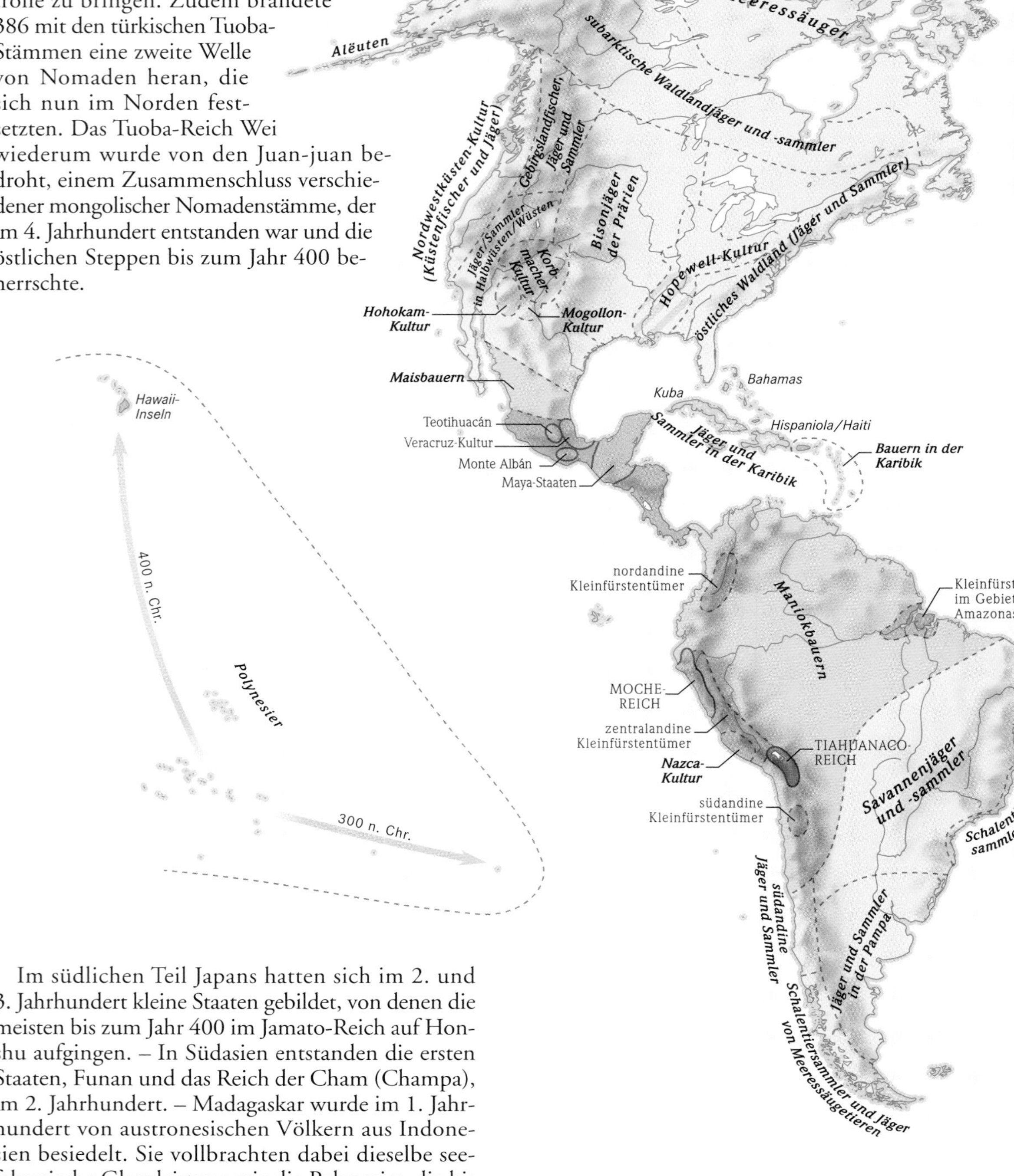

Jäger arktischer Meeressäuger
Aleuten
subarktische Waldlandjäger und -sammler
Nordwestküsten-Kultur (Küstenfischer und Jäger)
Gebirgslandfischer, Jäger und Sammler
Bisonjäger der Prärien
Jäger/Sammler in Halbwüsten/Wüsten
Korbmacher-Kultur
Hopewell-Kultur
östliches Waldland (Jäger und Sammler)
Hohokam-Kultur
Mogollon-Kultur
Maisbauern
Bahamas
Kuba
Hispaniola/Haiti
Jäger und Sammler in der Karibik
Bauern in der Karibik
Teotihuacán
Veracruz-Kultur
Monte Albán
Maya-Staaten
Hawaii-Inseln
400 n. Chr.
Polynesier
300 n. Chr.
nordandine Kleinfürstentümer
Maniokbauern
MOCHE-REICH
zentralandine Kleinfürstentümer
Nazca-Kultur
TIAHUANACO-REICH
Savannenjäger und -sammler
südandine Kleinfürstentümer
Schalentiersammler
südandine Jäger und Sammler
Jäger und Sammler in der Pampa
Schalentiersammler und Jäger von Meeressäugetieren

Im südlichen Teil Japans hatten sich im 2. und 3. Jahrhundert kleine Staaten gebildet, von denen die meisten bis zum Jahr 400 im Jamato-Reich auf Honshu aufgingen. – In Südasien entstanden die ersten Staaten, Funan und das Reich der Cham (Champa), im 2. Jahrhundert. – Madagaskar wurde im 1. Jahrhundert von austronesischen Völkern aus Indonesien besiedelt. Sie vollbrachten dabei dieselbe seefahrerische Glanzleistung wie die Polynesier, die bis zum Jahr 400 n. Chr. die Hawaii-Inseln und die Osterinsel kolonisierten.

In Afrika zerfiel um 350 n. Chr. im Zuge der Invasion von Nomadenstämmen das Reich Meroë. Die gleichnamige Stadt fiel an das Königreich Aksum, das seinen Machtbereich nach Westen und im Süden bis zum äthiopischen Hochland ausweitete. – Um 400 n. Chr. tauchten bantusprachige Stämme im südlichen Afrika auf, nachdem sie zuvor die Khoi-San sprechenden Völker Ostafrikas entweder verdrängt oder absorbiert hatten. Die Viehhaltung ersetzte auch bei den Khoi-San-Völkern Südwestafrikas allmählich die Lebensform des Jagens und Sammelns (vgl. S. 108/109).

In den südwestlichen Wüsten Nordamerikas entwickelte sich um 300 die Hohokam-Kultur. Wie die Korbmacher-Stämme nördlich von ihnen, bauten auch die Hohokam Mais an, blieben aber gleichzeitig Jäger und Sammler. Die Hopewell-Kultur der östlichen Waldländer ging in ihrem Ursprungsgebiet, dem Ohio- und Missouri-Tal, zwar allmählich nieder, aber dafür blühten andernorts Kulturen auf, die sich aus ihr herleiteten. – Bei den Fischern an der Pazifikküste entstanden im 1. Jahrhundert n. Chr. allmählich hierarchisch strukturierte Gesellschaften mit einer hoch entwickelten Kultur.

ZEITLEISTE

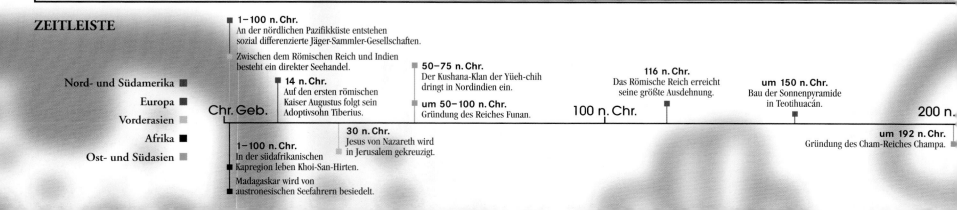

Nord- und Südamerika ■
Europa ■
Vorderasien ■
Afrika ■
Ost- und Südasien ■

Chr. Geb. — 100 n. Chr. — 200 n.

- **1–100 n. Chr.** An der nördlichen Pazifikküste entstehen sozial differenzierte Jäger-Sammler-Gesellschaften.
- Zwischen dem Römischen Reich und Indien besteht ein direkter Seehandel.
- **14 n. Chr.** Auf den ersten römischen Kaiser Augustus folgt sein Adoptivsohn Tiberius.
- **1–100 n. Chr.** In der südafrikanischen Kapregion leben Khoi-San-Hirten.
- Madagaskar wird von austronesischen Seefahrern besiedelt.
- **30 n. Chr.** Jesus von Nazareth wird in Jerusalem gekreuzigt.
- **50–75 n. Chr.** Der Kushana-Klan der Yüeh-chih dringt in Nordindien ein.
- **um 50–100 n. Chr.** Gründung des Reiches Funan.
- **116 n. Chr.** Das Römische Reich erreicht seine größte Ausdehnung.
- **um 150 n. Chr.** Bau der Sonnenpyramide in Teotihuacán.
- **um 192 n. Chr.** Gründung des Cham-Reiches Champa.

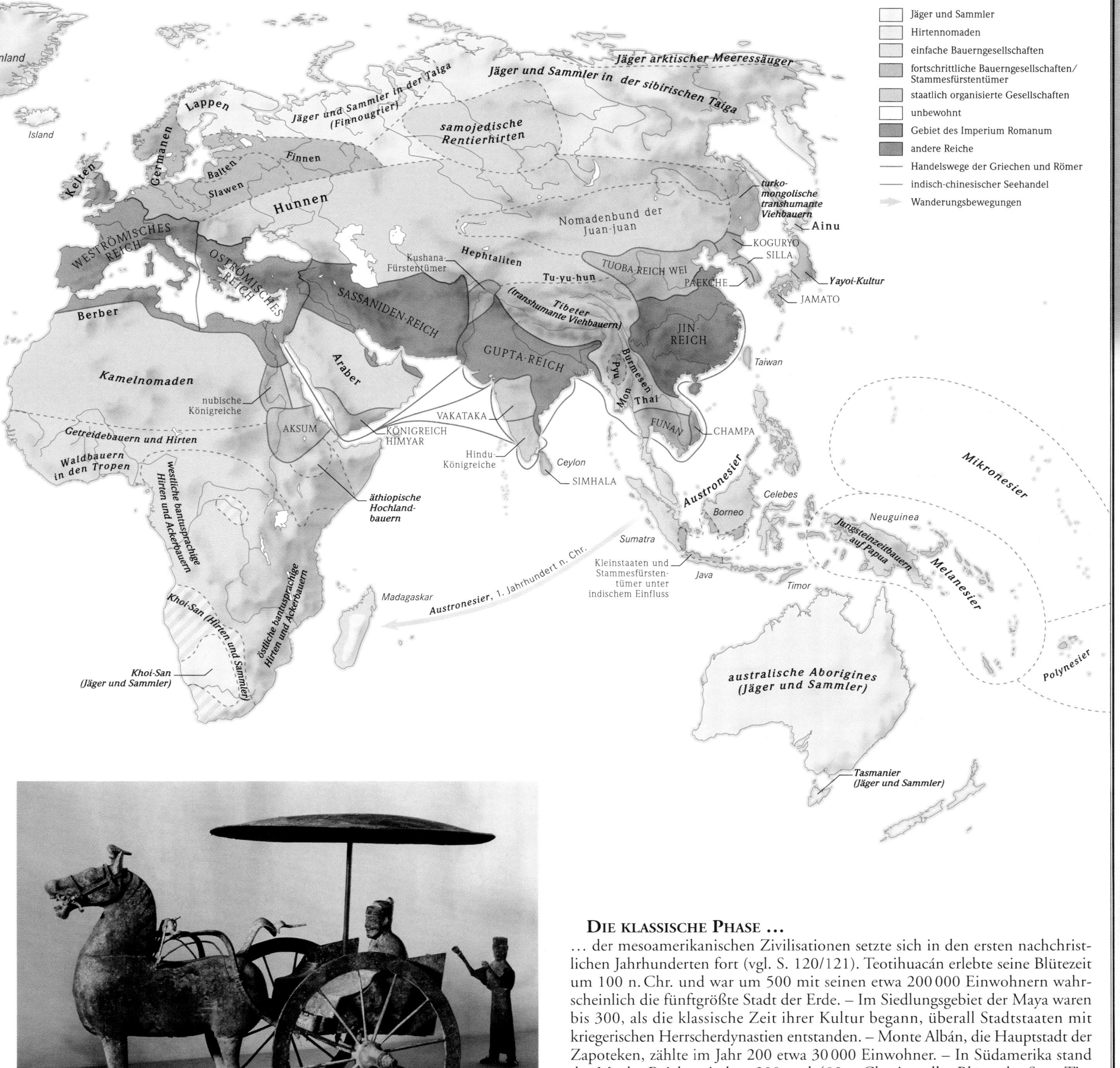

Jäger und Sammler
Hirtennomaden
einfache Bauerngesellschaften
fortschrittliche Bauerngesellschaften/ Stammesfürstentümer
staatlich organisierte Gesellschaften
unbewohnt
Gebiet des Imperium Romanum
andere Reiche
Handelswege der Griechen und Römer
indisch-chinesischer Seehandel
Wanderungsbewegungen
Island
Lappen
Jäger und Sammler in der Taiga (Finnougrier)
Jäger und Sammler in der sibirischen Taiga
Jäger arktischer Meeressäuger
samojedische Rentierhirten
Germanen
Kelten
Balten
Finnen
Slawen
Hunnen
Nomadenbund der Juan-juan
turko-mongolische transhumante Viehbauern
Ainu
KOGURYO
SILLA
PAEKCHE
Yayoi-Kultur
JAMATO
WESTRÖMISCHES REICH
OSTRÖMISCHES REICH
Kushana-Fürstentümer
Hephtaliten
Tu-yu-hun
TUOBA-REICH WEI
SASSANIDEN-REICH
Tibeter (transhumante Viehbauern)
JIN-REICH
Taiwan
Berber
Araber
GUPTA-REICH
Pyu
Burmesen
Mon
Thai
FUNAN
CHAMPA
Kamelnomaden
nubische Königreiche
AKSUM
KÖNIGREICH HIMYAR
VAKATAKA
Hindu-Königreiche
Ceylon
SIMHALA
Getreidebauern und Hirten
Waldbauern in den Tropen
westliche bantusprachige Hirten und Ackerbauern
äthiopische Hochland-bauern
Austronesier
Celebes
Borneo
Mikronesier
Neuguinea
Jungsteinzeitbauern auf Papua
Melanesier
Sumatra
Kleinstaaten und Stammesfürsten-tümer unter indischem Einfluss
Java
Timor
Madagaskar
Austronesier, 1. Jahrhundert n. Chr.
Khoi-San (Hirten und Sammler)
östliche bantusprachige Hirten und Ackerbauern
Khoi-San (Jäger und Sammler)
australische Aborigines (Jäger und Sammler)
Polynesier
Tasmanier (Jäger und Sammler)

Die klassische Phase …

… der mesoamerikanischen Zivilisationen setzte sich in den ersten nachchristlichen Jahrhunderten fort (vgl. S. 120/121). Teotihuacán erlebte seine Blütezeit um 100 n. Chr. und war um 500 mit seinen etwa 200 000 Einwohnern wahrscheinlich die fünftgrößte Stadt der Erde. – Im Siedlungsgebiet der Maya waren bis 300, als die klassische Zeit ihrer Kultur begann, überall Stadtstaaten mit kriegerischen Herrscherdynastien entstanden. – Monte Albán, die Hauptstadt der Zapoteken, zählte im Jahr 200 etwa 30 000 Einwohner. – In Südamerika stand das Moche-Reich zwischen 200 und 400 n. Chr. in voller Blüte; der Staat Tiahuanaco auf der Hochebene um den Titicacasee expandierte kräftig und entwickelte sich zu einem Reich (vgl. S. 120/121).

Dieses bronzene Gespann mit Lenker stammt aus der Zeit der Späteren Han-Dynastie (2. Jahrhundert n. Chr.). Das Pferd ist etwa 40 Zentimeter hoch.

220–280 n. Chr. Das Han-Reich wird in drei Königreiche aufgeteilt.

um 300 n. Chr. Beginn der klassischen Periode der Maya-Kultur.

um 300 n. Chr. In Japan existieren die ersten Staaten.

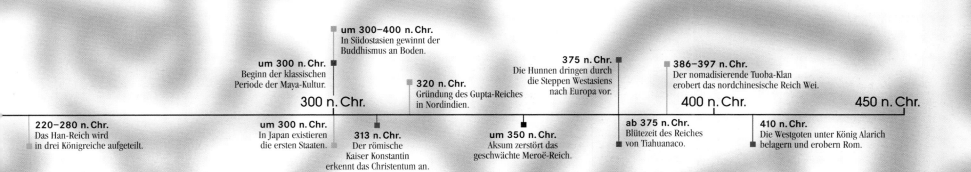

um 300–400 n. Chr. In Südostasien gewinnt der Buddhismus an Boden.

300 n. Chr.

313 n. Chr. Der römische Kaiser Konstantin erkennt das Christentum an.

320 n. Chr. Gründung des Gupta-Reiches in Nordindien.

um 350 n. Chr. Aksum zerstört das geschwächte Meroë-Reich.

375 n. Chr. Die Hunnen dringen durch die Steppen Westasiens nach Europa vor.

ab 375 n. Chr. Blütezeit des Reiches von Tiahuanaco.

386–397 n. Chr. Der nomadisierende Tuoba-Klan erobert das nordchinesische Reich Wei.

400 n. Chr.

410 n. Chr. Die Westgoten unter König Alarich belagern und erobern Rom.

450 n. Chr.

Die Welt der Antike (500 v. Chr. bis 600 n. Chr.)

Die Welt • 600 n. Chr.

Die Westhälfte des Römischen Reiches war insgesamt ärmer und weniger bevölkerungsreich als der östliche Reichsteil und hatte unter den Angriffen der barbarischen Germanen auch viel mehr zu leiden. So überrannten 406 n. Chr. germanische Stämme – Goten, Franken, Wandalen und andere – die Rheingrenze und kontrollierten bis 476 n. Chr. fast das gesamte Weströmische Reich. Das wohlhabende Ostrom blieb so gut wie unbehelligt.

Reste der buddhistischen Klosteranlage Dharmarajika aus dem 4. und 5. Jahrhundert n. Chr., die zur Ruinenlandschaft von Taxila im heutigen Pakistan gehört

Justinian, der Kaiser Ostroms, ging 533 zum Gegenangriff über und stellte die römische Herrschaft über Italien, Nordafrika und Südspanien wieder her (vgl. S. 98/99). Nach seinem Tod geriet das Reich jedoch erneut in die Defensive – große Teile Italiens fielen an die Langobarden und Südspanien wurde bis 600 fast vollständig von den Westgoten besetzt. Die erfolgreichsten germanischen Eindringlinge waren die Franken, die im frühen 5. Jahrhundert Nordgallien besiedelt hatten. Sie wurden ab 486 von Chlodwig geeint, der seinen Herrschaftsbereich dadurch bis ins südliche Gallien und im Osten bis nach Germanien ausdehnte. Im Jahr 600 reichte das Frankenreich von den Pyrenäen bis fast an die Elbe. – Mit dem Ende der römischen Herrschaft in Britannien lebte die keltische Kultur dort wieder auf; um 450 begannen sich Angeln und Sachsen aus Nordgermanien im fruchtbaren Osten der Insel anzusiedeln, wobei sie die dort lebenden Kelten in den bergigeren Westen vertrieben.

Nomadenstürme und Umwälzungen

Der Hauptgrund der Einfälle der germanischen Völker in das Römische Reich lag in ihrer Angst vor den Hunnen, die ihren Machtbereich bis an den Rhein ausdehnten – weiter westlich als alle Steppenvölker vor ihnen – und unter Attila (433–453) beide Hälften des Römischen Reiches angriffen. Nach seinem Tod zerfiel das Hunnenreich jedoch wegen Nachfolgestreitigkeiten sehr rasch wieder. – Zwischen 460 und 515 zerstörten die Hephtaliten, die »Weißen Hunnen«, die letzten Fürstentümer der Kushana in Zentralasien, überfielen das Sassaniden-Reich und eroberten Nordwestindien, von wo sie aber bereits 528 n. Chr. wieder vertrieben wurden (vgl. S. 106/107). In den östlichen Steppen löste sich 522 der von Mongolen beherrschte Nomadenbund der Juan-juan nach einer Rebellion der Türken auf. Bis 600 vernichteten diese die Hephtaliten und beherrschten nun die Steppen bis zum Aralsee im Westen. Ein anderes Turkvolk, die Chasaren, setzte sich in der Kaspischen Senke fest. Ein Teil der Juan-juan, die Awaren, floh vor den Türken. Sie erreichten um 562 die osteuropäischen Steppen, wo sie die Reste der dort verbliebenen Hunnen vereinnahmten und dann Ostrom angriffen. – Im Norden des Kaukasus befreiten sich um 450 die Alanen (das letzte der iranischen Völker, die einst die Steppen beherrscht hatten) von der Oberherrschaft der Hunnen.

In Afrika war das Christentum bis zum 6. Jahrhundert bis nach Nubien und Aksum vorgedrungen, wodurch sich die Beziehungen dieser Reiche zu Ostrom vertieften (vgl. S. 108/109). Von diesem ermutigt, eroberte das Königreich Aksum 528 Südarabien, wurde jedoch 574 von den Sassaniden wieder vertrieben; dadurch verlor das Christentum in Arabien nur vier Jahre vor der Geburt Mohammeds in Mekka sämtlichen Einfluss. – In Westafrika folgte aus dem intensivierten Trockenreisanbau im oberen Nigertal ein Anwachsen der Bevölkerung und im 3. und 4. Jahrhundert die Gründung größerer Ortschaften. In einer von ihnen, in Djenné, schnitten sich viele Fernhandelswege, so dass es sich bis 600 zu einer befestigten Stadt mit rund 10 000 Einwohnern entwickelte.

Jäger arktischer Meeressäuger
subarktische Waldlandjäger und -sammler
Aleuten
Nordwestküsten-Kultur (Küstenfischer und Jäger)
Gebirgslandfischer, Jäger und Sammler
Bisonjäger der Prärien
Jäger/Sammler in Halbwüsten/Wüsten
Korbmacher-Kultur
Hopewell-Kultur
östliches Waldland (Jäger und Sammler)
Hohokam-Kultur
Mogollon-Kultur
Maisbauern
Hawaii-Inseln
Bahamas
Kuba
Teotihuacán
Veracruz-Kultur
Monte Albán
Maya-Staaten
Hispaniola/Haiti
Puerto Rico
Jäger und Sammler in der Karibik
Bauern in der Karibik
nordandine Kleinfürstentümer
Kleinfürsten im Gebiet de Amazonasm
Maniokbauern
Polynesier
MOCHE-REICH
HUARI-REICH
TIAHUANACO-REICH
Savannen-Jäger und -sammler
Landwirtschaft (ersetzt Jagen und Sammeln)
südandine Jäger und Sammler
Jäger und Sammler in der Pampa
Schalentiersammler und Jäger von Meeressäugetieren

Das indische Gupta-Reich erlebte 467 einen verheerenden Erbfolgekrieg und konnte danach seine alte Vormachtstellung nicht wieder zurückgewinnen (vgl. S. 112/113). Das Reich bestand zwar bis zum Ende des Jahrhunderts, aber 530 zerfiel ganz Nordindien in kleinere Staaten. – Die erfolgreichen barbarischen Eroberer Chinas passten sich der zahlenmäßig weit überlegenen einheimischen Bevölkerung zumeist an. So verhielten sich die Tuoba in ihrem Reich Wei ganz wie eine chinesische Dynastie und waren entschlossen, die Steppennomaden abzuwehren. 534 zerbrach Wei jedoch in zwei Teile und um die Mitte des Jahrhunderts übernahmen wieder einheimische Dynastien das Ruder. Eine Wiedervereі-

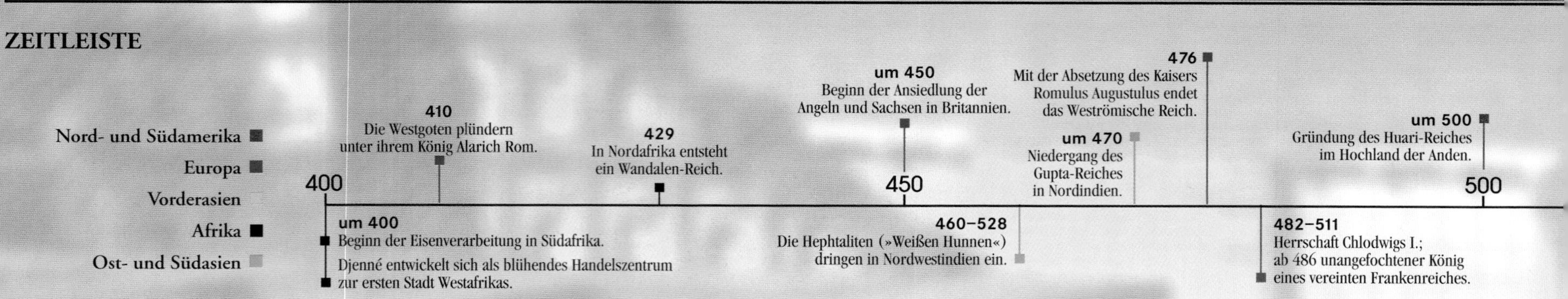

ZEITLEISTE
Nord- und Südamerika
Europa
Vorderasien
Afrika
Ost- und Südasien
400
450
500
410
Die Westgoten plündern unter ihrem König Alarich Rom.
429
In Nordafrika entsteht ein Wandalen-Reich.
um 450
Beginn der Ansiedlung der Angeln und Sachsen in Britannien.
476
Mit der Absetzung des Kaisers Romulus Augustulus endet das Weströmische Reich.
um 470
Niedergang des Gupta-Reiches in Nordindien.
um 500
Gründung des Huari-Reiches im Hochland der Anden.
um 400
Beginn der Eisenverarbeitung in Südafrika.
Djenné entwickelt sich als blühendes Handelszentrum zur ersten Stadt Westafrikas.
460–528
Die Hephtaliten (»Weißen Hunnen«) dringen in Nordwestindien ein.
482–511
Herrschaft Chlodwigs I.; ab 486 unangefochtener König eines vereinten Frankenreiches.

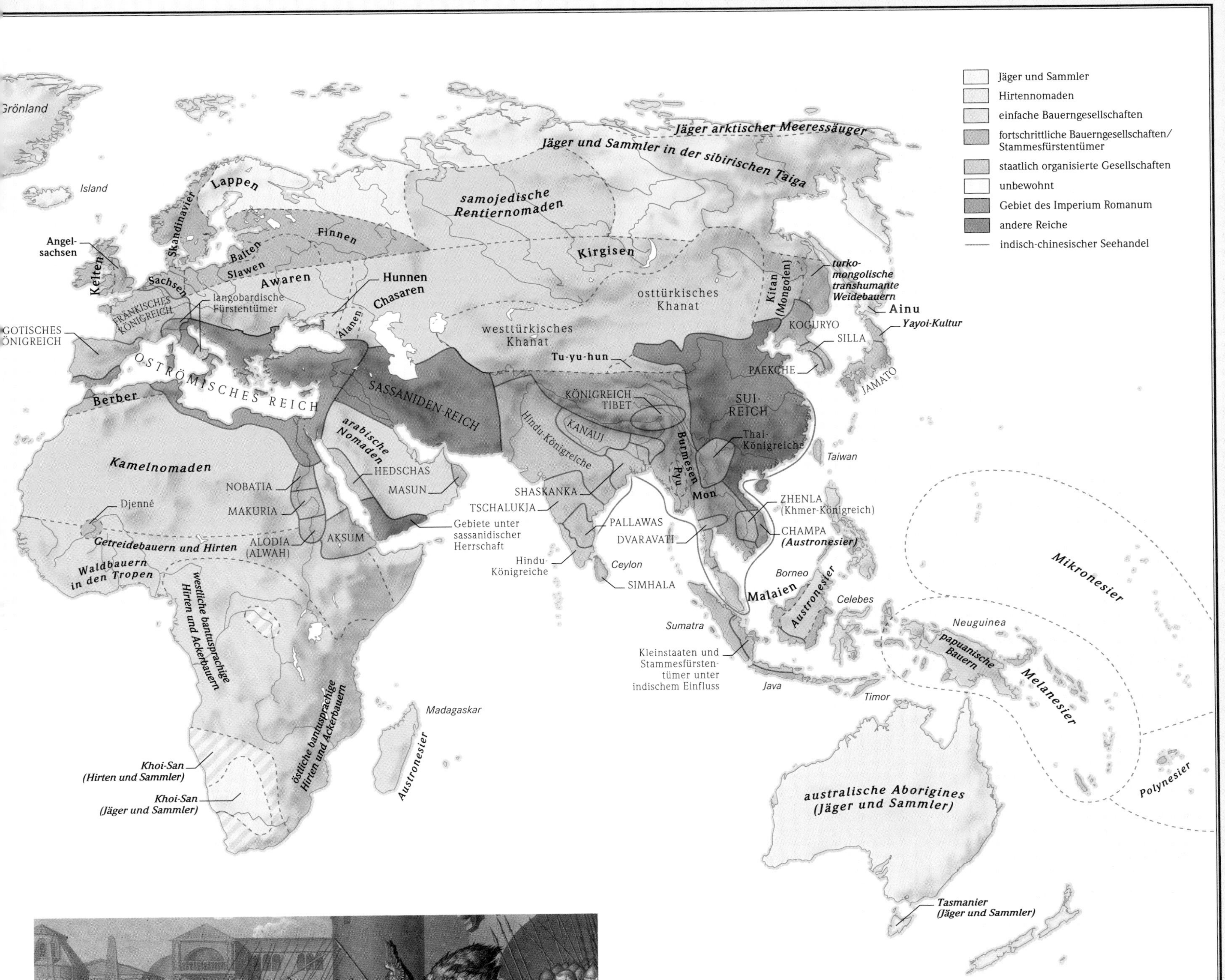

- Jäger und Sammler
- Hirtennomaden
- einfache Bauerngesellschaften
- fortschrittliche Bauerngesellschaften/ Stammesfürstentümer
- staatlich organisierte Gesellschaften
- unbewohnt
- Gebiet des Imperium Romanum
- andere Reiche
- indisch-chinesischer Seehandel

Die Westgoten unter ihrem König Alarich erobern im Jahre 410 Rom; Zeichnung von Adam Eberle (1804–1832).

nigung ganz Chinas erfolgte erst 589 durch Yang Jian, den Begründer der Sui-Dynastie. – Um die Mitte des 6. Jahrhunderts führten sowohl Aufstände als auch eine Verlagerung der Handelswege zur Malakkastraße zum Untergang des Reiches Funan. An seiner Stelle entstanden das Mon-Reich Dvaravati und das Khmer-Reich Zhenla. Im 6. Jahrhundert gründeten auch die Thai und die Tibeter ihre ersten Königreiche; auf den hinterindischen Inseln entstanden ebenfalls mehrere Kleinstaaten (vgl. S. 118/119).

Neue Machtzentren

In Mittelamerika hatte Teotihuacán im frühen 5. Jahrhundert den Gipfel seiner Macht erreicht. Im 6. Jahrhundert setzte jedoch der Niedergang dieses Reiches ein, so dass es um 600 seinen Einfluss auf die Maya verlor (vgl. S. 122/123). In deren Herrschaftsgebiet waren bis zu dieser Zeit vier Hauptzentren entstanden. – In Peru führten die instabilen klimatischen Verhältnisse im 6. Jahrhundert zum Niedergang des Moche-Reiches und zur Verlagerung der Machtzentren ins Hochland, wo um die Städte Tiahuanaco und Huari bis zum Jahr 600 Reiche von beachtlicher Größe entstanden waren (vgl. S. 120/121).

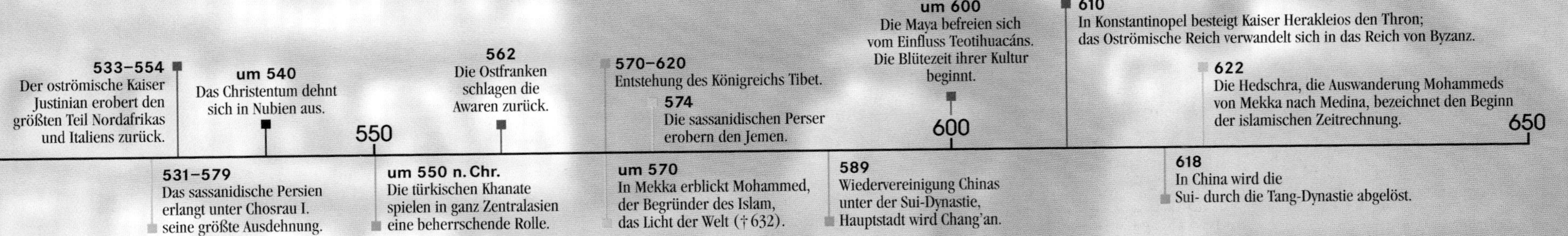
531–579
Das sassanidische Persien erlangt unter Chosrau I. seine größte Ausdehnung.
533–554
Der oströmische Kaiser Justinian erobert den größten Teil Nordafrikas und Italiens zurück.
um 540
Das Christentum dehnt sich in Nubien aus.
550
um 550 n. Chr.
Die türkischen Khanate spielen in ganz Zentralasien eine beherrschende Rolle.
562
Die Ostfranken schlagen die Awaren zurück.
um 570
In Mekka erblickt Mohammed, der Begründer des Islam, das Licht der Welt († 632).
570–620
Entstehung des Königreichs Tibet.
574
Die sassanidischen Perser erobern den Jemen.
589
Wiedervereinigung Chinas unter der Sui-Dynastie, Hauptstadt wird Chang'an.
um 600
Die Maya befreien sich vom Einfluss Teotihuacáns. Die Blütezeit ihrer Kultur beginnt.
600
610
In Konstantinopel besteigt Kaiser Herakleios den Thron; das Oströmische Reich verwandelt sich in das Reich von Byzanz.
618
In China wird die Sui- durch die Tang-Dynastie abgelöst.
622
Die Hedschra, die Auswanderung Mohammeds von Mekka nach Medina, bezeichnet den Beginn der islamischen Zeitrechnung.
650

Die Welt der Antike (500 v. Chr. bis 600 n. Chr.)

Die Ausbreitung der Weltreligionen • 600 v. Chr. bis 600 n. Chr.

Alle großen Weltreligionen entstanden im Zeitraum von 1000 v. Chr. bis etwa 600 n. Chr.: Der Hinduismus, die jüdische Religion, das Christentum, der Buddhismus, der Parsismus (Zoroastrismus), der Taoismus und der Konfuzianismus. Lediglich der Islam folgte erst in der ersten Hälfte des 7. Jahrhunderts.

Der frühe Hinduismus basiert auf der Veda, der Dichtung und Prosa der Arier, die um 1500 v. Chr. in Indien eingedrungen waren, aber auch auf einheimischen dravidischen Traditionen. Der vedische Hinduismus kreiste um die Erwartung eines jenseitigen Lebens. Seit etwa 800 v. Chr. entwickelten sich eigene philosophische Denksysteme (der Glaube an das Karma und die Wiedergeburt). Das Kastensystem ging aus den komplexen Riten des frühen Hinduismus hervor, wobei die Kaste der Brahmanen (Priester) als die oberste galt. Um 500 v. Chr. beherrschte der Hinduismus den gesamten indischen Subkontinent. In der Ganges-Ebene wuchs die Unzufriedenheit mit den brahmanischen Traditionen, deshalb entstanden dort zahlreiche neue Sekten – als erfolgreichste unter ihnen die der Buddhisten.

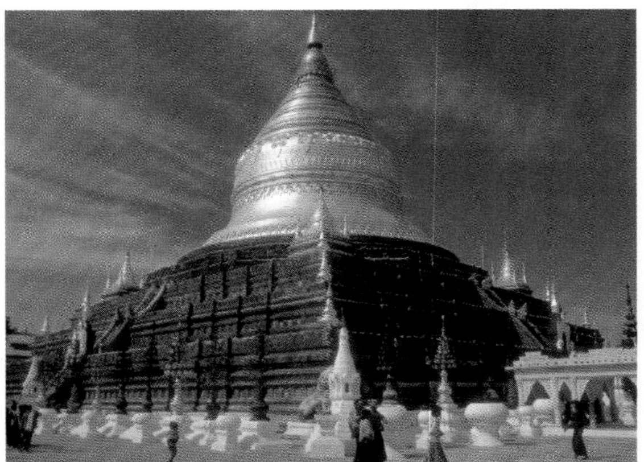

Der 1768–1773 in Pagan errichtete, blattvergoldete Shvedagon, der Buddhas Haarreliquien bergen soll, ist der bedeutendste buddhistische Stupa Myanmars.

Der Buddhismus

Begründet wurde der Buddhismus von Siddharta Gautama (um 560–480 v. Chr., nach anderen Quellen deutlich später), genannt der Buddha, der »Erleuchtete«. Seine ursprünglichen Lehren sind nicht mit Sicherheit zu rekonstruieren, da sie erst vier Jahrhunderte nach seinem Tod aufgezeichnet wurden. Der Buddhismus blieb relativ unbedeutend, bis sich der Herrscher des Maurya-Reiches, Aschoka, zu ihm bekannte. Unter seiner Schirmherrschaft verbreiteten buddhistische Missionare die Religion in Indien, auf Ceylon und bei den iranischen Nomaden Zentralasiens. Von dort breitete sich die Religion entlang der Seidenstraße weiter nach Osten aus und erreichte im 1. Jahrhundert n. Chr. China. Indische Seefahrer brachten sie im 4. Jahrhundert nach Südostasien. Im Lauf des 3. Jahrhunderts spaltete sich der Buddhismus in zwei Richtungen (»Fahrzeuge«) auf: in den Hinayana-Buddhismus (»kleines Fahrzeug«), der sich streng an die überkommene Glaubenslehre hielt, und den liberalen, eher eklektischen Mahayana-Buddhismus (»großes Fahrzeug«). Der Hinduismus trug dem Aufkommen des Buddhismus insofern Rechnung, als Indiens Ur-Religion flexibler und toleranter wurde, so dass sie nach 400 n. Chr. den Subkontinent zurückgewinnen und sich noch im 5. Jahrhundert auch in Südostasien ausbreiten konnte.

Der Konfuzianismus

Von prägendem Einfluss für das chinesische Denken war die Morallehre des Konfuzius (551–479 v. Chr.). Da sie die Achtung vor legitimer Autorität und die Notwendigkeit einer moralischen Erziehung betonte, wurde sie in der Zeit der Han-Dynastie (206 v. Chr. bis 220 n. Chr.) zur Staatsdoktrin erhoben. Der Konfuzianismus verlor in dem allgemeinen Chaos nach dem Niedergang dieser Dynastie wieder an Bedeutung, während der Buddhismus an Einfluss gewann. Dieser wurde allerdings seinerseits bald von der chinesischen Philosophie beeinflusst, vor allem vom Taoismus, einem von den Lehren des Laotse (vielleicht eines Zeitgenossen des Konfuzius) angeregten religiös-philosophischen System. Der traditionelle Ahnenkult blieb in China trotz all dieser Veränderungen lebendig.

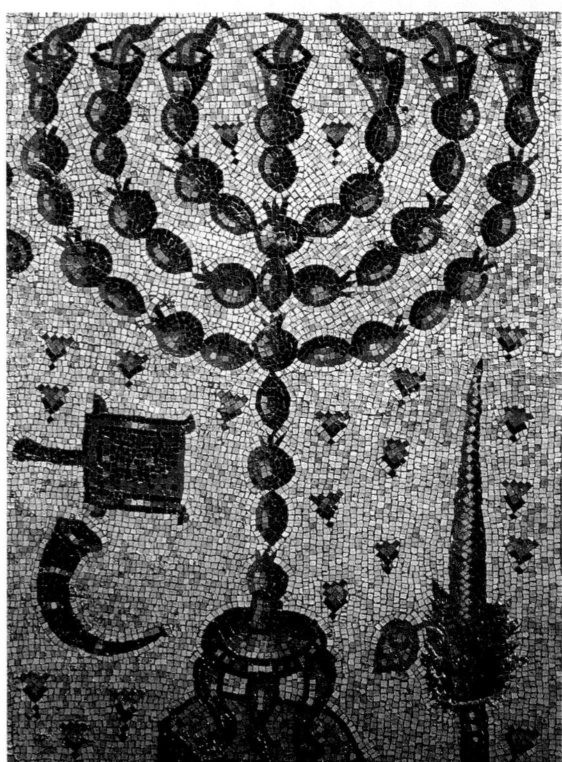

Die Menora, der siebenarmige Leuchter, ist das religiöse Symbol des Judentums; hier dargestellt auf einem Mosaik aus dem 4. Jahrhundert.

Das Judentum

Obwohl nur das kleine und relativ unbedeutende Volk der Israeliten der jüdischen Religion anhing, erwies diese sich als die einflussreichste Glaubensrichtung im vorderasiatischen Raum. Sie war die erste bedeutendere monotheistische Religion. Das Judentum war eine »nationale« Religion und versuchte nicht, aktiv zu missionieren, aber die turbulente Geschichte der israelitischen Stämme ergab, dass es um 600 n. Chr. im Mittelmeerraum und in Vorderasien weite Verbreitung gefunden hatte. Als sich die Juden im 1. und 2. Jahrhundert n. Chr. in Palästina gegen die römische Besatzungsmacht auflehnten, erlitten sie das Schicksal der Vertreibung in die weltweite Diaspora (»Zerstreuung«).

ZEITLEISTE

VORDERASIEN UND EUROPA

um 630–553 v. Chr. Zarathustra, Gründer des Zoroastrismus (Parsismus).

587 v. Chr. Verschleppung der Juden nach Babylon durch Nebukadnezar II.; Beginn der Diaspora.

800 v. Chr. – 600 v. Chr. – 400 v. Chr. – 200 v.

SÜD- UND OSTASIEN

800–400 v. Chr. Entstehung der »Upanishaden«, der für den Hinduismus wichtigen philosophisch-theologischen Abhandlungen.

um 560–480 v. Chr. Siddharta Gautama, der Buddha.

551–479 v. Chr. Konfuzius.

6. Jh. v. Chr. In dieser Zeit lebte vermutlich Laotse, der als Begründer des Taoismus gilt.

260 v. Chr. Aschoka, Herrscher des Maurya-Reiches, wird Buddhist und schickt Missionare nach Ceylon und Zentralasien.

1 Obwohl der Hinduismus eine uralte Religion ist, gibt es aus der vormittelalterlichen Zeit nur wenig sichtbare Spuren.

2 In Elora finden sich in den Felsen gehauene Tempel von Buddhisten, Hindus und Jainisten, die aus der Zeit zwischen dem 6. und dem 8. Jahrhundert n. Chr. stammen.

3 Im 4. Jahrhundert n. Chr. wurde Südengland christianisiert, aber nach der Ansiedlung der Angeln und Sachsen im 5. Jahrhundert kehrte man dort zum Heidentum zurück.

4 Das christliche Mönchstum ist in den Randgebieten der Sahara entstanden – es entwickelte sich im frühen 4. Jahrhundert n. Chr. aus Einsiedlergemeinschaften.

5 Der Mithras-Kult war in der römischen Armee weit verbreitet; auf ihn hinweisende Kultstätten wurden auch an der militärisch stark besetzten Rheingrenze gefunden.

6 Armenien war der erste Staat, der das Christentum als offizielle Religion einführte (um 300 n. Chr.).

7 Die frühen buddhistischen Zentren entstanden an Stupas (ursprünglich Grabhügel). Das Erste baute Aschoka zur Aufbewahrung von Reliquien des Buddha und seiner Anhänger.

8 Den Mittelpunkt der zoroastrischen Tempel bildete das heilige Feuer, in dem man eine Manifestation des Gottes Ahura Masda sah.

9 Vom Taoismus beeinflusst, gründeten chinesische Buddhisten auf Bergen gelegene Klöster – wie jenes auf dem Lingjiu (»Geiergipfel«).

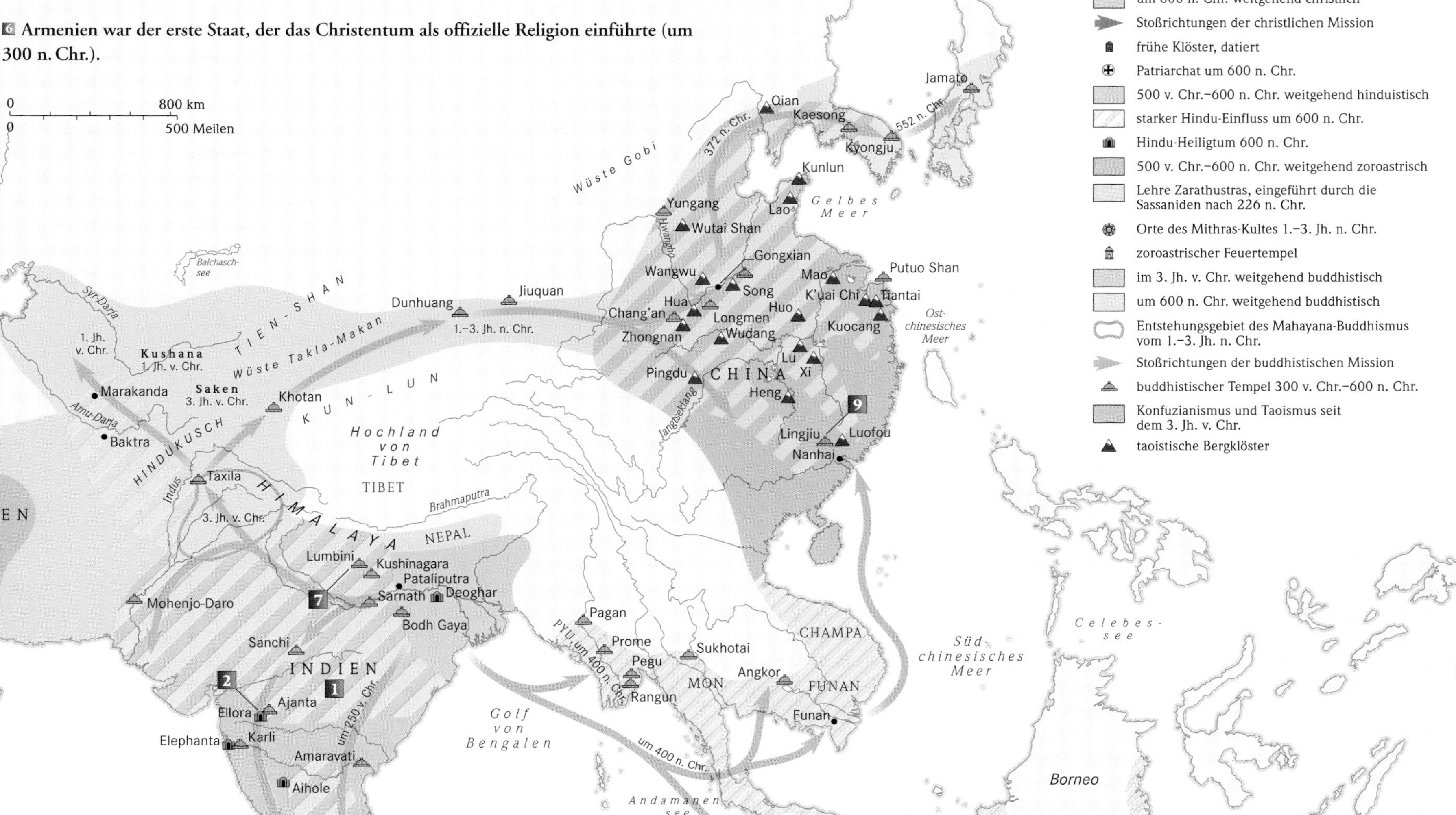
jüdische Wohngebiete 500 v. Chr.
wichtige jüdische Siedlungszonen 600 n. Chr.
um 300 n. Chr. weitgehend christlich
um 600 n. Chr. weitgehend christlich
Stoßrichtungen der christlichen Mission
frühe Klöster, datiert
Patriarchat um 600 n. Chr.
500 v. Chr.–600 n. Chr. weitgehend hinduistisch
starker Hindu-Einfluss um 600 n. Chr.
Hindu-Heiligtum 600 n. Chr.
500 v. Chr.–600 n. Chr. weitgehend zoroastrisch
Lehre Zarathustras, eingeführt durch die Sassaniden nach 226 n. Chr.
Orte des Mithras-Kultes 1.–3. Jh. n. Chr.
zoroastrischer Feuertempel
im 3. Jh. v. Chr. weitgehend buddhistisch
um 600 n. Chr. weitgehend buddhistisch
Entstehungsgebiet des Mahayana-Buddhismus vom 1.–3. Jh. n. Chr.
Stoßrichtungen der buddhistischen Mission
buddhistischer Tempel 300 v. Chr.–600 n. Chr.
Konfuzianismus und Taoismus seit dem 3. Jh. v. Chr.
taoistische Bergklöster
0 800 km
0 500 Meilen
Wüste Gobi
Jamato
552 n. Chr.
Qian
Kaesong
372 n. Chr.
Kyongju
Kunlun
Gelbes Meer
Lao
Yungang
Wutai Shan
Gongxian
Putuo Shan
Wangwu
Mao
Song
K'uai Chi
Tiantai
Hua
Huo
Chang'an
Longmen
Zhongnan
Wudang
Kuocang
Ostchinesisches Meer
Lu
Pingdu
CHINA
Xi
Heng
Lingjiu
Luofou
Nanhai
Balchaschsee
Syr-Darja
TIEN-SHAN
Dunhuang
Jiuquan
Wüste Takla-Makan
1.–3. Jh. n. Chr.
1. Jh. v. Chr.
Kushana 1. Jh. v. Chr.
Marakanda
Saken 3. Jh. v. Chr.
Khotan
KUN-LUN
Amu-Darja
Baktra
HINDUKUSCH
Hochland von Tibet
TIBET
Taxila
Indus
HIMALAYA
Brahmaputra
3. Jh. v. Chr.
NEPAL
SIEN
Lumbini
Kushinagara
Pataliputra
Sarnath
Deoghar
Mohenjo-Daro
Bodh Gaya
Sanchi
INDIEN
Ellora
Ajanta
um 250 v. Chr.
Elephanta
Karli
Amaravati
Aihole
Golf von Bengalen
Pagan
PYU um 400 n. Chr.
Prome
Pegu
Rangun
Sukhotai
MON
Angkor
CHAMPA
FUNAN
Funan
Südchinesisches Meer
Celebessee
um 400 n. Chr.
Andamanensee
Borneo
um 300–350 n. Chr.
INDISCHER OZEAN
Anuradhapura
Kandy
Ceylon
Sumatra
um 400 n. Chr.
Javasee
Srividjaja
Java

Das Christentum …

… wurzelt in den Lehren des Jesus von Nazareth, der die jüdische Religion, wie sie zu seiner Zeit praktiziert wurde, ablehnte, obgleich er ihr selbst angehörte. Seine Anhänger bildeten zunächst eine rein jüdische Sekte, doch engagierte Missionsarbeit – zum Beispiel die eines Paulus – zog schon bald auch Nichtjuden an. Aufgrund ihrer Weigerung, fremden Göttern Respekt zu zollen, sahen sich die Christen immer wieder Verfolgungen durch die Römer ausgesetzt. Trotzdem fasste das Christentum Fuß – vor allem im Oströmischen Reich, wo sich Kaiser Konstantin im Jahr 312 zu ihm bekannte und wo es im folgenden Jahr auch formell anerkannt wurde. Schon 391 wurde die Lehre Jesu Staatsreligion des Römischen Reiches (was viele Christen glauben ließ, Gott habe dieses Reich nur zum Zweck der Verbreitung ihrer Lehre geschaffen).

Der Zoroastrismus

In seiner Frühzeit erwuchs dem Christentum im Römischen Reich im Mithras-Kult ernsthafte Konkurrenz. Der Begründer dieser Glaubensrichtung, der Perser Zarathustra (um 630 v. Chr. geboren), hatte die alte iranische Religion reformiert und die Götter in gute und böse Mächte unterteilt. Der gute Gott Ahura Masda kämpft, unterstützt von Mithras, gegen den bösen Gott Ahriman, um die Welt vor ihm zu schützen. Der Zoroastrismus oder Parsismus erlebte unter den Parthern und Sassaniden eine Blütezeit. Obwohl sie in ihrer reinen Form außerhalb Persiens nur wenige Anhänger fanden, beeinflussten Zarathustras Gedanken zum Wesen von Gut und Böse das jüdische, christliche und islamische Denken.

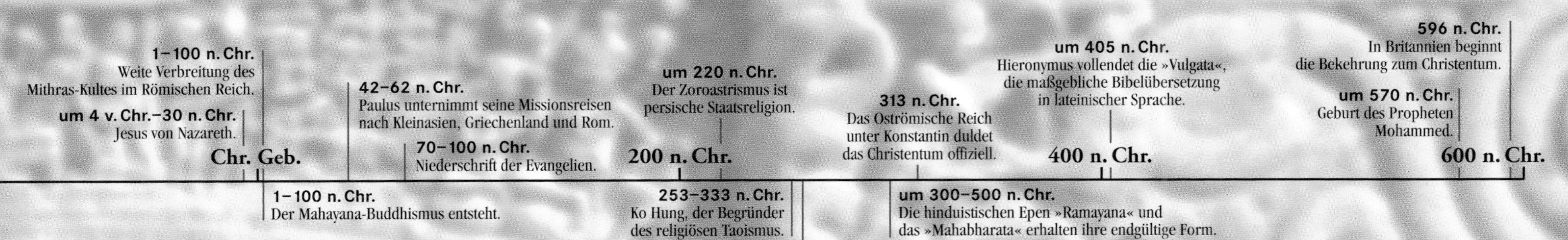
1–100 n. Chr.
Weite Verbreitung des Mithras-Kultes im Römischen Reich.
um 4 v. Chr.–30 n. Chr.
Jesus von Nazareth.
Chr. Geb.
42–62 n. Chr.
Paulus unternimmt seine Missionsreisen nach Kleinasien, Griechenland und Rom.
70–100 n. Chr.
Niederschrift der Evangelien.
um 220 n. Chr.
Der Zoroastrismus ist persische Staatsreligion.
200 n. Chr.
313 n. Chr.
Das Oströmische Reich unter Konstantin duldet das Christentum offiziell.
um 405 n. Chr.
Hieronymus vollendet die »Vulgata«, die maßgebliche Bibelübersetzung in lateinischer Sprache.
400 n. Chr.
596 n. Chr.
In Britannien beginnt die Bekehrung zum Christentum.
um 570 n. Chr.
Geburt des Propheten Mohammed.
600 n. Chr.
1–100 n. Chr.
Der Mahayana-Buddhismus entsteht.
253–333 n. Chr.
Ko Hung, der Begründer des religiösen Taoismus.
259 n. Chr.
Erste Pilgerreise chinesischer Buddhisten nach Indien.
um 300–500 n. Chr.
Die hinduistischen Epen »Ramayana« und das »Mahabharata« erhalten ihre endgültige Form.

Die Welt der Antike (500 v. Chr. bis 600 n. Chr.)

Die Perserkriege und Griechenland • 500 bis 435 v. Chr.

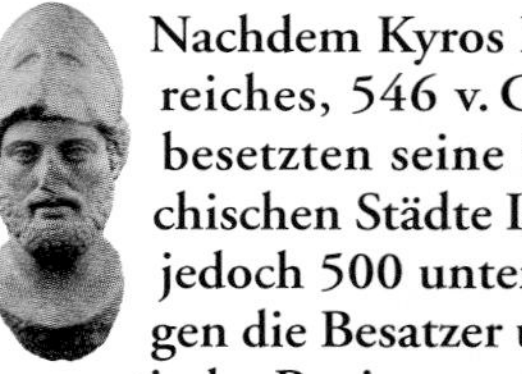

Nachdem Kyros I., der Gründer des Perserreiches, 546 v. Chr. Lydien erobert hatte, besetzten seine Heerführer auch die griechischen Städte Ioniens. Diese erhoben sich jedoch 500 unter Aristagoras von Milet gegen die Besatzer und führten eine demokratische Regierungsform ein. Die rebellischen Ionier waren von Athen unterstützt worden, was den Perserkönig Dareios I. (522–486 v. Chr.) nach der Niederschlagung des Aufstandes 494 zu einer Strafexpedition gegen Athen veranlasste.

Die erste Invasion Dareios' im Jahr 492 v. Chr. scheiterte am Wetter – die Flotte, die sein Heer unterstützen sollte, wurde von einem Sturm vernichtet, als sie gerade die östlichste Halbinsel der Chalkidike umschiffte. Nachdem ein zweites persisches Heer von den Athenern 490 bei Marathon besiegt worden war, erkannte Dareios, dass er zur Sicherung der persischen Position in Ionien die gesamte griechische Halbinsel erobern musste. Er starb jedoch vor Abschluss der Kriegsvorbereitungen, so dass sein Sohn Xerxes den Plan des Vaters durchführen musste. Diese Verzögerung verschaffte den Griechen die für ihre Vorbereitung notwendige Zeit, in der es Themistokles gelang, die Athener zu überreden, ein gewaltiges Schiffsbauprogramm aufzulegen.

10. September 490 v. Chr., ein bedeutsames Datum: In der Schlacht bei Marathon besiegten die Athener unter Miltiades (um 550–489 v. Chr.) das Perserheer.

Die persische Allmacht bröckelt

Die Geschichte der persischen Invasionsversuche wurde im 5. Jahrhundert von Herodot, dem ersten bedeutenden griechischen Geschichtsschreiber, eindrucksvoll festgehalten. Xerxes' Armee (die stärkste, die bis dahin je aufgestellt worden war) wurde von einer vielleicht tausend Schiffe umfassenden Flotte unterstützt. Angesichts dieser gewaltigen Streitmacht entschieden sich die meisten griechischen Städte im Norden für die Neutralität. Die südgriechischen Städte hingegen schlossen sich unter der Führung Athens und Spartas zusammen, um den Persern Widerstand zu leisten. Der folgende Kampf verlief weniger unausgewogen als erwartet, allein schon wegen der Größe des persischen Heeres. Dieses Heer ließ sich nämlich ebenso schwer versorgen wie auf dem Schlachtfeld effektiv führen; hinzu trat die unausgewogene Schlagkraft der Truppen – nur 10 000 Mann ließen sich als Elitesoldaten einstufen. Dagegen waren die zahlenmäßig weit unterlegenen Griechen schwer bewaffnet, erfahren, diszipliniert und als Bürger, die ihr Land, ihr Eigentum und ihre Familien verteidigten, äußerst motiviert.

Die Griechen unter der Führung Spartas versuchten, die Perser am Bergpass der Thermopylen aufzuhalten, wurden jedoch nach heroischem Kampf besiegt. Die Perser zogen nun zur Eroberung Athens weiter. Ihre Flotte jedoch, welche die Verteidigungskräfte Spartas am Isthmus von Korinth umgehen sollte, geriet in einen Hinterhalt und wurde von den athenischen Seestreitkräften zerstört. Da nun klar war, dass sich Griechenland nicht mit einem einzigen Feldzug erobern ließ, kehrte Xerxes mit einer Hälfte seines Heers nach Asien zurück, während die andere in Griechenland überwinterte. Diese Hälfte wurde im folgenden Jahr von einem griechischen Heer unter Führung Spartas bei Plataä aufgerieben. Damit war die Bedrohung durch die Perser erst einmal abgewendet – und die Einigkeit der Griechen schon vorbei: Sparta und die meisten anderen Stadtstaaten zogen sich aus dem Bündnis gegen die Perser wieder zurück. Athen und seine Verbündeten zerstörten jedoch die letzten persischen Garnisonen und öffneten 475 v. Chr. den Bosporus wieder für griechische Schiffe. 468 befreiten sie die Ionier, griffen aber 454 in Ägypten erfolglos gegen die Perser ein. Dafür gelang ihnen im Jahr 450 v. Chr. die Eroberung Zyperns. Die Feindseligkeiten wurden mit der persischen Anerkennung der ionischen Unabhängigkeit 448 formell eingestellt.

Der Attisch-Delische Seebund

Um seine Kriegsziele zu erreichen, hatte Athen 477 v. Chr. die Gründung des Attisch-Delischen Seebundes durchgesetzt. Als reichste und mächtigste Seemacht unter seinen Mitgliedern beherrschten die Athener diesen Beistandspakt von 200 Stadtstaaten schon nach kurzer Zeit und betrachteten ihn als ihr Eigentum. Einige Städte wie etwa Aigina wurden förmlich zur Mitgliedschaft gezwungen; wenn Bundesmitglieder ihren Beitrag nicht zahlen wollten, schickte Athen seine Flotte. Als die Athener 454 v. Chr. die Bundeskasse von Delos in ihre Stadt holten, wurde ihre Vorherrschaft noch offenkundiger. Nach dem Ende der Perserkriege mutierte der Bund zu einer – nach wie vor den Interessen Athens dienenden – Wirtschafts- und Militärorganisation.

Unter der Führung des überaus nationalistisch denkenden Perikles weitete Athen seinen Einflussbereich auch auf das Festland aus und sicherte sich in Mittelgriechenland bis 460 eine beherrschende Position. Sparta, das noch immer in einer Monarchie lebte, verfügte nach wie vor über das stärkere Heer und verspürte keine Neigung, sich den zunehmend arrogant auftretenden Athenern zu beugen. Deshalb kam es trotz Schwächung durch innere Auseinandersetzungen und Helotenaufstände im Jahr 457 zum Krieg.

Athen sah sich nicht in der Lage, gegen Perser und Spartaner einen Zweifrontenkrieg zu führen. Auch der Frieden mit den Persern 448 half nicht weiter, denn ohne die Angst vor deren Rückkehr fühlten sich viele Mitglieder des Attisch-Delischen Seebundes Athen nicht mehr so stark verbunden. Sparta, das keine Flotte besaß, konzentrierte seine Angriffe auf Mittelgriechenland und versuchte, die Bündnispartner Athens aufzustacheln. Auch auf Euböa und Thasos flackerten Aufstände auf, die die Athener aber niederschlugen. Dafür verloren sie bis zum Jahr 445 die Kontrolle über Mittelgriechenland und mussten in einen Friedensvertrag einwilligen, in der die Stadt die Vormachtstellung Spartas auf der Peloponnes anerkannte.

Athens Blüte

Athen erlebte im 5. Jahrhundert v. Chr. eine wirtschaftliche Blüte, unter anderem auch wegen der reichen Silberminen bei Laureion. Die demokratischen Institutionen wurden weiterentwickelt: Bis 458 durften alle Bürger mit Ausnahme von Frauen und Nichtathenern wählen und konnten (die Ärmsten ausgeschlossen) jedes Amt in Verwaltung und Justiz bekleiden. Der Sieg über die Perser löste in ganz Griechenland, vor allem aber in Athen, eine rege kulturelle Aktivität aus (Vasenmalerei, Bildhauerei, Theater). Die Stadt und die Akropolis wurden nach den Zerstörungen des Krieges neu aufgebaut.

ZEITLEISTE

POLITIK

508 v. Chr. Kleisthenes führt in Athen eine demokratische Verfassung ein.

500–494 v. Chr. Die ionischen Städte rebellieren gegen die persische Herrschaft.

492 v. Chr. Dareios I. von Persien schickt ein Heer nach Griechenland, das die Athener 490 v. Chr. bei Marathon besiegen.

480 v. Chr. Die Invasion des Xerxes wird von den Griechen zur See bei Salamis und zu Land bei Plataä (479) gestoppt.

510 v. Chr. — 500 v. Chr. — 490 v. Chr. — 480 v. Chr.

KULTUR

um 500 v. Chr. In der athenischen Vasenmalerei blüht der schwarzfigurige Stil auf.

484 v. Chr. Aischylos siegt im athenischen Dramatiker-Wettstreit zum ersten Mal.

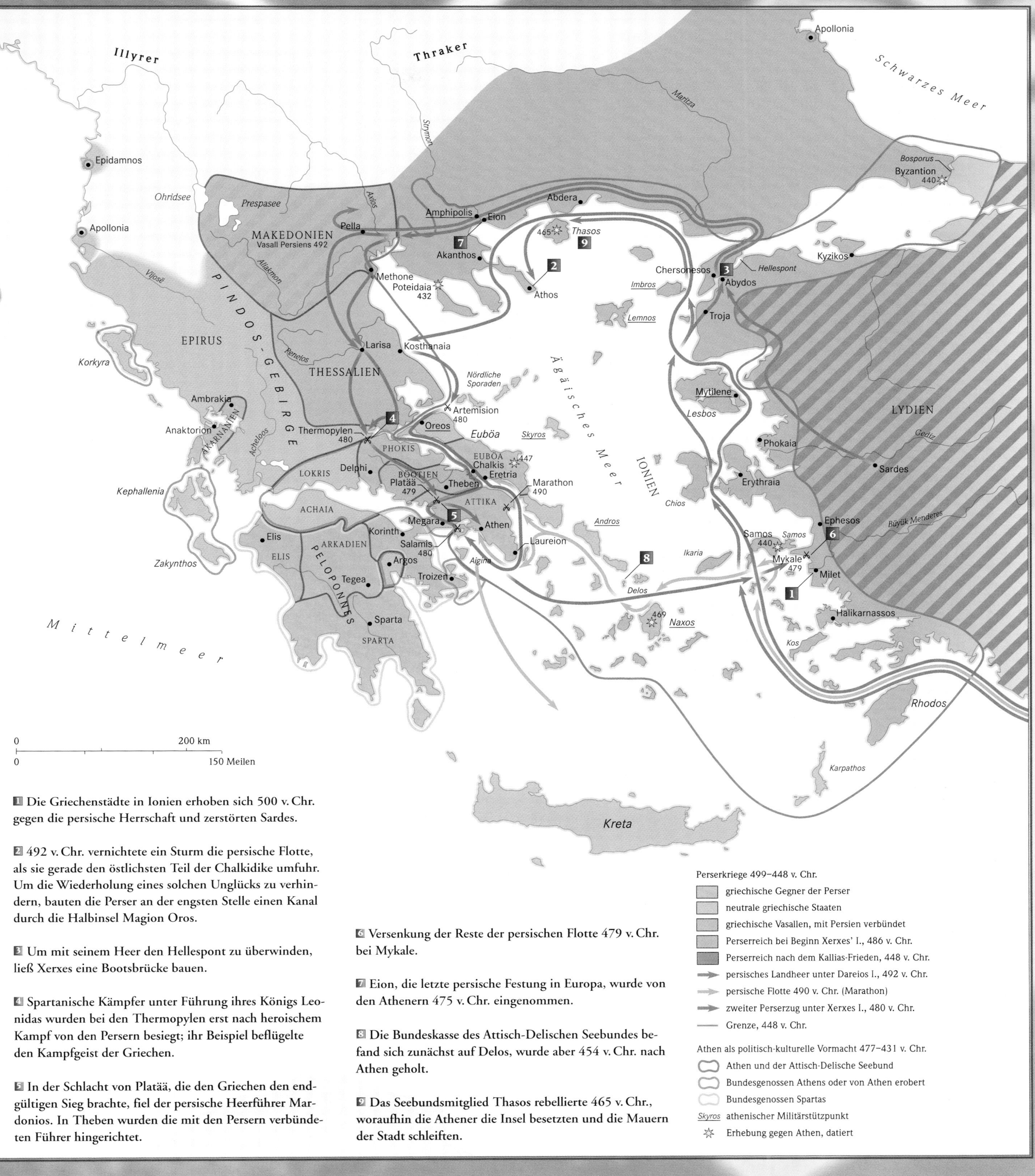

Illyrer
Thraker
Apollonia
Schwarzes Meer
Maritza
Strymon
Epidamnos
Ohridsee
Prespasee
Axios
Apollonia
MAKEDONIEN
Vasall Persiens 492
Pella
Amphipolis
Eion
Abdera
Bosporus
Byzantion
440
Thasos
465
Akanthos
Aliakmon
Vijosë
PINDOS-GEBIRGE
Methone
Poteidaia
432
Athos
Chersonesos
Hellespont
Abydos
Kyzikos
Imbros
Lemnos
Troja
EPIRUS
Korkyra
Larisa
Kosthanaia
Peneios
THESSALIEN
Nördliche Sporaden
Ägäisches Meer
Mytilene
Lesbos
LYDIEN
Gediz
Ambrakia
Anaktorion
AKARNANIEN
Acheloos
Thermopylen
480
Artemision
480
Oreos
Euböa
Skyros
IONIEN
Phokaia
Sardes
PHOKIS
EUBÖA
447
Chalkis
Eretria
LOKRIS
Delphi
BÖOTIEN
Platää
479
Theben
Marathon
490
Erythraia
Kephallenia
ATTIKA
Chios
ACHAIA
Megara
Athen
Andros
Ephesos
Büyük Menderes
Korinth
Salamis
480
Laureion
Samos
440
Samos
Elis
ELIS
ARKADIEN
Argos
Aigina
Ikaria
Mykale
479
Milet
Zakynthos
PELOPONNES
Tegea
Troizen
Delos
Naxos
469
Halikarnassos
Sparta
SPARTA
Kos
Mittelmeer
Rhodos
0
200 km
0
150 Meilen
Karpathos
Kreta

1 Die Griechenstädte in Ionien erhoben sich 500 v. Chr. gegen die persische Herrschaft und zerstörten Sardes.

2 492 v. Chr. vernichtete ein Sturm die persische Flotte, als sie gerade den östlichsten Teil der Chalkidike umfuhr. Um die Wiederholung eines solchen Unglücks zu verhindern, bauten die Perser an der engsten Stelle einen Kanal durch die Halbinsel Magion Oros.

3 Um mit seinem Heer den Hellespont zu überwinden, ließ Xerxes eine Bootsbrücke bauen.

4 Spartanische Kämpfer unter Führung ihres Königs Leonidas wurden bei den Thermopylen erst nach heroischem Kampf von den Persern besiegt; ihr Beispiel beflügelte den Kampfgeist der Griechen.

5 In der Schlacht von Platää, die den Griechen den endgültigen Sieg brachte, fiel der persische Heerführer Mardonios. In Theben wurden die mit den Persern verbündeten Führer hingerichtet.

6 Versenkung der Reste der persischen Flotte 479 v. Chr. bei Mykale.

7 Eion, die letzte persische Festung in Europa, wurde von den Athenern 475 v. Chr. eingenommen.

8 Die Bundeskasse des Attisch-Delischen Seebundes befand sich zunächst auf Delos, wurde aber 454 v. Chr. nach Athen geholt.

9 Das Seebundsmitglied Thasos rebellierte 465 v. Chr., woraufhin die Athener die Insel besetzten und die Mauern der Stadt schleiften.

Perserkriege 499–448 v. Chr.
- griechische Gegner der Perser
- neutrale griechische Staaten
- griechische Vasallen, mit Persien verbündet
- Perserreich bei Beginn Xerxes' I., 486 v. Chr.
- Perserreich nach dem Kallias-Frieden, 448 v. Chr.
- persisches Landheer unter Dareios I., 492 v. Chr.
- persische Flotte 490 v. Chr. (Marathon)
- zweiter Perserzug unter Xerxes I., 480 v. Chr.
- Grenze, 448 v. Chr.

Athen als politisch-kulturelle Vormacht 477–431 v. Chr.
- Athen und der Attisch-Delische Seebund
- Bundesgenossen Athens oder von Athen erobert
- Bundesgenossen Spartas
- *Skyros* athenischer Militärstützpunkt
- Erhebung gegen Athen, datiert

478 v. Chr. Sparta zieht sich aus dem Bündnis gegen Persien zurück.

477 v. Chr. Gründung des Attisch-Delischen Seebundes, in dem Athen die Führung übernimmt.

470 v. Chr.

462–458 v. Chr. In Athen Stärkung der demokratischen Einrichtungen, Perikles steigt zur herausragenden politischen Gestalt auf.

460 v. Chr.

460 v. Chr. Bau des Zeustempels in Olympia.

457–445 v. Chr. 1. Peloponnesischer Krieg zwischen Athen und Sparta.

448 v. Chr. Der Kallias-Friede sichert Ionien die Unabhängigkeit von Persien.

450 v. Chr.

448 v. Chr. Perikles veranlasst den Wiederaufbau Athens, man beginnt mit dem Parthenon (447–432).

447 v. Chr. Athen beginnt in der Ägäis mit dem Bau von Militärsiedlungen.

440 v. Chr.

Die Welt der Antike (500 v. Chr. bis 600 n. Chr.)

Der Peloponnesische Krieg und der Aufstieg Makedoniens • 435 bis 336 v. Chr.

Der Erste Peloponnesische Krieg war unentschieden ausgegangen. 431 v. Chr. brach ein zweiter, sehr viel blutigerer Kampf aus. Obwohl Athen unterlag, ging Sparta doch nicht so gestärkt aus den Schlachten hervor, um in Griechenland die unangefochtene Vorherrschaft beanspruchen zu können. Der Krieg bestätigte lediglich, dass kein griechischer Stadtstaat eine dauerhafte Vormachtstellung behaupten konnte.

In den 30er-Jahren des 5. Jahrhunderts v. Chr. begann die glänzendste Ära Athens: 432 v. Chr. wurde der Parthenon-Tempel fertig, die perikleische Rhetorik feierte die Werte der Polis, Sophokles und Euripides verfassten ihre Dramen. 430 begann Sokrates sein Wirken als Lehrer und Philosoph. Im 4. Jahrhundert lehrten die Philosophen Platon und Aristoteles, Letzterer wurde später der Lehrer Alexanders von Makedonien. Auch der große Geschichtsschreiber Thukydides lebte in Athen.

Sparta gegen Athen – Vormacht zu Land oder zur See

Als 431 der Krieg ausbrach, lag die Stärke Spartas in seinem Heer und die Athens in seiner Marine; deshalb verfolgten beide unterschiedliche Strategien. Sparta hoffte, Athen durch Verwüstung von dessen landwirtschaftlichem Hinterland in Attika aushungern und so bezwingen zu können. Für eine solche Möglichkeit hatten die Athener jedoch vorgesorgt – sie holten die Landbewohner einfach in das Stadtgebiet. Die Athener bauten auf ihre Seemacht und setzten die Flotte zur Versorgung und für eine Landung auf der Peloponnes ein. In der überbevölkerten Stadt brach jedoch die Pest (430–426 v. Chr.) aus, der ein Drittel der Einwohner zum Opfer fiel. 421 verständigten sich die beiden Kriegsparteien schließlich auf den so genannten Nikias-Frieden, der Sparta seinen Bundesgenossen Korinth, Elis, Mantineia und Argos entfremdete, die sich nun 419 mit Athen verbündeten. Damit begann der Krieg inoffiziell erneut, aber nach einem Sieg Spartas 418 bei Mantineia zerbrach die neue Allianz wieder. Im Jahr 415 trat der Krieg in seine entscheidende Phase, als Athen ein Expeditionskorps nach Syrakus auf Sizilien entsandte, um die Versorgung Spartas mit Getreide zu unterbinden. Diese »Sizilische Expedition« endete in einer Katastrophe, von der sich Athen nie wieder richtig erholte. Sparta trat nämlich 414 offiziell wieder in den Krieg ein und schickte Syrakus Truppen zu Hilfe. Im folgenden Jahr wurden die Athener auf Sizilien geschlagen und verloren den größten Teil ihrer 45 000 Mann starken Streitmacht. Im selben Jahr erzwang Sparta die Schließung der Silberminen Athens.

Das Theater von Epidauros zählt zu den besterhaltenen des antiken Griechenland; seit 1881 wird hier archäologisch geforscht.

Mächtiges Sparta

Im Jahr 412 finanzierten die Perser als Gegenleistung dafür, dass Sparta die Rückeroberung Ioniens nicht behinderte, diesem den Bau einer Flotte – womit Athen seine Vormachtstellung auf See verlor. 405 brachten die Spartaner die Handelsrouten zum Schwarzen Meer unter ihre Kontrolle, nachdem sie die athenische Flotte bei den Aigospotamoi, den »Ziegenflüssen«, besiegt hatten. Damit war Athen von seinen Getreidequellen abgeschnitten und ergab sich 404. Die demokratische Verfassung wurde für kurze Zeit durch einen von Sparta unterstützten Staatsstreich der Aristokratie (»30 Tyrannen«) außer Kraft gesetzt und der Seebund aufgelöst.

Sparta war nun der mächtigste Staat in Griechenland, aber der Sieg war mit persischem Gold erkauft worden. Die griechischen Staaten bekriegten sich noch weitere 50 Jahre, dann zwang ihnen Philipp II. von Makedonien (359–336) im Korinthischen Bund die Einheit auf.

Expansion Makedoniens

Obwohl die Griechen die Makedonier als Barbaren betrachteten, war deren Reich bei Philipps Thronbesteigung bereits völlig hellenisiert. Philipp verwandelte es rasch in eine Supermacht. Er ignorierte die griechischen Konventionen, nach denen nur zu bestimmten Jahreszeiten Krieg geführt werden durfte, und verwendete zudem neuartiges Kriegsgerät, um Städte erobern zu können, ohne sie erst lange belagern zu müssen. Seine erste Eroberung war Päonien im Norden, das nun mit seinen reichen Bodenschätzen die Vergrößerung der makedonischen Armee bezahlen durfte. 340 v. Chr. unternahm Athen einen letzten Versuch, die makedonische Expansion zu unterbinden. Ein hierzu mit anderen Staaten geschlossenes antimakedonisches Bündnis wurde jedoch von Philipp 338 bei Chaironeia besiegt. Dieser Erfolg ermöglichte es ihm,

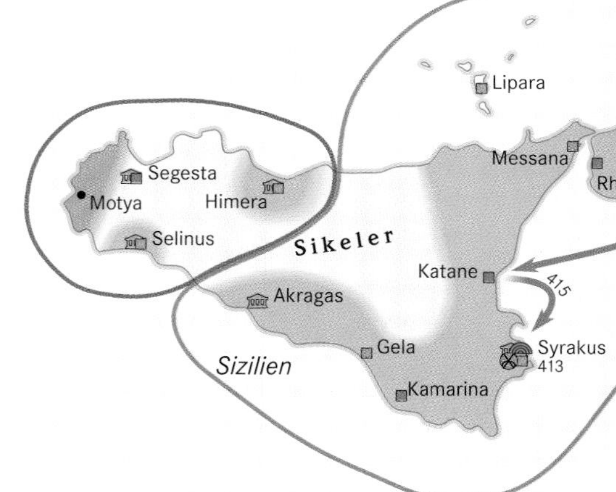
Italiker
Kyme
Neapolis
Lipara
Segesta
Motya
Himera
Selinus
Messana
Rhe
Sikeler
Katane
415
Akragas
Gela
Syrakus
413
Sizilien
Kamarina
Malta
0
200 km
0
150 Meilen

1 Megara war Nachbar und Rivale Athens. Als die Athener 432 v. Chr. eine Blockade über die Stadt verhängten, erklärte Sparta ihnen den Krieg.

2 Nach einem Feldzug des spartanischen Heerführers Brasidas (424–422 v. Chr.) verlor Athen die Kontrolle über Chalkidike.

3 Die Kriegsmüdigkeit Spartas und Athens ermöglichte Theben die Erringung der Vorherrschaft in Griechenland (379–362 v. Chr.).

4 In Halikarnassos befindet sich das Mausoleum, das gewaltige Grabmal des lydischen Königs Mausolos, der in Mylasa herrschte und um 360 ein eigenes Reich zu gründen versuchte.

5 In Athen warnte der Redner Demosthenes leidenschaftlich, aber vergeblich vor der Bedrohung durch Makedonien und dessen König Philipp.

6 Im Jahr 1977 wurde bei Vergina (dem früheren Aigai) das reich ausgestattete Grab Philipps II. gefunden. Es enthielt seine Urne, seine Bronzerüstung und andere wertvolle Grabbeigaben.

7 Kyros, Satrap von Kleinasien in Sardes, warb im Jahr 401 v. Chr. 10 000 griechische Söldner an, um den Perserkönig zu stürzen. Xenophon beschreibt ihren Marsch in seinem Werk »Anabasis«.

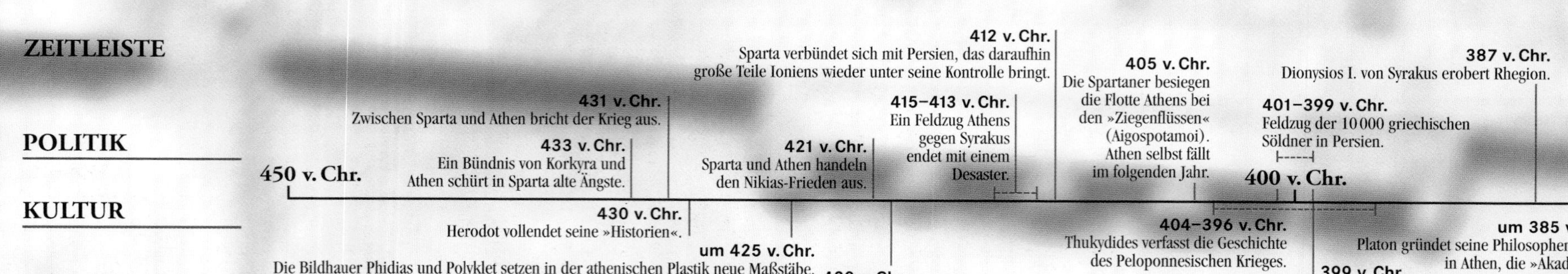
ZEITLEISTE
POLITIK
KULTUR
450 v. Chr.
431 v. Chr.
Zwischen Sparta und Athen bricht der Krieg aus.
433 v. Chr.
Ein Bündnis von Korkyra und Athen schürt in Sparta alte Ängste.
412 v. Chr.
Sparta verbündet sich mit Persien, das daraufhin große Teile Ioniens wieder unter seine Kontrolle bringt.
421 v. Chr.
Sparta und Athen handeln den Nikias-Frieden aus.
415–413 v. Chr.
Ein Feldzug Athens gegen Syrakus endet mit einem Desaster.
405 v. Chr.
Die Spartaner besiegen die Flotte Athens bei den »Ziegenflüssen« (Aigospotamoi). Athen selbst fällt im folgenden Jahr.
400 v. Chr.
401–399 v. Chr.
Feldzug der 10 000 griechischen Söldner in Persien.
387 v. Chr.
Dionysios I. von Syrakus erobert Rhegion.
430 v. Chr.
Herodot vollendet seine »Historien«.
um 425 v. Chr.
Die Bildhauer Phidias und Polyklet setzen in der athenischen Plastik neue Maßstäbe.
420 v. Chr.
Demokrit entwickelt die Theorie der Atomistik.
404–396 v. Chr.
Thukydides verfasst die Geschichte des Peloponnesischen Krieges.
399 v. Chr.
Sokrates wird wegen Gottlosigkeit und Verführung der Jugend zum Tod verurteilt.
um 385 v. Ch
Platon gründet seine Philosophenschu
in Athen, die »Akademie

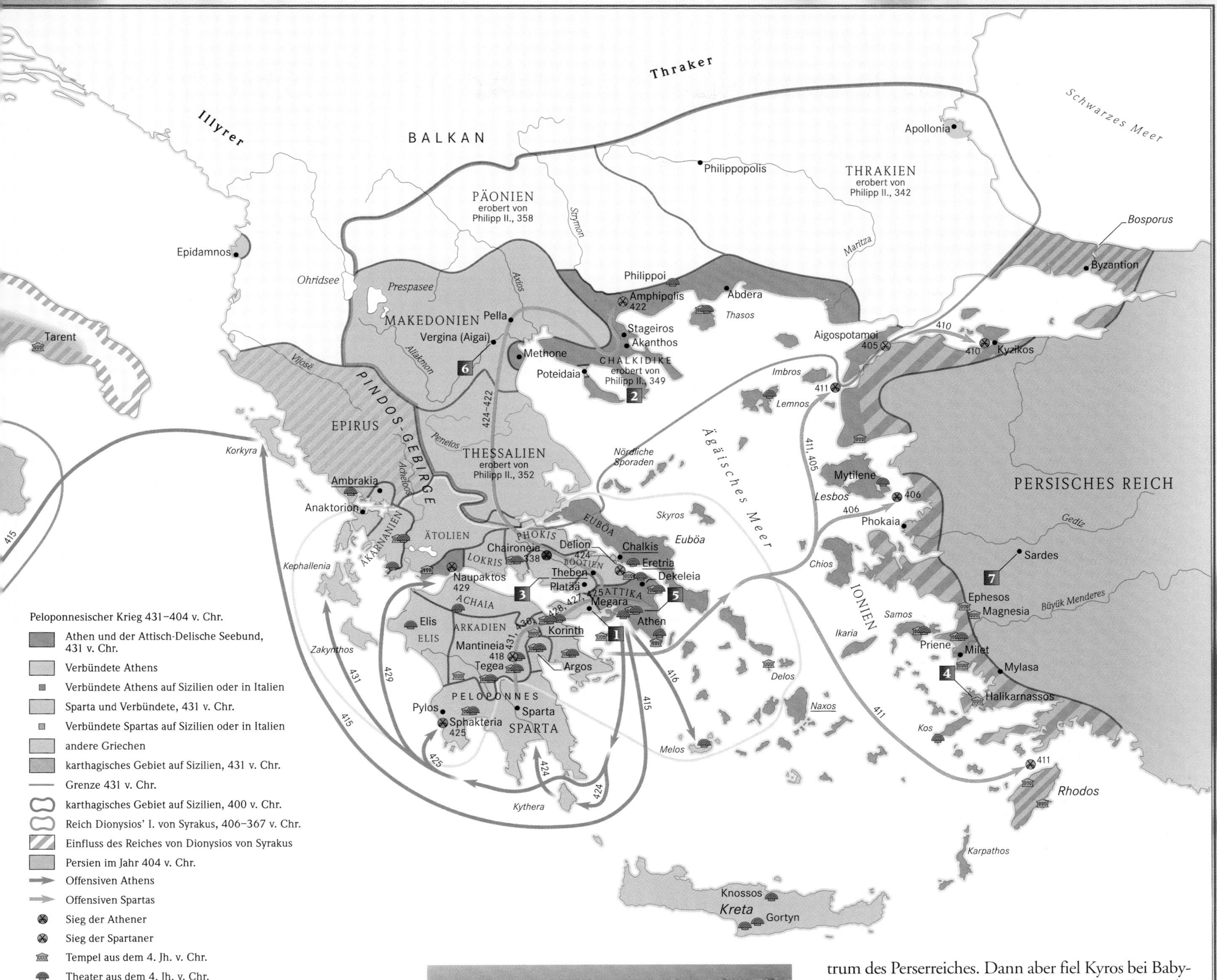
Thraker
Illyrer
BALKAN
Schwarzes Meer
Apollonia
Philippopolis
THRAKIEN
erobert von
Philipp II., 342
PÄONIEN
erobert von
Philipp II., 358
Strymon
Bosporus
Maritza
Byzantion
Epidamnos
Ohridsee
Prespasee
Axios
Philippoi
Amphipolis
422
Abdera
Thasos
MAKEDONIEN
Pella
Vergina (Aigai)
Haliakmon
Stageiros
Akanthos
Methone
Poteidaia
CHALKIDIKE
erobert von
Philipp II., 349
Aigospotamoi
405
410
Kyzikos
Tarent
Vijosë
PINDOS-GEBIRGE
EPIRUS
424–422
Imbros
411
Lemnos
Peneios
THESSALIEN
erobert von
Philipp II., 352
Nördliche
Sporaden
Ägäisches Meer
411, 405
Korkyra
Acheloos
Ambrakia
Anaktorion
AKARNANIEN
ÄTOLIEN
PHOKIS
Chaironeia
338
LOKRIS
Delion
424
BÖOTIEN
EUBÖA
Skyros
Euböa
Chalkis
Eretria
Dekeleia
Mytilene
Lesbos
406
Phokaia
PERSISCHES REICH
Gediz
Sardes
Kephallenia
Naupaktos
429
Theben
Platää
ATTIKA
Megara
Athen
Chios
IONIEN
ACHAIA
Elis
ELIS
ARKADIEN
Korinth
Mantineia
418
Tegea
Argos
Samos
Ikaria
Ephesos
Magnesia
Büyük Menderes
Priene
Milet
Mylasa
Halikarnassos
Zakynthos
Delos
Naxos
PELOPONNES
Pylos
Sphakteria
425
Sparta
SPARTA
Melos
Kos
Kythera
Rhodos
Karpathos
Knossos
Kreta
Gortyn
Peloponnesischer Krieg 431–404 v. Chr.
Athen und der Attisch-Delische Seebund, 431 v. Chr.
Verbündete Athens
Verbündete Athens auf Sizilien oder in Italien
Sparta und Verbündete, 431 v. Chr.
Verbündete Spartas auf Sizilien oder in Italien
andere Griechen
karthagisches Gebiet auf Sizilien, 431 v. Chr.
Grenze 431 v. Chr.
karthagisches Gebiet auf Sizilien, 400 v. Chr.
Reich Dionysios' I. von Syrakus, 406–367 v. Chr.
Einfluss des Reiches von Dionysios von Syrakus
Persien im Jahr 404 v. Chr.
Offensiven Athens
Offensiven Spartas
Sieg der Athener
Sieg der Spartaner
Tempel aus dem 4. Jh. v. Chr.
Theater aus dem 4. Jh. v. Chr.
Der Aufstieg Makedoniens
Eroberungen Philipps II. 359–336 v. Chr.
Verbündete Philipps II.
der Korinthische Bund
Sieg Makedoniens über das athenisch-thebanische Bündnis
Theben makedonische Garnison

alle griechischen Staaten (Sparta ausgenommen) im Korinthischen Bund zu vereinen.

Als Nächstes ließ sich Philipp für einen Krieg ganz Griechenlands gegen Persien zum Oberbefehlshaber wählen. Bereits 401 hatte sich die militärische Schwäche Persiens offenbart, als Kyros, der Satrap von Kleinasien, in Sardes 10 000 griechische Söldner angeheuert hatte, um seinen Bruder Artaxerxes in Babylonien zu stürzen. Diese »Zehntausend« gelangten bis ins Zentrum des Perserreiches. Dann aber fiel Kyros bei Babylon, woraufhin sich das Söldnerheer – die militärische Überlegenheit der Griechen demonstrierend – bis ans Schwarze Meer zurückkämpfte. Philipps Zuversicht war also begründet, doch wurde er vor Abschluss der Kriegsvorbereitungen ermordet.

Ruinen des Castello Eurialo, etwa 400 v. Chr., in Syrakus, Sizilien. Die griechische Siedlung Syrakus wurde um 733 v. Chr. von Korinthern gegründet.

Im späten 5. Jahrhundert wären die Griechen fast vollständig aus Sizilien vertrieben worden, denn dort hatte die Stadt Segesta im Streit mit der griechischen Kolonie Selinus im Jahre 410 v. Chr. Karthago zu Hilfe gerufen. Die Karthager leisteten den erbetenen Beistand und eroberten bis 405 die gesamte Westhälfte der Insel mit. Die Griechen schlossen sich daraufhin unter Dionysios I., Tyrann von Syrakus (406 bis 367), zusammen, der einen großen Teil des verlorenen Territoriums wieder zurückholte. Später weitete er seinen Machtbereich bis auf das italienische Festland aus, wo ihn die griechischen Städte als Beschützer willkommen hießen.

379–362 v. Chr. Theben steigt zum führenden Stadtstaat Griechenlands auf.

um 365 v. Chr. Der Athener Praxiteles meißelt die Statuen des Hermes und der Aphrodite.

371 v. Chr. Nach einer Niederlage gegen Theben setzt der Niedergang Spartas ein.

359 v. Chr. Philipp II. besteigt den Thron von Makedonien.

351 v. Chr. Der athenische Redner Demosthenes warnt vor der Bedrohung durch Makedonien.

350 v. Chr.

342 v. Chr. Aristoteles wird Lehrer Alexanders von Makedonien.

340 v. Chr. Die griechischen Staaten verbünden sich gegen Makedonien.

338 v. Chr. Philipp II. besiegt in der Schlacht von Chaironeia Theben und Athen.

337 v. Chr. Philipp II. vereinigt alle griechischen Staaten (außer Sparta) im Korinthischen Bund.

336 v. Chr. Ermordung Philipps II. und Thronbesteigung Alexanders.

335 v. Chr. Aristoteles gründet in Athen die Schule der Peripatetiker, eine Philosophenschule.

334 v. Chr. Alexander dringt in das Perserreich vor.

300 v. Chr.

Die Welt der Antike (500 v. Chr. bis 600 n. Chr.)

Die Eroberungen Alexanders des Großen • 336 bis 300 v. Chr.

In nur acht Jahren eroberte der junge Makedonierkönig Alexander das gesamte Perserreich und das Industal. Obwohl sein Reich nach seinem Tod wieder zerfiel, blieb der hellenistische Einfluss in Vorder- und Mittelasien dank dieser Eroberungen bis weit in die christliche Zeit hinein bestimmend.

Alexander war erst 18 Jahre alt, als sein Vater Philipp II. ermordet wurde. Er war kühn, einfallsreich, wohlerzogen und gebildet – schließlich hatte ihn Aristoteles unterrichtet – und ein viel versprechender Soldat. Schon in den ersten beiden Jahren seiner Herrschaft bewies er seine Fähigkeiten, indem er die nördlichen Grenzen Makedoniens sicherte und die aufbegehrenden Griechen in Schach hielt. 334 v. Chr. konnte er mit dem von seinem Vater geplanten Zug nach Persien beginnen. Mit dem Heer, das ihn am Granikos aufhalten sollte, machte er kurzen Prozess und marschierte an der kleinasiatischen Küste nach Süden, um die griechischen Städte in Ionien zu befreien. Nur Milet und Halikarnassos leisteten, von der persischen Flotte versorgt, ernsthafteren Widerstand. Um weitere Behelligungen von See her zu vermeiden, eroberte Alexander zunächst Phönikien und Ägypten, nachdem er zuvor ein großes persisches Heer unter dem persönlichen Oberbefehl von König Dareios III. bei Issos vernichtend geschlagen hatte. Nachdem die persischen Seestreitkräfte ausgeschaltet worden waren, stieß Alexander 331 bis in das Zentrum des Perserreiches vor und fügte Dareios bei Gaugamela eine weitere Niederlage zu. Nun erlahmte der persische Widerstand und Alexander konnte Babylon und Susa erobern.

Über Persien bis zum Indus

Im folgenden Jahr, also 330 v. Chr., vernichtete Alexander das letzte größere persische Heer und stürmte die Hauptstadt Persepolis, die er plündern und niederbrennen ließ. Bis 327 hatte er das gesamte Perserreich unter seine Kontrolle gebracht und zog zum Indus weiter. Dort siegte er in seiner letzten Schlacht am Hydaspes über König Poros. Alexander wollte nun in Richtung Ganges-Ebene vordringen, aber seine Soldaten, nach einem Marsch von 25 000 Kilometern erschöpft, meuterten. Alexander gab nach, zog am Indus entlang nach Süden bis ans Meer und wandte sich dann wieder nach Westen. 324 erreichte er Babylon, wo er im Folgejahr, erst 32 Jahre alt, als übergewichtiger Alkoholiker starb. Kurz vor seinem Tod verlor er wegen der Übernahme des orientalischen Hofzeremoniells die Ergebenheit vieler seiner makedonischen Gefolgsleute.

Gründe des Erfolgs

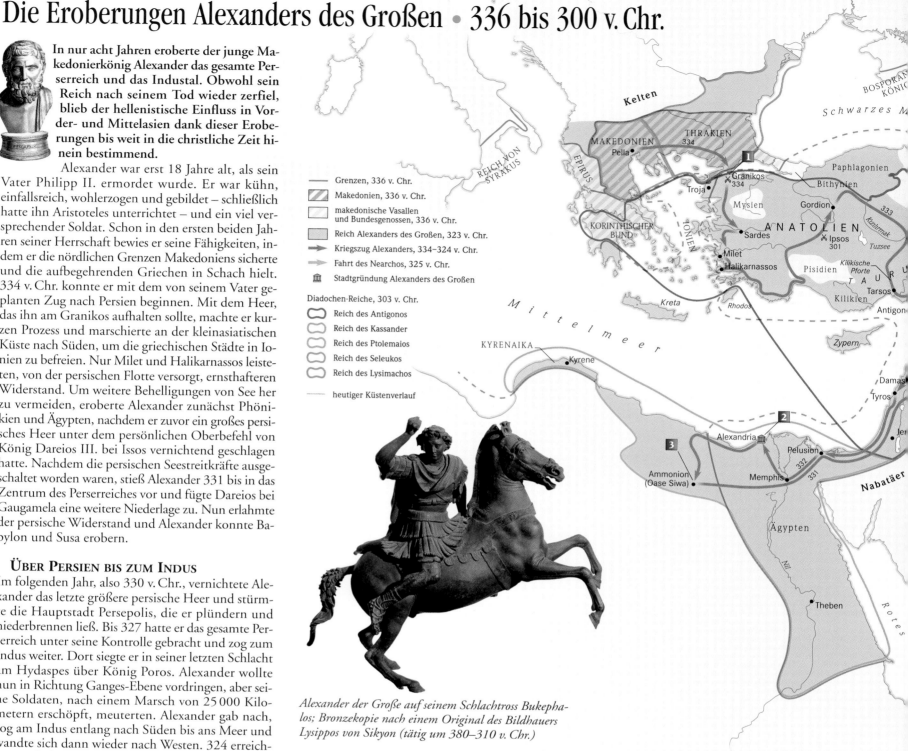

Entscheidend für Alexanders Erfolg war zweifellos sein militärisches Genie, aber hilfreich war auch, dass die lange Tradition der persisch-kaiserlichen Oberherrschaft in Vorderasien die lokalen Identitäten und Loyalitäten geschwächt hatte. Die Bevölkerung der persischen Provinzen hatte sich an die Fremdherrschaft gewöhnt. Der Wechsel zur makedonischen Herrschaft berührte sie daher kaum, zumal Alexander ihre Gepflogenheiten achtete und keine überzogenen Tributzahlungen forderte. Alexanders Reich brach nur wenige Jahre nach seinem Tod wieder auseinander, aber dies geschah eher aus dynastischen Gründen und nicht, weil man sich etwa in den eroberten Gebieten gegen seine Nachfolger aufgelehnt hätte. Alexander gründete in seinem ganzen Reich mit griechischen Kolonisten Städte (die gewöhnlich nach ihm benannt wurden) und seine Nachfolger noch viele weitere. Diese Städte trugen zur Verbreitung der hellenistischen Kultur in ganz Westasien wesentlich bei, die vielleicht wichtigste Folge der Eroberungen Alexanders.

Grenzen, 336 v. Chr.
Makedonien, 336 v. Chr.
makedonische Vasallen und Bundesgenossen, 336 v. Chr.
Reich Alexanders des Großen, 323 v. Chr.
Kriegszug Alexanders, 334–324 v. Chr.
Fahrt des Nearchos, 325 v. Chr.
Stadtgründung Alexanders des Großen
Diadochen-Reiche, 303 v. Chr.
Reich des Antigonos
Reich des Kassander
Reich des Ptolemaios
Reich des Seleukos
Reich des Lysimachos
heutiger Küstenverlauf
Kelten
MAKEDONIEN
Pella
THRAKIEN
334
EPIRUS
REICH VON SYRAKUS
KORINTHISCHER BUND
IONIEN
Troja
Granikos
334
Mysien
Sardes
ANATOLIEN
Gordion
Ipsos
301
Tuzsee
Paphlagonien
Bithynien
Schwarzes M
Milet
Halikarnassos
Pisidien
Kilikische Pforte
Tarsos
Kilikien
Antigon
Kreta
Rhodos
Zypern
Mittelmeer
KYRENAIKA
Kyrene
Damas
Tyros
Alexandria
Pelusion
Ammonion (Oase Siwa)
Memphis
332
331
Nabatäer
Ägypten
Nil
Theben
Rotes

Alexander der Große auf seinem Schlachtross Bukephalos; Bronzekopie nach einem Original des Bildhauers Lysippos von Sikyon (tätig um 380–310 v. Chr.)

Die Diadochenkriege

Alexander hinterließ Erben, die nicht in der Lage waren, sein Herrscheramt weiterzuführen – einen erst nach seinem Tod geborenen Sohn und einen geisteskranken Bruder. Der Regent Perdikkas vertrat die Zentralgewalt bis zu seiner Ermordung 321, aber unter seinem Nachfolger Antipater (gestorben 319) übernahmen Alexanders Heerführer in den Provinzen, die Diadochen, die Macht. Im Zuge kriegerischer Auseinandersetzungen, den Nachfolger- oder Diadochenkriegen, wurde Alexanders Weltreich bis 304 v. Chr. in fünf Reiche aufgeteilt. Kassander, der Sohn Antipaters, regierte in Makedonien, Lysimachos in Thrakien, Antigonos in Kleinasien, Seleukos in Me-

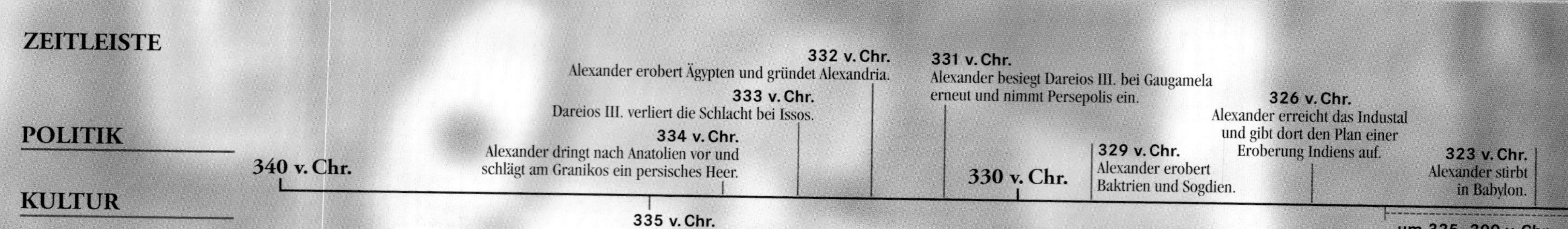
ZEITLEISTE
POLITIK
KULTUR
340 v. Chr.
334 v. Chr.
Alexander dringt nach Anatolien vor und schlägt am Granikos ein persisches Heer.
333 v. Chr.
Dareios III. verliert die Schlacht bei Issos.
332 v. Chr.
Alexander erobert Ägypten und gründet Alexandria.
331 v. Chr.
Alexander besiegt Dareios III. bei Gaugamela erneut und nimmt Persepolis ein.
330 v. Chr.
329 v. Chr.
Alexander erobert Baktrien und Sogdien.
326 v. Chr.
Alexander erreicht das Industal und gibt dort den Plan einer Eroberung Indiens auf.
323 v. Chr.
Alexander stirbt in Babylon.
335 v. Chr.
Aristoteles gründet eine Philosophenschule in Athen.
um 325–300 v. Chr.
Pytheas von Massalia umsegelt Britannien.

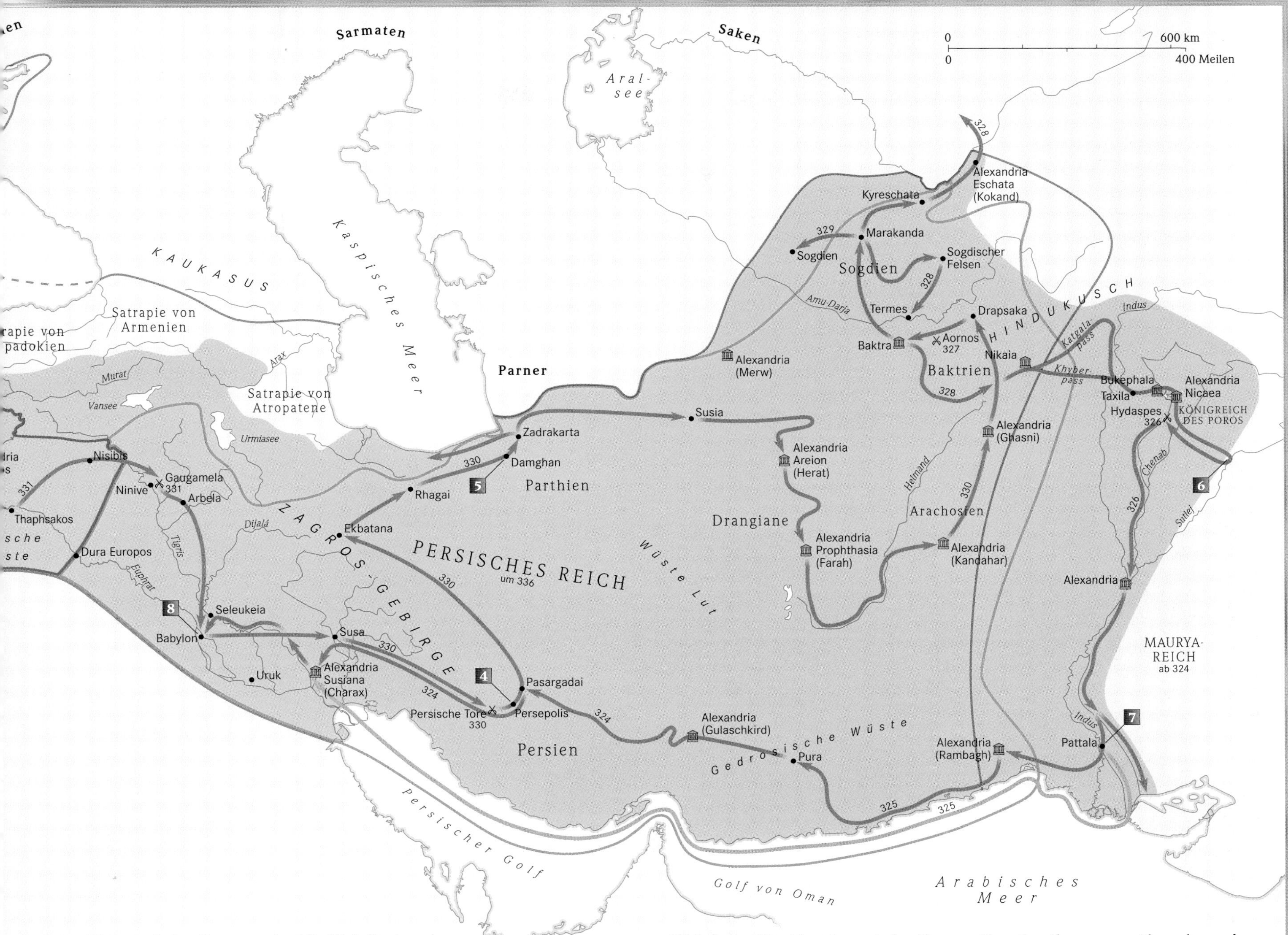

sopotamien sowie im Osten und schließlich Ptolemaios in Ägypten. Nur Antigonos unternahm den Versuch, das Gesamtreich Alexanders wiederherzustellen, was aber nur die anderen Diadochen gegen ihn einte. Als er 301 v. Chr. bei Ipsos einem gemeinsamen Heer von Seleukos, Lysimachos und Kassander unterlag und fiel, teilten die Sieger sein Reich unter sich auf. Das war zwar noch nicht das Ende der Diadochenkriege, aber es besiegelte den endgültigen Zerfall des Alexanderreiches.

Zerfall eines Weltreichs

Im allgemeinen Chaos nach Alexanders Tod erodierte das Reich auch an seinen Rändern. Die Eroberungen des Makedoniers waren in kürzester Zeit erfolgt und die im Norden herrschenden ehemaligen persischen Satrapen Bithyniens, Paphlagoniens, Kappadokiens, Armeniens und Atropatenes hatten nach einer eher als symbolisch zu betrachtenden Unterwerfung ihre Ämter behalten dürfen. Da der frühe Tod Alexanders eine vollständige Unterwerfung verhinderte, nutzten die Satrapen die Gunst der Stunde und proklamierten ihre Satrapien als unabhängige Königreiche. Auch das Industal ging den Griechen verloren. Mit dem Krieg gegen Antigonos beschäftigt, trat Seleukos seine indischen Provinzen an das Maurya-Reich ab, wofür er eine Herde Kriegselefanten erhielt (die er bei Ipsos wirkungsvoll einzusetzen wusste). – In Griechenland erhoben sich 323 v. Chr. die Städte des Korinthischen Bundes erfolglos gegen die makedonische Herrschaft. 307 schlugen sie sich auf die Seite von Antigonos. Der aber fiel in der Schlacht bei Ipsos, so dass Makedonien rasch wieder die Oberhand gewann.

1 Nach dem Sieg über ein persisches Heer am Fluss Granikos gewann Alexander rasch die Herrschaft über Kleinasien.

2 Im Jahr 332 v. Chr. gegründet, entwickelte sich Alexandria im 3. Jahrhundert v. Chr. zur größten und reichsten griechischen Stadt.

3 Das Orakel von Ammonion in der Oase Siwa behauptete, Alexander sei der Sohn des Gottes Ammon und Erbe des Pharaonen-Throns.

4 Die Zerstörung des Xerxes-Palastes in Persepolis im Jahr 330 v. Chr. beendete zwar den griechischen Rachefeldzug, nicht aber den Eroberungsdrang Alexanders.

5 Dareios III. wurde auf seiner Flucht nach Baktrien in Damghan von seinen eigenen Gefolgsleuten ermordet.

6 Erst als sich Alexanders erschöpftes und heimwehkrankes Heer offen weigerte, seinem Feldherrn in die Ganges-Ebene zu folgen, gab dieser nach und kehrte um.

7 Nearchos baute in Pattala eine Flotte, um den Seeweg vom Indus zum Persischen Golf zu erkunden.

8 Alexander bekam 323 v. Chr. in Babylon nach einem mehrtägigen Gelage hohes Fieber und starb.

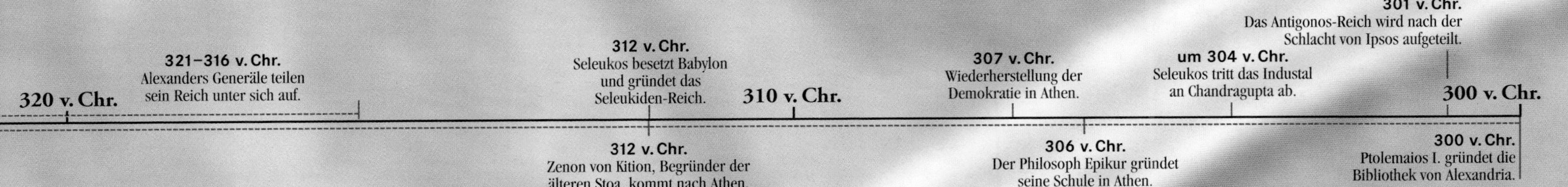
320 v. Chr.
321–316 v. Chr.
Alexanders Generäle teilen sein Reich unter sich auf.
312 v. Chr.
Seleukos besetzt Babylon und gründet das Seleukiden-Reich.
310 v. Chr.
312 v. Chr.
Zenon von Kition, Begründer der älteren Stoa, kommt nach Athen.
307 v. Chr.
Wiederherstellung der Demokratie in Athen.
306 v. Chr.
Der Philosoph Epikur gründet seine Schule in Athen.
um 304 v. Chr.
Seleukos tritt das Industal an Chandragupta ab.
301 v. Chr.
Das Antigonos-Reich wird nach der Schlacht von Ipsos aufgeteilt.
300 v. Chr.
300 v. Chr.
Ptolemaios I. gründet die Bibliothek von Alexandria.

Die Welt der Antike (500 v. Chr. bis 600 n. Chr.)

Die hellenistische Welt • 301 bis 30 v. Chr.

Nach der Schlacht von Ipsos im Jahr 301 v. Chr. gingen die Diadochen-Kämpfe noch 20 Jahre lang weiter, was dazu führte, dass auch das thrakische Reich des Lysimachos aufgeteilt wurde. Es bildeten sich drei Großreiche: Makedonien, Vorderasien und Ägypten. Lysimachos fiel 281 in der Schlacht von Kurupedion, danach eroberte Seleukos das westliche Kleinasien und Thrakien.

Detail einer mythologischen Szene auf einem Relief aus den Ruinen von Pergamon, Türkei

Grenzen um 270 v. Chr.
Makedonien um 270 v. Chr.
Ptolemäer-Reich 270 v. Chr.
Römisches Reich um 270 v. Chr.
Seleukiden-Reich um 270 v. Chr.
Gräkobaktrisches Reich um 185 v. Chr.
Partherreich um 185 v. Chr.
Seleukiden-Reich um 185 v. Chr.
Partherreich um 90 v. Chr.
Römisches Reich um 90 v. Chr.
Seleukiden-Reich um 90 v. Chr.
transasiatische Handelsstraße
Wanderungsbewegungen, datiert
hellenistische Stadtgründungen
heutiger Küstenverlauf

Thrakien wurde allerdings zwei Jahre später von den Kelten (griechisch Galater) überrannt. Viele Kelten zogen nach Kleinasien weiter und siedelten sich in der nach ihnen benannten Region Galatien an, von wo aus sie in den nächsten 50 Jahren immer wieder Raubzüge unternahmen. Die Ostkolonisation in der Tradition Alexanders setzte sich bis etwa 250 v. Chr. fort: Dutzende von Städten wurden gegründet, die bereits vorhandenen hellenisiert. Griechisch war nun Verkehrssprache vom Mittelmeer bis Zentralasien und zum Industal.

Makedonien als Gegner Roms

Im 3. Jahrhundert v. Chr. bekam Makedonien die griechischen Städte immer fester in den Griff, verfeindete sich jedoch mit Rom, als es im Zweiten Punischen Krieg (218–201 v. Chr.) die Partei der Karthager ergriff. Als Pergamon und Rhodos die Römer um Beistand gegen Makedonien ersuchten, kamen diese der Bitte nur zu gern nach. Sie besiegten die Makedonier 197 in der Schlacht von Kynoskephalai und befreiten die griechischen Städte. Als Makedonien versuchte, in Griechenland die alten Machtverhältnisse wiederherzustellen, wurde es erneut von den Römern besiegt und im Jahr 168 von ihnen annektiert.

Das seleukidische Reich

Das größte hellenistische Reich zu Ende der Diadochenkriege war das seleukidische, das jedoch im 3. Jahrhundert einen langsamen Niedergang erlebte. Zuerst ging 262 v. Chr. die Stadt Pergamon verloren. 239 erhoben sich die baktrischen Griechen und gründeten ein eigenes Reich. Über diese Gräkobaktrer ist nur wenig bekannt, aber sie gewannen im frühen 2. Jahrhundert die Herrschaft über das Industal von dem inzwischen geschwächten Maurya-Reich zurück. In den 80er-Jahren dieses Jahrhunderts zogen sie bis Pataliputra, der Maurya-Hauptstadt am unteren Ganges, und kontrollierten eine Zeit lang ganz Mittelindien. Sie beherrschten die wichtigeren, durch Asien führenden Handelsstraßen und blieben trotz ihrer relativen Isoliertheit in ständigem Kontakt mit den Hauptströmungen der griechischen Kultur. Allerdings waren die Baktrer immer wieder Angriffen der Steppennomaden ausgesetzt und um 130 wurde der größte Teil ihres Reiches von diesen überrannt. Danach überlebten im oberen Industal noch ein paar griechische Fürstentümer, die aber im 1. Jahrhundert v. Chr. ebenfalls zerstört wurden.

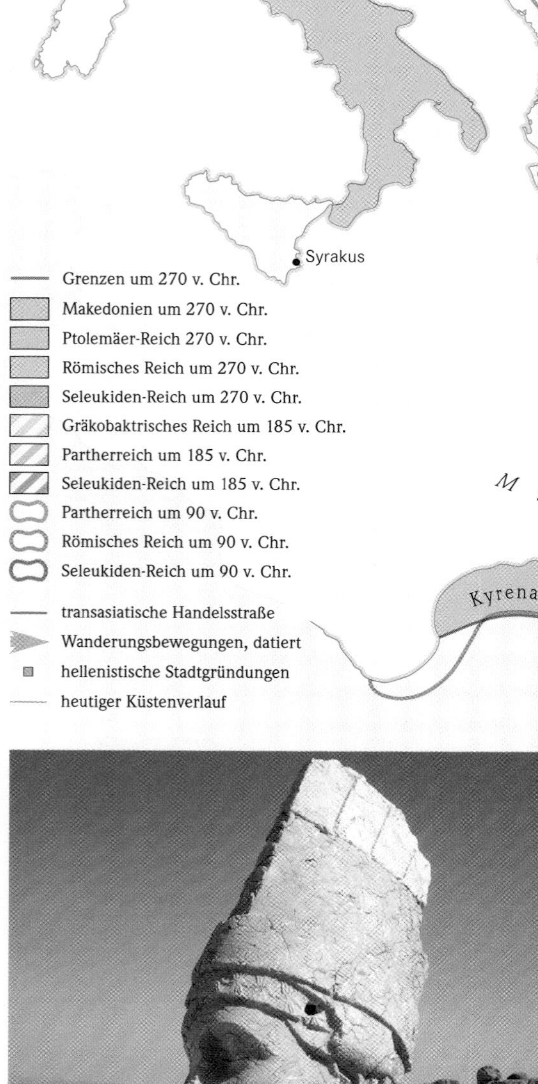

Kopf einer Kolossalstatue an der Grabstätte des Seleukiden-Herrschers des Reiches Kommagene, Antiochos I. (69–36 v. Chr.), auf dem Nemrut Dag, Türkei

Das Seleukiden-Reich musste 238 einen weiteren Verlust hinnehmen, als sich Parthien unter Arsakes I. die Unabhängigkeit erkämpfte. Die Arsakiden gehörten dem Volk der Parner (Parther) an, iranischen Nomaden, die sich im frühen 3. Jahrhundert in Parthien angesiedelt hatten. Unter Antiochos III. (223–187) verleibte sich das Seleukiden-Reich Armenien, Atropatene sowie Palästina ein und verhinderte eine weitere Expansion Baktriens und Parthiens. Unseligerweise rief der Erfolg des Antiochos die Römer auf den Plan, die ihm 192 den Krieg erklärten und ihn zwei Jahre später bei Magnesia vernichtend schlugen. So erhielten Armenien und Atropatene rasch ihre Unabhängigkeit zurück, während die Römer Pergamon für seine treuen Dienste mit dem westlichen Kleinasien belohnten. Im Jahr 169 v. Chr. sah sich Antiochos IV. (174–163) mit einem Aufstand der Israeliten kon-

ZEITLEISTE

POLITIK

um 300 v. Chr. Die Parner, iranische Nomaden, siedeln sich in Parthien an.

279–278 v. Chr. Gallische Kelten überrennen Thrakien und dringen bis nach Kleinasien vor.

239 v. Chr. Gründung des Gräkobaktrischen Reiches.

238 v. Chr. Gründung des Partherreiches.

214–205 v. Chr. Die römische Intervention beginnt mit dem 1. Makedonischen Krieg.

198 v. Chr. Die Seleukiden unterwerfen nach der Schlacht von Paneion Palästina.

190 v. Chr. Die Römer besiegen Antiochos III. bei Magnesia.

um 180 v. Chr. Das Gräkobaktrische Reich steht auf dem Höhepunkt seiner Macht.

171–168 v. Chr. Vorstoß der Seleukiden nach Ägypten.

300 v. Chr. — 200 v. Chr.

KULTUR

um 283 v. Chr. Fertigstellung des Leuchtturms von Alexandria.

um 270 v. Chr. Aristarchos von Samos (um 320 bis um 250) begründet ein heliozentrisches Weltsystem.

um 235 v. Chr. Eratosthenes (um 276 bis um 194) berechnet den Erdumfang annähernd korrekt.

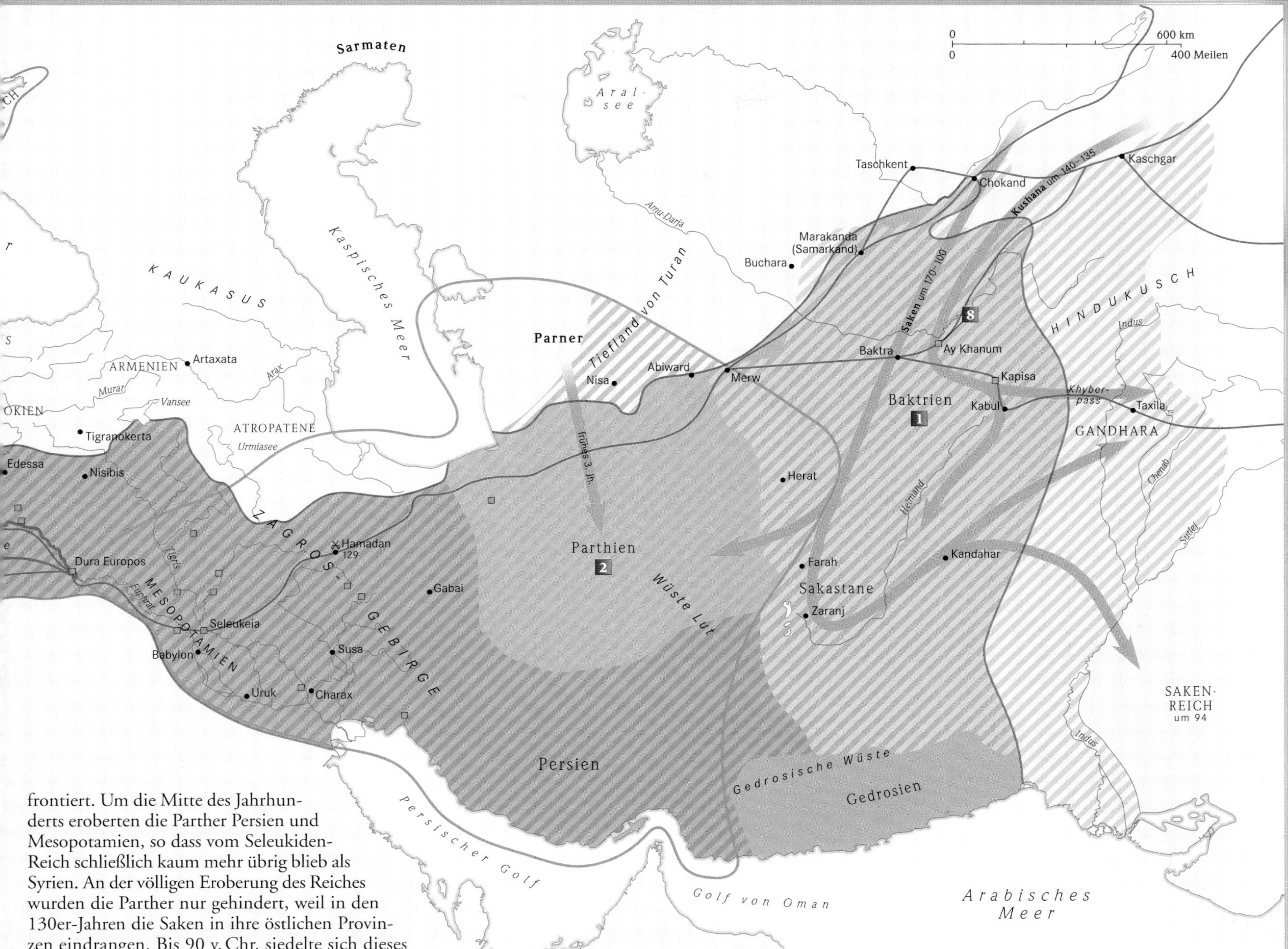

frontiert. Um die Mitte des Jahrhunderts eroberten die Parther Persien und Mesopotamien, so dass vom Seleukiden-Reich schließlich kaum mehr übrig blieb als Syrien. An der völligen Eroberung des Reiches wurden die Parther nur gehindert, weil in den 130er-Jahren die Saken in ihre östlichen Provinzen eindrangen. Bis 90 v. Chr. siedelte sich dieses Volk in der nach ihm benannten Region Sakastane an und gründete unter parthischer Oberhoheit ein halbunabhängiges Königreich, das über ein Jahrhundert bestehen sollte.

Die Ptolemäer in Ägypten

Am längsten hielt sich das Ptolemäer-Reich. Ägypten besaß die größte Erfahrung mit Unabhängigkeitsbestrebungen. Seine Bevölkerung stand den Griechen und Makedoniern, die in Armee und Verwaltung an den Schalthebeln der Macht saßen, höchst ablehnend gegenüber. Um die Ägypter versöhnlich zu stimmen, übernahmen die Ptolemäer viele Verhaltensweisen der Pharaonen und schwangen sich zu Schutzherren der überlieferten Kulte auf. Im Lauf der Zeit wurden nicht wenige Ägypter »hellenisiert«, während bei den Griechen ägyptische Kulte wie etwa die Verehrung der Göttin Isis Anklang fanden. Zu einer echten Assimilation der Bevölkerungsgruppen kam es jedoch nie. Alexandria wurde zur größten und reichsten Griechenstadt und überflügelte als kulturelles Zentrum sogar Athen. Nach dem Tod von Ptolemaios IV. im Jahr 203 führte eine Phase dynastischer Instabilität in den allmählichen Niedergang. Als Antiochos IV. im Jahr 168 v. Chr. Ägypten eroberte, konnte nur eine Intervention der Römer die ptolemäische Dynastie retten und wieder in ihr Amt einsetzen.

1 Das seit 239 v. Chr. unabhängige baktrische Reich stand um 180 v. Chr. auf dem Gipfel seiner Macht und wurde um 135 v. Chr. von den Kushana zerstört.

2 Das Partherreich, 238 v. Chr. von Arsakes I. gegründet, eroberte bis 141 v. Chr. Persien und Mesopotamien.

3 Der Aufstand des Judas Makkabäus (169–164 v. Chr.) gegen die Seleukiden brachte Judäa 142 bis 141 v. Chr. die Unabhängigkeit.

4 Unter den Ptolemäern wurde Ägypten zwar von der hellenistischen Stadt Alexandria aus regiert, konnte sich aber seine kulturellen Traditionen bewahren.

5 Die Römer zerbrachen die Macht Makedoniens 168 v. Chr. in der Schlacht von Pydna; 148 v. Chr. wurde das Land römische Provinz.

6 Der letzte Rest des Seleukiden-Reiches wurde 83 v. Chr. vom armenischen König Tigranes I. erobert.

7 Unter den Attaliden wurde Pergamon zu einem bedeutenden kulturellen Zentrum mit einer großen Bibliothek.

8 Hellenistische Siedler verbreiteten die griechischen Institutionen in ganz Asien. Noch in Ay Khanum wurde ein griechisches Gymnasium gefunden.

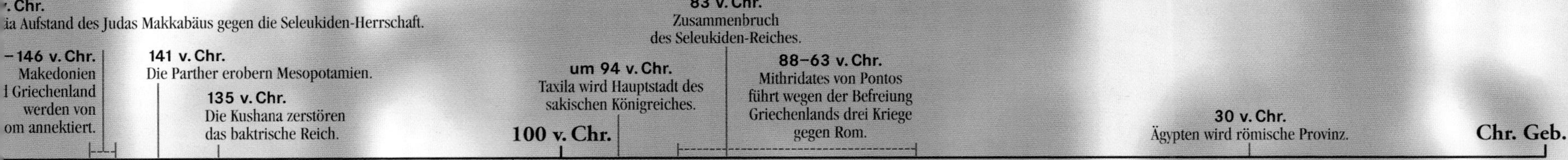

v. Chr.
Aufstand des Judas Makkabäus gegen die Seleukiden-Herrschaft.
–146 v. Chr.
Makedonien
Griechenland
werden von
Rom annektiert.
141 v. Chr.
Die Parther erobern Mesopotamien.
135 v. Chr.
Die Kushana zerstören das baktrische Reich.
83 v. Chr.
Zusammenbruch des Seleukiden-Reiches.
um 94 v. Chr.
Taxila wird Hauptstadt des sakischen Königreiches.
88–63 v. Chr.
Mithridates von Pontos führt wegen der Befreiung Griechenlands drei Kriege gegen Rom.
100 v. Chr.
30 v. Chr.
Ägypten wird römische Provinz.
Chr. Geb.
um 140 v. Chr.
Fertigstellung der Statue der Venus von Milo.
um 120 v. Chr.
Der griechische Botschafter Heliodoros errichtet in Vidisha in Mittelindien ein Denkmal.
um 105 v. Chr.
Gründung einer technischen Universität in Alexandria.

Die Welt der Antike (500 v. Chr. bis 600 n. Chr.)

Parther und Sassaniden in Persien • 238 v. Chr. bis 651 n. Chr.

Nach dem Tod Alexanders des Großen wanderten die Parner, iranische Nomaden aus den Steppengebieten der Kaspischen Senke, in Parthien ein. Sie eigneten sich die Sprache und Gebräuche der Parther an. Ihre Herrscher, die Arsakiden, übernahmen schließlich als Vasallen der Seleukiden die Regierung. Im Jahr 238 v. Chr. erklärte Arsakes I. (um 247 bis etwa 211 v. Chr.) Parthien für unabhängig.

Die Seleukiden konnten eine Expansion des Partherreiches zunächst verhindern, aber Mithridates I. (170–138) gelang schließlich die Eroberung Persiens und Mesopotamiens. Eine weitere Ausweitung seines Machtbereichs scheiterte an der Invasion von Saken und Kushana im Osten. Zwischen 90 und 80 v. Chr. konnte die Ostgrenze jedoch wieder gesichert werden. Die Saken wurden in einem Unterkönigreich unter der parthischen Suren-Dynastie angesiedelt. Dieser Teilstaat dehnte seinen Einfluss um die Zeitenwende bis zum Industal aus. Nach 66 v. Chr. fanden die Parther Gelegenheit, Atropatene und Nordmesopotamien an sich zu bringen, so dass ihr Reich nun am Euphrat an das der Römer grenzte.

Die Parther – Im »ewigen Streit« mit Rom

Die Römer betrachteten die Parther anfangs als Barbaren, lernten aber rasch den Respekt vor ihnen: Berittene parthische Bogenschützen rieben 53 v. Chr. bei Carrhae eine römische Armee auf, kaum dass sie die Grenze überschritten hatte. Die Römer brannten immer wieder auf Rache für diese schmachvolle Niederlage. Erst im 2. Jahrhundert n. Chr. gelang es dem römischen Kaiser Trajan, Armenien und Mesopotamien zu erobern (115–117 n. Chr.). Allerdings gab Trajans Nachfolger Hadrian 117 n. Chr. die eroberten Gebiete wieder auf. Die Parther verloren zuvor noch, nämlich 50 bis 75 n. Chr., ihr surisches Unterkönigreich an die Kushana.

Die frühen Partherkönige übernahmen die hellenistischen Traditionen und die Regierungsinstitutionen der Seleukiden und behielten die griechische Sprache als Amtssprache bei. Bis zum 1. Jahrhundert v. Chr. entwickelte sich das Partherreich allmählich zu einem dezentralisierten Feudalstaat, der aus direkt regierten Provinzen, Vasallenstaaten unter lokalen Dynastien und Lehnsgütern halbunabhängiger Fürsten bestand. Der anfangs starke hellenistische Einfluss verschwand langsam hinter wiederbelebten persischen Traditionen.

Die Sassaniden – Der erneute Wille zur Macht

Die vielen Kriege mit Rom kosteten die parthische Dynastie viel Kraft. 226 n. Chr. wurde sie nach einem Aufstand Ardaschirs I. (um 220–240), des Unterkönigs von Persien und Gründers der Sassaniden-Dynastie, gestürzt. Die Sassaniden sahen sich als Nachfolger der Achaimeniden, verfolgten aber eine sehr viel aggressivere Politik als die Parther. Schapur I. (240–272 n. Chr.) versuchte, den Römern Syrien zu nehmen, doch trotz einiger großer Siege (und der Gefangennahme von Kaiser Valerian bei Edessa) ließen sich die Römer nicht vertreiben. Schapur erzielte dafür in Armenien einige Geländegewinne und kämpfte im Osten überaus erfolgreich gegen die Kushana, von denen er Sogdien, Baktrien und das Industal zurückeroberte. Die Kushana holten sich diese Gebiete später zwar von dem noch minderjährigen Regenten Schapur II. (309–379) zurück, verloren sie aber erneut, als dieser endlich die Regierungsgeschäfte übernehmen konnte. Auch gegenüber Römern, Armeniern und Arabern betrieb Schapur II. eine erfolgreiche Politik. Später wurden seine östlichen Provinzen von den Hephtaliten, den »Weißen Hunnen«, angegriffen, die sie schließlich im 5. Jahrhundert eroberten. Zu dieser Zeit hatte das Sassaniden-Reich wegen eines Aufstands der Masdakiten, einer radikal religiösen Bewegung, mit erheblichen inneren Schwie-

Der Palast Ardaschirs I. in der Ruinenstadt Firuzabad, der ersten Residenz der Sassaniden

Schwa
Byzantion (ab 330 n. Chr. Konsta
Ägäisches Meer
ANATOL
TAU
Kreta
Rhodos
622 n. Chr.
Zypern
Mittelmeer
Alexandria
Ägypten
Nil

- Suren-Reich, 1 n. Chr.
- Kushana-Reich, um 50–240 n. Chr.
- Parthien, um 114 n. Chr.
- Römisches Reich, um 114 n. Chr.
- zeitweilige Eroberung der Römer, 114–117 n. Chr.
- Sassaniden-Reich, um 260 n. Chr.
- zeitweilige Eroberung der Sassaniden, 607–628 n. Chr.
- wichtige Stadt aus der Zeit der Parther
- Felsrelief aus der Zeit der Parther
- wichtige Stadt aus der Zeit der Sassaniden
- Felsrelief aus der Zeit der Sassaniden
- Sieg der Parther oder Sassaniden
- Niederlage der Parther oder Sassaniden
- Schutzwall der Sassaniden
- Grenze, um 114 n. Chr.
- transasiatische Handelsstraße
- Kriegszug Herakleios' 622–627 n. Chr.
- größte Wanderungsbewegungen
- heutiger Küstenverlauf

1 König Arsakes I., der das Partherreich gründete, residierte in Abiward. Die königliche Grablege befand sich in Nisa.

2 Früher einmal die Winterresidenz des Partherreiches, war Ktesiphon von 226 bis 637 n. Chr. Hauptstadt des Sassaniden-Reiches.

3 Die Kushana wurden von Schapur I. (240–272 n. Chr.) unterworfen, konnten ihre Gebiete aber während der Minderjährigkeit Schapurs II. für kurze Zeit zurückerobern.

4 Bei Naqsh-i Rostam erinnert ein in den Felsen gehauenes Relief an die Gefangennahme des römischen Kaisers Valerian durch Schapur I. im Jahr 260 n. Chr.

5 Der »Alexanderwall« war eigentlich ein von den Sassaniden gegen die Steppennomaden gebauter Schutzwall.

6 Heiligste Stätte der zoroastrischen Staatsreligion war der Feuertempel-Komplex von Adhur Guschnasp (Takht-i Sulaiman).

7 Nach Niederlagen gegen die Araber bei Kadisija (637 n. Chr.) und Nehawend (642 n. Chr.) brach das Sassaniden-Reich zusammen.

8 Bei Dura Europos handelte es sich um eine große parthische Grenzfestung, die die Römer 165 n. Chr. eroberten, aber im Jahr 256 n. Chr. an die Sassaniden verloren.

ZEITLEISTE

POLITIK

- 250 v. Chr.
- **238 v. Chr.** Parthien wird unter Arsakes I. unabhängig.
- **um 165–140 v. Chr.** Die Saken dringen in Parthien ein.
- **141 v. Chr.** Die Parther erobern Mesopotamien.
- **um 100 v. Chr.** Ktesiphon wird Hauptstadt des Partherreiches.
- **80 v. Chr.** Das Suren-Reich Sakastane entsteht.
- **53 v. Chr.** Die Parther besiegen in der Schlacht von Charran (Carrhae) ein römisches Heer.
- Chr. Geb.
- **50–75 n. Chr.** Die Kushana zerstören das surische Königreich.
- **115–117 n. Chr.** Die Römer besetzen Mesopotamien.

KULTUR

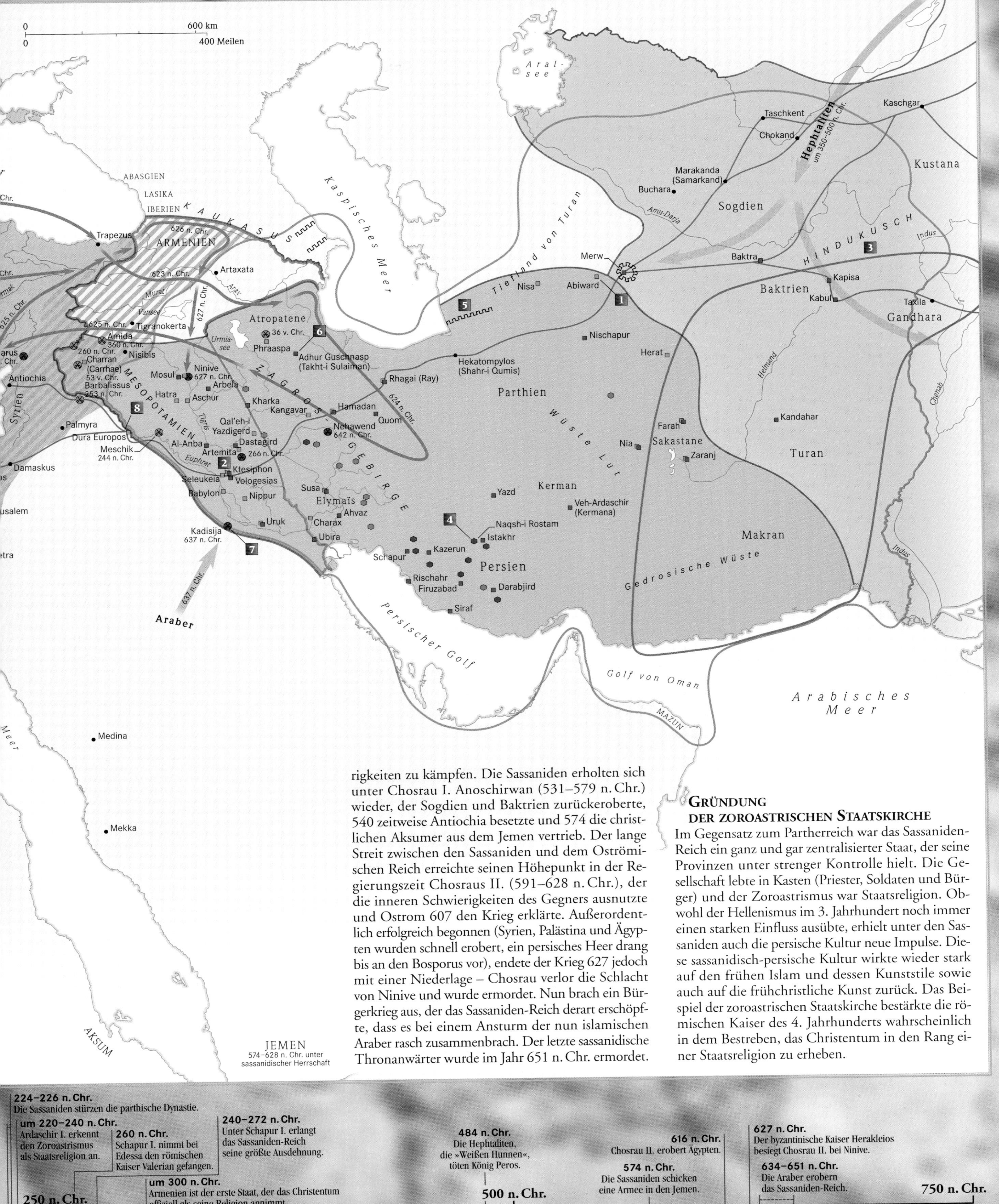

0 600 km
0 400 Meilen
Aral-see
Kaspisches Meer
Persischer Golf
Golf von Oman
Arabisches Meer
ABASGIEN
LASIKA
IBERIEN
KAUKASUS
Trapezus
626 n. Chr.
ARMENIEN
623 n. Chr.
Artaxata
627 n. Chr.
625 n. Chr.
Tigranokerta
Atropatene
36 v. Chr.
Phraaspa
Adhur Guschnasp (Takht-i Sulaiman)
Urmia-see
Vansee
Amida
360 n. Chr.
Nisibis
260 n. Chr.
Charran (Carrhae)
53 v. Chr.
Barbalissus
253 n. Chr.
Antiochia
Syrien
Palmyra
Dura Europos
Meschik
244 n. Chr.
Damaskus
Mosul
Ninive
627 n. Chr.
Arbela
Hatra
Aschur
MESOPOTAMIEN
Tigris
Euphrat
Kharka
Kangavar
Qal'eh-i Yazdigerd
Dastagird
Al-Anba
Artemita
266 n. Chr.
Ktesiphon
Seleukeia
Vologesias
Babylon
Nippur
Uruk
Kadisija
637 n. Chr.
Araber
637 n. Chr.
ZAGROS-GEBIRGE
Hamadan
Nehawend
642 n. Chr.
624 n. Chr.
Quom
Rhagai (Ray)
Hekatompylos (Shahr-i Qumis)
Susa
Elymaïs
Ahvaz
Charax
Ubira
Schapur
Kazerun
Naqsh-i Rostam
Istakhr
Persien
Rischahr
Firuzabad
Darabjird
Siraf
Yazd
Kerman
Veh-Ardaschir (Kermana)
Parthien
Wüste Lut
Tiefland von Turan
Nisa
Abiward
Merw
Nischapur
Herat
Nia
Farah
Sakastane
Zaranj
Makran
Gedrosische Wüste
Turan
Kandahar
Buchara
Marakanda (Samarkand)
Sogdien
Amu-Darja
Taschkent
Chokand
Kaschgar
Kustana
Hephtaliten um 350–500 n. Chr.
HINDUKUSCH
Baktra
Baktrien
Kapisa
Kabul
Taxila
Gandhara
Indus
Helmand
Chenab
MAZŪN
Medina
Mekka
AKSUM
JEMEN
574–628 n. Chr. unter sassanidischer Herrschaft

rigkeiten zu kämpfen. Die Sassaniden erholten sich unter Chosrau I. Anoschirwan (531–579 n. Chr.) wieder, der Sogdien und Baktrien zurückeroberte, 540 zeitweise Antiochia besetzte und 574 die christlichen Aksumer aus dem Jemen vertrieb. Der lange Streit zwischen den Sassaniden und dem Oströmischen Reich erreichte seinen Höhepunkt in der Regierungszeit Chosraus II. (591–628 n. Chr.), der die inneren Schwierigkeiten des Gegners ausnutzte und Ostrom 607 den Krieg erklärte. Außerordentlich erfolgreich begonnen (Syrien, Palästina und Ägypten wurden schnell erobert, ein persisches Heer drang bis an den Bosporus vor), endete der Krieg 627 jedoch mit einer Niederlage – Chosrau verlor die Schlacht von Ninive und wurde ermordet. Nun brach ein Bürgerkrieg aus, der das Sassaniden-Reich derart erschöpfte, dass es bei einem Ansturm der nun islamischen Araber rasch zusammenbrach. Der letzte sassanidische Thronanwärter wurde im Jahr 651 n. Chr. ermordet.

Gründung der zoroastrischen Staatskirche

Im Gegensatz zum Partherreich war das Sassaniden-Reich ein ganz und gar zentralisierter Staat, der seine Provinzen unter strenger Kontrolle hielt. Die Gesellschaft lebte in Kasten (Priester, Soldaten und Bürger) und der Zoroastrismus war Staatsreligion. Obwohl der Hellenismus im 3. Jahrhundert noch immer einen starken Einfluss ausübte, erhielt unter den Sassaniden auch die persische Kultur neue Impulse. Diese sassanidisch-persische Kultur wirkte wieder stark auf den frühen Islam und dessen Kunststile sowie auch auf die frühchristliche Kunst zurück. Das Beispiel der zoroastrischen Staatskirche bestärkte die römischen Kaiser des 4. Jahrhunderts wahrscheinlich in dem Bestreben, das Christentum in den Rang einer Staatsreligion zu erheben.

224–226 n. Chr. Die Sassaniden stürzen die parthische Dynastie.

um 220–240 n. Chr. Ardaschir I. erkennt den Zoroastrismus als Staatsreligion an.

250 n. Chr.

260 n. Chr. Schapur I. nimmt bei Edessa den römischen Kaiser Valerian gefangen.

240–272 n. Chr. Unter Schapur I. erlangt das Sassaniden-Reich seine größte Ausdehnung.

276 Mani, der Begründer des Manichäismus, wird wegen Häresie hingerichtet.

um 300 n. Chr. Armenien ist der erste Staat, der das Christentum offiziell als seine Religion annimmt.

484 n. Chr. Die Hephtaliten, die »Weißen Hunnen«, töten König Peros.

500 n. Chr.

574 n. Chr. Die Sassaniden schicken eine Armee in den Jemen.

616 n. Chr. Chosrau II. erobert Ägypten.

627 n. Chr. Der byzantinische Kaiser Herakleios besiegt Chosrau II. bei Ninive.

633 n. Chr. Veröffentlichung des Koran, der schriftlich niedergelegten Lehre Mohammeds (um 570–632).

634–651 n. Chr. Die Araber erobern das Sassaniden-Reich.

750 n. Chr.

Die Welt der Antike (500 v. Chr. bis 600 n. Chr.)

Das frühe Rom und die Punischen Kriege • 509 bis 201 v. Chr.

Nach Berechnungen des römischen Gelehrten Varro (gestorben 27 v. Chr.) wurde Rom im Jahre 753 v. Chr. gegründet, Ausgrabungen belegen aber Besiedelungen schon seit dem 10. Jahrhundert v. Chr. Die Stadt gelangte etwa im Jahr 600 v. Chr. unter die Herrschaft der Etrusker. Die Stadt profitierte zwar von ihrer strategisch günstigen Lage an einem wichtigen Tiber-Übergang, blieb jedoch zunächst unbedeutend. Im Jahr 509 v. Chr. stürzten die Römer das etruskische Königsgeschlecht der Tarquinier und gründeten eine Republik.

Das erste Jahrhundert der römischen Republik prägte der Kampf zwischen den unteren Volksschichten, den Plebejern, und den führenden Familien, den Patriziern. Gegen Ende des 5. Jahrhunderts kodifizierte der Senat das geltende Recht und den Plebejern wurden eigene Vertreter, die Volkstribunen, zugestanden. Im 4. Jahrhundert erkämpften sich die Plebejer dann auch das Recht, für alle wichtigen Ämter zu kandidieren. Diese Teilhabe an der Macht offenbarte teilweise ein gemeinsames Interesse der gesellschaftlichen Klassen, was die Republik manche Krise überstehen ließ.

Schlachtengemälde: Im Zweiten Punischen Krieg besiegte der römische Feldherr Scipio bei Zama in Nordafrika den aus Süditalien zurückeilenden Hannibal.

Die Kriege gegen die Samniten

Die Expansion Roms begann mit mehreren kleineren Kriegen gegen die unmittelbaren Nachbarn. Um 400 v. Chr. drangen gallische Kelten nach Norditalien ein und siedelten sich in der Po-Ebene, in Gallia Cisalpina (Gallien diesseits der Alpen), an. 354 v. Chr. verbündeten sich Römer und Samniten gegen die Gallier, doch hielt dieses Bündnis nicht lange, weil die Interessen beider Partner in Bezug auf Mittelitalien zu unterschiedlich waren. So kam es schließlich zum Ersten Samnitenkrieg (343–341 v. Chr.), der jedoch keine Entscheidung brachte. Rom unterwarf zunächst die Latiner (340–338 v. Chr.), um sich dann wieder den Samniten zuzuwenden. Daraus folgte der Zweite (326–304 v. Chr.) und Dritte Samnitenkrieg (298–290 v. Chr.). Nach dem römischen Sieg bei Sentinum im Jahr 295 v. Chr. brach die samnitische Macht zusammen. Die Römer gründeten in den unterworfenen Gebieten eigene Kolonien und belohnten ihre Verbündeten mit dem eingeschränkten römischen Bürgerrecht, aus dem sich bei weiterer Bündnistreue die volle Rechtsgleichheit entwickeln konnte.

»Noch so ein Sieg und wir sind verloren!«

Als nächsten Schritt begannen die Römer mit der Unterwerfung der griechischen Städte in Süditalien, woraufhin die Griechen König Pyrrhus von Epirus um Beistand baten. Pyrrhus drang 280 in Italien ein und lieferte sich bei Heraclea und ein Jahr später bei Ausculum eine Schlacht mit den Römern. Er siegte zwar in beiden, erlitt bei Ausculum aber so große Verluste, dass er bemerkte, noch ein Sieg dieser Art würde genügen, um den Krieg zu verlieren. Und er verlor ihn auch, denn die Römer leisteten hartnäckigen Widerstand. Pyrrhus kehrte schließlich 275 wieder nach Benevent zurück. Drei Jahre später nahm Rom Tarent ein, womit die Eroberung der italienischen Halbinsel abgeschlossen war.

Punische Kriege: Kampf um die Macht im Mittelmeerraum

Im Jahr 264 v. Chr. begannen die kriegerischen Auseinandersetzungen zwischen Rom und Karthago. Den Anlass dazu boten Interessenkonflikte auf Sizilien. Die Römer nannten die Karthager »Poeni« (Phöniker) und die nun folgenden Kriege gegen sie sind als die »Punischen Kriege« in die Geschichte eingegangen. Rom besaß keinerlei Erfahrung mit der Seekriegsführung, lernte jedoch schnell; 260 v. Chr. errang seine neu gebaute Flotte bei Mylae ihren ersten Sieg. 255 versuchten die Römer, den Krieg durch eine Invasion in Nordafrika zu einem raschen Ende zu bringen, wurden aber zurückgeschlagen. Der Krieg zog sich bis 241 v. Chr. hin, als die Römer die karthagische Flotte bei Lilybaeum (Ägadische Inseln) zu besiegen vermochten. Sizilien wurde nun römische Provinz. 238 besetzten die Römer auch Korsika und Sardinien. Des Weiteren brachte Rom Gallia Cisalpina unter seine Herrschaft und verständigte sich 226 v. Chr. über die Abgrenzung der Einflusssphären mit

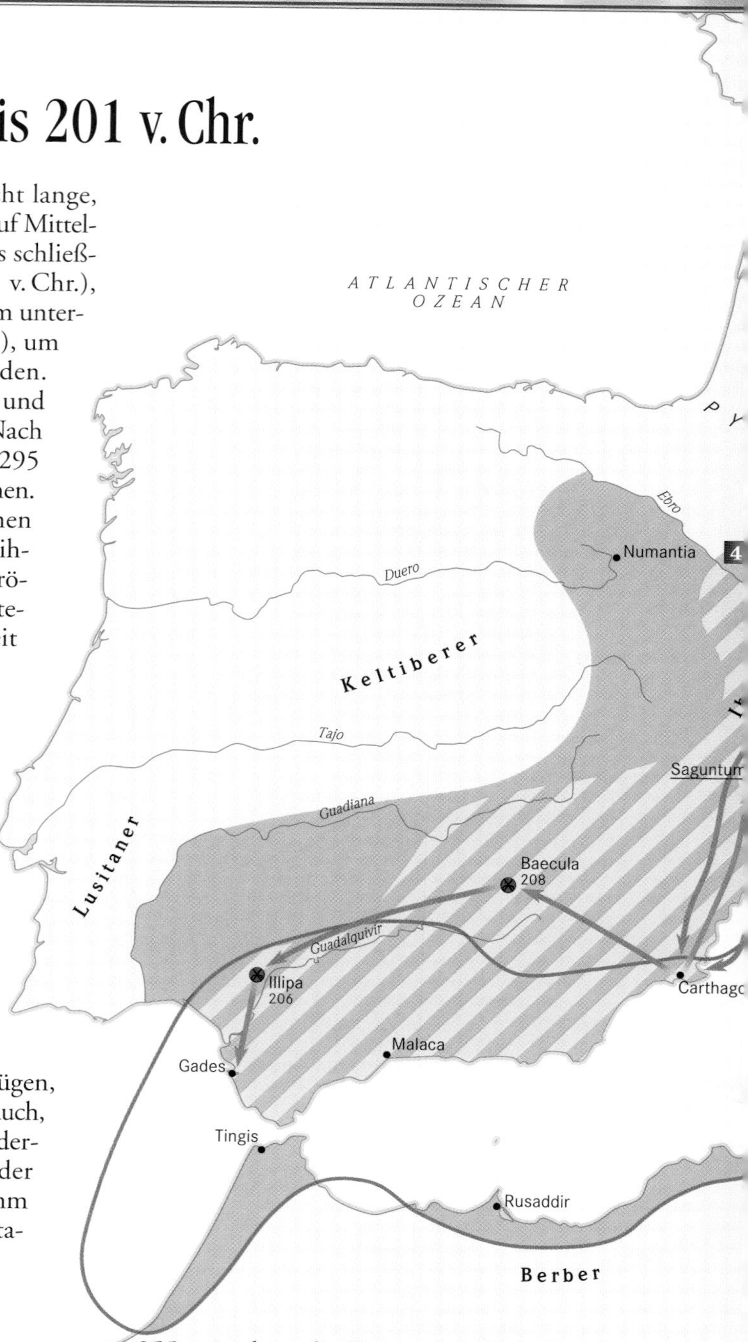

1 Mit der Eroberung der etruskischen Nachbarstadt Veji im Jahr 396 v. Chr. tat Rom den ersten Schritt zur Eroberung der Apenninhalbinsel.

2 Rom führte zwischen 343 und 290 v. Chr. eine Reihe von Kriegen gegen die Samniten (ein Bündnis aus Carakenern, Caudinern, Hirpinern und Pentrern), die ihm die Vorherrschaft in Italien streitig machten.

3 Die wachsende Rivalität zwischen Rom und Karthago entlud sich 264 v. Chr. im Ersten Punischen Krieg; den Anlass bot der Interessenkonflikt beider Mächte auf Sizilien.

4 226 v. Chr. grenzte der Ebro die Einflusssphären zwischen Rom und Karthago ab.

5 229 bis 228 v. Chr. kämpfte Rom gegen die illyrischen Seeräuber, die zu dieser Zeit mehr und mehr die Adria unsicher machten.

6 Hannibals Alpenüberquerung dauerte 15 Tage – nur wenige seiner ursprünglich 38 Elefanten überlebten sie.

7 Hannibals Operationsbasis in Süditalien lag bis 209 v. Chr., als die Römer die Stadt zurückeroberten, in Tarent.

8 Die Berberreiche Numidiens, die lange die karthagische Kavallerie gestellt hatten, kämpften 202 v. Chr. in der Schlacht von Zama auf der Seite Roms.

ZEITLEISTE

ROM & ITALIEN

KARTHAGO

550 v. Chr. – 500 v. Chr. – 450 v. Chr. – 400 v. Ch

509 v. Chr. Gründung der Republik Rom.

um 450 v. Chr. Aufzeichnung des Zwölftafelgesetzes, der Grundlage des römischen Rechts.

396 v. Chr. Die Expansion Roms beginnt mit der Einnahme Vejis.

um 400 v. Chr. Kelten aus Gallien siedeln sich in der Po-Ebene an; Verfall der etruskischen Macht.

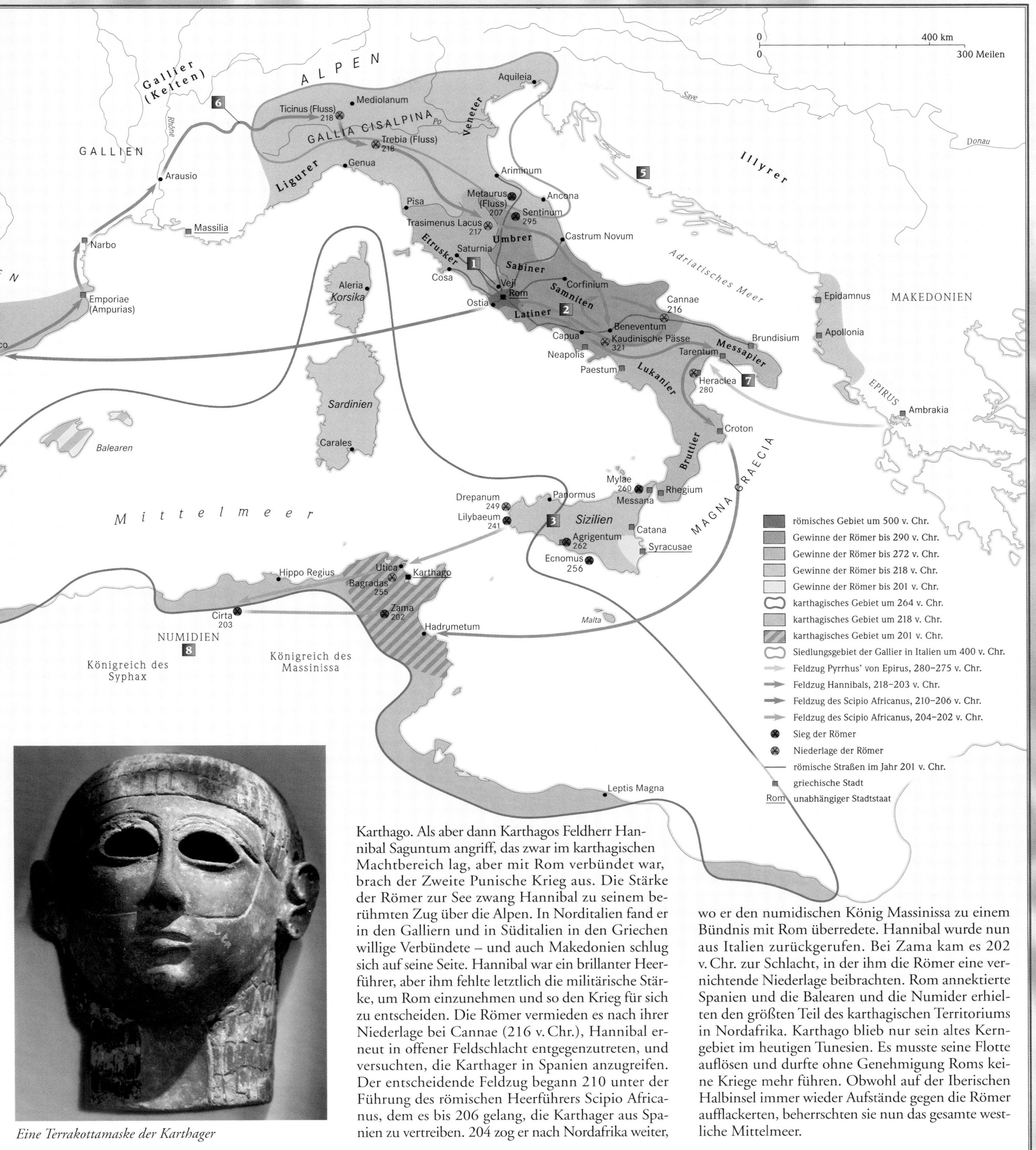

0 400 km
0 300 Meilen
ALPEN
Gallier (Kelten)
GALLIEN
Rhône
Aquileia
Mediolanum
Ticinus (Fluss) 218
GALLIA CISALPINA
Po
Veneter
Trebia (Fluss) 218
Genua
Ligurer
Arausio
Massilia
Narbo
Emporiae (Ampurias)
Save
Donau
Illyrer
Ariminum
Ancona
Metaurus (Fluss) 207
Sentinum 295
Pisa
Trasimenus Lacus 217
Umbrer
Castrum Novum
Etrusker
Saturnia
Sabiner
Cosa
Veji
Rom
Ostia
Corfinium
Samniten
Latiner
Aleria
Korsika
Adriatisches Meer
Cannae 216
Beneventum
Capua
Kaudinische Pässe 321
Neapolis
Paestum
Brundisium
Messapier
Tarentum
Heraclea 280
Lukanier
Epidamnus
Apollonia
MAKEDONIEN
EPIRUS
Ambrakia
Sardinien
Carales
Balearen
Croton
Bruttier
MAGNA GRAECIA
Mylae 260
Rhegium
Messana
Panormus
Drepanum 249
Lilybaeum 241
Sizilien
Catana
Agrigentum 262
Syracusae
Ecnomus 256
Mittelmeer
Hippo Regius
Utica
Karthago
Bagradas 255
Zama 202
Cirta 203
Hadrumetum
Malta
NUMIDIEN
Königreich des Syphax
Königreich des Massinissa
Leptis Magna
römisches Gebiet um 500 v. Chr.
Gewinne der Römer bis 290 v. Chr.
Gewinne der Römer bis 272 v. Chr.
Gewinne der Römer bis 218 v. Chr.
Gewinne der Römer bis 201 v. Chr.
karthagisches Gebiet um 264 v. Chr.
karthagisches Gebiet um 218 v. Chr.
karthagisches Gebiet um 201 v. Chr.
Siedlungsgebiet der Gallier in Italien um 400 v. Chr.
Feldzug Pyrrhus' von Epirus, 280–275 v. Chr.
Feldzug Hannibals, 218–203 v. Chr.
Feldzug des Scipio Africanus, 210–206 v. Chr.
Feldzug des Scipio Africanus, 204–202 v. Chr.
Sieg der Römer
Niederlage der Römer
römische Straßen im Jahr 201 v. Chr.
griechische Stadt
Rom unabhängiger Stadtstaat

Eine Terrakottamaske der Karthager

Karthago. Als aber dann Karthagos Feldherr Hannibal Saguntum angriff, das zwar im karthagischen Machtbereich lag, aber mit Rom verbündet war, brach der Zweite Punische Krieg aus. Die Stärke der Römer zur See zwang Hannibal zu seinem berühmten Zug über die Alpen. In Norditalien fand er in den Galliern und in Süditalien in den Griechen willige Verbündete – und auch Makedonien schlug sich auf seine Seite. Hannibal war ein brillanter Heerführer, aber ihm fehlte letztlich die militärische Stärke, um Rom einzunehmen und so den Krieg für sich zu entscheiden. Die Römer vermieden es nach ihrer Niederlage bei Cannae (216 v. Chr.), Hannibal erneut in offener Feldschlacht entgegenzutreten, und versuchten, die Karthager in Spanien anzugreifen. Der entscheidende Feldzug begann 210 unter der Führung des römischen Heerführers Scipio Africanus, dem es bis 206 gelang, die Karthager aus Spanien zu vertreiben. 204 zog er nach Nordafrika weiter, wo er den numidischen König Massinissa zu einem Bündnis mit Rom überredete. Hannibal wurde nun aus Italien zurückgerufen. Bei Zama kam es 202 v. Chr. zur Schlacht, in der ihm die Römer eine vernichtende Niederlage beibrachten. Rom annektierte Spanien und die Balearen und die Numider erhielten den größten Teil des karthagischen Territoriums in Nordafrika. Karthago blieb nur sein altes Kerngebiet im heutigen Tunesien. Es musste seine Flotte auflösen und durfte ohne Genehmigung Roms keine Kriege mehr führen. Obwohl auf der Iberischen Halbinsel immer wieder Aufstände gegen die Römer aufflackerten, beherrschten sie nun das gesamte westliche Mittelmeer.

387 v. Chr. Marodierende Gallier zerstören Rom.

380 v. Chr. [R]om erhält [eine] Stadtmauer.

350 v. Chr.

343–290 v. Chr. Rom geht aus den Samnitenkriegen als führende Macht Italiens hervor.

300 v. Chr.

282–275 v. Chr. Pyrrhus marschiert in Italien ein, kann die Römer aber nicht besiegen und zieht sich schließlich wieder zurück.

272 v. Chr. Die Römer nehmen Tarent ein und schließen damit die Eroberung der italienischen Halbinsel ab.

250 v. Chr.

264–241 v. Chr. 1. Punischer Krieg zwischen Rom und Karthago.

216 v. Chr. Hannibal siegt in der Schlacht von Cannae, die Römer erleiden ihre bislang schlimmste Niederlage.

um 222 Die Römer erobern Gallia Cisalpina.

237–218 v. Chr. Karthago dehnt sich in Spanien aus.

218 v. Chr. Hannibal beginnt den 2. Punischen Krieg.

201 v. Chr. Ende des 2. Punischen Krieges.

200 v. Chr.

202 v. Chr. Rom besiegt Karthago in der Schlacht von Zama.

Die Welt der Antike (500 v. Chr. bis 600 n. Chr.)

Das Römische Reich wird größer • 201 v. Chr. bis 117 n. Chr.

Schon bald nach dem Zweiten Punischen Krieg wurde das Römische Reich in weitere Kämpfe um die Vorherrschaft in Italien, Spanien und in Griechenland verwickelt. Gallia Cisalpina eroberte man 191 v. Chr. zurück und danach auch die gesamte Iberische Halbinsel. Im Jahr 200 v. Chr. wurde Makedonien, der Verbündete Karthagos im Zweiten Punischen Krieg, nach der Schlacht von Kynoskephalai gezwungen, die griechischen Stadtstaaten freizugeben.

Zu dieser Zeit formulierte Rom zwar noch keine territorialen Ansprüche, aber der dauernde Streit zwischen den griechischen Städten und den hellenistischen Reichen gab ihm im Jahr 146 v. Chr. Anlass, sich Griechenland direkt zu unterstellen und jegliche Opposition zu unterdrücken. Ebenfalls 146 v. Chr. zerstörten die Römer Karthago bis auf die Grundmauern und errichteten auf seinem Territorium die Provinz Africa. In Vorderasien erbte Rom 133 v. Chr. das Königreich Pergamon und bildete daraus die Provinz Asia; 121 v. Chr. entstand in Südgallien die Provinz Gallia Narbonensis.

Bürgerkriege

Das Reich wuchs immer mehr und das Beutegut der erfolgreichen Feldzüge, Schätze und Sklaven, strömte nach Rom. Die Bauern als größte Bevölkerungsgruppe der frühen Republik konnten mit der Zeit mit den von Sklaven bewirtschafteten Gütern nicht mehr konkurrieren und mussten ihr Land verkaufen. Sie zogen in die Stadt und vergrößerten dort die Masse des Proletariats. Bittere Klassenkämpfe brachen aus, in deren Verlauf der populäre Volkstribun Tiberius Gracchus 133 v. Chr. ermordet wurde. Die Heeresreform des Gaius Marius eröffnete auch Plebejern den Eintritt in die Armee und belohnte deren Dienste nach ihrer Entlassung mit Land. Solange erfolgreiche Heerführer dieses Versprechen hielten, konnten sie sich bei der Durchsetzung ihrer politischen Ziele auf ihre Armeen meist verlassen. Erfolg im Krieg bedeutete also auch politische Macht danach. Diesem Prinzip folgten insbesondere Pompejus (Kriegszüge nach Kleinasien und Syrien 67–64 v. Chr.), Julius Cäsar (Eroberung Galliens 58–51 v. Chr.) und Crassus, der bei seinem Vorstoß nach Parthien allerdings 53 v. Chr. in der Schlacht von Carrhae fiel. Aus der Pflicht der Veteranenentlohnung entstanden in den neu eroberten Gebieten römische Kolonien, die wesentlich zur Romanisierung riesiger Gebiete beitrugen.

Auf dieser aus Onyx geschnittenen Gemme ist allegorisch der Triumph des Tiberius über die Barbaren dargestellt.

Nicht nur ein großer Heerführer und Herrscher, sondern auch ein berühmter Schriftsteller: Gaius Julius Cäsar schrieb u. a. »De bello Gallico« und »De bello civili«.

Ende der Republik – Einführung des Prinzipats

Der Kampf der Heerführer um die Macht stürzte Rom 49 v. Chr. in einen Bürgerkrieg, der die Republik zerstörte. Cäsar, der seinen Gegner Pompejus 49 v. Chr. bei Ilerda in Spanien und 48 v. Chr. bei Pharsalos in Griechenland schlug, ging daraus als Sieger hervor. 44 v. Chr. erklärte ihn der Senat zum Diktator auf Lebenszeit, doch fiel er kurze Zeit später einem Mordanschlag republikanischer Verschwörer zum Opfer. Danach geriet Rom bis zum Sieg von Cäsars Adoptivsohn Octavian (später Augustus) 31 v. Chr. über Cäsar-Rächer Antonius und Ägyptens Königin Kleopatra bei Actium in eine innenpolitisch gefährliche Situation. Octavian stellte im Jahr 27 v. Chr. die Republik formal zwar wieder her, führte faktisch aber eine monarchieähnliche Regierungsform ein: Er nannte sich selbst »Princeps« (erster Bürger); seine Nachfolger veränderten diesen Titel in »Imperator« (Kaiser, Heerführer).

79–87 n. Ch
Deva
Isca Silurum
ATLANTISCHER OZEAN
Legio
Duero
Tarraconensis
Lusitania
Tajo
Emerita Augusta
Guadiana
Baetica
Corduba
Carthago Nova
Gades
Tingis
Mauretania Tingitana

Auf dem Höhepunkt der Macht

Rom dehnte sich zur Kaiserzeit weiter aus. Unter Augustus wurden Ägypten und Galatien römische Provinzen, in Spanien brach man den letzten Widerstand. Die in den Alpen lebenden Stämme wurden unterworfen und die nördliche Reichsgrenze schob sich bis an die Donau vor. Pläne, auch das freie Germanien zu erobern, gab Augustus nach der demütigenden Niederlage eines römischen Heeres im Jahr 9 n. Chr. nahe dem Teutoburger Wald wieder auf. Seiner Überzeugung nach hatte das Römische Reich seine natürlichen Grenzen erreicht, so dass er seinen Nachfolgern von weiteren Eroberungen abriet. Trotzdem dehnte sich das Imperium in den folgenden Jahrhunderten immer mehr aus: 43 n. Chr. wurden Lykien als Lycia und etwa zwei Drittel der Britischen Insel als Britannia römische Provinzen. Als letzter Kaiser verfolgte Trajan eine offen expansionistische Politik. Er eroberte 106 n. Chr. Dacia (Dakien), weil es die Donaugrenze bedrohte. Auch das

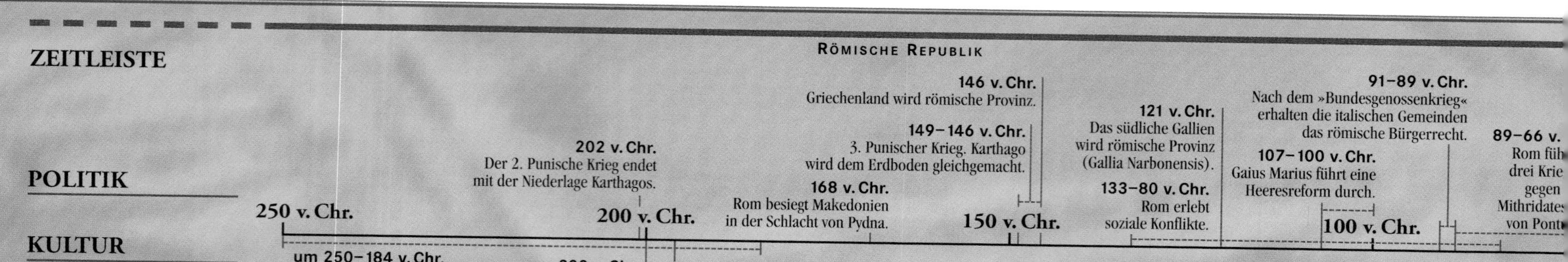
ZEITLEISTE
Römische Republik
POLITIK
KULTUR
250 v. Chr.
200 v. Chr.
150 v. Chr.
100 v. Chr.
202 v. Chr. Der 2. Punische Krieg endet mit der Niederlage Karthagos.
168 v. Chr. Rom besiegt Makedonien in der Schlacht von Pydna.
149–146 v. Chr. 3. Punischer Krieg. Karthago wird dem Erdboden gleichgemacht.
146 v. Chr. Griechenland wird römische Provinz.
133–80 v. Chr. Rom erlebt soziale Konflikte.
121 v. Chr. Das südliche Gallien wird römische Provinz (Gallia Narbonensis).
107–100 v. Chr. Gaius Marius führt eine Heeresreform durch.
91–89 v. Chr. Nach dem »Bundesgenossenkrieg« erhalten die italischen Gemeinden das römische Bürgerrecht.
um 250–184 v. Chr. Plautus, Autor griechischer Komödien.
um 200 v. Chr. In der römischen Kunst wird der griechische Einfluss erkennbar.
196 v. Chr. Bau der ersten Triumphbogen in Rom.

Römisches Reich um 210 v. Chr.
Erwerbungen der Römer bis 100 v. Chr.
Erwerbungen der Römer bis 44 v. Chr.
Erwerbungen der Römer bis 14 n. Chr.
Erwerbungen der Römer bis 117 n. Chr.
zeitweilige territoriale Gewinne der Römer mit Jahreszahlen
Königreich Pontus unter Mithridates VI. von 112–66 v. Chr.
römische Kolonien vor Augustus
römische Kolonien zur Zeit von Augustus
römische Kolonien nach Augustus
römische Provinzgrenzen im frühen 2. Jahrhundert n. Chr.
römische Provinzhauptstadt
Standort einer römischen Legion im frühen 2. Jh. n. Chr.
Aufstände gegen die Römerherrschaft, datiert
AC Alpes Cottiae (kaiserliche Provinz)
AM Alpes Maritimae (kaiserliche Provinz)
AP Alpes Poeniae (kaiserliche Provinz)
0 600 km
0 400 Meilen
Vänersee
Vättersee
Peipussee
Wolga
Westl. Dwina
Ostsee
Nordsee
Weichsel
Oder
Elbe
Don
Dnjepr
Germania 12 v. Chr.–9 n. Chr.
Noviomagus
»Varusschlacht« 9 n. Chr.
Colonia Agrippina
Germania Inferior
Moguntiacum
Augusta Treverorum
21 n. Chr.
Argentorate
Castra Regina
Donau
Agri Decumates
Rhein
Augusta Vindelicorum
Vindibona
Carnuntum
Aquincum
Raetia
Noricum
Pannonia Superior
Pannonia Inferior
6–8 n. Chr.
Germania Superior
Virunum
KARPATEN
Dacia
Sarmizegetusa
BOSPORANISCHES KÖNIGREICH (Vasallenstaat Roms)
Panticapaeum
ALPEN
AP
Axima
Mediolanum
Aquileia
Save
Singidunum
Viminacium
Troesmis
Durostorum
Rhône
Po
AC
Segusio
AM
Cemenelum
Massilia
Florentia
6–8 n. Chr.
Dalmatia
Salonae
Moesia Superior
Novae
Moesia Inferior (Hauptstadt unbekannt)
Schwarzes Meer
Sinope
Trapezus
Armenia 115–117 n. Chr.
Satala
Bithynia et Pontus
Nicopolis 68 v. Chr.
Thracia
Byzantion
Perinthus
Nicomedia
90 v. Chr.
Korsika
Aleria
Corsica
Italia
Rom
91–89 v. Chr.
73–71 v. Chr.
Pompeji
Macedonia
Pydna 168 v. Chr.
Thessalonice
Brundisium
Ancyra
Cappadocia
Tigranocerta
ANATOLIEN
Melitene
Caesarea
Sardinien
126–122 v. Chr., 115–111 v. Chr.
Sardinia
Kynoskephalai 197 v. Chr.
Pharsalus 48 v. Chr.
Epirus
Actium 31 v. Chr.
Achaea
Athen
Corinthus
Pergamon
Magnesia 190 v. Chr.
Asia
Ephesus
Aphrodisias
Galatia
Samosata
Edessa
Carrhae 53 v. Chr.
Tarsus
Cilicia
Cyrrhus
Antiochia
Mesopotamia 115–117 n. Chr.
Carales
Sizilien
Sicilia
Syracusae
Karthago 136–132 v. Chr. 104–101 v. Chr.
Myra
Lycia et Pamphylia
Syria
Zypern
Emesa
Palmyra
Paphus
Cyprus
Kreta
Creta
Gortyn
Malta
Africa
Mittelmeer
Judaea
Caesarea
Bostra
66–74 n. Chr.
Jerusalem
Leptis Magna
Cyrene
Alexandria
172 n. Chr.
66 n. Chr.
Arabia
Cyrenaica
Aegyptus
1
2
3
4
5

Partherreich wollte er unbedingt erobern und seine Legionen pflanzten ihre Adler in Armenien und Mesopotamien auf. Sein Nachfolger Hadrian (117 bis 138 n. Chr.) hielt die Verteidigung dieser Regionen jedoch für unmöglich und zog sich wieder aus ihnen zurück. Im 2. Jahrhundert schoben die Römer ihre Grenze in Britannien weiter nach Norden und eroberten das nördliche Mesopotamien erneut. Insgesamt aber befand sich das Römische Reich seit dieser Zeit vornehmlich in der Defensive.

1 Der König von Pergamon vermachte sein Reich Rom; es entstand die Provinz Asia, die erste römische Besitzung in Kleinasien.

2 Der »Bundesgenossenkrieg« zwang Rom dazu, Nichtrömern in Italien das römische Bürgerrecht zuzugestehen.

3 Mithridates VI. von Pontus führte zwischen 89 und seiner endgültigen Niederlage 66 v. Chr. dreimal Krieg gegen Rom.

4 Augustus' Sieg bei Actium beendete 31 v. Chr. den Bürgerkrieg und unterstellte Ägypten direkt der römischen Herrschaft.

5 Karthago, als römische Kolonie neu gegründet, wurde 29 v. Chr. Roms Verwaltungszentrum in Afrika.

6 Die römische Eroberung Britanniens begann 43 n. Chr., also erst fast ein Jahrhundert nach Cäsars Vorstößen 55 und 54 v. Chr.

JULISCH-CLAUDISCHE DYNASTIE

FLAVIER

48 v. Chr. Cäsar besiegt im Bürgerkrieg Pompejus.

51 v. Chr. Cäsar beendet Eroberung Galliens.

44 v. Chr. Cäsar wird von republikanischen Verschwörern ermordet.

31 v. Chr. Octavian (Augustus) siegt bei Actium.

27 v. Chr. Augustus »stellt die Republik wieder her«, führt in Wahrheit aber den Prinzipat ein.

9 n. Chr. Eine römische Armee wird in Germanien vernichtet.

14 n. Chr. Augustus stirbt, sein Nachfolger wird Tiberius.

43 n. Chr. Claudius veranlasst die Eroberung Britanniens.

68–69 n. Chr. Vierkaiserjahr und Bürgerkrieg in Rom.

106 n. Chr. Kaiser Trajan erobert Dacia (Dakien).

115–117 n. Chr. Trajan erobert Armenien und Mesopotamien.

50 v. Chr. — Chr. Geb. — 50 n. Chr. — 100 n. Chr. — 150 n. Chr.

um 30 v. Chr. Livius (59 v. Chr. bis 17 n. Chr.) beginnt seine »Geschichte Roms«.

um 30–19 v. Chr. Der Dichter Vergil (70–19 v. Chr.) schreibt die »Aeneis«.

um 8 v. Chr. Ovid (43 v. Chr. bis 17 n. Chr.) vollendet seine »Metamorphosen«.

64 n. Chr. Erste Christenverfolgungen in Rom.

um 100 n. Chr. Tacitus beginnt mit der Abfassung seiner »Historiae« und »Annales«.

113 n. Chr. Errichtung der Trajanssäule in Rom.

Die Welt der Antike (500 v. Chr. bis 600 n. Chr.)

Wirtschaft und Gesellschaft des Römischen Reiches • 27 v. Chr. bis 305 n. Chr.

Rom schuf mit seinem Reich eine riesige Freihandelszone, in der nur eine Währung galt und wo der Handel unbedroht von Piraterie und Kriegen gedeihen konnte. Dazu trugen auch das Straßennetz, Brücken und Häfen bei. Der Wohlstand des Reiches geriet nur im 3. Jahrhundert in Gefahr, als die hohen Verteidigungskosten zur Abwertung der Währung zwangen und die Inflation deshalb rapide nach oben schnellte.

Die Reichsbevölkerung bestand zumeist aus Bauern und Sklaven, deren Bedürfnisse lokale Produzenten befriedigten. Aber es gab auch einen regen Fernhandel mit Luxusgütern wie Seide, Gewürzen, Duftharzen und Elfenbein aus China, Ostindien und Schwarzafrika. Er bestimmte den Lebensstil der kleinen Schicht der Reichen. Funde römischer Metall- und Glaswaren sowie Münzen in Indien und Fernost beweisen indes auch eine gesunde Nachfrage nach römischen Exportartikeln. Abgesehen von Luxusgütern, gab es im Reich alles, man war also wirtschaftlich autark. Vor allem der Bedarf der ständig wachsenden Städte kurbelte den Handel an. Rom selbst bezog jährlich 400 000 Tonnen Getreide aus Ägypten, Afrika und Sizilien und das Heer verbrauchte 100 000 Tonnen Getreide im Jahr; für die Zelte nur einer Legion wurden 54 000 Rinderfelle benötigt. Deshalb lastete der Armeebedarf vor allem die Landwirtschaft und die Metallberufe in den Grenzregionen aus, wo die meisten Truppen stationiert waren.

Auf diesem römischen Fußbodenmosaik ist ein Bauer bei der Olivenernte zu sehen.

Verkehr, Handel und Märkte

Auch das Straßennetz war aus militärischen Notwendigkeiten entstanden, doch diente es natürlich ebenso dem örtlichen Handel. Allerdings war der Warentransport über Land teuer. Bei großen Entfernungen und Mengen empfahl sich die See- oder Flussschifffahrt. Aus diesem Grund richteten die Römer ihre Grenzgarnisonen mit Vorliebe an Flüssen ein – dies erleichterte nicht nur die Verteidigung, sondern auch die Versorgung.

Ruinen einer Kolonnadenstraße mit Triumphbogen in Palmyra, einer antiken römischen Handelsstadt in Zentralsyrien an der Karawanenstraße nach Indien

Trotz der lebenswichtigen Bedeutung des Handels gab es nur wenige Kaufleute und Handel Treibende und diese erfreuten sich weder des Reichtums noch des Prestiges der Land besitzenden Aristokratie. Bestimmte Waren (etwa Keramik) wurden zwar schon als Massenware in »Fabriken« produziert, aber angesichts der relativen Armut des größten Teils der Bevölkerung ist es fraglich, ob für größere Produktionsmengen anderer Fabrikwaren überhaupt Märkte bestanden hätten. Wahrscheinlich lag darin einer der Gründe für den erstaunlichen Mangel an technischen Innovationen im Römischen Reich. Obwohl die Römer hervorragende Militäringenieure besaßen, nutzten sie deren profunde Kenntnisse in Fragen der Wasser- und Windenergie kaum für entsprechend praktikable Lösungen im zivilen Bereich. Es ist allerdings denkbar, dass die Verfügbarkeit der billigen Arbeitskraft der Sklaven einer regeren Investition in teure Maschinen entgegengewirkt hat.

Arm und Reich

Wohlstand und Bevölkerung verteilten sich im Reich nicht gleichmäßig – die Osthälfte war wohlhabender und bevölkerungsreicher als die Westhälfte. Zur Zeit der römischen Eroberungen ließ der Grad der Urbanisierung im Reich (zum Beispiel in Gallien und Britannien) noch sehr zu wünschen übrig. Deshalb gründeten die Römer Dutzende neuer Städte und statteten sie mit allen Errungenschaften ihrer Zivilisation (Bäder, Theater, Arenen) aus. Der materielle Unterschied zwischen Ost- und Westhälfte sollte sich im 5. Jahrhundert auf das Schicksal des Reiches ganz entscheidend auswirken.

1 Der Haupthafen Roms war Puteoli, bis Claudius den Hafen Ostia ausbaute. Dieser blieb allerdings unsicher, was sich erst im frühen 2. Jahrhundert änderte, als ihn Trajan neu gestalten ließ.

2 Rom war mit etwa einer Million Einwohnern die größte Stadt des Reiches. Etwa 200 000 Menschen konnten nur dank der öffentlichen Verteilung von Getreiderationen überleben.

3 Ägypten war lange die Kornkammer des Römischen Reiches und das fruchtbare Niltal dessen landwirtschaftlich produktivstes Gebiet.

4 Carnuntum bildete das Zentrum für den Bernsteinhandel mit den germanischen Stämmen.

5 In Nordwestspanien lag eine der wichtigsten Bergbauregionen des Römischen Reiches.

6 Palmyra, eine Wüstenstadt, erlangte als Anlaufpunkt transasiatischer Karawanen Bedeutung.

7 Am Rhein befand sich ein wichtiges Zentrum der Glasherstellung. Ein großer Teil der Produktion ging über den Strom in den Export.

ZEITLEISTE

WIRTSCHAFTLICHER WANDEL

50 v. Chr. – Chr. Geb. – 50 n. Chr. – 100 n. Chr.

40 v. Chr. In der Glaserzeugung setzt sich die Technik des Glasblasens durch.

27 v. Chr. Augustus reduziert das Heer auf 28 Legionen und siedelt mehr als 100 000 Veteranen in Grenzkolonien an.

24–20 v. Chr. Augustus lässt regelmäßig Getreide aus Ägypten an die Armen verteilen.

32 n. Chr. In Rom kommt es wegen Getreideknappheit zu Tumulten. Ähnliche Aufstände wiederholen sich im Jahr 51 n. Chr.

100 n. Chr. Trajan weitet in Rom die Getreideverteilung auf arme Kinder und deren Eltern aus.

um 100 n. Chr. Trajan wertet die Währung ab und veranlasst eine Reihe von Wirtschaftsreformen.

VERKEHR

1–50 n. Chr. Erste Nonstop-Handelsreisen von Ägypten nach Indien.

42 n. Chr. Claudius lässt den Hafen Ostia ausbauen.

Vielvölkerstaat

Das Römische Reich vereinte in sich viele ethnische Gruppen. Durch die ständige Ausweitung der Staatsbürgerschaft raubte es diesen aber auch ihre Identität, so dass sich im 4. Jahrhundert die Bevölkerungsmehrheit als Römer betrachtete. Im Westen trat an die Stelle der Lokalsprachen allmählich das Lateinische. In Italien, Iberien, Dakien und Gallien bildeten sich eigene, deutlich unterschiedene lateinische Dialekte; daraus entstanden schließlich die romanischen Sprachen Italienisch, Spanisch, Portugiesisch, Rumänisch und Französisch. In Britannien hielten sich keltische Sprachen, in den Pyrenäen das Baskische und in weiten Teilen Nordafrikas das Libysche. Im Osten setzte sich Latein nicht in gleicher Weise durch. Hier trat eher Griechisch an die Stelle heimischer Regionalsprachen (zum Beispiel ersetzte es in Kleinasien die phrygische Sprache). Das Griechische spielte jedoch nicht dieselbe Rolle wie Latein im Westen und es blieben große Gruppen erhalten, die sich der demotischen und der aramäischen Sprache bedienten.

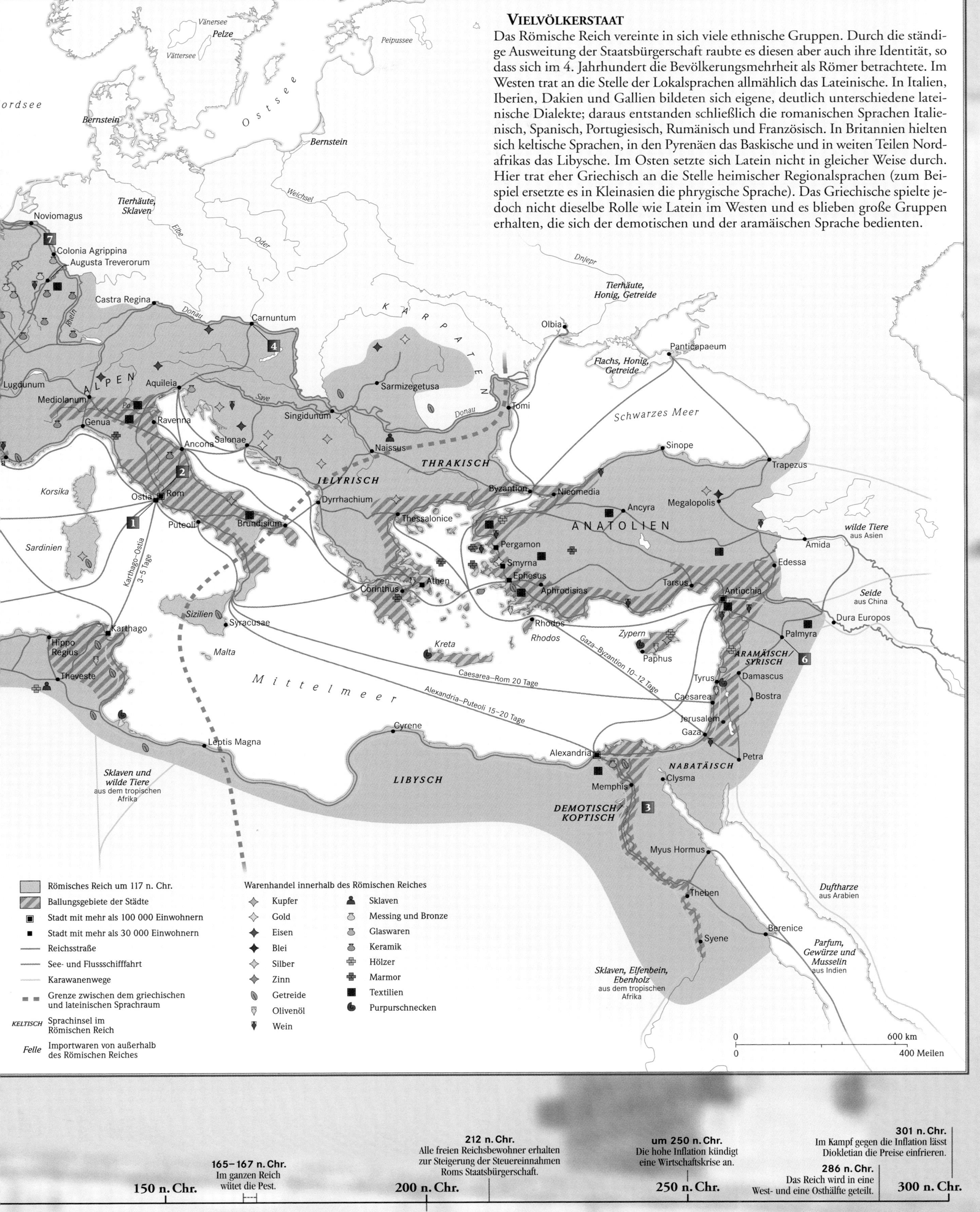
Vänersee
Pelze
Vättersee
Peipussee
Ostsee
Bernstein
Bernstein
Weichsel
Oder
Elbe
Tierhäute, Sklaven
Noviomagus
7
Colonia Agrippina
Augusta Treverorum
Castra Regina
Rhein
Donau
Carnuntum
4
KARPATEN
Dnjepr
Tierhäute, Honig, Getreide
Olbia
Panticapaeum
Flachs, Honig, Getreide
Sarmizegetusa
Tomi
Donau
Schwarzes Meer
ALPEN
Lugdunum
Mediolanum
Aquileia
Save
Po
Genua
Ravenna
Singidunum
Ancona
Salonae
Naissus
Sinope
Trapezus
THRAKISCH
2
ILLYRISCH
Korsika
Ostia
Rom
Byzantion
Nicomedia
Megalopolis
Dyrrhachium
Ancyra
1
Puteoli
Brundisium
Thessalonice
ANATOLIEN
wilde Tiere
aus Asien
Amida
Sardinien
Karthago–Ostia 3–5 Tage
Pergamon
Smyrna
Ephesus
Edessa
Corinthus
Athen
Aphrodisias
Tarsus
Antiochia
Seide
aus China
Sizilien
Syracusae
Rhodos
Rhodos
Dura Europos
Karthago
Palmyra
Hippo Regius
Malta
Kreta
Zypern
Paphus
ARAMÄISCH/SYRISCH
6
Theveste
Gaza–Byzantion 10–12 Tage
Damascus
Tyrus
Mittelmeer
Caesarea–Rom 20 Tage
Caesarea
Bostra
Alexandria–Puteoli 15–20 Tage
Jerusalem
Cyrene
Gaza
Leptis Magna
Alexandria
Petra
NABATÄISCH
Clysma
Sklaven und wilde Tiere
aus dem tropischen Afrika
LIBYSCH
Memphis
DEMOTISCH/KOPTISCH
3
Myus Hormus
Duftharze
aus Arabien
Theben
Berenice
Syene
Parfum, Gewürze und Musselin
aus Indien
Sklaven, Elfenbein, Ebenholz
aus dem tropischen Afrika
0 600 km
0 400 Meilen
Römisches Reich um 117 n. Chr.
Ballungsgebiete der Städte
Stadt mit mehr als 100 000 Einwohnern
Stadt mit mehr als 30 000 Einwohnern
Reichsstraße
See- und Flussschifffahrt
Karawanenwege
Grenze zwischen dem griechischen und lateinischen Sprachraum
KELTISCH Sprachinsel im Römischen Reich
Felle Importwaren von außerhalb des Römischen Reiches
Warenhandel innerhalb des Römischen Reiches
Kupfer
Gold
Eisen
Blei
Silber
Zinn
Getreide
Olivenöl
Wein
Sklaven
Messing und Bronze
Glaswaren
Keramik
Hölzer
Marmor
Textilien
Purpurschnecken

150 n. Chr.

165–167 n. Chr. Im ganzen Reich wütet die Pest.

200 n. Chr.

um 200 n. Chr. Das Straßennetz des Reiches ist fertig.

212 n. Chr. Alle freien Reichsbewohner erhalten zur Steigerung der Steuereinnahmen Roms Staatsbürgerschaft.

250 n. Chr.

um 250 n. Chr. Die hohe Inflation kündigt eine Wirtschaftskrise an.

286 n. Chr. Das Reich wird in eine West- und eine Osthälfte geteilt.

301 n. Chr. Im Kampf gegen die Inflation lässt Diokletian die Preise einfrieren.

300 n. Chr.

Die Welt der Antike (500 v. Chr. bis 600 n. Chr.)

Der Niedergang des Weströmischen Reiches • 376 bis 480 n. Chr.

Nur weil es der Bevölkerung große Opfer abverlangte, konnte das Römische Reich weiterbestehen. Die steuerlichen Belastungen waren enorm, weil man die Heere zur Grenzsicherung gegen die immer besser organisierten germanischen Barbaren finanzieren musste. Dadurch geriet die Wirtschaft vor allem im westlichen Reichsteil in einen desolaten Zustand.

Die Hauptlast hatten dabei die ärmeren Schichten zu tragen. Denn die Reichen konnten ihren politischen Einfluss zur persönlichen Bereicherung oder zur Steuerhinterziehung nutzen. Die Bevölkerungszahl sank im gesamten Reich und die Armee verspürte den Nachwuchsmangel sehr deutlich. Das weströmische Heer musste seine Lücken immer häufiger mit germanischen Söldnern füllen.

Druck auf die Grenzen

In den 70er-Jahren des 4. Jahrhunderts verstärkte sich der Druck auf die Nordgrenze dramatisch. Die Hunnen wanderten aus Zentralasien in die osteuropäischen Steppen und zerstörten um 372 das Ostgoten-Reich zwischen Ostsee und Schwarzem Meer. Die Niederlage dieses mächtigen Germanenstammes versetzte die anderen Völker in Panik. Um sich vor den Hunnen zu schützen, baten die Westgoten 376 um Aufnahme in das Römische Reich. Kaiser Valens sah darin die Möglichkeit, neue Rekruten für seine Armee zu gewinnen, und gestattete ihnen die Ansiedlung in den unbewohnten Gebieten Thrakiens. Dort wurden sie allerdings von korrupten Beamten so schlecht behandelt, dass sie sich 378 empörten und Valens in der Schlacht von Adrianopel (Hadrianopolis) töteten. 382 erhielten die Westgoten von Kaiser Theodosius den Status von Foederaten (Verbündeten). Das aber genügte ihrem Führer Alarich nicht, so dass 395 ein neuer Aufstand ausbrach. Alarich zog plündernd durch Griechenland und Dalmatien, um dann 401 auch in Italien einzufallen. Stilicho, ein römischer Heerführer germanischer Herkunft, trieb ihn schließlich nach Dalmatien zurück. Sofort aber geriet Rom wieder in eine kritische Lage, als 406 Wandalen, Sweben und Alanen gemeinsam in Gallien einfielen und 409 über die Pyrenäen nach Spanien weiterzogen; Franken, Burgunder und Alemannen folgten ihnen nach Gallien nach. Im Jahr 410 erhob sich auch Alarich wieder und ließ, als seine Forderungen nicht erfüllt wurden, Rom plündern. Dieser Überfall löste einen tiefen Schock aus. Allerdings starb der Westgoten-König wenig später und seine Nachfolger suchten den Ausgleich mit den Römern. 425 griffen die Westgoten als römische Verbündete die Wandalen, Sweben und Alanen in Spanien an, bevor sie sich in Aquitanien ansiedelten.

Obwohl indirekt für die Schwierigkeiten des Römischen Reiches verantwortlich, unterhielten die Hunnen anfangs noch gute Beziehungen zu Rom. Mit ihrer Hilfe zwang der römische Feldherr Aëtius in den 30er-Jahren des 5. Jahrhunderts den Burgundern und anderen Stämmen, die sich in Gallien angesiedelt hatten, den Verbündetenstatus auf. Aber 441 wandte sich der Hunnenkönig Attila gegen das Römische Reich, fiel auf dem Balkan ein und schob die hunnische Westgrenze bis an den Rhein. 451 drang er in Gallien ein, wurde aber in der Schlacht auf den Katalaunischen Feldern von den verbündeten Römern, Westgoten, Burgundern und Franken unter Aëtius besiegt. Nach Attilas Tod im Jahr 453 erhoben sich die germanischen Untertanen der Hunnen und besiegten diese im Jahr 454 in der Schlacht von Nedao.

Die Plünderung Roms durch die Wandalen im Sommer 455; Holzstich nach einer Zeichnung von Heinrich Leutemann

Das Ende einer Ära

429 waren die Wandalen von Spanien nach Nordafrika übergesetzt, wo sie ein unabhängiges Reich

1 Die Ankunft der Hunnen um 370 in Osteuropa veranlasste viele germanische Stämme, Zuflucht im Römischen Reich zu suchen.

2 402 wurde Ravenna die Hauptstadt des Weströmischen Reiches, was die Verbindungen mit der Nordgrenze und mit Konstantinopel verbessern sollte.

3 407 wurde der Großteil der römischen Truppen aus Britannien abgezogen, weil der Usurpator Konstantin sie für einen Bürgerkrieg benötigte. Honorius teilte den Briten im Jahr 410 mit, sie sollten sich nun selbst um ihre Verteidigung kümmern.

4 Rom wurde im 5. Jahrhundert gleich zweimal geplündert: 410 von den Westgoten und 455 von den Wandalen.

5 Ab etwa 450 siedelten sich Angeln, Sachsen und Jüten aus Nordgermanien allmählich in Britannien an.

6 Die Lage und starke Befestigung Konstantinopels bewahrte Kleinasien im 5. Jahrhundert vor Angriffen der »Barbaren«.

7 In den 60er-Jahren des 5. Jahrhunderts stießen die von den Römern in Aquitanien angesiedelten Westgoten nach Gallien und auf die Iberische Halbinsel vor.

8 476 trat in Italien Odoaker, ein aus Germanien stammender Heerführer, die Herrschaft an, nachdem er den letzten weströmischen Kaiser, den erst 13-jährigen Romulus Augustulus (»Kaiserlein«), gestürzt hatte.

ZEITLEISTE

WESTRÖMISCHES REICH

402 Ravenna wird Hauptstadt des Weströmischen Reiches.

406 Wandalen, Sweben und Alanen dringen in Gallien ein.

410 Die Westgoten unter Alarich plündern Rom.

OSTRÖMISCHES REICH

350 — 400

um 372 Die Hunnen unterwerfen die Ostgoten.

378 Die Westgoten lehnen sich gegen das Oströmische Reich auf, dessen Kaiser Valens sie nach der Schlacht von Adrianopel (Hadrianopolis) töten.

395 Tod von Kaiser Theodosius I.; endgültige Reichsteilung.

396–398 Die Westgoten verwüsten Griechenland.

413 In Konstantinopel Baubeginn der Stadtmauern.

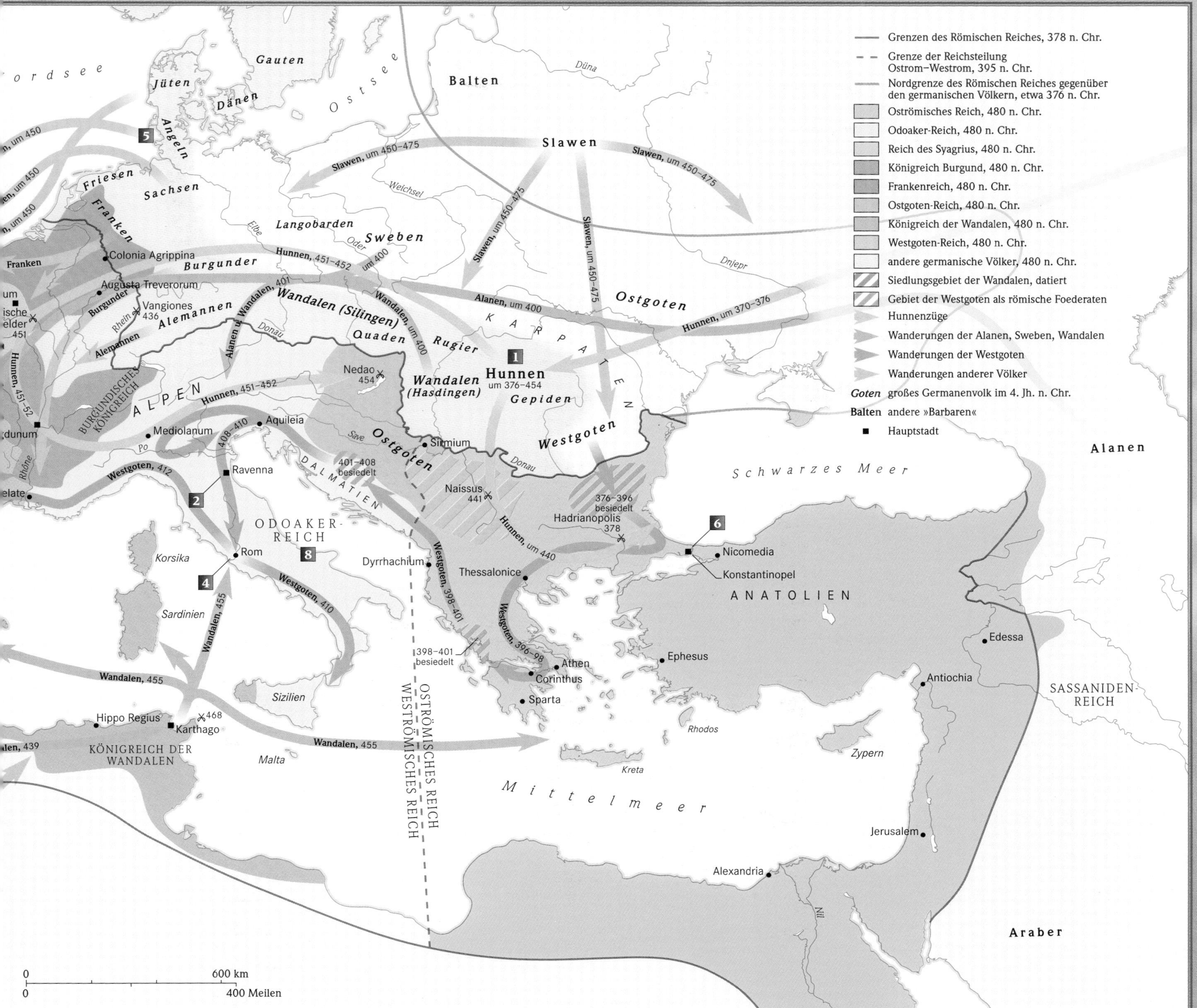

Grenzen des Römischen Reiches, 378 n. Chr.
Grenze der Reichsteilung Ostrom–Westrom, 395 n. Chr.
Nordgrenze des Römischen Reiches gegenüber den germanischen Völkern, etwa 376 n. Chr.
Oströmisches Reich, 480 n. Chr.
Odoaker-Reich, 480 n. Chr.
Reich des Syagrius, 480 n. Chr.
Königreich Burgund, 480 n. Chr.
Frankenreich, 480 n. Chr.
Ostgoten-Reich, 480 n. Chr.
Königreich der Wandalen, 480 n. Chr.
Westgoten-Reich, 480 n. Chr.
andere germanische Völker, 480 n. Chr.
Siedlungsgebiet der Wandalen, datiert
Gebiet der Westgoten als römische Foederaten
Hunnenzüge
Wanderungen der Alanen, Sweben, Wandalen
Wanderungen der Westgoten
Wanderungen anderer Völker
Goten großes Germanenvolk im 4. Jh. n. Chr.
Balten andere »Barbaren«
Hauptstadt

0 600 km
0 400 Meilen

gründeten. Da die Region der Hauptgetreidelieferant Italiens war, bedeutete dies für die Römer einen schweren Schlag. Die Wandalen betätigten sich in der Folgezeit vor allem als Seeräuber und zogen sogar bis nach Rom, das sie plünderten. Nach dem Tod des bedeutenden Heerführers Aëtius und nach Ermordung Valentians III., des letzten Herrschers der theodosischen Dynastie, verlor das Weströmische Reich Pannonien, Africa und Britannien. Es zerfiel langsam weiter und bestand 470 fast nur noch aus Italien. Der letzte legitime weströmische Kaiser, Julius Nepos, wurde 475 durch eine Revolte aus Italien vertrieben. Statt seiner setzten die Aufständischen den jungen Romulus Augustulus auf den Thron, den aber schon im folgenden Jahr der germanische Heermeister Odoaker wieder absetzte. Odoakers Soldaten ernannten diesen selbst zum König; er erkannte die Oberhoheit des oströmischen Herrschers Zenon an und erbot sich, Italien als oströmischer »Vizekönig« zu regieren. Der Sturz des Augustulus 476 gilt als das Ende des Weströmischen Reiches, aber Julius Nepos herrschte seit 475 noch in Dalmatien über ein »Restreich«, das erst nach seinem Tod im Jahr 480 an Odoaker fiel.

Westroms Niedergang verursachten hauptsächlich »Barbaren«, unter denen es weit mehr zu leiden hatte als das Oströmische Reich. Die Reichsteilung im 4. Jahrhundert hatte die Krise im Westen nicht vermindert, sondern eher noch vergrößert, denn man konnte nun nicht mehr auf die Ressourcen des wohlhabenderen Ostens zurückgreifen. Zwar halfen die Ostkaiser dem Westen aus, aber ihr Hauptanliegen blieb doch, dass Ostrom nicht dasselbe Schicksal ereilte wie Westrom. Seit Honorius standen die Westkaiser unter dem Diktat von anmaßenden Heerführern, denn sobald sie selbstständig zu handeln versuchten, wurden sie von ihnen gestürzt. Die hohen Verteidigungskosten unterminierten jegliche Loyalität. Die Barbaren trafen in der römischen Gesellschaft nur auf wenig Widerstand. Die meisten Menschen glaubten, dass es ihnen ohne Imperium besser erginge als mit ihm.

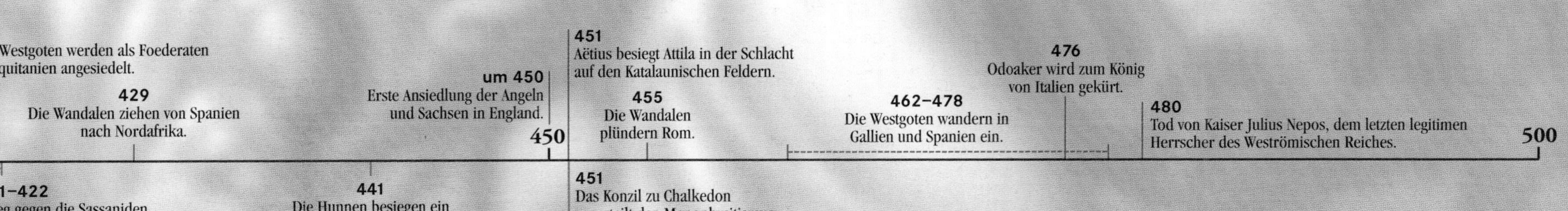
Westgoten werden als Foederaten
Aquitanien angesiedelt.
429
Die Wandalen ziehen von Spanien nach Nordafrika.
um 450
Erste Ansiedlung der Angeln und Sachsen in England.
450
451
Aëtius besiegt Attila in der Schlacht auf den Katalaunischen Feldern.
455
Die Wandalen plündern Rom.
462–478
Die Westgoten wandern in Gallien und Spanien ein.
476
Odoaker wird zum König von Italien gekürt.
480
Tod von Kaiser Julius Nepos, dem letzten legitimen Herrscher des Weströmischen Reiches.
500
21–422
ieg gegen die Sassaniden.
441
Die Hunnen besiegen ein römisches Heer bei Naissus.
451
Das Konzil zu Chalkedon verurteilt den Monophysitismus.

Die Welt der Antike (500 v. Chr. bis 600 n. Chr.)

Justinian und die Ursprünge des Byzantinischen Reiches • 480 bis 629 n. Chr.

Obwohl Odoaker die Macht in Italien an sich gerissen hatte, unternahm der oströmische Kaiser Zenon I. zwölf Jahre lang nichts. 488 aber beauftragte er den ostgotischen König Theoderich den Großen, den Germanen zu stürzen. Theoderich besiegte Odoaker 489, belagerte Ravenna, wohin dieser geflohen war, und ermordete ihn eigenhändig nach der Kapitulation Ravennas 493. Die ostgotische Herrschaft über Italien in Vertretung des Kaisers wurde von Ostrom anerkannt.

Da Theoderich das Römische Reich und seine Kultur erhalten wollte, erlebte Italien eine Zeit des Friedens und Wohlstands, in der allerdings keine Vermischung von Goten und Römern stattfand. Der Haupthinderungsgrund lag in der Religion. Die Goten hatten sich im 4. Jahrhundert zum arianischen Christentum bekehrt, das die Wesensgleichheit von Gott und Christus bestritt. Dies betrachteten die italienischen Christen als Ketzertum. Burgunder, Westgoten und Wandalen waren gleichfalls Arianer. Das verhinderte in ihren Reichen die Vermischung mit der römischen Bevölkerung ebenso wie gedeihliche Beziehungen zum oströmischen Kaiser, der sich als Wahrer des orthodoxen Christentums betrachtete. Die einzigen nicht häretischen Barbaren waren die Franken, die 498 durch die Taufe ihres Königs Chlodwig zum katholischen Christentum konvertierten.

IVSTINIAN

Justinian I. ließ das römische Recht aufzeichnen und betrieb die Restauration des Weltreichs, ohne je Konstantinopel zu verlassen.

Der Innenraum der Hagia Sophia in Istanbul. Die einstige Palastkirche Justinians diente seit dem 15. Jahrhundert als Moschee und ist heute Museum.

Justinian und des Kaisers vornehmste Pflicht

Das Oströmische Reich gedieh nach dem Niedergang des Weströmischen, obwohl es ständig Krieg gegen die Sassaniden führte. Kaiser Anastasius (491 bis 518) gelang sogar das Kunststück, die Steuern zu senken und seinem Nachfolger Justin (518–527) eine gefüllte Staatskasse zu hinterlassen. Justins Neffe Justinian (527–565) war der letzte bedeutende oströmische Kaiser. Er besaß eine sehr klare Vorstellung von seinem kaiserlichen Amt und betrachtete die Erhaltung der Unversehrtheit des Reiches als seine vornehmste Pflicht. 533 schickte er seinen Feldherrn Belisar mit einem Heer in den Westen. Wider alle Erwartung gelang Belisar die Zerstörung des Wandalen-Reiches in Nordafrika. Erleichternd wirkte sich allerdings die Kooperationsbereitschaft der ostgotischen Königin Amalaswintha aus, die ihm Sizilien als Operationsbasis zur Verfügung stellte. Die Ermordung der Königin (534) diente Ostrom 535 als Vorwand für den Einmarsch in Italien. 540 fiel die ostgotische Hauptstadt Ravenna, aber 541 bis 542 verstärkte König Totila (541–552) die Gegenwehr. Der Krieg mit Persien band oströmische Kräfte und das Patt in Italien wurde erst 552 mit dem Eintreffen eines Heeres unter Narses beendet. Bis 554 war ganz Italien südlich des Po wieder in römischer Hand, während sich der Widerstand der Ostgoten nördlich des Flusses erst 562 brechen ließ. Als letzte Eroberung gelang es Justinian 554, den Westgoten Südspanien zu entreißen.

Die Politik Justinians, dessen Kodifizierung des römischen Rechts (»Corpus Juris Civilis«) bis heute Bedeutung hat, stellte zwar die römische Vorherrschaft im Mittelmeerraum wieder her, doch bedeutete dies auch eine gewaltige wirtschaftliche Belastung. Die Truppenkonzentration im Westen öffnete den Balkan für slawische Raubzüge und Ansiedlungen. Im Osten drangen die Perser vor. Italien hatten die vielen Kriegsjahre verheert und große Teile gingen 572 bereits wieder an die Langobarden verloren.

Die Wende unter Herakleios

Um 560 stießen die Awaren aus Zentralasien nach Osteuropa vor. Zunächst wusste Ostrom dies zu nutzen, um die Reste der Hunnen zu vernichten, aber 580 führte der Streit um den Besitz Singidunums (des heutigen Belgrad) zum Krieg. Die Awaren verwüsteten den Balkan zehn Jahre lang, bis Kaiser Maurikios sie 592 massiv angriff. Er hatte ihre Macht fast schon gebrochen, als 602 seine Soldaten meuterten. Maurikios wurde von Phokas, einem unfähigen Despoten, gestürzt und ermordet. Ostrom geriet in eine schwere Krise. Slawen und Awaren überrannten erneut den Balkan und in Mesopotamien fiel eine römische Festung nach der anderen. In diesem Chaos schickte 610 der Gouverneur der Provinz Africa seinen Sohn Herakleios mit einem Heer und dem Auftrag nach Konstantinopel, Phokas zu entmachten.

Die Regierung Herakleios' markiert einen Wendepunkt. Das Reich der Kaiser Diokletian, Konstantin und Justinian ließ sich nicht wiederherstellen, weshalb sich Herakleios in seinen ersten Regierungsjahren auf die Reform von Heer und Verwaltung konzentrierte; Griechisch ersetzte Latein als Amtssprache. Während die Reformen gut vorankamen, verlief der Krieg mit Persien schlecht. Bis 616 verlor Konstantinopel Syrien, Palästina und Ägypten. Aber dann ging Herakleios 622 zum Gegenangriff über und vernichtete fünf Jahre später bei Ninive die persische Armee. Damit war der Krieg zu Ende und das Reich gerettet. Die Reformen des Herakleios markieren den Beginn des mittelalterlichen Byzantinischen Reiches.

Skoten
Bretonen
ATLANTISCHER OZEAN
Vouillé 507
Basken
KÖNIGREICH DER SWEBEN
585 von den Westgoten erobert
Duero
Tajo
Toletum
WESTGOTISCHES KÖNIGREICH
Guadiana
Córdoba
5
Carthago Nova
Gades
Tingis
Septem
Berber

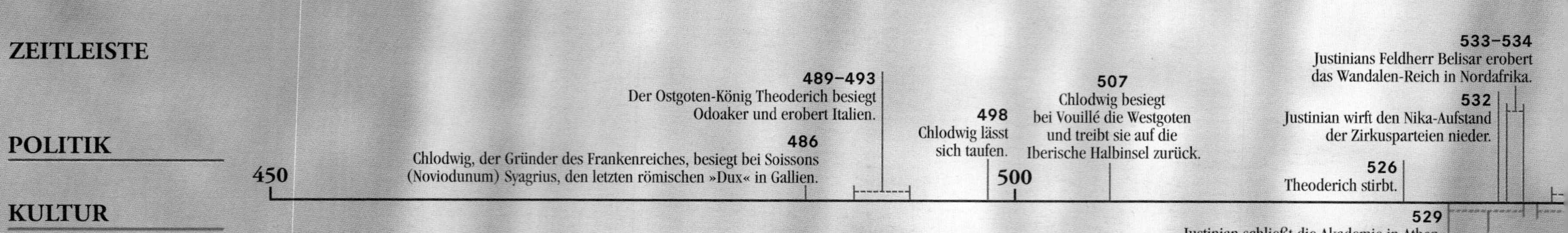
ZEITLEISTE
POLITIK
KULTUR
450
500
489–493
Der Ostgoten-König Theoderich besiegt Odoaker und erobert Italien.
486
Chlodwig, der Gründer des Frankenreiches, besiegt bei Soissons (Noviodunum) Syagrius, den letzten römischen »Dux« in Gallien.
498
Chlodwig lässt sich taufen.
507
Chlodwig besiegt bei Vouillé die Westgoten und treibt sie auf die Iberische Halbinsel zurück.
533–534
Justinians Feldherr Belisar erobert das Wandalen-Reich in Nordafrika.
532
Justinian wirft den Nika-Aufstand der Zirkusparteien nieder.
526
Theoderich stirbt.
529
Justinian schließt die Akademie in Athen.
529–534
Justinian kodifiziert das römische Recht.
Der heilige Benedikt (um 480 bis 547) schreibt seine Ordensregeln nieder (Benediktinerregel).

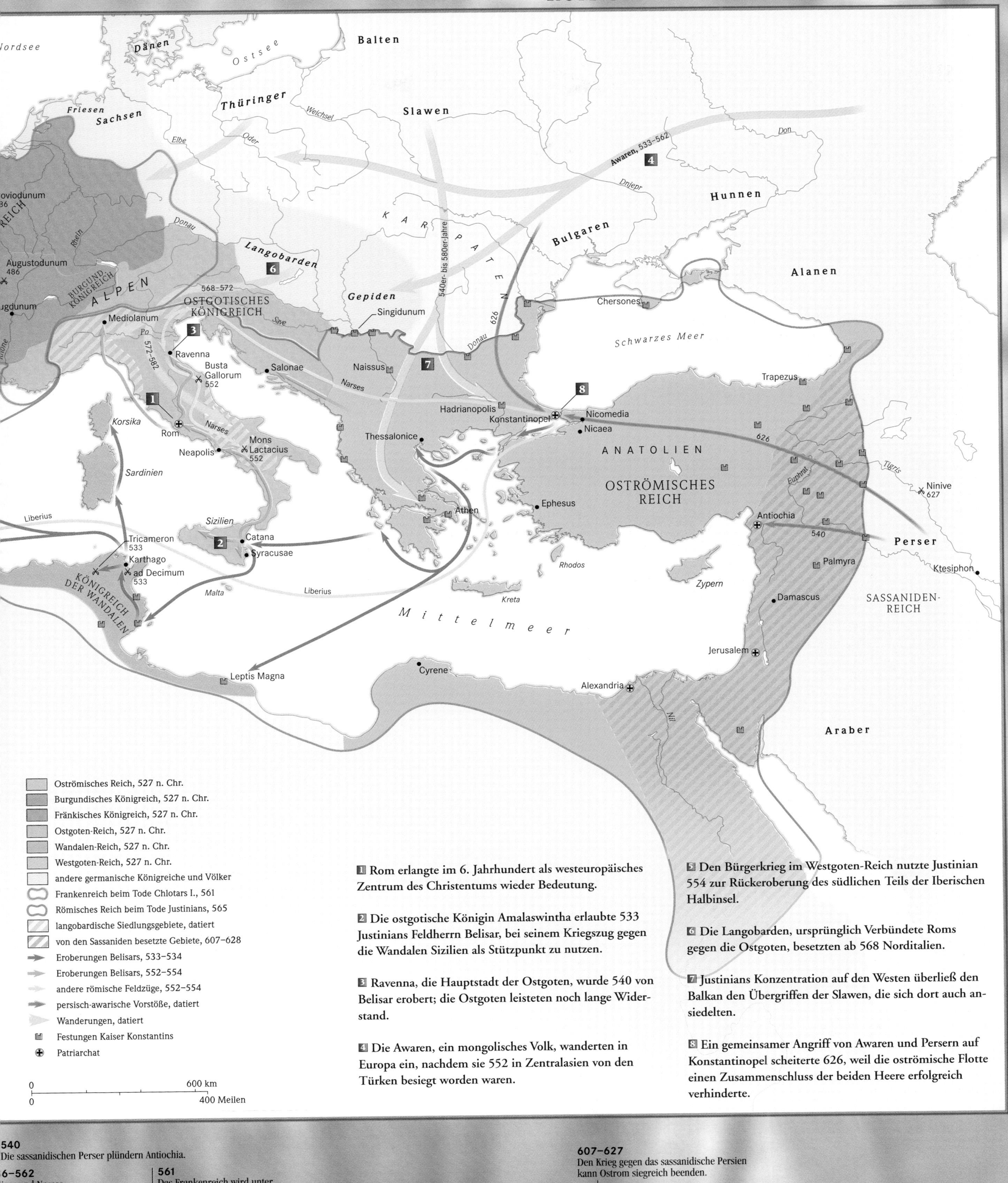
Nordsee
Dänen
Ostsee
Balten
Friesen
Sachsen
Thüringer
Weichsel
Slawen
Elbe
Oder
Don
Awaren, 533–562
4
Dnjepr
Hunnen
oviodunum
Donau
Rhein
K A R P A T E N
540er- bis 580er-Jahre
Bulgaren
Langobarden
6
Augustodunum
486
BURGUND. KÖNIGREICH
ALPEN
568–572
OSTGOTISCHES KÖNIGREICH
Gepiden
Singidunum
Alanen
Lugdunum
Mediolanum
Po
Save
3
Chersones
626
Schwarzes Meer
572–582
Ravenna
Busta Gallorum
552
Salonae
Naissus
7
Trapezus
Narses
8
Hadrianopolis
Konstantinopel
Nicomedia
Nicaea
1
Korsika
Rom
Narses
Mons Lactacius
552
Thessalonice
626
ANATOLIEN
Neapolis
Tigris
Sardinien
Euphrat
OSTRÖMISCHES REICH
Ninive
627
Ephesus
Athen
Liberius
Sizilien
Antiochia
Tricameron
533
Catana
2
Syracusae
540
Perser
Karthago
ad Decimum
533
Rhodos
Palmyra
Ktesiphon
KÖNIGREICH DER WANDALEN
Malta
Liberius
Kreta
Zypern
Damascus
SASSANIDEN-REICH
Mittelmeer
Jerusalem
Leptis Magna
Cyrene
Alexandria
Nil
Araber
Oströmisches Reich, 527 n. Chr.
Burgundisches Königreich, 527 n. Chr.
Fränkisches Königreich, 527 n. Chr.
Ostgoten-Reich, 527 n. Chr.
Wandalen-Reich, 527 n. Chr.
Westgoten-Reich, 527 n. Chr.
andere germanische Königreiche und Völker
Frankenreich beim Tode Chlotars I., 561
Römisches Reich beim Tode Justinians, 565
langobardische Siedlungsgebiete, datiert
von den Sassaniden besetzte Gebiete, 607–628
Eroberungen Belisars, 533–534
Eroberungen Belisars, 552–554
andere römische Feldzüge, 552–554
persisch-awarische Vorstöße, datiert
Wanderungen, datiert
Festungen Kaiser Konstantins
Patriarchat
0 600 km
0 400 Meilen

1 Rom erlangte im 6. Jahrhundert als westeuropäisches Zentrum des Christentums wieder Bedeutung.

2 Die ostgotische Königin Amalaswintha erlaubte 533 Justinians Feldherrn Belisar, bei seinem Kriegszug gegen die Wandalen Sizilien als Stützpunkt zu nutzen.

3 Ravenna, die Hauptstadt der Ostgoten, wurde 540 von Belisar erobert; die Ostgoten leisteten noch lange Widerstand.

4 Die Awaren, ein mongolisches Volk, wanderten in Europa ein, nachdem sie 552 in Zentralasien von den Türken besiegt worden waren.

5 Den Bürgerkrieg im Westgoten-Reich nutzte Justinian 554 zur Rückeroberung des südlichen Teils der Iberischen Halbinsel.

6 Die Langobarden, ursprünglich Verbündete Roms gegen die Ostgoten, besetzten ab 568 Norditalien.

7 Justinians Konzentration auf den Westen überließ den Balkan den Übergriffen der Slawen, die sich dort auch ansiedelten.

8 Ein gemeinsamer Angriff von Awaren und Persern auf Konstantinopel scheiterte 626, weil die oströmische Flotte einen Zusammenschluss der beiden Heere erfolgreich verhinderte.

540 Die sassanidischen Perser plündern Antiochia.

6–562 isar und Narses obern das goten-Reich talien.

554 Justinian erobert Südspanien zurück.

550

561 Das Frankenreich wird unter den Söhnen Chlothars I. geteilt.

571 Die Westgoten erobern Córdoba zurück.

568–582 Die Langobarden dringen in Norditalien ein.

565 Procopius (um 499–566) veröffentlicht den letzten Teil seiner Geschichte der Herrschaft Justinians.

591 Gregor von Tours (um 538–594) vollendet seine »Historia Francorum«.

592–602 Kaiser Maurikios zieht gegen die Awaren zu Feld.

596–597 Papst Gregor der Große schickt Missionare zur Bekehrung der Angelsachsen nach Britannien.

600

607–627 Den Krieg gegen das sassanidische Persien kann Ostrom siegreich beenden.

610–622 Herakleios reformiert das Oströmische Reich und legt die Basis zum so genannten mittelalterlichen Byzantinischen Reich.

638 Die Araber erobern Jerusalem.

650

Plan aus Marmor – die Mosaikkarte in Madaba

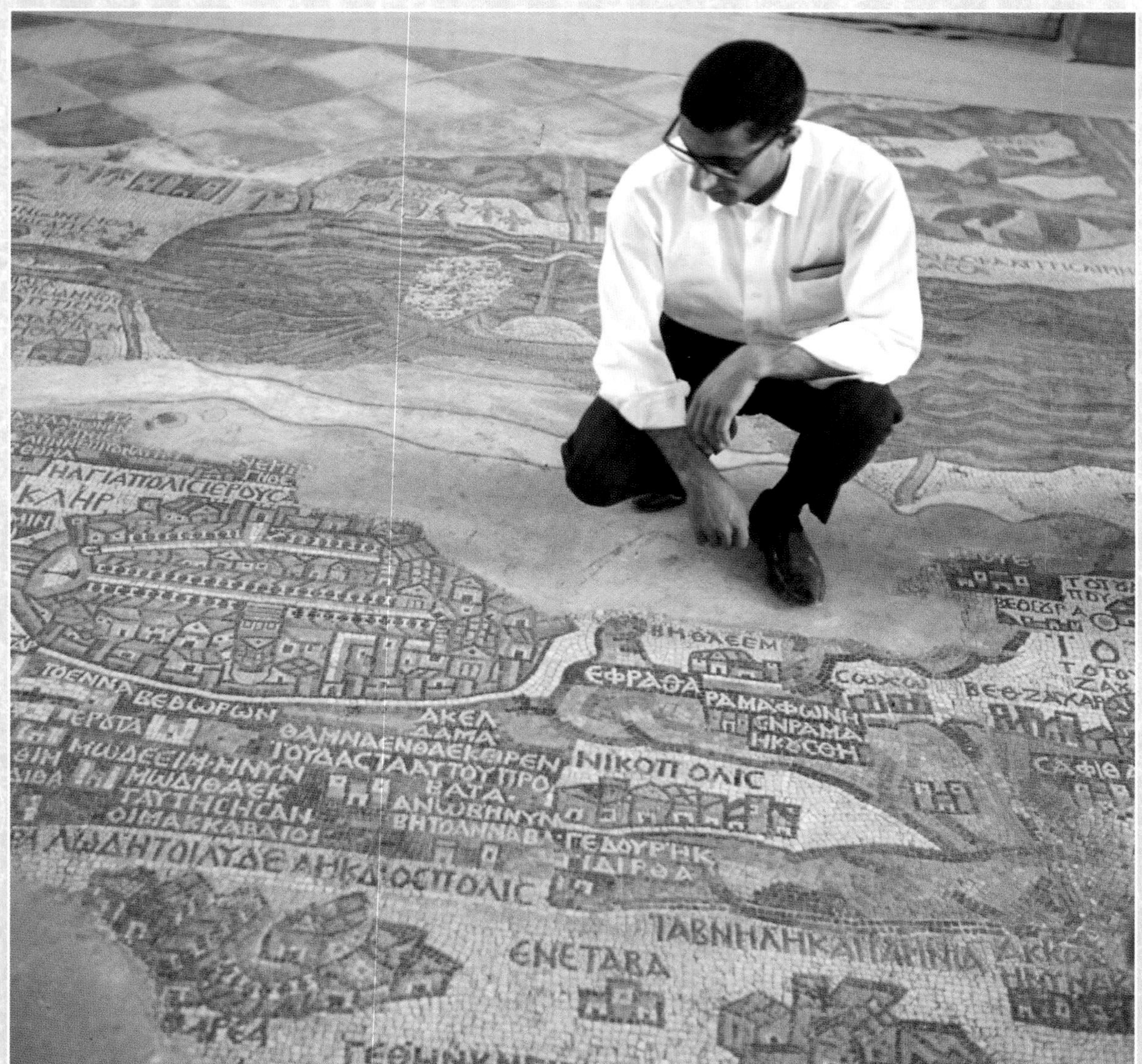

Diese Teilansicht der Mosaikkarte von Madaba lässt deren Dimensionen erahnen – zeigt aber auch die irreparablen Schäden, die das im Stil noch spätantike Bildwerk im Laufe der Jahrhunderte erlitt.

Für die Bewohner der Stadt Madaba im heutigen Jordanien war das Erdbeben im Jahr 749 n. Chr. eine Katastrophe. Heute weiß niemand, wie viele Menschen dabei getötet oder verletzt wurden, doch waren die Verwüstungen und Schäden so massiv, dass die Überlebenden den Ort verließen. Vielleicht aber blieb die unter dem Schutt von Ruinen begrabene Mosaikkarte von Madaba auch nur deshalb der Nachwelt erhalten.

Madaba wurde etwa 1500 v. Chr. gegründet. In der Bibel wird die Stadt mehrfach erwähnt, die Israeliten eroberten sie und besiegten unter König David hier Ammoniter und Aramäer. Nach einer wechselvollen Geschichte siedelten sich wahrscheinlich bereits im 2. Jahrhundert Christen in Madaba an. Zu byzantinischer Zeit war der Ort sogar Bischofssitz. In der Folge überlagerten sich orientalische, römische und christlich-byzantinische Kultureinflüsse – bis das Erdbeben Untergang und Vergessen einleitete.

Als um das Jahr 1880 an dieser Stelle wiederum Christen angesiedelt wurden, waren noch Reste Madabas vorhanden. Reisende, die seine Ruinen vor der Neubesiedelung besuchten, verglichen sie mit den Überresten der heute ebenfalls jordanischen Stadt Gerasa, die nach der Zerstörung durch Perser (614) und Araber (635) verlassen worden war und heute weitgehend archäologisch erschlossen ist.

Viele der 2000 neuen Stadtbewohner Madabas nutzten gegen Ende des 19. Jahrhunderts die Ruinen als Steinbruch für den Bau ihrer Häuser. Der Gedanke, dass zumindest einige der vorgefundenen Reste schützenswert sein könnten oder wenigstens bestimmte Aspekte zu dokumentieren seien, kam zunächst nicht auf. In mehreren Ruinen gab es Bodenmosaiken aus römischer Zeit, die wohl nur mehr oder weniger zufällig der Vernichtung entgangen waren, da man sie mit Häusern oder Kirchen überbaut hatte. Im Jahr 1896 – andere Quellen nennen die Jahreszahl 1898 – wurde schließlich beim Bau der heutigen Georgskirche zufällig der bedeutendste dieser Römerreste von Madaba entdeckt: das Fragment einer riesigen Mosaikkarte.

DIE ENTWICKLUNG DER MOSAIKTECHNIK

Die ältesten, auf mehr als 5000 Jahre geschätzten Mosaiken stammen aus Uruk in Mesopotamien. Im griechisch-römischen Altertum wurden zu Anfang hauptsächlich Fußbodenmosaiken gefertigt – zunächst in Form geometrischer Muster aus weißen und schwarzen Marmorsteinen verschiedener Größe. Durch die Verwendung auch andersfarbiger Marmorsorten und kleiner Steinformate nahmen die Arbeiten dieses Genres allmählich den Charakter ornamentaler Kunstwerke an. Unter anderem in Pompeji fand man auch kunstvolle Wandmosaiken.

Ab dem 5. Jahrhundert entstanden besonders im Oströmischen Reich Mosaiken von höchster Qualität, die nicht nur mehr Flächendekor, sondern vielmehr wirkliche Bilder waren. Die bedeutendsten Kirchenmosaiken haben sich in Rom (Santa Maria Maggiore, Santa Pudenziana) und in Ravenna (Sant'Apollinare Nuovo, San Vitale) erhalten und stammen aus dem 5. und 6. Jahrhundert, etwa dem Zeitraum, in dem auch das Mosaik in Madaba entstand.

MOSAIKSTEINCHEN ALS SOUVENIR

Das beim Kirchenbau in Madaba entdeckte Mosaik stammt aus einer griechisch-orthodoxen Kirche, die zwischen 542 und 565 n. Chr. errichtet wurde. Ursprünglich hatte es eine Größe von 25 mal 5,6 Metern. Dass dieses Bodenmosaik als Ganzes schützenswert war, erkannte man nicht sofort, denn es wird berichtet, dass die einzelnen Mosaiksteinchen

Heiliger Fluss: Dieses Detail der Mosaikkarte zeigt symbolreich die Einmündung des Jordan ins Tote Meer.

ΑΛΕΞΑΝΔΡΙΑ

Stadtansichten wie diese Abbildung Alexandrias aus dem 6. Jahrhundert waren in der byzantinischen Zeit beliebte Motive für Mosaike.

als Souvenirs an Touristen verkauft worden seien. Erste Schäden hatte sicher auch schon das Erdbeben von 749 angerichtet. Nach den aufwändigen Restaurierungsarbeiten an den mehr als zwei Millionen Mosaiksteinchen misst das Mosaik in der Länge noch etwa 15,7 Meter. Doch große Teile sind für immer verloren: Sie waren weder zu restaurieren noch zu rekonstruieren.

DIE FRÜHESTE KARTOGRAPHISCHE DARSTELLUNG JERUSALEMS

Was ist eigentlich in diesem Mosaik abgebildet? Wissenschaftler bezeichnen das Werk als die älteste Landkarte Palästinas beziehungsweise als früheste kartographische Darstellung Jerusalems. Um eine Landkarte nach heutigem Verständnis handelt es sich dabei allerdings nicht. Mangelnde technische Möglichkeiten und das zugrunde liegende antike Weltbild schränkten den Blickwinkel ein. Es gibt keinen einheitlichen Maßstab, so dass weder Entfernungen noch Platzierungen an den wirklichen Verhältnissen orientiert sind. Trotzdem ist das Palästina der justinianischen Zeit eindeutig zu identifizieren, von Alexandria im Süden bis Sidon im Norden, vom Mittelmeer im Westen bis zur Wüste östlich von Amman. Annähernd 150 Orte sind namentlich eingezeichnet. Allerdings wollte diese Karte eher im zeittypisch religiösen Sinn gedeutet sein als der geographischen Orientierung dienen: Im Mittelpunkt steht – aus heutiger Sicht unverhältnismäßig groß – Jerusalem, als »heilige« Stadt ein Lebensmittelpunkt für gläubige Christen und das Ziel vieler Wallfahrten.

ARCHÄOLOGISCHER WEGWEISER

Doch nicht nur den damaligen Pilgern gab die Karte Orientierung – auch moderne Archäologen konnten dem Mosaik aus Madaba wichtige Hinweise entnehmen. Wenn auch nicht maßstabsgetreu, so ist das Jerusalem der byzantinischen Zeit im Zentrum der Karte doch so klar dargestellt, dass viele markante Bauwerke mit einer gewissen Wahrscheinlichkeit zu identifizieren sind. Im Detail erscheinen Stadtmauern, befestigte Tore und die wichtigsten Straßen und Kirchen der Stadt. Deutlich erkennen kann man die Säulen der Kolonnadengänge beiderseits der großen Straße, die Jerusalem von Norden nach Süden durchzieht und an der auch zwei große Kirchengebäude liegen. Das nördliche der beiden lässt sich schnell als die Grabeskirche identifizieren.

Nach der Besetzung Ostjerusalems durch die Israeli im Sechstagekrieg von 1967 konnten im so genannten jüdischen Viertel archäologische Grabungen beginnen, in deren Verlauf die im Mosaik verzeichnete große Straße wiederentdeckt wurde. Diese ehemalige Hauptstraße (Cardo maximus) führte vom heutigen Damaskustor zum Zionstor. Auch ihre zu beiden Seiten verlaufenden Kolonnaden konnten nachgewiesen werden. Die zweite auf dem Mosaik verzeichnete Kirche, so war vermutet worden, könnte die so genannte Neue Kirche sein. Ganz der Darstellung entsprechend belegen im Süden der Altstadt freigelegte Fundamente, Mauerreste, Teile des Fußbodens sowie ein unterirdisches Wasserreservoir die Existenz des Gotteshauses. – Richtig gelesen, kann diese alte Karte also auch in der heutigen Zeit immer noch der Orientierung dienen.

Die Welt der Antike (500 v. Chr. bis 600 n. Chr.)

Die Kelten • 500 v. Chr. bis 600 n. Chr.

Als »Kelten« (»die Tapferen« oder »die Erhabenen«) bezeichneten griechische Autoren seit dem 5. Jahrhundert v. Chr. eine Gruppe von Völkern in Mittel- und Westeuropa, die spätere römische Schriftsteller »Gallier« nannten. Ihre Herkunft ist nicht eindeutig geklärt; wahrscheinlich stammten sie aus den Nordalpen und wurzelten in der Urnenfelder- und Hallstattkultur.

Mindestens zwei »Auswanderungen« der Kelten aus Mitteleuropa sind bekannt. Mit der ersten (um 1000 v. Chr.) gelangte die Urnenfelderkultur bis zum 7. Jahrhundert v. Chr. nach Westeuropa und Spanien. Die zweite Welle setzte im 8. Jahrhundert ein und verbreitete die Hallstattkultur in ganz Westeuropa und auf der Iberischen Halbinsel.

Träger von Hallstatt- und La-Tène-Kultur

Eine neue Phase der keltischen Kultur begann um 450 v. Chr. mit der La-Tène-Kultur. Deren Merkmal ist ein kraftvoller, auf geometrischen Mustern und Tierbildern gründender Kunststil, der sich aus der Hallstattkultur entwickelte, aber auch etruskische und skythische Einflüsse aufweist. Die La-Tène-Kultur breitete sich rasch in Mittel- und Westeuropa aus und erreichte um 400 v. Chr. auch England, ohne indessen bis Spanien zu gelangen: Dort hatten sich früher zugewanderte Kelten rasch mit der einheimischen Bevölkerung vermischt und eine eigene keltiberische Kultur entwickelt.

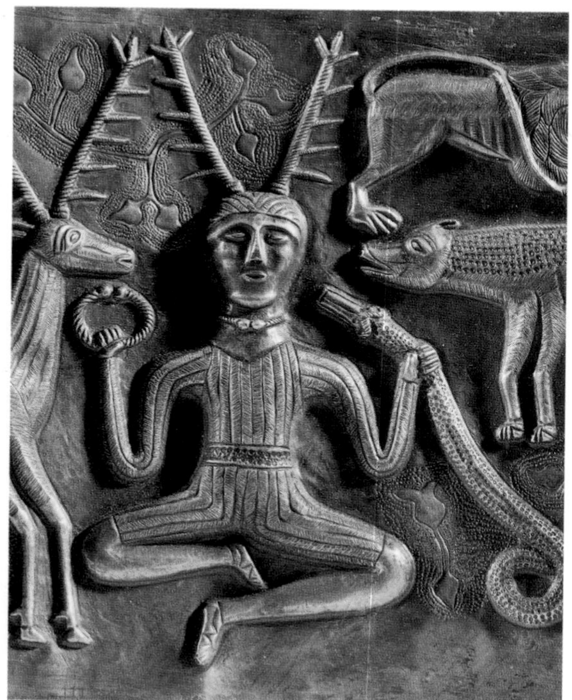

Der keltische Gott Cernunnos; Detail eines Kessels, der in der Nähe von Gundestrup in Jütland (Dänemark) im Moor gefunden wurde (1. Jahrhundert n. Chr.)

Um 400 v. Chr. siedelten keltische Stämme an der unteren Donau und wanderten auch nach Italien ein. Auf ihren Raubzügen plünderten sie Rom, schwächten die Etrusker und ließen sich schließlich in der Po-Ebene nieder. Die Kelten am Unterlauf der Donau zogen im 3. Jahrhundert v. Chr. in Richtung Balkan weiter, wo sie das hellenistische Thrakerreich zerstörten.

Die Köpfe toter keltischer Krieger auf einer Stele aus Entremont bei Aix-en-Provence (Frankreich). Die Stadt wurde 123 v. Chr. von den Römern zerstört.

Eroberungen

Die keltische Expansion erreichte ihren Höhepunkt im frühen 3. Jahrhundert v. Chr., traf dann aber auf Gegenwehr. Die Römer griffen die Eindringlinge 225 in der Schlacht von Telamon an und eroberten 192 mit Bononia (heute Bologna) das letzte keltische Widerstandsnest in Italien. Auch die Thraker stellten ihr altes Reich wieder her. In den 230er-Jahren begann Karthago mit der Unterwerfung der Keltiberer, die von den Römern fortgesetzt wurde, nachdem diese die Karthager 206 von der Iberischen Halbinsel vertrieben hatten. Der römische Sieg in der Schlacht von Numantia im Jahr 133 v. Chr. sicherte Rom die Kontrolle über den größten Teil Spaniens – nur im Nordwesten leisteten die Keltiberer bis zum Jahr 19 v. Chr. erfolgreich Widerstand. Im 1. Jahrhundert n. Chr. sahen sich die mitteleuropäischen Kelten zwischen dem nach Norden expandierenden Römischen Reich, den nach Süden und Westen drängenden germanischen Stämmen und den Dakern eingekesselt. Zwischen 58 und 51 v. Chr. unterwarf Julius Cäsar die Kelten in Gallien und Augustus brachte die Stämme in den Alpen und in Pannonien unter römische Herrschaft. Im 1. Jahrhundert bestanden nur noch in Germanien nördlich der Donau kleine unabhängige Kelten-Enklaven.

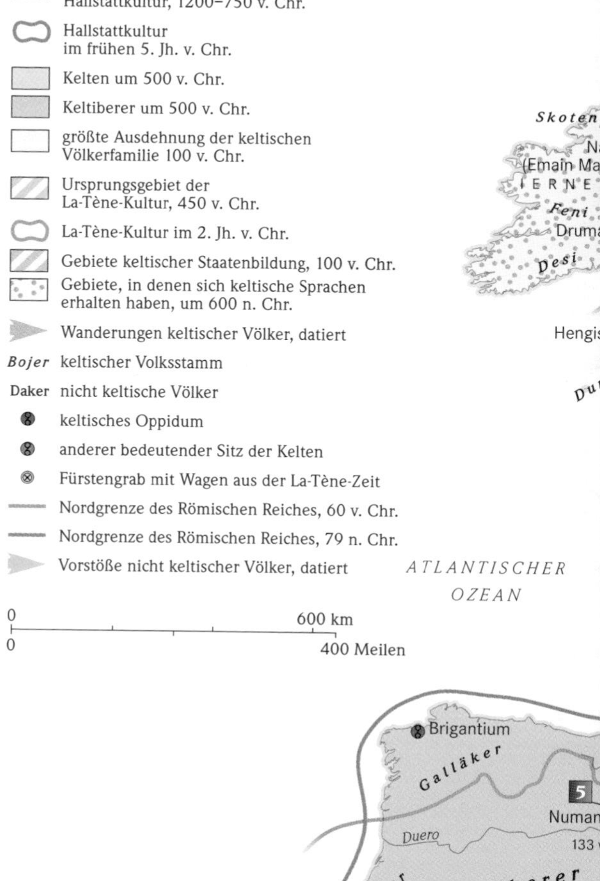

Ursprungsgebiet der Hallstattkultur, 1200–750 v. Chr.
Hallstattkultur im frühen 5. Jh. v. Chr.
Kelten um 500 v. Chr.
Keltiberer um 500 v. Chr.
größte Ausdehnung der keltischen Völkerfamilie 100 v. Chr.
Ursprungsgebiet der La-Tène-Kultur, 450 v. Chr.
La-Tène-Kultur im 2. Jh. v. Chr.
Gebiete keltischer Staatenbildung, 100 v. Chr.
Gebiete, in denen sich keltische Sprachen erhalten haben, um 600 n. Chr.
Wanderungen keltischer Völker, datiert
Bojer keltischer Volksstamm
Daker nicht keltische Völker
keltisches Oppidum
anderer bedeutender Sitz der Kelten
Fürstengrab mit Wagen aus der La-Tène-Zeit
Nordgrenze des Römischen Reiches, 60 v. Chr.
Nordgrenze des Römischen Reiches, 79 n. Chr.
Vorstöße nicht keltischer Völker, datiert
0
600 km
0
400 Meilen
ATLANTISCHER OZEAN
Skoten
Emain Ma
ERNE
Druma
Desi
Hengis
Brigantium
Galläker
5
Duero
Keltiberer
Lusitaner
Tajo
Guadiana
Tartessier
Gades

Gesellschaftliche Strukturen

Die keltische Gesellschaft war hierarchisch geordnet und kampforientiert. Ab dem frühen 2. Jahrhundert begann man, Staaten zu bilden und in ganz Europa befestigte Plätze zu errichten, von denen sich einige – wie Manching an der Donau – bis zum 1. Jahrhundert v. Chr. zu größeren stadtähnlichen Gebilden (»Oppida«) entwickelten. In dieser Zeit prägten die Kelten Münzgeld und erfanden (in einigen Regionen) auch eine Schrift. In Südgallien entstanden bis 60 v. Chr. kleinere Stammesreiche mit direktem Kontakt zum Römischen Reich. Letztlich verhinderte nur die Unterwerfung durch die Römer, dass die Kelten ihre eigene Stadtkultur entwickelten.

Der keltische Widerstand gegen Rom scheiterte vor allem aus zwei Gründen. Zum einen waren die Kelten untereinander uneins, was die Römer ausnutzten. Zum anderen betrachteten keltische Krieger eine Schlacht als Gelegenheit zum persönlichen Ruhmerwerb, was sich gegenüber den disziplinierten Legionen der Römer nachteilig auswirkte. Mit

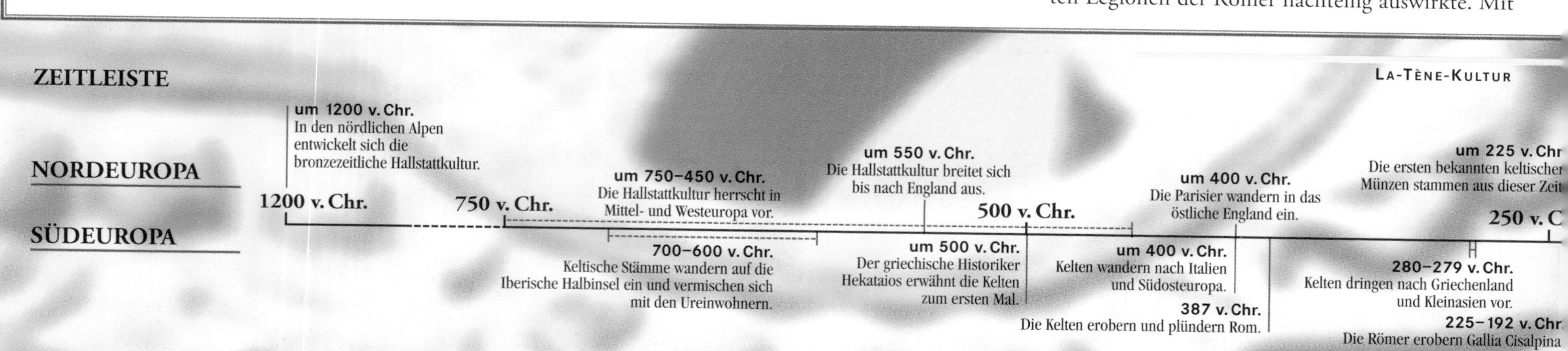

ZEITLEISTE
LA-TÈNE-KULTUR
NORDEUROPA
SÜDEUROPA
um 1200 v. Chr.
In den nördlichen Alpen entwickelt sich die bronzezeitliche Hallstattkultur.
1200 v. Chr.
750 v. Chr.
um 750–450 v. Chr.
Die Hallstattkultur herrscht in Mittel- und Westeuropa vor.
um 550 v. Chr.
Die Hallstattkultur breitet sich bis nach England aus.
500 v. Chr.
um 400 v. Chr.
Die Parisier wandern in das östliche England ein.
um 225 v. Chr
Die ersten bekannten keltischen Münzen stammen aus dieser Zeit
250 v. C
700–600 v. Chr.
Keltische Stämme wandern auf die Iberische Halbinsel ein und vermischen sich mit den Ureinwohnern.
um 500 v. Chr.
Der griechische Historiker Hekataios erwähnt die Kelten zum ersten Mal.
um 400 v. Chr.
Kelten wandern nach Italien und Südosteuropa.
387 v. Chr.
Die Kelten erobern und plündern Rom.
280–279 v. Chr.
Kelten dringen nach Griechenland und Kleinasien vor.
225–192 v. Chr
Die Römer erobern Gallia Cisalpina

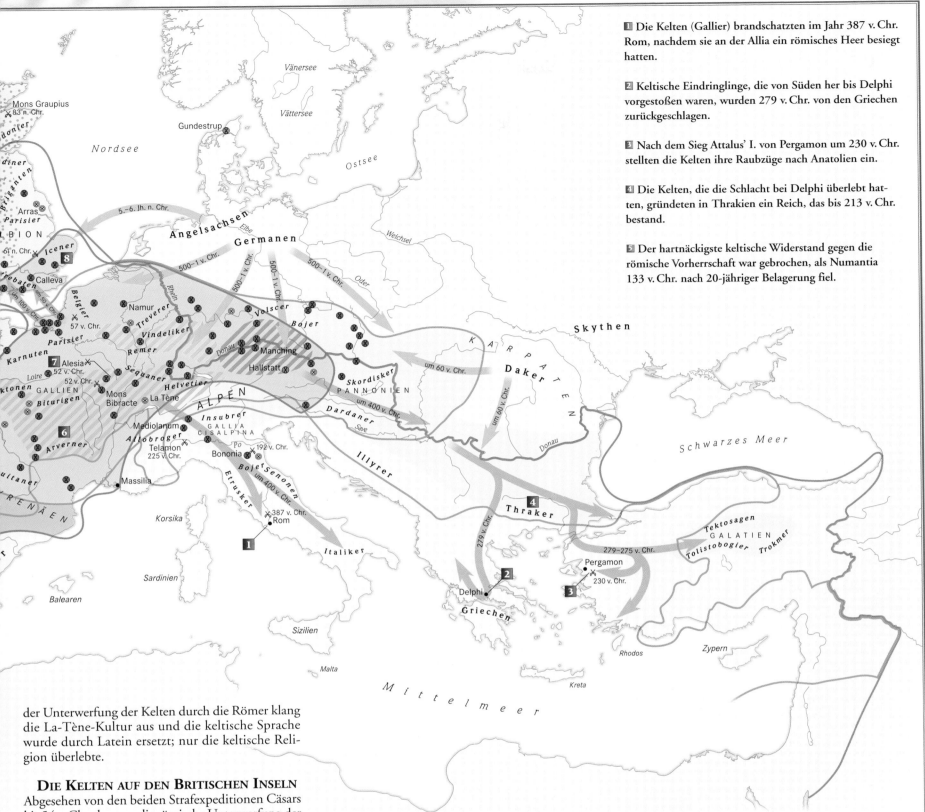

1 Die Kelten (Gallier) brandschatzten im Jahr 387 v. Chr. Rom, nachdem sie an der Allia ein römisches Heer besiegt hatten.

2 Keltische Eindringlinge, die von Süden her bis Delphi vorgestoßen waren, wurden 279 v. Chr. von den Griechen zurückgeschlagen.

3 Nach dem Sieg Attalus' I. von Pergamon um 230 v. Chr. stellten die Kelten ihre Raubzüge nach Anatolien ein.

4 Die Kelten, die die Schlacht bei Delphi überlebt hatten, gründeten in Thrakien ein Reich, das bis 213 v. Chr. bestand.

5 Der hartnäckigste keltische Widerstand gegen die römische Vorherrschaft war gebrochen, als Numantia 133 v. Chr. nach 20-jähriger Belagerung fiel.

der Unterwerfung der Kelten durch die Römer klang die La-Tène-Kultur aus und die keltische Sprache wurde durch Latein ersetzt; nur die keltische Religion überlebte.

Die Kelten auf den Britischen Inseln

Abgesehen von den beiden Strafexpeditionen Cäsars bis 54 v. Chr., begann die römische Unterwerfung der Kelten in England erst 43 n. Chr. In dieser Zeit hatten die engen Beziehungen zu den Römern auf der anderen Seite des Kanals bereits zu einer deutlichen Romanisierung der Stämme in Südengland und zur Entstehung befestigter Städte und kleinerer Stammesfürstentümer geführt. Den Römern gelang es nie, ganz England zu erobern – am nächsten kamen sie diesem Ziel 83 n. Chr. mit ihrem Sieg über die Kaledonier am Mons Graupius. Aber das raue Klima, das bergige Gelände und die Probleme mit Logistik und Kommunikation auf Seiten der Eindringlinge sicherten die Unabhängigkeit der schottischen Hochlandstämme ebenso wie auch der Kelten in Irland, wo ihre Kultur bis ins frühe Mittelalter überlebte. In England blieb der Kunststil der La-Tène-Kultur bis ins 2. Jahrhundert n. Chr. erhalten, im hohen Norden Großbritanniens und in Irland hielt er sich sogar noch länger.

Auch keltische Sprachen überlebten auf den Inseln. Nach dem Ende der Römerherrschaft im Jahr 410 n. Chr. lebte die keltische Kunst wieder auf. Als im 5. Jahrhundert das Christentum nach Irland kam, entwickelte sich dort eine keltische Klosterkultur, die dank der Mission der irischen Mönche ab 600 auch in England und auf dem europäischen Festland großen Einfluss gewann.

6 Handelsverbindungen mit dem Römischen Reich führten im 1. Jahrhundert v. Chr. im südlichen Gallien zur Bildung von Kleinreichen auf Stammesebene.

7 Der Sieg Julius Cäsars über den aufständischen Avernerfürsten Vercingetorix bei Alesia (52 v. Chr.) sicherte die Kontrolle Roms über Gallien.

8 Die Icener erhoben sich 60 n. Chr. unter Führung ihrer Königin Budicca erfolglos gegen die römischen Besatzer.

9 Keltische Kultur gelangte nach Ende der römischen Herrschaft (410 n. Chr.) in England zu neuer Blüte.

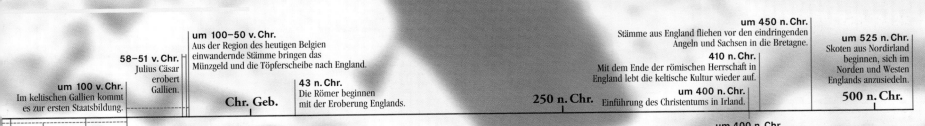
um 100 v. Chr. Im keltischen Gallien kommt es zur ersten Staatsbildung.
58–51 v. Chr. Julius Cäsar erobert Gallien.
um 100–50 v. Chr. Aus der Region des heutigen Belgien einwandernde Stämme bringen das Münzgeld und die Töpferscheibe nach England.
Chr. Geb.
43 n. Chr. Die Römer beginnen mit der Eroberung Englands.
250 n. Chr.
um 450 n. Chr. Stämme aus England fliehen vor den eindringenden Angeln und Sachsen in die Bretagne.
410 n. Chr. Mit dem Ende der römischen Herrschaft in England lebt die keltische Kultur wieder auf.
um 400 n. Chr. Einführung des Christentums in Irland.
um 525 n. Chr. Skoten aus Nordirland beginnen, sich im Norden und Westen Englands anzusiedeln.
500 n. Chr.
200–100 v. Chr. Im keltischen Europa entstehen überall »Oppida« (befestigte Fluchtburgen).
133 v. Chr. Die Römer besiegen die Keltiberer bei Numantia.
um 400 n. Chr. In Galatien stirbt die keltische Sprache aus.

Die Welt der Antike (500 v. Chr. bis 600 n. Chr.)

Germanen und Slawen • 750 v. Chr. bis 600 n. Chr.

Für den Beginn der Bronzezeit lässt sich in Südskandinavien und in der Norddeutschen Tiefebene ein germanischer Kulturkreis nachweisen. Als der griechische Seefahrer Pytheas von Massalia um 350 v. Chr. die Küsten der Nordsee erkundete, kam er offenbar bereits mit Germanen in Kontakt. Seinem Bericht wurde allerdings kaum Glauben geschenkt.

Südeuropäische Autoren wie der griechische Historiker Poseidonios nahmen die Germanen erst im 2. Jahrhundert v. Chr. als eine von den Kelten zu unterscheidende Volksgruppe wahr. Zu dieser Zeit glich die germanische Gesellschaftsordnung zwar jener der Kelten, doch anders als bei diesen zeigten sich weder Anzeichen von Machtzentralisierung noch von urbaner Entwicklung.

Der Cheruskerfürst Arminius (Denkmal von 1875 bei Detmold) vernichtete als Führer germanischer Truppen in der »Varusschlacht« drei römische Legionen.

Kampf zwischen Römern und Galliern im Jahr 49 v. Chr., aus dem Cäsar als Sieger hervorging; Detail auf dem Triumphbogen in Orange, Frankreich

Völkerwanderung

In der zweiten Hälfte des 1. Jahrtausends stießen die Germanen nach Süden und Westen vor – zu Lasten der dort siedelnden keltischen Völker. Diese Wanderungen vollzogen sich anfangs noch in kleinen Schritten, aber um 120 v. Chr. gingen die Kimbern und Teutonen auf eine 20-jährige Wanderschaft durch Mittel- und Westeuropa. Als diese beiden jütländischen Völker die Taurisker angriffen, schickten die mit diesen verbündeten Römer ein Heer, das die Kimbern und Teutonen aber 113 v. Chr. bei Noreia vernichtend schlugen. Daraufhin zogen sie nach Gallien weiter und fügten den Römern noch weitere Niederlagen zu, die schwerste in der Schlacht von Arausio (Orange) im Jahr 105. Danach trennten sich die beiden Völker – die Kimbern wanderten auf die Iberische Halbinsel, die Teutonen ins nördliche Gallien. Der römische Diktator Marius nahm die Niederlagen zum Anlass einer Heeresreform; als die Teutonen 102 nach Südgallien zogen, schlug er sie bei Aquae Sextiae (Aix-en-Provence). 101 besiegte Marius auch die Kimbern, die bis nach Italien vorgedrungen waren, bei Vercellae (Vercelli). Einer der Gründe für die römische Expansion nach Norden im ersten vorchristlichen Jahrhundert lag in der Furcht vor weiteren germanischen Invasionen.

Germanen und Römer

Julius Cäsar unterwarf 56 v. Chr. die Stämme am Westufer des Rheins, die jedoch als einzige Germanen für längere Zeit unter römische Herrschaft gerieten. Bis 6 n. Chr. waren alle Stämme bis zur Elbe befriedet, aber dann vernichtete Arminius 9 n. Chr. die römische Besatzungsarmee und nach dem Jahr 12 n. Chr. unternahm Rom keinen Versuch mehr, weitere Teile des freien Germaniens zu erobern.

Zwischen Germanen und Römern entstand über den Limes hinweg ein reger Handelsaustausch. Viele Germanen traten in die römische Armee ein. Diese Verbindung bewirkte im 2. und frühen 3. Jahrhundert n. Chr. eine grundlegende Veränderung innerhalb der Sozialstruktur der betroffenen germanischen Bevölkerung. Überdies fanden sich die kleineren Germanenstämme in einem losen Bündnis zusammen (so am Rhein, wo sich die Chasuarier, Chamaven, Brukterer, Tenkterer als »Franken« vereinten). Solche Zusammenschlüsse wurden für das Römische Reich gefährlich: Im 3. Jahrhundert kam es zu zahlreichen germanischen Einfällen. Viele Stämme, wie die Burgunder, zog es näher zur Grenze des Römischen Reiches, weil sie sich eine Beteiligung an der Beute der Eroberungszüge und die Intensivierung des Handels versprachen. – Die Wanderungen hatten für einige Völker schwer wiegende Folgen. So trafen die Gepiden auf ihrer Flucht vor den Hunnen um 300 auf die Goten, die sich daraufhin in Ostgoten und Westgoten spalteten. Die Ostgoten breiteten sich bis zum Don aus, wo sie auf die Hunnen stießen, denen sie 375 unterlagen. Nach dem Zusammenbruch des Ostgoten-Reiches vernichteten die Hunnen die Gepiden, worauf die Westgoten flüchteten und im Römischen Reich Schutz suchten.

Die Slawen

Die frühesten Berichte über die Slawen stammen aus dem 6. Jahrhundert n. Chr. Zu dieser Zeit drangen einige ihrer Stämme bis auf den Balkan vor, wo sie

ZEITLEISTE

GERMANEN

SLAWEN

800 v. Chr. – 600 v. Chr. – 400 v. Chr. – 200 v. C[hr.]

um 750 bis um 500 v. Chr. (Slawen)
Die eisenzeitliche Chernoles-Kultur und die Ursprünge der Slawen hängen zusammen.

um 500 v. Chr. (Germanen)
In Skandinavien kommt die Eisenverarbeitung auf.

um 350 v. Chr. (Germanen)
Pytheas von Massalia erkundet die Küsten Germaniens und Skandinaviens.

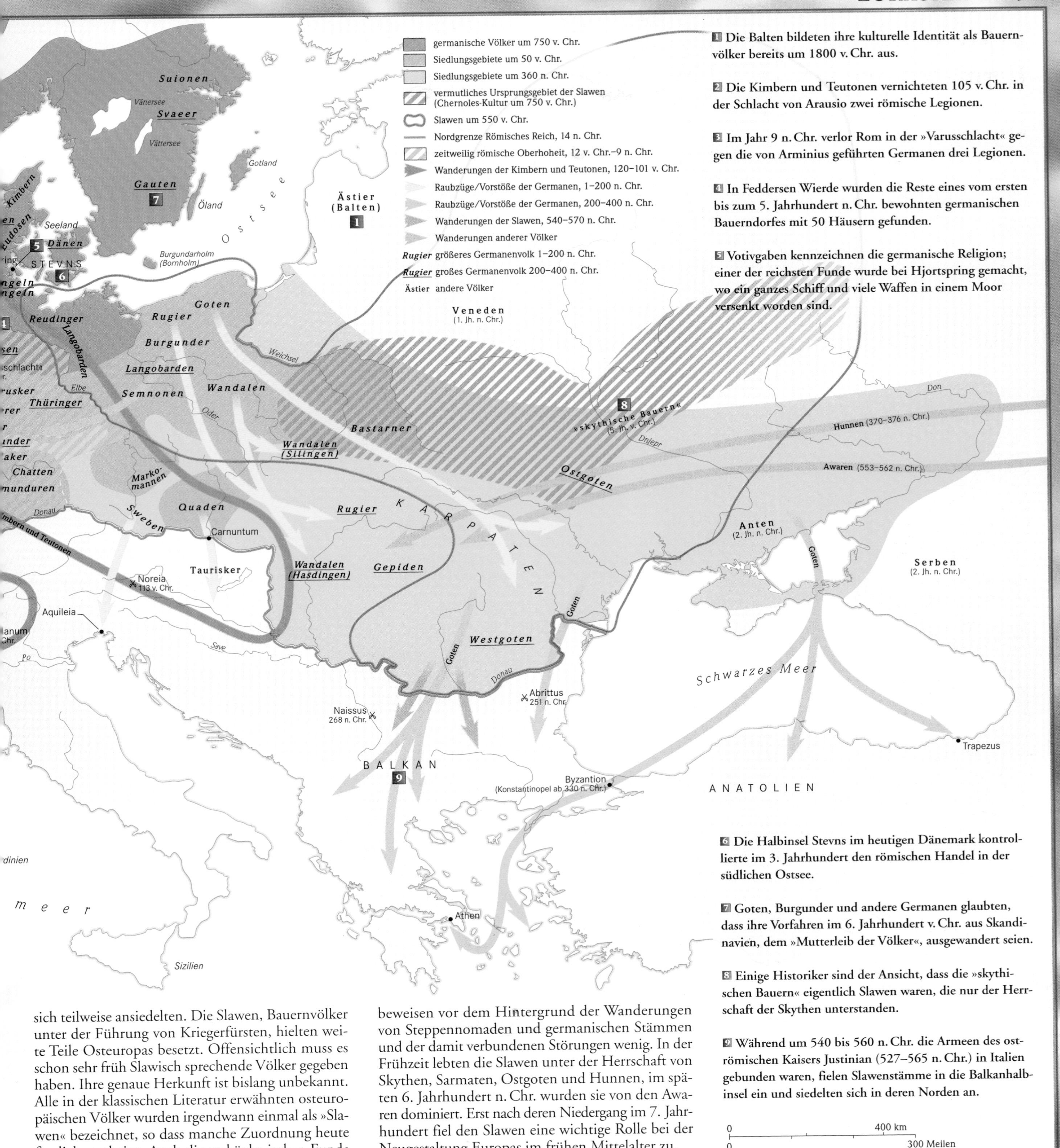
germanische Völker um 750 v. Chr.
Siedlungsgebiete um 50 v. Chr.
Siedlungsgebiete um 360 n. Chr.
vermutliches Ursprungsgebiet der Slawen (Chernoles-Kultur um 750 v. Chr.)
Slawen um 550 v. Chr.
Nordgrenze Römisches Reich, 14 n. Chr.
zeitweilig römische Oberhoheit, 12 v. Chr.–9 n. Chr.
Wanderungen der Kimbern und Teutonen, 120–101 v. Chr.
Raubzüge/Vorstöße der Germanen, 1–200 n. Chr.
Raubzüge/Vorstöße der Germanen, 200–400 n. Chr.
Wanderungen der Slawen, 540–570 n. Chr.
Wanderungen anderer Völker
Rugier größeres Germanenvolk 1–200 n. Chr.
Rugier großes Germanenvolk 200–400 n. Chr.
Ästier andere Völker
Suionen
Vänersee
Svaeer
Vättersee
Gotland
Gauten
Öland
Ostsee
Ästier (Balten)
Kimbern
Eudosen
Seeland
Dänen
STEVNS
Burgundarholm (Bornholm)
Goten
Rugier
Reudinger
Langobarden
Burgunder
Weichsel
Veneden (1. Jh. n. Chr.)
Semnonen
Wandalen
Elbe
Thüringer
Oder
Bastarner
»skythische Bauern« (5. Jh. v. Chr.)
Don
Hunnen (370–376 n. Chr.)
Dnjepr
Wandalen (Silingen)
Chatten
Markomannen
Awaren (553–562 n. Chr.)
Ostgoten
Quaden
Sweben
Rugier
KARPATEN
Donau
Kimbern und Teutonen
Carnuntum
Anten (2. Jh. n. Chr.)
Taurisker
Noreia 113 v. Chr.
Wandalen (Hasdingen)
Gepiden
Goten
Serben (2. Jh. n. Chr.)
Aquileia
Save
Po
Westgoten
Schwarzes Meer
Abrittus 251 n. Chr.
Naissus 268 n. Chr.
Trapezus
BALKAN
Byzantion (Konstantinopel ab 330 n. Chr.)
ANATOLIEN
Athen
Sizilien
0 400 km
0 300 Meilen

1 Die Balten bildeten ihre kulturelle Identität als Bauernvölker bereits um 1800 v. Chr. aus.

2 Die Kimbern und Teutonen vernichteten 105 v. Chr. in der Schlacht von Arausio zwei römische Legionen.

3 Im Jahr 9 n. Chr. verlor Rom in der »Varusschlacht« gegen die von Arminius geführten Germanen drei Legionen.

4 In Feddersen Wierde wurden die Reste eines vom ersten bis zum 5. Jahrhundert n. Chr. bewohnten germanischen Bauerndorfes mit 50 Häusern gefunden.

5 Votivgaben kennzeichnen die germanische Religion; einer der reichsten Funde wurde bei Hjortspring gemacht, wo ein ganzes Schiff und viele Waffen in einem Moor versenkt worden sind.

6 Die Halbinsel Stevns im heutigen Dänemark kontrollierte im 3. Jahrhundert den römischen Handel in der südlichen Ostsee.

7 Goten, Burgunder und andere Germanen glaubten, dass ihre Vorfahren im 6. Jahrhundert v. Chr. aus Skandinavien, dem »Mutterleib der Völker«, ausgewandert seien.

8 Einige Historiker sind der Ansicht, dass die »skythischen Bauern« eigentlich Slawen waren, die nur der Herrschaft der Skythen unterstanden.

9 Während um 540 bis 560 n. Chr. die Armeen des oströmischen Kaisers Justinian (527–565 n. Chr.) in Italien gebunden waren, fielen Slawenstämme in die Balkanhalbinsel ein und siedelten sich in deren Norden an.

sich teilweise ansiedelten. Die Slawen, Bauernvölker unter der Führung von Kriegerfürsten, hielten weite Teile Osteuropas besetzt. Offensichtlich muss es schon sehr früh Slawisch sprechende Völker gegeben haben. Ihre genaue Herkunft ist bislang unbekannt. Alle in der klassischen Literatur erwähnten osteuropäischen Völker wurden irgendwann einmal als »Slawen« bezeichnet, so dass manche Zuordnung heute fraglich erscheint. Auch die archäologischen Funde beweisen vor dem Hintergrund der Wanderungen von Steppennomaden und germanischen Stämmen und der damit verbundenen Störungen wenig. In der Frühzeit lebten die Slawen unter der Herrschaft von Skythen, Sarmaten, Ostgoten und Hunnen, im späten 6. Jahrhundert n. Chr. wurden sie von den Awaren dominiert. Erst nach deren Niedergang im 7. Jahrhundert fiel den Slawen eine wichtige Rolle bei der Neugestaltung Europas im frühen Mittelalter zu.

[1]20–102 v. Chr. [W]anderungen der [Kim]bern und Teutonen.

um 70 v. Chr. Germanen unter Ariovist stoßen in Richtung Gallien vor.

56 v. Chr. Cäsar besiegt die linksrheinischen Germanen.

Chr. Geb.

9 n. Chr. Die Germanen rechts des Rheins erheben sich gegen die römischen Besatzer.

41 n. Chr. Die Chauken treiben an der Küste Galliens ihr Unwesen als Piraten.

167 n. Chr. Die Markomannen dringen bis Aquileia vor.

um 200 n. Chr. Germanische Stämme am Rhein bilden ein starkes Bündnis.

200 n. Chr.

251 n. Chr. Die Goten besiegen und töten den römischen Kaiser Decius bei Abrittus.

372 n. Chr. Die Hunnen besiegen den ostgotischen König Ermanarich.

376 n. Chr. Die vor den Hunnen fliehenden Westgoten finden Zuflucht im Römischen Reich.

400 n. Chr.

406 n. Chr. Wandalen, Sweben und Alanen dringen nach Gallien vor.

um 450 n. Chr. Angeln und Sachsen beginnen mit ihrer Einwanderung in England.

um 450 n. Chr. Die Slawen unternehmen Raubzüge durch Südosteuropa und siedeln sich auf dem Balkan an.

um 560 n. Chr. Die westwärts wandernden Awaren unterwerfen die Slawen.

600 n. Chr.

Die Welt der Antike (500 v. Chr. bis 600 n. Chr.)

Die Steppennomaden • 900 v. Chr. bis 600 n. Chr.

Die osteuropäischen Steppen erstrecken sich bis nach Zentralasien und in die Mandschurei; dort siedelten im 5. Jahrhundert v. Chr. Bauernvölker aus dem westlichen Eurasien. Da das Klima für den Ackerbau nicht günstig war, betrieben sie vor allem Viehwirtschaft. So hielt man Rinder, Pferde, Schafe und Ziegen.

Um 3500 v. Chr. benutzten diese Völker Karren mit Rädern; die neue Mobilität erlaubte es, die Herden von den Sommer- auf die Winterweiden zu treiben (Transhumanz). Das vergrößerte die Weidenutzflächen erheblich. In der zweiten Hälfte des 2. Jahrtausends v. Chr. erfanden die Menschen Trense und Zügel, so dass sie auf Pferden nun auch reiten konnten. Bald hielten die Steppenvölker große Herden in riesigen Weidegebieten und lebten bis 900 v. Chr. als Hirtennomaden.

Der sagenhafte Hunnenkönig Attila kam mit seinen Truppen bis nach Südfrankreich, wurde dort aber 451 v. Chr. von Römern und Westgoten geschlagen.

Kimmerier, Skythen und Sarmaten

Bereits im 8. Jahrhundert bevölkerten Iranisch sprechende Völker die östlichen Steppen, während die Kimmerier zu Beginn des 1. Jahrtausends als erste Nomadenmacht der russischen Steppen bekannt sind. Um 700 v. Chr. überrollten sie die Skythen, ein anderes aus Zentralasien oder Sibirien stammendes iranisches Volk. Von den Skythen bis zum Kaukasus verfolgt, zog ein Teil der Kimmerier nach Kleinasien und zerstörte das Phrygerreich. Hier zeigte sich erstmals, dass Konflikte zwischen Steppenvölkern Wanderungsbewegungen mit all ihren negativen Folgen für ferner liegende Staaten und Reiche auslösten, und diese »Kettenreaktion« ließ sich in den folgenden zwei Jahrtausenden noch häufiger beobachten.

Die Skythen unterstanden mächtigen Fürsten, die mit reichen Grabbeigaben (Waffen, Schmuck, Wagen, geopferten Dienern und Pferden) in Kurganen (Hügelgräbern) bestattet wurden. Mehrere solcher Kurgane wurden bei Pasyryk im Altai gefunden. Die Skythen entwickelten einen kraftvollen, von stilisierten Tiergestalten gekennzeichneten Kunststil und importierten griechische Metallwaren sowie andere Handelsgüter. Ihre Macht ging im 3. Jahrhundert v. Chr. zurück; an ihre Stelle als Führungsmacht der westlichen Steppen traten die Sarmaten.

Die Skythen wurden wahrscheinlich nicht ausgerottet, sondern in die Bevölkerung der Sarmaten integriert. Diese damals übliche Praxis erklärt das plötzliche Auftauchen von Steppenvölkern und ihr ebenso rasches Verschwinden. Die Zahl der Angehörigen eines erfolgreichen Stammes wuchs durch assimilierte Rivalen und weitere Stämme, die sich freiwillig anschlossen, um am Prestige und der Beute der Sieger zu partizipieren, deutlich an; sie schrumpfte allerdings auch rasch wieder, wenn der Erfolg ausblieb. Außerhalb der Steppen eroberten die Nomaden selten Gebiete auf Dauer, denn nur die Steppen boten ausreichend Weideland für die riesigen Pferdeherden ihrer Armeen. Wo sie, wie zum Beispiel in Indien und China, dennoch langfristig Regionen außerhalb der Steppe eroberten, gaben sie ihre Lebensweise auf und vermischten sich mit der einheimischen Bevölkerung.

Xiongnu, Yüeh-chih und Kushana

Die turkomongolischen Völker der östlichen Steppen vollzogen den Übergang von der Transhumanz zum Nomadentum um 300 v. Chr. Bogen aus zusammengeleimten Holz- und Hornstreifen waren die ideale Waffe für ihre schnellen Reitertruppen, die schon bald eine ernste Gefahr für die Nomaden der westlichen Steppen und die städtischen Zivilisationen darstellten. Die erste Nomadenmacht der östlichen Steppen, die Xiongnu, bestand aus einem von Turkvölkern beherrschten Verband. Unter ihrem Khan Motun (209–174 v. Chr.) überfielen sie das chinesische Han-Reich und forderten gewaltige Tribute. 170 v. Chr. besiegten sie die iranischen Yüeh-chih-Nomaden und verdrängten sie nach Westen. Die Folge war, dass die Saken nach Süden auswichen und 140 v. Chr. durch das Partherreich nach Indien zogen, wo sie schließlich ein bis um 400 n. Chr. bestehendes Reich gründeten. Der dominierende Klan der Yüeh-chih, die Kushana, begann 50 n. Chr. mit der Errichtung eines Reiches vom Aralsee bis zum Indischen Ozean, das die wichtigsten Handelsstraßen kontrollierte.

Dieser goldene Kamm stammt aus dem frühen 4. Jahrhundert v. Chr.; den »Griff« ziert eine Kampfszene aus einem skythischen Heldenepos.

Orléans
Katalaunische
Felder
451
7
6
GALLIEN
Griechisch-römische
Kultur

Hunnen, Juan-juan und Awaren

Zwischen 128 und 36 v. Chr. unternahmen die Chinesen eine Reihe von Feldzügen, deren Ende die Xiongnu nun selbst als Tributpflichtige erlebten. 48 n. Chr. spaltete sich dieses Volk in zwei Gruppen und verschwand schließlich um 400 n. Chr. aus der Geschichte. Im späten 4. Jahrhundert n. Chr. wanderte das Turkvolk der Hunnen in die Steppen Osteuropas ein. Den Gipfel ihrer Macht erreichten sie unter Attila (434–453 n. Chr.), aber nach seinem Tod brach ihr Reich rasch wieder auseinander. Ein anderes Hunnenvolk, die Hephtaliten (»Weiße Hunnen«), fiel im späten 5. Jahrhundert in Persien und Indien ein. Sie verhinderten, dass die Sassaniden die Schwäche des Römischen Reiches nutzten oder das im Niedergang befindliche indische Gupta-Reich zerstörten.

Zeitleiste

Iranische Nomaden

- **um 900 v. Chr.** Die iranischen Steppenvölker werden Reiternomaden.
- **um 900–700 v. Chr.** Die Kimmerier beherrschen die westlichen Steppen.
- **705–695 v. Chr.** Die Kimmerier dringen in Kleinasien ein.
- **um 700–300 v. Chr.** Die Skythen beherrschen die westasiatischen Steppen.
- **um 500–300 v. Chr.** Aus dieser Zeit stammt die Gruppe der Skythen-Hügelgräber in Pasyryk.
- **um 300 v. Chr.** Die Sarmaten unterwerfen die Skythen.

1000 v. Chr. — 750 v. Chr. — 500 v. Chr. — 250 v. C

Turkomongolische Nomaden

- **um 300 v. Chr.** Die turkomongolischen Völker werden Reiternomaden.
- **209–174 v** Khan Motun b… Reich der Xiong…

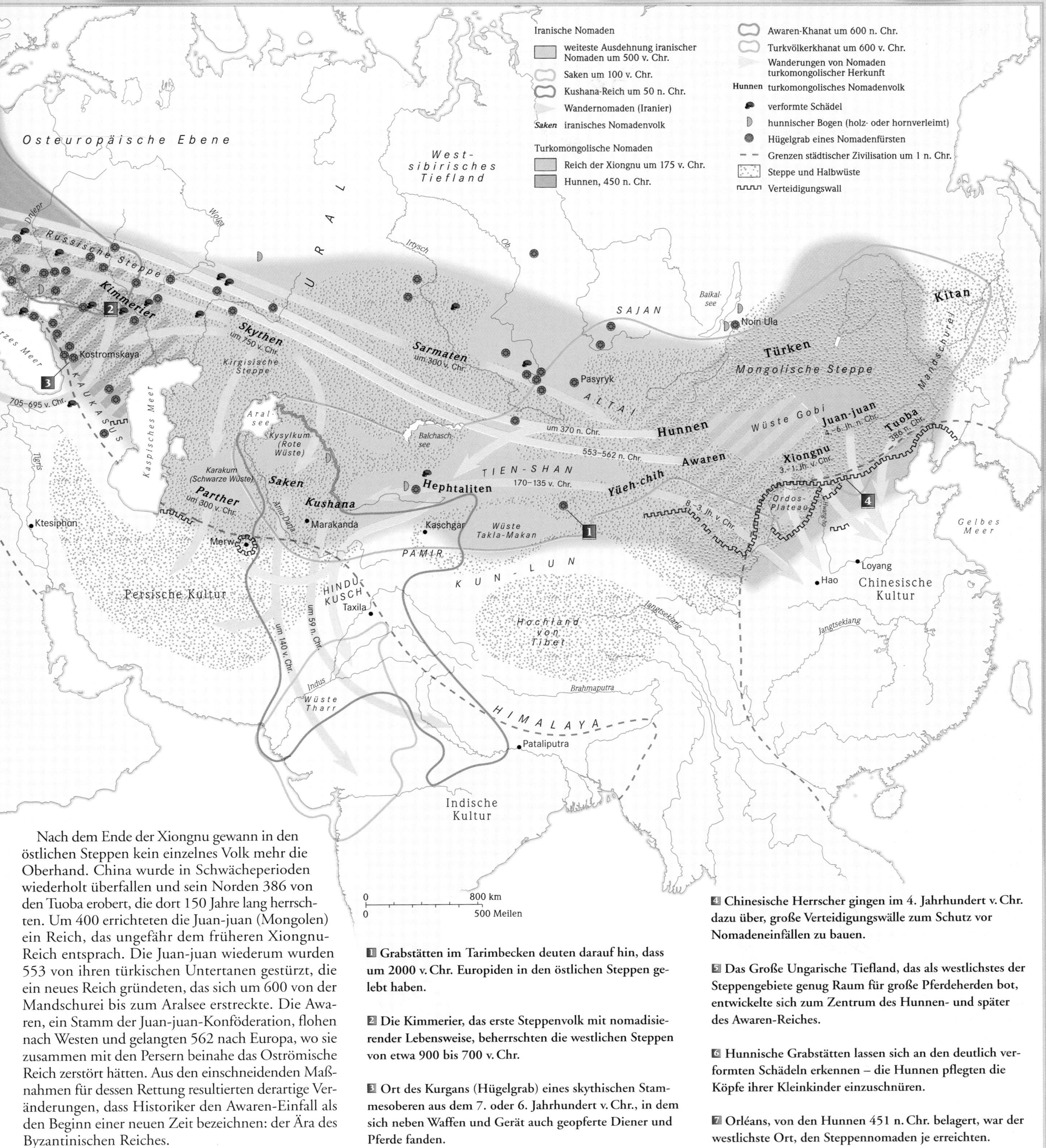

Iranische Nomaden
weiteste Ausdehnung iranischer Nomaden um 500 v. Chr.
Saken um 100 v. Chr.
Kushana-Reich um 50 n. Chr.
Wandernomaden (Iranier)
Saken iranisches Nomadenvolk
Turkomongolische Nomaden
Reich der Xiongnu um 175 v. Chr.
Hunnen, 450 n. Chr.
Awaren-Khanat um 600 n. Chr.
Turkvölkerkhanat um 600 v. Chr.
Wanderungen von Nomaden turkomongolischer Herkunft
Hunnen turkomongolisches Nomadenvolk
verformte Schädel
hunnischer Bogen (holz- oder hornverleimt)
Hügelgrab eines Nomadenfürsten
Grenzen städtischer Zivilisation um 1 n. Chr.
Steppe und Halbwüste
Verteidigungswall
Osteuropäische Ebene
West-sibirisches Tiefland
Dnjepr
Wolga
Russische Steppe
Kimmerier
Skythen um 750 v. Chr.
Kostromskaya
Kirgisische Steppe
KAUKASUS
705–695 v. Chr.
Kaspisches Meer
Tigris
URAL
Irtysch
Ob
Sarmaten um 300 v. Chr.
Pasyryk
ALTAI
SAJAN
Baikalsee
Noin Ula
Kitan
Türken
Mongolische Steppe
Mandschurei
Wüste Gobi
Juan-juan 4.–6. Jh. n. Chr.
Tuoba 386 n. Chr.
Hunnen
um 370 n. Chr.
553–562 n. Chr.
Awaren
Xiongnu 3.–1. Jh. v. Chr.
Aralsee
Kysylkum (Rote Wüste)
Balchaschsee
Karakum (Schwarze Wüste)
Saken
Parther um 300 v. Chr.
Kushana
Hephtaliten
TIEN-SHAN
170–135 v. Chr.
Yüeh-chih
8.–3. Jh. v. Chr.
Ordos-Plateau
Huang He
Ktesiphon
Merw
Amu-Darja
Marakanda
Kaschgar
Wüste Takla-Makan
PAMIR
KUN-LUN
Persische Kultur
HINDUKUSCH
Taxila
um 59 n. Chr.
um 140 v. Chr.
Hochland von Tibet
Jangtsekiang
Indus
Wüste Tharr
Brahmaputra
HIMALAYA
Pataliputra
Indische Kultur
Hao
Loyang
Chinesische Kultur
Gelbes Meer
0 800 km
0 500 Meilen

Nach dem Ende der Xiongnu gewann in den östlichen Steppen kein einzelnes Volk mehr die Oberhand. China wurde in Schwächeperioden wiederholt überfallen und sein Norden 386 von den Tuoba erobert, die dort 150 Jahre lang herrschten. Um 400 errichteten die Juan-juan (Mongolen) ein Reich, das ungefähr dem früheren Xiongnu-Reich entsprach. Die Juan-juan wiederum wurden 553 von ihren türkischen Untertanen gestürzt, die ein neues Reich gründeten, das sich um 600 von der Mandschurei bis zum Aralsee erstreckte. Die Awaren, ein Stamm der Juan-juan-Konföderation, flohen nach Westen und gelangten 562 nach Europa, wo sie zusammen mit den Persern beinahe das Oströmische Reich zerstört hätten. Aus den einschneidenden Maßnahmen für dessen Rettung resultierten derartige Veränderungen, dass Historiker den Awaren-Einfall als den Beginn einer neuen Zeit bezeichnen: der Ära des Byzantinischen Reiches.

1 Grabstätten im Tarimbecken deuten darauf hin, dass um 2000 v. Chr. Europiden in den östlichen Steppen gelebt haben.

2 Die Kimmerier, das erste Steppenvolk mit nomadisierender Lebensweise, beherrschten die westlichen Steppen von etwa 900 bis 700 v. Chr.

3 Ort des Kurgans (Hügelgrab) eines skythischen Stammesoberen aus dem 7. oder 6. Jahrhundert v. Chr., in dem sich neben Waffen und Gerät auch geopferte Diener und Pferde fanden.

4 Chinesische Herrscher gingen im 4. Jahrhundert v. Chr. dazu über, große Verteidigungswälle zum Schutz vor Nomadeneinfällen zu bauen.

5 Das Große Ungarische Tiefland, das als westlichstes der Steppengebiete genug Raum für große Pferdeherden bot, entwickelte sich zum Zentrum des Hunnen- und später des Awaren-Reiches.

6 Hunnische Grabstätten lassen sich an den deutlich verformten Schädeln erkennen – die Hunnen pflegten die Köpfe ihrer Kleinkinder einzuschnüren.

7 Orléans, von den Hunnen 451 n. Chr. belagert, war der westlichste Ort, den Steppennomaden je erreichten.

175–170 v. Chr. Mit dem Sieg der Xiongnu über die Yüeh-chih verlieren die iranischen Nomaden die Oberherrschaft über die östlichen Steppen.

140 v. Chr. Die Saken wandern nach Süden und dringen in Indien ein.

Chr. Geb.

um 50 n. Chr. Die Kushana stoßen nach Indien vor.

250 n. Chr.

500 n. Chr.

750 n. Chr.

um 128–36 v. Chr. Chinesen unterwerfen die Xiongnu der Tributpflicht.

um 200 v. Chr. In den östlichen Steppen Chinas bedient man sich des Steigbügels.

50 n. Chr. Die Südlichen Xiongnu werden von den Chinesen im nördlichen Reichsteil angesiedelt.

48 n. Chr. Die Xiongnu spalten sich in eine nördliche und eine südliche Gruppe.

um 370 n. Chr. Die Hunnen ziehen nach Europa.

386 n. Chr. Die Tuoba erobern Nordchina.

um 400 n. Chr. Die Juan-juan beherrschen die östlichen Steppen.

451 n. Chr. Die Hunnen unter Attila verlieren in Gallien die Schlacht auf den Katalaunischen Feldern.

553–562 n. Chr. Die Awaren ziehen nach Europa. Die Turkvölker beherrschen die östlichen Steppen.

600–700 n. Chr. Niedergang des türkischen Steppenreiches.

Die Welt der Antike (500 v. Chr. bis 600 n. Chr.)

Frühe Reiche in Afrika • 500 v. Chr. bis 600 n. Chr.

Als erster afrikanischer Staat entstand um 3000 v. Chr. das zentralistische Pharaonen-Reich. Damals war aus der Sahara aufgrund klimatischer Veränderungen bereits eine Wüste geworden. Der einzige Landweg von Ägypten nach Zentralafrika führte am Nil entlang durch Nubien.

Bis 2500 v. Chr. waren am Oberlauf des Nil einige Stammesfürstentümer entstanden. Um 1700 schlossen diese sich zu einem großen Reich zusammen, das die Ägypter Kusch nannten; seine Hauptstadt war Kerma. Nubien besaß reiche Bodenschätze, vor allem Gold. Wahrscheinlich führte der Aufbau einer wirkungsvollen Verteidigung der Nubier gegen die ägyptischen Raubzüge zur Entstehung ihres Staates. Um 1500 v. Chr. eroberten die Ägypter das Reich Kusch. Als aber die Epoche des Neuen Reiches am Nil um 1070 v. Chr. zu Ende ging, erhielt Kusch seine Unabhängigkeit wieder zurück. 770 v. Chr. setzten sich die Könige von Nubien in Südägypten fest und 716 beherrschte Schabako (716–698 v. Chr.) ganz Ägypten. 653 vertrieben die Ägypter die Assyrer und zogen gegen das Reich Kusch. Sie zwangen die Nubier zur Verlegung ihrer Hauptstadt nach Meroë. Das »Reich Meroë«, wie Kusch fortan hieß, blieb eine Macht, die von Persern, Gräkomakedoniern und Römern, die Ägypten ab 525 v. Chr. nacheinander eroberten, durchaus respektiert wurde. Im 4. Jahrhundert n. Chr. drangen mehrfach Wüstennomaden in das Reich Meroë ein. Um 350 brach es völlig zusammen, nachdem Aksum seine Hauptstadt erobert hatte. In der Nachfolge Meroës entstanden die drei kleineren Staaten Nobatia, Makuria und Alodia (Alwah). Nobatia wurde im 8. Jahrhundert n. Chr. von Makuria erobert.

Die Kultur der Nubier

Nubien stand in Bezug auf seine Religion, Staatsform und Kultur deutlich unter ägyptischem Einfluss. Bis 200 n. Chr., als die Meroëer ihre eigene Schrift entwickelten, verwendeten die Nubier für alle Inschriften die ägyptische Sprache und Schrift und bestatteten ihre Könige bis in die christliche Zeit hinein in Pyramiden. Im 6. Jahrhundert zog das Christentum in Nubien ein und behielt seine zentrale Bedeutung bis ins 13. Jahrhundert, als die Araber an Einfluss gewannen.

Das Reich Aksum

Als zweiter Staat in Ostafrika wäre das Reich Aksum zu nennen, das im 1. Jahrhundert n. Chr. im nördlichen Äthiopien entstand. In dieser Region hatte schon im 5. Jahrhundert v. Chr. die Stadtentwicklung eingesetzt, was zum Beispiel der Ort Yeha veranschaulicht. Die kulturelle Entwicklung wurde deutlich von den Sabäern aus Arabien bestimmt, deren Alphabet, Architektur und Religion die Aksumer übernahmen. Im 1. Jahrhundert n. Chr. wurden vom Hafen Adulis aus über das Rote Meer Elfenbein, Rhinozeroshorn, Schildkrötenpanzer, Obsidian und Duftharze an Abnehmer im Römischen Reich geliefert. Die Stadt Aksum besaß Monumentalbauten und Paläste – zu ihren eindrucksvollsten Denkmälern zählen Monolithen, deren gewaltigster heute noch vorhanden und 21 Meter hoch ist. Das Reich Aksum erlebte seine Blütezeit um 350 n. Chr. unter König Ezana, der sich als erster afrikanischer Herrscher zum Christentum bekannte. Im 8. Jahrhundert aber trieben arabische Angriffe das Reich in den Niedergang; im 10. Jahrhundert hatte sich sein Zentrum endgültig ins äthiopische Hochland verlagert.

Numidien und Mauretanien

Im Maghreb (Nordafrika) tauchten mit den Berberreichen Numidien und Mauretanien Staaten aus dem Vakuum auf, das die Niederlage Karthagos im Zweiten Punischen Krieg (226–201) hinterlassen hatte. Die wichtigste Entwicklung Nordafrikas aber bestand in der Entdeckung der Trag- und Reitfähigkeit des Kamels (um 100 v. Chr.), das sich ideal für Wüstenkriege eignete. Die Siedlungen am Rand der Sahara hatten schon bald unter den Angriffen der Nomaden schwer zu leiden. Kamele verfügten auch über die für die Durchquerung der Wüste erforderliche Ausdauer, was eine Ausweitung des Handels mit Gebieten jenseits der Sahara bedeutete (zuvor hatte man vor allem Pferde, Maultiere und Ochsen als Lasttiere verwendet). Um 500 n. Chr. stellten Kamel-Karawanen eine enge Verbindung zwischen dem Mittelmeerraum und Westafrika her.

Terrakotta-Skulptur der Nok-Kultur. Neben solchen Figuren wurden bei Ausgrabungen in Nigeria auch Eisengeräte und Reste von Schmelzanlagen gefunden.

- früheisenzeitliche Nok-Kultur 6. Jh. v. Chr.–5. Jh. n. Chr.
- größte Ausdehnung des Nubier-Reiches von 716–671 v. Chr.
- Königreich Meroë, 590 v. Chr.–350 n. Chr.
- Königreich Aksum unter Ezana, um 350 n. Chr.
- vom Königreich Aksum besetzt, 522–574 n. Chr.
- Königreich Numidien im 2. Jh. v. Chr.
- Königreich Mauretanien im 2. Jh. v. Chr.
- Ursprungsgebiet der Bantustämme, 2000 v. Chr.
- nordwestliche Bantu, 500 n. Chr.
- östliche Bantu, 500 n. Chr.
- westliche Bantu, 500 n. Chr.
- Vordringen der Bantu, datiert
- nigerkordofanische Sprachgruppe, 2. Jahrtausend v. Chr.
- Grenze des Römischen Reiches, 1 n. Chr.

Frühe Eisenzeit in Afrika südlich der Sahara

- Ort mit nachweisbarer Eisenproduktion
- anderer Ort
- Handelsstation im 1.–3. Jh. n. Chr.
- frühchristliche Kirche im 4.–6. Jh. n. Chr.
- vermutliche Karawanenstraße durch die Sahara
- Seeweg
- Wüste
- tropischer Regenwald

ATLANTISCHER OZEAN

Nok-Kultur und Bantu

Die westafrikanische Nok-(Eisen-)Kultur im Gebiet des heutigen Nigeria (um 500 v. Chr. bis 400 n. Chr.), wurde durch ihre fein gearbeiteten Terrakotta-Skulpturen bekannt, die manche als Vorbilder der Kunst der Ibo und Yoruba im Mittelalter betrachteten. Um 600 n. Chr. waren schon weite Teile Westafrikas dicht mit Bauern besiedelt und die Stadt Djenné hatte sich zu einem bedeutenden regionalen Handelsplatz entwickelt. Eine Reihe hoher Grabhügel in dieser Region lässt auf die Existenz starker Eliten und den Beginn einer Staatenbildung schließen.

Von großer Bedeutung für die Entwicklung im Afrika südlich der Sahara war die Ausdehnung der bantusprachigen Bauernvölker, die bereits die Eisenverarbeitung beherrschten. Die Bantusprachen gehören zur nigerkordofanischen Sprachengruppe, die sich im 2. Jahrtausend v. Chr. noch auf das tropische Westafrika beschränkte – das ursprüngliche Kerngebiet der Bantu lag im heutigen Nigeria und in Kamerun. Um 2000 v. Chr. wanderten diese Völker allmählich nach Zentral- und Ostafrika und erreichten um 500 n. Chr. auch das südliche Afrika. Teils dadurch wurden die Bantusprachen verbreitet, zum Teil aber auch durch die Assimilation der noch steinzeitlichen Khoi-San-Jäger und -Sammler in Ost- und Südafrika.

ZEITLEISTE

800 v. Chr. – 600 v. Chr. – 400 v. Chr. – 200 v. C…

NORDAFRIKA

- **716–671 v. Chr.** Ägypten unter nubischer Herrschaft.
- **590 v. Chr.** Meroë wird Hauptstadt Nubiens.
- **525–523 v. Chr.** Ägypten wird von den Persern erobert.
- **um 500 v. Chr.** Die Sabäer siedeln sich in Äthiopien an und tragen später zum Aufstieg des Königreiches Aksum bei.
- **um 200 v. Chr.** In Nordafrika entstehen Berberreiche.

SÜDAFRIKA

- **um 700–600 v. Chr.** Anfänge der Eisenverarbeitung in der Zentral-Sahara.
- **um 480 v. Chr.** In Taruga (Nigeria) entsteht ein blühendes Zentrum der Eisenverarbeitung.
- **um 400–300 v. Chr.** Beginn der Eisenverarbeitung in den ostafrikanischen Hochländern.
- **um 200 v. Chr.** Gründung der Stadt Djenné.

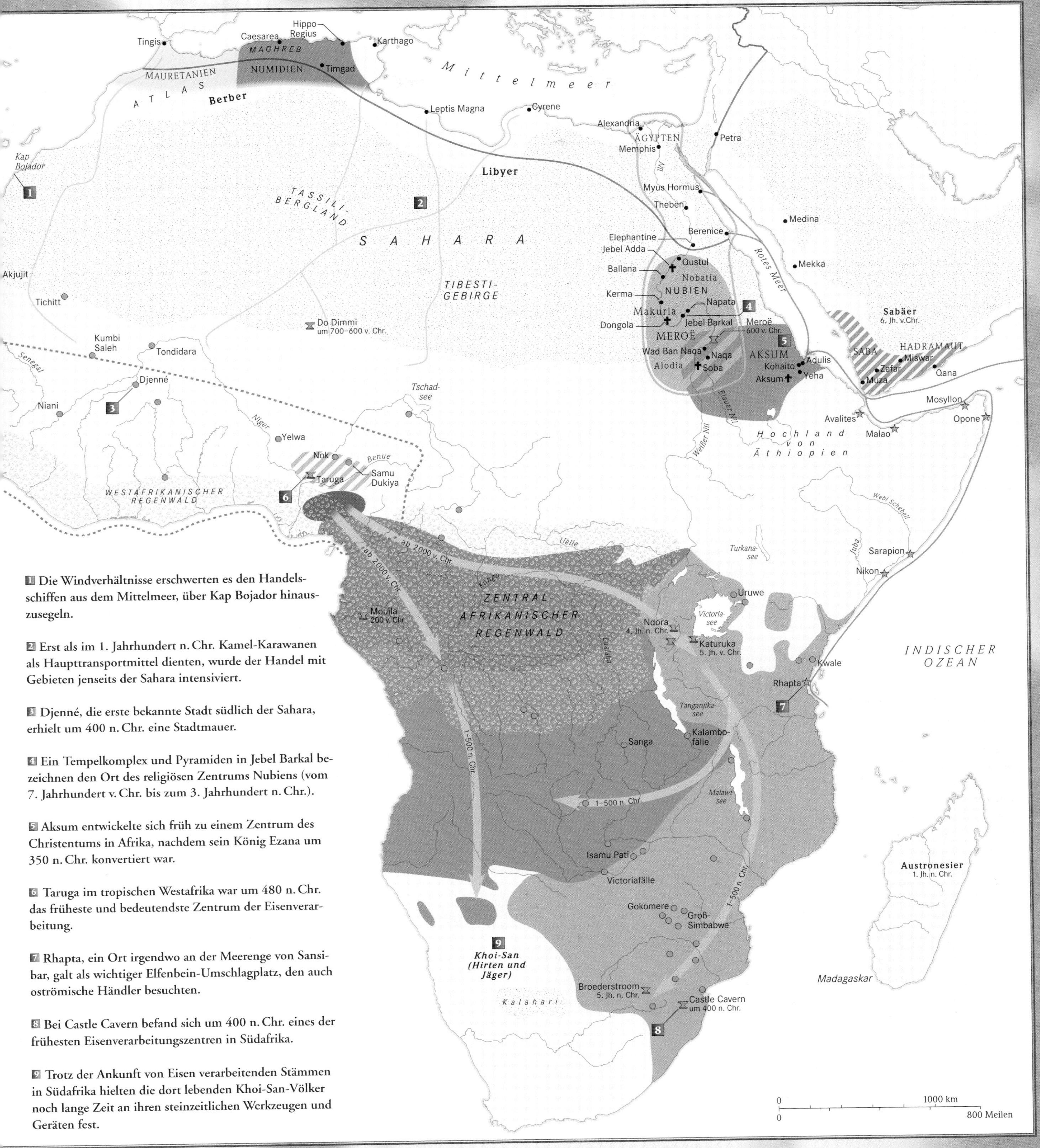

1 Die Windverhältnisse erschwerten es den Handelsschiffen aus dem Mittelmeer, über Kap Bojador hinauszusegeln.

2 Erst als im 1. Jahrhundert n. Chr. Kamel-Karawanen als Haupttransportmittel dienten, wurde der Handel mit Gebieten jenseits der Sahara intensiviert.

3 Djenné, die erste bekannte Stadt südlich der Sahara, erhielt um 400 n. Chr. eine Stadtmauer.

4 Ein Tempelkomplex und Pyramiden in Jebel Barkal bezeichnen den Ort des religiösen Zentrums Nubiens (vom 7. Jahrhundert v. Chr. bis zum 3. Jahrhundert n. Chr.).

5 Aksum entwickelte sich früh zu einem Zentrum des Christentums in Afrika, nachdem sein König Ezana um 350 n. Chr. konvertiert war.

6 Taruga im tropischen Westafrika war um 480 n. Chr. das früheste und bedeutendste Zentrum der Eisenverarbeitung.

7 Rhapta, ein Ort irgendwo an der Meerenge von Sansibar, galt als wichtiger Elfenbein-Umschlagplatz, den auch oströmische Händler besuchten.

8 Bei Castle Cavern befand sich um 400 n. Chr. eines der frühesten Eisenverarbeitungszentren in Südafrika.

9 Trotz der Ankunft von Eisen verarbeitenden Stämmen in Südafrika hielten die dort lebenden Khoi-San-Völker noch lange Zeit an ihren steinzeitlichen Werkzeugen und Geräten fest.

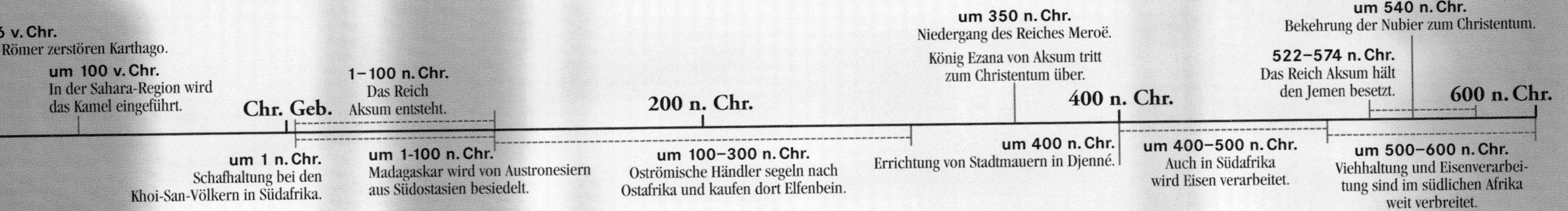
6 v. Chr.
Römer zerstören Karthago.
um 100 v. Chr.
In der Sahara-Region wird das Kamel eingeführt.
Chr. Geb.
1–100 n. Chr.
Das Reich Aksum entsteht.
um 1 n. Chr.
Schafhaltung bei den Khoi-San-Völkern in Südafrika.
um 1-100 n. Chr.
Madagaskar wird von Austronesiern aus Südostasien besiedelt.
200 n. Chr.
um 100–300 n. Chr.
Oströmische Händler segeln nach Ostafrika und kaufen dort Elfenbein.
um 350 n. Chr.
Niedergang des Reiches Meroë.
König Ezana von Aksum tritt zum Christentum über.
um 400 n. Chr.
Errichtung von Stadtmauern in Djenné.
400 n. Chr.
um 400–500 n. Chr.
Auch in Südafrika wird Eisen verarbeitet.
um 540 n. Chr.
Bekehrung der Nubier zum Christentum.
522–574 n. Chr.
Das Reich Aksum hält den Jemen besetzt.
600 n. Chr.
um 500–600 n. Chr.
Viehhaltung und Eisenverarbeitung sind im südlichen Afrika weit verbreitet.

Die Welt der Antike (500 v. Chr. bis 600 n. Chr.)

Das Maurya-Reich in Indien • 550 v. Chr. bis 100 n. Chr.

Im Jahr 500 v. Chr. teilten sich einige Hindu-Reiche den Norden Indiens. Das mächtigste unter ihnen war das von König Bimbisara regierte Magadha. In Südindien lebten zu dieser Zeit noch Stämme unter hinduistischem Einfluss. Von 364 bis 340 v. Chr. beherrschte die machtbewusste Nada-Dynastie aus Magadha ganz Nordindien, aber gegen sie regte sich wegen zu hoher Steuern bald Widerstand.

Die Nada wurden von Chandragupta Maurya (321 bis 293 v. Chr.) vertrieben, der damit die Grundlage für ein erstes Großreich auf indischem Boden legte. Die Herkunft dieses legendären Herrschers ist unklar. Vermutlich aber kommandierte er die Grenztruppen im Nordwesten, als Alexander der Große ins Industal vorstieß; dort könnte er dem Makedonen-König begegnet sein.

Ceylonesisches Heiligtum: Die leuchtend weiße Ruvanveliseya-Dagoba in Anuradhapura ist das größte buddhistische Reliquienmonument Sri Lankas.

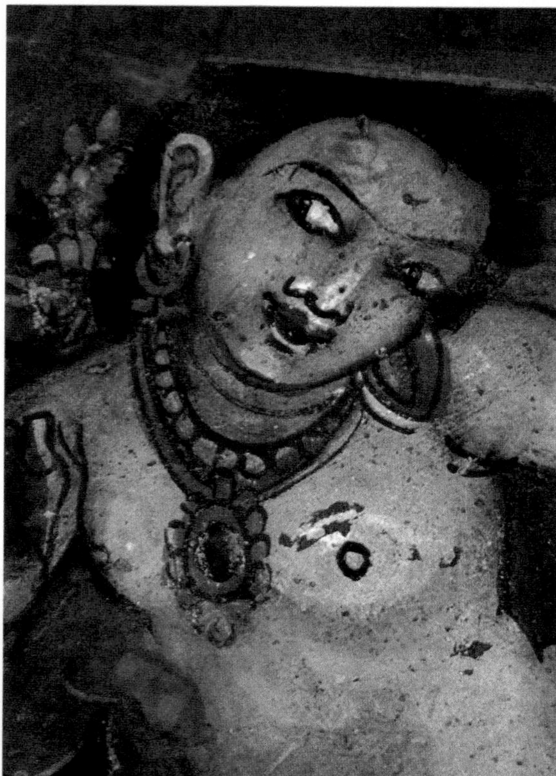

In Felsenhöhlen nahe dem indischen Dorf Ajanta, die buddhistischen Mönchen als Kloster dienten, fand man monumentale Wandmalereien (Detail: weibliche Figur).

Expansionspolitik

Chandragupta dehnte seinen Herrschaftsbereich 312 bis an den Indus aus; das aber stürzte ihn in einen Konflikt mit Seleukos, der seit Alexanders Tod die Länder westlich des Flusses regierte. 305 besiegte Chandragupta Seleukos und bekam um den Preis von 500 Kriegselefanten die Kontrolle über das gesamte Industal. Chandragupta unterhielt ein stehendes Heer und führte ein strenges Strafgesetz ein. Zudem schuf er eine überaus effektive Zentralgewalt, die neben der Erfüllung öffentlicher Aufgaben auch den Handel kontrollierte und Straßen sowie Bewässerungssysteme bauen ließ. Um 293 v. Chr. dankte Chandragupta zugunsten seines Sohnes Bindusara (um 293–268) ab und wurde jainistischer Mönch (er starb etwa 286 v. Chr.). Bindusara setzte die Expansionspolitik seines Vaters fort und dehnte das Maurya-Reich bis weit nach Südindien aus. 268 folgte ihm sein Sohn Aschoka, der zu den bemerkenswertesten Herrschergestalten Indiens zählt. Wie berichtet wird, übermannte Aschoka 261 nach der blutigen Eroberung des an der Ostküste gelegenen Kalinga die Reue und er trat 260 v. Chr. zum Buddhismus über.

Der Buddhismus wird Weltreligion

Der Buddhismus war im späten 6. Jahrhundert v. Chr. aus den Lehren Siddharta Gautamas, des Buddhas (um 560–480 v. Chr.), entstanden. Seine Anhänger bildeten zunächst nur eine von vielen Sekten, die zwar unter dem Einfluss des brahmanischen Hinduismus standen, aber auch gegen diesen opponierten – bis Aschoka seit 258 aus der kleinen Sekte eine Weltreligion formte. Der König des Maurya-Reiches bekannte sich zu den buddhistischen Grundsätzen des rechten Verhaltens und der Gewaltfreiheit, versicherte die Nachbarn seiner guten Absichten, verbesserte das Strafrecht seines Großvaters und versuchte, so weit wie möglich allein kraft moralischer Autorität zu herrschen. Zur Verbreitung der buddhistischen Werte ließ er überall in seinem Reich Edikte über Moral und Mitgefühl auf Säulen und in Felsen meißeln. Von diesen Edikten sind mehr als 30 erhalten geblieben; sie stellen die wichtigste Informationsquelle über die Herrschaft dieses Königs dar. Auf seine Initiative hin wurde 240 auf dem dritten buddhistischen Konzil zu Pataliputra der buddhistische Wertekanon verabschiedet. Außerdem schickte er buddhistische Missionare nach Indonesien, Südindien, Ceylon, in

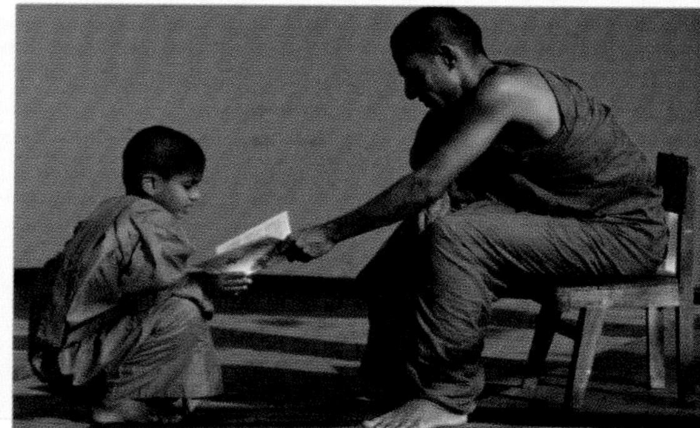

Auch heute noch unterrichten die Mönche von Anuradhapura, dem religiösen Zentrum Sri Lankas, junge Novizen in den Lehren Buddhas.

1 Die im Laufe der Zeit von Persern, Griechen, Indern aus dem Maurya-Reich, Saken und Kushana besetzte Handelsstadt Taxila geriet zum Schmelztiegel verschiedener Kulturen.

2 Bodh Gaya, wo Buddha um 528 v. Chr. seine Erleuchtung erlebte, ist bis heute eine heilige Stätte des Buddhismus.

3 Anuradhapura wurde 437 v. Chr. als Hauptstadt eines singhalesischen Reiches in Nordceylon gegründet.

4 Pataliputra war als Hauptstadt Magadhas und des Maurya-Reiches eine der größten Städte der Antike; sie wurde von einer Holzmauer mit 500 Türmen umgeben.

5 Ein aus der Maurya-Zeit stammender Staudamm mit Reservoir und Bewässerungssystem in Junagadh gehörte zu den ersten ehrgeizigen Bauprojekten der Herrscher des glanzvollen indischen Reiches.

0 400 km
0 300 Meilen

6 Südindien wurde (höchstwahrscheinlich) von Chandraguptas Sohn Bindusara (um 293–268 v. Chr.) erobert.

7 Amaravati war vom 3. Jahrhundert v. Chr. bis ins 14. Jahrhundert n. Chr. das buddhistische Zentrum Südindiens.

8 Vom 2. Jahrhundert v. Chr. an entstand bei Ajanta ein ganzer Komplex in den Felsen gebauter buddhistischer Tempel und Klöster mit schönen Wandmalereien.

9 Der Handel mit Perlen, Diamanten und Gold führte im 1. Jahrhundert v. Chr. in Südindien zur Staatenbildung.

ZEITLEISTE

POLITIK

um 540–490 v. Chr. Magadha steigt unter König Bimbisara zum führenden Hindu-Reich auf.

um 483 v. Chr. König Wiyaja gründet auf Ceylon den ersten Staat.

364–321 v. Chr. Magadha beherrscht unter der Nanda-Dynastie die gesamte Ganges-Ebene.

327–325 v. Chr. Alexander der Große erobert das Industal.

321 v. Chr. Chandragupta Maurya übernimmt in Magadha die Macht und gründet das Maurya-Reich.

um 293 v. Chr. Chandragupta dankt zugunsten seines Sohnes Bindusara ab.

600 v. Chr. — 500 v. Chr. — 400 v. Chr. — 300 v. Chr.

KULTUR

528 v. Chr. Siddharta Gautama, der Buddha (um 560–480), erlebt seine Erleuchtung.

um 500 v. Chr. Singhalesen wandern in Nordceylon ein.

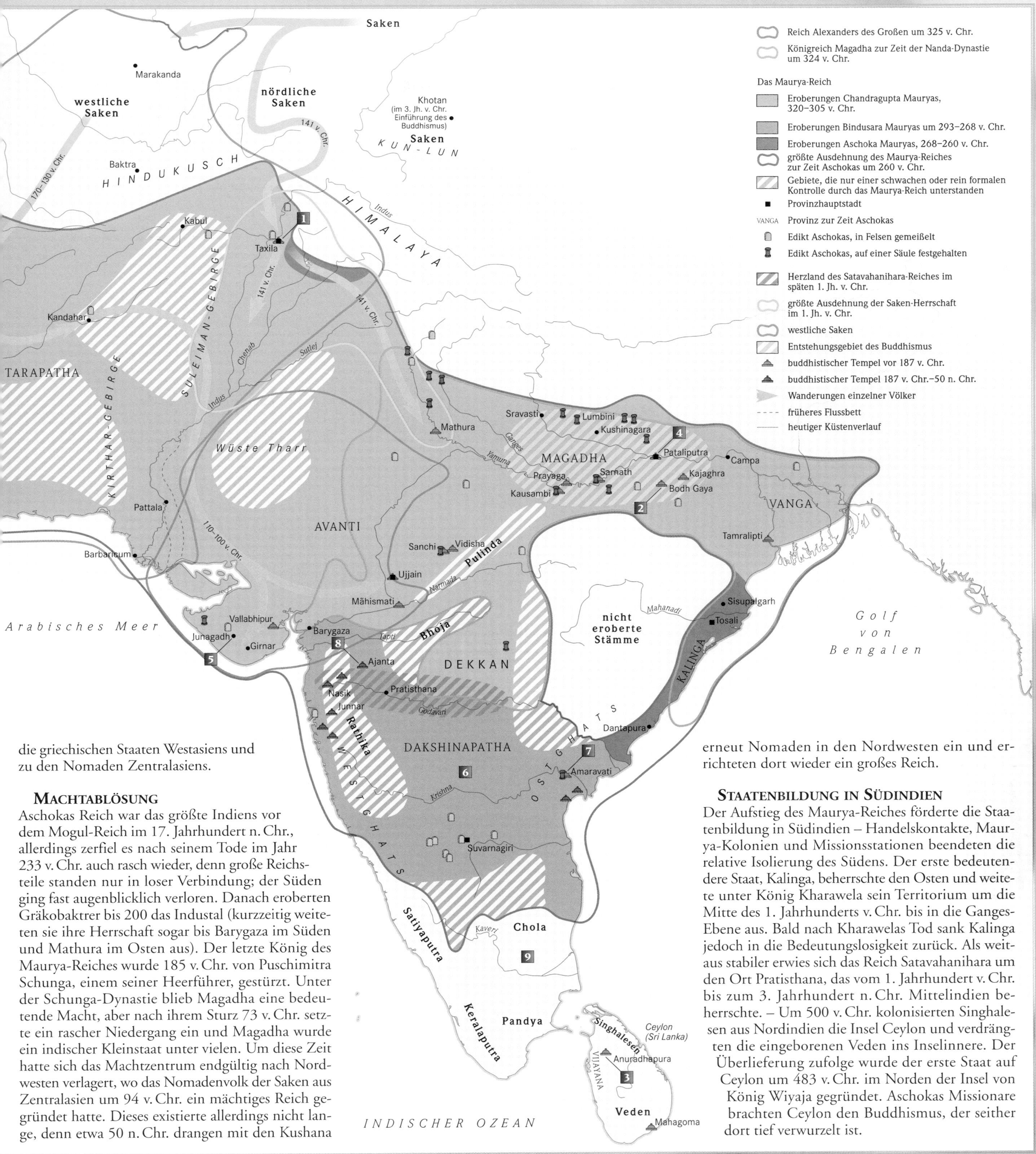

die griechischen Staaten Westasiens und zu den Nomaden Zentralasiens.

Machtablösung

Aschokas Reich war das größte Indiens vor dem Mogul-Reich im 17. Jahrhundert n. Chr., allerdings zerfiel es nach seinem Tode im Jahr 233 v. Chr. auch rasch wieder, denn große Reichsteile standen nur in loser Verbindung; der Süden ging fast augenblicklich verloren. Danach eroberten Gräkobaktrer bis 200 das Industal (kurzzeitig weiteten sie ihre Herrschaft sogar bis Barygaza im Süden und Mathura im Osten aus). Der letzte König des Maurya-Reiches wurde 185 v. Chr. von Puschimitra Schunga, einem seiner Heerführer, gestürzt. Unter der Schunga-Dynastie blieb Magadha eine bedeutende Macht, aber nach ihrem Sturz 73 v. Chr. setzte ein rascher Niedergang ein und Magadha wurde ein indischer Kleinstaat unter vielen. Um diese Zeit hatte sich das Machtzentrum endgültig nach Nordwesten verlagert, wo das Nomadenvolk der Saken aus Zentralasien um 94 v. Chr. ein mächtiges Reich gegründet hatte. Dieses existierte allerdings nicht lange, denn etwa 50 n. Chr. drangen mit den Kushana erneut Nomaden in den Nordwesten ein und errichteten dort wieder ein großes Reich.

Staatenbildung in Südindien

Der Aufstieg des Maurya-Reiches förderte die Staatenbildung in Südindien – Handelskontakte, Maurya-Kolonien und Missionsstationen beendeten die relative Isolierung des Südens. Der erste bedeutendere Staat, Kalinga, beherrschte den Osten und weitete unter König Kharawela sein Territorium um die Mitte des 1. Jahrhunderts v. Chr. bis in die Ganges-Ebene aus. Bald nach Kharawelas Tod sank Kalinga jedoch in die Bedeutungslosigkeit zurück. Als weitaus stabiler erwies sich das Reich Satavahanihara um den Ort Pratisthana, das vom 1. Jahrhundert v. Chr. bis zum 3. Jahrhundert n. Chr. Mittelindien beherrschte. – Um 500 v. Chr. kolonisierten Singhalesen aus Nordindien die Insel Ceylon und verdrängten die eingeborenen Veden ins Inselinnere. Der Überlieferung zufolge wurde der erste Staat auf Ceylon um 483 v. Chr. im Norden der Insel von König Wiyaja gegründet. Aschokas Missionare brachten Ceylon den Buddhismus, der seither dort tief verwurzelt ist.

-268 v. Chr.
…usara Maurya
…rt Südindien.

268–233 v. Chr.
Regierungszeit des Maurya-Herrschers Aschoka.

um 250 v. Chr.
Aschoka bringt den Buddhismus nach Ceylon.

260 v. Chr.
…oka tritt zum Buddhismus über.

200 v. Chr.

um 185 v. Chr.
Der letzte Maurya-Herrscher wird abgesetzt.

141 v. Chr.
Die Saken dringen in den Nordwesten Indiens ein.

um 94 v. Chr.
Im Nordwesten Indiens entsteht ein Sakenreich.

100 v. Chr.

um 50 n. Chr.
König Kharawela von Kalinga herrscht über Ost- und Mittelindien.

Chr. Geb.

50–75 n. Chr.
Die Kushana erobern Nordwestindien.

100 n. Chr.

Die Welt der Antike (500 v. Chr. bis 600 n. Chr.)

Indien zur Zeit der Kushana und Gupta • 50 bis 570 n. Chr.

Um das Jahr 50 n. Chr. gliederten die Kushana, ein Klan des Nomadenstammes der Yüeh-chih, die um 135 v. Chr. das Hellenen-Reich Baktrien überrannt hatten, den gesamten Nordwesten Indiens ihrem vom Ganges bis zum Aralsee reichenden Staat ein.

Das Kushana-Reich wurde um 25 n. Chr. von Kujala Kadphises gegründet. Um das Jahr 50 drang er in Nordindien ein, eroberte Gandhara und unterwarf die nördlichen Saken. Kujalas Nachfolger Vima Kadphises (um 75–100 n. Chr.) eroberte das Industal und große Teile der Ganges-Ebene. Das Reich erlebte schließlich unter Kanischka (um 100–130) seine Blütezeit. Kanischka war gläubiger Buddhist und ein Förderer der Künste, der sowohl die indohellenistische Schule von Gandhara als auch die hinduistische Schule von Mathura unterstützte. Seine Nachfolger hielten die Grenzen des Reiches bis ins 3. Jahrhundert, danach ging der größte Teil der westlichen Provinzen an den Sassaniden-Herrscher Schapur I. verloren. Obwohl die Kushana im 4. Jahrhundert ihre Unabhängigkeit kurz zurückgewannen, konnten sie ihr ehemaliges Gebiet nicht wiederherstellen.

Wohlstand unter den Kushana

Das Reich war nicht übermäßig zentralisiert und der König, dank eines Herrscherkults zum »Dewaputra«, dem »Sohn Gottes« avanciert, regierte mit Hilfe einer großen Schar abhängiger Unterkönige. Die Kushana-Kultur vereinte hellenistische, indische und zentralasiatische Elemente. In Fragen der Religion zeigten die Herrscher Toleranz. Die meisten frühen Kushana waren Buddhisten, die späteren Hindus, aber alle erwiesen auch persischen, griechischen und römischen Gottheiten ihren Respekt. Das Kushana-Reich lebte im Wohlstand, denn es kontrollierte alle wichtigen Handelsstraßen durch Asien.

Allerdings besaßen die Kushana kein Monopol auf den Ost-West-Handel. Bis zum 1. Jahrhundert n. Chr. hatten Seefahrer aus dem Mittelmeer herausgefunden, wie sich die Monsunwinde für eine Überquerung des Indischen Ozeans nutzen ließen, was die Handelsbeziehungen zwischen dem Römischen Reich und Südindien vertiefte. Die wertvollsten Exportgüter der Region waren Gewürze, die die Römer mit Gold bezahlten. Die Herrscher im Süden Indiens prägten keine eigene Währung, sondern verwendeten die reichlich vorhandenen römischen Münzen. Die mächtigste Stadt Südindiens war zu dieser Zeit Satavahanihara, aber bald entstanden aufgrund des um sich greifenden Wohlstands weitere Städte und kleinere Stammesfürstentümer.

Kulturelle Blüte unter den Gupta

Der Niedergang des Kushana-Reiches im 4. Jahrhundert war die Voraussetzung für den Aufstieg des Gupta-Reiches. Im 3. Jahrhundert noch kleinere Fürsten in der Gegend des heutigen Varanasi, könnten die Gupta Lehnsherren des Magadha-Reiches gewesen sein. Die Dynastie wurde von Chandragupta I. (um 320–335 n. Chr.) begründet, der zu seinem großen Vorteil eine Frau aus dem Volk der Licchavi ehelichte – denn das trug ihm die Herrschaft über Magadha, das fruchtbare und dicht besiedelte Kernland des früheren Maurya-Reiches, ein. Ihm folgte sein Sohn Samudragupta nach, in dessen langer Regierungszeit sich das Gupta-Reich über ganz Nordindien ausdehnte. Samudragupta unternahm auch einen größeren Feldzug in den Südosten Indiens, wo er viele kleine Herrscher unterwarf. Er verbündete sich mit den Saken und den von dem mittelindischen Reich Satavahanihara abhängigen Vakataka. Sein Nachfolger Chandragupta II. (380–415) wandte sich dann allerdings gegen die westlichen Saken, eroberte ihr Gebiet und unterstellte es seiner direkten Herrschaft. Sein Reich war am Ende so groß wie das alte Maurya-Reich, aber nur lose zusammengefügt – ein großer Teil wurde von tributpflichtigen Königen regiert oder lag in der Hand kaum wirklich unterworfener Stämme.

Die Gupta förderten die Künste und Wissenschaften und führten das Land zu einer kulturellen Blüte. Sie waren gläubige Hindus und einige der wichtigsten Wesensmerkmale des Hinduismus – wie etwa der Bilderkult – bildeten sich in ihrer Zeit heraus. Die hinduistischen Epen »Ramayana« und »Mahabharata« erhielten ihre endgültige Form; die Gupta-Zeit wurde überhaupt zur klassischen Zeit der Sanskrit-Literatur. Astronomie und Mathematik erzielten Fortschritte – so wurde das Dezimalsystem entwickelt,

Diese bronzene Buddhafigur aus der Spätphase des Gupta-Reiches (6. Jahrhundert) ist im Indischen Nationalmuseum in Neu-Delhi zu bewundern.

1 Arikamedu war im 1. Jahrhundert n. Chr. ein wichtiger Handelshafen; viele Kunstgegenstände römischer Herkunft wurden hier gefunden.

2 90 n. Chr. besiegte eine chinesische Armee die Kushana bei Khotan und verhinderte so deren weitere Expansion nach Zentralasien.

3 In Junagadh wurde der früheste, um 150 n. Chr. im Auftrag von Saken-König Rudradaman verfasste Text in Sanskrit gefunden.

4 Eine Säuleninschrift in Prayaga vermittelt wichtige Informationen über die Regierungszeit Samudraguptas (um 335–380).

5 Samudraguptas Feldzug in den Süden (um 360) brachte 13 Könige und Fürsten unter die Herrschaft der Gupta.

0 400 km
0 300 Meilen

6 Nach dem Niedergang des mittelindischen Reiches Satavahanihara im 3. Jahrhundert herrschten dort die mit den Gupta verbündeten Vakataka.

7 510 besiegten bei Eran die Hephtaliten ein Heer der Gupta und sicherten sich so die Kontrolle über Nordwestindien.

8 Sialkot im heutigen Pakistan war die Hauptstadt des kurzlebigen Hephtaliten-Reiches (um 505–530).

9 Um 600 beherbergte eine große buddhistische Klosterschule in Nalanda, deren Schutzherren die Gupta-Könige waren, 30 000 Schüler.

ZEITLEISTE

POLITIK

KULTUR

Chr. Geb.

25 Kujala Kadphises gründet in Baktrien das Kushana-Reich.

50–75 Unter Kadphises erobern die Kushana Gandhara.

120–130 Das Kushana-Reich erlebt unter Kanischka seine Blütezeit.

um 240–272 Der Sassaniden-Herrscher Schapur I. erobert die Kushana-Gebiete westlich des Indus.

250

um 300 Niedergang von Satavahanihara und Aufstieg der Vakataka.

um 320–33 Herrschaft Chandraguptas I., der das Gupta-Reich gründe

200–300 Die Hindus kodifizieren ihr Recht.

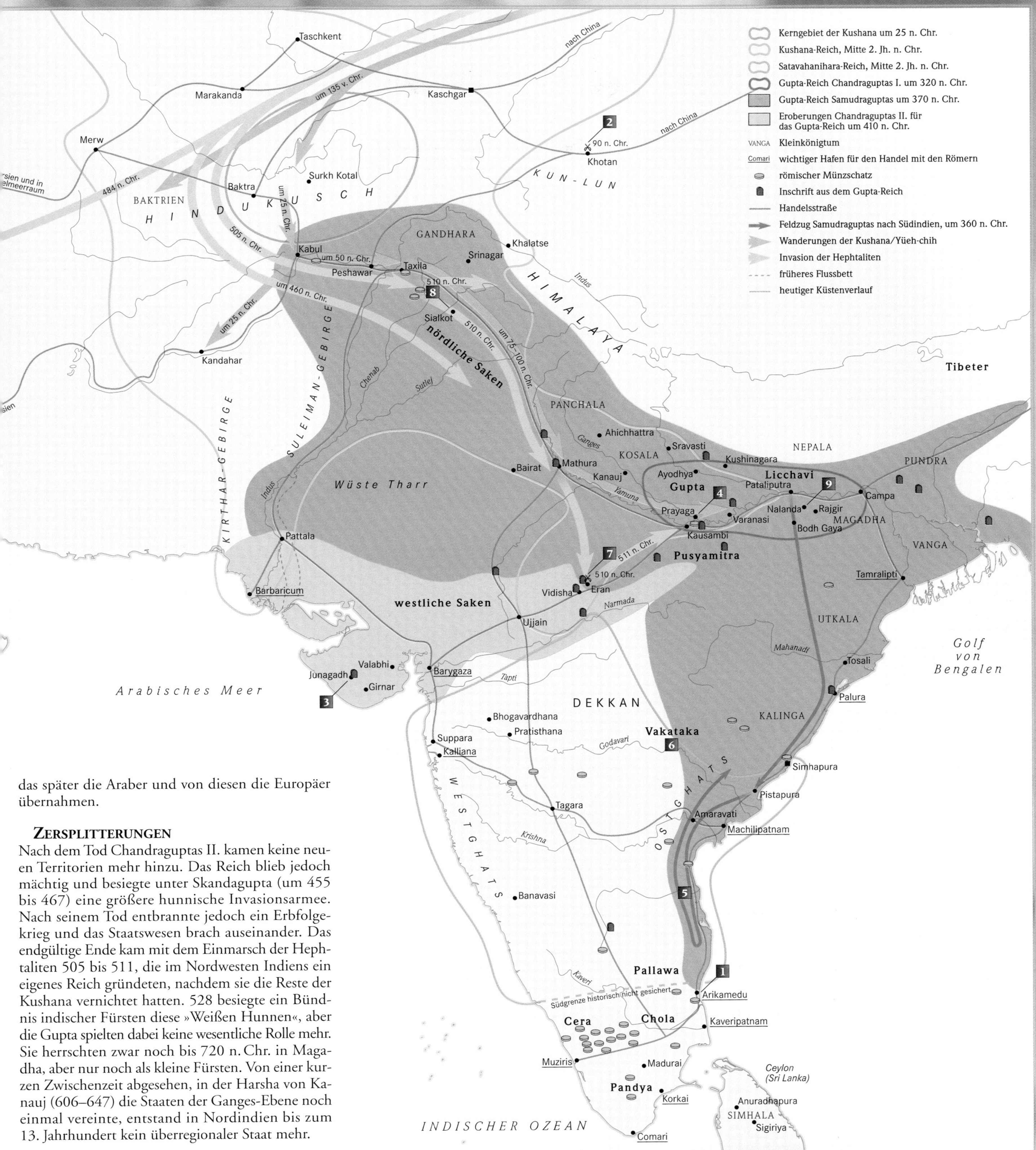

Kerngebiet der Kushana um 25 n. Chr.
Kushana-Reich, Mitte 2. Jh. n. Chr.
Satavahanihara-Reich, Mitte 2. Jh. n. Chr.
Gupta-Reich Chandraguptas I. um 320 n. Chr.
Gupta-Reich Samudraguptas um 370 n. Chr.
Eroberungen Chandraguptas II. für das Gupta-Reich um 410 n. Chr.
VANGA Kleinkönigtum
Comari wichtiger Hafen für den Handel mit den Römern
römischer Münzschatz
Inschrift aus dem Gupta-Reich
Handelsstraße
Feldzug Samudraguptas nach Südindien, um 360 n. Chr.
Wanderungen der Kushana/Yüeh-chih
Invasion der Hephtaliten
früheres Flussbett
heutiger Küstenverlauf

das später die Araber und von diesen die Europäer übernahmen.

Zersplitterungen

Nach dem Tod Chandraguptas II. kamen keine neuen Territorien mehr hinzu. Das Reich blieb jedoch mächtig und besiegte unter Skandagupta (um 455 bis 467) eine größere hunnische Invasionsarmee. Nach seinem Tod entbrannte jedoch ein Erbfolgekrieg und das Staatswesen brach auseinander. Das endgültige Ende kam mit dem Einmarsch der Hephtaliten 505 bis 511, die im Nordwesten Indiens ein eigenes Reich gründeten, nachdem sie die Reste der Kushana vernichtet hatten. 528 besiegte ein Bündnis indischer Fürsten diese »Weißen Hunnen«, aber die Gupta spielten dabei keine wesentliche Rolle mehr. Sie herrschten zwar noch bis 720 n. Chr. in Magadha, aber nur noch als kleine Fürsten. Von einer kurzen Zwischenzeit abgesehen, in der Harsha von Kanauj (606–647) die Staaten der Ganges-Ebene noch einmal vereinte, entstand in Nordindien bis zum 13. Jahrhundert kein überregionaler Staat mehr.

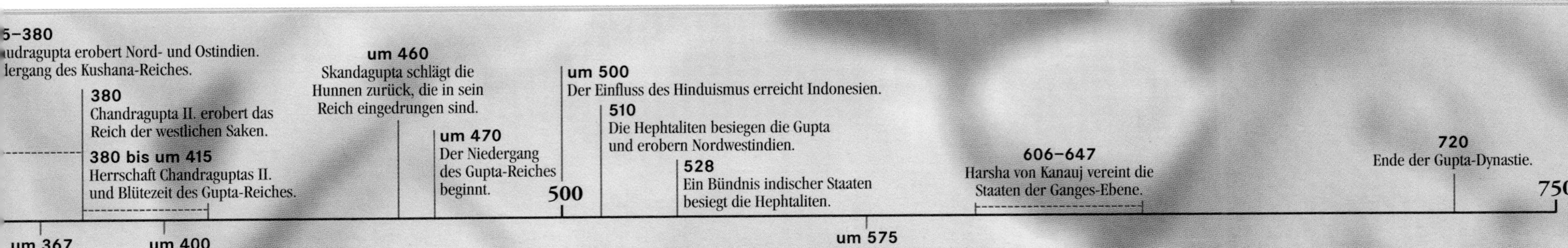
5–380
udragupta erobert Nord- und Ostindien.
lergang des Kushana-Reiches.
380
Chandragupta II. erobert das Reich der westlichen Saken.
380 bis um 415
Herrschaft Chandraguptas II. und Blütezeit des Gupta-Reiches.
um 367
htung der ersten uddhistischen ssionsstationen in Tibet.
um 400
Vatsyayana verfasst das »Kamasutra«.
um 460
Skandagupta schlägt die Hunnen zurück, die in sein Reich eingedrungen sind.
um 470
Der Niedergang des Gupta-Reiches beginnt.
500
um 500
Der Einfluss des Hinduismus erreicht Indonesien.
510
Die Hephtaliten besiegen die Gupta und erobern Nordwestindien.
528
Ein Bündnis indischer Staaten besiegt die Hephtaliten.
um 575
Indische Mathematiker entwickeln das Dezimalsystem und Vorstellungen über die Zahl 0.
606–647
Harsha von Kanauj vereint die Staaten der Ganges-Ebene.
720
Ende der Gupta-Dynastie.
750

Die Welt der Antike (500 v. Chr. bis 600 n. Chr.)

»Streitende Reiche« und erste Kaiserreiche in China • 481 v. Chr. bis 220 n. Chr.

Das China der Zhou-Dynastie (1122 bis 256 v. Chr.) war ein dezentralisierter Feudalstaat. Der König herrschte nur in seinem Kronland, während er die Provinzen als Lehen an Fürsten vergab, die dort in seinem Namen regierten. Aus diesen Fürsten wurden allmählich Herrscher über unabhängige Reiche – der Zhou-König regierte zwar in seiner Hauptstadt Loyang, herrschte aber nicht mehr über sein ganzes Reich.

Würdenträger der Han-Dynastie (206 v. Chr. bis 220 n. Chr.) sind auf diesen bemalten »Grabziegeln« dargestellt.

Zur »Zeit der Streitenden Reiche« (481–221 v. Chr.) schluckten die mächtigeren Teilreiche die kleineren, so dass es um 300 v. Chr. noch elf und 256 v. Chr., als der letzte Zhou-Herrscher gestürzt wurde, sogar nur noch sieben Teilreiche gab; bis 221 hatte sich Qin gegen alle anderen Teilreiche durchgesetzt.

Aufstieg des Reiches Qin

Sein Aufstieg begann unter König Xiao (361–338 v. Chr.). Dessen Berater Shang Yang »entmachtete« die Feudalherren und führte eine Reihe von Reformen durch, aus denen Qin als Zentralstaat hervorging, der in der Bauernschaft und einer starken Armee wurzelte. Qin konnte expandieren, weil es wegen seiner gebirgigen Grenzregionen vor Angriffen von außen relativ sicher war. 315 v. Chr. war Qin das stärkste der existierenden Reiche. Sein Fürst hatte sich bereits von dem Zhou-Herrscher gelöst, indem er sich selbst als König bezeichnete. Im 3. Jahrhundert führte Qin fast ständig Krieg gegen die anderen chinesischen Reiche. König Zheng (246–210 v. Chr.) schloss die Einigung Chinas mit einer Reihe von Blitzkriegen zwischen 230 und 221 v. Chr. ab und nahm daraufhin den Titel Shi-Huangdi, »Erster erhabener Kaiser«, an.

Reformen unter Shi-Huangdi

Das Muster der zentralen, totalitären Regierung, das der Kaiser einführte, hat bis heute überlebt. Die Gesetze und Institutionen Qins wurden auf das Gesamtreich übertragen, der Feudalismus beseitigt und ein Verwaltungsapparat auf zentraler und lokaler Ebene geschaffen, dessen Ämter nicht mehr erblich waren. Das Reich bestand fortan aus 36 Bezirken, verwaltet von Beamten und Generälen, die dem autokratischen Kaiser direkt unterstanden. Das Münzgeld, Maße und Gewichte und selbst die Achslänge der Wagen wurden standardisiert. Um sicherzustellen, dass die chinesische Geschichte mit ihm allein begann, ordnete Shi-Huangdi die Vernichtung aller Geschichts- und »subversiven« literarischen Werke an. Dagegen protestierende Gelehrte wurden hingerichtet. Feldzüge nach Süden vergrößerten das Reich, während gleichzeitig Arbeiterheere die Einzelbefestigungen, die zur »Zeit der Streitenden Reiche« zum Schutz vor Nomadenangriffen angelegt worden waren, zu einem durchgehenden Verteidigungssystem ausbauten.

Die Reformen Shi-Huangdis ruinierten die Wirtschaft und seine despotische Herrschaft erzeugte schließlich eine derartige Unzufriedenheit, dass nach seinem Tod im Jahr 210 ein Bürgerkrieg ausbrach. 206 v. Chr. ermordeten Rebellen die gesamte Kaiserfamilie. Die früheren Reiche entstanden jedoch nicht wieder. Qin blieb unter der Herrschaft Liu Bangs, eines Emporkömmlings, erhalten, der die Han-Dynastie (206 v. Chr. bis 220 n. Chr.) begründete. Er korrigierte die harten Gesetze Qins, senkte die Steuern und führte Reformen durch. Er belohnte einige hohe Soldaten und Beamte mit kleineren Lehnsgütern; trotzdem blieben sie der strengen Aufsicht der Zentralgewalt unterstellt.

Zum Schutz seines Grabmals in Chang'an (Xi'an) ließ Kaiser Shi-Huangdi (246–210 v. Chr.) über 7000 überlebensgroße Soldaten-Skulpturen erschaffen – die Terrakotta-Armee wurde im März 1974 entdeckt.

Unter der Han-Dynastie

In der Früheren Han-Dynastie wuchs Qin durch Zugewinne in Zentralasien, was nichts daran änderte, dass das Land im Norden weiter unter den Überfällen der Xiongnu-Nomaden (die erst zwischen 128 und 35 v. Chr. nach einer Vielzahl von Feldzügen besiegt wurden) litt. Dies belastete die Wirtschaft schwer, weshalb in den Jahren 9 bis 23 n. Chr. die Han-Dynastie für kurze Zeit durch die Xin entmachtet wurde. In der späteren Han-Zeit (während der so genannten Späteren Han-Dynastie; 23–220 n. Chr.) erholte sich das Reich zwar wieder, doch dann spitzten sich die wirtschaftlichen Probleme im 2. Jahrhundert erneut zu und es kam wiederholt zu Bauernaufständen. Die Kaiser waren inzwischen durch ein ausgefeiltes Hofzeremoniell von ihrem Volk isoliert. So ging die Macht immer mehr auf Heerführer und einzelne Interessengruppen am Hof über. Im Jahr 189 n. Chr. eroberten zwei Kriegsherren aus der Provinz die Hauptstadt und das ganze Land versank in Anarchie. Der letzte machtlose Han-Kaiser wurde 220 abgesetzt und Qin in drei Reiche aufgeteilt.

Zu den wichtigsten kulturellen Errungenschaften der »Zeit der Streitenden Reiche« gehört, dass der Konfuzianismus zur Grundlage von Philosophie und Moral wurde. Die Kultur der Han-Dynastie war konservativ. Seit ihrer Zeit gibt es die erste systematische Geschichtsschreibung, wie die »Annalen« von Sima Qian beispielhaft zeigen.

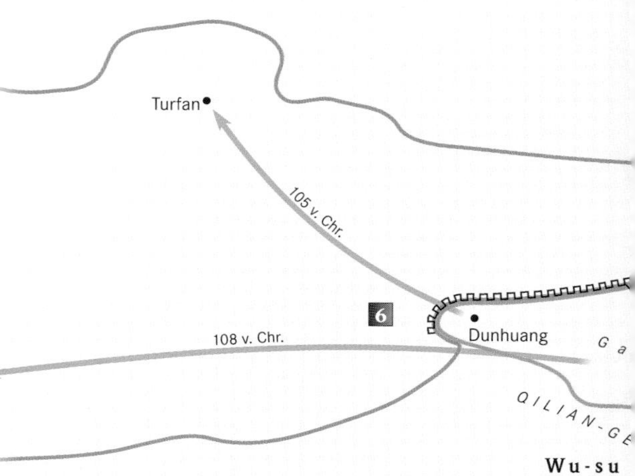
Turfan
105 v. Chr.
6
Dunhuang
108 v. Chr.
Cherchen
Wu-su

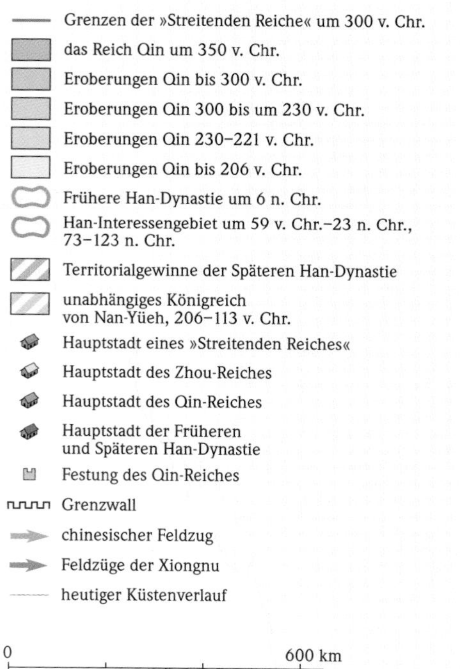
Grenzen der »Streitenden Reiche« um 300 v. Chr.
das Reich Qin um 350 v. Chr.
Eroberungen Qin bis 300 v. Chr.
Eroberungen Qin 300 bis um 230 v. Chr.
Eroberungen Qin 230–221 v. Chr.
Eroberungen Qin bis 206 v. Chr.
Frühere Han-Dynastie um 6 n. Chr.
Han-Interessengebiet um 59 v. Chr.–23 n. Chr., 73–123 n. Chr.
Territorialgewinne der Späteren Han-Dynastie
unabhängiges Königreich von Nan-Yüeh, 206–113 v. Chr.
Hauptstadt eines »Streitenden Reiches«
Hauptstadt des Zhou-Reiches
Hauptstadt des Qin-Reiches
Hauptstadt der Früheren und Späteren Han-Dynastie
Festung des Qin-Reiches
Grenzwall
chinesischer Feldzug
Feldzüge der Xiongnu
heutiger Küstenverlauf
0
600 km
0
400 Meilen

ZEITLEISTE
»Zeit der Streitenden Reiche«
POLITIK
KULTUR
500 v. Chr.
400 v. Chr.
300 v. Chr.
200 v. Chr.
361–338 v. Chr.
Shang Yang verwandelt Qin in einen Militärstaat.
um 350–315 v. Chr.
Qin wird das beherrschende chinesische Reich.
256 v. Chr.
Der Herrscher von Qin entmachtet den letzten Zhou-König.
230–221 v. Chr.
König Zheng von Qin einigt China.
221–210 v. Chr.
Zheng nimmt den Kaisertitel an und reformiert China.
209–206 v. Chr.
Bürgerkrieg: Sturz der Qin-Dynastie
Gründung der Han-Dynastie.
um 500 v. Chr.
Sun Tzu schreibt seine »Kriegskunst«.
um 350 v. Chr.
Erfindung der Armbrust.
um 370–289 v. Chr.
Mengzi, konfuzianischer Philosoph.
175–150 v. C
Waffen und Geräte aus E
sind in China weit verbre

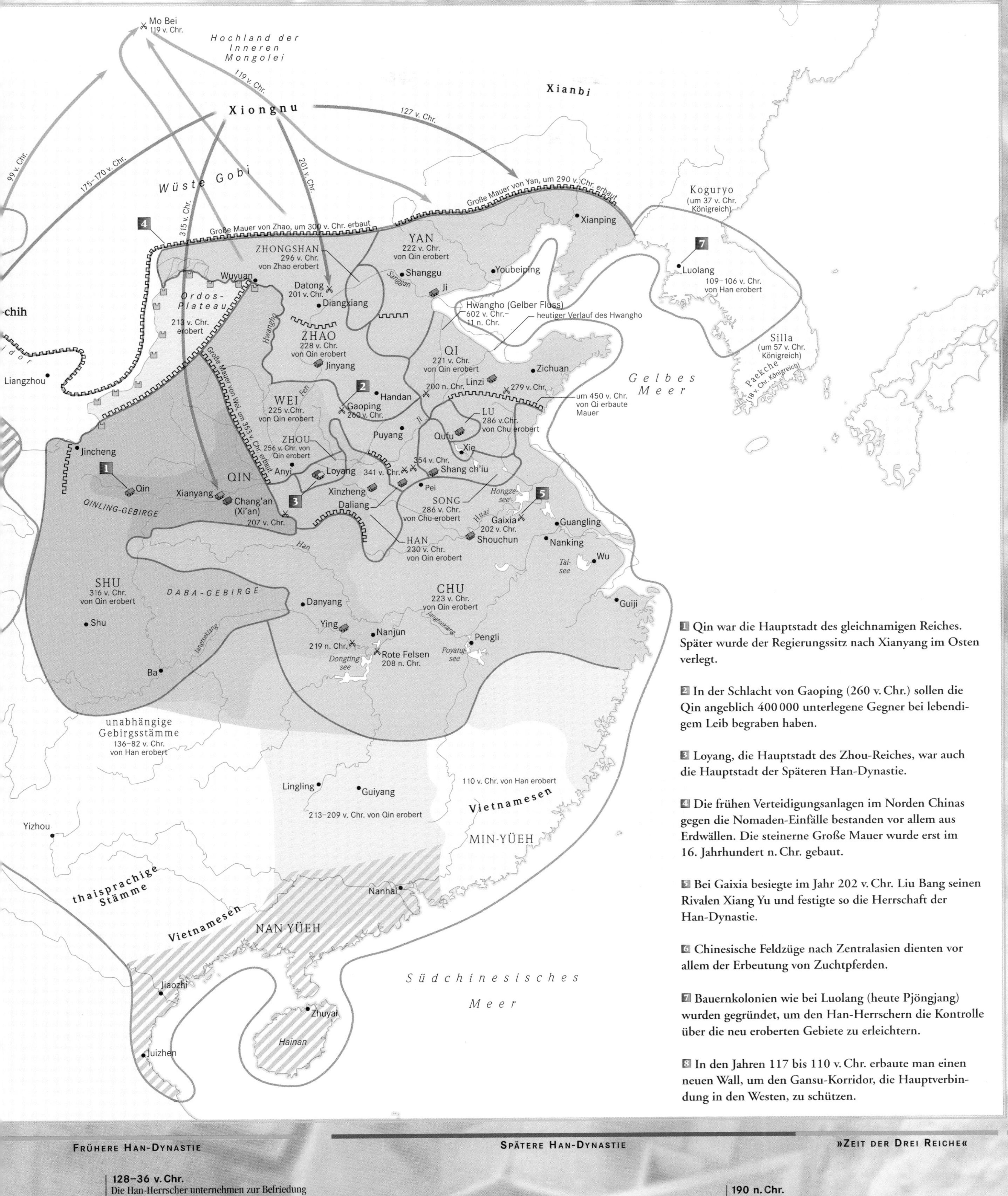

Mo Bei 119 v. Chr.
Hochland der Inneren Mongolei
Xianbi
Xiongnu
Wüste Gobi
Große Mauer von Yan, um 290 v. Chr. erbaut
Große Mauer von Zhao, um 300 v. Chr. erbaut
Koguryo (um 37 v. Chr. Königreich)
YAN 222 v. Chr. von Qin erobert
ZHONGSHAN 296 v. Chr. von Zhao erobert
Luolang 109–106 v. Chr. von Han erobert
Ordos-Plateau
ZHAO 228 v. Chr. von Qin erobert
QI 221 v. Chr. von Qin erobert
Hwangho (Gelber Fluss) 602 v. Chr.–11 n. Chr.
heutiger Verlauf des Hwangho
Silla (um 57 v. Chr. Königreich)
Paekche (18 v. Chr. Königreich)
Gelbes Meer
WEI 225 v.Chr. von Qin erobert
LU 286 v.Chr. von Chu erobert
um 450 v. Chr. von Qi erbaute Mauer
ZHOU 256 v. Chr. von Qin erobert
QIN
QINLING-GEBIRGE
SONG 286 v. Chr. von Chu erobert
HAN 230 v. Chr. von Qin erobert
SHU 316 v. Chr. von Qin erobert
DABA-GEBIRGE
CHU 223 v. Chr. von Qin erobert
unabhängige Gebirgsstämme 136–82 v. Chr. von Han erobert
110 v. Chr. von Han erobert
213–209 v. Chr. von Qin erobert
Vietnamesen
MIN-YÜEH
thaisprachige Stämme
NAN-YÜEH
Südchinesisches Meer
Hainan

1 Qin war die Hauptstadt des gleichnamigen Reiches. Später wurde der Regierungssitz nach Xianyang im Osten verlegt.

2 In der Schlacht von Gaoping (260 v. Chr.) sollen die Qin angeblich 400 000 unterlegene Gegner bei lebendigem Leib begraben haben.

3 Loyang, die Hauptstadt des Zhou-Reiches, war auch die Hauptstadt der Späteren Han-Dynastie.

4 Die frühen Verteidigungsanlagen im Norden Chinas gegen die Nomaden-Einfälle bestanden vor allem aus Erdwällen. Die steinerne Große Mauer wurde erst im 16. Jahrhundert n. Chr. gebaut.

5 Bei Gaixia besiegte im Jahr 202 v. Chr. Liu Bang seinen Rivalen Xiang Yu und festigte so die Herrschaft der Han-Dynastie.

6 Chinesische Feldzüge nach Zentralasien dienten vor allem der Erbeutung von Zuchtpferden.

7 Bauernkolonien wie bei Luolang (heute Pjöngjang) wurden gegründet, um den Han-Herrschern die Kontrolle über die neu eroberten Gebiete zu erleichtern.

8 In den Jahren 117 bis 110 v. Chr. erbaute man einen neuen Wall, um den Gansu-Korridor, die Hauptverbindung in den Westen, zu schützen.

FRÜHERE HAN-DYNASTIE — SPÄTERE HAN-DYNASTIE — »ZEIT DER DREI REICHE«

…7–115 v. Chr. …e Han erobern …n Gansu-Korridor.

128–36 v. Chr. Die Han-Herrscher unternehmen zur Befriedung der Xiongnu eine Reihe von Feldzügen.

57 v. Chr. Nach der Überlieferung das Jahr der Gründung Sillas, des ersten Reiches auf koreanischem Boden.

100 v. Chr. Sima Qian verfasst eine Geschichte Chinas von den Anfängen bis zu seiner Zeit.

9 n. Chr. Der Höfling Wang Mang stürzt die Han-Dynastie.

23 n. Chr. Wiedereinsetzung der Han-Dynastie.

um 100 n. Chr. Einführung des Buddhismus in China.

126 n. Chr. Bauernaufstände gegen die Landbesitzer.

189 n. Chr. Kriegsherren aus der Provinz stürmen die Hauptstadt Loyang.

190 n. Chr. Der Heerführer Tung Cho setzt einen Marionettenkaiser auf den Han-Thron.

220 n. Chr. Absetzung des letzten Han-Kaisers; China wird in drei Reiche geteilt.

100 v. Chr. — Chr. Geb. — 100 n. Chr. — 200 n. Chr. — 300 n. Chr.

Die Welt der Antike (500 v. Chr. bis 600 n. Chr.)

China im Streit und der Aufstieg Japans • 220 bis 600 n. Chr.

Die Zeit der Spaltung zwischen dem Ende der Han-Dynastie 220 n. Chr. und der Wiedervereinigung des Reiches unter der Sui-Dynastie 589 n. Chr. prägten ständige Kriege und Nomadenüberfälle, doch war sie für die Kultur- und Wirtschaftsgeschichte Chinas von einschneidender Bedeutung.

Keiner der Kriegsherren, über deren Rivalität die Han-Dynastie stürzte, setzte sich voll durch, so dass die Aufteilung in drei Reiche unausweichlich wurde. Das mächtigste und bevölkerungsreichste war das Reich Wei im Norden, zu dem auch das fruchtbare Tal des Gelben Flusses gehörte. Das schwächste und am dünnsten besiedelte war Shu im Südwesten, das zu seinem Schutz die gebirgigen Grenzregionen brauchte. Das Reich Wu besaß zwar die größte Fläche, aber kaum mehr Bewohner als Shu. Alle drei Herrscher sahen sich als legitime Nachfolger der Han-Dynastie, so dass zu Lasten der Bevölkerung immer wieder verheerende Kriege ausbrachen.

Spaltung in drei Reiche

Als erstes Reich fiel Shu. Sima Yen, der Heerführer Weis, schickte 263 Truppen über Hunderte von Kilometern durch unwegsames Gelände und ließ sie über die unvorbereitete Hauptstadt von Shu, Chengdu, herfallen. Chengdu kapitulierte rasch. Zwei Jahre später übernahm Sima Yen die Macht in Wei und wurde als Wudi (265–289 n. Chr.) erster Kaiser der Jin-Dynastie. Ihn interessierte zwar in erster Linie sein Harem, aber er fand 280 doch die Zeit, um Wu zu erobern. Nach seinem Tod stritten seine Söhne um den Thron (»Erhebung der acht Prinzen«, 291 bis 306). Die Prinzen verstärkten ihre Heere durch Soldaten aus den Steppenvölkern, aber diese Demonstration der Schwäche bewirkte, dass sich die Nomadenkrieger nun gegen ihre Auftraggeber wendeten und sich der Norden Chinas bald in ein Mosaik aus chinesischen und Nomadenkleinreichen verwandelte. Der Süden dagegen konnte sich unter der zwar tyrannischen, aber doch stabilen Jin-Dynastie (bis 420) halten.

Als das Reich Wu im Norden zerfiel, flohen viele Grundbesitzer und Bauern nach Süden und ließen sich in der fruchtbaren, jedoch nur dünn besiedelten Jangtsekiang-Ebene nieder. Das löste im Süden einen Bevölkerungs- und Wirtschaftsschub aus, durch den er den Norden innerhalb weniger Jahrhunderte überflügelte.

Das Tuoba-Reich Wei

Die Lage in Nordchina stabilisierte sich erst wieder, als die Tuoba, ein Bündnis aus verschiedenen Turkvölkern, zwischen 386 und 397 dort eindrangen und das Reich Wei wiederherstellten. Die Tuoba waren eine kleine Minderheit, aber sie gewannen die chinesischen Grundbesitzer für sich, die mittels einer starken Regierung ihre Interessen gegen die Bauern verteidigen wollten. Die Tuoba wussten nur zu gut, dass ihre Macht allein auf ihrer militärischen Stärke beruhte; im Übrigen assimilierten sie sich rasch und ihre Herrscher verhielten sich bald genau wie chinesische Dynasten. Sie verteidigten die Nordgrenze gegen den starken Nomadenbund der Juan-juan und versuchten mehrfach, ihre Macht über ganz China auszudehnen. Nach einem Bürgerkrieg zerfiel das Tuoba-Reich Wei 534 in eine Ost- und eine Westhälfte. Im westlichen Teil übernahm 557 die Nördliche Zhou-Dynastie die Macht, die schließlich 577 auch die Osthälfte eroberte; damit war der Norden wieder vereint. Vier Jahre später wurden die Nördlichen Zhou von ihrem General Yang Jian, dem Stammva-

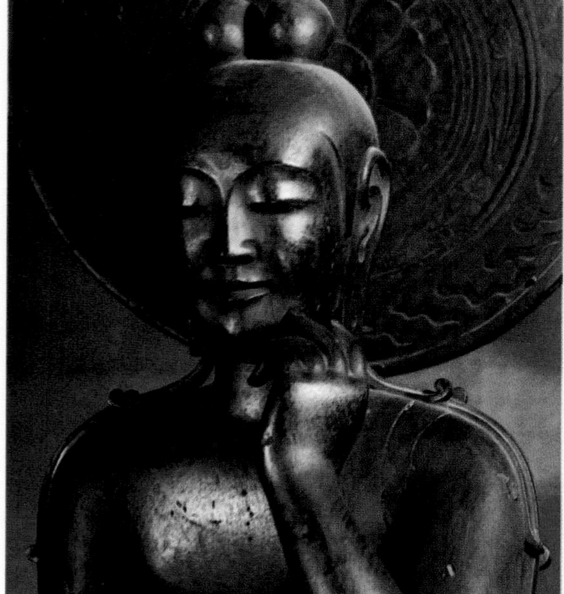

In Japan wird sie unter dem Namen Kwannon verehrt, in China als Guan Yin: die buddhistische Göttin der Barmherzigkeit, dargestellt als Skulptur aus Holz.

1 Wei, dessen Keimzelle eine fruchtbare, dicht besiedelte Flussregion war, stieg im 3. Jahrhundert zum mächtigsten Reich in China auf.

2 Die Eroberung von Shu durch Wei erforderte Gewaltmärsche durch sehr schwieriges Gelände.

3 Nanking (Jiankang) war 220 bis 280 und 317 bis 589 die Hauptstadt der südchinesischen Dynastien und ein bedeutendes Kulturzentrum.

4 Die Vietnamesen, ein austroasiatisches Volk, lehnten sich 541 bis 547 erfolglos gegen die chinesische Fremdherrschaft auf.

5 Thaisprachige Völker aus Yünnan gründeten um 600 n. Chr., die Schwäche der Chinesen nutzend, einige unabhängige Reiche.

6 Luolang wurde nach seiner Eroberung 313 Hauptstadt des Reiches Koguryo.

7 Die Japaner hielten von 366 bis 562 den südlichen Teil der koreanischen Halbinsel besetzt.

8 Asuka, die Hauptstadt des späten Jamato-Reiches, bestand aus Palästen, Grabstätten und Tempeln (um 550–650 n. Chr.).

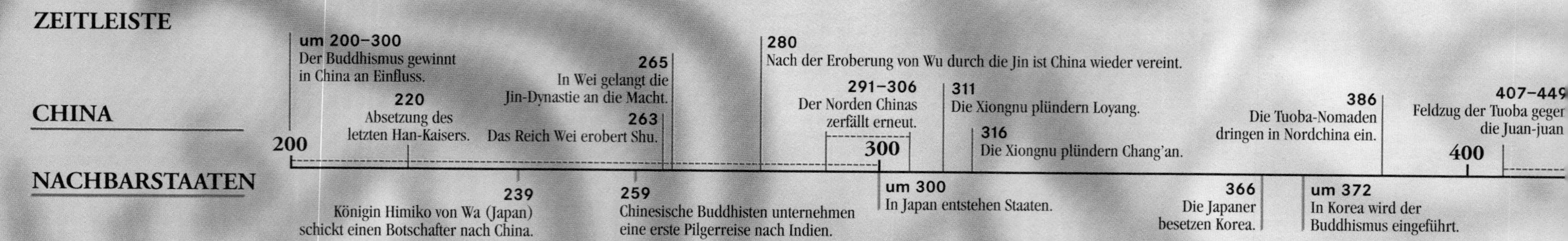
ZEITLEISTE
CHINA
NACHBARSTAATEN
200
um 200–300 Der Buddhismus gewinnt in China an Einfluss.
220 Absetzung des letzten Han-Kaisers.
265 In Wei gelangt die Jin-Dynastie an die Macht.
263 Das Reich Wei erobert Shu.
280 Nach der Eroberung von Wu durch die Jin ist China wieder vereint.
291–306 Der Norden Chinas zerfällt erneut.
300
311 Die Xiongnu plündern Loyang.
316 Die Xiongnu plündern Chang'an.
386 Die Tuoba-Nomaden dringen in Nordchina ein.
407–449 Feldzug der Tuoba gegen die Juan-juan
400
239 Königin Himiko von Wa (Japan) schickt einen Botschafter nach China.
259 Chinesische Buddhisten unternehmen eine erste Pilgerreise nach Indien.
um 300 In Japan entstehen Staaten.
366 Die Japaner besetzen Korea.
um 372 In Korea wird der Buddhismus eingeführt.

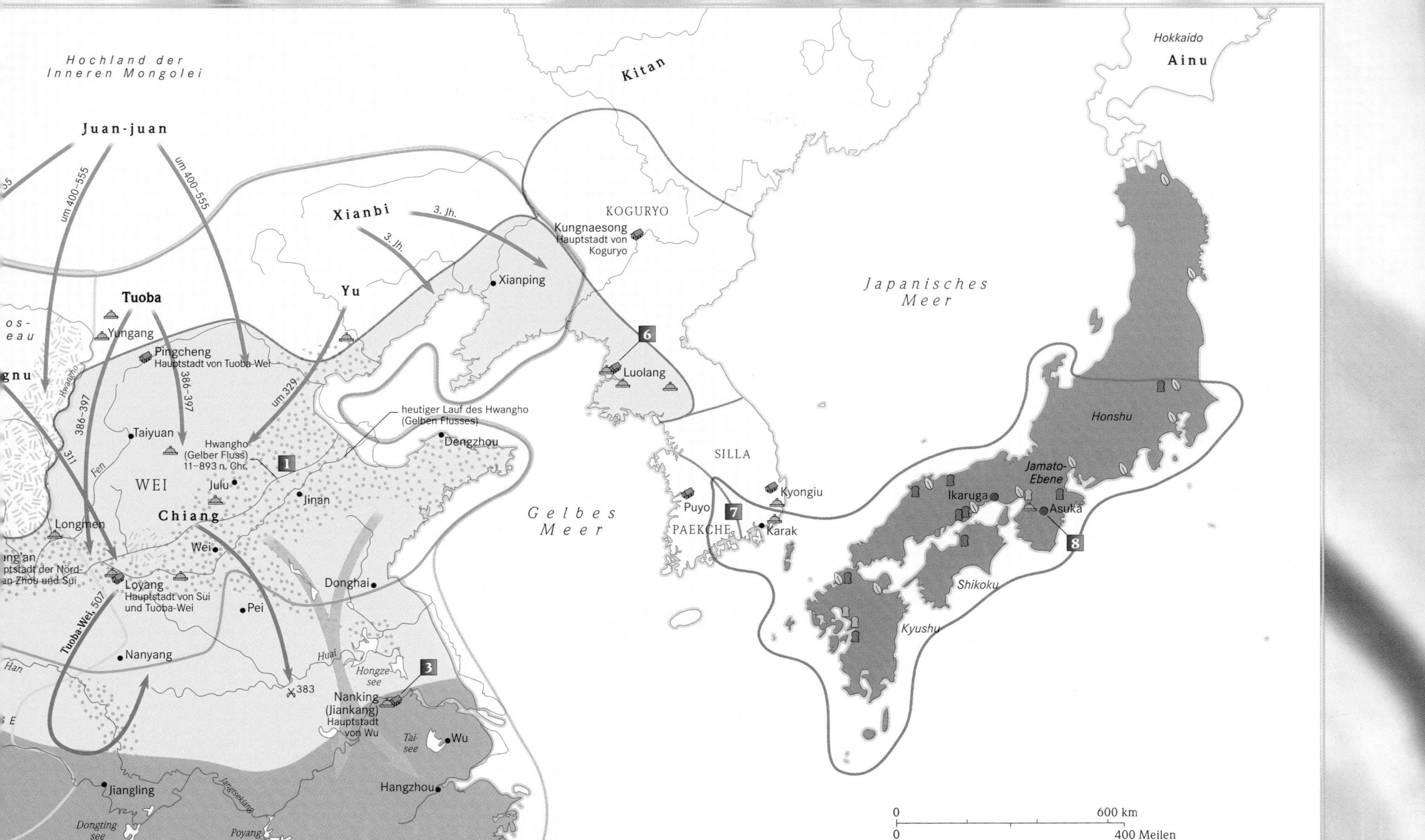

ter der Sui-Dynastie, gestürzt. Er besiegte 589 die Chen-Dynastie im Süden und stellte die Reichseinheit wieder her.

Der Buddhismus in China

Die wichtigste kulturelle Entwicklung in dieser turbulenten Zeit bestand im Aufstieg des Buddhismus zur führenden Religion in China. Seine Betonung der persönlichen Erlösung und des Jenseits wirkte auf eine mit größten Schwierigkeiten kämpfende Gesellschaft äußerst anziehend. Er öffnete das Land für die indische Kunst, Architektur, Philosophie und Wissenschaft und geriet zum stärksten Einfluss, der bis zum 19. Jahrhundert von außen auf China einwirkte.

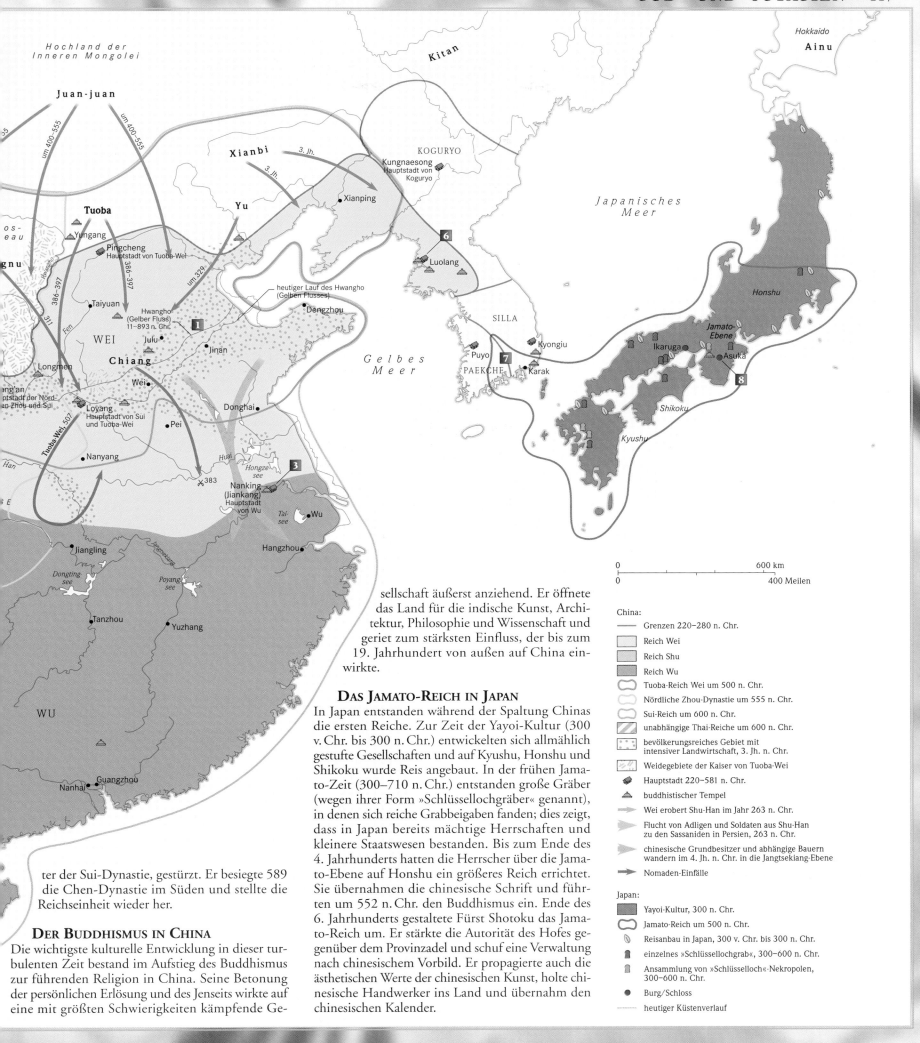

Das Jamato-Reich in Japan

In Japan entstanden während der Spaltung Chinas die ersten Reiche. Zur Zeit der Yayoi-Kultur (300 v. Chr. bis 300 n. Chr.) entwickelten sich allmählich gestufte Gesellschaften und auf Kyushu, Honshu und Shikoku wurde Reis angebaut. In der frühen Jamato-Zeit (300–710 n. Chr.) entstanden große Gräber (wegen ihrer Form »Schlüssellochgräber« genannt), in denen sich reiche Grabbeigaben fanden; dies zeigt, dass in Japan bereits mächtige Herrschaften und kleinere Staatswesen bestanden. Bis zum Ende des 4. Jahrhunderts hatten die Herrscher über die Jamato-Ebene auf Honshu ein größeres Reich errichtet. Sie übernahmen die chinesische Schrift und führten um 552 n. Chr. den Buddhismus ein. Ende des 6. Jahrhunderts gestaltete Fürst Shotoku das Jamato-Reich um. Er stärkte die Autorität des Hofes gegenüber dem Provinzadel und schuf eine Verwaltung nach chinesischem Vorbild. Er propagierte auch die ästhetischen Werte der chinesischen Kunst, holte chinesische Handwerker ins Land und übernahm den chinesischen Kalender.

0 600 km
0 400 Meilen

China:
- Grenzen 220–280 n. Chr.
- Reich Wei
- Reich Shu
- Reich Wu
- Tuoba-Reich Wei um 500 n. Chr.
- Nördliche Zhou-Dynastie um 555 n. Chr.
- Sui-Reich um 600 n. Chr.
- unabhängige Thai-Reiche um 600 n. Chr.
- bevölkerungsreiches Gebiet mit intensiver Landwirtschaft, 3. Jh. n. Chr.
- Weidegebiete der Kaiser von Tuoba-Wei
- Hauptstadt 220–581 n. Chr.
- buddhistischer Tempel
- Wei erobert Shu-Han im Jahr 263 n. Chr.
- Flucht von Adligen und Soldaten aus Shu-Han zu den Sassaniden in Persien, 263 n. Chr.
- chinesische Grundbesitzer und abhängige Bauern wandern im 4. Jh. n. Chr. in die Jangtsekiang-Ebene
- Nomaden-Einfälle

Japan:
- Yayoi-Kultur, 300 n. Chr.
- Jamato-Reich um 500 n. Chr.
- Reisanbau in Japan, 300 v. Chr. bis 300 n. Chr.
- einzelnes »Schlüssellochgrab«, 300–600 n. Chr.
- Ansammlung von »Schlüsselloch«-Nekropolen, 300–600 n. Chr.
- Burg/Schloss
- heutiger Küstenverlauf

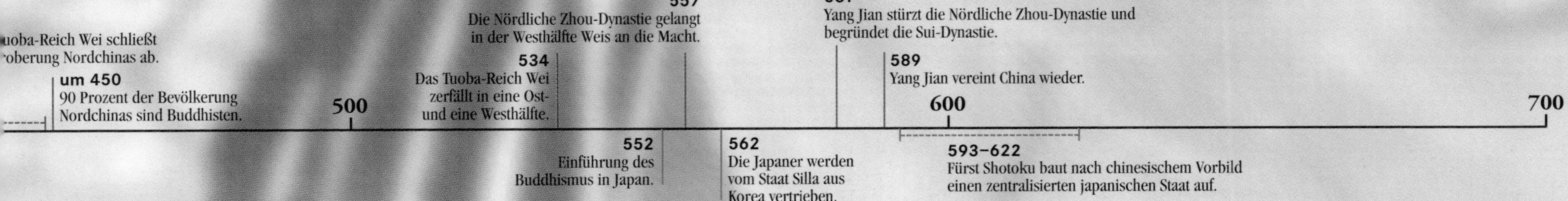

uoba-Reich Wei schließt
oberung Nordchinas ab.
um 450
90 Prozent der Bevölkerung Nordchinas sind Buddhisten.
500
534
Das Tuoba-Reich Wei zerfällt in eine Ost- und eine Westhälfte.
557
Die Nördliche Zhou-Dynastie gelangt in der Westhälfte Weis an die Macht.
552
Einführung des Buddhismus in Japan.
562
Die Japaner werden vom Staat Silla aus Korea vertrieben.
581
Yang Jian stürzt die Nördliche Zhou-Dynastie und begründet die Sui-Dynastie.
589
Yang Jian vereint China wieder.
600
593–622
Fürst Shotoku baut nach chinesischem Vorbild einen zentralisierten japanischen Staat auf.
700

Die Welt der Antike (500 v. Chr. bis 600 n. Chr.)

Der Pazifik und Südostasien • 2000 v. Chr. bis 600 n. Chr.

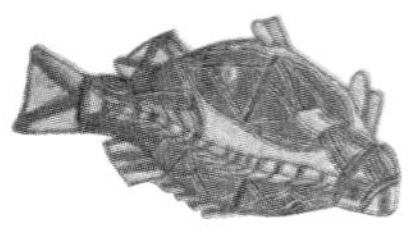

Im Jahr 600 n. Chr. dominierten zwischen dem Indischen und dem Pazifischen Ozean die Sprachen der austronesischen Gruppe, deren Völker um 3000 v. Chr. aus Taiwan gekommen waren. Dort hatte man ein Jahrtausend zuvor von China den Reisanbau übernommen – ein deutliches Bevölkerungswachstum war die Folge.

Kunst der Aborigines: Die Regenbogenschlange, oberste Gottheit der Ureinwohner Australiens, umschließt schützend den Siedlungsplatz des Tjapaltjarri-Klans.

Das Bevölkerungswachstum führte schließlich zu »Auswanderungsbestrebungen« auf die Philippinen sowie nach Ost- und Hinterindien. Im frühen 1. Jahrtausend v. Chr. besiedelten die Austronesier Vietnam und im 1. Jahrhundert n. Chr. segelten sie von Hinterindien nach Westen und ließen sich auf Madagaskar nieder.

Die Lapita-Kultur

Australien, Neuguinea und die Salomon-Inseln waren bereits sehr früh von Australiden besiedelt worden. Um 2000 v. Chr. erreichten die Austronesier Neuguinea und die Salomon-Inseln. Die Lapita-Kultur (benannt nach einem Ort in Neukaledonien) mit ihren Muschelwerkzeugen und eigenen Keramiken entstand um 1600 v. Chr. auf dem Bismarck-Archipel und dehnte sich bis etwa 1000 v. Chr. nach Osten aus (Neukaledonien, Fidschi-Inseln, Samoa, Tonga-Inseln). Die entsprechende Wanderung resultierte vermutlich aus der Erfindung des mit einem Segel ausgestatteten Auslegerkanus und des seetüchtigen Kanus mit Doppelrumpf.

Die australischen Aborigines blieben isoliert und ihre Lebensweise, die sich vor mindestens 40 000 Jahren entwickelte, erhielt sich bis zur Ankunft der Europäer im 18. Jahrhundert.

Um die Mitte des 1. Jahrtausends v. Chr. zerfiel der Bereich der Lapita-Kultur in zwei Hälften. Im Westen ging sie in den verschiedenen Kulturen der dort schon lange ansässigen Vorfahren der heutigen Melanesier auf, während sie sich im Dreieck Fidschi-Samoa-Tonga-Inseln zur Urform der polynesischen Kultur fortentwickelte. Die frühen Polynesier betrieben Ackerbau, sie fischten aber auch und sammelten Baumfrüchte wie etwa Kokosnüsse. Ihre Nutzpflanzen (Taro, Yams, Brotfrucht) und ihre Haustiere (Schweine, Hunde und Hühner) hatten ihre Vorfahren aus Südostasien mitgebracht.

Vorstoss der Polynesier

Die Polynesier wanderten um 200 v. Chr. weiter nach Osten, nach Tahiti, zu den Tuamotu-Inseln und den Marquesas-Inseln. Ihrer Besiedlung des pazifischen Raums gingen gezielte Erkundungsfahrten voraus. Die polynesischen Seefahrer kannten die Gestirne, das Wetter, das Tierleben im Ozean, das Meer und seine Strömungen sehr genau. Deshalb konnten sie auf offener See über große Entfernungen mit höchster Genauigkeit navigieren. Um 300 n. Chr. besiedelten sie die Osterinsel, die Hawaii-Inseln folgten ein Jahrhundert später. Der letzte Vorstoß der Polynesier erfolgte um 1000 n. Chr., als sie Aotearoa (Neuseeland) erreichten. Im dortigen gemäßigten Klima gediehen nur wenige ihrer gewohnten Feldfrüchte. Deshalb begannen die Polynesier Neuseelands, die Maori, mit der Zucht einheimischer Pflanzen, jagten Meeressäuger und flugunfähige Vögel. – Im 1. Jahrtausend hatten die Polynesier die Salomon-Inseln erreicht, wurden dort im Zuge der Wanderung der Melanesier von Vanuatu auf die Fidschi-Inseln aber von ihren Hauptsiedlungsgebieten abgeschnitten. Einige Polynesier gelangten vermutlich bis nach Südamerika. Dafür spricht, dass Maori und die östlichen Polynesier die Süßkartoffel anbauten, die in Südamerika beheimatet ist. Die Polynesier lebten in der Kolonisationsphase in einfachen Stammesgesellschaften, aber um 1200 n. Chr. entstanden in der gesamten Region erste kleine Fürstentümer.

CHINESISCHES REICH
(Sui-Dynastie)
um 600 n. Chr.
Longweiguan
Thai
Yizhou
Thai-Königreiche
um 600 n. Chr.
Nanhai
Jiaozhi
Peikthano
Pyu
Austroasiaten
ZHENLA
um 400 n. Chr.
Sresthapura
U Thong
Tra-Kieu
Isanapura
CHAMPA
um 192 n. Chr.
Naravarangara
Vyadhapura
Oc Eo
FUNAN
um 100 n. Chr.
TAKKOLA
um 550 n. Chr.
PO-LO
500 n. Chr.
Sumatra
nach Madagaskar
Java
Borneo
YAVADVIPA
um 500 n. Chr.
Celebes
Banda-see
Timor
Taiwan
um 3000 v. Chr.
Luzon
Mindoro
Palawan
Mindanao
um 2000 v. Chr.
Halmahera
um 1500
australische Abori
(Jäger und Samm

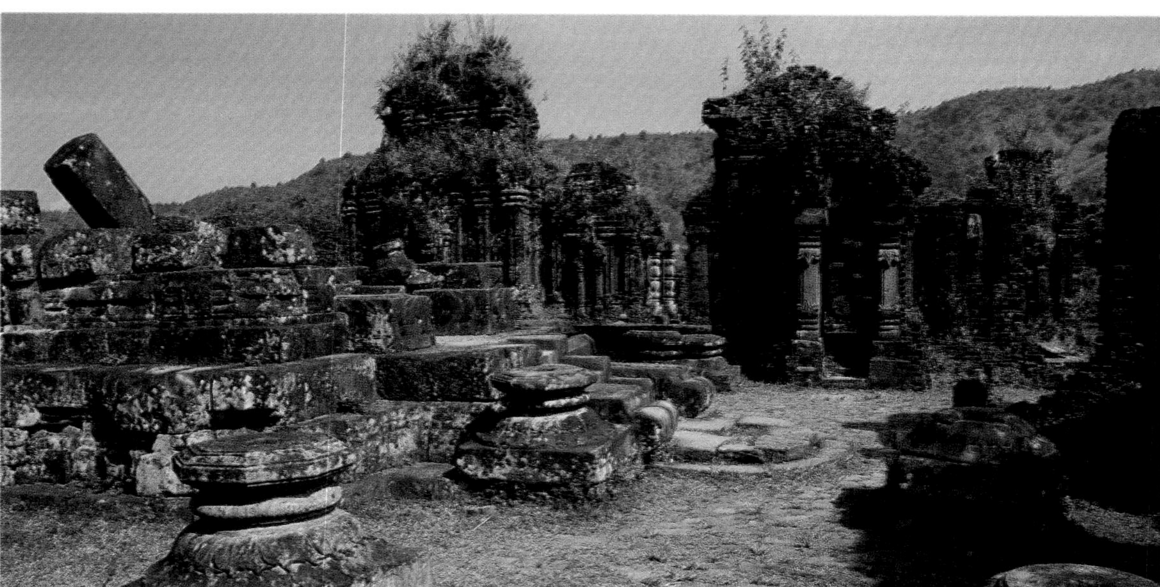

Nahe Da Nang (Vietnam) liegen die Ruinen der Tempelstadt My Son, die unter den Cham seit dem 4. Jahrhundert das kulturelle Zentrum war. Viele der Türme fielen dem amerikanischen Bombardement im Vietnamkrieg zum Opfer.

ZEITLEISTE

SÜDOSTASIEN

DER PAZIFIK

2000 v. Chr. – **1500 v. Chr.** – **1000 v. Chr.** – **500 v.**

um 1600 v. Chr.
Auf dem Bismarck-Archipel entsteht die Lapita-Kultur.

um 1500 v. Chr.
Austronesischsprachige Völker besiedeln die Marianen von den Philippinen aus.

um 500 v. Chr.
In Südostasien entstehen die ersten Stammesfürstentümer.

um 500–300 v
Die polynesische Kultur entwickelt si den Fidschi-Inseln, Samoa und

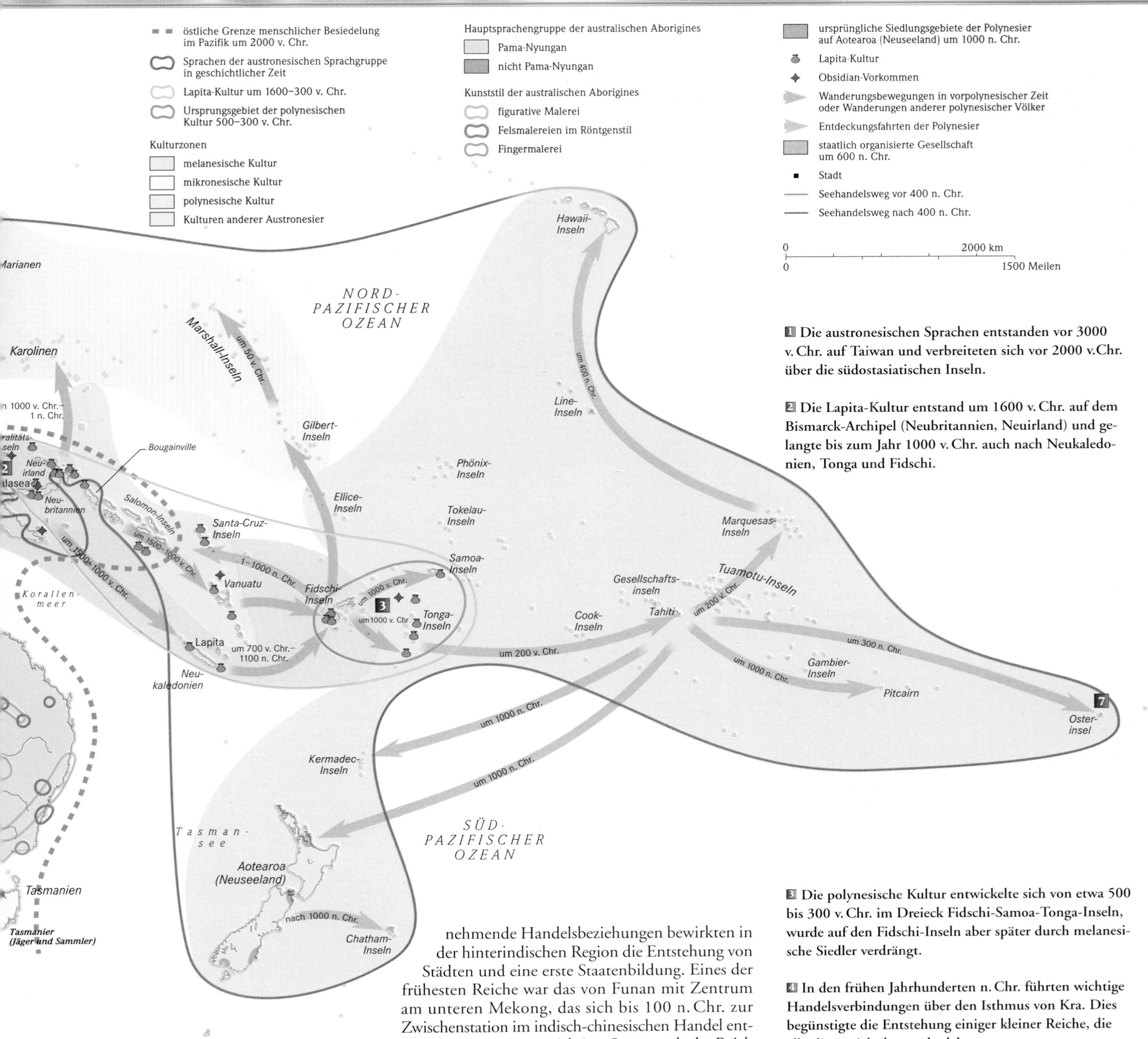

östliche Grenze menschlicher Besiedelung im Pazifik um 2000 v. Chr.
Sprachen der austronesischen Sprachgruppe in geschichtlicher Zeit
Lapita-Kultur um 1600–300 v. Chr.
Ursprungsgebiet der polynesischen Kultur 500–300 v. Chr.

Kulturzonen
melanesische Kultur
mikronesische Kultur
polynesische Kultur
Kulturen anderer Austronesier

Hauptsprachengruppe der australischen Aborigines
Pama-Nyungan
nicht Pama-Nyungan

Kunststil der australischen Aborigines
figurative Malerei
Felsmalereien im Röntgenstil
Fingermalerei

ursprüngliche Siedlungsgebiete der Polynesier auf Aotearoa (Neuseeland) um 1000 n. Chr.
Lapita-Kultur
Obsidian-Vorkommen
Wanderungsbewegungen in vorpolynesischer Zeit oder Wanderungen anderer polynesischer Völker
Entdeckungsfahrten der Polynesier
staatlich organisierte Gesellschaft um 600 n. Chr.
Stadt
Seehandelsweg vor 400 n. Chr.
Seehandelsweg nach 400 n. Chr.

0 – 2000 km
0 – 1500 Meilen

1 Die austronesischen Sprachen entstanden vor 3000 v. Chr. auf Taiwan und verbreiteten sich vor 2000 v.Chr. über die südostasiatischen Inseln.

2 Die Lapita-Kultur entstand um 1600 v. Chr. auf dem Bismarck-Archipel (Neubritannien, Neuirland) und gelangte bis zum Jahr 1000 v. Chr. auch nach Neukaledonien, Tonga und Fidschi.

3 Die polynesische Kultur entwickelte sich von etwa 500 bis 300 v. Chr. im Dreieck Fidschi-Samoa-Tonga-Inseln, wurde auf den Fidschi-Inseln aber später durch melanesische Siedler verdrängt.

4 In den frühen Jahrhunderten n. Chr. führten wichtige Handelsverbindungen über den Isthmus von Kra. Dies begünstigte die Entstehung einiger kleiner Reiche, die allerdings nicht lange überlebten.

5 Oc Eo, im 2. und 3. Jahrhundert n. Chr. ein großer Hafen, verlor im 4. Jahrhundert an Bedeutung, als der Isthmus von Kra als Handelsweg zugunsten der Straße von Malakka aufgegeben wurde.

6 Um 400 n. Chr. beherrschte das Königreich Funan den größten Teil der Region Kambodscha und Vietnam.

7 Auf der Osterinsel entstanden bis zum 17. Jahrhundert n. Chr. mächtige Stammesfürstentümer, Megalithgräber und ein piktographisches Schriftsystem.

Mikronesien als dritter pazifischer Kulturraum ist historisch sehr viel schwieriger einzuordnen als die beiden anderen. Zwischen 1500 v. Chr. und der Zeitenwende wurden seine Inseln offenbar von Völkern besiedelt, die von den Philippinen, aber auch aus Polynesien und Melanesien stammten.

Erste Staaten

Im frühen 1. Jahrtausend n. Chr. gerieten die austroasiatischen Völker (die Vorfahren der heutigen Kambodschaner und Vietnamesen) und die austronesischen Völker Südostasiens unter den Einfluss der indischen und teils auch der chinesischen Kultur. Zunehmende Handelsbeziehungen bewirkten in der hinterindischen Region die Entstehung von Städten und eine erste Staatenbildung. Eines der frühesten Reiche war das von Funan mit Zentrum am unteren Mekong, das sich bis 100 n. Chr. zur Zwischenstation im indisch-chinesischen Handel entwickelte. Ein weiterer wichtiger Staat wurde das Reich Champa in Südvietnam, das im 4. und 5. Jahrhundert den Streit in China für Raubzüge ins Nachbarland nutzte. Allerdings mussten die Könige von Champa den Chinesen ab 586 wieder Tribut zahlen. – Auf den ostindischen Inseln setzte die Bildung von staatlich organisierten Gemeinwesen erst später ein, aber bis 600 n. Chr. entstanden dann auf Sumatra, Java und Borneo viele kleine, buddhistisch oder hinduistisch beeinflusste Königreiche. Eine wichtige Rolle spielte dabei die Verlegung der Haupthandelsroute von Funan nach Süden in die Straße von Malakka im 4. Jahrhundert n. Chr.

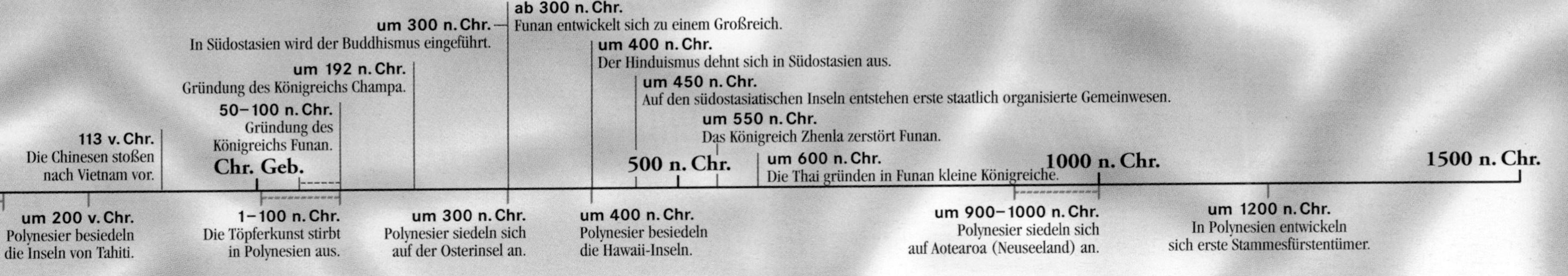
113 v. Chr.
Die Chinesen stoßen nach Vietnam vor.
50–100 n. Chr.
Gründung des Königreichs Funan.
um 192 n. Chr.
Gründung des Königreichs Champa.
um 300 n. Chr.
In Südostasien wird der Buddhismus eingeführt.
ab 300 n. Chr.
Funan entwickelt sich zu einem Großreich.
um 400 n. Chr.
Der Hinduismus dehnt sich in Südostasien aus.
um 450 n. Chr.
Auf den südostasiatischen Inseln entstehen erste staatlich organisierte Gemeinwesen.
um 550 n. Chr.
Das Königreich Zhenla zerstört Funan.
um 600 n. Chr.
Die Thai gründen in Funan kleine Königreiche.
Chr. Geb.
500 n. Chr.
1000 n. Chr.
1500 n. Chr.
um 200 v. Chr.
Polynesier besiedeln die Inseln von Tahiti.
1–100 n. Chr.
Die Töpferkunst stirbt in Polynesien aus.
um 300 n. Chr.
Polynesier siedeln sich auf der Osterinsel an.
um 400 n. Chr.
Polynesier besiedeln die Hawaii-Inseln.
um 900–1000 n. Chr.
Polynesier siedeln sich auf Aotearoa (Neuseeland) an.
um 1200 n. Chr.
In Polynesien entwickeln sich erste Stammesfürstentümer.

Die Welt der Antike (500 v. Chr. bis 600 n. Chr.)

Südamerika und Mexiko • 500 v. Chr. bis 700 n. Chr.

Das Fundament der mesoamerikanischen Zivilisationen wurde in der mittleren vorklassischen Zeit (900 bis 300 v. Chr.) von den Völkern der Olmeken-Kultur an der Küste des Golfs von Mexiko und den Zapoteken im Oaxaca-Tal gelegt. Der Einfluss der Olmeken schwächte sich bereits zu Beginn der spätklassischen Periode (300–1 v. Chr.) wieder ab, während der Einfluss der Zapoteken erhalten blieb. Später gewannen besonders Teotihuacán und die Maya an Bedeutung.

Die Teotihuacán-Kultur trat erstmals um 200 v. Chr. in Erscheinung. Teotihuacán war eines der vielen großen und wohlhabenden Dörfer im Hochtal von Mexiko. Sein Aufschwung setzte zu Beginn der klassischen Periode (1–650 n. Chr.) ein; es entstand eine große Stadt mit einem durchdachten Straßengitternetz, einem monumentalen Kultzentrum und stattlichen Palästen. Auf dem Höhepunkt seiner Entwicklung um 500 n. Chr. bedeckte Teotihuacán eine Fläche von 20 Quadratkilometern – es war damit größer als das alte Rom (besaß mit 100 000 bis 200 000 Bewohnern jedoch weniger Bürger als Rom). Große Teile des Stadtgebiets nahmen Betriebe von Handwerkern ein, darunter Obsidianverarbeiter, Töpfer, Steinmetze, Gipsarbeiter und Maurer. Es gab auch Viertel für ausländische Bewohner wie die zapotekischen Kaufleute. Der Handel besaß für Teotihuacán eine große Bedeutung; wahrscheinlich entstand hier die Kaste der bewaffneten Händler, in aztekischer Zeit als »pochtecas« bekannt.

Die Puerta del Sol in Tiahuanaco wurde aus einem einzigen Andesitblock geschaffen. Das Tor hat eine Breite von etwa 4 Metern und ist fast 3 Meter hoch.

In seiner Blütezeit war Teotihuacán das kulturelle, religiöse und wirtschaftliche Zentrum Mesoamerikas. Kunst, Architektur, Religion und Tracht der Olmeken, Maya und Zapoteken zeigen alle den Einfluss des Teotihuacán der klassischen Periode. Obwohl diese Kultur vermutlich auch eine Schrift kannte, sind keine entsprechenden Zeugnisse erhalten geblieben. Aus unbekannten Gründen (wahrscheinlich eine durch Überproduktion und Abholzung der Wälder verursachte Bodenerosion) setzte um 600 n. Chr. der rasche Niedergang ein. Kurz nach 700 wurde die Stadt von Streitkräften der nahen Stadt Cholula niedergebrannt. Der Ort blieb zwar bewohnt, aber zur Zeit der Azteken, der kulturellen Erben Teotihuacáns, hatte man seine einstige Bedeutung vergessen.

In den Zentral-Anden entwickelten sich von 1800 bis 800 v. Chr. und während des »frühen Horizonts« (800–200 v. Chr.) mächtige Stämme, eine hoch entwickelte Kunst und Architektur sowie eine intensive, die Möglichkeiten der Bewässerung nutzende Landwirtschaft. Von etwa 400 bis 200 v. Chr. bestimmte der Chavín-Stil die Kunst in weiten Teilen des Hochlandes und an der peruanischen Küste.

Die Moche-Kultur

Mit dem Ausklang der Chavín-Zeit setzte die Zwischenperiode (200 v. Chr. bis 500 n. Chr.) ein, in der die ersten Staaten und Reiche Südamerikas entstanden. In dieser Ära ständiger kriegerischer Auseinandersetzungen baute man in der gesamten Andenregion Festungen. Der erste Staat kam etwa 100 v. Chr. um den Küstenort Moche zustande, einem großen Kultzentrum, zu dem auch zwei Tempel (die Sonnen- und die Mondpyramide) aus luftgetrockneten Lehmziegeln und auf hohen Plattformen gehörten. Zwischen beiden lag ein »Friedhof« mit reich ausgestatteten Königsgräbern. Die Kunsthandwerker von Moche gehörten zu den geschicktesten der gesamten Neuen Welt und stellten vielfarbige Keramiken, Textilien sowie Gold-, Silber- und Kupfergegenstände her. Tongefäße wurden mit Hilfe von Formen in großer Stückzahl von Spezialisten produziert, die entweder allein oder unter Oberaufsehern in größeren Gruppen arbeiteten. Für bedeutende öffentliche Bauprojekte stellte man nach Bedarf Arbeiter ein. Die Wirtschaft basierte auf Fischerei und

0 400 km
0 300 Meilen
Chalchihuites
Feuerstein
Hämatit
Jade
El Teul
Iztepetl
Xiuhquilpan
Colima
Apatzingan
Rio Verde
Pavón
Golf von Mexiko
Xacalla
Obsidian
Tepetzintla
El Tajín
Weihrauch
Papier aus Rinde
Tepexic
Azcapotzalco
Teotihuacán
Xico
Cacaxtla
Cholula
Tenanco
Xochicalco
Kakao
Chalcatzinco
Balsas
Tepeacac
Ixczquiztla
Tehuacán
Remojadas
Cerro de las Mesas
Tres Zapotes
Acatlan
Acapulco
Tzilacayoapan
Tuxtepec
Cuicatlan
Yucuñudahui
Tilamtongo
Monte Albán
Olmeken
San Lorenzo
Comalcalco
Yagul
Tehuantepec
Muscheln
Palenque
Chiapa de Corzo
Federn
Izapa
Kaminaljuyu
PAZIFISCHE OZEAN
Maya, 300–800 n. Chr.
Teotihuacán, 1–700 n. Chr.
Xochicalco, 1–700 n. Chr.
Zapoteken/Monte Albán, 1–700 n. Chr.
Kulturen der klassischen Zeit an der Golfküste, 1–700 n. Chr.
Cerro de las Mesas
Remojadas
Veracruz
westmexikanische Grabstättenkultur der späten vorklassischen Zeit, 300 v. Chr. bis 300 n. Chr.
größerer Komplex der klassischen Zeit
kleinerer Komplex der klassischen Zeit
Richtung kultureller Einflüsse
Maya
Teotihuacán
Veracruz
Zapoteken
Kakao Handelsware

Vogelskulptur aus Gold: ein beeindruckendes Beispiel für das hoch entwickelte Kunsthandwerk der Moche-Kultur

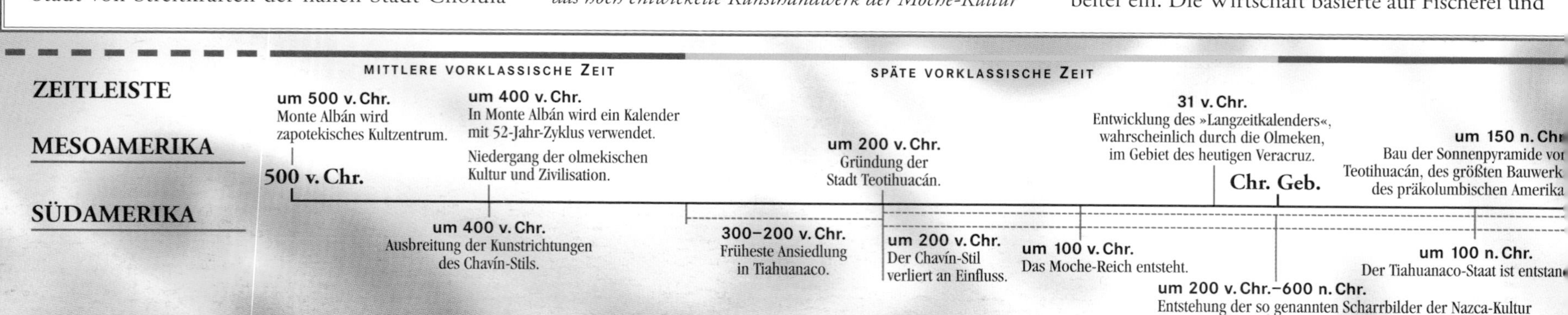
ZEITLEISTE
MESOAMERIKA
SÜDAMERIKA
MITTLERE VORKLASSISCHE ZEIT
SPÄTE VORKLASSISCHE ZEIT
um 500 v. Chr.
Monte Albán wird zapotekisches Kultzentrum.
um 400 v. Chr.
In Monte Albán wird ein Kalender mit 52-Jahr-Zyklus verwendet.
Niedergang der olmekischen Kultur und Zivilisation.
um 200 v. Chr.
Gründung der Stadt Teotihuacán.
31 v. Chr.
Entwicklung des »Langzeitkalenders«, wahrscheinlich durch die Olmeken, im Gebiet des heutigen Veracruz.
um 150 n. Chr.
Bau der Sonnenpyramide von Teotihuacán, des größten Bauwerks des präkolumbischen Amerika
500 v. Chr.
Chr. Geb.
um 400 v. Chr.
Ausbreitung der Kunstrichtungen des Chavín-Stils.
300–200 v. Chr.
Früheste Ansiedlung in Tiahuanaco.
um 200 v. Chr.
Der Chavín-Stil verliert an Einfluss.
um 100 v. Chr.
Das Moche-Reich entsteht.
um 100 n. Chr.
Der Tiahuanaco-Staat ist entstanden
um 200 v. Chr.–600 n. Chr.
Entstehung der so genannten Scharrbilder der Nazca-Kultur (riesige Tierbilder und geometrische Muster).
FRÜHER HORIZONT

1 In Monte Albán, bis 900 n. Chr. ein zapotekisches Kultzentrum, entstand die erste Kultur Amerikas, die über ein eigenes Schriftsystem verfügte.

2 In der späten vorklassischen Zeit entstanden die westmexikanischen Grabkulturen mit ihren charakteristischen Felsengräbern, die Tonfiguren von symbolischer Bedeutung enthalten.

3 Teotihuacán war um 500 n. Chr. die sechstgrößte Stadt der Erde – sein Niedergang begann um 600 n. Chr.

4 Zwischen der Zeitenwende und 500 n. Chr. besaß Moche, Hauptstadt des Moche-Reiches, monumentale Tempelbauten und reich ausgestattete Gräber.

5 Charakteristisch für die Nazca-Kultur sind die so genannten Scharrbilder (mehrere hundert Meter lange Linien, geometrische Muster, Tierbilder), die wohl rituellen Zwecken dienten.

6 Um 200 n. Chr. gehörten die Bauern von Huarpa zu den Ersten im Hochland der Anden, die zur Vergrößerung der landwirtschaftlichen Nutzfläche bewässerte Terrassenfelder anlegten.

7 Tiahuanaco war mit 3660 Metern über dem Meeresspiegel die höchstgelegene Stadt der Anden.

8 Die Stadt Huari, stark von Tiahuanaco und Nazca beeinflusst, entwickelte sich um 600 n. Chr. zum Zentrum eines eigenen Reiches.

Grenzen des Chavín-Einflusses, 900–200 v. Chr.

Kulturen der frühen Zwischenperiode um 200 v. Chr.–500 n. Chr.
Huarpa
Lima
Moche
Nazca
Recuay
Tiahuanaco
Orte der Huarpa-Kultur
Orte der Lima-Kultur
Orte der Moche-Kultur
Orte der Nazca-Kultur
Orte der Recuay-Kultur
Orte der Tiahuanaco-Kultur

Zeit des mittleren Horizonts, 500–1000 n. Chr.
Huari-Reich, 600 n. Chr.
Ausdehnung des Huari-Reichs, 600–700 n. Chr.
Ort der Huari-Kultur
Straße im Huari-Reich
Tiahuanaco-Reich
nordandine Kulturen
Wüstengebiete an der Küste
tropischer Regenwald

0 600 km
0 400 Meilen

Ackerbau (Mais, Kartoffeln, Baumwolle, Paprikaschoten und Erdnüsse). Bis 200 n. Chr. verbreitete sich die Moche-Kultur in allen benachbarten küstennahen Tälern, wo Provinzhauptstädte und Festungen entstanden. Moche selbst musste um 500 n. Chr. nach schweren Überschwemmungen aufgegeben werden – die Hauptstadt wurde nach Pampa

Eines der geheimnisvollen Scharrbilder von Nazca in Peru: die 135 Meter lange Figur eines Kondors

Grande verlegt, das diese Funktion behielt, bis das Reich von Moche zwischen 600 und 700 n. Chr. im Huari-Reich aufging. Als Moche eine größere Macht wurde, entstanden auch bei den Nazca an der Küste, bei den Huarpa und Recuay im Hochland sowie weiter südlich um Tiahuanaco im Becken des Titicacasees kleinere Staaten.

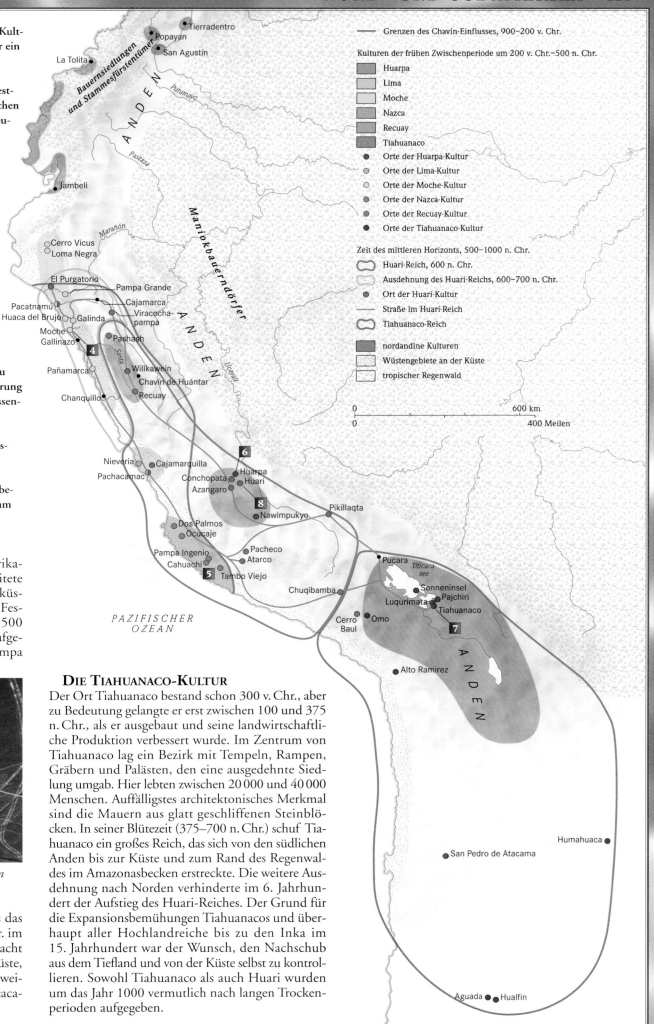

Die Tiahuanaco-Kultur

Der Ort Tiahuanaco bestand schon 300 v. Chr., aber zu Bedeutung gelangte er erst zwischen 100 und 375 n. Chr., als er ausgebaut und seine landwirtschaftliche Produktion verbessert wurde. Im Zentrum von Tiahuanaco lag ein Bezirk mit Tempeln, Rampen, Gräbern und Palästen, den eine ausgedehnte Siedlung umgab. Hier lebten zwischen 20 000 und 40 000 Menschen. Auffälligstes architektonisches Merkmal sind die Mauern aus glatt geschliffenen Steinblöcken. In seiner Blütezeit (375–700 n. Chr.) schuf Tiahuanaco ein großes Reich, das sich von den südlichen Anden bis zur Küste und zum Rand des Regenwaldes im Amazonasbecken erstreckte. Die weitere Ausdehnung nach Norden verhinderte im 6. Jahrhundert der Aufstieg des Huari-Reiches. Der Grund für die Expansionsbemühungen Tiahuanacos und überhaupt aller Hochlandreiche bis zu den Inka im 15. Jahrhundert war der Wunsch, den Nachschub aus dem Tiefland und von der Küste selbst zu kontrollieren. Sowohl Tiahuanaco als auch Huari wurden um das Jahr 1000 vermutlich nach langen Trockenperioden aufgegeben.

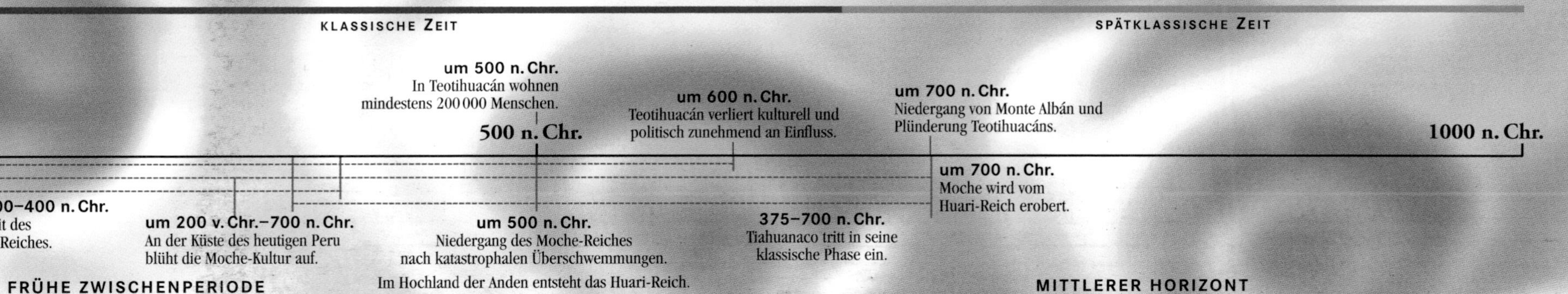
KLASSISCHE ZEIT
SPÄTKLASSISCHE ZEIT
um 500 n. Chr.
In Teotihuacán wohnen mindestens 200 000 Menschen.
um 600 n. Chr.
Teotihuacán verliert kulturell und politisch zunehmend an Einfluss.
um 700 n. Chr.
Niedergang von Monte Albán und Plünderung Teotihuacáns.
500 n. Chr.
1000 n. Chr.
um 700 n. Chr.
Moche wird vom Huari-Reich erobert.
00–400 n. Chr.
eit des
-Reiches.
um 200 v. Chr.–700 n. Chr.
An der Küste des heutigen Peru blüht die Moche-Kultur auf.
um 500 n. Chr.
Niedergang des Moche-Reiches nach katastrophalen Überschwemmungen.
Im Hochland der Anden entsteht das Huari-Reich.
375–700 n. Chr.
Tiahuanaco tritt in seine klassische Phase ein.
FRÜHE ZWISCHENPERIODE
MITTLERER HORIZONT

Die Welt der Antike (500 v. Chr. bis 600 n. Chr.)

Das alte Maya-Reich • 300 v. Chr. bis 800 n. Chr.

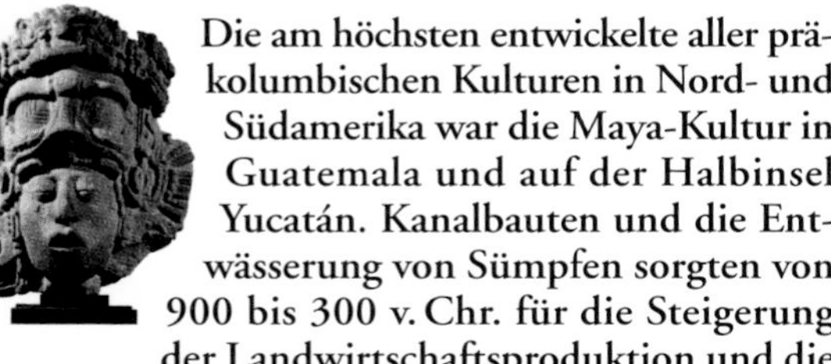

Die am höchsten entwickelte aller präkolumbischen Kulturen in Nord- und Südamerika war die Maya-Kultur in Guatemala und auf der Halbinsel Yucatán. Kanalbauten und die Entwässerung von Sümpfen sorgten von 900 bis 300 v. Chr. für die Steigerung der Landwirtschaftsproduktion und die Ernährung einer größeren Bevölkerung.

Zu dieser Zeit entstanden Stammestümer und kleinere Staaten, aber auch Städte und Monumentalbauten. In der späten vorklassischen Zeit (300 v. Chr. bis 300 n. Chr.) wuchsen mächtige Stadtstaaten heran, man bediente sich einer Schrift und betrieb mathematische und astronomische Forschungen auf hohem Niveau. Die neuen Staaten kämpften um die Vorherrschaft, was die Befestigung vieler Städte erklärt. Weitere Entwicklungsfaktoren waren der Bevölkerungsdruck, die Intensivierung der Landwirtschaft und der Fernhandel. Den größten Einfluss auf die Entwicklung der Maya-Kultur übten die Olmeken und vor allem die Zapoteken aus; von ihnen übernahmen die Maya den Kalender, die Schrift und das als heilig geltende Ballspiel.

Bemalte Glaskeramik-Scherbe mit dem Motiv eines Maya-Kriegers aus dem Grab eines Fürsten; um 700 v. Chr.

Die vorklassische Zeit: El Mirador

Das bedeutendste Maya-Zentrum der späten vorklassischen Zeit lag 150 v. Chr. bis 150 n. Chr. bei dem heutigen Ort El Mirador. Dort gab es hohe Tempelpyramiden, einen befestigten Palast und große Marktplätze. Die Stadt hatte knapp 80 000 Einwohner und war durch ein Netz fester Wege mit den umliegenden Dörfern verbunden. Obwohl manches darauf hindeutet, dass El Mirador bereits die Schrift kannte, finden sich weit bessere Zeugnisse für diese Kulturerrungenschaft im südlichen Hochland, wo man im 1. und 2. Jahrhundert n. Chr. Stelen zur Erinnerung an die Ahnen der Herrscher aufstellte. Die früheste bekannte Inschrift wurde bei El Baul gefunden; sie weist ein Datum auf, das dem Jahr 36 n. Chr. entspricht. Die Hieroglyphenschrift der Maya, wenn auch nicht von diesen selbst erfunden, war die einzige präkolumbische Schrift, die die gesprochene Sprache genau wiederzugeben vermochte – enthielt sie doch sowohl ideographische als auch phonetische Elemente. Die südlichen Maya stellten im 3. Jahrhundert n. Chr. keine Stelen mehr auf. Die Ursache dafür war wahrscheinlich ein Ausbruch des Vulkans Ilopango, der Tausende von Quadratkilometern unter seiner Asche begrub.

Die klassische Zeit: Tikal

Die Maya in der Zentralen Region begannen um 300 n. Chr. mit der Aufstellung von hieroglyphengeschmückten Stelen, die man der klassischen Zeit (300 bis 900 n. Chr.) zurechnet. Die ältesten dieser Stelen zeigen Übereinstimmungen mit jenen der Hochland-Maya. Bis etwa 400 n. Chr. wurden nur in Tikal, Uaxactún und wenigen anderen Orten Stelen errichtet, danach überall im Tiefland. Aus Palenque,

Ruinen der Maya-Stadt Tikal. Der verschachtelte und in Terrassen angelegte Siedlungskomplex umfasste auch Tempel und Grabstätten.

Yaxchilán, Copán und Calakmul wurden Regionalmächte, aber der beherrschende Stadtstaat der klassischen Zeit blieb Tikal mit seinen 75 000 bis 100 000 Einwohnern. Auf dem Höhepunkt seiner Macht unter König »Stürmischer Himmel« (411–457 n. Chr.) beherrschte es den größten Teil der Zentralen Region und unterhielt enge Beziehungen zu Teotihuacán. Der Niedergang Tikals folgte auf eine Niederlage gegen Caracol im Jahr 562. Obwohl es sich später unter dem Herrscher Ah Cacau (682–723 n. Chr.) wieder erholte, gewann Tikal die alte Vormacht nie wieder zurück.

Kriege und Kulturen der Stadtstaaten

In der klassischen Zeit herrschte fast ständig Krieg zwischen den Stadtstaaten – Ziel war dabei nicht so sehr die Eroberung neuer Gebiete als vielmehr die Erhebung von Tributen von den Besiegten und die Gefangennahme gegnerischer Krieger. Deren übliches Schicksal war die rituelle Folterung und Verstümmelung, wonach sie dann den Göttern geopfert wurden. Man brauchte Menschenopfer bei der Einweihung neuer Tempel, als Geleit für Verstorbene und zu besonderen Anlässen wie der Vollendung kalendarischer Zyklen. Durch Eheschließungen stellten die Staaten üblicherweise freundschaftliche Beziehungen zueinander her.

Die Kultur der klassischen Zeit war nicht einheitlich – es sind viele regionale Dekorationsrichtungen

0 200 km
0 150 Meilen

1 El Mirador war in der späten vorklassischen Zeit das größte Zentrum der Maya. Im Jahr 150 n. Chr. wurde der Ort aufgegeben.

2 Heute füllt der Ilopangosee den Krater, den der Ausbruch des gleichnamigen Vulkans zwischen 200 und 250 n. Chr. hinterließ. Die Katastrophe bedeutete für die im Süden ansässigen Maya das Ende.

3 Tikal war die größte Stadt der Maya und erlebte seine Blütezeit unter König »Stürmischer Himmel«. Es beherrschte die Zentrale Region bis zu seiner Eroberung durch Caracol im Jahr 562 n. Chr.

4 Die Kultstätten der alten Maya wurden häufig nach astronomischen Gesichtspunkten gestaltet – so richtete man das früheste dieser Zentren, Uaxactún, nach den Sonnenaufgängen zu Winter- und Sommermitte und den Tagundnachtgleichen aus.

5 Copán war in der klassischen Zeit ein bedeutendes Maya-Zentrum, wurde aber im Jahr 738 n. Chr. von Quirigua überflügelt.

6 Der Straßendamm, der Cobá und Yaxuná verband, war über hundert Kilometer lang.

7 In Bonampak belegen Wandreliefs, die einen Sieg des Herrschers Khan Muan feiern, das kämpferische Wesen der Maya.

8 In der frühen nachklassischen Zeit (900–1200 n. Chr.) verlagerten die Maya ihr Machtzentrum in den Norden – Chichén Itzá übernahm nun die Rolle von Tikal.

ZEITLEISTE

SPÄTE VORKLASSISCHE ZEIT

POLITIK

KULTUR

500 v. Chr.

um 350–300 v. Chr. Die ersten Stadtstaaten der Maya entstehen.

um 500–100 v. Chr. Die Maya entwickeln eigene Formen des Königtums.

um 200–100 v. Chr. Aus dieser Zeit stammen die frühesten bekannten Maya-Inschriften.

150 v. Chr.–150 n. Chr. Das größte Maya-Zentrum ist El Mirador.

Chr. Geb.

36 n. Chr. Aus diesem Jahr stammt die in El Baul gefundene, bislang früheste Inschrift der Hochland-Maya.

Monumentalskulptur der späten vorklassischen Zeit, 300 v. Chr.–300 n. Chr.
anderer Fundort der vorklassischen Zeit
Maya-Kultur während der klassischen Zeit, 300 v. Chr.–800 n. Chr.
Puuc-Stil
Chenes-Stil
Rio-Bec-Stil
Cotzumalhuapan-Stil
wichtige Siedlung aus hochklassischer Zeit
kleinerer Ort aus spätklassischer Zeit
beherrschendes Regionalzentrum
Einflüsse aus Tikal im 5. Jh. n. Chr.
Tikal entzifferte Herrscherstele
Grenze eines Stadtstaats, 790 n. Chr.
Handelsstraße
Kakao Handelsware

Gebiete mit intensiver Landwirtschaft
erhöht angelegte Felder
Terrassenfelder

bekannt und auch die Baustile weisen große Unterschiede auf. Die Maya waren sehr geschickte Handwerker und stellten monumentale Steinskulpturen, Jadeschnitzereien, Tongefäße, Wandmalereien und Obsidiangeräte von höchster Qualität her. Man hat auch einige Gegenstände aus Gold und Kupfer gefunden, obwohl Metalle eigentlich erst seit der nachklassischen Periode verwendet wurden.

Die klassische Zeit endete etwa zu Beginn des 9. Jahrhunderts, als die Stadtstaaten in der Zentralen Region zusammenbrachen. Die Bevölkerungszahlen sanken rapide. Die letzten Stelen wurden in Palenque (799 n. Chr.), in Yaxchilán (808), in Quirigua (810), in Copán (822) und in Tikal (889) aufgestellt. Bis 950 n. Chr. lagen alle größeren Maya-Städte in Trümmern.

Viele Fachleute sehen das plötzliche Ende als indirekte Folge des Niedergangs von Teotihuacán um 750. Ihnen zufolge unternahmen die Maya-Herrscher immer ausgreifendere Kriegszüge und nahmen immer größere Bauvorhaben in Angriff – wodurch der Druck auf die Landbevölkerung, die Nahrungsmittel produzieren und gleichzeitig Arbeitskräfte stellen musste, schließlich zu groß wurde. Unterernährung, Bevölkerungsschwund und der politische Zusammenbruch folgten. Die Maya-Kultur ging nicht ganz unter, sondern lebte im halbtrockenen Norden von Yucatán etwa bis zum Jahr 1000 weiter, jener Zeit, als dieses Gebiet von den Tolteken aus Zentralmexiko besetzt wurde.

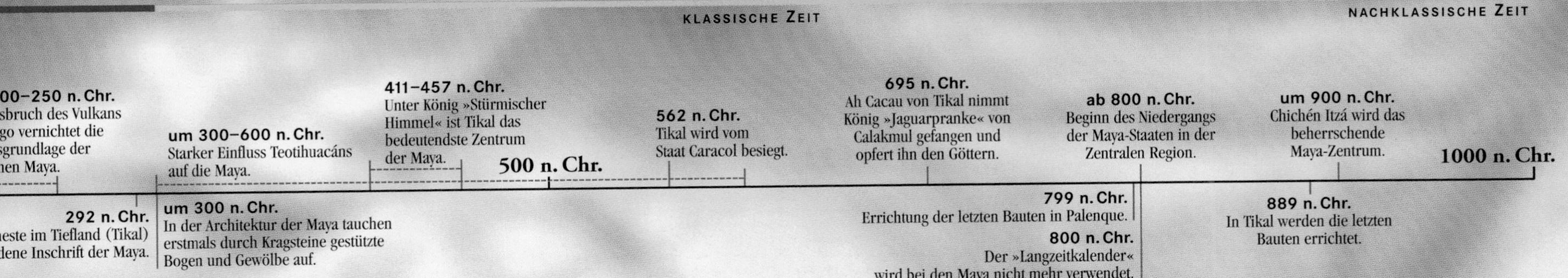
KLASSISCHE ZEIT
NACHKLASSISCHE ZEIT
200–250 n. Chr.
usbruch des Vulkans
ngo vernichtet die
nsgrundlage der
chen Maya.
um 300–600 n. Chr.
Starker Einfluss Teotihuacáns auf die Maya.
411–457 n. Chr.
Unter König »Stürmischer Himmel« ist Tikal das bedeutendste Zentrum der Maya.
500 n. Chr.
562 n. Chr.
Tikal wird vom Staat Caracol besiegt.
695 n. Chr.
Ah Cacau von Tikal nimmt König »Jaguarpranke« von Calakmul gefangen und opfert ihn den Göttern.
ab 800 n. Chr.
Beginn des Niedergangs der Maya-Staaten in der Zentralen Region.
um 900 n. Chr.
Chichén Itzá wird das beherrschende Maya-Zentrum.
1000 n. Chr.
292 n. Chr.
iheste im Tiefland (Tikal)
ndene Inschrift der Maya.
um 300 n. Chr.
In der Architektur der Maya tauchen erstmals durch Kragsteine gestützte Bogen und Gewölbe auf.
799 n. Chr.
Errichtung der letzten Bauten in Palenque.
800 n. Chr.
Der »Langzeitkalender« wird bei den Maya nicht mehr verwendet.
889 n. Chr.
In Tikal werden die letzten Bauten errichtet.

KAPITEL 3

Die Welt des Mittelalters 600 bis 1492 n. Chr.

Die Zeit vom 7. bis zum 16. Jahrhundert wird einem verbreiteten Vorurteil entsprechend gern als »finster« bezeichnet – eine sehr eurozentrische Etikettierung, die in ihrer Schlichtheit nicht einmal für Europa zutrifft. Und für andere Kontinente gilt sie schon gar nicht, denn gerade hier entstanden, blühten und vergingen Kulturen, deren Bedeutung man bei uns, wenn überhaupt, oft erst spät würdigen mochte.

Zugegeben: Zu Ende des 15. Jahrhunderts, am Vorabend der Neuzeit, stand unser Erdteil wieder nicht schlecht da. Wie ganz anders doch hatte es beinahe 1000 Jahre zuvor ausgesehen, in den dunklen Jahren nach dem Untergang Westroms und den Wirren germanischer Landnahme.

Kriegerische Welt der Wikinger: Schwerter, Steigbügel und Speerspitze zeugen von ihren frühen Beutezügen im 8. Jahrhundert.

Anderswo schritt man zu dieser Zeit vehement voran. Die Gründung der islamischen Glaubensgemeinschaft im Jahre 622 war auch für Europa bedeutend. So wie die »Barbareninvasionen«, die Völkerwanderung des ausgehenden 4. Jahrhunderts, zum Niedergang der klassischen Kultur der westeuropäischen Antike geführt hatten, so hob der Sturmlauf der muslimischen Araber in Vorderasien das vorgefundene Machtgefüge aus den Angeln. Die Einigung großer Teile des Mittelmeerraums, Vorderasiens und des Indischen Ozeans durch die Kalifendynastien der Omajjaden und Abbasiden stellte eine gewaltige kulturelle, technische, ökonomische und nicht zuletzt politische Leistung dar. Die Ausbreitung des Arabischen als Sprache des Koran und als Medium der interkulturellen Kommunikation spielte dabei eine entscheidende Rolle. Zudem erwies sich die arabisch-muslimische Kultur als Hüterin des geistigen Erbes der europäischen Antike.

Die islamische Tendenz zur Urbanisierung – Städte wie Bagdad, Córdoba oder Damaskus entstanden oder wurden entscheidend ausgebaut – hatte die Erschließung neuer Ernährungsgrundlagen im Gefolge. Man kultivierte neue Ländereien und steigerte die Produktion in bereits landwirtschaftlich genutzten Gebieten. Dabei bewiesen arabische Ingenieure und Landwirte etwa beim Bau von Bewässerungssystemen großes Geschick. Über die bestehenden Handelswege konnten aus Indien und Südostasien neue Kulturpflanzen eingeführt werden – wie hartkörniger Weizen, Hülsenfrüchte oder Zitrusfrüchte. Mit der muslimischen Besetzung Spaniens ließ Arabien auch Teile Europas an den Früchten seiner Zivilisation teilhaben. Militärisch indessen stieß der Durchmarsch der Krieger des Propheten Mohammed an Grenzen: 732 beziehungsweise 737 wendete der fränkische Hausmeier Karl Martell, Großvater Karls des Großen, durch seine Siege bei Tours und Narbonne die Islamisierung des Restkontinents ab.

Hoch entwickelte ferne Kulturen

Von Persien über Indien bis an die Gestade Japans und der südostasiatischen Welt spielte in der frühen Phase unseres Zeitraums die Ausstrahlung großer Religionstraditionen noch immer eine bedeutende Rolle. Buddhismus und Hinduismus etwa griffen in Asien ebenso rasch Raum wie anderswo das Christentum und der Islam. Die pragmatischen, konfuzianisch beeinflussten Chinesen perfektionierten derweil die Regulierung ihrer großen Flüsse und ermöglichten so einen intensiven Reisanbau. Das Kaiserreich besaß eine eigene

Der Prediger Peter von Amiens führte 1096 den ersten Kreuzzug an; französische Miniatur des 14. Jahrhunderts.

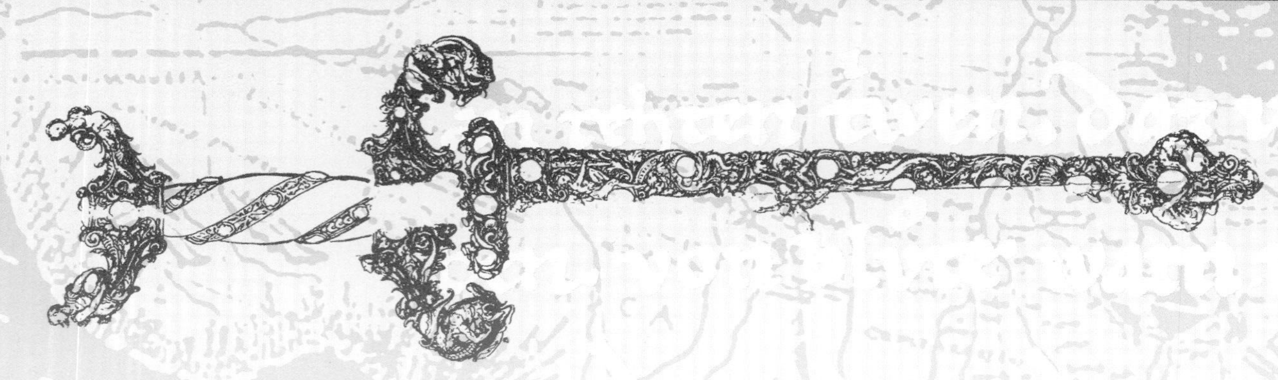

Klasse von schriftkundigen Berufsbeamten, Wissenschaft und Handwerkskunst galt viel, Papierherstellung und das Drucken mittels beweglicher Lettern wirkten ebenso bahnbrechend wie die Erfindung des Schwarzpulvers. Anspruchsvolle Produkte wie Porzellan, Seide oder Baumwolle wurden über die Seidenstraße bis nach Europa exportiert. Auch die Ostküste Afrikas profitierte vom Handel mit Fernost. Auf

Unter dem Abbasiden-Kalifen Harun Al Raschid (786 bis 809) wurden die Wissenschaften gefördert; das Kalifat erreichte seine größte Macht und kulturelle Blüte.

dem Schwarzen Kontinent behaupteten sich südlich der Sahara erste Staaten wie Ghana, Mali oder Simbabwe, die indessen jünger waren als die christlichen Reiche Nubiens und Äthiopiens im Osten. In Meso- und Südamerika besaßen die dortigen präkolumbischen Indianerkulturen in Gesellschaftsorganisation wie Kunst und Kult ein beträchtliches Niveau.

Vortasten Europas

Der größte Teil Europas wusste von alledem wenig. Stand der Süden noch im Bann Ostroms oder der Araber, so fasste im vom mächtigen Frankenreich und seiner Merowinger-Dynastie beherrschten West- und Mitteleuropa das Christentum nur mühselig Fuß. Missionare aus Irland oder Schottland mussten in heidnischer, wilder Umgebung fast Unlösbares lösen. Erst die Herrschaft Karls des Großen, dem als machtbewusster Karolinger-König neben den frühen Klöstern das Verdienst zukommt, Bahnbrechendes für die Kunst und Bildung Europas geleistet zu haben, signalisierte einen Wandel. Seine Krönung in Rom im Jahr 800 zum Kaiser eines christlichen europäischen Reiches in der Nachfolge Roms erweckte kurzzeitig Hoffnung auf eine starke Staatlichkeit, wie sie sich erst gute 100 Jahre später allgemein abzeichnen sollte. Rund um das Jahr 1000 nämlich, nach endgültiger Löschung der Störfeuer räuberischer Wikinger und kriegerischer Ungarn – lediglich die Spanien beherrschenden islamischen »Mauren« galt es noch zurückzudrängen – entstanden in Europa allenthalben christliche Reiche.

Deutsche Ambitionen

Das »Überreich« von ihnen allen wollte das Römisch-Deutsche Reich Kaiser Ottos des Großen sein – eine Vision, die in der Summe Vision blieb. Auf Kirche, Lehnsrecht und Eigenbesitz gestützt, die Konkurrenz ihrer mächtigen Stammesherzöge stets argwöhnisch im Blick, trachteten die Könige und Kaiser aus dem Ottonengeschlecht danach, an Macht den Cäsaren der Antike nicht nachzustehen. Als aber auch die ihnen nachfolgende Salier-Dynastie dem Papst in Rom ihren Willen aufzwingen wollte, scheiterte sie. Die römische Kirche ließ es nicht zu, der weltlichen Herrschaft bei der Einsetzung von Bischöfen mehr als nur ein scheinbares Mitspracherecht zuzugestehen. Obwohl das nächstfolgende Kaiserhaus, die Staufer, mit dem legendären Barbarossa und seinem Enkel Friedrich II. eindrucksvolle Persönlichkeiten hervorbrachten, war das Römisch-Deutsche Reich bald weit entfernt von der Einlösung des eigenen Machtanspruchs. Im weiteren Verlauf des Mittelalters geriet es immer mehr ins Hintertreffen, während Herrscher anderer Länder längst mächtige Territorialstaaten aufbauten und machtpolitische Fakten schufen.

Die Kreuzzüge

Die Stauferzeit war auch die hohe Zeit der Kreuzzüge. Auf diesen vom Papst ins Leben gerufenen militärischen Expeditionen versuchten christliche Ritter und Herrscher (unter ihnen unter anderem Barbarossa) in mehreren Anläufen, den islamischen Arabern die heiligen Stätten des Christentums in Palästina zu entreißen. Nach frühen Erfolgen der oft aus Machtkalkül handelnden Akteure sah die Bilanz 200 Jahre später negativ aus. Gegen die Araber in Spanien und die heidnischen Nachbarn in den mitteleuropäischen Anrainerländern Osteuropas indessen waren vergleichbare bewaffnete Kriegszüge erfolgreicher gewesen. Wiederum noch weiter im Osten zahlte das orthodox-christliche Russland lange Zeit Tribute an die kriegerischen Mongolen, bis diese sich wieder Richtung Asien zurückzogen.

Errungenschaften mittelalterlicher Kultur

Waren es in der frühen Epoche von Landnahme, Rodung und Urbarmachung Bauern und Mönche gewesen, die Europa kultiviert hatten, so kamen mit zunehmender Entwicklung ganz neue Tendenzen auf. Bessere Verkehrswege und wachsende Agrarerträge ließen Handel zu, Landbewohner spezialisierten sich in Arbeitsteilung zu Handwerkern. So entstanden an günstigen Standorten Städte, die sich, mit herrscherlichen Privilegien ausgestattet, rasch vermehrten. Bald hatten sie ihr eigenes Recht, ihre Zünfte und Gilden, ihre eigene Kultur. Geldverkehr und effektivere Warenherstellung ließen Reichtum entstehen, Kaufleute in Norditalien und später im Ostseeraum bildeten Republiken oder Seebünde zur machtvollen Durchsetzung ihrer Interessen gegen die Konkurrenz anderer Städte, vor allem aber gegen die Bedrückung seitens des unproduktiven Grundadels oder gar mächtiger Herrscher. Von Frankreich ausgehend, eroberte der Kathedralbau den Kontinent, in Bologna (1154) und Paris (1174) entstanden erste Universitäten. Die Denkschule der Scholastik setzte Akzente innerhalb eines immer wieder von Krisen, Kriegen und Seuchen gebeutelten Zeitalters.

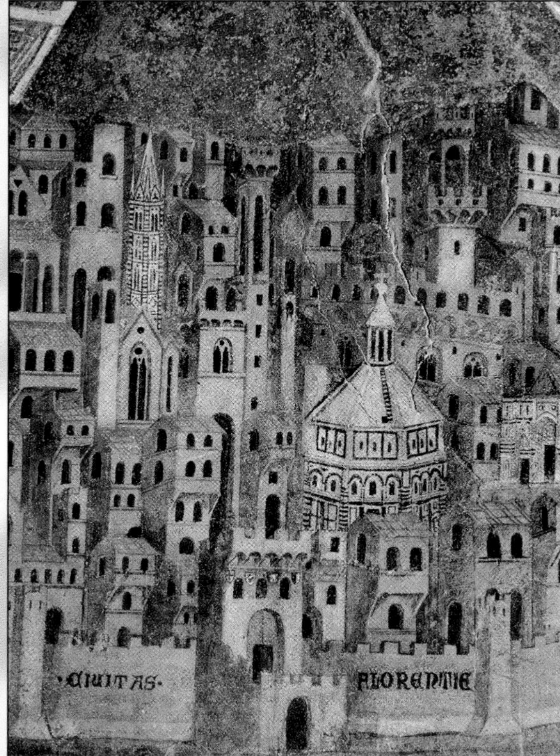

CIVITAS
FLORENTIE

Florenz, im Mittelalter eine blühende Stadt, auf einem Wandgemälde aus dem Jahre 1352 (Detail)

Kämpfe um die Hegemonie

Im Spätmittelalter häuften sich die Versuche ambitionierter Herrscher, die eigene Macht und die ihrer Reiche immer stärker zu mehren. Ziel war die Hegemonie über möglichst weite Bereiche. Deutschlands Kaiser konnten freilich, da sie vom mächtigen Reichsfürstenkollegium der Kurfürsten gewählt werden mussten, nie für lange einen bedeutenden Machtzuwachs erringen – bis sich die Habsburgerkaiser seit dem 15. Jahrhundert zunehmend auf ihren hauseigenen österreichischen Besitz als Basis ihrer Macht verließen und diesen durch eine geschickte Heiratspolitik immer mehr vergrößerten. Zu dieser Zeit hatten Engländer und Franzosen schon ihren Hundertjährigen Krieg ausgefochten, war der Papst zeitweise in seiner Übergangsresidenz Avignon zur Marionette des Königs von Frankreich geworden. Das Spätmittelalter befand sich in der Krise, auch die Pest, der »schwarze Tod«, schien ein Symptom dafür zu sein. In den Städten Oberitaliens aber ereignete sich zu dieser Zeit etwas Bemerkenswertes.

Macht der Ideen

Mit dem Aufkommen der Renaissance, der bewussten Zuwendung von Künstlern, Gelehrten und Denkern zu materieller Welt und Empirie, mit der Abkehr vom theologisch begründeten, starren Weltbild des Mittelalters änderte sich alles. Wie in der Antike sollte der Mensch im Mittelpunkt eines von humanistischen Idealen bestimmten Lebens stehen. Denkverbote sollten nun nicht mehr gelten. Nikolaus Kopernikus' revolutionäre Feststellung, die Erde drehe sich um die Sonne, stand am Anfang einer neuen Zeit. Bald sollten die Entdeckungsfahrten eines Kolumbus und anderer das Tor zu Neuen Welt aufstoßen. Und bald würde die Autorität des Papstes und einer ganzen Weltordnung in Zweifel gezogen werden.

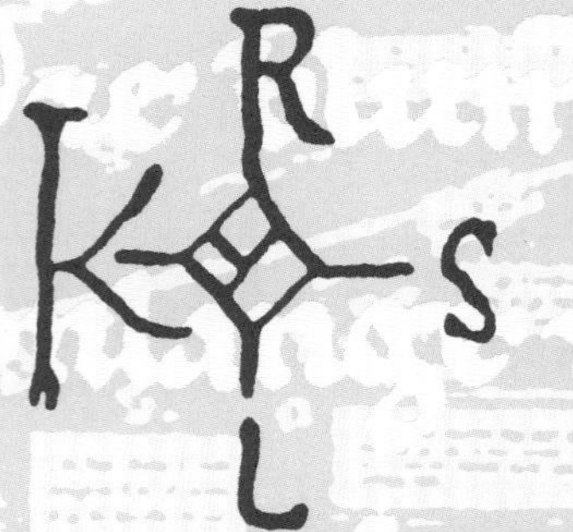

K
R
S
L

Die Welt des Mittelalters (600 bis 1492 n. Chr.)

Die Welt • 800 n. Chr.

Zwischen 600 und 800 erlebte die arabisch-islamische Kultur einen dramatischen Aufstieg. Der Islam entstand aus den Lehren Mohammeds (um 570–632), der einen theokratischen Staat schuf und die Araber einte. Trotz des Bürgerkriegs nach dem Tod des Propheten gelang es dem Kalifen (dem »Nachfolger«) Omar I., die Energien der Araber in Eroberungskriegen zu binden (vgl. S. 156/157).

Die arabische Expansion stand unter einem günstigen Stern. Von 602 bis 627 waren das persische Sassaniden-Reich und Ostrom in einen alle Kräfte bindenden Krieg verwickelt. Die Römer siegten und schufen im Anschluss durch die Reformen von Kaiser Herakleios I. einen neuen, nun griechischen Staat, das mittlere Byzantinische Reich. Im Zuge dieser Ereignisse konnten weder Persien noch Byzanz das rasche Vordringen arabischer Heere verhindern, die 635 zunächst Damaskus eroberten. Bis 642 entrissen die Araber den Byzantinern Syrien, Palästina und Ägypten und zerstörten das Sassaniden-Reich. Eine zweite Eroberungswelle folgte ab 661 mit dem Machtantritt der Omajjaden-Dynastie. Im Jahr 681 fiel das byzantinische Karthago und 711 drangen die Araber über die Straße von Gibraltar in Spanien ein, wo sie das Reich der Westgoten eroberten. Im Osten gelangten arabische Armeen bis zum Indus und nach Samarkand. Die 717 gescheiterte Eroberung Konstantinopels und die Niederlage gegen die Franken bei Poitiers (732) beendeten den islamischen Siegeszug. Die Einheit der arabischen Welt ging 749/750 mit dem Sturz der Omajjaden durch die Abbasiden zu Ende (die Flucht gelang nur einem Mitglied der Omajjaden-Dynastie, das in Spanien einen Staat gründete). Um 800 verloren die Abbasiden auch Marokko und Tunesien (vgl. S. 158/159).

Aufstieg der Karolinger

Um 600 war das Frankenreich der mächtigste Staat in Westeuropa, aber seine dynastische Instabilität führte im späten 7. Jahrhundert in den Niedergang (vgl. S. 136/137). Unter Karl dem Großen, der als mächtigster König der Karolinger-Dynastie den größten Teil des christlichen Abendlandes beherrschte und seine Macht auf die heidnischen Völker bis zur Elbe ausdehnte, gewann es neue Kraft. Im Jahr 800 krönte ihn der Papst in Rom zum Römischen Kaiser. – Auf den Britischen Inseln begrenzten die Angelsachsen das keltische Siedlungsgebiet auf den äußersten Westen. In Skandinavien entstanden Staaten – eine Ausgangsbasis für die Überfälle der Wikinger auf Westeuropa.

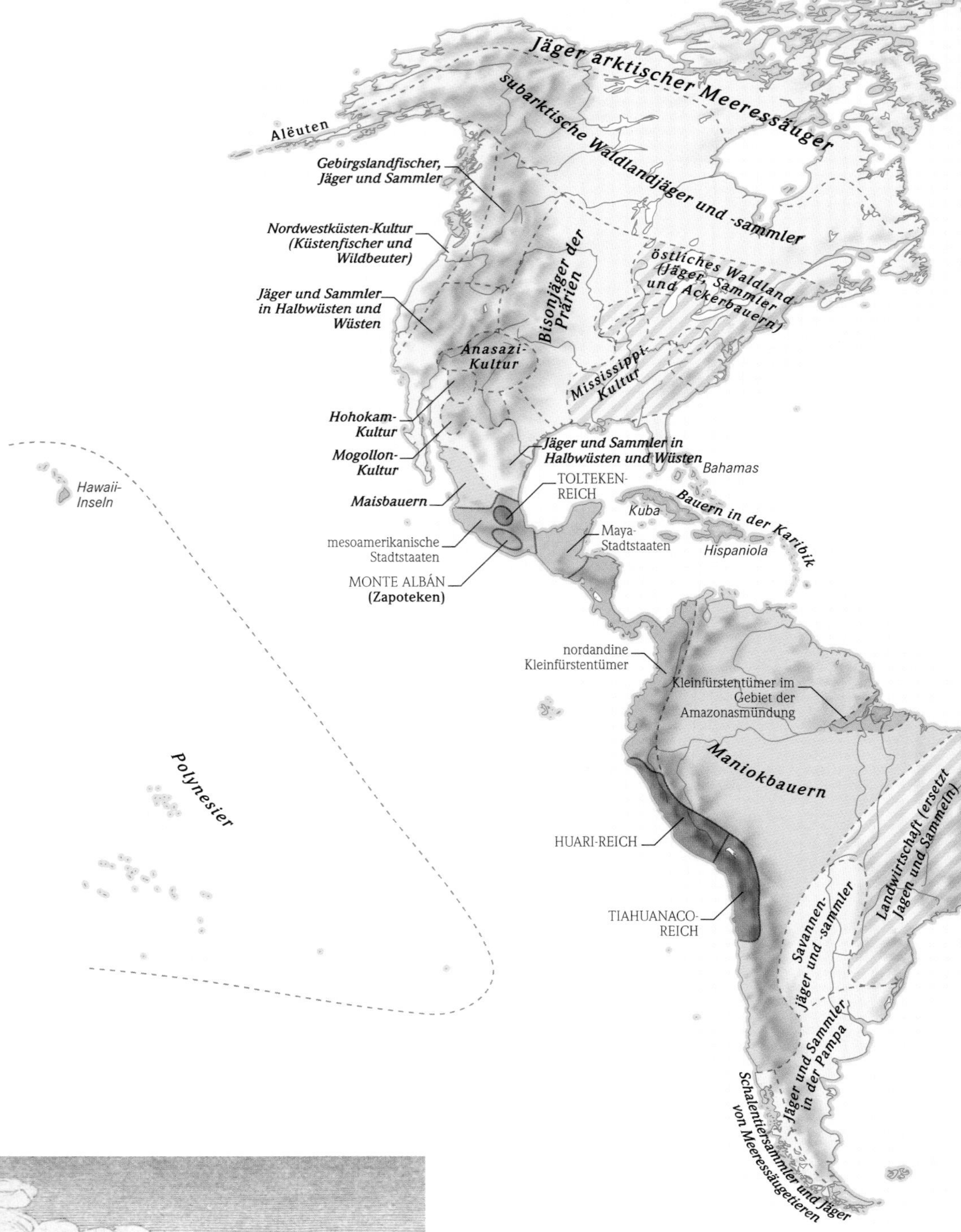
Jäger arktischer Meeressäuger
subarktische Waldlandjäger und -sammler
Aleuten
Gebirgslandfischer, Jäger und Sammler
Nordwestküsten-Kultur (Küstenfischer und Wildbeuter)
Bisonjäger der Prärien
östliches Waldland (Jäger, Sammler und Ackerbauern)
Jäger und Sammler in Halbwüsten und Wüsten
Anasazi-Kultur
Mississippi-Kultur
Hohokam-Kultur
Mogollon-Kultur
Jäger und Sammler in Halbwüsten und Wüsten
Bahamas
Hawaii-Inseln
TOLTEKEN-REICH
Maisbauern
Kuba
Bauern in der Karibik
mesoamerikanische Stadtstaaten
Maya-Stadtstaaten
Hispaniola
MONTE ALBÁN (Zapoteken)
nordandine Kleinfürstentümer
Kleinfürstentümer im Gebiet der Amazonasmündung
Polynesier
Maniokbauern
Landwirtschaft (ersetzt Jagen und Sammeln)
HUARI-REICH
TIAHUANACO-REICH
Savannenjäger und -sammler
Jäger und Sammler in der Pampa
Schalentiersammler und Jäger von Meeressäugetieren

Die Landung der Araber beim Felsen von Gibraltar im Jahre 711 n. Chr.; Historienbild des 19. Jahrhunderts

Dynastienwechsel

Das seit fast vier Jahrhunderten geteilte China wurde 589 unter der Sui-Dynastie wieder vereint (vgl. S. 170/171). Der Ehrgeiz der Sui-Herrscher über-

ZEITLEISTE

Nord- und Südamerika ■
Europa ■
Vorderasien ■
Afrika ■
Ost- und Südasien ■

550 – 600 – 650

589 Nach 400 Jahren der Teilung wird China von der Sui-Dynastie wieder vereint.

606 Harsha, König von Kanauj, erobert Nordindien.

610 Thronbesteigung von Herakleios I.; das Oströmische Reich mutiert zum Byzantinischen Reich.

618 Die Tang-Dynastie löst in China die Sui-Dynastie ab.

622 Mohammed flieht aus Mekka und wandert nach Medina (Hedschra); Beginn der islamischen Zeitrechnung.

634 Der zweite Kalif, Omar I., wird »Herrscher der Gläubigen«.

636–642 Die Araber erobern Palästina, Ägypten und das Sassaniden-Reich.

Kalif Moawija beg… die Omajjaden-Dy…

Der chinesische Herrschaftsber… erreicht in Zentralasien seine größte Ausdehn…

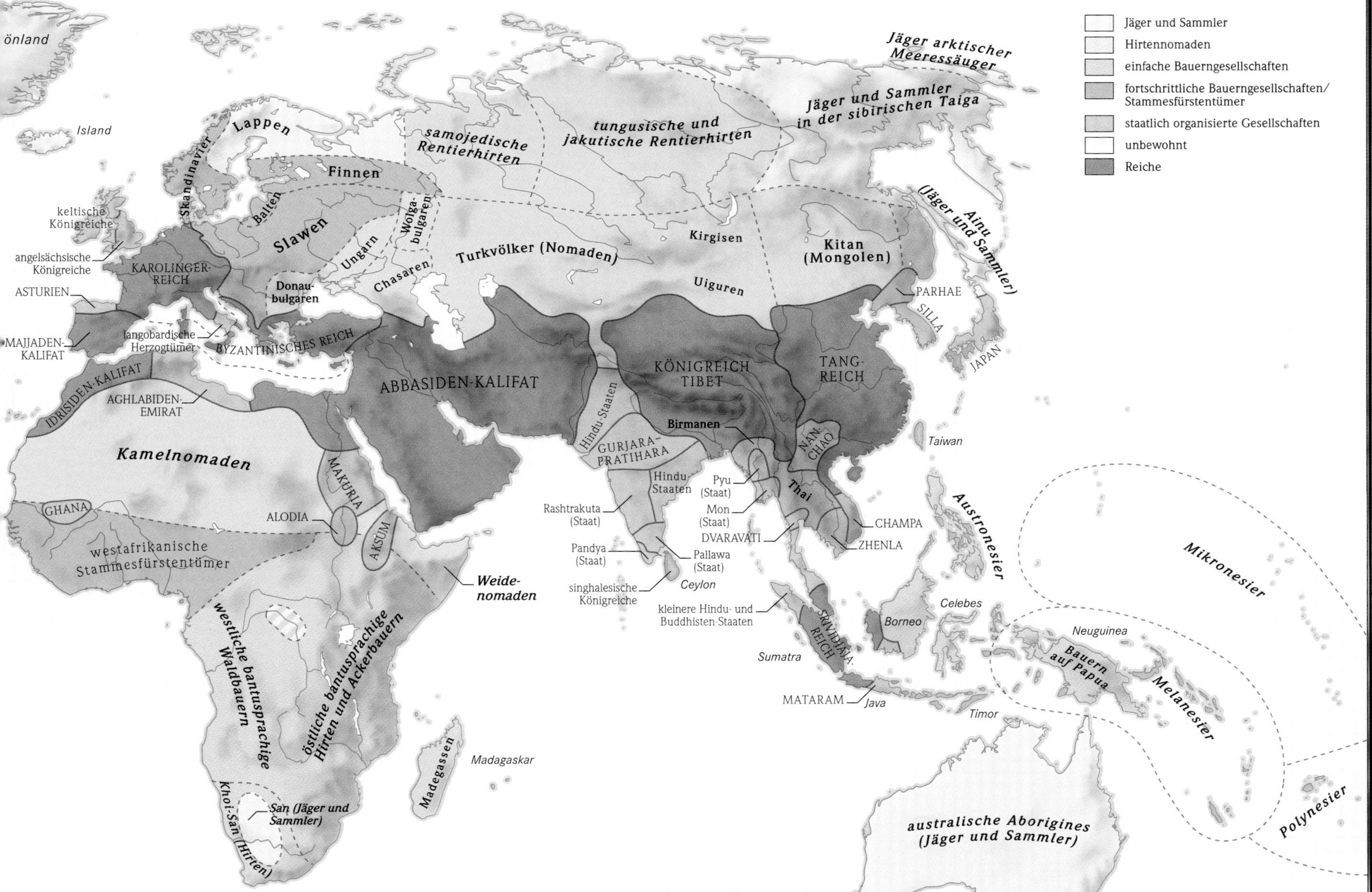

- Jäger und Sammler
- Hirtennomaden
- einfache Bauerngesellschaften
- fortschrittliche Bauerngesellschaften/Stammesfürstentümer
- staatlich organisierte Gesellschaften
- unbewohnt
- Reiche

Im Jahre 800 fand in Rom die Krönung Karls I., des Großen, durch Papst Leo III. statt.

forderte jedoch die Ressourcen des Landes. 618 ergriffen die Tang die Macht. Unter den frühen Tang-Herrschern erlebte das Land eine Blütezeit. Durch Feldzüge nach Zentralasien dehnten die Chinesen im frühen 8. Jahrhundert ihre Macht sogar bis Samarkand aus. Nach der Niederlage gegen die Araber im Jahr 751 verlor China die Herrschaft über Westasien an die Türken und Tibeter. Um 800 erstreckte sich die tibetische Herrschaft vom südlichen Himalaya bis an den Golf von Bengalen.

Obwohl Harsha (606–647), der Herrscher des nordindischen Königreiches Kanauj, große Teile Nordindiens einte, überdauerte dieses Reich kaum seinen Tod. Um 800 stellte keines der Regionalreiche Indiens mehr eine herausragende Macht dar (vgl. S. 168/169). Die bedeutendsten südasiatischen Reiche waren damals das Khmer-Reich Zhenla, das austronesische Reich Champa und das Thai-Reich Nan-Chao. Die Seemacht Srividjaja beherrschte den Süden der Malaiischen Halbinsel und Indonesien (vgl. S. 180/181).

Fortschritte

In Westafrika entwickelten sich bis 800 sozial gestufte Gesellschaften. In der Sahelzone entstand mit dem Königreich Ghana sogar ein Staat. Der Fernhandel über die Sahara beeinflusste die Staatenbildung in dieser Region zwar, aber der eigentliche Antrieb hierzu lag zumeist in lokalen Faktoren (vgl. S. 166/167). – In Südamerika erlebten das Huari- und das Tiahuanaco-Reich ihre Blütezeit um 800, während sich die klassischen mesoamerikanischen Kulturen im Niedergang befanden – Teotihuacán fiel um 700 und ein Jahrhundert später gaben die Maya ihre Städte im zentralen Tiefland allmählich auf.

Die Tolteken wanderten von Norden her in das Hochtal von Mexiko ein und füllten das durch den Untergang Teotihuacáns entstandene Machtvakuum (vgl. S. 184/185). – Die ersten von der Landwirtschaft abhängigen Gesellschaften Nordamerikas entwickelten sich im Lauf des 7. und 8. Jahrhunderts in den südwestlichen Wüstengebieten. In den östlichen Waldländern war um 800 der Maisanbau weit verbreitet. An die Stelle der Hopewell-Tradition trat die höher entwickelte Mississippi-Kultur mit ihren typischen Tempelhügeln (vgl. S. 182/183).

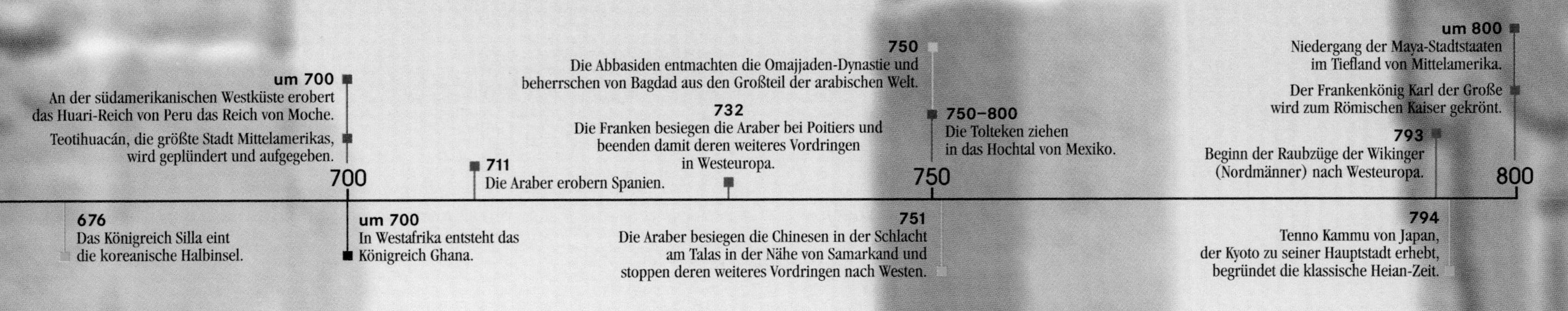
um 700
An der südamerikanischen Westküste erobert das Huari-Reich von Peru das Reich von Moche.
Teotihuacán, die größte Stadt Mittelamerikas, wird geplündert und aufgegeben.
700
676
Das Königreich Silla eint die koreanische Halbinsel.
um 700
In Westafrika entsteht das Königreich Ghana.
711
Die Araber erobern Spanien.
732
Die Franken besiegen die Araber bei Poitiers und beenden damit deren weiteres Vordringen in Westeuropa.
750
Die Abbasiden entmachten die Omajjaden-Dynastie und beherrschen von Bagdad aus den Großteil der arabischen Welt.
751
Die Araber besiegen die Chinesen in der Schlacht am Talas in der Nähe von Samarkand und stoppen deren weiteres Vordringen nach Westen.
750
750–800
Die Tolteken ziehen in das Hochtal von Mexiko.
um 800
Niedergang der Maya-Stadtstaaten im Tiefland von Mittelamerika.
Der Frankenkönig Karl der Große wird zum Römischen Kaiser gekrönt.
793
Beginn der Raubzüge der Wikinger (Nordmänner) nach Westeuropa.
794
Tenno Kammu von Japan, der Kyoto zu seiner Hauptstadt erhebt, begründet die klassische Heian-Zeit.
800

Die Welt des Mittelalters (600 bis 1492 n. Chr.)

Die Welt • 1000 n. Chr.

Im 9. Jahrhundert erlebte Europa die Angriffe von Wikingern, von muslimischen Seeräubern aus Spanien und Nordafrika oder von Steppennomaden (Ungarn und Bulgaren; vgl. S. 138/139). Kultur und Wirtschaft des Karolinger-Reichs, das sich zwischen 843 und 889 auflöste, litten erheblich darunter. Um 1000 verfestigten sich allerdings viele europäische Stammesfürstentümer zu politisch stabilen Staatswesen.

Während Frankreich noch ein dezentralisiertes, feudalistisches und schwaches Königreich war, schufen die deutschen Könige ein in der Frühzeit starkes, unter Einbeziehung der Kirche verwaltetes Reich. Otto I. nahm 962 den Titel eines Römischen Kaisers an und gründete das Römisch-Deutsche Reich. Er besiegte 955 das Volk der Ungarn, die daraufhin das christliche Königreich Ungarn gründeten. Die Angriffe der Wikinger gegen Britannien beschleunigten die Bildung der Königreiche England und Schottland und bis 1000 entstanden auch in Skandinavien stabile Staatswesen. Schwedische Wikinger (Waräger) schufen um 862 den ersten Staat auf russischem Boden, der sich bald in ein slawisches, stark von Byzanz beeinflusstes Reich wandelte.

Der Zerfall der arabischen Welt …

… setzte sich fort und um 1000 besaßen die abbasidischen Kalifen keine politische Macht mehr; sie amtierten nur noch als geistliche Galionsfiguren (vgl. S. 158/159). In Persien kamen lokale Dynastien an die Macht; Ägypten, Syrien und Palästina wurden 868 unter der Herrschaft der Tuluniden unabhängig. Um 900 ging der größte Teil Arabiens verloren und die christlichen Armenier erlangten 886 ihre Unabhängigkeit zurück. Die Abbasiden erreichten im frühen 10. Jahrhundert zwar wieder einen Teil ihrer Macht und eroberten erneut Ägypten und das südliche Persien, aber ihr Reich brach endgültig zusammen, als die persischen Bujiden 945 in Bagdad einzogen und ihre Herrschaft im Namen des Kalifen ausübten, den sie nur noch wegen seiner geistlichen Autorität im Amt beließen. Zwischen 967 und 973 eroberte die tunesische Dynastie der Fatimiden Ägypten, Palästina und Syrien. Um das Jahr 1000 waren ihre Herrscher die mächtigsten der islamischen Welt, die sich trotz aller Uneinigkeit ausdehnte; den bedeutendsten Zugewinn stellten die turkstämmigen Ogusen dar, die zum Islam übertraten.

Jäger arktischer Meeressäuger
subarktische Waldlandjäger und -sammler
Aleuten
um 1000
Gebirgslandfischer, Jäger und Sammler
Nordwestküsten-Kultur (Küstenfischer und Jäger)
Bisonjäger der Prärien
Waldlandbauern
Jäger und Sammler in Halbwüsten und Wüsten
Anasazi-Kultur
Mississippi-Kultur
Hohokam-Kultur
Mogollon-Kultur
Maisbauern
Jäger und Sammler in Halbwüsten und Wüsten
Bahamas
Hawaii-Inseln
Bauern in der Karibik
Kuba
TOLTEKEN-REICH
Maya-Stadtstaaten
Hispaniola
mesoamerikanische Stadtstaaten und Fürstentümer
Maya-Fürstentümer
nordandine Stammesfürstentümer
Kleinfürstentümer im Gebiet der Amazonasmündung
Maniokbauern
Polynesier
CHIMÚ-REICH
Bauern in der Savanne und im Hochland
HUARI-REICH
um 900–1000
Savannenjäger und -sammler
TIAHUANACO-REICH
Jäger und Sammler in der Pampa
Schalentiersammler und Jäger von Meeressäugetieren

Relief am Shiva-Tempel Banteay Srei in Angkor (Kambodscha). Die 889 von Jashovarman I., dem König des Khmer-Reiches, zur Residenz erhobene Stadt hatte bereits um das Jahr 1000 eine Million Einwohner.

Neuordnungen

Obwohl das tibetische Reich um 850 zusammenbrach, setzte sich im 9. Jahrhundert auch der Niedergang Chinas fort (vgl. S. 170/171). Aus den Geldnöten der Regierung resultierten die Verfolgung und Enteignung von Buddhisten, Christen (Nestorianern) und Manichäern. Die Grundbesitzer setzten die früheren Reformen der Tang wieder außer Kraft, was einen Bauernaufstand heraufbeschwor, der von 874 bis 884 dauerte und die Tang-Dynastie stürzte. Die Macht ging an lokale Kriegsherren in den Provinzen über, so dass das Reich schließlich in mehrere Staaten auseinander brach. Den hohen Norden eroberten 916 die Kitan, ein Mongolenvolk, das dort das Reich Liao gründete, und im Süden erklärte Annam

ZEITLEISTE

Nord- und Südamerika
Europa
Vorderasien
Afrika
Ost- und Südasien, Ozeanien

800 – 850

um 800–900 Mais wird im östlichen Waldland Nordamerikas zur wichtigsten Kulturpflanze.

um 800–820 Bau des buddhistischen Tempelkomplexes von Borobudur (Java).

814 Tod Karls des Großen.

840 In Zentralasien unterwerfen kirgisische Türken die ebenfalls turkstämmigen Uiguren.

843 Dreiteilung des Karolinger-Reichs im Vertrag von Verdun.

um 850 Ende des Königreichs Tibet in Nordindien.

um 862 Rurik gründet in Nowgorod den ersten Staat auf russischem Boden.

860–900 In Südindien entreißen die Chola der Pallawa-Dynastie die Macht.

887–88 Nach der Absetzung Karls III. (des Dicke zerfällt das Reich der Karolinger endgült

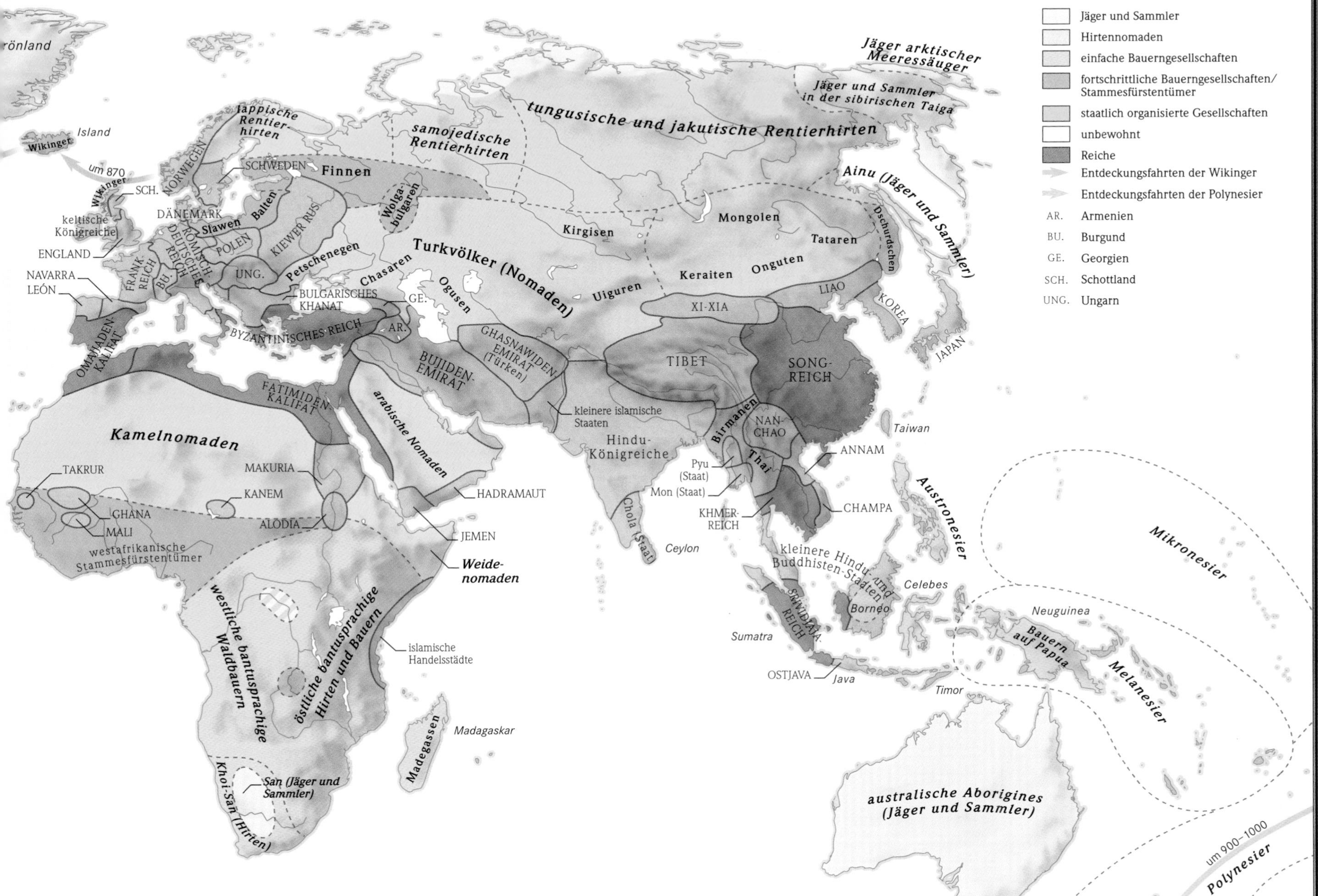

- Jäger und Sammler
- Hirtennomaden
- einfache Bauerngesellschaften
- fortschrittliche Bauerngesellschaften/ Stammesfürstentümer
- staatlich organisierte Gesellschaften
- unbewohnt
- Reiche
- Entdeckungsfahrten der Wikinger
- Entdeckungsfahrten der Polynesier
- AR. Armenien
- BU. Burgund
- GE. Georgien
- SCH. Schottland
- UNG. Ungarn

seine Unabhängigkeit. Die Song-Dynastie einte China zwar ab 960 erneut, aber die Grenzen der Tang-Zeit wurden nicht mehr erreicht.

Um 900 wurde Angkor zur Hauptstadt des Khmer-Reiches Zhenla erhoben, das sich bis zum Jahr 1000 zur führenden Macht Südasiens entwickelte. Die Seemacht Srividjaja verzettelte ihre Kraft in kriegerischen Auseinandersetzungen mit Ostjava und schwächte dadurch ihre Position gegenüber dem südindischen Chola-Reich (vgl. S. 180/181). – In Afrika eroberten heidnische Angreifer das Reich Aksum, aber seine christliche Kultur lebte in Äthiopien weiter (vgl. S. 166/167).

Auf dem amerikanischen Kontinent

In Südamerika bewirkten Klimaschwankungen um das Jahr 1000 den Untergang der Reiche von Huari und Tiahuanaco. Die Stadtstaaten der Maya verfielen ebenfalls, aber ihre Kultur lebte im Norden der Halbinsel Yucatán fort. Das letzte bedeutendere Zentrum Mesoamerikas, die zapotekische Hauptstadt Monte Albán, wurde erobert und aufgegeben, so dass um die Jahrtausendwende der stärkste kulturelle Einfluss von den Tolteken ausging (vgl. S. 184/185). – In den östlichen Waldländern Nordamerikas gewann nach 800 der Maisanbau zunehmend an Bedeutung. Um 1000 entwickelte sich mit der Einführung der mexikanischen Bohne dort nicht nur eine neue Kulturpflanze, sondern auch eine ackerbaulich geprägte Wirtschaftsform. In den südwestlichen Wüstengebieten und in der Mississippi-Region entstanden in dieser Zeit größere Siedlungen (vgl. S. 182/183).

Damals wurden auch zwei noch unbewohnte Landmassen kolonisiert: Skandinavier (vor allem aus Norwegen) ließen sich um 870 auf Island nieder. Bis 1000 besiedelten sie auch den Süden Grönlands und gelangten sogar bis nach Nordamerika. Zur selben Zeit erreichten Polynesier Aotearoa (Neuseeland).

Apsara werden die Tänzerinnenfiguren genannt, die den Tempelbezirk Angkor Vat (Kambodscha) säumen.

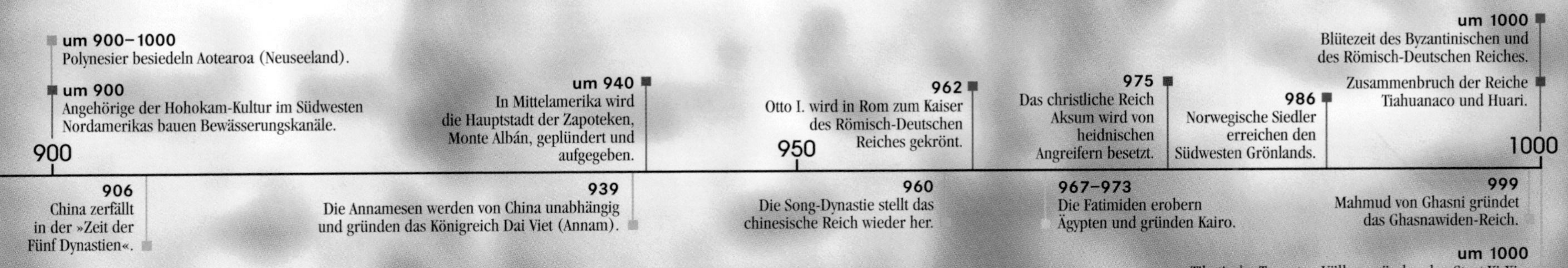
um 900–1000
Polynesier besiedeln Aotearoa (Neuseeland).
um 900
Angehörige der Hohokam-Kultur im Südwesten Nordamerikas bauen Bewässerungskanäle.
um 940
In Mittelamerika wird die Hauptstadt der Zapoteken, Monte Albán, geplündert und aufgegeben.
962
Otto I. wird in Rom zum Kaiser des Römisch-Deutschen Reiches gekrönt.
975
Das christliche Reich Aksum wird von heidnischen Angreifern besetzt.
986
Norwegische Siedler erreichen den Südwesten Grönlands.
um 1000
Blütezeit des Byzantinischen und des Römisch-Deutschen Reiches.
Zusammenbruch der Reiche Tiahuanaco und Huari.
900
950
1000
906
China zerfällt in der »Zeit der Fünf Dynastien«.
939
Die Annamesen werden von China unabhängig und gründen das Königreich Dai Viet (Annam).
960
Die Song-Dynastie stellt das chinesische Reich wieder her.
967–973
Die Fatimiden erobern Ägypten und gründen Kairo.
999
Mahmud von Ghasni gründet das Ghasnawiden-Reich.
um 1000
Tibetische Tanguten-Völker gründen den Staat Xi-Xia.

Die Welt des Mittelalters (600 bis 1492 n. Chr.)

Die Welt • 1279 n. Chr.

Grandiose gotische Kathedralbauten und die fast zwei Jahrhunderte andauernden Kreuzzüge gegen die Muslime im Heiligen Land sowie gegen die heidnischen Slawen in Osteuropa (vgl. S. 164/165) sind Ausdruck der Steigerung westeuropäischen Selbstbewusstseins im 12. und 13. Jahrhundert. Auch die christlichen Königreiche Spaniens expandierten, so dass die Araber 1279 nur noch Granada hielten.

Das »Heilige Römische (deutsche) Reich« nahm sich zwar eindrucksvoll aus, doch schwächte der Zwist mit dem Papsttum seine politische Autorität. Zur Mitte des 13. Jahrhunderts präsentierte sich das Römisch-Deutsche Reich eher als ein Bund halbunabhängiger Fürsten. England und Frankreich entwickelten sich hingegen zu starken, zentral regierten Königreichen.

Mamluken waren seit dem 9. Jahrhundert Sklaven und Leibwächter islamischer Herrscher. In Ägypten stieg der Militärklan ab 1250 selbst zur Macht auf.

Islamischer Welterfolg

Während der Islam in Europa an Bedeutung verlor, expandierte er im außereuropäischen Raum. 1206 entstand in Delhi ein muslimisches Sultanat, das sich bis 1279 zum größten Reich Indiens seit dem Gupta-Reich entwickelte (vgl. S. 168/169). Im 11. Jahrhundert brachten Kaufleute den Islam nach Westafrika und im 13. Jahrhundert hatte sich Timbuktu, Hauptstadt des Königreiches Mali, zu einem Zentrum der muslimischen Kultur gewandelt. Der Handel mit der islamischen Welt wirkte auch bei der Entstehung Simbabwes mit, des um 1200 ersten größeren Stammesfürstentums im südlichen Afrika (vgl. S. 166/167).

Als die beherrschende islamische Macht traten im 11. Jahrhundert die Seldschuken auf den Plan. Ursprünglich ein Klan ogusischer Söldner, hatten sie sich 1037 gegen ihren Herrn, den Emir des Ghasnawiden-Reiches, erhoben und überrannten Persien, das abbasidische Kalifat, Syrien und das Heilige Land. 1071 kontrollierten sie auch Kleinasien. Obwohl Byzanz im Zusammenhang mit dem ersten Kreuzzug verlorenes Terrain zurückgewann, erholte sich das Reich nie mehr vollständig. Die politische Einheit der Seldschuken bestand um diese Zeit bereits nicht mehr. Die Muslime, geschwächt durch die Feindschaft zwischen Seldschuken und ägyptischen Fatimiden, konnten den Kreuzfahrern zunächst nicht viel entgegensetzen. Diese wurden erst in die Defensive gedrängt, als das seldschukische Sultanat von Aleppo 1171 Ägypten eroberte und die Fatimiden vertrieb. Allerdings stürzte Sultan Saladin die in Aleppo herrschenden Sangiden bereits fünf Jahre später wieder. 1291 zerstörten die Mamluken, die 1250 in Ägypten die Macht an sich gerissen hatten, die Kreuzfahrerstaaten endgültig.

Jäger arktischer Meeressäuger
subarktische Waldlandjäger und -sammler
Aleuten
zu Norwegen
Gebirgslandfischer, Jäger und Sammler
Nordwestküsten-Kultur (Küstenfischer und Jäger)
Bisonjäger der Prärien
Bauern in den Prärien
Jäger und Sammler in Halbwüsten und Wüsten
Anasazi-Kultur
Mississippi-Kultur
Bauern im östlichen Waldland (Irokesen)
Hohokam-Kultur
Mogollon-Kultur
Hawaii-Inseln
Jäger und Sammler in Halbwüsten und Wüsten
Bahamas
mesoamerikanische Fürstentümer und Staaten
Kuba
Bauern in der Karibik
Maya-Stadtstaaten
MIXTEKEN-REICH
Hispaniola
ZAPOTEKEN-REICH
Maya-Fürstentümer
nordandine Stammesfürstentümer
Kleinfürstentümer im Gebiet der Amazonasmündung
Polynesier
Maniokbauern
CHIMÚ-REICH
Bauern in der Savanne und im Hochland
andine Staaten und Stammesfürstentümer
Aymará-Königreiche
Savannenjäger und -sammler
Jäger und Sammler in der Pampa
Schalentiersammler und Jäger von Meeressäugetieren

Der Mongolen-Herrscher Dschingis Khan (1206–1227) bei der Jagd; Gemälde des 13./14. Jahrhunderts

Siegeszug der Mongolen

Die mongolischen Nomadenvölker waren nach dem Zusammenbruch des türkischen Steppenreiches im 8. Jahrhundert langsam nach Westen vorgedrungen. Sie besaßen zwar hervorragende Reiter und Krieger, stellten für die eurasischen Kulturen aber zunächst keine Bedrohung dar. Das änderte sich jedoch, als Dschingis Khan sie vereinigte. Dieser Herrscher unternahm alljährlich neue Feldzüge – so gegen die Chinesen, die Tibeter und die zentralasiatischen Turkvölker. Bei seinem Tode im Jahr 1227 erstreckte sich sein Reich vom Pazifik bis zum Kaspischen Meer (vgl.

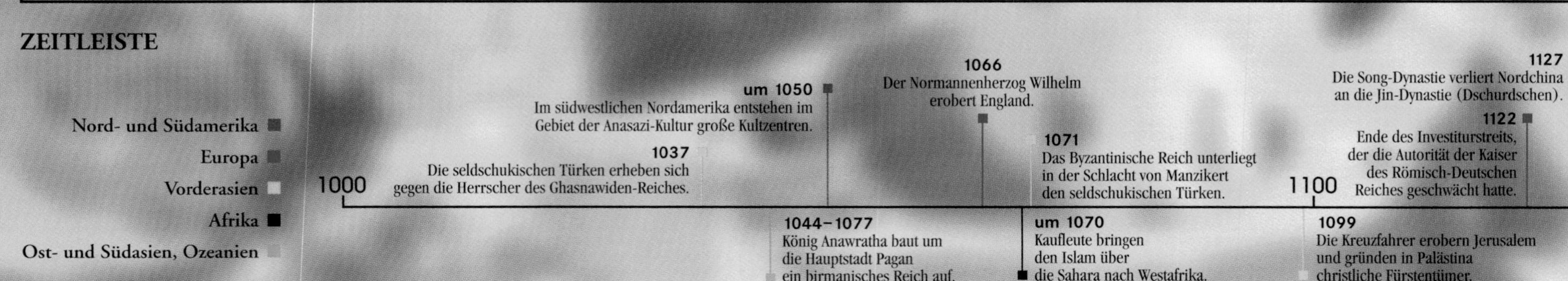
ZEITLEISTE
Nord- und Südamerika
Europa
Vorderasien
Afrika
Ost- und Südasien, Ozeanien
1000
1100
um 1050 Im südwestlichen Nordamerika entstehen im Gebiet der Anasazi-Kultur große Kultzentren.
1037 Die seldschukischen Türken erheben sich gegen die Herrscher des Ghasnawiden-Reiches.
1066 Der Normannenherzog Wilhelm erobert England.
1071 Das Byzantinische Reich unterliegt in der Schlacht von Manzikert den seldschukischen Türken.
1127 Die Song-Dynastie verliert Nordchina an die Jin-Dynastie (Dschurdschen).
1122 Ende des Investiturstreits, der die Autorität der Kaiser des Römisch-Deutschen Reiches geschwächt hatte.
1044–1077 König Anawratha baut um die Hauptstadt Pagan ein birmanisches Reich auf.
um 1070 Kaufleute bringen den Islam über die Sahara nach Westafrika.
1099 Die Kreuzfahrer erobern Jerusalem und gründen in Palästina christliche Fürstentümer.

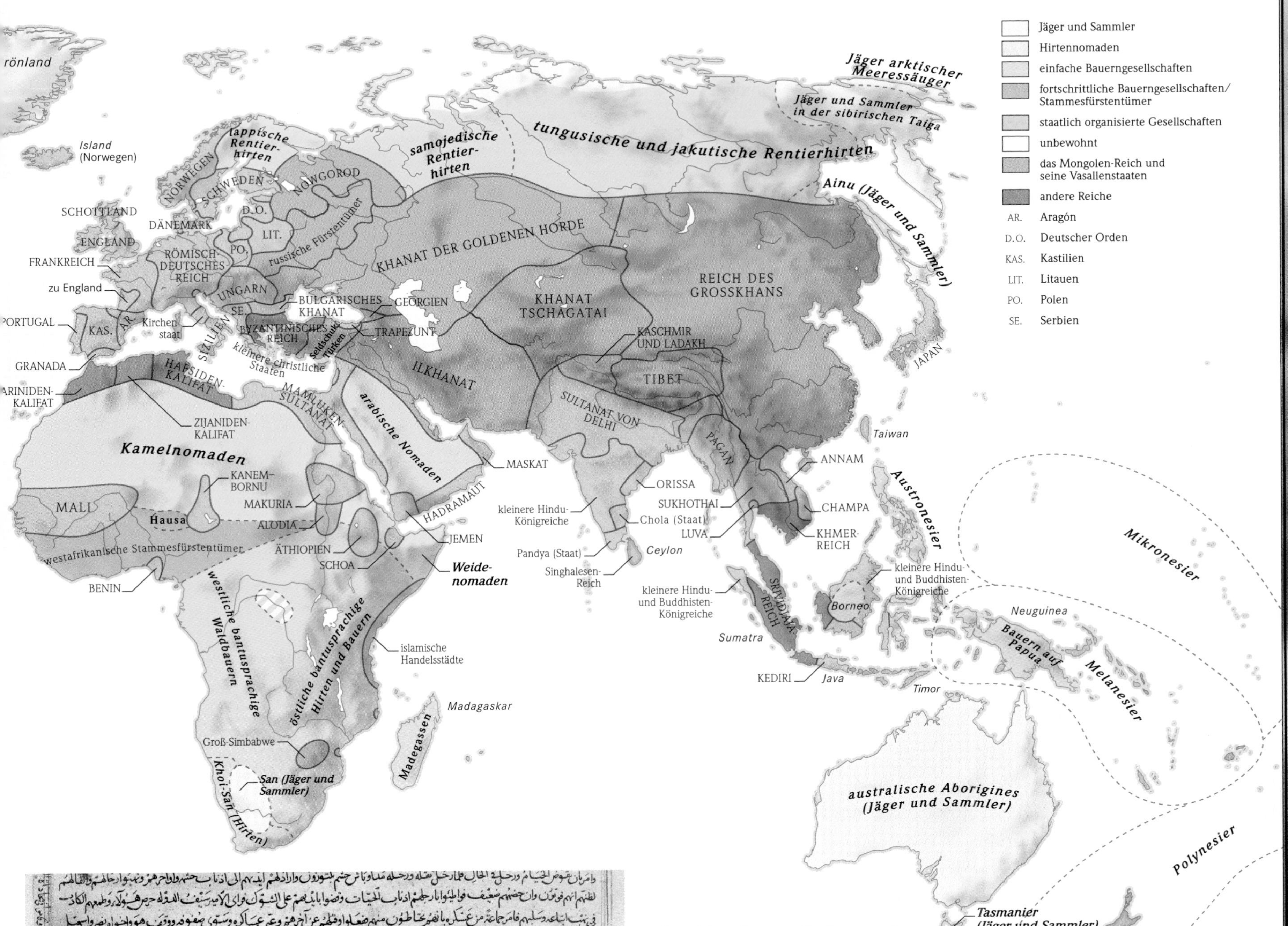

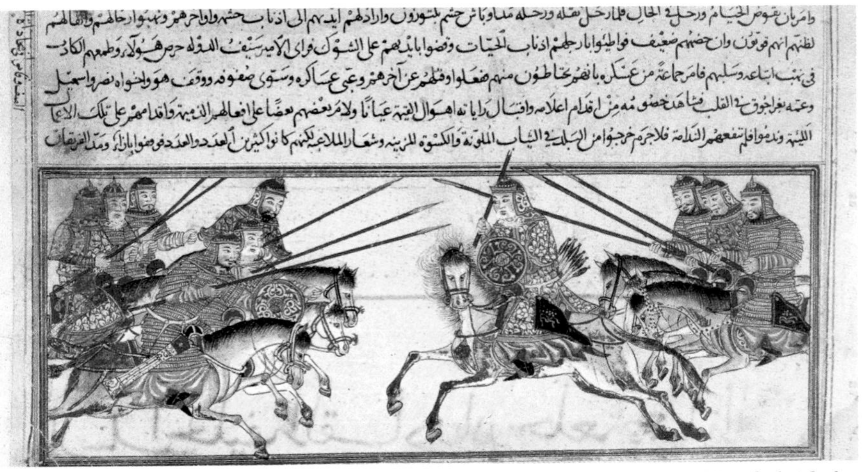

Jäger und Sammler
Hirtennomaden
einfache Bauerngesellschaften
fortschrittliche Bauerngesellschaften/ Stammesfürstentümer
staatlich organisierte Gesellschaften
unbewohnt
das Mongolen-Reich und seine Vasallenstaaten
andere Reiche

AR. Aragón
D.O. Deutscher Orden
KAS. Kastilien
LIT. Litauen
PO. Polen
SE. Serbien

Kampfszene zwischen mongolischen Volksstämmen; Miniatur aus einer Handschrift des 13. Jahrhunderts

S. 174/175). Seine Nachfolger setzten seine Politik fort: 1234 eroberten sie das nordchinesische Reich Jin, 1237 bis 1241 die osteuropäischen Steppen und die russischen Fürstentümer. 1252 begannen sie mit der Eroberung des Song-Reiches in Südchina und überrannten 1258 Persien, das Abbasiden-Kalifat und das Seldschuken-Reich. 1260 mussten die Mongolen in Palästina eine bittere Niederlage hinnehmen, die ihren weiteren Vorstoß nach Westen stoppte. Dafür setzten sie im Osten ihre Eroberungen noch bis 1279 fort und brachten im selben Jahr das chinesische Song-Reich endgültig unter ihre Kontrolle (vgl. S. 176/177). Zwei Invasionsversuche in Japan scheiterten allerdings kläglich.

Das Mongolen-Reich umfasste mehr Fläche als je ein Reich vor ihm, aber schon 1260 wurde es in Teilreiche unter je einem Großkhan aufgeteilt. China, Korea und die östlichen Steppen erhielt Großkhan Kublai, ein Enkel Dschingis Khans; nominell unterstanden Kublai auch alle anderen Khanate.

Stadt- und Kleinstaaten Amerikas

In den mittleren Anden existierten zu dieser Zeit viele kleinere Staaten und Fürstentümer, als größtes unter ihnen das Chimú-Reich an der Küste des heutigen Peru, das um 1200 entstand (vgl. S. 186/187). Auch Mesoamerika bestand aus vielen Stadt- und Kleinstaaten. Das Verschwinden der Tolteken um 1200 bedeutete das Wiederaufleben der Maya-Kultur. – Im südwestlichen Nordamerika entwickelten sich im 11. Jahrhundert (zur Zeit der Anasazi-Kultur) hierarchisch gestufte Gesellschaften; in der Mississippi-Region entstanden um Kultzentren die ersten Städte.

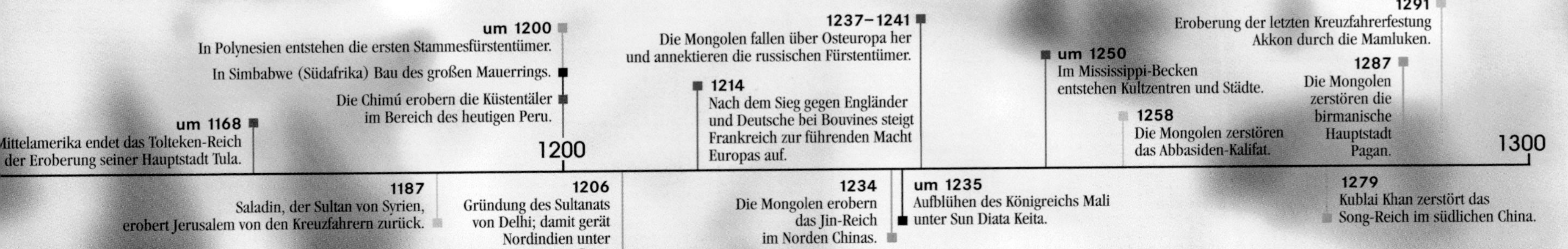
um 1168
Mittelamerika endet das Tolteken-Reich der Eroberung seiner Hauptstadt Tula.
1187
Saladin, der Sultan von Syrien, erobert Jerusalem von den Kreuzfahrern zurück.
um 1200
In Polynesien entstehen die ersten Stammesfürstentümer.
In Simbabwe (Südafrika) Bau des großen Mauerrings.
Die Chimú erobern die Küstentäler im Bereich des heutigen Peru.
1200
1206
Gründung des Sultanats von Delhi; damit gerät Nordindien unter islamischen Einfluss.
1214
Nach dem Sieg gegen Engländer und Deutsche bei Bouvines steigt Frankreich zur führenden Macht Europas auf.
1234
Die Mongolen erobern das Jin-Reich im Norden Chinas.
1237–1241
Die Mongolen fallen über Osteuropa her und annektieren die russischen Fürstentümer.
um 1235
Aufblühen des Königreichs Mali unter Sun Diata Keita.
um 1250
Im Mississippi-Becken entstehen Kultzentren und Städte.
1258
Die Mongolen zerstören das Abbasiden-Kalifat.
1279
Kublai Khan zerstört das Song-Reich im südlichen China.
1287
Die Mongolen zerstören die birmanische Hauptstadt Pagan.
1291
Eroberung der letzten Kreuzfahrerfestung Akkon durch die Mamluken.
1300

Die Welt des Mittelalters (600 bis 1492 n. Chr.)

Die Welt • 1492 n. Chr.

Um 1280 breitete sich der Islam auf der Malaiischen Halbinsel und den Inseln Südostasiens aus und verdrängte allmählich Hinduismus und Buddhismus. Gleichzeitig versuchten die Mongolen erfolglos, bis nach Südostasien vorzustoßen; ihr Riesenreich zerbrach im 14. Jahrhundert. In China, wo ein mongolisches Kaiserhaus herrschte, wurden sie 1368 nach einer Reihe von Bauernaufständen und internen Machtkämpfen von der Ming-Dynastie vertrieben (vgl. S. 176/177).

Montezuma II. herrschte 1502–1520 über die Azteken. Von den Spaniern als Geisel genommen, starb er bei einem Aufstand seines Volkes.

Die Ming regierten das Land in der Tradition der Tang und verhalfen ihm in Südostasien wieder zu Macht und Ansehen. Andererseits verboten die Herrscher ihren Untertanen Reisen ins Ausland. Das nunmehr isolierte China brach seinen Fernhandel ab – ausgerechnet zu Beginn der großen Entdeckungsreisen der Europäer. Die chinesische Seefahrt wurde geradezu sträflich vernachlässigt. Als das Verbot 1567 wieder aufgehoben wurde, ließ sich der Rückstand Europa gegenüber nicht mehr wettmachen.

Zerfall des Mongolen-Reiches

In den östlichen Steppen, wo sich die Khanate der Tschagatai und der Goldenen Horde bis Ende des 15. Jahrhunderts hielten, wahrten die Mongolen immerhin ihre Vormacht, obwohl die dort lebenden, meist türkischen Völker ihre Unabhängigkeit bereits wieder besaßen. In Vorderasien traten die Erben Dschingis Khans zum Islam über und vermischten sich mit ihren persischen und türkischen Untertanen. 1350 zerfiel das Reich der Ilkhane in eine größere Zahl türkischer, persischer und nur noch nominell mongolischer Staaten. Einer dieser Staaten, das Sultanat der türkischen Osmanen, eroberte bis 1400 den größten Teil Kleinasiens und des Balkans und überließ Byzanz nur noch die Hauptstadt Konstantinopel (vgl. S. 148/149). Versuche, gegen diese neuerliche Bedrohung Europas durch Muslime eine geschlossene christliche Front aufzubauen, scheiterten an Mächte-Rivalitäten. Die Osmanen unterlagen 1402 jedoch Timur Leng (1360–1405). Der Eroberer Samarkands hielt sich für einen Nachkommen Dschingis Khans und wollte das Mongolen-Reich restaurieren, obwohl er kulturell eigentlich eher Türke als Mongole war. Er baute das Reich der Ilkhane mit eiserner Hand wieder auf, brach die Macht des Sultanats von Delhi und nur sein Tod hinderte ihn, in China einzufallen. Das Reich, das er geschaffen hatte, löste sich bald wieder auf.

Nach dem Tod Timurs gewannen die Osmanen ihre alte Macht rasch wieder zurück und stießen weiterhin gegen Europa vor. 1453 fiel Konstantinopel nach langer Belagerung, das Schicksal des Byzantinischen Reiches war besiegelt. 1475 setzten die osmanischen Heere über die Donau und drangen weiter nach Westen vor. – Nach dem Ende von Byzanz lebte ein großer Teil von dessen Erbe im Großfürstentum Moskau weiter. Dieses verweigerte 1480 der Goldenen Horde weitere Tributzahlungen, denn es hatte zuvor den größten Teil der russischen Fürstentümer vereinnahmt und mit der Ausweitung seines Machtbereichs nach Osten begonnen.

Jäger arktischer Meeressäuger
subarktische Waldlandjäger und -sammler
Aléuten
Gebirgslandfischer, Jäger und Sammler
Nordwestküsten-Kultur (Küstenfischer und Jäger)
Reststämme von Bisonjägern
Bauern in den Prärien
Bauern im östlichen Waldland (Irokesen)
Pueblo-bauern
Jäger und Sammler in Halbwüsten und Wüsten
Mississippi-Kultur
Kolumbus, 149
aruakanische Bauern
Bahamas
Hawaii-Inseln
mesoamerikanische Stammesfürstentümer
Kuba
Maya-Stadtstaaten
AZTEKEN-REICH
Hispaniola
Bauern in der Karibik
MIXTEKEN-REICH
Maya-Fürstentümer
nordandine Stammesfürstentümer
Kleinfürstentümer im Gebiet der Amazonasmündung
aruakanische Maniokbauern
Polynesier
Bauern der Tupi-Guarani-Familie in der Savanne und im Hochland
INKA-REICH
Savannenjäger und -sammler
Jäger und Sammler in der Pampa
Schalentiersammler und Jäger von Meeressäugetieren

Landung des Kolumbus auf der Insel San Salvador am 12. Oktober 1492; viele Historiker setzen dieses epochale Ereignis mit dem Beginn der Neuzeit gleich.

ZEITLEISTE

Nord- und Südamerika ■
Europa ■
Vorderasien ■
Afrika ■
Ost- und Südasien ■

1250 – 1300 – 1350

um 1300 Niedergang der Anasazi-Kultur und anderer Bauerngruppen in den südwestlichen Wüstengebieten Nordamerikas.

In Italien setzt die Renaissance mit der Wiederbelebung klassisch antiker Formen in Kunst, Architektur und Literatur ein.

1293 Osman I., türkischer Fürst in Anatolien, begründet die Dynastie der Osmanen.

1290 Kaufleute bringen den Islam nach Südostasien.

1317 Das christliche Makuria wird von arabischen Nomaden (Muslimen) besetzt.

1337 Ausbruch des Hundertjährigen Krieges zwischen England und Frankreich – immer wieder Kämpfe bis 1453.

1325 Ankunft der Azteken in Mexiko.

um 1330 Das Sultanat von Delhi erreicht unter Mohammed Ibn Tughlak seine größte Ausdehnung.

1360– Von seiner Hauptstadt Samarkan betreibt Timur die Wiederherste der mongolischen Macht in

1346 Die 1331 in Asien ausgebrochene Beulenpest (»schwarzer Tod«) erreicht Europa.

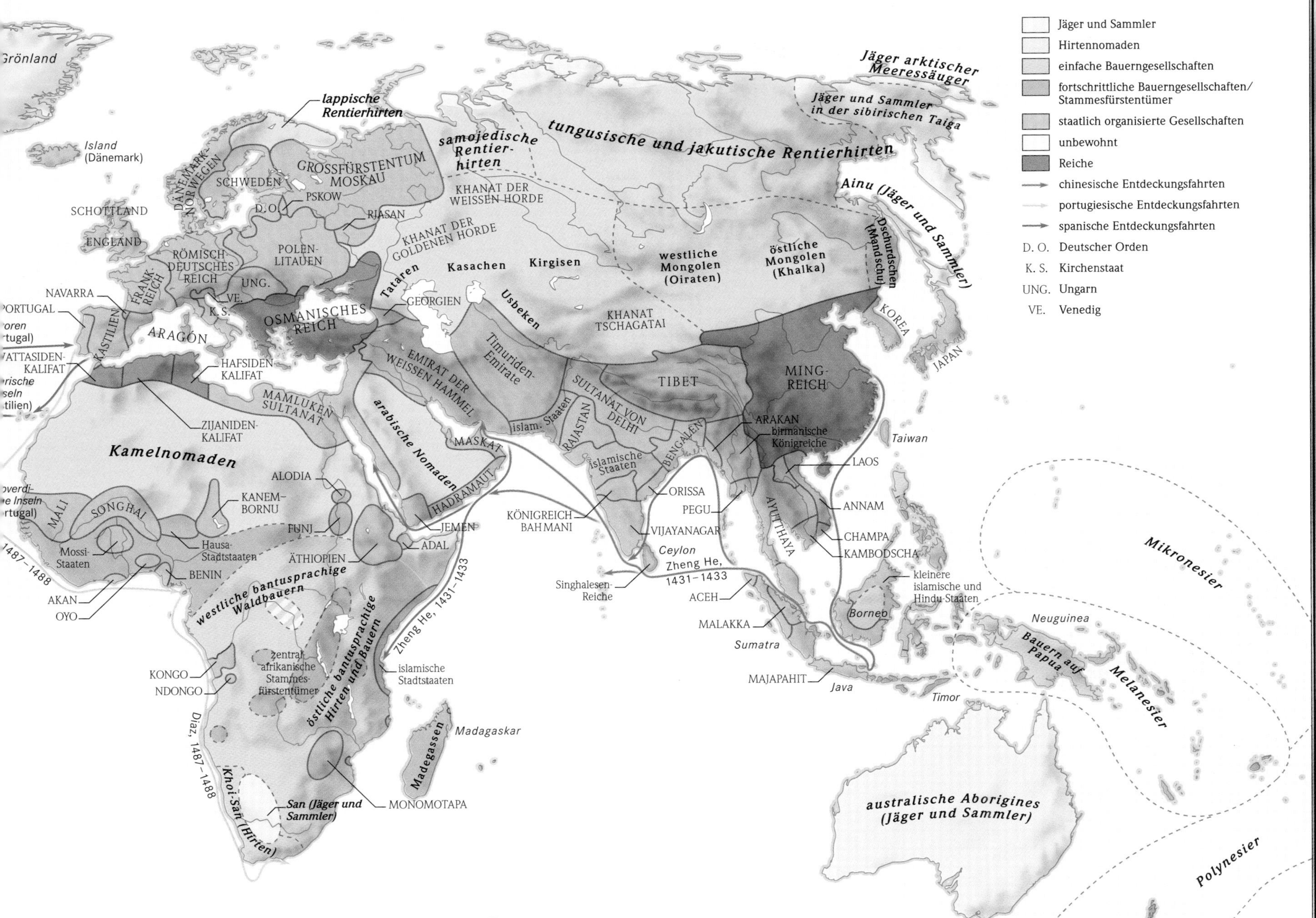

- Jäger und Sammler
- Hirtennomaden
- einfache Bauerngesellschaften
- fortschrittliche Bauerngesellschaften/ Stammesfürstentümer
- staatlich organisierte Gesellschaften
- unbewohnt
- Reiche
- chinesische Entdeckungsfahrten
- portugiesische Entdeckungsfahrten
- spanische Entdeckungsfahrten
- D. O. Deutscher Orden
- K. S. Kirchenstaat
- UNG. Ungarn
- VE. Venedig

Zwei der Chedis (Pagoden) in Ayutthaya (Thailand) ließ König Rama Thibodi II. 1492 erbauen.

Entdecker …

Die wieder erstarkende Macht der Muslime im östlichen Mittelmeerraum veranlasste den christlichen Westen, nach Möglichkeiten einer Umgehung der islamischen Welt zu suchen. Portugal begann deshalb 1415 mit der Eroberung Ceutas in Nordafrika. Es folgten Expeditionen zur genaueren Erkundung der afrikanischen Westküste. 1488 umsegelte Bartholomêu Diaz das Kap der Guten Hoffnung. Er entdeckte, dass die Küste von dort aus wieder nach Norden verlief, Seereisen von Europa in den Osten also möglich waren (vgl. S. 166/167). Der Genueser Christoph Kolumbus hingegen glaubte, dass man auch auf einer Westroute in den Osten gelangen würde, und rüstete 1492 im Auftrag Isabellas von Kastilien eine kleine Flotte aus. Auf der Suche nach Indien entdeckte er damit Amerika.

… und Entdeckte

Die größte Macht auf dem Doppelkontinent waren zu dieser Zeit die Inka. Um 1200 auf dem Gebiet des heutigen Peru entstanden, begann ihr Reich seine Expansion im 15. Jahrhundert: 1470 wurde das Chimú-Reich erobert und bereits 1492 hatte der Inka-Staat eine Größe wie vor ihm noch keiner in dieser Region erreicht (vgl. S. 186/187). – In Mesoamerika herrschten die Azteken (vgl. S. 184/185), die sich um 1325 im Hochtal von Mexiko angesiedelt hatten und die unter Itzcoatl (1428–1440) zur Großmacht aufstiegen. – Die höher entwickelten Kulturen in den Wüstengebieten des nordamerikanischen Südwestens zerfielen nach langen Trockenzeiten Ende des 13. Jahrhunderts. Die Städte der Mississippi-Kultur erlebten 1492 ihren Niedergang. Die Büffeljagd in den Great Plains mündete allmählich in die Landwirtschaft, die sich in den Flusstälern ausbreitete.

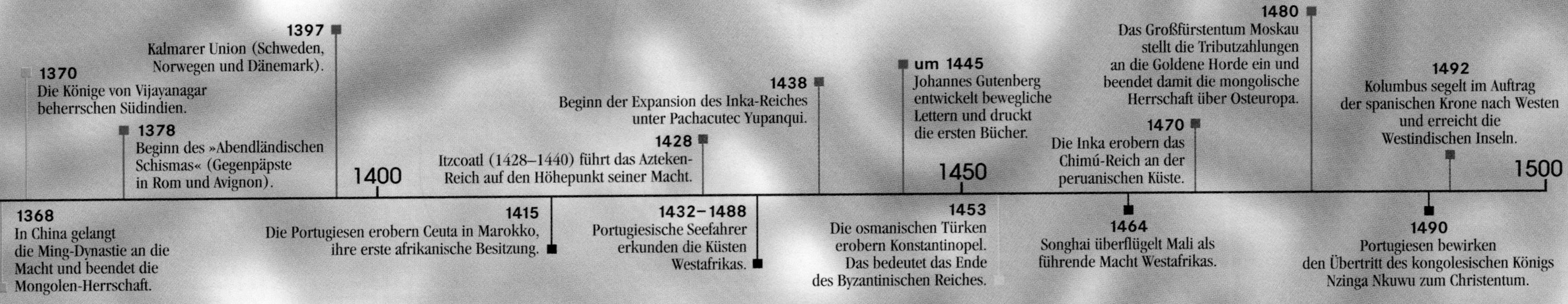
1368 In China gelangt die Ming-Dynastie an die Macht und beendet die Mongolen-Herrschaft.
1370 Die Könige von Vijayanagar beherrschen Südindien.
1378 Beginn des »Abendländischen Schismas« (Gegenpäpste in Rom und Avignon).
1397 Kalmarer Union (Schweden, Norwegen und Dänemark).
1400
1415 Die Portugiesen erobern Ceuta in Marokko, ihre erste afrikanische Besitzung.
1428 Itzcoatl (1428–1440) führt das Azteken-Reich auf den Höhepunkt seiner Macht.
1432–1488 Portugiesische Seefahrer erkunden die Küsten Westafrikas.
1438 Beginn der Expansion des Inka-Reiches unter Pachacutec Yupanqui.
um 1445 Johannes Gutenberg entwickelt bewegliche Lettern und druckt die ersten Bücher.
1450
1453 Die osmanischen Türken erobern Konstantinopel. Das bedeutet das Ende des Byzantinischen Reiches.
1464 Songhai überflügelt Mali als führende Macht Westafrikas.
1470 Die Inka erobern das Chimú-Reich an der peruanischen Küste.
1480 Das Großfürstentum Moskau stellt die Tributzahlungen an die Goldene Horde ein und beendet damit die mongolische Herrschaft über Osteuropa.
1490 Portugiesen bewirken den Übertritt des kongolesischen Königs Nzinga Nkuwu zum Christentum.
1492 Kolumbus segelt im Auftrag der spanischen Krone nach Westen und erreicht die Westindischen Inseln.
1500

Mittelalterlicher Fokus – die Ebstorfer Weltkarte

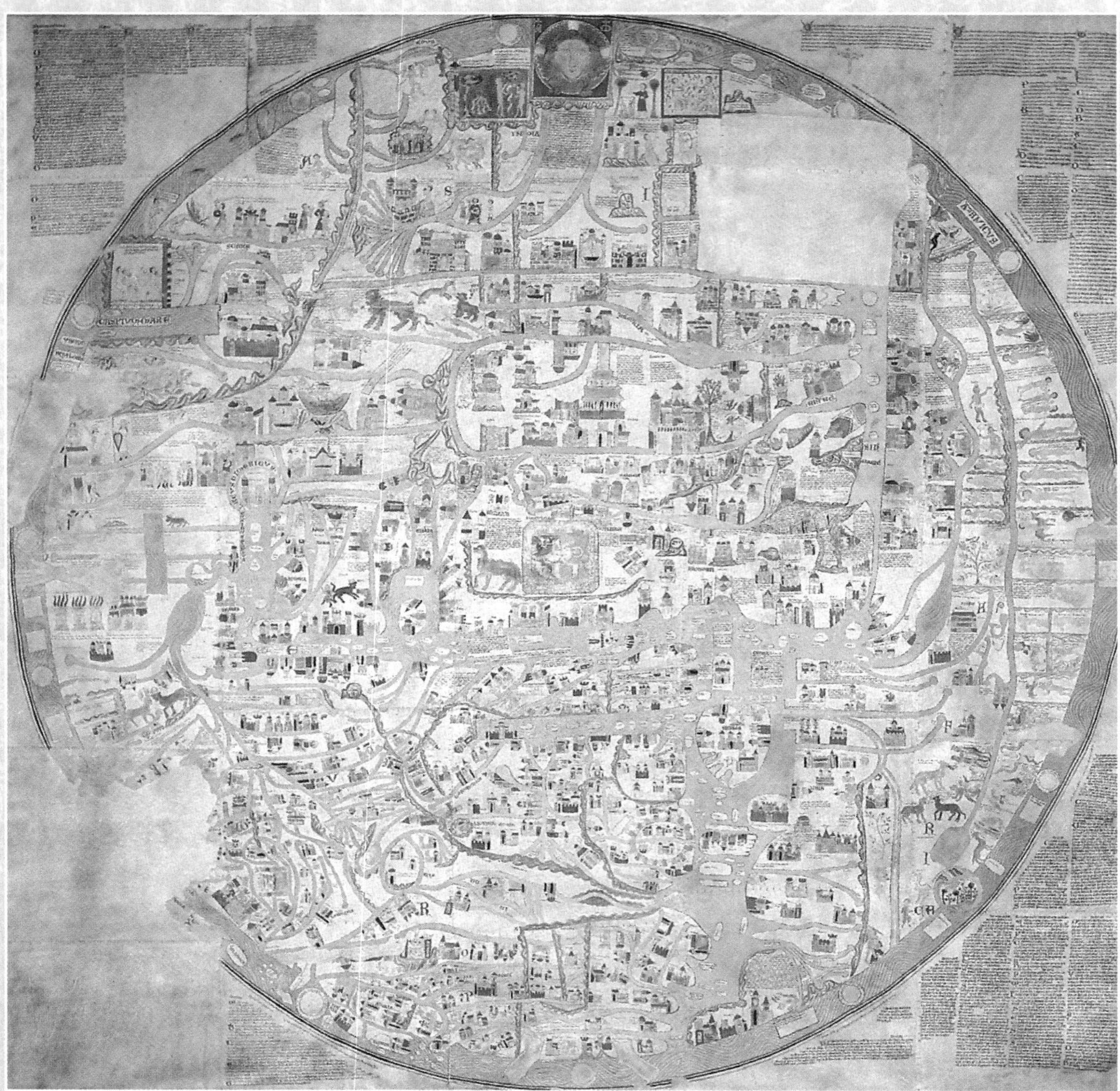

Kopie der Ebstorfer Weltkarte; deutlich sind die Schäden links unten und der entwendete Teil rechts oben zu erkennen.

Beim Aufräumen auf Dachböden, in Kellerräumen und Kammern kann man so manche Entdeckung machen und längst verloren Geglaubtes oder manch Unvermutetes finden. Doch was die Nonnen des Benediktinerinnenklosters Ebstorf in einer fensterlosen Kammer entdeckten, verschlug selbst den Älteren unter ihnen den Atem.

Im Jahre 1830 stießen Benediktinerinnen in einer schon lange nicht mehr genutzten Kammer des Klosters Ebstorf nahe Lüneburg auf eine riesige Pergamentrolle unbestimmten Alters. Vom Staub befreit und vorsichtig abgerollt, entpuppte diese sich als mittelalterliche Karte der Welt – voller kleinteiliger Vignetten und Darstellungen religiöser und mythologischer Szenen. Mit einem Durchmesser von fast 3,60 Metern musste allein schon die Größe des Objekts beeindrucken.

Zunächst im Kloster aufbewahrt, gelangte die Karte 13 Jahre später in ein Archiv in Hannover und anschließend nach Berlin. Wie sich herausstellte, war das Pergamentwerk mit seinen etwa 12,75 Quadratmetern die größte erhaltene Weltkarte des Mittelalters. Bei näherer Untersuchung stellte man fest, dass 30 Ziegenhäute zur Herstellung benötigt worden waren. Am linken Rand hatte Mäusefraß vieles zerstört und durch die unsachgemäße Lagerung war jene Partie, die den Nordwesten Europas darstellte, nicht mehr zu erkennen. Zudem hatte offenbar vor der Archivierung ein Sammler ein Stück vom rechten oberen Rand sorgfältig herausgeschnitten. Doch der überwiegende Teil war in erstaunlich gutem Zustand.

1891 wurde die Karte exakt fotografisch erfasst, überdies stellte man fünf Jahre danach den Steindruck einer verkleinerten und später nach dem Original kolorierten Nachzeichnung her – ein Glück, denn das zerlegte Original, das sich mittlerweile wieder in Hannover befand und in der Landesbibliothek lagerte, verbrannte 1943 bei einem Fliegerangriff. Von den beiden Vorlagen wurden zwischen 1950 und 1955 im Gerbdruckverfahren vier originalgroße Karten auf Ziegenlederpergament neu erstellt.

RÄTSELRATEN UM DEN URHEBER

Lange Zeit gingen Forscher davon aus, dass der englische Schriftsteller und Geistliche Gervasius von Tilbury (um 1150–1235) als Schöpfer der Ebstorfer Weltkarte zu betrachten sei – glaubte man doch, Zusammenhänge mit dessen geographisch-historischem Kompendium »Otia imperialia« herstellen zu können. Was Kunsthistoriker schon längst vermuteten, scheint sich indessen bestätigt zu haben: Wahrscheinlich ist die Karte erst um 1300 entstanden, also lange nach dem Tod Tilburys, der wohl auch nie im Ebstorfer Kloster gewesen ist. Bei der Ermittlung des Auftraggebers wie auch des Zeichners ist man daher vorerst weiterhin auf Vermutungen angewiesen. Immerhin lässt sich belegen, dass der Urheber der Weltkarte sich in Norddeutschland, zumindest jedoch in der Gegend von Lüneburg, gut auskannte, da er überproportional viele Orte dieser Gegend verzeichnet hat. Nicht zweifelsfrei geklärt ist dagegen die Frage, zu welchem Zweck die Karte überhaupt hergestellt wurde.

WAS SOLL DIE KARTE DEM BETRACHTER ZEIGEN?

Die Ebstorfer Karte wurde, wie im Mittelalter durchaus üblich, nicht genordet, sondern nach Osten, der Himmelsrichtung des Sonnenaufgangs, ausgerichtet. Afrika erscheint demnach am rechten Rand, Europa im linken unteren Viertel und Asien wurde darüber eingezeichnet. Ganz oben, an privilegierter Stelle, hat der unbekannte Kartograph das Paradies angesiedelt – ein Hinweis darauf, dass ein Abbild der wirklichen Gestalt der Erde, die geographisch exakte Wiedergabe von Orten oder Entfernungen, keineswegs angestrebt war. Auch der Brennpunkt der Darstellung, die allen Christen heilige Stadt Jerusalem, deutet auf einen eher symbolischen Hintergrund hin. Darüber hinaus sind in 534 reich verzierten Vignetten detailliert Städte, Klöster, Grabdenkmäler sowie andere Bauwerke eingezeichnet und benannt. Mehr als 160 Flüsse, Seen und Meere, etwa 60 Inseln und ebenso viele Gebirge, aber auch einzelne Berge sieht der Betrachter, darüber hinaus die Darstellung von Szenen aus Bibel, Mythos und Sage. Was haben solcherlei Gegenstände, mag man sich fragen, auf einer Weltkarte verloren?

DAS MITTELALTERLICHE WELTBILD

Die Menschen des Hoch- und Spätmittelalters legten an eine Darstellung der Welt ganz andere Beurteilungskriterien an, als wir sie heute für selbstverständlich halten. Schon die äußere Form der Karte orientierte sich weniger an geographischen Gegebenheiten als vielmehr an religiösen Vorstellungen – eine Sichtweise, die ganz dem Geist jener Zeit entsprach. Das Modell der Erde im Mittelalter sah eine Nord- und eine Südhalbkugel vor, die ein äquatoriales Meer voneinander trennte und die auf der linken beziehungsweise der rechten Kartenseite platziert waren, da ja der Osten in der Darstellung oben erschien. Die Südhalbkugel war dabei eher das Ergebnis der überlieferten theoretischen Überlegungen antiker Denker als (auch nur entfernte) Realität. Ohnehin ging man davon aus, dass sie für den Menschen nicht zu erreichen

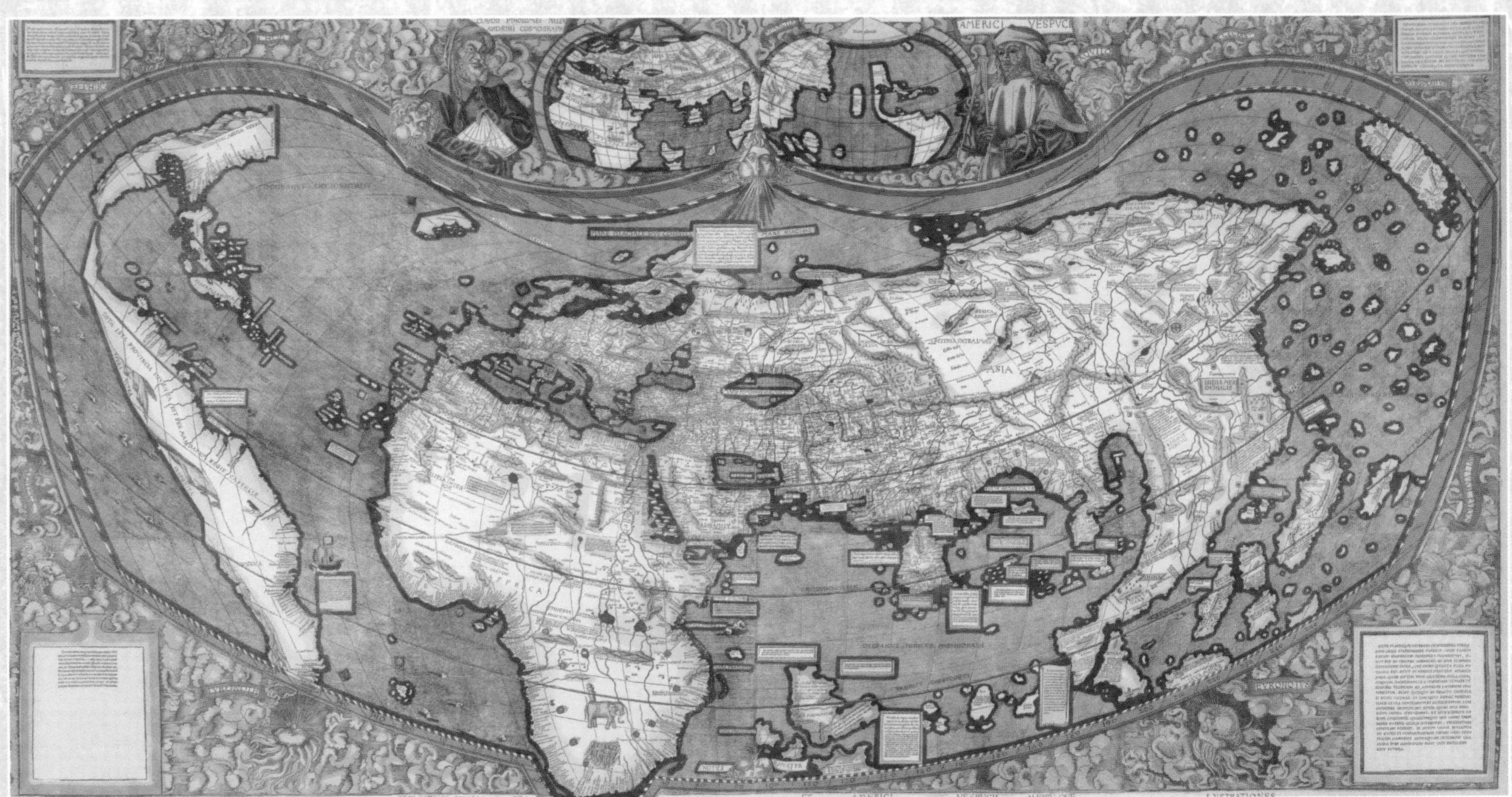

200 Jahre später als die Ebstorfer Weltkarte entstanden, zeigt diese Weltkarte mit dem Porträt Amerigo Vespuccis (rechts oben) aus dem Jahr 1507 bereits den Kontinent Amerika.

sei. Um nun nicht die halbe Pergamentseite für solch hypothetische Annahmen zu verschwenden, wurde diese so genannte »terra australis incognita« zwar immer noch angedeutet, doch wanderte sie ganz an den rechten Rand, bis sie – wie im Fall des Typus einer »T-gegliederten Radkarte«, zu dem etwa auch die Ebstorfer Weltkarte zu rechnen ist – gänzlich wegfiel. Die Bezeichnung »T-Karte« leitet sich dabei von der üblicherweise als T-förmig angenommenen Gestalt des Mittelmeers (mit dessen »Fortsetzungen« Schwarzes Meer und Rotes Meer) im Zentrum der Karte und der drei bekannten, an diese Meere grenzenden Kontinente ab. Die gesamte Ausgestaltung von Festland, Gebirgen, Flüssen, Inseln und Küstenlinien erinnert nur entfernt an die wirklichen Gegebenheiten. Wichtiger für den Urheber der Karte waren andere Aspekte. So ist die ganze Karte symbolisch durch eine Christusgestalt gegliedert, deren Kopf (Osten = oben), Hände (Norden und Süden) und Füße (Westen) in der Kreuzform der Windrose arrangiert über den ganzen Erdkreis (»orbis terrarum«) hinausragen. Die Erde wird als Dotterkugel beziehungsweise Leib Christi dargestellt, mit Jerusalem als Herz in der Mitte. – Wahrscheinlich fand die Ebstorfer Weltkarte im Unterricht der Klosterschüler Verwendung und diente der Verdeutlichung einer spirituell aufgefassten Welt- und Heilsgeschichte.

DIE LANGWIERIGE ENTWICKLUNG DER KARTOGRAPHIE

Mit Beginn der Entdeckungsreisen besonders durch spanische und portugiesische Seefahrer wurde einerseits die Notwendigkeit, präzisere Karten für die Navigation herzustellen, immer dringlicher. Andererseits verdrängten die genaueren Kenntnisse von entfernteren Ländern so manche fantasievoll-mythologische Beschreibung der Welt. Doch allen aufklärerischen Tendenzen von Renaissance und Humanismus zum Trotz finden sich auf den ersten Weltkarten um 1500, die immerhin bereits Amerika verzeichnen, immer noch Meeresungeheuer und siebenköpfige Drachen, allegorische und mythologische Szenen. Erst im Laufe des 16. Jahrhunderts wurden solche Ausdrucksformen mittelalterlichen Aberglaubens an den Rand der Karten verschoben. Erste systematische und exakte topographische Landvermessungen, die maßstabsgerechte Karten ermöglichten, führte man in der zweiten Hälfte des 17. Jahrhunderts in Frankreich durch. – Mythologie und Symbolik wichen erst jetzt dem nüchternen Blick der exakten Wissenschaften.

Die Erschaffung der Erde; Detail aus dem im Baptisterium in Padua 1375–1378 entstandenen Freskenzyklus, den Giusto de' Menabuoi, ein Schüler Giottos, schuf

Die Welt des Mittelalters (600 bis 1492 n. Chr.)

Der Aufstieg des Karolinger-Reiches • 600 bis 814

Von den germanischen Königreichen im 5. Jahrhundert auf dem Boden des Weströmischen Reiches bestanden im Jahr 600 nur noch das fränkische und das westgotische. Die Könige der in Spanien siedelnden Westgoten bewahrten zwar die spätantiken Verwaltungsstrukturen, hielten aber Distanz zur einheimischen Bevölkerung, die weitgehend aus Spaniern und Römern bestand.

Das sollte sich als fatale Schwäche erweisen. Als nämlich 711 muslimische Araber und Berber aus Nordafrika hereinbrachen, war das Westgoten-Reich wegen fehlender Unterstützung rasch am Ende. Die Eroberer beherrschten in nur zwei Jahren den größten Teil der Iberischen Halbinsel und gliederten ihn dem Omajjaden-Kalifat ein. Nur in Nordspanien bestand der Widerstand in dem kleinen christlichen Königreich Asturien fort; von ihm ging die spätere Reconquista (Rückeroberung) aus, die bis 800 schon viele Teile des Nordwestens zurückgewonnen hatte.

Herrschaft der Hausmeier

Seit dem 5. Jahrhundert regierte die Dynastie der Merowinger das Frankenreich. Nach germanischem Brauch teilte man das Erbe stets unter allen männlichen Nachkommen auf. Die Folge waren blutige Erbkämpfe, so dass zur Mitte des 7. Jahrhunderts die eigentliche Macht in die Hände so genannter »Hausmeier« (lateinisch major domus), führender Hofbeamter, gelangte. Das Frankenreich erlebte einen allmählichen Niedergang und verlor einige Randgebiete, die es allerdings im frühen 8. Jahrhundert zurückeroberte – bis auf Aquitanien, das sich 670 aus dem Reichsverband gelöst hatte und erst 768 zurückgewonnen wurde. Der erfolgreichste Hausmeier war Pippin II. von Herstal (Hausmeier 679–714), der 687 das Gesamtreich beherrschte. Er begründete die Dynastie der Karolinger und verfolgte eine energische Expansionspolitik, die sein Sohn Karl Martell (Hausmeier 714–741) fortsetzte. Karl besiegte im Jahr 732 die Araber bei Poitiers und beendete so ihr weiteres Vordringen in Westeuropa.

Von König Pippin zu Kaiser Karl

Karls Nachfolger Pippin III. (741–768) verbündete sich mit dem Papst und ließ sich 751 zum König krönen. Im Jahr zuvor hatten die Langobarden, seit 568 Herrscher über fast ganz Italien, das byzantinische Exarchat von Ravenna erobert und bedrohten nun Rom. Als Gegenleistung für seine Hilfe hatte der Papst Pippin zur Absetzung des letzten Merowinger-Königs und zur Übernahme des Königsamtes autorisiert. Pippin starb 768 und das Reich wurde unter seinen Söhnen Karl und Karlmann aufgeteilt. Nach dem Tod Karlmanns (771) war Karl, der später »der Große« genannt wurde, Alleinherrscher und verdoppelte die Größe des Frankenreichs in nur 30 Jahren. Karl, ein energischer Gesetzgeber und Verwalter, schaltete sich auch in Fragen der Kirchenlehre ein. Er »bekehrte« die Sachsen und sorgte angesichts der mangelhaften Kenntnisse der Geistlichkeit für eine Wiederbelebung der klassischen Bildung (»karolingische Renaissance«). Er schenkte der Kirche große Ländereien und wurde am Weihnachtstag 800 vom Papst in Rom zum Kaiser gekrönt, was als Versuch einer Wiederherstellung des Weströmischen Reiches zu betrachten war. Seine Nachfolge regelte Karl nach alter fränkischer Art und teilte sein Reich unter seinen drei Söhnen auf; von ihnen überlebte nur einer – Ludwig der Fromme.

Karl der Große hoch zu Ross: Diese 24 Zentimeter hohe Bronzefigur wurde etwa 50 Jahre nach seinem Tod geschaffen (Paris, Musée du Louvre).

Englands Regionalreiche

In England, dessen fruchtbares Tiefland bis 600 von Angeln und Sachsen besiedelt worden war, entstanden zu dieser Zeit Regionalreiche, zu deren mächtigstem sich Northumbria entwickelte. Die Wanderung der Angelsachsen nach Südengland hatte die Verbindung der englischen Christen zur Kirche in Rom abgeschnitten. Deshalb entwickelte die keltische Kirche ganz eigene Formen und förderte in Irland die Entstehung einer Klosterkultur, die das kulturell-religiöse Leben in ganz Europa bald stark beeinflusste. Irische und römische Missionare be-

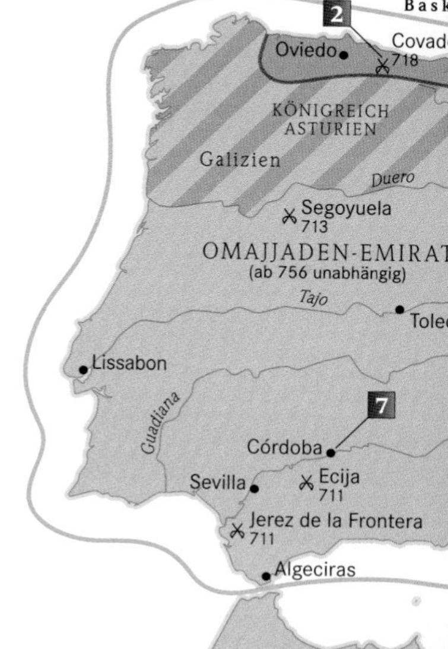
2
Oviedo
KÖNIGREICH ASTURIEN
Galizien
Duero
Segoyuela 713
OMAJJADEN-EMIRAT
(ab 756 unabhängig)
Tajo
Lissabon
Guadiana
7
Córdoba
Sevilla
Ecija 711
Jerez de la Frontera 711
Algeciras
0 600 km
0 400 Meilen

1 Rom fand nach dem Untergang seines Weltreiches eine neue Rolle als Papstsitz und geistliches Zentrum Westeuropas.

2 Der Sieg Asturiens in der Schlacht von Covadonga (718) gilt als der Beginn der Rückeroberung Spaniens durch die Christen.

3 König Offa von Mercia baute an der Grenze zu Wales einen 240 Kilometer langen Schutzwall aus Erde und Holz.

4 Die Bretonen widersetzten sich der fränkischen Expansion mit aller Macht – von Karl dem Großen 799 unterworfen, erhoben sie sich 812 gegen ihre neuen Herren.

5 Karl der Große ließ in den 90er-Jahren des 8. Jahrhunderts in Aachen eine eindrucksvolle Pfalz mit Verwaltungsgebäuden und der Pfalzkapelle erbauen.

6 Karl der Große schuf 806 im Osten eine Kette von Zollstationen, um den Handel mit den Slawen zu regulieren.

7 Córdoba, die Hauptstadt des maurischen Spanien, war im 9. Jahrhundert die größte Stadt Westeuropas.

8 Die Entstehung von Handelszentren wie Hamwih und Quentowic belegt die wachsende wirtschaftliche Bedeutung Nordeuropas.

9 Schon 750 ließen sich Kaufleute aus Skandinavien in der finnischen Siedlung Staraja Ladoga nieder.

ZEITLEISTE

FRANKEN

ABENDLÄNDISCHE CHRISTENHEIT

600 – 650 – 700

639 Nach dem Tod König Dagoberts zunehmende Entmachtung der Merowinger-Könige durch ihre Hausmeier.

689 Hausmeier Pippin II. unterwirft die Friesen.

616 Die Westgoten vertreiben die Byzantiner aus Südspanien.

um 560–636 Isidor von Sevilla, Theologe, Historiker und Enzyklopädist.

664 Auf der Synode von Whitby entscheiden sich die englischen Kirchen für Rom; Niedergang der keltischen Kirche.

um 672–735 Beda Venerabilis, englischer Mönch, Gelehrter, Theologe und Historiker.

711–713 Araber und Berber erobern das Westgoten-Reich in Spanien.

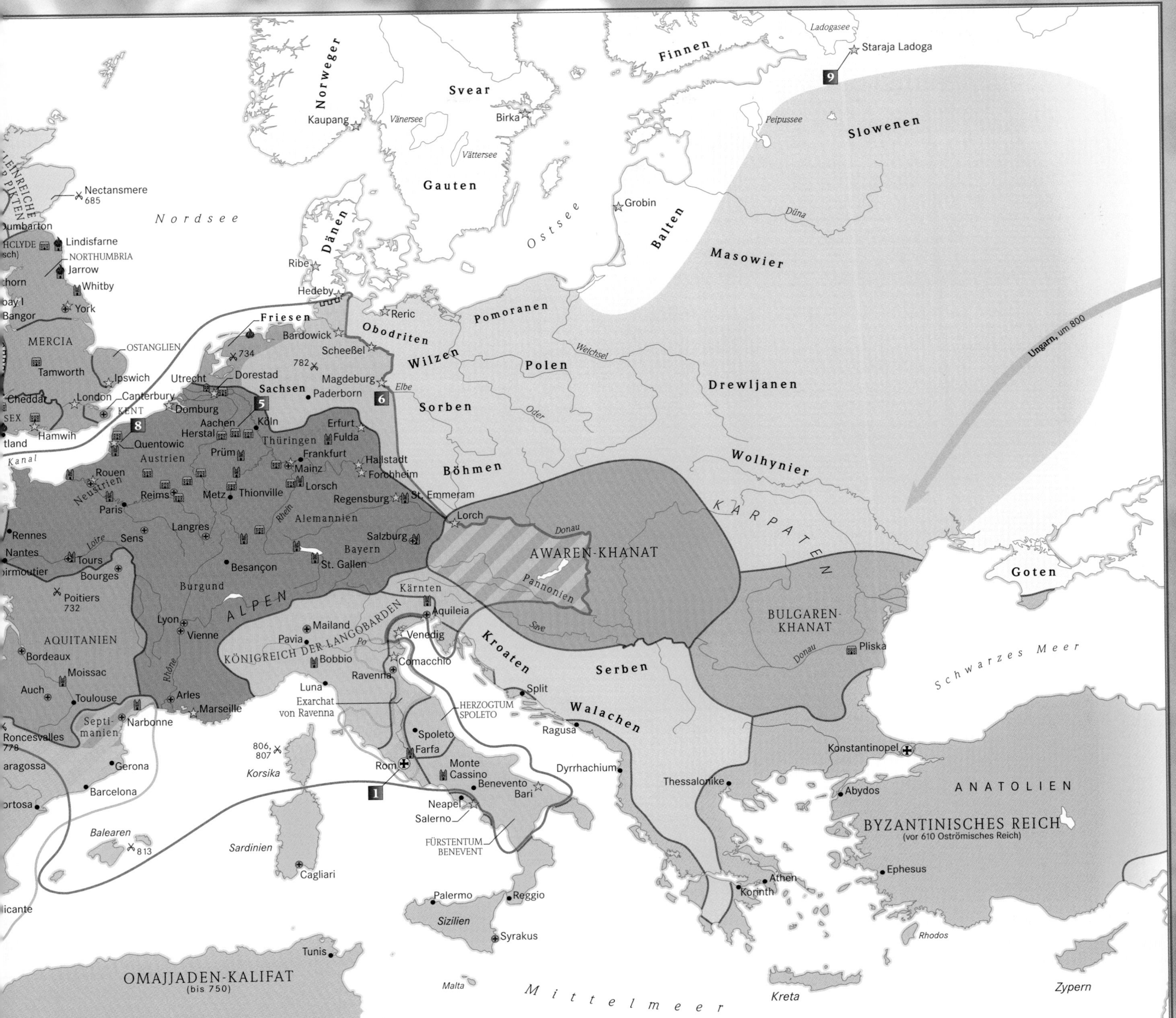

kehrten im 7. Jahrhundert viele Angelsachsen und 664 war die keltische Kirche nur unter größten Schwierigkeiten bereit, sich wieder der römischen Mutterkirche anzuschließen. Northumbria verlor nach der Niederlage gegen die Pikten 686 seine Macht. Dafür übernahm das Königreich Mercia unter den Königen Aethelbald (716–757) und Offa (757–796) die Führung.

In Westeuropa belebte das Frankenreich den Handel und das städtische Leben. In der südlichen Nordsee- und Ostseeregion entstanden um 800 viele Häfen und Handelsstationen. Der Schwerpunkt des Wirtschaftslebens verlagerte sich allmählich vom Mittelmeer zur Atlantik- und Nordseeküste.

- Westgoten-Reich vor 711
- Grenzen um 732
- Byzantinisches Reich, 732
- Omajjaden-Reich, 732
- Frankenreich, 732
- Territorialgewinne des Frankenreichs 732–768
- Eroberungen Karls des Großen 768–814
- Karolinger-Reich, 814
- Königreich Asturien, 814
- Patrimonium Petri unter der Schutzherrschaft Karls des Großen
- Awaren-Khanat um 680–791
- angelsächsische Kleinstaaten
- keltische Königreiche
- bulgarische Stämme
- slawische Völker
- Patriarchat
- Erzbistum
- Kloster
- anderes kirchliches Zentrum
- Pfalz
- frühe Raubzüge der Wikinger
- Handelsort oder -hafen
- Verteidigungswall aus Erde
- Wanderungen der Ungarn

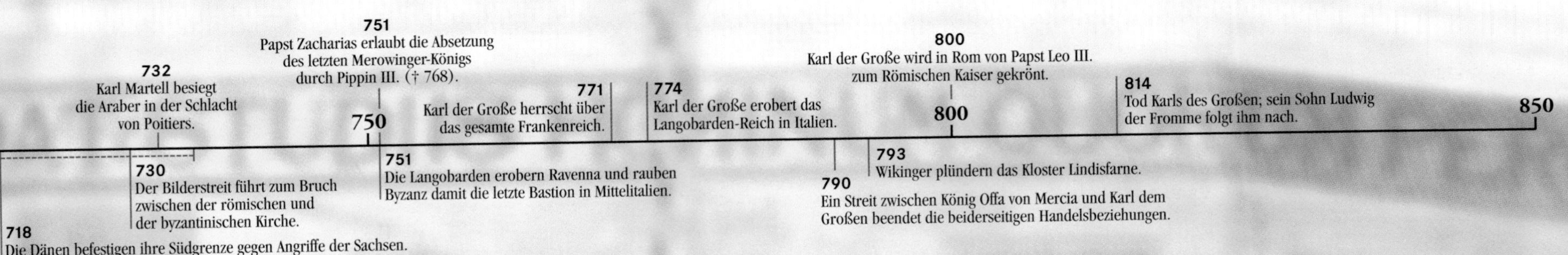
732
Karl Martell besiegt die Araber in der Schlacht von Poitiers.
751
Papst Zacharias erlaubt die Absetzung des letzten Merowinger-Königs durch Pippin III. († 768).
750
771
Karl der Große herrscht über das gesamte Frankenreich.
774
Karl der Große erobert das Langobarden-Reich in Italien.
800
Karl der Große wird in Rom von Papst Leo III. zum Römischen Kaiser gekrönt.
800
814
Tod Karls des Großen; sein Sohn Ludwig der Fromme folgt ihm nach.
850
730
Der Bilderstreit führt zum Bruch zwischen der römischen und der byzantinischen Kirche.
751
Die Langobarden erobern Ravenna und rauben Byzanz damit die letzte Bastion in Mittelitalien.
793
Wikinger plündern das Kloster Lindisfarne.
790
Ein Streit zwischen König Offa von Mercia und Karl dem Großen beendet die beiderseitigen Handelsbeziehungen.
718
Die Dänen befestigen ihre Südgrenze gegen Angriffe der Sachsen.

Die Welt des Mittelalters (600 bis 1492 n. Chr.)

Europa zur Zeit der Wikinger • 793 bis 1050

Aus Dänemark und Norwegen kommend, dank ihrer kleinen, hochseetüchtigen Schiffe überaus kampfstark, machten Ende des 8. Jahrhunderts die Wikinger die Küsten Westeuropas unsicher. Der erste spektakuläre Raubzug galt 793 dem englischen Inselkloster Lindisfarne. Sechs Jahre später suchten die rauen Krieger erstmals das Frankenreich heim, tauchten bald jedes Jahr auf und fuhren schließlich auch schiffbare Flüsse wie den Rhein hinauf, um Inlandshäfen wie Dorestad zu plündern.

Im Jahr 865 begann eine neue Phase, als das »große Heer« aus Dänemark England heimsuchte und große Teile von dessen Osten und Norden eroberte. Die Wikinger besiedelten den »Danelaw« mit der Hauptstadt York. König Alfred von Wessex (871–899) verhinderte jedoch ihr weiteres Vordringen. Seine Nachfolger eroberten bis 954 die skandinavischen Siedlungen und schufen ein vereintes angelsächsisches Königreich. Die letzte größere Wanderung der Wikinger (auch Normannen genannt) um 1000 erbrachte die Kolonisation Grönlands und die erste Fahrt von Europäern nach Nordamerika. In Osteuropa befuhren schwedische Wikinger (Waräger) auf der Suche nach geeigneten Handelswegen die russischen Flüsse bis zum Schwarzen und zum Kaspischen Meer. Von den Slawen »Rus« genannt, liehen sie diesen Namen dem russischen Staat, der ab etwa 862 um Nowgorod entstand.

Ruhm und Abenteuer

Die Raubzüge der Wikinger resultierten aus Entwicklungen in Skandinavien selbst. Im späten 8. Jahrhundert entstand dort eine zentrale Macht und eine ungemein wettbewerbsorientierte Gesellschaft. Viele Wikinger sahen in Raubzügen die Möglichkeit, zu Wohlstand, Ruhm und einer bewaffneten Gefolgschaft zu kommen, um daheim eigene Ziele durchzusetzen. Andere Motive für ihre Fahrten waren Eroberungslust, die Aussicht auf ertragreichen Handel sowie ein durch steigende Bevölkerungszahlen ausgelöster Landhunger.

Auf Holy Island, einer kleinen Insel vor der nordenglischen Ostküste, liegen die Ruinen des Klosters Lindisfarne, das die Wikinger 793 ausraubten.

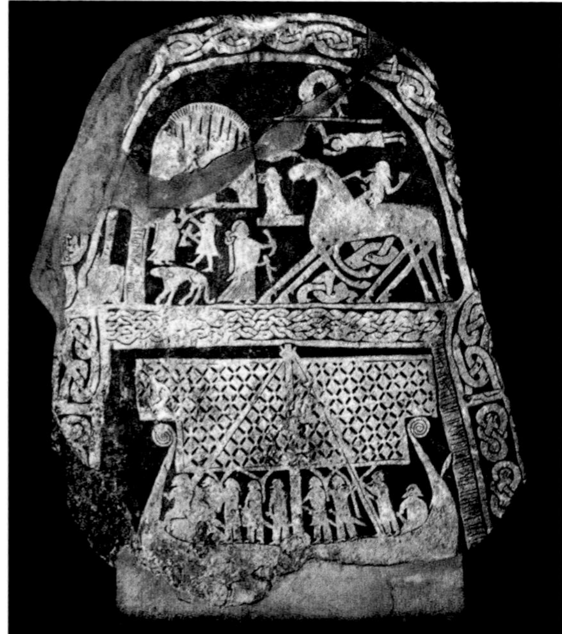

Die Stele des 8. Jahrhunderts zeigt Odin auf seinem Pferd Sleipnir (oben) sowie ein Wikingerschiff (unten).

Im Lauf des 10. Jahrhunderts entstanden in Dänemark und Norwegen stabile Territorialstaaten, ein Prozess, der in Schweden erst im 12. Jahrhundert zum Abschluss kam. In diese Zeit fällt die Bekehrung der Skandinavier zum Christentum. Unter König Knut dem Großen (1016–1035) gerieten kurzzeitig auch England und Norwegen unter dänische Oberhoheit. Im Osten assimilierten die Slawen die herrschende Klasse der Rus und um 1000 war das Kiewer Reich unter dem Einfluss von Byzanz ein mächtiger slawischer Staat geworden.

In der Normandie nahmen die dort ansässig gewordenen Wikinger bis 1000 die französische Sprache und Kultur an, blieben aber von der Krone Frankreichs unabhängig, die 987 mit dem Aussterben der karolingischen Linie an die Kapetinger-Dynastie gefallen war.

Interne Machtkämpfe

In Franken unternahmen die Wikinger ihre Raubzüge zu einer Zeit, als interne Kämpfe das Karolinger-Reich stark schwächten. Kaiser Ludwig der Fromme (814–840) wollte seine Erbfolge im Sinne einer starken Zentralgewalt regeln, wogegen seine jüngeren Söhne opponierten. Erst der Vertrag von Verdun (843), der das Reich in drei Teile aufsplitterte, klärte die Nachfolgefrage. Der Krieg hatte nicht nur Ludwigs Autorität zerstört, sondern auch die Verteidigung gegen die Wikinger geschwächt. Karl III., der Dicke, einte das Karolinger-Reich 885 bis 887 noch einmal, bevor es 889 endgültig in die fünf Königreiche Westfranken (Frankreich), Ostfranken (Deutschland), Italien, Burgund und die Provence zerfiel.

Der Weg zum Römisch-Deutschen Reich

Nicht allein die Wikinger bedrohten die abendländische Christenheit, denn arabische Seeräuber aus Spanien und Nordafrika suchten die Mittelmeerküsten heim und raubten sogar Reisende bei der Überquerung der

Island
um 870 von norwegischen Wikingern besiedelt
um 986 nach Grönland
Iona
KÖNIGREICH STRATHCLYDE (walisisch)
IRISCHE KÖNIGREICHE
Limerick
Waterford
Wexford
WALISISCHE FÜRSTENTÜMER
914–939 von Normannen besetzt, aber nicht von ihnen besiedelt
ATLANTISCHER OZEAN
NAVARRA
Oviedo
Santiago de Compostela
León
KÖNIGREICH VON ASTURIEN UND LEÓN
Duero
997
981
Tajo
Toledo
Lissabon
Mérida
OMAJJADEN-EMIRAT (929 Kalifat)
Guadiana
Córdoba
Sevilla
IDRISIDEN-KALIFAT

1 Das Kloster Luxeuil wurde zwischen 886 und 924 von Wikingern, Arabern und Ungarn geplündert.

2 Die Raubzüge der Wikinger schadeten den irischen Klöstern erheblich, aber im 9. Jahrhundert wurden in Irland auch viele neue Städte gegründet (Dublin, Wexford, Waterford und Limerick).

3 Paris leistete 885 bis 886 den normannischen Belagerern Widerstand.

4 966 begann die Christianisierung der Polen – das erste polnische Erzbistum entstand im Jahr 1000 in Gniezno (Gnesen).

5 Seit 935 getrennte Unterkönigtümer im Westfrankenreich, wurden Hoch- und Niederburgund (Provence) 948 zu einem Staatswesen vereinigt, das 1033 als Königreich Burgund an das Römisch-Deutsche Reich fiel.

6 Warägische Kaufleute fuhren die Wolga bis nach Bulgar hinauf, um dort mit dem islamischen Wolgabulgaren-Reich Handel zu treiben (Sklaven, Felle).

7 Gotland lag strategisch günstig und entwickelte sich deshalb zum wichtigen Zentrum des Ostseehandels. Dort wurden mehr als 40 000 arabische, 38 000 fränkische und 28 000 angelsächsische Silbermünzen gefunden.

Zeitleiste

Die Wikinger

- **ab 830** Die Wikingerüberfälle an der französischen und englischen Küste nehmen an Zahl und Umfang zu.
- **845** Die Franken entrichten Tribute an die Wikinger (»Danegeld«), um weitere Angriffe zu verhindern.
- **859–862** Räuberische Wikinger dringen bis in den Mittelmeerraum vor.
- **878** Alfred, König von Wessex, besiegt die Dänen bei Edington.
- **882** Oleg erhebt Kiew zur Hauptstadt des von den Rus gegründeten Staates.
- Karl III., der Einfältige, gest[…] den Wikingern (Normann[…] die Ansiedlung in der Norman[…]

Das christliche Abendland

- **840** Tod Ludwigs des Frommen.
- **843** Der Vertrag von Verdun teilt das karolingische Gesamtreich in drei Teile.
- **846** Muslimische Piraten plündern den Vatikan.
- **889** Das Karolinger-Reich zerbricht endgültig.
- **898–899** Die Ungarn dringen in Italien ein und plündern Pavia.
- **um 91[…]** Gründung des Klosters Cluny in Burgund; seine Äbte leiten Klosterreformen ei[…]

800 · 850 · 900

Grenzen um 888
dänische Wikinger, 800–1000
norwegische Wikinger, 800–1000
schwedische Wikinger, 800–1000
Byzantinisches Reich, 888
Karolinger-Reiche, 888
islamische Staaten, 888
bulgarische Stämme
slawische Völker
von Ungarn besiedelt um 900
vorübergehend von Deutschen besetzt, 929–982

Königreich Ungarn, 1000
Reich Knuts des Großen, 1019–1035
Kiewer Rus um 1050
Römisch-Deutsches Reich, 1050
Herzogtum Normandie, 1051
Raubzüge der Wikinger, aber auch Erschließung neuer Gebiete für Handel und Verkehr, 793–1000
Raub- und Beutezüge der Ungarn, 899–955
muslimische Eroberungszüge, 800–1000
Handelsniederlassung der Wikinger
Fundort eines Wikingerschiffs
Wanderungen der Ungarn
0 600 km
0 400 Meilen

Alpenpässe aus. Im Osten zog um 900 das Nomadenvolk der Ungarn über die Karpaten und siedelte sich in der ehemaligen römischen Provinz Pannonien (Donau-Ebene) an; von dort unternahmen sie Raubzüge nach Italien, Deutschland und Frankreich. Bis zum Jahr 1000 war die Bedrohung durch Araber und Ungarn beseitigt und auch die Wikinger beschränkten ihre Aktivitäten zunehmend auf die Britischen Inseln. Nach dem Aussterben der ostfränkischen Karolinger im Jahr 911 ging die Macht 919 an die sächsischen Könige über. Otto I. (der Große, 936–973) besiegte die Ungarn 955 auf dem Lechfeld, die sich danach zum Christentum bekehrten. Otto setzte die Expansion in Richtung Osten fort und nach drei Italienzügen huldigten ihm auch die langobardischen Fürsten Unteritaliens. Im Jahr 962 wurde er zum Römischen Kaiser gekrönt und gründete das Römisch-Deutsche Reich. Im 11. Jahrhundert beherrschten die deutschen Kaiser das christliche Abendland unangefochten.

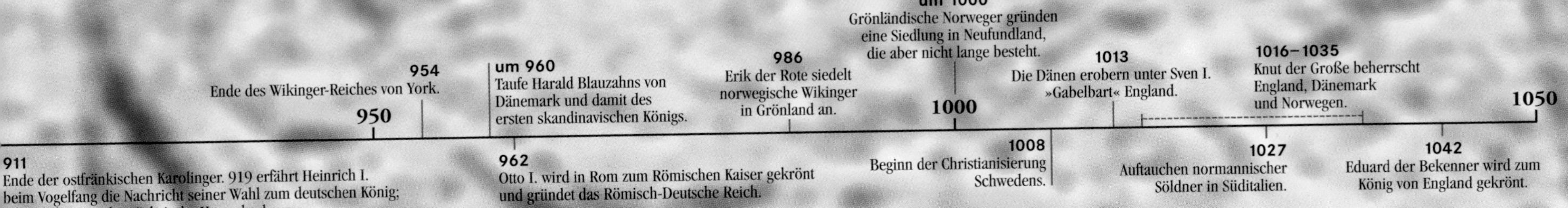
954
Ende des Wikinger-Reiches von York.
950
um 960
Taufe Harald Blauzahns von Dänemark und damit des ersten skandinavischen Königs.
986
Erik der Rote siedelt norwegische Wikinger in Grönland an.
um 1000
Grönländische Norweger gründen eine Siedlung in Neufundland, die aber nicht lange besteht.
1000
1013
Die Dänen erobern unter Sven I. »Gabelbart« England.
1016–1035
Knut der Große beherrscht England, Dänemark und Norwegen.
1050
911
Ende der ostfränkischen Karolinger. 919 erfährt Heinrich I. beim Vogelfang die Nachricht seiner Wahl zum deutschen König; mit ihm beginnt das sächsische Herrscherhaus.
962
Otto I. wird in Rom zum Römischen Kaiser gekrönt und gründet das Römisch-Deutsche Reich.
1008
Beginn der Christianisierung Schwedens.
1027
Auftauchen normannischer Söldner in Süditalien.
1042
Eduard der Bekenner wird zum König von England gekrönt.

Die Welt des Mittelalters (600 bis 1492 n. Chr.)

Europa im Zeichen des Feudalismus • 1050 bis 1300

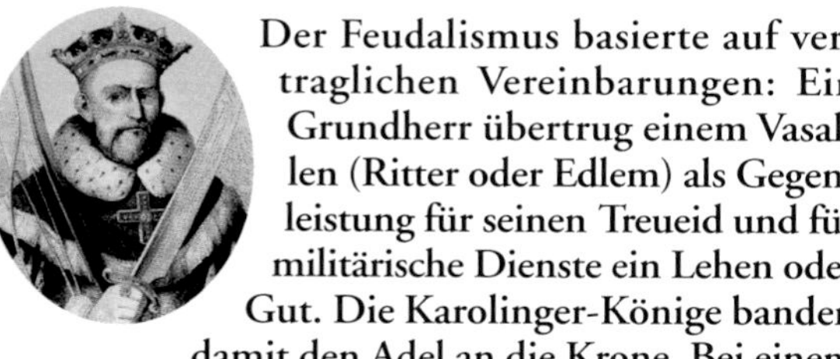

Der Feudalismus basierte auf vertraglichen Vereinbarungen: Ein Grundherr übertrug einem Vasallen (Ritter oder Edlem) als Gegenleistung für seinen Treueid und für militärische Dienste ein Lehen oder Gut. Die Karolinger-Könige banden damit den Adel an die Krone. Bei einem schwachen Herrscher bedeutete die Lehnsherrschaft aber eine Dezentralisierung und damit eine Minderung der Macht.

Ende des 11. Jahrhunderts führten die Normannen den Feudalismus in England und Sizilien ein. Auch in Spanien war das System weit entwickelt. Auf ihm basierte, obwohl weniger deutlich, die Macht auch in Schottland, Skandinavien, Norditalien und Osteuropa. Um 1200 verlor der Feudalismus seine militärische Bedeutung, weil die Könige ihre stehenden Heere bezahlen und die Lehnsabhängigen sich vom Militärdienst freikaufen konnten. Die Lehen galten inzwischen als erblicher Familienbesitz.

Dezentralisierung der Macht

Am ausgeprägtesten zeigte sich die Dezentralisierung in Frankreich, wo das Demesne (Krongut) im 11. Jahrhundert nur die Gebiete um Paris und Orléans umfasste, während die Herzöge der Normandie oder die Grafen von Anjou und Aquitanien als halbunabhängige Lehnsherren über riesige Ländereien herrschten. Als Wilhelm, Herzog der Normandie, 1066 König von England wurde, verfügte er über mehr Macht als sein Lehnsherr, der französische König. 1152–1155 erwarb Heinrich Plantagenet von Anjou durch Heirat und Erbschaft einen Besitz, der das Krongut geradezu winzig aussehen ließ. 1154 erbte er auch noch den englischen Thron und stieg als Heinrich II. zum mächtigsten Herrscher Europas auf. Trotzdem vermied er den Bruch mit dem französischen König. Philipp II. August festigte die Stellung der französischen Monarchie wieder und zog sämtliche Lehnsgüter der Anjou mit Ausnahme der Gascogne ein. 1214 besiegte er den Welfenkaiser Otto IV. bei Bouvines und Frankreich wurde stärkste Macht in Europa.

Investiturstreit

Die deutschen Könige und Kaiser vermieden diese Probleme seit Otto I., indem sie Land als Lehnsgut an die Reichskirche gaben. Die des Lesens und Schreibens kundigen Äbte waren für die Verwaltung dieser Güter bestens geeignet und ihre Ehelosigkeit garantierte den steten Rückfall der Lehen. Solange der König das Recht der Leihe behielt, schuf das Lehnssystem ein Gegengewicht zum Land besitzenden Adel. Als aber 1056 Kaiser Heinrich III. starb und seinem Sohn Heinrich IV. (1056 bis 1105) ein geschwächtes Königtum hinterließ, pochte der Papst auf seine Rechte. Aus dem Investiturstreit (1075 bis 1122) über das Recht der Besetzung (Investitur) vakanter Bischofsstühle ging der Papst gestärkt hervor. Das neue Selbstbewusstsein zeigte die Ausrufung des ersten Kreuzzuges im Jahr 1095, der 1099 in der Eroberung Jerusalems gipfelte.

Separationen

Der Staufer Friedrich Barbarossa (1152 bis 1190) sah seine Königsmacht in Deutschland durch mächtige Territorialfürsten wie den Welfen Heinrich den Löwen

ALLOQV

Ein Ritter aus dem Heer des Normannenherzogs Wilhelm, der 1066 England eroberte; Ausschnitt aus dem Teppich von Bayeux (spätes 11. Jahrhundert)

bedroht und wollte dies durch die Stärkung seiner Kaisermacht in Italien wettmachen, aber er wurde 1176 durch einen Bund lombardischer Städte besiegt. Seinen Nachfolgern erging es kaum besser. Obwohl die Staufer seit 1194 auch das Normannenreich in Sizilien beherrschten, konnten sie ihre Machtbasis gegenüber den deutschen Fürsten nicht festigen und deshalb zerfiel das Römisch-Deutsche Reich in ein Bündnis verschiedener Territorialstaaten. Kaiser Friedrich II. (1210 bis 1250) wollte seine Position in Italien wieder stärken, aber auch er scheiterte an der Feindschaft des Papstes und der lombardischen Städte. 1268 wurde der letzte Staufer, Konradin, in Neapel enthauptet. Trotz der politischen Zersplitterung des Reiches weiteten die Deutschen ihren Einfluss im Osten durch die Gründung neuer Dörfer und Städte, den Ausbau der Handelsbeziehungen und die Aktivitäten des Deutschen Ordens (im Ostseeraum) aus.

Das Kiewer Slawenreich zerfiel 1132 in mehrere Fürstentümer – die meisten gingen im Mongolensturm (1237–1241) unter. Alexander Newskij (1236–1263), Fürst von Nowgorod, unterwarf sich den Mongolen und konzentrierte seine Kräfte auf die Abwehr der Invasionsversuche der Schweden und des Deutschen Ordens. 1252 vergrößerte er seinen Besitz um das Fürstentum Wladimir.

Hebriden
Königreich Man
IRISCHE KLEINKÖNIGREICHE UND FÜRSTENTÜMER
Dublin
WALISISCHE FÜRSTENTÜMER
ATLANTISCHER OZEAN
LEÓN
León
NAVAR
Duero
KASTILIEN
PORTUGAL
Coimbra
Tajo
Toledo
Lissabon
Guadiana
Las Navas de Tolosa 1212
1
Córdoba
ALMOHADEN-KALIFAT bis 1230
Granada

1 **Eine nordeuropäische Kreuzfahrerflotte eroberte 1147 auf ihrem Weg ins Heilige Land Lissabon von den Arabern zurück.**

2 **Der Sieg Alexander Newskijs 1240 an der Newa über die Schweden beendete deren Expansion im Osten.**

3 **Friedrich Barbarossa gründete 1156 das Herzogtum Österreich als Gegenkraft zur welfischen Macht in Bayern.**

4 **Die reichen Lombardenstädte schlossen sich 1167 und 1226 zu einem Bündnis zusammen, um die Beschneidung ihrer Freiheiten durch deutsche Kaiser zu verhindern.**

5 **Die römische Kurie wollte ein Bündnis des Römisch-Deutschen Reiches mit dem Königreich Sizilien unbedingt verhindern.**

6 **Sizilien wurde 1091 von den Normannen und 1194 vom deutschen Kaiser Heinrich VI. erobert; 1265 fiel es an das Haus Anjou und kam 1282 zum Königreich Aragón.**

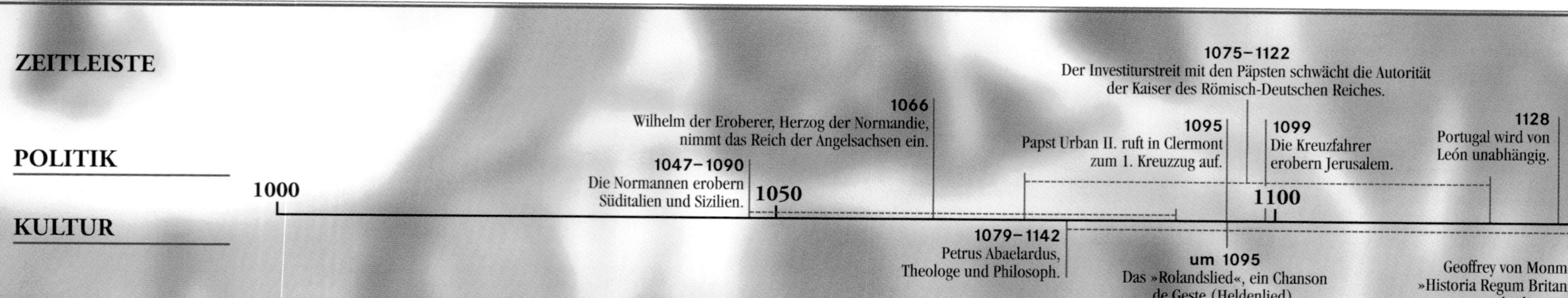
ZEITLEISTE
POLITIK
KULTUR
1000
1050
1100
1047–1090
Die Normannen erobern Süditalien und Sizilien.
1066
Wilhelm der Eroberer, Herzog der Normandie, nimmt das Reich der Angelsachsen ein.
1075–1122
Der Investiturstreit mit den Päpsten schwächt die Autorität der Kaiser des Römisch-Deutschen Reiches.
1095
Papst Urban II. ruft in Clermont zum 1. Kreuzzug auf.
1099
Die Kreuzfahrer erobern Jerusalem.
1128
Portugal wird von León unabhängig.
1079–1142
Petrus Abaelardus, Theologe und Philosoph.
um 1095
Das »Rolandslied«, ein Chanson de Geste (Heldenlied), feiert das ritterliche Heldentum.
Geoffrey von Monmou
»Historia Regum Britanni
macht die Artuss
vielen Lesern bekai

Trondheim
NORWEGEN
Bergen
Christiania
SCHWEDEN
Uppsala
Vänersee
Vättersee
Visby
Finnen
Åbo
Onega-see
Ladoga-see
Newa 1240
Ladoga
Beloosero
REPUBLIK NOWGOROD
Nowgorod
Reval
Esten
Peipus-see 1242
Pskow
Liven
Riga
Westliche Dwina
GROSSFÜRSTENTUM WLADIMIR
Wolga
Bulgar
Wolgabulgaren
Wladimir
Murom
Moskau
Rjasan
FÜRSTENTUM MUROM-RJASAN
FÜRSTENTUM SMOLENSK
Smolensk
Polozk
FÜRSTENTUM POLOZK
Minsk
Litauer
Nordsee
Ostsee
Århus
DÄNEMARK
Lund
Roskilde
Schleswig
Stamford Bridge 1066
Königsberg
Danzig
Wenden
Pruzzen
Holstein
Hamburg
Stettin
Friesland
Bremen
Sachsen
Brandenburg
Magdeburg
Utrecht
Canterbury
Brügge
Bouvines 1214
Lüttich
Köln
Thüringen
RÖMISCH-DEUTSCHES REICH
Lothringen
Frankfurt
Mainz
Franken
Elbe
Oder
Weichsel
POLEN
Breslau
Krakau
Prag
BÖHMEN
Nürnberg
Metz
Reims
Rouen
Paris
Orléans
Rhein
Donau
Schwaben
Bayern
Wien
Österreich
Salzburg
Steiermark
Kärnten
FÜRSTENTUM TUROW-PINSK
Pinsk
FÜRSTENTUM TSCHERNIGOW
Tschernigow
FÜRSTENTUM KIEW
Kiew
FÜRSTENTUM PEREJASLAWL
Perejaslawl
FÜRSTENTUM NOWGOROD-SEWERSKI
FÜRSTENTUM WOLHYNIEN
Halitsch
FÜRSTENTUM HALITSCH
Dnjepr
Don
Kumanen (Türken)
Gran
Pest
UNGARN
zu Kiew
Alanen
KÖNIGREICH BURGUND
Lyon
Legnano 1176
Mailand
Aquileia
Venedig
KÖNIGREICH ITALIEN
Genua
Bologna
Pisa
Florenz
PISA
VENEDIG
Save
Belgrad
Zara
Ragusa
BYZANTINISCHES REICH
Schwarzes Meer
GEORGIEN
Marseille
Toulouse
Barcelona
Korsika
Rom
KIRCHENSTAAT
Sardinien
Benevent 1266
Bari
Neapel
KÖNIGREICH SIZILIEN
Palermo
Sizilien
Malta
Tunis
ALMOHADEN-KALIFAT bis 1230
Konstantinopel
Dyrrhachium
Thessalonike
Kreta
Zypern
Mittelmeer
VON MALLORCA
Herzogtum Normandie, 1066
Eroberungen der Normannen in England und Süditalien bis 1154
Römisch-Deutsches Reich um 1175
staufisches Hausgut
welfisches Hausgut
Kirchengut
andere
Grenzen um 1175
Angevinisches Reich (Anjou) um 1175
unter angevinischer Oberhoheit um 1175
französische Krondomäne um 1175
angevinische Lehen in Frankreich nach 1214
Byzantinisches Reich, 1175
norwegisches Gebiet, 1175
schwedische Gebiete, 1175
Römisch-Deutsches Reich, 1175
deutsche Ostsiedlung im 12. und 13. Jahrhundert
lombardischer Städtebund, 1167
deutsche Stadtgründung im 13. Jahrhundert
ARAGÓN Papstlehen zur Zeit des Pontifikats von Innozenz III., 1198–1216
deutsche und dänische Kreuzzüge gegen heidnische Slawen und Balten im 12. und 13. Jahrhundert
Expansion Schwedens im 12. und 13. Jahrhundert
Westgrenze der mongolischen Eroberungen, 1240
Reiche auf der Iberischen Halbinsel, 1300
Königreich Aragón
Königreich Kastilien
Emirat von Granada
Königreich Portugal
Oberhoheit des Deutschen Ordens um 1300
russische Fürstentümer
heidnisches Gebiet
0 600 km
0 400 Meilen
1154 Heinrich II. wird der erste englische König aus dem Haus Anjou-Plantagenet.
1150
1187 Sultan Saladin besiegt das Kreuzfahrerheer und erobert Jerusalem zurück.
1170 Ermordung Thomas Beckets, des Erzbischofs von Canterbury.
1194 Heinrich VI. erobert das normannische Königreich Sizilien.
1200
1212 Der Sieg der Christen bei Las Navas de Tolosa zerbricht die Macht der Muslime in Spanien.
1215 König Johann von England unterzeichnet die Magna Charta.
1230 Vereinigung der Königreiche Kastilien und León.
1237–1241 Die Mongolen dringen nach Russland und Osteuropa vor.
1250
1254–1273 Interregnum in Deutschland, in dem Friedlosigkeit und Rechtsbruch herrschen.
1253–1299 Die rivalisierenden Handelsmächte Venedig und Genua führen Krieg.
1300
1140 der Abteikirche von Saint-Denis bei Paris; gilt als erstes Bauwerk im gotischen Stil.
1200–1275 In Island entsteht die Sagaliteratur, das heißt fiktive Familiengeschichten der frühen Siedler.
um 1220–1292 Roger Bacon, Philosoph und früher Befürworter von wissenschaftlichen Experimenten.
um 1270–1300 Erfindung der mechanischen Uhr.
1298 Der Bericht Marco Polos über seine Asienreise von 1271 bis 1295 wird auf Anhieb ein großer Erfolg.

Die Welt des Mittelalters (600 bis 1492 n. Chr.)

Das Römisch-Deutsche Reich zur Zeit der Ottonen und Salier • 919 bis 1125

Im durch innere Machtkämpfe zerrütteten Zentrum Europas begann mit dem Aufstieg der Ottonen die lange Epoche des römisch-deutschen Kaisertums, das von 962 bis 1806 Bestand haben sollte.

Zu Beginn des 10. Jahrhunderts war aus dem Frankenreich Karls des Großen, dessen Ostteil den Kern des künftigen Deutschland ausmachte, ein politischer Flickenteppich geworden. Eine zeitgenössische Quelle zählt die Stammesherzogtümer Franken, Sachsen, Bayern und Schwaben, ab 925 auch Lothringen sowie die sächsischen und bayerischen Marken erstmals unter dem Sammelnamen »regnum teutonicorum« (»Reich der Deutschen«) auf. Die Macht des Königtums lag zum Teil in den Händen der Fürsten, die den Monarchen wählten, aber häufig zerstritten waren. Im Osten berannten Slawen und Ungarn die Reichsgrenzen der Ostfranken.

Der Karlsschrein, in der Stauferzeit entstanden, zeigt kunstvoll gearbeitete Reliefs von Herrschern des Römisch-Deutschen Reiches, hier Otto I.

Mit Ludwig dem Kind (900–911) starb der letzte ostfränkische Karolinger. Der rasch gewählte Konrad I. (gestorben 918), Herzog der Franken, blieb glücklos im Kampf gegen die Ungarn und rivalisierende Stammesherzöge im Reich. Kurz vor seinem Tod trug er die Krone dem Sachsenherzog Heinrich (919–936) an. Die Sachsen waren jahrhundertelang erbitterte Feinde der Franken gewesen. Mit der Krönung Heinrichs I. – wegen seiner Leidenschaft des Vogelfangens »der Vogler« genannt – zum König begann die Ära der Liudolfinger, besser bekannt als Zeit der Ottonen.

Der Sachse setzte sich gegen die Herzöge Schwabens und Bayerns durch, schlug den westfränkischen König Karl den Einfältigen und gewann 925 das Herzogtum Lothringen. Dessen Westgrenze bildete über das Mittelalter hinaus die Demarkationslinie zwischen Deutschland und Frankreich. Im Osten sicherte Heinrich die Grenze gegen die Slawen und drängte die aus der ungarischen Tiefebene vorstoßenden Ungarn zurück.

AUF DEN SPUREN KARLS DES GROSSEN

Seinem Sohn Otto (936–973) hinterließ Heinrich die neu verschmolzenen Herzogtümer, die an das Kernland Karls des Großen erinnerten. Nach seinem Sieg über die Ungarn auf dem Lechfeld bei Augsburg (955) war für Otto I. der Weg zur Kaiserkrönung in der Tradition Karls frei. Auf seinem zweiten Italienzug erreichte den Sachsen der Hilferuf von Papst Johannes XII.: Rom und der Heilige Stuhl wurden von dem Langobarden-König Berengar II. bedroht. Otto befreite den Papst, der ihm daraufhin 962 die Kaiserkrone aufsetzte.

REICHSKIRCHENSYSTEM SICHERT MACHT

Als Otto der Große am 7. Mai 973 starb, war die ottonische Monarchie endgültig konsolidiert und das Reich dehnte sich im Osten bis an die Oder aus. Sein Sohn Otto II. (961–983), bereits 967 zum Mitkaiser gekrönt, vermählte sich mit Theophanu, einer Verwandten des byzantinischen Kaisers Johannes Tzimiskes. Doch Otto II. starb bereits am 7. Dezember 983 im Alter von 28 Jahren. Obwohl es ihm gelungen war, das Werk des Vaters zu sichern, musste

Der Gang nach Canossa: König Heinrich IV. bittet demutsvoll Abt Hugo von Cluny und Markgräfin Mathilde von Tuszien um Fürsprache bei Papst Gregor VII.

er den Verlust aller Stützpunkte östlich der Elbe an die Slawen hinnehmen. Seine Witwe Theophanu regierte anstelle des noch minderjährigen gemeinsamen Sohnes Otto III. (983–1002) zusammen mit ihrer Schwiegermutter Adelheid das Reich. Unter der Frauenregentschaft erblühten Wissenschaft und Kunst in byzantinischer Tradition.

Im September 994 übernahm Otto III. die Regierung. Auch er starb früh und hinterließ keine Kinder. Heinrich II. (1002–1024), der ab 1014 die Kaiserkrone trug, zählte als Urenkel Heinrichs I. noch zum Geschlecht der Liudolfinger. Er stattete Reichsabteien und Bistümer mit Besitz aus, um sie zu Leistungen für das Reich zu verpflichten, und legte so den Grundstein für viele geistliche Fürstentümer – ein machtpolitisches Charakteristikum der deutschen Geschichte über Jahrhunderte hinweg (Reichskirchensystem).

PAPST GEGEN KAISER – DER INVESTITURSTREIT

Nach Heinrichs Tod ging die Krone auf den Salier Konrad II. (1024–1039) über und gehörte damit wieder einem fränkischen Geschlecht. Das Reichskirchensystem war auch für die Salier ein Instrument, das die Herrschaft des Kaisers untermauerte. Der Streit zwischen Herrscher und Papst entzündete sich an diesem zentralen Punkt europäischer Machtpolitik. Heinrich III. (1039–1056), der zweite Salier, verbot Ämterkauf und Priesterehe und griff in seinem Selbstverständnis als römischer Schutzherr der Kirche in die Belange des Heiligen Stuhls ein.

Als die Normannen, Pisa und Genua dem Papst gegen die Deutschen den Rücken stärkten, brach der Streit zwischen weltlichem Herrscher und Heiligem Stuhl offen aus. Rom verbot dem (noch nicht zum Kaiser gekrönten) König Heinrich IV. (1056–1106) die Einsetzung (Investitur) von Bischöfen. Daraufhin setzte dieser den Papst Gregor VII. ab, der seinerseits mit der Exkommunikation Heinrichs reagierte. Durch die Opposition im eigenen Reich geschwächt, musste der König den Papst um Aufhebung des Banns bitten. Der Investiturstreit war jedoch noch lange nicht beigelegt. Er endete erst 1122 mit dem Wormser Konkordat, worin dem König nur noch ein eingeschränkter, eher symbolischer Einfluss auf die Geschicke der Kirche zugestanden wurde.

1 Auf dem Lechfeld stellte sich Otto I. im Jahr 955 mit einem 10 000 Mann starken Heer den Ungarn entgegen und vertrieb sie endgültig hinter die Grenzen des Reiches.

2 Otto der Große gründete 968 das Erzbistum Magdeburg. Die Stadt war das Zentrum der ottonischen Ostpolitik. Hier stand die Krönungskirche Ottos, von hier aus ließ er die Westslawen missionieren, hier wurde der Kaiser 973 auch zu Grabe getragen.

3 Otto III. gründete um 1000 das Erzbistum Gnesen, ein Jahr später entstand das Erzbistum Gran. Diese Gründungsakte bedeuteten für Polen und für Ungarn die geistliche Lösung vom ostfränkisch-ottonischen Reich und ermöglichten die Entstehung eigenständiger Staatswesen.

4 Der Dom zu Speyer, im 11. Jahrhundert als Familiengrablege der Salier erbaut, ist heute eines der bedeutendsten romanischen Bauwerke Europas.

ZEITLEISTE

POLITIK

900

919 Mit seiner Wahl zum deutschen König begründet Herzog Heinrich von Sachsen als Heinrich I. die Herrscherdynastie der Ottonen.

950

955 Ein Reichsheer unter Führung Ottos I. besiegt auf dem Lechfeld bei Augsburg die Ungarn.

962 Papst Johannes XII. krönt Otto I. in Rom zum Römisch-Deutschen Kaiser.

982 Otto II. erleidet in der Schlacht von Cotrone (Kalabrien) eine vernichtende Niederlage gegen die Araber.

993 Otto III. wird in Rom von Papst Gregor V. zum Kaiser gekrönt.

1000

INVESTITURSTREIT

Kaiserkrönung Heinrichs II., d
Schenkungen an Reichsabteien und Bis
das deutsche Reichskirchensystem f

Nordsee
Ostsee
Mittelmeer
Adriatisches Meer
KGR. DÄNEMARK
Ripen
Lund
Bornholm
Schleswig
Haithabu
MARK SCHLESWIG
934–1025 zum Reich
Rügen
Oldenburg
Jomsborg
Kolberg
KGR. ENGLAND
MARK DER BILLUNGER
937–983
831
Hamburg
Bardowick
POMMERN
um 1000 vorübergehend polnisch
846
Bremen
Lüneburg
NORDMARK
937–983
MASOWIEN
1034–1047 unabh.
FRIESLAND
HZT. SACHSEN
Havelberg
Brandenburg
1000
Gnesen
Utrecht
Braunschweig
Supplinburg
Posen
Themse
Canterbury
Dortrecht
Münster
Hildesheim
Werla
968
Magdeburg
Oder
Warthe
Goslar
Quedlinburg
Harzburg
Birten
Dortmund
Corvey
MARK LAUSITZ
östl. Teil 1002/18–1031 poln.
KGR. POLEN
1025 Kgr.
Weichsel
Bug
Gent
HZT. NIEDER-LOTHARINGIEN
Kaiserswerth
Eresbg.
Merseburg
Köln
Fritzlar
Memleben
THÜRINGEN
MARK MERSEBURG
Meißen
Arras
Cambrai
Lüttich
Aachen
Gerstungen
Zeitz
MARK MEISSEN
Breslau
911 an Frankreich,
925 an das Reich,
959 Teilung
Andernach
MARK ZEITZ
Amiens
Frankfurt
HZT. BÖHMEN
Prag
895 Hzt.,
929 Lehnshoheit des Reiches,
1003–1004 vorübergehend polnisch
Krakau
Mainz
Trier
Ingelheim
FRANKEN
Bamberg
Reims
Lorsch
Worms
Forchheim
Paris
Verdun
HZT. OBER-LOTHARINGIEN
Seine
Speyer
Hirsau
Regensburg
MGF. MÄHREN
zu Böhmen,
1003–1029 poln.
Troyes
Toul
Donau
Orléans
Sens
Staufen
Straßburg
Augsburg
HZT. BAYERN
Passau
HZT. ÖSTERREICH
1156
Pressburg
Loire
KGR. FRANKREICH
HZT. SCHWABEN
Lechfeld
955
Freising
798
Neuhofen
Wien
Rhein
Dijon
Konstanz
Salzburg
Raab
Gran
1001
Theiß
Admont
Besançon
Habsburg
Benediktbeuren
Tegernsee
Zürich
St. Gallen
KGR. UNGARN
1001 Kgr.
Eppenstein
Cluny
HZT. KÄRNTEN
989 bis ca. 1000 bayerisch
Sitten
Marburg
Clermont
Lyon
TRIENT
1027 an Bayern
MGF. VERONA
952 an Bayern,
976 an Kärnten
Maros
Fünfkirchen
Vienne
Ivrea
Mailand
MARK KRAIN
Agram
Drau
Rhône
KGR. BURGUND
879 Kgr. Nieder-,
888 Kgr. Hochburgund,
933/34 zum Kgr. Arelat vereint,
1033/34 an das Reich
Pavia
Po
Venedig
Verona
MARK ISTRIEN
Bács
Save
KGR. KROATIEN
924 Kgr.,
1102 ungarisch
Mantua
Canossa
Genua
Bologna
Ravenna
Catera
Morava
Nîmes
Avignon
KGR. ITALIEN
888 selbstständiges Kgr.
KGR. SERBIEN
Arles
VENEDIG
um 1000 unabhängig
Jader (Zadar)
Marseille
Nizza
Pisa
Florenz
Ancona
Spalato
Elba
Spoleto
RAGUSA
1204 byzant.
Cattaro
KORSIKA
820–1020 arab.,
1098 an Pisa
KIRCHENSTAAT
Sutri
Rom
FT. BENEVENT
Bari
GAETA byzant.
Capua
GF. APULIEN
Brindisi
Menorca
SARDINIEN
827–1022 arab.,
1022 an Pisa
NEAPEL byzant.
Salerno
966 deutsches Lehen
Tarent
Mallorca
KALABRIEN
Cotrone
982
SIZILIEN
827–1061 arab.,
dann normann.
(ab 1059 päpstl. Lehen)
0 300 km
0 200 Meilen
Reichsgrenze 973 n. Chr.
Reichsgrenze 1039 n. Chr.
päpstlicher Herrschaftsanspruch
während des 10. und 11. Jh. größte Ausdehnung des Reiches (Lehnsgebiete) im Osten
zeitweilige Gebietsverluste des Römisch-Deutschen Reiches
1091 normannisch
(Erz-) Bistum
Kloster
Burg
FT. Fürstentum
GF. Grafschaft
HZT. Herzogtum
KGR. Königreich
MGF. Markgrafschaft

1024
Konrad II. begründet nach dem Tod von Kaiser Heinrich II. die Herrschaft der Salier.

1041
Heinrich III. unterwirft den böhmischen Herzog Bretislaw I.

1050

1085
Heinrich IV. verkündet einen Gottesfrieden für das ganze Reich, nachdem er den Widerstand der Fürsten gebrochen hat.

1100

1125
Mit dem Tod Heinrichs V. endet die Regentschaft der Salier.

1106
Der Reichstag in Mainz erkennt Heinrich V. als König an.

1150

1046
ntszeit Heinrichs III. (ab 1039 König) markiert den unkt der kaiserlichen Macht gegenüber dem Papst.

1059
Papst Nikolaus II. verabschiedet ein Papstwahldekret, das ein Mitspracherecht der deutschen Herrscher bei der Papstwahl ausschließt.

1075
Papst Gregor VII. verlangt den Verzicht auf die Laieninvestitur.

1076
Papst Gregor VII. verhängt den Kirchenbann gegen Heinrich IV.

1077
Heinrich IV. erreicht bei Papst Gregor VII. die Aufhebung des gegen ihn verhängten Kirchenbanns (Bußgang nach Canossa).

1080
Papst Gregor VII. bannt Heinrich IV. im März zum zweiten Mal.

Heinrich IV. erhebt den Erzbischof von Ravenna im Juni als Klemens III. zum Gegenpapst.

1090
Heinrich IV. bricht nach Italien auf, um den Machtzuwachs von Papst Urban II. zu beenden; der Feldzug scheitert.

1122
Wormser Konkordat: Heinrich V. verzichtet auf die Laieninvestitur.

Die Welt des Mittelalters (600 bis 1492 n. Chr.)

Das Römisch-Deutsche Reich zur Zeit der Staufer • 1138 bis 1254

Stauferzeit – eine schwäbische Dynastie gab dem deutschen Hochmittelalter den Namen. Schillerndste Figur des legendären Geschlechts war Friedrich I. Barbarossa, der zur Sicherung seines kaiserlichen Machtanspruchs mehrere Italienzüge unternahm. Der Gegensatz zwischen den Staufern und den Welfen, einem selbstbewussten Herzogshaus, prägte eine Ära.

Die mit dem Tod des Saliers Heinrich V. (1106 bis 1125) herrenlose Reichskrone erhielt nach dem Willen der deutschen Fürsten der Sachse Lothar III. (1125 bis 1137). Als der Supplinburger kinderlos starb, sollte die Herrscherwürde an seinen Schwiegersohn, den welfischen Bayernherzog Heinrich den Stolzen, fallen. Doch es kam anders. Der Favorit Heinrich wurde bei der Wahl zum deutschen König zugunsten Konrads III. (1138–1151), eines Staufers, übergangen. Zwischen Welfen und Staufern herrschte künftig eine erbitterte Rivalität, die sich wie ein roter Faden durch die Geschichte des Zeitalters zieht. Überraschenderweise bestimmte Konrad III. vor seinem Tod nicht den eigenen Sohn Heinrich, sondern seinen Neffen Friedrich von Schwaben als Nachfolger.

Friedrich Barbarossa, der grosse Staufer

Friedrich I. (1152–1190), von den Italienern wegen seines Äußeren »Barbarossa« (»Rotbart«) genannt, führte den Begriff »Heiliges Reich« ein, um die ebenbürtige Stellung des Kaisers neben dem Papst zum Ausdruck zu bringen. 1155 zog Friedrich zur Kaiserkrönung nach Rom. Als jedoch Papst Hadrian IV. in der Folge die Kaiserwürde öffentlich als »Lehen« des Papsttums bezeichnete, war der Konflikt zwischen Kaiser und Heiligem Stuhl unausweichlich. Barbarossa zog 1158 zum zweiten Mal nach Italien, um seine kaiserlichen Herrschaftsrechte durchzusetzen – nicht zuletzt auch gegenüber den von Mailand angeführten, widerspenstigen lombardischen Städten. Diese, von Barbarossa zunächst militärisch unterworfen, verbündeten sich mit dem Papst und hielten schließlich dem kaiserlichen Heer stand, bis Friedrich I. und Papst Alexander III. 1177 in Venedig Frieden schlossen.

In Deutschland erreichte Friedrich I. zunächst einen Ausgleich mit seinem welfischen Vetter und Rivalen Heinrich dem Löwen, dem er 1156 zusätzlich zum Herzogtum Sachsen auch Bayern zusprach. Der Streit zwischen dem Kaiser und seinem mächtigsten Vasallen brach jedoch angesichts maßloser Territorialforderungen des Welfen erneut auf. Barbarossa entmachtete Heinrich und zerschlug 1180 den welfischen Machtkomplex.

1186 glückte dem Kaiser ein diplomatischer Schachzug, als er seinen Sohn Heinrich (1190–1197) mit der Erbin des normannischen Königreichs Sizilien verheiraten konnte. Das Papsttum fand sich plötzlich in einer Umklammerung zwischen den Deutschen im Norden und den mächtigen Normannen im Süden. Mittlerweile hatte Sultan Saladin Jerusalem erobert. Die wichtigste Bastion der Christenheit im Orient war gefallen. Friedrich folgte dem Ruf zum Kreuzzug und ertrank 1190 im Fluss Saleph (in der heutigen Türkei).

Heinrich VI. trat das Erbe des Vaters an und setzte dessen Italienpolitik fort. 1194 ließ er sich nach Eroberung der Insel in Palermo zum König von Sizilien krönen. Der Herrschaftsbereich der Staufer gewann damit zwar einen neuen Schwerpunkt im Süden Europas, doch schrieb Heinrichs Scheitern bei dem Versuch, die deutsche Krone für sein Haus erblich zu machen, in der Konsequenz die Tendenz zum strukturellen Machtverlust eines zentralen Kaisertums fest.

Die Krise des Königtums

Ein Teil der Reichsfürsten wählte nach dem Tod Heinrichs den Staufer Philipp von Schwaben (1198–1208) zum König, ein anderer setzte dem Welfen Otto von Braunschweig die Krone aufs Haupt. Schon bald jedoch fiel Philipp dem Mordanschlag eines Wittelsbachers zum Opfer. Aber auch Otto hielt sich nur kurze Zeit unangefochten auf dem Thron. Weil er Zugeständnisse an den Papst nicht einhielt, bannte ihn Innozenz III. Dies gab den stauferfreundlichen Reichsfürsten das Signal zum Handeln. Sie wählten Friedrich von Sizilien, den Sohn Heinrichs VI., zum König.

Das Ende der Stauferzeit

Die Regentschaft Friedrichs II. (1212–1250) gilt als letzter großer Abschnitt der Stauferzeit. Der hoch gebildete Herrscher, eher ein sizilianischer Normanne denn ein »Deutscher«, begründete eine kulturelle Blütezeit. Friedrich betrieb Naturbeobachtungen, philosophierte mit arabischen Gelehrten, gewann mittels Diplomatie Jerusalem und erstrebte ein allumfassendes Kaisertum, was ihm den Beinamen »stupor mundi« (»der die Welt in Erstaunen versetzt«) einbrachte. Obwohl der Papst den Barbarossa-Enkel 1220 zum Kaiser gekrönt hatte, gab Friedrich im Konflikt zwischen dem weltlichen und dem geistlichen Oberhaupt des Abendlandes nicht nach. Der Machtkampf mit Rom gipfelte 1245 in der Flucht von Papst Innozenz IV. nach Lyon. Schließlich beendete der Tod Friedrichs 1250 den Streit zugunsten des Heiligen Stuhls. Sein Sohn Konrad (1250–1254) konnte das Erbe des Vaters nicht wahren. Der letzte Staufer, Konradin, wurde 1268 in Neapel hingerichtet.

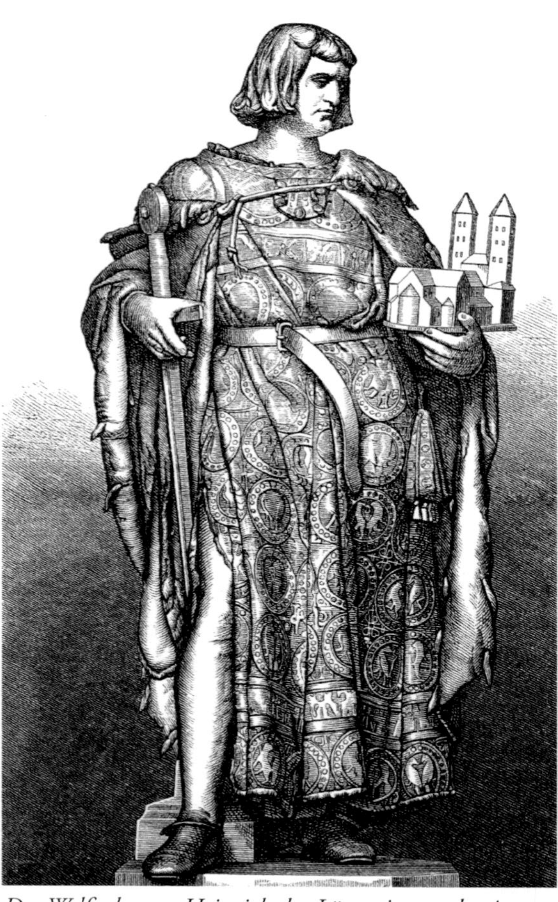

Der Welfenherzog Heinrich der Löwe ging nach seinem Sturz 1180 in die Verbannung nach England.

Kaiser Friedrich I. Barbarossa bei der Verleihung der Herzogswürde an den Bischof Herold von Würzburg im Jahre 1168; barockes Deckengemälde in der Würzburger Residenz

ZEITLEISTE

STAUFER

1050

1079 Friedrich von Büren wird mit dem Herzogtum Schwaben belehnt.

1100

1105 Herzog Friedrich II. regiert in Schwaben.

1125 Friedrich II. von Schwaben verweigert König Lothar III. die Gefolgschaft und verfällt der Reichsacht.

1138 Auf Betreiben von Papst Innozenz II. wird Konrad III. zum König gewählt und begründet die Stauferdynastie.

1150

1152 Konrads Neffe, Herzog Friedrich von Schwaben, wird als Friedrich I. Barbarossa deutscher König.

1155 Papst Hadrian IV. krönt Friedrich I. Barbarossa zum Römisch-Deutschen Kaiser.

WELFEN

1127 Herzog Heinrich der Stolze von Bayern heiratet Gertrud, die Tochter Lothars III.

1137 Lothar III. übergibt Herzog Heinrich dem Stolzen von Bayern die Reichsinsignien.

1138–1142 Krieg zwischen Staufern und Welfen; Heinrich der Löwe wird Herzog von Sachsen, muss seine Ansprüche auf Bayern aber an Konrad III. abtreten.

1156 Heinrich der Löwe wird mit dem Herzogtum Bayern belehnt.

- Reichsgrenze zur Zeit der Staufer
- Veränderung des Reichsgebiets zur Zeit der Staufer
- Römisch-Deutsches Reich
- Königreich Sizilien, formell unter päpstlicher Lehnshoheit
- päpstlicher Herrschaftsanspruch

FT. Fürstentum
GF. Grafschaft
HZT. Herzogtum
KGR. Königreich
LGF. Landgrafschaft

1 Die Burg Hohenstaufen in der Schwäbischen Alb wurde 1157 erstmals erwähnt. Sie war der Sitz des Staufergeschlechts und wurde 1525 im Bauernkrieg zerstört.

2 Friedrich Barbarossa erhob 1156 die Markgrafschaft Österreich zum Herzogtum. Dessen Territorium umfasste zu diesem Zeitpunkt etwa das Gebiet des heutigen Niederösterreich.

3 Heinrich der Löwe verlegte 1158 den wegen des lukrativen Salzhandels wichtigen Isar-Übergang an die Siedlung Munichen, die Keimzelle Münchens. Zu den bedeutenden Stadtgründungen des Welfen zählte auch die Neugründung Lübecks.

4 Kaiser Friedrich I. eroberte und zerstörte 1162 Mailand, die Hauptstadt des reichsfeindlichen lombardischen Städtebundes. Die hier aufbewahrten mutmaßlichen Reliquien der Heiligen Drei Könige ließ der Staufer in den Kölner Dom verbringen.

5 Durch die Entmachtung Heinrichs des Löwen (1180) wurden die Fürsten von Mecklenburg und Pommern dänische beziehungsweise kaiserliche Vasallen. Nachdem die Slawen die deutsche Ostsiedlung der Ottonenzeit zum Stehen gebracht hatten, erhielt sie nun wieder neue Impulse.

0 300 km
0 200 Meilen

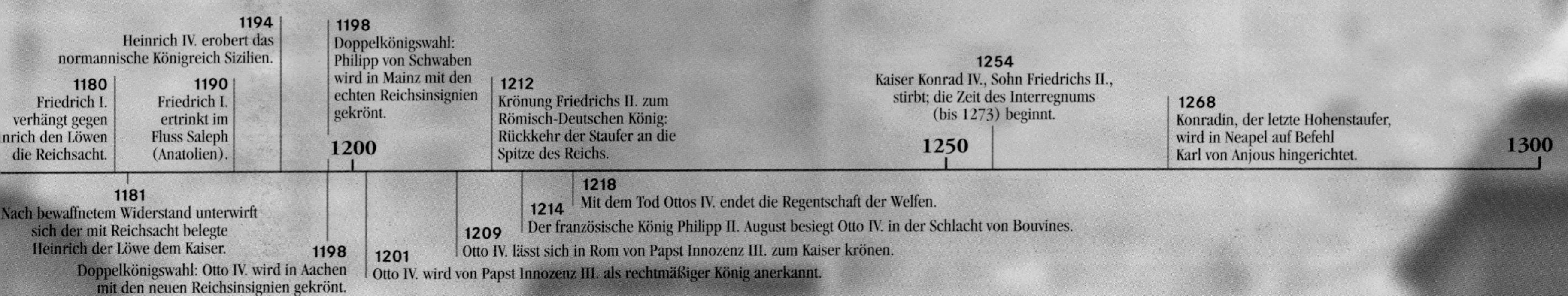
1180
Friedrich I. verhängt gegen
nrich den Löwen die Reichsacht.
1181
Nach bewaffnetem Widerstand unterwirft sich der mit Reichsacht belegte Heinrich der Löwe dem Kaiser.
1190
Friedrich I. ertrinkt im Fluss Saleph (Anatolien).
1194
Heinrich IV. erobert das normannische Königreich Sizilien.
1198
Doppelkönigswahl: Philipp von Schwaben wird in Mainz mit den echten Reichsinsignien gekrönt.
1198
Doppelkönigswahl: Otto IV. wird in Aachen mit den neuen Reichsinsignien gekrönt.
1200
1201
Otto IV. wird von Papst Innozenz III. als rechtmäßiger König anerkannt.
1209
Otto IV. lässt sich in Rom von Papst Innozenz III. zum Kaiser krönen.
1212
Krönung Friedrichs II. zum Römisch-Deutschen König: Rückkehr der Staufer an die Spitze des Reichs.
1214
Der französische König Philipp II. August besiegt Otto IV. in der Schlacht von Bouvines.
1218
Mit dem Tod Ottos IV. endet die Regentschaft der Welfen.
1250
1254
Kaiser Konrad IV., Sohn Friedrichs II., stirbt; die Zeit des Interregnums (bis 1273) beginnt.
1268
Konradin, der letzte Hohenstaufer, wird in Neapel auf Befehl Karl von Anjous hingerichtet.
1300

Die Welt des Mittelalters (600 bis 1492 n. Chr.)

Krieg, Aufstand und Pest im Europa des 14. Jahrhunderts • 1300 bis 1400

Das Papsttum hatte schon länger unter den Versuchen europäischer Monarchen gelitten, zentralisierte Nationalstaaten aufzubauen, und wurde 1303 weiter geschwächt, als Philipp IV. von Frankreich Papst Bonifatius VIII. in Agnani gefangen nahm. Sechs Jahre später wurde der Papstsitz nach Avignon verlegt. Die Kurie kehrte 1377 zwar wieder nach Rom zurück, aber die umstrittene Doppelwahl von Urban VI. und Klemens VII. führte im Jahr 1378 zum Abendländischen Schisma, der Existenz rivalisierender Päpste in Avignon und Rom.

Die Spaltung der Kirche dauerte bis 1417 und teilte Europa in zwei Lager. Da Frankreich den Papst in Avignon unterstützte, stand England – in den Hundertjährigen Krieg mit Frankreich verwickelt – aufseiten der Kurie in Rom, während sich Schottland als Gegner Englands auf die Seite der Franzosen und Avignons schlug.

Der Hundertjährige Krieg

Begonnen hatte der Hundertjährige Krieg wegen der englischen Besitzungen in Frankreich. Nach Siegen der Engländer bei Crécy (1346) und Maupertuis-Poitiers (1356) traten die Franzosen 1360 im Vertrag von Bretigny Aquitanien und die Gascogne ab. Aber dann brach der Krieg erneut aus und als man sich 1396 auf einen Waffenstillstand einigte (der 28 Jahre hielt), besaßen die Engländer weniger Land in Frankreich als 1337. Im Jahr 1363 hatte der französische König Johann II. für künftigen Ärger gesorgt, als er das zum Krongut gehörende Herzogtum Burgund seinem Sohn Philipp dem Kühnen übergab. Dessen Eheschließung mit der Erbin des Grafen von Flandern (1369) fügte dem neuen Besitz auch noch die Freigrafschaft Burgund und die reichen flämischen Städte hinzu.

Machtproben im Römisch-Deutschen Reich

Auch im Römisch-Deutschen Reich herrschte fast ständig Krieg. Die mächtigen Stadtstaaten Norditaliens, die nur noch nominell dem Reichsverband unterstanden, bekriegten einander und die deutschen Fürsten waren mit ihren dynastischen Auseinandersetzungen beschäftigt; sie strebten nach Macht, um auf die Wahl des Kaisers entscheidenden Einfluss zu gewinnen. Die Wittelsbacher setzten sich 1325 gegen die Habsburger durch, nur um ihre Position gleich wieder an die Luxemburger (1346–1438) zu verlieren. Einig waren sich die Fürsten indessen im Kampf (bis 1389) gegen die süddeutschen und rheinischen Städte, um deren Streben nach Unabhängigkeit einzudämmen. Nach einem Jahrhundert der Rebellion trotzte im selben Jahr das Bündnis der acht Schweizer Urkantone den habsburgischen Herzögen seine Unabhängigkeit ab. In Osteuropa besetzten die Osmanen 1354 Gallipoli am europäischen Ufer der Dardanellen und hatten wegen der Uneinigkeit der christlichen Herrscher bis zum Jahrhundertende fast den gesamten Balkan erobert.

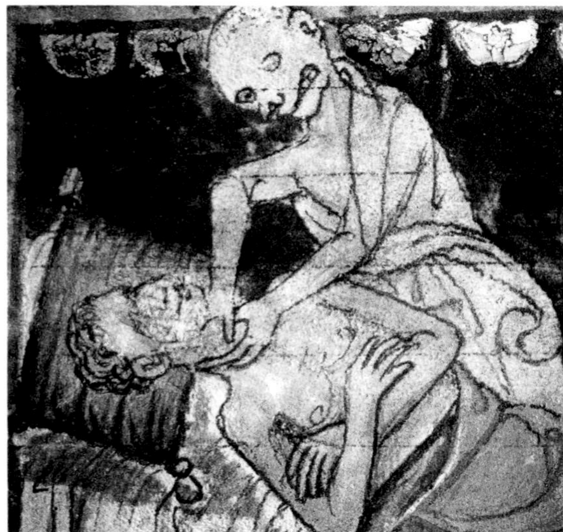

Drastische Darstellung aus der Zeit des »schwarzen Todes«: Der Tod erwürgt ein Pestopfer (Buchmalerei aus Böhmen, 14. Jahrhundert).

Der schwarze Tod

Das zentrale Ereignis des 14. Jahrhunderts aber war die Pestepidemie, die sich aus den asiatischen Steppen entlang der Seidenstraße nach Westen ausbreitete und 1346 den genuesischen Hafen Kaffa auf der Krim erreichte. Von hier sprang die durch Flöhe der Schiffsratten übertragene Krankheit nach Genua, Venedig und Marseille über, die alle enge Handelsbeziehungen mit Asien unterhielten. Von diesen Häfen aus verbreitete sich die Seuche erstaunlich rasch über die Handelsstraßen in ganz Europa. Ein Grund moch-

Grenzen um 1360/1361
Muslimstaaten
Staaten der orthodoxen Christenheit
englische Besitzungen
genuesische Besitzungen
venezianische Besitzungen
Römisch-Deutsches Reich
Habsburger Lande
Luxemburgische Lande
Wittelsbacher Lande
andere
Das Abendländische Schisma, 1378
Obödienz Avignon
Obödienz Rom
generell römische Obödienz, aber mit lokal unterschiedlicher konfessioneller Zugehörigkeit
antisemitische Ausschreitungen und Massaker
Aufstände in Städten
Bauernaufstände
Erwerbungen Philipps II. (des Kühnen) von Burgund um 1396
Ausdehnung der Pest, datiert
von der Pest nur schwach betroffen
Ketzerbewegung der Lollarden (Anhänger John Wycliffs) um 1400
Färöer zu Norwegen
Orkney-Inseln zu Norwegen
Hebriden
Bannockburn 1314
Irland
Dublin
Wexford
Chester
Bristol
Oxford
Southampton
Cherbourg
Bretagne
Nantes
Poitiers 1356
ATLANTISCHER OZEAN
Gascogne
NAVARRA
Burgos
KASTILIEN
Duero
ANDORRA
PORTUGAL
Segovia
Aljubarrota 1385
Tajo
Toledo
Lissabon
Guadiana
Valencia
Córdoba
Sevilla
EMIRAT VON GRANADA
Granada
Ende 1349
Mitte 1349
Ende 1348
Mitte 1348
0 600 km
0 400 Meilen

1 Die Niederlage in der Schlacht von Chioggia vereitelte 1380 den Versuch Genuas, seinen Konkurrenten Venedig auszuschalten.

2 Böhmen diente der Luxemburger-Dynastie seit 1310 als Machtbasis im deutschen Reich. Unter ihrer Herrschaft blühte Prag zu einem der bedeutendsten kulturellen Zentren Europas auf.

3 Der Erfolg der englischen Bogenschützen gegen die französische Kavallerie bewies im Jahr 1346 bei Crécy die zunehmende Bedeutung der Infanterie für die Kriegsführung im Spätmittelalter.

4 Moskau verdankte seine Unabhängigkeit Fürst Daniel Alexandrowitsch (1261–1303).

5 Die Litauer, das letzte heidnische Volk in Europa, widersetzten sich dem Versuch des Deutschen Ordens, sie gewaltsam zu bekehren. 1386 nahmen sie den christlichen Glauben aus freien Stücken an.

6 Die Niederlage von Bannockburn im Jahr 1314 zwang die Engländer zur Anerkennung der schottischen Unabhängigkeit (1328). Beide Königreiche bekriegten einander aber auch weiterhin.

7 Eine Invasion der Truppen Kastiliens wurde von den Portugiesen 1385 zurückgeschlagen; damit blieb ihr Land unabhängig.

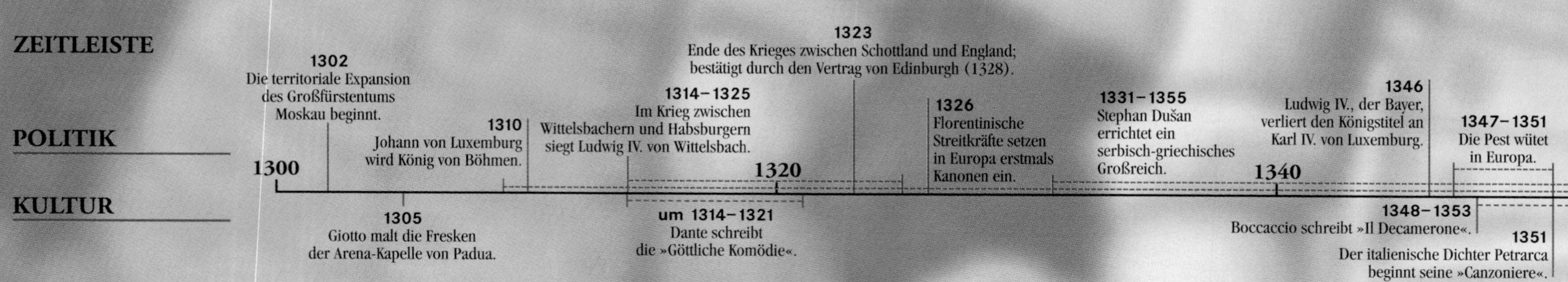

ZEITLEISTE
POLITIK
KULTUR
1300
1320
1340
1302 Die territoriale Expansion des Großfürstentums Moskau beginnt.
1310 Johann von Luxemburg wird König von Böhmen.
1314–1325 Im Krieg zwischen Wittelsbachern und Habsburgern siegt Ludwig IV. von Wittelsbach.
1323 Ende des Krieges zwischen Schottland und England; bestätigt durch den Vertrag von Edinburgh (1328).
1326 Florentinische Streitkräfte setzen in Europa erstmals Kanonen ein.
1331–1355 Stephan Dušan errichtet ein serbisch-griechisches Großreich.
1346 Ludwig IV., der Bayer, verliert den Königstitel an Karl IV. von Luxemburg.
1347–1351 Die Pest wütet in Europa.
1305 Giotto malt die Fresken der Arena-Kapelle von Padua.
um 1314–1321 Dante schreibt die »Göttliche Komödie«.
1348–1353 Boccaccio schreibt »Il Decamerone«.
1351 Der italienische Dichter Petrarca beginnt seine »Canzoniere«.

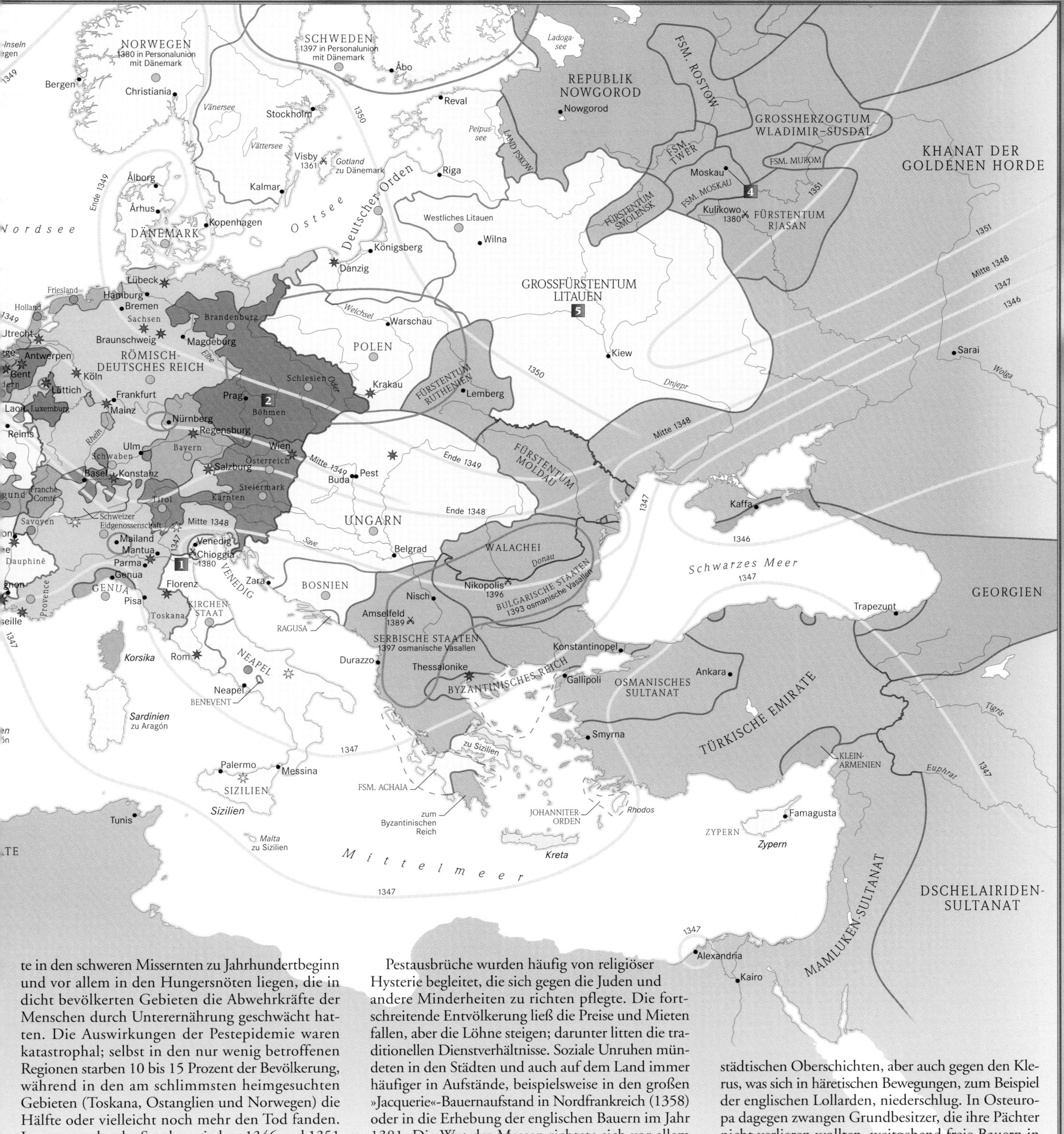
NORWEGEN
1380 in Personalunion mit Dänemark
SCHWEDEN
1397 in Personalunion mit Dänemark
Bergen
Christiania
Åbo
Ladoga-see
REPUBLIK NOWGOROD
Nowgorod
FSM. ROSTOW
Reval
Vänersee
Stockholm
Vättersee
1350
Peipus-see
LAND PSKOW
GROSSHERZOGTUM WLADIMIR-SUSDAL
FSM. TWER
FSM. MUROM
KHANAT DER GOLDENEN HORDE
Visby 1361
Gotland zu Dänemark
Riga
Moskau
FSM. MOSKAU
4
Ålborg
Ende 1349
Kalmar
Deutscher Orden
FÜRSTENTUM SMOLENSK
1351
Århus
Westliches Litauen
Kulikowo 1380
FÜRSTENTUM RJASAN
Nordsee
Kopenhagen
Ostsee
DÄNEMARK
Wilna
Königsberg
Danzig
Mitte 1348
Lübeck
Friesland
Hamburg
Bremen
Holland
GROSSFÜRSTENTUM LITAUEN
5
1347
1346
Sachsen
Brandenburg
Weichsel
Warschau
Utrecht
Braunschweig
Magdeburg
POLEN
Sarai
Antwerpen
RÖMISCH-DEUTSCHES REICH
Elbe
Kiew
Gent
Köln
Schlesien
Oder
1350
Wolga
Krakau
FÜRSTENTUM RUTHENIEN
Dnjepr
Lüttich
Frankfurt
Prag
2
Böhmen
Lemberg
Luxemburg
Mainz
Nürnberg
Mitte 1348
Reims
Regensburg
Rhein
Bayern
Wien
Ulm
Schwaben
Österreich
Mitte 1349
Ende 1349
FÜRSTENTUM MOLDAU
Salzburg
Pest
Basel
Konstanz
Buda
Franche Comté
Steiermark
Tirol
Kärnten
1347
Kaffa
Schweizer Eidgenossenschaft
Ende 1348
Savoyen
Mitte 1348
UNGARN
Mailand
Venedig
Mantua
Chioggia 1380
Save
Belgrad
WALACHEI
1346
Dauphiné
1
Donau
Schwarzes Meer
Parma
Genua
1347
Nikopolis 1396
Florenz
VENEDIG
Zara
BOSNIEN
BULGARISCHE STAATEN 1393 osmanische Vasallen
GEORGIEN
GENUA
Provence
Pisa
Nisch
Trapezunt
Toskana
KIRCHENSTAAT
Amselfeld 1389
RAGUSA
SERBISCHE STAATEN 1397 osmanische Vasallen
Korsika
Rom
NEAPEL
Durazzo
Konstantinopel
Ankara
Thessalonike
BYZANTINISCHES REICH
Gallipoli
OSMANISCHES SULTANAT
Neapel
BENEVENT
TÜRKISCHE EMIRATE
Tigris
Sardinien zu Aragón
Smyrna
1347
zu Sizilien
KLEIN-ARMENIEN
Euphrat
Palermo
Messina
FSM. ACHAIA
SIZILIEN
Sizilien
Tunis
zum Byzantinischen Reich
JOHANNITER-ORDEN
Rhodos
Famagusta
ZYPERN
Zypern
Malta zu Sizilien
Mittelmeer
Kreta
1347
DSCHELAIRIDEN-SULTANAT
MAMLUKEN-SULTANAT
1347
Alexandria
Kairo

te in den schweren Missernten zu Jahrhundertbeginn und vor allem in den Hungersnöten liegen, die in dicht bevölkerten Gebieten die Abwehrkräfte der Menschen durch Unterernährung geschwächt hatten. Die Auswirkungen der Pestepidemie waren katastrophal; selbst in den nur wenig betroffenen Regionen starben 10 bis 15 Prozent der Bevölkerung, während in den am schlimmsten heimgesuchten Gebieten (Toskana, Ostanglien und Norwegen) die Hälfte oder vielleicht noch mehr den Tod fanden. Insgesamt erlag der Seuche zwischen 1346 und 1351 ein Drittel der europäischen Bevölkerung.

Pestausbrüche wurden häufig von religiöser Hysterie begleitet, die sich gegen die Juden und andere Minderheiten zu richten pflegte. Die fortschreitende Entvölkerung ließ die Preise und Mieten fallen, aber die Löhne steigen; darunter litten die traditionellen Dienstverhältnisse. Soziale Unruhen mündeten in den Städten und auch auf dem Land immer häufiger in Aufstände, beispielsweise in den großen »Jacquerie«-Bauernaufstand in Nordfrankreich (1358) oder in die Erhebung der englischen Bauern im Jahr 1381. Die Wut der Massen richtete sich vor allem gegen Landbesitzer, Steuereinnehmer und die reichen städtischen Oberschichten, aber auch gegen den Klerus, was sich in häretischen Bewegungen, zum Beispiel der englischen Lollarden, niederschlug. In Osteuropa dagegen zwangen Grundbesitzer, die ihre Pächter nicht verlieren wollten, weitgehend freie Bauern in die Leibeigenschaft.

6
»Goldene Bulle« Karls IV.
…det den päpstlichen Einfluss
…ie deutsche Königswahl.

1360

1309–1377
Avignon ist päpstliche Residenz.

1380
Die Moskowiter bringen in der Schlacht von Kulikowo der Goldenen Horde eine schwere Niederlage bei.

1380

1389
In der Schlacht auf dem Amselfeld besiegt das osmanische Heer die Serben, die nun Vasallen der Osmanen werden.

1386–1400
Geoffrey Chaucer verfasst die »Canterbury Tales«.

1397
Die Union von Kalmar vereinigt ganz Skandinavien unter der dänischen Krone.

1400

1378–1417
Abendländisches Schisma: Spaltung der lateinischen Kirche.

1420

Die Welt des Mittelalters (600 bis 1492 n. Chr.)

Das Römisch-Deutsche Reich zur Zeit Karls IV. • 1347 bis 1378

Mit Karl IV. bestieg 1346 der bedeutendste Herrscher des Spätmittelalters den Königsthron des Römisch-Deutschen Reiches. Sein diplomatisches Geschick sicherte dem Luxemburger eine starke Position gegenüber den Reichsfürsten und beträchtliche Territorialgewinne. Das politische Zentrum des Reiches verlegte der Kaiser in den Osten, nach Böhmen.

Nach dem Ende der Stauferdynastie gewannen die Reichsfürsten immer mehr Einfluss auf den Königsthron. Die Wahl des Königs lag in den Händen der Kurfürsten – drei geistlichen und vier weltlichen Würdenträgern. Ihr Interesse war es, schwache Könige auf den Thron zu heben, die ihnen nicht mit der Einrichtung einer Erbdynastie das Wahlrecht streitig machen konnten. Im Gegenzug versuchten die deutschen Könige des Spätmittelalters, ihre Stellung durch den Aufbau einer eigenen Hausmacht zu stärken. Ziel war es, die Herrscherwürde des Reiches erblich zu machen und so die Macht der Fürsten zu brechen. Obwohl sich kein König langfristig behaupten konnte und die Kaiserwürde bis 1312 vakant blieb, traten drei neue Dynastien auf den Plan, unter denen sich im Spätmittelalter die politische Landkarte Europas erheblich veränderte: die Häuser Habsburg, Luxemburg und Wittelsbach.

Karl IV. vermochte dem Kaisertum noch einmal Glanz zu verleihen; Gemälde, um 1370.

Als der Wittelsbacher Ludwig der Bayer (König 1314–1347, Kaiser seit 1328) mit seiner Hausmachtpolitik so erfolgreich wurde, dass die Kurfürsten ihre Macht gefährdet sahen, wählten sie den Luxemburger Karl IV. (1346–1378, Kaiser seit 1355) zum Gegenkönig. Karls Kampf gegen Ludwig nahm bürgerkriegsähnliche Ausmaße an. Selbst der Tod des Wittelsbachers im Jahr 1347 führte noch keine Entscheidung herbei. Erst zwei Jahre später lenkten dessen Söhne ein und erkannten Karl IV. gegen Zusicherung ihrer Besitztümer in Tirol als König an.

Karl verlegte das Zentrum des Reiches in seine Erbheimat Böhmen. Er baute Prag zu einem glänzenden geistigen und künstlerischen Zentrum aus, ließ unter anderem die Neustadt, den Dom, die Karlsbrücke und die Burg Karlstein errichten und zog bedeutende Künstler und Gelehrte an seinen Hof. Der Rest des Reiches war in unzählige Herrschaftsbereiche zersplittert, da die Veränderung der Machtverhältnisse während der kaiserlosen Zeit immer wieder für Flächenverschiebungen gesorgt hatte.

Die »Goldene Bulle«

Erst mit dem Kaisertitel, den Karl 1355 erlangte, hielt der Luxemburger das richtige Instrument in Händen, um seinen politischen Machtanspruch gegen die Kurfürsten durchzusetzen. Bereits ein Jahr nach der Krönung erließ der Kaiser mit der »Goldenen Bulle« das wichtigste Reichsgrundgesetz des Mittelalters. In diesem nach dem goldenen Siegel der königlichen Kanzlei benannten Gesetzeswerk waren die Modalitäten zur Königswahl und die Rechtsstellung der sieben Kurfürsten festgelegt, die in der Reihenfolge Mainz, Trier, Köln, Böhmen, Pfalz, Sachsen und Brandenburg wählen sollten. Zum Ort der Königswahl wurde Frankfurt, zum Krönungsort Aachen bestimmt. Insbesondere Doppelwahlen hoffte Karl durch die Festlegung des Mehrheitsprinzips in Zukunft zu verhindern. Der deutsche König erhielt automatisch die Kaiserwürde. Die Ansprüche des Papstes überging der Kaiser stillschweigend. Damit endete die jahrhundertealte Auseinandersetzung von Kirche und König um die Investitur des Kaisers.

Waren Italien und Burgund zur Zeit der Ottonen, Salier und Staufer stets stark umkämpfte Interessensphären des Reiches gewesen, so geriet dessen Süd- und Westgrenze immer mehr aus dem Blickfeld des von Böhmen aus regierenden Kaisers. 1356 überließ Karl IV. Burgund den Franzosen. In Italien brachte er seinen Einfluss zwar nominell zu Geltung, sah sich aber nicht veranlasst, ihn auch gewaltsam durchzusetzen. Damit entzog sich erstmals ein Römisch-Deutscher Kaiser dem Machtkampf mit dem Papst. Stattdessen konzentrierte sich Karl IV. auf die Gebiete im Osten. 1348 schloss er Schlesien in das Königreich Böhmen ein, 1366 erwarb er die Niederlausitz, 1373 Brandenburg.

Auf Luxemburg folgt Habsburg

Als Karl IV. 1378 starb, hatte er die Hausmacht der Luxemburger stark ausgebaut. Das Territorium der Dynastie war dank der Heiratspolitik des Kaisers mit dem Gewinn Ungarns auch nach Südosten erweitert worden. Diese Entwicklung blieb für den Fortgang der deutschen Geschichte maßgeblich.

Karls Söhne konnten nicht mehr an die Erfolge des Vaters anknüpfen. Wenzel (1378–1400) wurde wegen Untätigkeit von den Reichsfürsten abgesetzt, Sigismund (1410–1437) sah sich dem wieder aufkeimenden Machthunger des Papstes gegenüber, setzte einen Gegenpapst ein und mühte sich bis 1417 um die Beendigung der Kirchenspaltung. Als der letzte Luxemburger auf dem Thron 1437 starb, übernahmen die Habsburger sein Erbe. Sie sollten die Geschicke des Römisch-Deutschen Reiches bis 1806 lenken, wenn auch die letzten Jahrhunderte nur noch nominell.

1 Mit der Einrichtung einer Frühjahrsmesse stieg Frankfurt am Main ab 1330 zur Drehscheibe des europäischen Handels nördlich der Alpen auf.

2 Die Städte Augsburg und Ulm gründeten 1331 den Schwäbischen Städtebund zur Sicherung des Landfriedens.

3 Karl IV. gründete 1348 in Prag die Karlsuniversität, die älteste Universität Mitteleuropas, und machte die Hauptstadt Böhmens durch rege Bautätigkeit zur »Goldenen Stadt«.

4 In Lübeck fand 1356 der erste allgemeine Hansetag statt. Der Kaufmannsbund wurde in einen Zusammenschluss aus Städten, die Städtehanse, umgewandelt.

5 Mit dem Konzil von Konstanz endete 1417 das Abendländische Schisma. Seit 1378 hatten zwei, später drei Päpste um die Alleinherrschaft gerungen und die Christenheit gespalten.

ZEITLEISTE

POLITIK

- **1346** Der böhmische Thronfolger Karl wird als Karl IV. von fünf der sieben Kurfürsten zum deutschen König gewählt.
- **1355** Karl IV. wird von einem päpstlichen Gesandten in Rom zum Kaiser gekrönt.
- **1356** Karl IV. erlässt die »Goldene Bulle«; das Gesetz regelt die Königswahl und die Rechte der Kurfürsten.
- **1370** Der Friede von Stralsund beendet den Krieg der Hanse gegen Dänemark.
- **1378** Nach dem Tod Karls IV. tritt dessen Sohn Wenzel die Herrschaft im Reich an.

1340 – 1350 – 1360 – 1370 – 1380

KULTUR

- **1348** Karl IV. gründet in Prag die erste deutsche Universität.
- **1350** Die erste naturgeschichtliche Enzyklopädie in deutscher Sprache, Konrad von Megenbergs »Buch der Natur«, erscheint.
- **ab 1353** Der Baumeister Peter Parler leitet in Prag u. a. die Arbeiten an Veitsdom und Karlsbrücke.
- **um 1380** Meister Bertram von Minden vollendet für die Petrikirche in Hamburg den »Grabower Altar«, der erste Ansätze perspektivischer Darstellung aufweist.

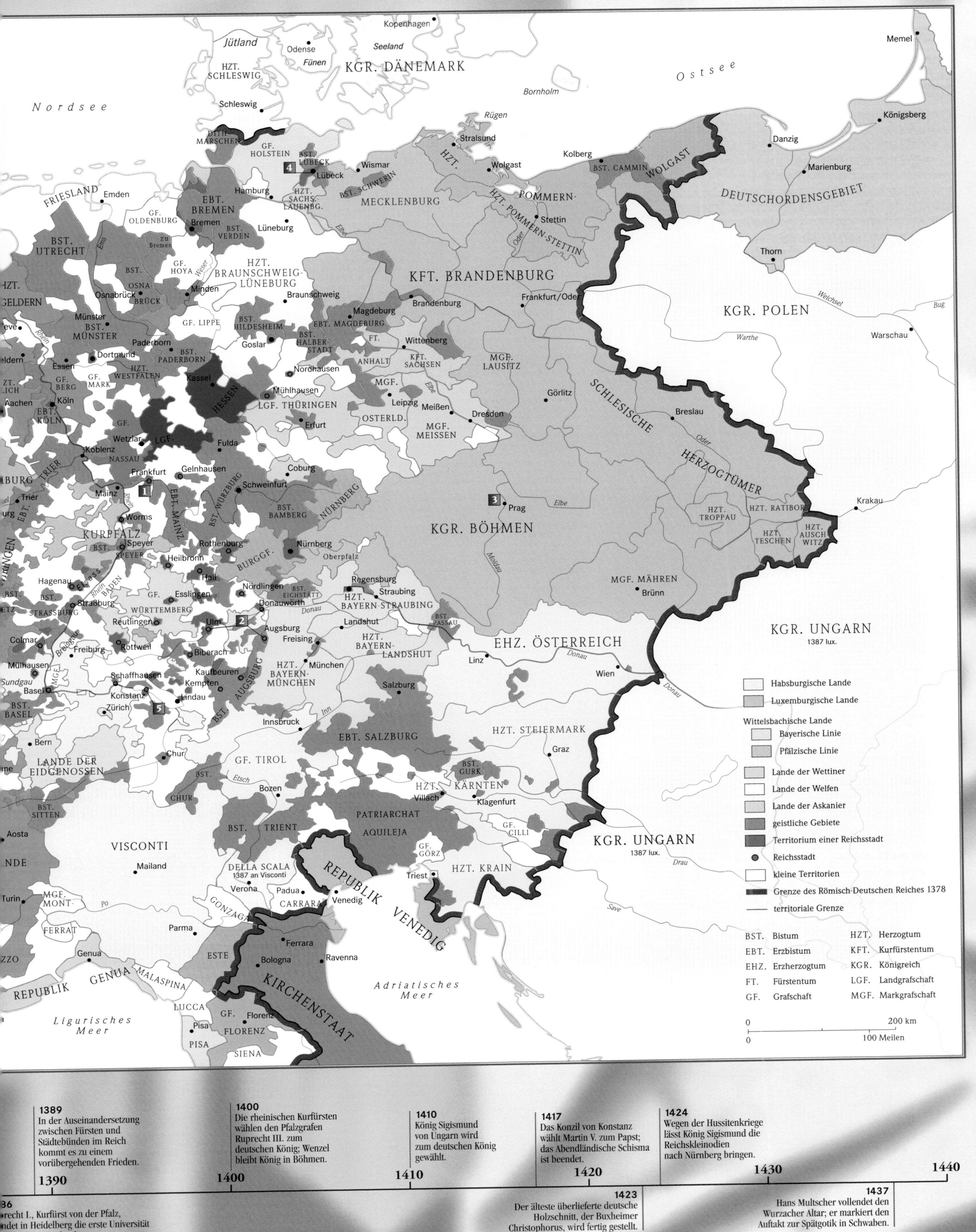

Kopenhagen
Jütland
Odense
Seeland
Fünen
KGR. DÄNEMARK
HZT. SCHLESWIG
Ostsee
Memel
Bornholm
Nordsee
Schleswig
Rügen
Königsberg
DITH-MARSCHEN
Stralsund
Danzig
GF. HOLSTEIN
BST. LÜBECK
Wismar
Kolberg
BST. CAMMIN
WOLGAST
Lübeck
HZT.
Wolgast
Marienburg
FRIESLAND
Emden
BST. SCHWERIN
MECKLENBURG
POMMERN-
DEUTSCHORDENSGEBIET
Hamburg
HZT. SACHS.-LAUENBG.
EBT. BREMEN
GF. OLDENBURG
Bremen
HZT. POMMERN-STETTIN
Stettin
BST. VERDEN
Lüneburg
Elbe
Oder
BST. UTRECHT
zu Bremen
Ems
Thorn
HZT.
GELDERN
GF. HOYA
Weser
HZT. BRAUNSCHWEIG-LÜNEBURG
KFT. BRANDENBURG
BST. OSNA-BRÜCK
Osnabrück
Minden
Braunschweig
Brandenburg
Frankfurt/Oder
Weichsel
Bug
KGR. POLEN
Münster
BST. MÜNSTER
Magdeburg
EBT. MAGDEBURG
GF. LIPPE
BST. HILDESHEIM
Rhein
BST. HALBER-STADT
FT.
Wittenberg
Warthe
Warschau
Paderborn
Goslar
BST. PADERBORN
Dortmund
ANHALT
KFT. SACHSEN
MGF. LAUSITZ
Essen
HZT. WESTFALEN
Nordhausen
GF. BERG
GF. MARK
Kassel
Mühlhausen
MGF.
Elbe
SCHLESISCHE
Görlitz
Aachen
Köln
HESSEN
LGF. THÜRINGEN
Leipzig
Meißen
Breslau
EBT. KÖLN
Erfurt
OSTERLD.
Dresden
GF.
MGF. MEISSEN
Wetzlar
LGF.
Oder
Koblenz
NASSAU
Fulda
HERZOGTÜMER
TRIER
Frankfurt
Gelnhausen
Coburg
Trier
Mainz
EBT. MAINZ
BST. WÜRZBURG
Schweinfurt
Prag
Elbe
Krakau
BST. BAMBERG
NÜRNBERG
HZT. TROPPAU
HZT. RATIBOR
Worms
KURPFALZ
KGR. BÖHMEN
HZT. TESCHEN
HZT. AUSCHWITZ
Speyer
BST. SPEYER
Rothenburg
Nürnberg
Heilbronn
BURGGF.
Oberpfalz
Moldau
Hall
Hagenau
Elsass
BADEN
Rhein
Regensburg
Nördlingen
BST. EICHSTÄTT
Straubing
MGF. MÄHREN
Brünn
GF.
Esslingen
Donauwörth
HZT. BAYERN-STRAUBING
BST. STRASSBURG
Straßburg
WÜRTTEMBERG
Donau
BST. PASSAU
Reutlingen
Ulm
Landshut
KGR. UNGARN
1387 lux.
Augsburg
Colmar
Freising
HZT. BAYERN-LANDSHUT
EHZ. ÖSTERREICH
Breisgau
Freiburg
Rottweil
Biberach
Linz
Donau
Mülhausen
Kaufbeuren
München
Wien
Sundgau
MGF.
Schaffhausen
Kempten
HZT. BAYERN-MÜNCHEN
Salzburg
Donau
Basel
Konstanz
Lindau
BST. AUGSBURG
BST. BASEL
Zürich
Inn
Innsbruck
HZT. STEIERMARK
EBT. SALZBURG
Bern
Chur
Graz
GF. TIROL
LANDE DER EIDGENOSSEN
BST.
Etsch
BST. GURK
HZT.
KÄRNTEN
Bozen
Villach
CHUR
Klagenfurt
BST. SITTEN
PATRIARCHAT AQUILEJA
BST.
TRIENT
GF. CILLI
Aosta
KGR. UNGARN
1387 lux.
VISCONTI
GF. GÖRZ
Drau
Mailand
DELLA SCALA
1387 an Visconti
HZT. KRAIN
REPUBLIK VENEDIG
Triest
Verona
Padua
CARRARA
Venedig
Turin
MGF. MONT-
Po
GONZAGA
Save
FERRAT
Parma
Ferrara
ESTE
Bologna
Ravenna
Genua
GENUA
MALASPINA
KIRCHENSTAAT
REPUBLIK
Adriatisches Meer
LUCCA
GF.
Florenz
Ligurisches Meer
Pisa
FLORENZ
PISA
SIENA
Habsburgische Lande
Luxemburgische Lande
Wittelsbachische Lande
Bayerische Linie
Pfälzische Linie
Lande der Wettiner
Lande der Welfen
Lande der Askanier
geistliche Gebiete
Territorium einer Reichsstadt
Reichsstadt
kleine Territorien
Grenze des Römisch-Deutschen Reiches 1378
territoriale Grenze
BST. Bistum
EBT. Erzbistum
EHZ. Erzherzogtum
FT. Fürstentum
GF. Grafschaft
HZT. Herzogtum
KFT. Kurfürstentum
KGR. Königreich
LGF. Landgrafschaft
MGF. Markgrafschaft
0
200 km
0
100 Meilen

1389
In der Auseinandersetzung zwischen Fürsten und Städtebünden im Reich kommt es zu einem vorübergehenden Frieden.

1400
Die rheinischen Kurfürsten wählen den Pfalzgrafen Ruprecht III. zum deutschen König; Wenzel bleibt König in Böhmen.

1410
König Sigismund von Ungarn wird zum deutschen König gewählt.

1417
Das Konzil von Konstanz wählt Martin V. zum Papst; das Abendländische Schisma ist beendet.

1424
Wegen der Hussitenkriege lässt König Sigismund die Reichskleinodien nach Nürnberg bringen.

1390 1400 1410 1420 1430 1440

…86
…recht I., Kurfürst von der Pfalz, …ndet in Heidelberg die erste Universität …deutschen Kernland.

1423
Der älteste überlieferte deutsche Holzschnitt, der Buxheimer Christophorus, wird fertig gestellt.

1437
Hans Multscher vollendet den Wurzacher Altar; er markiert den Auftakt zur Spätgotik in Schwaben.

Die Welt des Mittelalters (600 bis 1492 n. Chr.)

Die europäische Wirtschaft im Mittelalter • 1000 bis 1500

Die europäische Bevölkerung bestand im Mittelalter zu über 90 Prozent aus Bauern. Die Grundbesitzer pflegten ihr Land unter mehrere Bauern aufzuteilen, die das jeweilige Stück Land bestellten – wobei es natürlich lokale Unterschiede gab. Im Gegenzug mussten die Grundherren ihre Bauern im Krieg schützen, sie in Zeiten einer Hungersnot versorgen und außerdem Recht sprechen.

Viele Bauern waren Leibeigene oder Zinsbauern, die ihren halb- oder unfreien Status an ihre Nachkommen vererbten. Aber sie waren keine Sklaven und besaßen bestimmte verbriefte Rechte. Im Spätmittelalter traten auf den Britischen Inseln, in Italien und auf der Iberischen Halbinsel Pächter an die Stelle der Leibeigenen, während die Leibeigenschaft in anderen Teilen Europas bis ins 18. Jahrhundert, in Russland sogar bis 1862 fortbestand.

Produktivitätssteigerung

Im Frühmittelalter wurde in der Landwirtschaft eine Reihe von Methoden beziehungsweise Geräten erfunden oder eingeführt – wie die Dreifelderwirtschaft (um das Jahr 700), der Räderpflug und das gepolsterte Kummet, mit dem man Pferde auch zum Pflügen einsetzen konnte. Diese Verbesserungen steigerten die Produktivität erheblich, so dass der Wohlstand der Landbevölkerung stieg. Die meisten nicht zur Selbstversorgung notwendigen Agrarerzeugnisse verkaufte man auf den lokalen Märkten, während Wolle, Felle, Wein, Milchprodukte, Salz, Fisch und Getreide auch in größeren Mengen an weiter entfernte Abnehmer geliefert wurden. Der Gütertransport über Land war Zeit raubend und teuer, weshalb die meisten Massengüter per See- oder Flussschifffahrt verschickt wurden. Verschiedene arbeitsteilige Aktivitäten wie Bergbau, Erzschmelze, Holzeinschlag und Gesteinsbruch, Köhlerei oder Salzgewinnung wurden auf dem Land immer wichtiger. Sowohl die Landwirtschaft als auch die »ländliche Industrie« profitierten von technischen Verbesserungen wie der Nutzung von Wind- und Wasserenergie für Getreidemühlen, Pumpen, Blasebälge und Sägen.

Reges Treiben im Hafen einer Hansestadt im späten Mittelalter; Farblithographie aus dem Jahre 1909

Stadtentwicklung

Außer in Italien hatte das Stadtleben zur Zeit der römischen Spätantike einen dramatischen Niedergang erlebt, der erst im 11. Jahrhundert gestoppt wurde. Verglichen mit denen der arabischen Welt und Chinas, waren die europäischen Städte im Mittelalter klein, schmutzig und besaßen – ausgenommen norditalienische und flandrische Städte – selten mehr als 10 000 Einwohner. Da die Sterbeziffern die Geburtenrate überstiegen, brauchten die Städte den ständigen Zuzug von Menschen. Zwar »machte Stadtluft frei«, aber das Bürgerrecht und mit ihm das Recht zur Wahl des Bürgermeisters oder der Zunftbeteiligung blieb meist Haus- und Grundstückseigentümern vorbehalten. Handel und Handwerk wurden von Gilden und Zünften geregelt, die Qualitätsnormen festlegten, die Ausbildung des Nachwuchses beaufsichtigten und deren Mitglieder sich gegenseitig unterstützten. Die Hauptfunktion dieser Institutionen war jedoch protektionistischer Natur, denn sie sorgten für den Schutz vor auswärtiger Konkurrenz. Die städtischen Produkte landeten meist auf dem lokalen Markt, aber in einigen Regionen wie in Flandern (Textilindustrie) erlangte die Herstellung von hochwertigen Waren für den Export einige Bedeutung. Die jährlich stattfindenden Handelsmessen waren wichtige Ereignisse, weil sie weit mehr Kaufleute anzogen als die städtischen Wochenmärkte. Aus vielen Messestädten entwickelten sich internationale Handelszentren.

Handelsorganisationen

Eine sehr mächtige Handelsorganisation im Mittelalter war die Hanse; in ihrer Blütezeit im 14. Jahrhundert gehörten dieser genossenschaftlichen Vereinigung 37 Städte in Norddeutschland und an der Ostsee an. Die Hanse erhandelte für ihre Mitglieder Privilegien, schützte vor Piraten und führte sogar Kriege. Sie eröffnete Kontore in London, Bergen, Brügge und Nowgorod und in vielen anderen Städten Niederlassungen. Im Mittelmeerraum beherrschten Genua und Venedig den Seehandel. Beide nutzten die Kreuzzüge zum Aufbau von Handelsverbindun-

1 Flandern wurde Mittelpunkt der wachsenden europäischen Textilindustrie. Der Wohlstand drückte sich nicht zuletzt im Bau großer Rathäuser der Städte, wie zum Beispiel in Gent, aus.

2 England erwarb seinen Reichtum als Hauptlieferant von Wolle für die Tuchherstellung.

3 Die Araber in Valencia führten Europa im 12. Jahrhundert in die Geheimnisse der Papierherstellung ein.

4 Das kirchliche Verbot, an Fastentagen Fleisch zu essen, sorgte für eine anhaltende Nachfrage nach gepökeltem Fisch aus Nord- und Ostsee.

5 Die Handelsmessen in der Champagne errangen im 12. und 13. Jahrhundert größte Bedeutung für den Nord-Süd-Handel.

6 Die Bedeutung der Schwarzmeerregion für den Handel stieg nach dem Mongolensturm im 13. Jahrhundert erheblich, bot sie doch den europäischen Kaufleuten einen ausgezeichneten Zugang zu den Märkten des Ostens.

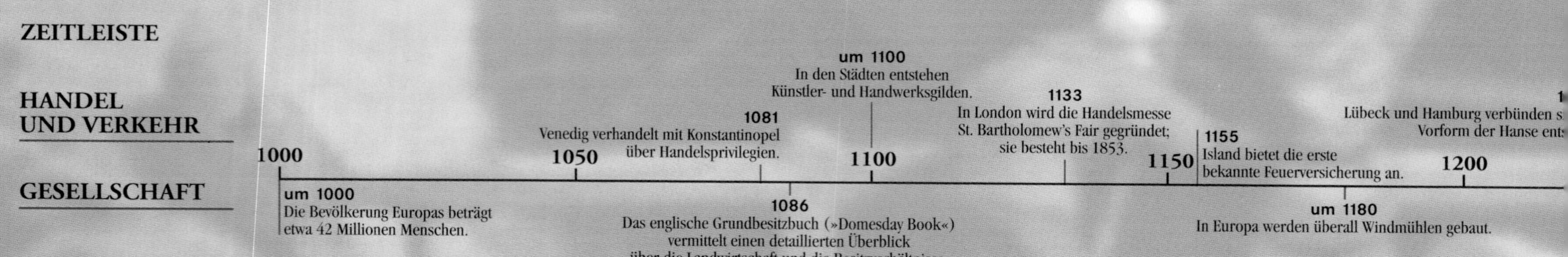
ZEITLEISTE
HANDEL UND VERKEHR
GESELLSCHAFT
1000
1050
1100
1150
1200
um 1100 In den Städten entstehen Künstler- und Handwerksgilden.
1081 Venedig verhandelt mit Konstantinopel über Handelsprivilegien.
1133 In London wird die Handelsmesse St. Bartholomew's Fair gegründet; sie besteht bis 1853.
1155 Island bietet die erste bekannte Feuerversicherung an.
Lübeck und Hamburg verbünden s
Vorform der Hanse ents
um 1000 Die Bevölkerung Europas beträgt etwa 42 Millionen Menschen.
1086 Das englische Grundbesitzbuch (»Domesday Book«) vermittelt einen detaillierten Überblick über die Landwirtschaft und die Besitzverhältnisse.
um 1180 In Europa werden überall Windmühlen gebaut.

Bevölkerungsdichte pro qkm im frühen 14. Jahrhundert
mehr als 30 Personen
21–30 Personen
11–20 Personen
10 und weniger Personen
Stadt über 10 000 Einwohner um 1300
Filiale der Fugger-Bank
Filiale der Medici-Bank
Kiew wichtige Messe oder Markt
wichtige Hansestadt
andere Stadt im Hansebund
Hansekontor
Handelskolonie Genuas
Kaufmannskolonie Venedigs
Getreide exportierende Gebiete
Wein exportierende Gebiete
Wolltextilien herstellende Gebiete
Pelze Haupthandelsware
Grenzen um 1325
hansischer Fernhandel
Handelswege Genuas
venezianische Handelsverbindungen
Weinhandel aus der Gascogne
andere Handelswege
Trondheim
Pelze
Onega-see
Ladoga-see
REPUBLIK NOWGOROD
Åbo
Christiania
Bauholz
Kupfer
Eisen
Stockholm
Vänersee
Vättersee
Teer
SCHWEDEN
Visby
Gotland
Kalmar
Reval
Hanf
Nowgorod
Dorpat
Peipus-see
Pskow
DEUTSCHER ORDEN
Riga
Butter
Ålborg
Viborg
Kopenhagen
Malmö
Fisch
Falsterbo
Ostsee
DÄNEMARK
Rostock
Stralsund
Kiel
Lübeck
Wismar
Hamburg
Kolberg
Stettin
Danzig
Elbing
Königsberg
Wachs
Kowno
Polotsk
Bauholz
LITAUEN
Tierhäute
Salz
Leinen
Bremen
Braunschweig
Berlin
Posen
Thorn
Magdeburg
Osnabrück
POLEN
Leipzig
Lublin
RUSSISCHE FÜRSTENTÜMER
Kiew
Leinen
Breslau
Krakau
Lemberg
RÖMISCH-DEUTSCHES REICH
Frankfurt
Prag
Worms
Nürnberg
Regensburg
Nördlingen
Augsburg
Linz
Wien
Salzburg
Zurzach
Innsbruck
Buda
Pest
Silber
Kupfer
Eisen
Blei
UNGARN
Dnjepr
Don
Wolga
Sarai
Wachs
Honig
Tierhäute
Itil
Tana
KHANAT DER GOLDENEN HORDE
Kaspisches Meer
Moncastro
Kertsch
Kaffa
Soldaia
Kenapa
Kilija
Donau
Schwarzes Meer
Brescia
Verona
Padua
Venedig
Seide
Mantua
Parma
Bologna
Modena
Lucca
Forli
Florenz
Pisa
Siena
KIRCHENSTAAT
Alaun
Orvieto
Viterbo
Rom
NEAPEL
BENEVENT
Neapel
Olivenöl
Salerno
Tarent
Zara
Split
Ragusa
RAGUSA
Belgrad
Nisch
SERBIEN
BULGARIEN
Warna
Gold
Sinope
REICH VON TRAPEZUNT
Samsun
Trapezunt
Amastris
GEORGIEN
Pera
Konstantinopel
Thessalonike
BYZANTINISCHES REICH
TÜRKISCHE STAATEN
Sivas
REICH DER ILKHANE
Tigris
Teppiche
KLEIN-ARMENIEN
Prevesa
Phokeia
Smyrna
LATEINISCHE STAATEN
Athen
Argos
Modon zum Byzantinischen Reich
Monemvasia
REPUBLIK VENEDIG
Kandia
Kreta
JOHANNITER-ORDEN
Attalia
Antiochia
Aleppo
Euphrat
Zypern
ZYPERN
Famagusta
Tripolis
Beirut
Damaskus
Baumwolle
Farbstoffe
Akkon
Jaffa
Jerusalem
Bagdad
Seide, Gewürze, Edelsteine aus Asien
Palermo
Messina
Catania
Syrakus
Sizilien
SIZILIEN
Malta
Tunis
Gold aus Zentral- und Südafrika
Mittelmeer
Alexandria
Damiette
MAMLUKEN-SULTANAT
Kairo
Nil
Elfenbein aus Zentral- und Südafrika
Seide, Edelsteine, Gewürze, Drogen, Elfenbein, Gummiharze, Farbstoffe aus Arabien, Indien, Südostasien und Ostafrika
0 600 km
0 400 Meilen

gen nach Asien, woher sie Luxusgüter wie Seide, Gewürze und Edelsteine bezogen, und beide lieferten sich eine scharfe Konkurrenz.

Im 13. Jahrhundert finanzierten Großkaufleute die Warenproduktion häufig selbst. Dadurch wurde zwar die Produktivität gesteigert, aber die Hersteller verloren ihre Selbstständigkeit. Die Medici in Florenz und die Fugger in Augsburg gründeten die ersten Handelsbanken und entwickelten die Grundsätze des modernen Versicherungs- und Rechnungswesens.

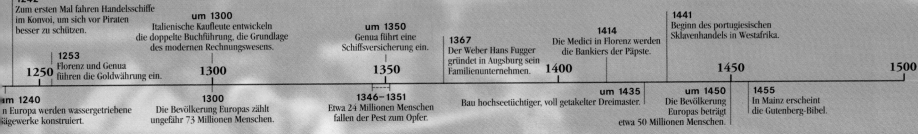

1242 Zum ersten Mal fahren Handelsschiffe im Konvoi, um sich vor Piraten besser zu schützen.

um 1240 In Europa werden wassergetriebene Sägewerke konstruiert.

1253 Florenz und Genua führen die Goldwährung ein.

1250

um 1300 Italienische Kaufleute entwickeln die doppelte Buchführung, die Grundlage des modernen Rechnungswesens.

1300 Die Bevölkerung Europas zählt ungefähr 73 Millionen Menschen.

1300

um 1350 Genua führt eine Schiffsversicherung ein.

1346–1351 Etwa 24 Millionen Menschen fallen der Pest zum Opfer.

1350

1367 Der Weber Hans Fugger gründet in Augsburg sein Familienunternehmen.

1400

1414 Die Medici in Florenz werden die Bankiers der Päpste.

um 1435 Bau hochseetüchtiger, voll getakelter Dreimaster.

1441 Beginn des portugiesischen Sklavenhandels in Westafrika.

um 1450 Die Bevölkerung Europas beträgt etwa 50 Millionen Menschen.

1450

1455 In Mainz erscheint die Gutenberg-Bibel.

1500

Stadtansichten – die Schedel'sche Weltchronik

Stadtansicht von Pisa aus der Schedel'schen Weltchronik; zu dieser Zeit hatte die Stadt ihren Glanz als Seemacht schon eingebüßt.

Eigentlich war es eine Schnapsidee. Da sitzen im spätmittelalterlichen Nürnberg einige honorige Bürger im Wirtshaus am Stammtisch, trinken Bier, spekulieren und schwadronieren und schmieden Pläne, bis der Ausruf ertönt: »Lasst uns eine Chronik der Weltgeschichte entwerfen. Lasst uns das bedeutendste Buch aller Zeiten schreiben!«

So oder so ähnlich wird es vor über 500 Jahren, Ende der 80er-Jahre des 15. Jahrhunderts, am Stammtisch in der Gaststätte des Kaufmanns Sebald Schreyer (1446–1520) wohl zugegangen sein. Wer genau die Idee für die Chronik hatte, ist nicht überliefert. Neben Schreyer, der das Projekt gemeinsam mit seinem Schwager Sebastian Kammermeister als Mäzen unterstützen wollte, waren durchaus erfahrene und auf ihrem Gebiet bekannte Spezialisten in der Wirtsstube versammelt: Anton Koberger (gestorben 1513), Besitzer einer Druckerei mit mehr als 100 Gesellen an 24 Druckerpressen, kann für damalige Verhältnisse als Großunternehmer gelten. Die Künstler Michael Wolgemut (1434–1519), Lehrer des großen Albrecht Dürer, und Wilhelm Pleydenwurff (gestorben 1494), Sohn des bekannten Malers Hans Pleydenwurff, waren als Vorlagenzeichner für Stiche und Holzschnitte in ganz Deutschland gefragt. – Und nicht zuletzt saß auch ein gewisser Doktor Hartmann Schedel mit am Tisch.

CHRONIST DER WELT DES SPÄTMITTELALTERS

Hartmann Schedel wurde am 13. Februar 1440 in Nürnberg als Sohn eines wohlhabenden Kaufmanns geboren. Mit 16 Jahren begann er ein Studium an der Universität Leipzig und beendete es mit dem Grad eines Magister artium. 1463 ging er nach Padua und promovierte 1466 zum »Doctor in utraque medicina«, also in den Fächern Medizin und Chirurgie, die er neben Physik und Anatomie an dieser berühmten Lehrstätte studiert hatte. Nach Stationen in Nördlingen und Amberg kehrte er 1484 nach Nürnberg zurück und wurde dort Stadtphysikus. Hartmann Schedel starb am 15. November 1514 in seiner Heimatstadt.

Einer der Gründe, warum gerade Schedel von seinen Freunden als Verfasser der Weltchronik vorgeschlagen wurde, war dessen für damalige Verhältnisse sehr umfangreiche Bibliothek. 1507, einige Jahre nach Erscheinen der Weltchronik, umfasste sie 667 Bände – eine stolze Zahl zu einer Zeit, da Bücher immer noch sehr teuer und mithin kostbar waren. Gerade einmal ein halbes Jahrhundert zuvor hatte Johannes Gutenberg den Buchdruck mit beweglichen Lettern erfunden.

Wie zu seiner Zeit nicht ungewöhnlich, hatte Schedel bereits früh damit begonnen, Bücher abzuschreiben. Ein Urheberrecht in heutigem Sinne war ja unbekannt, man eignete sich ganz einfach Wissen an und gab es weiter. Und so ist auch Doktor Schedels Aufgabe bei diesem Projekt zu verstehen: Da er über eine große Allgemeinbildung verfügte und zudem die Möglichkeit des Nachschlagens und Abschreibens hatte, sollte er die Chronik konzipieren und verfassen. Ganz allein war das aber nicht zu schaffen. So waren auch der Arzt und Kosmologe Hieronymus Münzer sowie ein namentlich nicht bekannter Schreiber als Redakteure beteiligt. Dem Übersetzer Georg Alt oblag die Übertragung des lateinischen Textes für die deutsche Ausgabe.

NVREMBERGA

Stolze Reichsstadt im Schutz von Türmen und Zinnen: Ansicht Nürnbergs, der Heimatstadt Hartmann Schedels. Eine Teilauflage der Schedel'schen Weltchronik wurde aufwändig von Hand koloriert.

GENVA

Auch diese Vedute Genuas, einst eine mächtige Seerepublik, stammt aus der Weltchronik.

SICHER IST SICHER

Zwar waren die Träger des großen Unternehmens sämtlich Freunde und Bekannte, doch sicherten sich alle Beteiligten vertraglich ab. Über die Bedingungen des Vertrags wurde lange beratschlagt, ging es doch darum, ein Werk zu schaffen, bei dem jeder Einzelne optimale Arbeitsbedingungen hatte. Schließlich sollte die Chronik ja ein großer Wurf werden. So durften die Holzschnitte nur dann gedruckt werden, wenn wenigstens einer der beiden Zeichner der Vorlagen anwesend war – denn mit diesen Vorlagen nahmen es damalige Drucker gelegentlich nicht so genau. Auch mussten die hölzernen Druckstöcke in Schreyers Geldschrank aufbewahrt werden, da man vermeiden wollte, dass noch vor dem Druck Raubkopien angefertigt würden. Ab 1489 wurde konkret an der Weltchronik gearbeitet. Viele Zeugnisse des Entstehungsprozesses sind erhalten, beispielsweise der Entwurf mit handgeschriebenen Texten und ersten Bildskizzen, ein Plan für die Aufteilung der einzelnen Seiten und Originalzeichnungen als Vorlagen der Holzschnitte. Und offenbar war den Beteiligten bewusst, dass etwas Besonderes unter ihren Händen entstand, denn eine Buchhändleranzeige aus dem Jahr 1493 kündigte das Werk als das bedeutendste buchkünstlerische Ereignis aller Zeiten an.

EIN GROSSER WURF

Als das »liber chronicarum«, die Weltchronik, am 12. Juli 1493 zuerst in Latein (326 Seiten) und ein halbes Jahr später leicht gekürzt auf Deutsch (286 Seiten) erschien, erwies sie sich tatsächlich als der erhoffte große Wurf. Nie zuvor war ein weltliches Buch so aufwändig gestaltet worden. Rund 2000 Holzschnitte konnte der Betrachter bestaunen – mehrheitlich höchst kunstvolle Illustrationen und Initialen. Nicht eigentlich originell, nahm Schedels Beschreibung der Welt seit der Schöpfung erhebliche Anleihen bei der bekannten Chronik des Italieners Jacobus Philippus Foresta von Bergamo. Einerseits fasste der Text das religiös geprägte – und kaum hinterfragte – Geschichtsbild des Mittelalters zusammen, andererseits jedoch verwies er in selbstverständlichem Umgang mit der klassischen Antike bereits auf den Humanismus. Viele Stiche stellen biblische oder mythologische Szenen dar, zeigen Porträts von Heiligen, Päpsten und weltlichen Herrschern.

DIE STADTANSICHTEN

Besondere Aufmerksamkeit verdienen die vielen Stadtansichten – besonders im sechsten Kapitel der Chronik. Darstellungen dieses Genres hatten zu jener Zeit meist wenig mit dem realen Stadtbild zu tun. Oft standen, überdies in stilisierter Wiedergabe, markante Bauwerke wie Kirchen, Mauern oder Türme als reine Fantasieprodukte mehr symbolisch für die Stadt an sich. Auch in Schedels Weltchronik gab es noch manche solcher »Symbolbilder«. Bildvorlagen wurden darüber hinaus manchmal sogar mehrfach verwendet und lediglich mit anderen Überschriften versehen – was übrigens hier und da auch bei Porträts weltlicher oder geistlicher Würdenträger nachzuweisen ist. Das Weichbild einiger Städte kopierte man zudem nach vorhandenen Darstellungen aus Werken der Schedel'schen Bibliothek. Andere Veduten hingegen entstanden nach vor Ort gefertigten Skizzen, so dass authentische Veduten die Vorlagen zu individuell erarbeiteten Holzschnitten bildeten. Somit zeigen überraschend viele Stadtansichten nicht nur ein hohes künstlerisches Niveau, sondern geben uns überdies ein mehr oder weniger realistisches Abbild der jeweiligen Stadt. Solch neuer künstlerischer »Realismus« passt zu einer Epoche, zu deren Kennzeichen ein großes Selbstbewusstsein, finanzielle Potenz und – relative – Freiheit des städtischen Bürgertums gehörten.

DER ERFOLG UND DIE TRITTBRETTFAHRER

Wie groß der wirtschaftliche Erfolg der Chronik war, lässt sich heute nur schwer ermessen. Uneingeschränkt wird bereits von den Zeitgenossen die große handwerkliche und verlegerische Leistung gewürdigt. Ein künstlerisch so aufwändig gestaltetes Buch hatte die Welt noch nicht gesehen. Allerdings dauerte es nur vier Jahre, bis Johann Schönsperger in Augsburg den so genannten »kleinen Schedel« herausbrachte, eine verkürzte Ausgabe auf schlechterem Papier, weit weniger schön gestaltet und zum Teil mit Einheitsholzschnitten, nicht in Leder gebunden, sondern nur in preiswertem Leinen. Diese viel billigere Version wurde trotz ihrer schlechten Qualität ein Bestseller. – Den Ruhm des Originals aber, der Schedel'schen Weltchronik, eines der schönsten und am reichsten illustrierten Bücher des 15. Jahrhunderts, konnte sie nicht mindern.

Die Welt des Mittelalters (600 bis 1492 n. Chr.)

Die Renaissance • 1400 bis 1492

Die Weltsicht der Renaissance, die das Europa des 15. Jahrhunderts prägte, entsprang einem seit dem 12. Jahrhundert neu erwachten Interesse an der Philosophie, Wissenschaft und Literatur der klassischen Antike. Vor allem die Kunst Italiens im 14. Jahrhundert drückte in Werken des Malers Giotto oder humanistischer Gelehrter und Dichter wie Petrarca eine neue Auffassung von den Dingen und Werten menschlichen Lebens aus.

Florenz gehörte zu den Städten, von denen aus die Ideen der Renaissance verbreitet wurden; Ansicht, um 1490.

Im frühen 15. Jahrhundert entwickelten Masaccio und Donatello in Florenz einen neuen Mal- beziehungsweise Bildhauerstil, während Brunelleschi und mit ihm andere in der Baukunst wieder an antike Formen anknüpften. Im Lauf des Jahrhunderts herrschten in immer mehr norditalienischen Stadtstaaten Fürsten, die sich wie die Medici in Florenz durch Förderung von Kunst und Wissenschaft Ansehen und politischen Einfluss zu sichern suchten. Das aus Deutschland stammende neue Verfahren der Drucktechnik half dabei, die neuen Einsichten, Auffassungen und Werke auch jenseits der italienischen Grenzen zu verbreiten. Als die größten Vertreter der Renaissancekunst Italiens in deren Hochphase gelten Leonardo da Vinci, Michelangelo und Tizian.

Frankreich und England

Im frühen 15. Jahrhundert wurde Frankreich durch die Rivalität zwischen den Herzögen von Burgund und Orléans gespalten, die sich um die Macht des geisteskranken Königs Karl VI. (1380–1422) stritten. Heinrich V. von England (1413–1422) nutzte wegen der Sicherung der legitimen Ansprüche des Hauses Lancaster die Gelegenheit zur Fortsetzung des Hundertjährigen Krieges. Heinrichs Sieg bei Azincourt (1415), die Eroberung Nordfrankreichs und die Eheschließung mit der Tochter Karls VI. bewirkten 1420 seine Anerkennung als Erbe des französischen Königs. Aber nach Heinrichs Tod und der Wiederbelebung des französischen Siegeswillens durch das Auftreten der »Jungfrau von Orléans«, Jeanne d'Arc, verließ die Engländer das Glück. Bis 1453 verloren sie mit Ausnahme von Calais alle französischen Besitzungen. Diese Niederlage weckte in England dynastische Kämpfe (die »Rosenkriege«), bis schließlich Heinrich VII. (1485–1509), dem Begründer der Tudor-Dynastie, die Wiederherstellung einer stabilen Regierung gelang.

Herzogtum Burgund

Die Herzöge von Burgund profitierten von den Schwierigkeiten Frankreichs und stärkten ihre Position durch ein Bündnis mit England, das bis 1435 hielt. Unter Philipp dem Guten erwarb Burgund weitere Gebiete in den Niederlanden. Sein Nachfolger Karl der Kühne strebte ein unabhängiges Königreich Burgund an und wollte seine südlichen und nördlichen Territorien durch einen Korridor miteinander verbinden. Er fiel jedoch 1477 bei Nancy in der Schlacht gegen die Eidgenossen. Als seine Tochter und Erbin Maria den Habsburger Maximilian von Österreich heiratete, fielen die burgundischen Länder an die Habsburger, die seit 1438 über das Römisch-Deutsche Reich herrschten. Ludwig XI. von Frankreich (1461–1483) sicherte sich im Kampf um das Erbe die Bourgogne (Herzogtum Burgund).

Isabella von Kastilien und Ferdinand von Aragón; Detail des Altaraufsatzes von Felipe Birgany in der Capilla Real von Granada

Iberische Halbinsel

Auf der Iberischen Halbinsel fand mit der Heirat Ferdinands von Aragón und Isabellas von Kastilien 1469 die lange Rivalität zwischen diesen beiden Mächten ein Ende. Vereint eroberte man 1492 Granada, den letzten Maurenstützpunkt in Spanien. Portugal, dessen weiterem Ausgreifen auf der Iberischen Halbinsel Kastilien im Wege stand, wandte seine Aufmerksamkeit verstärkt Nordafrika zu und eroberte 1415 zunächst Ceuta. Etwa 20 Jahre später begannen portugiesische Seefahrer mit der Erkundung der westafrikanischen Küste und erreichten 1488 den Indischen Ozean. Noch wichtiger aber war die Fahrt von Christoph Kolumbus, der 1492 im Auftrag Isabellas von Kastilien den Auftakt zur Entdeckung der Neuen Welt gab.

Grenzen, 1429–1433
Herzogtum Burgund, 1429
Königreich England, 1429
nominell englisches Gebiet, 1429
Königreich Aragón, 1430
Byzantinisches Reich, 1430
genuesisches Gebiet, 1430
Habsburgische Lande, 1430
Königreich Ungarn, 1430
Großfürstentum Moskau, 1430
Osmanisches Reich, 1430
Polen-Litauen, 1430
Gebiete der Republik Venedig, 1430
Eroberungen des Königreichs Polen, 1466
Erwerbungen Habsburgs, 1477
zeitweilige ungarische Gebietsgewinne unter König Matthias I. Corvinus 1477–1490
größte Ausdehnung des Königreichs Burgund unter Karl dem Kühnen, 1477
Königreich Aragón-Kastilien, 1492
Königreich Frankreich, 1492
Großfürstentum Moskau, 1492
Osmanisches Reich, 1492
portugiesischer Hafen
Zentrum des Buchdrucks, datiert
Mailand kulturelles Zentrum der Frührenaissance
Tatareneinfälle
Hussitenbewegung, 1415–1436
Irisch
Irish Pale
Dublin
6
ATLANTISCHER OZEAN
León
Burgos 1490
Duero
PORTUGAL
Madrid
Tajo
KASTILIEN
1479 Vereinigung mit Aragón
5
Lissabon 1489
Guadiana
GRANADA 1485–92 zu Kastilien
Sevilla 1492
Granada
Almeria
Cádiz
Málaga
Tanger 1471
Asilah 1471
Ceuta 1415

Ost- und Mitteleuropa

In Osteuropa entstand das mächtige, aber kurzlebige Reich Polen-Litauen unter König Kasimir IV. (1447 bis 1492). In Mitteleuropa gewann Ungarn unter Matthias Corvinus (1477–1490) die Vormacht und widersetzte sich hartnäckig den Türken auf dem Balkan. – Das Großfürstentum Moskau kontrollierte zu Ende des Jahrhunderts fast alle anderen russischen Fürstentümer. Nach dem Zusammenbruch des Byzantinischen Reiches im Jahr 1453 war es als einziger orthodoxer Staat von Bedeutung übrig geblieben. 1472 heiratete Großfürst Iwan III. eine byzantinische Prinzessin und nahm den Titel eines »Zaren« an.

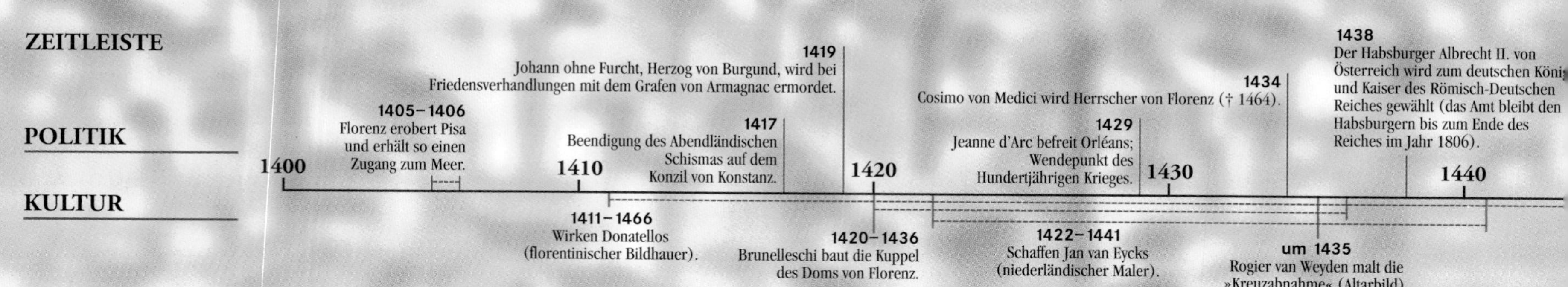

ZEITLEISTE
POLITIK
KULTUR
1400
1410
1420
1430
1440
1405–1406 Florenz erobert Pisa und erhält so einen Zugang zum Meer.
1417 Beendigung des Abendländischen Schismas auf dem Konzil von Konstanz.
1419 Johann ohne Furcht, Herzog von Burgund, wird bei Friedensverhandlungen mit dem Grafen von Armagnac ermordet.
1429 Jeanne d'Arc befreit Orléans; Wendepunkt des Hundertjährigen Krieges.
1434 Cosimo von Medici wird Herrscher von Florenz († 1464).
1438 Der Habsburger Albrecht II. von Österreich wird zum deutschen Köni
und Kaiser des Römisch-Deutschen Reiches gewählt (das Amt bleibt den Habsburgern bis zum Ende des Reiches im Jahr 1806).
1411–1466 Wirken Donatellos (florentinischer Bildhauer).
1420–1436 Brunelleschi baut die Kuppel des Doms von Florenz.
1422–1441 Schaffen Jan van Eycks (niederländischer Maler).
um 1435 Rogier van Weyden malt die »Kreuzabnahme« (Altarbild).

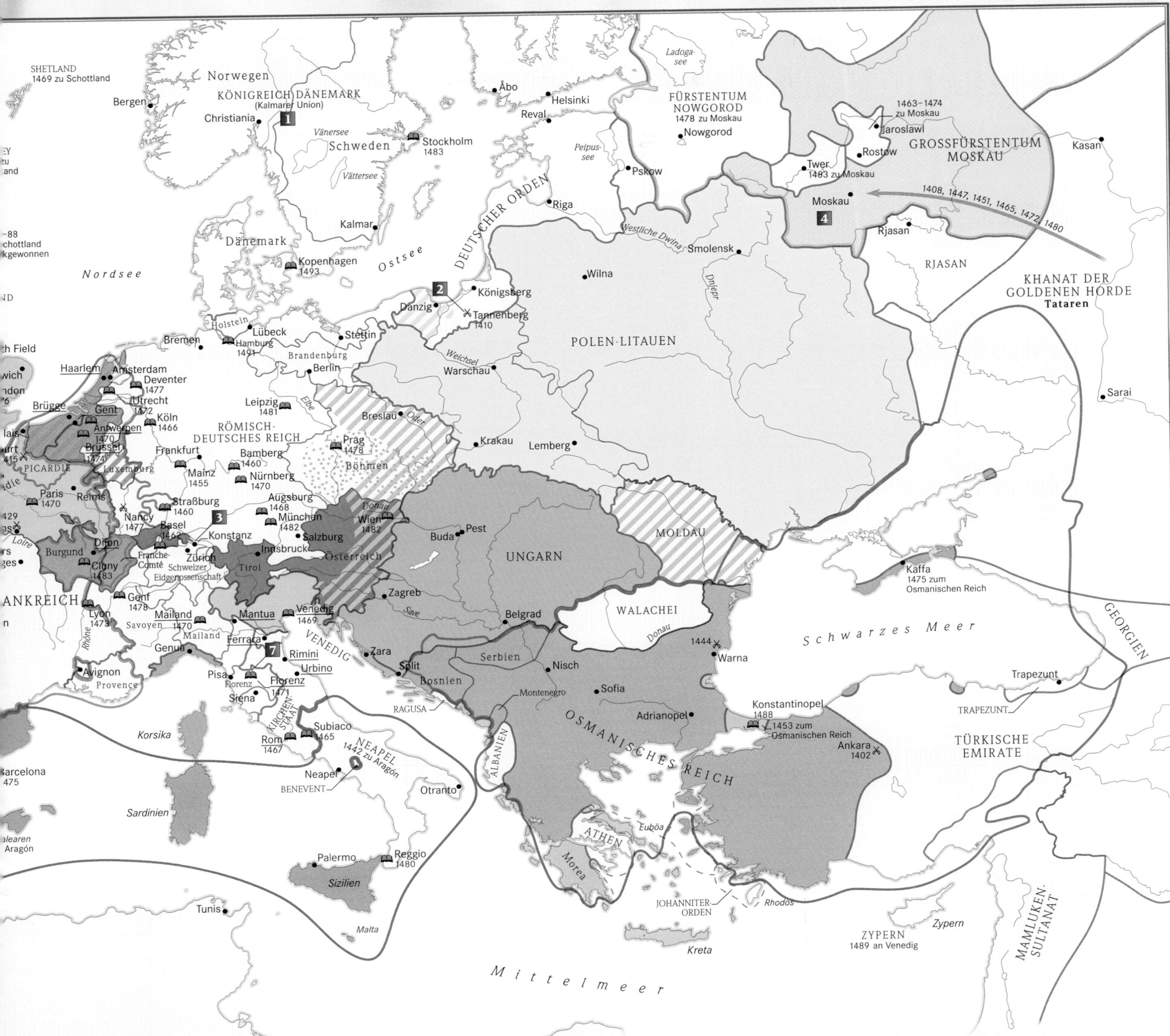

0 600 km
0 400 Meilen

1 Die Union von Kalmar (1397) zwischen Dänemark, Schweden und Norwegen fand in Schweden nie Anklang. Nach mehrfachen gewaltsamen Erhebungen verließ man 1523 den Verbund wieder.

2 Die Niederlage gegen Polen und Litauer in der Schlacht von Tannenberg (1410) leitete den Niedergang des Deutschen Ordens ein.

3 Die Verbrennung des der Häresie bezichtigten böhmischen Reformators Jan Hus 1414 in Konstanz löste die Hussitenkriege (1419–1436) aus.

4 Im Jahr 1480 stellte Zar Iwan III. die Tributzahlungen an die Goldene Horde ein – die mongolischen Khanate hatten ihre einstige Macht verloren.

5 1492 vertrieben die »Katholischen Könige« Ferdinand und Isabella nach dem Sieg über die Mauren 150 000 Juden aus Spanien, die sich geweigert hatten, zum Christentum überzutreten.

6 Weil England im 15. Jahrhundert vornehmlich mit dem Krieg gegen Frankreich beschäftigt war, erlangte der größte Teil Irlands die Unabhängigkeit.

7 Die Medici erhoben Florenz zum führenden kulturellen Zentrum der Zeit. Als bedeutendes Handels- und Bankenzentrum war das Fürstentum die politisch stärkste Kraft Mittelitaliens.

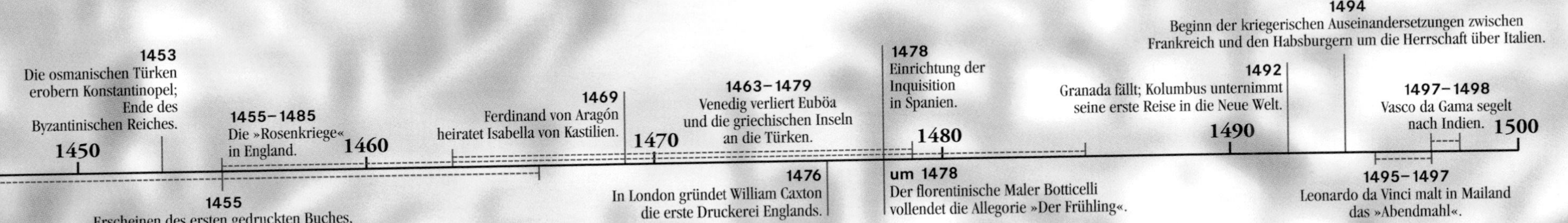
1450
1460
1470
1480
1490
1500
1453 Die osmanischen Türken erobern Konstantinopel; Ende des Byzantinischen Reiches.
1455 Erscheinen des ersten gedruckten Buches, der Gutenberg-Bibel.
1455–1485 Die »Rosenkriege« in England.
1463–1479 Venedig verliert Euböa und die griechischen Inseln an die Türken.
1469 Ferdinand von Aragón heiratet Isabella von Kastilien.
1476 In London gründet William Caxton die erste Druckerei Englands.
1478 Einrichtung der Inquisition in Spanien.
um 1478 Der florentinische Maler Botticelli vollendet die Allegorie »Der Frühling«.
1492 Granada fällt; Kolumbus unternimmt seine erste Reise in die Neue Welt.
1494 Beginn der kriegerischen Auseinandersetzungen zwischen Frankreich und den Habsburgern um die Herrschaft über Italien.
1495–1497 Leonardo da Vinci malt in Mailand das »Abendmahl«.
1497–1498 Vasco da Gama segelt nach Indien.

Die Welt des Mittelalters (600 bis 1492 n. Chr.)

Die großen Eroberungen der Araber • 632 bis 750

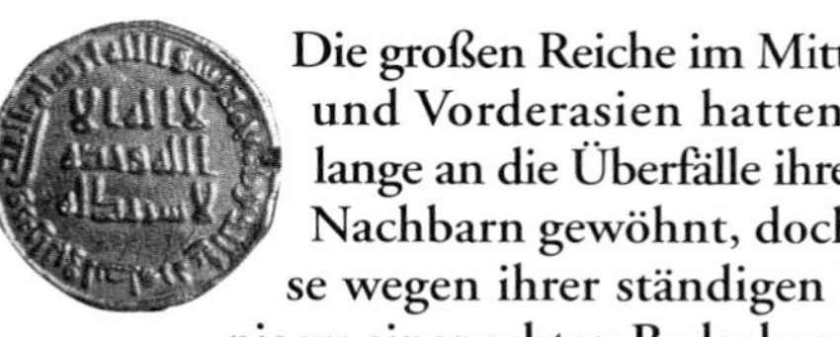

Die großen Reiche im Mittelmeerraum und Vorderasien hatten sich schon lange an die Überfälle ihrer arabischen Nachbarn gewöhnt, doch waren diese wegen ihrer ständigen Uneinigkeit nie zu einer echten Bedrohung geworden. Das änderte sich mit dem Aufkommen des Islam im 7. Jahrhundert ganz entschieden.

Gestiftet wurde die neue Religion von Mohammed (um 570–632) aus dem Stamm der Kuraisch in Mekka. Von etwa 610 an erlebte der Prophet jene Offenbarungsvisionen, auf denen der Koran aufbaut. Mohammeds Monotheismus stieß bei den Stammesgenossen auf Widerstand. Um sich Verfolgungen zu entziehen, wanderten er und seine Anhänger 622 nach Medina aus. Mit dieser »Flucht« (Hedschra) beginnt die islamische Zeitrechnung. Von Medina aus kämpfte Mohammed gegen die Kuraisch und kehrte 630 als Sieger nach Mekka zurück, lebte jedoch weiter in Medina, das so zur Hauptstadt des ersten theokratischen islamischen Staatswesens wurde. In seinen letzten beiden Lebensjahren verbreitete er den Islam mit Diplomatie und Gewalt bei den arabischen Stämmen.

Die Kalifen und der Siegeszug des Islam

Mohammeds Erbe trat als erster Kalif (arabisch für »Nachfolger«) sein Schwiegervater an. Abu Bakr hielt die Gemeinde gegen eine Abtrünnigenbewegung zusammen und überwand prophetische Nebenbuhler. Unter den beiden nächsten Kalifen, Omar und Othman, breitete sich der Islam geradezu explosionsartig aus. Die Araber entrissen dem Byzantinischen Reich die Provinzen Syrien, Palästina, Ägypten und Libyen und zerstörten das persische Sassaniden-Reich. Nach Othmans Tod kam es zum Streit zwischen den Anhängern des Kalifen Ali, Mohammeds Schwiegersohn, und Moawija, der wie Othman dem Omajjaden-Klan angehörte. Als Ali 661 ermordet wurde, übernahm Moawija das Kalifenamt und begründete die Omajjaden-Dynastie. Alis Sohn Hussein bemühte sich nach Moawijas Tod um die Nachfolge, fiel aber 680 im Kampf gegen die Omajjaden. Danach spaltete sich der Islam in seine zwei Hauptgruppen, die größere der Sunniten (von »Sunna«, zu deutsch »Brauch, Sitte«) und die kleinere der Schiiten (von »Schiat Ali«, die »Partei Alis«).

Die arabische Expansion ging unter den frühen Omajjaden weiter. 715 reichte das islamische Kalifat vom Indus über Zentralasien bis zu den Pyrenäen – der größte Staat, den die Welt je gesehen hatte. Der Versuch der Eroberung des Byzantinischen Reiches und des Abendlandes scheiterte jedoch: Zweimal belagerten die Araber vergeblich Konstantinopel und 732 unterlagen sie bei Poitiers den Franken.

Die Kalifen amtierten als politische und religiöse Führer. Während die ersten Amtsträger noch gewählt wurden, führten die Omajjaden die erbliche Nachfolge ein. Man übernahm die byzantinische Verwal-

BRETAGNE
FRANKENREICH
Sens
Loire
Poitiers
732
ATLANTISCHER OZEAN
ALPEN
Bordeaux
Lyon
713–725
KÖNIGREICH DER LANGOBARDEN
Covadonga
718
Oviedo
Basken
732
Toulouse
PYRENÄEN
Ravenna
Narbonne
719
718
Segoyuela
713
Saragossa
713
Korsika
WESTGOTISCHES KÖNIGREICH
Rom
Lissabon
716
Tajo
Toledo
712
Valencia
714
ab 714
Neapel
Sardinien
Córdoba
711–718
Sevilla
712
Ecija
711
714
Balearen
Jerez de la Frontera
711
Algeciras
711
Karthago
698
ab 711
Tanger
IFRIKIJA
Kairouan
670
682–683
Tahuda
683
Tebesa
698
652–668
Berber
8
AL MAGHRIB
Tripolis
647
Agadir

Mohammed, der Prophet, im Kreise seiner Anhänger; zeitgenössische Miniaturmalerei

1 Mekka war eine wichtige Handelsstadt und eine bedeutende Kultstätte der vorislamischen arabischen Religion.

2 Arabische Militärsiedlungen wie Fustat (Kairo) wurden bewusst am Rand der Wüste angelegt, weil man sich so im Falle von Aufständen in unwirtliches Gelände zurückziehen konnte.

3 Das Taurus-Gebirge in Anatolien erwies sich als wirksames Hindernis für weitere arabische Eroberungen in Kleinasien.

4 Der letzte Sassaniden-Herrscher, Jesdegerd III., wurde 652 in Merw ermordet. Damit war der persische Widerstand gebrochen.

5 Nachdem Hussein, ein Enkel Mohammeds, in Kerbela von den Omajjaden ermordet worden war, wurde dieser Ort eine wichtige Pilgerstätte der Schiiten.

6 Mit der Verlegung der arabischen Hauptstadt nach Damaskus im Jahr 661 verlor die Arabische Halbinsel an Bedeutung.

7 Die beiden Versuche der Araber, das schwer befestigte Konstantinopel einzunehmen, waren vergeblich und verlustreich.

8 Die Berber wehrten sich sehr heftig gegen die Araber – erst 702 konnten sie unterworfen und zum Islam bekehrt werden.

ZEITLEISTE

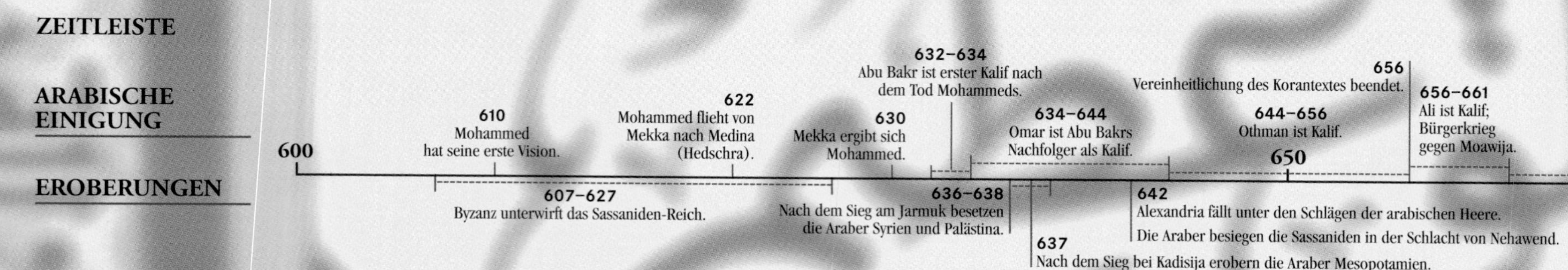
ARABISCHE EINIGUNG
EROBERUNGEN
600
610 Mohammed hat seine erste Vision.
622 Mohammed flieht von Mekka nach Medina (Hedschra).
630 Mekka ergibt sich Mohammed.
632–634 Abu Bakr ist erster Kalif nach dem Tod Mohammeds.
634–644 Omar ist Abu Bakrs Nachfolger als Kalif.
644–656 Othman ist Kalif.
650
656 Vereinheitlichung des Korantextes beendet.
656–661 Ali ist Kalif; Bürgerkrieg gegen Moawija.
607–627 Byzanz unterwirft das Sassaniden-Reich.
636–638 Nach dem Sieg am Jarmuk besetzen die Araber Syrien und Palästina.
637 Nach dem Sieg bei Kadisija erobern die Araber Mesopotamien.
642 Alexandria fällt unter den Schlägen der arabischen Heere.
Die Araber besiegen die Sassaniden in der Schlacht von Nehawend.

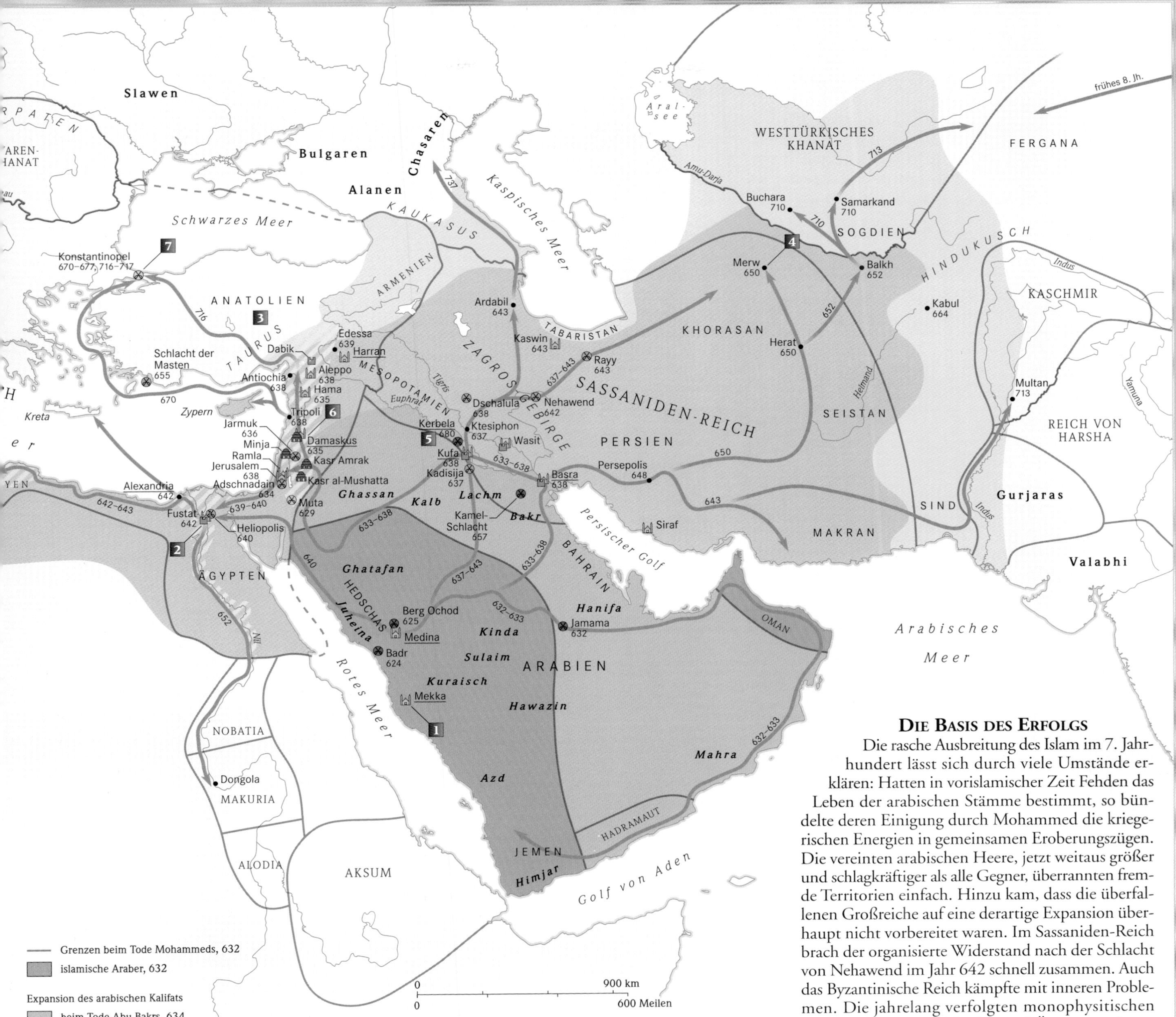

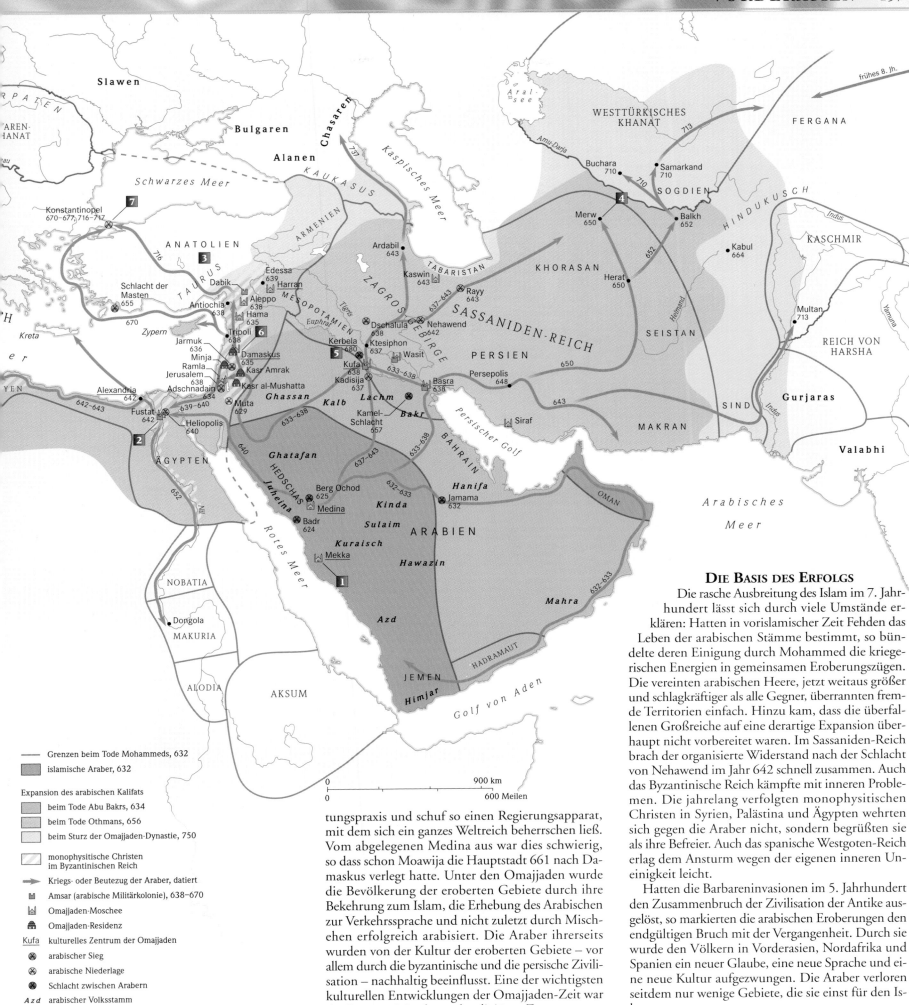

Grenzen beim Tode Mohammeds, 632
islamische Araber, 632

Expansion des arabischen Kalifats
beim Tode Abu Bakrs, 634
beim Tode Othmans, 656
beim Sturz der Omajjaden-Dynastie, 750

monophysitische Christen im Byzantinischen Reich
Kriegs- oder Beutezug der Araber, datiert
Amsar (arabische Militärkolonie), 638–670
Omajjaden-Moschee
Omajjaden-Residenz
Kufa kulturelles Zentrum der Omajjaden
arabischer Sieg
arabische Niederlage
Schlacht zwischen Arabern
Azd arabischer Volksstamm
Ausdehnung des Tang-Reiches in China

tungspraxis und schuf so einen Regierungsapparat, mit dem sich ein ganzes Weltreich beherrschen ließ. Vom abgelegenen Medina aus war dies schwierig, so dass schon Moawija die Hauptstadt 661 nach Damaskus verlegt hatte. Unter den Omajjaden wurde die Bevölkerung der eroberten Gebiete durch ihre Bekehrung zum Islam, die Erhebung des Arabischen zur Verkehrssprache und nicht zuletzt durch Mischehen erfolgreich arabisiert. Die Araber ihrerseits wurden von der Kultur der eroberten Gebiete – vor allem durch die byzantinische und die persische Zivilisation – nachhaltig beeinflusst. Eine der wichtigsten kulturellen Entwicklungen der Omajjaden-Zeit war der Bau von Moscheen als religiösen Zentren.

Die Basis des Erfolgs

Die rasche Ausbreitung des Islam im 7. Jahrhundert lässt sich durch viele Umstände erklären: Hatten in vorislamischer Zeit Fehden das Leben der arabischen Stämme bestimmt, so bündelte deren Einigung durch Mohammed die kriegerischen Energien in gemeinsamen Eroberungszügen. Die vereinten arabischen Heere, jetzt weitaus größer und schlagkräftiger als alle Gegner, überrannten fremde Territorien einfach. Hinzu kam, dass die überfallenen Großreiche auf eine derartige Expansion überhaupt nicht vorbereitet waren. Im Sassaniden-Reich brach der organisierte Widerstand nach der Schlacht von Nehawend im Jahr 642 schnell zusammen. Auch das Byzantinische Reich kämpfte mit inneren Problemen. Die jahrelang verfolgten monophysitischen Christen in Syrien, Palästina und Ägypten wehrten sich gegen die Araber nicht, sondern begrüßten sie als ihre Befreier. Auch das spanische Westgoten-Reich erlag dem Ansturm wegen der eigenen inneren Uneinigkeit leicht.

Hatten die Barbareninvasionen im 5. Jahrhundert den Zusammenbruch der Zivilisation der Antike ausgelöst, so markierten die arabischen Eroberungen den endgültigen Bruch mit der Vergangenheit. Durch sie wurde den Völkern in Vorderasien, Nordafrika und Spanien ein neuer Glaube, eine neue Sprache und eine neue Kultur aufgezwungen. Die Araber verloren seitdem nur wenige Gebiete, die sie einst für den Islam gewannen.

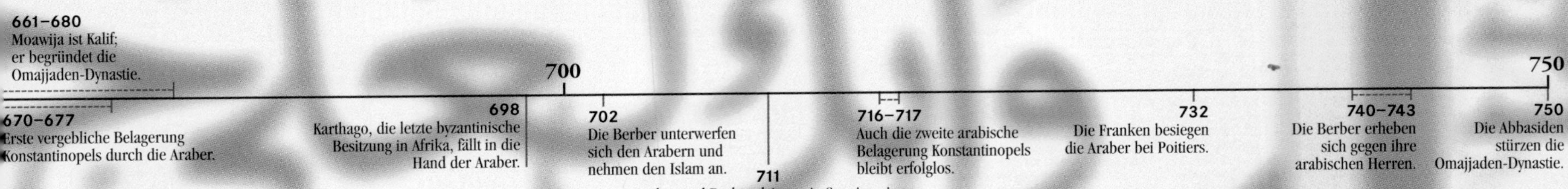
661–680
Moawija ist Kalif; er begründet die Omajjaden-Dynastie.
700
750
670–677
Erste vergebliche Belagerung Konstantinopels durch die Araber.
698
Karthago, die letzte byzantinische Besitzung in Afrika, fällt in die Hand der Araber.
702
Die Berber unterwerfen sich den Arabern und nehmen den Islam an.
711
Araber und Berber dringen in Spanien ein.
716–717
Auch die zweite arabische Belagerung Konstantinopels bleibt erfolglos.
732
Die Franken besiegen die Araber bei Poitiers.
740–743
Die Berber erheben sich gegen ihre arabischen Herren.
750
Die Abbasiden stürzen die Omajjaden-Dynastie.

Die Welt des Mittelalters (600 bis 1492 n. Chr.)

Die Teilung der arabischen Welt • 750 bis 1037

Der Konflikt zwischen Schiiten und Sunniten, das Wiederaufleben der Fehden zwischen den arabischen Stämmen und die Unzufriedenheit über die steuerlich-politischen Privilegien der Araber in den eroberten Gebieten untergruben im 8. Jahrhundert die Autorität der Omajjaden-Kalifen. Im Jahr 747 brach in der Provinz Khorasan ein Aufstand aus und 749 riefen die Rebellen einen Spross der sunnitischen Familie der Abbasiden, Abul Abbas As Saffah, zum Kalifen aus.

Harun Al Raschid versammelte an seinen Hof viele Gelehrte. Er gilt als volkstümlich idealisiertes Vorbild des weisen Kalifen in »Tausendundeine Nacht«.

Nach dem Sieg der Abbasiden 750 in der Schlacht am Zab wurden fast alle Omajjaden ermordet. Als einer der wenigen Überlebenden floh Abd Ar Rahman (756–788) nach Spanien, übernahm dort 756 die Macht und gründete ein unabhängiges Emirat; damit begann die politische Teilung der arabischen Welt. Abd Ar Rahman hatte jahrelang mit einer starken Opposition zu kämpfen, was den Christen in Asturien die Rückeroberung Galiziens ermöglichte; zugleich sicherten sie sich eine solide Basis für die spätere Reconquista ganz Spaniens, zumal es den Franken gelang, auch Narbonne zurückzugewinnen. 789 musste das Kalifat der Abbasiden weitere Verluste hinnehmen. Der Emir von Al-Maghrib bestritt die politisch-geistliche Führerschaft der Abbasiden-Herrscher und gründete ein eigenes schiitisches Kalifat. Im Jahr 800 erklärten schließlich auch die Aghlabiden-Emire der Provinz Ifrikija (heute Tunesien) ihre Unabhängigkeit.

BRETAGNE
FRANKENREICH
Slawen
Donau
ATLANTISCHER OZEAN
ASTURIEN
ALPEN
KÖNIGREICH DER LANGOBARDEN
Santiago de Compostela
León
Pamplona
Galizien
Sahagún
Astorga
Zamora
Osma
San Millán
PYRENÄEN
Narbonne
Fraxinetum
840–871 arabischer Piratenstützpunkt
Korsika
Rom
Bari
840–87 Piratens
LANGOBARDISCHE HERZOGTÜMER
Coimbra
Tajo
OMAJJADEN-EMIRAT
756 unabhängig, 929 Kalifat
Barcelona
AL ANDALUS
Córdoba
799
Balearen
Sardinien
Neapel
Sevilla
Cádiz
Tanger
Ceuta
Palermo
Sizilien
Tunis
828
Kairuan
Mahdija
Malta
IDRISIDEN-KALIFAT
789 unabhängig, 926 von den Omajjaden erobert
IFRIKIJA
Mittelm
AGHLABIDEN-EMIRAT
800 unabhängig, 909 unter Vorherrschaft der Fatimiden
AL MAGHRIB
Tripolis

Das goldene Zeitalter der Abbasiden

Dennoch ging die Herrschaft der Abbasiden als »goldenes Zeitalter« der islamischen Kultur in die Geschichte ein. Der gewaltige Reichtum des Kalifats, der zum Teil aus den Silberminen im Hindukusch stammte, ermöglichte große Bauprojekte und die großzügige Förderung von Wissenschaft und Kunst. Bagdad, seit 763 als neue Hauptstadt Nachfolgerin von Damaskus, entwickelte sich innerhalb von nur 40 Jahren zur vermutlich größten Stadt und zum bedeutendsten Kulturzentrum der Welt. Die Assimilation persischer Literaturformen und der griechischen Wissenschaft und Philosophie ermöglichte kulturelle Höchstleistungen. Das mittelalterliche Europa verdankte den größten Teil seiner Kenntnisse über Astronomie, Geographie, Medizin, Mathematik und sogar über die griechische Philosophie arabischen Gelehrten. Religiöser und rassischer Pluralismus kennzeichneten die Herrschaft der Araber – islamische Strenggläubigkeit schloss also durchaus die Tolerierung anderer Religionen nicht aus.

Religiöse Vielfalt: Anstelle eines Janus-Tempels entstand im 10. Jahrhundert in Córdoba die Moschee »La Mezquita«; im Bild die Gebetshalle mit 856 Marmorsäulen.

Machtgewinne, Machtverluste

Die Abbasiden erklommen den Gipfel ihrer Macht unter Harun Al Raschid (786–809). Nach dem Tod dieses großen Kalifen brach jedoch zwischen seinen Söhnen Streit um die Nachfolge aus. Der folgende Machtverlust der Kalifen kam den Herrschern der

1 Die türkischen Karakhaniden eroberten 990 bis 995 Sogdien, aber dann besiegte Mahmud von Ghasni sie bei Balkh und verhinderte ihr weiteres Vordringen.

2 Mahmuds Sieg über ein Bündnis indischer Fürsten im Jahr 1009 bei Peshawar erhob das Ghasnawiden-Reich zum mächtigsten Reich der Region.

3 Durch den Sieg der Araber am Talas im Jahr 751 verlor China die Herrschaft über Westasien.

4 Die Türken, die sich um 970 zum Islam bekehrten, stellten eine große Zahl von Söldnern, die in den Heeren des Abbasiden-Kalifats und seiner Nachfolgestaaten dienten; dabei gelangten viele Türken zu Macht und Einfluss.

0
900 km
0
600 Meilen

5 Das lange arabisch-byzantinische Ringen um die Kontrolle über das Taurus-Gebirge gewann Byzanz in den 60er-Jahren des 10. Jahrhunderts; danach eroberte es Nordsyrien.

6 Kairo (Al Kahira) wurde 969 von den Fatimiden als ihre Hauptstadt gegründet und überflügelte allmählich Alexandria als wichtigste Stadt Ägyptens.

7 Die schiitischen Bujiden erhoben nach der Eroberung Persiens Schiras zu ihrer Hauptstadt; 945 nahmen sie Bagdad ein.

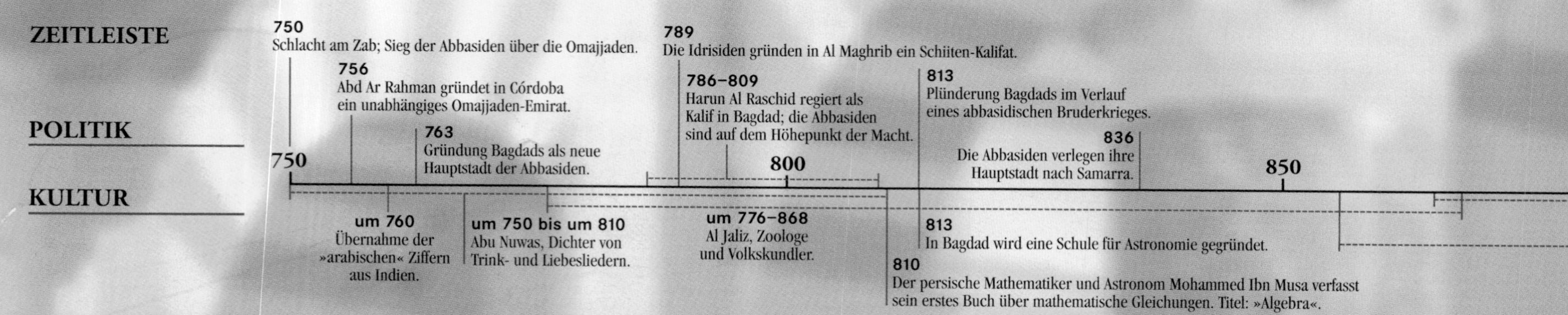

ZEITLEISTE
POLITIK
KULTUR
750
Schlacht am Zab; Sieg der Abbasiden über die Omajjaden.
756
Abd Ar Rahman gründet in Córdoba ein unabhängiges Omajjaden-Emirat.
763
Gründung Bagdads als neue Hauptstadt der Abbasiden.
789
Die Idrisiden gründen in Al Maghrib ein Schiiten-Kalifat.
786–809
Harun Al Raschid regiert als Kalif in Bagdad; die Abbasiden sind auf dem Höhepunkt der Macht.
813
Plünderung Bagdads im Verlauf eines abbasidischen Bruderkrieges.
836
Die Abbasiden verlegen ihre Hauptstadt nach Samarra.
750
800
850
um 760
Übernahme der »arabischen« Ziffern aus Indien.
um 750 bis um 810
Abu Nuwas, Dichter von Trink- und Liebesliedern.
um 776–868
Al Jaliz, Zoologe und Volkskundler.
813
In Bagdad wird eine Schule für Astronomie gegründet.
810
Der persische Mathematiker und Astronom Mohammed Ibn Musa verfasst sein erstes Buch über mathematische Gleichungen. Titel: »Algebra«.

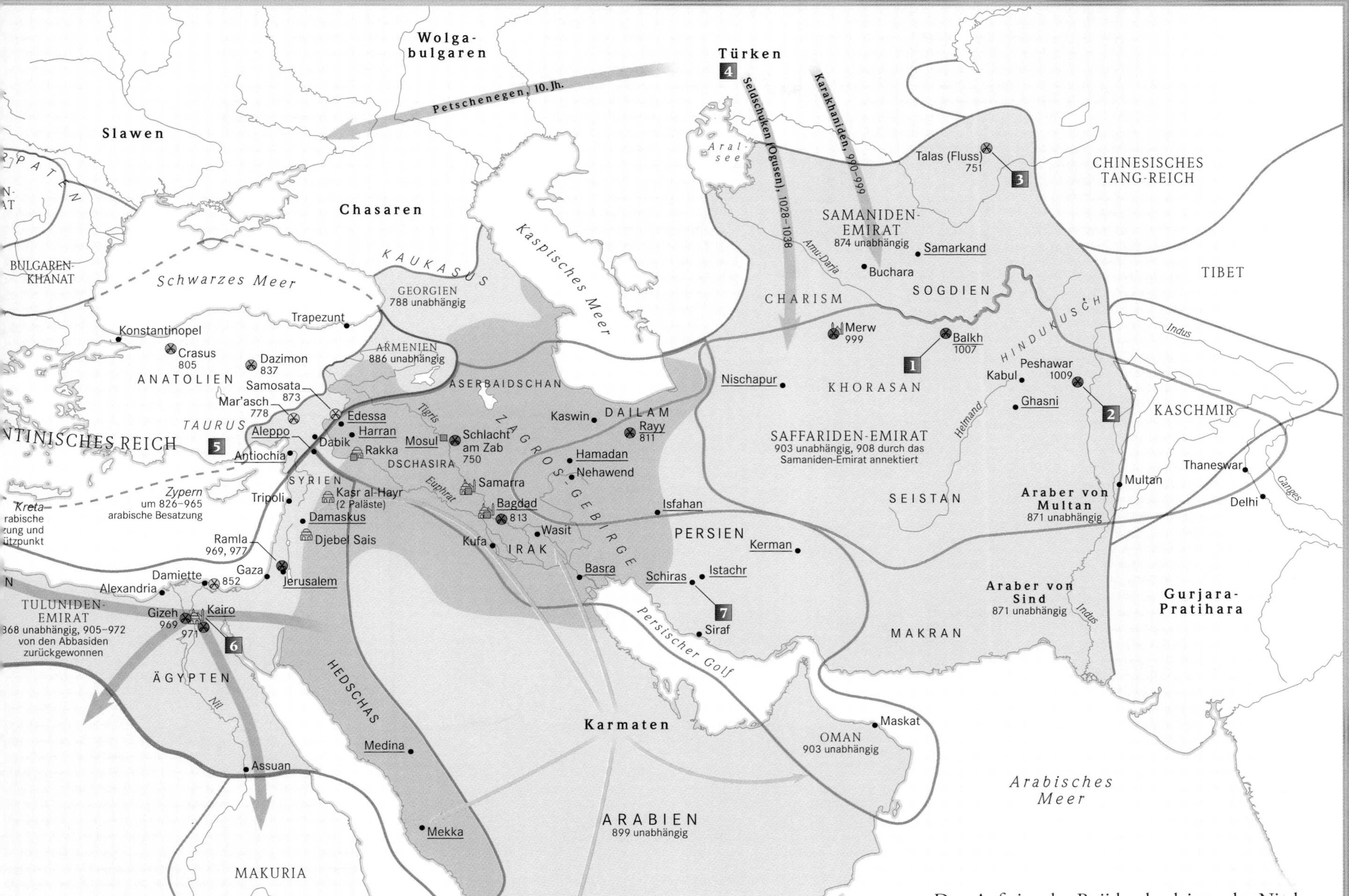

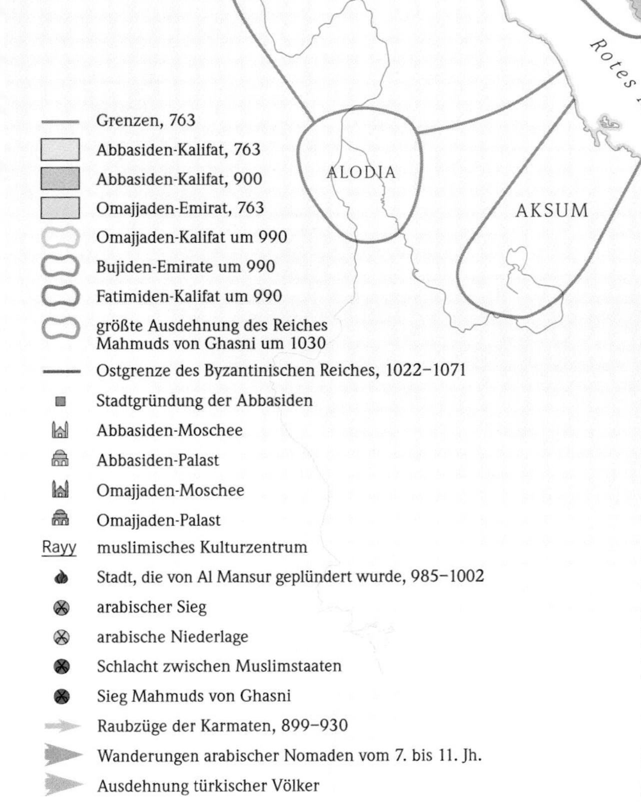

- Grenzen, 763
- Abbasiden-Kalifat, 763
- Abbasiden-Kalifat, 900
- Omajjaden-Emirat, 763
- Omajjaden-Kalifat um 990
- Bujiden-Emirate um 990
- Fatimiden-Kalifat um 990
- größte Ausdehnung des Reiches Mahmuds von Ghasni um 1030
- Ostgrenze des Byzantinischen Reiches, 1022–1071
- Stadtgründung der Abbasiden
- Abbasiden-Moschee
- Abbasiden-Palast
- Omajjaden-Moschee
- Omajjaden-Palast
- Rayy muslimisches Kulturzentrum
- Stadt, die von Al Mansur geplündert wurde, 985–1002
- arabischer Sieg
- arabische Niederlage
- Schlacht zwischen Muslimstaaten
- Sieg Mahmuds von Ghasni
- Raubzüge der Karmaten, 899–930
- Wanderungen arabischer Nomaden vom 7. bis 11. Jh.
- Ausdehnung türkischer Völker

einzelnen Provinzen zugute: 868 wurden Ägypten und Palästina unter den Tuluniden unabhängig und im Osten sagten sich die von den einheimischen persischen Dynastien der Saffariden und Samaniden beherrschten Provinzen los. 899 verloren die Abbasiden nach Aufständen der Karmaten die Arabische Halbinsel. Um 900 erholten sie sich für kurze Zeit wieder und eroberten 905 Ägypten und Palästina zurück. Auch die Besetzung des meuternden schiitischen Saffariden-Emirats durch das sunnitische Samaniden-Emirat wirkte sich günstig aus. Aber dann begannen 914 die seit 909 in Ifrikija herrschenden Fatimiden mit ihrer Eroberung Ägyptens. Im Jahr 1000 stellten sie die beherrschende islamische Macht. Um 913 eroberte die Bujiden-Dynastie Persien; als ihre Krieger 945 Bagdad eingenommen hatten, war die Abbasiden-Herrschaft am Ende.

Den Aufstieg der Bujiden begleitete der Niedergang des Samaniden-Emirats. Dessen nördliche Provinzen fielen zwischen 990 und 1000 an die Karakhaniden, während den Rest der türkische Söldner Mahmud von Ghasni in seine Gewalt brachte, der die Samaniden in einer Schlacht bei Merw besiegte. Als militanter Muslim führte er »heilige Kriege« gegen die Hindu-Königreiche und zerstörte ihre Tempel. Sein Ghasnawiden-Reich war das erste türkische Reich Vorderasiens. Es zerfiel allerdings rasch wieder – die Ghasnawiden wurden schon 1037 von den türkischen Ogusen unter Führung von Angehörigen des Seldschuken-Klans verdrängt.

Vermittler in Europa

Nach anfänglichen Rückschlägen festigte das spanische Omajjaden-Emirat seine Stellung. 929 proklamierte sich Abd Ar Rahman II. (912–961) selbst zum Kalifen. Die Eroberung von Al Maghrib 973 und die Erfolge seines Feldherrn Al Mansur gegen die Christen in Nordspanien schienen sein Selbstvertrauen zu rechtfertigen. Aber nach einem Bürgerkrieg (1008) brach das Kalifat zusammen und gewann seine einstige Macht nie wieder zurück. Trotz gespannter Beziehungen zum christlichen Europa erwiesen sich das maurische Spanien und Sizilien doch als die wichtigsten Vermittler der arabischen Kultur.

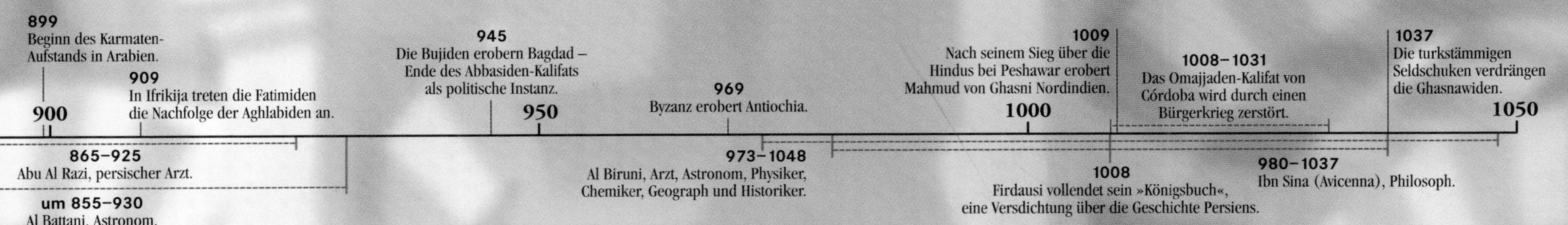
899
Beginn des Karmaten-Aufstands in Arabien.
909
In Ifrikija treten die Fatimiden die Nachfolge der Aghlabiden an.
945
Die Bujiden erobern Bagdad – Ende des Abbasiden-Kalifats als politische Instanz.
969
Byzanz erobert Antiochia.
1009
Nach seinem Sieg über die Hindus bei Peshawar erobert Mahmud von Ghasni Nordindien.
1008–1031
Das Omajjaden-Kalifat von Córdoba wird durch einen Bürgerkrieg zerstört.
1037
Die turkstämmigen Seldschuken verdrängen die Ghasnawiden.
900
950
1000
1050
865–925
Abu Al Razi, persischer Arzt.
um 855–930
Al Battani, Astronom.
973–1048
Al Biruni, Arzt, Astronom, Physiker, Chemiker, Geograph und Historiker.
1008
Firdausi vollendet sein »Königsbuch«, eine Versdichtung über die Geschichte Persiens.
980–1037
Ibn Sina (Avicenna), Philosoph.

Die Welt des Mittelalters (600 bis 1492 n. Chr.)

Das Byzantinische Reich • 610 bis 1204

Als »Byzantinisches Reich« bezeichnen die Historiker das Oströmische Reich nach dem Machtantritt Kaiser Herakleios' I. (610–641). Angesichts einer drohenden Niederlage gegen das persische Sassaniden-Reich ging der Herrscher daran, das Heer und den Verwaltungsapparat gründlichst zu reformieren, praktisch also einen neuen Staat zu schaffen.

Das Griechische, das in Ostrom von jeher die Sprache der Mehrheit gewesen war, wurde nun statt Latein auch Amtssprache. Deshalb galt Byzanz bei den Westeuropäern als hellenistischer Staat, wohingegen sich die Byzantiner selbst bis zum Ende des Reiches im Jahr 1453 als Römer betrachteten.

Krum, Khan der Bulgaren 802–814, feiert auf dieser Miniatur aus dem 14. Jahrhundert seinen Sieg über den byzantinischen Kaiser Nikephoros I.

Die Schwäche des Reiches

Herakleios' Reformen ermöglichten 627 tatsächlich einen Sieg gegen Persien, doch vermochten sie nichts gegen die unvermuteten, 633 einsetzenden Angriffe der Araber, die erst kurz zuvor in der islamischen Glaubensgemeinschaft geeint worden waren, auszurichten. Bis 698 gingen Syrien, Palästina, Ägypten und Nordafrika verloren, während zwei arabische Eroberungsversuche Konstantinopels (670–671 und 716–717) scheiterten. Die Schwäche des Byzantinischen Reiches nutzten auch andere Mächte aus – die Langobarden eroberten im Jahr 640 Genua und die Bulgaren drangen 679 auf den Balkan vor; im 8. und 9. Jahrhundert verlor das Reich weitere Gebiete.

Diesen Schrumpfungsprozess stoppten erst die Kaiser der makedonischen Dynastie (867–1059), weil ihnen im Norden und Osten die ungefähre Wiederherstellung der Reichsgrenzen zu Ende der römischen Zeit gelang. Begünstigt wurde dies durch die Zersplitterung der arabischen Welt im neunten und die Schwächung der Bulgaren durch Angriffe der Ungarn und Rus im 10. Jahrhundert. Basileios II. (der »Bulgarentöter«; 976–1025) sicherte dem Byzantinischen Reich in Europa und Vorderasien die alte Vormachtstellung, aber nach seinem Tod verlor es in nur 20 Jahren wieder an Boden. Bis zum Jahr 1071 wurden die Byzantiner von den Normannen aus Italien vertrieben und erlebten in der Schlacht von Manzikert im selben Jahr eine verheerende Niederlage gegen die türkischen Seldschuken. Dabei verloren sie Anatolien, wo sie stets viele ihrer Soldaten rekrutiert hatten.

Themen-Verfassung

Das Byzantinische Reich verdankte sein Überleben nicht zuletzt den »Themen« – das heißt Militärbezirken, die Herakleios nach dem Sieg über die Sassaniden eingerichtet hatte, um darin Soldaten anzusiedeln; in Friedenszeiten wurden die Themen von Verwaltungschefs regiert, die sie in Kriegszeiten auch militärisch befehligten. Die Themen-Verfassung garantierte dem Reich hoch motivierte, rasch einsetzbare Streitkräfte und eine verlässliche Steuerquelle. Von ursprünglich 13 stieg die Zahl der Themen bis zum 11. Jahrhundert auf über 40. Nach dem Tod von Kaiser Basileios II. zerfiel das System, so dass das Reich die Einfälle der Seldschuken nicht mehr abwehren konnte.

Der Verlust Anatoliens bedeutete einen schweren Schlag. Als Alexios I. Komnenos (1081–1118) den europäischen Besitz nach dem erfolgreichen ersten Kreuzzug zurückgewann, waren die Themen bereits verödet. Der Land besitzende Adel hatte die letzten freien Bauern in seine Dienste gezwungen und damit den Zusammenbruch des Themensystems bewirkt. So war das Reich ausgerechnet in der Zeit, in der es seine Haupteinnahmequelle verlor, auf teure Söldner angewiesen. Im 12. Jahrhundert verarmte es weiter, als der byzantinische Handel zunehmend unter die Kontrolle Venedigs und Genuas geriet. Auch die Kunst der raffinierten byzantinischen Diplomatie konnte den Niedergang eines einst stolzen Reiches nicht mehr verschleiern, dem die Seldschuken 1176 bei Myriokephalum eine weitere vernichtende Niederlage zufügten.

Kampf zwischen Byzantinern und Seldschuken; Buchmalerei der Chronik des Geschichtsschreibers Johannes Skylitzes aus dem 13. Jahrhundert

Todesstoss

Die Seldschuken nutzten ihren Sieg nicht, so dass erst die Plünderung Konstantinopels durch das Heer des vierten Kreuzzuges dem Reich 1204 den Todesstoß versetzte. Zwar konnten die Byzantiner 1261 ihre Hauptstadt zurückerobern, aber das neue Reich war nur noch ein Schatten des früheren; sein Überleben hing weitgehend von den Schwächen und Fehlern seiner Feinde ab.

Im frühen Mittelalter war Ostrom die kulturell führende Macht Europas. Obgleich in Sakralkunst, Literatur und Architektur auch später noch Meisterwerke entstanden, blieb der byzantinische Einfluss auf das Abendland gering, denn die vielen Zerwürfnisse mit der römischen Kirche förderten die gegenseitige Feindseligkeit. Dort jedoch, wo der orthodoxe Glaube der Ostkirche Fuß gefasst hatte, blieb die Prägung stark – vor allem in Russland, das sich nach 1453 als Nachfolger des Byzantinischen Reiches verstand.

KÖNIGREICH DER LANGOBARDEN
640
751
1
Genua
Venedig
um 1000
Ravenna
Exarchat von Ravenna
Korsika
Sardinien
Rom
Gaeta
1063
Amalfi
1127
Sizilien
Palermo
Catania
Karthago
827
Pantano Longarini
AFRIKA
669–670

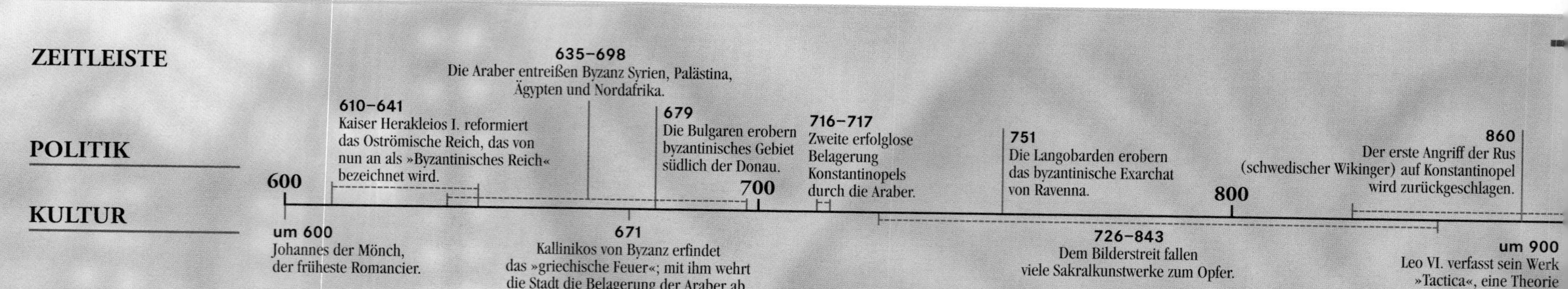

ZEITLEISTE
POLITIK
KULTUR
600
700
800
610–641
Kaiser Herakleios I. reformiert das Oströmische Reich, das von nun an als »Byzantinisches Reich« bezeichnet wird.
635–698
Die Araber entreißen Byzanz Syrien, Palästina, Ägypten und Nordafrika.
679
Die Bulgaren erobern byzantinisches Gebiet südlich der Donau.
716–717
Zweite erfolglose Belagerung Konstantinopels durch die Araber.
751
Die Langobarden erobern das byzantinische Exarchat von Ravenna.
860
Der erste Angriff der Rus (schwedischer Wikinger) auf Konstantinopel wird zurückgeschlagen.
um 600
Johannes der Mönch, der früheste Romancier.
671
Kallinikos von Byzanz erfindet das »griechische Feuer«; mit ihm wehrt die Stadt die Belagerung der Araber ab.
726–843
Dem Bilderstreit fallen viele Sakralkunstwerke zum Opfer.
um 900
Leo VI. verfasst sein Werk »Tactica«, eine Theorie der Kriegsführung.

0 600 km
0 400 Meilen

- Grenzen, 628
- Byzantinisches Reich, 628
- Byzantinisches Reich, 867
- Byzantinisches Reich, 1025
- Grenzen der byzantinischen Themen, 1025
- Byzantinisches Reich, 1204
- halbautonome byzantinische Enklave mit Datum, wann sie dem Reich verloren ging
- Bulgaren-Khanat, 986
- Normannen-Reich in Sizilien um 1090
- Sieg des Byzantinischen Reiches
- Niederlage des Byzantinischen Reiches
- Wrack eines byzantinischen Schiffs
- stark befestigte Stadt
- Festung
- Mistra Zentrum byzantinischer Kultur
- Kriegszüge
- arabisches Vordringen

1 Der byzantinische Einfluss wirkte in Venedig noch lange nach dessen Unabhängigkeit von Byzanz. Der Dom San Marco (1063 vollendet) ist ein großartiges Beispiel byzantinischer Baukunst.

2 Das christliche Armenien schloss sich 1020 freiwillig Byzanz an, weil es Schutz vor seinen muslimischen Nachbarn suchte.

3 Nach seiner Niederlage in der Schlacht am Jarmuk verlor Byzanz Palästina und Syrien an die Araber.

4 Pliska, die Hauptstadt der Bulgaren, entstand um einen befestigten Palast. In ihrer Blütezeit (um 800) bedeckte die Stadt eine größere Fläche als Konstantinopel.

5 Fundort des Wracks eines byzantinischen Handelsschiffes, das Wein geladen hatte. Im Byzantinischen Reich des frühen Mittelalters blühte der Fernhandel.

6 Die Byzantiner schoben nach ihrem Sieg über die Bulgaren in der Schlacht von Balathista (1014) ihre Nordgrenze bis an die Donau vor.

7 Zypern wechselte immer wieder den Besitzer: Von 649 bis 746 gehörte die Insel den Arabern, 746 bis 826 den Byzantinern, von etwa 826 bis 965 wieder den Arabern, 965 bis 1191 wieder den Byzantinern.

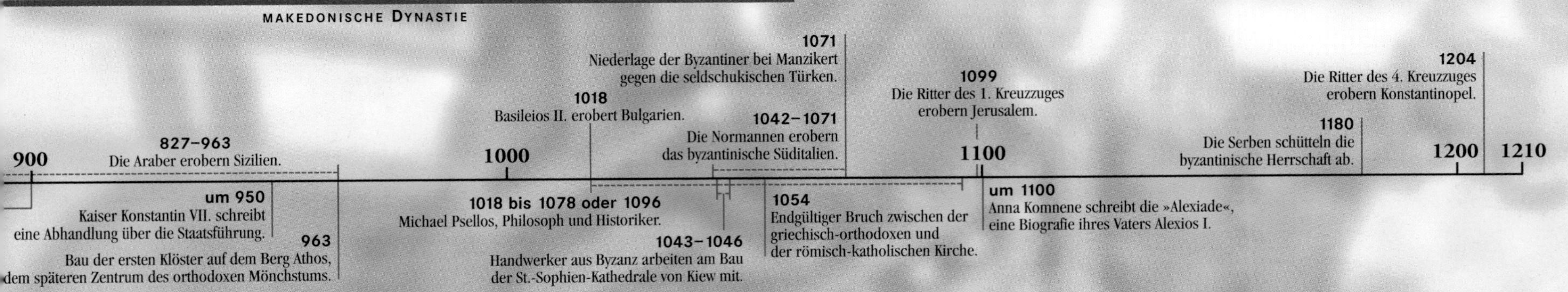

MAKEDONISCHE DYNASTIE
900
1000
1100
1200
1210
827–963 Die Araber erobern Sizilien.
um 950 Kaiser Konstantin VII. schreibt eine Abhandlung über die Staatsführung.
963 Bau der ersten Klöster auf dem Berg Athos, dem späteren Zentrum des orthodoxen Mönchstums.
1018 Basileios II. erobert Bulgarien.
1018 bis 1078 oder 1096 Michael Psellos, Philosoph und Historiker.
1042–1071 Die Normannen erobern das byzantinische Süditalien.
1043–1046 Handwerker aus Byzanz arbeiten am Bau der St.-Sophien-Kathedrale von Kiew mit.
1054 Endgültiger Bruch zwischen der griechisch-orthodoxen und der römisch-katholischen Kirche.
1071 Niederlage der Byzantiner bei Manzikert gegen die seldschukischen Türken.
1099 Die Ritter des 1. Kreuzzuges erobern Jerusalem.
um 1100 Anna Komnene schreibt die »Alexiade«, eine Biografie ihres Vaters Alexios I.
1180 Die Serben schütteln die byzantinische Herrschaft ab.
1204 Die Ritter des 4. Kreuzzuges erobern Konstantinopel.

Die Welt des Mittelalters (600 bis 1492 n. Chr.)

Die türkischen Reiche im Mittelalter • 1038 bis 1492

Die Macht der türkischen Seldschuken-Herrscher in Vorderasien wuchs nach ihrem Einfall in das Ghasnawiden-Reich 1037 rasch. Schon drei Jahre später hatten sie unter Toghrylbeg (1038–1063) die westlichen Provinzen des Emirats erobert. 1054 bis 1055 folgten die Seldschuken dem Hilferuf des Abbasiden-Kalifen in Bagdad und vertrieben die Bujiden aus der Stadt.

Als Sunniten respektierten die Türken den Kalifen zwar mehr als die schiitischen Bujiden, regierten die Stadt aber mit gleicher Strenge. Unter Toghrylbegs Nachfolger Alp Arslan (1063–1072) eroberten die Seldschuken Syrien und besiegten die Byzantiner bei Manzikert (1071). Alp Arslan fiel im Kampf gegen die Karakhaniden bei Berzem, so dass erst sein Nachfolger Malik Schah (1072 bis 1092) das byzantinische Anatolien eroberte und die Fatimiden aus Palästina vertrieb.

Der anatolische Sultan Osman I. mit seinen Befehlshabern; die nach ihm benannte Dynastie der Osmanen bestand vom Ende des 13. Jahrhunderts bis 1924.

1 Nach Niederlagen bei Nischapur und Dandenakan verloren die Ghasnawiden ihr westliches Teilreich an die Seldschuken.

2 Die Eroberung Kleinasiens durch die Seldschuken begann 1071 mit dem Sieg des Sultans Alp Arslan über die Byzantiner bei Manzikert.

3 Nicäa wurde 1080 die Hauptstadt des Sultanats der Rum-Seldschuken; als die Stadt 1097 den Kreuzfahrern in die Hände fiel, verlegte man die Residenz nach Iconium.

4 Alamut war die Hauptfestung des schiitisch-ismailitischen Geheimbundes der Assassinen (arabisch für »Haschischraucher«).

5 Die Mongolen besetzten im 13. Jahrhundert alle vorderasiatischen Staaten außer Palästina; Ägypten, Syrien und Arabien unterwarfen sie der Tributpflicht.

6 Ihre Niederlage gegen die Osmanen in der Schlacht auf dem Amselfeld (serbisch »Kosovo polje«) im Jahr 1389 hat sich tief in das Nationalbewusstsein der Serben eingegraben.

7 Das Osmanische Reich verdankte seinen Namen Osman I. (1281–1326), einem Stammesfürsten der türkischen Ogusen in Sögüd.

Sultanate, Emirate und Kalifate

Nach dem Tod Malik Schahs zerfiel das Seldschuken-Sultanat. 1095 machten sich die Rum-Seldschuken und das Emirat der Danischmendiden selbstständig und um 1100 bestand das ehemalige Großreich aus vielen Kleinstaaten. Von dieser Schwäche profitierten andere: Byzanz entriss den Seldschuken große Teile Kleinasiens – um sie bald wieder an die europäischen Kreuzfahrer zu verlieren.

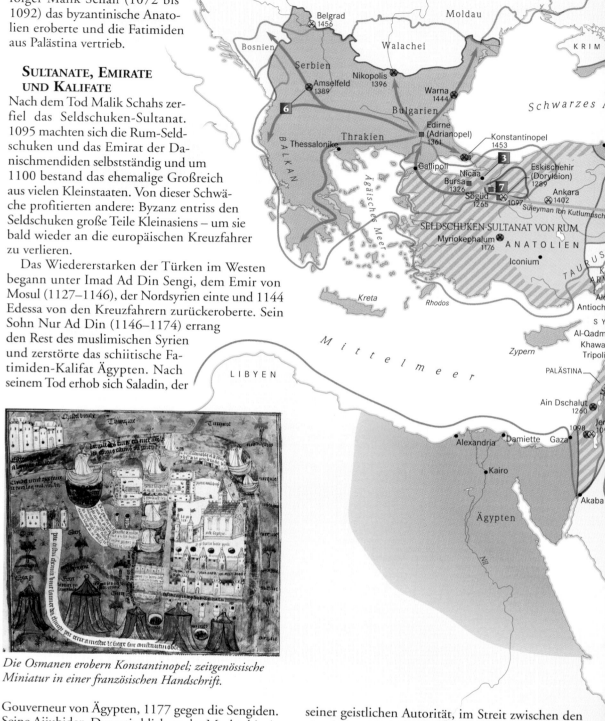

Das Wiedererstarken der Türken im Westen begann unter Imad Ad Din Sengi, dem Emir von Mosul (1127–1146), der Nordsyrien einte und 1144 Edessa von den Kreuzfahrern zurückeroberte. Sein Sohn Nur Ad Din (1146–1174) errang den Rest des muslimischen Syrien und zerstörte das schiitische Fatimiden-Kalifat Ägypten. Nach seinem Tod erhob sich Saladin, der Gouverneur von Ägypten, 1177 gegen die Sengiden. Seine Aijubiden-Dynastie blieb an der Macht, bis sie 1250 von den Mamluken vertrieben wurde. Letztere, eine ursprünglich aus Sklaven rekrutierte Kriegerelite, herrschte bis 1517 über Ägypten und Syrien und überlebte als Klasse sogar bis 1811. Die Rum-Seldschuken gewannen ihre Macht zurück und besiegten die Byzantiner 1176 bei Myriokephalum.

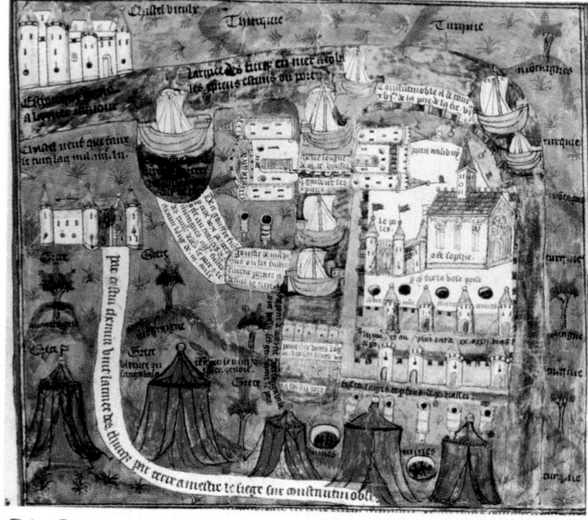

Die Osmanen erobern Konstantinopel; zeitgenössische Miniatur in einer französischen Handschrift.

Eroberungszüge der Mongolen

Anders als im Westen verloren die Türken im 12. Jahrhundert im Osten zunehmend an Einfluss. 1156 lebte das Abbasiden-Kalifat von Bagdad wieder auf. Trotz seiner geringen Macht gelang es dem Kalifen aufgrund seiner geistlichen Autorität, im Streit zwischen den einzelnen seldschukischen Staaten zu vermitteln. Im frühen 13. Jahrhundert tauchte mit den Charism-Schahs eine neue Macht auf, die die östlichen Seldschuken-Staaten eroberte. Allerdings brach die weitere Ausdehnung der Charismier wegen des Mongolen-Einfalls im Jahr 1219 abrupt ab. Die Mongolen unterwarfen die Rum-Seldschuken 1243 als Vasallen, zerstörten 1258 das Abbasiden-Kalifat und vertrieben 1260 die Mamluken aus Syrien. Obwohl diese noch im selben Jahr bei Ain Dschalut ihrerseits die Mongolen besiegten und einen großen Teil ihres Reiches zurückeroberten, blieb Vorderasien bis zum Tod Timur Lengs im Jahr 1405 in mongolischer Hand.

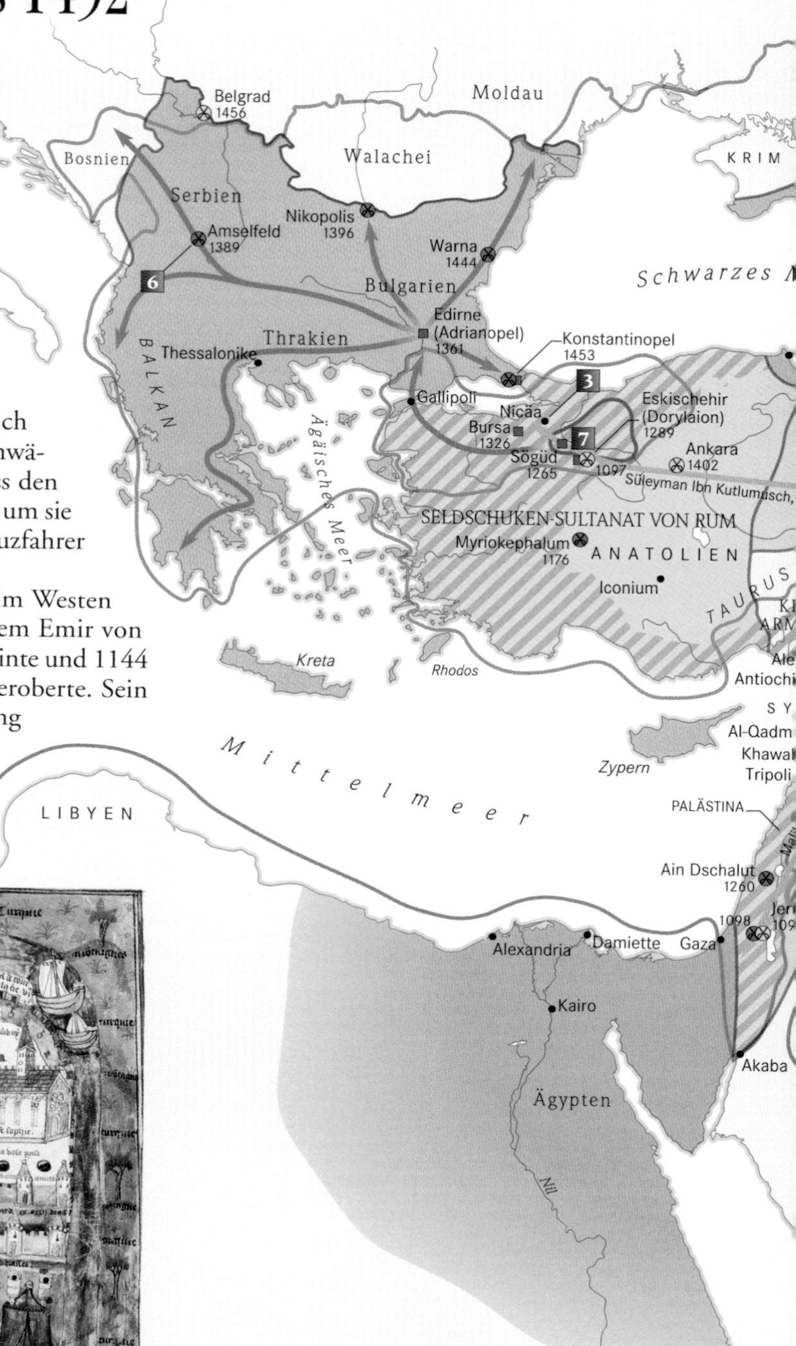

Belgrad 1456
Moldau
Bosnien
Walachei
KRIM
Serbien
Nikopolis 1396
Amselfeld 1389
Warna 1444
Schwarzes
6
Bulgarien
Edirne (Adrianopel) 1361
Konstantinopel 1453
Thrakien
Thessalonike
BALKAN
3
Gallipoli
Nicäa
Eskischehir (Dorylaion) 1289
Bursa 1326
7
Sögüd 1265
1097
Ankara 1402
Süleyman Ibn Kutlumusch
Ägäisches Meer
SELDSCHUKEN-SULTANAT VON RUM
Myriokephalum 1176
ANATOLIEN
Iconium
TAURUS
Kreta
Rhodos
Antiochia
Al-Qadm
Khawabi
Tripoli
Zypern
Mittelmeer
LIBYEN
PALÄSTINA
Ain Dschalut 1260
1098
Alexandria
Damiette
Gaza
Kairo
Akaba
Ägypten
Nil

ZEITLEISTE

POLITIK

- 1000
- 1038–1040 Die Seldschuken erobern Khorasan.
- 1055 Die Seldschuken nehmen Bagdad ein.
- 1071 Sieg der Seldschuken über Byzanz in der Schlacht von Manzikert.
- 1092 Tod Malik Schahs; das Seldschuken-Reich zerfällt.
- 1099 Die Ritter des 1. Kreuzzuges erobern Jerusalem.
- 1100
- 1127–1146 Imad Ad Din Sengi, Emir von Mosul, vereint die türkischen Emirate Syriens.
- 1169–1171 Saladin erobert Ägypten für das Sengiden-Emirat.
- 1187 Saladin entreißt den Kreuzfahrern Jerusalem wieder.
- 1200
- 1210 Reichsgründung der Charism-Schahs.

KULTUR

- 1027–1123 Omar Al Khajani, persischer Mathematiker, Astronom und Dichter.
- 1065–1067 Gründung der Medrese Nisamija (Akademie) in Bagdad.
- um 1080 Bau der Freitagsmoschee in Isfahan.
- 1198 Tod von Ibn Ruschd (Averroes), Philosoph, Theologe, Jurist und Mediziner.

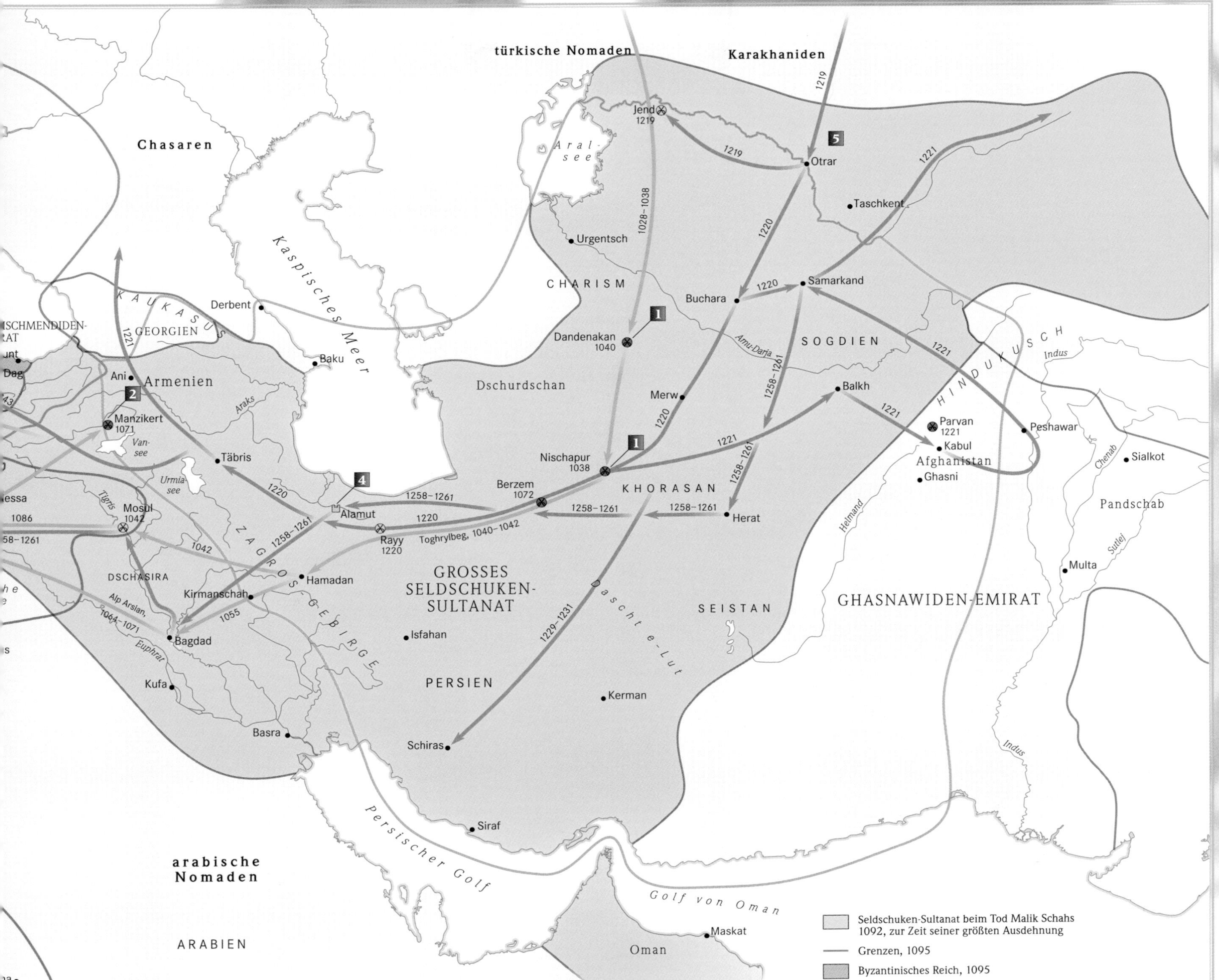

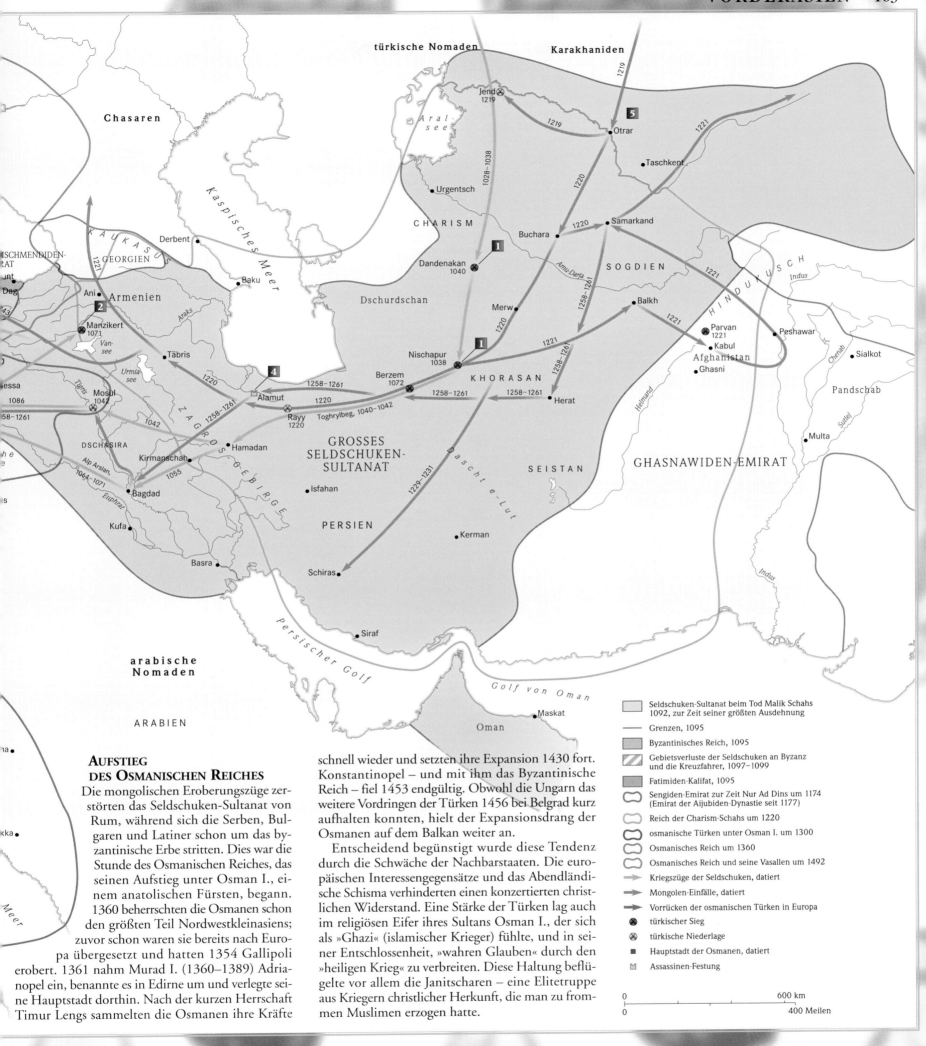

Seldschuken-Sultanat beim Tod Malik Schahs 1092, zur Zeit seiner größten Ausdehnung
Grenzen, 1095
Byzantinisches Reich, 1095
Gebietsverluste der Seldschuken an Byzanz und die Kreuzfahrer, 1097–1099
Fatimiden-Kalifat, 1095
Sengiden-Emirat zur Zeit Nur Ad Dins um 1174 (Emirat der Aijubiden-Dynastie seit 1177)
Reich der Charism-Schahs um 1220
osmanische Türken unter Osman I. um 1300
Osmanisches Reich um 1360
Osmanisches Reich und seine Vasallen um 1492
Kriegszüge der Seldschuken, datiert
Mongolen-Einfälle, datiert
Vorrücken der osmanischen Türken in Europa
türkischer Sieg
türkische Niederlage
Hauptstadt der Osmanen, datiert
Assassinen-Festung

0 – 600 km
0 – 400 Meilen

Aufstieg des Osmanischen Reiches

Die mongolischen Eroberungszüge zerstörten das Seldschuken-Sultanat von Rum, während sich die Serben, Bulgaren und Latiner schon um das byzantinische Erbe stritten. Dies war die Stunde des Osmanischen Reiches, das seinen Aufstieg unter Osman I., einem anatolischen Fürsten, begann. 1360 beherrschten die Osmanen schon den größten Teil Nordwestkleinasiens; zuvor schon waren sie bereits nach Europa übergesetzt und hatten 1354 Gallipoli erobert. 1361 nahm Murad I. (1360–1389) Adrianopel ein, benannte es in Edirne um und verlegte seine Hauptstadt dorthin. Nach der kurzen Herrschaft Timur Lengs sammelten die Osmanen ihre Kräfte schnell wieder und setzten ihre Expansion 1430 fort. Konstantinopel – und mit ihm das Byzantinische Reich – fiel 1453 endgültig. Obwohl die Ungarn das weitere Vordringen der Türken 1456 bei Belgrad kurz aufhalten konnten, hielt der Expansionsdrang der Osmanen auf dem Balkan weiter an.

Entscheidend begünstigt wurde diese Tendenz durch die Schwäche der Nachbarstaaten. Die europäischen Interessengegensätze und das Abendländische Schisma verhinderten einen konzertierten christlichen Widerstand. Eine Stärke der Türken lag auch im religiösen Eifer ihres Sultans Osman I., der sich als »Ghazi« (islamischer Krieger) fühlte, und in seiner Entschlossenheit, »wahren Glauben« durch den »heiligen Krieg« zu verbreiten. Diese Haltung beflügelte vor allem die Janitscharen – eine Elitetruppe aus Kriegern christlicher Herkunft, die man zu frommen Muslimen erzogen hatte.

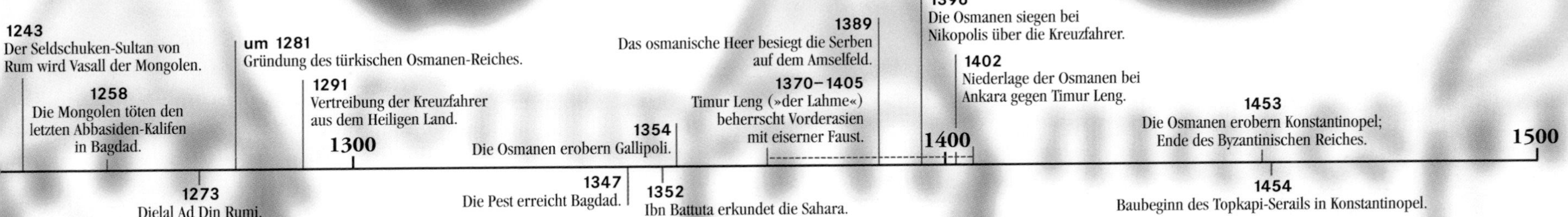
1243
Der Seldschuken-Sultan von Rum wird Vasall der Mongolen.
1258
Die Mongolen töten den letzten Abbasiden-Kalifen in Bagdad.
1273
Djelal Ad Din Rumi, Stifter des Derwisch-Ordens, stirbt.
um 1281
Gründung des türkischen Osmanen-Reiches.
1291
Vertreibung der Kreuzfahrer aus dem Heiligen Land.
1300
1347
Die Pest erreicht Bagdad.
1352
Ibn Battuta erkundet die Sahara.
1354
Die Osmanen erobern Gallipoli.
1389
Das osmanische Heer besiegt die Serben auf dem Amselfeld.
1370–1405
Timur Leng (»der Lahme«) beherrscht Vorderasien mit eiserner Faust.
1396
Die Osmanen siegen bei Nikopolis über die Kreuzfahrer.
1400
1402
Niederlage der Osmanen bei Ankara gegen Timur Leng.
1453
Die Osmanen erobern Konstantinopel; Ende des Byzantinischen Reiches.
1454
Baubeginn des Topkapi-Serails in Konstantinopel.
1500

Die Welt des Mittelalters (600 bis 1492 n. Chr.)

Die Kreuzzüge • 1096 bis 1291

Im Selbstverständnis ihrer geistigen Urheber waren die Kreuzzüge heilige Kriege zur Verteidigung der Kirche und der Christenheit gegen alle, die sie von außen oder innen bedrohten. Hauptsächlich wurden die blutigen Heerzüge abendländischer Krieger gegen die Muslime im Heiligen Land geführt. Die Idee eines Kreuzzugs gegen die Heiden wurde jedoch bald auch aus machtpolitischen und strategischen Überlegungen missbraucht.

So gab es bewaffnete, vom Papst legitimierte Expeditionen gegen heidnische Slawen im Baltikum, gegen die Muslime in Spanien, gegen die Türken auf dem Balkan und schließlich gegen christliche Häretiker wie die Katharer (Albigenser) in Südfrankreich. Die Kreuzfahrerbewegung als ideologisches Phänomen starb bis zum 18. Jahrhundert nie ganz aus, aber ihre hohe Zeit lag zwischen 1096 und 1291, in der acht größere Feldzüge und Dutzende von kleineren Expeditionen unternommen wurden.

Eroberungen während des ersten Kreuzzugs: Nach sieben Monaten Belagerung konnte die Stadt Antiochia 1098 von den Kreuzfahrern gestürmt werden.

Ein erster Erfolg

Eine Bitte des byzantinischen Kaisers Alexios I. Komnenos um militärischen Beistand gegen die Seldschuken aufgreifend, rief Papst Urban II. im Jahr 1095 auf dem Konzil von Clermont zum ersten Kreuzzug auf. Das »Heer«, das sich daraufhin aufmachte, war nicht mehr als ein bunt zusammengewürfelter Haufen schlecht bewaffneter Pilger, den die Türken bei Nikomedia aufrieben. Die Hauptarmee, vornehmlich aus französischen und normannischen Rittern bestehend, schlug sich durch Anatolien bis nach Antiochia und weiter bis nach Jerusalem durch, das man 1099 eroberte. Damit wurde dieser erste Kreuzzug zum erfolgreichsten aller weiteren, was nicht zuletzt an der Uneinigkeit der Muslime lag. Die Ritter gründeten in Syrien und Palästina vier Kreuzfahrerstaaten – das Königreich Jerusalem, die Grafschaft Tripoli, das Fürstentum Antiochia und die Grafschaft Edessa.

Motive des Aufbruchs

Schon seit längerem war Jerusalem Anziehungspunkt für Pilger gewesen, die ihre Reisen zu den heiligen Stätten aus Gründen der Buße und Sündenvergebung unternahmen. Als Türken im 11. Jahrhundert christliche Wallfahrer behelligten, lieferte dies die Rechtfertigung für künftige bewaffnete Expeditionen. Ein solches Vorhaben entsprach sowohl der Frömmigkeit als auch der Abenteuerlust der feudalen Ritterschaft, die sich als Beschützer der Christenheit verstand. Als zusätzlichen Anreiz bot Urban II. geistliche und rechtliche Privilegien – insbesondere auch den Erlass der für begangene Sünden fälligen Buße. Sein Versprechen interpretierten die Ritter als garantierte Aufnahme in den Himmel, sollten sie bei diesem Unternehmen ums Leben kommen.

Fehlschläge

Lange hielt der Erfolg des ersten Kreuzzugs nicht vor. Die Einheit der Muslime stellte schließlich Sengi, der Emir von Mosul, wieder her, der 1144 auch Edessa zurückeroberte. Das löste den nächsten, erfolglosen Kreuzzug (1147–1149) aus. Der Verlust Jerusalems nach dem Sieg Sultan Saladins im Jahr 1187 bei Hattin bewirkte den dritten Kreuzzug, den Richard I. (Löwenherz) von England und Philipp II. August von Frankreich anführten. Die Rückeroberung Jerusalems gelang zwar nicht, aber die Inbesitznahme der Küste Palästinas sicherte den dortigen Kreuzfahrerstaaten immerhin das Überleben.

Der vierte Kreuzzug (1202–1204) richtete sich direkt gegen Ägypten, das Zentrum der muslimischen Macht im 13. Jahrhundert, aber man erreichte das Ziel nicht. Zunächst halfen die Glaubenskrieger Venedig bei der Eroberung der ungarischen Stadt Zara an der Adriaküste. Von dort zogen sie nach Konstantinopel weiter, um einen Thronanwärter zu unterstützen, der ihnen Hilfe zugesagt hatte. Als diese ausblieb, plünderten die Kreuzfahrer die Stadt kurzerhand und erklärten sie zur Hauptstadt eines Lateinischen Kaiserreiches. – Der fünfte Kreuzzug (1217 bis 1221) eroberte das an der Nilmündung gelegene Damiette, aber der Vorstoß nach Kairo musste

Kampf zwischen Kreuzrittern und Mauren

FRANKREICH
RÖMISCH-DEUTSCHES REICH
Vened
Rhône
Po
Aigues-Mortes
Genua
1. Kreuzzug
Marseille
Pisa
Korsika
Rom
7. Kreuzzug
8. Kreuzzug
3. Kreuzzug
Sardinien
Tunis
ALMOHADEN-EMIRAT
Mahdija

1 Magna Mahumeria, eine Bauernsiedlung mit freiwillig hergezogenen Siedlern aus Frankreich, England und Italien, bestand von 1120 bis 1187 und hatte etwa 700 Einwohner. Als Gegenleistung für ihren Militärdienst erhielten die Siedler Land zu günstigen Bedingungen.

2 Die konzentrisch angelegte Burg gilt als die wichtigste Erfindung der Kreuzfahrer im Festungsbau. Die erste Burg dieser Art war Belvoir (Baubeginn 1168).

3 Nahrungsmittel- und Wasserknappheit sowie Angriffe der Türken machten Anatolien für die Kreuzfahrer sehr gefährlich. Nach dem Scheitern des zweiten Kreuzzugs zogen viele den Seeweg vor.

4 Der Johanniterorden besetzte 1310 Rhodos; die Insel entwickelte sich zu einem der wichtigsten Stützpunkte für Feldzüge gegen die Osmanen, bis diese sie 1522 eroberten.

5 Die Festungsinsel Arados fiel den Muslimen als letzte christliche Festung im Heiligen Land in die Hände; sie wurde 1522 von den Mamluken erobert.

6 Malta diente den Johannitern von 1530 bis zu ihrer Vertreibung durch Napoleon im Jahr 1798 als Ordenssitz und war die letzte Bastion der Kreuzfahrerbewegung.

Zeitleiste

Östliches Mittelmeer

1050

1095 Papst Urban II. ruft in Clermont zum 1. Kreuzzug auf.

1098 Die Kreuzfahrer erobern Edessa und Antiochia.

1099 Die Kreuzfahrer nehmen Jerusalem ein; eine ägyptische Entsatzarmee wird bei Askalon besiegt.

1100

1113 Gründung des Johanniterordens in Jerusalem.

1119 Gründung des Templerordens.

1144 Imad Ad Din Sengi, Emir von Mosul, erobert Edessa zurück.

1149 Der 2. Kreuzzug endet ergebnislos.

1187 Sultan Saladin besiegt die Christen bei Hattin und erobert Jerusalem zurück.

1190–1192 3. Kreuzzug unter Richard I. (Löwenherz); Eroberung Zyperns.

1200

1204 4. Kreuzzug; Eroberung Konstantinopels und Gründung des Lateinischen Kaiserreiches.

1217–1221 5. Kreuzzug; Angriff auf Ägypten.

1228–1229 6. Kreuzzug; Jerusale[m] wird wieder christlic[h]

1248–1 7. Kreuzzug unter Führung Ludwigs IX. von Frankreich; wieder gegen Ägy

Andere Kreuzzüge

1096 Papst Urban II. bietet den Kreuzfahrern für ihren Einsatz gegen die muslimischen Araber in Spanien Sonderrechte an.

1147 Kreuzzüge gegen die heidnischen Wenden im Baltikum. Kreuzfahrer erobern Lissabon von den Arabern zurück.

1208 Papst Innozenz III. ruft zum Kreuzzug gegen die Katharer im Südwesten Frankreichs auf.

ab 1231 Der Deutsche Orden kämp gegen die heidnischen Pruzz

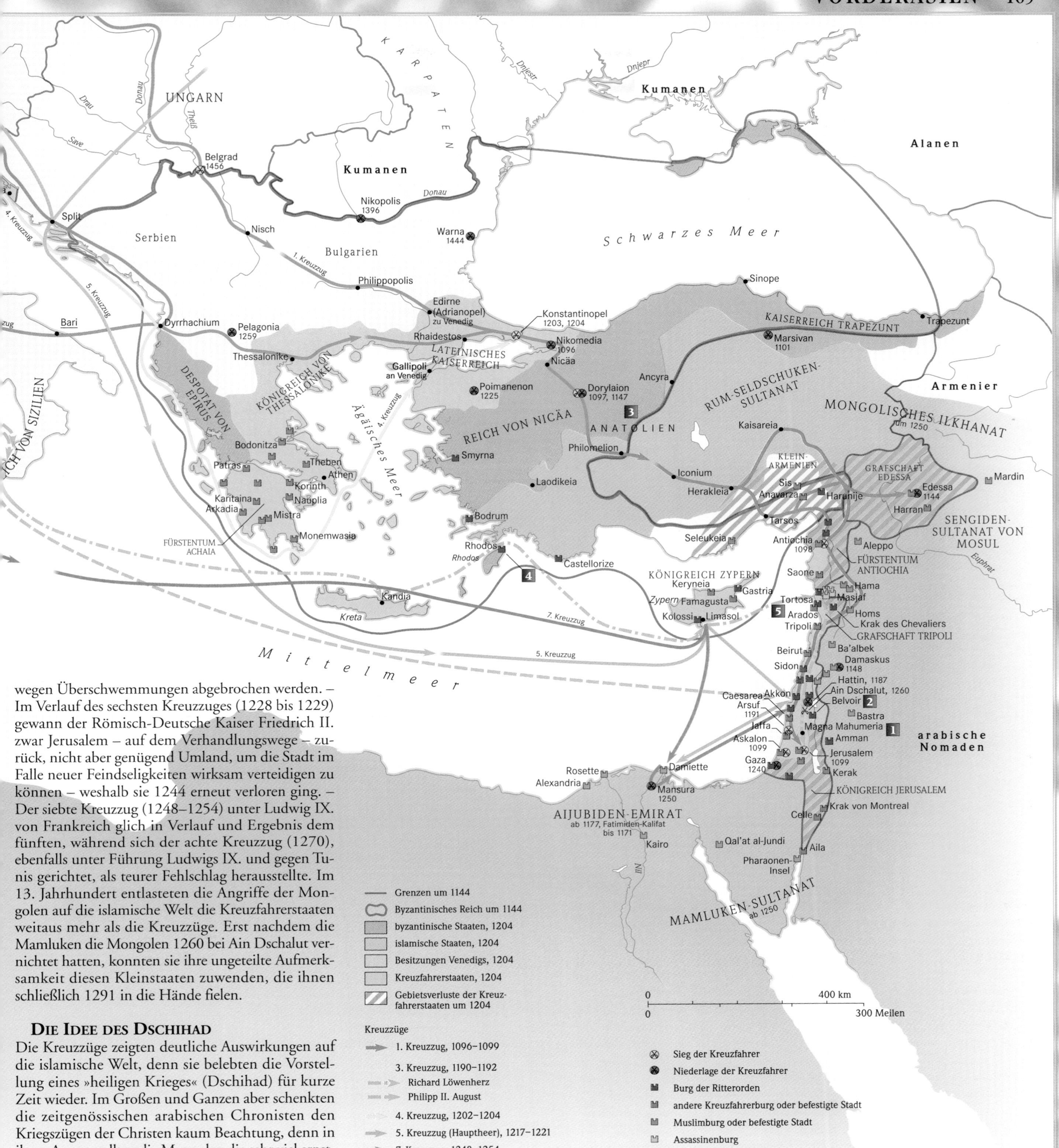
KARPATEN
UNGARN
Drau
Donau
Theiß
Save
Dnjestr
Dnjepr
Kumanen
Alanen
Belgrad 1456
Kumanen
Nikopolis 1396
Donau
Split
4. Kreuzzug
Nisch
Serbien
Warna 1444
Bulgarien
1. Kreuzzug
Schwarzes Meer
Philippopolis
Sinope
5. Kreuzzug
Bari
Dyrrhachium
Pelagonia 1259
Edirne (Adrianopel) zu Venedig
Konstantinopel 1203, 1204
Rhaidestos
Nikomedia 1096
Nicäa
Marsivan 1101
KAISERREICH TRAPEZUNT
Trapezunt
Thessalonike
LATEINISCHES KAISERREICH
Gallipoli an Venedig
DESPOTAT VON EPIRUS
KÖNIGREICH VON THESSALONIKE
Poimanenon 1225
Dorylaion 1097, 1147
Ancyra
RUM-SELDSCHUKEN-SULTANAT
Armenier
MONGOLISCHES ILKHANAT um 1250
REICH VON NICÄA
ANATOLIEN
Kaisareia
KÖNIGREICH VON SIZILIEN
Bodonitza
Ägäisches Meer
4. Kreuzzug
Smyrna
Philomelion
KLEIN-ARMENIEN
GRAFSCHAFT EDESSA
Patras
Theben
Athen
Korinth
Nauplia
Karitaina
Arkadia
Mistra
Monemwasia
FÜRSTENTUM ACHAIA
Laodikeia
Iconium
Herakleia
Sis
Anavarza
Harunije
Edessa 1144
Harran
Mardin
Bodrum
Tarsos
SENGIDEN-SULTANAT VON MOSUL
Seleukeia
Antiochia 1098
Aleppo
Rhodos
Rhodos
Castellorize
FÜRSTENTUM ANTIOCHIA
Euphrat
KÖNIGREICH ZYPERN
Keryneia
Gastria
Zypern
Famagusta
Saone
Hama
Masjaf
Tortosa
Homs
Arados
Krak des Chevaliers
Tripoli
GRAFSCHAFT TRIPOLI
Kandia
Kreta
7. Kreuzzug
Kolossi
Limasol
Mittelmeer
5. Kreuzzug
Beirut
Ba'albek
Damaskus 1148
Sidon
Hattin, 1187
Ain Dschalut, 1260
Caesarea
Akkon
Belvoir
Arsuf 1191
Bastra
Jaffa
Magna Mahumeria
Amman
Askalon 1099
arabische Nomaden
Jerusalem 1099
Gaza 1240
Kerak
Rosette
Damiette
Alexandria
Mansura 1250
KÖNIGREICH JERUSALEM
Krak von Montreal
AIJUBIDEN-EMIRAT ab 1177, Fatimiden-Kalifat bis 1171
Celle
Kairo
Qal'at al-Jundi
Aila
Nil
Pharaonen-Insel
MAMLUKEN-SULTANAT ab 1250
Grenzen um 1144
Byzantinisches Reich um 1144
byzantinische Staaten, 1204
islamische Staaten, 1204
Besitzungen Venedigs, 1204
Kreuzfahrerstaaten, 1204
Gebietsverluste der Kreuzfahrerstaaten um 1204
Kreuzzüge
1. Kreuzzug, 1096–1099
3. Kreuzzug, 1190–1192
Richard Löwenherz
Philipp II. August
4. Kreuzzug, 1202–1204
5. Kreuzzug (Hauptheer), 1217–1221
7. Kreuzzug, 1248–1254
8. Kreuzzug, 1270
0 400 km
0 300 Meilen
Sieg der Kreuzfahrer
Niederlage der Kreuzfahrer
Burg der Ritterorden
andere Kreuzfahrerburg oder befestigte Stadt
Muslimburg oder befestigte Stadt
Assassinenburg
Pisa Stadt mit engen Handelsverbindungen in das Heilige Land um 1200

wegen Überschwemmungen abgebrochen werden. – Im Verlauf des sechsten Kreuzzuges (1228 bis 1229) gewann der Römisch-Deutsche Kaiser Friedrich II. zwar Jerusalem – auf dem Verhandlungswege – zurück, nicht aber genügend Umland, um die Stadt im Falle neuer Feindseligkeiten wirksam verteidigen zu können – weshalb sie 1244 erneut verloren ging. – Der siebte Kreuzzug (1248–1254) unter Ludwig IX. von Frankreich glich in Verlauf und Ergebnis dem fünften, während sich der achte Kreuzzug (1270), ebenfalls unter Führung Ludwigs IX. und gegen Tunis gerichtet, als teurer Fehlschlag herausstellte. Im 13. Jahrhundert entlasteten die Angriffe der Mongolen auf die islamische Welt die Kreuzfahrerstaaten weitaus mehr als die Kreuzzüge. Erst nachdem die Mamluken die Mongolen 1260 bei Ain Dschalut vernichtet hatten, konnten sie ihre ungeteilte Aufmerksamkeit diesen Kleinstaaten zuwenden, die ihnen schließlich 1291 in die Hände fielen.

Die Idee des Dschihad

Die Kreuzzüge zeigten deutliche Auswirkungen auf die islamische Welt, denn sie belebten die Vorstellung eines »heiligen Krieges« (Dschihad) für kurze Zeit wieder. Im Großen und Ganzen aber schenkten die zeitgenössischen arabischen Chronisten den Kriegszügen der Christen kaum Beachtung, denn in ihren Augen stellten die Mongolen die sehr viel ernsthaftere Gefahr dar.

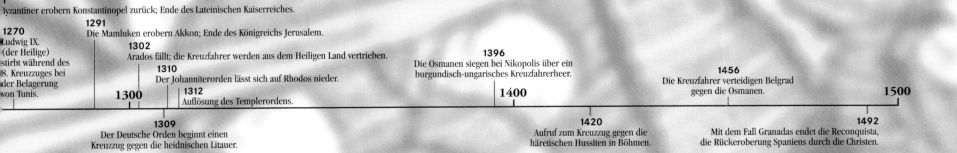

1
Byzantiner erobern Konstantinopel zurück; Ende des Lateinischen Kaiserreiches.

1270
Ludwig IX. (der Heilige) stirbt während des 8. Kreuzzuges bei der Belagerung von Tunis.

1291
Die Mamluken erobern Akkon; Ende des Königreichs Jerusalem.

1300

1302
Arados fällt; die Kreuzfahrer werden aus dem Heiligen Land vertrieben.

1309
Der Deutsche Orden beginnt einen Kreuzzug gegen die heidnischen Litauer.

1310
Der Johanniterorden lässt sich auf Rhodos nieder.

1312
Auflösung des Templerordens.

1396
Die Osmanen siegen bei Nikopolis über ein burgundisch-ungarisches Kreuzfahrerheer.

1400

1420
Aufruf zum Kreuzzug gegen die häretischen Hussiten in Böhmen.

1456
Die Kreuzfahrer verteidigen Belgrad gegen die Osmanen.

1492
Mit dem Fall Granadas endet die Reconquista, die Rückeroberung Spaniens durch die Christen.

1500

Die Welt des Mittelalters (600 bis 1492 n. Chr.)

Afrika • 600 bis 1500

Im Afrika südlich der Sahara entstanden zwischen 600 und 1500 viele Stammesfürstentümer, Städte, Staaten und Reiche, so dass um 1500 die meisten Afrikaner in mehr oder weniger strukturierten Gesellschaften lebten. Im Zuge der Islamisierungsbewegung im Norden des Kontinents wirkte sich der Einfluss der arabischen Kaufleute ab dem 10. Jahrhundert deutlich auf die Entwicklung in Ost- und Westafrika aus.

Um die Mitte des 15. Jahrhunderts brachten Portugiesen den Katholizismus nach West- und Zentralafrika. Sieht man vielleicht vom äußersten Südwesten ab, so wurden bis zum 11. Jahrhundert in der gesamten Region südlich der Sahara eiserne Waffen und Geräte verwendet. In Westafrika stellte man Produkte her, die von hoher technisch-künstlerischer Qualität waren.

Ghana, erster Staat Westafrikas

Über die Staatenbildung südlich der Sahara ist nur wenig bekannt. Im westafrikanischen Teil der Sahelzone setzte sie gegen 600 n. Chr. ein – dort entstand bis 700 als erster bekannter Staat das Königreich Ghana. Das Bevölkerungswachstum und die Entwicklung regionaler Märkte hatten schon vor 600 an Flüssen und Wasserstellen größere Siedlungen entstehen lassen. Es ist zwar noch ungeklärt, ob die Staatenbildung eine Reaktion auf die Stadtentwicklung oder deren Ursache war, fest steht aber, dass die westafrikanischen Reiche aus dem Zusammenschluss kleinerer Fürstentümer mit 2000 bis 10 000 Bewohnern

Die Große Moschee von Djenné, bekanntestes islamisches Wahrzeichen Westafrikas, wurde ganz aus Lehm gebaut.

entstanden sind, die eine Fläche von nicht mehr als 30 bis 50 Kilometern Durchmesser mit oft einem größeren Ort in der Mitte besiedelten. Diese Einheiten verloren in den frühen Staaten ihre Identität nicht, sondern bewahrten das Zugehörigkeitsgefühl der Menschen.

Das Mali-Reich und der Sahara-Handel

Das Mali-Reich war ein Staat in Westafrika, über den wir etwas mehr wissen. Es entstand im 13. Jahrhundert im fruchtbaren Überschwemmungsgebiet des oberen Niger und kontrollierte den Zugang zu reichen Goldvorkommen. Seine Regierungsform und Armee waren deutlich von den nordafrikanischen Muslimstaaten beeinflusst. Für Mali spielte der Sahara-Handel per Kamel-Karawane eine wichtige Rolle. Städte wie Kumbi Saleh und Timbuktu am Ausgangs- oder Endpunkt von Karawanenstraßen wuchsen rasch zu Großmärkten, auf denen man Sklaven, Elfenbein und Gold gegen Salz, Textilien, Glas, Keramik, Pferde und sonstige Luxusgüter eintauschte. Um 1500 wurde Mali als westafrikanische Macht von Songhai abgelöst. 200 Jahre zuvor bereits waren in den Waldländern Westafrikas kleinere Staaten wie Benin entstanden.

Aus Djenné stammt diese fein gearbeitete Skulptur eines Reiters; Terrakotta, etwa 13.–15. Jahrhundert.

Stadtstaaten der Ostküste

Die Stadtstaaten an der Ostküste Afrikas lebten allein vom Handel. Sie waren vor der Verbreitung des Islam von einheimischen, bantusprachigen Völkern gegründet worden, vermutlich weil man die Handelsverbindungen mit dem Mittelmeerraum, Vorderasien und Indien seit der Antike weiter nutzen wollte. Der Islam gelangte erst um das Jahr 1000 durch arabische Händler nach Ostafrika, verzeichnete aber trotz seines kulturellen Einflusses (so geht etwa die Einführung der Schrift und des Steinbaus auf ihn zurück) keinen größeren Zulauf.

Die Simbabwe-Kultur

In Südafrika hatten sich seit etwa dem Jahr 1000 zwischen Sambesi und Limpopo viele kleine Stammestümer zu Staaten formiert. Weil in dieser Region die Viehzucht vorherrschte, könnte das Ringen um Weiderechte dazu beigetragen haben. Bis zum 13. Jahrhundert entwickelte sich Simbabwe zur stärksten Macht. Seine eindrucksvolle Steinarchitektur war zu jener Zeit im südlichen Afrika beispiellos. Als sich jedoch um 1450 mit dem neuen Staat Monomotapa das Machtzentrum in den Norden verlagerte, verlor Simbabwe rasch wieder an Bedeutung.

Ribe 1456
Kapverdische Inseln

Nubien und Äthiopien

Um 600 waren die ältesten Staaten Afrikas die im Norden liegenden christlichen Reiche Nubien und Äthiopien. Makuria, das mächtigste der nubischen Reiche, eroberte im 8. Jahrhundert Nobatia, musste sich im 14. Jahrhundert dann aber selbst dem Druck der Araber beugen. Ein weiteres Nubier-Reich, Alodia, überdauerte bis 1505, als es von Arabern, die sich mit dem im Süden lebenden Volk der Funj verbündet hatten, erobert wurde. Das äthiopische Königreich Aksum zerfiel schon um das Jahr 600, die gleichnamige Stadt war bereits verlassen. Die letzten Reste dieses Reiches wurden um 975 von heidnischen Eindringlingen zerstört. Das Christentum überlebte im äthiopischen Hochland: Im 12. Jahrhundert entstand um Lalibela das Königreich Äthiopien. Unter der Salomoniden-Dynastie (1270–1777) expandierte es und eroberte bis zum 15. Jahrhundert fast das ganze Hochland; muslimische Nachbarstaaten zwang man zu Tributzahlungen.

1 Kreuzförmige Felsenkirchen wie die von Lalibela (um 1300) sind die bedeutendsten Denkmäler des äthiopischen Reiches im Mittelalter.

2 Um 1400 besaß die Stadt Simbabwe zwischen 8000 und 18 000 Einwohner. Die große elliptische Mauer stellte das größte steinerne Bauwerk im südlichen Afrika dar.

3 Ein Friedhof, dessen Gräber nach Mekka ausgerichtet waren und in denen man reiche Beigaben persischer, ägyptischer und chinesischer Herkunft fand, verweist auf eine Besiedlung Madagaskars durch muslimische Kaufleute zwischen dem 10. und dem 13. Jahrhundert.

4 Timbuktu stieg im 15. Jahrhundert unter den Songhai zum Hauptzentrum der islamischen Kultur in Westafrika und zu einem wichtigen Markt für Salz, Gold, Elfenbein und Sklaven auf.

5 Die Portugiesen bauten hier 1482 eine Festung, um ihren Goldhandel vor den Spaniern zu schützen. Die Küste bekam den Namen »Elmina« (»die Mine«).

6 Um anzuzeigen, wo überall sie gewesen waren, stellten die portugiesischen Entdecker Steinstelen mit dem Wappen ihres Landes und dem jeweiligen Datum ihrer Ankunft auf.

ZEITLEISTE

WESTEN
OSTEN & SÜDEN
NORDOSTEN

650 – 700 – 800 – 900 – 1000

um 700 Gründung des Reiches Ghana.

738 Die Araber fallen auf Sklavenjagd in Westafrika ein.

um 750 Der Sahara-Handel belebt sich.

um 1000 Der Islam fasst in Westafrika Fuß.

um 652 Makuria fällt der ersten Invasion islamischer Araber zum Opfer.

um 800 An der ostafrikanischen Küste entstehen Handelsstädte wie Kilwa Kisiwani.

um 975 Heidnische Eindringlinge zerstören das Reich Aksum.

um 1000 In Ostafrika verbreitet sich der Islam von Kilwa Kisiwani aus.

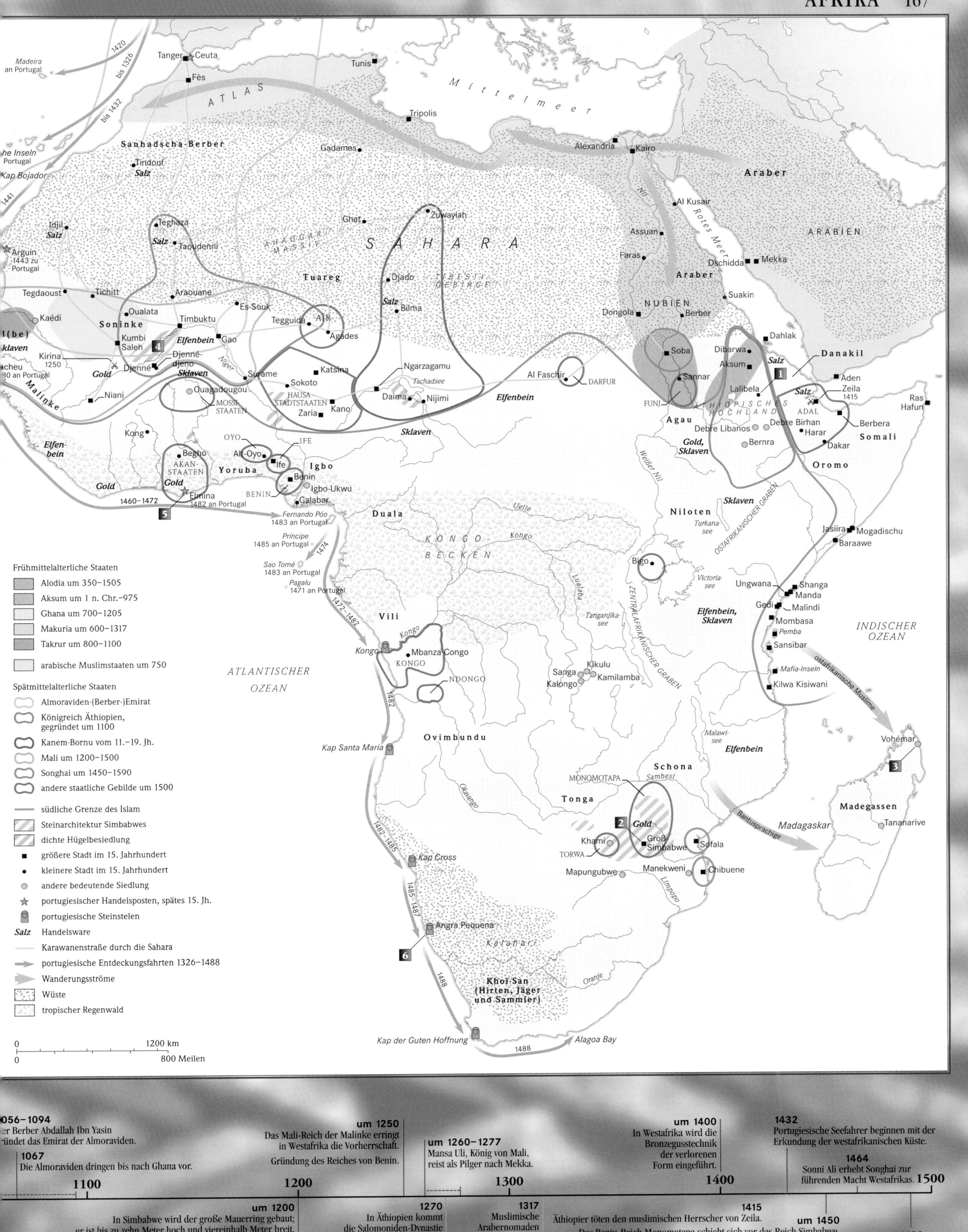

Frühmittelalterliche Staaten
Alodia um 350–1505
Aksum um 1 n. Chr.–975
Ghana um 700–1205
Makuria um 600–1317
Takrur um 800–1100
arabische Muslimstaaten um 750
Spätmittelalterliche Staaten
Almoraviden-(Berber-)Emirat
Königreich Äthiopien, gegründet um 1100
Kanem-Bornu vom 11.–19. Jh.
Mali um 1200–1500
Songhai um 1450–1590
andere staatliche Gebilde um 1500
südliche Grenze des Islam
Steinarchitektur Simbabwes
dichte Hügelbesiedlung
größere Stadt im 15. Jahrhundert
kleinere Stadt im 15. Jahrhundert
andere bedeutende Siedlung
portugiesischer Handelsposten, spätes 15. Jh.
portugiesische Steinstelen
Salz Handelsware
Karawanenstraße durch die Sahara
portugiesische Entdeckungsfahrten 1326–1488
Wanderungsströme
Wüste
tropischer Regenwald
0 1200 km
0 800 Meilen
Mittelmeer
ATLAS
SAHARA
AHAGGAR-MASSIV
TIBESTI-GEBIRGE
ARABIEN
ATLANTISCHER OZEAN
INDISCHER OZEAN
KONGO-BECKEN
ÄTHIOPISCHES HOCHLAND
OSTAFRIKANISCHER GRABEN
ZENTRALAFRIKANISCHER GRABEN
Madeira an Portugal
Tanger
Ceuta
Fès
Tunis
Tripolis
Alexandria
Kairo
Sanhadscha-Berber
Tindouf
Salz
Kap Bojador
Gadames
Araber
Al Kusair
Rotes Meer
Nil
Assuan
Faras
Dschidda
Mekka
Idjil
Teghaza
Taoudenni
Arguin 1443 zu Portugal
Ghat
Zuwaylah
Djado
Bilma
Tuareg
Tegdaoust
Tichitt
Araouane
Es-Souk
Oualata
Kaédi
Soninke
Timbuktu
Tegguida
AÏR
Agades
Kumbi Saleh
Elfenbein
Gao
Kirina 1250
Djenné
Djenné-djeno
Sklaven
Gold
Niger
Surame
Katsina
Sokoto
Ngarzagamu
Tschadsee
Daima
Nijimi
HAUSA-STADTSTAATEN
Zaria
Kano
Niani
Ouagadougou
MOSSI-STAATEN
Malinke
Al Faschir
DARFUR
NUBIEN
Dongola
Berber
Suakin
Soba
Sannar
FUNJ
Dibarwa
Aksum
Dahlak
Danakil
Salz
Aden
Zeila 1415
ADAL
Lalibela
Agau
Debre Libanos
Debre Birhan
Harar
Bernra
Berbera
Somali
Ras Hafun
Dakar
Gold, Sklaven
Oromo
Kong
Elfenbein
OYO
Alt-Oyo
IFE
Ife
Begho
AKAN-STAATEN
Yoruba
Igbo
Benin
Igbo-Ukwu
BENIN
Calabar
Elmina 1482 an Portugal
1460–1472
Fernando Póo 1483 an Portugal
Principe 1485 an Portugal
Sao Tomé 1483 an Portugal
Pagalu 1471 an Portugal
1474
1472–1482
Duala
Uelle
Kongo
Weißer Nil
Niloten
Turkanasee
Sklaven
Jasiira
Mogadischu
Baraawe
Bigo
Victoriasee
Ungwana
Shanga
Manda
Gedi
Malindi
Mombasa
Pemba
Sansibar
Mafia-Inseln
Kilwa Kisiwani
Elfenbein, Sklaven
Lualaba
Tanganjikasee
Vili
Kongo
Mbanza Congo
KONGO
NDONGO
1482
Sanga
Kikulu
Kalongo
Kamilamba
ostafrikanische Muslime
Vohémar
Kap Santa Maria
Ovimbundu
Malawisee
Elfenbein
Schona
MONOMOTAPA
Sambesi
Tonga
Gold
Khami
Groß-Simbabwe
TORWA
Sofala
Mapungubwe
Manekweni
Chibuene
Limpopo
Bantusprachige
Madagaskar
Madegassen
Tananarive
Okavango
1482–1485
Kap Cross
1485–1487
Angra Pequena
Kalahari
1488
Khoi-San (Hirten, Jäger und Sammler)
Oranje
Kap der Guten Hoffnung
Alagoa Bay
1
2
3
4
5
6

056–1094
er Berber Abdallah Ibn Yasin
ründet das Emirat der Almoraviden.

1067
Die Almoraviden dringen bis nach Ghana vor.

um 1250
Das Mali-Reich der Malinke erringt in Westafrika die Vorherrschaft.
Gründung des Reiches von Benin.

um 1260–1277
Mansa Uli, König von Mali, reist als Pilger nach Mekka.

um 1400
In Westafrika wird die Bronzegusstechnik der verlorenen Form eingeführt.

1432
Portugiesische Seefahrer beginnen mit der Erkundung der westafrikanischen Küste.

1464
Sonni Ali erhebt Songhai zur führenden Macht Westafrikas.

1100 — 1200 — 1300 — 1400 — 1500

um 1200
In Simbabwe wird der große Mauerring gebaut; er ist bis zu zehn Meter hoch und viereinhalb Meter breit.
In Kilwa Kisiwani taucht das erste Münzgeld Ostafrikas auf.

1270
In Äthiopien kommt die Salomoniden-Dynastie an die Macht.

1317
Muslimische Arabernomaden zerstören das Reich Makuria.

1415
Äthiopier töten den muslimischen Herrscher von Zeila.

um 1450
Das Bantu-Reich Monomotapa schiebt sich vor das Reich Simbabwe.

1490
Die Portugiesen bekehren den kongolesischen König Nzinga Nkuwu zum Christentum.

Die Welt des Mittelalters (600 bis 1492 n. Chr.)

Das mittelalterliche Indien • 600 bis 1500

Zu Beginn des 7. Jahrhunderts war das Reich Kanauj in der Ganges-Ebene das mächtigste Staatswesen Indiens. Kurz nach der Thronbesteigung im kleineren Königreich Thaneswar wurde dessen Herrscher Harsha auch König von Kanauj. Im Jahr 606 eroberte und einte er den größten Teil Nordindiens. Sein Versuch, auch den Dekkan zu erobern, wurde jedoch 633 von den mittelindischen Tschalukja vereitelt. Nach der Ermordung Harshas im Jahr 647 zerfiel sein Reich wieder; vor dem 13. Jahrhundert wagte kein nordindischer Herrscher mehr die Eroberung des Südens.

Die 600 Jahre nach dem Zerfall von Harshas Reich erlebten den Aufstieg und Niedergang kleinerer Reiche und lokaler Dynastien. Da sich die bedeutenderen unter ihnen hinsichtlich Wohlstand und Bevölkerungszahl, militärischer Stärke und Taktik kaum unterschieden, wurde das Aufkommen einer überregionalen Macht verhindert. Zu dieser Zeit triumphierte der neu belebte Hinduismus über den Buddhismus und griff auch nach Südostasien über, wofür besonders Chola, die bedeutende Handels- und Seemacht in Südindien, verantwortlich war.

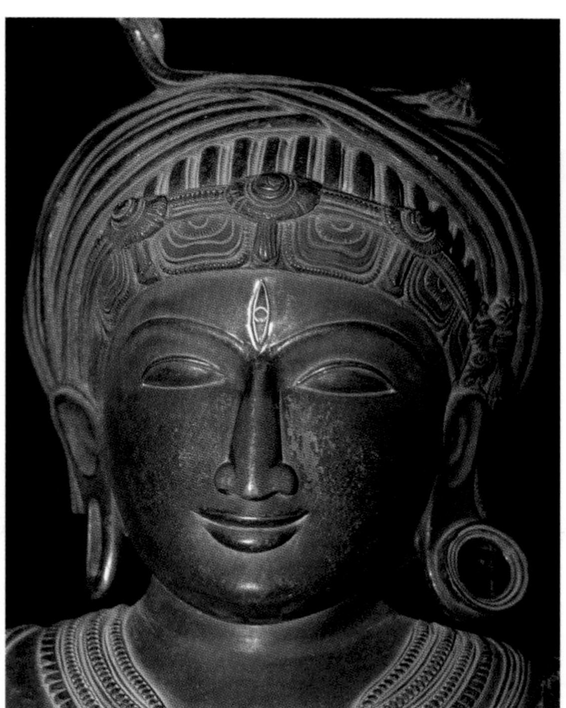

Zur Zeit der Herrschaft der Chola-Dynastie (9.–13. Jahrhundert) entstand diese Bronzefigur des Shiva, eines der drei Hauptgötter des Hinduismus.

Muslimische Eroberer

Zwischen 700 und 1500 erlebte der Islam seine Blütezeit als kulturelle und politische Kraft. Die Araber brachten ihn nach Indien, als sie im frühen 8. Jahrhundert Multan und Sind eroberten. Allerdings wurde sein weiteres Vordringen zunächst durch die kriegerische Radschputen-Dynastie der Gurjara-Pratihara verhindert, der nach dem Niedergang des Harsha-Reiches einflussreichsten Macht in Nordindien. Im Jahr 1000 begann jedoch der militante muslimische Herrscher Mahmud von Ghasni (999–1030) mit dem ersten seiner insgesamt 17 Einfälle nach Indien. Er brach die Macht der Gurjara-Pratihara und der Chandella, verleibte seinem Reich jedoch nur den Pandschab ein, weil ihn die Plünderung von Palästen und Hindutempeln mehr interessierte als die Ausweitung seines Herrschaftsbereichs. Nach seinem Tod begann der Niedergang des Ghasnawiden-Reichs und 150 Jahre lang erfolgte kein weiterer muslimischer Vorstoß nach Indien. 1151 wurden die Ghasnawiden vom Gouverneur von Ghor gestürzt und ab 1175 versuchte Mohammed von Ghor (1173–1206) erneut, Nordindien zu erobern. Nach seinem Sieg in der Schlacht von Tarain (Taraori) über ein Radschputen-Bündnis im Jahr 1192 bröckelte der Widerstand der Hindus. Bis 1200 beherrschte Mohammed die Indus- und Ganges-Ebene und legte den Grundstein für eine 600 Jahre lange islamische Vorherrschaft in Indien. Sein Erfolg resultierte weitgehend aus der Schwäche der Hindus und der Stärke der Muslime. Das islamische Heer, eine Berufsarmee aus disziplinierten und sehr mobilen berittenen Bogenschützen, bestand aus vielen Sklaven, die man von Kindheit an auf den Kampf vorbereitet hatte. Diese konnten – anders als die einfachen Soldaten der Hindus – durchaus rasch aufsteigen, wenn sie nur die entsprechende Befähigung mitbrachten. Hinzu kam, dass Indien reiche Beute versprach und religiöser Eifer die Krieger motivierte.

Das indische Khajuraho ist berühmt durch das Monumentalensemble der 23 (von einst 85) erhaltenen Hindu- und Jainatempel des 10. und 11. Jahrhunderts.

Das Sultanat von Delhi

Mit dem Tod Mohammeds (1206) löste sich der türkische Sklavengeneral Kutub-ud-Din vom Ghoriden-Reich und begründete in Delhi ein eigenes Sultanat, das zunächst immer wieder von Aufständen erschüttert wurde. Erst sein Nachfolger Iletmisch (1211 bis 1236) festigte die muslimische Herrschaft über Nordindien. Kutub-ud-Dins Dynastie wurde 1290 von der Dynastie der Childschi (1290–1318) gestürzt. Deren zweiter Herrscher, Ala-ud-Din, erweiterte die Grenzen des Sultanats bis zum Fluss Narmada; seine größte Ausdehnung erreichte es unter Mohammed Ibn Tughlak (gestorben 1351), der den gesamten Dekkan erobern wollte und seinen Regierungssitz in die mittelindische Bergfestung Daulatabad verlegte. Weil er Delhi verlassen hatte, entglitt ihm der Norden, ohne dass er seine Herrschaft über den Süden festigen konnte. Er musste nach Delhi zurückkehren, um die frühere Ordnung wiederherzustellen, und hinterließ den Dekkan in der Obhut seines Gouverneurs Hassan Gungu, der sich aber im Jahr 1347 gegen ihn erhob und das unabhängige Sultanat Bahmani gründete. Gleichzeitig etablierte sich das Hindu-Reich Vijayanagar im Süden als ernst zu nehmende militärische und politische Macht. Man lernte die Kriegsführung von den Muslimen und baute stehende, mit Pferden und Elefanten ausgerüstete Heere auf. So konnte eine weitere muslimische Expansion im Dekkan verhindert werden; das Bah-

1 Harshas Versuch, den Dekkan zu erobern, scheiterte 633 am entschiedenen Widerstand der Tschalukja.

2 Der Tempelkomplex von Khajuraho (23 erhaltene Hindu- und Jainatempel), erbaut im 10. und 11. Jahrhundert, ist praktisch das einzige Überbleibsel des einst mächtigen Chandella-Reiches.

3 Delhi war nur eine kleinere Festungsstadt, bis es Kutub-ud-Din zur Hauptstadt seines Sultanats erhob.

4 Das Chola-Reich beherrschte als wichtige Handels- und Seemacht im 10. und 11. Jahrhundert Südindien; es bestand bis 1279.

5 Den zwei Siegen bei Tarain (1191 und 1192), die Mohammed von Ghor über die Radschputen errang, folgte die muslimische Eroberung Nordindiens.

6 Der Buddhismus, der in Indien schon lange vorher an Bedeutung verloren hatte, erlosch mit der Zerstörung der Universität von Nalanda durch die Ghoriden im Jahr 1199 endgültig.

7 Die Ruinen von Vijayanagar (»Stadt des Sieges«), Hauptstadt des – nach dem 14. Jahrhundert – größten Hindu-Reiches in Indien, bedecken eine Fläche von 25 Quadratkilometern.

8 Mohammed Ibn Tughlak erkor 1339 die Bergfestung Daulatabad im Dekkan zur neuen Hauptstadt seines Sultanats.

ZEITLEISTE

POLITIK

606–647 Harsha ist König von Kanauj.

711 Die Araber erobern Sind (Westindien).

um 730–760 Die Gurjara-Pratihara erreichen unter Nagabhak I. den Höhepunkt ihrer Macht.

756 Die Rashtrakuta-Dynastie löst die Tschalukja ab.

um 850 Gründung des Chola-Reiches in Südindien.

936–968 Herrschaft Krishnas III.; die Rashtrakuta sind auf dem Höhepunkt ihrer Macht.

um 1000 Die Chola erobern Ceylon. Fall von Anuradhapura.

999–1030 Mahmud von Ghasni erobert Nordwestindien.

1019 Nach der Plünderung Kanaujs durch Mahmud von Ghasni Niedergang des Gurjara-Pratihara-Reiches.

600 — 800 — 1000

KULTUR

um 600 Wiederbelebung des Hinduismus unter dem Einfluss der Bakhti-Bewegung.

um 1000 Pilgerreisen werden Bestandteil des Hinduismus.

mani-Reich zerfiel bis zum Ende des 15. Jahrhunderts in fünf unabhängige Sultanate.

In den Jahren nach dem Tod von Firoz Schah Tughlak (1351–1388) verlor das Sultanat von Delhi seine nördlichen Provinzen; 1398 wurde Delhi von Timur Leng erobert. Auch unter der Dynastie der Sajiden (1414 bis 1451) besaß das Sultanat am Ende nur noch Delhi und dessen Hinterland. Trotz dieses Zusammenbruchs verblieben Nord- und Mittelindien unter muslimischer Herrschaft. Teile von Gujarat, Kara, Orissa und das Reich Vijayanagar im Süden hatten als einzige Hindu-Staaten überlebt. Unter der aus Afghanistan stammenden Lodi-Dynastie (1451–1526) erstarkte das Sultanat von Delhi wieder und konnte den Pandschab, die Ganges-Ebene und sogar die Herrschaft über ganz Nordindien zurückgewinnen, allerdings nur für kurze Dauer – 1526 zerstörte der Timuride Babur, der Gründer des Mogul-Reiches, das Sultanat wieder.

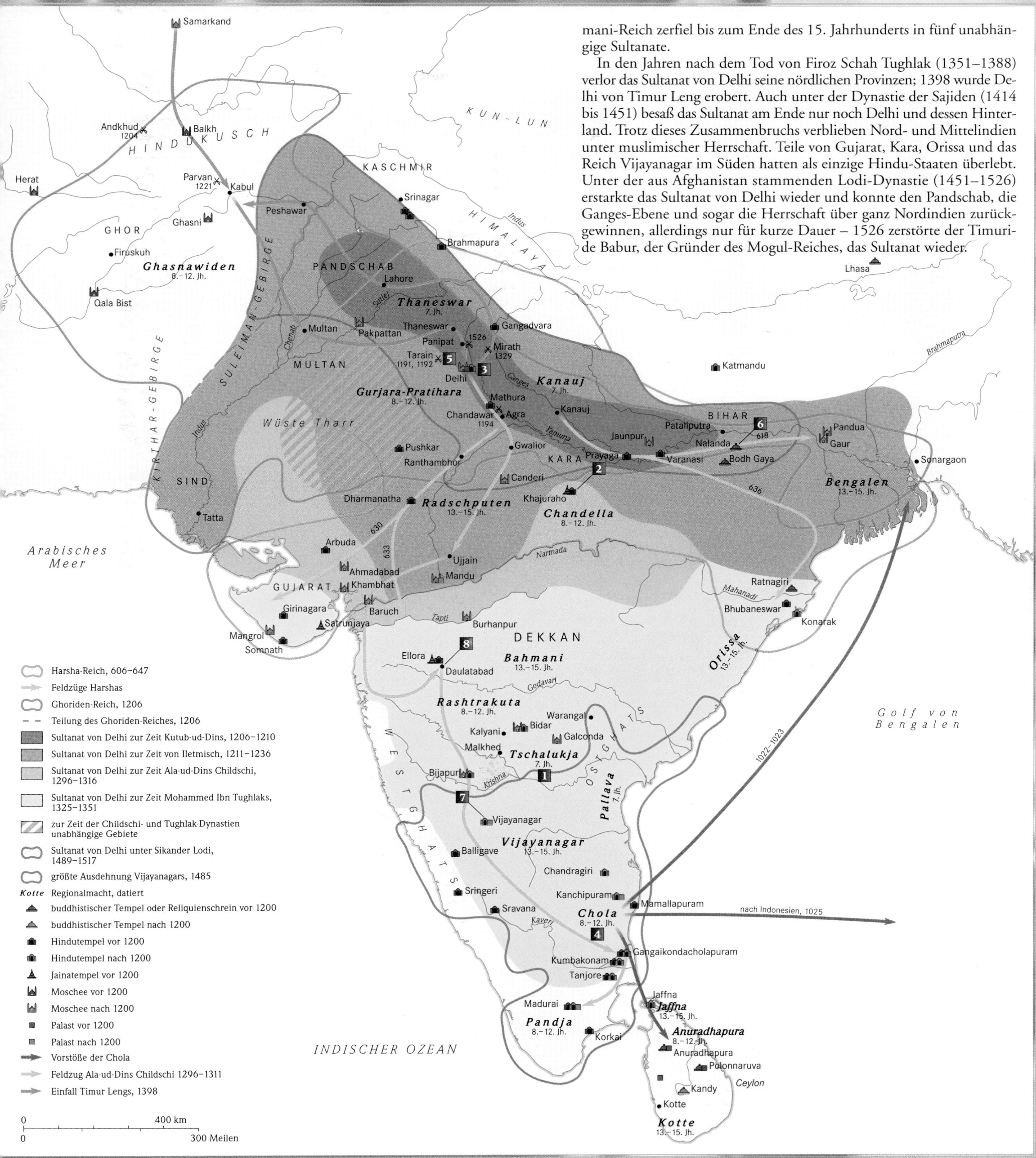

- Harsha-Reich, 606–647
- Feldzüge Harshas
- Ghoriden-Reich, 1206
- Teilung des Ghoriden-Reiches, 1206
- Sultanat von Delhi zur Zeit Kutub-ud-Dins, 1206–1210
- Sultanat von Delhi zur Zeit von Iletmisch, 1211–1236
- Sultanat von Delhi zur Zeit Ala-ud-Dins Childschi, 1296–1316
- Sultanat von Delhi zur Zeit Mohammed Ibn Tughlaks, 1325–1351
- zur Zeit der Childschi- und Tughlak-Dynastien unabhängige Gebiete
- Sultanat von Delhi unter Sikander Lodi, 1489–1517
- größte Ausdehnung Vijayanagars, 1485
- *Kotte* Regionalmacht, datiert
- buddhistischer Tempel oder Reliquienschrein vor 1200
- buddhistischer Tempel nach 1200
- Hindutempel vor 1200
- Hindutempel nach 1200
- Jainatempel vor 1200
- Moschee vor 1200
- Moschee nach 1200
- Palast vor 1200
- Palast nach 1200
- Vorstöße der Chola
- Feldzug Ala-ud-Dins Childschi 1296–1311
- Einfall Timur Lengs, 1398

0 400 km
0 300 Meilen

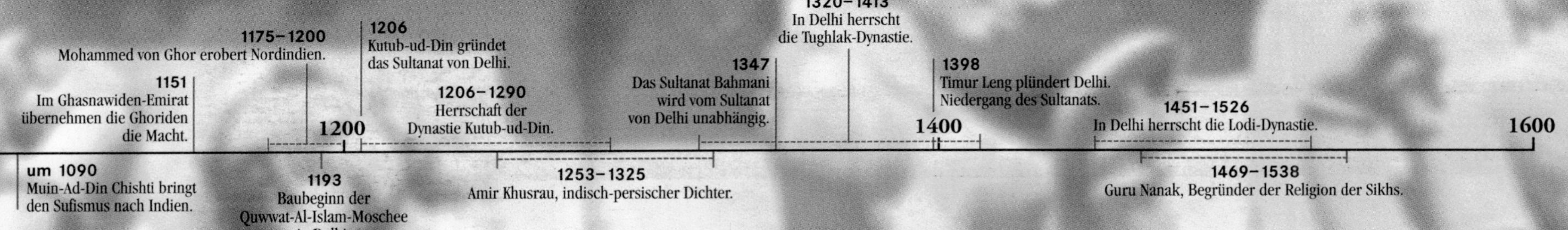
1175–1200
Mohammed von Ghor erobert Nordindien.
1151
Im Ghasnawiden-Emirat übernehmen die Ghoriden die Macht.
1206
Kutub-ud-Din gründet das Sultanat von Delhi.
1206–1290
Herrschaft der Dynastie Kutub-ud-Din.
1320–1413
In Delhi herrscht die Tughlak-Dynastie.
1347
Das Sultanat Bahmani wird vom Sultanat von Delhi unabhängig.
1398
Timur Leng plündert Delhi. Niedergang des Sultanats.
1451–1526
In Delhi herrscht die Lodi-Dynastie.
1200
1400
1600
um 1090
Muin-Ad-Din Chishti bringt den Sufismus nach Indien.
1193
Baubeginn der Quwwat-Al-Islam-Moschee in Delhi.
1253–1325
Amir Khusrau, indisch-persischer Dichter.
1469–1538
Guru Nanak, Begründer der Religion der Sikhs.

Die Welt des Mittelalters (600 bis 1492 n. Chr.)

China unter der Sui- und Tang-Dynastie • 589 bis 906

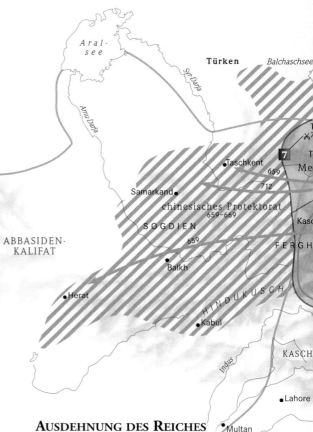

Das Reich der chinesischen Han-Dynastie bestand bis 220 n. Chr. und zerbrach dann in drei Reiche. Yang Jian stellte die Einheit 589 wieder her und begründete als Kaiser Wen (589–604) die Sui-Dynastie. Wen, ein tyrannischer, aber fähiger Herrscher, errichtete eine starke Zentralverwaltung und verbesserte durch eine Landreform, die Anlage von Getreidespeichern und die Erweiterung des Kanalnetzes den Lebensstandard der Bauern.

Wens Reformen bewirkten ein rasches Wirtschaftswachstum, so dass der Staat Reserven bilden konnte. Sein Nachfolger Yang (604–617) jedoch verschleuderte diese für Bauprojekte und ein aufwändiges Hofleben. Außerdem löste ein verheerender Krieg gegen das koreanische Reich Koguryo im Nordosten Bauernaufstände aus. China wurde nur durch den Staatsstreich Li Yüans, des Militärgouverneurs von Taiyuan, gerettet, der 617 die Sui-Hauptstadt Loyang eroberte und 618 als Kaiser Kao-tsu (618 bis 626) den Thron bestieg; mit ihm begann die Zeit der Tang-Dynastie. Kao-tsu wurde von seinem Sohn Taizong (626–649), einem der fähigsten Herrscher der chinesischen Geschichte, gestürzt.

Das Reich unter Kaiser Taizong

Taizong regierte nach dem Vorbild der Han, drängte aber den Feudalismus zurück. An der Spitze des Reiches stand der in der Theorie, aber nicht immer tatsächlich absolut regierende Kaiser, während die Zentralverwaltung aus den drei Institutionen Kanzleramt, Sekretariat und der Abteilung für staatliche Angelegenheiten bestand. Letztere wachte über die sechs Ministerien (Staatsangestellte, Finanzen, religiöse Fragen, Heer, Justiz und öffentliche Bauvorhaben), während eine andere Behörde die Arbeit sämtlicher Beamter kontrollierte. Das Reich wurde in 15 Verwaltungsbezirke (»Kreise«) geteilt. Die Auswahl der Beamten unterlag einer so scharfen Prüfung, dass sich im Grunde nur Angehörige der oberen Klassen die aufwändige Ausbildung leisten konnten. Die Bauern profitierten von weiteren Landverteilungen und geringeren Steuerlasten. Auch der Binnenhandel und die hand- und kunsthandwerkliche Produktion florierten; Seide und Keramik wurden in großen Mengen exportiert.

Hoch zu Ross präsentiert sich ein chinesischer Tribun der Tang-Zeit mit seinem Bediensteten.

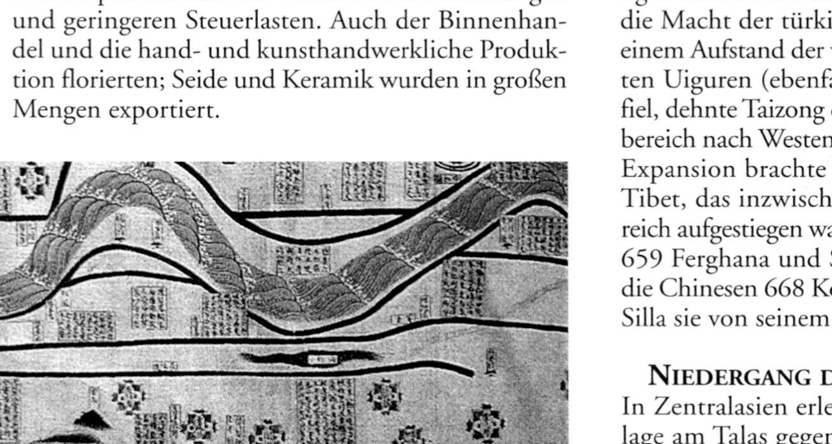

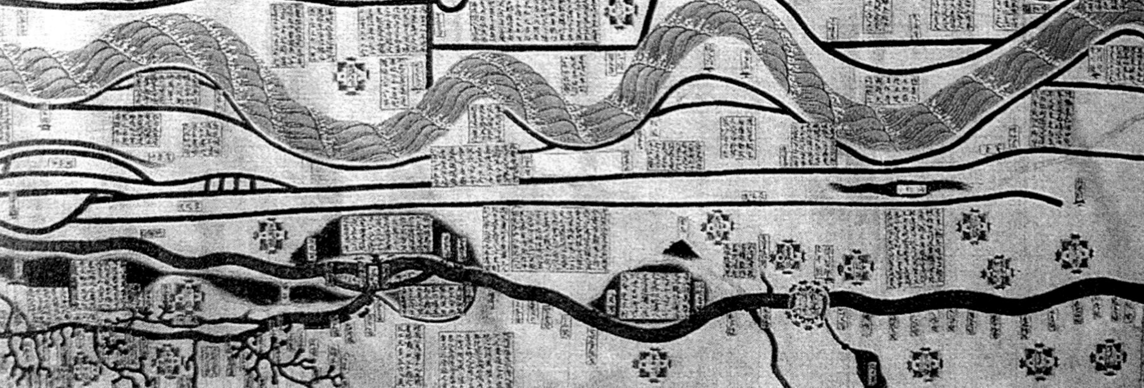

Diese zur Zeit der Sui-Dynastie entstandene Zeichnung zeigt den »Großen Kanal«. Während der Agrarreformen unter Kaiser Wen wurde auch das Kanalsystem verbessert.

Ausdehnung des Reiches

Die Sui hatten den strategisch wichtigen Gansu-Korridor zurückerobert. Als nun die Macht der türkischen Nomaden nach einem Aufstand der von ihnen unterdrückten Uiguren (ebenfalls ein Turkvolk) zerfiel, dehnte Taizong den chinesischen Machtbereich nach Westen bis zum Tarimbecken aus. Diese Expansion brachte ihn in erste enge Kontakte mit Tibet, das inzwischen zu einem mächtigen Königreich aufgestiegen war. Kao Tsung (649–683) eroberte 659 Ferghana und Sogdien. Im Osten unterwarfen die Chinesen 668 Koguryo, während das koreanische Silla sie von seinem Territorium vertrieb.

Niedergang der Tang-Dynastie

In Zentralasien erlebte China 751 mit der Niederlage am Talas gegen die Araber und im Südwesten bei Dali gegen das Thai-Reich Nan-Chao Rückschläge. Die mongolischen Kitan-Nomaden bedrohten Nordchina im 8. Jahrhundert, während sich im Reich selbst der Konflikt zwischen Landbesitzern und Bauern zuspitzte. Ein Aufstand von General An Lushan (755) gefährdete die Tang-Dynastie zwar, konnte je-

Türken
Balchaschsee
Aralsee
Syr-Darja
Amu-Darja
Taschkent
Samarkand
chinesisches Protektorat 659–669
SOGDIEN
FERGH
ABBASIDEN-KALIFAT
Balkh
Herat
HINDUKUSCH
Kabul
KASCH
Indus
Lahore
Multan
Thanes
GURJARA-PRATIHA

1 Die Hauptstadt der Tang, Chang'an, war um 750 mit über einer Million Einwohnern die größte Stadt der Erde.

2 In Caizhou formierte sich der letzte Widerstand gegen die kaiserlichen Truppen, die nach der Rebellion An Lushans die alte Ordnung wiederherstellen sollten; die Stadt fiel im Jahr 817.

3 Das vereinigte Königreich Tibet entstand um 600 und erreichte seine größte Ausdehnung um 800.

4 Um 600 entstand im Gebiet der heutigen Provinz Yünnan das Thai-Reich Nan-Chao.

5 Der türkische Nomadenstamm der Uiguren verbündete sich mit den Chinesen gegen Türken und Tibeter.

6 Das chinesische Kanalsystem verband das Tal des Jangtsekiang, das Hauptanbaugebiet für Getreide, mit dem politischen Zentrum des Reiches und mit den nördlichen Grenzregionen.

7 Die Entscheidungsschlacht am Talas (Fluss) resultierte aus der Bitte des Herrschers von Taschkent an die Araber, ihm gegen die Chinesen beizustehen.

8 Die Tang ließen in Ostchina das erste Porzellan herstellen.

ZEITLEISTE

POLITIK

589 Yang Jian vereint China und begründet die Sui-Dynastie.

um 600 Entstehung der Reiche Tibet und Nan-Chao.

611–614 Der Versuch der Sui, das Koguryo-Reich zu erobern, endet mit einer schweren Niederlage.

618 Li Yüan wird erster Kaiser der Tang-Dynastie.

640–659 China expandiert in Zentralasien.

676 In Korea erobert das Reich Silla die Vorherrschaft.

Sieg der Araber am Talas über di

550 — 600 — 700

KULTUR

606–609 Bau des Großen Kanals, der Peking mit Yüeh verbindet.

635 Christliche Nestorianer missionieren in China.

um 702–761 Li Bai, Dichter.

713–768 Tu Fu, Dichter.

um 700–80 Früheste im Handdruck hergestellte Text

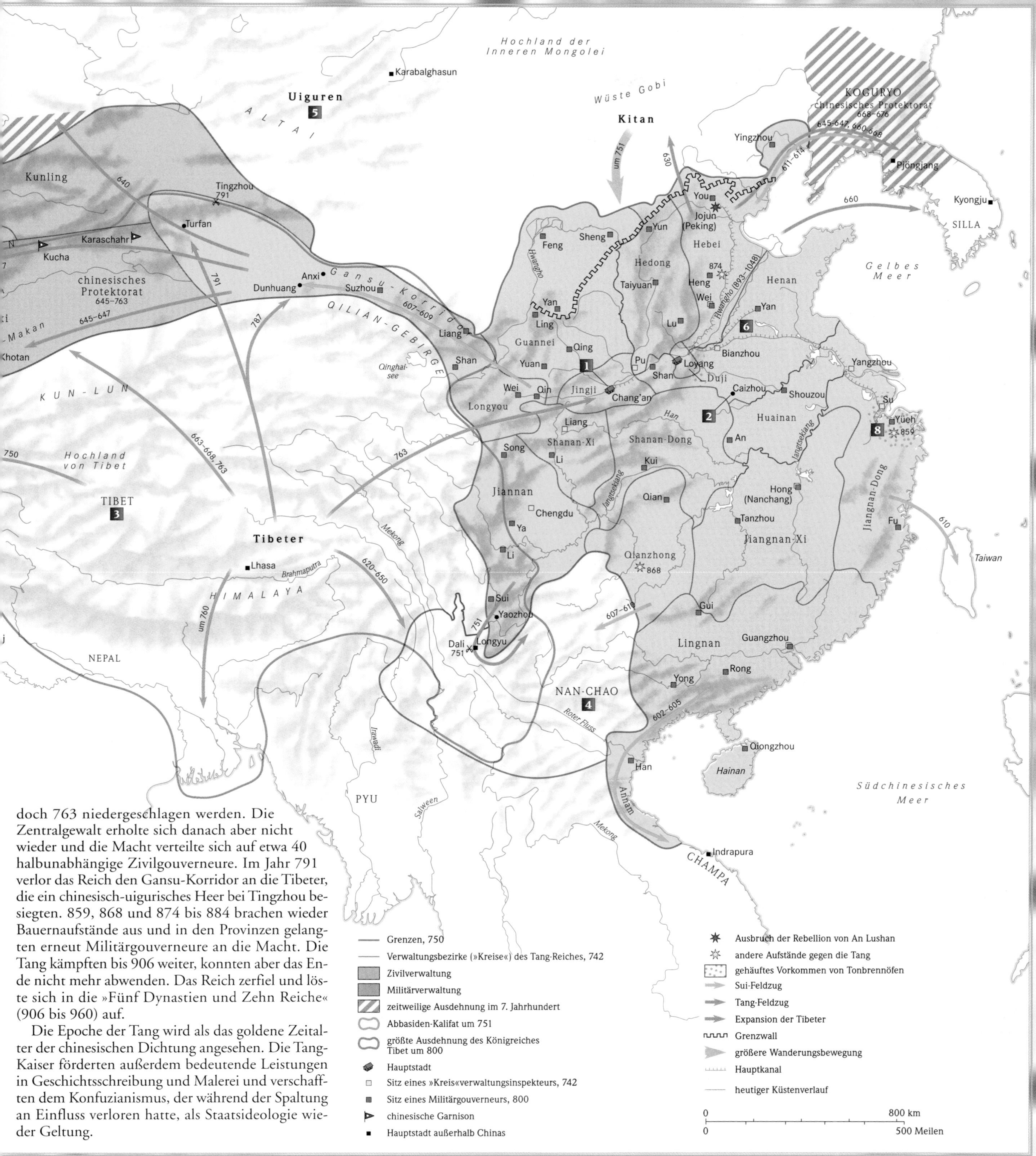

doch 763 niedergeschlagen werden. Die Zentralgewalt erholte sich danach aber nicht wieder und die Macht verteilte sich auf etwa 40 halbunabhängige Zivilgouverneure. Im Jahr 791 verlor das Reich den Gansu-Korridor an die Tibeter, die ein chinesisch-uigurisches Heer bei Tingzhou besiegten. 859, 868 und 874 bis 884 brachen wieder Bauernaufstände aus und in den Provinzen gelangten erneut Militärgouverneure an die Macht. Die Tang kämpften bis 906 weiter, konnten aber das Ende nicht mehr abwenden. Das Reich zerfiel und löste sich in die »Fünf Dynastien und Zehn Reiche« (906 bis 960) auf.

Die Epoche der Tang wird als das goldene Zeitalter der chinesischen Dichtung angesehen. Die Tang-Kaiser förderten außerdem bedeutende Leistungen in Geschichtsschreibung und Malerei und verschafften dem Konfuzianismus, der während der Spaltung an Einfluss verloren hatte, als Staatsideologie wieder Geltung.

Grenzen, 750
Verwaltungsbezirke (»Kreise«) des Tang-Reiches, 742
Zivilverwaltung
Militärverwaltung
zeitweilige Ausdehnung im 7. Jahrhundert
Abbasiden-Kalifat um 751
größte Ausdehnung des Königreiches Tibet um 800
Hauptstadt
Sitz eines »Kreis«verwaltungsinspekteurs, 742
Sitz eines Militärgouverneurs, 800
chinesische Garnison
Hauptstadt außerhalb Chinas

Ausbruch der Rebellion von An Lushan
andere Aufstände gegen die Tang
gehäuftes Vorkommen von Tonbrennöfen
Sui-Feldzug
Tang-Feldzug
Expansion der Tibeter
Grenzwall
größere Wanderungsbewegung
Hauptkanal
heutiger Küstenverlauf

0 800 km
0 500 Meilen

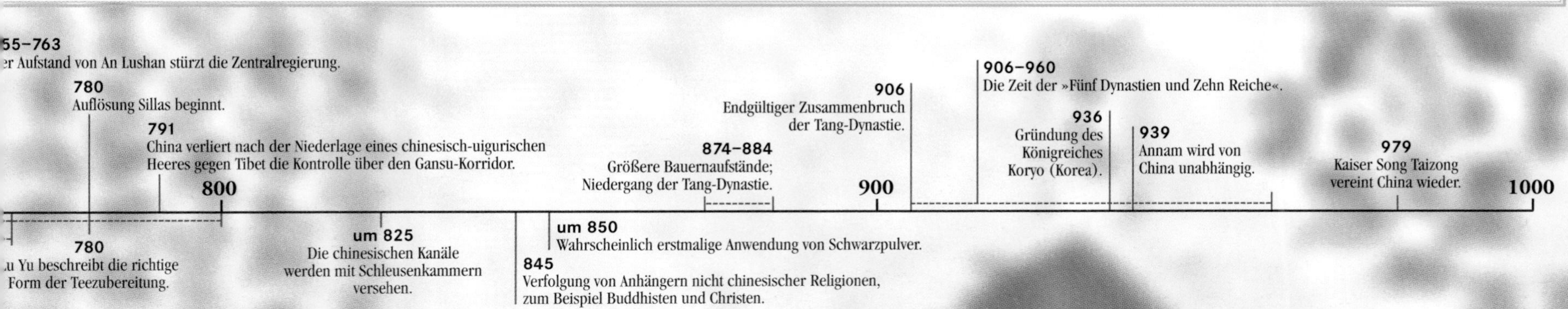
55–763
er Aufstand von An Lushan stürzt die Zentralregierung.
780
Auflösung Sillas beginnt.
791
China verliert nach der Niederlage eines chinesisch-uigurischen Heeres gegen Tibet die Kontrolle über den Gansu-Korridor.
800
780
Lu Yu beschreibt die richtige Form der Teezubereitung.
um 825
Die chinesischen Kanäle werden mit Schleusenkammern versehen.
845
Verfolgung von Anhängern nicht chinesischer Religionen, zum Beispiel Buddhisten und Christen.
um 850
Wahrscheinlich erstmalige Anwendung von Schwarzpulver.
874–884
Größere Bauernaufstände; Niedergang der Tang-Dynastie.
906
Endgültiger Zusammenbruch der Tang-Dynastie.
900
906–960
Die Zeit der »Fünf Dynastien und Zehn Reiche«.
936
Gründung des Königreiches Koryo (Korea).
939
Annam wird von China unabhängig.
979
Kaiser Song Taizong vereint China wieder.
1000

Die Welt des Mittelalters (600 bis 1492 n. Chr.)

China während der Song-Dynastie • 960 bis 1279

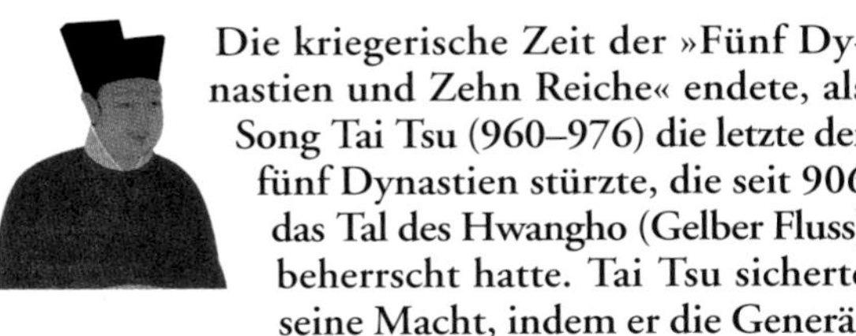

Die kriegerische Zeit der »Fünf Dynastien und Zehn Reiche« endete, als Song Tai Tsu (960–976) die letzte der fünf Dynastien stürzte, die seit 906 das Tal des Hwangho (Gelber Fluss) beherrscht hatte. Tai Tsu sicherte seine Macht, indem er die Generäle unter zivile Kuratel stellte.

936 begann Tai Tsu die Wiedervereinigung Chinas mit diplomatischen und militärischen Mitteln, die sein nicht minder fähiger Bruder Song Taizong (976–997) erfolgreich abschloss – das dritte chinesische Reich war entstanden. Beiden Songs half, dass sich schon in der Tang-Zeit die Ansicht durchgesetzt hatte, dass China ein unteilbarer Staat sei. Nur in Taiyuan, das die Kitan-Nomaden im Norden unterstützten, und in Houzhu stießen die Song auf scharfen Widerstand, während sie das Reich Wuyüeh allein mit diplomatischen Mitteln gewannen. Eine Wiederherstellung der Grenzen des früheren Tang-Reiches gelang ihnen jedoch nicht, weil ihr Reich wohl organisierte Staaten umgaben, die sich einer chinesischen Expansion erfolgreich widersetzten.

Diese glasierte Figur aus dem Liao-Reich zeigt einen Lohan, einen Schüler Buddhas, der durch Meditation und Askese zur Einsicht des Nirwana gelangt ist.

Mächtiger Nachbar: Liao

Der mächtigste dieser Nachbarstaaten war Liao, das Reich der Kitan. Die Kitan, ein turkomongolisches Nomadenvolk, hatten 916 die nordchinesischen Ebenen erobert und danach auch die östlichen Steppen unter ihre Kontrolle gebracht. Taizong wollte sie 979 zwar wieder zurückdrängen, erlitt aber bei Peking eine böse Niederlage. Umgekehrt konnte 1004 ein Angriff der Kitan gegen die Song-Hauptstadt Kaifeng nur um den Preis jährlicher Tributzahlungen (Silber, Seide und Tee) abgewendet werden; daraufhin herrschte Friede zwischen dem Reich Liao und dem Song-Reich. 1114 stellten die Dschurdschen in der Mandschurei ihre Tributzahlungen an die Kitan ein und überfielen drei Jahre später Liao, das 1124 zusammenbrach. Die Song hatten diesen Angriff ursprünglich unterstützt; als die Dschurdschen aber unter der Jin-Dynastie ein eigenes Reich gründeten, wurden sie ihnen zu gefährlich. Die Jin eroberten 1127 tatsächlich Kaifeng und zwangen die Song, nach Hangzhou im Süden auszuweichen. Deshalb wird die Song-Zeit in eine Nördliche (vor 1127) und eine Südliche Song-Dynastie (nach 1127) unterteilt. Die Versuche der Jin, ganz China zu erobern, scheiterten jedoch. Wegen der großen Bevölkerungswanderungen in früheren Jahren konnten die Song den Verlust des Nordens verschmerzen: Die Mehrheit der Chinesen lebte inzwischen im wirtschaftlich stärkeren Süden. So hielten die Song die Jin zwar in Schach, unternahmen allerdings nichts, um den Norden zurückzuerobern.

Expansionshindernisse

Weniger mächtig als Liao, aber ein größeres Hemmnis für chinesische Expansionsbestrebungen war das Reich Xi-Xia, das den Gansu-Korridor kontrollierte und den Chinesen den Zugang nach Zentralasien versperrte. Dieses Reich war im späten 10. Jahrhundert vom Klan der Xiazhou, der zum Nomadenvolk der Tanguten gehörte, gegründet worden. Da seine Bevölkerung ein Gemisch aus Tanguten, Tibetern und Chinesen darstellte, geriet das Reich Xi-Xia nie so stark unter chinesischen Einfluss wie Liao. Im Süden verhinderten das Thai-Reich Nan-Chao und das Viet-Reich Annam die weitere Ausweitung der chinesischen Macht.

Untergang im Mongolensturm

Anders als frühere Dynastien stürzten die Song nicht über interne Auseinandersetzungen, sondern durch Angriffe von außen. Dschingis Khan hatte die Steppennomaden unter seiner Führung zu Beginn des 13. Jahrhunderts geeinigt und wandte sich gegen Xi-Xia und Liao. Die Song verschlossen sich nicht nur den Hilferufen des Reiches Jin, sondern stellten den Mongolen sogar belagerungstechnisch erfahrene Truppen zur Verfügung. Als die Song aber vom Fall Jins profitieren und sich Kaifeng und Loyang wieder zurückholen wollten, wendeten sich die Mongolen gegen sie. Die Song wehrten sich erbittert, aber nach der Eroberung Hangzhous im Jahr 1276 durch die Mongolen brach ihr Widerstand rasch zusammen. Der letzte Song-Kaiser ertrank drei Jahre später nach einer Seeschlacht vor der Insel Yaishan.

Humane Dynastie

Obwohl ihr Reich das bislang kleinste aller chinesischen Reiche war, gilt die Song-Dynastie als die fähigste und humanste der chinesischen Geschichte. In die Zeit ihrer Herrschaft fielen ein bemerkenswerter Wirtschaftsaufschwung, technische Innovationen und ein – vor allem im Süden – rasches Bevölkerungswachstum. Die Produktivität der Landwirtschaft wurde im 12. Jahrhundert erheblich gesteigert. Der Binnen- und der Außenhandel gediehen und zum ersten Mal in der chinesischen Geschichte übertrafen die staatlichen Einkünfte aus Abgaben auf Handelsgeschäfte jene aus der Besteuerung von Landbesitz. China lernte das Bankwesen kennen und führte Papiergeld ein. Trotz des relativen Wohlstands und aller Fortschritte ereignete sich aber keine »industrielle Revolution«, weil der Anreiz zur Mechanisierung der Produktion fehlte. Die »Maschinen-Produkte« waren in Qualität und Preis noch nicht konkurrenzfähig, zumal es auch keine kaufkräftige Mittelklasse als Abnehmer solcher Waren gab.

»Genie auf Geisterpferd« ist diese aus Holz geschnitzte Figur aus der Zeit der Song-Dynastie betitelt.

1 Song Tai Tsu überfiel 975 überraschend Jiangzhou. Dabei ließ er eine Pontonbrücke aus 300 Booten über den Jangtsekiang bauen.

2 Dass die Song die wichtige Handelsstadt Kaifeng zu ihrer Residenz ausbauten, zeigt die Bedeutung des Handels für die Dynastie.

3 Die Konzentration wichtiger neuer Handelszentren am Jangtsekiang und seinen Nebenflüssen zeigt, dass sich in der Song-Zeit der Schwerpunkt der Wirtschafts- und der Bevölkerungsentwicklung nach Süden verlagert hatte.

4 Von dem Tanguten-Klan der Xiazhou gegründet, bedrängte das Reich Xi-Xia bald auch seine tibetischen und tangutischen Nachbarn im Westen.

5 Die Dschurdschen waren ein Rinder züchtendes sibirisches Hirtenvolk und mit den Mandschu verwandt, die China im 17. Jahrhundert eroberten.

6 Die im Reich Liao herrschenden Kitan waren der chinesischen Bevölkerung ihres Staates zahlenmäßig unterlegen; bis 1100 hatten sie sich vollkommen assimiliert.

7 Kaifeng wurde 1127 von den Dschurdschen erobert; daraufhin zogen sich die Song nach Hangzhou zurück. Damit begann die Zeit der Südlichen Song-Dynastie.

ZEITLEISTE

NÖRDLICHE SONG-DYNASTIE

POLITIK

960 Song Tai Tsu wird Kaiser im letzten Reich der »Fünf Dynastien und Zehn Reiche«.

963 Song Tai Tsu beginnt mit der Wiedervereinigung Chinas.

979 Song Taizong vollendet die Wiedervereinigung Chinas.

1068–1086 Minister Wang Anshi versucht, Landreformen durchzuführen, hat aber keinen Erfolg.

950 — 1000 — 11

KULTUR

969 Erster Kriegseinsatz von Schwarzpulver-Raketen.

um 1000 In der Landschaftsmalerei bildet sich der Song-Stil heraus. Erfindung des Buchdrucks mit beweglichen Lettern.

um 1086 Der Wissenschaftler Shen Gua verfasst seine »Pinselgespräche am Traumbach«.

1090 Bau einer mechanischen Uhr mit Wasserantrieb für den Hof der Song.

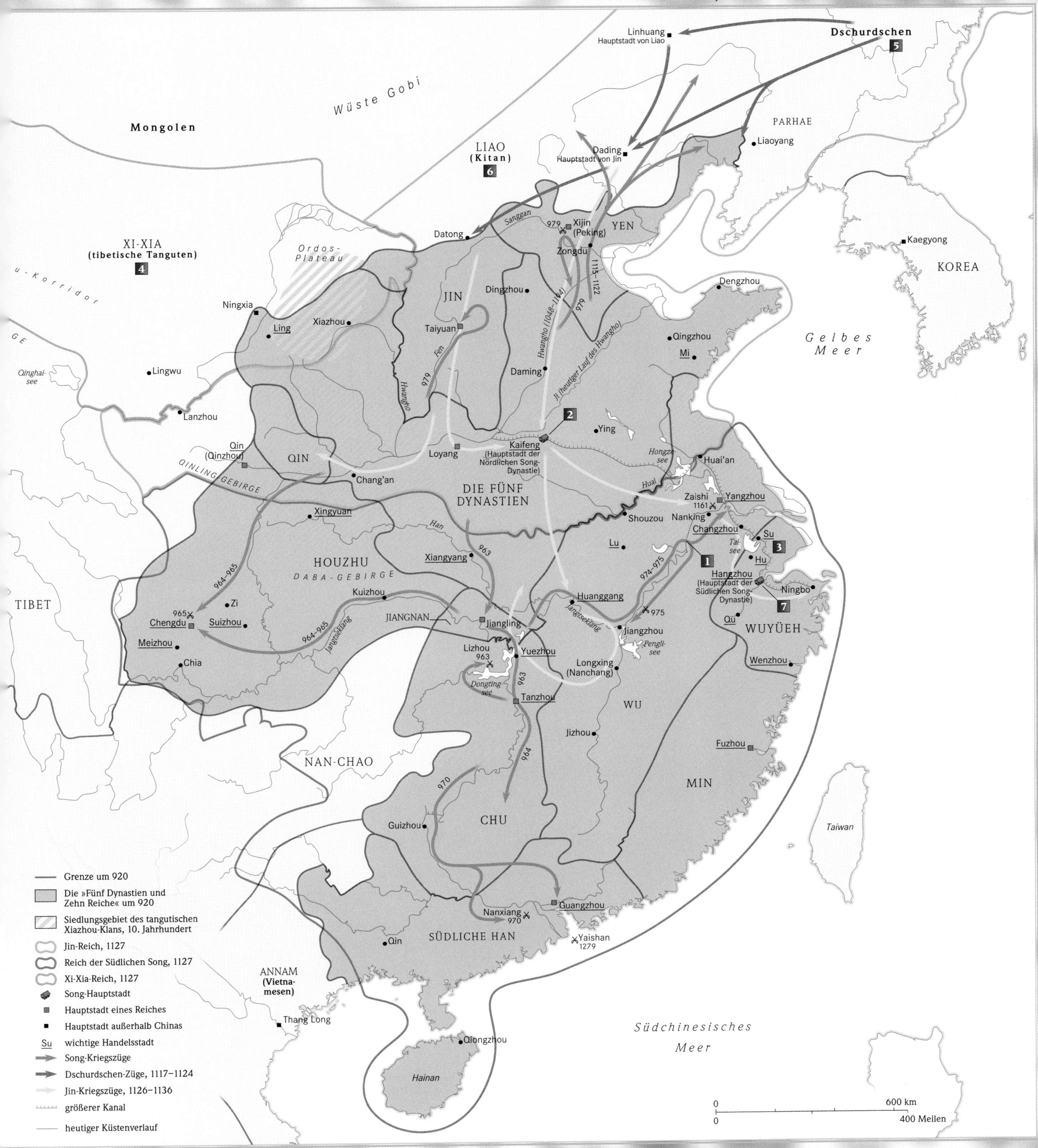

- Grenze um 920
- Die »Fünf Dynastien und Zehn Reiche« um 920
- Siedlungsgebiet des tangutischen Xiazhou-Klans, 10. Jahrhundert
- Jin-Reich, 1127
- Reich der Südlichen Song, 1127
- Xi-Xia-Reich, 1127
- Song-Hauptstadt
- Hauptstadt eines Reiches
- Hauptstadt außerhalb Chinas
- Su wichtige Handelsstadt
- Song-Kriegszüge
- Dschurdschen-Züge, 1117–1124
- Jin-Kriegszüge, 1126–1136
- größerer Kanal
- heutiger Küstenverlauf

0 – 600 km
0 – 400 Meilen

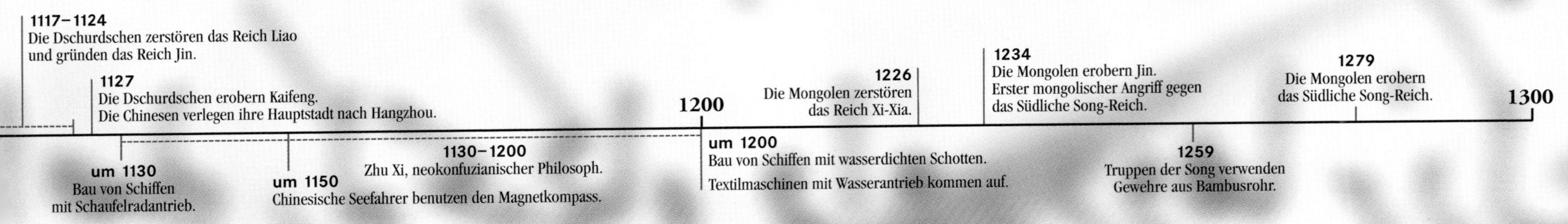
Südliche Song-Dynastie
1117–1124
Die Dschurdschen zerstören das Reich Liao und gründen das Reich Jin.
1127
Die Dschurdschen erobern Kaifeng. Die Chinesen verlegen ihre Hauptstadt nach Hangzhou.
um 1130
Bau von Schiffen mit Schaufelradantrieb.
um 1150
Chinesische Seefahrer benutzen den Magnetkompass.
1130–1200
Zhu Xi, neokonfuzianischer Philosoph.
1200
um 1200
Bau von Schiffen mit wasserdichten Schotten.
Textilmaschinen mit Wasserantrieb kommen auf.
1226
Die Mongolen zerstören das Reich Xi-Xia.
1234
Die Mongolen erobern Jin.
Erster mongolischer Angriff gegen das Südliche Song-Reich.
1259
Truppen der Song verwenden Gewehre aus Bambusrohr.
1279
Die Mongolen erobern das Südliche Song-Reich.
1300

Die Welt des Mittelalters (600 bis 1492 n. Chr.)

Das Mongolen-Reich entsteht • 1204 bis 1260

Die gewaltige Expansion der Mongolen unter Temudjin war das beherrschende Ereignis des 13. Jahrhunderts. Dank seiner hervorragenden Qualitäten als Heerführer vereinte der Sohn eines kleinen Häuptlings die Mongolen-Völker im Lauf eines nur zwei Jahre dauernden Feldzugs. Wegen seiner Erfolge wurde er 1206 zum Dschingis Khan (»Herrscher der Welt«) erhoben.

Für seine Vereinigungskampagne hatte Dschingis Khan das beste Reiterheer der Welt organisiert und setzte es so erfolgreich ein, dass er bei seinem Tod 1227 über ein Reich herrschte, zu dem der größte Teil Zentralasiens und Chinas gehörte.

Seine Nachfolger – sein Sohn Ögädäi und die Enkel Küyük und Möngke – setzten Dschingis Khans Expansionspolitik fort. Die Mongolen stießen bis nach Europa und Vorderasien vor. In China widerstand ihnen nur das Südliche Song-Reich, das sie aber bis 1279 ebenfalls erobert hatten. Allerdings erwies sich die Einheit der Mongolen als sehr zerbrechlich; kurz nach dem Tod Dschingis Khans zeigten sich schon erste Zeichen der Auflösung.

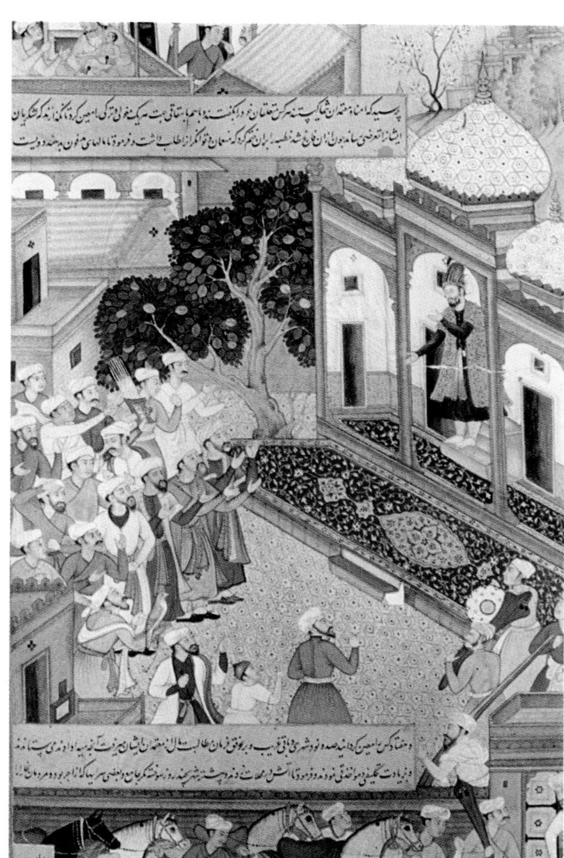

Dschingis Khan verlangt die Herausgabe der vergrabenen Schätze des eroberten Buchara; indische Miniatur zu einer persischen Geschichte der Mongolen, um 1590.

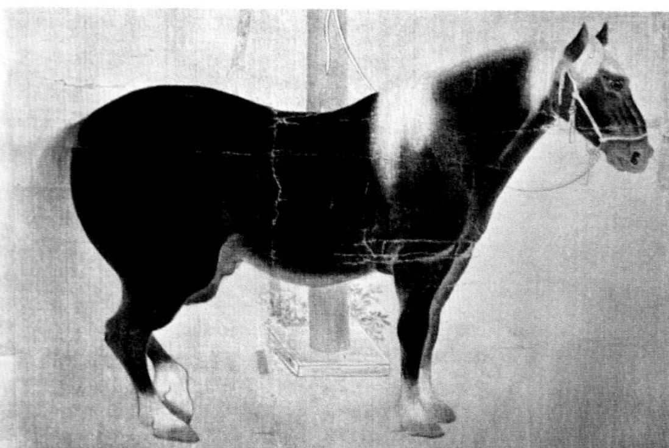

Mongolisches Tributpferd; ein Werk des berühmten Pferdemalers Zhao Mengfu (1254–1322), Direktor der Hanlin-Akademie und Hofmaler der Mongolen-Kaiser

Grösstes Reich der Geschichte

Durch die mongolischen Eroberungen entstand das zunächst größte Reich der Geschichte. Die Mongolen hatten Glück, dass ihnen die Uneinigkeit ihrer Feinde in die Hände arbeitete: China war in drei einander feindliche Reiche gespalten, die mächtigen türkischen Reiche der Kara-Kitai und der Charism-Schahs waren verfeindet und Russland bestand aus einem Mosaik streitsüchtiger Fürstentümer, die den gemeinsamen Feind nur zögernd bekämpften.

Überragende Heeresmacht

Der eigentliche Schlüssel zum Erfolg der Mongolen war jedoch ihr leistungsstarkes Heer. Anders als in den Heeren ihrer Gegner, in denen zumeist die Geburt über den Rang entschied, wurde in der mongolischen Armee nur aufgrund erworbener Verdienste befördert. Die große Disziplin und Beweglichkeit der Truppe ermöglichten die schwierigsten Manöver im Gefecht. Eine von ihnen häufig angewandte Taktik war der vorgetäuschte Rückzug – auf diese Weise lockte man Verfolger in für diese ungünstigem Gelände in einen Hinterhalt, um sie dann zu vernichten. Die Mongolen besaßen in ihrem aus mehreren Horn- und Holzschichten verleimten Bogen eine sehr wirkungsvolle Waffe mit großer Reichweite; sie traf den Feind, ohne dass man sich selbst einer Gefahr aussetzte. Bezeichnend war auch ihre gleichsam kalkulierte Gewalttätigkeit, denn sie half, Angst zu verbreiten und den Widerstandswillen des Feindes zu schwächen. Diese Methode überzeugte viele Türken, Uiguren, Kiptschak und Chinesen, dass es besser sei, zu den Mongolen überzulaufen, als im Kampf eine Niederlage zu riskieren.

Abhängigkeiten

Aber auch die mongolische Militärmaschine war nicht uneingeschränkt mobil. Von China abgesehen, grenzte das Mongolen-Reich stets an die eurasischen Step-

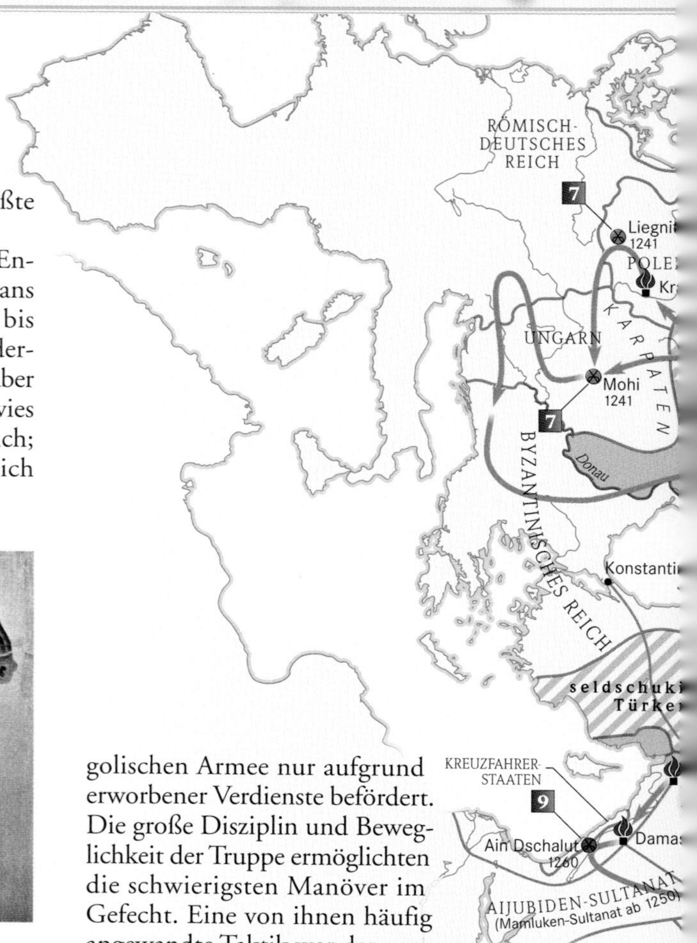

1 Der Gouverneur von Otrar provozierte 1218 den Einmarsch Dschingis Khans in Charism (Choresmien), indem er mongolische Kaufleute und Abgesandte hinrichten ließ.

2 Dschingis Khan teilte sein Heer bei Samarkand und schickte eine kleinere Armee los, die den Charism-Schah verfolgen und dann den Kaukasus überqueren sollte, um Nachrichten über Europa zu beschaffen.

3 Hier starb Dschingis Khan 1227 bei einem Feldzug gegen das Reich Jin.

4 Da in bergigem, für sie ungünstigem Gelände gekämpft werden musste, benötigten die Mongolen für die Unterwerfung der Koreaner, die sich später zu treuen Verbündeten entwickelten, 30 Jahre.

5 Karakorum, der Lieblingslagerplatz Dschingis Khans, wurde 1235 Hauptstadt des Mongolen-Reiches.

6 Weil sie die zugefrorenen Flüsse als Heerstraßen benutzten, gelang den Mongolen bis 1239 die einzige erfolgreiche Winter-Invasion der russischen Geschichte. Die Russen mussten den Eindringlingen 200 Jahre lang Tribut zahlen.

7 Die vereinten Heere Osteuropas wurden 1241 bei Liegnitz (Schlesien) und Mohi in Ungarn von den Mongolen besiegt, die sich jedoch auf die Nachricht vom Tod ihres Großkhans Ögädäi an die Wolga zurückzogen.

8 Dem Fall Bagdads folgte ein Massaker, dem 200 000 Gefangene oder 20 Prozent der Bevölkerung zum Opfer fielen.

9 Die Mongolen erlitten ihre erste größere Niederlage 1260 in der Schlacht von Ain Dschalut gegen die Mamluken.

ZEITLEISTE

MONGOLISCHE WELT

EROBERUNGEN IN OSTASIEN

WESTLICH DER MONGOLEN

1160 – 1180 – 1200

um 1167 Geburt Temudjins.

1204–1206 Temudjin eint die Mongolen und wird Dschingis Khan.

1209 Die Mongolen greifen das Xi-Xia-Reich und die Uiguren an.

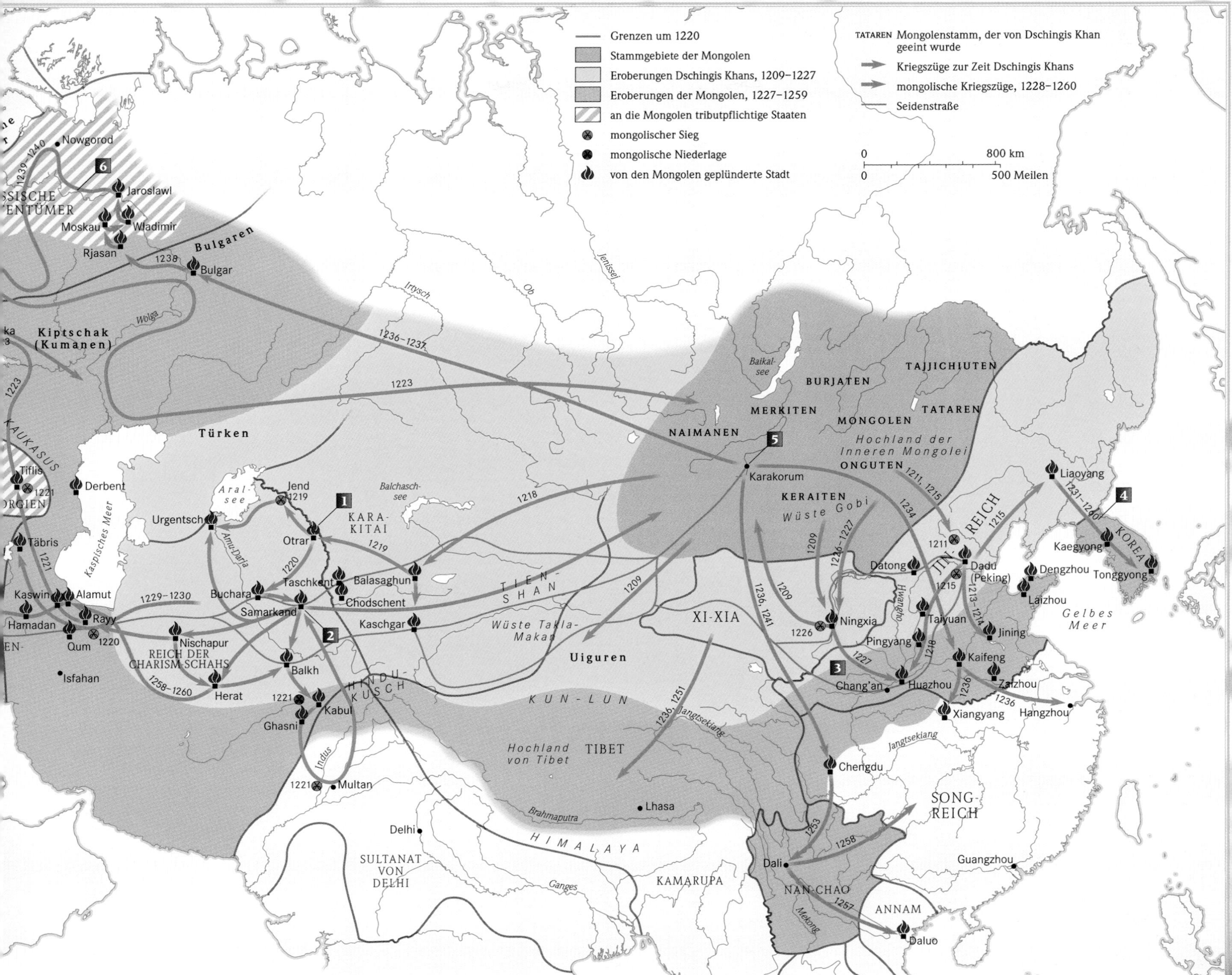

Grenzen um 1220
Stammgebiete der Mongolen
Eroberungen Dschingis Khans, 1209–1227
Eroberungen der Mongolen, 1227–1259
an die Mongolen tributpflichtige Staaten
mongolischer Sieg
mongolische Niederlage
von den Mongolen geplünderte Stadt
TATAREN Mongolenstamm, der von Dschingis Khan geeint wurde
Kriegszüge zur Zeit Dschingis Khans
mongolische Kriegszüge, 1228–1260
Seidenstraße
0 800 km
0 500 Meilen

pen und Grasländer. Nur sie boten das Weideland, das man für die riesigen Pferdeherden, die jede der Armeen mitführte, unbedingt brauchte. Die Niederlage der Mongolen in der Schlacht von Ain Dschalut gegen die Mamluken im Jahr 1260 war nicht zuletzt auf das Fehlen von Weiden zurückzuführen. Wahrscheinlich lag viel eher in diesem Problem als in der Stärke gegnerischen Widerstandes der Grund, dass die Mongolen nach ihrer ersten Invasion in Europa (1240/1241) nicht noch einmal zurückkehrten. Zur vollen Entfaltung ihrer Schlagkraft brauchten ihre Reiter viel Raum und konnten deshalb in bewaldeten, bergigen oder intensiv landwirtschaftlich genutzten Gebieten weit weniger effektiv operieren als im offenen Gelände.

Zerstörung der Kulturen

Die Zeit der mongolischen Expansion wirkte sich kaum positiv aus. Hoch entwickelte Kulturen wie die islamische und die chinesische litten am schlimmsten. Das Abbasiden-Kalifat von Bagdad, seit dem 8. Jahrhundert religiöser, kultureller und über lange Zeit auch politischer Führer der muslimischen Welt, wurde entmachtet. Die alten Städte Zentralasiens wurden zerstört; riesige Massaker und die Vernachlässigung der Bewässerungskanäle verwandelten große Teile Mesopotamiens und Westasiens für Jahrhunderte in unfruchtbare Wüsten. Nordchina verzeichnete eine starke Entvölkerung und Russland wurde fast zwei Jahrhunderte lang von der Entwicklung in Europa abgeschnitten. Die Auswirkungen auf die restliche Christenheit waren weit weniger gravierend: Die Schwächung der islamischen Welt verzögerte das Ende der Kreuzfahrerstaaten und bescherte dem Byzantinischen Reich kurzzeitig ein Wiedererstarken. Am ehesten profitierte die christliche Welt noch von den mongolischen Eroberungen in Asien, denn sie beendeten die muslimische Kontrolle der Seidenstraße und öffneten erstmals westlichen Reisenden wie dem venezianischen Kaufmann Marco Polo den Weg nach Ostasien.

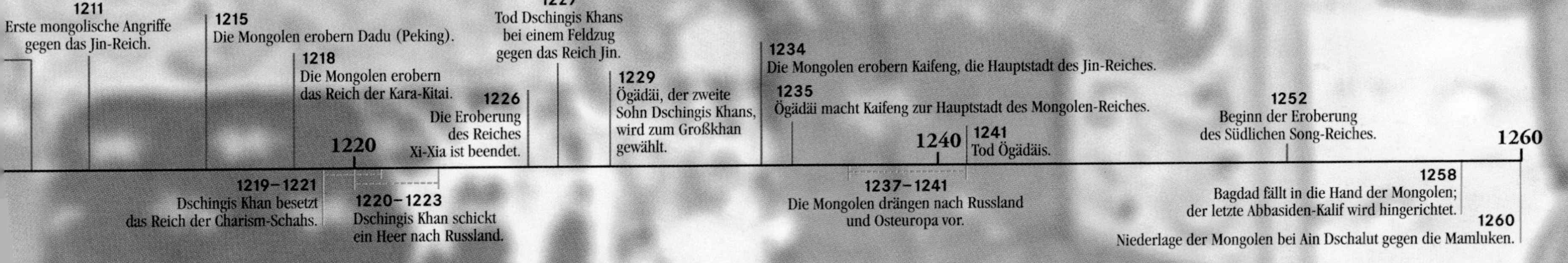
1211
Erste mongolische Angriffe gegen das Jin-Reich.
1215
Die Mongolen erobern Dadu (Peking).
1218
Die Mongolen erobern das Reich der Kara-Kitai.
1220
1226
Die Eroberung des Reiches Xi-Xia ist beendet.
1227
Tod Dschingis Khans bei einem Feldzug gegen das Reich Jin.
1229
Ögädäi, der zweite Sohn Dschingis Khans, wird zum Großkhan gewählt.
1234
Die Mongolen erobern Kaifeng, die Hauptstadt des Jin-Reiches.
1235
Ögädäi macht Kaifeng zur Hauptstadt des Mongolen-Reiches.
1240
1241
Tod Ögädäis.
1252
Beginn der Eroberung des Südlichen Song-Reiches.
1260
1219–1221
Dschingis Khan besetzt das Reich der Charism-Schahs.
1220–1223
Dschingis Khan schickt ein Heer nach Russland.
1237–1241
Die Mongolen drängen nach Russland und Osteuropa vor.
1258
Bagdad fällt in die Hand der Mongolen; der letzte Abbasiden-Kalif wird hingerichtet.
1260
Niederlage der Mongolen bei Ain Dschalut gegen die Mamluken.

Die Welt des Mittelalters (600 bis 1492 n. Chr.)

Der Zerfall des Mongolen-Reiches • 1260 bis 1502

Das Reich Dschingis Khans war viel zu groß, um von einem Mann allein regiert zu werden, und so teilten seine Nachfolger Ögädäi (1229–1241) und Möngke (1251 bis 1259) die westlichen Eroberungen in Khanate auf. Nach Möngkes Tod wurden sie mehr oder weniger unabhängig.

Kublai Khan (1260–1294), Möngkes Nachfolger, übte nur noch nominell die Oberherrschaft aus. Er beherrschte schließlich China als alleiniger Kaiser und gründete dort die Yüan-Dynastie. Kublais Eroberung des Südlichen Song-Reiches von 1268 bis 1279 war die letzte der Mongolen; weitere Vorstöße nach Südostasien und Japan erwiesen sich als teure Fehlschläge und die Expansionsversuche des Khanats Tschagatai nach Indien scheiterten am erbitterten Widerstand des Sultanats von Delhi.

Marco Polo reiste im Auftrag von Papst Gregor X. an den Hof von Kublai Khan und kehrte 1295 nach Venedig zurück; Malerei aus dem »Buch der Wunder der Erde«.

Abschottung

Die Yüan-Dynastie intensivierte die Handels- und kulturellen Kontakte zwischen China und der restlichen Welt. Viele europäische Missionare und Kaufleute – als Berühmtester unter ihnen der Venezianer Marco Polo – kamen nach China und brachten die ersten detaillierten Berichte mit. China nutzte dies wenig, denn der chinesische Exporthandel wurde zumeist von Ausländern kontrolliert. Die uralte Fremdenfeindlichkeit der Chinesen schien durch die schmerzlichen Erfahrungen mit der Mongolen-Herrschaft gerechtfertigt. Nach deren Ende brach man alle Kontakte zum Ausland ab.

Das persische Ilkhanat (1256–1335) war trotz einer Reihe fähiger Herrscher das kurzlebigste aller Mongolen-Khanate. Um 1300 waren die meisten Mongolen, die Bildung und Kunst großzügig förderten, zum Islam übergetreten. Nach dem Tod des letzten Khans zerfiel das Khanat in kleinere mongolische, türkische und persische Staaten.

Wiedervereinigung Chinas

Kublai Khan war der letzte große Mongolen-Großkhan; seine eher mittelmäßigen Nachfolger entwickelten für ihr Riesenreich keine starke Zentralgewalt. Im 14. Jahrhundert kam es häufig zu Bauernaufständen und bis 1355 zerfiel das Großkhanat endgültig in mehrere Einzelstaaten. In China brachte ein chinesischer Rebellenführer bäuerlicher Herkunft, Chu Yüan-chang, 1356 Nanking und bis 1367 ganz Südchina unter seine Kontrolle. Im folgenden Jahr eroberte er Dadu (Peking) zurück und erklärte sich zum ersten Kaiser der Ming-Dynastie (1368–1644). Chus Erfolg bei der Wiedervereinigung Chinas – diesmal vom Süden aus – war möglich, weil der Norden wegen der Mongolen-Einfälle viel weniger dicht besiedelt war. Die frühen Ming-Kaiser marschierten mehrmals in die Mongolei ein, aber deren wichtigste Stämme, Oiraten (oder Kalmücken) und Kalkha, wurden erst um die Mitte des 18. Jahrhunderts endgültig unterworfen.

Timur Leng, der letzte mongolische Eroberer

Die Steppen-Khanate der Goldenen Horde und der Tschagatai überdauerten alle anderen Mongolen-Reiche, weil man hier die traditionelle Lebensweise beibehielt. Die Bevölkerung des Khanats der Goldenen Horde war überwiegend türkisch – die Übernahme des Türkischen als Amtssprache (1280) und der Übertritt zum Islam im frühen 14. Jahrhundert entfremdete sie jedoch den tributpflichtigen christlichen Russen. Das Khanat Tschagatai bestand aus einem östlichen Gebiet, in dem heidnische Nomaden lebten, und einem westlichen, das die großen Städte entlang der Seidenstraße beherrschte. Diesen Gegensatz nützte der letzte mongolische Eroberer, Timur Leng (»der Lahme«, 1360 bis 1405), aus. Obgleich selbst Nomade und, wie er behauptete, ein Nachkomme Dschingis Khans, war Timur Muslim und sprach Türkisch. 1361 zum Emir von Samarkand ernannt, schuf er sich in Transoxanien eine Machtbasis, indem er die Verteidigung gegen die Räuberbanden aus Mogholistan, dem Westen des Khanats Tschagatai, organisierte. 1370 eroberte er die Stadt Balkh und ließ ihren Herrscher sowie sämtliche Einwohner töten. Danach verbrachte er den Rest seines Lebens fast nur auf Feldzügen von furchtbarer Grausamkeit und brutalen Plünderungen. Timur dachte gar nicht daran, die gewonnenen Territorien zu einer Einheit zusammenzufügen. Samarkand blühte und gedieh zwar dank der reichlichen Kriegsbeute, aber darüber hinaus wies Timurs Herrschaft keinerlei staatsmännische Vision auf. Obwohl selbst Muslim, hinterließ er eine islamische Welt in Trümmern. Außerdem schwächte er die Khanate der Goldenen Horde und Tschagatai. Beide überlebten ihn zwar, aber Tschagatai schrumpfte bald bis auf das Gebiet um Kaschgar zusammen (das Khanat wurde im späten 17. Jahrhundert von den Mandschu besetzt). Die Goldene Horde zerfiel 1438 und verschwand 1502 endgültig aus der Geschichte. Letztes Überbleibsel des Mongolen-Reiches war das Khanat der Krimtataren, das Russland 1783 annektierte.

Grausames Kriegshandwerk: Timur Lengs Armee erstürmt eine feindliche Stadt; zeitgenössische Miniatur.

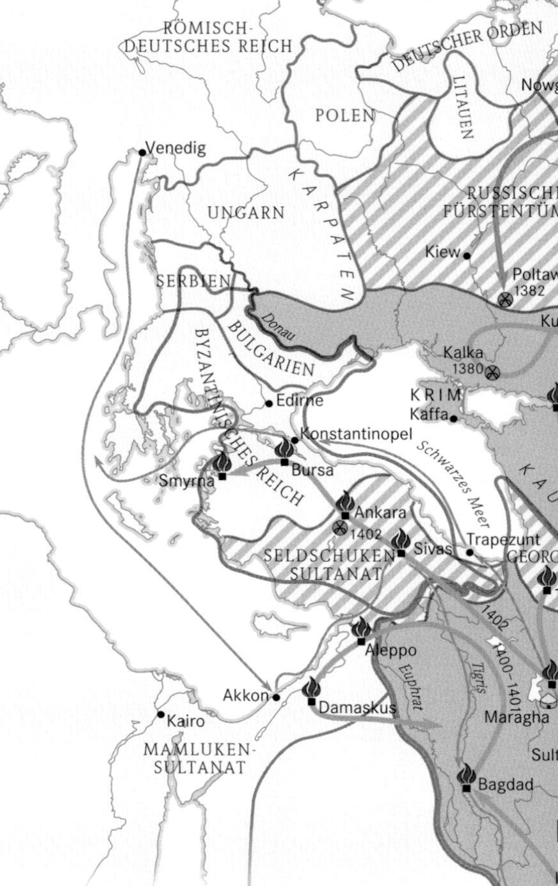

RÖMISCH-DEUTSCHES REICH
DEUTSCHER ORDEN
LITAUEN
POLEN
Venedig
UNGARN
KARPATEN
RUSSISCHE FÜRSTENTÜM
Kiew
Poltawa 1382
SERBIEN
Donau
BULGARIEN
BYZANTINISCHES REICH
Kalka 1380
KRIM
Kaffa
Edirne
Konstantinopel
Schwarzes Meer
Bursa
Smyrna
Ankara 1402
SELDSCHUKEN-SULTANAT
Sivas
Trapezunt
GEORGI
1402
Aleppo
Euphrat
Tigris
1400–1401
Akkon
Damaskus
Maragha
Kairo
MAMLUKEN-SULTANAT
Bagdad

1 **Dadu (Peking) wurde 1266 als Khanbalik Hauptstadt des Großkhans, Shangdu im kühleren Norden seine Sommerresidenz.**

2 **Marco Polo behauptete, von Kublai Khan für drei Jahre zum Gouverneur von Yangzhou ernannt worden zu sein – wahrscheinlicher ist aber, dass er dort nur als kleinerer Beamter arbeitete.**

3 **Kublai Khan wollte das Song-Reich unversehrt erobern, weshalb er die für die Mongolen sonst typischen Plünderungen und Massaker vermied.**

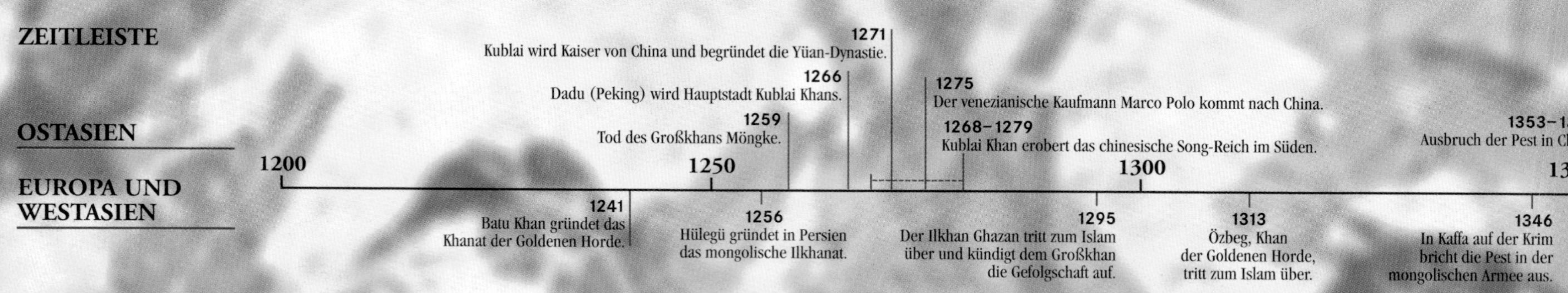

ZEITLEISTE
OSTASIEN
EUROPA UND WESTASIEN
1200
1250
1300
1271 Kublai wird Kaiser von China und begründet die Yüan-Dynastie.
1266 Dadu (Peking) wird Hauptstadt Kublai Khans.
1259 Tod des Großkhans Möngke.
1275 Der venezianische Kaufmann Marco Polo kommt nach China.
1268–1279 Kublai Khan erobert das chinesische Song-Reich im Süden.
1353–135 Ausbruch der Pest in Chi
1241 Batu Khan gründet das Khanat der Goldenen Horde.
1256 Hülegü gründet in Persien das mongolische Ilkhanat.
1295 Der Ilkhan Ghazan tritt zum Islam über und kündigt dem Großkhan die Gefolgschaft auf.
1313 Özbeg, Khan der Goldenen Horde, tritt zum Islam über.
1346 In Kaffa auf der Krim bricht die Pest in der mongolischen Armee aus.

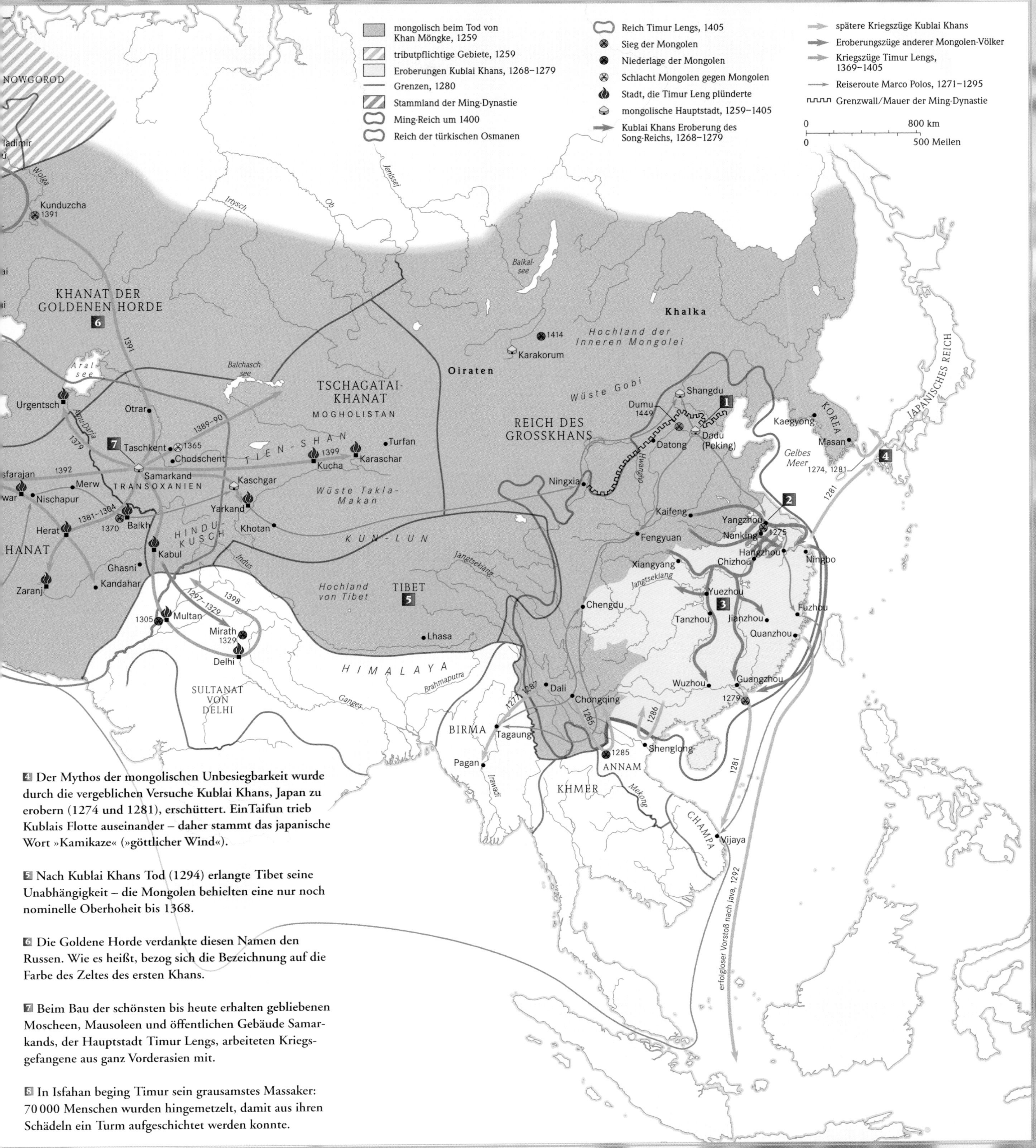

mongolisch beim Tod von Khan Möngke, 1259
tributpflichtige Gebiete, 1259
Eroberungen Kublai Khans, 1268–1279
Grenzen, 1280
Stammland der Ming-Dynastie
Ming-Reich um 1400
Reich der türkischen Osmanen
Reich Timur Lengs, 1405
Sieg der Mongolen
Niederlage der Mongolen
Schlacht Mongolen gegen Mongolen
Stadt, die Timur Leng plünderte
mongolische Hauptstadt, 1259–1405
Kublai Khans Eroberung des Song-Reichs, 1268–1279
spätere Kriegszüge Kublai Khans
Eroberungszüge anderer Mongolen-Völker
Kriegszüge Timur Lengs, 1369–1405
Reiseroute Marco Polos, 1271–1295
Grenzwall/Mauer der Ming-Dynastie
0 800 km
0 500 Meilen

4 Der Mythos der mongolischen Unbesiegbarkeit wurde durch die vergeblichen Versuche Kublai Khans, Japan zu erobern (1274 und 1281), erschüttert. Ein Taifun trieb Kublais Flotte auseinander – daher stammt das japanische Wort »Kamikaze« (»göttlicher Wind«).

5 Nach Kublai Khans Tod (1294) erlangte Tibet seine Unabhängigkeit – die Mongolen behielten eine nur noch nominelle Oberhoheit bis 1368.

6 Die Goldene Horde verdankte diesen Namen den Russen. Wie es heißt, bezog sich die Bezeichnung auf die Farbe des Zeltes des ersten Khans.

7 Beim Bau der schönsten bis heute erhalten gebliebenen Moscheen, Mausoleen und öffentlichen Gebäude Samarkands, der Hauptstadt Timur Lengs, arbeiteten Kriegsgefangene aus ganz Vorderasien mit.

8 In Isfahan beging Timur sein grausamstes Massaker: 70 000 Menschen wurden hingemetzelt, damit aus ihren Schädeln ein Turm aufgeschichtet werden konnte.

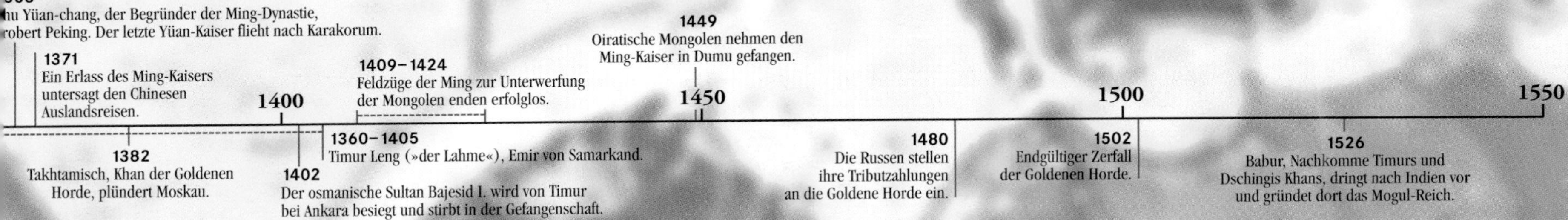
368
hu Yüan-chang, der Begründer der Ming-Dynastie, robert Peking. Der letzte Yüan-Kaiser flieht nach Karakorum.
1371
Ein Erlass des Ming-Kaisers untersagt den Chinesen Auslandsreisen.
1409–1424
Feldzüge der Ming zur Unterwerfung der Mongolen enden erfolglos.
1449
Oiratische Mongolen nehmen den Ming-Kaiser in Dumu gefangen.
1400
1450
1500
1550
1382
Takhtamisch, Khan der Goldenen Horde, plündert Moskau.
1402
Der osmanische Sultan Bajesid I. wird von Timur bei Ankara besiegt und stirbt in der Gefangenschaft.
1360–1405
Timur Leng (»der Lahme«), Emir von Samarkand.
1480
Die Russen stellen ihre Tributzahlungen an die Goldene Horde ein.
1502
Endgültiger Zerfall der Goldenen Horde.
1526
Babur, Nachkomme Timurs und Dschingis Khans, dringt nach Indien vor und gründet dort das Mogul-Reich.

Die Welt des Mittelalters (600 bis 1492 n. Chr.)

Japan und Korea im Mittelalter • 600 bis 1500

Die ersten Reiche in Japan und Korea wurden stark von der chinesischen Kultur beeinflusst. Um 600 orientierten sich die Herrscher in beiden Reichen bei ihrem Versuch, Zentralstaaten aufzubauen, an China. In Korea gelang dies bis zum 15. Jahrhundert, während in Japan nach anfänglichen Erfolgen im 15. Jahrhundert der Feudalismus wieder an Bedeutung gewann.

In Japan begann der Aufbau eines zentralisierten Staates nach chinesischem Vorbild in der späten Jamato-Zeit (300–710). Kronprinz Shotoku (593–622) setzte 604 eine Verfassung ein, die die Macht des Herrschers über den Adel sicherte und die Grundlage für das Kaisertum schuf. Im Zuge der Taika-Reformen (ab 646) wurde alles Land zu kaiserlichem Besitz erklärt und ein Steuersystem geschaffen. Im Jahr 702 führte Japan den Taiho-Kodex (ein neues Zivil- und Strafrecht) ein und förderte den Buddhismus als Mittel der imperialen Machtfestigung. 710 entstand in Nara nach dem Vorbild des chinesischen Chang'an ein zentraler Regierungssitz.

1 **Die Ezo auf Honshu, Verwandte des Volkes der Ainu, widersetzten sich der japanischen Expansion mit allen Mitteln, wurden aber im 12. Jahrhundert unterworfen.**

2 **Die Ainu, eingeborene Jäger und Sammler und sprachlich wie physisch mit keinem anderen asiatischen Volk verwandt, unterwarfen sich den Japanern erst im 17. Jahrhundert.**

3 **Die Vernichtung der Taira in der Seeschlacht von Dannoura wurde Gegenstand der »Geschichte des Hauses Taira«, des Hauptwerks der japanischen Literatur im 13. Jahrhundert.**

4 **Die besterhaltene japanische Burg des Mittelalters ist die im 14. Jahrhundert erbaute »Burg des weißen Reihers« in Himeji.**

5 **Viele Fischerdörfer auf Tsushima dienten Schmugglern und Piraten, die sich über die strengen chinesischen und koreanischen Handelsbeschränkungen hinwegsetzten, als Stützpunkt.**

6 **Das Reich Paekche fiel, nachdem seine japanischen Verbündeten 663 in einer Seeschlacht von Silla besiegt worden waren.**

7 **Die Koryo weiteten um 960 ihren Herrschaftsbereich bis zum Yalu, der Nordgrenze Koreas seit dieser Zeit, aus.**

8 **Die »Lange Mauer« wurde in der Zeit von 1033 bis 1044 gebaut, um Korea vor den Kitan und den Dschurdschen zu schützen.**

9 **Unter dem Druck der ab 1231 einsetzenden Mongolen-Einfälle zog der koreanische Hof der größeren Sicherheit wegen auf die Insel Kanghwa um.**

Die Macht der Familie

Nara wurde ein wichtiges religiöses Zentrum und schon bald übten die Buddhapriester einen deutlich politischen Einfluss auf die Kaiser aus. Um sich dem zu entziehen, verlegte Tenno Kammu 794 seine Residenz nach Heian-kyo (Kyoto). Hier geriet das Kaiserhaus jedoch unter den Einfluss der Familie Fujiwara, die ihre politische Macht durch eine Einheirat in die kaiserliche Familie geschickt vergrößert hatte. Die buddhistischen Klöster und große Familien wie die Fujiwara rafften zu dieser Zeit riesigen Landbesitz zusammen, indem sie für ihre Dienste Lehen erhielten, die dann in ihren Privatbesitz übergingen. Die übertrieben verfeinerte Hofkultur der Heian-kyo-Zeit stand in krassem Gegensatz zu der verfallenden Ordnung in den Provinzen, wo die Klöster und Adelshäuser Privatarmeen anheuerten. Aus diesen entstand mit den Samurai eine Kriegerklasse, die sich wegen der immer häufigeren kriegerischen Auseinandersetzungen ihre eigene Kultur schuf.

Samurai und Shogune

Im 12. Jahrhundert geriet die Politik des Kaiserhofs zum Nachteil der Fujiwara immer mehr unter den Einfluss von Samurai-Klans. Nach dem Gempei-Krieg (1180–1185) zwischen den Familien Taira und Minamoto ließ sich Minamoto Yoritomo im Jahr 1192 zum Reichsfeldherrn (Shogun) ernennen. Damit begann eine Zeit der Militärregierungen, die bis 1868 dauern sollte. 1333 wurde das Shogunat Kamakura gestürzt und fünf Jahre später ging die Macht an die Familie Aschikaga über. Die Shogune regierten zusammen mit den Shugo (Militärbefehlshabern) der einzelnen Bezirke, die bald zu mächtigen Regionalherren aufstiegen und die Autorität der Shogune untergruben. Als ein Nachfolgestreit von 1467 bis 1477 in einen echten Bürgerkrieg umschlug, verloren die Shugo allmählich die Kontrolle über ihre regionale Basis. Die Herrschaft über die Provinzen fiel einer neuen und einander ständig befehdenden Klasse feudaler Daimyo zu – Heerführer, die Armeen von abhängigen Samurai unterhielten und sie mit kleinen Landgütern entlohnten. Die Burgen der Daimyo entwickelten sich zu Zentren der Macht und Kriegerkultur. Sie zogen Handwerker und Kaufleute an, so dass um die Burgen viele Städte entstanden. Obwohl das Shogunat Aschikaga bis 1573 überlebte, verlor es durch den Bürgerkrieg noch den Rest seiner Macht. Um 1500 bestand Japan aus rund 400 praktisch unabhängigen Staaten.

Korea entsteht

In Korea waren bis 600 die drei Reiche Koguryo, Silla und Paekche entstanden. 660 stießen die Chinesen auf die Halbinsel vor und eroberten zusammen mit dem verbündeten Silla die Staaten Koguryo und Paekche. Da Silla die Beute nicht teilen wollte, vertrieb es 676 die Chinesen. Silla hielt nun Paekche und den Süden Koguryos besetzt. Im Norden der Halbinsel herrschten chaotische Zustände, bis 694 mit Parhae ein Nachfolgestaat entstand. Das vergrößerte Silla und

Der Kinkakuji-Tempel (»Goldene Pavillon«) entstand 1394 als Landsitz eines Shogun; 1950 wurde die Anlage nach einem Brand wieder aufgebaut.

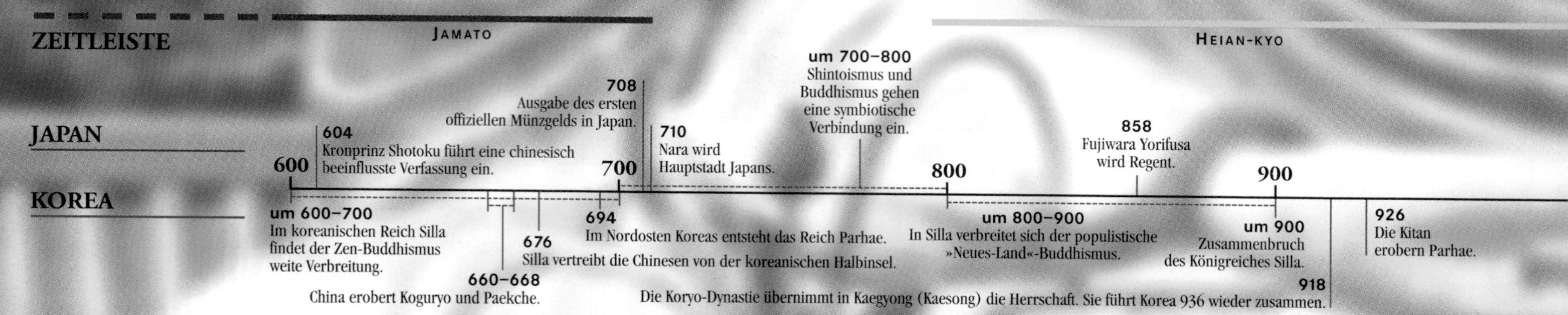
ZEITLEISTE
JAMATO
HEIAN-KYO
JAPAN
KOREA
600
700
800
900
604
Kronprinz Shotoku führt eine chinesisch beeinflusste Verfassung ein.
708
Ausgabe des ersten offiziellen Münzgelds in Japan.
710
Nara wird Hauptstadt Japans.
um 700–800
Shintoismus und Buddhismus gehen eine symbiotische Verbindung ein.
858
Fujiwara Yorifusa wird Regent.
um 600–700
Im koreanischen Reich Silla findet der Zen-Buddhismus weite Verbreitung.
660–668
China erobert Koguryo und Paekche.
676
Silla vertreibt die Chinesen von der koreanischen Halbinsel.
694
Im Nordosten Koreas entsteht das Reich Parhae.
um 800–900
In Silla verbreitet sich der populistische »Neues-Land«-Buddhismus.
um 900
Zusammenbruch des Königreiches Silla.
918
Die Koryo-Dynastie übernimmt in Kaegyong (Kaesong) die Herrschaft. Sie führt Korea 936 wieder zusammen.
926
Die Kitan erobern Parhae.

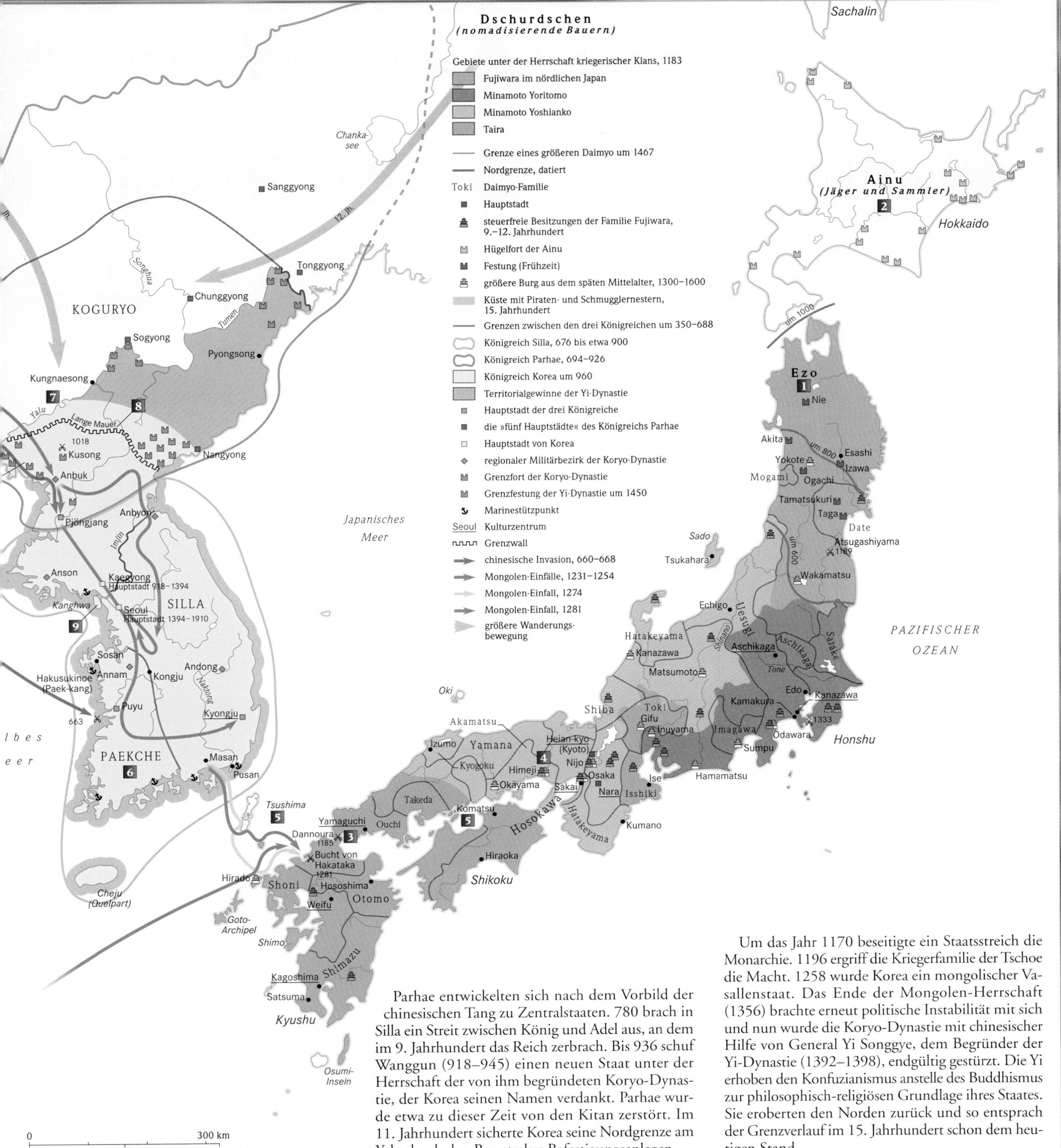
Dschurdschen
(nomadisierende Bauern)
Gebiete unter der Herrschaft kriegerischer Klans, 1183
Fujiwara im nördlichen Japan
Minamoto Yoritomo
Minamoto Yoshianko
Taira
Grenze eines größeren Daimyo um 1467
Nordgrenze, datiert
Toki Daimyo-Familie
Hauptstadt
steuerfreie Besitzungen der Familie Fujiwara, 9.–12. Jahrhundert
Hügelfort der Ainu
Festung (Frühzeit)
größere Burg aus dem späten Mittelalter, 1300–1600
Küste mit Piraten- und Schmugglernestern, 15. Jahrhundert
Grenzen zwischen den drei Königreichen um 350–688
Königreich Silla, 676 bis etwa 900
Königreich Parhae, 694–926
Königreich Korea um 960
Territorialgewinne der Yi-Dynastie
Hauptstadt der drei Königreiche
die »fünf Hauptstädte« des Königreichs Parhae
Hauptstadt von Korea
regionaler Militärbezirk der Koryo-Dynastie
Grenzfort der Koryo-Dynastie
Grenzfestung der Yi-Dynastie um 1450
Marinestützpunkt
Seoul Kulturzentrum
Grenzwall
chinesische Invasion, 660–668
Mongolen-Einfälle, 1231–1254
Mongolen-Einfall, 1274
Mongolen-Einfall, 1281
größere Wanderungs-bewegung
Sachalin
Ainu
(Jäger und Sammler)
Hokkaido
Chanka-see
Sanggyong
12. Jh.
Songhua
Tonggyong
Chunggyong
KOGURYO
Tumen
Sogyong
Pyongsong
Kungnaesong
Yalu
Lange Mauer
1018
Kusong
Nangyong
Anbuk
Anbyon
Pjöngjang
Imjin
Japanisches Meer
Anson
Kaesyong
Hauptstadt 918–1394
Kanghwa
SILLA
Seoul
Hauptstadt 1394–1910
Sosan
Hakusukinoe (Paek-kang)
Annam
Kongju
Andong
Naktong
Puyu
663
Kyongju
PAEKCHE
Masan
Pusan
Cheju (Quelpart)
Tsushima
Goto-Archipel
Shimo
Hirado
Shoni
Hososhima
Weifu
Otomo
Shimazu
Kagoshima
Satsuma
Kyushu
Osumi-Inseln
Yamaguchi
Dannoura
1185
Bucht von Hakataka
1281
Ouchi
Takeda
Komatsu
Hosokawa
Hiraoka
Shikoku
Oki
Akamatsu
Izumo
Yamana
Kyogoku
Himeji
Okayama
Heian-kyo (Kyoto)
Nijo
Osaka
Sakai
Nara
Isshiki
Hatakeyama
Kumano
Shiba
Toki
Gifu
Inuyama
Ise
Hamamatsu
Imagawa
Sumpu
Odawara
Kamakura
Edo
Kanazawa
1333
Honshu
Aschikaga
Tone
Satake
Matsumoto
Kanazawa
Hatakeyama
Shinano
Uesugi
Echigo
Sado
Tsukahara
Wakamatsu
Atsugashiyama
1189
Date
Taga
Tamatsukuri
um 600
Mogami
Ogachi
Yokote
Akita
um 800
Esashi
Izawa
Ezo
Nie
um 1000
PAZIFISCHER OZEAN
0 300 km
0 200 Meilen

Parhae entwickelten sich nach dem Vorbild der chinesischen Tang zu Zentralstaaten. 780 brach in Silla ein Streit zwischen König und Adel aus, an dem im 9. Jahrhundert das Reich zerbrach. Bis 936 schuf Wanggun (918–945) einen neuen Staat unter der Herrschaft der von ihm begründeten Koryo-Dynastie, der Korea seinen Namen verdankt. Parhae wurde etwa zu dieser Zeit von den Kitan zerstört. Im 11. Jahrhundert sicherte Korea seine Nordgrenze am Yalu durch den Bau starker Befestigungsanlagen.

Um das Jahr 1170 beseitigte ein Staatsstreich die Monarchie. 1196 ergriff die Kriegerfamilie der Tschoe die Macht. 1258 wurde Korea ein mongolischer Vasallenstaat. Das Ende der Mongolen-Herrschaft (1356) brachte erneut politische Instabilität mit sich und nun wurde die Koryo-Dynastie mit chinesischer Hilfe von General Yi Songgye, dem Begründer der Yi-Dynastie (1392–1398), endgültig gestürzt. Die Yi erhoben den Konfuzianismus anstelle des Buddhismus zur philosophisch-religiösen Grundlage ihres Staates. Sie eroberten den Norden zurück und so entsprach der Grenzverlauf im 15. Jahrhundert schon dem heutigen Stand.

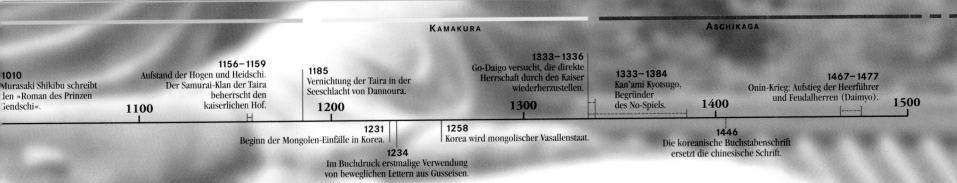

KAMAKURA — ASCHIKAGA

1010 Murasaki Shikibu schreibt den »Roman des Prinzen Gendschi«.

1100

1156–1159 Aufstand der Hogen und Heidschi. Der Samurai-Klan der Taira beherrscht den kaiserlichen Hof.

1185 Vernichtung der Taira in der Seeschlacht von Dannoura.

1200

1231 Beginn der Mongolen-Einfälle in Korea.

1234 Im Buchdruck erstmalige Verwendung von beweglichen Lettern aus Gusseisen.

1258 Korea wird mongolischer Vasallenstaat.

1300

1333–1336 Go-Daigo versucht, die direkte Herrschaft durch den Kaiser wiederherzustellen.

1333–1384 Kan'ami Kyotsugo, Begründer des No-Spiels.

1400

1446 Die koreanische Buchstabenschrift ersetzt die chinesische Schrift.

1467–1477 Onin-Krieg: Aufstieg der Heerführer und Feudalherren (Daimyo).

1500

Die Welt des Mittelalters (600 bis 1492 n. Chr.)

Die südostasiatischen Reiche • 600 bis 1500

Entstanden in der ersten Hälfte des ersten Jahrtausends n. Chr. in ganz Südostasien nur kleinere Staaten, so entwickelten sich in der zweiten Hälfte dort große, mächtige Königreiche. Von Indien beeinflusst, übernahmen die Herrscher hinduistische oder buddhistische Vorstellungen von einem heiligen Königtum, um ihre Macht zu festigen. Deshalb handelte es sich bei den meisten südostasiatischen Reichen vor 1500 um theokratische Monarchien.

Der Einfluss Indiens war prägend für die ganze Periode, obwohl China zu vielen südostasiatischen Staaten enge diplomatische und kommerzielle Beziehungen unterhielt.

Die Khmer

Der mächtigste Festlandstaat war lange das Reich der Khmer. Dieses Volk wurde um 400 in dem Reich Zhenla geeint, das seine Blütezeit um 700 unter Jayavarman I. erlebte; danach zerfiel es rasch wieder. 802 erklärte sich Jayavarman II. (802–850), ein Kleinkönig aus der Region Angkor, zum Gottkönig und vereinte die Khmer-Völker wieder. Bis zur Regierung Indravarmans I. (877–889) hatten die Khmer schon die Mon- und Thai-Völker unterworfen. Das Reich erreichte den Gipfel seiner Macht unter Suryavarman I. (1010–1050) und Suryavarman II. (1113 bis 1150). Von den Thai-Völkern unter Druck gesetzt und vom Seehandel angezogen, verlegten die Khmer 1431 ihre Hauptstadt nach Gaturmukha (bei Phnom Penh) und gaben 1440 Angkor auf. Um 1500 existierten sie nur noch als unbedeutende Regionalmacht.

Turm auf dem Sanktuarium von Angkor Vat (Kambodscha). Die Klosteranlage symbolisiert den fünfgipfligen Weltberg Meru, Zentrum des Hindu-Universums.

Die Thai

Mit dem kriegerischen Nan-Chao entwickelte sich um 600 der erste Thai-Staat, den schließlich 1253 die Mongolen eroberten. Seit etwa 1000 zogen die Thai-Völker weiter nach Süden und siedelten sich in den Gebieten der Mon und Khmer an. Um 1250 schuf eine Thai-Dynastie das Reich von Sukhothai.

Die Tempelanlage Borobudur (Indonesien): In einigen der 72 glockenförmigen Stupas auf den oberen Terrassen stehen heute wieder Buddhafiguren.

Ein Jahrhundert später entstand das Thai-Reich Ayutthaya, das 1378 Sukhothai eroberte und im 15. Jahrhundert nach der Vertreibung der Khmer aus Angkor zum mächtigsten Reich am Golf von Siam aufstieg. Um 600 setzte auch bei den buddhistischen Völkern der Mon und Pyu im Irawadi-Becken die Staatenbildung ein; der Pyu-Staat wurde allerdings schon um 835 von Nan-Chao zerstört. Kurz darauf zogen die Birmanen in das Flussbecken und bauten um Pagan einen Staat. Mitte des 11. Jahrhunderts unterwarf Pagan die Mon, die Arakanen an der Küste und die Thai sprechenden Shan im Hochland. Auch Pagan wurde schließlich von den Mongolen zerstört und die Shan, Mon und Arakanen kamen im 16. Jahrhundert unter der Toungo-Dynastie wieder unter birmanische Herrschaft.

Dai Viet

Schon sehr früh hatten im Gebiet des heutigen Vietnam geschichtete Gesellschaften bestanden. Der Küstenstreifen war seit dem 3. Jahrhundert v. Chr. von Chinesen besetzt. Erst 939 gelang den Vietnamesen die Gründung eines unabhängigen Staates: Dai Viet (chinesisch: Annam). Hier herrschte, anders als in allen Staaten Südostasiens, der kulturelle Einfluss der Chinesen vor. Nachdem China 1427 die Hoffnung auf eine Rückeroberung schließlich aufgegeben hatte, verbesserten sich die Beziehungen zwischen beiden Ländern sehr.

Srividjaja und Majapahit

Das erste große Reich, das die Seewege Südostasiens kontrollierte, war Srividjaja auf Sumatra. Es ist seit 682 nachgewiesen und erreichte um 800 den Höhepunkt seiner Macht. Überfälle der Chola aus Südindien im 11. Jahrhundert schwächten Srividjaja zunehmend, aber endgültig brach das Reich erst Anfang des 13. Jahrhunderts zusammen, als es von der ostjavanischen Singhasari-Dynastie erobert wurde. Deren Nachfolger gründeten das hinduistisch-buddhistische Reich Majapahit, das im 14. Jahrhundert die indonesische Inselwelt beherrschte. Wie die früheren Reiche dieser Region, so war auch Majapahit kein Zentralstaat: Nur Mittel- und Ostjava wurden direkt regiert; alle anderen Lokalherrscher behielten ihre Macht.

Der Islam, der Ende des 13. Jahrhunderts durch muslimische Kaufleute nach Südostasien kam, unterminierte das theokratische Königtum. Auf den Inseln entstanden islamische Küstenreiche, die 1527 den Rest des hinduistisch-buddhistischen Majapahit-Reiches zerstörten. Als im 16. Jahrhundert die Europäer nach Ostindien kamen, fanden sie Dutzende von unbedeutenden Kleinstaaten vor.

ZEITLEISTE

SÜDOSTASIEN: FESTLAND

- **um 600** Gründung des Thai-Reiches Nan-Chao.
- **um 602** Niederschlagung eines vietnamesischen Aufstandes durch die Chinesen.
- **802** Jayavarman II. gründet ein vereintes Khmer-Reich.
- **um 850** Die Birmanen gründen das Reich Pagan.
- **939** Gründung des unabhängigen vietnamesischen Staates Dai Viet oder Annam.

600 – 700 – 800 – 900

SÜDOSTASIEN: INSELN

- **682** Das Reich Srividjaja dehnt sich aus.
- **um 800** Baubeginn des Tempelkomplexes von Borobudur (Java).
- **960–988** Srividjaja schickt Gesandte an den chinesischen Hof.

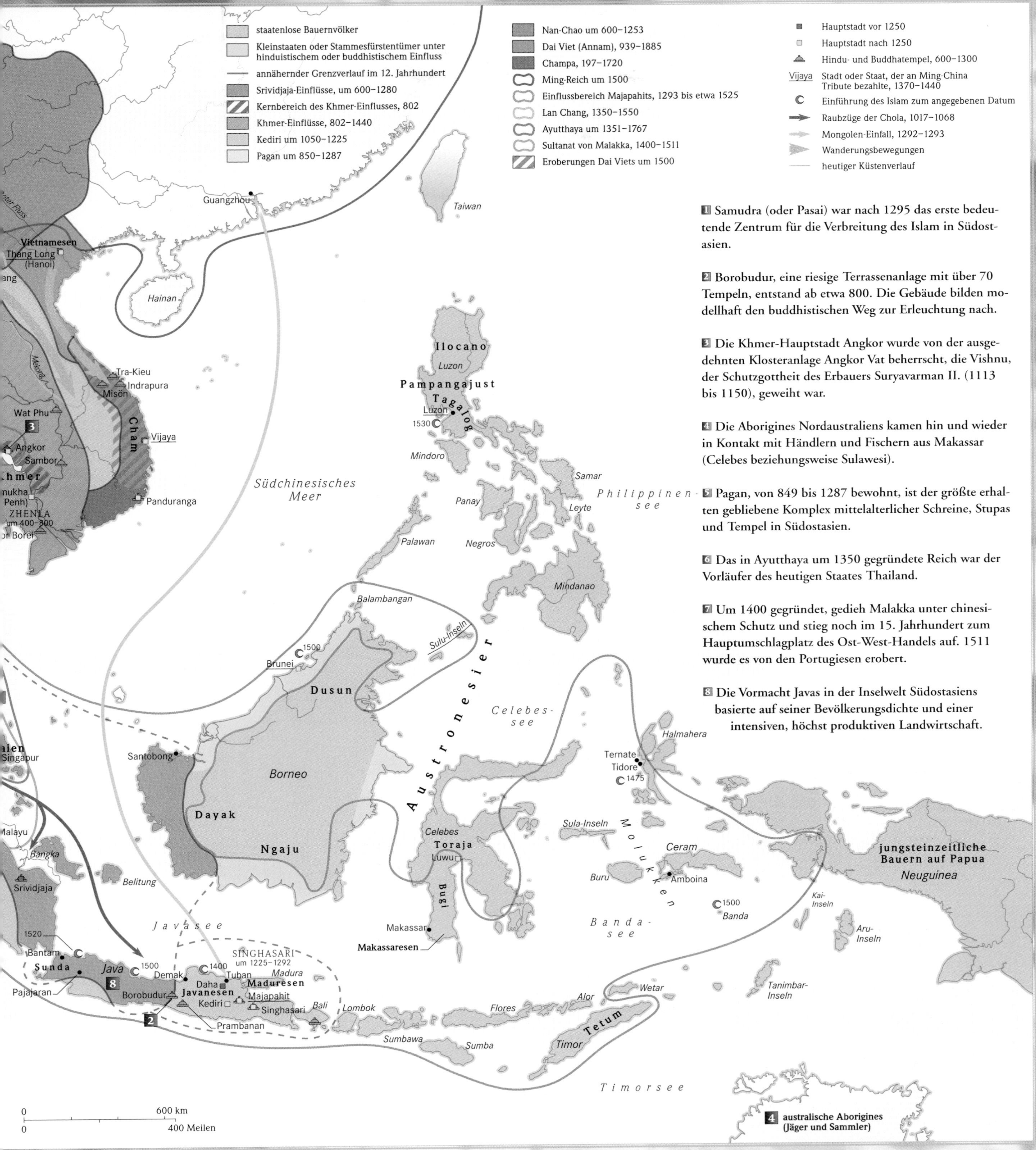

- staatenlose Bauernvölker
- Kleinstaaten oder Stammesfürstentümer unter hinduistischem oder buddhistischem Einfluss
- annähernder Grenzverlauf im 12. Jahrhundert
- Srividjaja-Einflüsse, um 600–1280
- Kernbereich des Khmer-Einflusses, 802
- Khmer-Einflüsse, 802–1440
- Kediri um 1050–1225
- Pagan um 850–1287
- Nan-Chao um 600–1253
- Dai Viet (Annam), 939–1885
- Champa, 197–1720
- Ming-Reich um 1500
- Einflussbereich Majapahits, 1293 bis etwa 1525
- Lan Chang, 1350–1550
- Ayutthaya um 1351–1767
- Sultanat von Malakka, 1400–1511
- Eroberungen Dai Viets um 1500
- Hauptstadt vor 1250
- Hauptstadt nach 1250
- Hindu- und Buddhatempel, 600–1300
- Vijaya — Stadt oder Staat, der an Ming-China Tribute bezahlte, 1370–1440
- Einführung des Islam zum angegebenen Datum
- Raubzüge der Chola, 1017–1068
- Mongolen-Einfall, 1292–1293
- Wanderungsbewegungen
- heutiger Küstenverlauf

1 Samudra (oder Pasai) war nach 1295 das erste bedeutende Zentrum für die Verbreitung des Islam in Südostasien.

2 Borobudur, eine riesige Terrassenanlage mit über 70 Tempeln, entstand ab etwa 800. Die Gebäude bilden modellhaft den buddhistischen Weg zur Erleuchtung nach.

3 Die Khmer-Hauptstadt Angkor wurde von der ausgedehnten Klosteranlage Angkor Vat beherrscht, die Vishnu, der Schutzgottheit des Erbauers Suryavarman II. (1113 bis 1150), geweiht war.

4 Die Aborigines Nordaustraliens kamen hin und wieder in Kontakt mit Händlern und Fischern aus Makassar (Celebes beziehungsweise Sulawesi).

5 Pagan, von 849 bis 1287 bewohnt, ist der größte erhaltene gebliebene Komplex mittelalterlicher Schreine, Stupas und Tempel in Südostasien.

6 Das in Ayutthaya um 1350 gegründete Reich war der Vorläufer des heutigen Staates Thailand.

7 Um 1400 gegründet, gedieh Malakka unter chinesischem Schutz und stieg noch im 15. Jahrhundert zum Hauptumschlagplatz des Ost-West-Handels auf. 1511 wurde es von den Portugiesen erobert.

8 Die Vormacht Javas in der Inselwelt Südostasiens basierte auf seiner Bevölkerungsdichte und einer intensiven, höchst produktiven Landwirtschaft.

4 australische Aborigines (Jäger und Sammler)

0 600 km
0 400 Meilen

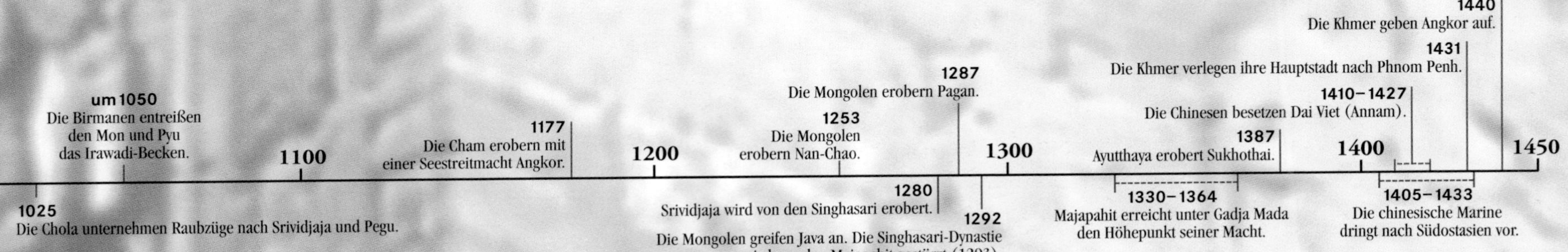
um 1050
Die Birmanen entreißen den Mon und Pyu das Irawadi-Becken.
1025
Die Chola unternehmen Raubzüge nach Srividjaja und Pegu.
1100
1177
Die Cham erobern mit einer Seestreitmacht Angkor.
1200
1253
Die Mongolen erobern Nan-Chao.
1287
Die Mongolen erobern Pagan.
1280
Srividjaja wird von den Singhasari erobert.
1292
Die Mongolen greifen Java an. Die Singhasari-Dynastie wird von den Majapahit gestürzt (1293).
1300
1330–1364
Majapahit erreicht unter Gadja Mada den Höhepunkt seiner Macht.
1387
Ayutthaya erobert Sukhothai.
1400
1410–1427
Die Chinesen besetzen Dai Viet (Annam).
1405–1433
Die chinesische Marine dringt nach Südostasien vor.
1431
Die Khmer verlegen ihre Hauptstadt nach Phnom Penh.
1440
Die Khmer geben Angkor auf.
1450

Die Welt des Mittelalters (600 bis 1492 n. Chr.)

Frühe Indianerkulturen in Nordamerika • 600 bis 1500

Die Besiedlung Nordamerikas begann vor etwa 12 000 Jahren, als Paläoindianer von Alaska nach Süden zogen. Am Anfang war die altindianische Kultur relativ homogen, aber die Anpassung an unterschiedliche Umweltbedingungen ließ gegen Ende des 1. Jahrtausends v. Chr. eigenständige Regionalkulturen entstehen.

Jäger und Sammler in vielen Gebieten Nordamerikas kultivierten schon bis Ende des 1. Jahrtausends v. Chr. einige einheimische Pflanzenarten wie die Sonnenblume, während Mais und Bohnen aus Mesoamerika zu ihnen gelangten. Da es für die Ernährung jedoch ausreichend wild wachsende Nutzpflanzen gab, entwickelten sich bäuerliche Gemeinschaften, die allein von der Landwirtschaft lebten, nur sehr langsam.

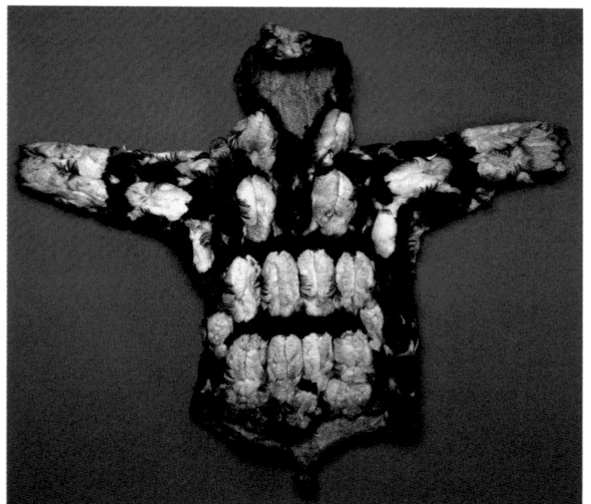

Dieser Parka wurde nach uralter Tradition der Inuit aus der Haut von Riesenalks, regenpfeiferartigen Schwimmvögeln der Nordozeane, hergestellt.

Die ersten dieser Gesellschaften ...

... entstanden um 300 n. Chr. in den südwestlichen Wüstengebieten. In der Nähe von Quellen wurden dort zunächst Mais, Bohnen, Kürbisse und Baumwolle angebaut, aber schon um 900 bestanden ausgeklügelte Bewässerungssysteme. Im 9. Jahrhundert bildeten sich mit der Hohokam-, der Mogollon- und der Anasazi-Tradition drei große Kulturen heraus; hinzu traten noch zwei Nebenkulturen, die Patayan- und die Fremont-Tradition. Im Chaco Canyon entwickelten diese Kulturen eine beachtliche Vielfalt; die herausragendsten Zeugnisse sind ihre Pueblos (mehrgeschossige Behausungen) und ihre schön gearbeitete Keramik.

In den östlichen Waldländern entstand echte Landwirtschaft erst mit dem Aufkommen widerstandsfähigerer Mais- und Bohnensorten um 700. Wegen der daraus folgenden Steigerung der Nahrungsmittelproduktion entstanden während des 12. Jahrhunderts im Mississippi-Becken die ersten Städte – gruppiert um 30 Meter hohe, künstliche Tempelhügel. Diese »Mound-Builder«-Kulturen hingen einer gemeinsamen Religion an (»Südlicher Kult«) und ihre Gesellschaft war hierarchisch gegliedert. Die Herrscher bestattete man in Hügelgräbern und versah sie mit reichen Grabbeigaben – Menschenopfer eingeschlossen. Städte wie Cahokia bildeten die Zentren mächtiger Stammesfürstentümer. Im 15. Jahrhundert ging die Mississippi-Kultur nieder und ihr Hauptgebiet entvölkerte sich (es entstanden so genannte »leere Gegenden«). Bis zum Jahr 1000 existierten in den östlichen Waldländern überall bäuerliche Dauersiedlungen. Die kriegerischen Auseinandersetzungen häuften sich, aber als die Europäer nach Nordamerika kamen, schlossen sich wie im Irokesenbund viele Stämme zu Verteidigungsbündnissen zusammen.

Weiterhin Jäger und Sammler

In anderen Regionen Nordamerikas herrschte die Lebensweise der Jäger und Sammler weiter vor. Die Pazifikküste bot genug Nahrung, dass dort relativ viele Menschen leben und dörfliche Dauersiedlungen mit einer Gesellschaft entstehen konnten, deren soziale und kulturelle Abstufung weit über die bei Jägern und Sammlern sonst übliche Form hinausreichte. Die Great Plains und die subarktischen Wälder waren nur dünn besiedelt. Zur Zeit des ersten Kontakts mit den Europäern wich die Büffeljagd der Agrarwirtschaft, aber nach der Einführung von Pferden gaben viele Bewohner der Ebenen die Landwirtschaft wieder zugunsten einer nomadisierenden Lebensweise auf.

Die Paläoindianer durchzogen das arktische Nordamerika nur; es blieb unbewohnt, bis vor etwa 4500 bis 3900 Jahren die Vorfahren der Inuit aus Sibirien in Alaska eintrafen. Die frühen Inuit-Kulturen passten sich der arktischen Umwelt an und ihre Thule-Tradition lebt bis heute. Sie entwickelte sich während der Old-Bering-Sea-Zeit (200 v. Chr. bis 800 n. Chr.) bei den Jägern auf der St.-Lawrence-Insel und anderen Inseln im Beringmeer und breitete sich an der Westküste Alaskas und im Norden bis Point Barrow aus. Von dort wanderten die Thule-Inuit nach Osten, verdrängten oder assimilierten die früher dort lebenden Dorset-Inuit und erreichten im 13. Jahrhundert Grönland. Hier traten sie in Kontakt mit dort ansässigen Wikingern, mit denen sie Handel trieben, die sie aber auch bekriegten. Die »Nordmänner« eigneten sich für das Leben in der Arktis nicht und verließen deshalb um 1500 ihre Siedlungen wieder, die daraufhin die Thule-Inuit bezogen.

sibirische Jäger und Sammler

St.-Lawrence-Insel

Bering-meer

Nunivak-Insel

Aleuten

Chaluka

Unterschiedliche Kulturräume
- Jäger arktischer Meeressäuger
- subarktische Wildbeuter und Sammler
- Lachsfischer, Jäger und Wildbeuter an der Nordwestküste
- Gebirgslandfischer, Jäger und Sammler
- Jäger und Sammler im Great Basin
- Bauern in den südwestlichen Dürregebieten
- Sammler, Jäger und Fischer in Kalifornien
- Büffeljäger in den Great Plains
- Bauern neben Jägern und Sammlern im östlichen Waldland
- Bauern in der Karibik
- mesoamerikanische Bauernkulturen
- unbewohnt
- Wüste
- Ursprungsgebiet der Thule-Inuit-Tradition, 200 v. Chr.–800 n. Chr.
- Aléuten-Siedlung, 600–1500
- Inuit-Siedlung, 600–1800
- Wikinger-Siedlung, um 1000
- Verbreitung der Thule-Inuit-Tradition, 1000–1500
- Mississippi-Kulturen (Mound-Builders), 800–1500
- Tempel auf einem Erdhügel
- »leere Gegenden« um 1450
- Gebiet der Irokesen-Liga um 1000
- Hetzplatz für die Büffeljagd
- Bauerndorf in den Great Plains, 900–1800
- Verbreitung des Bodenanbaus

Bauernkulturen im südwestlichen Nordamerika
- Anasazi-Tradition, 700–1500
- Fremont-Tradition, 400–1300
- Hohokam-Tradition, 400–1450
- Mogollon-Tradition, 300–1450
- Patayan-Tradition, 875–1450
- Pueblo
- Platz für rituelle Ballspiele
- aus anderen Gründen wichtige Gebiete, 600–1500

1 Hier wurde von 5400 v. Chr. bis zur Ankunft der Europäer ein Steilhang für die Büffeljagd genutzt: Die Jäger hetzten die Tiere dorthin und ließen sie sich zu Tode stürzen.

2 Eine kleine, um das Jahr 1000 n. Chr. etwa 20 Jahre lang bewohnte Wikingersiedlung ist der einzige sichere Beweis, dass schon vor Kolumbus Europäer nach Nordamerika gelangt waren.

3 Plätze für rituelle Ballspiele in Snaketown und Casa Grande zeigen, dass die Hohokam-Tradition von mittelamerikanischen Kulturen beeinflusst wurde.

4 Von 900 bis 1300 bildete der Chaco Canyon das Zentrum eines Netzes von 125 geplant gebauten Dörfern, die durch ein 400 Kilometer langes Straßennetz miteinander verbunden waren.

5 Eiserne Schiffsnieten, Stoffe und Kettenpanzer, die man bei Flagler Bay gefunden hat, beweisen die Kontakte zwischen den Thule-Inuit und den Wikingern auf Grönland.

6 Die Jäger in der subarktischen Zone schlugen ihre Lager an solchen Furten auf, durch die auch Karibu-Herden wechselten.

ZEITLEISTE

ÖSTLICHE WALDLÄNDER

WÜSTEN IM SÜDWESTEN

ANDERE GEBIETE

500 – 700 – 900

um 900 Die Bauern der Hohokam-Tradition beginnen mit der künstlichen Bewässerung ihrer Äcker.

um 800–900 Der Anbau von Mais wird für die Ernährung wichtig.

um 550–600 Die Jäger der Great Plains verwenden Pfeil und Bogen.

um 900 In den Great Plains entstehen immer mehr Bauerndörfer.

Grönland
Ellesmere-Insel
1200–1500 n. Chr.
Flagler Bay
Inuarfissuaq
Thule
Illummersuit
Inussuk
Sermermiut
Westliche Siedlung
Illutalik
Kangeq
Mittlere Siedlung
Östliche Siedlung
Utqiagvik
Birnick
Point Barrow
Kap Krusenstern
Kavik
Ahteut
Denbigh
Beaufortsee
1000–1200 n. Chr.
Bathurst-Insel
Melville-Insel
de Blicquy
Resolute
Devon-Insel
Craig Harbour
Maxwell Bay
Nunguvik
Mittimatalik
Strathcona Sound
Baffininsel
Banks-Insel
Prince-of-Wales-Insel
Victoria-Insel
Kuujja
Memorana
Jackson
Yukon
Klo-kut
Bell
Pembroke
Clark
Maleruakik
Pingitkalik
Crystal II
Labradorsee
Lady Franklin Point
Naujan
Southampton-Insel
Beluga Point
Chimi
Großer Bärensee
Mackenzie
Silumiut
Igluligardjuk
L'Anse aux Meadows
Frank Channel
Großer Sklavensee
Hudsonbai
Neufundland
Indian Point
Glacier Bay
Golf von Alaska
KÜSTENGEBIRGE
Charlot River
Athabascasee
Rentiersee
Mingan
Peace
Athabasca
Dodge-Insel
ROCKY MOUNTAINS
Metabetchouan
Tailrace Bay
Winnipegsee
Saskatchewan
Königin-Charlotte-Inseln
Fraser
Nesikep
Old Women's Buffalo Jump
Godard Point
Avonlea
Vancouver-Insel
Head-Smashed-In
Oberer See
Ozette
Hoko River
Columbia
Missouri
Big Hidatsa
Ontariosee
Huronsee
Maxon-Derby
Nodwell
Sackett
Molander
Netarts Sand Spit
Vore
Great Plains
Michigansee
Mississippi
Eriesee
Wakemap Mound
Arzberger
ATLANTISCHER OZEAN
Big Goose Creek
Oneota
APPALACHEN
Glenrock
Snake
Platte
Proctorville
Fort Ancient
Gunther-Insel
Hogup Cave
Wardell
Old Fort
Clay Mound
SIERRA NEVADA
Medicine Creek
Cahokia
Angel
Town Creek
Ohio
San Francisco Bay
Arkansas
Mittlere Mississippi-Kultur
Kings Mound
Hiwassee Island
Alkali Ridge
Colorado
Mesa Verde
Shiloh
Etowah
Salmon Ruin
Pueblo Bonito
Pecos Pueblo
Knapp Mounds
Lamar
Canyon de Chelly
Chaco Canyon
Caddo
Moundville
Mississippi-Kultur der südlichen Appalachen
Santa Barbara
Topoc Maze
Montezuma Castle
Winterville
Lake Jackson
Mogollon
Plaquemine-Mississippi-Kultur
Pueblo Grande
Snaketown
Emerald Mound
Casa Grande
Garnsey
Coles Creek
Safety Harbour
Mimbres Valley
Casas Grandes
PAZIFISCHER OZEAN
Rio Grande
Golf von Mexiko
Kuba
La Candelaria
0 1200 km
0 800 Meilen

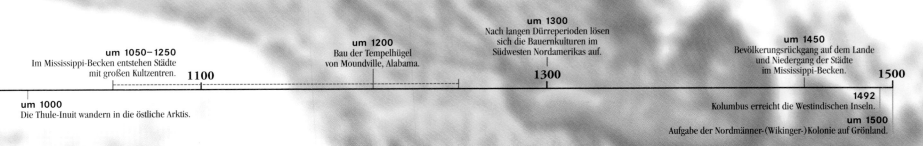

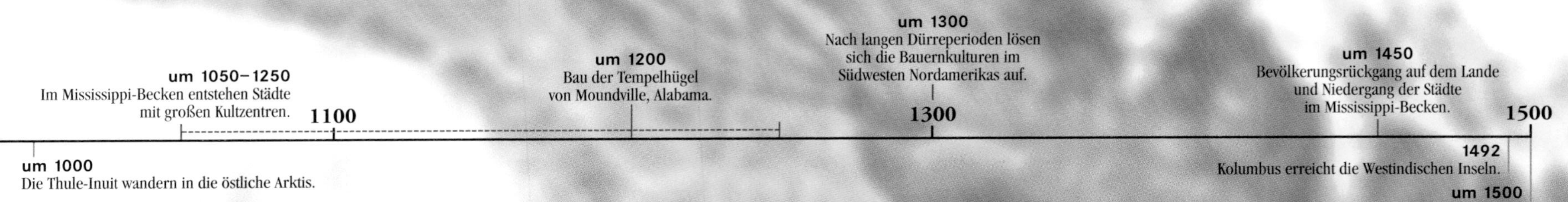
um 1050–1250
Im Mississippi-Becken entstehen Städte mit großen Kultzentren.
um 1200
Bau der Tempelhügel von Moundville, Alabama.
um 1300
Nach langen Dürreperioden lösen sich die Bauernkulturen im Südwesten Nordamerikas auf.
um 1450
Bevölkerungsrückgang auf dem Lande und Niedergang der Städte im Mississippi-Becken.
1100
1300
1500
um 1000
Die Thule-Inuit wandern in die östliche Arktis.
1492
Kolumbus erreicht die Westindischen Inseln.
um 1500
Aufgabe der Nordmänner-(Wikinger-)Kolonie auf Grönland.

Die Welt des Mittelalters (600 bis 1492 n. Chr.)

Tolteken und Azteken • 800 bis 1520

Die Zerstörung Teotihuacáns im 8. Jahrhundert hinterließ in Zentralmexiko ein Vakuum, das neue Völker anzog. So siedelten sich die Chichimeken und die Nonoalken nördlich des Hochtals von Mexiko an und verbanden sich zum Volk der Tolteken. Über deren Geschichte ist wenig bekannt, aber ihre Legenden spielen in der späteren Aztekentradition eine große Rolle.

Die wichtigste Legende handelt von dem toltekischen Herrscher Topiltzin-Quetzalcóatl, der, 935 oder 947 geboren, schon bald mit dem Gott Quetzalcóatl (»Gefiederte Schlange«) identifiziert wurde. Seine Ablehnung von Menschenopfern beleidigte den Gott Tezcatlipoca, der ihn stürzte – Topiltzin-Quetzalcóatl entfloh nach Osten über das Meer und schwor, er werde wiederkehren und sein Reich zurückfordern. Aus Berichten der Maya geht hervor, dass 987 ein Mann namens Kukulcán (in der Sprache der Maya

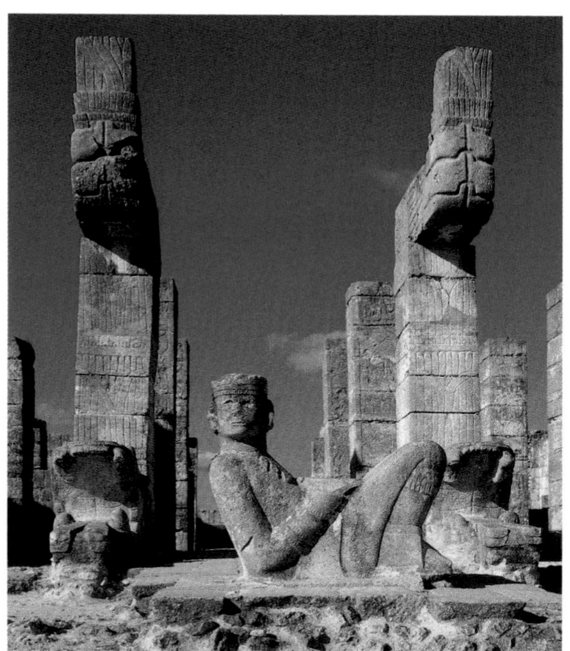

Ein Chac Mool, ein toltekischer Opferstein in Form einer halb liegenden Figur, begrüßt die Besucher, wenn sie die steile Treppe des »Tempels der Krieger« in Chichén Itzá hinaufsteigen.

»Gefiederte Schlange«) Yucatán erobert habe. Ob es sich um Quetzalcóatl handelte oder nicht – archäologische Funde beweisen jedenfalls, dass die Tolteken die große Maya-Stadt Chichén Itzá im Norden Yucatáns um das Jahr 1000 besetzt hatten.

Die Macht der Legende

Nach der Eroberung seiner Hauptstadt Tula im Jahr 1168 zerfiel das Tolteken-Reich in Zentralmexiko in viele rivalisierende Stadtstaaten. Um 1200 zogen die Azteken aus dem Westen in das Hochtal von Mexiko und gründeten hier 1325 ihre spätere Hauptstadt Tenochtitlán. Zunächst dienten sie Tezozomoc, dem Herrscher von Azcapotzalco, als Söldner, verbündeten sich dann aber mit Texcoco, um nach Tezozomocs Tod 1426 Azcapotzalco zu zerstören. Zwei Jahre später begründete Itzcoatl eine starke aztekische Monarchie. 1434 schlossen sich Tenochtitlán, Texcoco und Tlacopán zu einem Dreistädtebund zusammen. Itzcoatls Nachfolger setzten seine Politik fort und um 1500 beherrschte der Dreistädtebund etwa zehn Millionen Menschen. Das Reich erreichte unter Montezuma II. (1502–1520) den Höhepunkt seiner Macht, aber die Invasion der Spanier unter Hernándo Cortés (1519 bis 1521) führte trotz zahlenmäßiger Überlegenheit zu seinem raschen Ende, hauptsächlich weil Montezuma in Cortés den wiederkehrenden Quetzalcóatl sah, der der Überlieferung nach hellhäutig und bärtig sein sollte. Zudem fand Cortés in den Bewohnern von Tlaxcallan, wo sich die Azteken die meisten ihrer Menschenopfer geholt hatten, willige Verbündete. Nicht zuletzt wurden die Azteken auch durch Krankheiten wie Pocken und Masern dezimiert, die die Spanier eingeschleppt hatten.

La Quemada
Las Flo
El Teul
Juchipila
Tamuin
Oxitipan
Panuco
Tolteken-Chichimeken
METZTITLÁN
Moctezuma
Tziccoac
Itztepetl
Zimapan
Xilotepec
Tiayo
Tochpan
El Tajín
Lerma
Atlan
Axocopan
Lago de Chapala
Lago de Cuitzeo
Tula
Tlatlauhq
7
Atlacomulco
Atotonilco
Tollantzinco
Lago de Pátzcuaro
Tzintzuntzan
Otumba 1520
Xocotla
TARASKISCHES KÖNIGREICH VON MICHOACAN
Tulucan
Calixtlahuaca
TLAXCALLAN
2
Tlaxcala
Ixhua
Ochilan
Cholula
Malinalco
Tepozitlan
Tepeacac
Cua
Xochicalco
Balsas
Tepeacac
Ori
Tlachco
Huaxtepec
Sierra Madre del Sur
Teloloapan
TEOT
Zacatollan
Zacatula
Tepecuacuilco
Quiauhteopan
Yoaltepec
Teoti
Tetela
Cihuatlan
Tetzmoliuhuacan
Nochcoc
YOPITZINCO
Coixtlah
Tlapan
Acapulco
Ayutla
Quetzaltepec
Ixtayutlán
MIXTEKEN-KÖNIGREICH
Tututep

»Klassenbewusstsein«

Die aztekische Gesellschaft war zur Zeit der spanischen Eroberung eine hierarchische Klassengesellschaft. Die Verwandten des Königs bildeten die Aristokratie, der die größte, aus 20 Klans bestehende Klasse der Nichtadligen nachgeordnet war. Jeder dieser Klans bewohnte ein eigenes Stadtviertel mit Schule, Tempeln und gemeinsam bewirtschafteten Feldern. Die niedrigste Klasse bildeten die unterworfenen Völker; sie dienten der Aristokratie als Bauern und Arbeiter. Daneben gab es noch Sklaven und die Klasse der Kaufleute, die »pochteca«.

Die Herrscher von Yucatán

Nach der Aufgabe ihrer Städte im Tiefland von Petén um 800 siedelte das Volk der Maya hauptsächlich im Norden Yucatáns. Von etwa 850 bis 900 ließen sich die Putún- oder Itzá-Maya in Chichén Itzá nieder, das bald ihr neues Machtzentrum wurde. Um das Jahr 1000 eroberten die Tolteken Yucatán und hielten es bis 1221, als Hunac Ceel, der Herrscher von Mayapán, Chichén Itzá besetzte. Seine Cocom-Dynastie herrschte 200 Jahre lang über Yucatán. Als die Spanier 1517 auf der Halbinsel landeten, hatten sich die Maya in 16 rivalisierende Staaten gespalten. Da ein gemeinsames Zentrum fehlte, konnten

Der »Komplex der Tausend Säulen« umgibt den »Tempel der Krieger«, eines der bemerkenswertesten Bauwerke von Chichén Itzá.

die Eindringlinge sie an keiner Stelle entscheidend treffen und bei weitem nicht so leicht unterwerfen wie die Azteken. So fiel Tayasal, der letzte unabhängige Maya-Staat, erst 1697.

ZEITLEISTE

TOLTEKEN/AZTEKEN

- **um 800** Die Tolteken wandern ins Hochtal von Mexiko ein.
- **um 900** Die Tolteken gründen ein Reich, dessen Hauptstadt Tula wird.
- **um 940** Die Mixteken plündern Monte Albán, die Hauptstadt der Zapoteken.
- **um 1168** Tula wird zerstört und das Tolteken-Reich in Zentralmexiko geht unter.

800 — 900 — 1000 — 1100

MAYA

- **um 850** Gründung von Chichén Itzá im Norden Yucatáns.
- **um 900** Die Methode der »verlorenen Form« beim Goldguss gelangt von Südamerika nach Mesoamerika.
- **um 987** Kukulcán erobert Chichén Itzá.

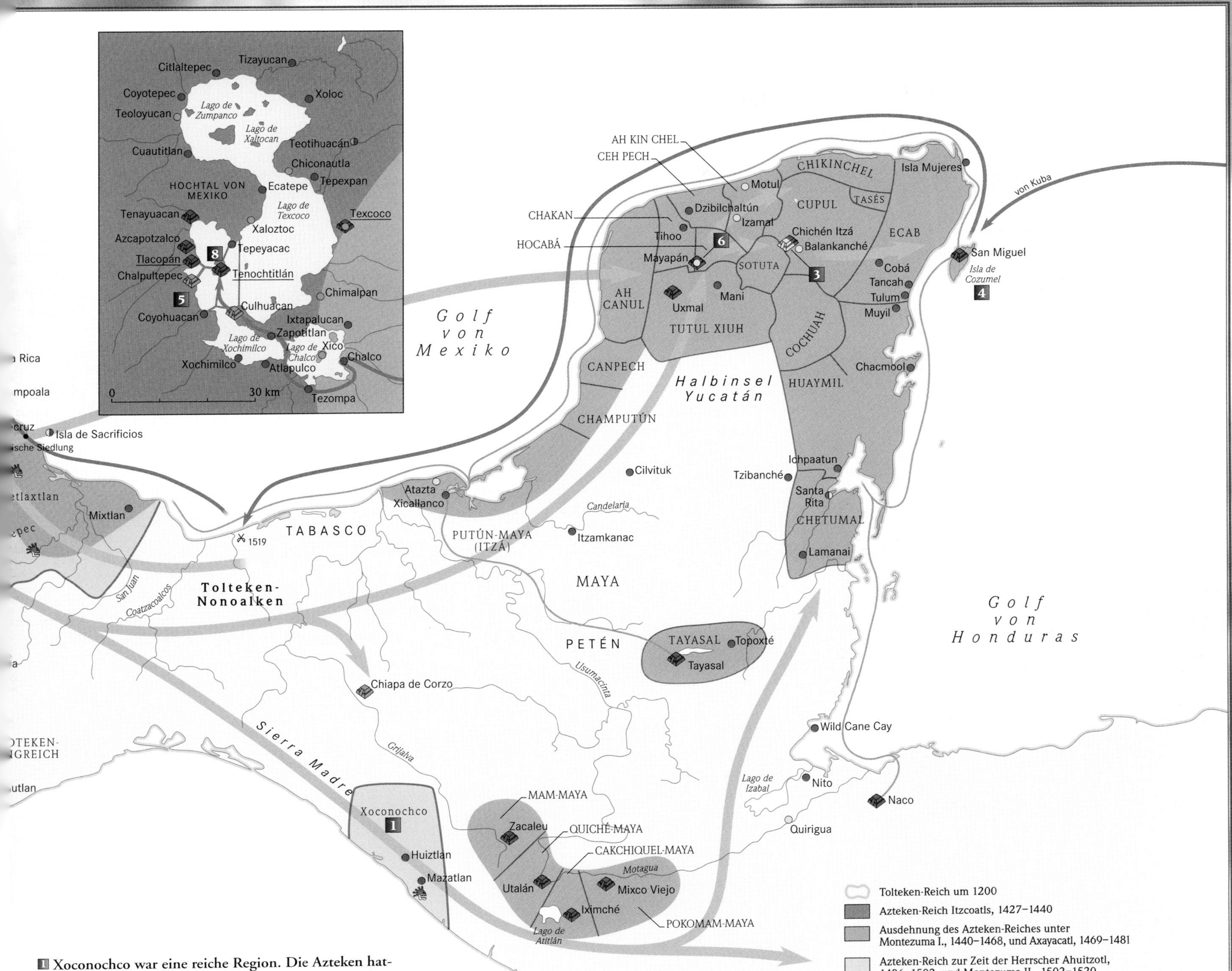

1 Xoconochco war eine reiche Region. Die Azteken hatten sie wegen der dort wachsenden Kakaostauden erobert und zur Provinz ihres Reiches gemacht.

2 Die Azteken ließen Tlaxcallan die Unabhängigkeit, doch überfielen sie es gelegentlich, um Gefangene für ihre rituellen Menschenopfer zu machen.

3 Chichén Itzá, um 850 von den Putún-Maya gegründet, war von etwa 987 bis 1221 die toltekische Metropole von Yucatán. Viele Gebäude wurden nach Vorbildern in der ehemaligen Hauptstadt Tula errichtet.

4 Die Isla de Cozumel wurde von den Putún-Maya besiedelt, die auf der Insel Waren für ihren Küstenhandel lagerten.

5 Der Schlüssel zur Macht der Azteken war die intensive landwirtschaftliche Nutzung trockengelegter Sumpfgebiete (»Chinampas«) an den südlichen Ufern des Texcoco-Sees.

6 Die von Hunac Ceel begründete Maya-Dynastie der Cocom beherrschte von 1283 bis zum Ende ihres Reiches (1441) von Mayapán aus die Halbinsel Yucatán.

7 Das Reich der Tolteken, um 900 in Tula gegründet, wurde das Vorbild für spätere mittelamerikanische Reiche wie die der Azteken und der nördlichen Maya.

8 Mit bis zu 500 000 Einwohnern war Tenochtitlán (»Ort des Hohen Priesters Tenoch«) zur Zeit der spanischen Eroberung größer als die meisten europäischen Städte dieser Zeit. Heute liegt der Ort unter Mexikos Hauptstadt begraben.

Tolteken-Reich um 1200
Azteken-Reich Itzcoatls, 1427–1440
Ausdehnung des Azteken-Reiches unter Montezuma I., 1440–1468, und Axayacatl, 1469–1481
Azteken-Reich zur Zeit der Herrscher Ahuitzotl, 1486–1502, und Montezuma II., 1502–1520
späte nachklassische Maya-Staaten
Grenzen um 1520
wichtiger Maya-Tempel der nachklassischen Zeit
anderer nachklassischer Ort der Maya
größere Tolteken-Stätte
anderer Ort der Tolteken
bedeutender Azteken-Tempel
anderer Ort der Azteken
anderer großer Tempel der nachklassischen Zeit
andere Stätte
Azteken-Garnison
Tlacopán Mitglied des Dreistädtebundes
Handelsroute der Maya im Petén
Wanderungen um 900
Wanderungen der Tolteken um 980–1200
Cortés' Route von April bis November 1519

0 300 km
0 200 Meilen

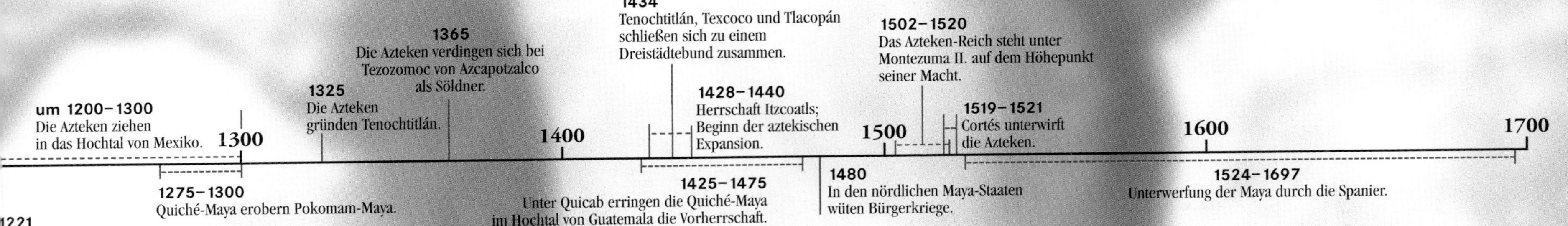

um 1200–1300
Die Azteken ziehen in das Hochtal von Mexiko.
1300
1275–1300
Quiché-Maya erobern Pokomam-Maya.
1221
Hunac Ceel von Mayapán, der Begründer der Cocom-Dynastie, erobert Chichén Itzá.
1325
Die Azteken gründen Tenochtitlán.
1365
Die Azteken verdingen sich bei Tezozomoc von Azcapotzalco als Söldner.
1400
1425–1475
Unter Quicab erringen die Quiché-Maya im Hochtal von Guatemala die Vorherrschaft.
1434
Tenochtitlán, Texcoco und Tlacopán schließen sich zu einem Dreistädtebund zusammen.
1428–1440
Herrschaft Itzcoatls; Beginn der aztekischen Expansion.
1480
In den nördlichen Maya-Staaten wüten Bürgerkriege.
1500
1502–1520
Das Azteken-Reich steht unter Montezuma II. auf dem Höhepunkt seiner Macht.
1519–1521
Cortés unterwirft die Azteken.
1600
1524–1697
Unterwerfung der Maya durch die Spanier.
1700

Die Welt des Mittelalters (600 bis 1492 n. Chr.)

Anden-Hochkulturen bis zum Ende des Inka-Reiches • 700 bis 1533

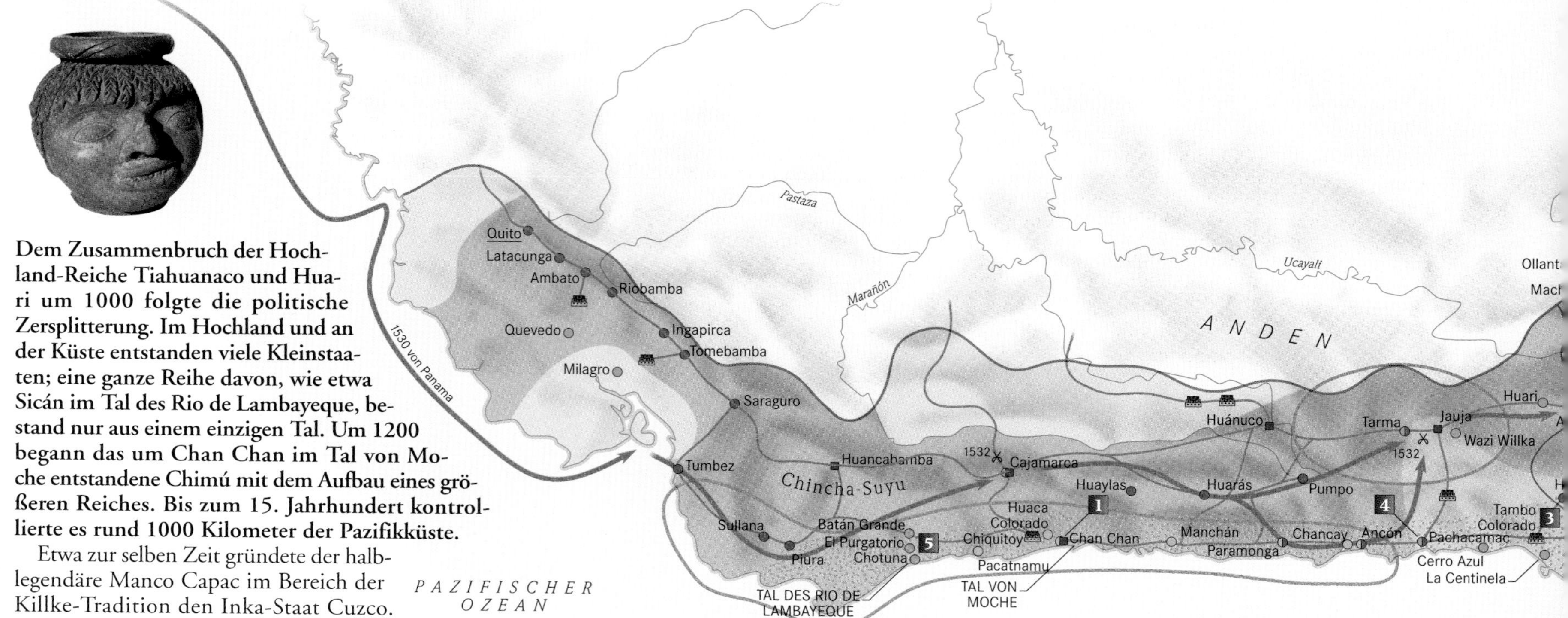

Quito
Latacunga
Ambato
Riobamba
Quevedo
Ingapirca
Tomebamba
Milagro
Saraguro
Pastaza
Marañón
Ucayali
A N D E N
1530 von Panama
Tumbez
Huancabamba
Chincha-Suyu
1532
Cajamarca
Huánuco
Tarma
Jauja
1532
Wazi Willka
Huari
Huaylas
Huarás
Pumpo
Sullana
Batán Grande
El Purgatorio
Piura
Chotuna
Huaca Colorado
Chiquitoy
Chan Chan
Pacatnamu
Manchán
Paramonga
Chancay
Ancón
Pachacamac
Tambo Colorado
Cerro Azul
La Centinela
TAL DES RIO DE LAMBAYEQUE
TAL VON MOCHE
P A Z I F I S C H E R
O Z E A N

Dem Zusammenbruch der Hochland-Reiche Tiahuanaco und Huari um 1000 folgte die politische Zersplitterung. Im Hochland und an der Küste entstanden viele Kleinstaaten; eine ganze Reihe davon, wie etwa Sicán im Tal des Rio de Lambayeque, bestand nur aus einem einzigen Tal. Um 1200 begann das um Chan Chan im Tal von Moche entstandene Chimú mit dem Aufbau eines größeren Reiches. Bis zum 15. Jahrhundert kontrollierte es rund 1000 Kilometer der Pazifikküste.

Etwa zur selben Zeit gründete der halblegendäre Manco Capac im Bereich der Killke-Tradition den Inka-Staat Cuzco. Wenn dieser auch zumeist aus nicht viel mehr bestand als der Stadt und dem Tal von Cuzco, entwickelte er sich im 15. Jahrhundert für kurze Zeit doch zum größten präkolumbischen Reich ganz Nord- und Südamerikas.

Objekt der Begierde: Diese Goldkrone aus der Zeit der Inka wurde in Tomebamba gefunden.

Blütezeit

In seiner Blütezeit um 1500 umfasste das Inka-Reich den größten Teil der heutigen Staaten Peru und Bolivien sowie weite Teile Chiles, Argentiniens und Ecuadors. Diese Ausweitung des Machtbereichs vollzog sich ausschließlich während der Herrschaft Pachacutecs (1438–1471) und seines ebenso fähigen Sohnes Tupac Yupanqui (1471–1493). Unter ihrer Führung unterwarfen die Inka Chimú, den einzigen Rivalen im Streit um die Vormacht, indem sie 1470 seine Hauptstadt Chan Chan besetzten. Zu Ende der Regierung Tupacs hatte das Inka-Reich die Grenzen seiner territorialen Ausdehnung erreicht. Die Regenwälder des Amazonasgebiets im Osten und der südliche Teil der Anden waren nur dünn und von einer kaum sesshaften Bevölkerung besiedelt, die man nur schwer hätte unterwerfen können. Außerdem war das Land für eine intensive Dauerbewirtschaftung nicht geeignet.

Bruderkrieg

Zwar sicherte Huayna Capac (1493–1525) dem Reich noch einige Landstriche im Norden, doch nach seinem Tod stritten seine Söhne Atahualpa und Huáscar um die Nachfolge und schwächten den Inka-Staat. Atahualpa siegte 1532, fand aber keine Gelegenheit mehr, das Reich wieder aufzurichten, denn im selben Jahr drang der spanische Eroberer Francisco Pizarro dort ein und nahm ihn nach einem kühnen Angriff auf Cajamarca gefangen. 1533 richteten die Spanier Atahualpa hin und setzten in Cuzco einen Marionettenherrscher ein. Als der jedoch 1536 rebellierte, übernahmen sie selbst die Herrschaft. Die Inka leisteten von ihren Bergfestungen aus noch jahrelang erbitterten Widerstand, der erst 1572 endgültig gebrochen werden konnte.

Hintergründe

Es gibt viele Gründe für den spektakulären Aufstieg der Inka. So hatten sie das Glück, dass ihre Herrscher auch fähige Heerführer waren. Der Inka-Adel beherrschte die Kriegskunst und das stehende Heer erlaubte dem Reich, auf Bedrohungen rasch zu reagieren. Als einmalig ist zudem das unter strategischen Gesichtspunkten angelegte Straßennetz zu betrachten, das etwa über 20 000 Kilometer lang und damit – nach dem der Römer – das zweitlängste der vorindustriellen Zeit war. Eroberungen wurden gesichert, indem man die renitenten Besiegten in die Reichsmitte deportierte, wo man sie sehr viel leichter überwachen konnte, und ihr Land an eigene, verlässliche Leute gab.

Wahrscheinlich entscheidend für den Erfolg der Inka war aber ihr hoch entwickeltes Verwaltungssystem. Es erlaubte ihnen, die menschlichen Ressourcen des Reiches wirkungsvoll einzusetzen – und dies sogar ohne ein Schriftsystem (zur Berichterstattung verwendeten sie ein System geknoteter Seile). Der Inka-Staat war in höchstem Maße zentralisiert, die Gesellschaft streng hierarchisch gegliedert. An der Spitze stand ein Gottkönig, dem die »Vizekönige« der vier Reichsteile unterstanden. Die nächsten Ränge nahmen Bezirksbeamte, örtliche Häuptlinge und auf unterster Ebene Aufseher ein, die die Verantwortung für jeweils zehn Familien trugen. Das Ackerland war dreigeteilt: Man baute jeweils für die Götter, den Staat und den Eigenbedarf an. Männer wie Frauen zahlten Steuern in Form ihrer Arbeit auf den für die Götter und den Staat bestimmten Feldern. Die Männer wurden zudem zu mehrmonatigen Arbeitseinsätzen herangezogen, die vom Militärdienst bis zur Mitarbeit an größeren Bauprojekten wie Straßen, Festungen oder Verbesserungen im Bereich der

ZEITLEISTE
ANDERE ANDENSTAATEN
INKA-REICH
um 600
Blützeit der Reiche Tiahuanaco und Huari.
600
um 850
Gründung Chan Chans, der Hauptstadt des Chimú-Reiches.
850
um 900
Naimlap gründet Sicán.
900
um 1000
Tiahuanaco und Huari werden aufgegeben.
1000

MITTLERER HORIZONT

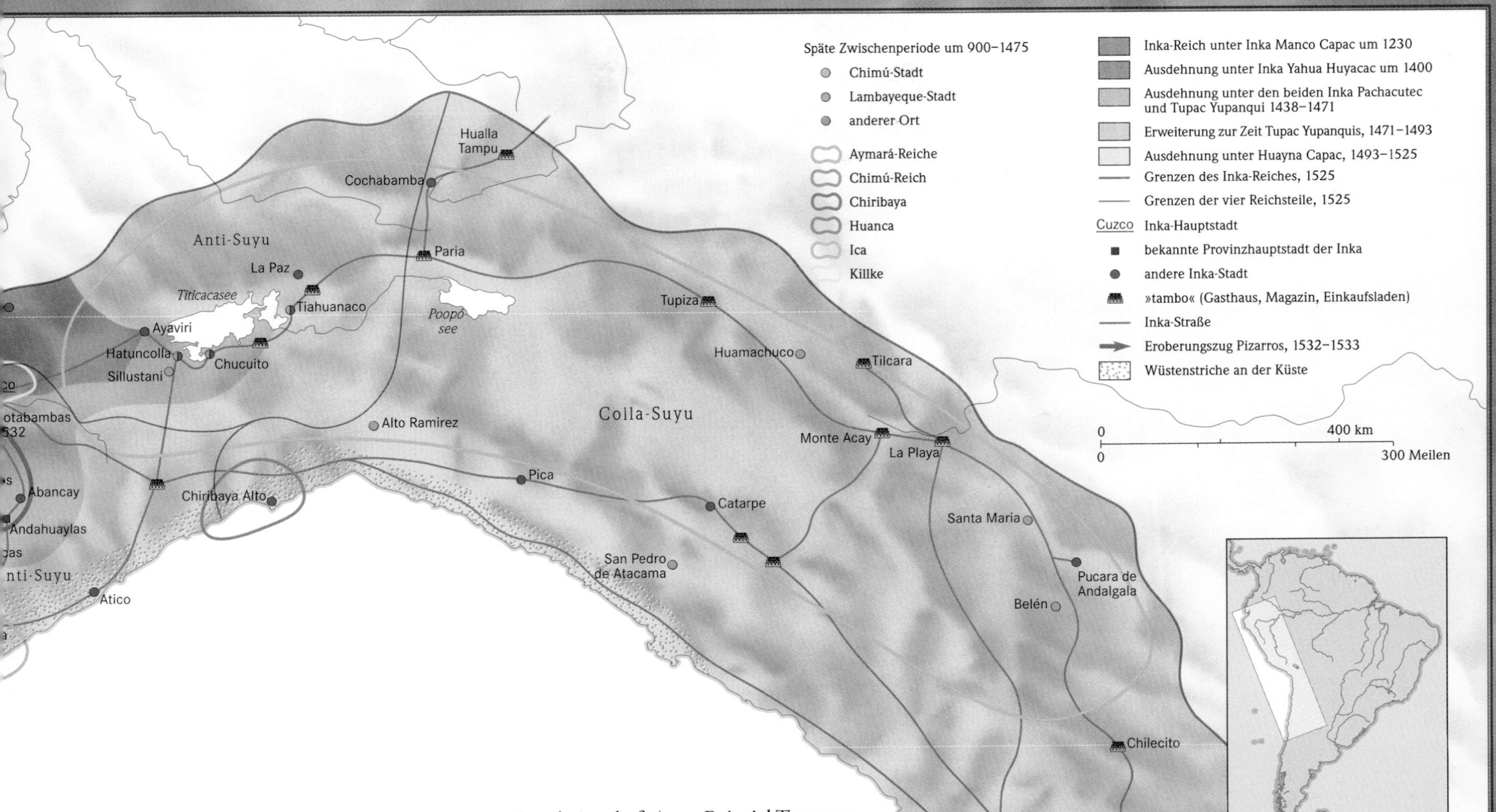

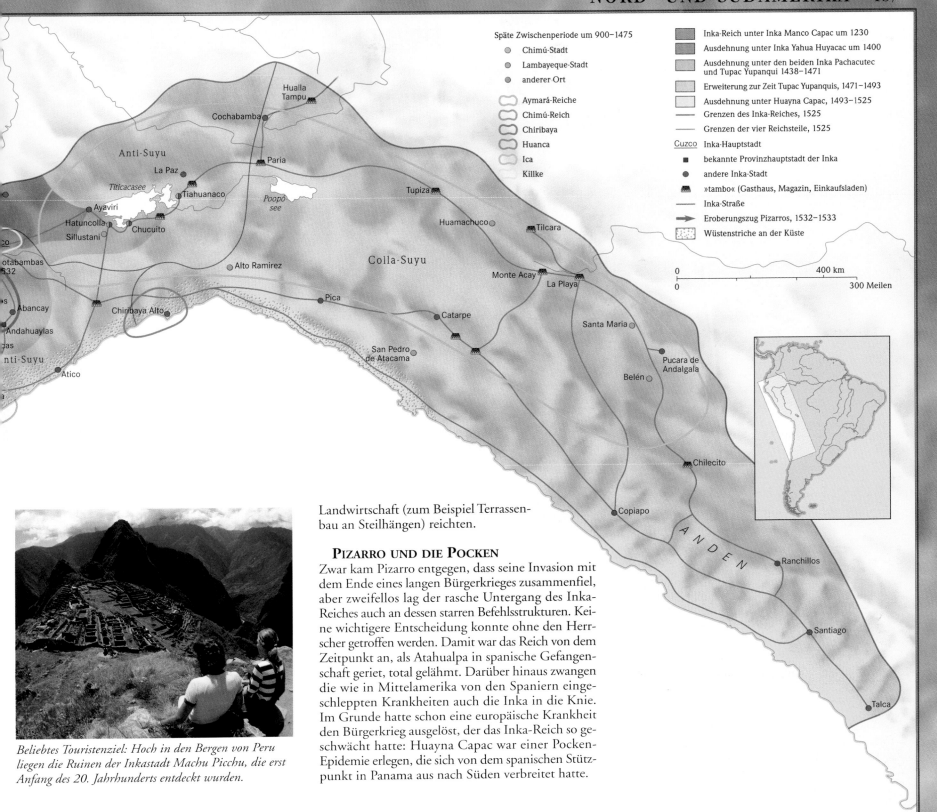

Späte Zwischenperiode um 900–1475
- Chimú-Stadt
- Lambayeque-Stadt
- anderer Ort
- Aymará-Reiche
- Chimú-Reich
- Chiribaya
- Huanca
- Ica
- Killke

- Inka-Reich unter Inka Manco Capac um 1230
- Ausdehnung unter Inka Yahua Huyacac um 1400
- Ausdehnung unter den beiden Inka Pachacutec und Tupac Yupanqui 1438–1471
- Erweiterung zur Zeit Tupac Yupanquis, 1471–1493
- Ausdehnung unter Huayna Capac, 1493–1525
- Grenzen des Inka-Reiches, 1525
- Grenzen der vier Reichsteile, 1525
- Cuzco Inka-Hauptstadt
- bekannte Provinzhauptstadt der Inka
- andere Inka-Stadt
- »tambo« (Gasthaus, Magazin, Einkaufsladen)
- Inka-Straße
- Eroberungszug Pizarros, 1532–1533
- Wüstenstriche an der Küste

0 400 km
0 300 Meilen

Landwirtschaft (zum Beispiel Terrassenbau an Steilhängen) reichten.

Pizarro und die Pocken

Zwar kam Pizarro entgegen, dass seine Invasion mit dem Ende eines langen Bürgerkrieges zusammenfiel, aber zweifellos lag der rasche Untergang des Inka-Reiches auch an dessen starren Befehlsstrukturen. Keine wichtigere Entscheidung konnte ohne den Herrscher getroffen werden. Damit war das Reich von dem Zeitpunkt an, als Atahualpa in spanische Gefangenschaft geriet, total gelähmt. Darüber hinaus zwangen die wie in Mittelamerika von den Spaniern eingeschleppten Krankheiten auch die Inka in die Knie. Im Grunde hatte schon eine europäische Krankheit den Bürgerkrieg ausgelöst, der das Inka-Reich so geschwächt hatte: Huayna Capac war einer Pocken-Epidemie erlegen, die sich von dem spanischen Stützpunkt in Panama aus nach Süden verbreitet hatte.

Beliebtes Touristenziel: Hoch in den Bergen von Peru liegen die Ruinen der Inkastadt Machu Picchu, die erst Anfang des 20. Jahrhunderts entdeckt wurden.

1 Chan Chan war von etwa 850 bis 1470 die Hauptstadt des Chimú-Reiches. In der Mitte der Stadt befanden sich zehn mit Mauern umgebene Tempelanlagen und Mausoleen.

2 Die Inka sahen ihre Hauptstadt Cuzco als Mittelpunkt des Universums an, der von den vier Vierteln der Erde umgeben war. In der Quechua-Sprache (die in den Anden noch heute gesprochen wird) bedeutet »cuzco« übersetzt »Nabel«.

3 An allen Straßen des Inka-Reiches standen im Abstand einer Tagesreise Gast- und Lagerhäuser. Eines der größten und am besten erhaltenen dieser »tambos« ist das Tambo Colorado.

4 Das Orakel des Gottes Pachacamac, das etwa 200 n. Chr. entstand, war eine wichtige Pilgerstätte und machte dem Sonnenkult der Inka Konkurrenz.

5 Das Tal des Rio de Lambayeque war bis zur Eroberung durch Chimú das Zentrum des reichen Staates Sicán.

6 Die Inka vergrößerten die landwirtschaftliche Nutzfläche, indem sie Berghänge terrassierten. Viele dieser Anlagen – wie jene von Pisac – sind heute noch in Gebrauch.

7 Machu Picchu, der berühmteste Inka-Ort und abgelegen auf einem Berggipfel errichtet, war religiöses Zentrum und gleichzeitig Grenzposten.

8 Der Sieg Atahualpas über seinen Bruder Huáscar bei Cotabambas brachte das Ende des Bürgerkrieges.

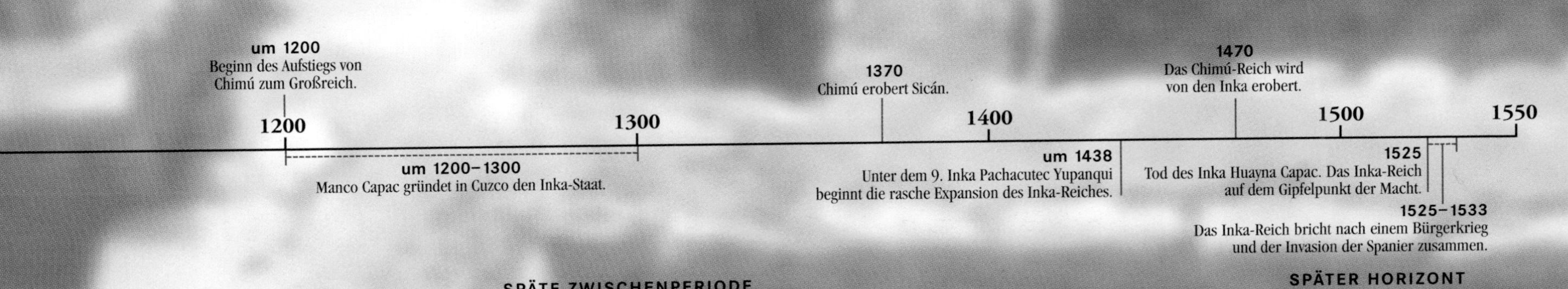
um 1200
Beginn des Aufstiegs von Chimú zum Großreich.
1370
Chimú erobert Sicán.
1470
Das Chimú-Reich wird von den Inka erobert.
1200
1300
1400
1500
1550
um 1200–1300
Manco Capac gründet in Cuzco den Inka-Staat.
um 1438
Unter dem 9. Inka Pachacutec Yupanqui beginnt die rasche Expansion des Inka-Reiches.
1525
Tod des Inka Huayna Capac. Das Inka-Reich auf dem Gipfelpunkt der Macht.
1525–1533
Das Inka-Reich bricht nach einem Bürgerkrieg und der Invasion der Spanier zusammen.
SPÄTE ZWISCHENPERIODE
SPÄTER HORIZONT

KAPITEL 4

Von Kolumbus bis zur amerikanischen Unabhängigkeit 1492 bis 1783

Kolumbus filmreif: Gérard Depardieu in »1492 – Die Eroberung des Paradieses« (1992; Regie: Ridley Scott)

Die drei Jahrhunderte nach 1492 erlebten einen Austausch zwischen den verschiedenen Weltregionen, wie es ihn zuvor noch nie gegeben hatte, und zugleich den Aufstieg Europas zu Macht und Einfluss. Die uns hier interessierende Zeit, für gewöhnlich als »frühe Neuzeit« bezeichnet, begann mit der Entdeckung der Neuen Welt durch Christoph Kolumbus und endete ironischerweise damit, dass die britischen Kolonien in eben dieser hinzugewonnenen Filiale Europas die europäische Vorherrschaft abschüttelten – eine Tat, die nicht nur in der Alten Welt Eurasiens und Afrikas weitere einschneidende Veränderungen nach sich zog.

Zwischen dem Aufstieg Europas und dem »Schrumpfen« der Welt bestand ein enger Zusammenhang. Zunächst entdeckten und besiedelten Spanien und Portugal, dann aber auch England, Frankreich und die Niederlande bedeutende Teile Nord- und Südamerikas. Besonders die portugiesische Seemacht sorgte dafür, dass die militärische Stärke Europas ab 1490 auch im Indischen Ozean Wirkung zeigte.

Das Ergebnis war eine Verschiebung der Kräfteverhältnisse. Noch im 15. Jahrhundert waren die Europäer nicht in der Lage gewesen, den Vorstoß der osmanischen Türken auf den Balkan zu verhindern, der 1453 den Verlust Konstantinopels, der letzten Bastion des alten Römischen Reiches, bedeutete.

Die Seefahrt, das Gold und die Macht

In den folgenden 150 Jahren vergrößerte sich der Einfluss Europas über dieses selbst hinaus jedoch gewaltig. Seit den frühen 70er-Jahren des 16. Jahrhunderts wurde das Mittelmeer in eine osmanische und eine christliche Einflusssphäre geteilt. Diese sich hier ankündigende Verschiebung der Machtverhältnisse vollzog sich in entlegeneren Weltregionen noch in weitaus dramatischerer Weise: Spanien errang in den ersten Jahrzehnten des 16. Jahrhunderts in der Neuen Welt gewaltige territoriale Gewinne und zerstörte so mächtige Reiche wie das Azteken-Reich in Mexiko und das Inka-Reich in den Anden. Das wertvolle Edelmetall, das die Spanier aus diesen Gebieten holten, trug wesentlich dazu bei, die europäische Wirtschaft das ganze Jahrhundert lang in Gang zu halten. Als spanische Streitkräfte die Philippinen zwischen 1570 und 1580 unter ihre Kontrolle brachten, stieg König Philipp II. von Spanien (nach dem man die Inseln benannte) zum mächtigsten Herrscher der Welt mit einem Reich auf, in dem die Sonne tatsächlich nie unterging.

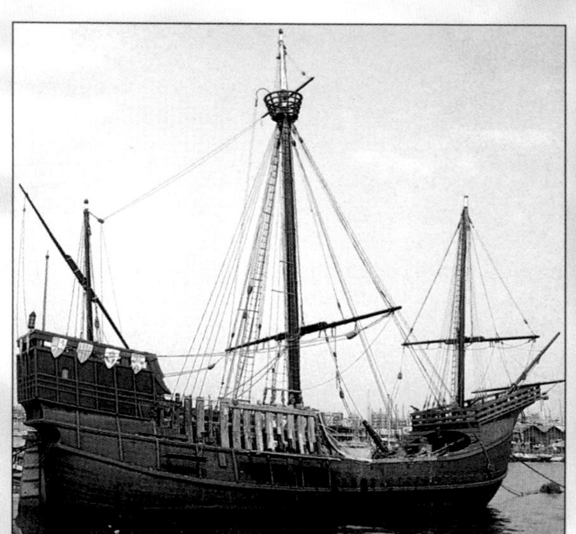

Die »Santa Maria« – hier ein Nachbau im Hafen von Barcelona – war eines der Schiffe, mit denen Kolumbus 1492 die Bahamas, Kuba und Hispaniola entdeckte.

Neben den allgemein als berechtigt akzeptierten hegemonialen Interessen wurde zur Legitimation dieser Eroberungen die Missionierung der »heidnischen« Völker angeführt. Dass die unterworfenen Völker und Reiche selbst oft jahrhundertealte Traditionen, Religionen und Kulturen pflegten, wurde von den Eroberern meist nicht wahrgenommen.

Reformation und Gegenreformation

Die Bestrebungen der europäischen Mächte, ihren Einflussbereich zu erweitern, führten auch zu innereuropäischen Auseinandersetzungen. Dabei beeinflusste die Religion die Politik über 300 Jahre hinweg auf eine besondere Weise: Luthers Versuch im Jahre 1517, die Kirche zu erneuern, setzte einen Prozess in Gang, der die »Einheit der Kirche« aufhob. Neben dem Luthertum war es vor allen Dingen der Calvinismus, der sich dem katholischen Glauben entgegensetzte. Die Gegenreformation, seit 1563 besonders von den Jesuiten vorangetrieben, versuchte, längst überfällige Reformen innerhalb der katholischen Kirche durchzuführen. Die Vermischung religiöser und politischer Motive führte zu den Hugenottenkriegen in Frankreich, zu Kämpfen zwischen England und Schottland, zwischen England und Spanien und – überwiegend auf deutschen Territorien – zum Dreißigjährigen Krieg.

Zwischenstaatliche Kräftespiele

Infolge der Entwicklung nach dem Dreißigjährigen Krieg verlor das beinahe nur noch eine Idee verkörpernde Römisch-Deutsche Reich weiter an Bedeutung. Auch Spanien büßte infolge verlorener innereuropäischer Kriege seinen politischen Einfluss ein. Schwedens Stern sank bald, Polen wurde mehrfach geteilt – England, Frankreich, Österreich, Russland und nicht zuletzt Preußen hingegen stiegen weiter auf. Bestrebt, in immer neuen Kriegen mit immer anderen Bündnispartnern den eigenen Machtbereich zu vergrößern, versuchte jeder einzelne dieser Staaten, zugleich die Mächteverhältnisse innerhalb Europas auszutarieren.

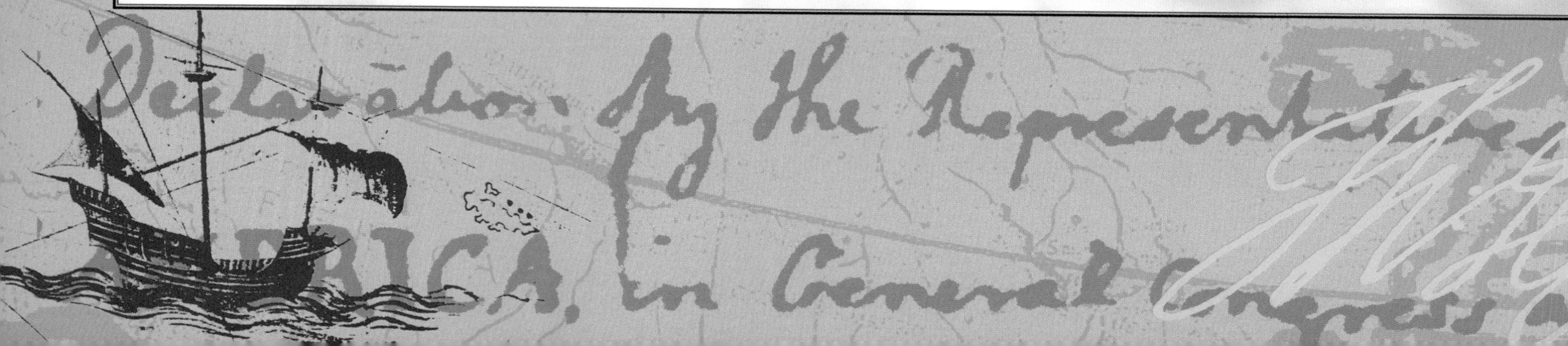

Absolutismus und Revolution

Seit Anfang des 16. Jahrhunderts wurden durch Theoretiker wie Machiavelli und andere die Voraussetzungen für den modernen Staat geschaffen. Infolge dieser Überlegungen und als praktische Konsequenz aus den Glaubenskriegen entstand der Absolutismus, der in extremer Ausformung in Frankreich durch Ludwig XIV. personifiziert wurde. Die absolute Macht

Spanische Truppen unter Hernándo Cortés besiegten in der Schlacht von Otumba 1520 die Azteken.

des Herrschers von Gottes Gnaden zeigte sich in der Einführung des Beamtentums und eines stehenden Heeres – beide durch Treueid dem König verpflichtet – bei der gleichzeitigen Entmachtung des Adels. Besonders die teure Kriegsführung und luxuriöse Hofhaltung brachten den Staat aber immer wieder an den Rand des Bankrotts. Geradezu zwangsläufig entwickelten sich die Kameralistik – die Staats- und Finanzwissenschaften – und der Merkantilismus, eine Wirtschaftsform, die den (Außen-)Handel und das Manufakturwesen förderte.

Die zwei Phasen (1640–1660 und 1688/1689) der »englischen Revolutionen« richteten sich gegen absolutistische Bestrebungen des Königtums und hatten damit grundlegende Bedeutung für die politische und ökonomische Entwicklung Europas. So wurde hier erstmals mit der Absetzung und Hinrichtung König Karls I. im Jahr 1649 die Souveränität des Parlaments bestätigt. – Später, am Ende der unblutigen und daher »Glorreichen Revolution«, stand ein moderner »bürgerlicher« Verfassungsstaat. Die erst unter diesen Bedingungen denkbare Gründung der »Bank of England« 1694 war wichtig für eine Systematisierung des Staatshaushalts, half bei der Finanzierung des Wirtschaftsaufschwungs und war eine Voraussetzung für ökonomische Prozesse, die letztlich erst neben naturwissenschaftlichen Erkenntnissen und technischen Erfindungen die Industrialisierung im 19. Jahrhundert ermöglichen sollten.

Als indirekte Folge beziehungsweise als Reaktion auf den Absolutismus entstand die geistige Strömung der Aufklärung, zunächst in England als Rechtfertigung der parlamentarischen Monarchie (wie bei John Locke). Das Gedankengut der Aufklärung – Vernunft, Toleranz, Abschaffung von Privilegien und Standesunterschieden – erfasste ganz Europa. Auf der politischen Bühne wandelte sich in der Folge der Absolutismus zum aufgeklärten Absolutismus (Friedrich II. von Preußen). In Frankreich bereitete die Aufklärung (besonders vertreten durch die Enzyklopädisten, darunter Voltaire und Denis Diderot) die Französische Revolution der Zeit ab 1789 vor.

Ungebremster Machtzuwachs

Die seefahrerischen Unternehmungen und die territoriale Expansion der Europäer setzten sich im 17. und 18. Jahrhundert fort. Im 17. Jahrhundert gründeten England und Frankreich Kolonien in Nordamerika, zunächst kaum mehr als kleine Stützpunkte, deren »Hinterland« sich in der Folge über die gesamte Ostküste ausweitete. Die Niederländer hingegen, in Nordamerika von den Engländern besiegt, wendeten sich den für ihre Gewürze berühmten Gebieten Ostasiens zu, was ihnen zu Handelsgeschäften verhalf, die geradezu fantastische Gewinne abwarfen. Russland ex-

Thomas Jefferson (1743–1826) verfasste 1776 die Unabhängigkeitserklärung der Vereinigten Staaten von Amerika und war 1801–1809 deren 3. Präsident.

pandierte im Osten und weitete seinen Machtbereich bis an den Pazifik aus, so dass nun selbst das ferne China an einen europäischen Nachbarn grenzte.

Die Macht der Europäer wuchs in der Neuen Welt bis zum letzten Viertel des 18. Jahrhunderts unaufhörlich: Die Portugiesen drangen tief in das Innere Brasiliens ein, die Spanier stießen von Mexiko aus nach Kalifornien vor, während die Briten und Franzosen im Gebiet der Großen Seen um die Vorherrschaft rangen. In Indien beherrschten die Briten Bengalen und stiegen an der Südostküste zur führenden Macht auf. Die Europäer mussten nur eine einzige ernsthafte Niederlage hinnehmen: in Nordamerika, wo sich die 13 britischen Kolonien die Unabhängigkeit erkämpften. Aber selbst diese Niederlage erlitten sie gegen Leute, die aus Europa stammten, über europäische Waffen verfügten und von einem europäischen Land (Frankreich) unterstützt wurden.

Im Zuge der Entwicklung entstand eine den europäischen Interessen dienliche Weltwirtschaft – beispielsweise lieferten die Briten Tee aus Indien nach Nordamerika oder die Niederländer Porzellan aus China nach Europa. Natürlich gereichte dieser Handel vor allem jenen Seemächten zum Vorteil, die ihn beherrschten, was notgedrungen zu innereuropäischen Rivalitäten und im 17. und 18. Jahrhundert zu handfesten Auseinandersetzungen zwischen Großbritannien, Frankreich und den Niederlanden führte. Am Ende gewannen die Briten die Oberhand, so dass im 18. Jahrhundert London zum Finanzzentrum der Welt aufstieg und Großbritannien ideale Voraussetzungen für jenes rasche Wirtschaftswachstum bot, das dann um 1800 in die industrielle Revolution münden sollte.

Europäische Vormachtstellung

Die europäische Vormacht zur See zeitigte schließlich auch demographische Auswirkungen auf der ganzen Welt. Denn sie ermöglichte die Auswanderung von Europäern in großer Zahl und die Zwangsverschiffung von Afrikanern in die Neue Welt; dadurch veränderte sich die Zusammensetzung der Bevölkerung auf diesen Kontinenten entscheidend und auf Dauer. Die europäische Bevölkerung war im 16. Jahrhundert und nach einer längeren Zeit der Stagnation in den 40er-Jahren des 19. Jahrhunderts erneut stark gewachsen, so dass ein Menschenüberschuss entstanden war, mit dem man etwa Pennsylvania besiedeln oder die Grenzen der von Bauern landwirtschaftlich genutzten Gebiete Russlands über die Steppen hinaus immer weiter nach Süden vorschieben konnte.

Die bedeutende Karriere europäischer Weltgeltung in der Neuzeit ist überaus facettenreich zu illustrieren. So etwa durch die Tatsache, dass es Europäer waren, die vor den Küsten Asiens auftauchten, während sich niemand aus Asien jemals an den Gestaden Europas blicken ließ. Es waren Europäer, die neue Karten der Weltmeere anfertigten, die eine gänzlich unbekannte Seite der Erde, den Pazifik, erforschten und sich durch ihre Aktivitäten das Wissen erwarben, das ihnen half, aus ihrer Stärke Nutzen zu ziehen. Sie waren es, die weltweit Orten neue Namen gaben, die die Räume auf ihren Karten und dann auch in der Wirklichkeit neu ordneten. Europäische Produkte eroberten die Märkte und das Selbstvertrauen der Europäer nahm ständig zu. Aus heutiger Sicht müssen viele Aspekte hegemonialer und kolonialistischer Bestrebungen kritisch bewertet werden. Nicht alle Aspekte des Aufstiegs Europas sind gutzuheißen – seine Bedeutung aber kann kaum in Frage gestellt werden. Die Zeit, um die es in diesem Kapitel geht, umfasst die Epoche, in der die Europäer die Welt neu gestalteten, und die Zeit, in der sie neue politische, wirtschaftliche, demographische, religiöse und kulturelle Räume schufen und völlig unterschiedliche Regionen miteinander verknüpften – Veränderungen, die auch die Welt prägten, in der wir heute leben.

UNITED STATES

Von Kolumbus bis zur amerikanischen Unabhängigkeit (1492 bis 1783)

Die Welt • 1530

Das frühe 16. Jahrhundert löste in der politisch-wirtschaftlichen Ordnung der Welt gewaltige Veränderungen aus. Die Expansion der türkischen Osmanen und der Verfall der Lodi-Dynastie in Nordindien führten in Europa und in Südasien zu einer Reihe entscheidender militärischer Zusammenstöße, während Spanien und Portugal im Gefolge der Entdeckungsreisen ganze Reiche und ausgedehnte Handelsnetze kontrollierten.

Der an der Wende vom 15. zum 16. Jahrhundert dynamischste Staat war das Türkenreich der Osmanen. Nachdem diese 1453 Konstantinopel erobert hatten, besetzten ihre Armeen den gesamten Balkan und Griechenland. Am weitesten drangen die osmanischen Truppen jedoch in Asien und Nordafrika vor. 1514 vernichteten sie bei Chaldiran das Heer der neuen Safawiden-Dynastie in Persien, was den Türken kurzzeitig die Herrschaft über Westpersien eintrug (vgl. S. 222/223). Der Sieg über das mamlukisch regierte Ägypten öffnete 1517 den Weg nach Arabien und Nordafrika und bescherte dem Sultan die Reichtümer der eroberten Länder. 1521 nahm Süleyman der Prächtige die Eroberungsversuche auf europäischem Boden wieder auf und seine Armeen überrannten nach dem Sieg bei Mohács ganz Ungarn. Als die Osmanen 1529 vor Wien erschienen und die Habsburgerstadt belagerten, schien es, als seien sie unbesiegbar. Der Kaiser des christlichen Abendlandes, der Habsburger Karl V., sah sich zu dieser Zeit durch das Wirken des deutschen Reformators Martin Luther mit einer Bewegung von bedrohlicher Sprengkraft konfrontiert (vgl. S. 204/205).

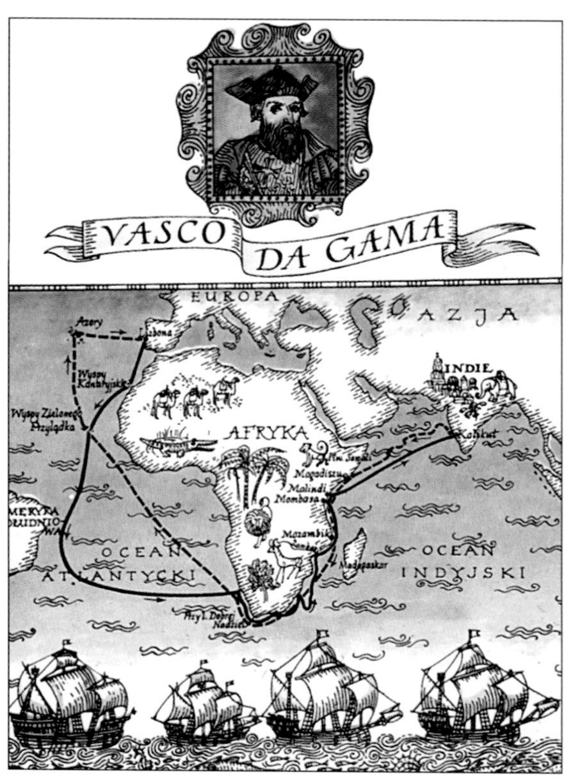
VASCO DA GAMA
EUROPA
AZJA
AFRYKA
INDIE
OCEAN ATLANTYCKI
OCEAN INDYJSKI

Vasco da Gama (1469–1524) umsegelte 1498 das Kap der Guten Hoffnung und gelangte auf dem Seeweg nach Indien; seine Route ist auf dieser Karte dargestellt.

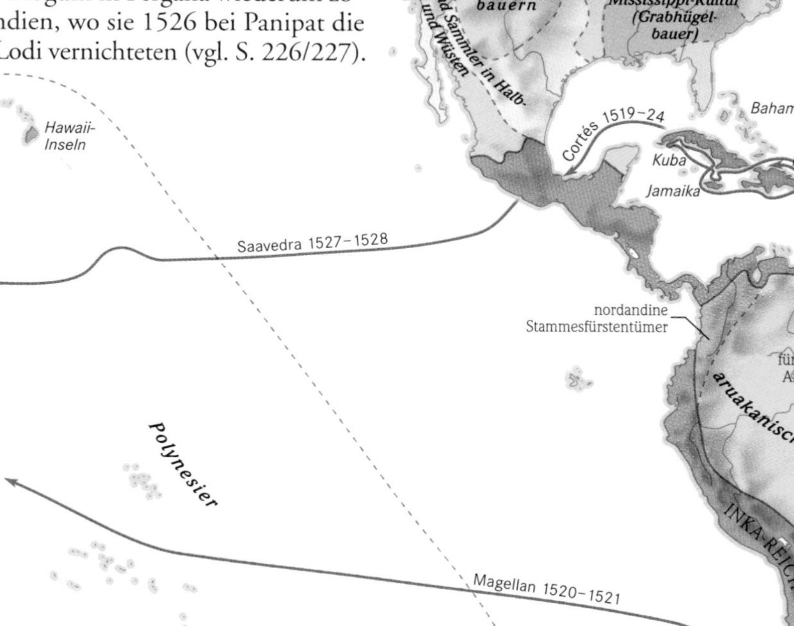
Jäger arktischer Meeressäuger
subarktische Waldlandjäger und -sammler
Aleuten
Gebirgslandfischer, Jäger und Sammler
Westküsten-Kultur (Fischer und Wildbeuter)
Reste von Bisonjägern
Präriebauern
Pueblobauern
Mississippi-Kultur (Grabhügelbauer)
Bauern im östlichen Waldland (Irokesen)
Jäger und Sammler in Halbwüsten und Wüsten
Hawaii-Inseln
Cortés 1519–24
Bahamas
Kuba
Hispaniola
Jamaika
Saavedra 1527–1528
nordandine Stammesfürstentümer
Stammesfürstentümer Amazoniens
aruakanische Maniokbauern
Polynesier
INKA-REICH
Magellan 1520–1521
Savannenjäger und -sammler
Tupí-Guaraní (Bauern in der Savanne und im Hochland)
Jäger und Sammler in der Pampa
Schalentiersammler und Jäger von Meeressäugetieren

China zur Zeit der Ming-Dynastie

Zum Teil vom Machtverfall der Ming-Dynastie angelockt, begannen um 1500 die türkischen Nomaden Zentralasiens, die es fast drei Jahrhunderte lang nach Westen gedrängt hatte, wieder nach Osten zu ziehen. Die Moguln in Fergana wiederum zogen nach Indien, wo sie 1526 bei Panipat die Armee der Lodi vernichteten (vgl. S. 226/227).

Die Energie, mit der die Ming-Herrscher China nach den Mongolen-Einfällen wieder aufgebaut hatten, ließ nach. Zu Beginn des 15. Jahrhunderts waren chinesische Seefahrer noch bis an die Küste Ostafrikas vorgedrungen und hatten eine Fülle von Handelsverbindungen geknüpft. 1421 jedoch verlegten die Ming ihre Hauptstadt von Nanking nach Peking und stellten sich den wieder erstarkenden Mongolen im Norden entgegen (vgl. S. 230/231). Damit verlagerte sich das politische und wirtschaftliche Zentrum des Reiches weg vom Meer. Um 1500 bot sich der Indische Ozean angesichts der Zerrissenheit Indiens und Südostasiens förmlich für eine Neuordnung der Machtverhältnisse an.

Portugiesischer Vorwärtsdrang

Diese Gelegenheit ergriffen portugiesische Entdecker und Kaufleute. Pedro de Covilhão hatte Indien schon 1488 auf dem Weg über das Rote Meer erreicht und Vasco da Gama war 1498 entlang der Südspitze Afrikas und der ostafrikanischen Küste dorthin gelangt. Nun sicherte Afonso de Albuquerque den Portugiesen 1511 den Gewürzhafen Malakka. In den folgenden Jahren erkundete man Handelswege ins südliche China. Die Portugiesen bauten ein ganzes Netz von Handelsstationen auf und ihre Kriegsschiffe hielten die arabischen und osmanischen Kaufleute fern. Um 1510 endete so die Vormacht Venedigs im Handel mit dem Fernen Osten, die vor allem auf der Kontrolle der Gewürzimporte (über die Häfen des östlichen Mittelmeers) basierte. Die Portugiesen benutzten Antwerpen als »Zwischenlager« ihres Gewürzhandels, wodurch sich diese Stadt zum neuen Finanzzentrum Europas entwickelte.

Portugiesische Handelsniederlassungen an der afrikanischen Westküste fingen an, Songhai (südlicher Ausgangs- und Endpunkt der Sahara-Karawanen) um den einträglichen Goldstaubhandel zu bringen.

ZEITLEISTE

Nord- und Südamerika ■
Europa ■
Vorderasien ■
Afrika ■
Ost- und Südasien ■

1490 – 1495 – 1500 – 1505

1492 Kolumbus segelt im Auftrag der spanischen Krone nach Westen und erreicht Hispaniola und Kuba.

1494 Im Vertrag von Tordesillas teilen Spanier und Portugiesen die Welt unter sich auf.

1499 Vespucci erforscht die Nordostküste Südamerikas.

1500 Cabral baut Handelsbeziehungen zwischen Portugal und Indien auf.

1501 In Persien kommt mit Schah Ismail die Safawiden-Dynastie an die Macht.

1508 Beginn der spanischen Eroberungen in der Karibik und in Mittelamerika (Puerto Rico 1508–1511; Kuba 1511–1515; Panama 1509–1519).

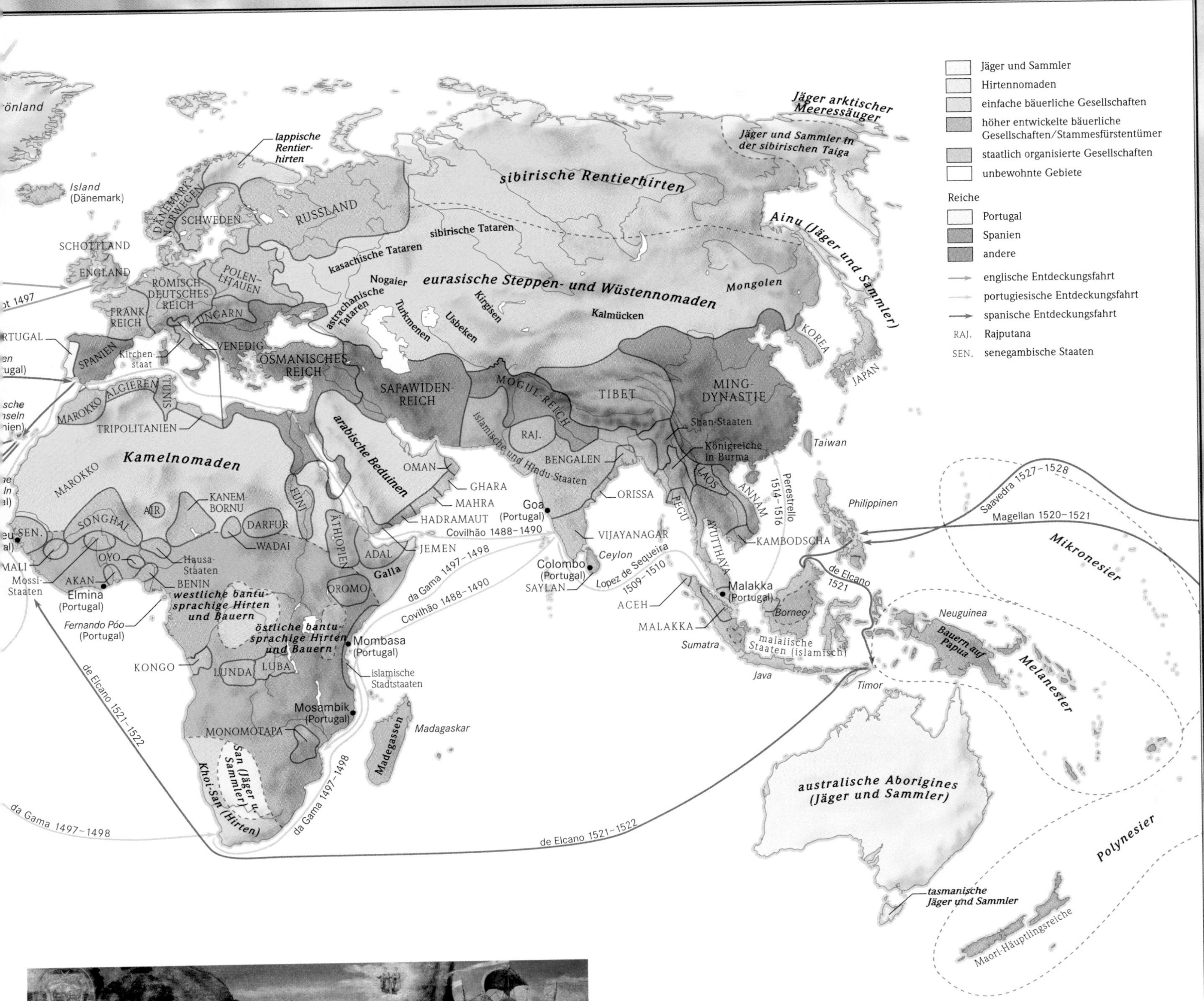

Jäger und Sammler
Hirtennomaden
einfache bäuerliche Gesellschaften
höher entwickelte bäuerliche Gesellschaften/Stammesfürstentümer
staatlich organisierte Gesellschaften
unbewohnte Gebiete

Reiche
Portugal
Spanien
andere

englische Entdeckungsfahrt
portugiesische Entdeckungsfahrt
spanische Entdeckungsfahrt
RAJ. Rajputana
SEN. senegambische Staaten

Portugiesische Kolonisierung Brasiliens im 16. Jahrhundert. 1494 war Portugal die östliche Hälfte der Welt zuerkannt worden (Gemälde von 1729).

Die Hausa-Staaten brachten 1517 ihrem geschwächten Nachbarn eine schwere Niederlage bei, die den Niedergang Songhais einleitete (vgl. S. 224/225). Mit Feuerwaffen osmanischer Herkunft begann am Horn von Afrika Ahmed, Gran von Adal, einen heiligen Krieg gegen das Königreich Äthiopien, dem seinerseits Portugal Schusswaffen lieferte. Allerdings wurden beide Kontrahenten Opfer der nomadisierenden Galla.

Invasionen: Spanisch-Amerika

Während die portugiesischen Seefahrer Handelswege erkundeten, kamen die spanischen Entdecker, die Kolumbus nachfolgten, mit den großen Reichen Mittel- und Südamerikas in Berührung. Das der Azteken in Mexiko fiel 1521 Hernándo Cortés in die Hände und in den Zentralanden waren die Inka, die ein Erbfolgekrieg geschwächt hatte, nur unzureichend auf die Abwehr der Invasion Francisco Pizarros vorbereitet. Spanien stand am Beginn einer gewaltigen Expansion und sollte eine Silberquelle anzapfen können, die die Weltwirtschaft ein ganzes Jahrhundert lang in Gang hielt (vgl. S. 238/239).

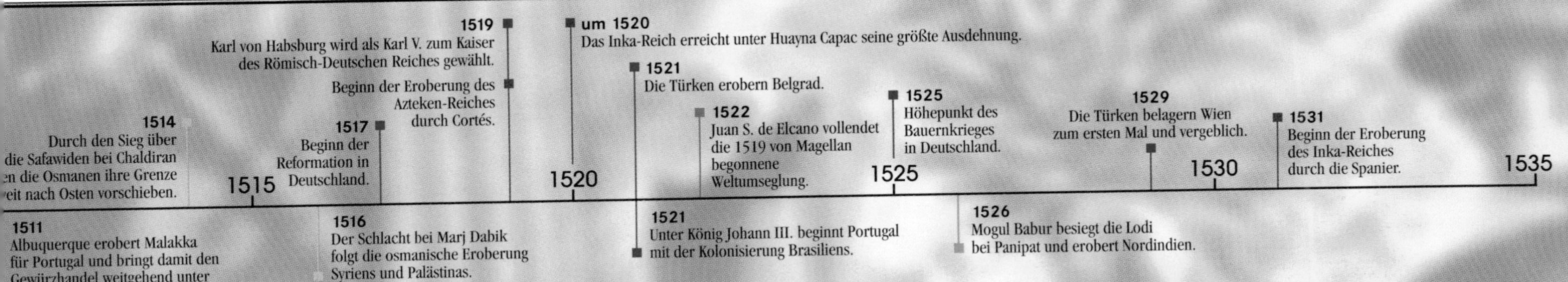
1514
Durch den Sieg über die Safawiden bei Chaldiran en die Osmanen ihre Grenze eit nach Osten vorschieben.
1517
Beginn der Reformation in Deutschland.
1519
Karl von Habsburg wird als Karl V. zum Kaiser des Römisch-Deutschen Reiches gewählt.
Beginn der Eroberung des Azteken-Reiches durch Cortés.
um 1520
Das Inka-Reich erreicht unter Huayna Capac seine größte Ausdehnung.
1521
Die Türken erobern Belgrad.
1522
Juan S. de Elcano vollendet die 1519 von Magellan begonnene Weltumsegelung.
1525
Höhepunkt des Bauernkrieges in Deutschland.
1529
Die Türken belagern Wien zum ersten Mal und vergeblich.
1531
Beginn der Eroberung des Inka-Reiches durch die Spanier.
1515
1520
1525
1530
1535
1511
Albuquerque erobert Malakka für Portugal und bringt damit den Gewürzhandel weitgehend unter portugiesische Kontrolle.
1516
Der Schlacht bei Marj Dabik folgt die osmanische Eroberung Syriens und Palästinas.
1521
Unter König Johann III. beginnt Portugal mit der Kolonisierung Brasiliens.
1526
Mogul Babur besiegt die Lodi bei Panipat und erobert Nordindien.

Von Kolumbus bis zur amerikanischen Unabhängigkeit (1492 bis 1783)

Die Welt • 1600

Im Jahr 1600 blickten Europa und Asien auf ein Jahrhundert von starkem Bevölkerungswachstum zurück. Dem steigenden europäischen Wohlstand entsprach eine Verbesserung der Lebensbedingungen in Asien, Indien und Vorderasien, während in Afrika Bevölkerungsstand und materielle Situation unverändert blieben.

In der Zeit nach dem Zusammenbruch des Inka-Reiches drangen die Spanier und Portugiesen in Nord-, Mittel- und Südamerika nur noch sehr langsam vor. Das lag zum einen an der dünnen Besiedlung der Gebiete außerhalb des Inka- und des Azteken-Reiches,

Philipp II. von Spanien (1556–1598) strebte die spanische Weltherrschaft und das Alleinbestehen des Katholizismus an (Gemälde von Rubens).

zum anderen an den riesigen Entfernungen. Zudem fehlte es den Eroberern an Entdeckerfreude; sie beuteten lieber aus, was sie schon erobert hatten (vgl. S. 238/239). 1545 begann die Silberförderung in den Minen von Potosí, von wo aus das Edelmetall per Schiff nach Sevilla gebracht und dann in ganz Europa verbreitet wurde. Hierbei verstanden es die Genueser, die die spanischen Unternehmungen unterstützten, den Wert des Silbers durch raffinierte Finanzoperationen erheblich zu steigern. Die Rolle Antwerpens als Finanzhauptstadt Europas war 1576 zu Ende, als spanische Meuterer die Stadt plünderten; von nun an gab Genua wirtschaftlich den Ton an.

Grossmacht Spanien

Zwischen 1580 und 1590 erreichte die Macht Spaniens ihren Höhepunkt, als sich dessen König Philipp II. auch die portugiesische Krone aufs Haupt setzte. Beide Länder wurden 60 Jahre lang in Personalunion regiert, was nicht verhinderte, dass die portugiesischen Besitzungen in Übersee von Lissabon aus verwaltet wurden. Schließlich aber begannen die Niederlande einen weltweiten Feldzug gegen die portugiesischen Handelsniederlassungen und brachten am Ende die Portugiesen in Asien um jeglichen Einfluss.

Auch das spanische Weltreich blieb von den politischen Ereignissen in Europa nicht unberührt. Niederländische und englische Piraten überfielen die spanischen Siedlungen in Amerika und versuchten, die Edelmetallflotten zu kapern.

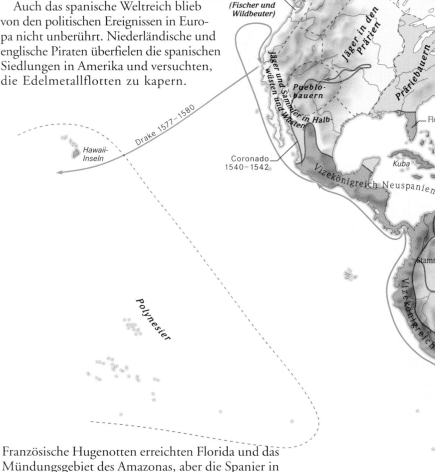

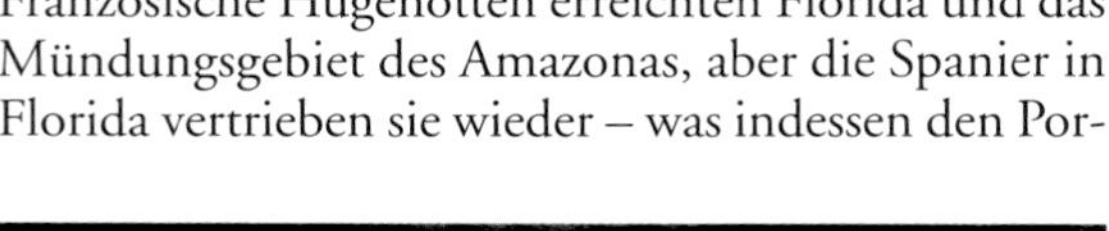

Jäger arktischer Meeressäuger
subarktische Waldlandjäger und -sammler
Aleuten
Gebirgslandfischer, Jäger und Sammler
Westküsten-Kultur (Fischer und Wildbeuter)
Jäger in den Prärien
Jäger und Sammler in Halbwüsten und Wüsten
Pueblobauern
Präriebauern
Bauern im östlichen Waldland (Irokesen)
Florida
Drake 1577–1580
Hawaii-Inseln
Coronado 1540–1542
Kuba
Hispaniola
Vizekönigreich Neuspanien
de Orellana 1541
Stammesfürstentümer Amazoniens
aruakanische Maniokbauern
Vizekönigreich Peru
Tupi-Guarani (Bauern in der Savanne und im Hochland)
Savannenjäger und -sammler
Jäger und Sammler in der Pampa
Schalentiersammler und Jäger von Meeressäugetieren
Polynesier

Französische Hugenotten erreichten Florida und das Mündungsgebiet des Amazonas, aber die Spanier in Florida vertrieben sie wieder – was indessen den Portugiesen am Amazonas ein Jahrhundert lang nicht gelang. Französische Entdecker drangen auf dem Weg über den Sankt-Lorenz-Strom in das Innere Nordamerikas vor, während der Spanier Francisco Coronado dies vom Norden Mexikos aus versuchte (vgl. S. 242/243).

Sir Francis Drake (1540–1596), Seeheld und Pirat, gelang 1577–1580 die zweite Weltumsegelung.

Bedrohung der portugiesischen Vormachtstellung

In Nordafrika vertrieben die Osmanen die Spanier allmählich aus ihren Stützpunkten, während die Konsequenz aus der vernichtenden Niederlage, die die portugiesischen Truppen 1578 bei Alcazarquivir in Marokko erlitten, ihren Ausdruck in der staatlichen Vereinigung Spaniens und Portugals fand. In der Folge durchquerten die Marokkaner 1590 bis 1591 die Sahara und besiegten das geschwächte Songhai in der Schlacht bei Tondibi. Südlich der Sahara entwickel-

ZEITLEISTE

Nord- und Südamerika ■ Europa ■ Vorderasien ■ Afrika ■ Ost- und Südasien ■

1530 – 1540 – 1550

1535 Pizarro beendet die Eroberung des Inka-Reiches für Spanien (1531 begonnen).

1538 Die osmanischen Türken überrennen die Küsten des Roten Meeres.

1539–1556 Die Moguln werden von der afghanischen Sur-Dynastie aus Nordindien vertrieben.

1542 Portugiesische Kaufleute landen im japanischen Tanegashima.

1545 Die Silberminen von Potosí beginnen mit der Förderung.

1552–1556 Russland erobert von den Tataren die Khanate Kasan und Astrachan und beginnt mit der Eroberung Sibiriens.

1557 Die Portugiesen errichten in Macao (China) eine Handelsstation.

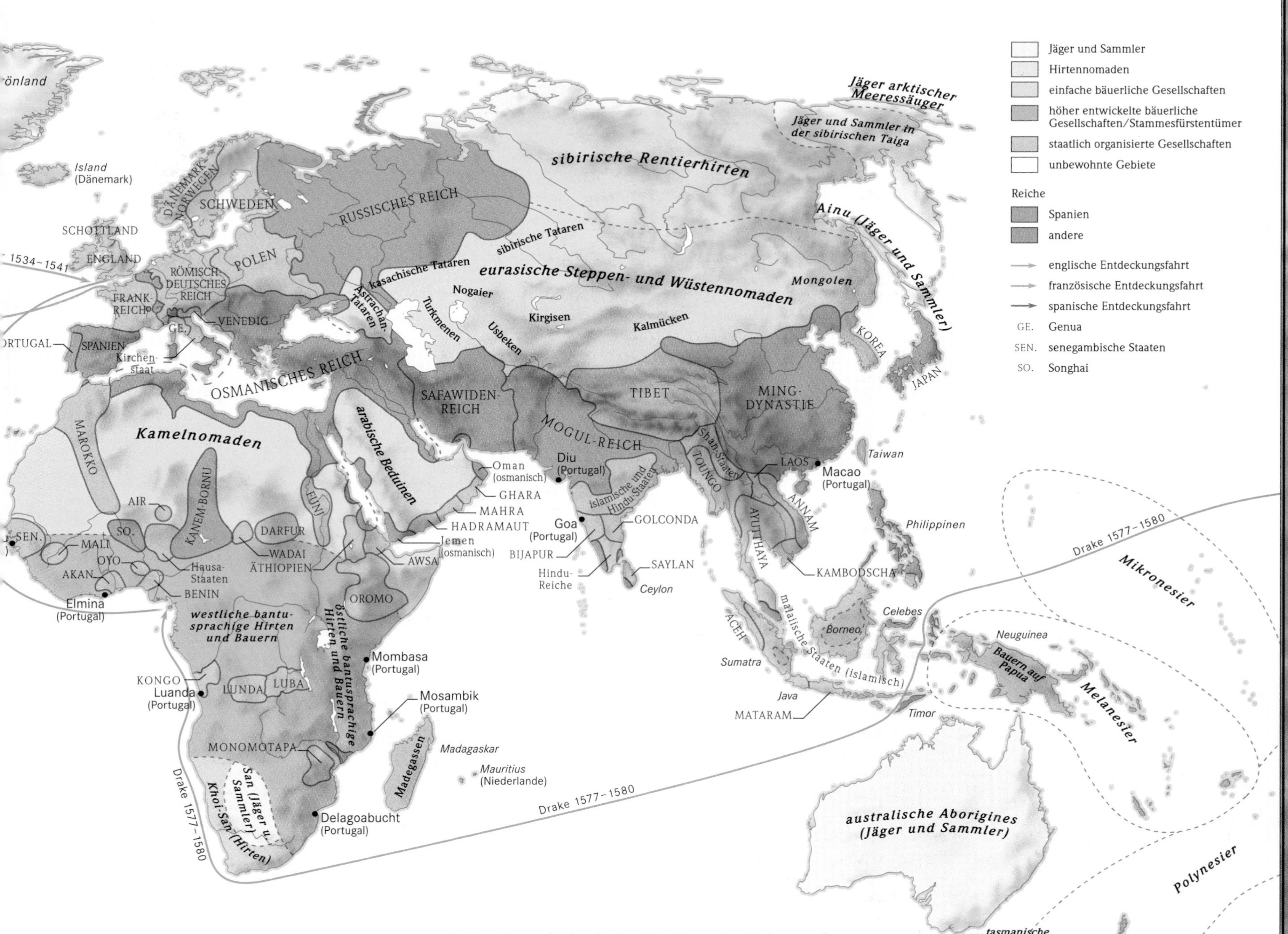

Jäger und Sammler
Hirtennomaden
einfache bäuerliche Gesellschaften
höher entwickelte bäuerliche Gesellschaften/Stammesfürstentümer
staatlich organisierte Gesellschaften
unbewohnte Gebiete

Reiche
Spanien
andere

englische Entdeckungsfahrt
französische Entdeckungsfahrt
spanische Entdeckungsfahrt
GE. Genua
SEN. senegambische Staaten
SO. Songhai

önland
Island (Dänemark)
SCHOTTLAND
ENGLAND
1534–1541
DÄNEMARK-NORWEGEN
SCHWEDEN
RUSSISCHES REICH
POLEN
RÖMISCH-DEUTSCHES REICH
FRANK-REICH
VENEDIG
GE.
RTUGAL
SPANIEN
Kirchen-staat
OSMANISCHES REICH
Jäger arktischer Meeressäuger
Jäger und Sammler in der sibirischen Taiga
sibirische Rentierhirten
Ainu (Jäger und Sammler)
sibirische Tataren
kasachische Tataren
Astrachan-Tataren
eurasische Steppen- und Wüstennomaden
Mongolen
Nogaier
Kirgisen
Turkmenen
Usbeken
Kalmücken
KOREA
JAPAN
SAFAWIDEN-REICH
TIBET
MING-DYNASTIE
MOGUL-REICH
Shan-Staaten
TOUNGO
LAOS
Macao (Portugal)
Taiwan
ANNAM
AYUTTHAYA
KAMBODSCHA
Philippinen
MAROKKO
Kamelnomaden
arabische Beduinen
KANEM-BORNU
FUNJ
AIR
SO.
SEN.
MALI
OYO
AKAN
Elmina (Portugal)
Hausa-Staaten
BENIN
DARFUR
WADAI
ÄTHIOPIEN
OROMO
Oman (osmanisch)
GHARA
MAHRA
HADRAMAUT
Jemen (osmanisch)
AWSA
Diu (Portugal)
islamische und Hindu-Staaten
Goa (Portugal)
BIJAPUR
GOLCONDA
Hindu-Reiche
SAYLAN
Ceylon
westliche bantusprachige Hirten und Bauern
östliche bantusprachige Hirten und Bauern
Mombasa (Portugal)
KONGO
Luanda (Portugal)
LUNDA
LUBA
Mosambik (Portugal)
MONOMOTAPA
Madegassen
Madagaskar
Mauritius (Niederlande)
San (Jäger u. Sammler)
Khoi-San (Hirten)
Delagoabucht (Portugal)
Drake 1577–1580
ACEH
Sumatra
malaiische Staaten (islamisch)
Borneo
Celebes
Java
MATARAM
Timor
Neuguinea
Bauern auf Papua
Mikronesier
Melanesier
Polynesier
australische Aborigines (Jäger und Sammler)
tasmanische Jäger und Sammler
Maori-Häuptlingsreiche

Sir Francis Drakes Reiseplan nach Westindien auf einer gravierten Seekarte

te sich unter Idris III. Aloma das muslimische Reich Kanem-Bornu zum mächtigsten Staat der Region (vgl. S. 224/225). Die portugiesische Vormachtstellung an den afrikanischen Küsten wurde erstmals bedroht, als niederländische Kaufleute in Guinea auftauchten.

Die Osmanen drangen an der Küste des Roten Meeres nach Süden vor und vertrieben die Portugiesen aus Massawa und Aden. Dafür setzten portugiesische Kriegsschiffe aus Diu und Goa den osmanischen Handelsaktivitäten im Indischen Ozean enge Grenzen. Im Mittelmeer beendete 1571 eine päpstlich-spanisch-venezianische Flotte durch ihren Sieg bei Lepanto die Siegesserie der Türken. Allerdings zerfiel das Bündnis der christlichen Mächte bald wieder (vgl. S. 206/207; 218/219).

Mit der Eroberung der Tataren-Khanate Kasan und Astrachan Mitte des 16. Jahrhunderts schob Russland seine Grenzen im Osten an die Nordküste des Kaspischen Meeres und begann mit der Eroberung Sibiriens.

Kontrolle und Misstrauen

Dem Mogul-Reich in Nordindien schien das Ende zu drohen, als die afghanische Sur-Dynastie in Bengalen wieder erstarkte und die Moguln aus Hindustan vertrieb. Aber schon bald, seit etwa 1553, brachten Humajun und Akbar die alte Mogulherrschaft wieder unter ihre Kontrolle.

Das chinesische Ming-Reich wurde nach 1550 von den Mongolen unter Altan Khan und von japanischen Piraten attackiert. Unter Führung ihres Feldherrn Toyotomi Hideyoshi verwüsteten die Japaner das den Ming tributpflichtige Korea (vgl. S. 230/231). Die portugiesischen Stützpunkte in Macao und Japan brachten die europäische und die asiatische Wirtschaft in direkten Kontakt miteinander, aber das alte Misstrauen gegen alle Fremden veranlasste Chinesen wie Japaner, die europäischen Kaufleute strengstens zu überwachen.

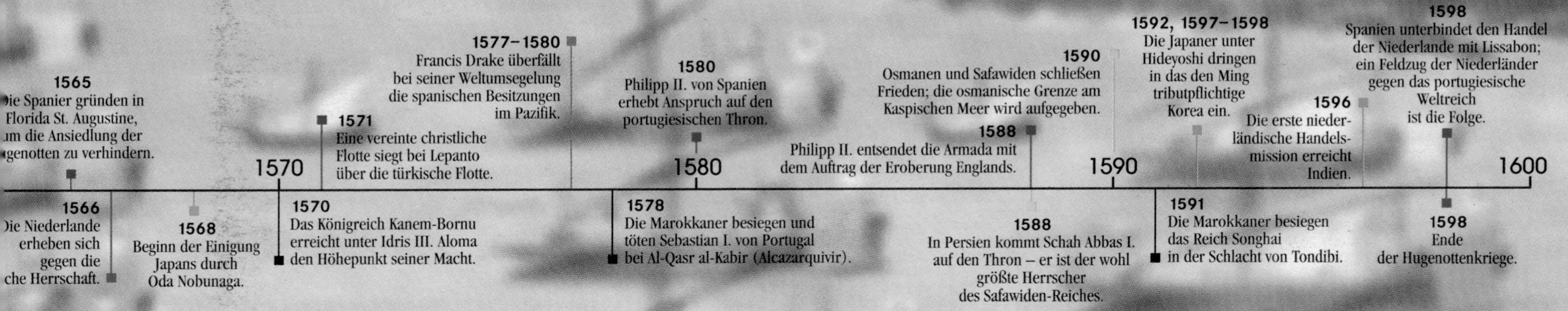
1565
Die Spanier gründen in Florida St. Augustine, um die Ansiedlung der Hugenotten zu verhindern.
1566
Die Niederlande erheben sich gegen die spanische Herrschaft.
1568
Beginn der Einigung Japans durch Oda Nobunaga.
1570
1570
Das Königreich Kanem-Bornu erreicht unter Idris III. Aloma den Höhepunkt seiner Macht.
1571
Eine vereinte christliche Flotte siegt bei Lepanto über die türkische Flotte.
1577–1580
Francis Drake überfällt bei seiner Weltumsegelung die spanischen Besitzungen im Pazifik.
1578
Die Marokkaner besiegen und töten Sebastian I. von Portugal bei Al-Qasr al-Kabir (Alcazarquivir).
1580
Philipp II. von Spanien erhebt Anspruch auf den portugiesischen Thron.
1580
1588
Philipp II. entsendet die Armada mit dem Auftrag der Eroberung Englands.
1588
In Persien kommt Schah Abbas I. auf den Thron – er ist der wohl größte Herrscher des Safawiden-Reiches.
1590
Osmanen und Safawiden schließen Frieden; die osmanische Grenze am Kaspischen Meer wird aufgegeben.
1590
1591
Die Marokkaner besiegen das Reich Songhai in der Schlacht von Tondibi.
1592, 1597–1598
Die Japaner unter Hideyoshi dringen in das den Ming tributpflichtige Korea ein.
1596
Die erste niederländische Handelsmission erreicht Indien.
1598
Spanien unterbindet den Handel der Niederlande mit Lissabon; ein Feldzug der Niederländer gegen das portugiesische Weltreich ist die Folge.
1598
Ende der Hugenottenkriege.
1600

Von Kolumbus bis zur amerikanischen Unabhängigkeit (1492 bis 1783)

Die Welt • 1650

In der ersten Hälfte des 17. Jahrhunderts verschlechterten sich die Lebensbedingungen in ganz Eurasien so sehr, dass viele Historiker glauben, dies sei das Ergebnis einer globalen Klimaveränderung. Das Bevölkerungswachstum im 16. Jahrhundert wurde durch Hungersnöte, Pestepidemien und Kriege in sein Gegenteil verkehrt. Selbst die Erforschung der Erde durch die Europäer hörte auf, sieht man von der Reise Abel Tasmans nach Australien und Neuseeland ab.

Die »Krise des 17. Jahrhunderts« traf alle Reiche, am schlimmsten aber das Ming-Reich in China, das um 1600 noch das mächtigste Reich der Welt war (vgl. S. 230/231). Aus der Abwehr der mongolischen und japanischen Angriffe Ende des 16. Jahrhunderts resultierten Steuererhöhungen und ganz allgemein

Am 24. Oktober 1648 wurde der Vertrag zum Westfälischen Frieden unterzeichnet; Auszug mit Siegeln und Unterschriften der beteiligten Diplomaten.

der Druck auf die Wirtschaft. Ab 1620 bedrohten Bauernaufstände und militärische Umsturzversuche die Dynastie. Diese hielt sich noch bis 1644 und wurde dann von den Mandschu, einem Nomadenvolk aus dem Norden, beseitigt, das 1650 bereits den Norden und die Mitte des Landes fest im Griff hatte (vgl. S. 232/233).

Obwohl Schah Dschahan um die Jahrhundertmitte den Herrschaftsbereich der Moguln noch weiter ausdehnte, nahmen unter seiner Regierung religiöse Intoleranz und politische Instabilität zu (vgl. S. 226/227). Das persische Safawiden-Reich hatte sich unter Schah Abbas I. einer Zeit relativen Wohlstands erfreut, aber ab 1629 eroberten die Türken Mesopotamien zurück, so dass der rasche Niedergang des Reiches einsetzte (vgl. S. 222/223). Das Osmanische Reich selbst wurde während der Herrschaft Murads IV. durch eine Reihe von Aufständen erschüttert und trat bei den Kriegen gegen Österreich und Venedig auf der Stelle (vgl. S. 218/219).

Russland fiel im frühen 17. Jahrhundert einmal mehr in chaotische Zustände zurück; interne Auseinandersetzungen bewirkten eine Intervention Polens und Schwedens. Die russischen Kaufleute machten sich in ganz Sibirien breit und schufen auf diese Weise ein Reich, das unter den Druck seiner eigenen Größe geriet (vgl. S. 208/209).

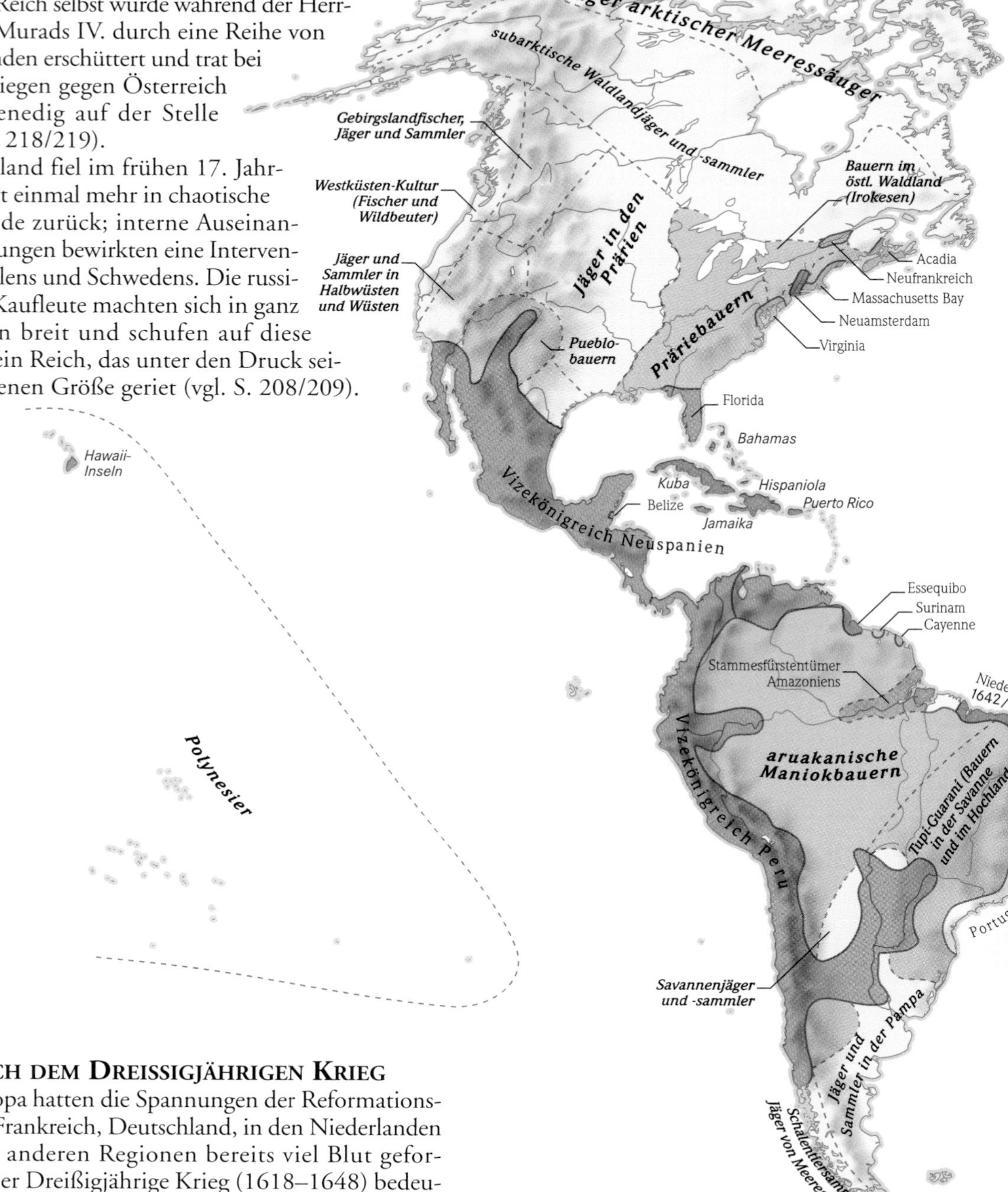
Jäger arktischer Meeressäuger
subarktische Waldlandjäger und -sammler
Gebirgslandfischer, Jäger und Sammler
Westküsten-Kultur (Fischer und Wildbeuter)
Jäger und Sammler in Halbwüsten und Wüsten
Jäger in den Prärien
Bauern im östl. Waldland (Irokesen)
Acadia
Neufrankreich
Massachusetts Bay
Neuamsterdam
Virginia
Präriebauern
Pueblo-bauern
Florida
Bahamas
Hawaii-Inseln
Kuba
Hispaniola
Puerto Rico
Belize
Jamaika
Vizekönigreich Neuspanien
Essequibo
Surinam
Cayenne
Stammesfürstentümer Amazoniens
aruakanische Maniokbauern
Tupi-Guarani (Bauern in der Savanne und im Hochland)
Vizekönigreich Peru
Polynesier
Savannenjäger und -sammler
Jäger und Sammler in der Pampa
Schalentiersammler und Jäger von Meeressäugetieren

Nach dem Dreissigjährigen Krieg

In Europa hatten die Spannungen der Reformationszeit in Frankreich, Deutschland, in den Niederlanden und in anderen Regionen bereits viel Blut gefordert. Der Dreißigjährige Krieg (1618–1648) bedeutete eine Verwüstung fast ganz Mitteleuropas. Die Vormacht Spaniens fand ihr Ende und das Römisch-Deutsche Reich wurde auseinander gerissen (vgl. S. 210/211; 212/213). Vor allem die protestantischen Gebiete des in unzählige Staaten zersplitterten Deutschland sahen sich ruiniert. Die Position des Kaisertums als Zentralmacht war endgültig dahin.

Frankreich und die Vereinigten Niederlande gingen als einzige Staaten gestärkt aus dem Krieg hervor. Auch für Portugal endete der Krieg mit einem Erfolg, denn es konnte die spanische Herrschaft abschütteln. Die militärischen Erfolge der Niederlande schnitten im Vergleich zu den Gewinnen der Kaufleute in Amsterdam allerdings mehr als bescheiden ab. Als die spanischen Staatsfinanzen 1627 zusammenbrachen, verlor der Finanzplatz Genua seine wirtschaftliche Vormachtstellung im Mittelmeerraum. Die niederländische Handelsflotte übernahm einen großen Teil des Küstenhandels, während die Amsterdamer Banken die europäischen Finanzen immer fester in den Griff bekamen.

Der niederländische Vorstoss

Die niederländische Kampagne gegen das portugiesische Handelsimperium Ende des 16. Jahrhunderts wurde immer härter. 1602 wurde die niederländische Ostindische Kompanie gegründet, die durch die Eroberung Timors, Malakkas und weiterer Handelsniederlassungen auf Ceylon (Sri Lanka) und Formosa (Taiwan) sowie durch die Zerstörung portugiesischer und englischer Stützpunkte auf Amboina den Gewürzhandel fast ganz unter ihre Kontrolle brachte

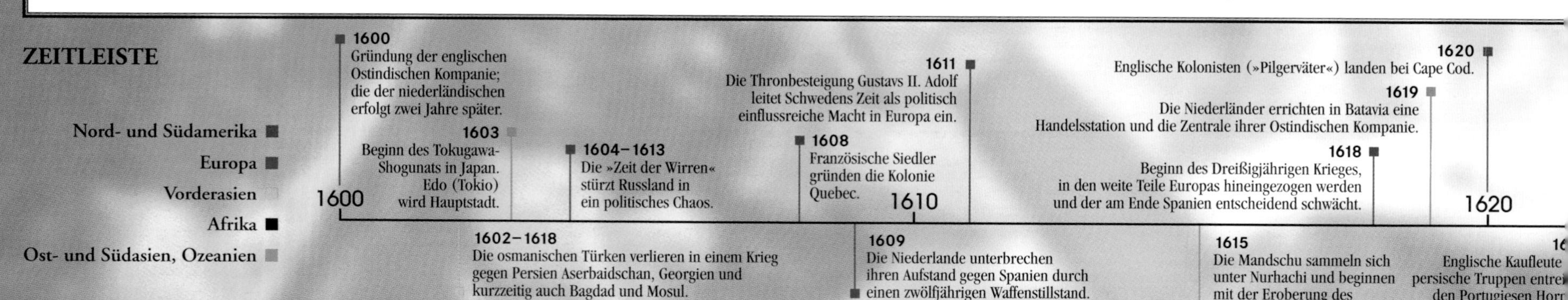
ZEITLEISTE
Nord- und Südamerika
Europa
Vorderasien
Afrika
Ost- und Südasien, Ozeanien
1600
Gründung der englischen Ostindischen Kompanie; die der niederländischen erfolgt zwei Jahre später.
1603
Beginn des Tokugawa-Shogunats in Japan. Edo (Tokio) wird Hauptstadt.
1604–1613
Die »Zeit der Wirren« stürzt Russland in ein politisches Chaos.
1611
Die Thronbesteigung Gustavs II. Adolf leitet Schwedens Zeit als politisch einflussreiche Macht in Europa ein.
1608
Französische Siedler gründen die Kolonie Quebec.
1620
Englische Kolonisten (»Pilgerväter«) landen bei Cape Cod.
1619
Die Niederländer errichten in Batavia eine Handelsstation und die Zentrale ihrer Ostindischen Kompanie.
1618
Beginn des Dreißigjährigen Krieges, in den weite Teile Europas hineingezogen werden und der am Ende Spanien entscheidend schwächt.
1600
1610
1620
1602–1618
Die osmanischen Türken verlieren in einem Krieg gegen Persien Aserbaidschan, Georgien und kurzzeitig auch Bagdad und Mosul.
1609
Die Niederlande unterbrechen ihren Aufstand gegen Spanien durch einen zwölfjährigen Waffenstillstand.
1615
Die Mandschu sammeln sich unter Nurhachi und beginnen mit der Eroberung des kränkelnden Ming-Reiches.

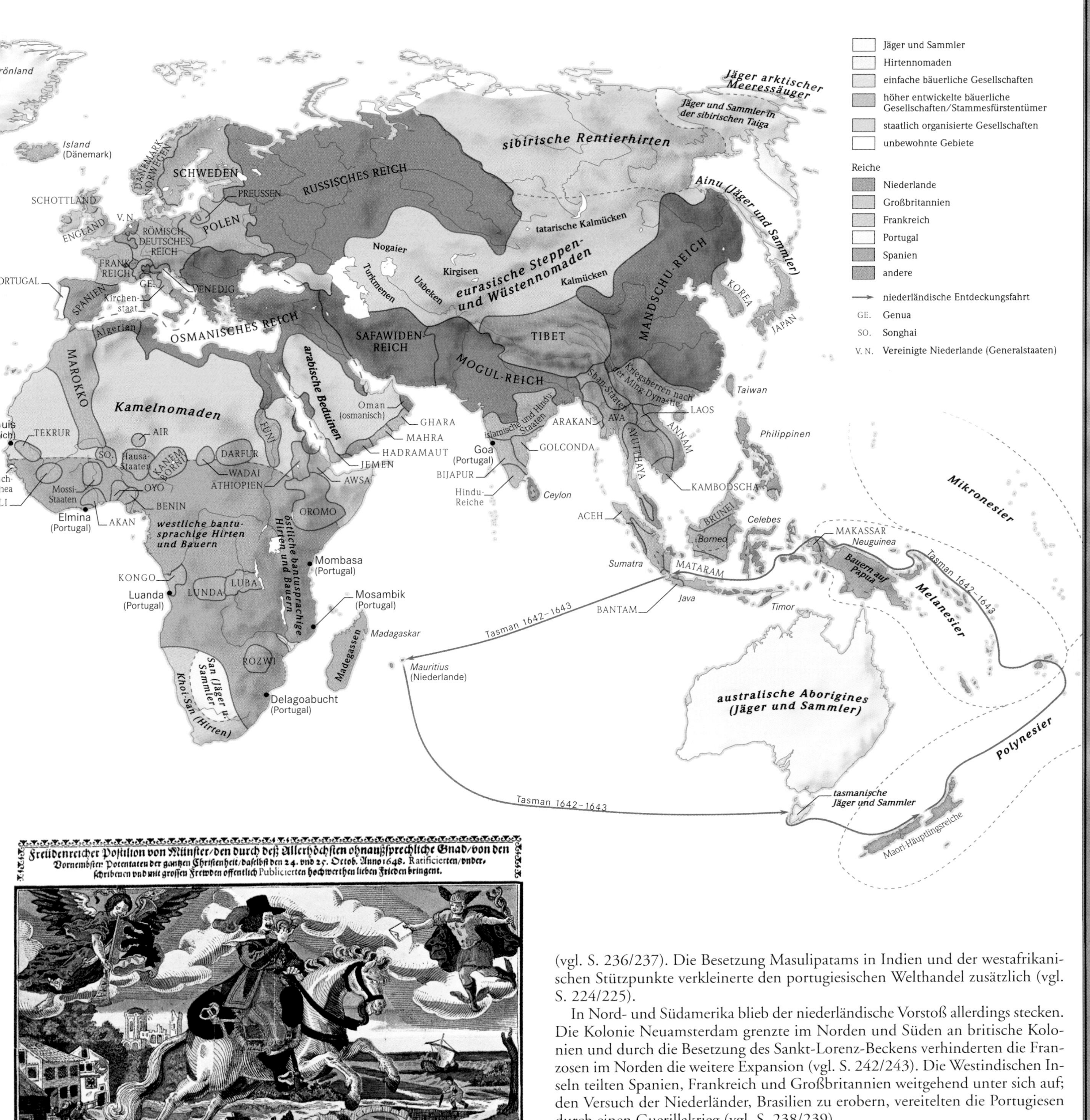

Jäger und Sammler
Hirtennomaden
einfache bäuerliche Gesellschaften
höher entwickelte bäuerliche Gesellschaften/Stammesfürstentümer
staatlich organisierte Gesellschaften
unbewohnte Gebiete
Reiche
Niederlande
Großbritannien
Frankreich
Portugal
Spanien
andere
niederländische Entdeckungsfahrt
GE. Genua
SO. Songhai
V. N. Vereinigte Niederlande (Generalstaaten)
Jäger arktischer Meeressäuger
Jäger und Sammler in der sibirischen Taiga
sibirische Rentierhirten
Island (Dänemark)
SCHOTTLAND
ENGLAND
V. N.
DÄNEMARK-NORWEGEN
SCHWEDEN
PREUSSEN
RUSSISCHES REICH
POLEN
RÖMISCH-DEUTSCHES REICH
FRANKREICH
GE.
VENEDIG
Kirchenstaat
SPANIEN
PORTUGAL
Ainu (Jäger und Sammler)
tatarische Kalmücken
Nogaier
Kirgisen
Turkmenen
Usbeken
eurasische Steppen- und Wüstennomaden
Kalmücken
MANDSCHU-REICH
KOREA
JAPAN
Algerien
OSMANISCHES REICH
MAROKKO
arabische Beduinen
SAFAWIDEN-REICH
TIBET
MOGUL-REICH
Kriegsherren nach der Ming-Dynastie
Shan-Staaten
Taiwan
Kamelnomaden
Oman (osmanisch)
GHARA
MAHRA
HADRAMAUT
JEMEN
AWSA
FUNJ
TEKRUR
AIR
SO.
Hausa-Staaten
KANEM-BORNU
DARFUR
WADAI
ÄTHIOPIEN
Mossi-Staaten
OYO
BENIN
Elmina (Portugal)
AKAN
OROMO
islamische und Hindu-Staaten
ARAKAN
AVA
LAOS
AYUTTHAYA
ANNAM
Philippinen
Goa (Portugal)
GOLCONDA
BIJAPUR
Hindu-Reiche
Ceylon
KAMBODSCHA
Mikronesier
ACEH
BRUNEI
Celebes
Borneo
MAKASSAR
Neuguinea
Bauern auf Papua
westliche bantusprachige Hirten und Bauern
östliche bantusprachige Hirten und Bauern
Mombasa (Portugal)
KONGO
Luanda (Portugal)
LUNDA
LUBA
Mosambik (Portugal)
Madagaskar
Madegassen
Sumatra
MATARAM
Java
BANTAM
Timor
Tasman 1642–1643
Melanesier
Mauritius (Niederlande)
ROZWI
San (Jäger u. Sammler)
Khoi-San (Hirten)
Delagoabucht (Portugal)
australische Aborigines (Jäger und Sammler)
Polynesier
tasmanische Jäger und Sammler
Maori-Häuptlingsreiche

Freudenreicher Postilion von Münster/den durch deß Allerhöchsten ohnaußsprechliche Gnad/von den Vornembsten Potentaten der gantzen Christenheit/daselbst den 24. vnd 25. Octob. Anno 1648. Ratificierten/vnderschriebenen vnd mit grossen Frewden offentlich Publicierten hochwerthen lieben Frieden bringent.

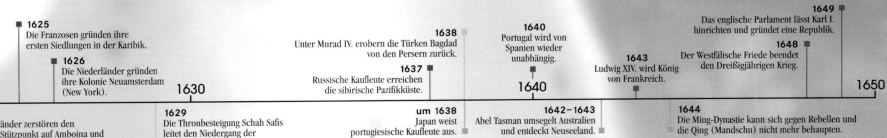

(vgl. S. 236/237). Die Besetzung Masulipatams in Indien und der westafrikanischen Stützpunkte verkleinerte den portugiesischen Welthandel zusätzlich (vgl. S. 224/225).

In Nord- und Südamerika blieb der niederländische Vorstoß allerdings stecken. Die Kolonie Neuamsterdam grenzte im Norden und Süden an britische Kolonien und durch die Besetzung des Sankt-Lorenz-Beckens verhinderten die Franzosen im Norden die weitere Expansion (vgl. S. 242/243). Die Westindischen Inseln teilten Spanien, Frankreich und Großbritannien weitgehend unter sich auf; den Versuch der Niederländer, Brasilien zu erobern, vereitelten die Portugiesen durch einen Guerillakrieg (vgl. S. 238/239).

Das Ende des Dreißigjährigen Krieges: Der Postillion von Münster bringt die Kunde vom Westfälischen Frieden des Jahres 1648.

1625 Die Franzosen gründen ihre ersten Siedlungen in der Karibik.

1626 Die Niederländer gründen ihre Kolonie Neuamsterdam (New York).

…3 …iederländer zerstören den …chen Stützpunkt auf Amboina und …len den britischen Handel mit Ostindien, …aya und Japan.

1630

1629 Die Thronbesteigung Schah Safis leitet den Niedergang der Safawiden-Dynastie ein.

1638 Unter Murad IV. erobern die Türken Bagdad von den Persern zurück.

1637 Russische Kaufleute erreichen die sibirische Pazifikküste.

um 1638 Japan weist portugiesische Kaufleute aus.

1640 Portugal wird von Spanien wieder unabhängig.

1640

1642–1643 Abel Tasman umsegelt Australien und entdeckt Neuseeland.

1643 Ludwig XIV. wird König von Frankreich.

1644 Die Ming-Dynastie kann sich gegen Rebellen und die Qing (Mandschu) nicht mehr behaupten.

1648 Der Westfälische Friede beendet den Dreißigjährigen Krieg.

1649 Das englische Parlament lässt Karl I. hinrichten und gründet eine Republik.

1650

Von Kolumbus bis zur amerikanischen Unabhängigkeit (1492 bis 1783)

Die Welt • 1715

Um 1670 war die weltweite demographische Krise allmählich überwunden. Die Pest, 1616 in Indien ausgebrochen, suchte 1661 die Türkei heim und erreichte 1665 London; danach verschwand sie. Es war die letzte große Pestepidemie der eurasischen Geschichte. Auch die große Hungersnot im Jahr 1709 wiederholte sich in Europa nicht mehr. Die chinesische Bevölkerung hatte bereits 1650 die 100-Millionen-Grenze erreicht.

Russlands Zar Peter der Große (1682–1725), dargestellt als Sieger über die Schweden bei Poltawa (1709; Gemälde von 1715)

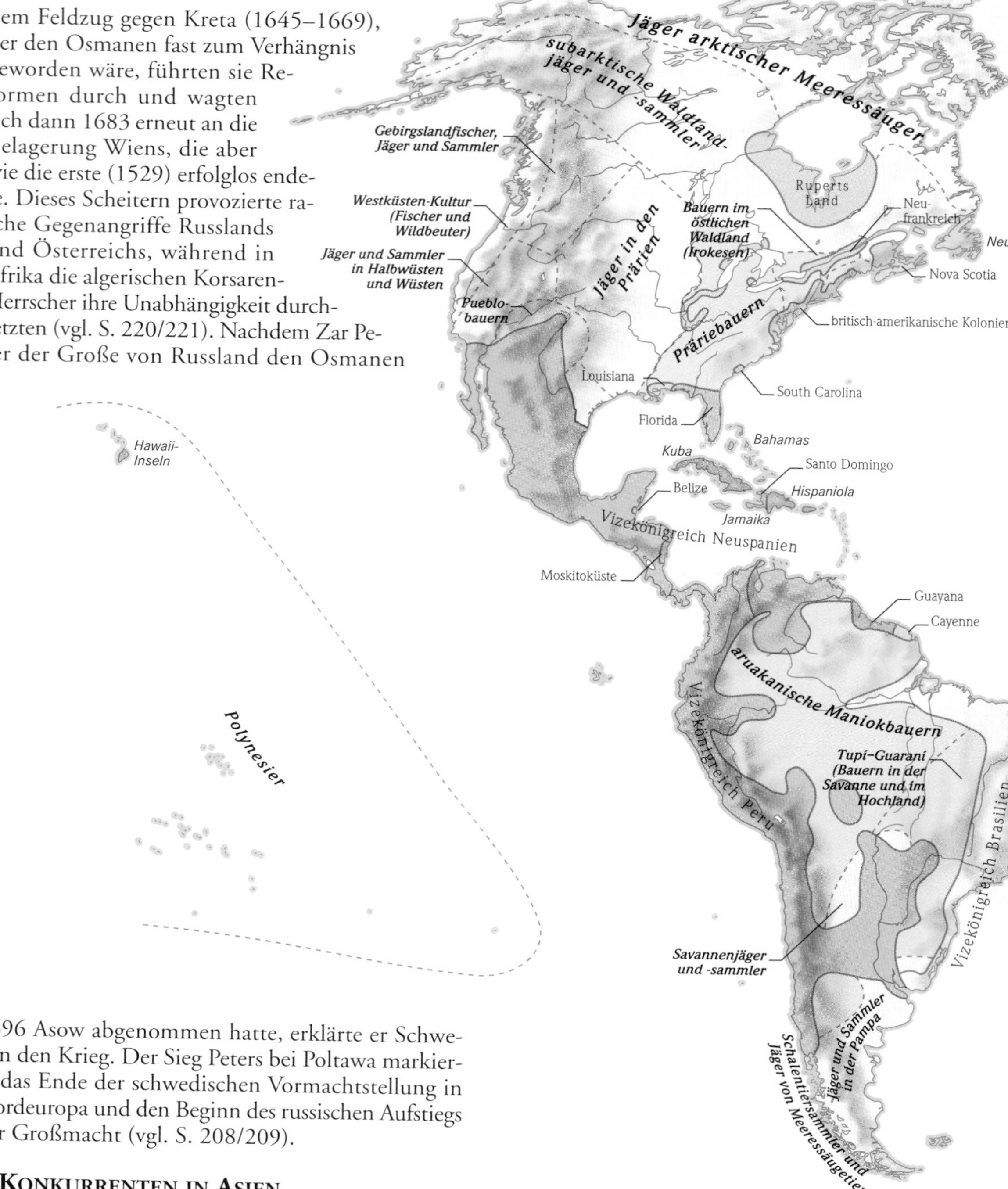
Jäger arktischer Meeressäuger
subarktische Waldland-Jäger und -sammler
Gebirgslandfischer, Jäger und Sammler
Westküsten-Kultur (Fischer und Wildbeuter)
Jäger und Sammler in Halbwüsten und Wüsten
Jäger in den Prärien
Bauern im östlichen Waldland (Irokesen)
Ruperts Land
Neu-frankreich
Neufun
Nova Scotia
britisch-amerikanische Kolonien
Pueblo-bauern
Präriebauern
Louisiana
South Carolina
Florida
Bahamas
Kuba
Santo Domingo
Hispaniola
Belize
Jamaika
Vizekönigreich Neuspanien
Moskitoküste
Hawaii-Inseln
Polynesier
Guayana
Cayenne
aruakanische Maniokbauern
Tupi-Guarani (Bauern in der Savanne und im Hochland)
Vizekönigreich Peru
Vizekönigreich Brasilien
Savannenjäger und -sammler
Jäger und Sammler in der Pampa
Schalentiersammler und Jäger von Meeressäugetieren

Die niederländische Vormacht im Welthandel überstand drei Kriege mit England. Als stärkste politische Macht etablierte sich jedoch Frankreich unter dem »Sonnenkönig« Ludwig XIV.; seine Bevölkerung war so groß wie die Spaniens und der habsburgischen Länder zusammen (vgl. S. 214/215). Dennoch gelang es Ludwig nicht, den französischen Handel aus dem Einfluss der Amsterdamer Banken zu lösen, was die anhaltende finanzielle Macht der holländischen Metropole deutlich belegt.

Globaler Handel ermöglicht auch die politische Vormachtstellung

Diese Macht basierte auf der Kontrolle des Handels in Europa, aber zunehmend auch auf Geschäften mit dem Rest der Welt. Da der Bedarf Asiens an Silber aus Spanisch-Amerika zum Teil gedeckt war, wandten sich die Niederländer dem asiatischen Küstenhandel zu. Amsterdamer Wechsel finanzierten bald weltweite Transaktionen.

Der Aufstieg Frankreichs störte das österreichisch-türkische Gleichgewicht auf dem Balkan. Nach einem Feldzug gegen Kreta (1645–1669), der den Osmanen fast zum Verhängnis geworden wäre, führten sie Reformen durch und wagten sich dann 1683 erneut an die Belagerung Wiens, die aber wie die erste (1529) erfolglos endete. Dieses Scheitern provozierte rasche Gegenangriffe Russlands und Österreichs, während in Afrika die algerischen Korsaren-Herrscher ihre Unabhängigkeit durchsetzten (vgl. S. 220/221). Nachdem Zar Peter der Große von Russland den Osmanen 1696 Asow abgenommen hatte, erklärte er Schweden den Krieg. Der Sieg Peters bei Poltawa markierte das Ende der schwedischen Vormachtstellung in Nordeuropa und den Beginn des russischen Aufstiegs zur Großmacht (vgl. S. 208/209).

Konkurrenten in Asien

Die Feldzüge des Großmoguls Aurangseb (1658 bis 1707) gegen die Marathen bescherten dem Mogul-Reich weitere Territorialgewinne im Hochland von Dekkan, aber nach seinem Tod setzte der Niedergang des Mogul-Reiches ein. Um 1715 war das Marathengebiet bereits das mächtigste innerhalb von dessen noch bestehenden Grenzen. Die Gründung britischer Handelsniederlassungen in Bombay und Kalkutta sowie einer französischen in Pondicherry zeigte deutlich, dass in Indien künftig Großbritannien und Frankreich eine entscheidende Rolle spielen würden (vgl. S. 228/229).

Die Herrschaft der Mandschu über das südliche China festigte sich. Der chinesische Feldherr Cheng Ch'eng-Kung hatte die Niederländer 1662 von Taiwan vertrieben. Die Besetzung der Insel durch die Mandschu im Jahr 1683 stellte sich später als die letzte große Operation der chinesischen Marine heraus (vgl. S. 232/233). Annam kam unter chinesische Oberhoheit, aber das eigentliche Interesse der Mandschu galt nicht dieser Region, sondern Zentralasien. 1689 gab Russland das Amurbecken auf und Mandschutruppen eroberten die Äußere Mongolei, wo sie die mongolischen Khalka nach Westen verdrängten.

Den Rückschlag auf Taiwan glichen die Niederländer durch die Festigung ihrer Stellung in Südostasien aus (vgl. S. 236/237). Mit der Zerstörung der englischen Siedlung in Bantam entledigten sie sich 1684 des letzten europäischen Rivalen in der Region und die Vertreibung der Portugiesen aus Ceylon stärkte ihre Position in Indien (vgl. S. 228/229).

ZEITLEISTE

Nord- und Südamerika ■
Europa ■
Vorderasien
Afrika ■
Ost- und Südasien

1630 – 1640 – 1650 – 1660

1636 Die Moguln weiten ihren Machtbereich im Dekkan aus.

1643 Ludwig XIV. wird König von Frankreich (bis 1715).

1652–1654 Der 1. anglo-niederländische Seekrieg (der 2. 1665–1667; der 3. 1672–1674).

1652 Niederländische Siedler gründen Kapstadt.

1655 Die Niederländer vertreiben die Portugiesen aus ihren Handelsstationen auf Ceylon.

1656 Englische Truppen unter Penn und Venables erobern Jamaika von den Spaniern.

1661 Die englische Ostindische Kompanie errichtet in Bombay eine Handelsniederlassung.

1661–1662 Der Ming-General Cheng Ch'eng-Kung vertreibt die Niederländer von Taiwan.

1664 Die Engländer entreiße[n] Neuamsterdam (heute New York) den Niederländern. Frankreich gründet sei[ne] Ostindische Kompanie, die mit der englischen konkurrieren soll.

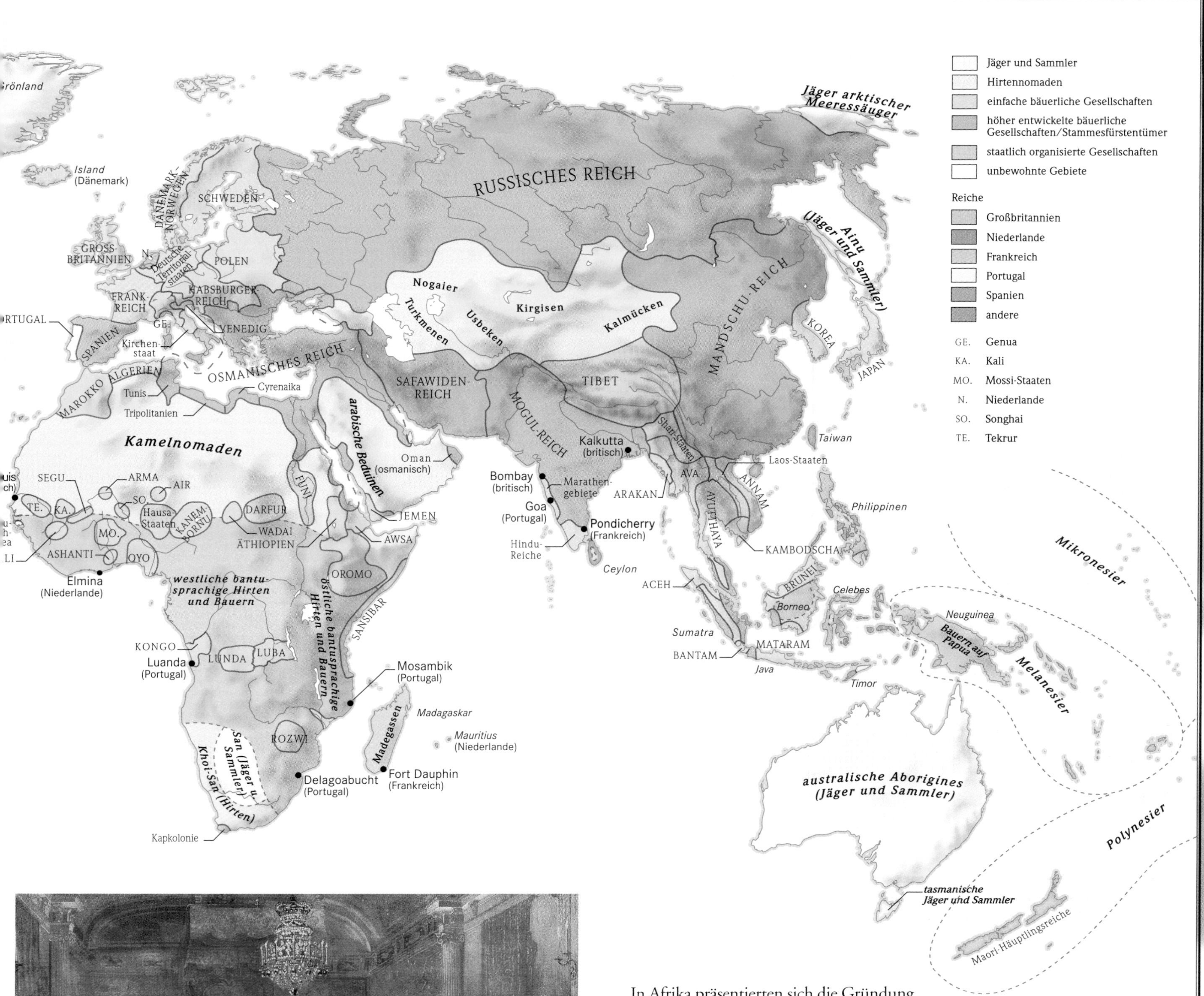

Jäger und Sammler
Hirtennomaden
einfache bäuerliche Gesellschaften
höher entwickelte bäuerliche Gesellschaften/Stammesfürstentümer
staatlich organisierte Gesellschaften
unbewohnte Gebiete

Reiche
Großbritannien
Niederlande
Frankreich
Portugal
Spanien
andere

GE. Genua
KA. Kali
MO. Mossi-Staaten
N. Niederlande
SO. Songhai
TE. Tekrur

Ludwig XIV., der »Sonnenkönig«, empfängt 1714 in Fontainebleau August den Starken, Kurfürst von Sachsen und König von Polen.

In Afrika präsentierten sich die Gründung Kapstadts 1652 durch die Niederländer und im Norden die Wiederbelebung des Islam als die wichtigsten Entwicklungen. Die Omanis eroberten die portugiesischen Stützpunkte an der nördlichen Ostküste und gründeten das Sultanat Sansibar. Dagegen wurde am Niger das Wiedererstarken der islamischen Fulani-Völker durch die Bambara-Königreiche Segu und Kaarta verhindert (vgl. S. 224/225).

Kolonialisierung

Der Niedergang Spaniens wirkte sich kaum auf sein Kolonialreich aus. England besetzte Jamaika und die Moskitoküste, während Frankreich Santo Domingo (Haiti) einnahm und mit Louisiana eine Kolonie gründete. Der Franzose Robert La Salle erforschte den Mississippi vom Norden her, während die britische Macht an der Ostküste Nordamerikas durch die Eroberung von Neuamsterdam (New York) gefestigt wurde (vgl. S. 242/243). Die britischen Kolonien konnten ein schnelles Anwachsen ihrer Bevölkerung verzeichnen, die in die Gebiete jenseits des von den Franzosen kontrollierten Sankt-Lorenz-Stroms vordrang. 1710 nahmen sie den Franzosen Acadia ab und tauften es »Nova Scotia«.

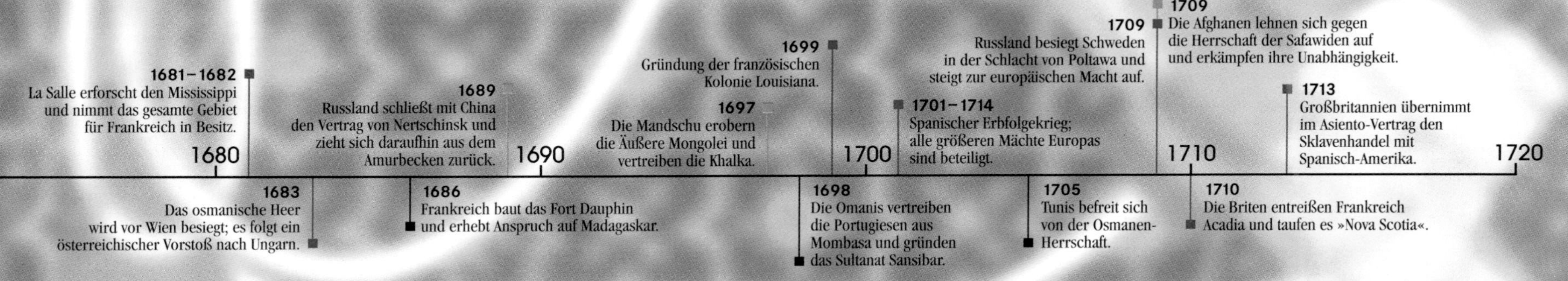
1681–1682 La Salle erforscht den Mississippi und nimmt das gesamte Gebiet für Frankreich in Besitz.
1683 Das osmanische Heer wird vor Wien besiegt; es folgt ein österreichischer Vorstoß nach Ungarn.
1686 Frankreich baut das Fort Dauphin und erhebt Anspruch auf Madagaskar.
1689 Russland schließt mit China den Vertrag von Nertschinsk und zieht sich daraufhin aus dem Amurbecken zurück.
1697 Die Mandschu erobern die Äußere Mongolei und vertreiben die Khalka.
1698 Die Omanis vertreiben die Portugiesen aus Mombasa und gründen das Sultanat Sansibar.
1699 Gründung der französischen Kolonie Louisiana.
1701–1714 Spanischer Erbfolgekrieg; alle größeren Mächte Europas sind beteiligt.
1705 Tunis befreit sich von der Osmanen-Herrschaft.
1709 Russland besiegt Schweden in der Schlacht von Poltawa und steigt zur europäischen Macht auf.
1709 Die Afghanen lehnen sich gegen die Herrschaft der Safawiden auf und erkämpfen ihre Unabhängigkeit.
1710 Die Briten entreißen Frankreich Acadia und taufen es »Nova Scotia«.
1713 Großbritannien übernimmt im Asiento-Vertrag den Sklavenhandel mit Spanisch-Amerika.
1680
1690
1700
1710
1720

Von Kolumbus bis zur amerikanischen Unabhängigkeit (1492 bis 1783)

Die Welt • 1783

Nach mehr als einem Jahrhundert von Hunger, Pestepidemien, Kriegen und anderen Nöten entspannte sich die Situation im 18. Jahrhundert wieder. Die chinesische Bevölkerung wuchs von 120 Millionen Menschen im Jahr 1680 auf fast 300 Millionen im Jahr 1790. In Europa stiegen die Bevölkerungszahlen von etwa 100 Millionen (1650) auf etwa 187 Millionen Menschen im Jahr 1800. Nur in Afrika blieb die Gesamtbevölkerung von etwa 100 Millionen Menschen unverändert; dabei ist zu berücksichtigen, dass im Zuge des Sklavenhandels einige Millionen Menschen deportiert wurden.

Oft wird die Ansicht vertreten, die Fortschritte im medizinisch-sanitären Bereich hätten die Menschheit befähigt, der Tyrannei von Pest und hoher Kindersterblichkeit zu entkommen. Diese Meinung ist insofern einzuschränken, als derartige Erfolge zwar in Europa erzielt wurden, aber nirgendwo sonst auf der Welt. Eine für das Ganze wirksame Ursache lässt sich im Klima finden: Der allmählich weltweite Temperaturanstieg bewirkte verbesserte Ernteerträge, diese eine bessere Ernährung und diese wiederum die Verringerung der Krankheitsanfälligkeit.

Der Kampf Frankreichs gegen Grossbritannien

Politisch bestimmend für das 18. Jahrhundert war, dass der Kampf zwischen Frankreich und Großbritannien, den dynamischsten Nationalstaaten in Westeuropa, nun auf der ganzen Welt ausgetragen wurde. Die Briten konnten im Österreichischen Erbfolgekrieg (1740–1748) ihre Territorien in Nordamerika zwar vergrößern, aber die französischen Erfolge in Indien und Europa bedeuteten eher die Restauration des Vorkriegszustandes im Aachener Frieden von 1748 (vgl. S. 216/217). Im Siebenjährigen Krieg (1756 bis 1763) wirkte sich die maritime Überlegenheit der Briten jedoch zu deren Gunsten aus. Der Sieg von General James Wolfe bei Quebec 1759 brachte Großbritannien Neufrankreich ein und in der Karibik fielen ihm 1762 alle französischen Besitzungen mit Ausnahme von Santo Domingo (Haiti) zu. Im selben Jahr eroberten britische Truppen Havanna, das Herz des spanisch-amerikanischen Reiches, und zwölf Monate später errangen sie Florida. In Indien besiegten Truppen der britischen Ostindischen Kompanie 1759 in der entscheidenden Schlacht von Plassey den Verbündeten der Franzosen, Siraj ud-Dawlah von Bengalen (vgl. S. 228/229). 1762 besaß Frankreich in Indien nur noch Pondicherry und hatte in Nordamerika sämtliche Besitzungen östlich des Mississippi verloren.

Russisch-Amerika
Jäger arktischer Meeressäuger
subarktische Waldland-Jäger und -sammler
Gebirgslandfischer, Jäger und Sammler
Ruperts Land
Labrador
Westküsten-Kultur (Fischer und Wildbeuter)
Neufundland
Quebec
Neuschottland
Vizekönigreich Neuspanien
VEREINIGTE STAATEN VON AMERIKA
Florida
Bahamas
Hawaii-Inseln
Santo Domingo
Kuba
Jamaika
Hispaniola
Belize
Moskitoküste
Guayana
Cayenne
Vizekönigreich Neugranada
Vizekönigreich Brasilien
Polynesier
Marquesas-Inseln
Tuamotu-Inseln
Vizekönigreich Peru
Vizekönigreich Rio de la Plata
Pitcairn
Cook 1768
Cook 1768–1769
Jäger und Sammler in der Pampa
Schalentiersammler und Jäger von Meeressäugetieren
Falkland-Inseln (Spanien)

Der englische Entdecker James Cook landet auf den Freundschaftsinseln; kolorierter Stich, 1778.

Unabhängigkeit und neue Mächte

Die Besorgnis Großbritanniens über den unkontrollierten Handel seiner nordamerikanischen Untertanen mit den französischen, niederländischen und spanischen Kolonien und seine – auch durch die eigene Haushaltslage bedingten – Versuche, diesen Handel zu unterbinden, führten in den Krieg. Frankreich, das auf der Seite der britischen Kolonien stand, schickte Truppen und eine Flotte nach Nordamerika, um dort und in der wirtschaftlich wertvollen Karibik gegen den alten Rivalen Stellung zu beziehen. Am Ende behielt Großbritannien 1783 zwar seine Besitzungen in Westindien, verlor jedoch seine nordamerikanischen Kolonien für immer (vgl. S. 246/247).

ZEITLEISTE

Nord- und Südamerika ■
Europa ■
Vorderasien ■
Afrika ■
Ost- und Südasien, Ozeanien ■

1720 | 1730 | 1740 | 17

1720 Der Zusammenbruch der Mississippi-Kompanie ruiniert die französischen Staatsfinanzen.

1720 Niederländische Siedler vom Kap erreichen den Oranje.

1721 Frankreich entreißt den Niederlanden Mauritius.

1722 In Indien tauchen die Marathen als mächtigste Nachfolger der Moguln auf.

1727 Die Perser vertreiben die Türken aus Transkaukasien.

1736 Schah Nadir übernimmt in Persien die Macht; er führt Krieg in Zentralasien, Nordindien und gegen die Türken.

1739 Unter Führung Schah Nadirs erobern die Perser Delhi.

1740 Friedrich II. (der Große) wird König von Preußen. Unter seiner Führung wird Preußen europäische Großmacht.

1747 In Afrika besiegt Oyo Dahomey und sichert sich im Nigerdelta die Vormacht.

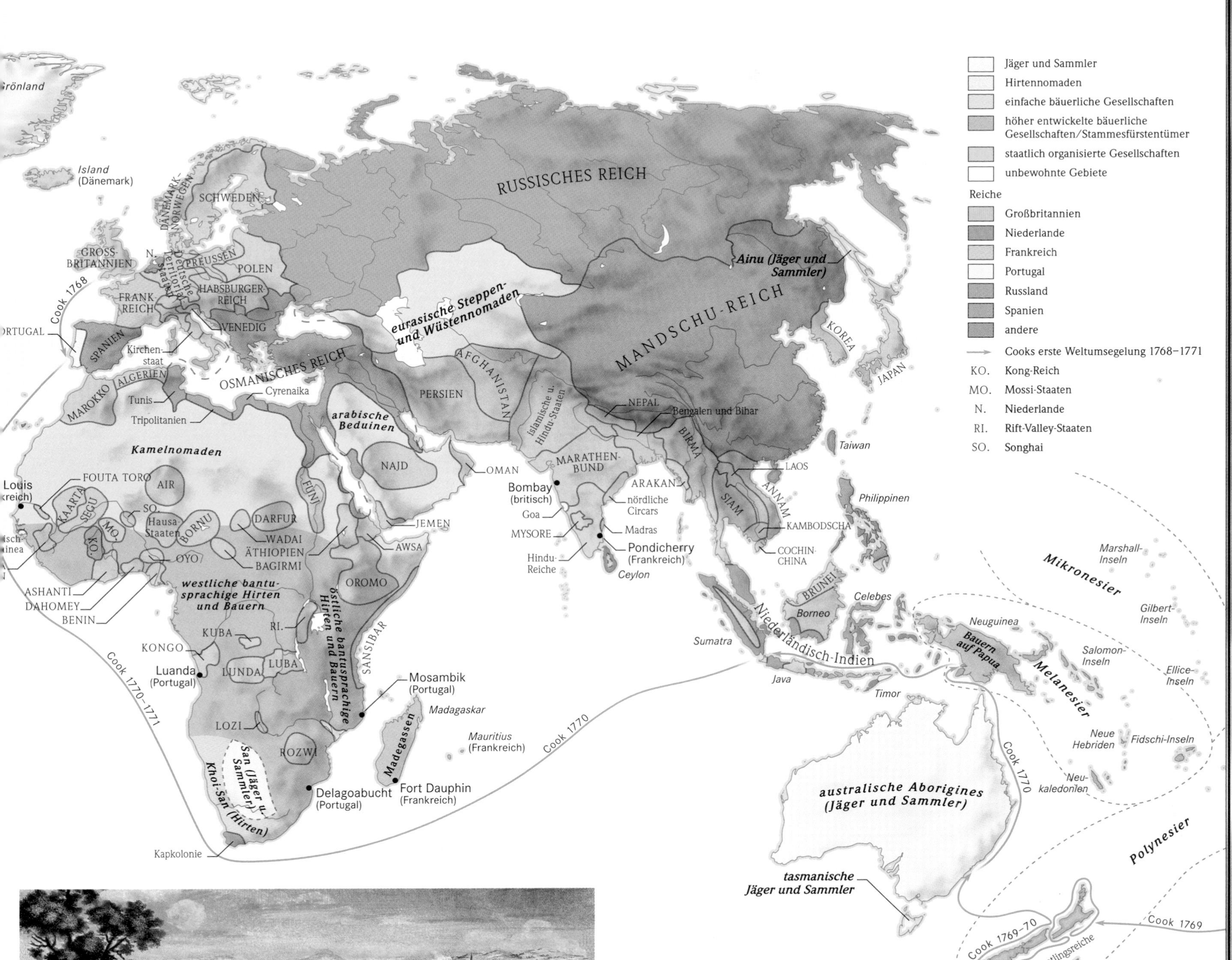

Jäger und Sammler
Hirtennomaden
einfache bäuerliche Gesellschaften
höher entwickelte bäuerliche Gesellschaften/Stammesfürstentümer
staatlich organisierte Gesellschaften
unbewohnte Gebiete

Reiche
Großbritannien
Niederlande
Frankreich
Portugal
Russland
Spanien
andere
Cooks erste Weltumsegelung 1768–1771
KO. Kong-Reich
MO. Mossi-Staaten
N. Niederlande
RI. Rift-Valley-Staaten
SO. Songhai

Siebenjähriger Krieg; Ferdinand von Braunschweig und die englisch-hannoverschen Truppen schlagen die Franzosen bei Minden (1759).

Im 18. Jahrhundert entstanden auch neue Mächte. In Europa entriss der Preußenkönig Friedrich der Große den Österreichern die Provinz Schlesien. Im Siebenjährigen Krieg überstand Preußen alle Angriffe Österreichs, Russlands und Frankreichs und stieg als zweite Großmacht innerhalb des nur noch nominell bedeutsamen Römisch-Deutschen Reiches zum Rivalen Österreichs auf. Russland zerschlug Anfang der 1770er-Jahre Polen und drängte die Osmanen in Südosteuropa zurück. Gleichzeitig überquerten russische Pioniere das Beringmeer und siedelten sich in Alaska an (vgl. S. 208/209).

In Indien eroberten die Truppen Schah Nadirs 1739 Delhi und raubten den Moguln den Rest ihrer Macht. 1761 besiegte Schah Ahmed von Afghanistan in entscheidender Schlacht bei Panipat ein starkes Marathenheer. Die britische Ostindische Kompanie – seit dem Sieg von Plassey die eigentliche Herrscherin über Bengalen – stieg zur stärksten Macht des Subkontinents auf; allenfalls Mysore konnte ihr noch Paroli bieten (vgl. S. 228/229).

Die weltweit grösste Macht …

… des 18. Jahrhunderts aber war China. Bis 1700 hatten die Mandschu die letzten Ming-Heerführer unterworfen; danach folgte eine Zeit außerordentlichen wirtschaftlichen und politischen Wachstums. Der chinesische Einfluss reichte bis tief nach Innerasien. Die Russen sahen sich aus dem Amurbecken verdrängt, Tibet wurde dem chinesischen Reich einverleibt und die kaiserliche Herrschaft in Südostasien bis auf Birma wiederhergestellt (vgl. S. 232/233).

Im 18. Jahrhundert erkundeten Cook, Bougainville und andere europäische Seefahrer den Pazifik, die letzte noch unbekannte Region des Planeten.

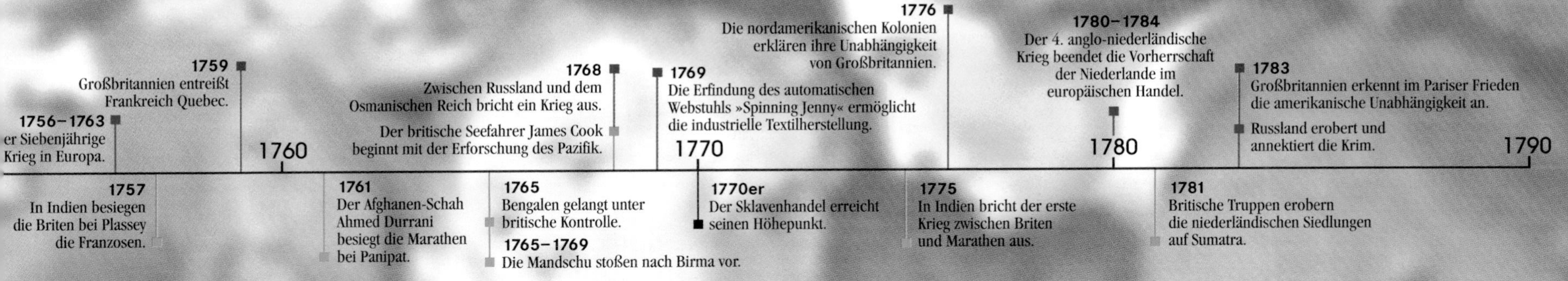
1756–1763
er Siebenjährige Krieg in Europa.
1757
In Indien besiegen die Briten bei Plassey die Franzosen.
1759
Großbritannien entreißt Frankreich Quebec.
1760
1761
Der Afghanen-Schah Ahmed Durrani besiegt die Marathen bei Panipat.
1765
Bengalen gelangt unter britische Kontrolle.
1765–1769
Die Mandschu stoßen nach Birma vor.
1768
Zwischen Russland und dem Osmanischen Reich bricht ein Krieg aus.
Der britische Seefahrer James Cook beginnt mit der Erforschung des Pazifik.
1769
Die Erfindung des automatischen Webstuhls »Spinning Jenny« ermöglicht die industrielle Textilherstellung.
1770
1770er
Der Sklavenhandel erreicht seinen Höhepunkt.
1775
In Indien bricht der erste Krieg zwischen Briten und Marathen aus.
1776
Die nordamerikanischen Kolonien erklären ihre Unabhängigkeit von Großbritannien.
1780–1784
Der 4. anglo-niederländische Krieg beendet die Vorherrschaft der Niederlande im europäischen Handel.
1780
1781
Britische Truppen erobern die niederländischen Siedlungen auf Sumatra.
1783
Großbritannien erkennt im Pariser Frieden die amerikanische Unabhängigkeit an.
Russland erobert und annektiert die Krim.
1790

Der älteste erhaltene Globus – Martin Behaims »Erdapfel«

Der berühmte Nürnberger »Erdapfel« des Martin Behaim

Der älteste Fund einer bildlichen Darstellung der Welt stammt aus dem 4. Jahrtausend v. Chr. Lange Zeit ging es bei der Herstellung von Karten weniger darum, die Topographie der Erde exakt zu beschreiben. Stattdessen wurde das Weltbild, die Ideologie des Künstlers dargestellt – oder die seines Auftraggebers.

Die religiös orientierte Weltsicht war dafür verantwortlich, dass nicht offen gesagt werden durfte, was Gelehrte schon längst vermuteten: Die Erde ist eine Kugel. Dabei hatte doch schon Kratos von Mallos 159 v. Chr. einen – allerdings in keiner Weise realistischen – Erdglobus entworfen. Und um 140 n. Chr. entwickelte Claudius Ptolemäus in Alexandria in seinem Hauptwerk »Syntaxis mathematike« ein geozentrisches Weltbild, das zwar irrtümlich die Sonne um die Erde kreisen ließ, aber in diesem Zusammenhang bereits von der Kugelgestalt der Erde ausging.

Am Ende des Mittelalters, als die Kaufleute begannen, in immer entferntere Gebiete vorzudringen, und die Seefahrernationen ihre Kapitäne immer weiter übers Meer schickten, wurde exaktes Kartenmaterial unverzichtbar. So kursierte die Idee, Indien auf dem direkten Seeweg erreichen zu können, schon vor Kolumbus. Das wiederum bedeutete, dass man sich von der Idee, dass die Erde eine Scheibe sei, endgültig verabschieden musste. Eine dreidimensionale Darstellung der Erde lag also nahe.

Bereits in religiösen Schriften aus dem 11. Jahrhundert wird eine Kugelgestalt der Erde angenommen, daher kann es eigentlich nicht überraschen, dass Ende der 1470er-Jahre ausgerechnet der Papst in Rom den Bau von Globen in Auftrag gab – die Kirche lehnte nicht die Kugelgestalt der Erde, sondern lediglich die Vorstellung ab, dass Menschen auf der anderen Seite der Erde leben, also praktisch »auf dem Kopf« stehen müssten. Die päpstlichen Globen existieren allerdings nicht mehr und somit ist der älteste noch erhaltene Erdglobus der von Martin Behaim aus dem Jahre 1492.

EIN TUCHHÄNDLER AUS NÜRNBERG

Man weiß nicht viel über das unstete Leben dieses Kaufmanns aus Nürnberg: 1459 als Kind einer Patrizierfamilie geboren, bekam er in Antwerpen eine Ausbildung als Tuchhändler und begann schon bald, auf eigene Rechnung Handel zu betreiben. Das Interesse am Gewürzhandel scheint Behaim dann in südlichere Gegenden verschlagen zu haben.

Der Geograph, Astronom und Mathematiker Claudius Ptolemäus, der im 2. Jahrhundert in Alexandria (Ägypten) lebte, ging wie Aristoteles von der Kugelgestalt der Erde aus und begründete das nach ihm benannte ptolemäische Weltsystem.

Offenbar war er als Fernhandelsreisender auf einem portugiesischen Schiff Anfang der 1480er-Jahre bis an die Westküste Afrikas gereist – wie auf seinem Globus verzeichnet ist.

Etwa in den Jahren 1490 bis 1493, in denen sich Behaim wegen Erbschaftsangelegenheiten wieder in Nürnberg aufhielt, wurde dort der »Erdapfel« – wie er seinen Globus nannte – unter seiner Leitung angefertigt. In späteren Jahren scheint sich Behaim überwiegend wieder in Portugal aufgehalten zu haben, wo er 1507 in Lissabon starb.

AUFWÄNDIGE KONSTRUKTION EINES PROTOTYPEN

Das Herstellungsverfahren des Behaim'schen Globus war ungewöhnlich und sehr aufwändig: Auf einen runden Kern aus Lehm wurden mit Leim getränkte Schichten aus Leinen befestigt, nach dem Trocknen wurde die Kugel zerschnitten und der Lehmkern entfernt. Die beiden Teile der Hülle wurden wieder zusammengefügt, mit weiteren Schichten aus Papier und einem Überzug aus Leder bezogen, um ganz zuletzt noch eine Papierschicht aufzukleben. Dieses Papier wurde dann auf Anweisung von Behaim von dem Miniaturmaler Georg Glockendon bemalt, der dank der Unterstützung durch seine Frau das Werk in 15 Wochen fertig stellen konnte.

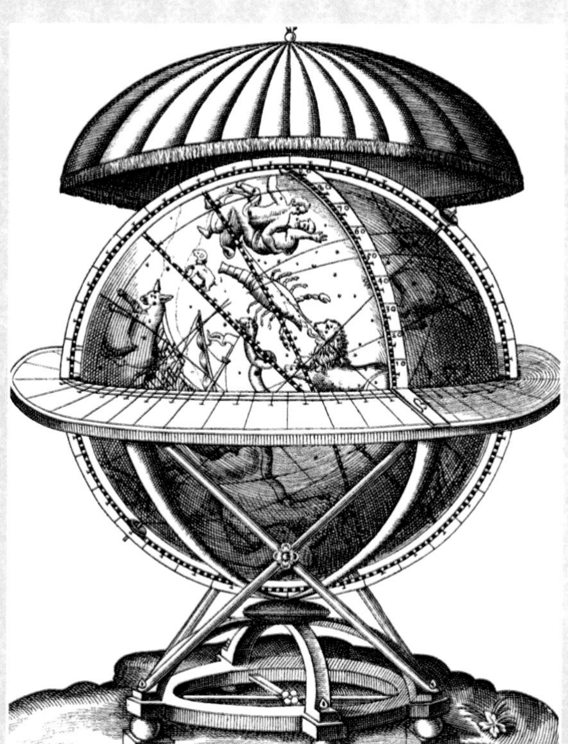

Die Abbildung zeigt einen Himmelsglobus nach Tycho Brahe (1546–1601), dem bedeutenden dänischen Astronomen und Lehrmeister von Johannes Kepler.

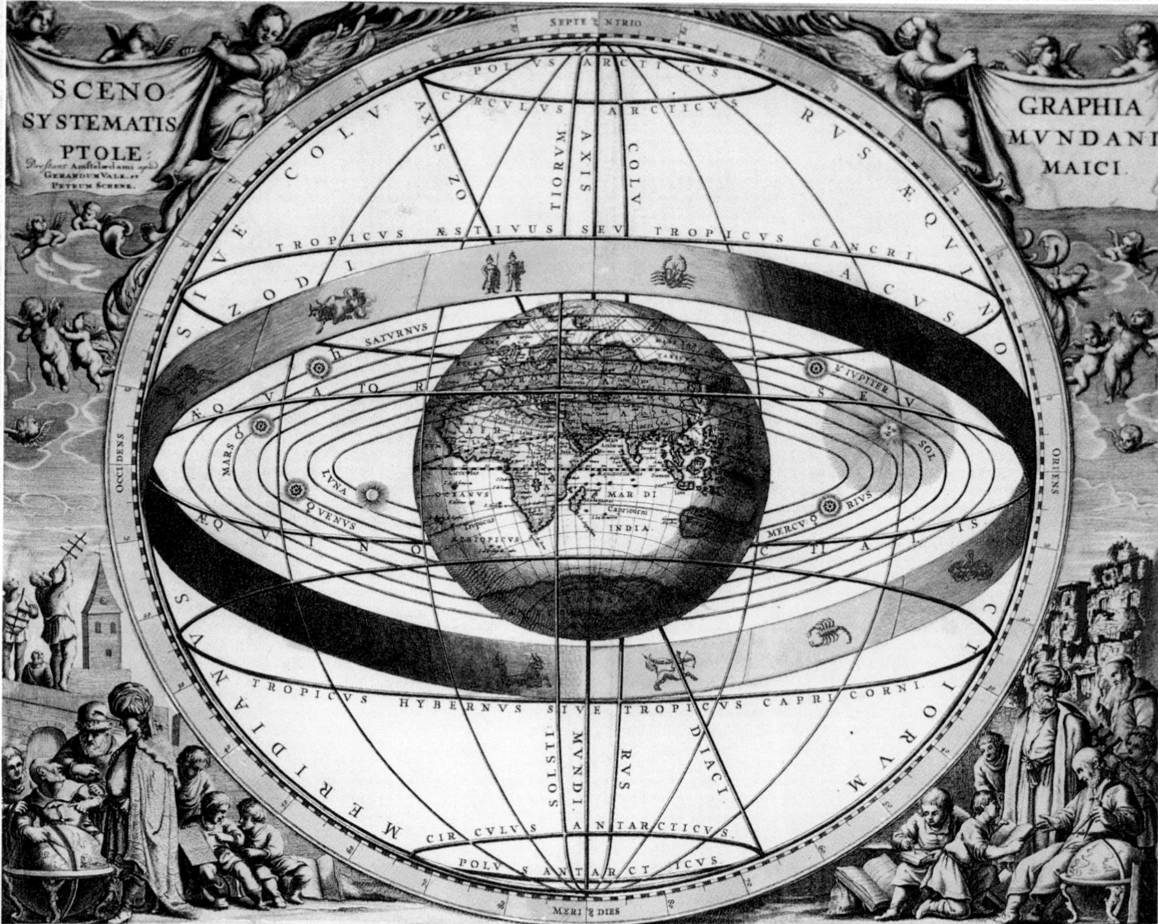
SCENO
SYSTEMATIS
PTOLE
GRAPHIA
MVNDANI
MAICI

Dieser kolorierte Kupferstich stammt aus einem Himmelsatlas, der in der Zeit um 1680 entstand; er zeigt die Planetenbahnen nach dem geozentrischen Weltbild.

Behaims Globus weist aus heutiger Sicht ein entscheidendes Manko auf: Auf ihm ist der Kontinent Amerika noch nicht verzeichnet. Allerdings gibt er das vorkolumbische Weltbild verhältnismäßig exakt wieder.

Der Bau des Globus wurde wahrscheinlich überwiegend vom Rat der Stadt Nürnberg finanziert, der damit eindeutig wirtschaftliche Interessen verband: Den Patriziern der Stadt sollte auf diese Weise eindrucksvoll vor Augen geführt werden, welche Möglichkeiten im internationalen Handel mit fremden Ländern liegen, wie die Inschriften auf dem Globus belegen: In Afrika fände man am Äquator »… allerlei Specery and gewürtz do wachst moscat …« und auf Ceylon »… vil Edelgestains Perlein oriental …«

SCHMÜCKENDE DETAILS

Globen wie der von Behaim und die seiner Nachfolger im 16. Jahrhundert waren häufig kunstvoll ausgeschmückt mit Fabelwesen, mythologischen Figuren und ähnlichem Beiwerk. Berühmte Globenbauer waren unter anderem Johann Schöner, dessen um 1520 entstandene Holzkugel Südamerika bereits verzeichnet, und Gerhard Mercator (1512–1594), der 1541 einen Erd- und einen Himmelsglobus anfertigte und darüber hinaus die für Seekarten sehr nützliche – da winkeltreue – Mercatorprojektion entwickelte. Bedeutend sind auch die kunstvoll messingvergoldeten Globen von Johannes Praetorius (1537–1576). Ein Jahrhundert später beeindruckten die Globen des Italieners Vinzento Maria Coronelli (1650 bis 1718) durch ihre Größe: Ein von Ludwig XIV. in Auftrag gegebener Globus hatte einen Durchmesser von fast vier Metern.

Im 17. und 18. Jahrhundert wurde die Darstellung der Erde immer exakter, obwohl auf einigen Globen immer noch ein sagenhafter Südkontinent eingezeichnet war, »Terra incognita«, der erst mit der Entdeckung der Ausläufer der Antarktis um 1820 verschwand.

Heute werden Globen oft eher in schmückender Funktion oder mit symbolischem Charakter eingesetzt: Ein Globus ziert so manches Firmenlogo international tätiger Konzerne und ist beispielsweise auch als »Fußball Globus« Titel und Leitmotiv des Kunst- und Kulturprogramms der FIFA, das die Fußball-WM 2006 begleitet. – Die frühneuzeitliche Metaphorik, sich die Welt symbolisch in Gestalt einer Erdkugel aneignen zu können, wird eindrucksvoll – und mit aktuellem Bezug – in Charlie Chaplins »Der große Diktator« (1940) relativiert: Chaplin als Diktator tanzt verzückt mit einem federleicht schwebenden großen Globus – der am Ende der Szene zerplatzt wie eine Seifenblase …

Auf diesem Holzschnitt von Jost Amman (1539–1591) ist ein Astronom bei der Arbeit dargestellt.

Von Kolumbus bis zur amerikanischen Unabhängigkeit (1492 bis 1783)

Europa zur Zeit der Reformation • 1492 bis 1560

Ende des 15. Jahrhunderts festigten die westeuropäischen Könige ihre Stellung und beendeten die inneren Kriege in ihren Ländern. Ludwig XI. von Frankreich (1461–1483) besiegte seine burgundischen Rivalen und Englands Herrscher Heinrich VI. Tudor machte 1485 den Rosenkriegen ein Ende, während in Spanien Ferdinand von Aragón und Isabella von Kastilien ihre Königreiche durch Heirat vereinten und das noch immer maurische Granada eroberten.

Schloss Chambord ist das größte und eines der prunkvollsten französischen Renaissanceschlösser im Gebiet der Loire. Es wurde 1519–1537 erbaut.

Die feudalistisch geprägten Beziehungen lösten sich immer mehr auf und die Monarchen sahen sich einer Welt gegenüber, in der zunehmend das Geld die Lehnstreue verdrängte. Wie sich bald zeigte, konnte die Monarchie sich jedoch noch einmal diesen veränderten Bedingungen anpassen.

Territorialstaat und Reichsidee

Die europäischen Territorialstaaten des 16. Jahrhunderts unterschieden sich noch sehr von den Staaten der Gegenwart. Schlechte materielle Bedingungen, die umständlichen Kommunikationswege und das Überleben von überkommenen Gebräuchen, Wirtschaftsformen und sogar Gesetzen schränkten die monarchische Machtausübung ein; der Nationalstaat war noch sehr neu.

Dennoch blieb die Vorstellung von einem über dem einzelnen Staat stehenden, übernationalen »Reich« lebendig – und dies nicht nur im »Heiligen Römischen Reich Deutscher Nation«. Karl VIII. von Frankreich zog 1494 mit einer solchen Vision nach Italien. Die Folge war eine Kette von Kriegen und die Zerstörung vieler Errungenschaften der Renaissance auf der Apenninhalbinsel durch französische, spanische und deutsche Truppen. Im Jahr 1519 bestieg Karl von Habsburg, ein Enkel Ferdinands von Aragón und Kaiser Maximilians I., als Kaiser Karl V. den deutschen Thron. Das Reich war schwach, aber Karl herrschte auch über die habsburgischen Länder in Spanien, die Niederlande, die Franche-Comté, große Teile Italiens und nicht zuletzt über die spanischen Besitzungen in Übersee. Damit war eine Macht entstanden, die Europa bis ins späte 17. Jahrhundert prägen sollte.

Die helle Flamme der »Erneuerung«

Vor diesem Hintergrund fand das größte Ereignis des 16. Jahrhunderts, die Reformation, statt. Was als Protest des Mönchs Martin Luther gegen die korrupten Praktiken der Kirche begann, entwickelte sich zur Frage eines erwachenden Nationalismus und des Machtverhältnisses der deutschen Fürsten zum Kaiser. Der Bauernkrieg von 1525 – teilweise durch religiöse Unruhen gespeiste Aufstände – wurde von eben diesen Fürsten rasch und mit Gewalt beendet, auch von solchen, die später (nicht zuletzt aus politischen Gründen) selbst den reformierten Glauben annahmen. Karl V. errang bei Mühlberg 1547 zwar einen vernichtenden Sieg über die protestantischen Landesfürsten des Schmalkaldischen Bundes, tat aber

Die Reformatoren (v. l.) Johannes Forster, Georg Spalatin, Martin Luther, Johannes Bugenhagen, Erasmus von Rotterdam, Justus Jonas, Caspar Cruciger und Philipp Melanchthon (Kopie nach L. Cranach d. J.)

Überwiegende Glaubensrichtung, 1550
- anglikanisch
- katholisch
- calvinistisch
- lutherisch
- muslimisch
- griechisch-orthodox
- gemischt
- Land mit klarer katholischer Minderheit, 1550
- Land mit deutlicher protestantischer Minderheit, 1550
- Grenzen, 1560
- Gebiet unter Kontrolle des Deutschen Ritterordens, 1550
- österreichische Habsburger
- spanische Habsburger
- Osmanisches Reich, 1492
- Teile Europas, bis 1560 an die Osmanen verloren
- Niederlage der Christen gegen die Osmanen
- wichtige osmanische Belagerung
- osmanisches Vordringen gegen das christliche Europa
- Volkserhebungen, datiert
- bedeutendes Zentrum des Buchdrucks im 15. und 16. Jahrhundert
- spanische Festung

Der Kampf um Italien
- französischer Sieg
- Sieg der spanischen Habsburger
- Sieg Venedigs
- Vordringen Karls VIII. von Frankreich, 1494/1495

ATLANTISCHER OZEAN
La Coruña
Duero
PORTUGAL
Tajo
Lissabon
SPAN
Madrid
Kastilie ab 1479 Kgr. S
Córdoba
Sevilla
Granad 1492 an Spa
Tanger
Arzila
Ceuta
Melilla 1497 an Spanien

1 Der Sieg Englands über Schottland bei Flodden schloss die Einmischung der Schotten in englische Angelegenheiten während der Tudor-Zeit aus.

2 Der Augustinermönch Martin Luther nagelte 1517 der Legende nach seine »95 Thesen« an die Tür der Schlosskirche von Wittenberg; er protestierte damit gegen Missstände in der katholischen Kirche und löste die Reformation aus.

3 Das Schloss von Chambord, ab 1519 für König Franz I. errichtet, ist ein klassisches Beispiel französischer Renaissance-Architektur.

4 Der Stützpunkt Rhodos fiel 1522 nach heldenhafter Verteidigung durch die Johanniter an die Osmanen.

0 600 km
0 400 Meilen

5 Mit der Gefangennahme Franz' I. bei Pavia 1525 hatte die spanisch-französische Krise in Italien ihren Höhepunkt erreicht.

6 Die brutale Plünderung Roms im Jahr 1527 durch spanische und deutsche Söldner im Dienst Karls V. schockierte ganz Europa.

7 In drei Tagungsperioden (ab 1545) schuf das Konzil von Trient in der Auseinandersetzung mit dem Protestantismus das Fundament des modernen Katholizismus.

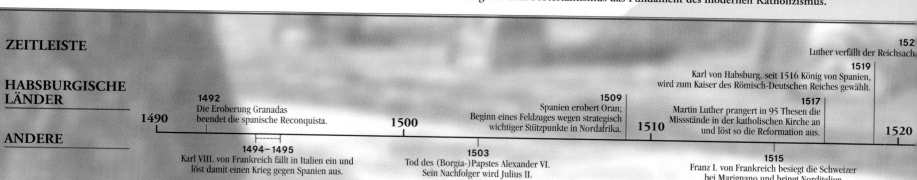

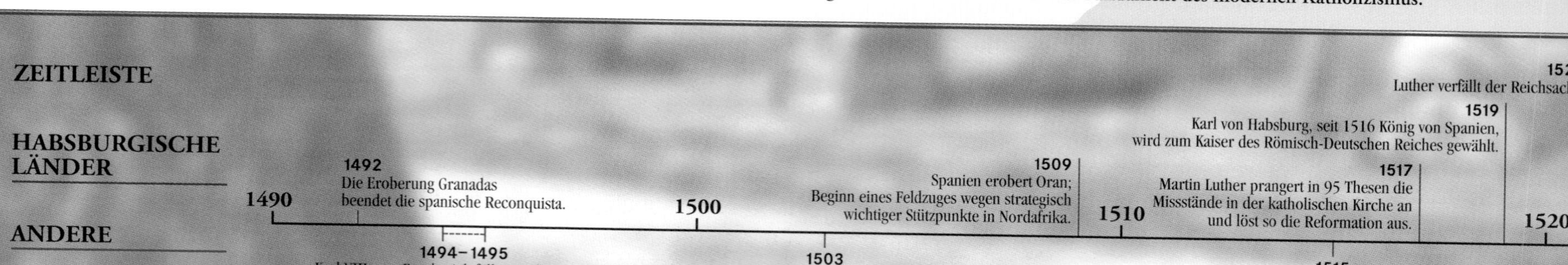
ZEITLEISTE
HABSBURGISCHE LÄNDER
ANDERE
1490
1500
1510
1520
1492 Die Eroberung Granadas beendet die spanische Reconquista.
1509 Spanien erobert Oran; Beginn eines Feldzuges wegen strategisch wichtiger Stützpunkte in Nordafrika.
1519 Karl von Habsburg, seit 1516 König von Spanien, wird zum Kaiser des Römisch-Deutschen Reiches gewählt.
152 Luther verfällt der Reichsach
1517 Martin Luther prangert in 95 Thesen die Missstände in der katholischen Kirche an und löst so die Reformation aus.
1494–1495 Karl VIII. von Frankreich fällt in Italien ein und löst damit einen Krieg gegen Spanien aus.
1503 Tod des (Borgia-)Papstes Alexander VI. Sein Nachfolger wird Julius II.
1515 Franz I. von Frankreich besiegt die Schweizer bei Marignano und bringt Norditalien wieder unter französische Kontrolle.

sonst wenig, um die Ausbreitung der Reformation zu verhindern.

Die stark geschwächte Kurie zeigte sich der Herausforderung durch Luther kaum gewachsen, denn viele Menschen überzeugte die Notwendigkeit einer vereinten Kirche nicht mehr. Im Papst sahen sie lediglich einen zynischen Beteiligten am komplexen Spiel der italienischen Politik. Die Autorität der Kirche wurde nun sogar von Herrschern bezweifelt, die gar keine religiösen Motive leiteten. Darunter waren beispielsweise Ferdinand von Aragón, der 1508 damit drohte, seine Länder vom Gehorsam gegenüber dem Papst zu entbinden, oder der schwedische König Gustav Wasa, der sich Ländereien aneignete, die eigentlich der Kirche gehörten, schließlich gar Heinrich VIII. von England, der im Jahr 1532 mit Rom brach.

Reaktion: Tridentinisches Glaubensbekenntnis

Die eigentliche Triebkraft der Reformation lag in einer Veränderung des religiösen Empfindens der Menschen. Der Buchdruck verhalf den neuen Forderungen nach einer persönlicheren Spiritualität zu ungeahnter Verbreitung. Ungeachtet der Tatsache, dass man sich auf einen politischen Kompromiss einigte (für das Reich 1555 im Augsburger Religionsfrieden und zwischen Frankreich und Spanien in Bezug auf Italien und Burgund 1559 im Frieden von Cateau-Cambrésis), regte sich die katholische Reaktion auf die Reformation: Das Konzil von Trient (in der Zeit von 1545 bis 1563) legte im »Tridentinischen Glaubensbekenntnis« die katholische Glaubenslehre fest, stärkte die Stellung des Papsttums und beförderte den Jesuitenorden zur Speerspitze der neuen kirchlichen Bemühungen.

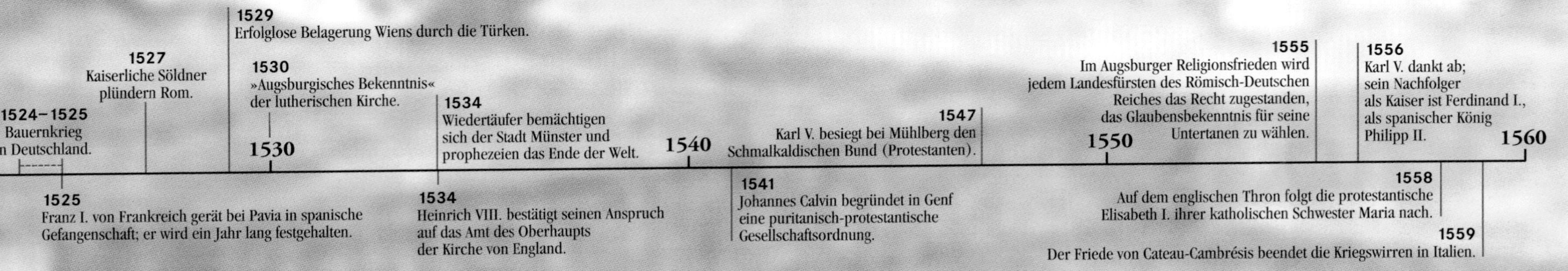
1524–1525
Bauernkrieg in Deutschland.
1525
Franz I. von Frankreich gerät bei Pavia in spanische Gefangenschaft; er wird ein Jahr lang festgehalten.
1527
Kaiserliche Söldner plündern Rom.
1529
Erfolglose Belagerung Wiens durch die Türken.
1530
»Augsburgisches Bekenntnis« der lutherischen Kirche.
1530
1534
Wiedertäufer bemächtigen sich der Stadt Münster und prophezeien das Ende der Welt.
1534
Heinrich VIII. bestätigt seinen Anspruch auf das Amt des Oberhaupts der Kirche von England.
1540
1541
Johannes Calvin begründet in Genf eine puritanisch-protestantische Gesellschaftsordnung.
1547
Karl V. besiegt bei Mühlberg den Schmalkaldischen Bund (Protestanten).
1550
1555
Im Augsburger Religionsfrieden wird jedem Landesfürsten des Römisch-Deutschen Reiches das Recht zugestanden, das Glaubensbekenntnis für seine Untertanen zu wählen.
1556
Karl V. dankt ab; sein Nachfolger als Kaiser ist Ferdinand I., als spanischer König Philipp II.
1558
Auf dem englischen Thron folgt die protestantische Elisabeth I. ihrer katholischen Schwester Maria nach.
1559
Der Friede von Cateau-Cambrésis beendet die Kriegswirren in Italien.
1560

Von Kolumbus bis zur amerikanischen Unabhängigkeit (1492 bis 1783)

Das Römisch-Deutsche Reich zur Zeit der Reformation • 1517 bis 1560

Die Reformation besiegelte im 16. Jahrhundert die endgültige Abkehr der Zeitgenossen vom Weltbild des Mittelalters. Renaissance und Humanismus waren zum geistigen Nährboden für ein neues Glaubensbekenntnis geworden. Die religiösen Thesen Martin Luthers gaben nicht nur das Startsignal für den Aufbau einer vom Papsttum unabhängigen evangelischen Kirche – in ihrer Wirkung kratzten sie gar an den Prinzipien der gesellschaftlichen Ordnung: Bauern erhoben sich gegen den Adel, Fürsten kämpften gegen die kaiserliche Zentralmacht.

Der Besitz der mehr und mehr als deutsche Kaiserdynastie gefestigten Habsburger wuchs seit dem 15. Jahrhundert nicht zuletzt durch Heiratspolitik rasch und eindrucksvoll. Der Gewinn Burgunds, Spaniens (inklusive Nebenländern und neu entdeckter Gebiete), Böhmens und Ungarns hatte das Haus Österreich zur Weltmacht erhoben, deren Territorium aus einer Hand kaum mehr zu regieren war. Kaiser Karl V. (1519–1556), letzter Vertreter der universalen Kaiseridee, sah sich in Deutschland bald einer Fronde aufbegehrender Fürsten gegenüber, die ihre Herrschaft über die revolutionäre Lehre Luthers legitimierten und als Protestanten der imperialen Macht Habsburgs ebenso trotzten wie sein Hauptrivale, der König von Frankreich.

Martin Luther bringt am 31. Oktober 1517 seine Thesen gegen den Ablasshandel an der Tür der Schlosskirche zu Wittenberg an; zeitgenössischer Stich.

Die fromme Mehrheit der deutschen Bevölkerung fühlte sich schon lange von Verweltlichung und üppigem Lebensstil des Klerus herausgefordert und abgestoßen. Mit Aufkommen des Buchdrucks verbreitete sich über Flugschriften Gedankengut, das im Volk Widerstandsgeist weckte. Entdeckungsfahrten und naturwissenschaftliche Erkenntnisse warfen überdies Fragen auf, die starre katholische Deutungsmuster nicht beantworten konnten. Mit der Bewegung des Humanismus war unwiderruflich das »Zeitalter der Intelligenz« angebrochen.

Luthers revolutionäre Lehre

Als besonderes Ärgernis empfand »der gemeine Mann« den Ablasshandel, eine Form des Sündennachlasses in Form von Geldbußen. In Deutschland galt der Leipziger Dominikaner Johann Tetzel als die Personifizierung missbräuchlicher päpstlicher Ablasspraxis, die überdies nicht zuletzt auch die Kasse weltlicher Landesherrschaft füllte.

Als 1517 der Wittenberger Theologieprofessor Martin Luther in 95 Thesen seine Kritik am Ablasshandel formulierte, war dies ein Fanal. Auf Disputationen mit dem Klerus stellte sich Luther immer mehr dem Standpunkt päpstlicher Autorität entgegen. Papst Leo X. reagierte mit dem Kirchenbann. Luther verbrannte die Bannbulle öffentlich und stand 1521 auf dem Wormser Reichstag, wohin man ihn zitiert hatte, auch vor dem Kaiser zu seiner Lehre, die er in späteren Schriften weiter ausführte. Nur Gottes Wort allein, lautete schließlich das Credo des in Worms von Karl V. als Ketzer Geächteten, könne Richtschnur christlichen Lebens sein.

Der Wiedertäufer Jan van Leiden (1509–1536) errichtete 1534 in Münster ein »Königreich Zion«: Er wurde nach der Rückeroberung durch den Bischof mit anderen Rädelsführern hingerichtet.

Die Bauern erheben sich

Während Luther auf der Wartburg, wohin ihn sein Landesherr zu eigenem Schutz hatte entführen lassen, das Neue Testament ins Deutsche übersetzte, zeitigte seine Lehre Wirkung. Bald leiteten im süd- und mitteldeutschen Raum Bauern aus seinen Ideen – sehr zu Luthers Zorn – ein »göttliches Recht« ab, auf dessen Grundlage sie unter anderem die Abschaffung der Leibeigenschaft forderten. 1524 griff man zu den Waffen. Bauernheere, aufgepeitscht von Anführern wie Thomas Müntzer und unterstützt von Adligen wie Götz von Berlichingen, verwüsteten Burgen und Schlösser. Der Sieg der Fürsten im Jahr 1525 kostete etwa 70 000 Bauern das Leben. Weitere 300 Jahre lang blieb die alte Agrarordnung im Reich bestehen.

Dauerkrieg um den rechten Glauben

Nicht nur das Volk, auch viele Landesherren versprachen sich von der Reformation politische Vorteile und unterstützten von Rom unabhängige Landeskirchen. Mit dem »Augsburgischen Bekenntnis« forderten die protestantischen Stände 1530 den Kaiser heraus und vereinten sich im Folgejahr zum Schmalkaldischen Bund. Führungsmächte des Protestantismus waren Hessen und Kursachsen. Viele Fürsten im Süden und Westen hielten am alten Glauben fest. Der aus den konfessionellen Gegensätzen resultierende Schmalkaldische Krieg endete 1547 bei Mühlberg mit dem Sieg der Kaiserlichen. Karl V. befand sich auf dem Höhepunkt seiner Macht. Ein Fürstenaufstand zwang ihn indessen 1552 zu zeitweiliger Flucht aus Deutschland.

Erst der Augsburger Religionsfriede von 1555 brachte einen vorübergehenden Ausgleich zwischen Protestanten und Katholiken und stellte beide Konfessionen gleich. Fortan bestimmten die Landesfürsten das Glaubensbekenntnis ihrer Untertanen (»cuius regio, eius religio« – »wessen das Land, dessen die Religion«). 1556 übertrug Karl V. die Kaiserwürde seinem Bruder Ferdinand. Das Zeitalter der erbitterten Religionskriege währte noch bis in die Mitte des 17. Jahrhunderts.

Einführung der Reformation durch die Obrigkeit bis 1570:
- bis 1546
- bis 1555
- bis 1570

Reformatorische Gebiete ohne obrigkeitliche Einführung eines geschlossenen Kirchenwesens bis 1570:
- reformatorische Einflüsse
- Reformation verbreitet
- Reformation sehr verbreitet

BST.	Bistum	KFT.	Kurfürstentum
EBT.	Erzbistum	KGR.	Königreich
EHZ.	Erzherzogtum	LGF.	Landgrafschaft
GF.	Grafschaft	MGF.	Markgrafschaft
HZT.	Herzogtum		

0 – 200 km
0 – 100 Meilen

Zeitleiste

Religionsstreit

1448 Durch das Wiener Konkordat erhält der Papst bedeutende Rechte bei Pfründenbesetzung und Bischofswahl.

1476 Der Hirte und Musiker Hans Böhm wird in Würzburg als Ketzer verbrannt.

1487 Der »Hexenhammer«, eine Anleitung zur Durchführung von Hexenprozessen, wird veröffentlicht.

1440 – 1460 – 1480

Kunst/Kultur

um 1440 Stephan Lochner, der Hauptmeister der Kölner Schule, malt den »Dreikönigsaltar« für den Kölner Dom.

um 1445 Johannes Gutenberg erfindet in Mainz den Buchdruck mit beweglichen Lettern.

1464 Im italienischen Todi stirbt der deutsche Philosoph und Theologe Nikolaus von Kues; sein Werk prägt die Geisteshaltung der Renaissance.

um 1480 Das Glogauer Liederbuch mit drei getrennten Stimmbüchern erscheint.

14… Die aufwändig gestalt… Weltchronik des Humanis… Hartmann Schedel ersche…

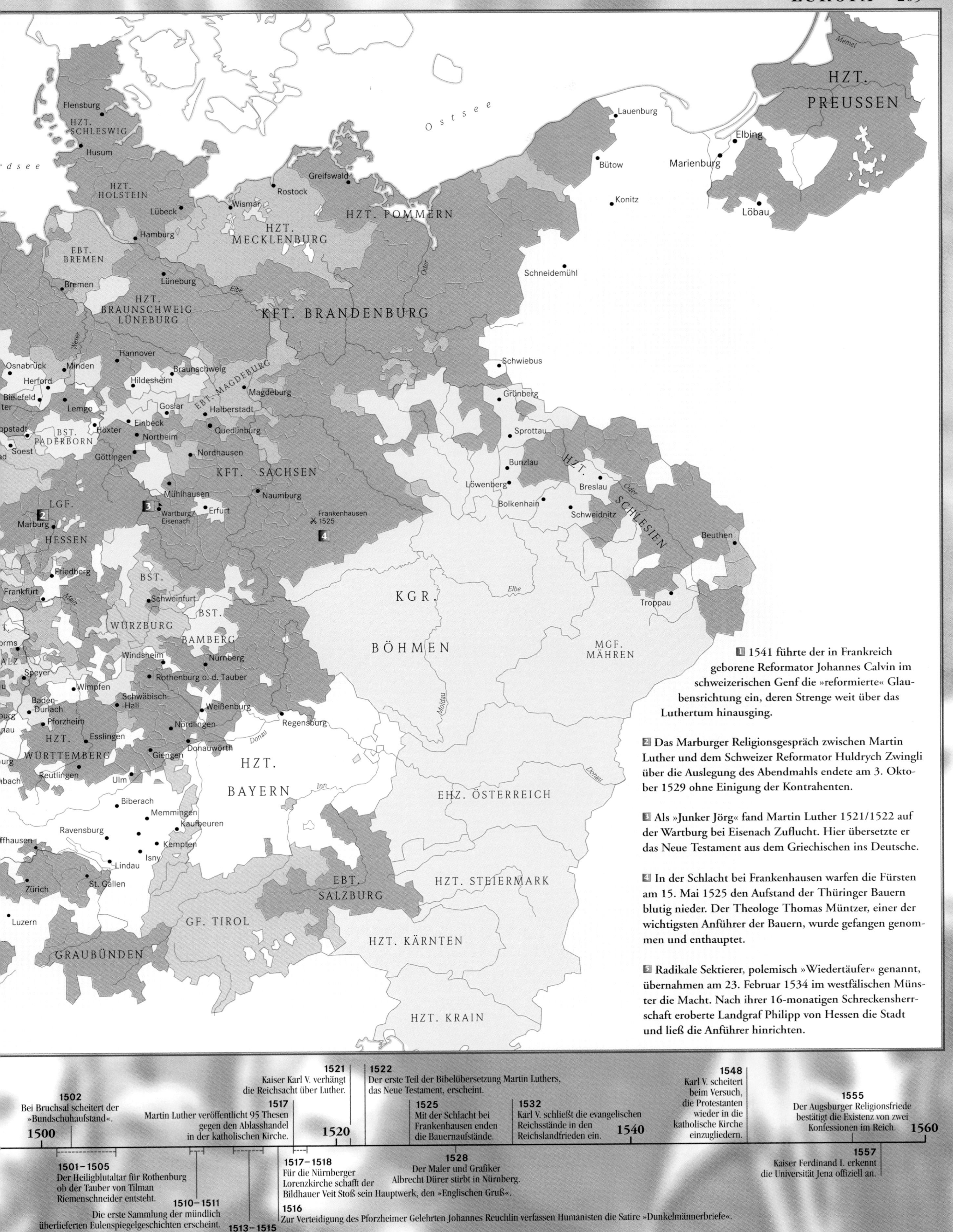
Ostsee
Memel
HZT. PREUSSEN
Lauenburg
Elbing
Marienburg
Bütow
Konitz
Löbau
Flensburg
HZT. SCHLESWIG
Husum
Nordsee
HZT. HOLSTEIN
Lübeck
Rostock
Greifswald
Wismar
HZT. POMMERN
Hamburg
HZT. MECKLENBURG
EBT. BREMEN
Bremen
Lüneburg
Oder
Schneidemühl
Elbe
HZT. BRAUNSCHWEIG-LÜNEBURG
KFT. BRANDENBURG
Weser
Hannover
Osnabrück
Minden
Braunschweig
EBT. MAGDEBURG
Schwiebus
Herford
Hildesheim
Magdeburg
Bielefeld
Grünberg
Lemgo
Goslar
Halberstadt
Einbeck
Quedlinburg
BST. PADERBORN
Höxter
Northeim
Sprottau
Soest
Göttingen
Nordhausen
Bunzlau
HZT. SCHLESIEN
KFT. SACHSEN
Löwenberg
Breslau
Mühlhausen
Naumburg
LGF. HESSEN
Marburg
Wartburg/Eisenach
Erfurt
Frankenhausen 1525
Bolkenhain
Schweidnitz
Beuthen
Friedberg
BST. WÜRZBURG
Frankfurt
Schweinfurt
Main
KGR. BÖHMEN
Elbe
Troppau
BST. BAMBERG
Windsheim
Nürnberg
MGF. MÄHREN
Speyer
Rothenburg o. d. Tauber
Wimpfen
Baden-Durlach
Schwäbisch-Hall
Weißenburg
Moldau
Pforzheim
Regensburg
Nördlingen
Donau
HZT. WÜRTTEMBERG
Esslingen
Giengen
Donauwörth
HZT. BAYERN
Reutlingen
Ulm
Inn
EHZ. ÖSTERREICH
Biberach
Memmingen
Kaufbeuren
Ravensburg
Kempten
Isny
Lindau
St. Gallen
Zürich
EBT. SALZBURG
HZT. STEIERMARK
Luzern
GF. TIROL
HZT. KÄRNTEN
GRAUBÜNDEN
HZT. KRAIN

1 1541 führte der in Frankreich geborene Reformator Johannes Calvin im schweizerischen Genf die »reformierte« Glaubensrichtung ein, deren Strenge weit über das Luthertum hinausging.

2 Das Marburger Religionsgespräch zwischen Martin Luther und dem Schweizer Reformator Huldrych Zwingli über die Auslegung des Abendmahls endete am 3. Oktober 1529 ohne Einigung der Kontrahenten.

3 Als »Junker Jörg« fand Martin Luther 1521/1522 auf der Wartburg bei Eisenach Zuflucht. Hier übersetzte er das Neue Testament aus dem Griechischen ins Deutsche.

4 In der Schlacht bei Frankenhausen warfen die Fürsten am 15. Mai 1525 den Aufstand der Thüringer Bauern blutig nieder. Der Theologe Thomas Müntzer, einer der wichtigsten Anführer der Bauern, wurde gefangen genommen und enthauptet.

5 Radikale Sektierer, polemisch »Wiedertäufer« genannt, übernahmen am 23. Februar 1534 im westfälischen Münster die Macht. Nach ihrer 16-monatigen Schreckensherrschaft eroberte Landgraf Philipp von Hessen die Stadt und ließ die Anführer hinrichten.

1500 – 1520 – 1540 – 1560

1502 Bei Bruchsal scheitert der »Bundschuhaufstand«.

1501–1505 Der Heiligblutaltar für Rothenburg ob der Tauber von Tilman Riemenschneider entsteht.

1510–1511 Die erste Sammlung der mündlich überlieferten Eulenspiegelgeschichten erscheint.

1513–1515 Der Maler Matthias Grünewald entwirft den Isenheimer Altar.

1516 Zur Verteidigung des Pforzheimer Gelehrten Johannes Reuchlin verfassen Humanisten die Satire »Dunkelmännerbriefe«.

1517 Martin Luther veröffentlicht 95 Thesen gegen den Ablasshandel in der katholischen Kirche.

1517–1518 Für die Nürnberger Lorenzkirche schafft der Bildhauer Veit Stoß sein Hauptwerk, den »Englischen Gruß«.

1521 Kaiser Karl V. verhängt die Reichsacht über Luther.

1522 Der erste Teil der Bibelübersetzung Martin Luthers, das Neue Testament, erscheint.

1525 Mit der Schlacht bei Frankenhausen enden die Bauernaufstände.

1528 Der Maler und Grafiker Albrecht Dürer stirbt in Nürnberg.

1532 Karl V. schließt die evangelischen Reichsstände in den Reichslandfrieden ein.

1548 Karl V. scheitert beim Versuch, die Protestanten wieder in die katholische Kirche einzugliedern.

1555 Der Augsburger Religionsfriede bestätigt die Existenz von zwei Konfessionen im Reich.

1557 Kaiser Ferdinand I. erkennt die Universität Jena offiziell an.

Von Kolumbus bis zur amerikanischen Unabhängigkeit (1492 bis 1783)

Europa und die Gegenreformation • 1560 bis 1600

In Europa veränderte sich das Klima, es setzte eine 200 Jahre dauernde Mini-Eiszeit ein. In den kalten Wintern froren die Flüsse zu, während die kühlen und feuchten Sommer die in der Landwirtschaft erzielten Fortschritte fast wieder vernichteten. Die Bevölkerung wuchs nicht mehr und Anfang des 17. Jahrhunderts sollte noch Schlimmeres folgen. Die Situation gestaltete sich dermaßen schlecht, dass Zeitgenossen die Jahre zwischen 1550 und 1650 als »eisernes Jahrhundert« bezeichneten.

Auf der politischen Ebene wurden die Friedensschlüsse Mitte des 16. Jahrhunderts in Europa mit spürbarer Erleichterung aufgenommen. Die Freude dauerte allerdings nicht lange. Religiöse Konflikte, die man im Römisch-Deutschen Reich zunächst einmal hatte eindämmen können, brachen in Frankreich und in den Niederlanden unerwartet heftig aus.

Radikaler Erfolg: Calvinismus

Die Reformation trat mit der Ausbreitung des gegenüber dem Luthertum wesentlich radikaleren Calvinismus in eine neue Phase. Schottland übernahm den neuen Glauben 1560 und in den Niederlanden setzte er sich nach dem erfolgreichen Aufstand gegen die Spanier im Jahr 1566 durch. Bis 1600 bekannten sich auch Nassau, die Pfalz und Ansbach zum Calvinismus, während in Böhmen, Mähren und Transsilvanien starke calvinistische Minderheiten hervortraten. In Frankreich prägte der Calvinismus die protestantische Minderheit, die Hugenotten. In Deutschland, wo er eigentlich nicht unter die religiöse Toleranz des Augsburger Religionsfriedens von 1555 fiel, fasste er dennoch Fuß, denn nach diesem Abkommen galt ja der Grundsatz »cuius regio, eius religio«, das heißt, der Landesfürst entschied über die Religionszugehörigkeit seiner Untertanen.

Philipp II. von Spanien verlegte seine Residenz in das Klosterschloss El Escorial.

François Dubois de Amiens schuf diese Darstellung des Massakers der »Bartholomäusnacht« in Paris.

Massaker in der Bartholomäusnacht

In Frankreich bekannten sich wichtige Vertreter der königlichen Verwaltung, viele Stadtbürger und Adlige, unter ihnen auch König Heinrich von Navarra, als Hugenotten, die damit eine beachtliche politische und militärische Macht darstellten. 1562 griffen sie zu den Waffen und blieben bis zum Ende des 16. Jahrhunderts – trotz einer Reihe militärischer Niederlagen und des blutigen Massakers an 30 000 Anhängern in der berüchtigten Bartholomäusnacht des Jahres 1572 – eine Bedrohung für die Monarchie. Heinrich von Navarra trat schließlich zum katholischen Glauben über, um als Heinrich IV. und erster Bourbone König von Frankreich zu werden, und gewährte den Hugenotten religiöse Toleranz.

Philipp II. von Spanien, ein Verbündeter der Kurie

Die Kurie reagierte auf die Reformation in zweifacher Form. Zum einen entstanden im Zuge der kirchlichen Erneuerung zahlreiche Jesuitenschulen und das Wesen katholischer Gläubigkeit wurde deutlicher definiert. Zum anderen gewann Rom in Philipp II. von Spanien einen politischen Verbündeten, der gegen Papstfeinde militärisch vorging.

Philipp II. sah sich mit mannigfachen Problemen konfrontiert, zum Beispiel einer trotz des Zustroms riesiger Mengen amerikanischen Silbers starken Belastung der Staatsfinanzen. Angesichts der türkischen Bedrohung verzichtete er auf den Versuch, Tunis zu halten, zumal sich Venedig aus der Heiligen Liga (dem antitürkischen Bündnis, das 1571 bei Lepanto einen beachtlichen Sieg errungen hatte) wieder zurückzog. Philipp schlug einen Aufstand der Morisken (der zum Christentum bekehrten Mauren) nieder, annektierte Portugal und ging entschlossen gegen die aufständischen Niederlande vor.

Den Herzögen von Alba und von Parma gelang es jedoch trotz der Rückeroberung großer Teile der südlichen Provinzen nicht, die Rebellen in die Knie zu zwingen. Niederländische Piraten störten von 1571 an den Schiffsverkehr der Spanier und 1585 leistete ihnen das protestantische England unter Führung des Grafen von Leicester militärischen Beistand.

O'Neills Aufsta[nd]
O'Donnells Aufstand 1594–1601
Fitzmaurices Aufstand 1579
Drake, Norris 1589
La Coruña
Santiago de Compostela
Drake, Norris 1589
Vigo
Valladolid
Salamanca
Portugal 1580–1640 zu Spanien
Tajo
Alcántara 1580
ATLANTISCHER OZEAN
Lissabon
Drake, Norris 1589
SPANI[EN]
Córdoba
Sevilla
Howard, Essex 1596
Cádiz
nach Westindien
Tanger
Ceuta
Alcazarquivir 1578
0 600 km
0 400 Meilen

1 Zwischen 1563 und 1584 ließ Philipp II. den Escorial erbauen. Die strenge Architektur des monumentalen Klosterpalastes versinnbildlicht die gegenreformatorische Vision des Königs.

2 1574, drei Jahre nach Lepanto, eroberte eine türkische Flotte Tunis und beendete damit die Hoffnung Spaniens auf eine dauerhaftere militärische Präsenz in Nordafrika.

3 Im November des Jahres 1576 plünderten unbezahlte und hungernde spanische Soldaten Antwerpen. Daraufhin schlossen sich alle niederländischen Provinzen in der »Genter Pazifikation« gegen Spanien zusammen.

4 Der niederländisch-englische Sieg bei Zutphen unterbrach die Rückeroberung der niederländischen Provinzen durch die vom Herzog von Parma kommandierten Spanier.

5 1534 gründete der spanische Priester Ignatius von Loyola in Paris den Jesuitenorden, die schärfste Waffe des Papstes in der Gegenreformation.

6 Die Versuche des Kaisers, die Protestanten nach dem Vorbild Bayerns und Österreichs im frühen 17. Jahrhundert aus Böhmen und Mähren zu vertreiben, führten in den Dreißigjährigen Krieg.

7 Im Jahr 1596 besetzte eine britische Flotte unter dem Befehl der Grafen Howard und Essex den Hafen Cádiz. Der Plan, eine spanische Gold- und Silberflotte aus Übersee abzufangen, misslang aber.

ZEITLEISTE

SPANIEN UND DAS PAPSTTUM

1550

1556 Philipp II. besteigt den Thron von Spanien; er regiert bis 1598.

1560

1561 Madrid wird die Hauptstadt Spaniens.

1568–1570 Aufstand der Morisken in Südspanien, den Philipp II. niederschlägt.

1570

1571 Eine christliche Koalition besiegt die osmanische Flotte bei Lepanto.

WESTEUROPA

1563 Proklamation der »39 Artikel« der anglikanischen Kirche in England.

1566 Die Niederlande erheben sich gegen die Spanier; spanische Invasion unter Führung des Herzogs von Alba.

157[2] In ganz Frankreich werden in de[r] Bartholomäusnacht Führer de[r] protestantischen Hugenotten ermorde[t].

SCHOTTLAND
Edinburgh
York
ENGLAND
Bristol
London
Southampton
Canterbury
Rye
Winchelsea
Jersey
Nord-see
wahrscheinlich gewählte Route
Christiania
SCHWEDEN
Stockholm
Vänersee
Vättersee
DÄNEMARK-NORWEGEN
Kopenhagen
Gotland
Ostsee
Reval
ESTLAND
Peipus-see
Livland
1561 an Polen
Riga
Kurland
1561 an Polen
Königsberg
Danzig
Kgl. Anteil Preußens
PREUSSEN
1569 an Polen
Weichsel
Warschau
POLEN
Stettin
Elbe
Brandenburg
RÖMISCH-
DEUTSCHES
REICH
Niederlande
Amsterdam
Leiden
Zutphen
1586
Breda
Dünkirchen
Antwerpen
St-Omer
Douai
Mons
Maastricht
Lüttich
Hessen-Kassel
Anhalt
Sachsen
Lausitz
Schlesien
Glatz
Fulda
Nassau
Bamberg
Böhmen
Prag
Kuttenberg
Krakau
Trier
Mainz
Würzburg
Ansbach
Kurpfalz
Oberpfalz
Olmütz
Mähren
Brünn
Luxemburg
Doullens
1567–1568
Rouen
Reims
Ivry
1590
Meaux
Paris
Verdun
Port-à-Mousson
Nancy
Straßburg
Molsheim
Dreux
1562
Troyes
Ingolstadt
Dillingen
Bayern
Württemberg
Donau
Wien
Trnava
Ungarn (habsb.)
Gran
Buda
Keresztes
1596
Ungarn (Osman. Reich)
TRANSSILVANIEN
Österreich
Graz
Neuhaus
La Flèche
Orléans
Nantes
Loire
Fontaine-Française
1562
Franche-Comté
Bourges
Dôle
Moncontour
1569
Charolais
Neuchâtel
Schweizer Eidgenossenschaft
Tirol
La Rochelle
La Roche-L'Abeille
1569
Genf
Lyon
Jarnac
1569
FRANKREICH
Savoyen
Venedig
Mailand
Rhône
Bordeaux
Parma
Modena
Ravenna
VENEDIG
KIRCHENSTAAT
URBINO
Avignon
Aix
Genua
GENUA
Toulouse
Toskana
Piombino
Porto Longone
Siena
Orbetello
Rom
Navarra
Perpignan
ANDORRA
Korsika
zu Genua
Barcelona
Sassari
SARDINIEN
Sardinien
Neapel
NEAPEL
BENEVENT
Valencia
Balearen
Cagliari
Don Juan d'Austria 1572
Palermo
SIZILIEN
Messina
Don Juan d'Austria 1571
Cartagena
Tunis
Sizilien
Mostaganem
Oran
1569, 1574
1572
MALTA
1565
1560
Mittelmeer
osmanische Flotte 1574
Belgrad
WALACHEI
Bukarest
Donau
Schwarzes Meer
Nisch
Bulgarien
Sofia
Montenegro
Ragusa
Adrianopel
Konstantinopel
OSMANISCHES REICH
Thessaloniki
Rumelien
ANATOLIEN
Izmir
Athen
Lepanto
1571
Morea
Monemvasia
Rhodos
Candia
Kreta

Der Protestantismus in England

Nach der kurzen und blutigen Restauration des Katholizismus (1553 bis 1558) durch Maria Tudor obsiegte der Protestantismus in England endgültig erst 1563. Die protestantische Königin Elisabeth I. festigte 1587 ihre Stellung durch die Hinrichtung ihrer katholischen Cousine Maria Stuart, Königin von Schottland. Spanien reagierte auf die englische Unterstützung der Niederländer 1588 mit der Entsendung seiner Armada. Der englische Sieg über diese als unbesiegbar geltende Kriegsflotte Philipps II. wird oft als Ende der spanischen Seemacht gesehen. Dagegen ließe sich einwenden, dass die Spanier ihre Flotte innerhalb von zwei Jahren wieder erneuerten und die englischen Versuche, spanische Edelmetallschiffe aus Amerika zu kapern, von den Spaniern klar vereitelt wurden. 1601 unterstützte Spanien den irischen Grafen von Tyrone, Hugh O'Neill, bei seinem Aufstand gegen die Engländer sogar mit Truppen. Die Gefahr einer spanischen Militärintervention in England und Frankreich war bis zum Ende des Jahrhunderts nicht gebannt.

- von den Niederlanden kontrollierte Gebiete, 1577
- von den Niederlanden kontrollierte Gebiete, 1588
- überwiegend anglikanisch, 1598
- überwiegend calvinistisch/hugenottisch, 1598
- überwiegend katholisch, 1598
- von der Gegenreformation bis 1600 zurückgewonnen
- überwiegend lutherisch, 1598
- calvinistisch/katholisch/lutherisches Glaubensbekenntnis, 1598
- Grenzen im Jahr 1600
- österreichische Habsburger
- spanische Habsburger
- Osmanisches Reich, 1560
- Eroberungen der Osmanen um 1600
- Sieg der spanischen Habsburger
- Niederlage christlicher Kräfte gegen die Osmanen
- wichtige osmanische Belagerung
- Zufluchtsort für Hugenotten
- bedeutendes Jesuitenzentrum oder Studienhaus der Societas Jesu
- Hauptorte der Morde in der Bartholomäusnacht, 1572
- größere Aufstände oder Unruhen
- spanische Festung
- spanische Militärverbindungswege um 1600
- Kriegszüge
- Vigo spanischer Hafen, den Francis Drake überfiel
- Marsch der irischen Aufständischen

Religionskriege in Frankreich

1580 – 1590 – 1600

1576 Die »Genter Pazifikation« vereint die katholischen und die protestantischen Niederlande gegen die Spanier.

1578 Sebastian I. von Portugal fällt in der Schlacht von Alcazarquivir.

1578–1588 Spanische Truppen unter der Führung des Herzogs von Parma erobern den größten Teil der südlichen Niederlande zurück.

1579 Die sieben nördlichen Provinzen der Niederlande schließen sich in der »Utrechter Union« gegen Spanien zusammen.

1580 Spanien besiegt Portugal in der Schlacht von Alcántara; Philipp II. ist jetzt auch König von Portugal.

1581 Spanien schließt mit den Osmanen Frieden.

1585–1590 Pontifikat des reformfreudigen Papstes Sixtus V.

1587 Elisabeth I. von England lässt Maria Stuart, Königin von Schottland, hinrichten.

1588 Philipp II. schickt die Armada nach England.

1589 Der ursprünglich protestantische Heinrich IV. wird König von Frankreich; mit ihm beginnt die Herrschaft der Bourbonen.

1593–1603 Hugh O'Neills Aufstand in Irland gefährdet die britische Herrschaft.

1598 Tod Philipps II.; sein Nachfolger wird Philipp III.

1598 Das Edikt von Nantes gewährt den Protestanten Religionsfreiheit; Ende der Hugenottenkriege.

Von Kolumbus bis zur amerikanischen Unabhängigkeit (1492 bis 1783)

Die Expansion Russlands • 1480 bis 1783

Im späten 15. Jahrhundert war das Großfürstentum Moskau vollkommen isoliert. Nach dem Fall Konstantinopels hatte die russische Kirche dessen Erbe als bedeutendste orthodoxe Alternative zur römisch-katholischen Kirche übernommen. Ungeachtet des Hansekontors in Nowgorod, orientierte sich der russische Handel eher nach Süden und in den Osten – also nach Persien, zum Schwarzmeerraum, zum Osmanischen Reich und nach Zentralasien.

Iwan III. von Moskau beendete 1478 die Unabhängigkeit des Rivalen Nowgorod. Zwei Jahre später befreite sich Moskau endgültig vom Tatarenjoch. Anfang des 16. Jahrhunderts drängte Iwan nach Westen und eroberte bei Smolensk und am Dnjepr Territorien des Königreichs Polen-Litauen. Sein Reich kämpfte bereits mit den Problemen, die Russland zum Teil bis heute noch zu schaffen machen – die riesigen Entfernungen, die dünne Besiedlung, die strikte Einschränkung der Bewegungsfreiheit und offene Grenzregionen.

Expansion gen Osten

Großfürst Iwan IV. (der Schreckliche), der ab 1547 den Titel »Zar« führte, eroberte ab 1552 die Tataren-Khanate Kasan und Astrachan und ließ Handelswege entlang der Wolga bis zum Kaspischen Meer und durch den südlichen Ural nach Zentralasien bauen. Im Westen scheiterte er allerdings mit seinen Plänen. Dort stieß er zur Ostsee vor, was aber Schweden, Dänemark und Polen auf den Plan rief und in den Livländischen Krieg (1558–1595) führte. Da Iwan die Mittel für ein stehendes Heer fehlten und er sich auf die halbunabhängigen Bojaren (hohe Adlige) nicht verlassen konnte, wandelte er 1565 die früheren Gebiete Nowgorods in sein persönliches Lehnsgut um, nahm den Bojaren ihr Land weg und verteilte es an seinen Dienstadel. Die noch verbliebenen Gemeinschaften freier Bauern wurden zerstört. Ein Bürgerkrieg brach aus, in dessen Verlauf die Krimtataren Moskau plünderten. Bis zum Jahr 1595 hatte Russland dann Pskow und die östliche Ukraine erobert, aber noch weiter nach Norden und Westen vordringen konnte es zu jenem Zeitpunkt nicht.

Zur »Zeit der Wirren« (1604–1613) griffen Polen und Schweden in die innerrussischen Auseinandersetzungen ein und verwüsteten große Teile Westrusslands. Zugleich aber drangen russische Pelzhändler im nördlichen Asien weiter nach Osten vor, vernichteten die winzigen Eingeborenensiedlungen und richteten in Südsibirien eine Kette von Handelsstützpunkten ein. 1637 erreichten russische Pioniere und Händler die Pazifikküste, mussten aber 1689 das Amurbecken wieder räumen. Dafür bauten sie bis 1800 in Russisch-Alaska eine ganze Reihe von Handelsstationen und kleineren Festungen.

Nach Süden und Westen

Im Jahr 1670 brachen in Südrussland schwere Unruhen aus, aber da die Aufständischen vom Adel nicht unterstützt wurden, konnten sie sich nicht lange halten. Vor dem Hintergrund eines Aufstands der Don- und Dnjepr-Kosaken gegen Polen dehnte Russland seine Grenzen im Süden bis zum Gebiet des osmanischen Vasallenstaates auf der Krim und im Westen bis nach Kiew aus.

Am 8. Juli 1709 wurde bei Poltawa der Nordische Krieg zwischen den Heeren Karls XII. von Schweden und Zar Peters I. zugunsten Russlands entschieden.

Europäisierung

Die entscheidende Wende in der russischen Geschichte brach gegen Ende des Jahrhunderts an, als sich Zar Peter I. (der Große) über den Antagonismus zum Westen hinwegsetzte und 1697 bis 1698 Europa bereiste: auf der Suche nach neuen Ideen und Technologien, aber auch nach Hilfe bei der Modernisierung seines Reiches. 1721 war die Macht Schwedens, des größten Rivalen im Norden, gebrochen und Russland besaß die Handelshäfen in der östlichen Ostsee. Peter I. hatte in den Sümpfen der Newa seine neue Hauptstadt Sankt Petersburg gebaut, womit der Zar französische Kultur sowie niederländische und englische Kaufleute in sein Land zog. Im 18. Jahrhundert entstanden im Ural große staatliche Eisen- und Kupferbetriebe, außerdem in Tula eine Waffenschmiede und andernorts große Werften.

Russland, 1505
Expansion Russlands bis 1598
Expansion Russlands bis 1689
Expansion Russlands bis 1725
Expansion Russlands bis 1783
Polen zur Zeit seiner größten Ausdehnung, 1618–1634
größte Ausdehnung des Osmanischen Reiches (inklusive seiner Vasallen), 1699
größte Ausdehnung Schwedens, 1700
Mandschu-China, 1697
Grenzen, 1783
Aufstand von Weißrussen und Ukrainern, 1648–1651
Kosakenaufstand (Stenka Rasin), 1670
Aufstand der Astrachan-Tataren, 1705–1706
Aufstand der Donkosaken (Bulawin), 1707–1708
Pugatschow-Aufstand, 1773–1775
Baschkiren-Aufstände 1662–1667, 1675–1683, 1705–1711
russische Stadtgründung, datiert
Barockbau
russische Grenzfestungen, 1783
Handelsplatz
Werft
längere Belagerung
Reise Peters des Großen, 1697–1698
russische Handelsstraße im 17. Jahrhundert
Flachs Handelsware
Meervereisung im Winter

Deptford Jan.–Mai 1698
Paris
FRANKREICH

0 600 km
0 400 Meilen

1 Stenka (»kleiner Stefan«) Rasin führte als charismatischer Führer den Kosakenaufstand von 1670 an.

2 Der russische Zugang zum Schwarzen Meer wurde durch Asow, die Festung der Krimtataren, blockiert. Peter der Große eroberte die Stadt 1696, musste sie aber nach der Niederlage bei Stanilasti wieder aufgeben.

3 Die Gründung Sankt Petersburgs (1703) ermöglichte den dauerhaften Zugang des russischen Handels zur Ostsee. Die Stadt, bald ein Zentrum russisch-europäischer Kultur, wurde für ihre Barockarchitektur berühmt.

4 Der Sieg der Osmanen bei Stanilasti am Pruth beendete die russische Hoffnung auf große Territorialgewinne auf dem Balkan.

5 Russland besetzte 1723 die persische Küste des Kaspischen Meeres, musste das Gebiet aber 1735 nach dem Wiedererstarken Persiens unter Schah Nadir wieder räumen.

6 Das lange Ringen Russlands mit Polen um die Vormacht endete 1772 mit der Ersten Polnischen Teilung.

7 Der an Bodenschätzen reiche Ural wurde unter Peter dem Großen zu einer wichtigen Region für die Metallverarbeitung. Dort entstanden große Eisen- und Kupferhütten.

8 Russische Entdecker aus Sibirien überquerten im späten 18. Jahrhundert die Beringstraße und gründeten 1784 in Südalaska bei Kodiak eine erste Siedlung.

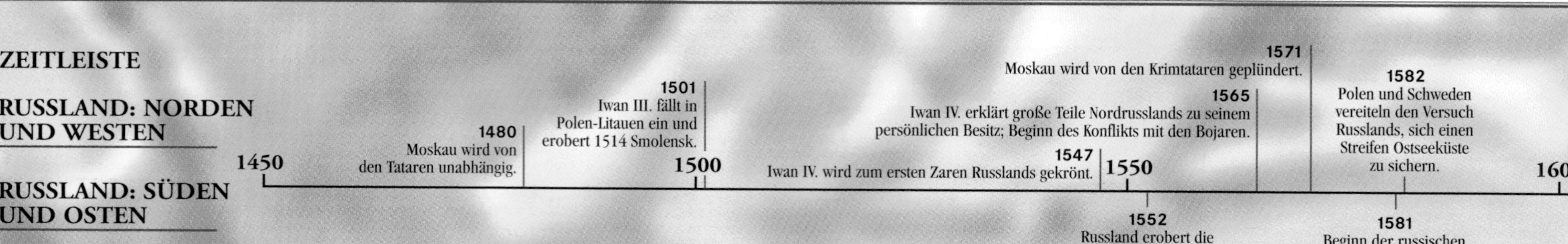
ZEITLEISTE
RUSSLAND: NORDEN UND WESTEN
RUSSLAND: SÜDEN UND OSTEN
1450
1480 Moskau wird von den Tataren unabhängig.
1501 Iwan III. fällt in Polen-Litauen ein und erobert 1514 Smolensk.
1500
1547 Iwan IV. wird zum ersten Zaren Russlands gekrönt.
1565 Iwan IV. erklärt große Teile Nordrusslands zu seinem persönlichen Besitz; Beginn des Konflikts mit den Bojaren.
1571 Moskau wird von den Krimtataren geplündert.
1550
1552 Russland erobert die Tataren-Khanate Kasan und Astrachan.
1581 Beginn der russischen Eroberung Sibiriens.
1582 Polen und Schweden vereiteln den Versuch Russlands, sich einen Streifen Ostseeküste zu sichern.
1600

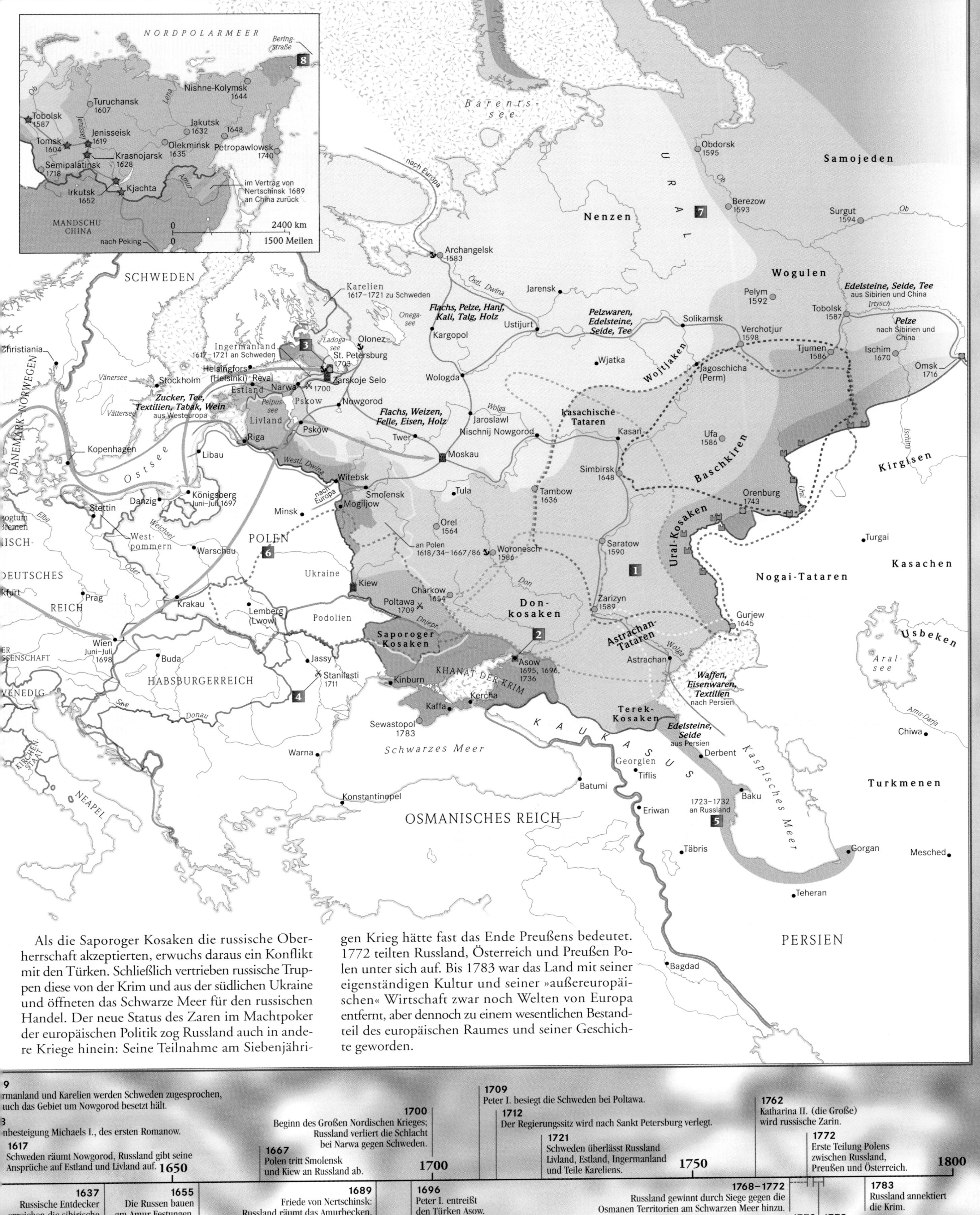
NORDPOLARMEER
Bering-straße
8
Nishne-Kolymsk 1644
Turuchansk 1607
Tobolsk 1587
Jenissei
Lena
Jenisseisk 1619
Jakutsk 1632
1648
Tomsk 1604
Olekminsk 1635
Petropawlowsk 1740
Krasnojarsk 1628
Semipalatinsk 1718
Kjachta
Amur
Irkutsk 1652
im Vertrag von Nertschinsk 1689 an China zurück
MANDSCHU-CHINA
nach Peking
2400 km
1500 Meilen
Barents-see
nach Europa
URAL
Obdorsk 1595
Samojeden
Ob
Berezow 1593
Nenzen
7
Surgut 1594
Archangelsk 1583
Wogulen
Edelsteine, Seide, Tee aus Sibirien und China
SCHWEDEN
Karelien 1617–1721 zu Schweden
Östl. Dwina
Jarensk
Pelym 1592
Flachs, Pelze, Hanf, Kali, Talg, Holz
Onega-see
Ustijurt
Pelzwaren, Edelsteine, Seide, Tee
Solikamsk
Tobolsk 1587
Irtysch
Verchotjur 1598
Pelze nach Sibirien und China
Kargopol
Christiania
Ingermanland 1617–1721 an Schweden
3
Ladoga-see
Olonez
St. Petersburg 1703
Tjumen 1586
Ischim 1670
Wjatka
Wojtjaken
Jagoschicha (Perm)
Omsk 1716
Helsingfors (Helsinki)
Reval
Zarskoje Selo
Wologda
Vänersee
Stockholm
Estland
Narwa
1700
Zucker, Tee, Textilien, Tabak, Wein aus Westeuropa
Pskow
Nowgorod
Flachs, Weizen, Felle, Eisen, Holz
Wolga
Jaroslawl
Kasachische Tataren
Vättersee
Livland
Peipus-see
Nischnij Nowgorod
Kasan
DÄNEMARK-NORWEGEN
Riga
Twer
Ufa 1586
Kopenhagen
Libau
Moskau
Baschkiren
Kirgisen
Ostsee
Westl. Dwina
Simbirsk 1648
Witebsk
nach Europa
Smolensk
Tula
Tambow 1636
Orenburg 1743
Danzig
Königsberg Juni–Juli 1697
Stettin
Minsk
Mogiljow
Orel 1564
Ural-Kosaken
West-pommern
Weichsel
POLEN
6
an Polen 1618/34–1667/86
Woronesch 1586
Saratow 1590
Turgai
Warschau
Kasachen
Oder
Ukraine
1
DEUTSCHES REICH
Prag
Kiew
Charkow 1654
Don
Nogai-Tataren
Krakau
Poltawa 1709
Don-kosaken
Zarizyn 1589
Gurjew 1645
Lemberg (Lwow)
Podolien
Dnjepr
Saporoger Kosaken
2
Astrachan-Tataren
Usbeken
Wien Juni–Juli 1698
Buda
Jassy
Asow 1695, 1696, 1736
Astrachan
Aral-see
HABSBURGERREICH
Stanilasti 1711
KHANAT DER KRIM
Kinburn
Waffen, Eisenwaren, Textilien nach Persien
4
Kertscha
Save
Donau
Kaffa
Terek-Kosaken
Amu-Darja
Sewastopol 1783
KAUKASUS
Edelsteine, Seide aus Persien
Chiwa
Warna
Schwarzes Meer
Derbent
Georgien
Tiflis
Kaspisches Meer
Turkmenen
NEAPEL
Batumi
Baku
Konstantinopel
Eriwan
1723–1732 an Russland
5
OSMANISCHES REICH
Täbris
Gorgan
Mesched
Teheran
PERSIEN
Bagdad

Als die Saporoger Kosaken die russische Oberherrschaft akzeptierten, erwuchs daraus ein Konflikt mit den Türken. Schließlich vertrieben russische Truppen diese von der Krim und aus der südlichen Ukraine und öffneten das Schwarze Meer für den russischen Handel. Der neue Status des Zaren im Machtpoker der europäischen Politik zog Russland auch in andere Kriege hinein: Seine Teilnahme am Siebenjährigen Krieg hätte fast das Ende Preußens bedeutet. 1772 teilten Russland, Österreich und Preußen Polen unter sich auf. Bis 1783 war das Land mit seiner eigenständigen Kultur und seiner »außereuropäischen« Wirtschaft zwar noch Welten von Europa entfernt, aber dennoch zu einem wesentlichen Bestandteil des europäischen Raumes und seiner Geschichte geworden.

…9 …rmanland und Karelien werden Schweden zugesprochen, …uch das Gebiet um Nowgorod besetzt hält.

…3 …nbesteigung Michaels I., des ersten Romanow.

1617 Schweden räumt Nowgorod, Russland gibt seine Ansprüche auf Estland und Livland auf.

1637 Russische Entdecker erreichen die sibirische Pazifikküste.

1650

1655 Die Russen bauen am Amur Festungen.

1667 Polen tritt Smolensk und Kiew an Russland ab.

1689 Friede von Nertschinsk: Russland räumt das Amurbecken.

1696 Peter I. entreißt den Türken Asow.

1700 Beginn des Großen Nordischen Krieges; Russland verliert die Schlacht bei Narwa gegen Schweden.

1709 Peter I. besiegt die Schweden bei Poltawa.

1712 Der Regierungssitz wird nach Sankt Petersburg verlegt.

1721 Schweden überlässt Russland Livland, Estland, Ingermanland und Teile Kareliens.

1750

1762 Katharina II. (die Große) wird russische Zarin.

1768–1772 Russland gewinnt durch Siege gegen die Osmanen Territorien am Schwarzen Meer hinzu.

1772 Erste Teilung Polens zwischen Russland, Preußen und Österreich.

1773–1775 Pugatschows Bauern- und Kosakenaufstand kann nur mit Mühe niedergeschlagen werden.

1783 Russland annektiert die Krim.

1800

Von Kolumbus bis zur amerikanischen Unabhängigkeit (1492 bis 1783)

Europa zur Zeit des Dreißigjährigen Krieges • 1600 bis 1648

Die »Krise des 17. Jahrhunderts« stürzte Europa von Portugal bis Russland in soziale Unruhen, religiösen Streit und wirtschaftliche Not. Ungelöste konfessionelle Spannungen hatten im Deutschland des 16. Jahrhunderts zu Kriegen, einem brüchigen Religionsfrieden und zur Stärkung des gegenreformatorischen Katholizismus geführt. Religiös motivierte Konflikte verschärften oftmals lediglich ohnehin bestehende politische und soziale Gegensätze.

Im Dreißigjährigen Krieg (1618–1648) bedeutete die Religionszugehörigkeit angesichts oft wechselnder Bündnisse nicht selten lediglich ein vorgeschobenes Handlungsmotiv für Fürsten, die sich um politischer Vorteile willen für die eine oder die andere Religion entschieden hatten, ihr Bekenntnis aber jederzeit wechselten, sobald es opportun erschien.

Nach der Ermordung Heinrichs IV. im Jahr 1610 erlebte zum Beispiel Frankreich eine Reihe schwacher Regierungen, bis Kardinal Richelieu 1624 Staatssekretär wurde. Anschläge, die der Bruder Ludwigs XIII. auf diesen verüben ließ, verschärften den Gegensatz zwischen Regierung und Adel erneut. Als eines seiner außenpolitischen Ziele wollte Richelieu die Macht des Hauses Habsburg brechen. Er und sein Nachfolger, Kardinal Mazarin, hatten dies bis 1650 durch militärische Erfolge in Flandern, im Rheinland, in Italien und in den Pyrenäen auch fast erreicht. Das Schicksal Spaniens und seines Weltreiches schien besiegelt, als schwere innere Unruhen Frankreich die Rechnung für seine außenpolitischen Erfolge präsentierten.

Ein Machtkampf in Phasen

Den vor allem auf deutschem Boden ausgetragenen Dreißigjährigen Krieg erlebten die Zeitgenossen als Auseinandersetzung, in der alle möglichen machtpolitischen Konflikte gebündelt wurden. Er begann als Böhmisch-Pfälzischer Krieg (1618–1623), in dem der Aufstand der böhmisch-mährischen Protestanten gegen das Haus Habsburg niedergeschlagen wurde und der Kaiser und seine Verbündeten mit spanischer Hilfe die calvinistische Kurpfalz eroberten. Als zweiter Abschnitt folgte der Dänische Krieg (1625 bis 1629), in dem Dänemark zugunsten der deutschen Protestanten intervenierte. An seinem Ende stand das Restitutionsedikt, das die deutschen Katholiken stärkte. Danach brach der Schwedische Krieg (1630–1635) aus und zum Schluss folgte der Schwedisch-Französische Krieg (1635–1648), in dem Frankreich in Spanien einmarschierte, während die verbündeten Schweden die kaiserlichen Truppen besiegten. Bei Kriegsende war Deutschland in großen Teilen verwüstet.

Sieger und Verlierer

Spanien bezahlte als Vorkämpfer des katholischen Europa einen hohen Preis. Die Reformen, die der Erste Minister Oliváres nach 1621 zu realisieren versuchte, waren stecken geblieben, weil die Kosten des europäischen Krieges ständig stiegen, während gleichzeitig die Einnahmen aus dem Silberhandel sanken. Als in Katalonien und Portugal 1640 Aufstände losbrachen, musste die spanische Regierung Mittel für die militärische Lösung eigener Probleme abzweigen.

»Raubende Soldateska«; die Zivilbevölkerung war im Dreißigjährigen Krieg raubenden und mordenden Soldaten oft schutzlos ausgeliefert.

König Jakob I. von England siedelte zwar im nordirischen Ulster Protestanten an, vermied jedoch ein Engagement für die protestantische Sache auf dem Kontinent. Durch Religions- und Verfassungsfragen hervorgerufene Oppositionsströmungen gegen seinen Sohn Karl I. führten in Schottland zum Krieg, in Ulster zu einem Massaker an Protestanten und schließlich in England selbst zum Bürgerkrieg, der Puritanischen Revolution. 1649 wurde Karl I. hingerichtet (obwohl das nur wenige wollten) und Oliver Cromwell rief die Republik des Commonwealth aus.

Allein die niederländischen Generalstaaten gewannen in dieser tragischen Epoche europäischer Waffengänge. Sie trotzten den wiederholten Angriffen Spaniens, verteidigten den Erhalt ihres Handelsimperiums und die staatliche Souveränität, so dass sie nach Kriegsende mit der wirtschaftlichen Expansion beginnen konnten; bereits 1650 beherrschten die Amsterdamer Bankiers fast die gesamte europäische Wirtschaft.

- Habsburg (Österreich), 1618
- Habsburg (Spanien), 1618
- Verbündete der Habsburger, 1618
- Frankreich, 1618
- deutsche protestantische Länder
- Vereinigte Niederlande (Generalstaaten), 1609
- Schweden, 1618
- Gegner der Habsburger
- Grenzen, 1648
- französischer Angriff
- Offensive der Protestanten
- spanische Angriffe
- schwedisches Vordringen
- Sieg der kaiserlichen Heere
- Niederlage der kaiserlichen Heere
- wichtige Belagerung
- geplünderte Stadt
- größere Volkserhebung oder Unruhen
- niederländische Festungslinie, 1605–1606 errichtet
- Blockade des niederländischen Handels durch die Spanier, 1624–1627
- für Habsburg strategisch wichtige Verbindung
- wichtige niederländische Route
- spanische Militärpatrouillen
- englische Gebiete in Irland
- »Ansiedlungen« Jakobs I., 1613–1625
- proparlamentarische Grafschaften in Ostengland, 1643
- Sieg der Royalisten
- Niederlage der Royalisten

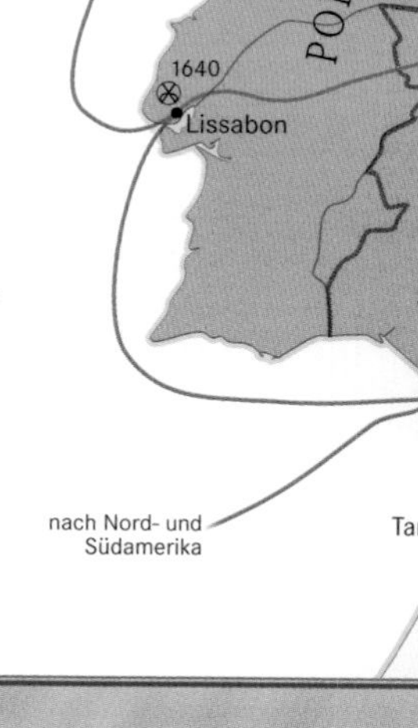

Richtung Atlantik und Ostindien
Oporto
PORTUGAL
Aufstand in Portugal 1640
1640
Lissabon
nach Nord- und Südamerika

0 400 km
0 300 Meilen

1 Als der kaiserliche Generalissimus Albrecht von Wallenstein ab 1627 die Ostseehäfen angriff, wollte er den niederländischen Handel treffen, provozierte aber stattdessen den Kriegseintritt Schwedens.

2 Dünkirchen war ein wichtiger Marinestützpunkt der Spanier und bedrohte damit bis zu seiner Einnahme durch die Franzosen (1646) den niederländischen wie den englischen Handel. 1652 eroberten die Spanier es allerdings wieder zurück.

3 Frankreich, das die Macht Spaniens in Italien brechen wollte, unterstützte 1647 tatkräftig die Erhebung Neapels.

4 Die Stellung der Habsburger wurde 1629 bis 1632 durch den Vorstoß Schwedens und die Angriffe Frankreichs auf Mantua und im Veltlin stark gefährdet.

5 Die Eroberung Magdeburgs durch kaiserliche Truppen unter Tilly im Jahr 1631 ist als ein Symbol für die Grausamkeit des Dreißigjährigen Krieges im Gedächtnis geblieben.

6 Die Erhebung Kataloniens im Jahr 1640 wurde von Frankreich unterstützt. Als aber danach französische Streitkräfte einmarschierten, brach ein langer Krieg ohne Sieger und Besiegte aus.

ZEITLEISTE

BRITISCHE INSELN

WESTEUROPA

DEUTSCHLAND/REICH

1600 | 1610 | 1620

1603 Jakob VI. von Schottland wird Jakob I. von England – beide Reiche sind in Personalunion vereint.

1605 In London misslingt ein Versuch, Jakob und das Parlament in die Luft zu sprengen.

1609 Spanien und die Generalstaaten vereinbaren eine zwölfjährige Waffenruhe.

1609 Bayern und Spanien gründen die katholische Liga.

1613–1625 In Ulster, das nach dem Aufstand Hugh O'Neills, Graf von Tyrone, an die englische Krone fiel, werden Protestanten angesiedelt.

1618 Der Dreißigjährige Krieg wird durch die Weigerung der protestantischen Böhmen ausgelöst, die kaiserliche Herrschaft zu akzeptieren.

1620 Spanien erobert die Pfalz.

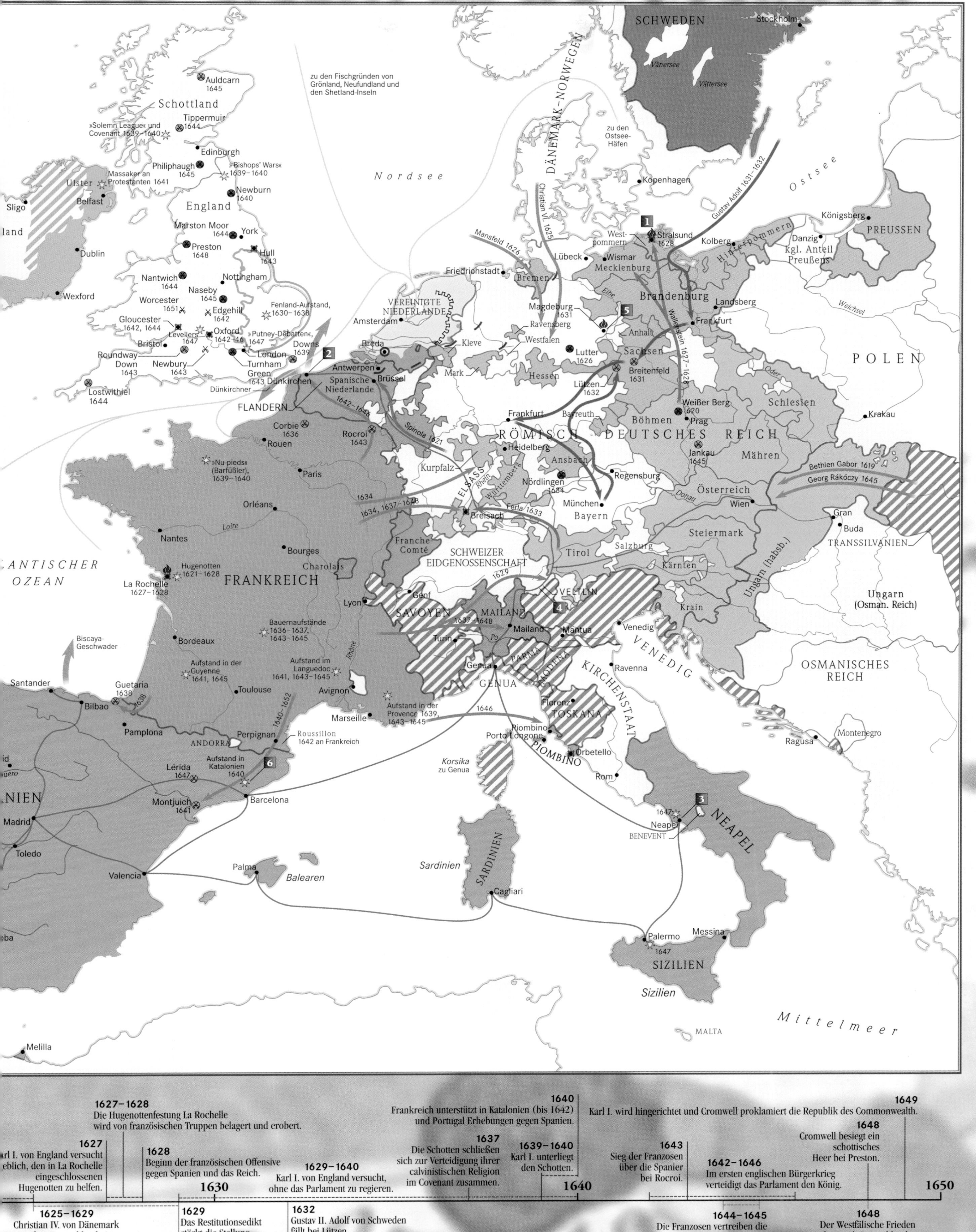
SCHWEDEN
Stockholm
Vänersee
Vättersee
DÄNEMARK-NORWEGEN
zu den Fischgründen von Grönland, Neufundland und den Shetland-Inseln
zu den Ostsee-Häfen
Auldcarn 1645
Schottland
»Solemn League« und Covenant 1639–1640
Tippermuir 1644
Edinburgh
Philiphaugh 1645
»Bishops' Wars« 1639–1640
Massaker an Protestanten 1641
Ulster
Sligo
Belfast
Newburn 1640
England
Nordsee
Kopenhagen
Ostsee
Gustav Adolf 1631–1632
Christian IV. 1625
Marston Moor 1644
York
Preston 1648
Hull 1643
Dublin
Nantwich 1644
Nottingham
Naseby 1645
Wexford
Worcester 1651
Edgehill 1642
Fenland-Aufstand, 1630–1638
Gloucester 1642, 1644
Levellers 1647
Oxford 1642–46
»Putney-Debatten«, 1647
Downs 1639
Bristol
London
Roundway Down 1643
Newbury 1643
Turnham Green 1643
Dünkirchen
Dünkircher
Lostwithiel 1644
FLANDERN
Mansfeld 1626
Stralsund 1628
West-pommern
Lübeck
Wismar
Mecklenburg
Kolberg
Hinterpommern
Danzig
Kgl. Anteil Preußens
Königsberg
PREUSSEN
Friedrichstadt
Bremen
VEREINIGTE NIEDERLANDE
Amsterdam
Breda
Kleve
Magdeburg 1631
Ravensberg
Westfalen
Brandenburg
Elbe
Landsberg
Frankfurt
Weichsel
Anhalt
Wallenstein 1627–1628
Antwerpen
Brüssel
Spanische Niederlande
1642–1646
Mark
Hessen
Lutter 1626
Sachsen
Breitenfeld 1631
POLEN
Lützen 1632
Oder
Schlesien
Corbie 1636
Rouen
Rocroi 1643
Spinola 1621
Frankfurt
Bayreuth
Weißer Berg 1620
Prag
Böhmen
Krakau
RÖMISCH-DEUTSCHES REICH
Heidelberg
Jankau 1645
Mähren
»Nu-pieds« (Barfüßler), 1639–1640
Paris
Kurpfalz
Ansbach
Regensburg
Bethlen Gabor 1619
Georg Rákóczy 1645
ELSASS
Rhein
Württemberg
Nördlingen 1634
Österreich
Donau
Wien
1634
1634, 1637–1648
Orléans
Breisach
Feria 1633
München
Bayern
Gran
Buda
Nantes
Loire
Franche-Comté
Steiermark
Bourges
SCHWEIZER EIDGENOSSENSCHAFT
Tirol
Salzburg
TRANSSILVANIEN
Ungarn (habsb.)
ATLANTISCHER OZEAN
Hugenotten 1621–1628
Charolais
Kärnten
FRANKREICH
1629
VELTLIN
La Rochelle 1627–1628
Genf
Lyon
SAVOYEN
MAILAND
Krain
Ungarn (Osman. Reich)
1637–1648
Mailand
Mantua
Venedig
Bauernaufstände 1636–1637, 1643–1645
Turin
Po
Bordeaux
Biscaya-Geschwader
Rhône
PARMA
MODENA
VENEDIG
Ravenna
Aufstand in der Guyenne 1641, 1645
Aufstand im Languedoc 1641, 1643–1645
Genua
GENUA
KIRCHENSTAAT
OSMANISCHES REICH
Santander
Guetaria 1638
Toulouse
Avignon
Bilbao
Florenz
TOSKANA
Aufstand in der Provence 1639, 1643–1645
1646
Marseille
Pamplona
1640–1652
Perpignan
Roussillon 1642 an Frankreich
ANDORRA
Piombino
Porto Longone
PIOMBINO
Ragusa
Montenegro
Orbetello
Aufstand in Katalonien 1640
Lérida 1647
Korsika zu Genua
Rom
Montjuich 1641
Barcelona
Madrid
Toledo
1647
Neapel
BENEVENT
NEAPEL
Valencia
Palma
Balearen
Sardinien
SARDINIEN
Cagliari
Palermo
Messina
1647
SIZILIEN
Sizilien
Mittelmeer
MALTA
Melilla

1625–1629 Christian IV. von Dänemark greift in Deutschland ein.

1627 Karl I. von England versucht vergeblich, den in La Rochelle eingeschlossenen Hugenotten zu helfen.

1627–1628 Die Hugenottenfestung La Rochelle wird von französischen Truppen belagert und erobert.

1628 Beginn der französischen Offensive gegen Spanien und das Reich.

1629 Das Restitutionsedikt stärkt die Stellung der Katholiken im Reich.

1630

1629–1640 Karl I. von England versucht, ohne das Parlament zu regieren.

1632 Gustav II. Adolf von Schweden fällt bei Lützen.

1637 Die Schotten schließen sich zur Verteidigung ihrer calvinistischen Religion im Covenant zusammen.

1639–1640 Karl I. unterliegt den Schotten.

1640 Frankreich unterstützt in Katalonien (bis 1642) und Portugal Erhebungen gegen Spanien.

1640

1643 Sieg der Franzosen über die Spanier bei Rocroi.

1642–1646 Im ersten englischen Bürgerkrieg verteidigt das Parlament den König.

1644–1645 Die Franzosen vertreiben die Kaiserlichen aus dem Elsass.

1648 Cromwell besiegt ein schottisches Heer bei Preston.

1648 Der Westfälische Frieden besiegelt Deutschlands territoriale Zersplitterung.

1649 Karl I. wird hingerichtet und Cromwell proklamiert die Republik des Commonwealth.

1650

Von Kolumbus bis zur amerikanischen Unabhängigkeit (1492 bis 1783)

Deutschland nach dem Westfälischen Frieden • 1648

Die Vereinbarungen von Münster und Osnabrück bestätigten die konfessionelle Spaltung und förderten die Entwicklung absolutistisch regierter Territorialstaaten in den Grenzen des »Heiligen Römischen Reiches Deutscher Nation«.

Der Westfälische Frieden von 1648 markierte ein vorläufiges Ende erbittert geführter Kriege um religiöse Freiheiten, die Souveränität der Reichsstände, die kaiserliche Zentralgewalt, die europäische Stellung des Hauses Habsburg und die Neugliederung des Römisch-Deutschen Reiches. Jahrzehntelang waren Söldnerheere durch Europa gezogen und hatten Spuren der Verwüstung hinterlassen. Sie fochten für Glaubensfreiheit und im Dienst der am Konflikt beteiligten Fürsten für Landgewinne und damit mehr Eigenständigkeit gegenüber der deutschen Kaiserkrone. Die einen zogen im Namen der

Friedrich Wilhelm von Brandenburg (1640–1688) mit seinen Offizieren; der »Große Kurfürst« besiegte 1675 in der Schlacht bei Fehrbellin die Schweden und vertrieb sie aus Pommern und Preußen.

protestantischen Union in die Schlacht, die anderen fochten im Namen der katholischen Liga. Als die Kriegsziele sich nicht allein auf den Schlachtfeldern erreichen ließen, setzte man sich an den Verhandlungstisch.

Der lange Weg zum Frieden

Vier Jahre lang tauschten die Kriegsparteien seit 1644 Noten über einen Friedensschluss aus. Es war die erste politische Konferenz der europäischen Mächte in einer von Glaubenskämpfen entzweiten christlichen Welt. In Münster trafen sich die Gesandten der spanischen Krone und der Generalstaaten der Niederlande sowie die Vertreter der französischen Krone mit Abordnungen des Kaisers und der Reichsstände. Die schwedische Krone verhandelte mit Reichsständen und Reich in Osnabrück. Dessen ungeachtet tobte der Krieg weiter. Der Chronist Johann Walther aus Straßburg dokumentierte das Grauen des Krieges während der Belagerung Breisachs: »... Sie haben nicht allein unnatürliche Sachen gegessen, als Hunde, Pferde, Katzen und gestorbenes Vieh ..., sondern ... drei gefangene Weimarische Soldaten ... haben sie geschlachtet und gegessen.« Wie grenzenlos das Elend unter dem einfachen Volk war, erfährt man von Johann Daniel Minck aus Groß Bieberau: »... Durch diesen langen Hunger wurden viele Leute dermaßen schwach, dass sie nichts als Haut und Kochen waren. ... Sie waren schwarz-gelb, mit weiten Augen, fleckigen Zähnen, grindig, krätzig, gelbsüchtig ...«

Den Teilnehmern der Friedenskongresse entging dieses Elend ebenso wie das blutige Gemetzel der Schlacht bei Jankau, bei der 11 000 Tote zu beklagen waren. Bankette und Bälle lockerten den Alltag der Gesandten auf. Niemand verzichtete auf die gewohnten Annehmlichkeiten: Diener, Pagen, Sekretäre, Fuhr- und Küchenpersonal gehörten zu jeder Delegation und im Fall des französischen Gesandten Henri d'Orléans auch 100 mit Wein beladene Karren.

Ungeachtet der monatelangen Verhandlungen, fiel eine schwedisch-französische Armee im September 1647 in Bayern ein. Auch Prag weckte Begehrlichkeiten: Schwedische Verbände eroberten im Juli 1648 neben der Kleinseite den Hradschin und nahmen auf Wunsch der schwedischen Monarchin Christine (1632–1654) unter anderem die wertvolle Kunstsammlung Kaiser Rudolfs II. und die Rosenberg-Bibliothek als Kriegsbeute mit.

Ergebnis und Folgen

Unterdessen hatten sich die Generalstaaten der Niederlande und die spanische Krone geeinigt. Dank dieses Friedenschlusses schieden die Generalstaaten der Niederlande aus dem Römisch-Deutschen Reich aus und erhielten als Vereinigte Niederlande ihre Eigenständigkeit. Im Zuge des Westfälischen Friedens wurde auch die Selbstständigkeit der Schweizer Eidgenossenschaft anerkannt.

Am 24. Oktober 1648 setzten die Vertreter der französischen und der schwedischen Krone sowie je ein Vertreter des Reiches jeweils getrennt in der Dompropstei und im Haus der Münsteraner Propstes ihre Namen unter die Dokumente des Friedensschlusses. Nachdem diese im Bischofshaus am Domplatz und von den Reichsständen signiert worden waren, erklangen die Glocken aller Kirchen der Stadt und dreimaliges Salutschießen der Kanonen auf den Wällen – Zeichen der Verkündigung des Friedens.

Von entscheidender politischer Bedeutung des Westfälischen Friedens waren die Bestätigung des Augsburger Religionsfriedens von 1555 unter Einschluss der Calvinisten und die Festschreibung des konfessionellen Besitzstandes von 1624. Außerdem durfte ein neuer oder konvertierter Landesherr seinen Untertanen das Bekenntnis nicht aufzwingen. Die Reichsstände erhielten die Landeshoheit und Bündnisfreiheit. Ungeklärt blieb die Auflösung der Armeen, die sich mit insgesamt etwa 210 000 Soldaten im Land aufhielten. Und es warteten noch andere Aufgaben: die Beseitigung der Kriegszerstörungen und eine gezielte Ansiedlungspolitik, nachdem in einigen Landstrichen Bevölkerungsverluste von bis zu 50 Prozent zu verzeichnen waren.

Doch der Westfälische Frieden blieb brüchig: Kurbrandenburg strebte nach weiteren Territorialgewinnen und war in den schwedisch-polnischen Krieg verstrickt. Auch die im Westfälischen Frieden festgeschriebene Strafe für einen Friedensbruch verhinderte dies nicht. Insbesondere Friedrich Wilhelm, der Große Kurfürst, trachtete mit allen Mitteln danach, eine mächtige Staatsnation zu schaffen.

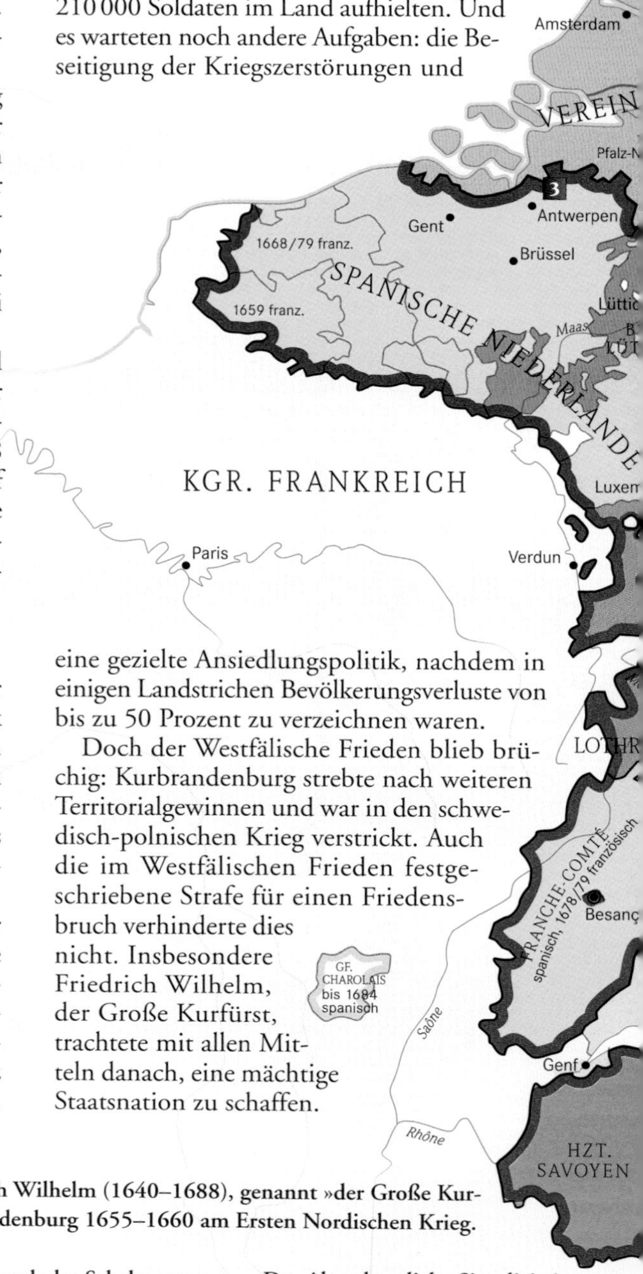

1 Der Nürnberger Exekutionstag 1649–1651 befasste sich mit der Umsetzung des Friedensvertrages von 1648, insbesondere in der Frage der Räumung von Reichsgebieten, die von ausländischen Truppen besetzt waren.

2 Von Juni 1653 bis Mai 1654 fand der so genannte Reichtagsabschied von Regensburg statt, der sich mit der Frage der Reichsverfassungsbestimmungen von 1648 beschäftigte.

3 Der Antwerpener Maler Jacob Jordaens (1593–1678) schuf ein Werk mit dem Titel »Allegorie auf den Frieden von Münster«.

4 Unter Kurfürst Friedrich Wilhelm (1640–1688), genannt »der Große Kurfürst«, beteiligte sich Brandenburg 1655–1660 am Ersten Nordischen Krieg.

5 1669 erschien der Erstdruck des Schelmenromans »Der Abentheurliche Simplicissimus Teutsch«. Hans Jakob Christoffel von Grimmelshausen (1622–1676) schuf mit diesem Werk den bedeutendsten Roman der deutschen Literatur des 17. Jahrhunderts.

6 Am 28. Juni 1675 erlitt das schwedische Heer in der Schlacht bei Fehrbellin eine schwere Niederlage gegen die brandenburgischen Truppen.

ZEITLEISTE

RÖMISCH-DEUTSCHES REICH

1645

1645 (März) Schlacht bei Jankau (Böhmen) zwischen schwedischen und kaiserlichen Verbänden.

1645 (Anfang Juni) In Münster beginnen Friedensgespräche mit Frankreich, in Osnabrück mit den Schweden.

1646 Bremen wird gegen schwedische Ansprüche Reichsstadt.

1646

1646 (Juni) Die Schweden unter Carl Gustav Wrangel und die Franzosen unter Graf von Turenne erobern gemeinsam Bayern.

DIE WELT

1645 Krieg zwischen Venedig und dem Osmanischen Reich; Venedig verliert Kreta.

Portugal beginnt, seine Stützpunkte in Brasilien von den Niederländern zurückzuerobern.

1646 Die Westminstersynode in England verabschiedet die streng calvinistische »Westminster Confession«.

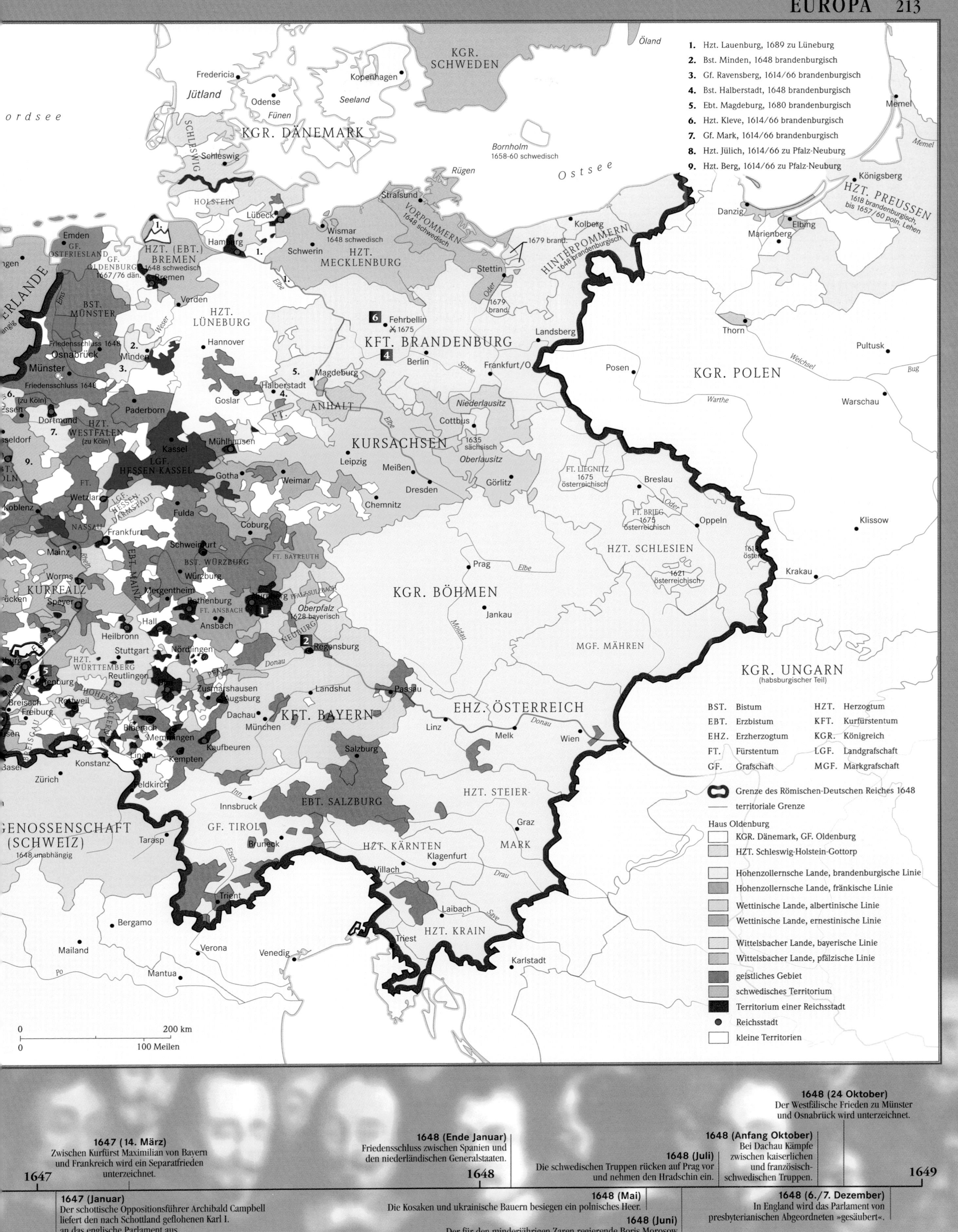

1. Hzt. Lauenburg, 1689 zu Lüneburg
2. Bst. Minden, 1648 brandenburgisch
3. Gf. Ravensberg, 1614/66 brandenburgisch
4. Bst. Halberstadt, 1648 brandenburgisch
5. Ebt. Magdeburg, 1680 brandenburgisch
6. Hzt. Kleve, 1614/66 brandenburgisch
7. Gf. Mark, 1614/66 brandenburgisch
8. Hzt. Jülich, 1614/66 zu Pfalz-Neuburg
9. Hzt. Berg, 1614/66 zu Pfalz-Neuburg
KGR. SCHWEDEN
KGR. DÄNEMARK
Jütland
Fredericia
Odense
Fünen
Seeland
Kopenhagen
Öland
Bornholm
1658-60 schwedisch
Ostsee
Rügen
Memel
Königsberg
HZT. PREUSSEN
1618 brandenburgisch, bis 1657/60 poln. Lehen
Danzig
Elbing
Marienberg
SCHLESWIG
Schleswig
HOLSTEIN
Lübeck
Wismar
1648 schwedisch
Hamburg
Schwerin
HZT. MECKLENBURG
Stralsund
VORPOMMERN
1648 schwedisch
Kolberg
1679 brand.
HINTERPOMMERN
1648 brandenburgisch
Stettin
Oder
1679 brand.
Emden
GF. OSTFRIESLAND
HZT. (EBT.) BREMEN
1648 schwedisch
GF. OLDENBURG
1667/76 dän.
Bremen
Verden
HZT. LÜNEBURG
BST. MÜNSTER
Friedensschluss 1648
Osnabrück
Minden
Münster
Friedensschluss 1648
Hannover
Fehrbellin
1675
KFT. BRANDENBURG
Berlin
Landsberg
Frankfurt/O.
Spree
Thorn
Posen
KGR. POLEN
Pultusk
Warschau
Warthe
Weichsel
Bug
Magdeburg
Halberstadt
Goslar
ANHALT
Paderborn
Dortmund
HZT. WESTFALEN
(zu Köln)
Niederlausitz
Cottbus
1635 sächsisch
KURSACHSEN
Elbe
Oberlausitz
Mühlhausen
Kassel
LGF. HESSEN-KASSEL
Leipzig
Meißen
Dresden
Görlitz
Gotha
Weimar
Chemnitz
FT. LIEGNITZ
1675 österreichisch
Breslau
FT. BRIEG
1675 österreichisch
Oppeln
Klissow
Koblenz
Wetzlar
LGF. HESSEN-DARMSTADT
NASSAU
Fulda
Coburg
Frankfurt
HZT. SCHLESIEN
1621 österreichisch
Krakau
Mainz
EBT. MAINZ
Schweinfurt
BST. WÜRZBURG
Würzburg
FT. BAYREUTH
Prag
KGR. BÖHMEN
Jankau
Moldau
Worms
KURPFALZ
Speyer
Mergentheim
Rothenburg
FT. ANSBACH
Nürnberg
Oberpfalz
1628 bayerisch
NEUBURG
Regensburg
Ansbach
Hall
Heilbronn
Stuttgart
Nördlingen
HZT. WÜRTTEMBERG
Reutlingen
Donau
MGF. MÄHREN
KGR. UNGARN
(habsburgischer Teil)
Zusmarshausen
Augsburg
Landshut
Passau
Freiburg
Breisach
Dachau
München
KFT. BAYERN
Linz
EHZ. ÖSTERREICH
Melk
Wien
Biberach
Memmingen
Kempten
Kaufbeuren
Salzburg
Konstanz
Zürich
Feldkirch
Inn
Innsbruck
EBT. SALZBURG
HZT. STEIER-MARK
Graz
GENOSSENSCHAFT (SCHWEIZ)
1648 unabhängig
Tarasp
GF. TIROL
Bruneck
HZT. KÄRNTEN
Klagenfurt
Villach
Drau
Etsch
Trient
Laibach
Save
HZT. KRAIN
Bergamo
Triest
Mailand
Verona
Venedig
Karlstadt
Po
Mantua
0 200 km
0 100 Meilen
BST. Bistum
EBT. Erzbistum
EHZ. Erzherzogtum
FT. Fürstentum
GF. Grafschaft
HZT. Herzogtum
KFT. Kurfürstentum
KGR. Königreich
LGF. Landgrafschaft
MGF. Markgrafschaft
Grenze des Römischen-Deutschen Reiches 1648
territoriale Grenze
Haus Oldenburg
KGR. Dänemark, GF. Oldenburg
HZT. Schleswig-Holstein-Gottorp
Hohenzollernsche Lande, brandenburgische Linie
Hohenzollernsche Lande, fränkische Linie
Wettinische Lande, albertinische Linie
Wettinische Lande, ernestinische Linie
Wittelsbacher Lande, bayerische Linie
Wittelsbacher Lande, pfälzische Linie
geistliches Gebiet
schwedisches Territorium
Territorium einer Reichsstadt
Reichsstadt
kleine Territorien

1647 – 1648 – 1649

1647 (Januar)
Der schottische Oppositionsführer Archibald Campbell liefert den nach Schottland geflohenen Karl I. an das englische Parlament aus.

1647 (14. März)
Zwischen Kurfürst Maximilian von Bayern und Frankreich wird ein Separatfrieden unterzeichnet.

1648 (Ende Januar)
Friedensschluss zwischen Spanien und den niederländischen Generalstaaten.

1648 (Mai)
Die Kosaken und ukrainische Bauern besiegen ein polnisches Heer.

1648 (Juni)
Der für den minderjährigen Zaren regierende Boris Morosow wird von der Moskauer Bevölkerung gestürzt.

1648 (Juli)
Die schwedischen Truppen rücken auf Prag vor und nehmen den Hradschin ein.

1648 (Anfang Oktober)
Bei Dachau Kämpfe zwischen kaiserlichen und französisch-schwedischen Truppen.

1648 (24 Oktober)
Der Westfälische Frieden zu Münster und Osnabrück wird unterzeichnet.

1648 (6./7. Dezember)
In England wird das Parlament von presbyterianischen Abgeordneten »gesäubert«.

Von Kolumbus bis zur amerikanischen Unabhängigkeit (1492 bis 1783)

Europa im Zeitalter Ludwigs XIV. • 1648 bis 1715

Nach dem Dreißigjährigen Krieg erlebte das erschöpfte Europa eine kurze Phase relativer Ruhe. Nur in England waren die radikalen Gegner der bestehenden Verhältnisse an die Macht gekommen (allerdings wurde Cromwells Regime zunehmend abgelehnt und war 1660 am Ende). Ansonsten weiteten die Herrscher ihren Einfluss auf die Staatsgeschäfte aus, woraus sich bald die Doktrin von der absoluten Macht der Monarchen ableitete.

Der lange Kampf zwischen Souverän und Regionalfürsten war vorüber – nirgendwo übrigens eindrücklicher als in Frankreich, dem bevölkerungs- und einflussreichsten Land Europas. Deutschlands Position als politischer »Flickenteppich« kleinteiliger Territorien hatte sich verfestigt.

Das hohe Ziel: Schwächung der Habsburger

In den sieben Jahrzehnten nach 1648 versuchte Frankreichs König Ludwig XIV. mit allen Mitteln, das habsburgische Spanien als europäische Vormacht abzulösen. Die Niederlande, bislang Bankier und Hauptstütze der antihabsburgischen Front, verbündeten sich angesichts der zunehmenden Bedrohung durch Frankreich und England mit Spanien. Unter Cromwell und den Stuarts nach ihm betrieb England eine profranzösische und damit antispanische Politik, aus der eine Reihe von Seekriegen gegen die Niederlande entstand. Die Thronbesteigung des Niederländers Wilhelm von Oranien in England beendete 1689 diese Politik und der anglo-französische Gegensatz bestimmte einmal mehr die europäische Geschichte. Österreich, einst nur Juniorpartner des habsburgischen Europa, stieg zur einflussreichen Macht auf. Schweden unterstützte Frankreich gegen die Niederlande, schreckte aber nach seiner Niederlage gegen Brandenburg bei Fehrbellin (1675) vor einem direkten Eingreifen in Europa zurück. In Italien überflügelte Savoyen das habsburgische Mailand. Die spanischen Besitzungen im Süden der Apenninhalbinsel fielen 1713, als die europäischen Territorien Spaniens zwischen Philipp V., dem Bourbonen auf dem spanischen Thron, und den österreichischen Habsburgern aufgeteilt wurden, unter die Kontrolle Letzterer.

Regierungsgeschäfte

Bei der Modernisierung des französischen Staates erreichte Ludwig XIV. zwar viel, aber die Zentralisierung der Wirtschaft gelang ihm letztlich nicht – was sich später in schweren sozialen Unruhen und dem wirtschaftlichen Zusammenbruch auswirken sollte. Zudem verließen nach seinem Widerruf des Toleranz-Edikts von Nantes 200 000 Hugenotten das Land; danach konnte er die protestantischen Länder in Deutschland für ein Vorgehen gegen die Habsburger nicht mehr gewinnen.

Bei den Regierungsgeschäften verließ sich Ludwig XIV. auf eine kleine Gruppe kompetenter Minister: Colbert (verantwortlich für Wirtschaft, Finanzen und den Aufbau des Heeres), Louvois (Kriegsminister) und Vauban (ein Festungsingenieur). Hinzu kamen noch einige hervorragende Heerführer (Turenne, Condé, Luxembourg und Villars). Unter Ludwig XIV. führte Frankreich vier größere Kriege, die ihm beträchtliche Territorialgewinne und eine 30 Jahre währende Vorherrschaft in den europäischen Gewässern einbrachten. Nicht zuletzt das weit verbreitete Bemühen, Schloss Versailles zu imitieren, belegt, wie prächtig der Glanz des »Sonnenkönigs« über Europa erstrahlte.

Prinz Eugen und der Herzog von Marlborough, die Führer der Koalition im Spanischen Erbfolgekrieg, konnten den Sieg der Bourbonen nicht verhindern.

Kurfürst von Hannover, König von England

In Großbritannien gelangte 1717 nach Wilhelm von Oranien ein weiterer ausländischer Protestant auf den Thron: Kurfürst Georg Ludwig von Hannover hielt nun als König Georg I. die Katholiken von der Macht fern und zog das Land für den Rest des Jahrhunderts tief in die europäische Politik hinein. Die politische Unzufriedenheit im Umfeld der entmachteten Stuarts wuchs; dass die Gefahr eines Staatsstreichs bestand, zeigte sich erstmals im Jahr 1715 bei der Erhebung des Earl of Mar.

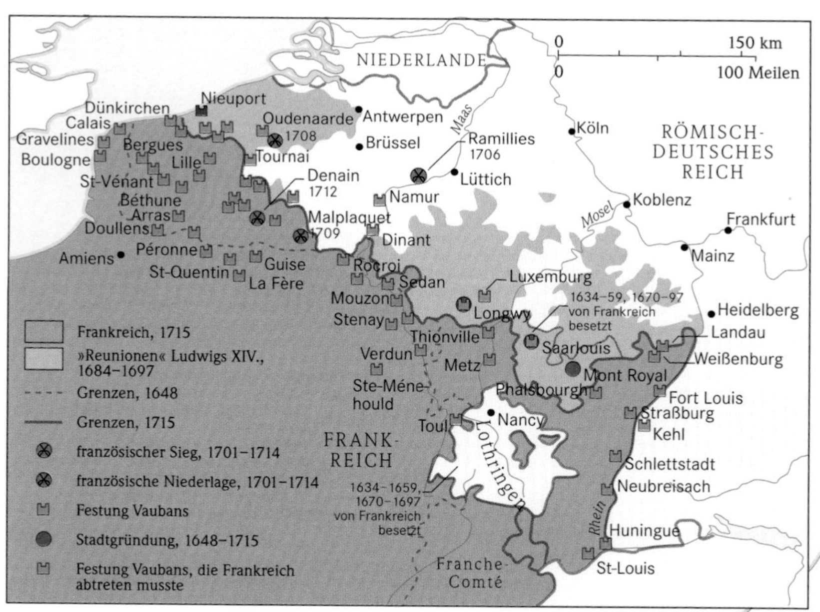
NIEDERLANDE
0 150 km
0 100 Meilen
Dünkirchen
Nieuport
Calais
Gravelines
Bergues
Boulogne
Lille
Oudenaarde 1708
Antwerpen
Brüssel
Tournai
Maas
Ramillies 1706
Köln
RÖMISCH-DEUTSCHES REICH
St-Vénant
Béthune
Arras
Denain 1712
Lüttich
Namur
Koblenz
Mosel
Malplaquet 1709
Doullens
Dinant
Frankfurt
Amiens
Péronne
St-Quentin
Guise
La Fère
Rocroi
Sedan
Mainz
Luxemburg
Mouzon
Stenay
Longwy
1634–59, 1670–97 von Frankreich besetzt
Heidelberg
Landau
Thionville
Saarlouis
Weißenburg
Verdun
Metz
Mont Royal
Ste-Méne-hould
Phalsbourgh
Fort Louis
Toul
Nancy
Straßburg
Kehl
Lothringen
FRANK-REICH
Schlettstadt
1634–1659, 1670–1697 von Frankreich besetzt
Neubreisach
Rhein
Huningue
Franche-Comté
St-Louis
Frankreich, 1715
»Reunionen« Ludwigs XIV., 1684–1697
Grenzen, 1648
Grenzen, 1715
französischer Sieg, 1701–1714
französische Niederlage, 1701–1714
Festung Vaubans
Stadtgründung, 1648–1715
Festung Vaubans, die Frankreich abtreten musste

1 Oliver Cromwells Bündnis mit Frankreich gegen Spanien ermöglichte England unter Karl II. die Eroberung Dünkirchens (1658); Karl blieb Verbündeter Ludwigs XIV. und verkaufte diesem 1662 den Hafen.

2 Das Kurfürstentum Hannover und Großbritannien wurden für 123 Jahre vereinigt, als 1714 Georg Ludwig von Hannover den englischen Thron bestieg.

3 1656 kaperte der englische Admiral Robert Blake vor Cádiz eine spanische Gold- und Silberflotte; das war bis dahin nur dem Niederländer Piet Hein (1628 in der Karibik) gelungen.

4 Wilhelm von Oranien bewahrte die Niederlande vor einer Besetzung durch französische Truppen unter Turenne und Condé, indem er große Teile des Landes überschwemmen ließ.

5 1704 brachte in einer auf deutschem Boden ausgetragenen Schlacht des Spanischen Erbfolgekriegs eine antibourbonische Armee unter Führung Marlboroughs und Eugens von Savoyen den verbündeten Franzosen und Bayern eine schwere Niederlage bei.

6 Toulon, der Marinestützpunkt Ludwigs XIV., spielte bei den Operationen gegen die spanischen Habsburger eine wichtige Rolle.

7 Der Spanische Erbfolgekrieg wütete am heftigsten in Spanien selbst; das bourbonenfreundliche Kastilien setzte sich gegen das prohabsburgische Katalonien durch.

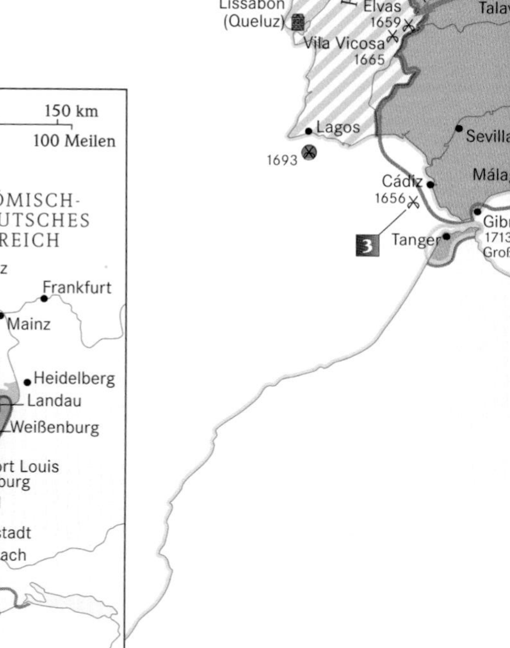
La Coruña
Oporto
PORTUGAL
Tajo
1657–59, 1663,
Lissabon (Queluz)
Elvas 1659
Vila Viçosa 1665
Lagos
1693
Sevilla
Cádiz 1656
Málaga
Tanger
3

ZEITLEISTE

FRANKREICH UND SPANIEN

1643 Ludwig XIV. besteigt mit fünf Jahren den französischen Thron; Mazarin übernimmt die Regentschaft.

1648 Die Fronde, eine Auflehnung von Parlament und Adel, gefährdet die Stabilität Frankreichs.

1661 Ludwig XIV. regiert selbst.

1667–1668 »Devolutionskrieg« Frankreichs gegen die Spanischen Niederlande.

1672 Ludwig XIV. greift die Niederlande (ohne Holland) an und erobert bis 1678 den größten Teil des Landes.

1640 — 1650 — 1660 — 1670

DAS ÜBRIGE EUROPA

1649 Hinrichtung Karls I. von England und Gründung der Republik (Commonwealth).

1651 Die englische Navigationsakte führte in den ersten Krieg Englands gegen die Niederlande (1652–1654); der zweite folgte 1665 bis 1667, der dritte 1672 bis 1674.

1660 Wiedereinsetzung der Monarchie unter Karl II.

1665 In London bricht die Pest aus, der 1666 der große Brand folgt.

1675 Das mit Frankreich verbündete Schweden wird bei Fehrbellin von Brandenburg besiegt.

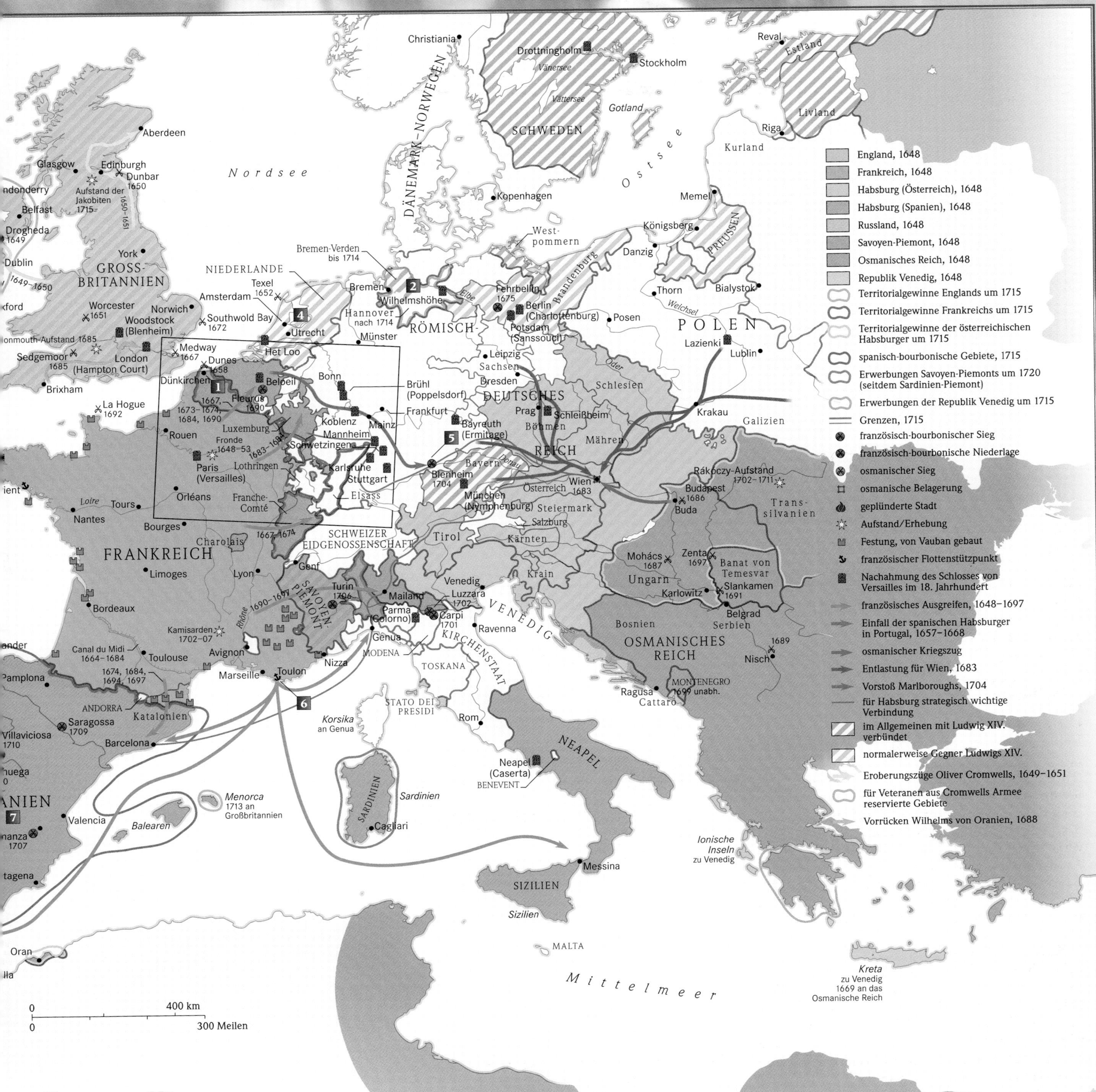

- England, 1648
- Frankreich, 1648
- Habsburg (Österreich), 1648
- Habsburg (Spanien), 1648
- Russland, 1648
- Savoyen-Piemont, 1648
- Osmanisches Reich, 1648
- Republik Venedig, 1648
- Territorialgewinne Englands um 1715
- Territorialgewinne Frankreichs um 1715
- Territorialgewinne der österreichischen Habsburger um 1715
- spanisch-bourbonische Gebiete, 1715
- Erwerbungen Savoyen-Piemonts um 1720 (seitdem Sardinien-Piemont)
- Erwerbungen der Republik Venedig um 1715
- Grenzen, 1715
- französisch-bourbonischer Sieg
- französisch-bourbonische Niederlage
- osmanischer Sieg
- osmanische Belagerung
- geplünderte Stadt
- Aufstand/Erhebung
- Festung, von Vauban gebaut
- französischer Flottenstützpunkt
- Nachahmung des Schlosses von Versailles im 18. Jahrhundert
- französisches Ausgreifen, 1648–1697
- Einfall der spanischen Habsburger in Portugal, 1657–1668
- osmanischer Kriegszug
- Entlastung für Wien, 1683
- Vorstoß Marlboroughs, 1704
- für Habsburg strategisch wichtige Verbindung
- im Allgemeinen mit Ludwig XIV. verbündet
- normalerweise Gegner Ludwigs XIV.
- Eroberungszüge Oliver Cromwells, 1649–1651
- für Veteranen aus Cromwells Armee reservierte Gebiete
- Vorrücken Wilhelms von Oranien, 1688

Habsburg in Nöten

1683 rückte der Großwesir Kara Mustafa mit einem riesigen Heer bis vor Wien. Die erneute Belagerung der Stadt durch die Osmanen konnte jedoch von deutschen und polnischen Truppen beendet werden.

Der Spanische Erbfolgekrieg (1701–1714) nach dem Tod des letzten Habsburgers auf dem spanischen Thron war Ausdruck der Veränderungen, die sich seit 1648 in Europa vollzogen hatten. Einst die stärkste Macht, war Spanien nun nicht viel mehr als ein Schlachtfeld für französische, österreichische, englische und portugiesische Armeen. Großbritannien, die Niederlande und Österreich machten gemeinsam Front gegen das Haus Bourbon, das mit Unterstützung Frankreichs den Thron für sich beanspruchte. Trotz einiger französischer Niederlagen siegten die Bourbonen schließlich, was die Haltbarkeit der Machtbasis bewies, die Ludwig XIV. geschaffen hatte.

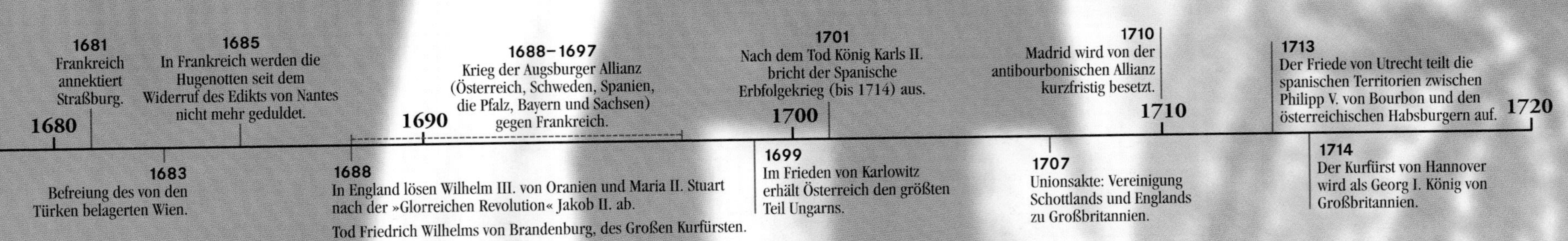
1681 Frankreich annektiert Straßburg.
1685 In Frankreich werden die Hugenotten seit dem Widerruf des Edikts von Nantes nicht mehr geduldet.
1688–1697 Krieg der Augsburger Allianz (Österreich, Schweden, Spanien, die Pfalz, Bayern und Sachsen) gegen Frankreich.
1701 Nach dem Tod König Karls II. bricht der Spanische Erbfolgekrieg (bis 1714) aus.
1710 Madrid wird von der antibourbonischen Allianz kurzfristig besetzt.
1713 Der Friede von Utrecht teilt die spanischen Territorien zwischen Philipp V. von Bourbon und den österreichischen Habsburgern auf.
1680
1690
1700
1710
1720
1683 Befreiung des von den Türken belagerten Wien.
1688 In England lösen Wilhelm III. von Oranien und Maria II. Stuart nach der »Glorreichen Revolution« Jakob II. ab.
Tod Friedrich Wilhelms von Brandenburg, des Großen Kurfürsten.
1699 Im Frieden von Karlowitz erhält Österreich den größten Teil Ungarns.
1707 Unionsakte: Vereinigung Schottlands und Englands zu Großbritannien.
1714 Der Kurfürst von Hannover wird als Georg I. König von Großbritannien.

Von Kolumbus bis zur amerikanischen Unabhängigkeit (1492 bis 1783)

Europa zur Zeit des Ancien Régime • 1715 bis 1783

Im Jahr 1713 wurden im Frieden von Utrecht die spanischen Besitzungen zwischen den Bourbonen und den österreichischen Habsburgern geteilt, was in Europa ein gewisses Gleichgewicht der Kräfte herstellen sollte. Dieses neu gewonnene Gleichgewicht wollten die entscheidenden Staaten so schnell nicht aufgeben.

Es kam daher zwischen Frankreich, Großbritannien, Österreich und den Niederlanden zu einem früher kaum vorstellbaren Bündnis, um Philipp V. von Spanien daran zu hindern, in Italien Regelungen des Utrechter Friedens wieder aufzuheben. Trotzdem kam Europa, dessen Staaten immer noch von vielen Einzeldynastien regiert wurden, nur für kurze Zeit zur Ruhe.

Wirtschaftswachstum und Aufklärung

In Westeuropa begann nun die Zeit des Wirtschaftswachstums, dessen Dynamik maßgebliche Politiker – in Großbritannien Robert Walpole, in Frankreich Kardinal Fleury – förderten. Eine Folge der Religionskriege im 17. Jahrhundert war die Zuwendung vieler Menschen zu Naturphilosophie und Wissenschaft, wovon man sich einen Weg zu Frieden und Harmonie versprach. Die überall gegründeten wissenschaftlichen Akademien und Observatorien waren, ebenso wie neue Entwicklungen in Kunst, Architektur und Musik, vom Geist der Aufklärung geprägt. Einflussreiche Denker wie Voltaire stellten die herrschenden Anschauungen bezüglich der gesellschaftlichen Ordnung in Frage und suchten nach einer neuen, vernunftbestimmten Grundlage des sozialen Zusammenlebens. Diese vorwiegend aristokratische Gruppe kritischer Geister versuchte, den dynastischen Herrschern eine Neuordnung der Gesellschaft abzuringen, und sorgte für die Verbreitung neuer Ideen und Forderungen, zum Beispiel der Abschaffung der Folter und der Leibeigenschaft.

Der relative Friede in Mittel- und Nordosteuropa gestattete Österreich und Russland, sich auf Reformen und den Kampf gegen die Osmanen zu konzentrieren. Die Habsburger stellten ihre Machtposition im deutschen Reich wieder her und verstärkten in Ungarn ihren Einfluss. Russland drängte nach Süden; seine Ostseeflotte umsegelte im Jahr 1770 das ganze westliche Europa und zerstörte die osmanische Flotte bei Tscheschme.

Dynastische Kriege

Von der Mitte des Jahrhunderts an flammten erneut dynastische Kriege auf; auch der weltweit ausgetragene Konflikt zwischen den Niederlanden, Frankreich und Großbritannien trug zur Verschlechterung der Lage bei. Ferner brach mit dem Polnischen Thronfolgekrieg (1733–1735) zwischen Frankreich, Spanien, Savoyen und Österreich ein Stellvertreterkrieg aus, der hauptsächlich in Italien ausgefochten wurde. Polen selbst blieb zunächst unter russischer und österreichischer Kontrolle, aber sein Niedergang vollendete sich schließlich 1772 mit der Ersten Polnischen Teilung. Zwischen Österreich und Preußen, das dank der Politik und Reformen Friedrich Wilhelms I. zur Großmacht avanciert war, begann der 130 Jahre währende Kampf um die Vormacht. Friedrich Wilhelms Sohn, Friedrich der Große, entriss den Österreichern Schlesien, nachdem das Haus Habsburg in der männlichen Linie ausgestorben war. Ludwig XV. von Frankreich, mit Preußen verbündet, musste bei Dettingen eine Niederlage gegen englisch-hannoversche Truppen hinnehmen, eroberte dann

Maria Theresia von Österreich, hier mit Gemahl und dem Kronprinzen Joseph, musste im Hubertusburger Frieden 1763 endgültig Schlesien an Preußen abtreten.

Habsburg (Österreich), 1715
Brandenburg-Preußen, 1715
Frankreich, 1715
Großbritannien und Hannover (seit 1714 in Personalunion)
Osmanisches Reich, 1715
Russland, 1715
Savoyen-Piemont, 1715
spanisch-bourbonische Gebiete, 1715
Gewinne der österreichischen Habsburger bis 1783
Erwerbungen Brandenburg-Preußens bis 1783
Gewinne Frankreichs bis 1783
Gewinne des Kurfürstentums Hannover bis 1783
Erwerbungen des Osmanischen Reiches bis 1783
Gewinne Russlands bis 1783
Zuwachs Sardinien-Piemonts bis 1783
Gewinne der jüngeren Linie der spanischen Bourbonen, 1735
Grenzen, 1783
offizielle Grenze des Römisch-Deutsches Reiches, 1783
SPANIEN Reich, in dem sich aufklärerische Ideen bei staatlichen Reformen auswirkten
von Spanien belagert
wissenschaftliche Gesellschaft
Observatorium
Marsch der Jakobiten unter Führung von Charles Edward Stuart, 1745–1746

Irland

La Coruña
Santander
Oporto
Duero
PORTUGAL
Madrid
1713, 1738
Tajo
Guadiana
Lissabon
1779
Córdoba
Sevilla
Lagos
1759
Cádiz
Gibraltar
zu England
1779–1783

0 600 km
0 400 Meilen

1 **Adam Smiths Werk »Untersuchung über die Natur und die Ursachen von Nationalreichtümern«, das 1776 in Glasgow erschien, gilt als erste detaillierte Wirtschaftstheorie der Moderne.**

2 **Das Pantheon in Paris, ab 1775 von Jacques-Germain Soufflot erbaut, ist ein herausragendes Beispiel der neoklassizistischen Architektur des späten 18. Jahrhunderts.**

3 **Voltaire, der wohl einflussreichste Denker der Aufklärung, lebte von 1750 bis 1753 bei Friedrich dem Großen in Schloss Sanssouci.**

4 **Johann Sebastian Bach wirkte von 1723 bis 1750 als Thomaskantor und »Direktor für Kirchenmusik« in Leipzig. Der fromme Protestant schrieb sein grandioses Oratorien-, Kantaten- und Orgelwerk für die ganze Christenheit.**

5 **Bis um 1750 hatte ein Jahrhundertkrieg Polen verwüstet – Bevölkerungsrückgang und wirtschaftlicher Zusammenbruch gingen der Aufteilung des Landes voran.**

6 **Joseph II. schaffte 1781 im gesamten Habsburgerreich die Leibeigenschaft ab. Allerdings bewirkte der Widerstand des Adels, dass vor 1848 noch nicht viele Bauern wirklich frei waren.**

7 **1778 und 1785 wurden die Versuche Österreichs, sich Bayern einzuverleiben, indem es dessen Kurfürst die Österreichischen Niederlande und die Königskrone anbot, von Preußen blockiert.**

Zeitleiste

Militärisch & Diplomatisch

1717 Philipp V. von Spanien will die Österreicher aus den ehemals spanischen Besitzungen in Norditalien vertreiben (er wird 1720 besiegt).

1733 Nach dem Polnischen Thronfolgekrieg (bis 1735) unterliegt Polen vollständig der Kontrolle Österreichs und Russlands.

1740 Preußen entreißt Österreich im 1. Schlesischen Krieg (bis 1742) Schlesien.

1710 — 1720 — 1730 — 1740

Innerstaatliche Angelegenheiten

1720 Finanzkrisen erschüttern Frankreich und Großbritannien.

1721 Robert Walpole wird bis 1742 erster britischer Premierminister; seine Amtszeit bringt dem Land Stabilität und Wachstum.

1740 Friedrich II. erlässt Reformen und festigt Preußens Monarchie.

aber die Österreichischen Niederlande, nachdem er bei Fontenay über die Briten gesiegt hatte. Friedrich festigte die preußische Herrschaft über Schlesien, während Großbritannien den Verlust seiner Vormacht auf den Weltmeeren an Frankreich befürchtete.

Der Siebenjährige Krieg

Maria Theresia von Österreich kämpfte im Siebenjährigen Krieg (1756–1763) im Bündnis mit Frankreich und Russland gegen eine Koalition aus Preußen und Großbritannien um Schlesien. Obwohl Friedrich eine Reihe von Siegen errang, rettete ihn letztlich nur die Thronbesteigung Peters III. in Russland, denn dieser Zar bewunderte ihn und zog sich sofort aus dem Bündnis zurück. Ein britisch-braunschweigischer Sieg bei Minden bewahrte Hannover vor einer französischen Invasion und die britische Vormachtstellung auf See konnte durch Siege über die Franzosen bei Lagos und in der Bucht von Quiberon gesichert werden. Außerdem siegten die Briten in Französisch-Nordamerika.

Deshalb stand Ludwig XVI. von Frankreich im Kampf um die britischen Kolonien in Nordamerika auf deren Seite, aber seine Beteiligung löste in Frankreich eine schwere Finanzkrise aus. Großbritannien unterstrich dagegen seine Stärke im letzten englisch-niederländischen Krieg, der im Jahr 1781 in der Seeschlacht an der Doggerbank entschieden wurde; der britische Sieg bedeutete das Ende der Wirtschaftsmacht Amsterdam.

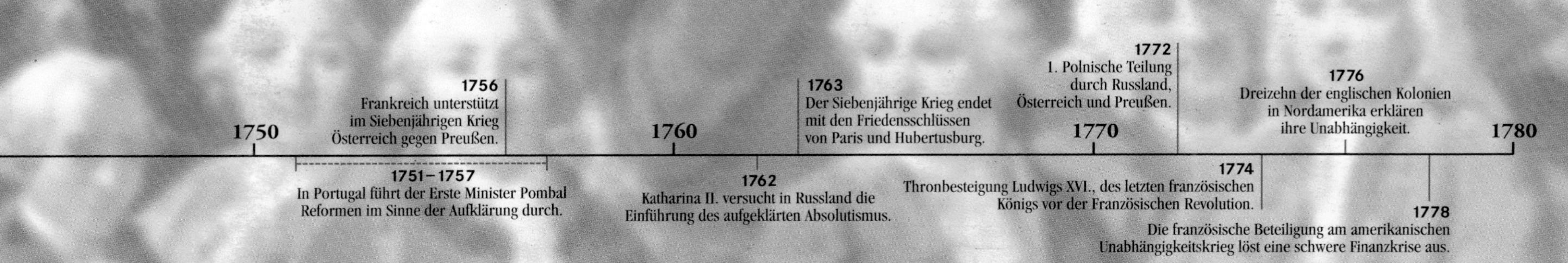
1750
1760
1770
1780
1756
Frankreich unterstützt im Siebenjährigen Krieg Österreich gegen Preußen.
1751–1757
In Portugal führt der Erste Minister Pombal Reformen im Sinne der Aufklärung durch.
1762
Katharina II. versucht in Russland die Einführung des aufgeklärten Absolutismus.
1763
Der Siebenjährige Krieg endet mit den Friedensschlüssen von Paris und Hubertusburg.
1772
1. Polnische Teilung durch Russland, Österreich und Preußen.
1774
Thronbesteigung Ludwigs XVI., des letzten französischen Königs vor der Französischen Revolution.
1776
Dreizehn der englischen Kolonien in Nordamerika erklären ihre Unabhängigkeit.
1778
Die französische Beteiligung am amerikanischen Unabhängigkeitskrieg löst eine schwere Finanzkrise aus.

Von Kolumbus bis zur amerikanischen Unabhängigkeit (1492 bis 1783)

Der Aufstieg des Osmanischen Reiches • 1492 bis 1640

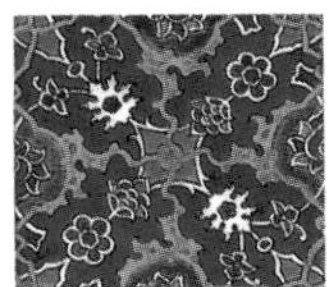

Der Aufstieg von einer kleinen Regionalmacht in Kleinasien zum größten Reich Europas und Vorderasiens vollzog sich dramatisch rasch: In weniger als einem Jahrhundert hatten die türkischen Osmanen Konstantinopel erobert und sich zu den unangefochtenen Führern der islamischen Welt, reichen Förderern einer selbstbewussten Kultur und zu Herrschern über ein Reich vom Atlasgebirge bis zum Kaspischen Meer aufgeschwungen.

Sultan Süleyman II. auf einer Miniatur. Auch wenn er Wien nicht einnehmen konnte, so war »der Prächtige« doch auf den meisten seiner 13 Feldzüge siegreich.

Als entscheidender Augenblick dieser Entwicklung wird oft die Einnahme Konstantinopels durch Mehmed II. im Jahr 1453 betrachtet. Vielleicht aber besaß die zweite Dekade des 16. Jahrhunderts noch größere Bedeutung. Zwischen 1516 und 1520 vertrieb Sultan Selim I. (1512–1520) nämlich die safawidischen Perser aus Kurdistan, zerstörte auf den Schlachtfeldern von Marj Dabik und Al-Raydaniyya das Mamluken-Reich und zwang den Scherif von Mekka, ihn, Selim, als Kalifen – also als geistlichen Führer der islamischen Gläubigen – anzuerkennen.

Nach der Eroberung Syriens und Ägyptens von den Mamluken entstand auf osmanischem Territorium ein Netz von Karawanenstraßen, das von Marokko bis vor die Tore Pekings reichte. Auf der einen Seite wurden Gewürze, Drogen, Seide und (später) Porzellan, auf der anderen Sklaven, ferner Goldstaub, Edelsteine und andere Produkte aus Schwarzafrika, des Weiteren Textilien, Glas, Eisenwaren, Bauholz und Gold aus Europa gehandelt.

Uneiniges Europa

Das christliche Europa reagierte auf die Expansion der Osmanen uneinheitlich. Venedig wollte unbedingt den größtmöglichen Anteil am Handel mit der Levante behalten, während sich Franz I. von Frankreich mit Süleyman II. (dem Prächtigen; 1520 bis 1566) gegen Habsburg verbündete. Reformation und Gegenreformation hatten den alten Kreuzfahrergeist, der einst Europa gegen den Islam geeint hatte, geschwächt. Süleyman unterwarf Ungarn nach seinem Sieg 1526 bei Mohács als Vasallenstaat und eroberte dann weitere Gebiete zwischen Kroatien und dem Schwarzen Meer. Seine Belagerung Wiens scheiterte 1529 eher am Winterwetter und seinen langen Nachschublinien als am Widerstand der Habsburger. Noch mehr aber verdankte das habsburgische Mitteleuropa seine Rettung der Verwicklung der Türken in einen erbitterten Religionskrieg gegen die persischen Safawiden.

Nach dem Tod Süleymans II. entstand zwischen dem christlichen Westen und dem Osmanischen Reich eine Art Gleichgewicht. Im Mittelmeer erleichterte der Seesieg bei Prevesa 1538 zwar die osmanische Eroberung der nordafrikanischen Küste, aber die – anfänglich erfolgreiche – Offensive Kaiser Karls V. im Jahr 1535 gegen Tunis und der Seesieg der Heiligen Liga bei Lepanto (1571) stellten den Status quo wieder her, nämlich die Aufteilung des Mittelmeerraums in zwei Einflussbereiche entlang einer Linie, die etwa durch die Mitte Italiens, Siziliens und Tunesiens verlief.

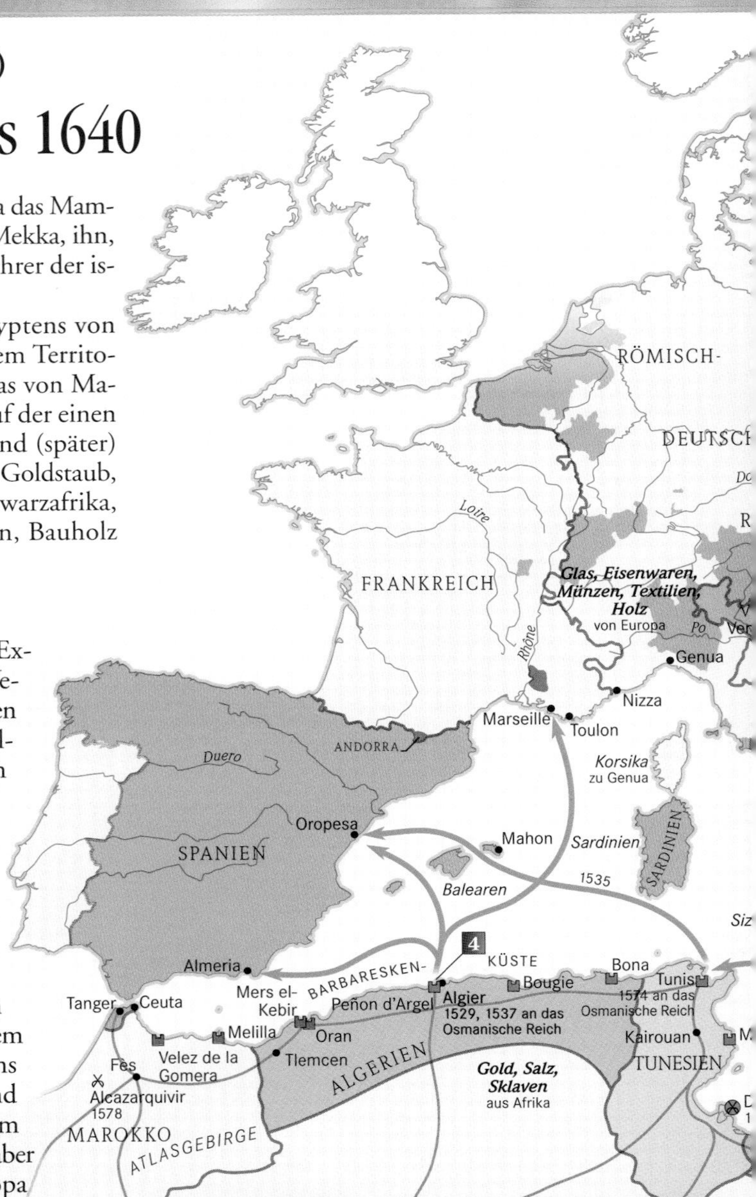

Die venezianisch-spanisch-päpstliche Flotte besiegte bei Lepanto 1571 die bis dahin übermächtige türkische Seemacht; zeitgenössisches Tafelbild.

1 Rhodos wurde 1522 von den Osmanen erobert, die den Johanniterrittern freien Abzug gewährten.

2 In der Seeschlacht von Lepanto unterlag die Flotte Ali Paschas der Streitmacht Don Juan d'Austrias, eines Sohnes Kaiser Karls V. Zu den Verwundeten zählte auch der Verfasser des berühmten Romans »Don Quijote«, der Spanier Miguel Cervantes, der im Gefecht einen Arm verlor.

3 Die Türken wurden anfangs von vielen Bewohnern des Balkans begrüßt. In Bosnien traten Nachkommen der häretischen Glaubensgemeinschaft der Bogomilen freiwillig zum Islam über.

4 Nachdem der osmanische Admiral Chaireddin 1529 das spanische Fort Peñon d'Argel eingenommen hatte, wurde Algier für die Piraten der Barbareskenküste zu einem wichtigen Stützpunkt.

5 Der Einsatz von Artillerie, die die Gegner der Osmanen nicht besaßen, war für die türkischen Siege bei Chaldiran und Al-Raydaniyya entscheidend.

6 Der Vorstoß nach Maskat sicherte den Osmanen zunächst die Kontrolle über Oman. Danach fielen sie über die portugiesischen Besitzungen in Indien her. Allerdings gelang es den Türken nicht, die Portugiesen aus dem Indischen Ozean zu vertreiben und den Handel in dieser Region an sich zu ziehen.

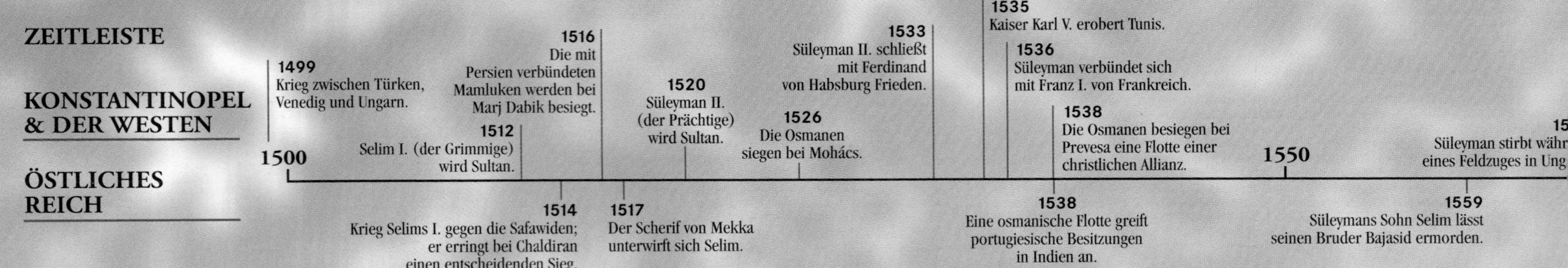
ZEITLEISTE
KONSTANTINOPEL & DER WESTEN
ÖSTLICHES REICH
1500
1550
1499 Krieg zwischen Türken, Venedig und Ungarn.
1512 Selim I. (der Grimmige) wird Sultan.
1516 Die mit Persien verbündeten Mamluken werden bei Marj Dabik besiegt.
1520 Süleyman II. (der Prächtige) wird Sultan.
1526 Die Osmanen siegen bei Mohács.
1533 Süleyman II. schließt mit Ferdinand von Habsburg Frieden.
1535 Kaiser Karl V. erobert Tunis.
1536 Süleyman verbündet sich mit Franz I. von Frankreich.
1538 Die Osmanen besiegen bei Prevesa eine Flotte einer christlichen Allianz.
Süleyman stirbt währ
eines Feldzuges in Ung
1514 Krieg Selims I. gegen die Safawiden; er erringt bei Chaldiran einen entscheidenden Sieg.
1517 Der Scherif von Mekka unterwirft sich Selim.
1538 Eine osmanische Flotte greift portugiesische Besitzungen in Indien an.
1559 Süleymans Sohn Selim lässt seinen Bruder Bajasid ermorden.

Die Kriege zwischen Türken und Christen brachten den Handel Europas mit der Levante nie ganz zum Erliegen. Europäische Handelsschiffe liefen nach wie vor Iskenderun, Tripolis und Alexandria an und entluden dort für Asien bestimmte Waren aus Europa oder Gold und Silber aus Spanisch-Amerika. Diese Lieferungen wurden dann von Karawanen durch das Osmanen- und das Safawiden-Reich weitertransportiert. Dieselben Karawanen brachten aus dem Osten Waren für Europa zurück, die von den Mittelmeerhäfen aus verschifft wurden. Dieser Handel blühte bis zur Mitte des 17. Jahrhunderts und brachte den Osmanen reichliche Gewinne ein.

Erste Zeichen des Abstiegs

Der kostspieligste der osmanisch-safawidischen Kriege brach 1602 aus. Die neu organisierten und ausgerüsteten persischen Armeen eroberten fast alle Gebiete zurück, die die Türken im 16. Jahrhundert an sich gebracht hatten. Konstantinopel wurde durch die Pest und schwere Wirtschaftskrisen ruiniert, das Osmanen-Reich war weiter durch die Instabilität geschwächt, die sowohl aus dem Fehlen klarer Nachfolgeregelungen (oft wurde das Problem durch das »Gesetz des Brudermords« gelöst) als auch aus der politischen Macht der Janitscharen resultierte. Bei diesen handelte es sich um christliche, im Knabenalter in den Balkanprovinzen rekrutierte Soldaten, die im islamischen Glauben erzogen und zu lebenslangem Dienst in der Kerntruppe des Sultans verpflichtet wurden. Diese Kaste spielte immer mehr die Rolle des »Königsmachers«.

Nach dem Tod Murads IV. (1624 bis 1640) blieb das Osmanische Reich in Bezug auf militärische Technologie, Wohlstand und sogar politische Einheit immer weiter hinter Europa zurück.

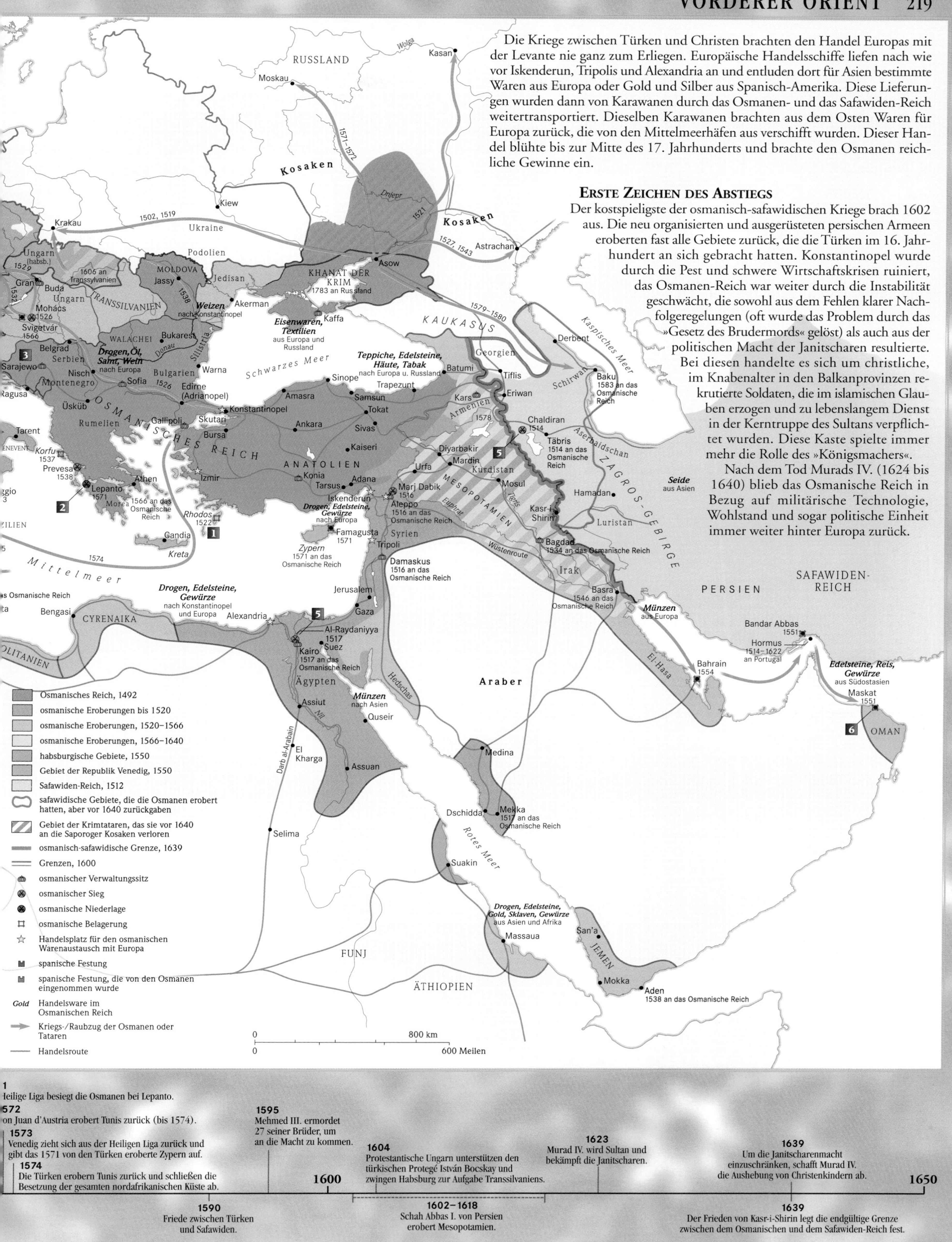
RUSSLAND
Moskau
Kasan
Wolga
Kosaken
1571–1572
Kiew
Krakau
1502, 1519
Ukraine
Podolien
Dnjepr
1521
Astrachan
1527, 1543
Ungarn (habsb.)
1529
1606 an Transsylvanien
MOLDOVA
Jassy
Jedisan
KHANAT DER KRIM
1783 an Russland
Asow
Gran
Buda
Ungarn
TRANSSILVANIEN
Mohács 1526
Szigetvár 1566
Weizen nach Konstantinopel
Akerman
Kaffa
Eisenwaren, Textilien aus Europa und Russland
1579–1580
KAUKASUS
Kaspisches Meer
Derbent
WALACHEI
Bukarest
Belgrad
Serbien
Drogen, Öl, Samt, Wein nach Europa
Silistria
Donau
Sarajewo
Nisch
Montenegro
Sofia
Bulgarien
1526
Warna
Schwarzes Meer
Teppiche, Edelsteine, Häute, Tabak nach Europa u. Russland
Georgien
Batumi
Tiflis
Schirwan
Baku 1583 an das Osmanische Reich
Ragusa
Üsküb
Edirne (Adrianopel)
Sinope
Trapezunt
Eriwan
Amasra
Samsun
Kars
Armenien
1578
Rumelien
Konstantinopel
Tokat
Chaldiran 1514
Gallipoli
Skutari
Ankara
Sivas
Täbris 1514 an das Osmanische Reich
Aserbaidschan
Tarent
OSMANISCHES REICH
Bursa
Kaiseri
Korfu 1537
Prevesa 1538
ANATOLIEN
Diyarbakir
Mardin
Kurdistan
ZAGROS-GEBIRGE
Urfa
Konia
Izmir
Athen
Lepanto 1571
Morea
1566 an das Osmanische Reich
Tarsus
Adana
Marj Dabik 1516
MESOPOTAMIEN
Mosul
Seide aus Asien
Iskenderun
Drogen, Edelsteine, Gewürze nach Europa
Aleppo 1516 an das Osmanische Reich
Euphrat
Tigris
Kasr-i-Shirin
Hamadan
Rhodos 1522
Luristan
Gandia
Kreta
Famagusta 1571
Syrien
Tripoli
Bagdad 1534 an das Osmanische Reich
Wüstenroute
Zypern 1571 an das Osmanische Reich
Damaskus 1516 an das Osmanische Reich
Irak
1574
Mittelmeer
SAFAWIDEN-REICH
PERSIEN
Drogen, Edelsteine, Gewürze nach Konstantinopel und Europa
Jerusalem
Basra 1546 an das Osmanische Reich
Bengasi
CYRENAIKA
Alexandria
Gaza
Münzen aus Europa
Al-Raydaniyya 1517
Suez
Kairo 1517 an das Osmanische Reich
Bandar Abbas 1551
Hormus 1514–1622 an Portugal
El-Hasa
Bahrain 1554
Ägypten
Hedschas
Araber
Edelsteine, Reis, Gewürze aus Südostasien
Maskat 1551
OMAN
Assiut
Münzen nach Asien
Nil
Quseir
Darb al-Arabain
El Kharga
Medina
Assuan
Dschidda
Mekka 1517 an das Osmanische Reich
Rotes Meer
Selima
Suakin
Drogen, Edelsteine, Gold, Sklaven, Gewürze aus Asien und Afrika
Massaua
San'a
JEMEN
FUNJ
Mokka
Aden 1538 an das Osmanische Reich
ÄTHIOPIEN
0 800 km
0 600 Meilen
Osmanisches Reich, 1492
osmanische Eroberungen bis 1520
osmanische Eroberungen, 1520–1566
osmanische Eroberungen, 1566–1640
habsburgische Gebiete, 1550
Gebiet der Republik Venedig, 1550
Safawiden-Reich, 1512
safawidische Gebiete, die die Osmanen erobert hatten, aber vor 1640 zurückgaben
Gebiet der Krimtataren, das sie vor 1640 an die Saporoger Kosaken verloren
osmanisch-safawidische Grenze, 1639
Grenzen, 1600
osmanischer Verwaltungssitz
osmanischer Sieg
osmanische Niederlage
osmanische Belagerung
Handelsplatz für den osmanischen Warenaustausch mit Europa
spanische Festung
spanische Festung, die von den Osmanen eingenommen wurde
Gold Handelsware im Osmanischen Reich
Kriegs-/Raubzug der Osmanen oder Tataren
Handelsroute

1
Ieilige Liga besiegt die Osmanen bei Lepanto.

572
on Juan d'Austria erobert Tunis zurück (bis 1574).

1573
Venedig zieht sich aus der Heiligen Liga zurück und gibt das 1571 von den Türken eroberte Zypern auf.

1574
Die Türken erobern Tunis zurück und schließen die Besetzung der gesamten nordafrikanischen Küste ab.

1590
Friede zwischen Türken und Safawiden.

1595
Mehmed III. ermordet 27 seiner Brüder, um an die Macht zu kommen.

1600

1604
Protestantische Ungarn unterstützen den türkischen Protegé István Bocskay und zwingen Habsburg zur Aufgabe Transsilvaniens.

1602–1618
Schah Abbas I. von Persien erobert Mesopotamien.

1623
Murad IV. wird Sultan und bekämpft die Janitscharen.

1639
Um die Janitscharenmacht einzuschränken, schafft Murad IV. die Aushebung von Christenkindern ab.

1639
Der Frieden von Kasr-i-Shirin legt die endgültige Grenze zwischen dem Osmanischen und dem Safawiden-Reich fest.

1650

Von Kolumbus bis zur amerikanischen Unabhängigkeit (1492 bis 1783)

Der Niedergang des Osmanischen Reiches • 1640 bis 1783

Der Niedergang des Osmanischen Reiches wurde immer wieder durch Zeiten des Wiedererstarkens oder der Stabilität unterbrochen. Zeichen des Verfalls zeigten sich erstmals in den Auseinandersetzungen mit Venedig, der Heiligen Liga und Russland im 17. und 18. Jahrhundert. Gleichwohl erstreckte sich das Reich im Jahr 1783 noch vom Balkan über Griechenland, Kleinasien, die Levante und Ägypten bis zu den heiligen Stätten des Islam.

F. 65.
F. 66.

Janitscharen in traditioneller Tracht. Seit dem 17. Jahrhundert waren die Janitscharen eine privilegierte Priesterkaste, ihre Anführer (Dei) hielten im 18. Jahrhundert die eigentliche Macht im Osmanischen Reich.

Ein Machtverfall deutete sich erstmals in dem 1645 misslungenen Eroberungsversuch Kretas, der letzten Bastion Venedigs im östlichen Mittelmeer, an. Das lag nicht zuletzt daran, dass sich die osmanische Flotte in einem miserablen Zustand befand. Venezianische Schiffe konnten 1648 sogar die Dardanellen blockieren und Konstantinopel bedrohen, was in eine politische Krise und zur Absetzung Sultan Ibrahims (1640–1648) durch die Janitscharen führte.

Reformversuche

Dieser Putsch leitete eine Zeit der Reformen unter dem albanischen Geschlecht der Köprülü ein, die bis in das frühe 18. Jahrhundert hinein das Amt des Großwesirs besetzten. Mehmed Köprülü beendete den Krieg um Kreta mit Erfolg und sicherte die Donau-Front gegen Österreich. Er annektierte Podolien und erreichte erstmals eine gemeinsame Grenze mit Russland. Im Jahr 1683 wagte sein Nachfolger Kara Mustafa den letzten Angriff gegen das christliche Europa und zog erneut vor Wien. Eine deutsch-polnische Operation unter der Führung Karls von Lothringen und Johanns III. Sobieski endete mit einer vernichtenden Niederlage der Türken. Die österreichischen Heere drangen zwischen 1684 und 1690 immer tiefer nach Ungarn und Transsilvanien ein (1688 konnte Belgrad erobert werden), während Venedig die Morea (die Peloponnes) überrannte und Russland den Hafen Asow bedrohte.

Verlustausgleich

1690 glich Mustafa Köprülü einen Teil der Verluste wieder aus. Er drängte die Österreicher über die Donau zurück und brachte Transsilvanien wieder unter osmanische Kontrolle. Mustafa fiel jedoch im folgenden Jahr in der Schlacht von Slankamen, in der die Christen unter Führung Markgraf Ludwig Wilhelms I. von Baden (genannt »Türkenlouis«) siegten. Am Ende des Jahrhunderts unterlagen die Türken bei Zenta erneut. Außerdem verloren sie Asow an die Russen und im Frieden von Karlowitz Ungarn und Transsilvanien an Österreich sowie Podolien an Polen. Seine restlichen europäischen Gebiete blieben dem Osmanischen Reich nur erhalten, weil ein neuer Krieg gegen Frankreich die Kräfte Österreichs band.

Wirtschaftlicher Niedergang

Den wirtschaftlichen Niedergang des Osmanischen Reiches beschleunigte ab Mitte des 17. Jahrhunderts die zunehmend aggressive Monopolisierung des Indienhandels durch die Ostindischen Kompanien Großbritanniens und der Niederlande. Obwohl der

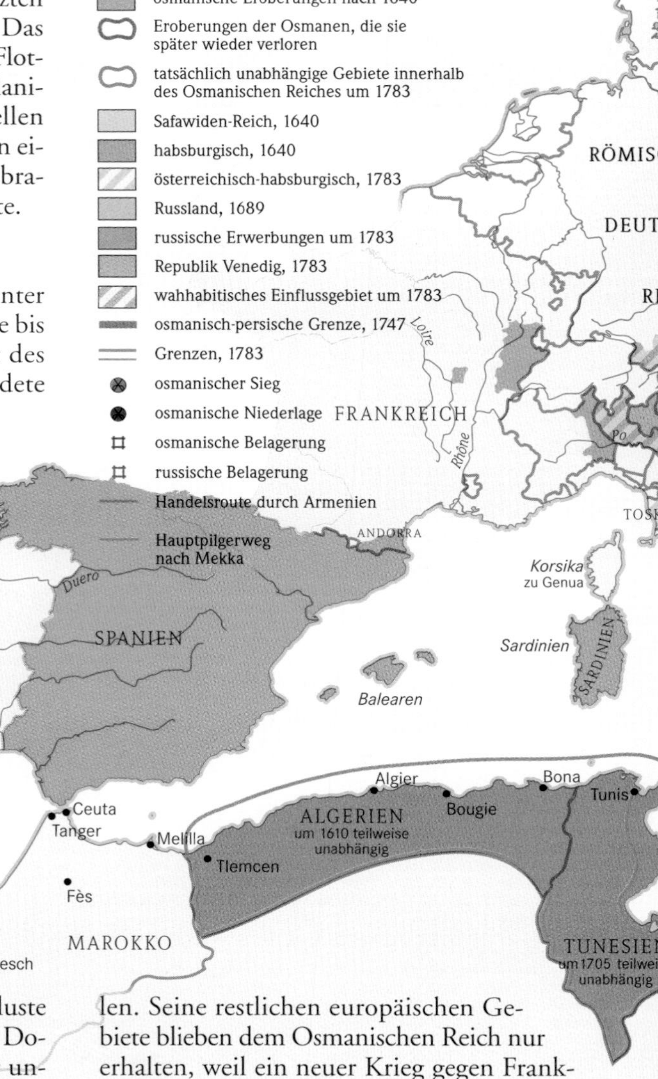

Osmanisches Reich, 1640
osmanische Eroberungen nach 1640
Eroberungen der Osmanen, die sie später wieder verloren
tatsächlich unabhängige Gebiete innerhalb des Osmanischen Reiches um 1783
Safawiden-Reich, 1640
habsburgisch, 1640
österreichisch-habsburgisch, 1783
Russland, 1689
russische Erwerbungen um 1783
Republik Venedig, 1783
wahhabitisches Einflussgebiet um 1783
osmanisch-persische Grenze, 1747
Grenzen, 1783
osmanischer Sieg
osmanische Niederlage
osmanische Belagerung
russische Belagerung
Handelsroute durch Armenien
Hauptpilgerweg nach Mekka
FRANKREICH
Loire
Rhône
ANDORRA
Duero
SPANIEN
Korsika zu Genua
Sardinien
SARDINIEN
Balearen
Algier
Bona
Tunis
Bougie
ALGERIEN um 1610 teilweise unabhängig
Ceuta
Tanger
Melilla
Tlemcen
Fès
MAROKKO
Marrakesch
TUNESIEN um 1705 teilweise unabhängig

1 1687 belagerten die Venezianer Athen. Eine venezianische Granate entzündete das Pulver, das die Osmanen im Parthenon auf der Akropolis gelagert hatten; das antike Bauwerk wurde dabei teilweise zerstört.

2 Ihre Niederlage im Jahr 1697 bei Zenta im Kampf gegen Prinz Eugen von Savoyen kostete die Türken unter anderem 30 000 Tote und Verwundete sowie das Reichssiegel und die gesamte Kriegskasse.

3 Bei der Belagerung von Isfahan (1727) mussten 12 000 türkische Soldaten ihr Leben lassen, bevor sich die eingeschlossenen Perser schließlich ergaben.

4 Kaffee aus Afrika erreichte Konstantinopel erstmals um 1550 auf dem Weg über Ägypten. Im 17. und 18. Jahrhundert war Mokka das Zentrum des Handels mit arabischem Kaffee.

0
800 km
0
600 Meilen

5 In Arabien widersetzte sich die fundamentalistische islamische Sekte der Wahhabiten den osmanischen Besatzern mit Erfolg; zu Ende des 18. Jahrhunderts war der gesamte Nedjd unter ihrer Kontrolle.

6 Im frühen 18. Jahrhundert begannen bei Suez französische und türkische Ingenieure mit der Planung eines Kanals – dahinter stand das Ziel, mit dem britischen und dem niederländischen Asienhandel erfolgreicher konkurrieren zu können.

ZEITLEISTE

KONSTANTINOPEL & EUROPA

KRIEG MIT RUSSLAND

1640

1648 Die Janitscharen setzen Sultan Ibrahim ab und ermorden ihn.

1656 Venedig besiegt in den Dardanellen eine osmanische Flotte. Mehmed Köprülü wird Großwesir.

1663–1664 Erneuter Krieg gegen Österreich; die Osmanen verlieren die Schlacht am Sankt Gotthard.

1669 Der Krieg gegen Venedig dauerte 25 Jahre; er endet mit der osmanischen Eroberung Candias auf Kreta.

1672–1676 Die Osmanen entreißen den Polen Podolien.

1677 Die Niederlagen im ersten Krieg gegen Russland zwingen die Osmanen, den Russen und Kosaken im Schwarzen Meer Handelsrechte einzuräumen.

1678 Mustafa Köprülü wird Großwesir und nimmt nach 1682 den Krieg gegen Österreich wieder auf.

1680

1683 Auch die zweite Belagerung Wiens durch die Osmanen führt nicht zum Erfolg.

1691 Mustafa Köprülü fällt in der Schlacht von Slankamen.

1699 Der Friede von Karlowitz bestätigt die osmanischen Verluste.

Die Osmanen besi… die Russen bei Stani…

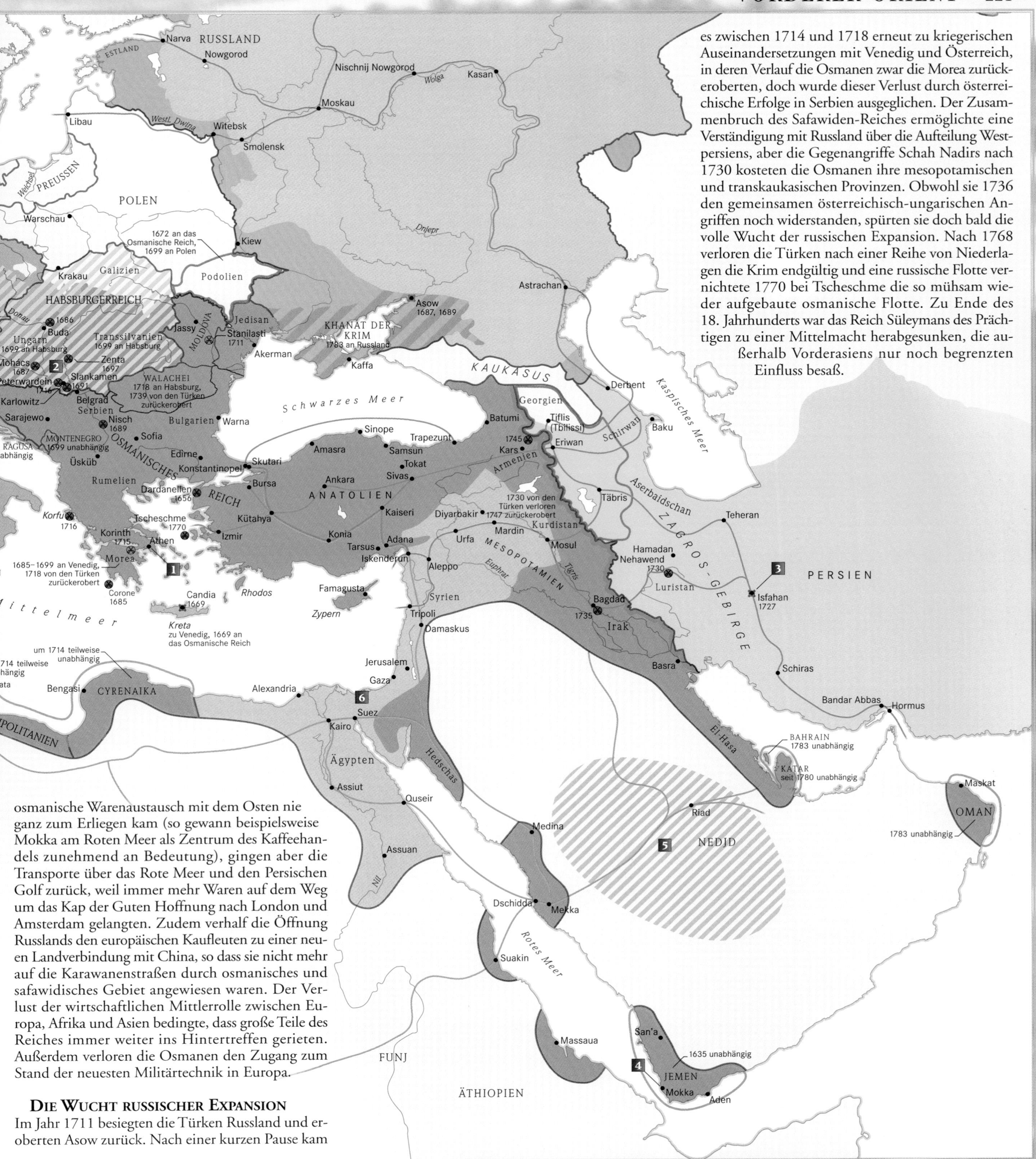
Narva
RUSSLAND
ESTLAND
Nowgorod
Nischnij Nowgorod
Wolga
Kasan
Moskau
Libau
Westl. Dwina
Witebsk
Smolensk
Weichsel
PREUSSEN
POLEN
Warschau
1672 an das Osmanische Reich, 1699 an Polen
Kiew
Dnjepr
Krakau
Galizien
Podolien
Astrachan
HABSBURGERREICH
Donau
1686
Buda
Ungarn
1699 an Habsburg
Transsilvanien
1699 an Habsburg
Jassy
MOLDOVA
Jedisan
Stanilasti
1711
Asow
1687, 1689
KHANAT DER KRIM
1783 an Russland
Mohács
1687
Zenta
1697
Akerman
Kaffa
Peterwardein
1716
Slankamen
1691
WALACHEI
1718 an Habsburg, 1739 von den Türken zurückerobert
KAUKASUS
Derbent
Kaspisches Meer
Karlowitz
Belgrad
Serbien
Schwarzes Meer
Georgien
Batumi
Tiflis (Tbilissi)
Schirwan
Baku
Sarajewo
Nisch
1689
Bulgarien
Warna
Sinope
Trapezunt
1745
Kars
Eriwan
MONTENEGRO
1699 unabhängig
RAGUSA
unabhängig
Sofia
Amasra
Samsun
Armenien
Üsküb
Edirne
OSMANISCHES REICH
Konstantinopel
Skutari
Tokat
Sivas
Rumelien
Dardanellen
1656
Bursa
Ankara
ANATOLIEN
1730 von den Türken verloren
1747 zurückerobert
Täbris
Aserbaidschan
Korfu
1716
Tscheschme
1770
Kütahya
Kaiseri
Diyarbakir
Kurdistan
Teheran
Korinth
1715
Athen
Izmir
Konia
Tarsus
Adana
Urfa
Mardin
Mosul
ZAGROS-GEBIRGE
Morea
Iskenderun
MESOPOTAMIEN
Hamadan
Nehawend
1730
1685–1699 an Venedig, 1718 von den Türken zurückerobert
Aleppo
Euphrat
Tigris
PERSIEN
Corone
1685
Candia
1669
Rhodos
Famagusta
Syrien
Luristan
Bagdad
Isfahan
1727
Mittelmeer
Zypern
Tripoli
1735
Kreta
zu Venedig, 1669 an das Osmanische Reich
Damaskus
Irak
um 1714 teilweise unabhängig
1714 teilweise
bhängig
rata
Jerusalem
Gaza
Basra
Schiras
Bengasi
CYRENAIKA
Alexandria
Bandar Abbas
Hormus
Suez
Kairo
TRIPOLITANIEN
El-Hasa
BAHRAIN
1783 unabhängig
KATAR
seit 1780 unabhängig
Ägypten
Hedschas
Assiut
Maskat
Quseir
Riad
OMAN
Medina
NEDJD
1783 unabhängig
Assuan
Nil
Dschidda
Mekka
Rotes Meer
Suakin
San'a
Massaua
1635 unabhängig
FUNJ
JEMEN
Mokka
Aden
ÄTHIOPIEN
1
2
3
4
5
6

osmanische Warenaustausch mit dem Osten nie ganz zum Erliegen kam (so gewann beispielsweise Mokka am Roten Meer als Zentrum des Kaffeehandels zunehmend an Bedeutung), gingen aber die Transporte über das Rote Meer und den Persischen Golf zurück, weil immer mehr Waren auf dem Weg um das Kap der Guten Hoffnung nach London und Amsterdam gelangten. Zudem verhalf die Öffnung Russlands den europäischen Kaufleuten zu einer neuen Landverbindung mit China, so dass sie nicht mehr auf die Karawanenstraßen durch osmanisches und safawidisches Gebiet angewiesen waren. Der Verlust der wirtschaftlichen Mittlerrolle zwischen Europa, Afrika und Asien bedingte, dass große Teile des Reiches immer weiter ins Hintertreffen gerieten. Außerdem verloren die Osmanen den Zugang zum Stand der neuesten Militärtechnik in Europa.

Die Wucht russischer Expansion

Im Jahr 1711 besiegten die Türken Russland und eroberten Asow zurück. Nach einer kurzen Pause kam es zwischen 1714 und 1718 erneut zu kriegerischen Auseinandersetzungen mit Venedig und Österreich, in deren Verlauf die Osmanen zwar die Morea zurückeroberten, doch wurde dieser Verlust durch österreichische Erfolge in Serbien ausgeglichen. Der Zusammenbruch des Safawiden-Reiches ermöglichte eine Verständigung mit Russland über die Aufteilung Westpersiens, aber die Gegenangriffe Schah Nadirs nach 1730 kosteten die Osmanen ihre mesopotamischen und transkaukasischen Provinzen. Obwohl sie 1736 den gemeinsamen österreichisch-ungarischen Angriffen noch widerstanden, spürten sie doch bald die volle Wucht der russischen Expansion. Nach 1768 verloren die Türken nach einer Reihe von Niederlagen die Krim endgültig und eine russische Flotte vernichtete 1770 bei Tscheschme die so mühsam wieder aufgebaute osmanische Flotte. Zu Ende des 18. Jahrhunderts war das Reich Süleymans des Prächtigen zu einer Mittelmacht herabgesunken, die außerhalb Vorderasiens nur noch begrenzten Einfluss besaß.

714
rieg gegen Venedig: Die Osmanen unterliegen
ei Peterwardein (1716), können jedoch
e Peloponnes zurückerobern (1718).

1739
Im Frieden von Belgrad erhalten die Osmanen Nordserbien zurück.

um 1750
In Anatolien steigen die »Derebeis« (»Herren der Täler«) zu halbautonomen Lokalherrschern auf.

1720 — 1760 — 1800

1736
Russische Truppen erobern Asow zurück und stoßen bis Jassy vor.

1768–1774
Krieg der Osmanen gegen Katharina II. von Russland.

1783
Katharina II. annektiert die Krim und die Region um das Schwarze Meer.

Von Kolumbus bis zur amerikanischen Unabhängigkeit (1492 bis 1783)

Zentralasien und die Safawiden • 1500 bis 1800

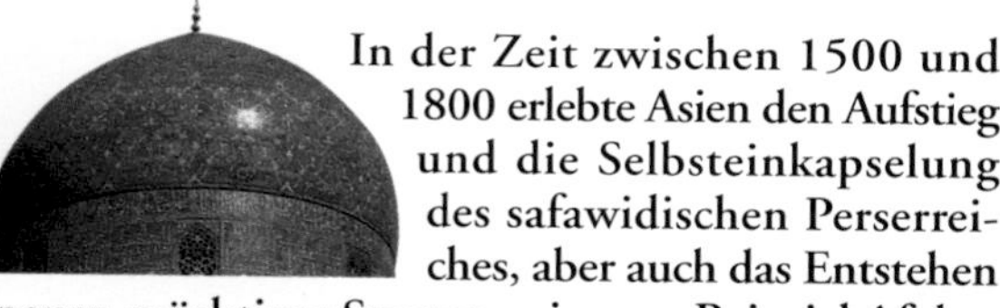

In der Zeit zwischen 1500 und 1800 erlebte Asien den Aufstieg und die Selbsteinkapselung des safawidischen Perserreiches, aber auch das Entstehen neuer, mächtiger Staaten, wie zum Beispiel Afghanistan und Mandschu-China. Im 16. und frühen 17. Jahrhundert waren Nomadenvölker aus dem Westen wieder nach Osten und Südosten zurückgeströmt, um schließlich in Indien und China die alten Regimes zu entmachten.

Im späten 17. und im 18. Jahrhundert wurden diese Nomadenvölker dann aber von Mandschu-China verdrängt, so dass sie in die kargen Gebiete an den Grenzen zu Persien, Afghanistan, Russisch-Sibirien und China zogen.

Zug der Nomadenvölker

Im 13. und 14. Jahrhundert hatten sich nomadisierende turkomongolische Völker in ganz Eurasien zwischen Peking und dem Schwarzen Meer ausgebreitet und bis 1500 waren die meisten von ihnen zum Islam übergetreten. Dadurch hatten sich vor allem um die Oasenstädte entlang der Seidenstraße einige muslimische Khanate gebildet.

Im frühen 15. Jahrhundert hatten die Ming-Chinesen die Mongolen aus ihren östlichen Steppen und ihrer Wüstenheimat nördlich der Großen Mauer vertrieben und sich danach langsam wieder hinter diese Mauer zurückgezogen. Durch den Aufstieg neuer Reiche im Westen und das Vordringen der Russen in die nördlichen Khanate Kasan und Astrachan bedrängt, zogen die Nomaden Zentralasiens seit etwa 1500 wieder nach Osten, um das dort von den Chinesen hinterlassene »Vakuum« zu füllen.

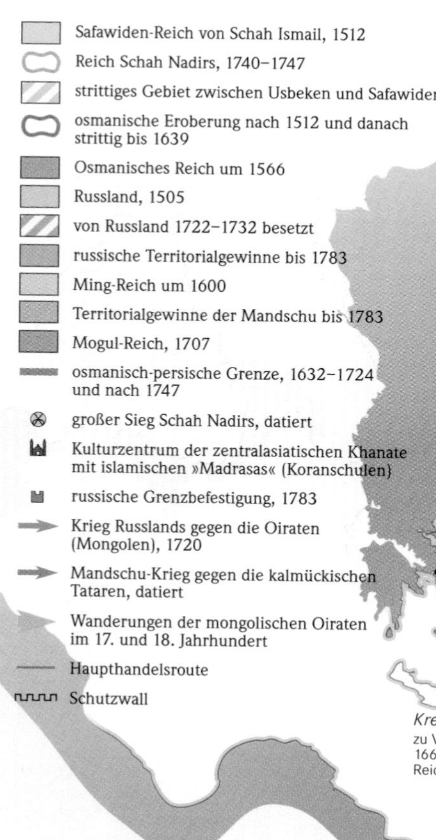

Safawiden-Reich von Schah Ismail, 1512
Reich Schah Nadirs, 1740–1747
strittiges Gebiet zwischen Usbeken und Safawiden
osmanische Eroberung nach 1512 und danach strittig bis 1639
Osmanisches Reich um 1566
Russland, 1505
von Russland 1722–1732 besetzt
russische Territorialgewinne bis 1783
Ming-Reich um 1600
Territorialgewinne der Mandschu bis 1783
Mogul-Reich, 1707
osmanisch-persische Grenze, 1632–1724 und nach 1747
großer Sieg Schah Nadirs, datiert
Kulturzentrum der zentralasiatischen Khanate mit islamischen »Madrasas« (Koranschulen)
russische Grenzbefestigung, 1783
Krieg Russlands gegen die Oiraten (Mongolen), 1720
Mandschu-Krieg gegen die kalmückischen Tataren, datiert
Wanderungen der mongolischen Oiraten im 17. und 18. Jahrhundert
Haupthandelsroute
Schutzwall
0 800 km
0 600 Meilen
Moskau
Kosaken
Asow
KHANAT DER KRIM
osmanischer Vasallenstaat
Astrachan
Schwarzes Meer
KAUKASUS
Thessaloniki
Konstantinopel
Sinope
Athen
Izmir
OSMANISCHES REICH
Batumi
Georgien
Trapezunt
Tiflis (Tbilissi)
Eriwan
Konia
Armenien
Kreta
zu Venedig, 1669 an das Osmanische Reich
Chaldiran 1514
Täbris
Aleppo
Mosul
Kurdistan
MESOPOTAMIEN
Zypern
zu Venedig, 1571 an das Osmanische Reich
Syrien
Damaskus
Syrische Wüste
Jerusalem
Bagdad
Hamadan
Nehawend 1730
Luristan
Irak
Chusistan
Basra
Buschir

Aufstieg der Moguln und Safawiden

Im Zuge dieser Ostwanderung drangen die gefürchteten Usbeken nach Fergana, das Stammland der türkischen Moguln, ein. Unter Babur (1501–1530), einem direkten Nachkommen Dschingis Khans und Timurs, wichen die Moguln nach Süden aus, errichteten in Kabul einen Stützpunkt und zogen dann nach Nordindien weiter. Mit der Unterwerfung des Sultanats von Delhi durch Babur begann der Aufstieg des mächtigen indischen Mogul-Reiches, das bis in das 18. Jahrhundert hinein existierte.

Das persische Safawiden-Reich wuchs unter Schah Ismail (1501–1524) sehr schnell. Es reichte bald von Aserbaidschan und den Gebieten am Kaspischen Meer bis zum Persischen Golf. Hinzu kam noch Khorasan, das man den Usbeken abnahm. Allerdings beendeten die Osmanen diese Expansion abrupt, indem sie die Safawiden 1514 bei Chaldiran besiegten. Unter Schah Abbas dem Großen (1587–1629) setzte jedoch eine kulturelle Renaissance und eine Zeit erneuter Expansion ein. Persien gewann die meisten der an die Osmanen verlorenen Territorien zurück, entriss den Moguln Kandahar und errang in Khorasan einen entscheidenden Sieg über die Usbeken. Diese zogen sich daraufhin nach Osten zu-

1 Nach seinem Sieg über die Usbeken im Jahr 1510 bei Merw ließ Schah Ismail aus dem Schädel des Usbeken-Herrschers Mohammed Schaibani eine Trinkschale fertigen.

2 Portugiesische Kaufleute hielten Hormus von 1507 an besetzt, bis die britische Ostindische Kompanie und persische Truppen die Stadt 1622 eroberten.

3 Das mächtige Usbeken-Khanat Buchara bedrohte wiederholt die Safawiden in Khorasan und die Moguln in Nordwest-Indien.

4 Kjachta bildete das Zentrum des russischen Chinahandels (vor allem mit Pelzen und Seide); seit dem 17. Jahrhundert wuchs es rasch.

5 Abbas der Große erhob Isfahan im Jahr 1587 zur Hauptstadt Persiens. Zu den Baumaßnahmen gehörten die Anlage der Prachtstraße Chahan Bagh und des Schahplatzes (Meidan-i Schah).

6 Kandahar und Umgebung wechselten im 17. Jahrhundert des Öfteren den Besitzer – mal gehörte es den Safawiden, mal den Moguln.

7 Die Westwanderung der Oiraten führte im Gebiet westlich des Balchaschsees zu einem lange andauernden Konflikt mit den Kasachen.

Die Moschee Masdjed-i Imam in Isfahan (Iran) wurde ein Jahr nach dem Tod Abbas' des Großen fertig gestellt.

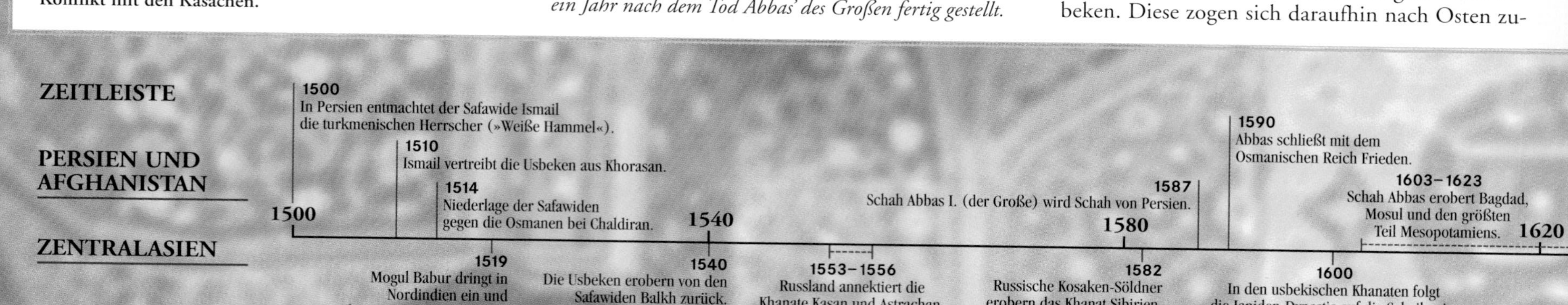

ZEITLEISTE
PERSIEN UND AFGHANISTAN
ZENTRALASIEN
1500 In Persien entmachtet der Safawide Ismail die turkmenischen Herrscher (»Weiße Hammel«).
1510 Ismail vertreibt die Usbeken aus Khorasan.
1514 Niederlage der Safawiden gegen die Osmanen bei Chaldiran.
1587 Schah Abbas I. (der Große) wird Schah von Persien.
1590 Abbas schließt mit dem Osmanischen Reich Frieden.
1603–1623 Schah Abbas erobert Bagdad, Mosul und den größten Teil Mesopotamiens.
1500
1540
1580
1620
1519 Mogul Babur dringt in Nordindien ein und übernimmt dort die Macht.
1540 Die Usbeken erobern von den Safawiden Balkh zurück.
1553–1556 Russland annektiert die Khanate Kasan und Astrachan.
1582 Russische Kosaken-Söldner erobern das Khanat Sibirien.
1600 In den usbekischen Khanaten folgt die Janiden-Dynastie auf die Schaibanis.

rück und gründeten das Khanat Kokand. Das Safawiden-Reich überlebte trotz einer Reihe mittelmäßiger Nachfolger Schah Abbas' bis 1722, als es von den Afghanen erobert wurde.

Das Mandschu-Reich

Im Osten hatte das Khanat Kaschgar der Tschagatai die Reiche Kaschmir und Ladakh annektiert, während Mansu Khan, Herrscher des Khanats Turfan, Raubzüge nach Gansu unternahm. Die letzte große Nomadeneroberung fand in der zweiten Hälfte des 16. Jahrhunderts statt: Die Mandschu, ein Mischvolk mit vorwiegend mongolischem Bevölkerungsanteil, überwanden 1644 die Große Mauer und unterwarfen Nordchina. Wie in Indien die Moguln, so errichteten die Eindringlinge ein neues Reich auf den Trümmern des alten. Im Jahr 1696 zerstörten die Mandschu Ulan-Bator, die Hauptstadt der mongolischen Oiraten, und lösten damit eine erneute Wanderung nach Westen aus, die im 18. Jahrhundert gewaltige Ausmaße annahm. Die Oiraten zerstörten das Dsungaren-Khanat und zogen bis zum Aralsee. Die usbekischen Khanate, die in Folge des nachlassenden Überlandhandels verarmten, sahen sich mit einem unter Schah Nadir (1736–1747) wieder erstarkten Persien konfrontiert. Chiwa, Balkh und Afghanistan gingen an die Safawiden verloren und nur Buchara konnte diesen trotzen.

Das Schicksal der Nomadenvölker

Die Expansion der Mongolenvölker nach Norden verhinderte eine Festungskette, die die Russen bei ihrem rücksichtslosen Vorstoß nach Osten gebaut hatten. Die anfänglichen Konflikte mit Mandschu-China beendete ein Handelsabkommen, das die Seidenstraße endgültig zur Bedeutungslosigkeit verurteilte.

Selbst der Zusammenbruch Persiens nach dem Tod Schah Nadirs änderte am Schicksal der Nomadenvölker nichts mehr. Nun entstand nämlich ein mächtiges Afghanistan, während China gegen Ende des 18. Jahrhunderts seinen Einflussbereich bis zum Balchaschsee ausweitete. In nur drei Jahrhunderten waren die einst so gefürchteten Nomaden Inner- und Ostasiens in Randgebiete zurückgedrängt worden, wo sie den Anschluss verloren.

Abbas der Große: Nicht nur Eroberungen beschäftigten den Schah der Perser, sondern auch der Ausbau der Städte und Straßen in seinem Reich.

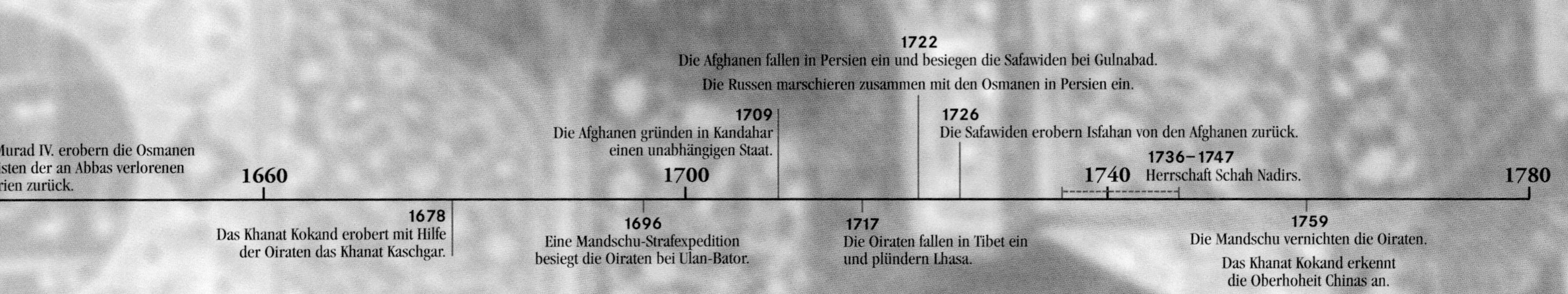
Murad IV. erobern die Osmanen
eisten der an Abbas verlorenen
rien zurück.
1660
1700
1740
1780
1678
Das Khanat Kokand erobert mit Hilfe der Oiraten das Khanat Kaschgar.
1696
Eine Mandschu-Strafexpedition besiegt die Oiraten bei Ulan-Bator.
1709
Die Afghanen gründen in Kandahar einen unabhängigen Staat.
1717
Die Oiraten fallen in Tibet ein und plündern Lhasa.
1722
Die Afghanen fallen in Persien ein und besiegen die Safawiden bei Gulnabad.
Die Russen marschieren zusammen mit den Osmanen in Persien ein.
1726
Die Safawiden erobern Isfahan von den Afghanen zurück.
1736–1747
Herrschaft Schah Nadirs.
1759
Die Mandschu vernichten die Oiraten.
Das Khanat Kokand erkennt die Oberhoheit Chinas an.

Von Kolumbus bis zur amerikanischen Unabhängigkeit (1492 bis 1783)

Afrika südlich der Sahara • 1500 bis 1800

Der uralte Handels- und Kulturaustausch im Afrika südlich der Sahara bestand trotz des Vordringens der Europäer bis 1800 weiter, obwohl die geographischen Barrieren Meer und Sahara sowie der Reichtum an Rohstoffen die Entstehung einer eigenständigen afrikanischen Seefahrer- und Fernhandelskultur nicht gerade gefördert hatten. Selbst ein Küstenhandel bestand kaum und wurde erst von den Portugiesen und den Niederländern richtig aufgebaut. Gleichwohl verkauften die Reiche der Sahelzone und allen voran Songhai Gold, Elfenbein und Sklaven, um dafür Salz, Glas und allerlei Luxusgüter zu erwerben.

Etwa so wie auf dieser Radierung aus dem Jahr 1820 dargestellt, kann man sich die Praxis des Sklavenhandels an der afrikanischen Westküste vorstellen.

Die portugiesischen Seefahrer erschienen erstmals um die Mitte des 15. Jahrhunderts an der westafrikanischen Küste und zogen mit ihren Niederlassungen schon bald den Handel vom Niger ab. Nach langem Kampf mit den Hausa im Osten wurde schließlich das Reich Songhai in der Schlacht von Tondibi von einem Söldnerheer aus Marokko besiegt und einem marokkanischen Gouverneur unterstellt. Selbst zu ihrer Blütezeit konnten es freilich weder Marokko noch die neuen afrikanischen Staaten am oberen Niger – wie das kurzlebige Reich Mandingo oder die Bambara-Königreiche Segu und Kaarta – mit Songhai aufnehmen.

Trommler in Hofkleidung bei einer Staatszeremonie; Bronzerelief, Benin, spätes 17. Jahrhundert

Einflussreiche Staaten

Im frühen 16. Jahrhundert entstanden südlich der Sahara weitere Staaten, unter anderem der Mossi-Staat in der Gegend von Ouagadougou oder später der Oyo-Staat im Nigerdelta. Das Ashanti-Reich und Dahomey hatten ihre Keimzelle im 17. Jahrhundert im Binnenland, dehnten sich später aber bis zur Küste aus. Südlich des Äquators existierte das kulturell sehr lebendige Kongo-Reich. Die Rivalität zwischen ihm und Ndongo ermöglichte den Portugiesen nach 1575 die Gründung ihrer Kolonie Angola, einer später wichtigen

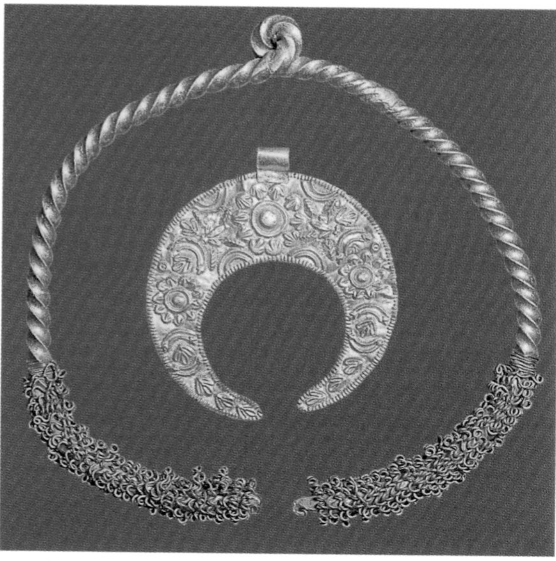

Hoch entwickeltes Kunsthandwerk: Dieser fein gearbeitete Goldschmuck bezeugt den Reichtum der Herrscher des Ashanti-Reiches.

Basis für den transatlantischen Sklavenhandel. Immerhin verhinderte die Ndongokönigin Njinga (1624 bis 1663) eine weitere Ausbreitung der Europäer in diesem Gebiet. Weiter im Binnenland entstand um die Mitte des 18. Jahrhunderts das mächtige Reich Lunda, das seine Macht in der Folgezeit nach Westen ausdehnte.

Islam und Christentum

In den Ländern am Südrand der Sahara blieb der Einfluss der Europäer vermutlich deshalb gering, weil der Islam hier eine große Verbreitung fand. 1570 schuf Idris III. Aloma von Kanem-Bornu den reinsten islamischen Staat Afrikas und vergrößerte dessen Einflussbereich mit Hilfe von Feuerwaffen, die die Osmanen geliefert hatten. Die Eroberung der östlich gelegenen heidnischen Reiche Wadai und Bagirmi gehörte zu den wenigen territorialen Vorstößen des Islam in jener Zeit. Erst im späten 18. Jahrhundert nahmen die Muslime in Senegambia ihre Missionsarbeit wieder auf.

Waffen, Baumwolle, Stoffe, Gewehre, Eisenwaren
aus Europa
Banu-Hassan-Araber
1543
Idjil
Salz
Kap Blanc
Arguin
zu Portugal, 1617 an die Niederlande, 1678 an Frankreich
Ouadane
Chinguetti
Berber
Taouden
Kapverdische Inseln
1495 an Portugal
Salz
1584
Saint-Louis
1626 an Frankreich
Gorée
1617 an die Niederlande, 1677 an Frankreich
WALO
Kaédi
CAYOR
FOUTA TORO
Walata
KAARTA
Westindien, Zentral- und Nordamerika
BAOL
Fort James
1618 an England
Gambia
Gold
Djenné
Fulbe
Senegal
Cacheu
1460 an Portugal
Mali
Bamako
Segu
MANDINGO
Portugiesisch-Guinea
4
FULA
Niani
Kankan
FOUTA DJALON
KONG-REICH
Bunce Island
Mitomba
Kong
Brasilien
SUSU
Eisen
Gold
Dyola
Elfenbein
Kola
ATLANTISCHER OZEAN
Klein Cestos
Kap Palmas
São Jorge da Mina (Elmina)
zu Portugal, 1637 an die Niederlande
niederländische und portugiesische Händler
Brasilien, Westindien, Zentral- und Nordamerika

1 **Die Funj, nomadisierende Viehhirten und Heiden, eroberten im frühen 16. Jahrhundert das islamische Nubien, traten danach aber selbst zum Islam über.**

2 **Die portugiesischen Truppen, die dem christlichen Abessinien (Äthiopien) gegen Ahmed Gran von Adal beistehen sollten, wurden von Christoph da Gama, dem Sohn des Entdeckers Vasco da Gama, befehligt.**

3 **Das Reich Songhai gelangte unter Sonni Ali (1464 bis 1492) zu Macht und Ansehen. Seine Handelsstädte, insbesondere Timbuktu, waren weithin bekannte Zentren der islamischen Kultur.**

4 **Die Niederländer eröffneten 1595 im Zuge ihres Kampfes gegen die portugiesische Konkurrenz den Handel mit der Guineaküste. Sie hatten Erfolg: Bis 1637 zogen die Portugiesen aus der Region ab.**

5 **Die Goldküste im Staat Benin war das Hauptzentrum des afrikanischen Sklavenhandels. Im 18. Jahrhundert wurden von hier aus jährlich 35 000 Menschen verschifft.**

6 **1783 lebten in der niederländischen Kapkolonie so viele Europäer wie in keinem anderen afrikanischen Gebiet.**

In Ostafrika trafen Islam und Christentum direkt aufeinander, lag hier doch seit uralten Zeiten das christliche Reich Abessinien (Äthiopien). Die Bekehrung der Funj zum Islam ist im Zusammenhang mit der 1529 einsetzenden Erhebung des islamischen Staatenbundes Adal gegen die abessinische Herrschaft zu sehen. Ahmed Gran von Adal zog 13 Jahre lang raubend durch Abessinien, bis er 1542 im Kampf

ZEITLEISTE

SÜDLICHE SAHARA

OST- UND SÜDAFRIKA

WESTAFRIKA

1500

1508 Beginn der portugiesischen Kolonisation Mosambiks.

1512 Askia Mohammed von Songhai besiegt die Hausa-Staaten.

1517 Spanien beginnt mit der regelmäßigen Verschiffung von Sklaven nach Amerika.

1529 Ahmed Gran von Adal greift Abessinien an.

1529 Songhai beherrscht die Region südlich der Sahara.

1555 Portugiesische Jesuiten richten in Abessinien Missionen ein.

1570 Idris III. Aloma macht Kanem-Bornu zur bedeutendsten Macht zwischen Nil und Niger.

1575 Die Portugiesen beginnen in Luanda mit der Besiedlung Angolas.

1588 Gründung der englischen Guinea-Kompanie.

1591 Ein marokkanisches Söldnerheer unterwirft Songhai.

1592 Britische Händler beteiligen sich am transatlantischen Sklavenhandel.

1598 Portugiesische Kolonisten siedeln sich in Mombasa an.

1600

1626 Beginn der französischen Besiedlung Madagaskars.

1626 Die Franzosen bauen an der Mündung des Senegal das Fort Saint-Louis.

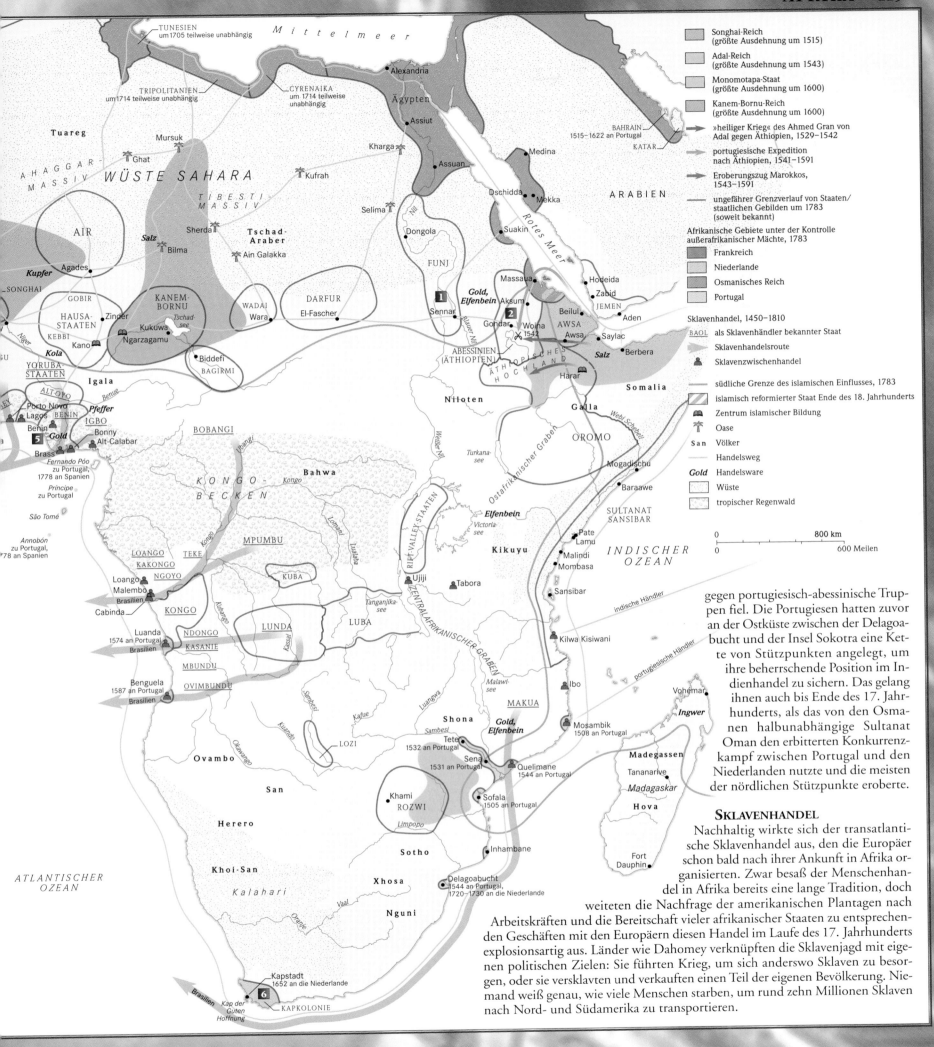

Songhai-Reich (größte Ausdehnung um 1515)
Adal-Reich (größte Ausdehnung um 1543)
Monomotapa-Staat (größte Ausdehnung um 1600)
Kanem-Bornu-Reich (größte Ausdehnung um 1600)
»heiliger Krieg« des Ahmed Gran von Adal gegen Äthiopien, 1529–1542
portugiesische Expedition nach Äthiopien, 1541–1591
Eroberungszug Marokkos, 1543–1591
ungefährer Grenzverlauf von Staaten/staatlichen Gebilden um 1783 (soweit bekannt)

Afrikanische Gebiete unter der Kontrolle außerafrikanischer Mächte, 1783
Frankreich
Niederlande
Osmanisches Reich
Portugal

Sklavenhandel, 1450–1810
BAOL als Sklavenhändler bekannter Staat
Sklavenhandelsroute
Sklavenzwischenhandel

südliche Grenze des islamischen Einflusses, 1783
islamisch reformierter Staat Ende des 18. Jahrhunderts
Zentrum islamischer Bildung
Oase
San Völker
Handelsweg
Gold Handelsware
Wüste
tropischer Regenwald

0 800 km
0 600 Meilen

gegen portugiesisch-abessinische Truppen fiel. Die Portugiesen hatten zuvor an der Ostküste zwischen der Delagoabucht und der Insel Sokotra eine Kette von Stützpunkten angelegt, um ihre beherrschende Position im Indienhandel zu sichern. Das gelang ihnen auch bis Ende des 17. Jahrhunderts, als das von den Osmanen halbunabhängige Sultanat Oman den erbitterten Konkurrenzkampf zwischen Portugal und den Niederlanden nutzte und die meisten der nördlichen Stützpunkte eroberte.

SKLAVENHANDEL

Nachhaltig wirkte sich der transatlantische Sklavenhandel aus, den die Europäer schon bald nach ihrer Ankunft in Afrika organisierten. Zwar besaß der Menschenhandel in Afrika bereits eine lange Tradition, doch weiteten die Nachfrage der amerikanischen Plantagen nach Arbeitskräften und die Bereitschaft vieler afrikanischer Staaten zu entsprechenden Geschäften mit den Europäern diesen Handel im Laufe des 17. Jahrhunderts explosionsartig aus. Länder wie Dahomey verknüpften die Sklavenjagd mit eigenen politischen Zielen: Sie führten Krieg, um sich anderswo Sklaven zu besorgen, oder sie versklavten und verkauften einen Teil der eigenen Bevölkerung. Niemand weiß genau, wie viele Menschen starben, um rund zehn Millionen Sklaven nach Nord- und Südamerika zu transportieren.

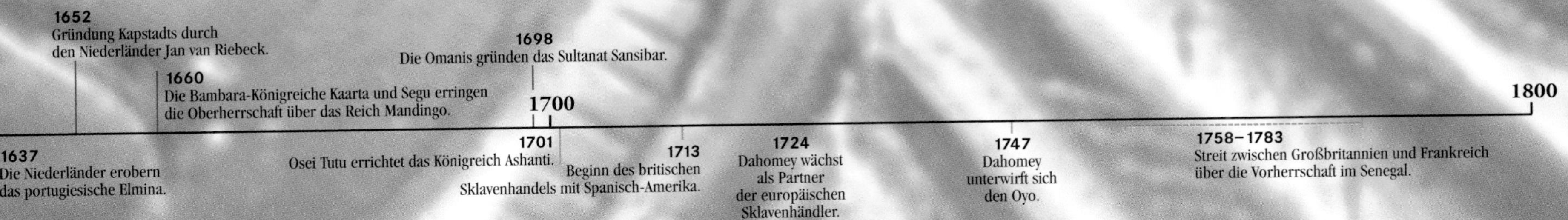
1637 Die Niederländer erobern das portugiesische Elmina.
1652 Gründung Kapstadts durch den Niederländer Jan van Riebeck.
1660 Die Bambara-Königreiche Kaarta und Segu erringen die Oberherrschaft über das Reich Mandingo.
1698 Die Omanis gründen das Sultanat Sansibar.
1700
1701 Osei Tutu errichtet das Königreich Ashanti.
1713 Beginn des britischen Sklavenhandels mit Spanisch-Amerika.
1724 Dahomey wächst als Partner der europäischen Sklavenhändler.
1747 Dahomey unterwirft sich den Oyo.
1758–1783 Streit zwischen Großbritannien und Frankreich über die Vorherrschaft im Senegal.
1800

Von Kolumbus bis zur amerikanischen Unabhängigkeit (1492 bis 1783)

Der Aufstieg des indischen Mogul-Reiches • 1500 bis 1707

Die Mongolen und Tataren verdrängten auf ihrer Ostwanderung um die Wende des 15. zum 16. Jahrhundert die Moguln aus ihrem Fürstentum Fergana. Unter ihrem Herrscher Babur (1501–1530) eroberten diese Abkömmlinge einer mongolischstämmigen Dynastie 1504 ein Gebiet um Kabul und unternahmen 1519 die ersten Erkundungsvorstöße nach Indien; 1526 marschierten sie dort ein.

Babur, der erste Großmogul in Indien, dargestellt auf einer Miniatur aus dem 16. Jahrhundert. Von Babur sind Gedichte und seine Memoiren überliefert.

Der indische Subkontinent bestand zu dieser Zeit aus vielen, einander bekriegenden Islam- und Hindu-Staaten. Von diesen Reichen setzten sich alsbald die Radschputen südwestlich von Delhi, das alte Hindu-Königreich Vijayanagar und das von der afghanischen Lodi-Dynastie beherrschte Sultanat von Delhi durch. Babur besiegte 1526 bei Panipat mit seinem 12 000 Mann starken Heer Schah Ibrahim Lodi; danach ging alles sehr schnell. Bis zu Baburs Tod beherrschten die Moguln alle Territorien der Lodi. Baburs Sohn Humajun drang 1535 nach Gujarat vor und eroberte die Festung Champanir. Zwischen 1530 und 1540 erhob sich aber im südlichen Bihar die afghanische Sur-Dynastie gegen ihre neuen Herren und dieser Aufstand hätte fast das Ende der Mogul-Dynastie bedeutet. Die Sur eroberten nämlich die Ganges-Ebene und Delhi und zwangen Humajun zur Flucht nach Persien. Er konnte Delhi erst 1555, ein Jahr vor seinem Tod, zurückerobern.

Akbar der Grosse oder die Toleranz einer Grossmacht

Humajuns Sohn Akbar (1556–1605) sollte nicht nur alle an die Sur verlorenen Territorien zurückgewinnen, sondern auch eines der mächtigsten Reiche der Welt aufbauen. Die Eroberung Gujarats 1572 öffnete den Moguln den Zugang zum Meer, während ihnen die Unterwerfung Bengalens die reichste Region Indiens sicherte. 1605 begann mit der Unterwerfung Khandeshs und Berars der Vorstoß auf den Dekkan. Akbar führte jedoch nicht nur Kriege, er reformierte auch die Verwaltung und Gesellschaft, teilte sein Reich in »Subahs« (Provinzen) auf, die von Berufsbeamten verwaltet wurden, und setzte ein Zeichen, indem er sich, obwohl selbst strenggläubiger Muslim, um religiöse Toleranz bemühte.

Einfluss der Europäer

Nach 1500 gelangten auch fremde Mächte nach Indien. Im frühen 16. Jahrhundert richteten die Portugiesen in Goa, Daman und Diu Handelsstationen ein, was natürlich zu Konflikten führte. Im Jahr 1509 besiegten sie vor Diu die vereinte Flotte der Moguln und ägyptischen Mamluken und schlugen 1538 einen osmanisch-gujaratischen Angriff auf diesen Stützpunkt zurück. Im Allgemeinen erwies sich der Kontakt mit den Europäern für die Inder als eher vorteilhaft. Bis 1500 hatten Erstere mit Hilfe ihres

Großmogul Jahangir, Sohn und Nachfolger Akbars, übte noch religiöse Toleranz: Diese Miniatur des 17. Jahrhunderts zeigt ihn mit einem Bild der Jungfrau Maria.

Banken- und Kreditwesens ein kommerzielles Netzwerk geschaffen, das fast ganz Ostasien und Afrika umfasste und sogar Moskau einschloss. Schon seit römischen Zeiten hatten die Europäer Silber und Gold gegen indische Seide, Baumwollstoffe, Gewürze und Farbstoffe eingetauscht. Die Ausbeutung der Silberminen Lateinamerikas ermöglichte nun eine gewaltige Ausweitung des Handels.

Florierende Wirtschaft

Die Landwirtschaft des Mogul-Reiches arbeitete höchst produktiv (bis zum 19. Jahrhundert konnten bei Getreide höhere Erträge erzielt werden als in Europa); darüber hinaus wurden Produkte wie Indigo, Baumwolle, Zuckerrohr, Opium, Pfeffer und später auch Tabak für einen zentral gesteuerten Binnenmarkt hergestellt. Zur Industrie Indiens gehörten die größten Textilunternehmen der Welt – deren Erzeugnisse überallhin exportiert wurden – und eine Stahl-

Der Tadsch Mahal, Indiens berühmteste Palastanlage, wurde 1630–1648 von Schah Dschahan für seine verstorbene Frau als Mausoleum errichtet.

Mesched
nach Persien und Arabien
SAFAWIDISCHES PERSIEN

1 Surat war der wichtigste Seehafen der Moguln und Ausgangspunkt von Pilgerreisen nach Mekka.

2 Akbars Regierungssitz Fatehpur Sikri, von 1571 bis 1584 gebaut, diente nur 14 Jahre lang diesem Zweck; er musste wegen der schwierigen Wasserversorgung wieder aufgegeben werden.

3 Agra war fast über den gesamten Zeitraum von der Thronbesteigung Akbars bis zur Gründung der neuen, bei Delhi gelegenen Hauptstadt Shahjahanapur durch Schah Dschahan Regierungssitz der Moguln.

4 Kandahar gehörte bei der Rückeroberung Indiens durch Humajun und Akbar zu den wichtigsten Stützpunkten der Moguln.

5 Obwohl die Nisam Shahis im Jahr 1600 ihre Hauptstadt Aurangabad verloren, widersetzten sie sich bis 1633 der Eroberung ihres Landes durch die Moguln.

6 Die kriegerischen Auseinandersetzungen zwischen Marathen und Moguln begannen 1657; zwar eroberten Letztere 1687 den größten Teil des marathischen Territoriums, doch konnten sie die verheerenden Raubzüge ihrer Widersacher nicht verhindern.

7 Die Niederländer sicherten sich bis 1660 mehrere Stützpunkte auf Ceylon, nachdem sie von den Savulu um Unterstützung bei der Vertreibung der Portugiesen gebeten worden waren.

ZEITLEISTE

MOGUL-REICH

1480 – 1500 – 1540 – 1580

- **1504** Die Usbeken vertreiben die Moguln und ihren Herrscher Babur aus Fergana.
- **1526** Babur besiegt bei Panipat Schah Ibrahim Lodi und erobert das Sultanat von Delhi.
- **1535** Humajun fällt in Gujarat ein.
- **1539** In Bihar erheben sich unter Scher Schah die surischen Afghanen und entreißen den Moguln wieder viele Territorien.
- **1556** Unter Akbar bringen die Moguln den Sur bei Panipat eine vernichtende Niederlage bei.
- **1568–1569** Akbar erobert die radschputischen Festungen Chittaurgarh und Ranthambhor.
- **1571** Beginn des Baus der Hauptstadt Fatehpur Sikri.
- **1572** Die Moguln erobern Gujarat und erhalten dadurch einen Seehafen.
- **1576** Die Moguln beenden die Eroberung Bengalens.

EUROPÄER IN INDIEN

- **1498** Eine portugiesische Expedition unter Vasco da Gama erreicht die Malabarküste.
- **1509** Unter Francisco de Almeida besiegen die Portugiesen vor Diu eine indisch-ägyptische Flotte.
- **1538** Die Portugiesen wehren einen Angriff osmanischer und gujaratischer Truppen auf Diu ab.

industrie, die sich qualitativ mit der Europas messen konnte. Die Moguln unterhielten ein stehendes Heer von etwa einer Million Mann; dennoch begann der Zerfall ihres riesigen Reiches, das mit der Eroberung Ahmadnagars im Jahr 1636, Bijapurs (1686) und Golcondas (1687) seine größte Ausdehnung erreicht hatte, bereits bald nach dem Tod Aurangsebs (1658–1707), des letzten großen Herrschers.

Unter Akbars Nachfolgern …

… Jahangir, Schah Dschahan und Aurangseb selbst herrschte zunehmend die religiöse Intoleranz wieder, woraus immer größere Unruhen entstanden. Als im späteren 17. Jahrhundert die Zahl der Stützpunkte der Ostindischen Kompanien Englands und der Niederlande ständig zunahm und man vereint die Portugiesen aus dem Land drängte, erkämpften die hinduistischen Marathen der Westghats gerade ihre Unabhängigkeit vom Mogul-Reich.

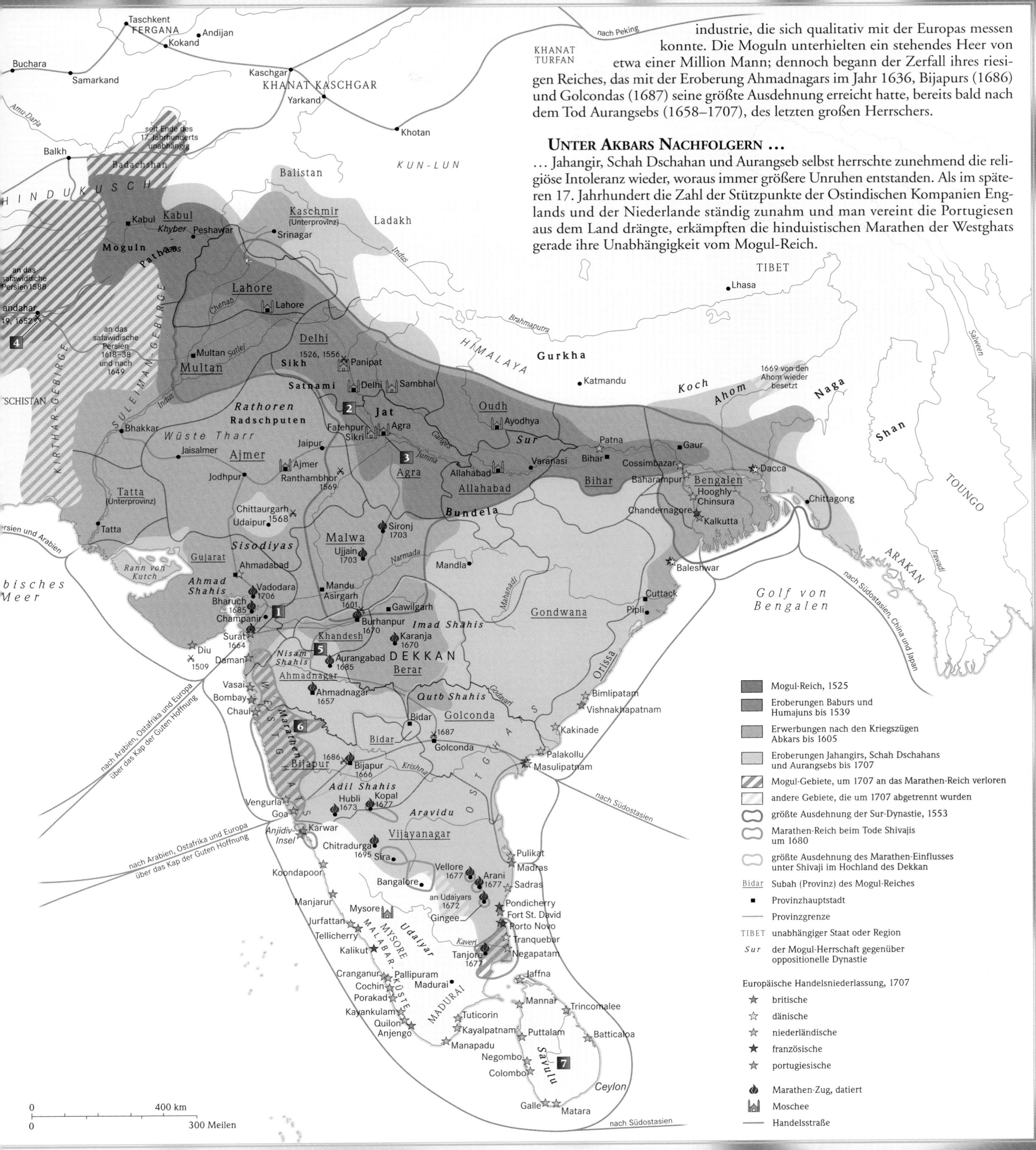

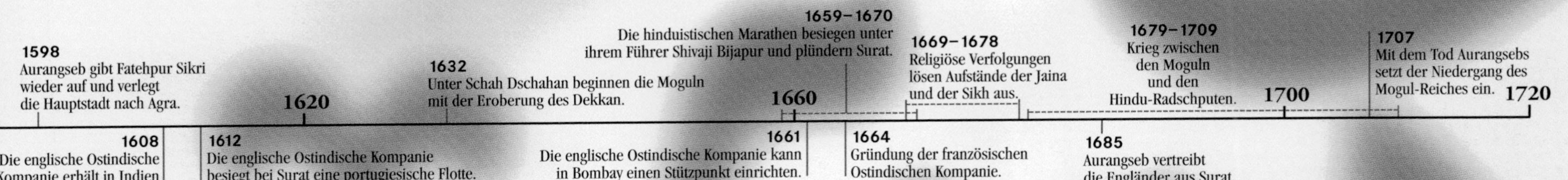
1598
Aurangseb gibt Fatehpur Sikri wieder auf und verlegt die Hauptstadt nach Agra.
1608
Die englische Ostindische Kompanie erhält in Indien ihre ersten Konzessionen.
1612
Die englische Ostindische Kompanie besiegt bei Surat eine portugiesische Flotte.
1620
1632
Unter Schah Dschahan beginnen die Moguln mit der Eroberung des Dekkan.
1659–1670
Die hinduistischen Marathen besiegen unter ihrem Führer Shivaji Bijapur und plündern Surat.
1660
1661
Die englische Ostindische Kompanie kann in Bombay einen Stützpunkt einrichten.
1664
Gründung der französischen Ostindischen Kompanie.
1669–1678
Religiöse Verfolgungen lösen Aufstände der Jaina und der Sikh aus.
1679–1709
Krieg zwischen den Moguln und den Hindu-Radschputen.
1685
Aurangseb vertreibt die Engländer aus Surat.
1700
1707
Mit dem Tod Aurangsebs setzt der Niedergang des Mogul-Reiches ein.
1720

Von Kolumbus bis zur amerikanischen Unabhängigkeit (1492 bis 1783)

Die Nachfolger des Mogul-Reiches • 1707 bis 1783

Der Anfang vom Ende des indischen Mogul-Reiches wird unterschiedlich datiert: 1707 (Tod Aurangsebs), 1739 (Plünderung Delhis durch die Perser), 1757 (Sieg Robert Clives bei Plassey) und sogar erst 1761 (Niederlage der Marathen gegen die Afghanen bei Panipat). Außer Frage steht, dass das Mogul-Reich nur noch dem Namen nach bestand, als die einflussreichen Mächte in Indien längst der Marathen-Bund, Mysore und die britische Ostindische Kompanie waren.

Zeichen des Zerfalls tauchten bereits in den letzten Regierungsjahren Aurangsebs (1658–1707) auf, denn der einst geförderte religiös-kulturelle Pluralismus wurde nicht zuletzt durch die religiöse Intoleranz dieses Herrschers selbst ausgehöhlt. Das Reich erstreckte sich von Assam und Nepal bis weit in den Süden hinein und hatte damit die Grenzen der Regierbarkeit beinahe erreicht – die Bindungen der Mansabdars (Beamten) an den Staat lockerten sich. Immer mehr hohe Amtsträger engagierten sich direkt im Handel und versuchten, ihr »Lehen« zu vererben, anstatt dass dieses bei ihrem Tod an den Herrscher zurückfiel. Im Verlauf des 18. Jahrhunderts erlangten die Subadars (Provinzgouverneure) und die Nawabs (Fürsten; später auch Nabob genannt) zunehmend größere Unabhängigkeit.

Einer der Piraten, die zu jener Zeit im Golf von Bengalen ihr Unwesen trieben, war Robert Surcouf. Sein ehemaliges Crewmitglied Louis Garneray (1783–1857) schuf dieses Gemälde »Entern der Kent durch Surcouf«.

Gefährliche Gegner – Marathen, Franzosen, Briten

Die größte Bedrohung für das Mogul-Reich ging von den Marathen aus, einem Hindu-Volk in den Westghats. Unter Shivaji (1647–1680) unternahmen diese immer wieder ausgedehnte Raubzüge durch Mittelindien. Im Jahr 1664 plünderten sie Surat, den wichtigsten Hafen der Moguln. Die offene Unterstützung vieler hinduistischer Kaufleute ermöglichte es den Marathen, die besten Waffen zu bekommen, was sie angesichts ihrer großen Beweglichkeit in gefährliche Gegner verwandelte.

CALECHVT CELEBERRI
MVM INDIÆ EMPORIVM.

Kalkutta wurde Ende des 17. Jahrhunderts zum Handelsplatz der Briten ausgebaut; zeitgenössischer Stich.

Auch anderweitig wuchsen die Probleme der Moguln im 18. Jahrhundert. 1739 wurden sie von den Persern unter Schah Nadir bei Karnal besiegt. 1740 drangen die Marathen in die Karnatik ein und besiegten bei Damalcherry den regierenden Nawab, worauf der halbunabhängige Nisam von Hyderabad eingriff. Bis 1744 waren sowohl die britische als auch die französische Ostindische Kompanie in den Konflikt verwickelt.

Bei weiteren Auseinandersetzungen wurde 1749 der vom Nisam von Hyderabad bestellte Nawab von Arcot durch die Franzosen und deren Schützling Shanda Sahib entmachtet. Der Nisam fand den Tod, sein Nachfolger ernannte den französischen Verwaltungsbeamten Joseph Dupleix zum Gouverneur des mogulischen Südens. Die britische Ostindische Kompanie verbündete sich nun mit Mysore und den Marathen. Unter dem Kommando des Generals Robert Clives gelang ihr bei Arcot ein glänzender Sieg über Shanda Sahib und die Franzosen. Während die Marathen die westlichen Territorien des Nisams eroberten, besiegte Clive im Jahr 1752 die Franzosen bei Trichinopoly.

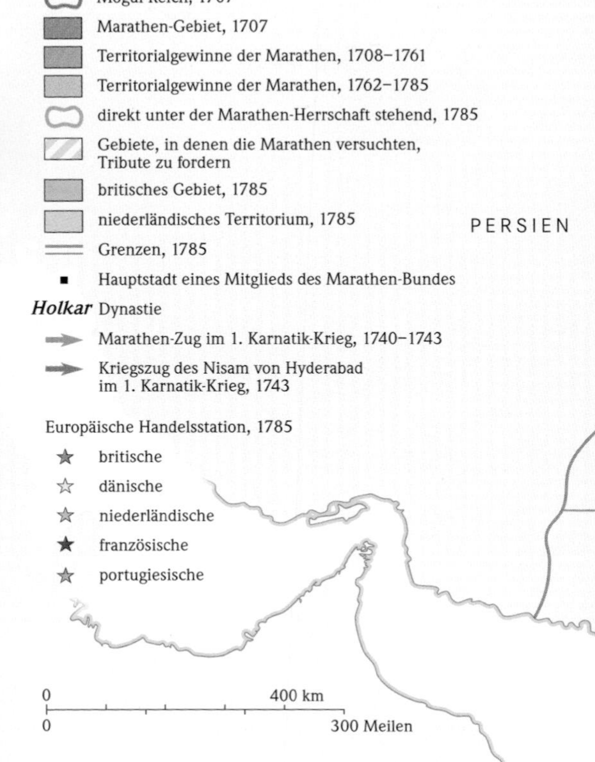
Mogul-Reich, 1707
Marathen-Gebiet, 1707
Territorialgewinne der Marathen, 1708–1761
Territorialgewinne der Marathen, 1762–1785
direkt unter der Marathen-Herrschaft stehend, 1785
Gebiete, in denen die Marathen versuchten, Tribute zu fordern
britisches Gebiet, 1785
niederländisches Territorium, 1785
Grenzen, 1785
Hauptstadt eines Mitglieds des Marathen-Bundes
Holkar Dynastie
Marathen-Zug im 1. Karnatik-Krieg, 1740–1743
Kriegszug des Nisam von Hyderabad im 1. Karnatik-Krieg, 1743
Europäische Handelsstation, 1785
britische
dänische
niederländische
französische
portugiesische
PERSIEN
0
400 km
0
300 Meilen

Diese Miniatur zeigt Bildnisse der indischen Großmoguln; Oudh, 1770–1787. Berlin, Staatliche Museen Preußischer Kulturbesitz, Museum für Indische Kunst

ZEITLEISTE

MOGULN UND MARATHEN

EUROPÄER IN INDIEN

1700 – 1710 – 1720 – 1730

1708 Im Pandschab besiegt Großmogul Bahadur Schah die Sikh unter Gobind Singh.

1721 Gründung des Königreichs Rohilkhand in Nordindien.

1724 Awadh (Oudh) und Hyderabad werden praktisch von der Mogul-Herrschaft unabhängig.

Die Schwächung der Mogul-Macht setzte sich weiter fort. Die Marathen zogen raubend und mordend durch den Norden und Osten des Reiches. Das veranlasste den muslimischen Herrscher von Rohilkhand zu einem Bündnis mit Schah Ahmed Durrani von Afghanistan (1747–1773), weil er sich davon eine effektivere Hilfe versprach als von dem schwachen Mogul-Herrscher. Der entscheidende Augenblick kam 1761, als – wiederum bei Panipat – die Afghanen eine große, gut ausgerüstete Armee der Marathen besiegten. Schah Ahmeds Truppen zogen sich nach der Plünderung Delhis wieder zurück. Die britische Ostindische Kompanie nutzte diese einmalige Gelegenheit und legte in den folgenden zwei Jahrzehnten das Fundament der britischen Herrschaft in Indien: Zunächst fielen ihr Bengalen und Bihar zu (1765), dann die Nördlichen Circars (1768) und die Städte Benares und Ghazipur (1775). 1783 kämpfte allein noch Mysore gegen die Vorherrschaft Englands.

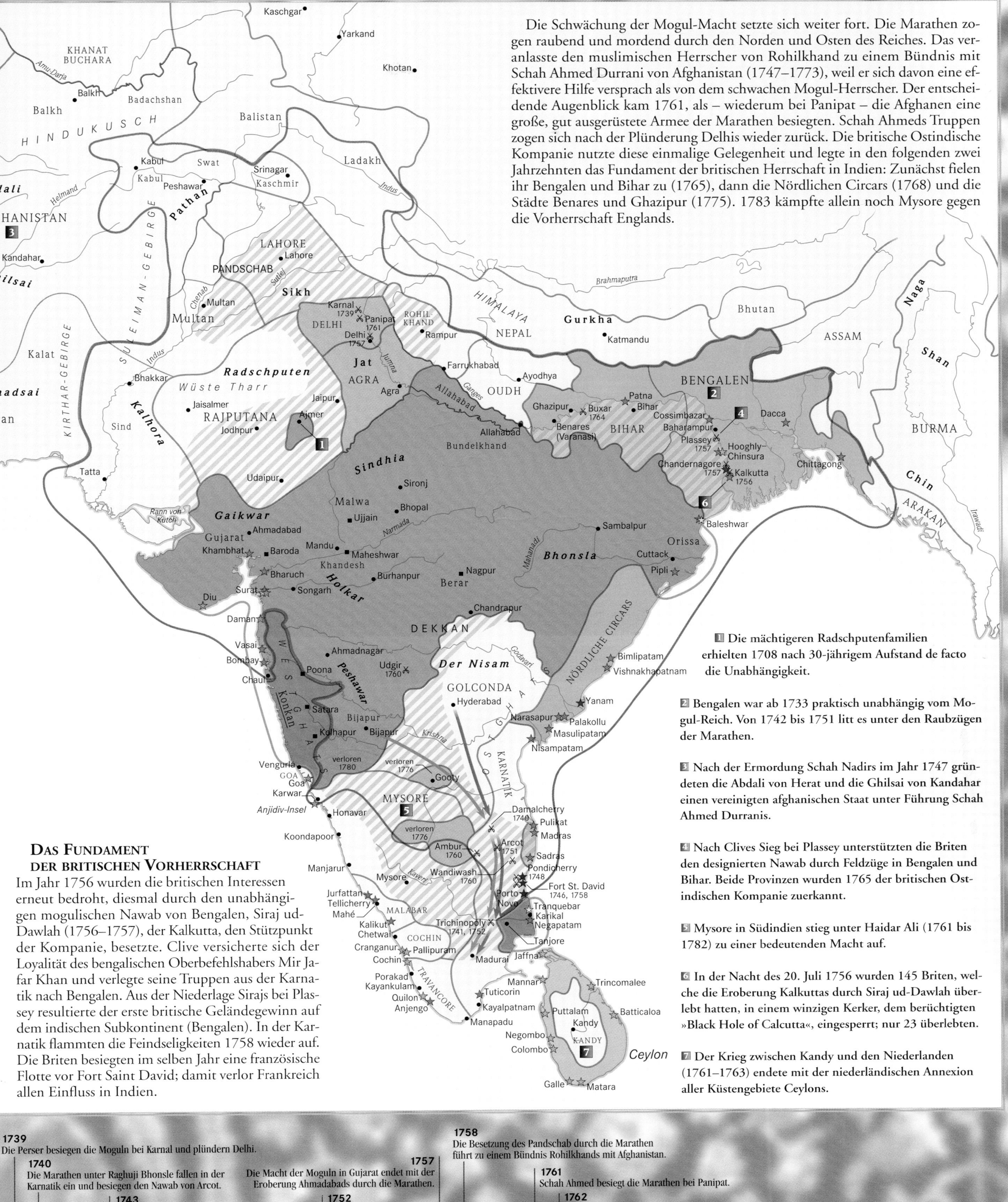
Kaschgar
Yarkand
KHANAT BUCHARA
Amu-Darja
Khotan
Balkh
Badachshan
HINDUKUSCH
Balistan
Kabul
Swat
Srinagar
Kaschmir
Ladakh
Peshawar
Helmand
Pathan
Indus
AFGHANISTAN
LAHORE
Lahore
Kandahar
PANDSCHAB
Sutlej
Sikh
SULEIMAN-GEBIRGE
Chenab
Multan
Brahmaputra
Karnal 1739
Panipat 1761
ROHIL KHAND
DELHI
Delhi 1757
Rampur
HIMALAYA
Gurkha
Katmandu
NEPAL
Bhutan
ASSAM
Naga
Shan
Kalat
KIRTHAR-GEBIRGE
Jat
Jumna
Farrukhabad
Ayodhya
Radschputen
Wüste Tharr
Bhakkar
AGRA
Agra
Allahabad
Ganges
OUDH
BENGALEN
Patna
Jaipur
Jaisalmer
RAJPUTANA
Ajmer
Jodhpur
Kalhora
Sind
Ghazipur
Buxar 1764
Bihar
Cossimbazar
Dacca
Benares (Varanasi)
BIHAR
Baharampur
Allahabad
Plassey 1757
Hooghly
Chinsura
BURMA
Bundelkhand
Tatta
Udaipur
Sindhia
Chandernagore 1757
Kalkutta 1756
Chittagong
Chin
Sironj
Malwa
Bhopal
ARAKAN
Irawadi
Rann von Katch
Gaikwar
Ujjain
Narmada
Baleshwar
Gujarat
Ahmadabad
Sambalpur
Khambhat
Baroda
Mandu
Maheshwar
Mahanadi
Bhonsla
Orissa
Cuttack
Khandesh
Bharuch
Burhanpur
Nagpur
Berar
Pipli
Diu
Surat
Songarh
Holkar
Chandrapur
Daman
DEKKAN
Vasai
Ahmadnagar
Godavari
NÖRDLICHE CIRCARS
Bimlipatam
Vishnakhapatnam
Bombay
Poona
Peshawar
Udgir 1760
Der Nisam
Chaul
WESTGHATS
Konkan
GOLCONDA
Hyderabad
OSTGHATS
Yanam
Satara
Bijapur
Narasapur
Palakollu
Masulipatam
Kolhapur
Bijapur
Krishna
Nisampatam
Vengurla
verloren 1780
verloren 1776
GOA
Goa
Gooty
KARNATIK
Karwar
Anjidiv-Insel
Honavar
MYSORE
Damalcherry 1740
Pulikat
Madras
verloren 1776
Koondapoor
Ambur 1760
Arcot 1751
Sadras
Pondicherry 1748
Manjarur
Mysore
Kaveri
Wandiwash 1760
Fort St. David 1746, 1758
Porto Novo
Jurfattan
Tellicherry
MALABAR
Tranquebar
Mahé
Karikal
Kalikut
Trichinopoly 1741, 1752
Negapatam
Chetwai
COCHIN
Tanjore
Cranganur
Pallipuram
Cochin
Madurai
Jaffna
TRAVANCORE
Porakad
Kayankulam
Mannar
Trincomalee
Tuticorin
Quilon
Anjengo
Kayalpatnam
Puttalam
Batticaloa
Manapadu
Kandy
Negombo
KANDY
Colombo
Ceylon
Galle
Matara

Das Fundament der britischen Vorherrschaft

Im Jahr 1756 wurden die britischen Interessen erneut bedroht, diesmal durch den unabhängigen mogulischen Nawab von Bengalen, Siraj ud-Dawlah (1756–1757), der Kalkutta, den Stützpunkt der Kompanie, besetzte. Clive versicherte sich der Loyalität des bengalischen Oberbefehlshabers Mir Jafar Khan und verlegte seine Truppen aus der Karnatik nach Bengalen. Aus der Niederlage Sirajs bei Plassey resultierte der erste britische Geländegewinn auf dem indischen Subkontinent (Bengalen). In der Karnatik flammten die Feindseligkeiten 1758 wieder auf. Die Briten besiegten im selben Jahr eine französische Flotte vor Fort Saint David; damit verlor Frankreich allen Einfluss in Indien.

1 Die mächtigeren Radschputenfamilien erhielten 1708 nach 30-jährigem Aufstand de facto die Unabhängigkeit.

2 Bengalen war ab 1733 praktisch unabhängig vom Mogul-Reich. Von 1742 bis 1751 litt es unter den Raubzügen der Marathen.

3 Nach der Ermordung Schah Nadirs im Jahr 1747 gründeten die Abdali von Herat und die Ghilsai von Kandahar einen vereinigten afghanischen Staat unter Führung Schah Ahmed Durranis.

4 Nach Clives Sieg bei Plassey unterstützten die Briten den designierten Nawab durch Feldzüge in Bengalen und Bihar. Beide Provinzen wurden 1765 der britischen Ostindischen Kompanie zuerkannt.

5 Mysore in Südindien stieg unter Haidar Ali (1761 bis 1782) zu einer bedeutenden Macht auf.

6 In der Nacht des 20. Juli 1756 wurden 145 Briten, welche die Eroberung Kalkuttas durch Siraj ud-Dawlah überlebt hatten, in einem winzigen Kerker, dem berüchtigten »Black Hole of Calcutta«, eingesperrt; nur 23 überlebten.

7 Der Krieg zwischen Kandy und den Niederlanden (1761–1763) endete mit der niederländischen Annexion aller Küstengebiete Ceylons.

1740 — 1750 — 1760 — 1770 — 1780

1739 Die Perser besiegen die Moguln bei Karnal und plündern Delhi.

1740 Die Marathen unter Raghuji Bhonsle fallen in der Karnatik ein und besiegen den Nawab von Arcot.

1743 Der Nisam (Fürst) von Hyderabad entreißt den Marathen wieder Arcot.

1744 Franzosen und Briten treten in den Karnatik-Krieg ein.

1746 Unter Joseph Dupleix erobern die Franzosen Madras.

1749–1750 Shanda Sahib und die Franzosen besiegen den Nawab der Karnatik.

1752 Robert Clive besiegt die Franzosen bei Trichinopoly.

1752 Die Marathen von Peshawar entreißen dem Nisam von Hyderabad wieder Khandesh und Westberar.

1756 Siraj ud-Dawlah, Nawab (Nabob) von Bengalen, besetzt Kalkutta.

1757 Die Macht der Moguln in Gujarat endet mit der Eroberung Ahmadabads durch die Marathen.

1757 Clive und Mir Jafar Khan besiegen Siraj bei Plassey.

1758 Die Besetzung des Pandschab durch die Marathen führt zu einem Bündnis Rohilkhands mit Afghanistan.

1758 Die britische Marine besiegt vor Fort St. David eine französische Flotte.

1761 Schah Ahmed besiegt die Marathen bei Panipat.

1762 Die Sikh übernehmen de facto die Macht im Pandschab.

1765 Die britische Ostindische Kompanie erhält Bengalen und Bihar zuerkannt.

1775 Die britische Ostindische Kompanie nimmt Awadh (Oudh) die Städte Benares und Ghazipur ab.

Von Kolumbus bis zur amerikanischen Unabhängigkeit (1492 bis 1783)

Blüte und Niedergang der Ming-Dynastie in China • 1450 bis 1644

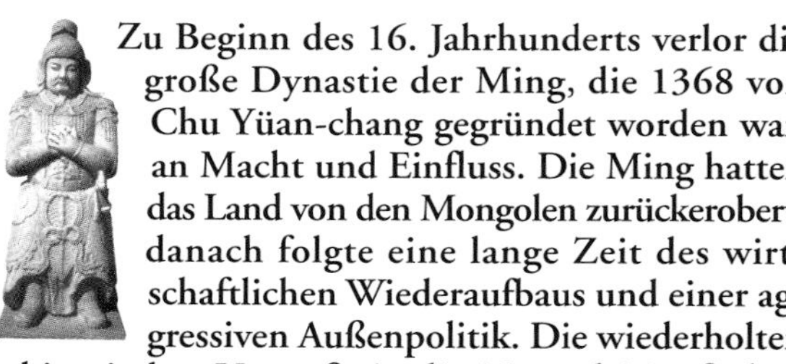

Zu Beginn des 16. Jahrhunderts verlor die große Dynastie der Ming, die 1368 von Chu Yüan-chang gegründet worden war, an Macht und Einfluss. Die Ming hatten das Land von den Mongolen zurückerobert, danach folgte eine lange Zeit des wirtschaftlichen Wiederaufbaus und einer aggressiven Außenpolitik. Die wiederholten chinesischen Vorstöße in die Mongolei im frühen 15. Jahrhundert endeten mit der Gefangennahme des Mongolen-Herrschers.

Die Ming bevorzugten zu dieser Zeit eine neue Defensivstrategie, die auch den umfangreichen Wiederaufbau der Großen Mauer einschloss. Die Fahrten des Admirals Zheng He bis an die ostafrikanische Küste erweiterten zwar den militärisch-ökonomischen Horizont der Chinesen, aber nach seinem Tod (um 1434) wurden sie wieder eingestellt. Einen Hinweis auf die geänderte strategische Blickrichtung der Ming lieferte bereits die Verlegung der Hauptstadt von Nanking nach Peking im Jahr 1421, denn damit verlagerte sich das Machtzentrum vom Herzen der Seehandelsregion weg nach Norden und dichter an die mongolische Grenze.

Innere Autarkie

Die Ming zeigten nur wenig Interesse am Außenhandel, sie bevorzugten eine regulierte und autarke heimische Wirtschaft. Relativer Friede und Stabilität bewirkten nach 1449 ein stetes Bevölkerungswachstum sowie gewaltige Zuwächse in Produktion und Handel. Das war vor allem dem Aus- und Aufbau der Verkehrswege und dem Großen Kanal zu verdanken. Trotz aller Gängelungsversuche der Regierung und der von regionalen Kaufmannsoligarchien gehaltenen Monopole blühte der Fernhandel. Die unter den Mongolen-Herrschern angelegten Baumwollfelder Nordchinas versorgten eine ständig wachsende Textilindustrie. Neben anderen Waren (etwa Seide und Tee) wurden Baumwollstoffe nicht nur nach Japan exportiert (von wo man dafür Metalle und Gewürze bezog), sondern auch – gegen Silber aus Spanisch-Amerika – nach Südostasien (und von dort weiter nach Europa).

Europäer, Wako und Mongolen

Die erste Geschäftsbeziehung zu europäischen Partnern entstand, als die Portugiesen 1557 eine Handelsniederlassung in Macao gründeten und die Niederländer 1622 die Insel Formosa (Taiwan) für einen Stützpunkt auswählten. Allerdings erwies sich das Verhältnis zwischen Europäern und Ming-Behörden zumeist als schwierig. Die Export- und Importkontrolle Chinas bewirkte, dass um die Mitte des 16. Jahrhunderts die Zahl der Wako stieg. Diese Banden von Seeräuber-Händlern kamen vor allem aus dem südlichen Japan und suchten seit 1520 die chinesischen Küsten heim (bis sie durch die Ausweitung des Einflussbereichs der japanischen Zentralgewalt ihre Stützpunkte verloren). Ihre Raubzüge fielen mit einer neuen Bedrohung durch die Mongolen im Norden zusammen – zu einer Zeit, als die zentralasiatischen Nomadenvölker in den Osten zurückwanderten. Um die Mitte des 16. Jahrhunderts mussten gleich zweimal mongolische Truppen, die nach Nordchina eingedrungen waren, unter großen Opfern zurückgeschlagen werden.

Eine goldene Löwin bewacht die westlichen Palastanlagen des Kaiserpalasts der Ming in Peking.

Invasionen und Machtverfall

1592 wurde Korea, ein Vasallenstaat der Ming, von dem erst kurz zuvor durch Toyotomi Hideyoshi geeinten Japan angegriffen. Hideyoshi befehligte ein mit Feuerwaffen ausgerüstetes Heer von 200 000 Mann; diese Waffen hatte man portugiesischen »Mustern« nachgebaut. Die Ming beantworteten diesen Angriff mit der Entsendung einer Armee von angeblich einer Million Soldaten und einer starken Flotte. Nach schweren Kämpfen drängten die Chinesen die Japaner bis an die Südküste Koreas zurück. Ein zweiter japanischer Einfall (1597/1598) endete ähnlich. China bezahlte diese Invasionen teuer. Epidemien und Missernten hatten Ende des 16. Jahrhunderts im Norden bereits verheerende Folgen gezeitigt (die Gesamtbevölkerungszahl war wieder unter hundert Millionen gesunken) und die zunehmende Korruption der kaiserlichen Bürokratie nährte den allgemeinen Zorn. Drastische Steuererhöhungen und kriegsbedingte Beschlagnahmungen provozierten eine Welle von Protestkundgebungen, die schließlich nach 1627 im ganzen Land zu Aufständen eskalierten. Die Macht der Ming zerfiel zusehends; Liaodong und Territorien nördlich der Großen Mauer annektierte die neue Mandschu-Macht, die sich auch gegen die mit den Ming verbündeten Koreaner durchsetzte. Nach 1641 rissen im Norden und Westen des Ming-Reiches Rebellenregimes unter Führung von Li Tzu-ch'eng und Cheng Ch'eng-Kung die Macht an sich. Der letzte Ming-Kaiser beging Selbstmord, als Lis Bauernarmee 1644 in Peking einmarschierte.

Die Mandschu unter Dorgun (1628–1650) erhoben 1636 Anspruch auf die Führung in China und nutzten die Zeit der Unruhen. Sie entsprachen der Bitte der Ming um Hilfe, vertrieben 1644 Li Tzu-ch'eng aus der Stadt und setzten als künftiges Kaiserhaus ihre Qing-Dynastie ein.

1 Chinas Seehandel im Gebiet zwischen Ceylon, Timor und Osaka kam während der gesamten Ming-Zeit nicht zum Erliegen. In vielen Häfen bestanden große chinesische Kolonien.

2 Die Ming richteten einen ganz China überspannenden Kurierdienst ein. Dennoch brauchte ein Bote sechs bis sieben Wochen, um etwa von Peking nach Yünnan zu gelangen.

3 In der Ming-Zeit wurde die Große Mauer intensiv verstärkt und ausgebaut, da die Bedrohung durch ostwärts wandernde Nomaden wuchs. Von 1630 bis 1640 kontrollierten die Mandschu bereits die meisten Gebiete nordöstlich der Mauer.

4 Ungeachtet des geringen Interesses der Ming am Fernhandel, entwickelte sich im Delta des Jangtsekiang eine starke, auch für den Export produzierende Textilindustrie. Die benötigte Rohbaumwolle wurde aus dem Norden über den Großen Kanal, aus dem Westen über den Strom selber herbeigeschafft.

0 800 km
0 600 Meilen

Turfan

5 Der Handel wurde in der Ming-Zeit von Gruppen national operierender Kaufleute kontrolliert. Der Export lag weitgehend in Händen von Geschäftsleuten aus Fujian.

6 Zu den Wako-Piraten gehörten japanische Schmuggler, aber auch viele chinesische und portugiesische Freibeuter. Da zahlreiche Chinesen von den Geschäften der Wako profitierten, fruchteten Gegenmaßnahmen der Ming wenig.

7 Der gesamte Siedlungsraum der Han-Chinesen in der Enklave Liaodong wurde in der Ming-Zeit zum Schutz vor Eindringlingen mit einem »Weidenzaun« umfriedet. Er verhinderte jedoch nicht, dass die Mandschu das Gebiet 1621 unter ihre Kontrolle brachten.

Zeitleiste

MING-/MANDSCHU-DYNASTIE

1520–1521 Eine portugiesische Expedition stellt den ersten chinesisch-europäischen Handelskontakt her.

1522 Der neue Ming-Kaiser Jian jing weist die Portugiesen aus China aus.

1556 Dem schwersten Erdbeben der chinesischen Geschichte fallen in der Provinz Shaanxi 850 000 Menschen zum Opfer.

1510 — 1530 — 1550 — 1570

INVASIONEN UND AUFSTÄNDE

1523 Die Ming schlagen einen Angriff der Wako-Piraten zurück.

1542 Die Mongolen fallen unter Altan Khan in China ein.

1550 Die Ming wehren eine zweite Mongoleninvasion ab.

1552–1555 Die Wako greifen China erneut an und belagern Nanking.

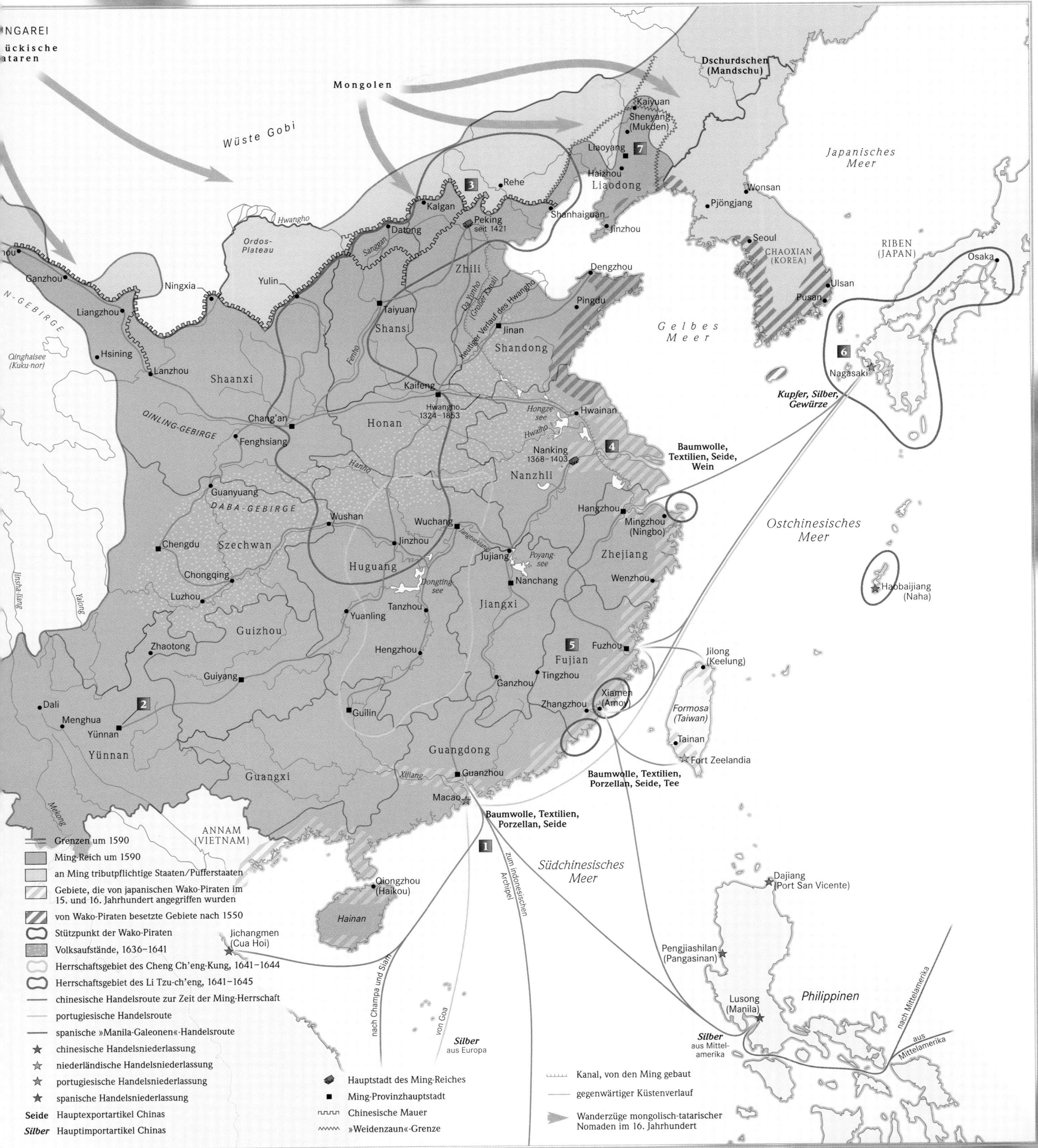

- Grenzen um 1590
- Ming-Reich um 1590
- an Ming tributpflichtige Staaten/Pufferstaaten
- Gebiete, die von japanischen Wako-Piraten im 15. und 16. Jahrhundert angegriffen wurden
- von Wako-Piraten besetzte Gebiete nach 1550
- Stützpunkt der Wako-Piraten
- Volksaufstände, 1636–1641
- Herrschaftsgebiet des Cheng Ch'eng-Kung, 1641–1644
- Herrschaftsgebiet des Li Tzu-ch'eng, 1641–1645
- chinesische Handelsroute zur Zeit der Ming-Herrschaft
- portugiesische Handelsroute
- spanische »Manila-Galeonen«-Handelsroute
- chinesische Handelsniederlassung
- niederländische Handelsniederlassung
- portugiesische Handelsniederlassung
- spanische Handelsniederlassung
- **Seide** Hauptexportartikel Chinas
- ***Silber*** Hauptimportartikel Chinas
- Hauptstadt des Ming-Reiches
- Ming-Provinzhauptstadt
- Chinesische Mauer
- »Weidenzaun«-Grenze
- Kanal, von den Ming gebaut
- gegenwärtiger Küstenverlauf
- Wanderzüge mongolisch-tatarischer Nomaden im 16. Jahrhundert

1577
Altan Khan übernimmt den reformierten tibetischen Buddhismus für die Mongolen.
1582
Die kaiserliche Administration in Peking verliert ihre Autorität durch zunehmende Korruption.
1590
1592–1593
Erfolglose japanische Invasion Koreas.
1597–1598
Die Japaner fallen erneut in Korea ein, werden aber zurückgeschlagen.
1615
Nurhachi wird in der östlichen Mandschurei Herrscher der Dschurdschen (Mandschu).
1610
1621
Nurhachi macht Liaoyang zur Hauptstadt der Mandschu.
1627
In Mittel- und Nordchina brechen erste Bauernaufstände aus.
1636
Die Mandschu proklamieren sich in Shenyang zur chinesischen Qing-Dynastie.
1630
1627–1637
Die Mandschu dringen in Korea ein und entmachten das mit den Ming verbündete Regime.
1641
Rivalisierende Rebellenregimes unter Li Tzu-ch'eng und Cheng Ch'eng-Kung beanspruchen die Macht.
1644
Die Mandschu vertreiben Li Tzu-ch'eng aus Peking und die Qing-Dynastie übernimmt die Macht.
1650

Von Kolumbus bis zur amerikanischen Unabhängigkeit (1492 bis 1783)

Der Aufstieg des chinesischen Mandschu-Reiches • 1644 bis 1783

Die Mandschu, Abkömmlinge der Dschurdschen-Stämme, die selbst Teil der größeren Gruppe der tungusisch-sibirischen Völker waren, lebten in einem Gebiet nördlich der koreanischen Halbinsel, das an die chinesische Enklave Liaodong grenzte. Unter ihrem ehrgeizigen Herrscher Nurhachi (1586 bis 1626) stiegen sie zu einer politischen Macht auf.

Nurhachi schuf 1615 eine Militärregierung nach mongolischem Vorbild und nahm im folgenden Jahr den Titel »Jin Khan« an, weil er an die Dschurdschen-Dynastie der Jin anknüpfen wollte, die im 12. Jahrhundert in dieser Region geherrscht hatte.

Gründung der Qing-Dynastie

Von 1620 bis 1640 nutzten die von Nurhachi geeinten Völker die Schwäche der Ming und brachten die mongolischen Gebiete nördlich der Großen Mauer, das Liaodong-Becken und das den Ming tributpflichtige Korea unter ihre Kontrolle. Nurhachi fiel zwar in einer Schlacht, aber sein Sohn Dorgun (1628 bis 1650) setzte sein Werk fort und nahm 1644 Peking ein; er führte für seinen Neffen die Regierungsgeschäfte, der im selben Jahr als erster Mandschu- oder Qing-Kaiser inthronisiert wurde. In den nächsten 15 Jahren brachen die Qing den restlichen Widerstand der Ming und ihrer Anhänger; als Letzte fiel die Provinz Yünnan im Südwesten.

Opium rauchende Chinesen: Seit Ende des 18. Jahrhunderts florierte der Opiumhandel in China; die Briten erzielten hier mit indischem Opium hohe Gewinne.

Ein General der Armee des frühen Mandschu-Reiches; Darstellung aus dem 17. Jahrhundert

Effizienz und Widerstand

Die Mandschu gingen bei der Reform der Verwaltung behutsamer vor als die Mongolen. Die leitenden Positionen der Ming-Institutionen besetzte man zwar mit Mandschu-Beamten und legte in die größeren Provinzstädte Garnisonen, aber insgesamt wurden keine radikal neuen Strukturen eingeführt. Die Mandschu hatten zunächst zwar kulturelle Veränderungen gefordert (so führten sie den charakteristischen kahl geschorenen Schädel mit Haarzopf ein), aber ihre zahlenmäßige Unterlegenheit gegenüber den Han-Chinesen bewirkte dann doch ihre vollständige Assimilierung im 18. Jahrhundert. Ihr bedeutendster Beitrag zur Entwicklung Chinas bestand darin, dass sie in Politik und Armee für eine beispiellose Dynamik und Effizienz sorgten.

Der Widerstand gegen die Mandschu-Herrschaft flammte 1674 wieder auf, als die Regierung in Peking die Autonomie der südlichen Provinz Guangdong beschneiden wollte und dies zu einem Volksaufstand führte, an dessen Spitze sich Wu Sangui, der Gouverneur von Yünnan und Guizhou, stellte. Von Shang Tzhi-xin in Guangdong und von Cheng Chingzhong in Fujian unterstützt (man bezeichnete das Trio als die »drei Lehnsleute«), wurde Wu erst nach Jahren besiegt. In dieser Zeit sah sich die Regierung mit einem Aufstand des Ming-Loyalisten Cheng Qing konfrontiert, dessen Vater Cheng Ch'eng-Kung im

ursprüngliches Mandschu-Gebiet im frühen 17. Jahrhundert
Territoriale Ausdehnung der Mandschu
bis 1644 (Erwerbung datiert)
1644–1697 (Erwerbung datiert)
1697–1783 (Erwerbung datiert)
Vasallenstaat der Mandschu vor 1644, datiert
Vasallenstaat der Mandschu, erworben oder bestätigt nach 1697
Aufstand des Wu Sangui, 1674–1681
Ming-loyale Gebiete, 1662–1683
Aufstand von Nicht-Han-Stämmen gegen die Mandschu
Mandschu-Hauptstadt
Provinzhauptstadt im Mandschu-Reich
Handelsroute
intensiver Küstenhandel
Seide Hauptexportartikel von Mandschu-China
Reis Hauptimportartikel von Mandschu-China
Wanderungen der kalmückischen Tataren
Wanderungen der oiratischen Mongolen Ende des 17./Anfang des 18. Jahrhunderts
Wanderungsbewegungen im Han-Reich (18. Jh.)
Grenzen gegen Ende des 18. Jahrhunderts
Chinesische Mauer
»Weidenzaun«-Grenze
Großer Kanal
heutiger Küstenverlauf
Kaschgar
Edelsteine, Seide, Te
in den Mittleren Orient
Jarkand
LADAKH
1783
Leh

1 Die Bezeichnung »Mandschu« soll sich von Mandschuschrei (Name eines buddhistischen Bodhisattva) ableiten, der seit 1579 in der Mongolei verehrt wurde. Der Ausdruck wurde allerdings nicht vor 1652 verwendet.

2 Den »Weidenzaun« um die Enklave Liaodong ließ man auch nach der Eroberung Chinas durch die Mandschu stehen, um den Han-Chinesen zu zeigen, dass sie in der Mandschurei nicht siedeln durften.

3 Die Provinz Gansu entstand 1715. Die großen, vormals mongolischen Territorien, die ihr im Jahr 1759 angegliedert wurden, unterstanden der direkten Verwaltung durch die kaiserliche Regierung in Peking.

4 Die Regionen Ili (Dsungarei) und Xinjiang standen während der Zeit der Mandschu-Herrschaft unter militärischer Kontrolle.

5 Die Verwaltungsreform der Mandschu schuf auch die Provinzen Anhwei (1662), Hunan (1664) und – später – Gansu.

6 Die Russen traten den von ihnen 1651 gegründeten Ort Albazin im Tausch gegen Handelskonzessionen an die Chinesen ab, die ihnen in Peking einen riesigen Markt für ihre Pelze öffneten.

7 Das gewaltige Bevölkerungswachstum, das das Mandschu-Reich im 18. Jahrhundert erlebte, löste eine Abwanderung in die Grenzprovinzen aus – so vor allem nach Szechwan (Sichuan) und Yünnan.

8 Die Eroberung der Insel Formosa durch die Mandschu brachte das heutige Taiwan erstmals unter kaiserlich-chinesische Herrschaft. Allerdings wurde die unwirtliche Ostseite von den Han-Chinesen bis zum späten 19. Jahrhundert kaum besiedelt.

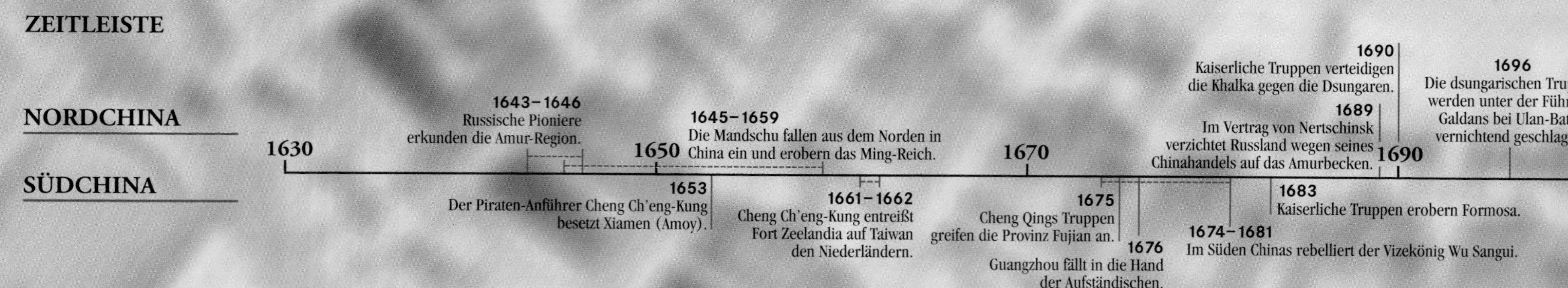

ZEITLEISTE
NORDCHINA
SÜDCHINA
1630
1650
1670
1690
1643–1646 Russische Pioniere erkunden die Amur-Region.
1645–1659 Die Mandschu fallen aus dem Norden in China ein und erobern das Ming-Reich.
1689 Im Vertrag von Nertschinsk verzichtet Russland wegen seines Chinahandels auf das Amurbecken.
1690 Kaiserliche Truppen verteidigen die Khalka gegen die Dsungaren.
1696 Die dsungarischen Trup werden unter der Führu Galdans bei Ulan-Batc vernichtend geschlage
1653 Der Piraten-Anführer Cheng Ch'eng-Kung besetzt Xiamen (Amoy).
1661–1662 Cheng Ch'eng-Kung entreißt Fort Zeelandia auf Taiwan den Niederländern.
1675 Cheng Qings Truppen greifen die Provinz Fujian an.
1676 Guangzhou fällt in die Hand der Aufständischen.
1674–1681 Im Süden Chinas rebelliert der Vizekönig Wu Sangui.
1683 Kaiserliche Truppen erobern Formosa.

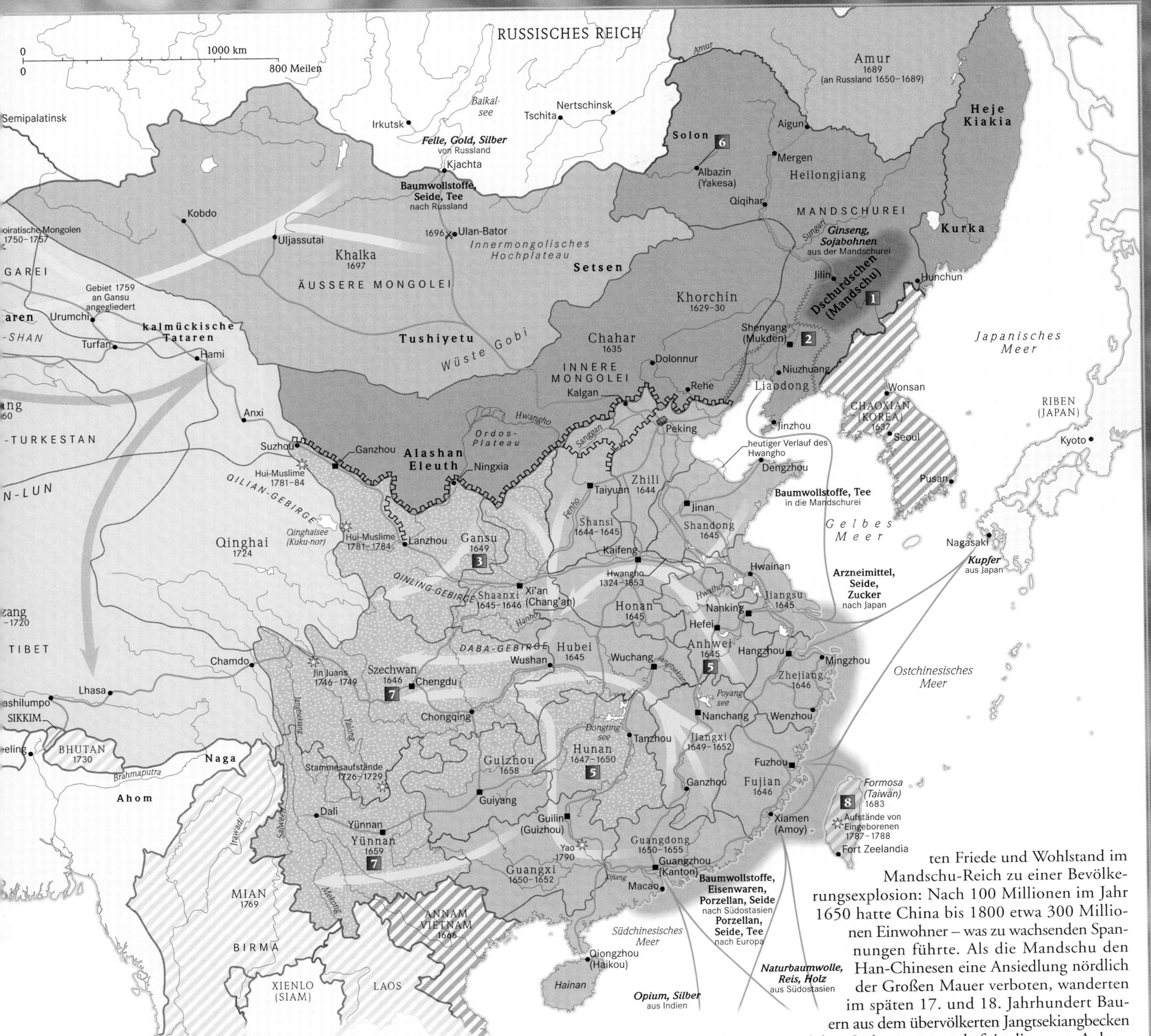

Jahr 1662 die Niederländer aus Taiwan (Formosa) vertrieben hatte.

Das grösste Reich Eurasiens

Erst 1726 bis 1729 störten wieder Erhebungen nicht chinesischer Stämme den mehr als hundertjährigen inneren Frieden, den die Mandschu genutzt hatten, das größte Flächenreich Eurasiens seit dem der Moguln aufzubauen. Die russischen Vorstöße ins Amurbecken unterband der Vertrag von Nertschinsk aus dem Jahr 1689. Danach hatten die Mandschu die Bedrohung durch die Mongolen beseitigt und die Dsungaren mit größter Brutalität unterworfen. 1783 unterstellten sie auch Tibet und – zumindest nominell – dessen Vasallenstaaten Bhutan, Sikkim und Ladakh sowie die früheren turkomongolischen Khanate Ostturkestans ihrer Verwaltung. Birma und Laos wurden China tributpflichtig und Mandschu-Truppen standen zum Einmarsch in Nepal und Annam bereit.

Bevölkerungsexplosion

Nach den Kriegen und Pestepidemien, die die Region im 17. Jahrhundert heimgesucht hatten, führten Friede und Wohlstand im Mandschu-Reich zu einer Bevölkerungsexplosion: Nach 100 Millionen im Jahr 1650 hatte China bis 1800 etwa 300 Millionen Einwohner – was zu wachsenden Spannungen führte. Als die Mandschu den Han-Chinesen eine Ansiedlung nördlich der Großen Mauer verboten, wanderten im späten 17. und 18. Jahrhundert Bauern aus dem übervölkerten Jangtsekiangbecken und dem Südosten massenhaft in die neuen Anbaugebiete im Westen und Südwesten. Die Behörden hielten den Außenhandel zwar in Gang, beschränkten die Aktivitäten ausländischer Kaufleute jedoch auf Guangzhou (Kanton) im Süden und Kjachta im Norden. Der Export chinesischer Luxusgüter im Tausch gegen Silber sorgte für eine starke Geldwirtschaft. Ende des 18. Jahrhunderts setzte aufgrund von Korruption in der Administration der Niedergang des Mandschu-Reiches ein, es kam zu sozialen Unruhen. Eine Rolle spielte dabei sicher auch der beginnende Opiumhandel mit Europa.

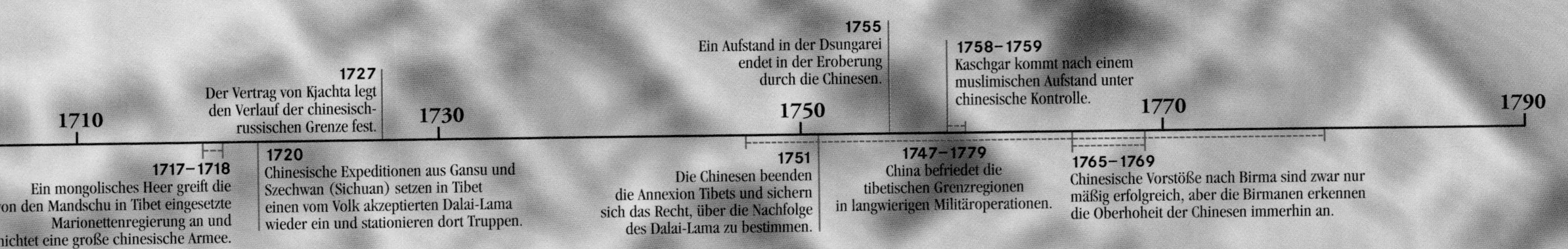
1710
1730
1750
1770
1790
1717–1718
Ein mongolisches Heer greift die von den Mandschu in Tibet eingesetzte Marionettenregierung an und vernichtet eine große chinesische Armee.
1720
Chinesische Expeditionen aus Gansu und Szechwan (Sichuan) setzen in Tibet einen vom Volk akzeptierten Dalai-Lama wieder ein und stationieren dort Truppen.
1727
Der Vertrag von Kjachta legt den Verlauf der chinesisch-russischen Grenze fest.
1751
Die Chinesen beenden die Annexion Tibets und sichern sich das Recht, über die Nachfolge des Dalai-Lama zu bestimmen.
1755
Ein Aufstand in der Dsungarei endet in der Eroberung durch die Chinesen.
1747–1779
China befriedet die tibetischen Grenzregionen in langwierigen Militäroperationen.
1758–1759
Kaschgar kommt nach einem muslimischen Aufstand unter chinesische Kontrolle.
1765–1769
Chinesische Vorstöße nach Birma sind zwar nur mäßig erfolgreich, aber die Birmanen erkennen die Oberhoheit der Chinesen immerhin an.

Von Kolumbus bis zur amerikanischen Unabhängigkeit (1492 bis 1783)

Japan und das Tokugawa-Shogunat • 1500 bis 1800

Das Japan des letzten Jahrhunderts des Aschikaga-Shogunats (1338–1573) war durch eine starke politische Zersplitterung – Folge des Onin-Krieges (1467 bis 1477) – geprägt. Nach diesem Krieg verteilte sich die Macht auf viele Daimyo (Feudalherren), während die Autorität des Kaisers und seines Shoguns (Kronfeldherren) nur noch nominell bestand.

Die daraus resultierende Instabilität wuchs zusätzlich durch immer häufigere Volksaufstände, zu denen zumeist die buddhistischen Klöster anstachelten. Die übliche religiöse Militanz der Mönche und die unabhängigen Kaufmannsgilden boten sich den Massen als Alternative an.

Japaner beobachten die Ankunft portugiesischer Kaufleute; ab 1639 wurde den Fremden der Zugang zu Japans Häfen verwehrt.

Die Zeit der nationalen Einigung

1568 betrat mit dem Feldherrn Oda Nobunaga, Herr des Oda-Klans, der erste einer Reihe von Führern die politische Bühne, die für den Kraftakt einer Einigung Japans stark genug waren. Nobunaga eroberte in diesem Jahr die Hauptstadt Kyoto; danach zerstörte er die buddhistischen Tempel und liquidierte ihre Mönche. Die Einführung von Feuerwaffen durch die Portugiesen (1542) hatte die japanische Kriegführung gründlich verändert – man baute Musketen in großer Zahl nach und entwickelte neue Taktiken, um diese Feuerkraft zu nutzen. Als noch wichtiger stellte sich der Bau eines neuen Burgtyps heraus, den Nobunaga zuerst mit seiner eigenen Anlage in Azuchi gestalten ließ. Im Unterschied zu früheren Burgen wurde Azuchi so angelegt, dass die Festung nicht nur die Reisfelder und Verkehrswege der Ebene schützte, sondern auch als Verwaltungszentrum diente. Diese Neuentwicklung erwies sich als so bedeutend, dass in Japan das Zeitalter der nationalen Einigung nach der Burg Nobunagas und der seines Stellvertreters Hideyoshi als Azuchi-Momoyama-Periode bezeichnet wird.

Hideyoshi (mit dem Beinamen Toyotomi, »der Wohlhabende«), der aus einfachen Verhältnissen stammte, war ein militärisches Genie. Unter seiner Führung eroberten die Oda-Regimenter die Gebiete ihrer Rivalen, der Akechi, Shibata und Mori, um dann weiter nach Nordosten auf Takeda- und Uesugi-Territorium vorzustoßen. Nach Nobunagas Tod im Jahr 1582 stieg Hideyoshi zum Herrscher über fast ganz Zentraljapan auf und verbündete sich mit seinem gefährlichsten Gegner Tokugawa Ieyasu. Es folgten Feldzüge gegen rivalisierende Herren auf Shikoku und Kyushu. 1590 brachte Hideyoshi nach der Eroberung der Burg des Hojo-Klans auch Ostjapan unter seine Kontrolle.

Kampfgetümmel in Samurai-Tradition: Szene einer Belagerung der Burg Osaka

1 **Bis der Lokalherrscher Omura den Ort ab 1570 zu Japans Hauptexporthafen ausbaute, war Nagasaki ein unbedeutendes Fischerdorf.**

2 **Die Station der niederländischen Ostindischen Kompanie auf Hirado wurde 1641 auf die Insel Deshima vor Nagasaki verlegt. Um ihre Handelsprivilegien zu behalten, mussten sich die Kaufleute symbolische Demütigungen gefallen lassen.**

3 **Die Invasion Koreas durch Hideyoshi wurde von Kato Kiyomasa und Konishi Yukinaga befehligt. Konishi eroberte zwar 1592 Pusan, aber die Ming-Marine zerstörte die japanische Flotte, so dass den Landtruppen der Rückzug abgeschnitten war.**

4 **Der Bau der Burg Azuchi am Biwasee wurde 1576 von Oda Nobunaga begonnen. Viele Daimyo kopierten in den folgenden Jahrzehnten diesen absolut neuen Burgtyp.**

5 **Edo (Tokio), seit 1590 Regierungssitz und militärisches Hauptquartier Tokugawa Ieyasus, entwickelte sich schnell zur Rivalin der alten Hauptstadt Kyoto.**

6 **Die Festung Osaka, in der Hideyoshis Sohn Hideyori residierte, war Zentrum der Opposition gegen die Herrschaft Ieyasus, wurde dann aber von dessen Truppen 1614 bis 1615 eingenommen.**

7 **Die »gokaido« (»Fünf Straßen«) bildeten ein Netz von Verkehrswegen, die alle auf den Hof des Shogun zuliefen. Landesherren, die dorthin unterwegs waren, mussten immer wieder an Kontrollstellen ihre Reisepapiere vorweisen.**

Politische Reformen

Hideyoshis Eroberungen erfolgten vor dem Hintergrund politischer Veränderungen, die weitere soziale Unruhen verhindern wollten. Er ließ die Bauern entwaffnen und setzte durch, dass die Kriegerkaste der Samurai künftig in den befestigten Städten wohnte, damit sich rebellische Dörfer nicht mehr auf die Unterstützung der in ihrer Mitte lebenden Krieger verlassen konnten. Das Steuersystem wurde nach einer unpopulären Erhebung reformiert und der Handel unter die Kontrolle der Regierung gestellt. Ferner versuchte man, das Christentum zu unterdrücken, das sich vom portugiesischen Stützpunkt Nagasaki aus verbreitet hatte und nun als subversiv galt.

Strenge Gesetze, Abschirmung nach aussen

Nachdem Korea in den 90er-Jahren des 16. Jahrhunderts mit Unterstützung Chinas zwei japanische

Zeitleiste

Einigung Japans

1540 – **1580** – **1620**

1568 Oda Nobunaga erobert Kyoto und kontrolliert danach ganz Zentraljapan.

1571–1582 Hideyoshi erobert für Nobunaga Territorien im westlichen und östlichen Japan.

1582 Tod Nobunagas; Hideyoshi tritt seine Nachfolge an.

1590 Hideyoshi erobert ganz Ost- und Nordjapan.

1592 Hideyoshis Invasionsversuch in Korea scheitert.

1597–1598 Auch die zweite Invasion in Korea misslingt.

1600 Tokugawa Ieyasu wird Nachfolger Hideyoshis.

Ausländische Einflüsse

1542 Die ersten portugiesischen Kaufleute treffen auf Tanegashima ein.

1548–1551 Missionen in Kyoto und Westjapan bekehren die ersten Japaner zum Christentum.

1570 Der Herrscher von Nagasaki öffnet den Hafen für den Exporthandel.

1609 Die Niederländer gründen auf Hirado eine Handelsstation.

1612–1632 Systematische Christenverfolgungen unter Ieyasu und Hidetada.

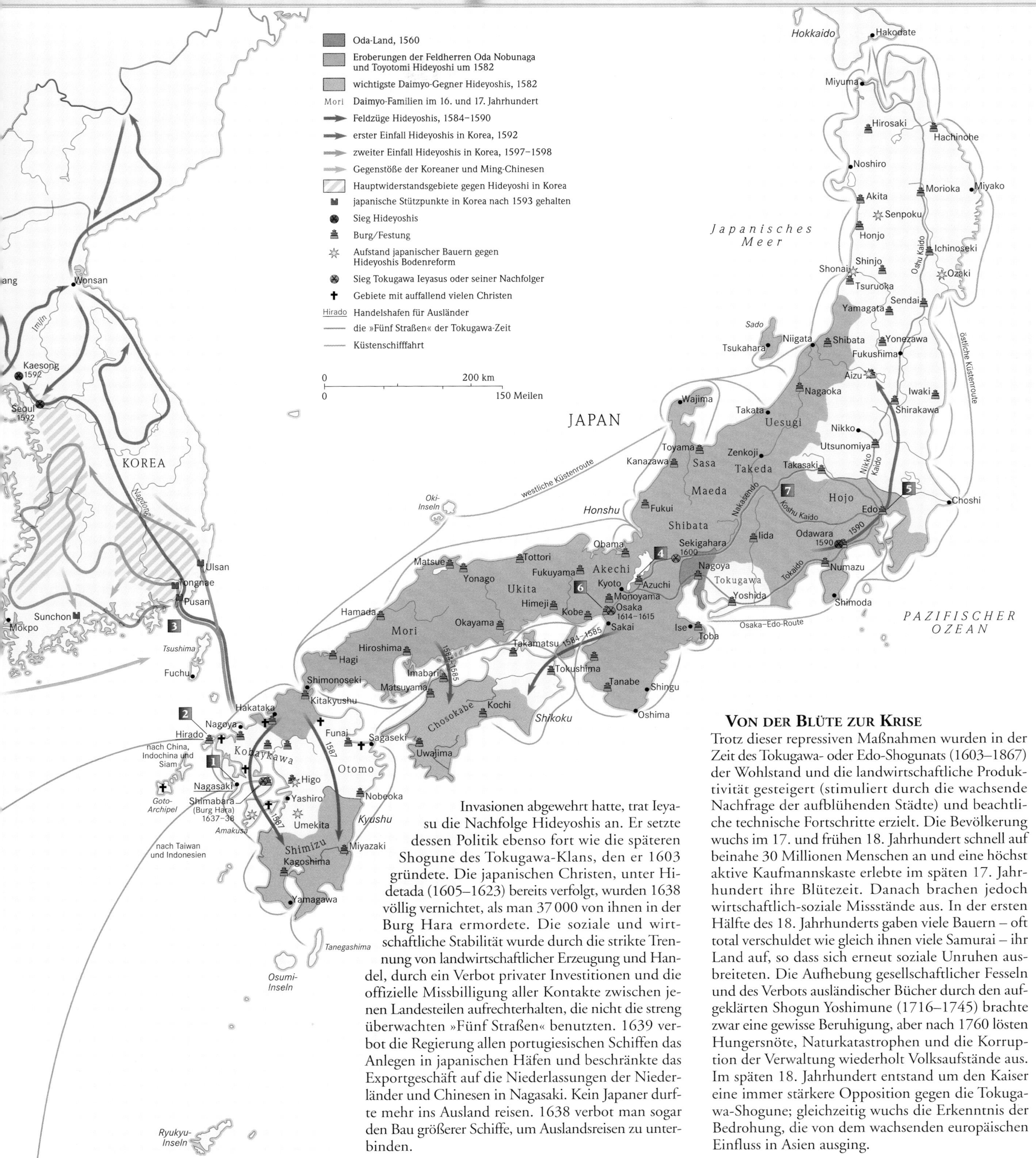

Oda-Land, 1560
Eroberungen der Feldherren Oda Nobunaga und Toyotomi Hideyoshi um 1582
wichtigste Daimyo-Gegner Hideyoshis, 1582
Mori Daimyo-Familien im 16. und 17. Jahrhundert
Feldzüge Hideyoshis, 1584–1590
erster Einfall Hideyoshis in Korea, 1592
zweiter Einfall Hideyoshis in Korea, 1597–1598
Gegenstöße der Koreaner und Ming-Chinesen
Hauptwiderstandsgebiete gegen Hideyoshi in Korea
japanische Stützpunkte in Korea nach 1593 gehalten
Sieg Hideyoshis
Burg/Festung
Aufstand japanischer Bauern gegen Hideyoshis Bodenreform
Sieg Tokugawa Ieyasus oder seiner Nachfolger
Gebiete mit auffallend vielen Christen
Hirado Handelshafen für Ausländer
die »Fünf Straßen« der Tokugawa-Zeit
Küstenschifffahrt

Invasionen abgewehrt hatte, trat Ieyasu die Nachfolge Hideyoshis an. Er setzte dessen Politik ebenso fort wie die späteren Shogune des Tokugawa-Klans, den er 1603 gründete. Die japanischen Christen, unter Hidetada (1605–1623) bereits verfolgt, wurden 1638 völlig vernichtet, als man 37 000 von ihnen in der Burg Hara ermordete. Die soziale und wirtschaftliche Stabilität wurde durch die strikte Trennung von landwirtschaftlicher Erzeugung und Handel, durch ein Verbot privater Investitionen und die offizielle Missbilligung aller Kontakte zwischen jenen Landesteilen aufrechterhalten, die nicht die streng überwachten »Fünf Straßen« benutzten. 1639 verbot die Regierung allen portugiesischen Schiffen das Anlegen in japanischen Häfen und beschränkte das Exportgeschäft auf die Niederlassungen der Niederländer und Chinesen in Nagasaki. Kein Japaner durfte mehr ins Ausland reisen. 1638 verbot man sogar den Bau größerer Schiffe, um Auslandsreisen zu unterbinden.

Von der Blüte zur Krise

Trotz dieser repressiven Maßnahmen wurden in der Zeit des Tokugawa- oder Edo-Shogunats (1603–1867) der Wohlstand und die landwirtschaftliche Produktivität gesteigert (stimuliert durch die wachsende Nachfrage der aufblühenden Städte) und beachtliche technische Fortschritte erzielt. Die Bevölkerung wuchs im 17. und frühen 18. Jahrhundert schnell auf beinahe 30 Millionen Menschen an und eine höchst aktive Kaufmannskaste erlebte im späten 17. Jahrhundert ihre Blütezeit. Danach brachen jedoch wirtschaftlich-soziale Missstände aus. In der ersten Hälfte des 18. Jahrhunderts gaben viele Bauern – oft total verschuldet wie gleich ihnen viele Samurai – ihr Land auf, so dass sich erneut soziale Unruhen ausbreiteten. Die Aufhebung gesellschaftlicher Fesseln und des Verbots ausländischer Bücher durch den aufgeklärten Shogun Yoshimune (1716–1745) brachte zwar eine gewisse Beruhigung, aber nach 1760 lösten Hungersnöte, Naturkatastrophen und die Korruption der Verwaltung wiederholt Volksaufstände aus. Im späten 18. Jahrhundert entstand um den Kaiser eine immer stärkere Opposition gegen die Tokugawa-Shogune; gleichzeitig wuchs die Erkenntnis der Bedrohung, die von dem wachsenden europäischen Einfluss in Asien ausging.

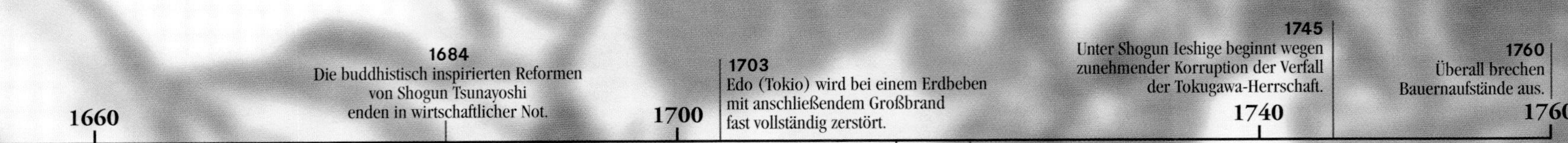
1684
Die buddhistisch inspirierten Reformen von Shogun Tsunayoshi enden in wirtschaftlicher Not.
1703
Edo (Tokio) wird bei einem Erdbeben mit anschließendem Großbrand fast vollständig zerstört.
1745
Unter Shogun Ieshige beginnt wegen zunehmender Korruption der Verfall der Tokugawa-Herrschaft.
1760
Überall brechen Bauernaufstände aus.
1660
1700
1740
1760
37–1641
treibung der portugiesischen ufleute aus Japan.
1715
Starke Einschränkung des niederländisch-japanischen Handels.
1720
Yoshimune erlaubt die Einfuhr europäischer Bücher und ermöglicht so Fortschritte in Wissenschaft und Medizin.

Von Kolumbus bis zur amerikanischen Unabhängigkeit (1492 bis 1783)

Südostasien • 1500 bis 1800

Zwischen 1500 und 1800 nahm der Einfluss der Europäer auf den Inseln Südostasiens zwar zu, auf dem Festland blieb er aber eng begrenzt. Das stark auf Handel ausgerichtete Wirtschaftsleben der Inselstaaten im indonesischen Archipel sah sich bis Mitte des 18. Jahrhunderts in Konkurrenz mit den europäischen Mächten. Auch der Islam hielt die Europäer auf Distanz.

Im Zeitalter zwischen 1500 und 1800 gründeten die Völker des südostasiatischen Festlands – Birmanen, Arakaner, Thai, Khmer, Vietnamesen und Laoten – neue Staaten oder bauten die bestehenden aus. Nur den Shan und den Mon gelang dies nicht. Tabin Schweti von Toungo (1535–1550) versuchte um 1540 erstmals, Birmanen und Mon in einem Reich zu vereinen. Toungo expandierte nach Norden und vereinnahmte die alte birmanische Hauptstadt Pagan; 1546 wurde im Süden Pegu, das Reich der Mon, erobert. Die Laoten von Lan Chang weiteten ihren Herrschaftsbereich 1548 über das Thai-Reich Chiang Mai hinaus nach Westen aus. Im selben Jahr griff Toungo erfolglos das Thai-Reich Ayutthaya an; daraus entstand eine lange Feindschaft zwischen Birmanen und Thai. Toungo eroberte zunächst das von einem 20-jährigen Krieg gegen die Shan geschwächte Ava und annektierte im Jahr 1556 Chiang Mai. Das neue birmanische Reich bestand bis 1600, als ein neuer Staat um Ava entstand, dessen Territorium sich aber weitgehend mit dem des alten Reiches deckte.

Das vietnamesische Annam

Das vietnamesische Reich Annam (für die Vietnamesen Dai Viet) breitete sich auf Kosten des Hindu-Reiches Champa weiter nach Süden aus und eroberte 1471 schließlich dessen Hauptstadt Vijaya. Als die Vietnamesen die schon von anderen Völkern bewohnte Ostküste Hinterindiens zu besiedeln begannen, mussten sie erkennen, dass diese nur schwer zu kontrollieren seien. So kam es 1600 zur Reichsteilung – das alte Dai Viet im Delta des Roten Flusses wurde als »Tongking« bekannt und das südliche Reich mit seiner in der Nähe des heutigen Huê gelegenen Hauptstadt als »Cochinchina«.

Cochinchina expandierte weiter; es eroberte den Rest Champas und dann Kambodscha. 1690 war das Gebiet um Saigon vietnamesisch, ein Teil Kambodschas stand fast das ganze 18. Jahrhundert über unter vietnamesischer oder siamesischer Oberhoheit. Das Lao-Reich Lan Chang zerfiel im 17. Jahrhundert in die drei Fürstentümer Luang Prabang, Vientiane und Champassak.

BATAVIA.

Batavia, das heutige Jakarta, wurde 1619 von der niederländischen Ostindischen Kompanie als ihr wichtigster asiatischer Stützpunkt gegründet.

Die bedrohliche Macht der Europäer

Die mächtigeren der Festlandstaaten betrachteten eine Kooperation mit den Europäern, die Handelsgewinne und Waffenerwerb versprach, angesichts der eigenen Eroberungskriege für äußerst nützlich. Sie begannen aber schon bald, die Fremden zu fürchten. 1688 stürzte ein antiausländischer Aufstand die siamesische Monarchie; Siam und die beiden Vietnamreiche zogen von nun an den Handel mit dem weniger bedrohlichen China vor.

Im Jahr 1521 war Magellan auf den Philippinen ums Leben gekommen. 1571 begann die spanische Besiedlung von Manila. Die Stadt wurde das Zentrum des spanischen Asienhandels und war seit 1650 Ausgangspunkt der Christianisierung der nördlichen und westlichen Philippinen.

Inselstaaten und Handelszentren

Das Gros des Handels der ostindischen Inseln mit Europa, dem Indischen Ozean, China und Südostasien kontrollierte bis 1511 das Sultanat Malakka. In diesem Jahr fiel dieses an die Portugiesen, die dort eine Festung bauten. Muslimische Kaufleute entfalteten ihre Aktivitäten überall in der Region und stärkten die im 16. und 17. Jahrhundert neu entstehenden Inselmächte, vor allem Aceh, Bantam und Mataram. Aceh und Bantam kontrollierten den Pfefferhandel mit Sumatra und Westjava und beherrschten den Weltmarkt bis 1600. Weiter im Osten bauten die Portugiesen Forts in Ternate, Amboina, Solor und Kupang, allesamt Regionen, die für den Gewürznel-

1 Die einigende Kraft des Islam und praktischer Handelsinteressen bewirkte im 15. und 16. Jahrhundert die Übernahme des Malaiischen als Verkehrssprache durch die Völker Indonesiens.

2 Unter Sultan Agung (1613 bis 1643) beherrschte Mataram, abgesehen von der niederländischen Enklave Batavia, ganz Java. Die Niederländer brachten die Insel erst im späten 17. Jahrhundert in ihren Besitz.

3 Die Niederländer eroberten 1623 die englischen Handelsniederlassungen auf Amboina und verdrängten die Briten aus dem Gewürzhandel.

4 Nachdem Malakka 1641 an die Niederlande verloren gegangen war, stiegen die portugiesischen Kaufleute in Macao zu den Hauptlieferanten Spaniens für chinesische Seide auf.

5 »Manila-Galeonen« brachten Silber aus Acapulco nach Manila und kehrten von dort mit chinesischer Seide zurück, bis die heutige philippinische Hauptstadt 1764 von den Briten besetzt wurde.

6 Ayutthaya wurde 1767 durch eine birmanische Invasion zerstört. Um Thon Buri (Bangkok) entstand 1782 ein neues siamesisches Reich.

7 Großbritannien eroberte 1781 die niederländischen Ansiedlungen in Westsumatra, tauschte sie jedoch 1783 gegen Handelsrechte im gesamten Bereich Niederländisch-Ostindiens ein.

Schätze des Reiches Siam: goldene Gefäße aus den Krypten des Vat Ratchaburana in der alten thailändischen Königsstadt Ayutthaya; Nationalmuseum Chao Sam Praya

ZEITLEISTE

SÜDOSTASIEN: FESTLAND

1500

1519–1520 Die Portugiesen errichten in Mataban und Syriam Handelsniederlassungen.

1533 Das Dai-Viet-Reich zerfällt in Kleinstaaten.

1539 Toungo beginnt mit der Einigung Birmas.

1550

1555 Toungo erobert Ava und annektiert Chiang Mai (1556).

1602 Die Niederländer richten in Patani eine Handelsstation ein.

1600

1610 Das Birma-Reich Ava erobert Toungo.

1611 Cochinchina schließt die Eroberung Champas ab.

SÜDOSTASIEN: INSELWELT

1511 Die Portugiesen erobern unter Albuquerque Malakka.

1520 Aufstieg der islamischen Staaten Aceh und Bantam.

1571 Die Spanier gründen Manila als Hauptstadt der Philippinen.

1596 In Bantam trifft die erste niederländische Flotte ein.

1602 Gründung der niederländischen Ostindischen Kompanie; ab 1619 befindet sich ihre Zentrale in Batavia.

1624–16 Die Niederlän besetzen Tai (Formos

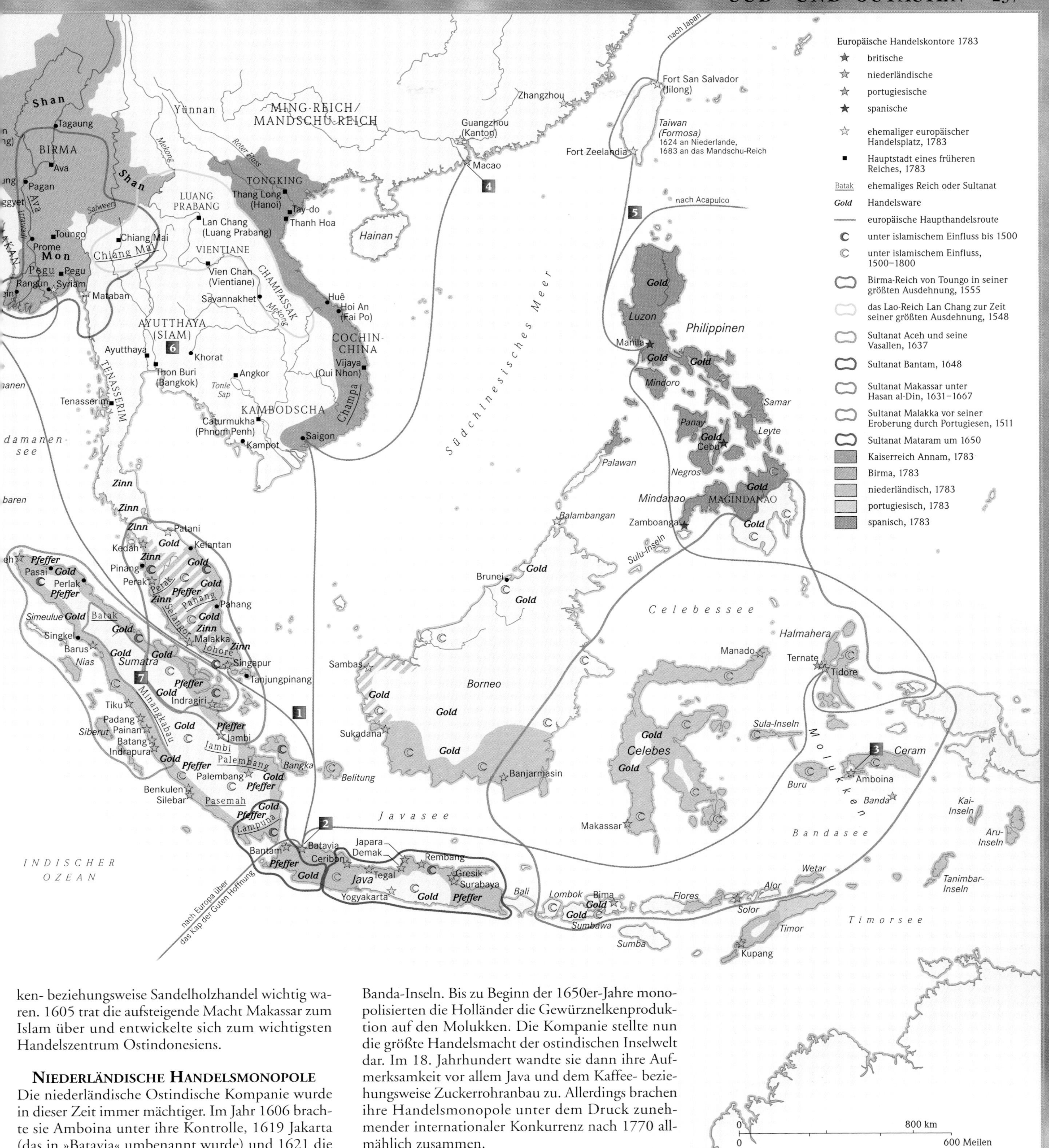
Europäische Handelskontore 1783
britische
niederländische
portugiesische
spanische
ehemaliger europäischer Handelsplatz, 1783
Hauptstadt eines früheren Reiches, 1783
Batak ehemaliges Reich oder Sultanat
Gold Handelsware
europäische Haupthandelsroute
unter islamischem Einfluss bis 1500
unter islamischem Einfluss, 1500–1800
Birma-Reich von Toungo in seiner größten Ausdehnung, 1555
das Lao-Reich Lan Chang zur Zeit seiner größten Ausdehnung, 1548
Sultanat Aceh und seine Vasallen, 1637
Sultanat Bantam, 1648
Sultanat Makassar unter Hasan al-Din, 1631–1667
Sultanat Malakka vor seiner Eroberung durch Portugiesen, 1511
Sultanat Mataram um 1650
Kaiserreich Annam, 1783
Birma, 1783
niederländisch, 1783
portugiesisch, 1783
spanisch, 1783
nach Japan
Fort San Salvador (Jilong)
Zhangzhou
MING-REICH/ MANDSCHU-REICH
Yünnan
Shan
Tagaung
BIRMA
Ava
Pagan
Guangzhou (Kanton)
Macao
Taiwan (Formosa) 1624 an Niederlande, 1683 an das Mandschu-Reich
Fort Zeelandia
Roter Fluss
Mekong
TONGKING
Thang Long (Hanoi)
Tay-do
Thanh Hoa
LUANG PRABANG
Lan Chang (Luang Prabang)
Salween
Hainan
nach Acapulco
Toungo
Prome
Chiang Mai
Mon
Pegu
Rangun
Syriam
Martaban
VIENTIANE
Vien Chan (Vientiane)
CHAMPASSAK
Savannakhet
Huê
Hoi An (Fai Po)
AYUTTHAYA (SIAM)
Ayutthaya
Khorat
Thon Buri (Bangkok)
Angkor
Tonle Sap
COCHIN-CHINA
Vijaya (Qui Nhon)
Champa
TENASSERIM
Tenasserim
KAMBODSCHA
Caturmukha (Phnom Penh)
Kampot
Saigon
Südchinesisches Meer
Luzon
Philippinen
Manila
Gold
Mindoro
Samar
Panay
Leyte
Cebu
Palawan
Negros
Mindanao
MAGINDANAO
Zamboanga
Balambangan
Sulu-Inseln
Zinn
Patani
Kedah
Kelantan
Pfeffer
Pasai
Perlak
Pinang
Perak
Pahang
Selangor
Simeulue
Batak
Singkel
Malakka
Johore
Barus
Nias
Sumatra
Singapur
Tanjungpinang
Minangkabau
Indragiri
Tiku
Padang
Painan
Siberut
Batang
Indrapura
Jambi
Palembang
Bangka
Belitung
Benkulen
Silebar
Pasemah
Lampung
Bantam
Batavia
Ceribon
Japara
Demak
Rembang
Gresik
Surabaya
Tegal
Java
Yogyakarta
Bali
Lombok
Bima
Sumbawa
Sumba
Flores
Alor
Solor
Timor
Kupang
Brunei
Sambas
Borneo
Sukadana
Banjarmasin
Javasee
Celebessee
Celebes
Makassar
Manado
Halmahera
Ternate
Tidore
Sula-Inseln
Molukken
Buru
Ceram
Amboina
Banda
Kai-Inseln
Aru-Inseln
Bandasee
Wetar
Tanimbar-Inseln
Timorsee
INDISCHER OZEAN
nach Europa über das Kap der Guten Hoffnung
0 800 km
0 600 Meilen

ken- beziehungsweise Sandelholzhandel wichtig waren. 1605 trat die aufsteigende Macht Makassar zum Islam über und entwickelte sich zum wichtigsten Handelszentrum Ostindonesiens.

Niederländische Handelsmonopole

Die niederländische Ostindische Kompanie wurde in dieser Zeit immer mächtiger. Im Jahr 1606 brachte sie Amboina unter ihre Kontrolle, 1619 Jakarta (das in »Batavia« umbenannt wurde) und 1621 die Banda-Inseln. Bis zu Beginn der 1650er-Jahre monopolisierten die Holländer die Gewürznelkenproduktion auf den Molukken. Die Kompanie stellte nun die größte Handelsmacht der ostindischen Inselwelt dar. Im 18. Jahrhundert wandte sie sich dann ihre Aufmerksamkeit vor allem Java und dem Kaffee- beziehungsweise Zuckerrohranbau zu. Allerdings brachen ihre Handelsmonopole unter dem Druck zunehmender internationaler Konkurrenz nach 1770 allmählich zusammen.

1650 — 1700 — 1750 — 1800

31–1660 Sultanat Malakka eicht seine Blütezeit.

1667 Die Niederländer erobern das Sultanat Malakka.

1684 Die niederländische Ostindische Kompanie besetzt das Sultanat Bantam.

1685 Großbritannien richtet in Benkulen eine Handelsstation für Pfeffer ein.

1688 Französischer Druck löst in Ayutthaya einen Aufstand und den Sturz König Narais aus.

1740 Das Mon-Reich Pegu erhebt sich gegen die birmanische Herrschaft und erobert 1752 Ava.

1753 Alaungpaja stellt ein vereintes Birma wieder her und weist alle Ausländer aus dem Land.

1762–1764 Eine britische Flotte erobert Manila.

1766 Die Mandschu starten den ersten von vier Versuchen, Birma zu erobern.

1767 Die Birmanen zerstören Ayutthaya.

1773–1775 Die englische Ostindische Kompanie besetzt einen Stützpunkt auf Balambangan.

1781 Großbritannien raubt den Niederlanden alle Besitzungen in Westsumatra; später tauscht es sie gegen Handelskonzessionen ein.

Von Kolumbus bis zur amerikanischen Unabhängigkeit (1492 bis 1783)

Die Entdeckung Spanisch-Amerikas • 1492 bis 1783

Die spanischen Eroberungen in der Neuen Welt hatten für die Region selbst und für Europa weit reichende Folgen. Das spanische Reich war bald das bis dahin größte der Weltgeschichte – abgesehen von dem Reich der Mongolen. Erfüllt vom Überlegenheitsgefühl der christlichen Weltsicht, zerstörten die Spanier vorgefundene Kulturen und dezimierten die Eingeborenen.

Die gewaltigen Silbervorkommen der Neuen Welt finanzierten indes die ehrgeizigen Ziele der Habsburger und stützten zugleich den gesamten europäischen Handel. Der spanische Vorstoß nach Übersee setzte gegen Ende des 15. Jahrhunderts mit den spektakulären Entdeckungsfahrten großer Pioniere wie Christoph Kolumbus und Amerigo Vespucci ein. Nach der Entdeckung der »Westindischen Inseln« durch Kolumbus entstanden dort rasch europäische Dauersiedlungen.

Bartolomé de Las Casas (1474–1566), spanischer Geistlicher und Chronist, setzte sich für die Verbesserung der Lebensbedingungen der Indianer ein.

Das spanische Kolonialreich – Wohlstand dank Ausbeutung

Die Kolonisation der Karibik begann in Santo Domingo auf der Insel Hispaniola und vermittelte einen Vorgeschmack auf die spanische Herrschaft in den neuen Territorien: Einerseits entstanden sogleich administrative, juristische und kirchliche Einrichtungen nach heimischem Muster, andererseits fielen die Aruak und andere karibische Eingeborenenvölker brutaler Behandlung und Seuchen zum Opfer.

Kolumbus taufte am 12. Oktober 1492 die Bahamas-Insel, die die Eingeborenen Guanahani nannten, auf den Namen San Salvador.

Die Spanier wollten von Anfang an nur ein Kolonialreich, denn ihr Hauptinteresse lag in der Beherrschung, wirtschaftlichen Ausbeutung und Bekehrung der Eingeborenen. Hernándo Cortés und Francisco Pizarro stießen bei der Eroberung des Azteken-Reiches in Mexiko beziehungsweise des Inka-Reiches in Peru auf zentral regierte, bevölkerungsreiche und beeindruckend entwickelte Staaten, deren Widerstand sie allein wegen deren inneren Zwistigkeiten relativ leicht brechen konnten. Jenseits der Grenzen dieser Reiche war das Land nur dünn besiedelt, unwirtlich und für Europäer praktisch unzugänglich. Kein Wunder, dass diese »Hinterlandgebiete« noch um 1800 nur zum Teil erobert waren.

Der Wohlstand des spanischen Königreiches gründete vor allem auf dem Gold und Silber aus Mexiko und den Anden. Diese Edelmetalle, die die Azteken und Inka nur in eher geringen Mengen zur Herstellung von Kultgegenständen gefördert hatten, wurden nun von den Spaniern in riesigen Mengen abgebaut und verschifft. Das erforderte regelmäßig verkehrende Transportflotten mit Begleitschutz, die Sevilla als Zielhafen mit Veracruz an der mexikanischen Ostküste oder mit Peru und der Westküste Mittelamerikas verbanden.

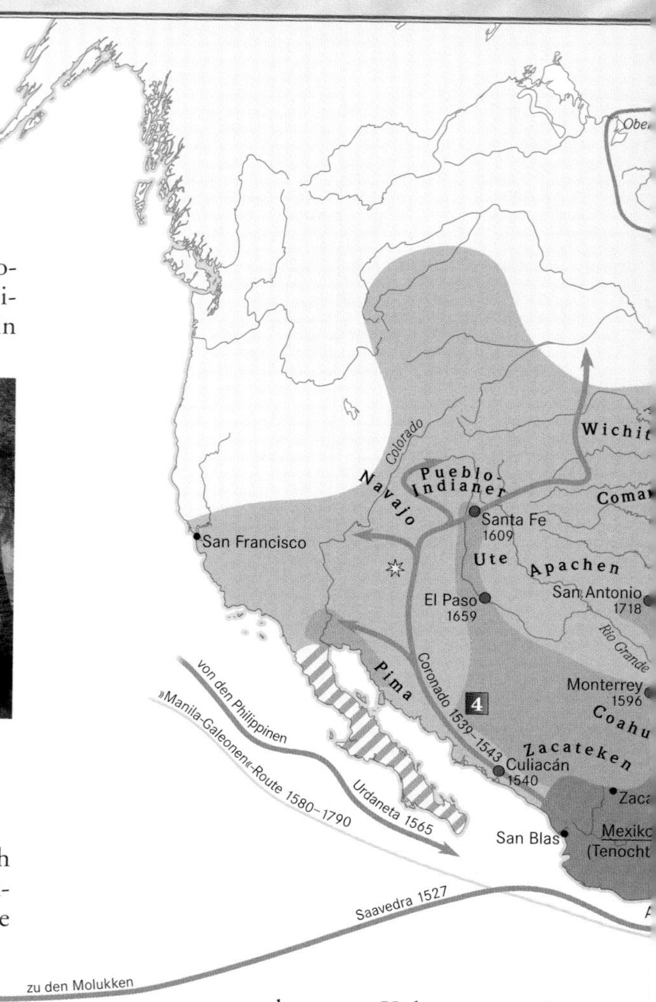

Spanien und die britische Expansion

Spanien wurde von seinen europäischen Rivalen zwar häufig herausgefordert, aber diese Angriffe blieben zumeist folgenlos. Seit etwa 1570 wurden die wichtigeren Häfen immer wieder angegriffen. Die Eroberung Jamaikas durch Großbritannien im Jahr 1655 war zwar – strategisch gesehen – ein schwerer Schlag, doch blieb Spaniens Kolonialreich bis zum Siebenjährigen Krieg (1756–1763) weitgehend ungefährdet. 1762 eroberten die Briten auch Havanna und die Spanier vermochten ihre Vormacht nur durch die

1 Kuba wurde ab 1511 von Spanien besiedelt. Zu den Kolonisten zählte auch Hernándo Cortés, der acht Jahre später aufbrach, um das Azteken-Reich zu erobern. 1550 lebten von den ursprünglich 50 000 Eingeborenen Kubas nur noch 5000 Menschen.

2 1521 gründete Bartolomé de Las Casas in Cumaná eine Kolonie. Die Mission des Dominikaners, eine menschliche Behandlung der eingeborenen Bevölkerung zu erreichen, scheiterte jedoch.

3 Havanna stellte um die Mitte des 18. Jahrhunderts neben den Häfen des Mutterlandes den wichtigsten Flottenstützpunkt Spaniens dar.

4 Das Gebiet zwischen dem heutigen Kansas und dem Golf von Kalifornien wurde zwischen 1540 und 1542 von dem spanischen Pionier Francisco Vásquez de Coronado erforscht.

5 In Chile wehrten sich die indianischen Aruak von 1540 bis 1561 entschlossen gegen das weitere spanische Vordringen.

6 Potosí, 1545 entdeckt, blieb bis ins späte 17. Jahrhundert die ergiebigste Silbermine der Welt. Zwischen 1580 und 1626 wurden etwa elf Millionen Kilogramm des Edelmetalls nach Spanien verschifft.

7 Dem niederländischen Admiral Piet Hein gelang es im Jahr 1628 vor Matanzas, eine spanische Gold- und Silberflotte mit etwa vier Millionen Gold- und Silberdukaten an Bord zu kapern.

8 1730 erhielt Großbritannien ein 30-jähriges Monopol für den Sklavenhandel; in diesem Zeitraum wurden die meisten Sklaven aus Afrika in die Neue Welt transportiert.

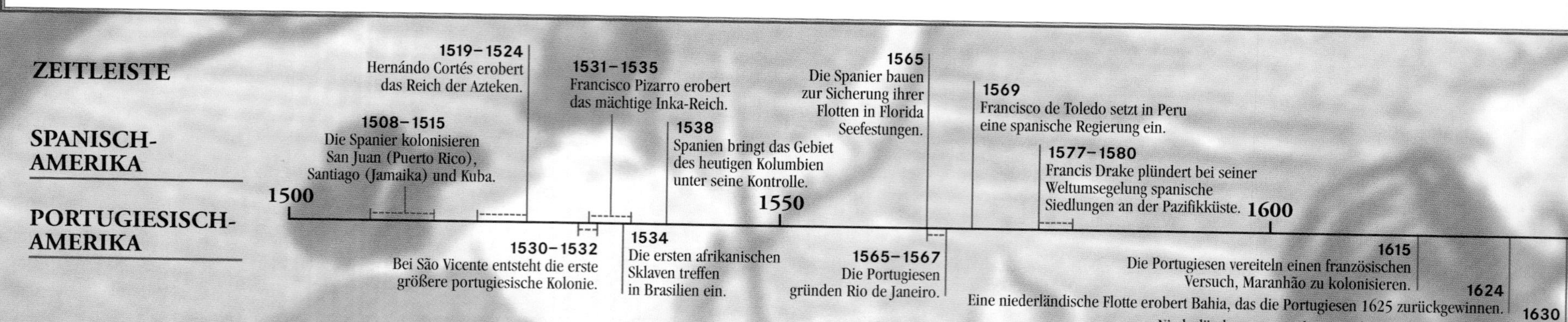
ZEITLEISTE
SPANISCH-AMERIKA
PORTUGIESISCH-AMERIKA
1500
1508–1515 Die Spanier kolonisieren San Juan (Puerto Rico), Santiago (Jamaika) und Kuba.
1519–1524 Hernándo Cortés erobert das Reich der Azteken.
1531–1535 Francisco Pizarro erobert das mächtige Inka-Reich.
1538 Spanien bringt das Gebiet des heutigen Kolumbien unter seine Kontrolle.
1550
1565 Die Spanier bauen zur Sicherung ihrer Flotten in Florida Seefestungen.
1569 Francisco de Toledo setzt in Peru eine spanische Regierung ein.
1577–1580 Francis Drake plündert bei seiner Weltumsegelung spanische Siedlungen an der Pazifikküste.
1600
1530–1532 Bei São Vicente entsteht die erste größere portugiesische Kolonie.
1534 Die ersten afrikanischen Sklaven treffen in Brasilien ein.
1565–1567 Die Portugiesen gründen Rio de Janeiro.
1615 Die Portugiesen vereiteln einen französischen Versuch, Maranhão zu kolonisieren.
1624 Eine niederländische Flotte erobert Bahia, das die Portugiesen 1625 zurückgewinnen.
1630 Niederländer setzen sich im größten Teil Nordost-Brasiliens fest, werden aber schon bald wieder vertrieben.

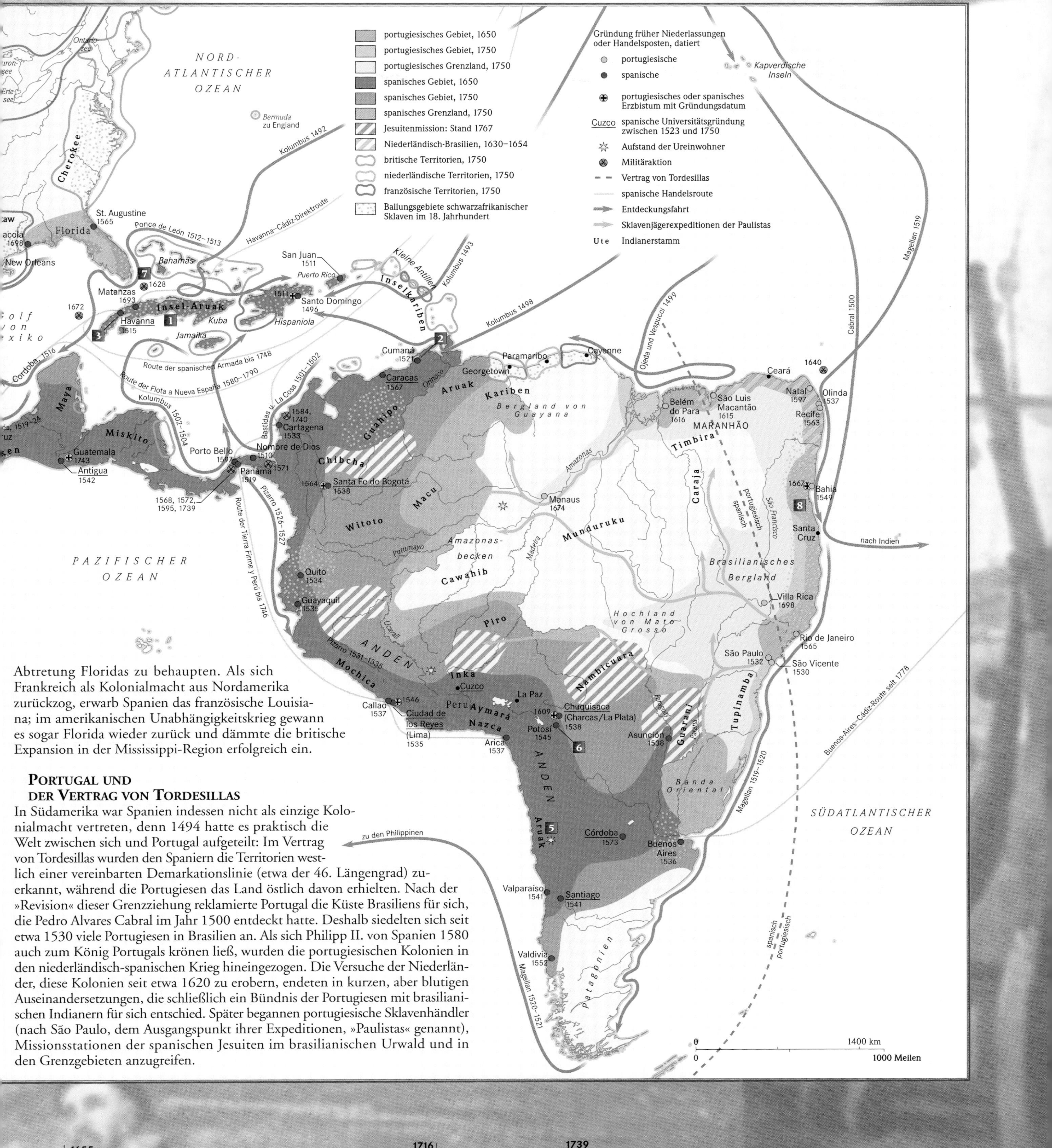

portugiesisches Gebiet, 1650
portugiesisches Gebiet, 1750
portugiesisches Grenzland, 1750
spanisches Gebiet, 1650
spanisches Gebiet, 1750
spanisches Grenzland, 1750
Jesuitenmission: Stand 1767
Niederländisch-Brasilien, 1630–1654
britische Territorien, 1750
niederländische Territorien, 1750
französische Territorien, 1750
Ballungsgebiete schwarzafrikanischer Sklaven im 18. Jahrhundert

Gründung früher Niederlassungen oder Handelsposten, datiert
portugiesische
spanische
portugiesisches oder spanisches Erzbistum mit Gründungsdatum
Cuzco spanische Universitätsgründung zwischen 1523 und 1750
Aufstand der Ureinwohner
Militäraktion
Vertrag von Tordesillas
spanische Handelsroute
Entdeckungsfahrt
Sklavenjägerexpeditionen der Paulistas
Ute Indianerstamm

Abtretung Floridas zu behaupten. Als sich Frankreich als Kolonialmacht aus Nordamerika zurückzog, erwarb Spanien das französische Louisiana; im amerikanischen Unabhängigkeitskrieg gewann es sogar Florida wieder zurück und dämmte die britische Expansion in der Mississippi-Region erfolgreich ein.

Portugal und der Vertrag von Tordesillas

In Südamerika war Spanien indessen nicht als einzige Kolonialmacht vertreten, denn 1494 hatte es praktisch die Welt zwischen sich und Portugal aufgeteilt: Im Vertrag von Tordesillas wurden den Spaniern die Territorien westlich einer vereinbarten Demarkationslinie (etwa der 46. Längengrad) zuerkannt, während die Portugiesen das Land östlich davon erhielten. Nach der »Revision« dieser Grenzziehung reklamierte Portugal die Küste Brasiliens für sich, die Pedro Alvares Cabral im Jahr 1500 entdeckt hatte. Deshalb siedelten sich seit etwa 1530 viele Portugiesen in Brasilien an. Als sich Philipp II. von Spanien 1580 auch zum König Portugals krönen ließ, wurden die portugiesischen Kolonien in den niederländisch-spanischen Krieg hineingezogen. Die Versuche der Niederländer, diese Kolonien seit etwa 1620 zu erobern, endeten in kurzen, aber blutigen Auseinandersetzungen, die schließlich ein Bündnis der Portugiesen mit brasilianischen Indianern für sich entschied. Später begannen portugiesische Sklavenhändler (nach São Paulo, dem Ausgangspunkt ihrer Expeditionen, »Paulistas« genannt), Missionsstationen der spanischen Jesuiten im brasilianischen Urwald und in den Grenzgebieten anzugreifen.

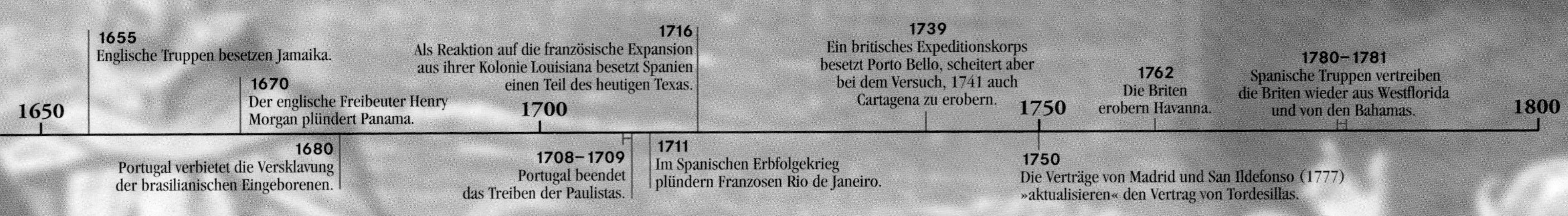
1650
1655 Englische Truppen besetzen Jamaika.
1670 Der englische Freibeuter Henry Morgan plündert Panamá.
1680 Portugal verbietet die Versklavung der brasilianischen Eingeborenen.
1700
1716 Als Reaktion auf die französische Expansion aus ihrer Kolonie Louisiana besetzt Spanien einen Teil des heutigen Texas.
1708–1709 Portugal beendet das Treiben der Paulistas.
1711 Im Spanischen Erbfolgekrieg plündern Franzosen Rio de Janeiro.
1739 Ein britisches Expeditionskorps besetzt Porto Bello, scheitert aber bei dem Versuch, 1741 auch Cartagena zu erobern.
1750
1750 Die Verträge von Madrid und San Ildefonso (1777) »aktualisieren« den Vertrag von Tordesillas.
1762 Die Briten erobern Havanna.
1780–1781 Spanische Truppen vertreiben die Briten wieder aus Westflorida und von den Bahamas.
1800

Montezumas Stadt – die Karte von Tenochtitlán

MEXICO.
MEXICO, REGIA ET CELEBRIS HISPANIAE NOVAE CIVITAS.

CUS CO.
CUSCO, REGNI PERU IN NOVO ORBE CAPUT.

Auf der linken Tafel ist Tenochtitlán dargestellt. Gut zu erkennen sind Dämme und Drainagen im See. Tafel rechts: die Inkastadt Cuzco (Peru)

Mit Venedig hat man sie verglichen, die legendäre Hauptstadt der Azteken. Vielleicht aber war Tenochtitlán sogar noch schöner, noch reicher ausgestattet, noch beeindruckender. Trotzdem scheint der spanische Konquistador Hernándo Cortés keine Skrupel gehabt zu haben, dieses Kleinod zu zerstören, auf dessen Fundamenten heute die moderne Metropole von Mexiko steht.

Jene berühmte Karte, die Cortés 1524 anfertigen ließ, um sie dem spanischen König zu schicken, zeigt Tenochtitlán in seiner einstigen Pracht: Seine Lage inmitten des Texcoco-Sees, die Dämme und Bewässerungssysteme, die Kanäle und Straßen, die Wohnviertel und der heilige Tempelbezirk – all dies ist detailliert eingezeichnet. Zudem sind am Rande des Sees weitere aztekische Städte sowie der Ort, von dem aus Cortés seine Eroberung plante, zu erkennen. Die Beschreibungen der Eroberer von der aztekischen Metropole lassen keinen Zweifel, dass diese jeden Vergleich mit einer europäischen Stadt standhielt.

CORTÉS, DER KONQUISTADOR

Hernándo Cortés (1485–1547), im spanischen Medellín als Kind eines verarmten Adligen geboren, suchte sein Glück früh in Übersee und war 1511 dabei, als Diego Velázques die Insel Kuba eroberte – allerdings wohl noch nicht als Soldat, sondern als Verwaltungsbeamter. Nach der Entdeckung des heutigen Mexiko

Aztekische Sonnenuhr. Die Astronomie war bei den Azteken weit entwickelt und kultisch bedeutsam.

blühten bald Gerüchte von dortigen großen Goldmengen. So beschloss Velázques als Gouverneur von Kuba im Herbst 1518, das Reich der Azteken für Spaniens Krone erobern zu lassen. Warum er seinen Ex-Sekretär Cortés zum Anführer dieser Expedition machte, ist kaum nachzuvollziehen, war der doch eher für seine Liebesabenteuer bekannt als für soldatischen Heldenmut. Cortés indessen sah in der ihm übertragenen Aufgabe wohl die Chance seines Lebens.

Da Velázques ihm jedoch plötzlich zu misstrauen schien, segelte der Beauftragte mit seiner Flotte von zehn Schiffen heimlich zu einem früheren Zeitpunkt als vereinbart von Havanna ab. Kaum waren die 550 Mann – und 16 Pferde – im März 1519 an der Küste Mexikos gelandet, wurden sie auch schon in erste Kämpfe mit den Eingeborenen verwickelt. Um jeglichen Gedanken an Umkehr von vornherein auszuschließen, ließ Cortés die Schiffe versenken und machte sich auf ins Landesinnere. Ein halbes Jahr später, im November 1519, zogen die Spanier in Tenochtitlán ein.

DIE HAUPTSTADT DER AZTEKEN

Man weiß nicht genau, wie viele Menschen in der Doppelstadt Tenochtitlán-Tlatelolco lebten, als die Fremden dort ankamen; die Vermutungen gehen weit auseinander, aber es dürften mindestens 150 000 gewesen sein. Die auf eine Insel gebaute Stadt war von Kanälen und Dämmen durchzogen. Zusätzlich hatte man in dem relativ flachen See so genannte Chinampas angelegt, künstliche Inseln, deren Schlammböden einen sehr effektiven Anbau von landwirtschaftlichen Produkten ermöglichten. Um die Chinampas vor Hochwasser zu schützen, gab es ein System von Drainagen und Dämmen im See. Die Straßen der Stadt waren streng geometrisch angelegt und gingen von dem Kultbezirk mit seinen vielen Tempeln und anderen sakralen Gebäuden aus. Die beiden größten Bauwerke des heiligen Bereichs waren dem Regengott Tlaloc und dem Kriegsgott Huitzilopochtli geweiht. Neben Wohnvierteln für die Oberschicht, für bestimmte Handwerker sowie die einfachen Bauern und Arbeiter gab es einen großen Markt in Tlatelolco, der auch die Landbewohner und Händler der weiteren Umgebung anzog. Mit dem Festland war die »schwimmende Stadt« durch drei Dämme verbunden, die im Fall der Bedrohung unterbrochen werden konnten. Die Neuankömmlinge staunten: So etwas hatten sie bisher noch nicht gesehen.

MONTEZUMA II.

Der despotische Herrscher der Azteken, Montezuma II., hatte schon früh von der Ankunft der Fremden gehört. Wie seine Priester hielt er es für möglich, dass es sich bei Cortés' Landung um die in aztekischen Weissagungen angekündigte Wiederkehr des Gottes Quetzalcóatl, der »Gefiederten Schlange«, handeln könne. Montezuma schickte den Spaniern daher Geschenke entgegen, empfing sie voller Respekt in der Hauptstadt und stellte ihnen einen Palast zur Verfügung. Doch bleibt es schwer verständlich, warum dieser so mächtige Herrscher geradezu ängstlich auf die Wünsche der Fremden einging. Cortés nutzte denn auch die erstbeste Gelegenheit und nahm Montezuma als Geisel.

Als der hintergangene Velázques von Kuba aus eine Strafexpedition nach Mexiko schickte, verließ Cortés mit einem Teil seiner Männer die Azteken-Metropole, um den Soldaten seines Auftraggebers kriegerisch entgegenzutreten. Bei seiner Rückkehr herrschte in Tenochtitlán das Chaos: Weil die Spanier ein blutiges religiöses Ritual der Azteken missverstanden und deshalb viele Einheimische niedergemetzelt hatten, war unter den Einheimischen ein Aufstand ausgebrochen. Die Konquistadoren konnten sich nur mit Mühe halten. Ihre Geisel Montezuma, vorgeschickt, um die Gemüter zu beruhigen, wurde von einem Pfeil aus den eigenen Reihen getroffen und starb. In der »traurigen Nacht« vom 1. Juli 1520, der »noche triste«, verließen die Spanier unter großen Verlusten die Hauptstadt der Azteken. Doch Cortés schwor, zurückzukommen.

DIE RACHE DER KONQUISTADOREN

Nachdem Cortés sich bei verbündeten Eingeborenen erholt hatte, ließ er über Hunderte von Kilometern hinweg Boote und Kanonen heranschaffen und begann mit der Belagerung Tenochtitláns. Hier grassierten mittlerweile die Pocken, die die Spanier eingeschleppt hatten. Obwohl den Bewohnern die Lebensmittel ausgingen, verteidigten sie die Stadt heldenmütig – um sich am Ende aber doch der überlegenen spanischen Kriegsmaschinerie beugen zu müssen. Im August 1521, gerade einmal ein Jahr nach seinem unrühmlichen Rückzug, hatte Cortés Tenochtitlán zurückerobert. Cuauhtémoc, der Nachfolger Montezumas, wurde gehängt, da er sich standhaft weigerte zu verraten, wo der sagenhafte Goldschatz der Azteken vergraben sei.

Darauf gingen die Spanier daran, die Gebäude zu plündern und zu zerstören, die Stadt zu schleifen und den sie umgebenden See durch das Auffüllen mit dem Schutt dessen, was einmal Tenochtitlán gewesen war, trockenzulegen. Auf der oben erwähnten Karte, die Cortés nur drei Jahre nach der Eroberung der Stadt anfertigen ließ, gab es viele der darin detailliert eingezeichneten Straßen, Gebäude und heilige Bauwerke schon nicht mehr. – Das Reich der Azteken und seine Hauptstadt hatten aufgehört zu existieren.

Auf den Ruinen von Tenochtitlán wuchs in den nächsten Jahrhunderten eine neue Stadt, geprägt von den spanischen Eroberern: das heutige Mexico City. Bei Bauarbeiten im Zentrum der modernen Hauptstadt findet man auch heute noch Reste von uralten Gebäuden; gezielte archäologische Ausgrabungen legen noch immer Fundamente frei und fördern Kult- und Gebrauchsgegenstände zutage.

DER CODEX MENDOZA

Es gibt noch eine weitere Karte von Tenochtitlán. Dem heutigen Betrachter erschließt sie sich nicht so leicht, da sie auf die Azteken oder Mexic'a, wie sie sich selbst nannten, zurückgeht. Der so genannte Codex Mendoza stammt aus dem Jahr 1541. Zu jener Zeit amtierte der Namens- und Auftraggeber für das bedeutsame Buch, Antonio de Mendoza, als Vizekönig von Nueva Espagna, dem heutigen Mexiko. 20 Jahre nach der Eroberung durch Cortés sollte mit diesem Werk dem fernen Landesherrn, Kaiser Karl V., eine Art »aztekischer Enzyklopädie« zum Geschenk gemacht werden. Die darin enthaltene Karte Tenochtitláns zeigt in der Mitte einen Adler auf einem Säulenkaktus, der in der Gründungslegende der Stadt eine wichtige Rolle spielt – und noch heute das Staatswappen von Mexiko ziert. Des Weiteren wird in Bildsprache die Entstehungsgeschichte Tenochtitláns erzählt und der stilisierte Grundriss der Stadt gezeigt. Der Codex Mendoza, angefertigt von Einheimischen und von der Landessprache kundigen Mönchen, ist ein wertvolles Zeugnis der Gesellschaft und Kultur der Azteken in der Zeit vor der Eroberung durch die Spanier. – Und dabei hatte Hernándo Cortés, hasserfüllt und nur auf Ruhm und Reichtümer bedacht, doch alles daran gesetzt, die Erinnerung an das einst so mächtige indianische Reich und seine großartige Metropole auszulöschen.

Karte aus dem Codex Mendoza; der Adler auf dem Kaktus symbolisiert die Azteken-Hauptstadt Tenochtitlán.

Archäologisches Dorado: Unter dem Zentrum der 8,5-Millionen-Metropole Mexico City, der turbulenten Hauptstadt Mexikos, liegen die Reste von Tenochtitlán, wie diese Relikte eines aztekischen Tempels.

Von Kolumbus bis zur amerikanischen Unabhängigkeit (1492 bis 1783)

Die Erforschung Nordamerikas • 1500 bis 1783

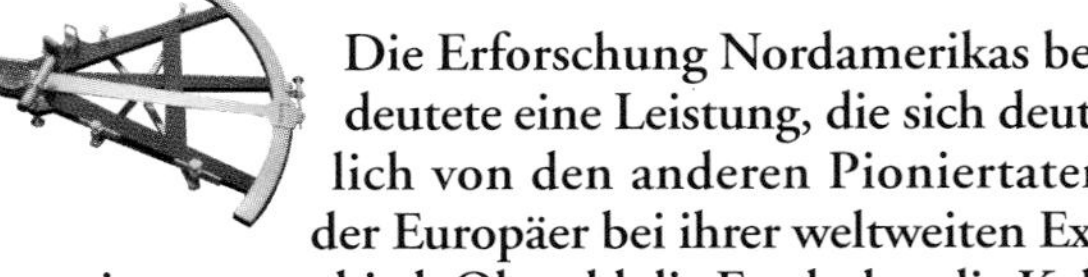

Die Erforschung Nordamerikas bedeutete eine Leistung, die sich deutlich von den anderen Pioniertaten der Europäer bei ihrer weltweiten Expansion unterschied. Obwohl die Entdecker die Kulturen, die sie auf anderen Kontinenten antrafen, nicht oder kaum kannten, mutete manches davon nicht unvertraut an.

Selbst in Mexiko und Peru fanden die Fremden Zivilisationswerte wie eine stark zentralisierte Regierung, eine relativ dichte Besiedlung sowie ein hohes künstlerisches Niveau und eine prachtvolle Kulturtradition vor. Die Erforschung wurde dadurch erleichtert, dass viele Völker ihre Produkte in großen

Henry Hudson (um 1550–1611) begegnet auf der Insel Manhattan Indianern. Nach dem englischen Polarfahrer ist der Hudson River benannt.

Mengen nach Europa liefern wollten. Nur die Karibischen Inseln und das riesige Binnenland Südamerikas ließen ahnen, was die ersten Entdecker Nordamerikas erwartete. Von der Landung John Cabots im Jahr 1497 bis weit ins 18. Jahrhundert hinein gab dieser Kontinent Rätsel auf.

Suche nach der Nordwestpassage

Die Erforscher des Kontinents wollten zunächst allerlei existierenden Mythen auf den Grund gehen. Als sich deren Unhaltbarkeit herausstellte, kämpften sie enttäuscht, aber trotzig weiter. Hintergrund ihres Strebens war es zunächst ja nur, einen Seeweg ins ferne China zu finden. Nachdem Giovanni de Verrazano die Länge der amerikanischen Atlantikküste festgestellt hatte und die ersten Kolonisten auf ein dicht bewaldetes Landesinnere und feindselige Eingeborene gestoßen waren, suchte man nach Möglichkeiten, diesen Kontinent zu umfahren. Die nördliche Schiffsroute in den Osten war und blieb eine Chimäre der Briten – Hudson, Davis und Baffin nahmen im kanadischen Norden unglaubliche Strapazen auf sich, um diese Nordwestpassage nach China zu finden. Selbst James Cook, der 1778 bis 1779 die Küste Alaskas kartographierte, erkundete alle größeren Buchten genauer, weil er hoffte, endlich den vermuteten Seeweg gefunden zu haben.

Die Erforschung des Sankt-Lorenz-Stroms durch Franzosen wiederum erfolgte in der Hoffnung, einen Seeweg quer durch den Kontinent zu finden. Cartier, Champlain, die Gebrüder de la Vérendrye und Generationen von Fallenstellern fuhren den Strom hinauf und durch die Großen Seen. Ihre Hoffnungen zerstoben allerdings, als sie die endlosen Weiten der Great Plains jenseits des Manitobasees erreichten. La Salles Fahrt im Jahr 1682 den Mississippi hinunter bewies zwar, dass eine Nordsüdpassage bestand, doch war dieser Pionier trotzdem tief enttäuscht, als er an der Flussmündung den Golf von Mexiko und nicht den Pazifik vor sich hatte.

Eroberungswille, Goldgier und missionarischer Eifer

Die spanische Erkundung Nordamerikas von Mexiko und der Karibik aus – etwa durch de Soto und Coronado – wurde anfangs von Eroberungswillen, Goldgier und missionarischem Eifer bestimmt. Nach endlos langen Fahrten kehrten die Überlebenden völlig erschöpft zurück. Im frühen 17. Jahrhundert bestand das spanische Neumexiko noch aus wenig mehr als einer Kette von Außenposten in den Dörfern der Pueblotäler um Santa Fe, von nichts als Wüste umgeben. Florida, das die Spanier zunächst für eine Insel gehalten hatten, wurde eher aus strategischen Gründen erkundet (und verteidigt), ging es doch darum, die eigenen Gold- und Silberflotten auf ihrem Weg nach Europa zu schützen. Auch für die Küste Kaliforniens interessierten sich die Spanier erst, als sie sich durch die nach Süden vordringenden Briten und Russen bedroht fühlten.

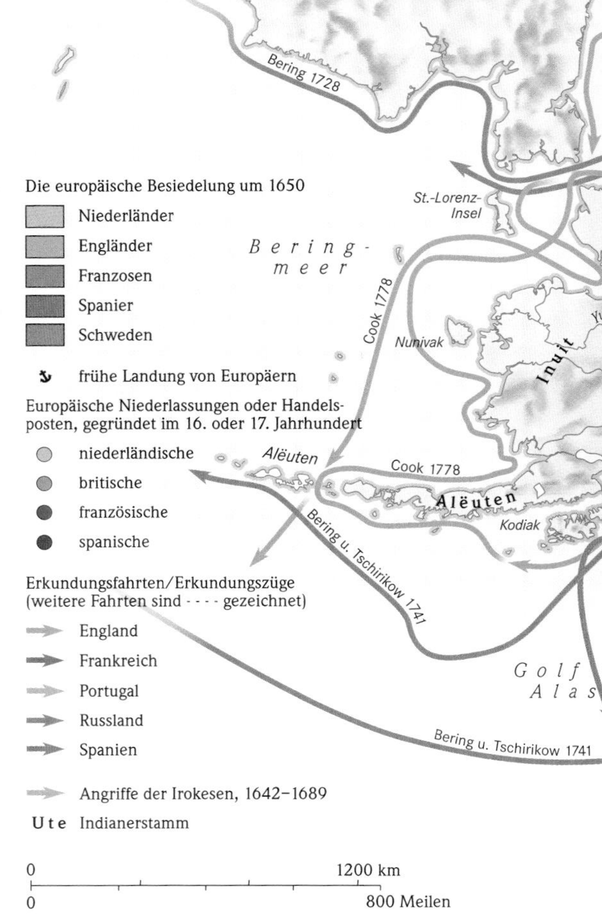
Bering 1728
St.-Lorenz-Insel
Bering-meer
Cook 1778
Nunivak
Inuit
Aleuten
Aléuten
Cook 1778
Kodiak
Bering u. Tschirikow 1741
Bering u. Tschirikow 1741
Die europäische Besiedelung um 1650
Niederländer
Engländer
Franzosen
Spanier
Schweden
frühe Landung von Europäern
Europäische Niederlassungen oder Handelsposten, gegründet im 16. oder 17. Jahrhundert
niederländische
britische
französische
spanische
Erkundungsfahrten/Erkundungszüge (weitere Fahrten sind - - - - gezeichnet)
England
Frankreich
Portugal
Russland
Spanien
Angriffe der Irokesen, 1642–1689
Ute Indianerstamm
0
1200 km
0
800 Meilen

Die ersten Pioniere im Norden

Zwar hatte die Karibik und – in geringerem Umfang – auch die nordamerikanische Atlantikküste bis zur Mitte des 17. Jahrhunderts bereits eine größere Zahl von Siedlern angezogen, aber die Nutzung des eigentlichen Reichtums der Neuen Welt, seines fruchtbaren Bodens, begann in größerem Umfang im Norden. Die Eingeborenen begrüßten die Siedler zunächst nicht ablehnend, widersetzten sich dann aber einem weiteren Vordringen der Fremden ins Landesinnere. Erst 180 Jahre nach der Landung Cabots zogen britische Händler und Entdecker durch das Ohiobecken weiter nach Westen. In den Jahren nach der Eroberung Französisch-Amerikas durch die Briten schwoll der Zug einzelner Pioniere über die Appalachen in das fruchtbare Kentucky und nach Tennessee zum Strom an. Nun begann die neue Epoche der wirklich Gewinn bringenden Erforschung des Kontinents.

1 1564 gründeten Franzosen die Kolonie Fort Caroline, die die Spanier aber als mögliche Bedrohung der Route ihrer Gold- und Silberflotten betrachteten und 1625 zerstörten.

2 Der Freibeuter Francis Drake verbrachte 1579 in der Gegend des heutigen San Francisco fünf Wochen bei den Miwok. Er nahm das Land in Besitz und nannte es »New Albion«.

3 Der Engländer Walter Raleigh gründete 1584 die Kolonie Roanoke. Sie wurde 1587 noch einmal besiedelt, die Siedler verschwanden aber bis 1590 spurlos.

4 Niederländische Händler kauften 1626 den Eingeborenen am Hudson River die Insel Manhattan ab und gründeten an ihrer Südspitze Neuamsterdam, das spätere New York (britisch 1664).

5 Die Hudsonbai-Kompanie entstand 1670. Ihre für den Pelzhandel mit den Cree eingerichteten Niederlassungen wurden bereits 1686 von einer französischen Expedition wieder zerstört.

6 Die spanische Besiedlung Neumexikos im 17. Jahrhundert erfolgte nur sehr langsam und erlitt durch den Aufstand der eingeborenen Bevölkerung (1680–1710) einen schweren Rückschlag.

7 Große Teile des heutigen Texas wurden ab 1686 von den Spaniern erforscht, die ein weiteres Vordringen der Franzosen in dieser Region unbedingt verhindern wollten.

8 Die Erforschung der Meeresbucht »Cook Inlet« durch James Cook im Jahr 1779 erfolgte vor allem deshalb, weil auf einer zeitgenössischen Karte Alaska als Insel dargestellt war.

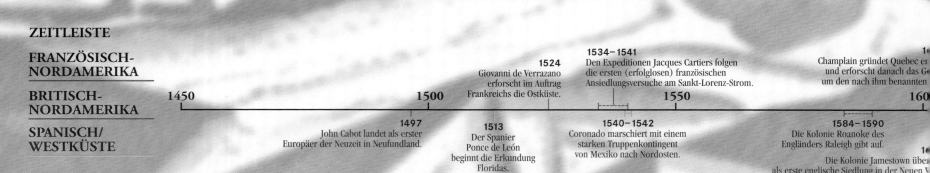

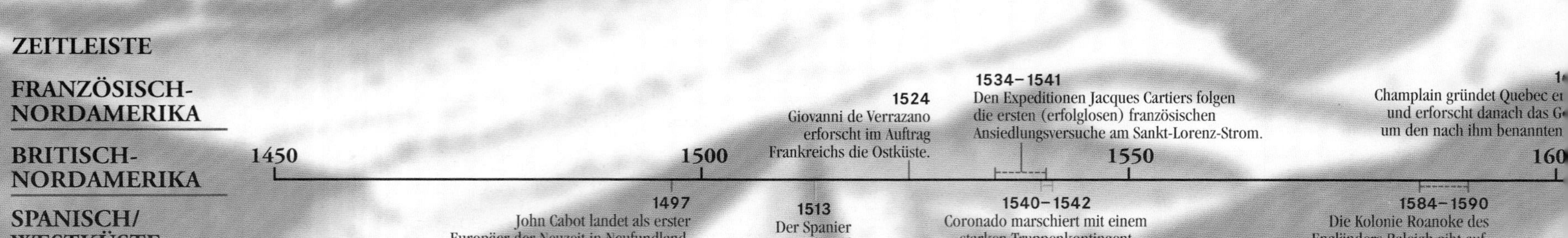
ZEITLEISTE
FRANZÖSISCH-NORDAMERIKA
BRITISCH-NORDAMERIKA
SPANISCH/WESTKÜSTE
1450
1500
1550
1524
Giovanni de Verrazano erforscht im Auftrag Frankreichs die Ostküste.
1534–1541
Den Expeditionen Jacques Cartiers folgen die ersten (erfolglosen) französischen Ansiedlungsversuche am Sankt-Lorenz-Strom.
1497
John Cabot landet als erster Europäer der Neuzeit in Neufundland.
1513
Der Spanier Ponce de León beginnt die Erkundung Floridas.
1540–1542
Coronado marschiert mit einem starken Truppenkontingent von Mexiko nach Nordosten.
1584–1590
Die Kolonie Roanoke des Engländers Raleigh gibt auf.

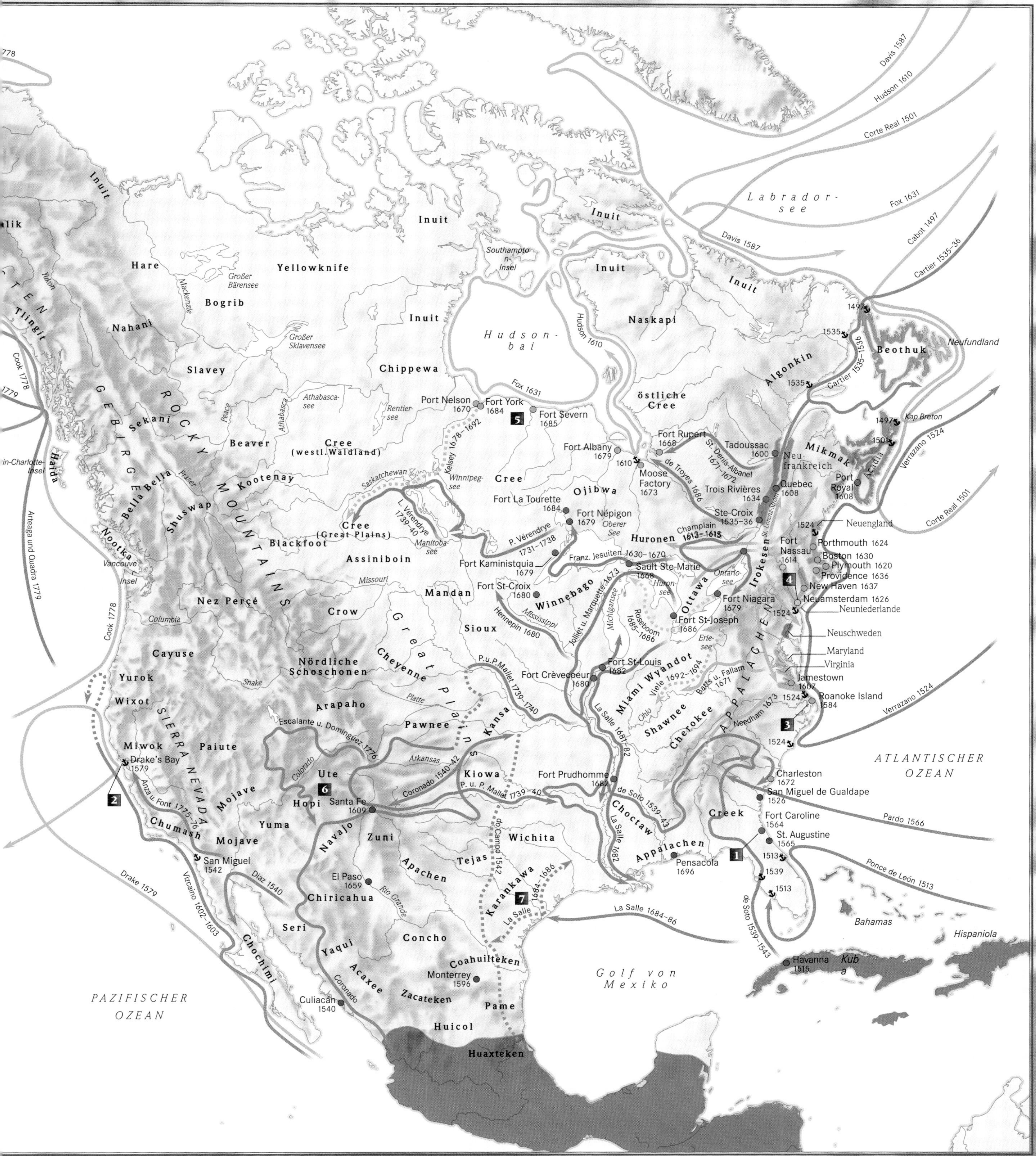

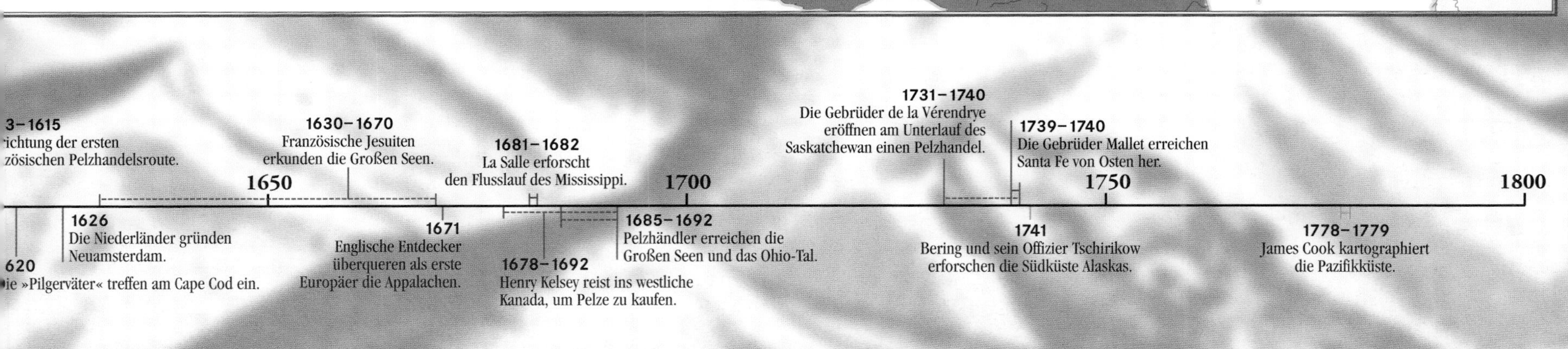
3–1615
richtung der ersten
zösischen Pelzhandelsroute.
1630–1670
Französische Jesuiten
erkunden die Großen Seen.
1681–1682
La Salle erforscht
den Flusslauf des Mississippi.
1731–1740
Die Gebrüder de la Vérendrye
eröffnen am Unterlauf des
Saskatchewan einen Pelzhandel.
1739–1740
Die Gebrüder Mallet erreichen
Santa Fe von Osten her.
1650
1700
1750
1800
620
ie »Pilgerväter« treffen am Cape Cod ein.
1626
Die Niederländer gründen
Neuamsterdam.
1671
Englische Entdecker
überqueren als erste
Europäer die Appalachen.
1678–1692
Henry Kelsey reist ins westliche
Kanada, um Pelze zu kaufen.
1685–1692
Pelzhändler erreichen die
Großen Seen und das Ohio-Tal.
1741
Bering und sein Offizier Tschirikow
erforschen die Südküste Alaskas.
1778–1779
James Cook kartographiert
die Pazifikküste.

Von Kolumbus bis zur amerikanischen Unabhängigkeit (1492 bis 1783)

Die Kolonialzeit Nordamerikas • 1492 bis 1783

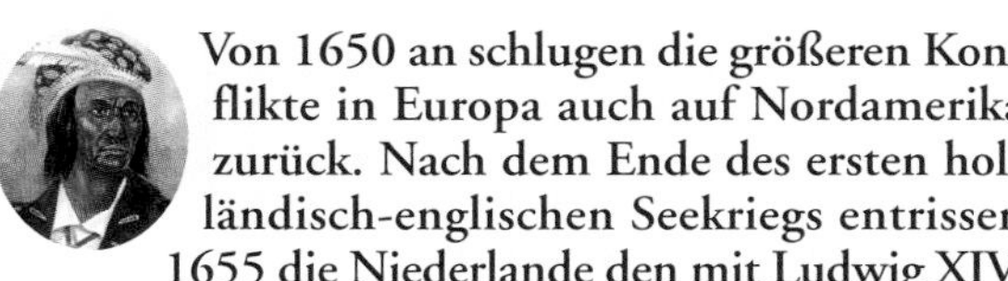

Von 1650 an schlugen die größeren Konflikte in Europa auch auf Nordamerika zurück. Nach dem Ende des ersten holländisch-englischen Seekriegs entrissen 1655 die Niederlande den mit Ludwig XIV. von Frankreich verbündeten Schweden die Kolonie Neuschweden (Delaware). Ähnlich erging es der Kolonie Neuniederlande in der Hudsonregion, die 1664 von englischen Truppen erobert wurde.

Als Hauptkontrahenten standen sich Franzosen und Briten gegenüber. Erstere konzentrierten sich auf den Sankt-Lorenz-Strom, die Engländer auf die Ostküste. Als sich diese Sphären ausweiteten und die Parteien das Mississippi-Becken, Georgia und Bereiche der Appalachen beanspruchten, wurden die Indianerstämme in die Auseinandersetzungen hineingezogen.

Wichtiger Erwerbszweig: Kabeljaufang in Neufundland und die verschiedenen Etappen seiner Verarbeitung

King William's War

Kleine Zusammenstöße eskalierten 1686 zum King William's War, als eine französische Expedition die englischen Handelsniederlassungen in der Hudsonbai niederbrannte und die Franzosen mit den Huronen – obwohl Letztere Verwandte der mit England verbündeten Irokesen waren – plündernd durch Neuengland zogen.

Besitzansprüche

England nahm 1710 im Zuge des Spanischen Erbfolgekrieges das französische Acadia ein. Unter ihrem neuen Namen »Nova Scotia« wurde die Halbinsel zusammen mit Neufundland im Jahr 1713 im Vertrag von Utrecht als britischer Besitz bestätigt, während die Ile Saint-Jean und die Ile Royale französisch blieben. Trotz dieser Regelung blieb die Region noch 50 Jahre unruhig. Im Österreichischen Erbfolgekrieg wurde die französische Inselfestung Louisbourg auf der Ile Royale besetzt (1758). Ein erfolgloser Angriff britisch-irokesischer Truppen auf Neufrankreich (1746 bis 1748) löste verheerende Raubzüge der Franzosen und der mit ihnen verbündeten Huronen aus. Das Ende des Krieges in Europa bedeutete für Nordamerika allerdings noch keinen Frieden, denn nun stritten Frankreich und England um das Ohio-Becken, wo die Franzosen das englische Fort Pickawillany zerstörten.

Landgang der Pilgerväter in Plymouth am 11. Dezember 1620; Radierung von 1876

Der Siebenjährige Krieg in Nordamerika

In die entscheidende Phase trat der britisch-französische Konflikt mit dem französisch-indianischen Krieg (1755–1763), dem amerikanischen Pendant des Siebenjährigen Krieges in Europa (1756–1763). Der britischen Marine gelang es, den französischen Handel und den Nachschub aus Frankreich zu blockieren. Zu Lande allerdings fehlte den Engländern zunächst das Kriegsglück. So konnten sie 1755 Crown Point nicht erobern und erlitten 1758 nach erfolgreichen französischen Gegenangriffen bei Ticonderoga eine herbe Niederlage. Danach aber wendete sich das Blatt. Nach dem Sieg James Wolfes über den Marquis de Montcalm 1759 bei Quebec lag bis 1760 ganz Neufrankreich in britischer Hand. Gleichzeitig eroberte Englands Marine alle westindischen Kolonien Frankreichs mit Ausnahme von Saint-Domingue.

»Tod von General Wolfe« von W. Woollett, 1776. James Wolfe (1727–1759) wurde beim Sieg der Engländer über die Franzosen vor Quebec tödlich verwundet.

Als Frankreich Spanien zum Kriegseintritt bewegte, besetzten die Briten Florida und Havanna. Der Vertrag von Paris (1763) bestätigte die britische Herrschaft über das gesamte Nordamerika östlich des Mississippi, während die französischen Territorien westlich des Flusses Spanien zugesprochen wurden, das im Austausch gegen Florida das kubanische Havanna zurückerhielt.

1 Von etwa 1500 an gelangten Kabeljaufänger bis nach Neufundland, wo die ersten Dauersiedlungen allerdings erst 1610 von der englischen Neufundland-Kompanie gegründet wurden. Frankreich trat die Insel 1713 an Großbritannien ab.

2 Die Kriegszüge der Irokesen gegen die Huronen zwischen 1640 und 1660 störten die Erkundungen und den Pelzhandel der Franzosen im Gebiet des heutigen Bundesstaates New York empfindlich, bis französische Truppen 1667 die Oberhand behielten.

3 Die holländische Kolonie Neuniederlande, zu der auch Manhattan und der Hudson gehörten, wurde 1664 von den Briten erobert. Die Niederländer holten sie sich zwar 1673 wieder zurück, mussten ihren Besitz 1674 aber endgültig an England abtreten.

4 1714 provozierte eine französische Expedition vom Mississippi zum Rio Grande im Gebiet des heutigen Texas einen Vorstoß der Spanier. Diese fühlten sich durch die Franzosen bedroht und wollten deren weiteres Vordringen nach Westen verhindern.

5 Die Franzosen errichteten ab 1732 an Winnipeg- und Saskatchewansee befestigte Handelsniederlassungen. Auf diese Weise lenkten sie große Teile des einträglichen Pelzhandels mit den Cree von den britischen Stationen an der Hudsonbai auf ihre eigene Handelsroute um, die von den Großen Seen über den Sankt-Lorenz-Strom zum Atlantik führte.

6 Während man nördlich von Delaware Viehzucht betrieb und Getreide anbaute, waren in Virginia und North Carolina der Tabak, in South Carolina und Georgia Reis und Indigo die wichtigsten Nutzpflanzen.

0
600 km
0
400 Meilen

Verdrängung, Unterdrückung: Der Rechtsverlust der Indianer

Für die Indianer verlief der Kontakt mit den Europäern zunächst nicht immer negativ. Die Siouxvölker der Great Plains wandten sich wieder der Büffeljagd zu, nachdem sie von den Spaniern Pferde erhalten hatten, und um die Mitte des 17. Jahrhunderts wurden die Huronenstämme im Bereich der Großen Seen durch ihr Bündnis mit Frankreich vor der Vernichtung durch die Irokesen bewahrt. Aber allmählich verloren die Indianer immer mehr Land. Im Nordosten brach der Krieg von 1675/1676 ihren Widerstand gegen die Europäer, die sich über die indianischen Rechte zunehmend hinwegsetzten. Die Tuscarora und die Yamassee wurden 1711 beziehungsweise 1715 aus ihren Siedlungsgebieten vertrieben, in der Zeit von 1730 bis 1755 flohen die Shawnee und die Delaware nach Westen. Lediglich in den Great Plains, wo französische Händler auf die Sioux stießen, ergaben sich kaum feindliche Begegnungen.

ZEITLEISTE

FRANZÖSISCH-ENGLISCHER KONFLIKT

- **1686–1697** Krieg eines englisch-irokesischen Bündnisses gegen die Franzosen und die meisten anderen Indianerstämme im Norden (Kanada und Maine).
- **1704** Die Franzosen und ihre Verbündeten unternehmen zahlreiche Raubzüge durch das Gebiet des heutigen Connecticut.
- **1710** Die Briten erobern Port Royal und Acadia, das sie in »Nova Scotia« umbenennen.
- **1711** Ein englisch-irokesischer Angriff auf Quebec und Montreal scheitert.

1650 — 1700

ANDERE EREIGNISSE

- **1651–1663** Das englische Parlament will den Kolonialhandel nach strikt merkantilistischen Maßstäben kontrollieren.
- **1664** Neuamsterdam ergibt sich den englischen Truppen und erhält den Namen New York.
- **1675–1676** Aufstände der Indianer gegen die Europäer.
- **1681–1682** William Penn gründet seine Kolonie Pennsylvania.
- **1711** Die englischen Siedler North Carolinas vertreiben die Tuscarora-Indianer.
- **1713** Im Frieden von Utrecht erhalten die Briten Nova Scotia und Neufundland.
- **17** Sieg der Weißen über die Yamass

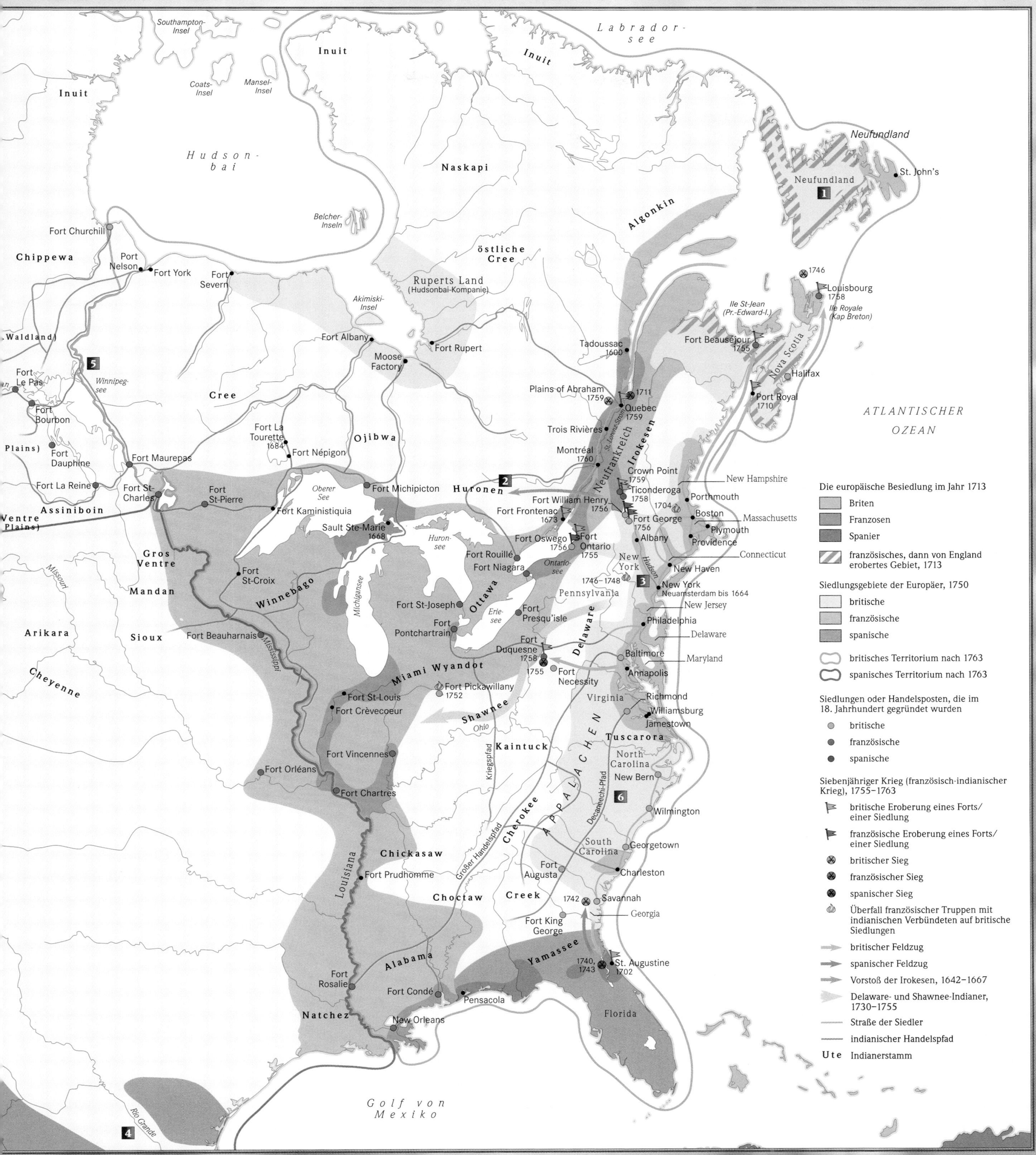

Die europäische Besiedlung im Jahr 1713
- Briten
- Franzosen
- Spanier
- französisches, dann von England erobertes Gebiet, 1713

Siedlungsgebiete der Europäer, 1750
- britische
- französische
- spanische
- britisches Territorium nach 1763
- spanisches Territorium nach 1763

Siedlungen oder Handelsposten, die im 18. Jahrhundert gegründet wurden
- britische
- französische
- spanische

Siebenjähriger Krieg (französisch-indianischer Krieg), 1755–1763
- britische Eroberung eines Forts/einer Siedlung
- französische Eroberung eines Forts/einer Siedlung
- britischer Sieg
- französischer Sieg
- spanischer Sieg
- Überfall französischer Truppen mit indianischen Verbündeten auf britische Siedlungen
- britischer Feldzug
- spanischer Feldzug
- Vorstoß der Irokesen, 1642–1667
- Delaware- und Shawnee-Indianer, 1730–1755
- Straße der Siedler
- indianischer Handelspfad
- Ute Indianerstamm

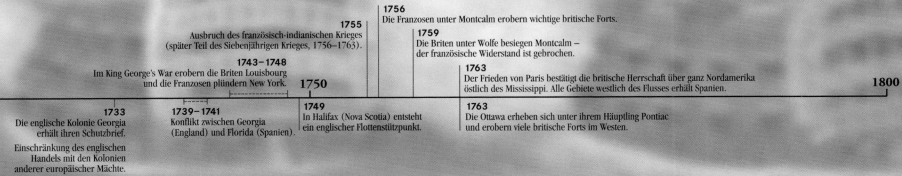

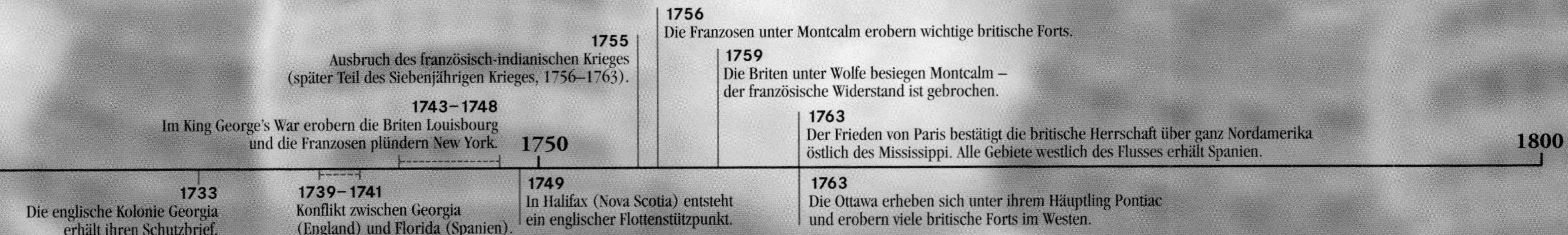
1733
Die englische Kolonie Georgia erhält ihren Schutzbrief.
Einschränkung des englischen Handels mit den Kolonien anderer europäischer Mächte.
1739–1741
Konflikt zwischen Georgia (England) und Florida (Spanien).
1743–1748
Im King George's War erobern die Briten Louisbourg und die Franzosen plündern New York.
1749
In Halifax (Nova Scotia) entsteht ein englischer Flottenstützpunkt.
1750
1755
Ausbruch des französisch-indianischen Krieges (später Teil des Siebenjährigen Krieges, 1756–1763).
1756
Die Franzosen unter Montcalm erobern wichtige britische Forts.
1759
Die Briten unter Wolfe besiegen Montcalm – der französische Widerstand ist gebrochen.
1763
Der Frieden von Paris bestätigt die britische Herrschaft über ganz Nordamerika östlich des Mississippi. Alle Gebiete westlich des Flusses erhält Spanien.
1763
Die Ottawa erheben sich unter ihrem Häuptling Pontiac und erobern viele britische Forts im Westen.
1800

Von Kolumbus bis zur amerikanischen Unabhängigkeit (1492 bis 1783)

Der amerikanische Unabhängigkeitskampf • 1763 bis 1783

Im 18. Jahrhundert, vor allem nach dem Ende des Ringens von Briten und Franzosen im Jahr 1763, vermehrte sich die Kolonialbevölkerung stark. Zwischen 1769 und 1774 brachten 152 Schiffe allein aus irischen Häfen 44 000 Siedler über den Atlantik. Im Jahr 1774 betrug die Zahl der Europäer in Nordamerika etwa zwei Millionen Personen – mehr als ein Viertel der Bevölkerung Großbritanniens.

Dieser Bevölkerungsschub veränderte das Wesen der Kolonien und die Daseinsbedingungen der Bewohner vielerorts. Deutsche Soldaten, die von den Hannoveranern auf dem englischen Thron in die Kolonien geschickt worden waren, sorgten zusätzlich für das Wachstum der nicht britischen Bevölkerung. Zudem trafen immer mehr schottische und irische Siedler ein, die in Opposition zur Krone Englands standen. Nach 1775 konzentrierte sich die Unterstützung des Mutterlandes auf die älteren Kolonien mit mehrheitlich englischstämmiger Bevölkerung. Hier – in Virginia und im nördlichen wie im südlichen Carolina – hatte sich eine auf dem Masseneinsatz von Sklaven basierende Plantagenwirtschaft entwickelt.

Thomas Jefferson präsentiert Benjamin Franklin, Roger Sherman, Robert Livingston und John Adams den Text der amerikanischen Unabhängigkeitserklärung.

Zündstoff: merkantile Kontrolle

Der Zustrom immer neuer Einwanderer sowie der Anstieg der Geburtenrate sprechen für das Gedeihen der Wirtschaft der Kolonien in dieser Zeit. Sorgen bereitete den Briten indessen der Handel. Nach Londoner Vorstellungen sollten die Kolonien Waren oder Rohstoffe liefern, die das Mutterland brauchte, und dafür mit Fertigwaren bezahlt werden – eine merkantilistische Theorie, die jeglichen eigenen Handel der Kolonien mit Dritten unterband. Seit Mitte des 17. Jahrhunderts wurde diese Politik mittels gesetzgeberischer Maßnahmen – wie die Navigationsakte von 1651 (Transportmonopol), die Stapelakte aus dem Jahr 1663 oder das Handelsgesetz von 1673 – durchzusetzen versucht. Die neuen Bestimmungen sollten Export und Produktion der Kolonien unter strengste Kontrolle stellen. Längst jedoch hatte die dortige Entwicklung der Landwirtschaft solchen Plänen den Boden entzogen. Nicht zuletzt war es die Mittelknappheit des Mutterlandes, die alle Versuche einer wirksamen Durchsetzung der Kolonialgesetze zum Scheitern verurteilte. Bis zum 18. Jahrhundert betrieb die Wirtschaft der Kolonien (illegalerweise) Handel mit allen Partnern, nur nicht mit Großbritannien. Man lieferte Fisch, Walöl, Pferde, Rindfleisch und Bauholz an Spanier, Niederländer und Franzosen in der Karibik und bezog dafür Zucker, Melasse und Rum oder ließ sich mit Silbermünzen bezahlen. Um die Mitte des Jahrhunderts begannen die Kolonien, auch das nicht britische Europa zu beliefern, beispielsweise mit Trockenfisch, Getreide oder Mehl – oft unter Umgehung englischer Häfen. Die Briten reagierten darauf mit der Stempelakte von 1765, die von den Siedlern direkte Steuern erhob, und versuchten, deren »illegalen« Handel durch weitere Erlasse zurückzudrängen.

Zündstoff: Kriegsfolgelasten

Die Kosten des Krieges um den französischen Kolonialbesitz in Amerika erwiesen sich als schwere Belastung des britischen Haushalts. Deshalb zwang Premierminister George Granville in den Jahren 1763 bis 1765 die eigenen Kolonien, einen größeren Anteil dieser Kosten zu übernehmen, und bürdete ihnen zusätzliche Steuern und Verpflichtungen auf.

Zündstoff: »Königliche Proklamationslinie«

Schließlich versuchte die britische Regierung auch noch, weitere Konfrontationen mit der indianischen Bevölkerung zu verhindern, indem sie den Expansionsdrang der Kolonien begrenzte. 1763 wurde westlich der Appalachen eine »Königliche Proklamationslinie« gezogen, die nicht überschritten werden sollte. Dies stieß in Amerika auf heftigen Widerstand, da offene Grenzen bereits ein wesentliches Element des ökonomischen Wachstums und der Existenzperspektiven immer neuer Einwanderer darstellten. Das Quebec-Gesetz von 1774, das die Verwaltung der früheren französischen Kolonien regelte und eine Zentralisierung ermöglichen sollte, weitete den Bezirk Quebec bis zum Ohio und zum Mississippi aus, was die Siedler als weiteren Versuch betrachteten, ihre Freiheit zu beschneiden.

Die Kapitulation der Briten in der Schlacht bei Yorktown entschied 1781 den Unabhängigkeitskrieg zugunsten der 13 nordamerikanischen Kolonien.

Explosion des Widerstands: Unabhängigkeitskampf

Dies alles führte zu Spannungen und schließlich 1775 zum offenen Krieg. Trotz anfänglicher Rückschläge gewannen die englischen Oberbefehlshaber, Sir William Howe und sein Bruder, Admiral Lord Howe, im zweiten Jahr der Auseinandersetzungen die Initiative zurück, indem sie ihre strategische Überlegenheit auf See nutzten. In der Folge bestätigten allerdings weitere Feldzüge, wie schwierig es ist, Gebiete von solcher Größe gegen eine zunehmend feindselige Bevölkerung zu halten. Den Ausschlag gaben am Ende allerdings die Franzosen: 1781 mussten in Yorktown eingeschlossene englische Truppen kapitulieren, weil eine französische Flotte eine britische besiegt hatte. Die Briten konnten zwar die wirtschaftlich so wichtigen Westindischen Inseln retten und 1782 eine französische Invasionsflotte in der Ostkaribik besiegen, doch den endgültigen Verlust der amerikanischen Kolonien konnten sie nicht mehr verhindern. Im Frieden von Paris 1783 erkannte Großbritannien die Unabhängigkeit der Vereinigten Staaten von Amerika an.

1 **Als Indianer verkleidete Kolonisten drangen am 16. Dezember 1773 in den Bostoner Hafen ein und warfen eine Ladung Tee der britischen Ostindischen Kompanie ins Meer. Dieser Protest gegen die Teesteuer ging als »Boston Tea Party« in die Geschichte ein.**

2 **Am 5. September 1774 trat in Philadelphia der Erste Kontinentalkongress zusammen; 1776 verabschiedete der Zweite Kontinentalkongress die Unabhängigkeitserklärung.**

3 **Bei Bunker Hill lieferten sich Briten und Amerikaner das erste Gefecht des amerikanischen Unabhängigkeitskrieges; die Amerikaner siegten. Die schweren Verluste der Briten steigerten die Kampfmoral der Kolonisten.**

4 **Streitkräfte der Kolonien belagerten 1775 bis 1776 Quebec; als aber ihr Kommandeur fiel, zogen sie sich wieder zurück.**

5 **New York blieb nach seiner Eroberung durch Sir William Howe im Jahr 1776 loyal und wurde anstelle Bostons Hauptstützpunkt der Briten in Nordamerika.**

6 **George Washingtons Kontinentalarmee überwinterte 1776/1777 unter härtesten Bedingungen bei Valley Forge, nachdem sie – von New York kommend – New Jersey passiert hatte.**

7 **Zwar konnte Samuel Hood 1782 die Eroberung von Saint Kitts durch die Franzosen nicht verhindern, aber dafür besiegte im selben Jahr George Rodney den Feind vor »The Saintes«.**

ZEITLEISTE

MILITÄRISCHE OPERATIONEN

GESETZGEBUNG

1760

1763 Beschluss der Einführung direkter Steuern in Nordamerika.

1765 Die Stempelakte besteuert die englischen Kolonien erstmals direkt.

1766 Der »Declaratory Act« schreibt die Zuständigkeit des Mutterlandes für die Kolonialgesetzgebung fest.

1770 Boston erlebt ein Massaker, als bei einem Aufruhr viele Einwohner von britischen Soldaten getötet werden.

1770

1773 Boston Tea Party: Vernichtung einer Teeladung aus Protest gegen das britische Tee-Dumping.

17 Bei Boston kommt es zu ersten Zusammenstö[...] die Amerikaner besetzen Mont[...] können Quebec jedoch nicht erob[...]

17 Der »Massachusetts Government Act« hebt [...] Rechte der Kolonien wieder auf, der »Que[...] Act« schränkt ihre Ausdehnung [...] In Philadelphia tritt [...] 1. Kontinentalkongress zusamm[...]

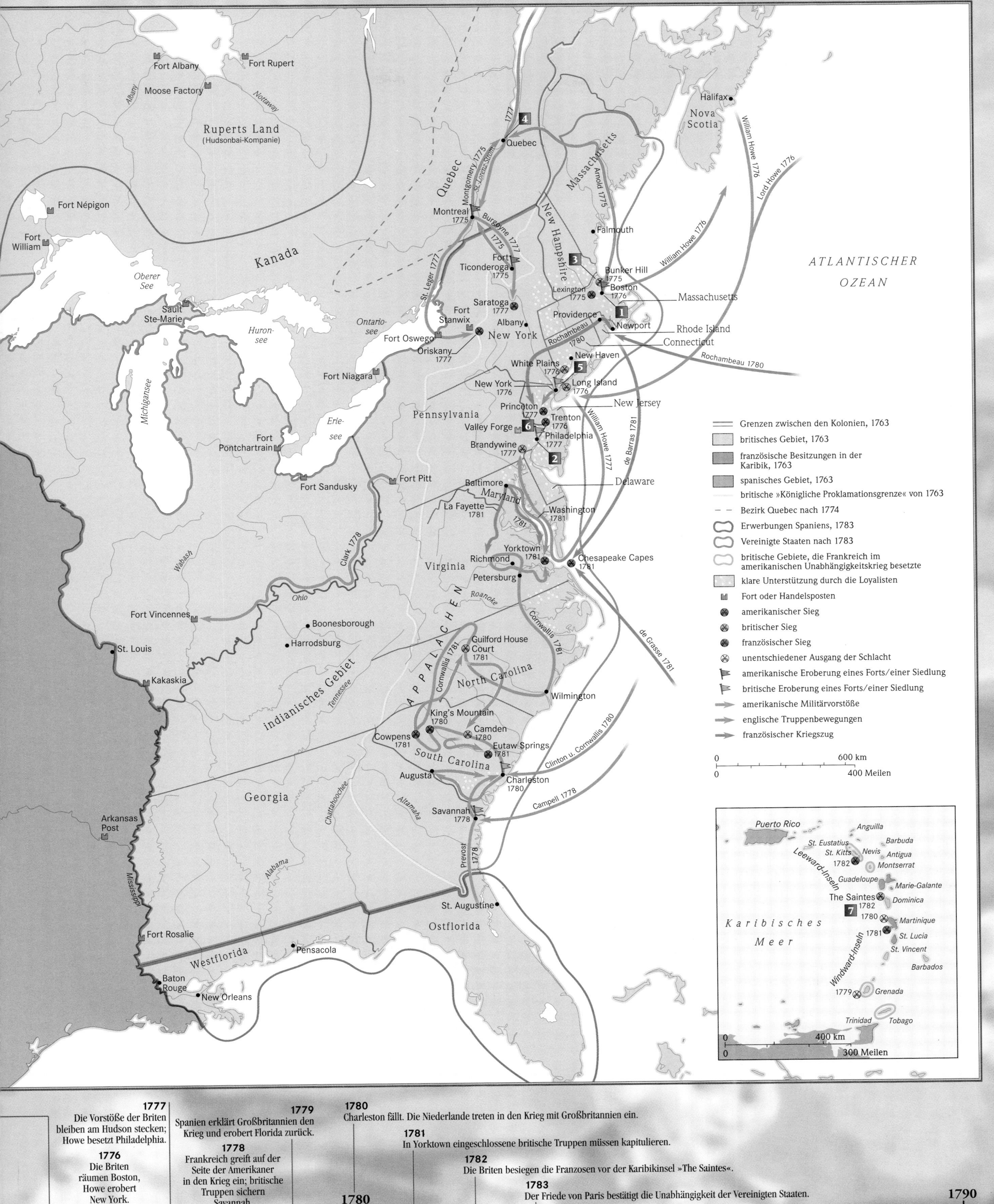

Fort Albany
Fort Rupert
Moose Factory
Albany
Nottaway
Ruperts Land
(Hudsonbai-Kompanie)
Fort Népigon
Fort William
Kanada
Oberer See
Sault Ste-Marie
Huron-see
Michigansee
Ontario-see
Erie-see
Fort Pontchartrain
Fort Sandusky
Fort Pitt
Fort Niagara
Fort Oswego
Fort Stanwix
Oriskany 1777
Quebec
Montreal 1775
Montgomery 1775
St.-Lorenz-Strom
Burgoyne 1777
St. Leger 1777
Fort Ticonderoga 1775
Saratoga 1777
Albany
New York
New Hampshire
Massachusetts
Arnold 1775
Falmouth
Halifax
Nova Scotia
William Howe 1776
Lord Howe 1776
ATLANTISCHER OZEAN
Bunker Hill 1775
Boston 1776
Lexington 1775
Massachusetts
Providence
Newport
Rhode Island
Connecticut
Rochambeau 1780
New Haven
White Plains 1776
Long Island 1776
New York 1776
New Jersey
Princeton 1777
Trenton 1776
Pennsylvania
Valley Forge
Philadelphia 1777
Brandywine 1777
William Howe 1777
de Barras 1781
Delaware
Baltimore
Maryland
La Fayette 1781
Washington 1781
Yorktown 1781
Richmond
Chesapeake Capes 1781
Virginia
Petersburg
Roanoke
Clark 1778
Wabash
Ohio
Fort Vincennes
Boonesborough
Harrodsburg
St. Louis
Kakaskia
indianisches Gebiet
Tennessee
APPALACHEN
Cornwallis 1781
de Grasse 1781
Guilford House Court 1781
North Carolina
Wilmington
King's Mountain 1780
Camden 1780
Cowpens 1781
Eutaw Springs 1781
South Carolina
Clinton u. Cornwallis 1780
Augusta
Charleston 1780
Campell 1778
Georgia
Chattahoochee
Altamaha
Savannah 1778
Prevost 1778
Arkansas Post
Alabama
Mississippi
St. Augustine
Ostflorida
Fort Rosalie
Westflorida
Pensacola
Baton Rouge
New Orleans
Grenzen zwischen den Kolonien, 1763
britisches Gebiet, 1763
französische Besitzungen in der Karibik, 1763
spanisches Gebiet, 1763
britische »Königliche Proklamationsgrenze« von 1763
Bezirk Quebec nach 1774
Erwerbungen Spaniens, 1783
Vereinigte Staaten nach 1783
britische Gebiete, die Frankreich im amerikanischen Unabhängigkeitskrieg besetzte
klare Unterstützung durch die Loyalisten
Fort oder Handelsposten
amerikanischer Sieg
britischer Sieg
französischer Sieg
unentschiedener Ausgang der Schlacht
amerikanische Eroberung eines Forts/einer Siedlung
britische Eroberung eines Forts/einer Siedlung
amerikanische Militärvorstöße
englische Truppenbewegungen
französischer Kriegszug
0 600 km
0 400 Meilen
Puerto Rico
Anguilla
St. Eustatius
Barbuda
St. Kitts
Nevis
Antigua
1782
Montserrat
Leeward-Inseln
Guadeloupe
Marie-Galante
The Saintes
Dominica
1782
1780
Martinique
1781
St. Lucia
St. Vincent
Karibisches Meer
Windward-Inseln
Barbados
1779
Grenada
Trinidad
Tobago
0 400 km
0 300 Meilen

1776
Die Briten räumen Boston, Howe erobert New York.

1776
Der 2. Kontinentalkongress verkündet die Unabhängigkeit der 13 Teilnehmerstaaten (»Declaration of Independence«).

1777
Die Vorstöße der Briten bleiben am Hudson stecken; Howe besetzt Philadelphia.

1777
Der Kongress stimmt den Konföderationsartikeln zu: Gründung der Vereinigten Staaten von Amerika.

1778
Frankreich greift auf der Seite der Amerikaner in den Krieg ein; britische Truppen sichern Savannah.

1779
Spanien erklärt Großbritannien den Krieg und erobert Florida zurück.

1780
Charleston fällt. Die Niederlande treten in den Krieg mit Großbritannien ein.

1781
In Yorktown eingeschlossene britische Truppen müssen kapitulieren.

1782
Die Briten besiegen die Franzosen vor der Karibikinsel »The Saintes«.

1783
Der Friede von Paris bestätigt die Unabhängigkeit der Vereinigten Staaten.

1780

1790

KAPITEL 5

Die Welt im 19. Jahrhundert 1783 bis 1914

James Watt ermöglichte mit seiner Weiterentwicklung der Dampfmaschine den Duchbruch des Industriezeitalters.

Im Jahr 1783 musste Großbritannien mit einem gewissen Bedauern einsehen, dass seine 13 Kolonien in Nordamerika ihre Unabhängigkeit durchgesetzt hatten; trotzdem aber beherrschten die europäischen Mächte in den 125 Jahren nach dem Entstehen der Vereinigten Staaten von Nordamerika (USA) die Welt. Ihre Heere sorgten für die Ausweitung ihrer Macht, ihre Seestreitkräfte vermaßen die Meere und ihre Kaufleute schweißten ihre Interessensphären durch Handel und Investitionen zusammen.

Noch standen der Vorteil der europäischen Wirtschaft und der Profit der europäischen Staaten im Vordergrund. Dabei war das neue Zeitalter der europäischen Weltreiche keineswegs frei von Rivalitäten – zwischen den Kolonialmächten untereinander, aber auch im Rahmen von Konflikten mit den eigenen Kolonien. Dessen ungeachtet aber bildete sich zum ersten Mal eine echte Weltwirtschaft heraus.

Ein Jahrhundert der Revolten und Revolutionen

Im »alten« Europa war ab 1789 Bahnbrechendes geschehen. Obgleich ihr Verlauf abstoßende Erscheinungen von Gewalttat und Diktaturstreben offenbarte, hatte die Französische Revolution die im Trend liegenden Schlagworte der Zeit unumkehrbar weltwirksam gemacht: Gleichheit, Menschenrechte, Aufklärung statt Aberglaube, anstelle ständischer Privilegien freies Wirken und Rechtssicherheit des Bürgers – privat, politisch, ökonomisch. Im Zuge der napoleonischen Eroberungen gewannen diese Ideen, ergänzt um Themen wie Verfassung, Nation und soziale Frage, Anhänger in ganz Europa. Das 19. Jahrhundert sah viele Kämpfe und Revolutionen, in denen Menschen vieler Länder bis hin ins ferne Südamerika um dieser Ziele willen auf die Barrikaden gingen, manchen alten Zopf abschnitten, oft aber auch im Gegenfeuer der ihre Vorrechte mit Klauen und Zähnen verteidigenden alten Mächte scheiterten. Obwohl mit der Einigung Italiens und vor allem Deutschlands machtvolle Nationalstaaten entstanden, war es um Bürgerrechte und auskömmliche Lebensverhältnisse noch nicht gut bestellt in Europa. Wer den Mangel an Freiheit nicht ertrug oder sich und seiner Familie angesichts eines mit Bevölkerungsexplosion und rasanter Industrialisierung einhergehenden Massenelends schlicht das Überleben retten wollte, erstrebte oft die Auswanderung – am liebsten nach Amerika.

Der Einfluss Europas auf die Vereinigten Staaten blieb durch die Einwanderung von Europäern ständig wirksam, was jedoch auch für die Politik, Wirtschaft und ethnische Zusammensetzung Australasiens und Kanadas sowie anderer Staaten und Regionen wie Algerien, Südafrika und Südamerika gelten kann. Die Auswanderung war im Grunde unausweichlich – selbst bei raschester Industrialisierung hätte Europa das Emporschnellen seiner Bevölkerungszahl allein nie verkraftet. Gerade zwischen 1815 und 1901 »übernahmen« die Vereinigten Staaten acht Millionen von den Britischen Inseln stammende Einwanderer, dazu viele weitere aus Deutschland, Skandinavien, Ost- und Südeuropa.

Die Europäer zogen nicht als Einzige in ferne Länder, aber die Menschen, die nicht der weißen Rasse angehörten und zwecks Arbeitssuche auswanderten – vor allem Chinesen, Japaner, Inder, Malaien und Afrikaner –, konnten dies nur, wenn es ihnen die Zielländer gestatteten. Anders als die Europäer, die selbst bei Mittellosigkeit etwa in den USA oder Australien stets willkommen waren, sah man viele Nichteuropäer zumeist als billige Arbeitskräfte, ließ sie nur für eine bestimmte Zeit ins Land und grenzte sie durch Rassenschranken wieder aus – wie beispielsweise die nach Queensland und Kalifornien kommenden Chinesen.

Neue Technologien beschleunigen den Fortschritt

Das Zeitalter der Migration spiegelte die Möglichkeiten, die die neuen Technologien eröffneten. Dank des Dampfschiffes schrumpften die Weltmeere zusammen, wurden Fernreisen immer schneller, sicherer, billiger und bequemer. Der Stacheldraht, 1873 in den Vereinigten Staaten erfunden, ermöglichte die Einzäunung großer Flächen und damit die Anlage riesiger neuer Farmen in den landwirtschaftlich noch ungenutzten Gebieten der Prärie. Schiffe mit Kühlräumen lieferten Fleisch in die Städte Europas und Nordamerikas, ohne dass es verdarb. Die Eisenbahnen konnten ebenfalls Nahrungsmittel und Rohstoffe

Auswanderer gehen an Bord eines Linienschiffes im Hamburger Hafen. Migration spielte im gesamten 19. Jahrhundert eine wichtige Rolle.

schnell und preisgünstig in die städtischen Zentren transportieren. Dies alles trug dazu bei, dass Europa zum Hauptabnehmer für landwirtschaftliche Erzeugnisse aus aller Welt wurde. Dem Getreide aus Nordamerika, dem Rindfleisch aus Argentinien, der Wolle und dem Schaffleisch aus Australien kamen deshalb eine so große Bedeutung zu, weil sich Europa ohne diese Einfuhren nicht mehr hätte ernähren können.

Aber der Handel blieb keineswegs nur auf Rohstoffe und Nahrungsmittel beschränkt. Die europäischen Schwer-, Leicht-, Textil- und Chemieindustrien produzierten ihrerseits nicht mehr nur für den Eigenbedarf, sondern auch für den Weltmarkt. Hinzu trat der »Export« beträchtlicher Kapitalmengen für Investitionen aller Art, die gleichsam als Motor dieser neuen Weltwirtschaft fungierten und auf allen Kontinenten die für den Handelsaustausch erforderliche Infrastruktur entstehen ließen. Dem britischen Weltreich, das mehr als ein Fünftel der Landmasse dieser Erde bedeckte (und dessen politisch-finanzieller Einfluss im späten 19. Jahrhundert auch in vielen anderen Regionen eine beherrschende Rolle spielte), kam in Bezug auf diesen Kapitalfluss die Vormacht zu, obwohl es immer stärker von den Vereinigten Staaten, seinem politisch und kulturell erstarkenden Abkömmling, herausgefordert wurde. Aus beidem folgte, dass sich Englisch immer mehr zur internationalen Verkehrssprache entwickelte.

Guglielmo Marconi (1874–1937) gelang 1895 die erste drahtlose Telegrafieverbindung, 1901 stellte der Italiener die erste Funkverbindung über den Atlantik her.

Die Ambivalenz des Kolonialismus

Die Ausweitung von Herrschaft und Einfluss der Europäer vollzog sich nicht nur friedlich. Vielerorts regte sich heftiger Widerstand gegen die fremden Herren, vor allem und am weiträumigsten in Afrika und China. Gleichzeitig bestand aber der stark ausgeprägte Wunsch, es den Europäern gleichzutun oder die von ihnen entwickelten Techniken und Methoden zu entlehnen. Am deutlichsten zeigte sich dies im Falle Japans, das mit seinen Reformen ab 1871 ganz bewusst eine Verwestlichung anstrebte. Ähnliche Tendenzen gab es auch in Ägypten, Persien und Siam, in Staaten also, die während des bis dahin verflossenen Jahrhunderts von europäischen Einflüssen weitgehend frei gewesen waren, inzwischen jedoch die Vorteile einer Übernahme westlicher Verhaltens- und Verfahrensweisen erkannt hatten.

Die europäischen Mächte versuchten natürlich auch, ihre Kolonien in der zu Hause üblichen Form der Administration, Rechtsprechung, Kultur, Technik und Handelspraxis zu unterweisen – allerdings nicht immer erfolgreich, denn in zeittypischer Überheblichkeit zweifelte man kaum an der Legitimität des eigenen Kulturimperialismus. Die »Pax Britannica« wurde weltweit mit Hilfe einer Mischung aus Kanonenboot-Politik und Diplomatie aufrechterhalten. Die Einführung eines Bildungssystems und politischer Institutionen britischer Prägung sowie des Christentums sah man als unbestreitbaren Vorteil für die »armen rückständigen Heiden« im Rest dieser Welt an. Obwohl solche Vorteile ganz fraglos bestanden, erzeugte das gewaltsame, den lokalen Bedingungen wenig Rechnung tragende Aufpfropfen der europäischen Kultur doch eine Ablehnung, die in der ersten Hälfte des 20. Jahrhunderts stetig wuchs und nach 1945 vielerorts in blutigen Unabhängigkeitskämpfen gipfeln sollte.

Fortschritt auch in den Wissenschaften

Im 19. Jahrhundert entwickelte die Menschheit zunehmend die Bereitschaft, den Zuwachs an Wissen für einen Eingriff in ihre Umwelt zu nutzen. Die Wissenschaft, wie sie in Deutschland, Frankreich, Großbritannien und in den USA betrieben wurde, erzielte gewaltige Fortschritte und ihre weltverändernde Kraft ließ sich bald nicht mehr bestreiten. Die wissenschaftlich fundierte Erforschung und Züchtung von Pflanzen und Tieren etwa wirkte sich auf die Wirtschaft aus. So veränderte sich beispielsweise die wirtschaftliche Lage auf der Malaiischen Halbinsel erheblich, nachdem die Briten dort den aus Südamerika stammenden Kautschukbaum eingeführt hatten, den man in Plantagen anpflanzen konnte. In der Wissenschaft überhaupt schien der Schlüssel zur Zukunft zu liegen, das heißt zur Produktion und Nutzung neuer Erzeugnisse, zu neuen Energiequellen und Antriebskräften (Elektrizität, Hochleistungsdampfmaschinen, Turbinen und Verbrennungsmotoren) und zu neuen Materialien (wie Metalllegierungen, chemische Farbstoffe, Düngemittel, Sprengstoffe). Als ebenso bahnbrechend erwiesen sich die neuen Kommunikationsformen: Telegraf, Telefon und Funk ließen die Entfernungen noch stärker schrumpfen als Eisenbahnen und Dampfschiffe. Im Jahr 1901 sendete Guglielmo Marconi erstmals Funksignale über den Atlantik. Zwei Jahre später erhoben sich die Gebrüder Wright mit ihrem Motor-Fluggerät in die Luft und verhalfen damit zumindest den Industrienationen zu einem völlig neuen Fortbewegungsmittel, das im zivilen wie im militärischen Bereich ganz neue Perspektiven eröffnete.

Die Gesamtheit dieser Neuerungen trug dazu bei, frühere Gewissheiten aufzulösen und ein Gefühl des ständigen Wandels zu erzeugen. Als die europäischen Mächte 1914 in einen Krieg taumelten, der den gesamten Kontinent erfasste, erwiesen sich die Fundamente, auf denen das vorangegangene Jahrhundert geruht hatte, als nicht mehr tragfähig. Um zu überleben, mussten die Mächte die Ressourcen ihrer früheren Kolonien in einer Weise in Anspruch nehmen, die die Beziehungen zu diesen unwiderruflich veränderte.

Frankreichs Kaiser Napoleon III., hier in Galauniform, geriet 1870 im Deutsch-Französischen Krieg in Gefangenschaft, wurde abgesetzt und starb 1873 im Exil.

Europas Mächtige auf dem Wiener Kongress 1814/1815: Noch einmal gelang es, die »alte« Ordnung herzustellen.

Die Welt im 19. Jahrhundert (1783 bis 1914)

Die Welt • 1812

Im 19. Jahrhundert setzte Europa die Erschließung neuer Märkte und Rohstoffquellen weltweit fort und der Kolonialismus veranlasste viele Staaten, erhebliche Mittel in die Eroberung und die Verwaltung neuer Territorien zu stecken. Kaum eine Zivilisation blieb von der Europäisierung verschont. Einige, etwa die indischen Kulturen, waren uralt und hoch entwickelt, andere, zum Beispiel die afrikanischen, in einer kritischen Entwicklungsphase. Vielen Eingeborenenkulturen in Nordamerika, Australien und Neuseeland drohte Verdrängung oder Vernichtung.

Die Vereinigten Staaten von (Nord-)Amerika und Russland weiteten ihre Gebiete aus. 1803 erwarben die USA von den Franzosen die Kolonie Louisiana und erkundeten von 1805 bis 1812 Wege zum Pazifik (vgl. S. 304/305). Mit Alaska und Vancouver wahrten Russland beziehungsweise Großbritannien ihre Interessen in Amerika. Der US-Handel mit China und später mit Europa wuchs nach der Revolution. Als es durch Piraten der Barbareskenküste beziehungsweise die napoleonische Kontinentalsperre zu Beeinträchtigungen kam, führte dies zur militärischen Reaktion: Amerikanische Truppen griffen 1804 Tripolitanien und 1812 britische Stellungen am Erie- und am Ontariosee an (vgl. S. 302/303).

Das grosse Geschäft mit den Sklaven

Die Osmanen behaupteten nach wie vor ihre Oberhoheit über Ägypten, Tripolitanien, Tunis und Algier, obwohl diese Staaten praktisch bereits unabhängig waren (vgl. S. 280/281). Das europäische Vordringen in Afrika wurde primär von den Bedürfnissen des Sklavenhandels bestimmt, aus dem portugiesische Händler an den Mündungen von Kongo und Sambesi enorme Profite zogen. Auch Großbritannien beteiligte sich bis zur Abschaffung des Sklavenhandels (1807) rege an diesem Geschäft; schon 1787 hatten Gegner der Sklaverei mit Sierra Leone einen Staat für befreite Sklaven gegründet (vgl. S. 282/283).

Afrika befand sich in einem Unruhezustand, der sich im Lauf des 19. Jahrhunderts noch verschlimmerte. Im Westen dominierten die Reiche der Ashanti und Fulani, an der Ostküste erneuerten die Omanis ihr altes Handelsimperium und in Zentralafrika waren die dortigen Staaten in Machtkämpfe verstrickt. Im Süden kontrollierten die Reiche Lozi und Kazembe den Ost-West-Handel über den Sambesi. Madagaskar, das schrittweise vom Königreich Merina erobert wurde, belieferte – wie Angola – Brasilien und die USA mit Sklaven. Am Kap stießen zu den niederländischen Siedlern ab 1795 auch britische, die 1806 den Marinestützpunkt Simonstown gründeten. Schon bald wurden die Weißen zur tödlichen Bedrohung für die San- und Xhosa-Stämme (vgl. S. 286/287).

Chinas »Grösse«

In China expandierte das Mandschu-Reich weiter. Chinesische Kolonisten siedelten sich in Xinjiang an. In Tibet stießen Truppen des Reiches der Mitte mit aus Nepal eingedrungenen Gurkhas zusammen, Bir-

Russisch-Amerika
Jäger arktischer Meeressäuger
subarktische Waldlandjäger und -sammler
Gebirgslandfischer, Jäger und Sammler
Ruperts Land
1795
Red-River-Kolonie
Neufundland
Nordwestküsten-Kultur (Küstenfischer und Wildbeuter)
1812
1805
Erwerb von Louisiana
Ober- und Unterkanada
Nova Scotia
New Brunswick
VEREINIGTE STAATEN
Vizekönigreich Neuspanien
Florida
Bahamas
Hawaii-Inseln
HAITI
Kuba
Puerto Rico
Jamaika
Britisch-Honduras
Moskitoküste
Britisch-Guayana
Vizekönigreich Neugranada
Galápagos-Inseln
Vizekönigreich Brasilien
Polynesier
Marquesas-Inseln
Vizekönigreich Peru
Tuamotu-Inseln
PARAGUAY
erste Handelsverbindung zwischen den Vereinigten Staaten und China, 1784
Pitcairn
Vereinigte Provinzen von La Plata
Schalentiersammler und Jäger von Meeressäugetieren
Jäger und Sammler in der Pampa
Falkland-Inseln (Spanien)

Anfang vom Ende einer Ära: Napoleon 1812 im brennenden Moskau

ZEITLEISTE

Nord- und Südamerika ■
Europa ■
Vorderer und Mittlerer Orient ■
Afrika ■
Asien, Australien und Ozeanien ■

1785 – 1790 – 1795

1787 Erste befreite Sklaven siedeln sich in Sierra Leone an, das 1808 Kolonie wird.

1788 Sydney wird als Siedlung für britische Strafgefangene gegründet.

1789 Die Französische Revolution stürzt das Ancien Régime.

1791 Auf Saint-Domingue (Haiti) bricht unter Führung von Toussaint l'Ouverture ein Sklavenaufstand aus.

1792 Frankreich wird Republik; Ausbruch der Französischen Revolutionskriege.

1792 Die ersten weißen Siedler landen in der neuseeländischen Bay of Islands.

1793 Eine britische Handelsdelegation wird in China von den Mandschu abgewiesen.

1795 Erste britische Siedler landen am Kap der Guten Hoffnung; bis 1806 ist die Kapkolonie unter britischer Kontrolle.

179[8] Der Aufstand irischer Nationalisten unter Wolfe Tone wird niedergeschlagen.

Napoleon Bonaparte erobert Ägypten.

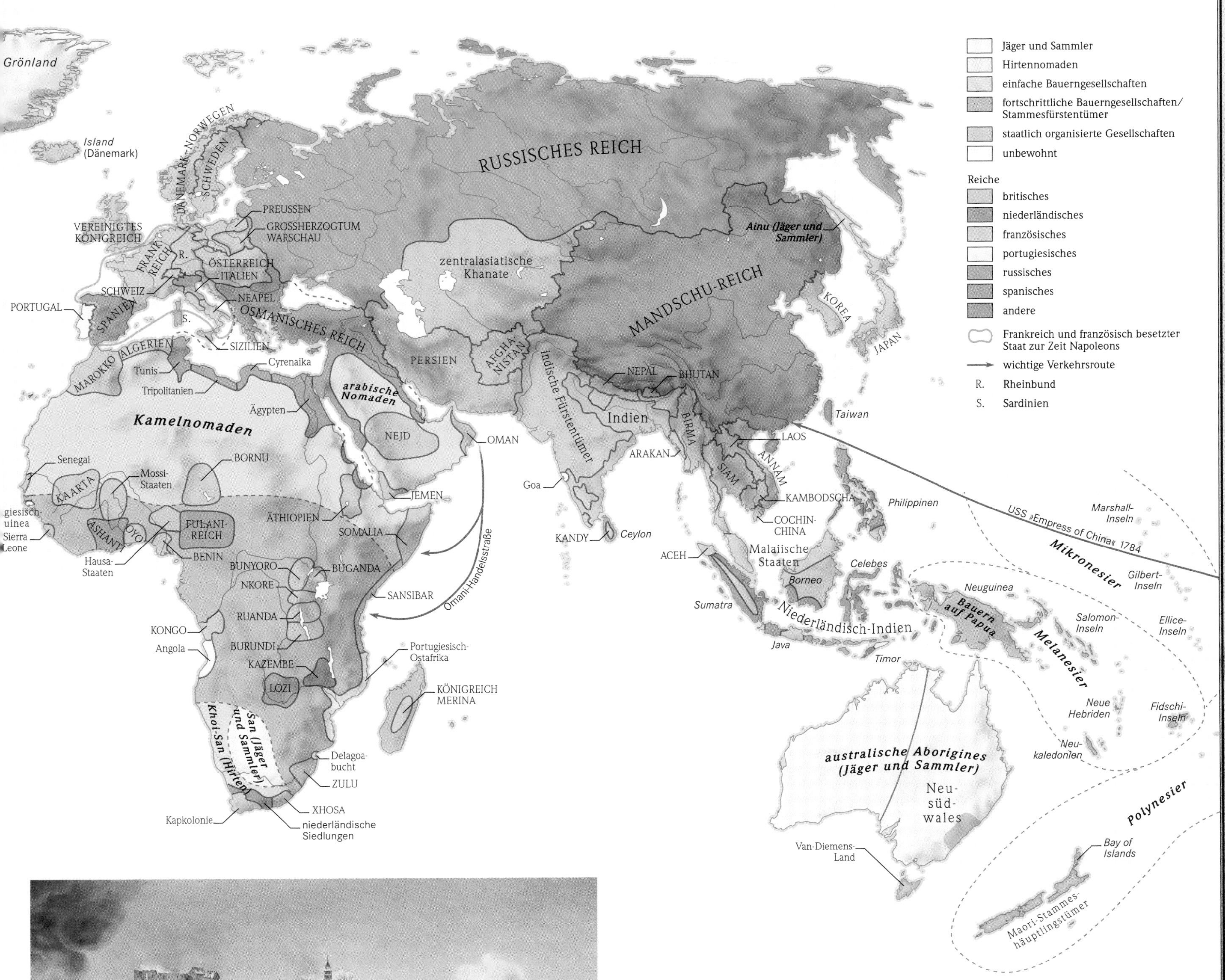

Jäger und Sammler
Hirtennomaden
einfache Bauerngesellschaften
fortschrittliche Bauerngesellschaften/Stammesfürstentümer
staatlich organisierte Gesellschaften
unbewohnt

Reiche
britisches
niederländisches
französisches
portugiesisches
russisches
spanisches
andere

Frankreich und französisch besetzter Staat zur Zeit Napoleons
wichtige Verkehrsroute
R. Rheinbund
S. Sardinien

1807 konnten die Truppen Napoleons bei Preußisch Eylau die Verbündeten Russland und Preußen nicht eindeutig besiegen.

ma und Annam akzeptierten die chinesische Oberhoheit. Wichtigstes Ziel der Mandschu war aber eine längere Friedenszeit, um die Landwirtschaft neu zu organisieren, denn man musste eine Bevölkerung ernähren, die zwischen 1760 und 1812 von 160 auf rund 300 Millionen angewachsen war (vgl. S. 290/291).

Lateinamerikas Kampf um Unabhängigkeit

Der Niedergang der spanischen Herrschaft in Amerika begann mit Aufständen in Mexiko (1810), Paraguay (1811) und Venezuela (1810–1812). Der Sklavenaufstand unter Toussaint l'Ouverture 1791 hatte zwar Haiti die Unabhängigkeit beschert, aber sonst bestand die Sklaverei in der Karibik bis ins späte 19. Jahrhundert fort (vgl. S. 300/301).

Die Zeit Napoleons I.

In Frankreich kam Napoleon Bonaparte an die Macht (1799 als Erster Konsul und 1804 als Kaiser). Er unterwarf Österreich und Preußen, weitete seine Macht bis Polen aus und zog sich durch eine Handelsblockade (die Kontinentalsperre) ab 1803 die Gegnerschaft Großbritanniens zu (vgl. S. 262/263). Da Spanien und Portugal die Blockade brachen, marschierten Napoleons Truppen dort ein. 1812 griff der Kaiser, inzwischen Herr über ein weites Netz europäischer Vasallenstaaten, Russland an. Der Niederlage folgte ein Bündnis der europäischen Monarchen, um Napoleon zu stürzen.

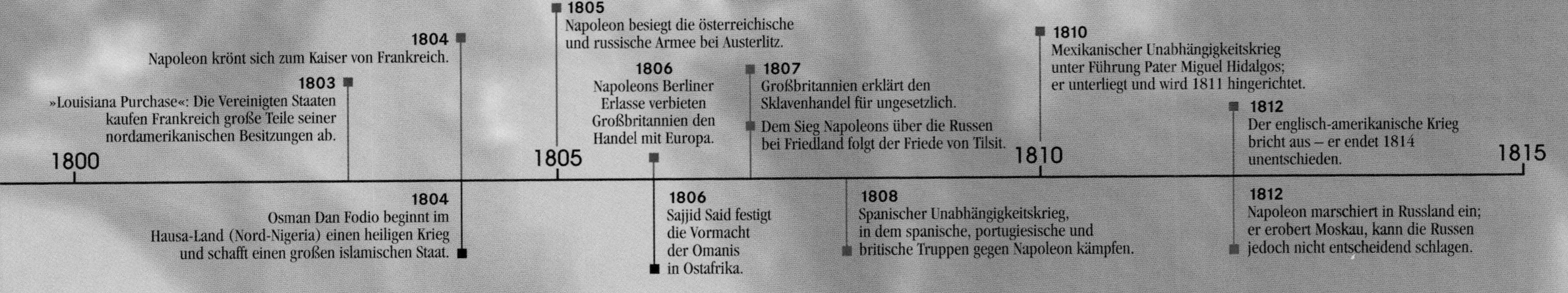
1800
1803 »Louisiana Purchase«: Die Vereinigten Staaten kaufen Frankreich große Teile seiner nordamerikanischen Besitzungen ab.
1804 Napoleon krönt sich zum Kaiser von Frankreich.
1804 Osman Dan Fodio beginnt im Hausa-Land (Nord-Nigeria) einen heiligen Krieg und schafft einen großen islamischen Staat.
1805
1805 Napoleon besiegt die österreichische und russische Armee bei Austerlitz.
1806 Napoleons Berliner Erlasse verbieten Großbritannien den Handel mit Europa.
1806 Sajjid Said festigt die Vormacht der Omanis in Ostafrika.
1807 Großbritannien erklärt den Sklavenhandel für ungesetzlich.
Dem Sieg Napoleons über die Russen bei Friedland folgt der Friede von Tilsit.
1808 Spanischer Unabhängigkeitskrieg, in dem spanische, portugiesische und britische Truppen gegen Napoleon kämpfen.
1810
1810 Mexikanischer Unabhängigkeitskrieg unter Führung Pater Miguel Hidalgos; er unterliegt und wird 1811 hingerichtet.
1812 Der englisch-amerikanische Krieg bricht aus – er endet 1814 unentschieden.
1812 Napoleon marschiert in Russland ein; er erobert Moskau, kann die Russen jedoch nicht entscheidend schlagen.
1815

Die Welt im 19. Jahrhundert (1783 bis 1914)

Die Welt • 1848

Der Wiener Kongress (1814–1815) löste Napoleons Imperium wieder auf und zeichnete die Karte Europas neu (vgl. S. 262/263). Der von Preußen und Österreich beherrschte Deutsche Bund wurde geschaffen und es entstanden ganz neue Nationalstaaten, so Griechenland, das bis 1828 seine Unabhängigkeit vom Osmanischen Reich erkämpfte, und Belgien, das sich 1830 gegen die niederländische Herrschaft erhob und 1839 auch offiziell unabhängig wurde.

Die Restauration der autokratischen Monarchien durch den Wiener Kongress, die im Namen der Stabilität vorgenommen wurde, stieß in großen Teilen der Bevölkerung auf Ablehnung. Europaweit kam es 1848 zu einer Reihe von Revolutionen und Aufständen, ausgenommen waren nur Großbritannien und Russland (vgl. S. 268/269). Doch interne Uneinigkeit ließ alle revolutionären Bestrebungen scheitern und die konservativen Kräfte konnten sich ihre Macht schon bald wieder sichern.

Kampf um die Unabhängigkeit

In Mittel- und Südamerika dagegen gelang es den revolutionären Kräften, die spanische und die portugiesische Oberherrschaft zum Einsturz zu bringen. Brasilien sagte sich von Portugal los und rief 1822 ein unabhängiges Kaiserreich aus. Der Zusammenbruch Spaniens während der Napoleonischen Kriege führte in Amerika zu einer Reihe von Erhebungen gegen die spanische Herrschaft; bis 1826 entstanden elf unabhängige Staaten (vgl. S. 298/299). Die Unterschiedlichkeit der Kulturen und auch der Zielsetzungen der Revolutionäre verhinderten aber den erhofften großen amerikanischen Staat – Simón Bolívars Großkolumbien (es umfasste die heutigen Staaten Venezuela, Kolumbien und Ecuador) zerfiel nach nur elf Jahren bereits 1830 wieder.

Trennung der Alten und der Neuen Welt

Vom Zusammenbruch Spaniens profitierten auch die USA, die 1819 bis 1822 Ost- und Westflorida hinzugewannen. Die Grundsätze amerikanischer Außenpolitik zeigten sich 1823 in der Monroe-Doktrin, die eine strikte Trennung von Alter und Neuer Welt verkündete, um eine Fortsetzung der europäischen Kolonisation auszuschließen. Zugleich beschleunigte sich die Expansion der USA selbst: 1844 wurden Oregon und 1845 Texas annektiert (vgl. S. 304/305) und der Krieg mit Mexiko (1846–1848) erbrachte die Eingliederung Kaliforniens, wo wenig später Gold entdeckt wurde.

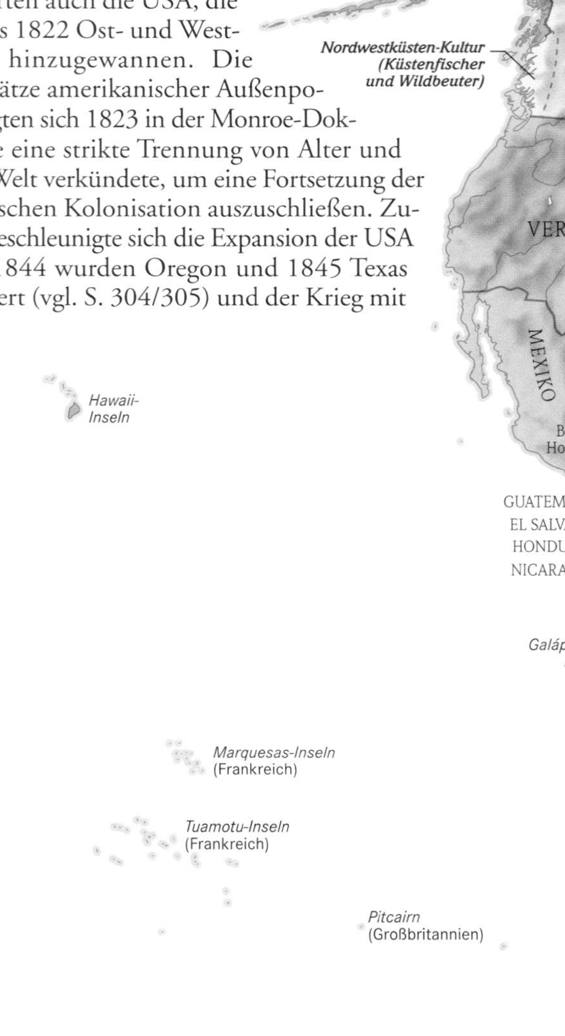

Hawaii-Inseln
Marquesas-Inseln (Frankreich)
Tuamotu-Inseln (Frankreich)
Pitcairn (Großbritannien)

Russisch-Amerika
Jäger arktischer Meeressäuger
subarktische Waldlandjäger und -sammler
Nordwestküsten-Kultur (Küstenfischer und Wildbeuter)
Gebirgslandfischer, Jäger und Sammler
Ruperts Land
Neufundland
Kanada
Nova Scotia
New Brunswick
VEREINIGTE STAATEN
MEXIKO
Bahamas
HAITI
Kuba
Puerto Rico
Jamaika
DOMINIKANISCHE REPUBLIK
Britisch-Honduras
GUATEMALA
EL SALVADOR
HONDURAS
NICARAGUA
COSTA RICA
Britisch-Guayana
Niederländisch-Guayana
Französisch-Guayana
VENEZUELA
KOLUMBIEN
ECUADOR
Galápagos-Inseln
BRASILIEN
PERU
BOLIVIEN
PARAGUAY
ARGENTINIEN
CHILE
URUGUAY
Jäger und Sammler in der Pampa
Schalentiersammler und Jäger von Meeressäugetieren
Falkland-Inseln (Großbrit.)

Der spätere Präsident der USA, Zachary Taylor, im Feldlager während des Krieges gegen Mexiko (1846–1848)

Entgegen allen Reformbestrebungen

In Russland widersetzten sich Zar Alexander I. und sein Nachfolger Nikolaus I. unnachgiebig allen Reformbestrebungen. Ein Aufstand der Polen gegen die russische Herrschaft (1830–1831) wurde erstickt und russische Truppen halfen Österreich bei der Niederschlagung einer Erhebung ungarischer Nationalisten (1848–1849). Ab 1839 begannen die Russen zudem, militärisch gegen die zentralasiatischen Khanate vorzugehen (vgl. S. 276/277).

ZEITLEISTE

Nord- und Südamerika ■
Europa ■
Vorderer und Mittlerer Orient
Afrika ■
Asien, Australien und Ozeanien ■

1810

1820

1815 Napoleon unterliegt bei Waterloo britischen und preußischen Truppen.

1816 Nach einem mehrjährigen Befreiungskrieg erklärt Argentinien seine Unabhängigkeit von Spanien.

1816 Chaka eint die Zulustämme in einem Königreich.

1816 Großbritannien beginnt in Nepal mit der Rekrutierung von Gurkhas.

1818 Die Vereinigten Staaten und Kanada einigen sich auf den 49. Breitengrad als Grenze.

1820 Britische Siedler treffen in großer Zahl am Kap ein.

1822 Brasilien erklärt seine Unabhängigkeit von Portugal.

1823 Die Monroe-Doktrin richtet sich gegen eine weitere europäische Expansion auf dem amerikanischen Kontinent.

1824–1826 Großbritannien führt in Westafrika zwei erfolglose Kriege gegen die Ashanti.

Sieg der Griechen im Unabhängigkeitsk (die Osmanen erkennen Griechenland 1832

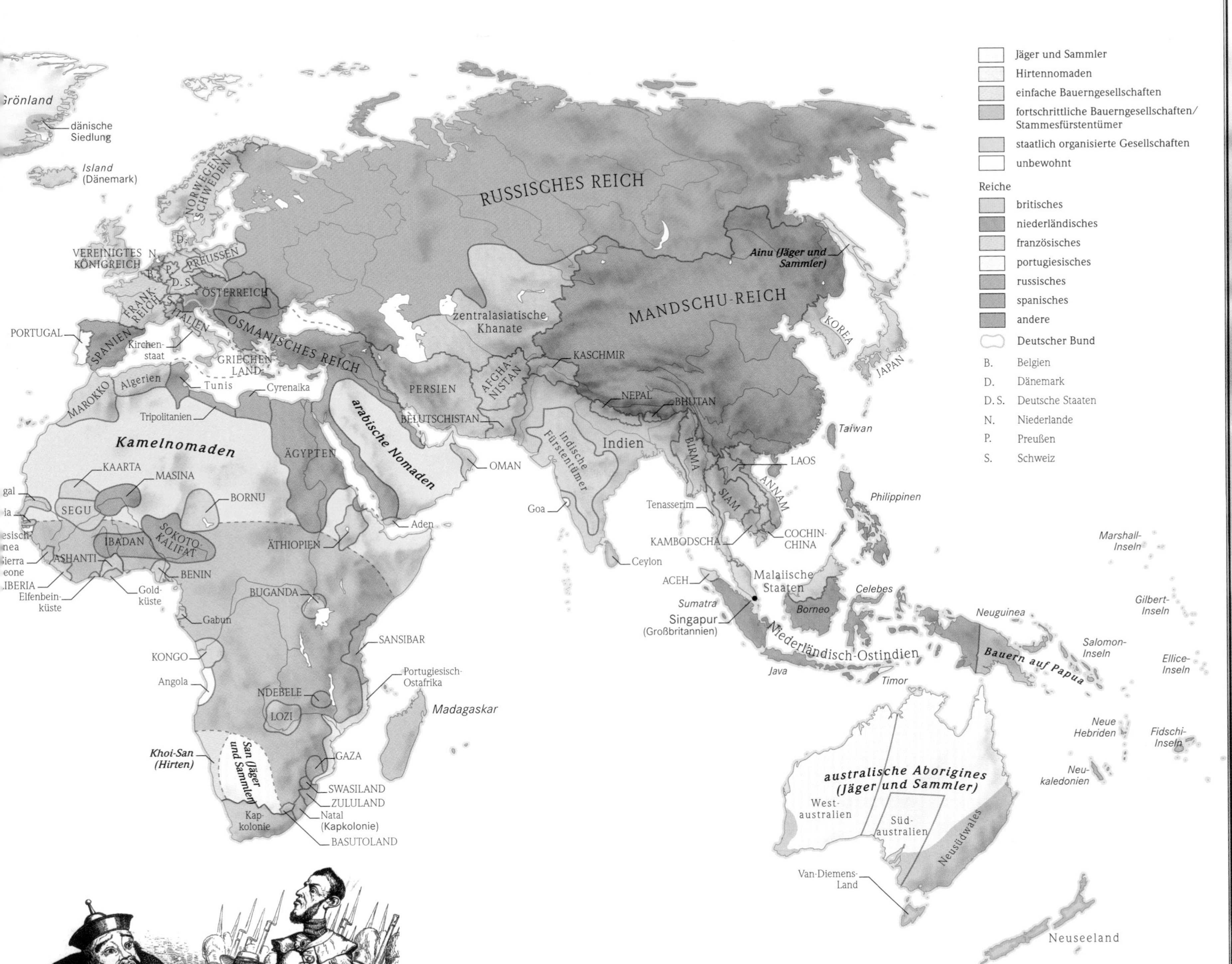

- Jäger und Sammler
- Hirtennomaden
- einfache Bauerngesellschaften
- fortschrittliche Bauerngesellschaften/ Stammesfürstentümer
- staatlich organisierte Gesellschaften
- unbewohnt

Reiche
- britisches
- niederländisches
- französisches
- portugiesisches
- russisches
- spanisches
- andere
- Deutscher Bund

B. Belgien
D. Dänemark
D. S. Deutsche Staaten
N. Niederlande
P. Preußen
S. Schweiz

Nach seinem Sieg im Ersten Opiumkrieg zwang England 1842 die Chinesen zur Öffnung ihrer Märkte; britische Karikatur.

In Afrika begann Frankreich zwar 1830 mit der Eroberung Algeriens, aber die europäischen Vorstöße blieben auf diesem Kontinent noch relativ begrenzt. In Westafrika dominierten neue Reiche wie Sokoto, Ibadan und Masina (vgl. S. 282/283). Im Süden kam es infolge der Zulu-Expansion zu Instabilität. Die Buren am Kap widersetzten sich der britischen Oberherrschaft und begannen 1835 den »Großen Treck« nach Norden. Die »Voortrekker«, die sich am Vaal ansiedelten, gerieten in Konflikt mit den Ndebele und jene, die nach Natal zogen, mit den Zulu (vgl. S. 286/287).

Imperiale Ambitionen

Die imperialen Ambitionen, mit denen Großbritannien in Amerika gescheitert war, richteten sich nun auf Asien. Zwischen 1839 und 1842 verteidigten die Briten im »Opiumkrieg« mit China ihren einträglichen Drogen- beziehungsweise Arzneimittelhandel (vgl. S. 290/291): Sie gewannen fünf »Vertragshäfen« und kolonisierten Hongkong. Die Herrschaft über Indien wurde durch den Erwerb Sinds und des Pandschab gefestigt (vgl. S. 294/295). Zudem nahmen die Briten Birma die Regionen Arakan und Tenasserim ab. In Australien, wo bis 1848 die meisten Strafkolonien aufgelöst wurden, kam es zu einer neuen Einwanderungswelle und zur Gründung von Orten wie Adelaide und Perth (vgl. S. 288/289). In Neuseeland endete der Konflikt mit den Maori 1840 in einem Vertrag, worin zwar Londons Herrschaft anerkannt wurde, viele Fragen zu Landbesitz und -verkauf jedoch offen blieben.

1830
1830–1831 Aufstand der Polen gegen die russische Herrschaft.
1833 Die Briten besetzen die Falkland-Inseln.
1833 Das Osmanische Reich erkennt die Unabhängigkeit Ägyptens an.
1837 Die Buren gründen die Republik Natal.
1838–1842 Großbritannien führt den 1. britisch-afghanischen Krieg, um die Ausweitung des russischen Einflusses nach Süden zu beenden.
1839–1842 Erster Opiumkrieg zwischen Großbritannien und China.
1839 Internationale Garantie der Unabhängigkeit Belgiens.
1840
1840 Im Vertrag von Waitangi erhält Großbritannien die Oberhoheit über Neuseeland.
1841 Expansion Ibadans (Westafrika).
1846 In Westindien annektiert Großbritannien Sind und den Pandschab.
1846–1848 Krieg der Vereinigten Staaten gegen Mexiko, das einen großen Teil seiner nordöstlichen Territorien verliert.
1846 Der Sklavenhandel zwischen Westafrika und Brasilien erreicht seinen Höhepunkt.
1848 Überall in Europa brechen Revolutionen aus.
1850

Die Welt im 19. Jahrhundert (1783 bis 1914)

Die Welt • 1880

Um 1880 kennzeichneten die zunehmende Verstädterung und Industrialisierung sowie ein rapides Bevölkerungswachstum die Situation in den höher entwickelten Staaten. In Europas Städte drängten immer mehr Menschen vom Lande, die versuchten, ihren Lebensunterhalt mit Fabrikarbeit zu bestreiten (vgl. S. 270/271). Der technische Fortschritt trieb die industrielle Entwicklung voran.

Doch auch die koloniale Expansion profitierte vom technischen Fortschritt – bereits in der Mitte des 19. Jahrhunderts hatten die Briten in Indien die ersten Eisenbahn- und Telegrafenverbindungen aufgebaut. Manche starren, rückständigen Regimes wie Japans Shogunat der Tokugawa überlebten den Anbruch der Moderne nicht, andere – wie das chinesische Reich der Mandschu, das Osmanische Reich oder das zaristische Russland – hielten sich trotz innerer Auseinandersetzungen noch.

Neue Nationalstaaten

In Europa entstanden in der zweiten Hälfte des 19. Jahrhunderts neue Nationalstaaten, die das Gleichgewicht der Kräfte veränderten. In Italien schlossen sich die nationalistischen Gruppierungen im Norden und Süden zusammen, um die Einigung des Landes zu erreichen (vgl. S. 268/269). Das Ringen um die Vormacht im Deutschen Bund führte 1866 zum Krieg zwischen Österreich und Preußen, den Preußen gewann (vgl. S. 266/267). Der Sieg preußischer und süddeutscher Truppen über Frankreich zerstörte 1871 das »Zweite Kaiserreich« Napoleons III. und erhob Preußen zum Zentrum eines »zweiten«, Österreich ausschließenden Deutschen Reiches.

Sezession, Expansion – und Kriege

Die Kriegführung wurde durch die Mechanisierung radikal verändert. Im amerikanischen Bürgerkrieg (1861–1865) kamen erstmals ganz neue Möglichkeiten hinsichtlich Mobilität und Feuerkraft zum Tragen, die man dem Siegeszug der Eisenbahnen beziehungsweise der Massenfertigung von Waffen verdankte (vgl. S. 306/307). Der Konflikt zwischen dem Norden und dem Süden, der sich an der Frage der Sklaverei und der »Reichweite« der Bundesrechtsprechung entzündet hatte, forderte hohe Menschenverluste. Am Ende siegte der Norden – dank seiner militärischen und wirtschaftlichen Überlegenheit.

In der Folgezeit stiegen die USA rasch zur beherrschenden Macht der westlichen Hemisphäre auf. Sie setzten ihre Expansion mit dem Erwerb des Gadsden-Streifens von Mexiko (1853) und Alaskas von Russland (1867) fort. Der Einrichtung einer transkontinentalen Telegrafenverbindung folgte 1869 die Verknüpfung der Schienennetze der »Union Pacific« und der »Central Pacific Railway«, so dass auch hier eine Verbindung von Küste zu Küste entstand (vgl. S. 304/305, 308/309). Zwischen 1872 und 1890 spielte der Bau einer weiteren Bahnstrecke bei der Einigung Kanadas eine wichtige Rolle, denn sie verband das neue Gebiet British Columbia im Westen mit den östlichen Provinzen, die sich 1867 zum »Dominion of Canada« zusammengeschlossen hatten (vgl. S. 302/303).

Alaska
KANADA
Neufundland
VEREINIGTE STAATEN
MEXIKO
Hawaii-Inseln (Vereinigte Staaten)
Bahamas
HAITI
Kuba
Puerto Rico
Jamaika
DOMINIKANISCHE REPUBLIK
Britisch-Honduras
GUATEMALA
EL SALVADOR
HONDURAS
NICARAGUA
COSTA RICA
VENEZUELA
KOLUMBIEN
Britisch-Guayana
Niederländisch-Guayana
Französisch-Guayana
Galápagos-Inseln (Ecuador)
ECUADOR
BRASILIEN
PERU
BOLIVIEN
Marquesas-Inseln (Frankreich)
Tuamotu-Inseln (Frankreich)
PARAGUAY
ARGENTINIEN
CHILE
URUGUAY
Jäger und Sammler in der Pampa
Schalentiersammler und Jäger von Meeressäugetieren
Falkland-Inseln (Großbrit.)

1869 feierte man in Promontory Point, USA, mit dem Anschluss der Eisenbahnlinien Union Pacific und Central Pacific die erste transkontinentale Eisenbahnverbindung.

ZEITLEISTE

Nord- und Südamerika ■
Europa ■
Vorderer und Mittlerer Orient ■
Afrika ■
Asien, Australien und Ozeanien ■

1850

1851–1853 Goldrausch in Australien.

1852 Zweites Kaiserreich in Frankreich: Louis Napoleon wird als Napoleon III. Kaiser.

1853 Der amerikanische Kommodore Matthew Perry öffnet Japan für den Handel mit dem Westen.

1854–1856 Krimkrieg: Großbritannien und Frankreich treten der russischen Expansion auf osmanischem Territorium entgegen.

1857–1858 Großer Aufstand in Indien: Muslime und Hindus erheben sich gegen die Briten.

1858 Graf Camillo Cavour, Ministerpräsident des Königreichs Sardinien, und Napoleon III. planen die Einigung Italiens.

1860 Abraham Lincoln wird mit der Antisklaverei-Liste Präsident der Vereinigten Staaten.

1860

1861 Zar Alexander II. führt Reformen wie die Abschaffung der Leibeigenschaft durch.

1861–1865 Sezessionskrieg: Nord- und Südstaaten kämpfen als Unionisten bzw. Konföderierte um den Erhalt der Union, von der sich die Südstaaten losgesagt haben.

186 Die Ashanti besiege die Briten im 3. Ashanti-Krie

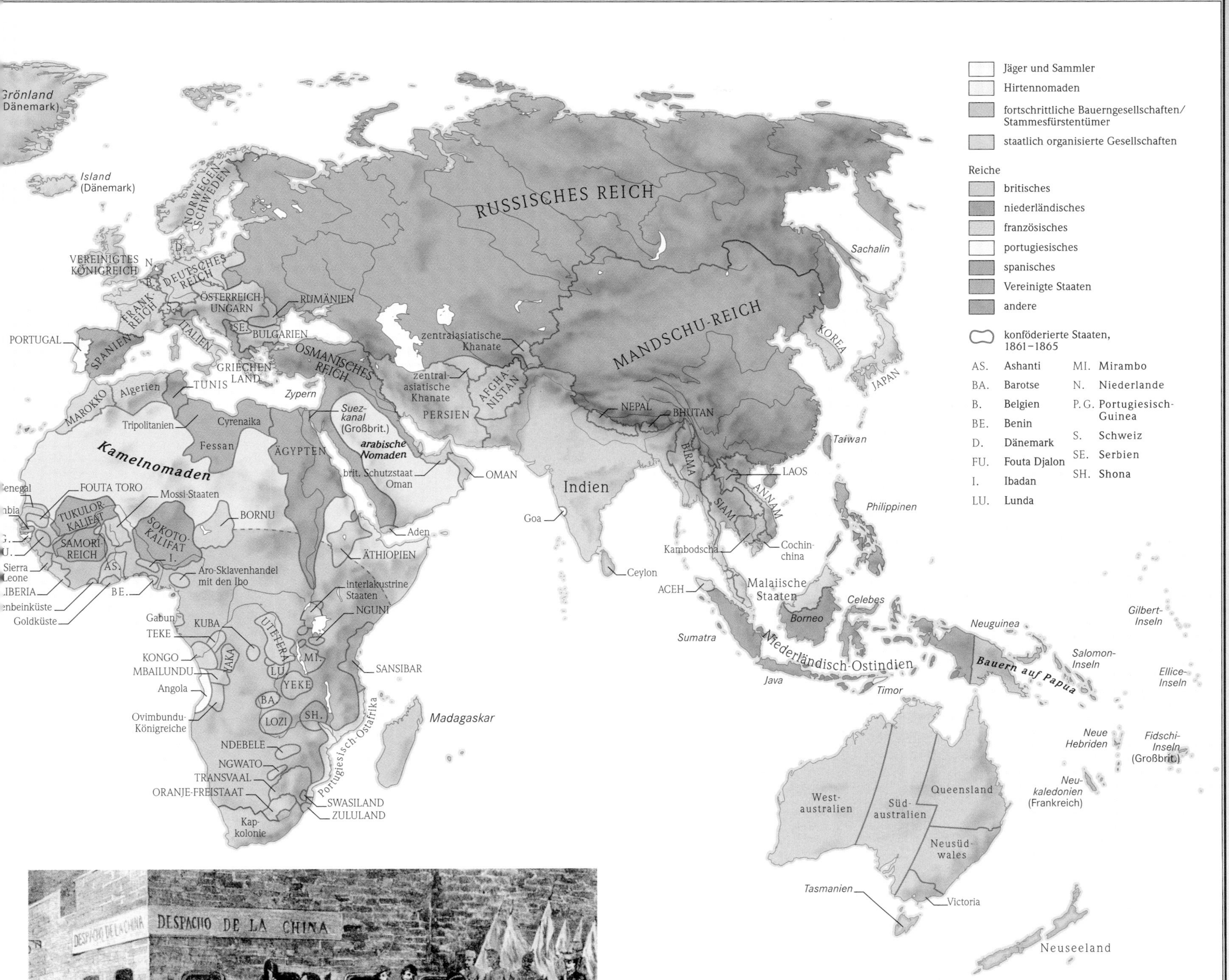

Jäger und Sammler
Hirtennomaden
fortschrittliche Bauerngesellschaften/ Stammesfürstentümer
staatlich organisierte Gesellschaften

Reiche
britisches
niederländisches
französisches
portugiesisches
spanisches
Vereinigte Staaten
andere

konföderierte Staaten, 1861–1865

AS.	Ashanti	MI.	Mirambo
BA.	Barotse	N.	Niederlande
B.	Belgien	P. G.	Portugiesisch-Guinea
BE.	Benin	S.	Schweiz
D.	Dänemark	SE.	Serbien
FU.	Fouta Djalon	SH.	Shona
I.	Ibadan		
LU.	Lunda		

Im Salpeterkrieg 1879–1883 erkämpfte sich Chile von Peru und Bolivien das Salpetermonopol; hier Boliviens Präsident Daza beim Einzug in Iquique 1879.

Mittel- und Südamerika erlebten zahlreiche Kriege. In Mexiko scheiterte Frankreich zwischen 1863 und 1867 mit einer militärischen Intervention. Zur selben Zeit führte Paraguay einen blutigen Krieg gegen die Tripelallianz Brasilien, Argentinien und Uruguay. Der Salpeterkrieg Chiles gegen Peru und Bolivien (1879 bis 1883) kostete Letzteres den Zugang zum Meer (vgl. S. 298/299).

Zu Beginn des klassischen Imperialismus

In Afrika waren 1880 – abgesehen von der Annexion Algeriens durch Frankreich und dessen Vorstöße in Westafrika – die Burenrepubliken und die britische Kapkolonie die einzigen größeren Gebiete in europäischer Hand. Die meisten afrikanischen Herrscher hofften noch auf die Abwehr der Eindringlinge, bis ihnen die technische Überlegenheit der Europäer diese Illusionen raubte: Mit Schnellfeuergewehren und Feldartillerie wurde der gesamte Kontinent bald unterworfen (vgl. S. 284/285).

Der Machtbereich Russlands weitete sich zwischen 1860 und 1880 bis zu den zentralasiatischen Khanaten aus. Die Briten ergriffen nach Unruhen in Indien (1857–1858) und Neuseeland (1858–1872) drastische Maßnahmen und die Türken unterdrückten 1876 brutal die Rebellion der Bulgaren (vgl. S. 280/281). In Ostasien schufen die Franzosen das Protektorat Indochina; englisch-französische Truppen zwangen China im Zweiten Opiumkrieg (1856–1860), sich dem Westhandel noch weiter zu öffnen, und ein US-Marinegeschwader beendete 1853 die lange Isolation Japans (vgl. S. 292/293).

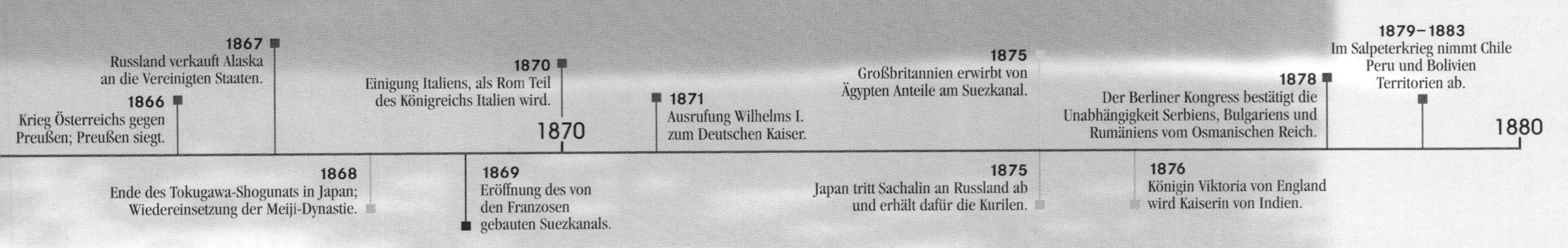
1867 Russland verkauft Alaska an die Vereinigten Staaten.
1866 Krieg Österreichs gegen Preußen; Preußen siegt.
1868 Ende des Tokugawa-Shogunats in Japan; Wiedereinsetzung der Meiji-Dynastie.
1870 Einigung Italiens, als Rom Teil des Königreichs Italien wird.
1870
1869 Eröffnung des von den Franzosen gebauten Suezkanals.
1871 Ausrufung Wilhelms I. zum Deutschen Kaiser.
1875 Großbritannien erwirbt von Ägypten Anteile am Suezkanal.
1875 Japan tritt Sachalin an Russland ab und erhält dafür die Kurilen.
1878 Der Berliner Kongress bestätigt die Unabhängigkeit Serbiens, Bulgariens und Rumäniens vom Osmanischen Reich.
1876 Königin Viktoria von England wird Kaiserin von Indien.
1879–1883 Im Salpeterkrieg nimmt Chile Peru und Bolivien Territorien ab.
1880

Die Welt im 19. Jahrhundert (1783 bis 1914)

Die Welt • 1914

Bis 1914 hatte der Imperialismus seinen Höhepunkt erreicht. Afrika wurde auf der Berliner Kongo-Konferenz (1884/1885) unter den rivalisierenden europäischen Mächten praktisch aufgeteilt (vgl. S. 284/285). Die Afrikaner widersetzten sich der Durchführung der Beschlüsse zwar, doch waren ihre Bemühungen um Autonomie bis auf wenige Ausnahmen chancenlos.

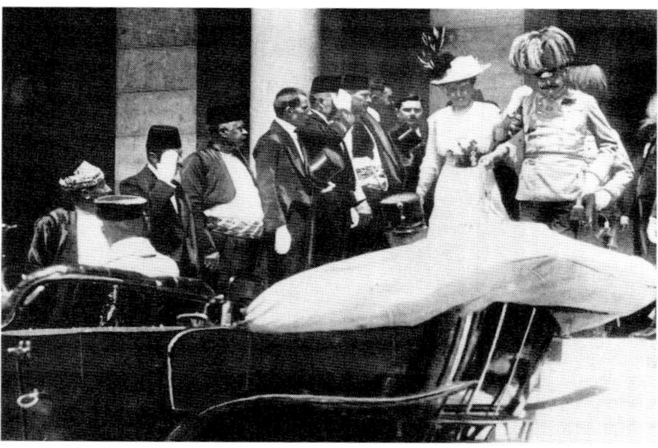

Der österreichisch-ungarische Thronfolger Franz Ferdinand und seine Frau Sophie von Hohenberg am 28. Juni 1914 in Sarajewo kurz vor dem Attentat, das den Ersten Weltkrieg auslösen sollte

Alaska
KANADA
Neufundland
VEREINIGTE STAATEN
ATLANTISCHER OZEAN
MEXIKO
Bahamas
Hawaii-Inseln (Vereinigte Staaten)
Britisch-Honduras
KUBA
HAITI
Puerto Rico (Vereinigte Staaten)
Jamaika (Großbrit.)
DOMINIKANISCHE REPUBLIK
GUATEMALA
EL SALVADOR
HONDURAS
NICARAGUA
COSTA RICA
PANAMA
VENEZUELA
KOLUMBIEN
Britisch-Guayana
Niederländisch-Guayana
Französisch-Guayana
Galápagos-Inseln (Ecuador)
ECUADOR
BRASILIEN
Marquesas-Inseln (Frankreich)
Tuamotu-Inseln (Frankreich)
PAZIFISCHER OZEAN
PERU
BOLIVIEN
PARAGUAY
Osterinsel (Chile)
CHILE
ARGENTINIEN
URUGUAY
Falkland-Inseln (Großbrit.)

Während die Äthiopier die Italiener wieder vertrieben, traten viele andere afrikanische Völker erfolglos gegen die Kolonialtruppen und deren überlegene Bewaffnung an. Auch die Europäer selbst gerieten aneinander: Frankreich und Großbritannien rangen am oberen Nil um die Vormacht und der späte Versuch Deutschlands, ebenfalls ein afrikanisches Kolonialreich zu erobern, deutete auf den Konflikt hin, der in Europa bevorstand. In Südafrika entluden sich im zweiten Burenkrieg (1899–1902) jahrzehntelange Spannungen zwischen britischen und niederländischen Siedlern. Nach blutigen Kämpfen siegten die Briten zwar, doch konnten sie keine Massenansiedlung ihrer Landsleute erreichen, so dass die Buren auch in der neuen Südafrikanischen Union die Mehrheit bildeten (vgl. S. 286/287).

Die Grossmächte

Die USA erreichten den Status einer Großmacht, während das russische und das britische Imperium weiter wuchsen. Großbritannien verfügte nun auf allen Kontinenten über einen ansehnlichen Kolonialbesitz. Die überseeischen Reste des spanischen Weltreichs – Kuba, Puerto Rico, Guam und die Philippinen – gingen im Spanisch-Amerikanischen Krieg (1898) an die USA verloren. In Mittelamerika wurde mit amerikanischer Technologie der Panamakanal gebaut und 1914 eröffnet (vgl. S. 300/301). Die USA setzten den Ausbau des Schienennetzes fort und Anfang des 20. Jahrhunderts entwickelten US-Ingenieure auch neue Mittel der Fortbewegung – 1903 gelang der erste Motorflug und das in Deutschland erfundene Automobil war bereits 1914 ein Massenverkehrsmittel.

Wilhelm II. (1859–1941), von 1888 bis 1918 Deutscher Kaiser und König von Preußen

Die Expansion Russlands nach Osten führte zum Konflikt mit Japan (vgl. S. 276/277). Dieses sich schnell industrialisierende Inselreich vertrieb die Russen 1905 und annektierte fünf Jahre später Korea. Die demütigende Niederlage löste in Russland eine Kette revolutionärer Aufstände aus – Vorboten der Revolutionen von 1917.

Das Hauptinteresse Großbritanniens galt dem Schutz seines Handelswegs über den Suezkanal, der auch wegen der neuen Öllieferungen aus der Golfregion wichtiger denn je war. Deshalb richteten die Briten am und im Mittelmeer Stützpunkte ein und besetzten 1882 Ägypten. Weiter im Osten, in Indien (dem »Kronjuwel des Empire«), festigten sie ihre Po-

ZEITLEISTE

Nord- und Südamerika ■
Europa ■
Vorderer und Mittlerer Orient ■
Afrika ■
Asien, Australien und Ozeanien ■

1880 – 1885 – 1890 – 18…

1882 Dreibund zwischen Deutschland, Österreich-Ungarn und Italien.

1884–1885 Die Kongo-Konferenz teilt Afrika unter den europäischen Mächten auf.

1885 Ost- und Westkanada werden durch die Fertigstellung der »Canadian Pacific Railway« miteinander verbunden.

1886 Die Entdeckung von Gold im Transvaal weckt in ganz Südafrika rege Bergbauaktivitäten.

1888 Wilhelm II. wird Deutscher Kaiser.

1889 Brasilien wird Republik.

1891 Beginn des Baus der Transsibirischen Eisenbahn.

1894 Französisch-russische Allianz als Reaktion auf die Bedrohung durch den Dreibund.

1894–1895 Chinesisch-Japanischer Krieg; nach der chinesischen Niederlage wird Korea unabhängig und Taiwan fällt an Japan.

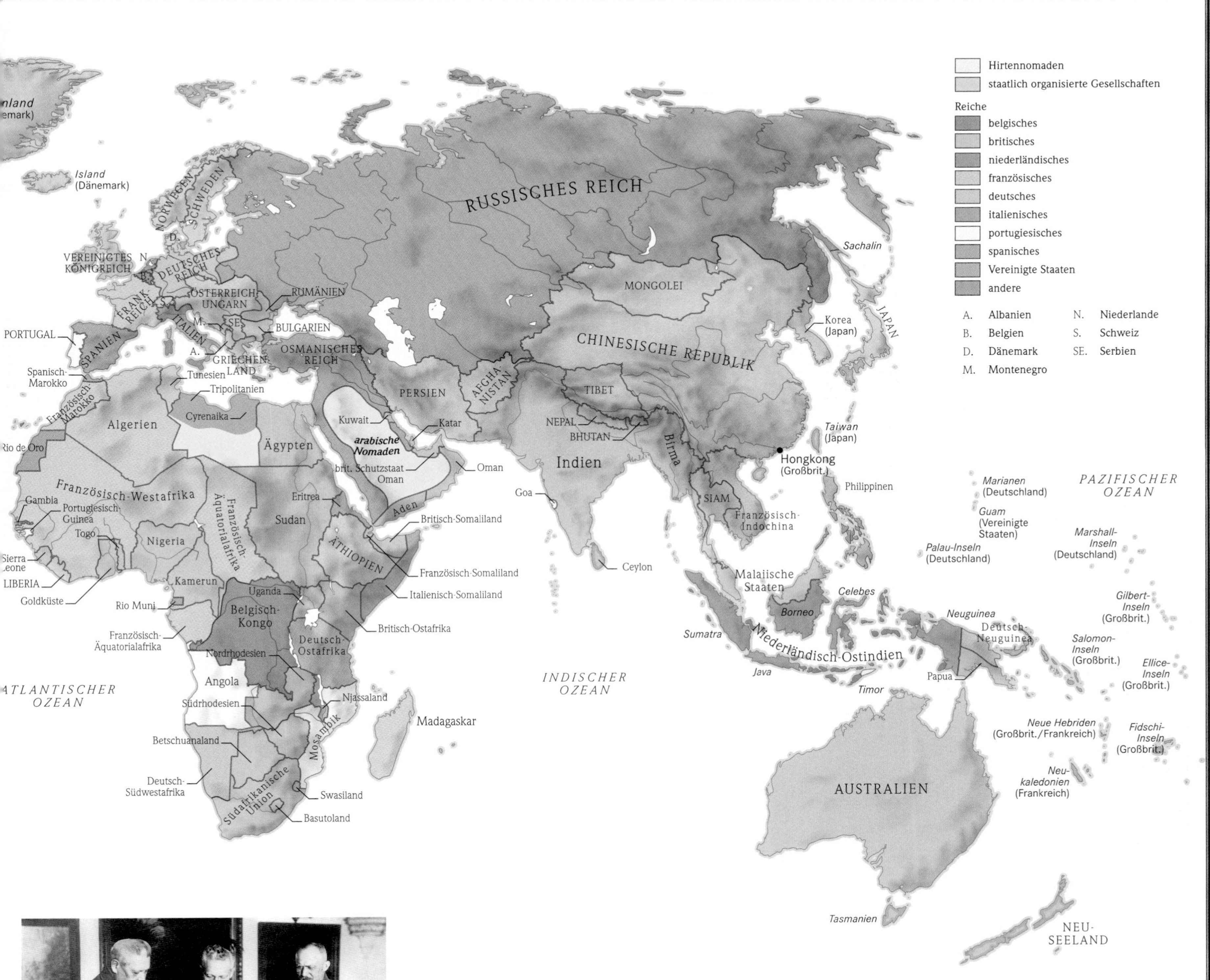

Hirtennomaden
staatlich organisierte Gesellschaften

Reiche
belgisches
britisches
niederländisches
französisches
deutsches
italienisches
portugiesisches
spanisches
Vereinigte Staaten
andere

A. Albanien
B. Belgien
D. Dänemark
M. Montenegro
N. Niederlande
S. Schweiz
SE. Serbien

Kaiser Wilhelm II. (m.) bei einer Lagebesprechung mit den obersten Heereschefs Paul von Hindenburg (l.) und Erich Ludendorff

sition durch den Aufbau eines Eisenbahnnetzes – eine Maßnahme nicht nur von strategischer Bedeutung, sondern auch zur Förderung des Exports von Baumwolle, Jute, Tee und Kaffee (vgl. S. 294/295).

China wird Republik

Das schon wankende chinesische Mandschu-Reich brach endgültig zusammen. Bereits im Chinesisch-Japanischen Krieg (1894–1895) besiegt, sah sich die Qing-Dynastie zunehmend auch von den Europäern bedrängt, die territoriale Zugeständnisse, Schürfrechte und Handelsplätze forderten. Die »Boxer«, ein fremdenfeindlicher Geheimbund, erhoben sich 1900 und wüteten in den Provinzen Shansi und Shandong. Vergeltungsmaßnahmen der Europäer folgten, womit die chinesische Politik gänzlich unter ausländische Kontrolle geriet (vgl. S. 290/291). Als 1911 die Revolution ausbrach, erhoben sich die meisten der chinesischen Provinzen und ergriffen Partei für die Revolutionäre in Wuhan. Die Qing-Dynastie fiel, aus dem Mandschu-Reich wurde eine Republik, die Mongolei und Tibet erklärten ihre Unabhängigkeit.

Auf dem Weg zum Ersten Weltkrieg

Das Osmanische Reich verlor im Ersten Balkankrieg (1912–1913) die meisten seiner europäischen Besitzungen. Aus dem Zweiten Balkankrieg (1913) ging Serbien als die führende Regionalmacht hervor. Die Feindseligkeiten zwischen diesem und Österreich mündeten 1914 nach der Ermordung des österreichischen Thronfolgers in Sarajewo in eine Explosion: Innerhalb weniger Tage befanden sich alle größeren Mächte Europas, in zwei militärische Blöcke gespalten, im Krieg. Dieser verheerende globale Konflikt, der Erste Weltkrieg, endete mit dem Zusammenbruch der Monarchien in Russland, Deutschland, Österreich-Ungarn und, etwas später, dem Osmanischen Reich.

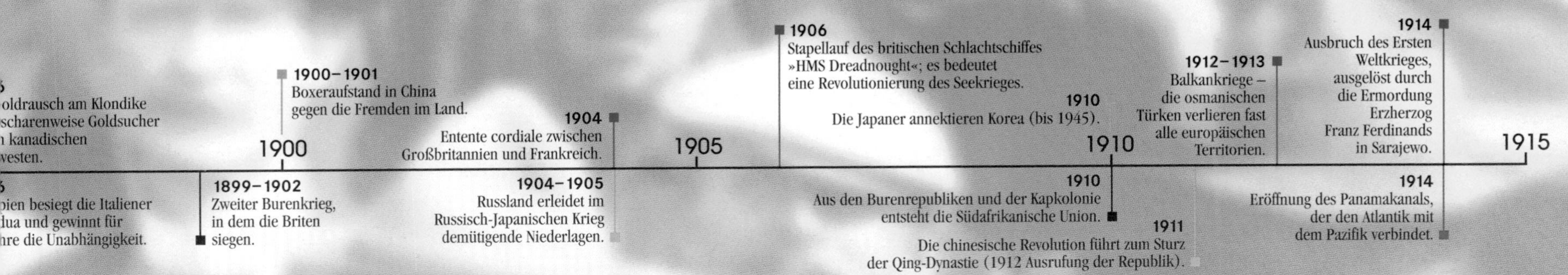
1900–1901
Boxeraufstand in China gegen die Fremden im Land.
1904
Entente cordiale zwischen Großbritannien und Frankreich.
1906
Stapellauf des britischen Schlachtschiffes »HMS Dreadnought«; es bedeutet eine Revolutionierung des Seekrieges.
1910
Die Japaner annektieren Korea (bis 1945).
1912–1913
Balkankriege – die osmanischen Türken verlieren fast alle europäischen Territorien.
1914
Ausbruch des Ersten Weltkrieges, ausgelöst durch die Ermordung Erzherzog Franz Ferdinands in Sarajewo.
1900
1905
1910
1915
1899–1902
Zweiter Burenkrieg, in dem die Briten siegen.
1904–1905
Russland erleidet im Russisch-Japanischen Krieg demütigende Niederlagen.
1910
Aus den Burenrepubliken und der Kapkolonie entsteht die Südafrikanische Union.
1911
Die chinesische Revolution führt zum Sturz der Qing-Dynastie (1912 Ausrufung der Republik).
1914
Eröffnung des Panamakanals, der den Atlantik mit dem Pazifik verbindet.

Die Welt im 19. Jahrhundert (1783 bis 1914)

Der Welthandel • 1830 bis 1914

Zwischen 1830 und 1914 wurde der Welthandel von den Industrieländern Europas und Nordamerikas beherrscht. Es entstand ein reger Warenaustausch untereinander, aber auch mit den noch traditionellen Gesellschaften Lateinamerikas, Asiens und Afrikas.

Dem Produktionsanstieg in den Industrieländern entsprach ein zunehmendes Exportgeschäft – die Einnahmen daraus stiegen von zehn Prozent der Gesamterlöse im Jahr 1830 auf 33 Prozent im Jahr 1914. Dieser Zuwachs entstammte im Wesentlichen der systematischen Ausbeutung der nicht industrialisierten Gesellschaften und ihrer Rohstoffe.

Das Wirtschaftswesen des Imperialismus

Der Handel, der über die großen Häfen in China, Lateinamerika und Afrika abgewickelt wurde, brachte den Ländern, in denen sie lagen, wenig ein. Oft

gold
$90,000

Die Goldfunde in Kalifornien im Jahr 1848 führten in den USA zum so genannten Goldrausch; hier ein »Digger« mit seiner typischen Ausrüstung.

(so in Afrika, Indien und Niederländisch-Ostindien) wurden die alten Agrargesellschaften zerstört und ihre Produktionsmethoden durch westliche ersetzt, wobei die Profitinteressen der Fremden darüber entschieden, was anzubauen und wie es zu vermarkten war. Diese radikale Ausbeutung und die Kolonialkriege kennzeichneten den Imperialismus zwischen 1830 und 1914.

Verkehrswesen

Die Infrastruktur des weltweiten Handels wurde von den Industrienationen geschaffen und finanziert. Zum Beispiel brauchte man für die wirtschaftliche Entwicklung Afrikas Eisenbahnstrecken, um die Exportgüter an die Küsten zu transportieren (vgl. S. 284/285). Diese Schienenwege waren notwendig, weil sich die großen Flüsse vor allem südlich der Sahara für den Transport von Massengütern nicht eigneten. Ähnlich investierten die Europäer weltweit in den Bau von Häfen, Schiffen und Lagerhallen. Um das Handelsvolumen bewältigen zu können, mussten viele der vorhandenen Hafenanlagen modernisiert, an anderen Orten überhaupt erst welche gebaut werden. So wurden die Häfen von New York und Barcelona vergrößert, während im – bis 1918 österreichischen – Triest und im französischen Le Havre ganz neue entstanden.

Auch der Schiffsbau erlebte radikale Veränderungen. Ab 1833 wurden Schiffe mit Dampf betrieben, ab 1837 baute man sie aus Eisen und ab 1856 aus Stahl. Den Höhepunkt der Segelschifffahrt markierten die schnellen, eleganten »Klipper«, die im Transportgeschäft mitzuhalten versuchten und etwa den Tee aus China in Rekordzeit nach Europa brachten. Doch schon bald konnten sie mit der wachsenden Konkurrenz der zweckbestimmt konstruierten und mit leistungsfähigen Maschinen ausgerüsteten Dampfer nicht mehr mithalten. Einen weiteren Durchbruch bedeutete der Bau der Kanäle von Suez und Panama sowie des Kaiser-Wilhelm- (heute Nord-Ostsee-)Kanals, was die Fahrzeiten enorm verkürzte.

Nome
Fairbanks
Klondike
Atlin
Vancouver
Fi, Ko, Ho
Fraser
Seattle
Porcupine
Wyoming
Montreal
Halifax
New York
Boston Ku, Fi, Ko, E, Ö, Ho
San Francisco
F, G, Ö
Kalifornien
Baltimore
Ko, Fl
New Orleans
B, Ta
Hawaii-Inseln
Havanna
Zu, Ta
Veracruz
F, Ta
Caracas
Panamakanal
Belém
Gu
Rio c
Jane
Kf, Z
Valparaíso
Ku, Dü, Ho
Montevideo
Fl
Buenos Aires
Fl

Der 1869 eröffnete Suezkanal verkürzte die Handelsrouten nach Fernost entscheidend.

Goldstandard und Währungsblöcke

Die Weltwirtschaft erforderte eine Anpassung der Geschäftsabwicklung an die neuen Gegebenheiten. Die gängigsten Währungen wurden an den Gold-

ZEITLEISTE

Nord- und Südamerika
Europa
Vorderer und Mittlerer Orient
Afrika
Asien, Australien und Ozeanien

1820 · 1830 · 1840 · 1850 · 1860

1821 Großbritannien bindet seine Währung an das Gold.

1834 Der Deutsche Zollverein tritt in Kraft (Vorstufen seit 1819) und belebt den Handel in Deutschland.

1838 Die »Great Western«, der erste Passagierdampfer für den Transatlantikverkehr, läuft vom Stapel.

1839–1860 China wird durch zwei Opiumkriege zum Handel mit dem Westen gezwungen.

1840 Großbritannien führt Briefmarken ein und daraus entsteht ein zuverlässiger Postdienst.

1853 Ein amerikanisches Marinegeschwader öffnet Japan für den Welthandel.

1856 Henry Bessemer entwickelt ein effektives Verfahren zur Stahlerzeugung.

1859 Gründung Port Saids (Ägypten) – es wird weltweit zur wichtigsten Kohlenbunkerstation für Schiffe.

1859 In den Vereinigten Staaten wird die erste Ölbohrung der Welt niedergebracht.

186 Erfolgreic Verlegu des erst Transatlant kabe

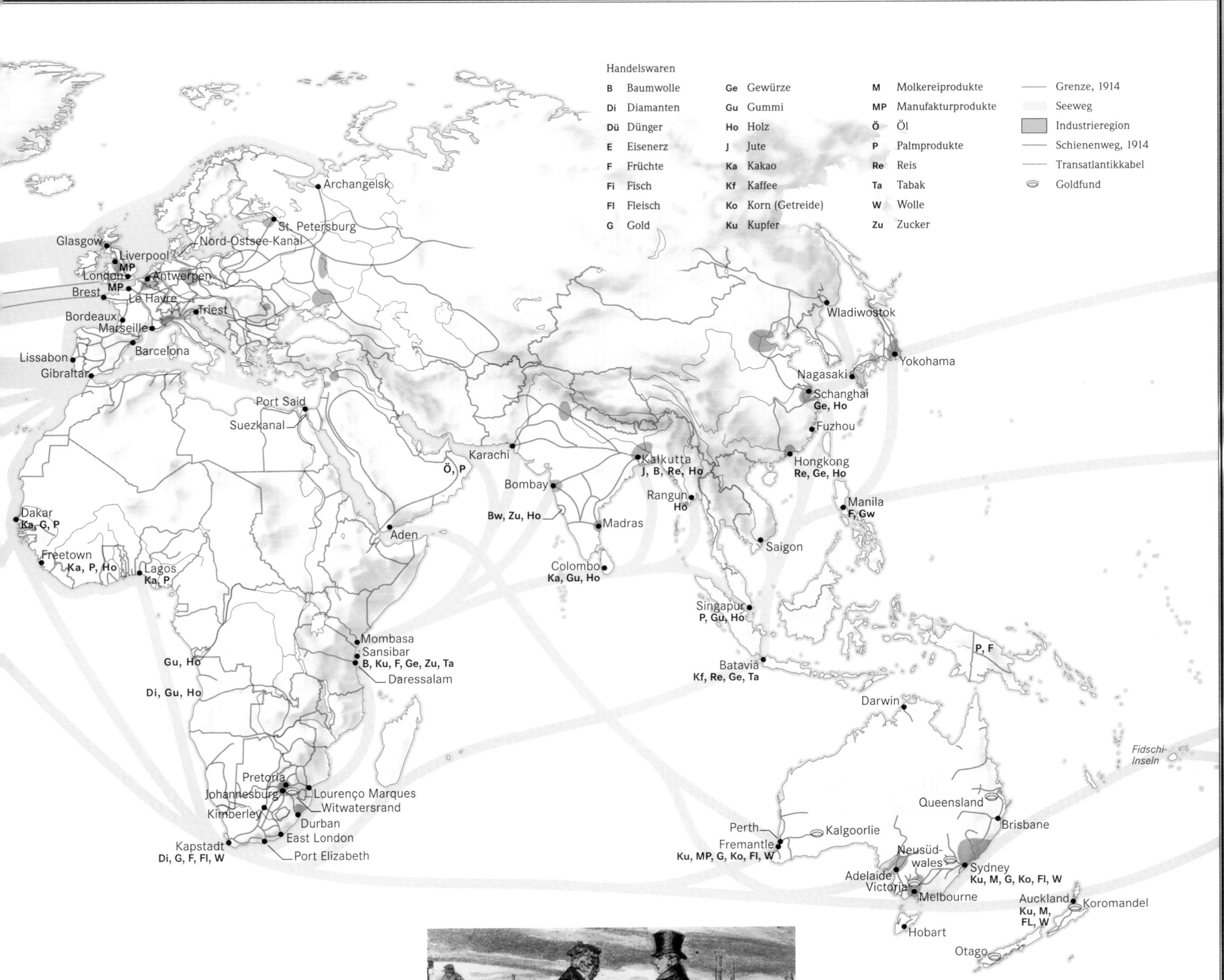

Handelswaren

B	Baumwolle	Ge	Gewürze	M	Molkereiprodukte		Grenze, 1914
Di	Diamanten	Gu	Gummi	MP	Manufakturprodukte		Seeweg
Dü	Dünger	Ho	Holz	Ö	Öl		Industrieregion
E	Eisenerz	J	Jute	P	Palmprodukte		Schienenweg, 1914
F	Früchte	Ka	Kakao	Re	Reis		Transatlantikkabel
Fi	Fisch	Kf	Kaffee	Ta	Tabak		Goldfund
Fl	Fleisch	Ko	Korn (Getreide)	W	Wolle		
G	Gold	Ku	Kupfer	Zu	Zucker		

standard gebunden (das heißt, die jeweilige Notenbank verpflichtete sich, jederzeit das Geld in Gold einzutauschen). Die Goldfunde in Kalifornien, Australien, Südafrika und Kanada erhöhten die Geldmenge und stützten das Wirtschaftswachstum (vgl. S. 286/287; 302/303; 304/305). Entsprechende Goldreserven in den Finanzzentren stellten sicher, dass ein Staat Handel treiben konnte, ohne sich dabei zu verschulden. Eine weitere Neuerung war die Bildung von Währungsblöcken auf der Grundlage des Goldstandards.

Nahrungsmittel und Technologie

Schnelle Schiffsverbindungen, Wanderungsbewegungen und die Erschließung von Ackerland in Kanada, den USA, Russland, Australien, den Donauländern und Argentinien sorgten für die Bereitstellung preiswerter Nahrungsmittel in den Industrieländern. Eine Folge des Welthandels war, dass die Preise für Getreide und andere Hauptnahrungsmittel nach 1870 stark sanken.

Ein weiteres wichtiges Resultat der weltweiten Handelsverbindungen war der zunehmende Verkauf moderner Technologien an nicht industrialisierte Länder in Form von Eisenbahnen, Motoren und Werkzeugmaschinen, zunehmend aber auch Rüstungsgütern. Diese Entwicklung veränderte regionale Gleichgewichte ganz erheblich.

Bahnbrechende Pionierleistung: George Stephenson, der 1814 die erste betriebsfähige Lokomotive baute, überwacht die Arbeiten der 1830 eröffneten Eisenbahnlinie Manchester–Liverpool.

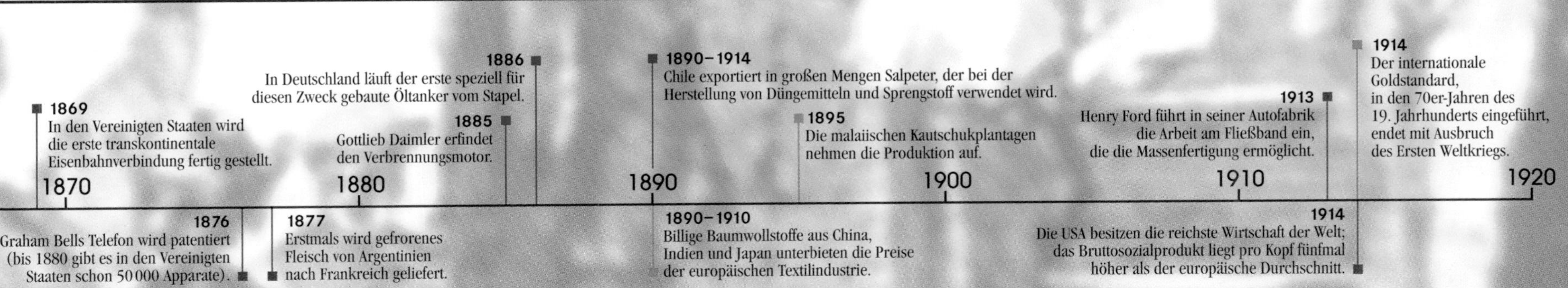
1869
In den Vereinigten Staaten wird die erste transkontinentale Eisenbahnverbindung fertig gestellt.
1886
In Deutschland läuft der erste speziell für diesen Zweck gebaute Öltanker vom Stapel.
1885
Gottlieb Daimler erfindet den Verbrennungsmotor.
1890–1914
Chile exportiert in großen Mengen Salpeter, der bei der Herstellung von Düngemitteln und Sprengstoff verwendet wird.
1895
Die malaiischen Kautschukplantagen nehmen die Produktion auf.
1913
Henry Ford führt in seiner Autofabrik die Arbeit am Fließband ein, die die Massenfertigung ermöglicht.
1914
Der internationale Goldstandard, in den 70er-Jahren des 19. Jahrhunderts eingeführt, endet mit Ausbruch des Ersten Weltkriegs.
1870
1880
1890
1900
1910
1920
1876
Graham Bells Telefon wird patentiert (bis 1880 gibt es in den Vereinigten Staaten schon 50 000 Apparate).
1877
Erstmals wird gefrorenes Fleisch von Argentinien nach Frankreich geliefert.
1890–1910
Billige Baumwollstoffe aus China, Indien und Japan unterbieten die Preise der europäischen Textilindustrie.
1914
Die USA besitzen die reichste Wirtschaft der Welt; das Bruttosozialprodukt liegt pro Kopf fünfmal höher als der europäische Durchschnitt.

Die Welt im 19. Jahrhundert (1783 bis 1914)

Europa zur Zeit der Revolutionen • 1783 bis 1800

Mitte des 18. Jahrhunderts hatten die Aufklärer das Recht der Menschen auf Selbstbestimmung und somit auf eine alle Stände repräsentierende Regierung betont. Diese Forderungen zielten auf die Entmachtung der Träger des absolutistischen Systems (Klerus, Adel und Monarch), die überall in Europa herrschten.

Von Armut, Inflation und Hunger bedrückt, aber auch durch die erfolgreiche Erhebung der nordamerikanischen Kolonisten gegen das englische Mutterland ermutigt, äußerten die Menschen ihre Unzufriedenheit. 1784 brachen in den nördlichen Niederlanden Aufstände aus, als die Patriotenpartei versuchte, die Regierung zu demokratisieren. Eine neue Empörungswelle folgte 1787, als die Bewohner der benachbarten Österreichischen Niederlande (Belgien) eine unabhängige Republik errichten wollten. Beide Erhebungen erreichten ihr Ziel jedoch nicht.

Französische Revolution: Menschenrechte, Machtkämpfe

Breiter Protest gegen das Ancien Régime (Herrschaft des französischen Absolutismus) erhob sich in Frankreich, als Ludwig XVI. zur Abwendung des Staatsbankrotts die Steuern erhöhte. Der König berief 1788 die Generalstände ein, die unregelmäßig tagende Versammlung von Abgeordneten der drei »Stände« Adel, Klerus und dritter Stand, um seine Pläne absegnen zu lassen, doch der – bürgerliche – dritte Stand verweigerte dies und erklärte sich am 17. Juni 1789 zur Nationalversammlung. Die Pariser fürchteten Angriffe der Truppen Ludwigs und stürmten deshalb am 14. Juli 1789 die Bastille, das alte Staatsgefängnis. Dies war das Signal zur Revolution.

DECLARATION
DES DROITS DE L'HOMME
ET DU CITOYEN
PRÉAMBULE
ARTICLE PREMIER

Die Erklärung der Menschenrechte vom August 1789 wurde auch von Frankreichs König akzeptiert.

Im August 1789 schaffte die Nationalversammlung das feudalistische System ab und verabschiedete ihre »Erklärung der Menschenrechte«, in der die Gewissens-, Eigentums- und Redefreiheit sowie der Grundsatz proklamiert wurden, dass die Herrschergewalt vom Volk und nicht »von Gottes Gnaden« ausgehe. Nach einem gescheiterten Fluchtversuch (1791) musste Ludwig der Verfassung zustimmen, die ihn fast aller Macht beraubte. Inzwischen hatten Aristokraten, denen die Flucht gelungen war, Preußen und Österreich zu einer Intervention für den König überredet. Die Opposition gegen das revolutionäre Frankreich mündete in der ersten Koalition der europäischen Mächte. In den folgenden Revolutionskriegen (1792–1802) schlug Frankreich eine Invasion zurück und griff danach selbst an. Das Königspaar und viele Adlige wurden hingerichtet, konterrevolutionäre Aufstände niedergeschlagen. Zwischen den Revolutionsführern brachen Machtkämpfe aus, massenhaft kam es zu Hinrichtungen (»le terreur«) und man versuchte, die Revolution zu den feindlichen Nachbarn Niederlande, Spanien und Großbritannien zu tragen.

Napoleon und die europäischen Koalitionen

Die erste Koalition zerbrach nach französischen Siegen, deren größter die Besetzung der Vereinigten Niederlande 1795 war (bis 1806 »Batavische Republik«). Preußen und Spanien suchten Frieden, wodurch Großbritannien und das Habsburgerreich in die Isolation gerieten. Die Briten konnten ihre maritime Überlegenheit zwischen 1794 und 1797 immerhin durch Siege über Frankreich, später über dessen niederländische und spanische Verbündeten behaupten. 1798 entstand die zweite europäische Koalition.

Napoleon Bonaparte erwies sich mit seinen Feldzügen gegen Italien und Österreich als bester französischer Heerführer. Ende 1797 zwang er Österreich in einem Friedensvertrag, den Franzosen im Austausch gegen Venedig seinen Teil der Niederlande abzutreten und französische Satellitenstaaten in Norditalien zuzulassen. Als Vorspiel einer geplanten Invasion Großbritanniens bedrohte der ehrgeizige Feldherr die britischen Handelswege nach Indien, indem er 1798 Ägypten angriff. Zwar konnte er die ägyptischen Mamluken-Herrscher besiegen, aber seine Flotte unterlag dem britischen Admiral Nelson bei Abukir. Nach Rückschlägen auch in Italien und am Rhein kehrte Napoleon nach Frankreich zurück, wo er das seit 1795 herrschende »Direktorium« stürzte und sich zum Ersten Konsul ernannte.

Das Kriegsglück blieb Frankreich hold. Napoleons Generäle vereitelten eine britisch-hannoversche Expedition in die Batavische Republik und besiegten bei Zürich die Russen, während er selbst bei Marengo (1800) die Österreicher schlug. Der Landüberlegenheit seiner Armeen entsprach seine Stärke zur See nicht, weshalb Napoleon weder Raubzüge der russischen Schwarzmeerflotte verhindern noch – und das wog schwerer – die zweite Koalition entscheidend schlagen konnte.

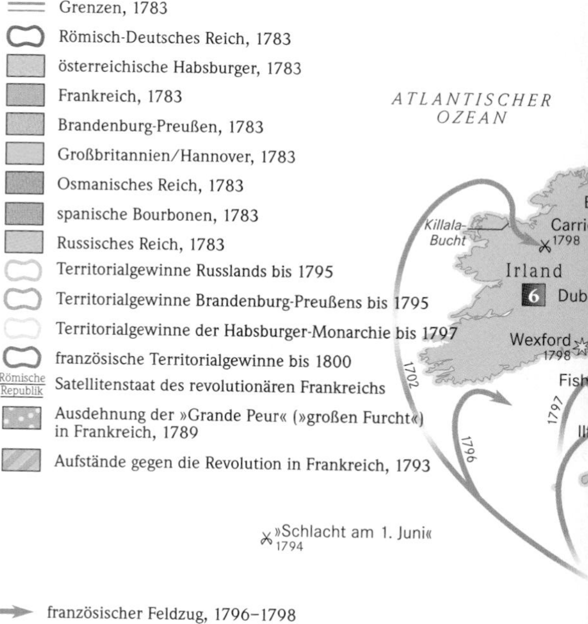
Grenzen, 1783
Römisch-Deutsches Reich, 1783
österreichische Habsburger, 1783
Frankreich, 1783
Brandenburg-Preußen, 1783
Großbritannien/Hannover, 1783
Osmanisches Reich, 1783
spanische Bourbonen, 1783
Russisches Reich, 1783
Territorialgewinne Russlands bis 1795
Territorialgewinne Brandenburg-Preußens bis 1795
Territorialgewinne der Habsburger-Monarchie bis 1797
französische Territorialgewinne bis 1800
Römische Republik
Satellitenstaat des revolutionären Frankreichs
Ausdehnung der »Grande Peur« (»großen Furcht«) in Frankreich, 1789
Aufstände gegen die Revolution in Frankreich, 1793
ATLANTISCHER OZEAN
Killala-Bucht
1798
Irland
Wexford
1798
1797
1796
»Schlacht am 1. Juni«
1794
französischer Feldzug, 1796–1798
russischer Feldzug, 1798–1800
Beschießungsziel der russischen Schwarzmeerflotte
Marinemeutereien in Großbritannien
größere Revolte, Aufstand oder Unruhen

La Coruña
Oporto
PORTUGAL
Madrid
Guadiana
Lissabon
Kap St. Vincent
1797
Cádiz
Gibraltar
zu Großbrit.
Tanger
Ceuta
zu Spanien
MAROKKO
600 km
400 Meilen

Polnische Teilungen

Polen leitete 1790 eine aufgeklärte Verfassungsreform ein, worauf die russische Zarin Katharina II. 1792 ihre Truppen einmarschieren ließ (Teile des Landes hatte Russland schon 1772 annektiert). 1793 kam es zur Zweiten Polnischen Teilung, durch die weitere Teile Polens an Russland und Preußen fielen. Ein Aufstand gegen die fremden Mächte endete im Jahr 1794 mit der Kapitulation Warschaus und der Dritten Polnischen Teilung (1795).

ZEITLEISTE

AUFSTÄNDE

REVOLUTIONSKRIEGE

ALLIANZEN UND VERTRÄGE

1780

1783 Großbritannien erkennt im Frieden von Paris die Unabhängigkeit der Vereinigten Staaten an.

1785

1784–1787 In den nördlichen und den Österreichischen Niederlanden brechen Aufstände aus.

1788 Ludwig XVI. von Frankreich beruft die Generalstände ein.

1789 Beginn der Französischen Revolution; Sturm auf die Bastille.

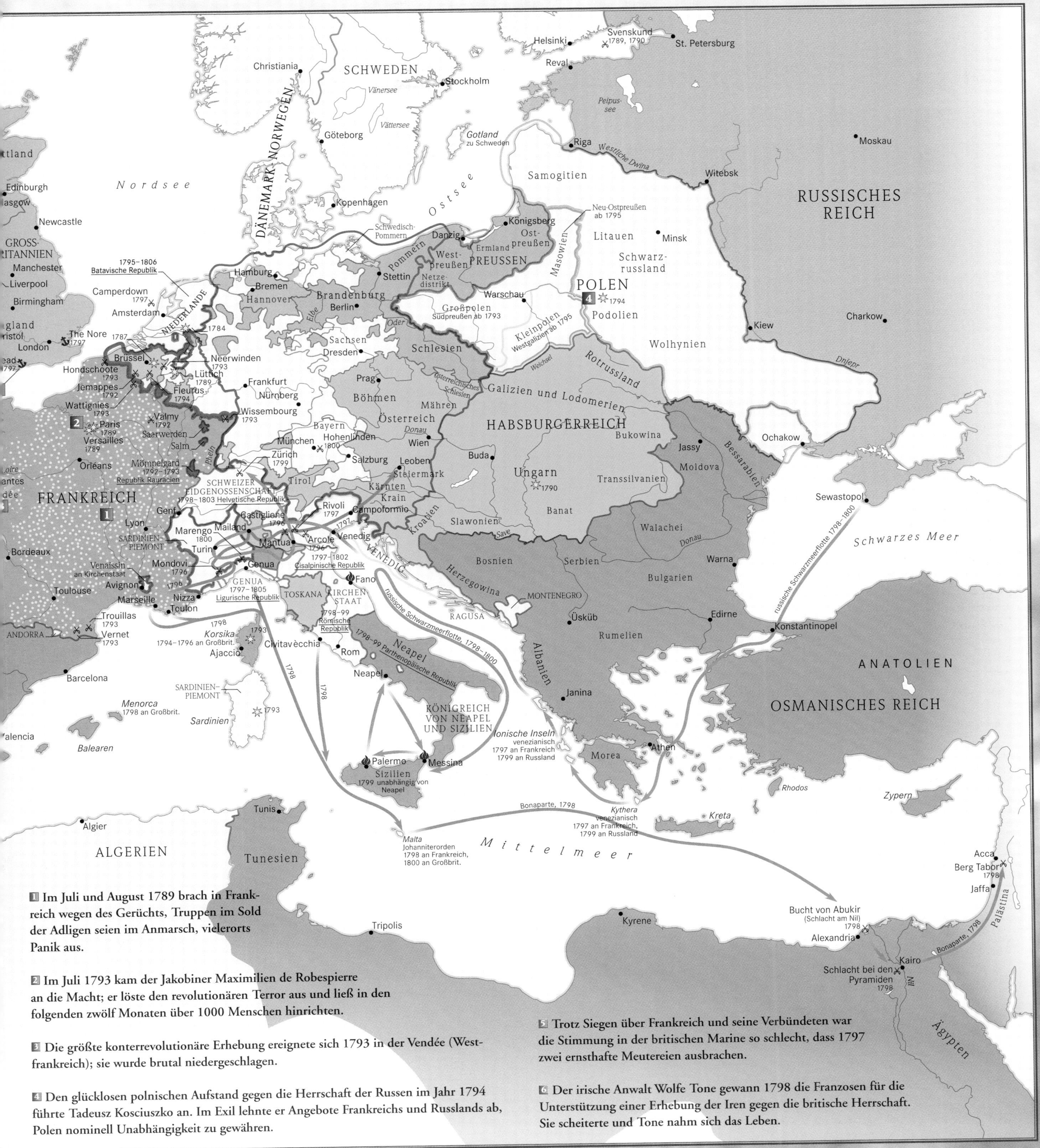

1 Im Juli und August 1789 brach in Frankreich wegen des Gerüchts, Truppen im Sold der Adligen seien im Anmarsch, vielerorts Panik aus.

2 Im Juli 1793 kam der Jakobiner Maximilien de Robespierre an die Macht; er löste den revolutionären Terror aus und ließ in den folgenden zwölf Monaten über 1000 Menschen hinrichten.

3 Die größte konterrevolutionäre Erhebung ereignete sich 1793 in der Vendée (Westfrankreich); sie wurde brutal niedergeschlagen.

4 Den glücklosen polnischen Aufstand gegen die Herrschaft der Russen im Jahr 1794 führte Tadeusz Kosciuszko an. Im Exil lehnte er Angebote Frankreichs und Russlands ab, Polen nominell Unabhängigkeit zu gewähren.

5 Trotz Siegen über Frankreich und seine Verbündeten war die Stimmung in der britischen Marine so schlecht, dass 1797 zwei ernsthafte Meutereien ausbrachen.

6 Der irische Anwalt Wolfe Tone gewann 1798 die Franzosen für die Unterstützung einer Erhebung der Iren gegen die britische Herrschaft. Sie scheiterte und Tone nahm sich das Leben.

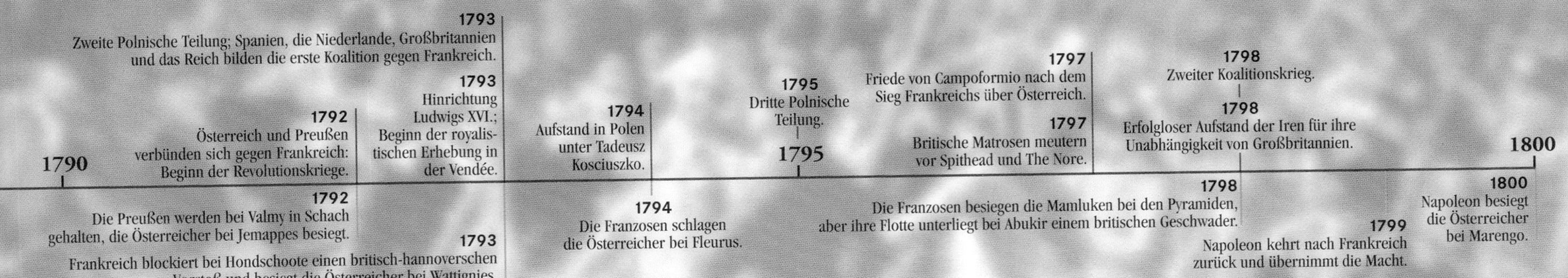
1793
Zweite Polnische Teilung; Spanien, die Niederlande, Großbritannien und das Reich bilden die erste Koalition gegen Frankreich.
1793
Hinrichtung Ludwigs XVI.; Beginn der royalistischen Erhebung in der Vendée.
1792
Österreich und Preußen verbünden sich gegen Frankreich: Beginn der Revolutionskriege.
1790
1794
Aufstand in Polen unter Tadeusz Kosciuszko.
1795
Dritte Polnische Teilung.
1795
1797
Friede von Campoformio nach dem Sieg Frankreichs über Österreich.
1797
Britische Matrosen meutern vor Spithead und The Nore.
1798
Zweiter Koalitionskrieg.
1798
Erfolgloser Aufstand der Iren für ihre Unabhängigkeit von Großbritannien.
1800
1792
Die Preußen werden bei Valmy in Schach gehalten, die Österreicher bei Jemappes besiegt.
1793
Frankreich blockiert bei Hondschoote einen britisch-hannoverschen Vorstoß und besiegt die Österreicher bei Wattignies.
1794
Die Franzosen schlagen die Österreicher bei Fleurus.
1798
Die Franzosen besiegen die Mamluken bei den Pyramiden, aber ihre Flotte unterliegt bei Abukir einem britischen Geschwader.
1799
Napoleon kehrt nach Frankreich zurück und übernimmt die Macht.
1800
Napoleon besiegt die Österreicher bei Marengo.

Die Welt im 19. Jahrhundert (1783 bis 1914)

Europa zur Zeit Napoleons • 1800 bis 1815

Die Erfolge der französischen Armeen leiteten 1800 zwar die Niederlage Österreichs ein, aber gegen die Briten richtete Napoleon zur See nichts aus. Sie vertrieben seine Truppen 1801 aus Ägypten und zerstörten im selben Jahr die dänische Flotte, mit der Napoleon England von der Ostsee fern halten wollte. Eine Kriegspause, die im Jahr 1802 im Frieden von Amiens bestätigt wurde, ermöglichte es London, das Unionsgesetz zu realisieren, wodurch Irland Teil des Vereinigten Königreichs wurde.

Im Frühjahr 1803 brach der Krieg wieder aus. Da Großbritannien Frankreich allein gegenüberstand, entsann sich Napoleon seines Invasionsplans, aber er scheiterte an der britischen Marine. Nach dem Seesieg der Briten bei Trafalgar (1805) und der Bildung der dritten antifranzösischen Koalition im selben Jahr wandten sich die Franzosen wieder gegen Österreich, das sie bei Ulm und Austerlitz besiegten. 1806 erlosch das Römisch-Deutsche Reich, nachdem der Rheinbund, ein von Frankreich beherrschtes Bündnis deutscher Fürsten, seinen Austritt erklärt hatte; Napoleon zog nach Norden und besiegte bei Jena und Auerstedt die Preußen.

Kontinentalsperre

Wie stets erwies sich Napoleon, seit 1804 Kaiser der Franzosen, als brillanter Heerführer: Der Friede von Tilsit, der dem Sieg über die Russen 1807 bei Friedland folgte, beendete den Dritten Koalitionskrieg. Napoleon stand auf dem Höhepunkt seiner Macht. Mit der »Kontinentalsperre«, einer gigantischen Landblockade, suchte er den britischen Handel mit dem Festland zu unterbinden, die Briten zum Kauf teurer Schmuggelware zu zwingen und sie finanziell zu ruinieren.

Code Napoléon

Zwischen 1804 und 1814 zwang Napoleon dem eroberten Europa seine Vorstellungen von Verwaltung und Politik auf; zugleich hinderte er die Briten, Schwachstellen der Kontinentalsperre auszunutzen. In allen Vasallenstaaten führte er den »Code Napoléon« (auch »Code civil« genannt) ein, das französische Zivilrecht, das den Forderungen der Revolution nach Freiheit und Gleichheit entsprach und den Schutz des Privateigentums sicherte.

Der Wendepunkt: Russlandfeldzug

1808 traten die Napoleonischen Kriege in eine neue Phase. Als eine französische Armee durch die Iberische Halbinsel nach Portugal marschierte, um das Land zur Einhaltung der Kontinentalsperre zu zwingen, löste dies in Spanien einen Aufstand aus und veranlasste die Briten, General Wellington nach Portugal zu schicken. Es folgte ein Krieg, der die Reserven beider Seiten erschöpfte. Gleichzeitig sah sich Napoleon zu einem weiteren Feldzug gegen Österreich gezwungen, das er 1809 bei Wagram erneut besiegte. Obwohl ihn dieser Sieg als Herrscher über Europa bestätigte und er sich wieder ganz auf Spanien konzentrieren konnte, wo er kurzfristig seine Rückschläge wettmachte, änderte sich die Lage 1812 grundlegend, als sich Napoleon zum Krieg gegen Russland entschloss. Auch hier ging es um die Durchsetzung der Kontinentalsperre. Dieser Krieg brachte gewaltige Verluste an Menschen und Material. Nachdem Ende 1812 Hunger, Winter und der russische Widerstand keinen anderen Weg als den Rückzug aus Moskau gelassen hatten, ergriffen seine Gegner die Gelegenheit zur Bildung einer vierten Koalition – zum ersten Mal seit 1795 machte wieder ganz Europa gegen Frankreich mobil.

Endgültige Niederlage für Napoleon: Die Schlacht bei Waterloo am 18. Juni 1815 machte seine Hoffnungen auf den Machterhalt zunichte.

Die Befreiungskriege

Der Rückzug aus Russland brach Napoleons Macht noch nicht. Seine Truppen konnten den Koalitionsarmeen trotz schwerer Verluste bei Lützen, Bautzen und Dresden widerstehen. Dann aber erwiesen sich die Schwächung durch den Russlandfeldzug sowie die Stärke der internationalen Streitmacht als entscheidend: In der Völkerschlacht von Leipzig im Oktober 1813 musste Napoleon die erste große Niederlage hinnehmen und sich danach ganz aus Deutschland zurückziehen. Zugleich konnte Wellington den Krieg in Spanien beenden und sich nach Norden bis Toulouse vorkämpfen. Die Truppen der Koalition nutzten den Sieg, gingen zum Angriff über und besetzten 1814 Paris. Napoleon musste abdanken und wurde nach Elba verbannt.

Hundert Tage

Während die siegreichen Alliierten 1814 auf dem Wiener Kongress die politische Karte Europas neu zeichneten, floh Napoleon aus seinem Exil, um sein Reich zurückzuerobern. In diesen »Hundert Tagen« (1815) baute er seine Armeen neu auf und stellte sich den vereinten britischen, niederländischen und preußischen Truppen bei Waterloo. Es folgte eine schwere Schlacht, die mit der endgültigen Niederlage Napoleons endete. Er musste erneut abdanken und wurde nun auf Sankt Helena im Südatlantik interniert, wo er 1821 starb. Nach 23 Jahren Krieg zog in Europa endlich Friede ein.

1 Im Frieden von Amiens (März 1802) vereinbarten Großbritannien und Frankreich die Rückgabe der meisten seit 1793 eroberten Gebiete. Der Friede hielt kein Jahr.

2 Die Niederlage bei Trafalgar kostete die Franzosen die Hälfte ihrer Schiffe und vereitelte Napoleons Plan einer Invasion Großbritanniens. Der britische Admiral Lord Nelson erlag seinen Verletzungen in der Schlacht.

3 Bei Borodino errang Napoleon einen teuer erkauften Sieg, denn er verlor ein Viertel seiner Soldaten. Von den ursprünglich 600 000 Mann der kaiserlichen Armee überlebten den Russlandfeldzug nur 30 000.

4 1804 plante Napoleon von Boulogne aus mit einer Flotte von 2000 Schiffen die Invasion Englands, konnte aber den Kanal nicht unter seine Kontrolle bringen.

5 Der Angriff der britischen Flotte zwang 1807 die dänische zur Kapitulation und schwächte das französische Potenzial gegen Großbritanniens Vorherrschaft zur See.

6 Die Armeen Napoleons versorgten sich aus den eroberten Gebieten. Diese Strategie erwies sich im harten russischen Winter 1812/1813 als verhängnisvoll. Die erfolgreichen Briten bauten dagegen in Spanien Stützpunkte auf, die sie von der Heimat aus versorgten.

Zeitleiste

Napoleonische Kriege

- 1801 – Briten und Türken besiegen die Franzosen bei Abukir.
- 1802 – Napoleon wird Erster Konsul auf Lebenszeit.
- 1803 – Wegen Malta bricht der Krieg mit Großbritannien erneut aus.
- 1805 – Britischer Sieg bei Trafalgar; Niederlage Österreichs bei Ulm; Niederlage österreichischer und russischer Truppen bei Austerlitz.
- 1806 – Niederlage Preußens bei Jena und Auerstedt.

Politische Entwicklungen

- 1800 – Mit dem »Act of Union« wird das Vereinigte Königreich von Großbritannien und Irland geschaffen.
- 1801 – Napoleon regelt das Verhältnis von Staat und Kirche durch das Konkordat mit dem Papst neu.
- 1802 – Friede von Amiens zwischen Großbritannien und Frankreich.
- 1804 – Napoleon wird zum Kaiser gekrönt. Der Code Napoléon wird in vielen Staaten Europas Grundlage des Zivilrechts.
- 1806 – Napoleon löst das Römisch-Deutsche Reich auf und gründet den Rheinbund.

Grenzen, 1812
Kaiserreich Frankreich, 1812
Vasallenstaat Frankreichs, 1812
Verbündeter Frankreichs, 1812
Osmanisches Reich, 1812
Russisches Reich, 1812
Vereinigtes Königreich von Großbritannien und Irland, 1812
Rheinbund
Frankreich, 1815
spanische Guerilla
französischer Sieg
französische Niederlage
österreichischer Feldzug
britischer Feldzug
französischer Feldzug
Napoleons Flucht von Elba und sein Weg bis Waterloo, 1815
preußischer Feldzug
russischer Feldzug
0 600 km
0 400 Meilen
SCHWEDEN
1815 Union mit Norwegen
DÄNEMARK-NORWEGEN
Personalunion bis 1814 mit Frankreich verbündet bis 1814
Nordsee
Ostsee
EINIGTES
IGREICH
England
Holland
PREUSSEN
1807–1813 mit Frankreich verbündet
GROSSHERZOGTUM WARSCHAU
1815 an Russland
RUSSISCHES REICH
WESTFALEN
SACHSEN
Schlesien
Galizien und Lodomerien
KAISERTUM ÖSTERREICH
1809–1813 mit Frankreich verbündet
BAYERN
SCHWEIZ
FRANKREICH
ITALIEN
Illyrische Provinzen
Ungarn
Transsilvanien
Walachei
Moldova
Bessarabien 1812 an Russland
1806–1812 unter russischer Besatzung
Bosnien
Serbien
Bulgarien
Herzegowina
MONTENEGRO
Albanien
Rumelien
NEAPEL
Toskana
Kirchenstaat
SIZILIEN
Korfu an Russland, 1807 an Frankreich, 1815 an Großbrit.
Ionische Inseln an Russland, 1807 an Frankreich, 1809 an Großbrit.
Kythera an Russland, 1807 an Frankreich, 1809 an Großbrit.
Morea
Kreta
Rhodos
ANATOLIEN
OSMANISCHES REICH
Schwarzes Meer
russische Meeroperationen 1800–1807
Mittelmeer
Malta an Großbrit.
ALGERIEN
Tunesien
Cyrenaika
ÄGYPTEN
Abukir 1799, 1801
Alexandria
Katalonien 1812–1813 an Frankreich
Helgoland 1807–1814 an Großbrit.
Schwedisch-Pommern 1815 an Preußen
MECKLENBURG-SCHWERIN
Moskau 1812
Borodino 1812
Smolensk 1812
Malo Jaroslawez 1812
Krasnoi 1812
Beresina 1812
Kopenhagen 1801, 1807
Waterloo 1815
Ligny 1815
Leipzig 1813
Austerlitz 1805
Wagram 1809
Aspern 1809
Friedland 1807
Eylau 1807
Barcelona 1808
Saragossa 1809
Valencia 1808
Toulouse 1814

1807
der zweiten Schlacht vor Kopenhagen siegt die britische
er die dänische Flotte; der Friede von Tilsit bestätigt
Machtposition Napoleons.

1808
Napoleon setzt seinen Bruder Joseph als König von Spanien ein.

1808
Ein Aufstand der Spanier gegen Napoleon führt zum Krieg.

07
e Kontinentalsperre ist vollständig.

1809

1812
Napoleons Russlandfeldzug endet im Chaos.

1813
Niederlage Napoleons in der Völkerschlacht von Leipzig.

1813
Vierte Koalition gegen Frankreich (Preußen, Russland, Großbritannien, Schweden, Österreich).

1814
Napoleon wird zur Abdankung gezwungen und nach Elba verbannt.

1815
Endgültige Niederlage Napoleons bei Waterloo gegen die Briten unter Wellington und die Preußen unter Blücher.

1815
Die »Hundert Tage« Napoleons enden mit der Gefangenschaft auf Sankt Helena, wo er stirbt (1821).

Die Welt im 19. Jahrhundert (1783 bis 1914)

Das Ende des Römisch-Deutschen Reiches • 1792 bis 1806

Der deutschen Staatenwelt war mit dem revolutionären Frankreich ein mächtiger Nachbar erwachsen. Napoleons Übergriffe auf das Rheinland veränderten das territoriale Gefüge des Reiches grundlegend. Eine Vielzahl kleiner Gebiete im Süden und Südwesten wurde unter französischem Protektorat zu Mittelstaaten zusammengefügt, die als Rheinbund 1806 vom Reich abfielen. Mit der Abdankung des Habsburgers Franz II. hörte das alte Kaiserreich nach rund 900 Jahren auf zu existieren.

Das Römisch-Deutsche Reich bestand zu Beginn des 19. Jahrhunderts aus einer Vielzahl zum Teil sehr kleiner Staaten, die oft nicht einmal über zusammenhängende Territorien verfügten, sowie den konkurrierenden Großmächten Preußen und Österreich. Deren Dualismus hatte die deutsche Geschichte seit Mitte des 18. Jahrhunderts bestimmt. Der Immerwährende Reichstag in Regensburg war ein wirkungsloses Beschlussorgan, dem keine Exekutive mehr unterstand. Der letzte Römisch-Deutsche Kaiser Franz II. (1792–1806) übte lediglich im Bereich der Habsburgischen Lande seine Macht aus.

Im Ersten Koalitionskrieg (1792–1797) hatten die alten Mächte Europas erkennen müssen, dass die Revolutionsmacht Frankreich ein übermächtiger Gegner war. Nach der Niederlage von Valmy am 20. September 1792 strömten französische Truppen über die deutschen Grenzen und besetzten die alten Kaiserstädte Speyer, Worms, Mainz und Frankfurt am Main.

Der Rhein als Grenze

Das Königreich Preußen war zu dieser Zeit um die Ausdehnung seiner Herrschaft nach Polen bemüht, trat aus dem Krieg aus und überließ den Franzosen in einem Sonderfrieden von 1795 sein Territorium links des Rheins. Zwei Jahre später legten auch die Österreicher die Waffen nieder. Damit verzichtete erstmals ein Römisch-Deutscher Kaiser auf die Unverletzlichkeit der Reichsgrenzen. Noch einmal lehnte sich Wien gegen den Verlust der linksrheinischen Gebiete auf, doch endete auch der Zweite Koalitionskrieg (1799–1802) mit einem Sieg der Franzosen. Der darauf folgende »Reichsdeputationshauptschluss« des Regensburger Reichstags sollte die Fürsten entschädigen, die Gebiete verloren hatten. Alle geistlichen Fürstentümer bis auf Mainz und zwei Ordensstaaten wurden aufgehoben. Die meisten Reichsstädte und kleineren Herrschaften gingen in größeren Fürstentümern auf. Auf der rechten Rheinseite entstanden mit Baden, Hessen-Kassel, Salzburg und Württemberg vier neue Kurfürstentümer. Sie bildeten im Süden des Reiches selbstbewusste Staaten mit Souveränitätsansprüchen gegenüber dem Kaisertum. Napoleon hatte damit sein Ziel erreicht und ein an Frankreich geknüpftes »drittes Deutschland« von Mittelstaaten geschaffen.

Kaiser Franz II. dankt ab

Napoleon krönte sich 1804 selbst zum Kaiser. Kurz zuvor hatte Franz II. den eigenen Herrschaftsanspruch zurückgeschraubt. Er beanspruchte nicht länger den Kaisertitel des Römisch-Deutschen Reiches, sondern nannte sich nun (als Franz I.) Kaiser von Österreich. Damit versuchte er, das Erbkaisertum zu sichern, das er als Reichskaiser gegen die deutschen Fürsten nicht hätte durchsetzen können. An der Seite Englands und Russlands unternahm der Kaiser einen weiteren Versuch, Napoleon aufzuhalten. Doch auch der Dritte Koalitionskrieg (1805/1806) führte – mit der Schlacht von Austerlitz – zu einer Niederlage Österreichs. Napoleon zog in Wien ein und verkleinerte Österreich auf den Donauraum, dann fasste er die von Frankreich abhängigen deutschen Staaten im Rheinbund zusammen. Nur Österreich und Preußen sowie Dänisch-Holstein und Schwedisch-Pommern zählten nicht zu diesem Protektoratsbund. Alle anderen deutschen Staaten mussten ihren Austritt aus dem Reich erklären. Der Aufforderung Napoleons, die Reichskrone niederzulegen, kam Franz II. am 6. August 1806 nach. Das Römisch-Deutsche Reich war erloschen.

Die preussischen Reformen

Napoleon zog nach dem Sieg bei Jena und Auerstedt in Preußen ein und stutzte dessen Territorium auf die Gebiete östlich der Elbe zurecht. Im Land setzte nun eine vom Freiheitswillen beseelte Reformbewegung ein, die das Königreich zu einer neuen Blüte führen sollte. Unter den aufgeklärten und fortschrittlichen Ministern Karl August von Hardenberg und Reichsfreiherr Karl von und zum Stein begann ab 1807 die Neuordnung Preußens. Mit Blick auf das Vorbild Frankreich betrieben Stein, Hardenberg und weitere Reformer in Verwaltung, Politik und Armee die Neustrukturierung des gesamten Staatswesens. Die Bauernbefreiung wurde 1807 mit der Abschaffung der Erbuntertänigkeit Wirklichkeit, die Einführung von Gewerbefreiheit und einer Städteordnung gab neue Impulse, die Heeresreform brachte die allgemeine Wehrpflicht. Wilhelm von Humboldt initiierte eine umfassende Bildungsreform im Geiste eines neuhumanistischen Erziehungsideals. Dank all dieser Maßnahmen entwickelte sich Preußen vom Ständestaat alter Prägung zu einem modernen Staat, der die Ideen der Französischen Revolution in eigener Auslegung fortschrieb.

Berlin 1806: Nach der siegreichen Schlacht bei Jena und Auerstedt zieht Napoleon durch das Brandenburger Tor ein.

1 In Berlin vollendete der Baumeister Carl Gotthard Langhans 1791 das Brandenburger Tor, das zum Wahrzeichen der Stadt wurde.

2 Preußen, Russland und Österreich teilten 1795 Polen unter sich auf. Mit dieser dritten Teilung verschwand das selbstständige Polen für mehr als ein Jahrhundert von der Landkarte.

3 Der im lothringischen Lunéville geschlossene Frieden beendete 1801 die Französischen Revolutionskriege und bestätigte Frankreich unter anderem den Besitz des linken Rheinufers.

4 Der Sieg Napoleons in der Doppelschlacht von Jena und Auerstedt zerstörte am 14. Oktober 1806 den Mythos von der Unbesiegbarkeit der preußischen Armee.

5 Kassel, seit 1277 Residenz der Landgrafen von Hessen, wurde 1807 Hauptstadt des von Napoleon geschaffenen Königreiches Westfalen (1807–1813), das zum Rheinbundstaat erklärt wurde.

6 Preußens König Friedrich Wilhelm III. gründete 1810 die Universität Berlin. Mit dem Recht auf autonome Entscheidung ausgestattet, wurde sie zum Vorbild für Universitäten in ganz Europa.

ZEITLEISTE

NAPOLEONISCHE KRIEGE

1792 Ausbruch des Ersten Koalitionskrieges zwischen Frankreich und Österreich.

1795 Das mit Österreich verbündete Preußen scheidet aus dem Koalitionskrieg gegen Frankreich aus.

1785 – 1790 – 1795

REFORMPOLITIK

1786 Mit König Friedrich II., dem Großen, stirbt ein bedeutender Repräsentant des aufgeklärten Absolutismus.

1789 Im Zuge der Französischen Revolution kommt es in Baden, Sachsen, der Pfalz und im Rheinland zu Unruhen.

1793 Die erste freiheitliche Republik in Deutschland (in Mainz) wird von preußischen Truppen erobert.

1794 Das »Allgemeine Landrecht für die Preußischen Staaten« wird erlassen.

Schlacht
Grenze der Rheinbundstaaten bei der Gründung (1806)
GHZT. Großherzogtum
HZT. Herzogtum
KFT. Kurfürstentum
KGR. Königreich
KSR. Kaiserreich
KST. Kaisertum
REP. Republik
0 300 km
0 200 Meilen
KGR. SCHWEDEN
KSR. RUSSLAND
Nordsee
Ostsee
KGR. DÄNEMARK
Kopenhagen
Sept. 1807: Im Kampf gegen die Kontinentalsperre erzwingt England die Auslieferung der dänischen Flotte.
Sept. 1807: England besetzt Helgoland.
Flensburg
Memel
Tilsit
Friede von Tilsit 1807
Wilna
Königsberg
OST-
Friedland 1807
Bartenstein
PREUSSEN
NEU-OSTPREUSSEN
Preußisch Eylau Febr. 1807
Danzig
WEST-PREUSSEN
Kolberg
POMMERN
Stralsund
SCHWEDISCH POMMERN
HOLSTEIN
zu Oldenburg
Lübeck
russ.
Jever
OST-FRIES-LAND
Hamburg
MECKLENBURG
Leeuwarden
Groningen
Oldenburg
Bremen
Stettin
Thorn
KGR. PREUSSEN
AREM-BERG
OLDEN-BURG
HANNOVER
(1805/06 preuß. besetzt)
BRANDENBURG
GROSSPOLEN
Amsterdam
Hannover
Berlin
Küstrin
Posen
Dez. 1806: Friede mit Sachsen
Warschau
Rotterdam
KGR. HOLLAND
zu Berg
Osnabrück
Braunschweig
Potsdam
Magdeburg
SALM
Münster
BRAUNSCHWEIG
Oder
Warthe
(SÜDPREUSSEN)
Lodz
WEST-GALIZIEN
Paderborn
Dessau
Cottbus
zu Aremberg
Wesel
Göttingen
Glogau
Antwerpen
Kassel
Leipzig
KFT. SACHSEN
Breslau
Brüssel
Köln
GHZT. BERG
KUR-HESSEN
Erfurt
Auerstedt Okt. 1806
Jena
Aachen
Maas
GHZT. HESSEN
SCHLESIEN
HZT. NASSAU
Wetzlar
Fulda
THÜRINGISCHE STAATEN
Weichsel
Frankfurt
GHZT. WÜRZBURG
Elbe
Przemysl
Mosel
Mainz
Bayreuth
Prag
Luxemburg
Aschaffenburg
Schweinfurt
BÖHMEN
ÖSTERR. SCHLESIEN
GALIZIEN
Trier
Würzburg
Olmütz
KSR.
Heidelberg
MÄHREN
Verdun
Saarbrücken
Nürnberg
Brünn
Austerlitz Dez. 1805
Metz
Karlsruhe
Ansbach
Budweis
FRANKREICH
GHZT. BADEN
KGR.
Regensburg
zu Aschaffenburg
KST.
Neusohl
Lunéville
Friede von Lunéville Febr. 1801
Straßburg
Stuttgart
WÜRTTEMBERG
Ulm
Okt. 1805
Donau
KGR.
Augsburg
Passau
Pressburg
Friede von Pressburg Dez. 1805
Linz
Wien
Erlau
Freiburg
München
Inn
KGR.
Debreczin
Rhein
BAYERN
Gran
Ofen
Pest
Dijon
Basel
Konstanz
Lindau
Salzburg
Ödenburg
Zürich
LIECHTENSTEIN
VORARLBERG
STEIERMARK
Stuhlweißenburg
Theiß
Großwardein
Besançon
Neuenburg
Bern
SALZBURG
Graz
HELVETIEN
TIROL (1805 bayer.)
KÄRNTEN
UNGARN
ÖSTERREICH
Genf
Sitten
REP. WALLIS
Trient
Save
Rhône
VENETIEN
KRAIN
Drau
Mohács
Triest
KGR. ITALIEN
Adriatisches Meer

1797 Friedrich Wilhelm III. besteigt den preußischen Königsthron.

1799 Im Zweiten Koalitionskrieg überschreiten französische Truppen den Rhein.

1800

1801 Friede von Lunéville: Frankreich wird die Rheingrenze als Staatsgrenze vertraglich garantiert.

1803 Das »dritte Deutschland« der mittleren Staaten entsteht.

1805 Die »Dreikaiserschlacht« bei Austerlitz endet mit dem Sieg Frankreichs.

1806 Franz II. legt die Kaiserkrone nieder (Ende des »Römisch-Deutschen Reiches«). Die Schlacht bei Jena und Auerstedt beendet die preußische Großmachtstellung; Napoleon zieht in Berlin ein.

1807 Im Frieden von Tilsit muss Preußen rund die Hälfte seines Territoriums abtreten; Napoleon gründet das Königreich Westfalen.

1807 Das Edikt zur Bauernbefreiung in Preußen markiert den Auftakt zu den preußischen Reformen.

1808 Auf Drängen Napoleons wird der preußische Minister Karl Freiherr vom und zum Stein entlassen.

1809 Ein Aufstand des preußischen Husarenmajors Ferdinand von Schill gegen die französische Besatzung scheitert.

1809 Wilhelm von Humboldt beginnt mit der Reform des preußischen Bildungswesens.

1810 Karl August von Hardenberg wird zum Staatskanzler berufen.

Die Welt im 19. Jahrhundert (1783 bis 1914)

Der Deutsche Bund • 1815 bis 1866

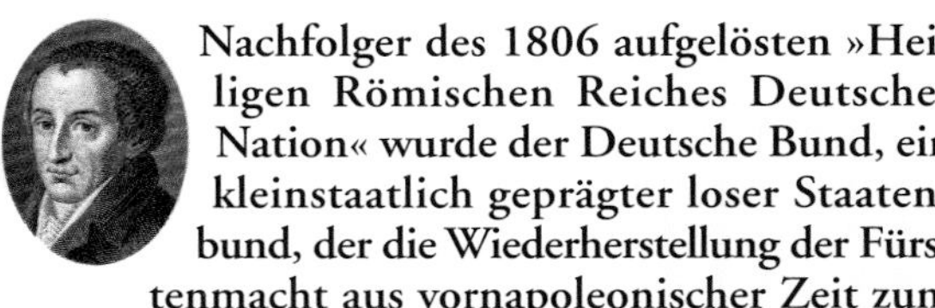

Nachfolger des 1806 aufgelösten »Heiligen Römischen Reiches Deutscher Nation« wurde der Deutsche Bund, ein kleinstaatlich geprägter loser Staatenbund, der die Wiederherstellung der Fürstenmacht aus vornapoleonischer Zeit zum Ziel hatte. Dieser restaurativen Position standen im Volk die Forderungen liberal-bürgerlicher und studentisch-demokratischer Kreise nach einem Nationalstaat mit staatsbürgerlichen und wirtschaftlichen Freiheiten entgegen.

Liberale und Demokraten kamen 1832 zum Hambacher Fest zusammen.

Die Befreiungskriege gegen Napoleon endeten endgültig 1815 mit der Niederlage der Franzosen. Bereits im Vorjahr hatte der Wiener Kongress einen »unauflöslichen« Staatenbund entworfen: Das alte Reich sollte nicht erneuert werden, die neue Ordnung einen defensiven Charakter besitzen und keinem formalen Oberhaupt unterstehen. Als am 9. Juni 1815 die Schlussakte des Kongresses zur Neuordnung Europas unterzeichnet wurde, war die Deutsche Bundesakte einer ihrer Eckpfeiler. Österreich als Präsidialmacht dominierte neben Preußen das neue Staatswesen, der Wiener Staatskanzler Metternich wusste den Bund geschickt als Instrument einer repressiven, reaktionären Politik zu nutzen. Gegner dieser Linie wurden schon bald als »Demagogen« unnachsichtig verfolgt.

Eine komplizierte Machtbalance

Unter dem staatenbündischen Konzept wurden 38 deutsche Territorialstaaten völkerrechtlich souverän, wobei de facto jedoch die beiden absolutistisch geprägten Machtzentren in Wien und Berlin den Ton angaben. Ausländische Mächte, soweit sie über deutsche Territorien geboten (wie England mit Hannover oder Dänemark mit Holstein), besaßen gleichfalls im Deutschen Bundestag zu Frankfurt am Main, dem Organ des Bundes, Sitz und Stimme. Der Vielvölkerstaat Österreich hatte zwar die habsburgischen Niederlande verloren, dafür jedoch Tirol, Vorarlberg, Kärnten, Krain, Triest, Galizien, Mailand, Venetien, Salzburg und das Innviertel gewonnen. Die meisten dieser Gebiete gehörten – wie auch Friaul, Böhmen, Mähren sowie Österreichisch-Schlesien – zum Bundesgebiet, nicht jedoch die außerhalb der alten Reichsgrenzen liegenden Habsburgerterritorien Ungarns und Norditaliens – was analog auch für Preußens Ostprovinzen galt.

Zu Spannungen im Bund führte der Umstand, dass die Reformbereitschaft der Mitglieder unterschiedlich stark ausgeprägt war. Baden, Württemberg und Bayern etwa erließen, anders als Preußen und Österreich, bereits lange vor der bürgerlichen Revolution von 1848/1849 Verfassungen und gewährten gewisse bürgerliche Grundrechte. Die gegen oppositionelle Studenten gerichteten, Metternichs Handschrift tragenden »Karlsbader Beschlüsse« von 1819 schränkten jedoch liberale Tendenzen im Bundesgebiet stark ein.

Der Zollverein eint Deutschland

Unter dem Vorzeichen der Napoleonischen Kriege war schon zu Anfang des Jahrhunderts ein neues Nationalgefühl erwacht, das in der Ära des Bundes noch anwuchs. Eine Vorreiterrolle zur Einigung Deutschlands spielten wirtschaftspolitische und zollrechtliche Maßnahmen. Die Wirtschaft im Bundesgebiet war durch die zahlreichen Verordnungen der Einzelstaaten gelähmt. Zollgrenzen behinderten Geld- und Warenfluss. Bereits 1818 hatte Preußen ein Zollgesetz für sein eigenes Staatsgebiet geschaffen und damit seine ökonomische Vormachtstellung innerhalb des Bundes gefestigt. Bis 1834 schlossen sich die meisten deutschen Länder dem preußisch geführten Zollverein an. Deutschland wurde damit, unter Ausschluss Österreichs, zumindest wirtschaftlich immer mehr zu einem Ganzen.

Grossdeutsch oder kleindeutsch?

Die Einheits- und Verfassungsbestrebungen, die sich gegen die im Deutschen Bund repräsentierte Fürstenmacht richteten, erreichten in der Revolution von 1848/1849 einen Höhepunkt. Die in der Frankfurter Nationalversammlung symbolisierte Volkssouveränität blieb jedoch nur ein kurzes Zwischenspiel, 1851 war der Deutsche Bund wiederhergestellt. Der preußisch-österreichische Gegensatz war unter dem Eindruck der Revolution weiter gewachsen und bestimmte fortan die Bundespolitik.

Preußen hatte lange vergeblich um ein geschlossenes Herrschaftsgebiet gerungen und war in zwei Teile gespalten. Erst unter der Ministerpräsidentschaft Otto von Bismarcks (seit 1862) sollte die Zeit heranreifen, kleinere, zwischen den Ost- und den Westprovinzen liegende Staaten zu annektieren und ein ganz Deutschland durchziehendes Territorium zu schaffen. Berlin strebte einen Bundesstaat unter Ausschluss Österreichs und preußischer Führung an (kleindeutsche Lösung); Österreich versuchte seinerseits, den gesamten Vielvölkerstaat in den Staatenbund zu integrieren und den Deutschen Bund zu dominieren (großdeutsche Lösung). Unter der geschickten Regie Bismarcks und seiner gezielten Kriegspolitik konnte sich Preußen schließlich durchsetzen.

Die Spannungen eskalierten 1866 im Deutschen Krieg. Preußen erklärte den Deutschen Bund für erloschen. Wien machte mit zwölf anderen deutschen Staaten gegen den großen Widersacher und dessen Verbündete mobil. In der Schlacht von Königgrätz siegten die preußischen Truppen und zwangen Österreich im Frieden von Prag, der Auflösung des Bundes zuzustimmen. Der auf ihn folgende »Norddeutsche Bund« als Bundesstaat unter preußischer Ägide war bereits ein Intermezzo auf dem Weg zur Reichseinigung von 1871.

Erben des alten Reiches: Die Bundesversammlung der Bevollmächtigten aller Bundesstaaten tagte im Juni 1815 in Frankfurt am Main.

1 **In der Völkerschlacht bei Leipzig besiegten 1813 die Alliierten die napoleonische Armee. Der Kampf um die Vorherrschaft in Europa war entschieden.**

2 **Die Ermordung des Publizisten August Friedrich von Kotzebue durch den Studenten Karl Ludwig Sand gab der Ministerkonferenz in Karlsbad 1819 Anlass, die »Karlsbader Beschlüsse« gegen jede Art patriotisch-liberaler Bewegung zu erlassen.**

3 **Etwa 30 000 liberal gesinnte Bürger, Handwerker und Bauern versammelten sich 1832 auf dem Hambacher Schloss, um unter den Farben Schwarz-Rot-Gold für die Einheit Deutschlands zu demonstrieren.**

4 **Katastrophale Lebensbedingungen führten 1844 zum Aufstand von 3000 Webern in Schlesien. Die Erhebung wurde vom Militär blutig niedergeschlagen.**

5 **In der Frankfurter Paulskirche trat am 18. Mai 1848 die Frankfurter Nationalversammlung zusammen. Der Plan der 545 Abgeordneten, eine Verfassung zu erarbeiten und einen Nationalstaat zu schaffen, scheiterte bereits ein Jahr später.**

6 **Der dänische König Christian IX. gliederte 1863 widerrechtlich Schleswig-Holstein seinem Reich ein, unterlag jedoch den von Preußen und Österreich geführten Koalitionstruppen des Deutschen Bundes.**

ZEITLEISTE

POLITIK

- 1813 – In der Völkerschlacht bei Leipzig besiegt ein österreichisch-preußisch-russisches Heer die Franzosen.
- 1815 – Der Wiener Kongress beschließt die Gründung eines deutschen Staatenbunds.
- 1834 – Der Deutsche Zollverein tritt in Kraft.

1810 — 1820 — 1830

NATIONAL-BEWEGUNG

- 1819 – Der Bundestag billigt die Karlsbader Beschlüsse, die sich gegen liberale Bestrebungen richten.
- 1832 – Rund 30 000 Liberale und Demokraten versammeln sich auf dem Schloss in Hambach.
- Sieben Göttinger Profes… protestieren gegen die Aufh… der Verfassung durch Ernst … von Han…

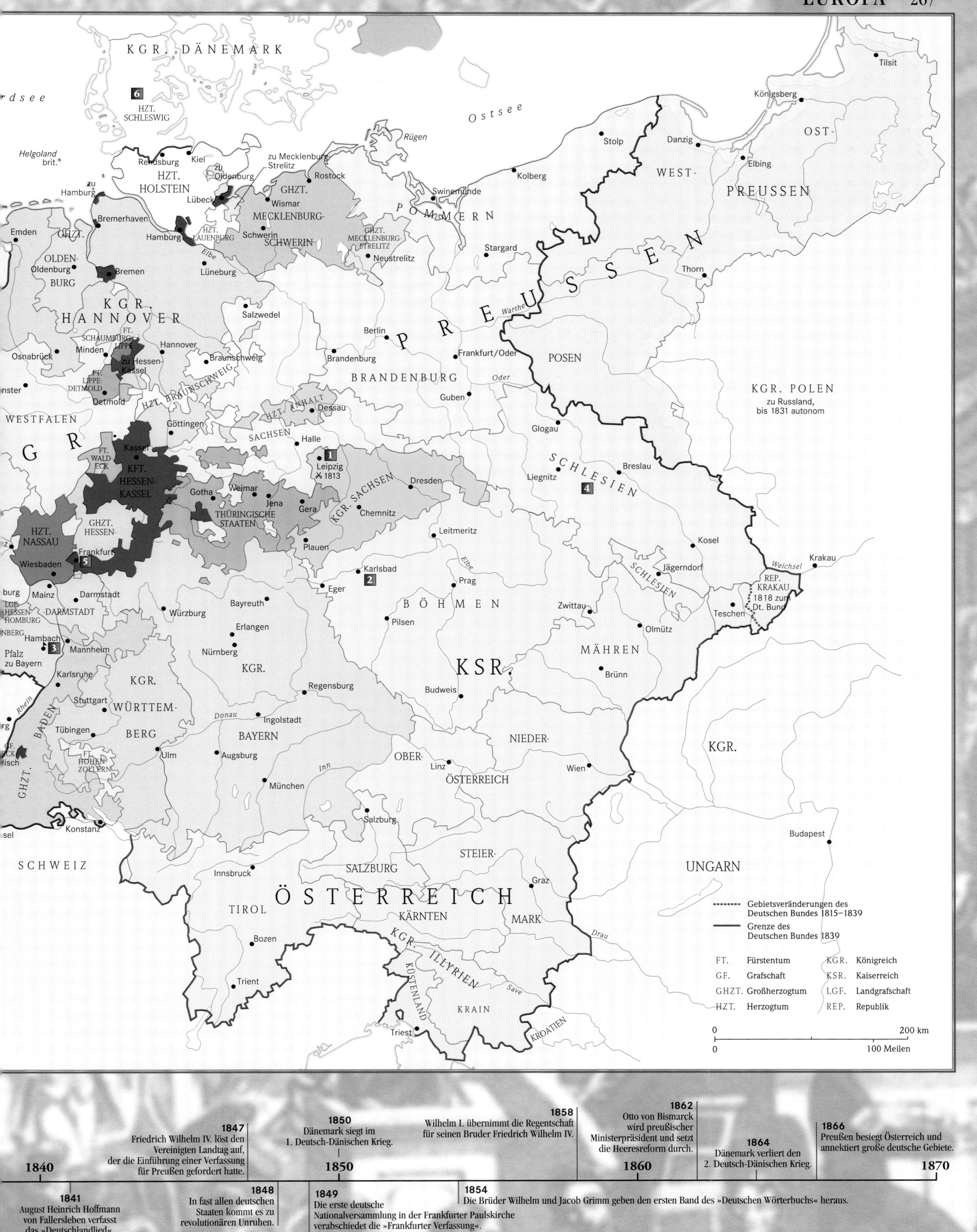

KGR. DÄNEMARK
Nordsee
Ostsee
HZT. SCHLESWIG
Helgoland brit.
Rendsburg
Kiel
HZT. HOLSTEIN
zu Oldenburg
zu Mecklenburg-Strelitz
Rostock
Rügen
zu Hamburg
Lübeck
GHZT. MECKLENBURG-SCHWERIN
Wismar
Schwerin
HZT. LAUENBURG
GHZT. MECKLENBURG-STRELITZ
Neustrelitz
Swinemünde
POMMERN
Kolberg
Stolp
Danzig
WEST-PREUSSEN
OST-PREUSSEN
Elbing
Königsberg
Tilsit
Bremerhaven
Emden
Hamburg
GHZT. OLDENBURG
Oldenburg
Bremen
Elbe
Lüneburg
Stargard
Thorn
KGR. HANNOVER
Salzwedel
Warthe
PREUSSEN
Berlin
Brandenburg
Frankfurt/Oder
BRANDENBURG
Oder
POSEN
Osnabrück
Minden
FT. SCHAUMBURG-LIPPE
Hannover
Braunschweig
zu Hessen-Kassel
FT. LIPPE-DETMOLD
Detmold
HZT. BRAUNSCHWEIG
HZT. ANHALT
Dessau
Guben
KGR. POLEN
zu Russland, bis 1831 autonom
WESTFALEN
Göttingen
SACHSEN
Halle
Glogau
Kassel
FT. WALDECK
KFT. HESSEN-KASSEL
1
Leipzig 1813
SCHLESIEN
Breslau
Liegnitz
4
Gotha
Weimar
Jena
Gera
Dresden
KGR. SACHSEN
Chemnitz
THÜRINGISCHE STAATEN
HZT. NASSAU
GHZT. HESSEN-DARMSTADT
Wiesbaden
Frankfurt
5
Plauen
Leitmeritz
Kosel
Karlsbad
2
Eger
Prag
Jägerndorf
Krakau
Weichsel
REP. KRAKAU 1818 zum Dt. Bund
Mainz
Darmstadt
LGF. HESSEN-HOMBURG
Würzburg
Bayreuth
BÖHMEN
Zwittau
Teschen
Pilsen
Olmütz
Erlangen
Hambach
3
Mannheim
Pfalz zu Bayern
Nürnberg
KGR. BAYERN
MÄHREN
KSR. ÖSTERREICH
Brünn
Karlsruhe
KGR. WÜRTTEMBERG
Stuttgart
Regensburg
Budweis
Rhein
Donau
Ingolstadt
GHZT. BADEN
Tübingen
Augsburg
Ulm
NIEDER-ÖSTERREICH
OBER-ÖSTERREICH
Linz
Wien
KGR. UNGARN
FT. HOHENZOLLERN
Inn
München
Konstanz
Salzburg
Budapest
SCHWEIZ
STEIER-MARK
Innsbruck
SALZBURG
Graz
TIROL
KÄRNTEN
Bozen
KGR. ILLYRIEN
KÜSTENLAND
Drau
Save
KRAIN
Trient
Triest
KROATIEN
Gebietsveränderungen des Deutschen Bundes 1815–1839
Grenze des Deutschen Bundes 1839
FT. Fürstentum
GF. Grafschaft
GHZT. Großherzogtum
HZT. Herzogtum
KGR. Königreich
KSR. Kaiserreich
LGF. Landgrafschaft
REP. Republik
0 200 km
0 100 Meilen

1840 – **1850** – **1860** – **1870**

1841 August Heinrich Hoffmann von Fallersleben verfasst das »Deutschlandlied«.

1847 Friedrich Wilhelm IV. löst den Vereinigten Landtag auf, der die Einführung einer Verfassung für Preußen gefordert hatte.

1848 In fast allen deutschen Staaten kommt es zu revolutionären Unruhen.

1849 Die erste deutsche Nationalversammlung in der Frankfurter Paulskirche verabschiedet die »Frankfurter Verfassung«.

Mit der Zerschlagung des badischen Aufstands am 23. Juli endet die »Märzrevolution« von 1848/1849.

1850 Dänemark siegt im 1. Deutsch-Dänischen Krieg.

1854 Die Brüder Wilhelm und Jacob Grimm geben den ersten Band des »Deutschen Wörterbuchs« heraus.

1858 Wilhelm I. übernimmt die Regentschaft für seinen Bruder Friedrich Wilhelm IV.

1862 Otto von Bismarck wird preußischer Ministerpräsident und setzt die Heeresreform durch.

1864 Dänemark verliert den 2. Deutsch-Dänischen Krieg.

1866 Preußen besiegt Österreich und annektiert große deutsche Gebiete.

Die Welt im 19. Jahrhundert (1783 bis 1914)

Europa und das Aufkommen des Nationalismus • 1815 bis 1871

Nach 1815 erstarkte in Europa der Nationalismus – eine Reaktion auf Napoleons imperiale Herrschaft. Liberale und Demokraten forderten ein Staatswesen auf der Basis rassischer und sprachlicher Zusammengehörigkeit. Dieser Nationalstaat sollte den Bürgern ihre Rechte und Freiheiten per Verfassung garantieren.

Bis zur Jahrhundertmitte entstanden nur wenige solcher Staaten, etwa Belgien, die Niederlande und Griechenland. Meist beendeten die Monarchien, die nach Napoleons Sturz wieder auferstanden, das Aufkeimen demokratischer Formen sofort – wie in Preußen, Österreich und Russland. Italien und das »zweite« Deutsche Reich verdankten ihre staatliche Einheit dem Zusammenschluss kleinerer Staaten unter der Ägide mächtiger Monarchien (Sardinien-Piemont beziehungsweise Preußen).

Nach dem Sturz Napoleons hatte der Wiener Kongress mit der Neuordnung Europas eine Mammutaufgabe zu bewältigen.

Europäisches Konzert der Mächte

Der Wiener Kongress (1814–1815) sollte ein Gleichgewicht der Kräfte herbeiführen. Unter Leitung des konservativen österreichischen Staatskanzlers Fürst Metternich setzte der Kongress die Erbmonarchien wieder ein, schuf durch die Vereinigung Norwegens und Schwedens sowie Belgiens und der Niederlande neue, vergrößerte Königreiche und das »europäische Konzert« der Mächte: Künftig sollten politische Instabilitäten auf Kongressen gelöst werden. Auch an den Nationalismus wurden Zugeständnisse gemacht. Das Osmanische Reich gewährte Serbien (1817), dem Fürstentum Moldau (Moldova) und der Walachei (1829) eine gewisse Autonomie. Als jedoch in Neapel, Spanien und Portugal Aufstände ausbrachen, ermächtigten die Fürstenkongresse von Troppau, Laibach und Verona die herrschenden Mächte zur Intervention.

1821 erhoben sich die Griechen gegen die Osmanen. Zu Beginn des Jahres 1822 brachten sie die Morea (Peloponnes) unter Kontrolle und erklärten ihre Unabhängigkeit. Allerdings eroberten die Osmanen das Terrain 1825 mit der Unterstützung ägyptischer Truppen zurück. Der konservative Charakter der Erhebung sowie strategische Überlegungen im Hinblick auf den Zerfall des Osmanischen Reiches gipfelten in der Unterstützung des autonomen griechischen Staates durch die europäischen Mächte. Eine britisch-französisch-russische Flotte zerstörte die türkisch-ägyptische bei Navarino und im Jahr 1832 erkannten auch die Osmanen die Unabhängigkeit Griechenlands an.

Revolutionen

Ab 1830 brachen vielerorts – etwa in Modena, Parma, im Kirchenstaat, in Polen und einigen Gebieten Deutschlands – Aufstände aus, die alle niedergeschlagen wurden. Das reaktionäre Regime des Bourbonen Karl X. in Frankreich wurde 1830 durch die Julirevolution beseitigt; den Thron bestieg der »Bürgerkönig« Louis Philippe. Im selben Jahr begann in Belgien der Kampf um die Unabhängigkeit von den Niederlanden.

Der Wiener Kongress hatte den Deutschen Bund geschaffen, ein Bündnis von 38 Staaten mit Österreich als einflussreichster Macht. Dessen alter Konkurrent Preußen konnte vor allem seit der Gründung des Deutschen Zollvereins, einer innerdeutschen Freihandelszone, seine Position stärken.

Der Sieg der Republikaner über Louis Philippe im Februar 1848 in Paris gab das Signal für eine Kette von Revolutionen in Europa. In Ungarn, Kroatien, Böhmen und Mähren wurden liberale Regierungen und demokratische Verfassungen eingesetzt. In Berlin erhoben sich die Massen ebenso wie in Wien, wo Kanzler Metternich abdanken musste. Auch in Italien wurden überall Republiken ausgerufen und in Frankfurt am Main trat eine Nationalversammlung mit dem Ziel der deutschen Einigung zusammen. Doch die inneren Gegensätze blieben und Ende 1849 konnten die Habsburger Österreich, Italien und Ungarn (Letzteres mit russischer Hilfe) zurückgewinnen. Die deutsche Nationalversammlung löste sich auf, die alten Mächte mit Preußen an der Spitze hatten gesiegt.

Giuseppe Garibaldi (1807–1882) war die populärste der Führungspersönlichkeiten des Risorgimento, der italienischen Einheits- und Freiheitsbewegung.

Grenzen, 1815
Kaisertum Österreich und habsb. Nebenlinien, 1815
Frankreich, 1815
Osmanisches Reich, 1815
Preußen, 1815
Russisches Reich, 1815
Vereinigtes Königreich und Königreich Hannover, 1815
Deutscher Bund, 1815
französische Gebietsgewinne bis 1860
preußische Gebietsgewinne bis 1866
Belgien, 1830
Griechenland, 1830
Italien, 1861
Deutsches Reich, 1871
Wiener Kongress
nationalistische Revolte oder Aufruhr, 1815–1849
Aufstand/Aufruhr im Vereinigten Königreich
Zug Garibaldis, 1860

ATLANTISCHER OZEAN
La Coruña 1820
Oviedo 1820
Valladolid
Oporto 1820, 1830
Salamanca
PORTUGAL
Tajo
Lissabon 1820
Córdoba
Sevilla
Cádiz 1820
Málaga
Gibraltar zu Großbritannien
Tanger
Ceuta zu Spanien
MAROKKO

Italien und Irland

In Italien stellte sich Mitte des Jahrhunderts das reiche, industrialisierte Königreich Sardinien-Piemont an die Spitze der Einigungsbewegung. Viktor Emanuel II. und sein Ministerpräsident Graf Camillo Cavour trieben liberale Reformen voran und verjagten mit Hilfe Kaiser Napoleons III. von Frankreich 1859 die Österreicher. Die liberale konstitutionelle Monarchie, die Piemont plante, geriet in Gefahr, als der Revolutionär Giuseppe Garibaldi und seine »Rothemden« Sizilien und Süditalien überrannten. Aber Garibaldi überließ seine Eroberungen Viktor Emanuel, der 1861 König eines vereinten Italien wurde.

Großbritannien war von der Revolutionswelle weniger betroffen, obwohl der Chartismus eine begrenzte Parlamentsreform (1832) und das allgemeine, gleiche und geheime Wahlrecht forderte. Der irische Nationalismus erhielt durch die Hungersnöte der Jahre 1845 bis 1849 Auftrieb: 1858 wurde die »Irish Republican Brotherhood« der Fenier gegründet, Vorläuferin der Unabhängigkeitsbewegung, die 1921 die Unabhängigkeit Irlands errang.

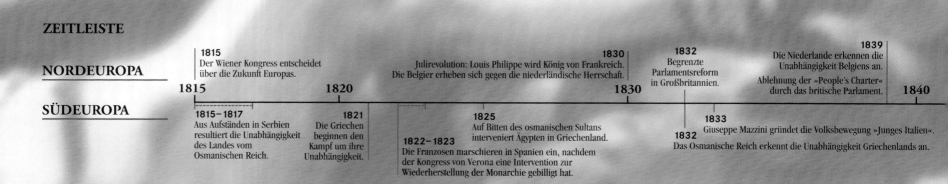

ZEITLEISTE

NORDEUROPA

1815 Der Wiener Kongress entscheidet über die Zukunft Europas.

1830 Julirevolution: Louis Philippe wird König von Frankreich. Die Belgier erheben sich gegen die niederländische Herrschaft.

1832 Begrenzte Parlamentsreform in Großbritannien.

1839 Die Niederlande erkennen die Unabhängigkeit Belgiens an. Ablehnung der »People's Charter« durch das britische Parlament.

1815 — 1820 — 1830 — 1840

SÜDEUROPA

1815–1817 Aus Aufständen in Serbien resultiert die Unabhängigkeit des Landes vom Osmanischen Reich.

1821 Die Griechen beginnen den Kampf um ihre Unabhängigkeit.

1822–1823 Die Franzosen marschieren in Spanien ein, nachdem der Kongress von Verona eine Intervention zur Wiederherstellung der Monarchie gebilligt hat.

1825 Auf Bitten des osmanischen Sultans interveniert Ägypten in Griechenland.

1832 Das Osmanische Reich erkennt die Unabhängigkeit Griechenlands an.

1833 Giuseppe Mazzini gründet die Volksbewegung »Junges Italien«.

1 Die Schaffung des protestantisch regierten Königreichs der Vereinigten Niederlande (1815) stieß im katholischen Süden, dem späteren Belgien, auf Ablehnung.

2 Ferdinand VII. von Spanien (1808; 1814–1833) unterdrückte nach seiner Rückkehr aus dem Exil im Jahr 1814 brutal die liberale Opposition. 1820 erhoben sich seine Truppen in Lateinamerika gegen ihn.

3 Die Herrschaft Louis Philippes geriet früh in Gefahr, als 1831 bei einem Aufruhr in Lyon 600 Menschen starben.

4 Radikale (unter anderem Garibaldi) riefen 1849 die Römische Republik aus, deren Ende kam, als französische Truppen Papst Pius IX. wieder zur Macht verhalfen.

5 Louis Napoleon wurde 1848 zum französischen Präsidenten gewählt und nach einem Staatsstreich 1852 als Napoleon III. zum Kaiser ausgerufen. 1870 im Deutsch-Französischen Krieg in Gefangenschaft geraten, ging er anschließend ins Exil.

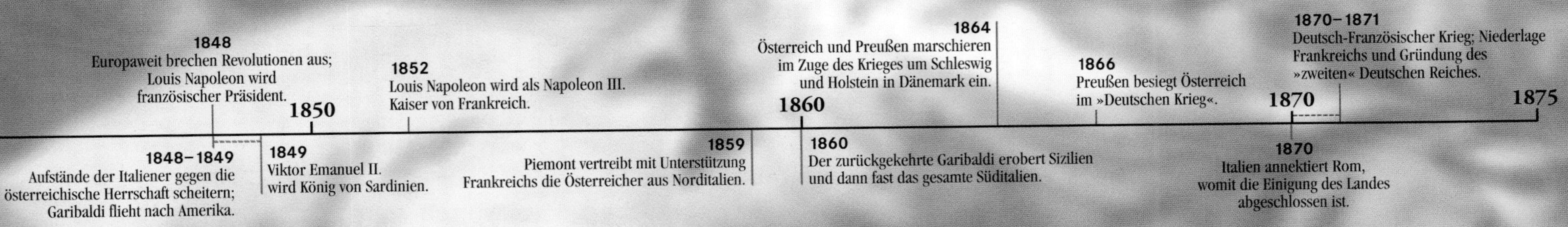
1848
Europaweit brechen Revolutionen aus; Louis Napoleon wird französischer Präsident.
1852
Louis Napoleon wird als Napoleon III. Kaiser von Frankreich.
1864
Österreich und Preußen marschieren im Zuge des Krieges um Schleswig und Holstein in Dänemark ein.
1866
Preußen besiegt Österreich im »Deutschen Krieg«.
1870–1871
Deutsch-Französischer Krieg; Niederlage Frankreichs und Gründung des »zweiten« Deutschen Reiches.
1850
1860
1870
1875
1848–1849
Aufstände der Italiener gegen die österreichische Herrschaft scheitern; Garibaldi flieht nach Amerika.
1849
Viktor Emanuel II. wird König von Sardinien.
1859
Piemont vertreibt mit Unterstützung Frankreichs die Österreicher aus Norditalien.
1860
Der zurückgekehrte Garibaldi erobert Sizilien und dann fast das gesamte Süditalien.
1870
Italien annektiert Rom, womit die Einigung des Landes abgeschlossen ist.

Die Welt im 19. Jahrhundert (1783 bis 1914)

Die industrielle Revolution in Europa • 1783 bis 1914

Im letzten Viertel des 18. Jahrhunderts setzte der Wandel der traditionellen europäischen Agrarstaaten zu modernen Industrieländern ein. Die radikale Veränderung der Produktionsmethoden durch die fortschreitende Mechanisierung sowie die Einführung des Fabriksystems mündeten in ein beispielloses Wirtschaftswachstum, das lediglich von zyklischen Abschwüngen unterbrochen wurde.

Zudem wuchs die Bevölkerung sehr rasch und die Menschen wanderten zunehmend in die Städte ab, die um die neuen, Arbeit bietenden Industriezentren herum entstanden. Die industrielle Revolution ging von Großbritannien – genauer von seiner Baumwoll- und Wollindustrie im Norden – aus.

Technischer Fortschritt und neue Fertigungsmethoden

Erfindungen in der Mechanik ermöglichten eine wirtschaftlichere und schnellere Textilherstellung. Dazu benötigte man neue Fabriken für die Webstühle, die anfangs von Wasserrädern, später von Dampfmaschinen angetrieben wurden. Diese Fabriken wiederum ermöglichten eine Zusammenführung der einzelnen Fertigungsschritte. Großbritannien war als Vorreiter der Massenproduktion bestens geeignet,

Über Transmissionswellen angetriebene Webstühle revolutionierten Europas Textilindustrie.

denn das Land verfügte über ein großes Angebot an natürlichen Energiequellen, eine gute Infrastruktur (im späten 18. und im frühen 19. Jahrhundert hatte man zahlreiche Kanäle gebaut, ab 1830 kam die Eisenbahn dazu) und einen aufnahmefähigen Markt. Bis 1815 bauten britische Industrielle ihr Land zur »Fabrik der Welt« um: Hier wurde mehr Kohle gefördert und hier produzierte man mehr Textilien und Roheisen als in ganz Resteuropa zusammen. Seit dem Ende des 18. Jahrhunderts setzte die Industrialisierung auch auf dem Festland ein (zum Beispiel in Form der Waffenfabriken in Belgien und der Baumwollspinnereien in Sachsen und Nordfrankreich), aber da für Großbritannien während der Kontinentalsperre die Abwanderung von Fachkräften und der Export von Maschinen nicht möglich war, stieß die Einführung neuer Produktionsverfahren zunächst an Grenzen.

Seit den 20er-Jahren des 19. Jahrhunderts entstanden in Belgien und danach in ganz Europa Kohle-, Textil- und Metallindustrien. Auch hier besaß der Ausbau des Schienennetzes zentrale Bedeutung – der so mögliche Frachtverkehr erlaubte das schnelle Herbeischaffen von Rohstoffen und die zügige Verteilung der hergestellten Produkte. Bis 1890 waren in Europa die wichtigsten Bahnverbindungen gebaut.

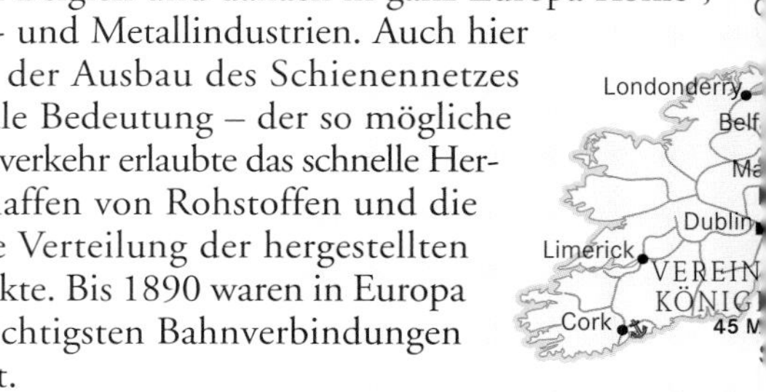
Londonderry
Dublin
Limerick
Cork

Entwicklung des freien Marktes

Hinter dem Erfolg vieler großer Industrieunternehmen stand privates Kapital, doch Aufsehen erregende Zusammenbrüche zeigten, dass neue Formen der Finanzierung kapitalintensiver Projekte nötig waren. Vor allem auf dem Kontinent gründete man mit Unterstützung von Entwicklungsbanken Aktiengesellschaften, um an das benötigte Kapital zu kommen. Der freie Markt, das heißt der Wegfall von Importzöllen, die heimische Hersteller vor ausländischer Konkurrenz schützten, war für die wirtschaftliche Entwicklung gleichfalls wichtig. So hob Großbritannien 1846 die hohen Abgaben für Getreideimporte auf. Übereinkünfte zwischen Frankreich, dem Deutschen Zollverein und Belgien in den 1860er-Jahren erbrachten weitere Zollsenkungen, so dass die meisten europäischen Länder ihren Außenhandel und die industrielle Produktion bis 1870 wesentlich steigern konnten.

La Coruña
Gijon
Oviedo
Valladolid
Duero
Oporto
19 Mio.
PORTUGAL
5,6 Mio.
Madrid
Tajo
Lissabon
Guadiana
Córdoba
Sevilla
Granada
Cádiz
Málaga

Die Idee des Sozialismus

Die industrielle Revolution wirkte sich gesellschaftlich mindestens ebenso deutlich aus wie technisch und finanziell. Die Zeit des Wachstums

Pionierfahrt eines Personenzuges von Stockton nach Darlington in England. 1825 wurde diese erste Eisenbahnstrecke der Welt eröffnet; als Lokführer fungierte der Konstrukteur George Stephenson.

1 Die erste Eisenbahnstrecke der Welt, auf der eine Lokomotive verkehrte, wurde 1825 für den Kohletransport zwischen Stockton und Darlington eröffnet.

2 Das flache und dicht besiedelte Belgien vollendete zwischen 1840 und 1850 als erster europäischer Staat den Bau seines Schienennetzes.

3 Zu den ersten Investitionsbanken gehörte die Crédit Mobilier, die 1852 in Paris gegründet wurde; 1867 trieben Fehlspekulationen das Unternehmen in den Zusammenbruch.

4 In Ploiesti wurde 1856 eine der ersten Ölraffinerien der Welt eröffnet. Ab 1895 halfen ausländische Investitionen bei der raschen Ausweitung der rumänischen Ölfelder.

5 Der durch die deutsche Annexion Elsass-Lothringens im Jahr 1871 bedingte Verlust der dortigen Eisenerzvorkommen für Frankreich traf dessen Stahlindustrie hart.

6 Die Sozialdemokratische Partei Deutschlands war vor 1914 die stärkste sozialistische Partei; obwohl zeitweilig verboten, hatte sie 1890 rund 1,5 Millionen Mitglieder.

7 Barcelona (wo 1910 eine mächtige anarcho-syndikalistische Bewegung entstand) und Bilbao waren im 19. Jahrhundert die wichtigsten Industriestandorte Spaniens.

8 Eine Revolte der Ludditen (Maschinenstürmer) endete 1912 mit der Hinrichtung der Anführer in York.

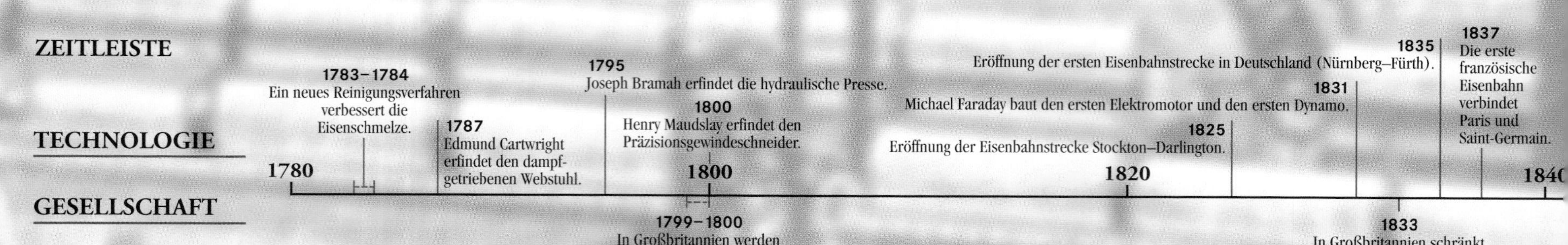
ZEITLEISTE
TECHNOLOGIE
GESELLSCHAFT
1783–1784
Ein neues Reinigungsverfahren verbessert die Eisenschmelze.
1787
Edmund Cartwright erfindet den dampfgetriebenen Webstuhl.
1795
Joseph Bramah erfindet die hydraulische Presse.
1800
Henry Maudslay erfindet den Präzisionsgewindeschneider.
1799–1800
In Großbritannien werden Gewerkschaften verboten.
1825
Eröffnung der Eisenbahnstrecke Stockton–Darlington.
1831
Michael Faraday baut den ersten Elektromotor und den ersten Dynamo.
1835
Eröffnung der ersten Eisenbahnstrecke in Deutschland (Nürnberg–Fürth).
1837
Die erste französische Eisenbahn verbindet Paris und Saint-Germain.
1833
In Großbritannien schränkt der »Factory Act« den Einsatz von Kindern in der Industrie ein.
1780
1800
1820

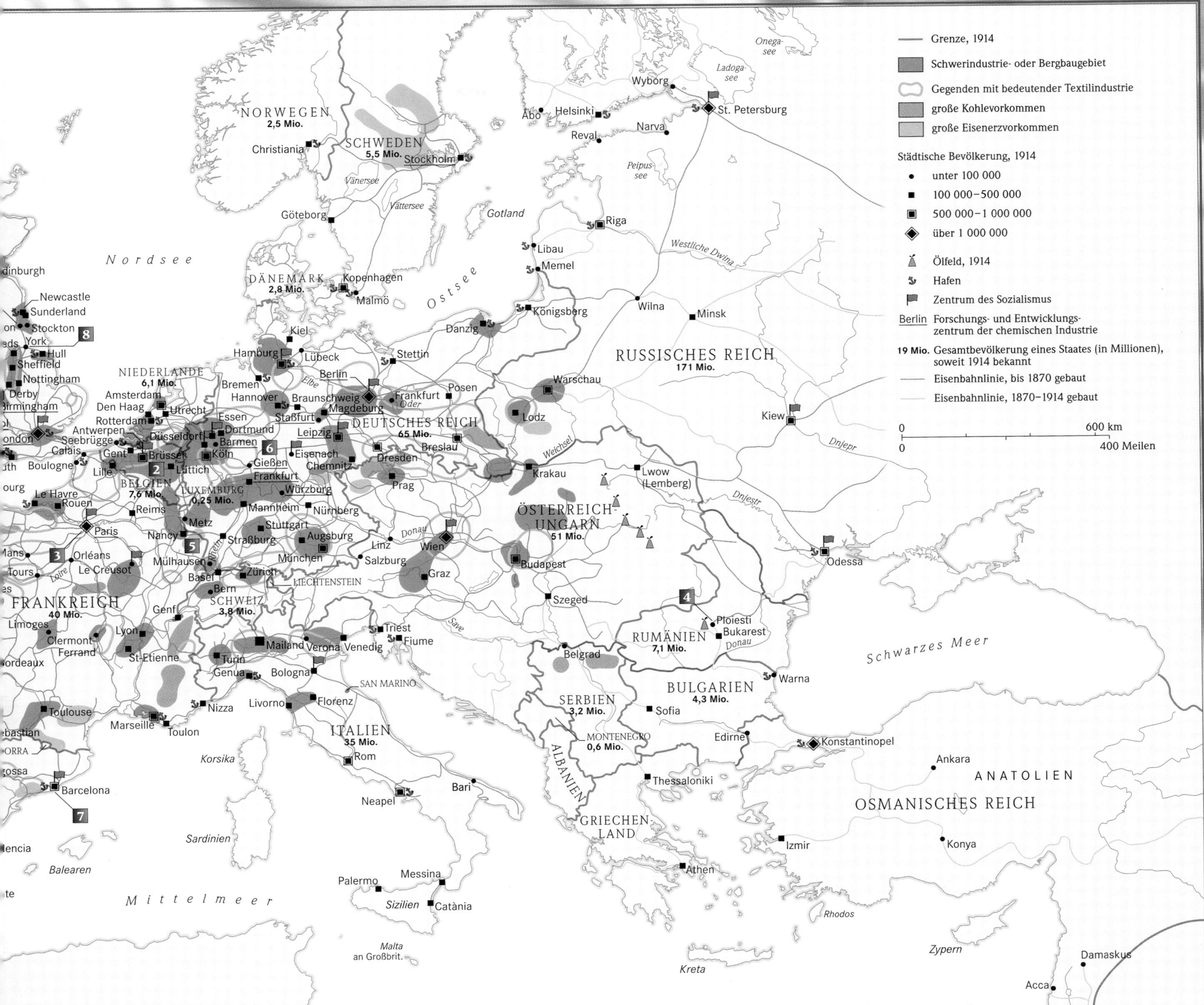

Grenze, 1914
Schwerindustrie- oder Bergbaugebiet
Gegenden mit bedeutender Textilindustrie
große Kohlevorkommen
große Eisenerzvorkommen

Städtische Bevölkerung, 1914
unter 100 000
100 000–500 000
500 000–1 000 000
über 1 000 000
Ölfeld, 1914
Hafen
Zentrum des Sozialismus
Berlin Forschungs- und Entwicklungszentrum der chemischen Industrie
19 Mio. Gesamtbevölkerung eines Staates (in Millionen), soweit 1914 bekannt
Eisenbahnlinie, bis 1870 gebaut
Eisenbahnlinie, 1870–1914 gebaut
0 600 km
0 400 Meilen

zwischen 1840 und 1870 erlebte auch periodische Finanzkrisen und Arbeitslosigkeit. Aus Missernten resultierten starke Schwankungen bei den Lebensmittelpreisen. Später ließen billige Lebensmittelimporte aus Kanada, aus den USA und aus Russland die Preise heimischer Produkte fallen. Da die neuen Produktionsmethoden die traditionellen verdrängten, zerstörten aufgebrachte Arbeiter hier und da die neuen Maschinen. Je weiter die Mechanisierung fortschritt, desto unsicherer wurde die Lage der Arbeiterschaft. Arbeitgeber nutzten die Kinder- und Frauenarbeit schamlos aus, um die Löhne zu drücken. In den Städten gestalteten sich die Lebensbedingungen immer schlechter, die sanitären Einrichtungen hielten mit der Entwicklung nicht Schritt. Cholera- und Typhusepidemien waren nichts Ungewöhnliches. Ein zweiter Industrialisierungsschub nach 1870 (ausgelöst durch die Stahlerzeugung und die Nutzung der Elektrizität) änderte an den Problemen nur wenig.

Um der Macht des Kapitals effektiver begegnen zu können, organisierten sich die Industriearbeiter in Gewerkschaften, was bei Unternehmern wie Staaten auf Widerstand stieß. Neue Ideen zur Veränderung der Gesellschaftsstrukturen wurden entwickelt und sozialistische Parteien gegründet, die sich für eine gerechtere Verteilung des Wohlstands einsetzten und die vor allem in Deutschland und Frankreich eine starke Position besaßen. Karl Marx und Friedrich Engels veröffentlichten 1848 das »Kommunistische Manifest«, worin eine Erhebung der Arbeiterklasse in den hoch industrialisierten Staaten gefordert wurde. Anarchisten wollten die Beseitigung des Staates und Syndikalisten versuchten, die Industrie durch Generalstreiks unter die Kontrolle der Arbeiter zu bringen. Zur Verhinderung sozialer Unruhen erließen einige Regierungen Gesetze, um die schlimmsten Auswüchse der Industrialisierung zu mildern. Viele Staaten führten die Schulpflicht ein, ergriffen Maßnahmen zu Arbeitszeitverkürzung und Lohnerhöhung (womit aber auch die Inflationsrate stieg) und verbesserten die Wohnverhältnisse der Arbeiter.

Trotzdem blieb für viele Menschen die Auswanderung die einzige Möglichkeit zur Flucht aus der Armut. Fast eine halbe Million Polen suchten im Ruhrgebiet und in Nordfrankreich Arbeit. Aber noch sehr viel mehr Menschen gingen nach Übersee, vor allem nach Nord- und Südamerika.

1856
Henry Bessemer entwickelt ein stark verbessertes Verfahren zur Erzeugung von Stahl aus Eisen. Herstellung des ersten marktfähigen synthetischen Farbstoffes.
1861
E. und W. Siemens, E. und P. Martin entwickeln das nach ihnen benannte Verfahren der Stahlerzeugung.
1878
In London werden die ersten elektrischen Straßenlaternen aufgestellt.
1876
Der Deutsche Nikolaus Otto erfindet den Verbrennungsmotor.
1883
Der Orientexpress nimmt den Dienst zwischen Paris und Konstantinopel auf.
1885
Gottfried Daimler und Carl Benz entwickeln Automobile.
1909
Bakelit, der erste marktfähige Kunststoff, wird in Belgien patentiert. Der Erfinder ist L. H. Baekeland.
1860
1880
1900
1920
1846
Großbritannien hebt die Kornzölle im Interesse des Freihandels auf.
1878
Bismarcks Sozialistengesetz: Verfolgung der deutschen Sozialdemokratie.
1881–1889
Bismarck führt die Sozialversicherung ein.
1909–1910
In Frankreich bricht ein landesweiter Streik der Post- und Eisenbahnarbeiter aus.

Zug der Zeit – das deutsche Eisenbahnnetz im 19. Jahrhundert

»Mir ist nicht bange, dass Deutschland nicht eins werde; unsere guten Chausseen und künftigen Eisenbahnen werden schon das Ihrige tun«, befand bereits 1828 der Geheime Rat Johann Wolfgang von Goethe. Mit anderen fortschrittlichen Zeitgenossen hatte der greise Dichterfürst die enormen Möglichkeiten der neuen Technik erfasst.

Goethe sollte die erste Eisenbahn in Deutschland nicht mehr erleben, doch kaum mehr als drei Jahre nach seinem Tod, am 7. Dezember 1835, verkehrte der erste Zug – auf der sechs Kilometer langen öffentlichen Strecke zwischen Nürnberg und Fürth. Von jetzt an beschleunigte sich die Entwicklung: Zwei Jahre später ging es per Schiene von Leipzig nach Althen, im folgenden Jahr unter anderem von Berlin über Zehlendorf nach Potsdam und von Braunschweig nach Wolfenbüttel. Bereits 1839 wurde eine 116 Kilometer lange Eisenbahnstrecke zwischen Leipzig und Dresden – inklusive eines ersten Tunnels – eröffnet. Der technische Fortschritt hatte das Biedermeierdeutschland erreicht.

Eisenbahn Karte von DEUTSCHLAND und NACHBARLÄNDERN.
1849.
Eisenbahnkarte von Deutschland und den Nachbarstaaten aus dem Jahre 1849; die Streckenlänge betrug zu jener Zeit im Gebiet des Deutschen Zollvereins bereits insgesamt 5440 Kilometer.

»DO THE LOCO-MOTION«

Ob der berühmte Song, 1962 von US-Sternchen Little Eva, später von Kylie Minogue mit Verve vorgetragen, wohl bewusst auf ein viel älteres Symbol für Dynamik anspielen sollte? »Locomotion«, Ortsveränderung, hatte doch auch jenes Schienenfahrzeug geheißen, das Konstrukteur George Stephenson (1781–1848) am 27. September 1825 höchstpersönlich von Stockton nach Darlington steuerte – um damit nicht nur die erste öffentliche Eisenbahnstrecke der führenden Techniknation Großbritannien zu eröffnen, sondern gleich ein neues Zeitalter. Die fünf Jahre später in Betrieb genommene Verbindung Liverpools mit Manchester gilt mit ihrer Zweigleisigkeit, den weiten Kurven und geringen Steigungen in der Fachwelt als Prototyp für das revolutionäre Verkehrssystem Schiene.

Die »Puffing Billy« von 1813; 47 Jahre lang zog sie Kohlenwagen auf einer Grubenbahn im Nordosten Englands.

Die neue Art der Fortbewegung half innerhalb kürzester Zeit, Ortsveränderungen ganz ungemein zu erleichtern. Und nicht nur das: Die Geschwindigkeit der Bahn wurde von vielen Zeitgenossen als Synonym für Fortschritt schlechthin verstanden: von Fabrikbesitzern und Politikern, selbst von einem Sozialtheoretiker wie Constantin Pequer, der in einem Zug Reiche und Arme vereint sah – und die Unterteilung in drei Klassen dabei gerne übersah.

TECHNISCHE VORAUSSETZUNGEN

Zwei Voraussetzungen mussten geschaffen werden, um der Eisenbahn den Durchbruch zu ermöglichen, und beide stehen im Zusammenhang mit dem Bergbau: Die erste war die Entwicklung eines nutzbaren Schienensystems, die andere die Konstruktion einer leistungsfähigen Zugmaschine. In England wie auf dem Kontinent nutzte man Schienen zunächst in Bergwerken, wo mit ihrer Hilfe einfache Wagen beziehungsweise Loren Kohle und Abraum beförderten – unter Tage durch die Schächte und über Tage zu den Halden. Diese Schienen bestanden aus Hartholz, das unter Tage schnell faulte und sich für schwere Wagen nur ungenügend eignete. Später verwandte man Gusseisen, das zwar haltbarer war, doch bei unkorrekter Verlegung leicht brach. Erst seit 1820 konnten Schienen aus gewalztem Schmiedeeisen eingesetzt werden. Gezogen oder geschoben wurden die Loren zunächst von Pferden oder, ein unrühmliches Kapitel der Arbeitsgeschichte, von den Menschen, oftmals Kindern, selbst.

Dampfkraft hatte man im Bergbau schon sehr früh eingesetzt, jedoch nicht zum Transport, sondern zunächst nur zum Abpumpen von Grundwasser. Allerdings waren die hierzu bereits in den 1760er-Jahren zu Hunderten eingesetzten frühen Dampfmaschinen nicht nur sehr groß, sie hatten auch einen schlechten Wirkungsgrad, benötigten also unverhältnismäßig viel Brennstoff. Erst James Watt (1736–1819) gelang es, die Effektivität des Dampfantriebs so zu verbessern, dass man darangehen konnte, »steam engines« als Zugmaschinen zu konstruieren. Richard Trevithick (1771–1833) entwickelte Watts Erfindung weiter und konstruierte 1804 eine erste Dampflokomotive, die zunächst nur für den Einsatz in Bergwerken gedacht war. Die weitere Entwicklung wurde vom bereits erwähnten George Stephenson geprägt, der in seiner Fabrik nicht nur erste Lokomotiven in Serie baute, sondern auch erste Strecken plante und diese Pläne überdies den Politikern schmackhaft zu machen wusste.

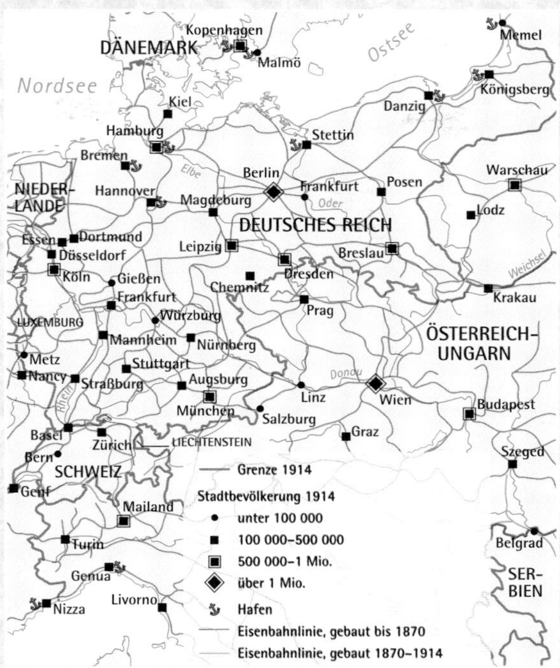
DÄNEMARK
Kopenhagen
Malmö
Ostsee
Memel
Nordsee
Kiel
Königsberg
Danzig
Hamburg
Stettin
Bremen
Elbe
Berlin
Warschau
NIEDER-LANDE
Hannover
Magdeburg
Frankfurt
Oder
Posen
Lodz
Essen
Dortmund
DEUTSCHES REICH
Düsseldorf
Leipzig
Breslau
Köln
Gießen
Dresden
Weichsel
Frankfurt
Chemnitz
Krakau
LUXEMBURG
Würzburg
Prag
Mannheim
Nürnberg
ÖSTERREICH-UNGARN
Metz
Stuttgart
Donau
Nancy
Straßburg
Augsburg
Wien
Linz
Budapest
München
Salzburg
Basel
Graz
Zürich
LIECHTENSTEIN
Bern
Szeged
SCHWEIZ
Grenze 1914
Genf
Mailand
Stadtbevölkerung 1914
unter 100 000
100 000–500 000
500 000–1 Mio.
über 1 Mio.
Hafen
Eisenbahnlinie, gebaut bis 1870
Eisenbahnlinie, gebaut 1870–1914
Turin
Belgrad
Genua
SER-BIEN
Livorno
Nizza

Die Karte zeigt den massiven Ausbau des Eisenbahnfernverkehrs von 1870 bis zum Ersten Weltkrieg.

1880 hatte, bei einer Gesamtstreckenlänge von weit über 30 000 Kilometern, bereits jede größere deutsche Stadt Anschluss an das Eisenbahnnetz.

Nach der Reichsgründung im Jahr 1871 scheiterte Kanzler Bismarck mit dem Versuch, eine nationale Eisenbahngesellschaft zu gründen. Doch die Verstaatlichung der Privatbahnen in Preußen zur Königlich Preußischen Eisenbahn-Verwaltung (K. P. E. V.) schuf gleichwohl eine der größten europäischen Bahnverwaltungen. Andere deutsche Staaten zogen nach, so dass es verschiedene Länderbahnen gab, von der Königlich Bayrischen Staatsbahn (K. Bay. Sts. B.) bis zur Großherzoglich Oldenburgischen Eisenbahn (G. O. E.).

In dieser frühen Zeit der Expansion wurden auch viele Nebenstrecken gebaut, insgesamt etwa 21 000 Kilometer. Im letzten Drittel des 19. Jahrhunderts war die Bahn der größte Arbeitgeber Deutschlands und fuhr hohe Überschüsse ein.

Und das Tempo nahm scheinbar unaufhaltsam zu: Zahlreiche technische Verbesserungen führten zu immer leistungsstärkeren Lokomotiven, die bereits bis zu 120 Kilometer in der Stunde schnell waren. Nachdem die preußische Staatsbahn schon 1850 den Schnellzug eingeführt hatte, wurde ab 1892 der D-Zug mit Durchgangswagen anstelle der Plattform-Waggons eingesetzt.

»ADLER« UND »SAXONIA«

Die Entwicklung der Eisenbahn in Deutschland begann mit dem »Adler«, einer in Stephensons Fabrik gebauten Lokomotive, die, in 19 Kisten verpackt, nach Nürnberg transportiert und dort zusammengesetzt wurde. Wer die erste wirklich »deutsche« Lok schuf – darüber sind selbst die Experten uneins: Die einen nennen die Maschinenbaufirma Übigau in Dresden, wo bereits 1838 die »Saxonia« unter Dampf gestanden habe. Andere Quellen behaupten, es sei August Borsig (1804–1854) gewesen, in dessen Berliner Maschinenfabrik 1841 ein erstes Feuerross auf die Schiene gebracht worden sei.

DER ADLER

Die Eröffnung der ersten deutschen Eisenbahn 1835, festgehalten auf einer Farblithographie von Heinrich Heim

Obwohl die deutsche Kleinstaaterei den Ausbau eines Eisenbahnnetzes behinderte – gab es doch viele verschiedene private Eisenbahngesellschaften, die jeweils auf unterschiedliche Spurbreiten setzten –, existierte schon um 1842 ein Schienennetz von 1000 Kilometern. 1860 waren es fast 12 000, im Jahr 1870 exakt 19 743 Kilometer und bis

EISENBAHN UND INDUSTRIALISIERUNG

Seit den 1850er-Jahren waren in Deutschland Eisenbahnbau und Schwerindustrie Hauptträger eines allgemeinen wirtschaftlichen Aufschwungs – und profitierten jeweils voneinander: Lokomotiv- und Waggonfabriken ebenso wie Bahnschienenwalzwerke benötigten Stahl, gleichzeitig konnte die Eisenbahn die zur Verhüttung notwendige Kohle wie den Stahl selbst wirtschaftlich und flexibel transportieren. Andere Industriezweige wie der allgemeine Maschinenbau profitierten ebenfalls von dem zu jener Zeit modernsten Transportmittel. Und nicht zuletzt ist die Entwicklung unserer Städte auf vielfache Weise von der Eisenbahn geprägt worden. Dies erweist sich bis heute im Ruhrgebiet, wo man von Beginn an auf die Schiene setzte. Schließlich war es die Bahn, die dem Revier den Zuzug der dringend benötigten Arbeitskräfte, besonders aus den wirtschaftlich schwachen Agrargebieten im Osten, ermöglichte. Die Einwohnerkurve Bochums etwa belegt dies eindrucksvoll: Hatte der Ort Anfang des 19. Jahrhunderts rund 2000 Einwohner, so stieg deren Zahl nach der Anbindung an das Schienennetz unaufhaltsam. 1870 gab es 17 600 Bochumer, um 1900 schon über hunderttausend. Die Metropole Berlin baute zu jener Zeit in großem Stil Stadt- und Vorortbahnen, um den rapide steigenden Berufsverkehr zu bewältigen: Bereits um 1900 nutzten an der Spree täglich eine Million Fahrgäste den »öffentlichen Personennahverkehr«.

ABGESANG ODER NEUE CHANCEN?

Die Entwicklung des Verbrennungsmotors seit den 1860er-Jahren ließ ein Verkehrsmittel entstehen, das perspektivisch noch flexibler und individualistischer war als der Zug: das Automobil. Dennoch sollte es noch eine gute Zeit dauern, bis der Straßen- den Schienenverkehr zu überholen begann. Zunächst musste die Bahn in der Logistik zweier Weltkriege eine tragende Rolle spielen. Und ohne ihre Beteiligung, das sollte man nie vergessen, wäre das Jahrhundertverbrechen Holocaust in dieser unfasslichen »Effektivität« kaum möglich gewesen. Nach 1945 entwickelte sich der Zug mehr und mehr zu einem Verkehrsmittel unter anderen und büßte in Konkurrenz mit Auto, Schiff und Flugzeug vor allem im Wirtschaftswunder-Westen bedeutend an Stellenwert ein. Erst die Zukunft wird weisen, ob innovative Logistik im Güterverkehr und Hochgeschwindigkeitszug-Systeme auf Dauer »bahnbrechend« beim Rückerwerb verlorener Marktanteile wirken werden.

Die Welt im 19. Jahrhundert (1783 bis 1914)

Die Einigung Deutschlands/Das Bismarckreich • 1871 bis 1890

1871 war es so weit: Deutschland präsentierte sich erstmals als Nationalstaat – ein einheitliches Kaiserreich ohne Österreich und unter preußischer Hegemonie.

Mit einem virtuosen Zusammenspiel politischer und anderer Mittel von der Diplomatie bis zum Krieg hatte Preußens Ministerpräsident, der nunmehrige Reichskanzler Otto von Bismarck, einen jahrhundertealten Traum der Deutschen in die Realität umgesetzt.

Nationales Symbol des Kaiserreiches: 1880 feierten die Kölner die Fertigstellung ihres Doms.

Die Gründung des Deutschen Reiches

Den Interessenkonflikt mit Österreich, das als Präsidialmacht des Deutschen Bundes die Führungsrolle in einem »großdeutschen« Staatenbund beanspruchte, löste der Kanzler in einem kurzen Krieg 1866. Als Vorstufe eines »kleindeutschen« (ohne Österreich) Reiches entstand unter seiner Ägide der Norddeutsche Bund, der die Hegemonialmacht Preußen mit den Mittel- und Kleinstaaten nördlich der Mainlinie bundesstaatlich vereinte. Als 1870 der Krieg gegen Frankreich ausbrach, nutzte Bismarck die aufwallenden nationalen Emotionen und sicherte sich die Zustimmung auch der süddeutschen Fürsten zur Kriegsteilnahme und zur Reichsgründung. Am 18. Januar 1871 wurde im Spiegelsaal zu Versailles der preußische König Wilhelm I. (1861–1888) zum Deutschen Kaiser ausgerufen. Bismarck hatte sein Ziel erreicht. Frankreich musste das Elsass und Lothringen an das Deutsche Reich abtreten.

Überall »Reichsfeinde«: das System Bismarck

An der Spitze des neuen Bundesstaats, in dem es dank der rasch eingehenden Reparationszahlungen Frankreichs schon bald zu einem wirtschaftlichen Boom kam (»Gründerzeit«), stand als erbrechtlicher Kaiser der preußische König. Bismarck selbst bekleidete neben dem Amt des Reichskanzlers auch das des Außenministers. Damit ruhte das System der Macht auf zwei Säulen: der nach eigenem Selbstverständnis »von Gottes Gnaden« legitimierten Personalunion von König und Kaiser und der »realpolitischen« Gestaltungskraft eines Staatsmanns, der meisterlich mit modernen Instrumenten wie etwa einer »offiziösen« Presse umzugehen wusste. Einzig der Reichstag setzte Bismarcks Hegemonialanspruch gewisse Grenzen. Das vom Volk in direkter Wahl berufene Parlament war vom liberalen Bürgertum und der katholischen Zentrumspartei dominiert und entwickelte sich zu einem ernsthaften Gegengewicht zur Regierungspolitik.

Belagerung Straßburgs: Der Deutsch-Französische Krieg 1870/1871 leitete die deutsche Einigung ein.

Innenpolitisch erlag das Bürgertum vor dem Hintergrund einer rasanten Industrialisierung des Reiches immer mehr Bismarcks Werben um Zustimmung zu seiner tendenziell konservativ-autoritären Politik und stellte alte freiheitliche Ziele zurück. Der Land besitzende Adel spielte im »System Bismarck« politisch eine weit größere Rolle, als sie seiner wirtschaftlichen Position noch entsprach. Angebliche »Reichsfeinde«, zu denen der »Eiserne Kanzler« unter anderem den im »Kulturkampf« befehdeten politischen Katholizismus stempelte, dienten als angeprangerte Störenfriede der Abschreckung und mithin der Integration »staatstragender« Kräfte. Seit 1878 suchte Bismarck mit den Sozialistengesetzen den Aufstieg der Sozialdemokratie zur politischen Macht zu verhindern. Solcher Ausgrenzungspolitik diente im Grunde auch die wegweisende Einführung von Kranken-, Unfall-, Alters- und Invaliditätsversicherung. Der Versuch, dadurch die Arbeiterbewegung politisch zu neutralisieren, scheiterte indessen.

Herrscher in Bismarcks Schatten: der preußische König Wilhelm I., Deutscher Kaiser seit 1871

Weitsichtige Aussenpolitik

Im letzten Viertel des 19. Jahrhunderts stand Europa im Bann Bismarck'scher Außenpolitik. Den aus der Mittellage Deutschlands resultierenden Risiken begegnete der Kanzler mit einem System von Bündnissen und Gegenbündnissen, die das Gleichgewicht der europäischen Mächte und den Status quo erhalten sollten. Zur Sicherung des Erreichten hielt Bismarck die Überschneidung von Bündnisverpflichtungen, durch die sich Vertragspartner auch getäuscht fühlen konnten, für vertretbar. Leitlinie seiner Kontinentalpolitik war es, Frankreich von den übrigen Mächten zu isolieren. Dazu dienten etwa die Anlehnung des Reiches an Russland (Dreikaiserabkom-

Ems
Ruhr
Köln
5
Rhein
BELGIEN
Rheinprovinz
3,579 Mio.
Mosel
Birkenfeld
zu Oldenburg
0,615 Mio
ELSASS-LOTHRINGEN
1,550 Mio.
Straßburg
FRANKREICH
BADEN
1,462 Mio.

ZEITLEISTE

INNENPOLITIK

- 1867 – Karl Marx veröffentlicht den ersten Band seines Hauptwerkes »Das Kapital«.
- 1869 – Die Sozialdemokratische Arbeiterpartei als Vorläuferin der SPD wird gegründet.
- 1871 – Als eine der ersten Maßnahmen im »Kulturkampf« wird der »Kanzelparagraph« ins Strafgesetzbuch aufgenommen.
- 1875 – Die Sozialistische Arbeiterpartei Deutschlands wird gegründet.

1865 – 1870 – 1875

AUSSENPOLITIK

- 1866 – Unter der Vorherrschaft Preußens entsteht der Norddeutsche Bund.
- 1870 – Der Deutsch-Französische Krieg wird durch Frankreichs Niederlage bei Sedan praktisch entschieden.
- 1871 – König Wilhelm I. von Preußen wird im Spiegelsaal von Schloss Versailles zum Kaiser proklamiert.
- 1873 – Das Reich tritt dem Freundschaftspakt Österreichs mit Russland bei.

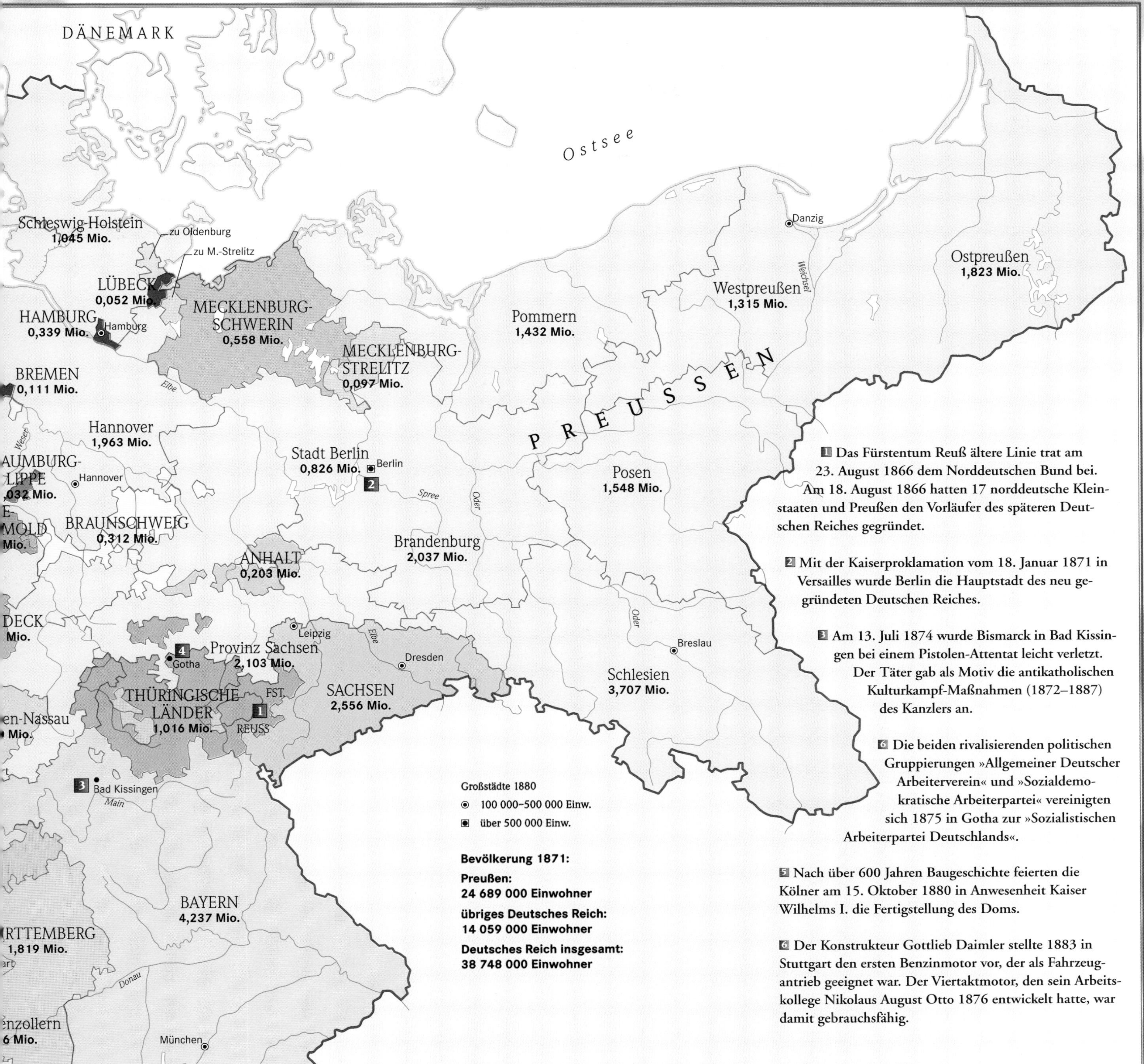

Großstädte 1880

- 100 000–500 000 Einw.
- über 500 000 Einw.

Bevölkerung 1871:
Preußen:
24 689 000 Einwohner
übriges Deutsches Reich:
14 059 000 Einwohner
Deutsches Reich insgesamt:
38 748 000 Einwohner

1 Das Fürstentum Reuß ältere Linie trat am 23. August 1866 dem Norddeutschen Bund bei. Am 18. August 1866 hatten 17 norddeutsche Kleinstaaten und Preußen den Vorläufer des späteren Deutschen Reiches gegründet.

2 Mit der Kaiserproklamation vom 18. Januar 1871 in Versailles wurde Berlin die Hauptstadt des neu gegründeten Deutschen Reiches.

3 Am 13. Juli 1874 wurde Bismarck in Bad Kissingen bei einem Pistolen-Attentat leicht verletzt. Der Täter gab als Motiv die antikatholischen Kulturkampf-Maßnahmen (1872–1887) des Kanzlers an.

6 Die beiden rivalisierenden politischen Gruppierungen »Allgemeiner Deutscher Arbeiterverein« und »Sozialdemokratische Arbeiterpartei« vereinigten sich 1875 in Gotha zur »Sozialistischen Arbeiterpartei Deutschlands«.

5 Nach über 600 Jahren Baugeschichte feierten die Kölner am 15. Oktober 1880 in Anwesenheit Kaiser Wilhelms I. die Fertigstellung des Doms.

6 Der Konstrukteur Gottlieb Daimler stellte 1883 in Stuttgart den ersten Benzinmotor vor, der als Fahrzeugantrieb geeignet war. Der Viertaktmotor, den sein Arbeitskollege Nikolaus August Otto 1876 entwickelt hatte, war damit gebrauchsfähig.

men, 1873; Rückversicherungsvertrag, 1887) sowie Bündnisse mit Österreich-Ungarn (1873 sowie 1879) und Italien (1882, Dreibund). Die Bündnispartner sicherten sich gegenseitig Frieden zu oder bekräftigten, im Fall eines Angriffs einer dritten Macht neutral zu bleiben beziehungsweise unterstützend in den Krieg einzugreifen. Bei seiner Kolonialpolitik ging es Bismarck eher um den inneren Zusammenhalt des Reiches und eine Stärkung des Handels denn um überzogene imperialistische Ambitionen.

Ungnädige Entlassung

Mit dem Tod Wilhelms I. endete 1888 auch die Ära des »Eisernen Kanzlers«. Der neue Kaiser Friedrich III. starb nach nur 99 Tagen Regentschaft. Sein Sohn Wilhelm II. wurde mit 29 Jahren neuer König und Kaiser. Differenzen mit dem erfahrenen Reichskanzler führten im März 1890 zu Bismarcks Entlassung. Dessen fein gesponnenes Bündnisnetz zerriss bald mehr und mehr. Der Weg in den ersten großen Krieg des 20. Jahrhunderts war vorgezeichnet.

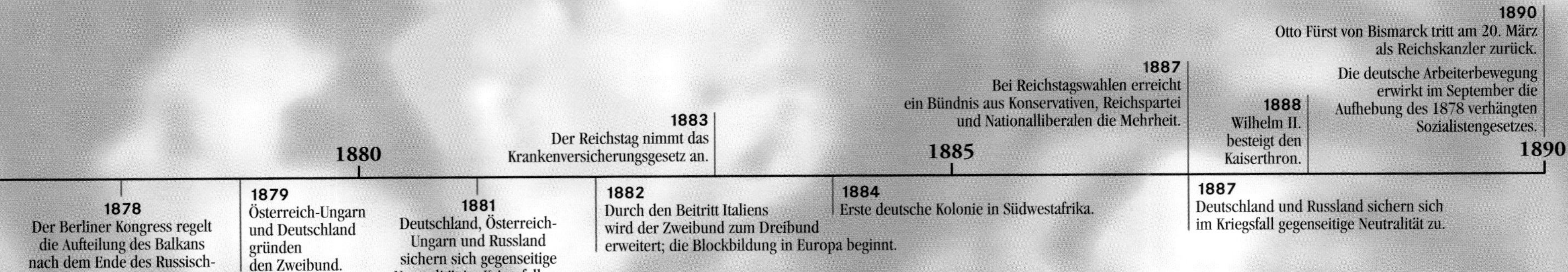
1880
1885
1890
1878 Der Berliner Kongress regelt die Aufteilung des Balkans nach dem Ende des Russisch-Türkischen Krieges.
1879 Österreich-Ungarn und Deutschland gründen den Zweibund.
1881 Deutschland, Österreich-Ungarn und Russland sichern sich gegenseitige Neutralität im Kriegsfall zu.
1882 Durch den Beitritt Italiens wird der Zweibund zum Dreibund erweitert; die Blockbildung in Europa beginnt.
1883 Der Reichstag nimmt das Krankenversicherungsgesetz an.
1884 Erste deutsche Kolonie in Südwestafrika.
1887 Bei Reichstagswahlen erreicht ein Bündnis aus Konservativen, Reichspartei und Nationalliberalen die Mehrheit.
1887 Deutschland und Russland sichern sich im Kriegsfall gegenseitige Neutralität zu.
1888 Wilhelm II. besteigt den Kaiserthron.
1890 Otto Fürst von Bismarck tritt am 20. März als Reichskanzler zurück.
Die deutsche Arbeiterbewegung erwirkt im September die Aufhebung des 1878 verhängten Sozialistengesetzes.

Die Welt im 19. Jahrhundert (1783 bis 1914)

Das Russische Reich • 1783 bis 1917

Das Russische Reich war scheinbar mächtig, hatte aber strukturelle Schwächen: Allein seine Größe machte es schier unregierbar und es war unmöglich, die immensen Ressourcen zu nutzen. Russland litt an Korruption, wirtschaftlicher Unterentwicklung und einer vormodernen, starren Gesellschaftsordnung.

Die Fläche des Zarenreichs vergrößerte sich im 18./19. Jahrhundert ständig. Die Außenpolitik Katharinas II. hatte Russland große Teile Polens und auch Gebietszuwachs im Süden eingebracht. Zar Alexander I. (1801–1825) konnte sich auf dem Wiener Kongress den Rest Polens sichern. Hinzu kamen außerdem frühere Territorialgewinne in Finnland und Bessarabien.

Kampf Mann gegen Mann zwischen den Soldaten der Alliierten und Russlands im Krimkrieg; ein Grund für die Niederlage des Zarenreiches war die Finanznot.

Widerstand gegen das Regime

Eine Folge der Expansion war, dass die Zaren ständig den Aufstand unterworfener Völker fürchten mussten. Im Krieg gegen das Osmanische Reich (1828/1829) konnte Nikolaus I. (1825–1855) kaum 180 000 Mann aufbieten, weil rund eine halbe Million Soldaten in den Ostseeprovinzen und im Kaukasus gebunden waren. 1830/1831 warf er einen Aufstand in Polen nur mit Mühe nieder und auch der interne Widerstand gegen das autokratische Zarenregime wuchs (1825 ließ Nikolaus den »Dekabristenaufstand« fortschrittlicher Armeeoffiziere niederschlagen).

Expansion auf dem Balkan – der Krimkrieg

Das außenpolitische Hauptziel Nikolaus' I. war die Vorherrschaft über das Osmanische Reich, damit die russischen Getreideexporte ungehindert durch das Schwarze Meer und die Dardanellen zum Mittelmeer gelangen konnten. Deshalb schielte Russland nach den türkischen Besitzungen auf dem Balkan und ermutigte dessen slawische Völker, sich zu erheben. Diese Politik brachte Russland mit den anderen europäischen Mächten in Konflikt. Die Briten sahen durch den russischen Drang ins östliche Mittelmeer ihren Indienhandel gefährdet und Frankreich betrachtete sich als Schutzmacht der Katholiken im Osmanischen Reich. Als der Zar 1853 die türkischen Provinzen Moldau und Walachei besetzte, sahen sich Großbritannien und Frankreich schließlich zum Einmarsch auf der Krim veranlasst. Wieder hatte Nikolaus Schwierigkeiten, genügend Truppen zusammenzubekommen.

Reformen Alexanders II.

Russlands Niederlage im Krimkrieg, sein Rückzug aus Moldau und Walachei sowie die Forderung der Großmächte nach der »Neutralisierung« des Schwarzen Meeres zwangen Alexander II. (1855–1881) zu Reformen. Die russische Streitmacht, in der hauptsächlich Leibeigene dienten, war den modernen Heeren der westlichen Mächte nicht mehr gewachsen. Der Adel, dessen Wohlstand auf der Leibeigenschaft basierte, zögerte bei Innovationen oder Investitionen in eine moderne Industrie. Um einer Revolution zuvorzukommen, hob Alexander die Leibeigenschaft auf und schlug einen kapitalistischen Kurs ein. Doch wegen der Ablösungen, die die Leibeigenen bezahlen mussten, blieb die Unzufriedenheit; 1881 wurde der Zar ermordet.

Expansion in Zentralasien

Alexander II. hatte die gewaltigen Rohstoffquellen Sibiriens erschlossen, das Reich in Zentralasien vergrößert und ihm in Ostasien einen eisfreien Hafen gesichert. Alaska war an die Vereinigten Staaten verkauft worden, um alle Energien auf die Entwicklung Ostsibiriens und Wladiwostoks zu konzentrieren. Schritt für Schritt unterwarfen die Truppen des Zaren die Khanate Buchara, Chiwa und Taschkent südlich des Balchasch- und des Aralsees. Dann aber alarmierten ein neuer Krieg gegen die Osmanen und die Schaffung eines von Russland abhängigen Staates Bulgarien die anderen Großmächte derart, dass Alexander die auf dem Berliner Kongress (1878) beschlossene Eindämmung seiner Expansionsbestrebungen auf dem Balkan hinnahm.

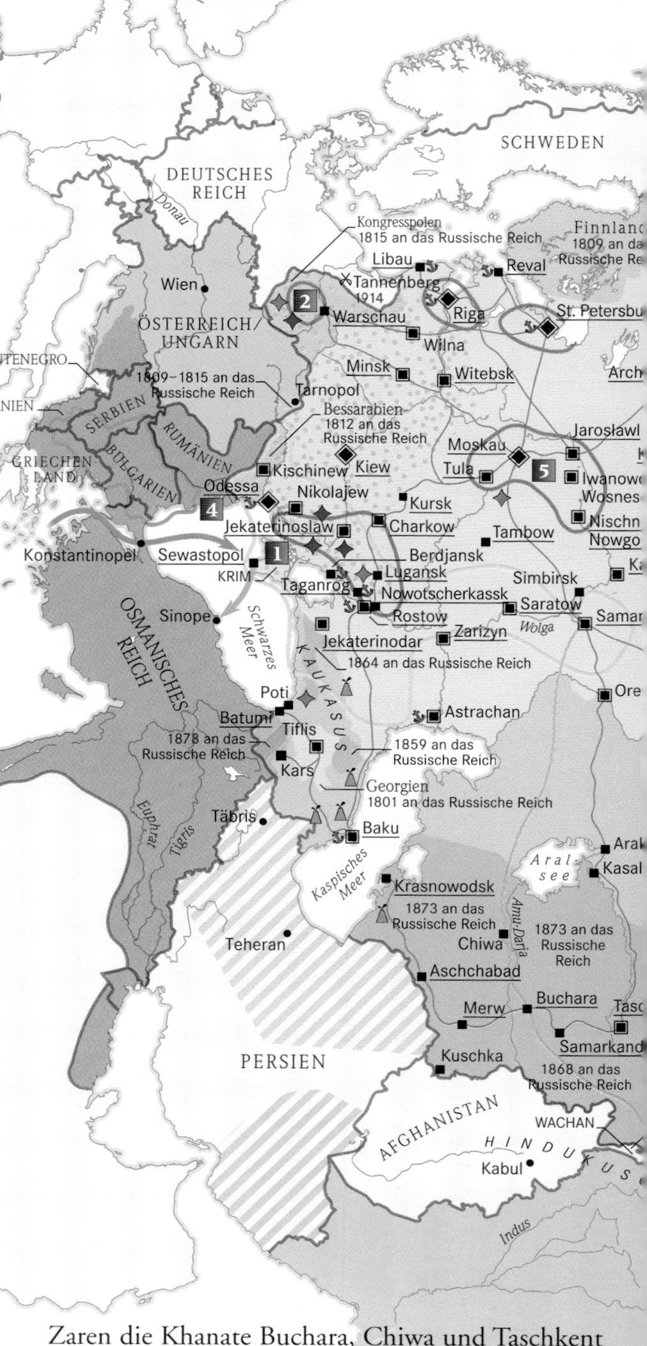
SCHWEDEN
DEUTSCHES REICH
Donau
Kongresspolen 1815 an das Russische Reich
Finnland 1809 an das Russische Reich
Libau
Reval
Tannenberg 1914
Riga
St. Petersburg
Wien
ÖSTERREICH-UNGARN
Warschau
Wilna
Minsk
Witebsk
MONTENEGRO
1809–1815 an das Russische Reich
Tarnopol
ALBANIEN
SERBIEN
RUMÄNIEN
Bessarabien 1812 an das Russische Reich
Jaroslawl
Moskau
Tula
Iwanowo-Wosnesensk
GRIECHENLAND
BULGARIEN
Kischinew
Kiew
Odessa
Nikolajew
Kursk
Jekaterinoslaw
Charkow
Tambow
Nischni Nowgorod
Mittelmeer
Konstantinopel
Sewastopol
KRIM
Berdjansk
Taganrog
Lugansk
Simbirsk
Nowotscherkassk
Saratow
Samara
Sinope
Schwarzes Meer
Rostow
Zarizyn
Wolga
OSMANISCHES REICH
Jekaterinodar
1864 an das Russische Reich
Poti
KAUKASUS
Orel
Batumi
Astrachan
1878 an das Russische Reich
Tiflis
1859 an das Russische Reich
Kars
Georgien 1801 an das Russische Reich
Euphrat
Tigris
Täbris
Baku
Aralsee
Kaspisches Meer
Krasnowodsk
Kasal
1873 an das Russische Reich
Amu-Darja
1873 an das Russische Reich
Chiwa
Teheran
Aschchabad
Merw
Buchara
PERSIEN
Kuschka
Samarkand
1868 an das Russische Reich
AFGHANISTAN
WACHAN
HINDUKUSCH
Kabul
Indus

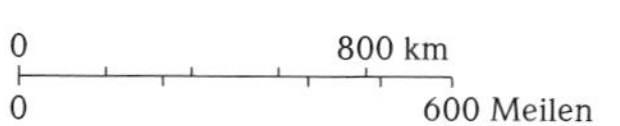
0
800 km
0
600 Meilen

1 Katharina II. annektierte 1783 die Krim und befahl den Bau eines riesigen Flottenstützpunktes in Sewastopol, der im Krimkrieg (1854–1856) von britisch-französischen Einheiten belagert und zerstört wurde.

2 »Kongresspolen« (so genannt, weil der Wiener Kongress den Großteil des Landes 1815 Russland unterstellte) verlor nach dem Aufstand von 1830/1831 den Rest seiner Eigenständigkeit und ging 1864 ganz im Russischen Reich auf.

3 Afghanistan wurde 1905 der Berglandstreifen Wachan zugesprochen, der die britische und die russische Interessensphäre voneinander trennte.

4 Die Revolution von 1905 erfasste auch das Militär. In Odessa brachten die Matrosen den Panzerkreuzer »Potjomkin« in ihre Gewalt und baten in Rumänien um Asyl.

5 Als treibende Kraft hinter dem Ausbau des russischen Schienennetzes und der Industrie stand Graf Sergej Witte, von 1892 bis 1903 Verkehrs- und Finanzminister.

6 Die Schleife der Transsibirischen Eisenbahn um die Südspitze des Baikalsees wurde 1915 fertig gestellt, die ostsibirische Verbindung folgte 1916.

7 Das Zarenregime schickte Tausende von Revolutionären in die Arbeitslager Sibiriens, unter ihnen auch die Bolschewiken Lenin (nach Schuschenskoje), Stalin (nach Kureika) und Trotzki (nach Wercholensk).

Zeitleiste

1780 – 1800 – 1820 – 1840

Innenpolitik

1796 Tod der Zarin Katharina II.; ihr Sohn Paul wird nach kurzer Regierungszeit ermordet.

1801 Alexander I. wird russischer Zar; das Königreich Georgien schließt sich Russland freiwillig an.

1812 Napoleons Armee fällt in Russland ein und besetzt Moskau, muss sich aber unter großen Verlusten wieder zurückziehen.

1825 Nikolaus I. wird russischer Zar; der Dekabristenaufstand, eine Revolte von Armeeoffizieren, scheitert.

Aussenpolitik

1810–1850 Russland weitet seinen Einfluss in Zentralasien aus.

1815 Kongresspolen wird Teil des Russischen Reiches, behält aber seine Regierung.

1830–1831 Blutige Niederschlagung eines Aufstandes in Polen.

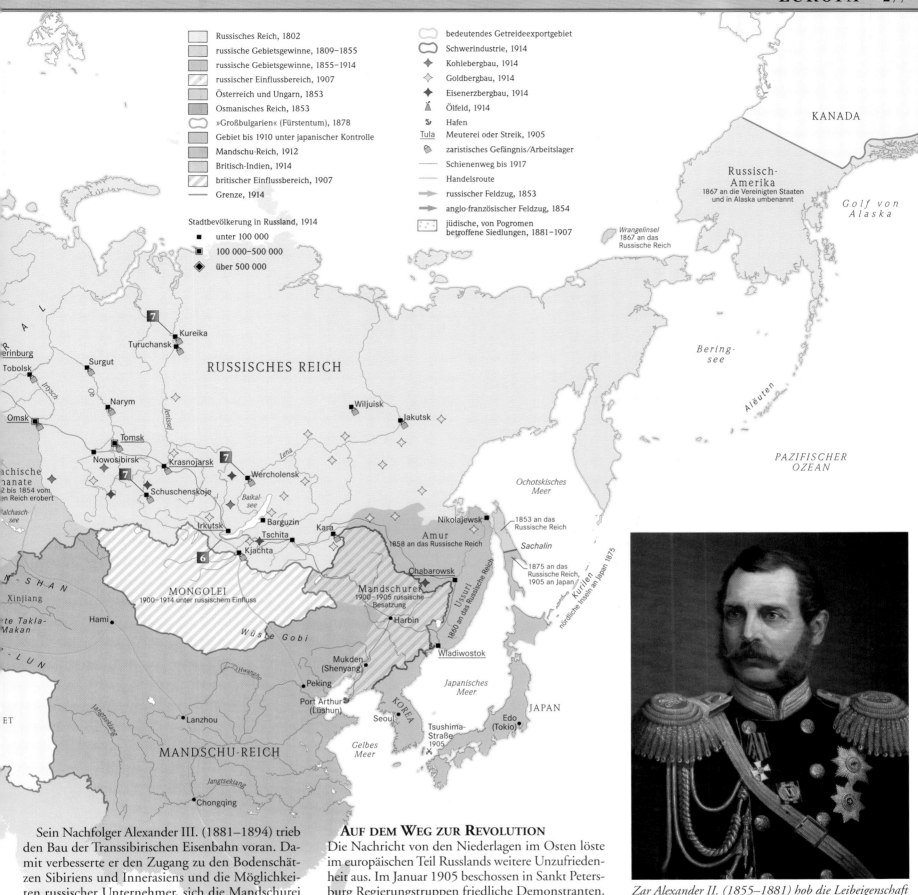

Russisches Reich, 1802
russische Gebietsgewinne, 1809–1855
russische Gebietsgewinne, 1855–1914
russischer Einflussbereich, 1907
Österreich und Ungarn, 1853
Osmanisches Reich, 1853
»Großbulgarien« (Fürstentum), 1878
Gebiet bis 1910 unter japanischer Kontrolle
Mandschu-Reich, 1912
Britisch-Indien, 1914
britischer Einflussbereich, 1907
Grenze, 1914

Stadtbevölkerung in Russland, 1914
unter 100 000
100 000–500 000
über 500 000

bedeutendes Getreideexportgebiet
Schwerindustrie, 1914
Kohlebergbau, 1914
Goldbergbau, 1914
Eisenerzbergbau, 1914
Ölfeld, 1914
Hafen
Tula Meuterei oder Streik, 1905
zaristisches Gefängnis/Arbeitslager
Schienenweg bis 1917
Handelsroute
russischer Feldzug, 1853
anglo-französischer Feldzug, 1854
jüdische, von Pogromen betroffene Siedlungen, 1881–1907

Sein Nachfolger Alexander III. (1881–1894) trieb den Bau der Transsibirischen Eisenbahn voran. Damit verbesserte er den Zugang zu den Bodenschätzen Sibiriens und Innerasiens und die Möglichkeiten russischer Unternehmer, sich die Mandschurei und Korea zu erschließen. Die Expansion führte zur Interessenkollision mit Großbritannien und Japan: Als die Russen 1904 Port Arthur besetzten, brach der Russisch-Japanische Krieg (1904–1905) aus, der für Nikolaus II. (1894–1917) demütigend endete. Russland verlor die Südhälfte von Sachalin, Port Arthur und die Kontrolle über die Bahnstrecken durch die südliche Mandschurei.

Auf dem Weg zur Revolution

Die Nachricht von den Niederlagen im Osten löste im europäischen Teil Russlands weitere Unzufriedenheit aus. Im Januar 1905 beschossen in Sankt Petersburg Regierungstruppen friedliche Demonstranten. Um eine Eskalation zu vermeiden, gab die Regierung liberalen Forderungen nach und erlaubte die Wahl einer Nationalversammlung (Duma) mit begrenzten Rechten. Außenpolitisch verständigte sich Russland im Jahr 1907 mit Großbritannien auf »Einflusssphären« in Persien. Das Zarenreich zeigte auch wieder Interesse am Zugang zum Mittelmeer über den Balkan. Die von panslawistischen Bestrebungen motivierte Beteiligung an antiösterreichischen Aktivitäten serbischer Gruppen heizte die Balkankrise von 1914 an, die den Ersten Weltkrieg auslöste. Innerhalb von nur drei Jahren brach das Reich der russischen Zaren zusammen.

Zar Alexander II. (1855–1881) hob die Leibeigenschaft auf, reformierte die Justiz und trieb die russische Expansion im Kaukasus und in Zentralasien voran.

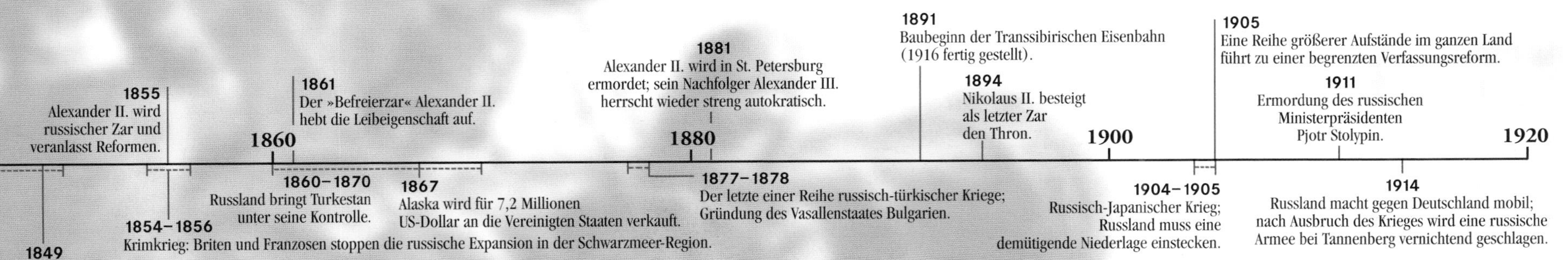
1849
Russische Truppen werden nach Ungarn entsandt und schlagen dort einen Aufstand der Liberalen nieder.
1854–1856
Krimkrieg: Briten und Franzosen stoppen die russische Expansion in der Schwarzmeer-Region.
1855
Alexander II. wird russischer Zar und veranlasst Reformen.
1860
1860–1870
Russland bringt Turkestan unter seine Kontrolle.
1861
Der »Befreierzar« Alexander II. hebt die Leibeigenschaft auf.
1867
Alaska wird für 7,2 Millionen US-Dollar an die Vereinigten Staaten verkauft.
1877–1878
Der letzte einer Reihe russisch-türkischer Kriege; Gründung des Vasallenstaates Bulgarien.
1880
1881
Alexander II. wird in St. Petersburg ermordet; sein Nachfolger Alexander III. herrscht wieder streng autokratisch.
1891
Baubeginn der Transsibirischen Eisenbahn (1916 fertig gestellt).
1894
Nikolaus II. besteigt als letzter Zar den Thron.
1900
1904–1905
Russisch-Japanischer Krieg; Russland muss eine demütigende Niederlage einstecken.
1905
Eine Reihe größerer Aufstände im ganzen Land führt zu einer begrenzten Verfassungsreform.
1911
Ermordung des russischen Ministerpräsidenten Pjotr Stolypin.
1914
Russland macht gegen Deutschland mobil; nach Ausbruch des Krieges wird eine russische Armee bei Tannenberg vernichtend geschlagen.
1920

Die Welt im 19. Jahrhundert (1783 bis 1914)

Das europäische Bündnissystem • 1871 bis 1914

Otto von Bismarck schuf als Kanzler des Deutschen Reiches (seit 1871) ein kompliziertes Bündnissystem, das lange Zeit den Frieden sicherte. Um Frankreich nach dem Deutsch-Französischen Krieg an einem Rachefeldzug zu hindern, sollte es von möglichen Bundesgenossen isoliert werden.

Der erste Schritt war 1873 das Dreikaiserabkommen zwischen Deutschland, Österreich-Ungarn und Russland, für das Bismarck mehrere Interessengegensätze ausgleichen musste. Mit seiner Unterstützung des Kampfes der Slawen um Unabhängigkeit von der Herrschaft der Osmanen und Österreichs hatte Russland seit dem Krimkrieg versucht, seine Stellung in Europa zu festigen. Das machte es zum Konkurrenten Wiens im Konflikt um das Erbe des siechenden Osmanischen Reiches auf dem Balkan. Das lockere Bündnis, das Bismarck zustande brachte, sollte Südosteuropa stabilisieren, indem es die Partner verpflichtete, gemeinsam subversive Bewegungen zu bekämpfen. 1878 zwang der Berliner Kongress Russland aber zur Rückgabe von Balkangebieten, die es den Osmanen bis dato abgenommen hatte.

Auf dem Berliner Kongress von 1878 vermittelte der deutsche Kanzler Bismarck (m.) als »ehrlicher Makler« zwischen den Parteien im Balkankonflikt.

Bismarck und der »geheime Zweibund«

Hauptnutznießer des Berliner Kongresses war Österreich-Ungarn, das mit Deutschland einen geheimen Zweibund abschloss. Dieses Verteidigungsbündnis stand fortan im Zentrum von Bismarcks Diplomatie. Offiziell erneuerte der Kanzler 1881 das Dreikaiserabkommen und lenkte Frankreich ab, indem er dessen koloniale Bestrebungen in Nordafrika unterstützte. Gleichzeitig schuf er einen geheim gehaltenen Dreibund zwischen Deutschland, Österreich-Ungarn und Italien (1882).

Flottenaufrüstung: Seit Anfang des 20. Jahrhunderts versuchte Deutschland beim Ausbau der Marine mit Großbritannien gleichzuziehen.

Als das (1881 erneuerte) Dreikaiserabkommen beziehungsweise -bündnis 1887 auslief, ersetzte Bismarck es durch einen Rückversicherungsvertrag mit Russland, in dem der Balkan als russische Einflusssphäre anerkannt und festgehalten wurde, dass die Partner im Kriegsfall – außer bei einem deutschen Angriff gegen Frankreich und einem russischen gegen Österreich – neutral bleiben würden. Dieser Vertrag stellte den Höhepunkt der Bismarck'schen Diplomatie dar, die unter Beibehaltung der deutschen Vormacht in Mitteleuropa gefährliche Abenteuer zu vermeiden suchte.

Neue Bündnisse: Frankreich, Grossbritannien und Russland

Als aber die Gegensätze zwischen dem jungen Kaiser Wilhelm II. und Bismarck 1890 zur Entlassung des Kanzlers führten, änderte sich die europäische Bündnispolitik. Der Rückversicherungsvertrag wurde nicht erneuert und Russland erlebte im selben Jahr Missernten. Frankreich bot Hilfe an und schuf so die Grundlage für ein Militärbündnis, das 1894 zustande kam. Es enthielt die gefährliche Verpflichtung beider Partner zur Mobilmachung, sollte einer der Dreibundstaaten Kriegsvorbereitungen treffen: In diesem Fall würde der Bündnisfall eintreten und ein Krieg unausweichlich sein.

Großbritannien hatte sich aus allen Allianzen herausgehalten, aber nach dem Tod von Königin Viktoria im Jahr 1901 suchte Eduard VII. die Annäherung an Frankreich, was 1904 in der Entente cordiale gipfelte. Eine Verständigung mit Russland wurde 1907 erreicht, so dass – als Gegengewicht zum Dreibund – eine Tripelentente entstand.

Marokkokrisen und Balkankriege

Mehrere internationale Zwischenfälle stellten den Friedenswillen der europäischen Mächte auf die Probe. Deutschlands Ambitionen hinsichtlich Marokkos weckten Widerstand in Großbritannien und Frankreich und führten zur ersten (1905; beigelegt 1906 durch die Konferenz von Algeçiras) und zweiten Marokkokrise (1911), die mit der deutschen Anerkennung des französischen Protektorats Marokko endeten. Eine weitere Krisenregion war und blieb der Balkan. Dort strebten die Völker nach unabhängigen Staaten: Mit den Balkankriegen 1912 und 1913 wurde die Landkarte Südosteuropas stark verändert und die Feindseligkeit Österreich-Ungarns geweckt.

Kriegspläne und Aufrüstung

Derweil wurden überall Kriegspläne ausgearbeitet. Der ehrgeizigste, nach dem deutschen Generalstabschef »Schlieffen-Plan« genannt, ging von einem Zweifrontenkrieg aus und sah einen überraschenden Vorstoß durch die neutralen Niederlande, Belgien und Luxemburg vor, um Frankreich von der Küste abzuschneiden und seine Armeen einzuschließen. Dann sollten die deutschen Truppen nach Osten verlegt werden, um die Front gegen Russland (man erwartete dessen Angriff bei Königsberg) zu verstärken.

Gleichzeitig wurde aufgerüstet: Deutschland entwickelte schwere und mittlere Artilleriegeschütze von hoher Qualität, Frankreich Schnellfeuergewehre und alle potenziellen Kriegsparteien produzierten Maschinengewehre. Bei den Kriegsschiffen löste die von Dampfturbinen angetriebene britische Dreadnought-Klasse 1906 ein Wettrüsten aus. Kaiser Wil-

1 Der Friede von San Stefano zwischen Russland und der Türkei (1878) sah die Gründung eines an Russland gebundenen Staates Großbulgarien vor.

2 In Frankreich tobte zwischen 1886 und 1889 eine Bewegung zur Rückgewinnung Elsass-Lothringens mit Kriegsminister Boulanger an der Spitze.

3 Der britische Premier Lord Salisbury widersetzte sich Bismarcks Bemühungen um eine deutsch-englische Allianz. Großbritanniens Abneigung gegen Bündnisse kennzeichnete sein Wort von der »splendid isolation«.

4 Eine der größten Industrieanlagen Europas waren die Skoda-Werke in Pilsen, die seit 1890 ein neues Maschinengewehr für die österreichische Armee bauten.

5 Im Tausch gegen Sansibar trat Großbritannien 1890 dem Deutschen Reich die Insel Helgoland ab. Die Deutschen bauten das kleine Eiland zu einem Flottenstützpunkt aus.

6 Die Entente cordiale erlebte 1905 ihre erste Prüfung, als sich Kaiser Wilhelm II. in Tanger für die Unabhängigkeit Marokkos aussprach. Die Konferenz von Algeçiras unterstützte 1906 aber die französischen Ansprüche auf das Territorium.

ZEITLEISTE

VERTRÄGE UND BÜNDNISSE

1870

1873 Bismarck bemüht sich um das Zustandekommen des Dreikaiserabkommens.

1879 Zweibund zwischen Deutschland und Österreich-Ungarn.

1880

1882 Durch Beitritt Italiens zum Zweibund entsteht der Dreibund.

1887 Deutscher Rückversicherungsvertrag mit Russland.

1890 Differenzen mit Wilhelm II. führen zu Bismarcks Entlassung.

KRISEN UND AUFRÜSTUNG

1875–1878 Beginn der Krise in Osteuropa, als sich Bosnien und Herzegowina gegen die Osmanen erheben.

1877–1878 Russisch-Türkischer Krieg; er endet mit dem Frieden von San Stefano und erheblichen territorialen Gewinnen Russlands.

1878 Der Berliner Kongress verlangt von Russland die Aufgabe eines großen Teils seiner Gewinne auf dem Balkan.

1885–1886 Spannungen zwischen Österreich und Russland wegen des Balkans beenden das Dreikaiserabkommen.

1889 Großbritannien sichert die Vorherrschaft seiner Seestreitkräfte.

helm II. setzte alles daran, eine Marine aufzubauen, die die mächtige Royal Navy der Briten herausfordern konnte. Mit der Wehrpflicht (drei Jahre in Deutschland, zwei in Frankreich) wuchsen die Armeen der kontinentaleuropäischen Mächte erheblich: Deutschland, Frankreich und Italien konnten binnen Tagen je eine Million Mann mobilisieren, Österreich und Russland dreimal soviel, allerdings langsamer. Die Kriegsdrohung lag lange genug über Europa, dass 1914 alle Länder über Waffenarsenale und Heere von beispielloser Größe und Schlagkraft verfügten.

Grenze entsprechend dem Vertrag von San Stefano, 1878
Grenzen, 1912
alliierte Mächte, August 1914
Achsenmächte, August 1914
Schlieffen-Plan, 1905
deutsche Armeestellung
deutsche Angriffskeile
Festung der Achsenmächte
Festung der Alliierten
belgische Festung
größerer Marinestützpunkt
bedeutendes Rüstungszentrum
Dreikaiserabkommen, 1873–1887
Dreibundvertrag, 1882–1915
Entente cordiale, 1904
Tripelentente, 1907
Haupteisenbahnlinie zum Transport deutscher Truppen an die russische Front
vermuteter russischer Angriff
slawische Sprache in Mitteleuropa
0 600 km
0 400 Meilen

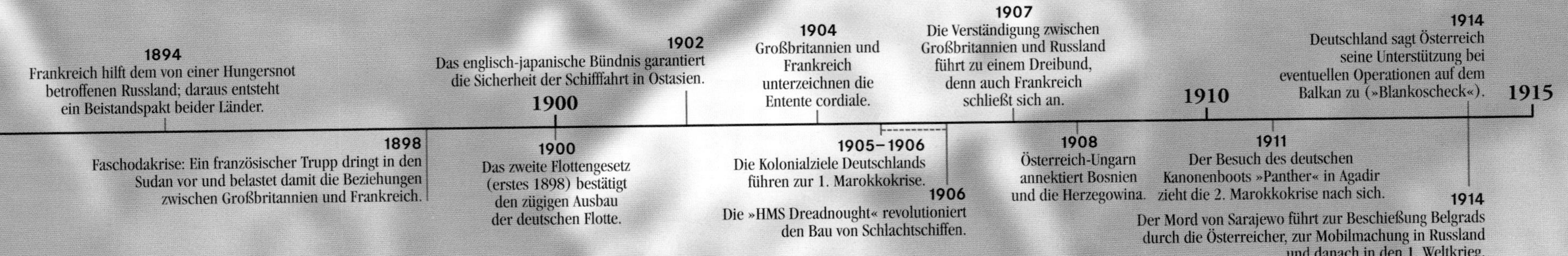
1894
Frankreich hilft dem von einer Hungersnot betroffenen Russland; daraus entsteht ein Beistandspakt beider Länder.
1902
Das englisch-japanische Bündnis garantiert die Sicherheit der Schifffahrt in Ostasien.
1900
1904
Großbritannien und Frankreich unterzeichnen die Entente cordiale.
1907
Die Verständigung zwischen Großbritannien und Russland führt zu einem Dreibund, denn auch Frankreich schließt sich an.
1910
1914
Deutschland sagt Österreich seine Unterstützung bei eventuellen Operationen auf dem Balkan zu (»Blankoscheck«).
1915
1898
Faschodakrise: Ein französischer Trupp dringt in den Sudan vor und belastet damit die Beziehungen zwischen Großbritannien und Frankreich.
1900
Das zweite Flottengesetz (erstes 1898) bestätigt den zügigen Ausbau der deutschen Flotte.
1905–1906
Die Kolonialziele Deutschlands führen zur 1. Marokkokrise.
1906
Die »HMS Dreadnought« revolutioniert den Bau von Schlachtschiffen.
1908
Österreich-Ungarn annektiert Bosnien und die Herzegowina.
1911
Der Besuch des deutschen Kanonenboots »Panther« in Agadir zieht die 2. Marokkokrise nach sich.
1914
Der Mord von Sarajewo führt zur Beschießung Belgrads durch die Österreicher, zur Mobilmachung in Russland und danach in den 1. Weltkrieg.

Die Welt im 19. Jahrhundert (1783 bis 1914)

Der Niedergang des Osmanischen Reiches • 1783 bis 1923

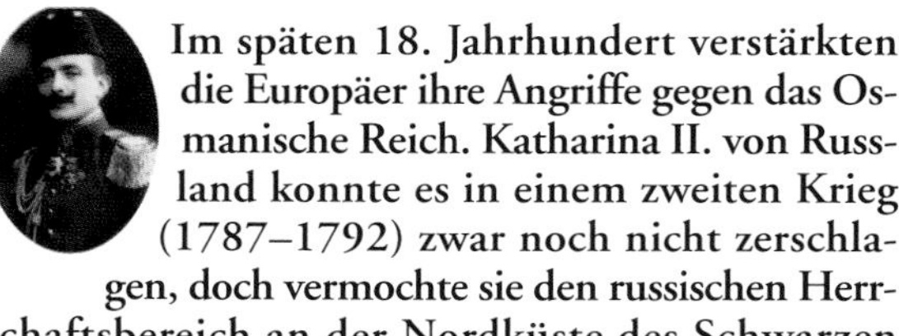

Im späten 18. Jahrhundert verstärkten die Europäer ihre Angriffe gegen das Osmanische Reich. Katharina II. von Russland konnte es in einem zweiten Krieg (1787–1792) zwar noch nicht zerschlagen, doch vermochte sie den russischen Herrschaftsbereich an der Nordküste des Schwarzen Meeres auszudehnen.

Bis 1812 ging Bessarabien an Russland verloren und in Serbien brachen in den Jahren 1804 und 1817 Aufstände los. Die späteren Versuche der Osmanen, Serbien und die Fürstentümer Moldau und Walachei zurückzuerobern, führten in den Russisch-Türkischen Krieg von 1828/1829, der den Serben die Autonomie brachte.

Kemal Atatürk (1881–1938), hier mit seiner Frau Latifah, wird in seinem Heimatland bis heute als »Schöpfer der modernen Türkei« verehrt.

Bedrohung durch Ägypten

Die stärkste Bedrohung des Osmanischen Reiches ging zu jener Zeit vom eigenen Vasallenstaat Ägypten aus. Napoleons Invasion hatte 1798 innenpolitisch eine grundlegende Änderung bewirkt: Mehmet Ali, ein Offizier, den Sultan Selim III. zur Vertreibung der Franzosen geschickt hatte, brachte das Land am Nil unter seine Kontrolle und wurde 1805 Vizekönig von Ägypten. Anfangs war der auf Modernisierung bedachte Herrscher den Osmanen von Nutzen, denn er vertrieb die Wahhabiten-Sekte aus den heiligen Stätten des Islam und stand 1825 Sultan Mahmud II. im griechischen Unabhängigkeitskrieg bei. 1831 aber marschierte er in Syrien ein, um seine Macht gegenüber dem Sultan zu festigen. Nach Niederlagen bei Konya in Anatolien (1832) und Nisib in Nordsyrien (1839) war die Macht Mahmuds II. fast gebrochen, doch die Österreicher und Briten stützten ihn, weil sie um ihre Verbindungen nach Indien fürchteten.

Gebietsverluste – Der stete Druck Europas

Im Krimkrieg erhielten die Osmanen Unterstützung durch die westeuropäischen Mächte. Angesichts des russischen Anspruchs auf die Schutzherrschaft über die orthodoxen Christen in den europäischen Territorien der Türkei und der russisch-französischen Streitigkeiten über die Verwaltung der heiligen Stätten in Jerusalem wollte man der Macht des Zaren Schranken setzen. Russland besetzte die Fürstentümer Moldau und Walachei, worauf die Osmanen mit Großbritannien und Frankreich an ihrer Seite den Krieg erklärten. Der Niederlage der türkischen Flotte bei Sinope folgte die Landung britischer und französischer Truppen auf der Krim. Das Ergebnis des Krieges waren ein vereinigtes Rumänien (1861) und die Übereinkunft der Großmächte, das geschwächte Osmanische Reich zu erhalten.

Der französische Einfluss in der Levante wuchs, als Frankreich 1860 die Verfolgung maronitischer Christen in Syrien unterbunden und 1854 die Konzession zum Bau des Suezkanals erhalten hatte (der 1869 fertig gestellt wurde). 1875 verkaufte der verschuldete Vizekönig von Ägypten seine Kanalanteile an Großbritannien. Arabische Nationalisten unter Führung Urabi Paschas begannen nun, gegen den europäischen Einfluss auf ägyptische Angelegenheiten zu agitieren. Daraufhin revidierten Paris und London ihre Einstellung gegenüber dem Osmanischen Reich. Frankreich machte 1881 Tunesien zu seinem Protektorat und Großbritannien

»Das Massaker von Chios« von Eugène Delacroix. 1822 konnten die Osmanen noch den Aufstand auf Chios niederwerfen. Erst 1912 kam die Insel zu Griechenland.

1 Im Frieden von Jassy gab Russland 1792 zwar Bessarabien, Moldau und die Walachei an die Türkei zurück, weitete sein Gebiet aber bis zum Dnjestr aus.

2 Streitkräfte der USA griffen bis 1815 mehrfach Tripolis und Algier an, um die Bedrohung durch Piraten im Mittelmeer zu beenden. Algier wurde 1816 erneut beschossen, diesmal von den Briten.

3 Baumwolle bildete das Fundament der ägyptischen Wirtschaft. Die Nachfrage kühlte aber nach dem amerikanischen Bürgerkrieg stark ab.

4 Algerien stand seit dem frühen 18. Jahrhundert nur noch nominell unter osmanischer Oberhoheit. Der lokale Führer Abd El Kader widersetzte sich 1830 der Annexion durch Frankreich, musste aber Ende 1847 aufgeben.

5 Die Niederlage in der Schlacht von Tel el-Kebir stürzte den Offizier Urabi Pascha, den Führer der ägyptischen Nationalisten, und brachte Ägypten die britische Oberhoheit.

6 Die osmanischen Truppen im Hidjas wurden im Ersten Weltkrieg von aufständischen Arabern aufgerieben, denen der britische Verbindungsoffizier T. E. Lawrence (»Lawrence von Arabien«) zur Seite stand.

ZEITLEISTE

KONFLIKTE MIT RUSSLAND

1784 – Das Osmanische Reich akzeptiert die russische Annexion der Krim und des Kuban.

1787–1792 – Russland führt einen zweiten Krieg gegen die Osmanen.

1792 – Die Osmanen nehmen die Besetzung Ochakows durch Russland hin.

1828–1829 – Die Osmanen verlieren die Kontrolle über das Mündungsgebiet der Donau und die östlichen Schwarzmeerhäfen.

1780 · 1800 · 1820 · 1840

ANDERE ENTWICKLUNGEN

1805 – Mehmet Ali (1805–1849) wird Vizekönig von Ägypten.

1821–1832 – Der griechische Unabhängigkeitskrieg ist der erste Schritt zur Befreiung des Balkans von der Osmanenherrschaft.

1840 – Großbritannien und Frankreich intervenieren im Türkisch-Ägyptischen Krieg, um den weiteren Niedergang des Osmanischen Reiches aufzuhalten.

besetzte Ägypten, das nominell als autonomes osmanisches Vizekönigreich weiter bestand.

Aufstände in Bosnien und der Herzegowina, in Serbien, Bulgarien und Montenegro ließen die Russen 1877 erneut in das Osmanische Reich eindringen. Aus dem Frieden von San Stefano ging ein prorussisches Großbulgarien hervor, doch der Berliner Kongress (1878) revidierte die Grenzen wieder, um die russische Expansion einzudämmen. Die letzte Besitzung der Osmanen in Bulgarien, Ostrumelien, ging verloren, als sich die Provinz nach Aufständen 1885 mit Bulgarien zusammenschloss. – 1898 förderte ein überraschender Besuch Kaiser Wilhelms II. in Konstantinopel die Annäherung beider Länder. Die Türkei stimmte unter anderem dem Bau der Bagdadbahn durch die Deutschen zu.

Jungtürken und Kemal Pascha

Die Furcht vor weiterer Auflösung des Osmanischen Reiches veranlasste 1909 eine Gruppe unzufriedener Armeeoffiziere (»Jungtürken«) unter Enver Pascha, Sultan Abdul Hammid zu stürzen. Die Reformer machten sich für eine Angleichung an den Westen stark, konnten jedoch neue Attacken der Europäer nicht verhindern. Österreich annektierte 1908 Bosnien und die Herzegowina, Italien holte sich 1912 Tripolitanien und nach zwei Balkankriegen (1912 und 1913) hatte das Osmanische Reich schließlich mit Ausnahme Ostthrakiens alle seine europäischen und nordafrikanischen Provinzen verloren.

1914 setzten die neuen Herrscher der Türkei auf ein Bündnis mit Deutschland. Im Frieden von Sèvres (1920) verlor das Osmanische Reich alle nicht türkischen Gebiete. Nach der Kapitulation führten türkische Nationalisten unter Kemal Pascha (ab 1935 Kemal Atatürk) 1919 bis 1923 einen Unabhängigkeitskrieg, in dem sie alle ausländischen Mächte aus Anatolien vertrieben. 1923 hörte das Osmanische Reich nach über 600 Jahren auf zu bestehen.

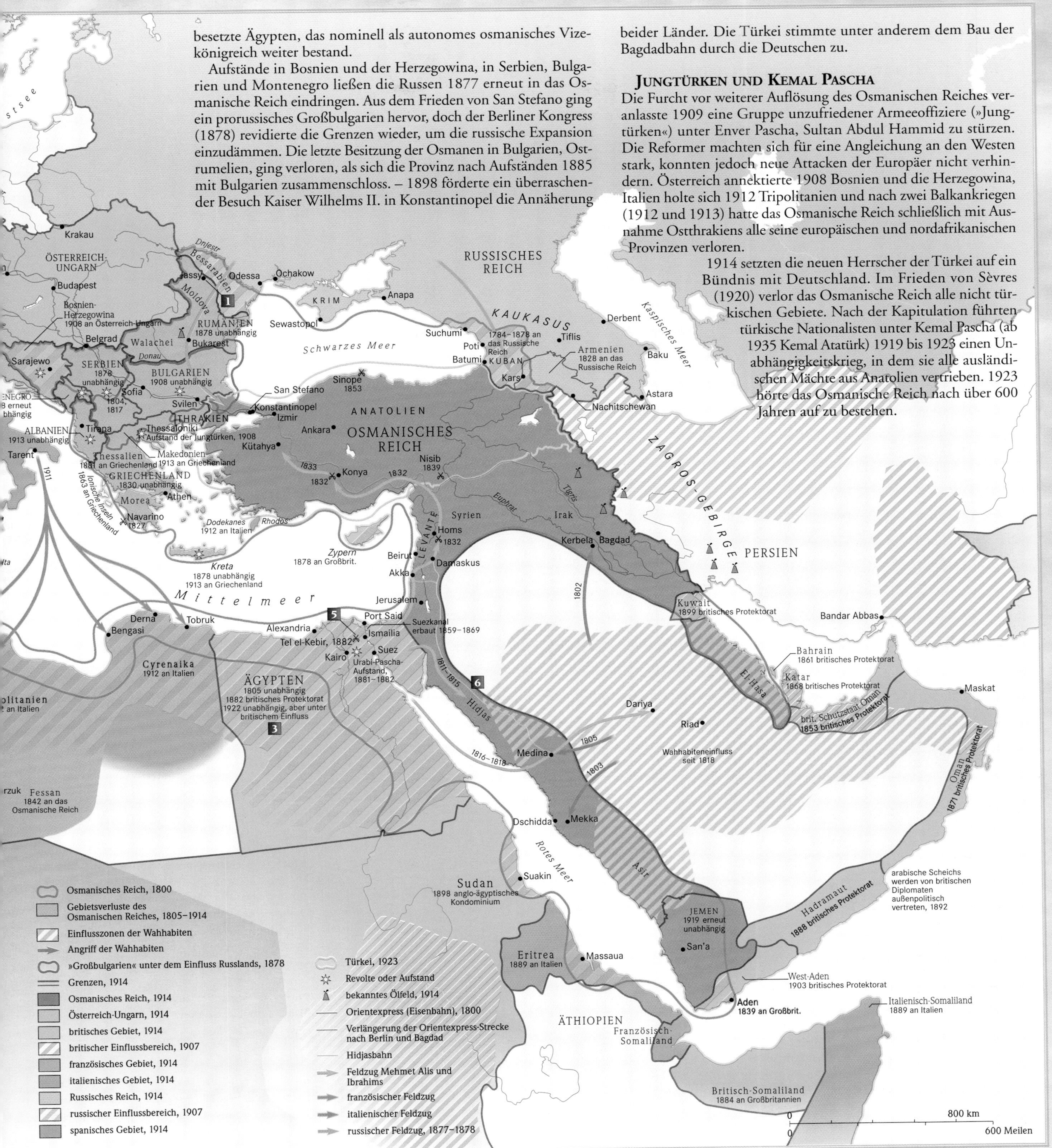

Osmanisches Reich, 1800
Gebietsverluste des Osmanischen Reiches, 1805–1914
Einflusszonen der Wahhabiten
Angriff der Wahhabiten
»Großbulgarien« unter dem Einfluss Russlands, 1878
Grenzen, 1914
Osmanisches Reich, 1914
Österreich-Ungarn, 1914
britisches Gebiet, 1914
britischer Einflussbereich, 1907
französisches Gebiet, 1914
italienisches Gebiet, 1914
Russisches Reich, 1914
russischer Einflussbereich, 1907
spanisches Gebiet, 1914

Türkei, 1923
Revolte oder Aufstand
bekanntes Ölfeld, 1914
Orientexpress (Eisenbahn), 1800
Verlängerung der Orientexpress-Strecke nach Berlin und Bagdad
Hidjasbahn
Feldzug Mehmet Alis und Ibrahims
französischer Feldzug
italienischer Feldzug
russischer Feldzug, 1877–1878

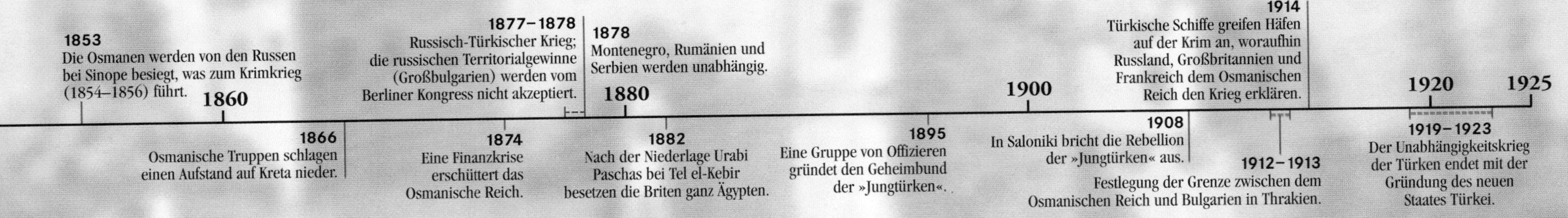
1853
Die Osmanen werden von den Russen bei Sinope besiegt, was zum Krimkrieg (1854–1856) führt.
1860
1866
Osmanische Truppen schlagen einen Aufstand auf Kreta nieder.
1874
Eine Finanzkrise erschüttert das Osmanische Reich.
1877–1878
Russisch-Türkischer Krieg; die russischen Territorialgewinne (Großbulgarien) werden vom Berliner Kongress nicht akzeptiert.
1878
Montenegro, Rumänien und Serbien werden unabhängig.
1880
1882
Nach der Niederlage Urabi Paschas bei Tel el-Kebir besetzen die Briten ganz Ägypten.
1895
Eine Gruppe von Offizieren gründet den Geheimbund der »Jungtürken«.
1900
1908
In Saloniki bricht die Rebellion der »Jungtürken« aus.
1914
Türkische Schiffe greifen Häfen auf der Krim an, woraufhin Russland, Großbritannien und Frankreich dem Osmanischen Reich den Krieg erklären.
1912–1913
Festlegung der Grenze zwischen dem Osmanischen Reich und Bulgarien in Thrakien.
1920
1925
1919–1923
Der Unabhängigkeitskrieg der Türken endet mit der Gründung des neuen Staates Türkei.

Die Welt im 19. Jahrhundert (1783 bis 1914)

Afrika vor dem europäischen Kolonialismus • 1800 bis 1880

Die Präsenz der Europäer in Afrika beschränkte sich bis zum Ende des 19. Jahrhunderts primär auf die französische Kolonisation Algeriens, einige spanische, französische und britische Handelsniederlassungen in Westafrika sowie den portugiesischen Küstenhandel.

Viele Eingeborenenstämme leisteten den Weißen heftigen Widerstand, vor allem die Ashanti in Westafrika. Die dichteste europäische Besiedlung erfolgte im Süden des Kontinents, wo niederländische und britische Einwanderer zunächst in der Kapkolonie und dann – nach dem »Großen Treck« der Buren, der 1835 bis 1836 begann – im Oranje-Freistaat und in Transvaal Fuß fassten.

Der Aufbruch der Zulu …

… bewirkte eine ausgedehnte Wanderung von Mfecane (Kriegern) und dauernde Konflikte. Eingeleitet wurde die Expansion durch König Chaka, der ab 1816 die Zulustämme in einem Reich einte. Ihre Siege lösten Kettenreaktionen aus: Entweder unterwarfen sich die anderen Stämme der Zulu-Konföderation oder sie flohen und gerieten in Konflikt mit denen anderer Länder. Es entstanden auch neue Reiche machtbewusster Herrscher, so Moshoeshoes Lesotho, Maswatis Königreich Swasi und das von Msilikasi regierte Ndebele.

David Livingstone (1813–1873) erforschte auf seinen Afrikareisen unter anderem den Lauf des Sambesi, an dem er 1855 die Victoriafälle entdeckte.

LES BOERS
3. — Combat avec les Matabélés à Wilge-River.

Matabele-(Ndebele-)Krieger greifen 1836 einen Treck der Buren im Gebiet des heutigen Simbabwe an.

Islamische Staaten

In Westafrika erklärte sich Osman Dan Fodio (1754 bis 1816) zum Vorboten des Mahdi, des islamischen Messias, und baute im Land der Hausa einen muslimischen Staat auf. Dieser, das Kalifat Sokoto, entwickelte sich zu einem gut verwalteten Reich, das bis ins 20. Jahrhundert bestand. Im Westen gründete Scheich Ahmad Lobbo das Reich Masina mit der Hauptstadt Hamdallahi, während sein Rivale El Hadj Omar mit Anhängern aus Fouta Toro und Fouta Djalon das Kalifat Tukulor aufbaute. Ein anderer Heerführer, Samory Touré, einte eine Reihe von Stämmen, die sich über Religions- und Handelsfragen gestritten hatten, im Ersten Samory-Reich und verhalf ihnen zu Ordnung, Wohlstand und islamischem Recht.

Für und wider den Sklavenhandel

Dänemark, Großbritannien, Frankreich und die USA schafften den Sklavenhandel im frühen 19. Jahrhundert ab, während Portugal ihn noch bis 1882 zuließ. Pro Jahr wurden über 50 000 Sklaven aus Angola und Madagaskar nach Südamerika und (bis 1865) illegal in die USA verkauft. Der transsaharische und ostafrikanische Sklavenhandel blühte ebenfalls. Eine Dauersiedlung omanischer Araber in Sansibar sorgte für die Befriedigung der Nachfrage im Nahen Osten und in Asien. Erst 1873 konnte Großbritannien den Sultan von Sansibar zur Schließung des Sklavenmarkts bewegen. Viele afrikanische Völker partizipierten an diesem Handel: So entvölkerten die Yao und Nyamwezi große Teile Ostafrikas, weil sie sich von dort ständig Sklaven für ihre Plantagen holten.

Durch die Präsenz der muslimischen Sklavenhändler – Suaheli, Araber, Ägypter und Sudanesen – entstand eine Reihe neuer Staaten und Reiche wie Tippu Tips Sultanat von Uterera, das dank seiner Beteiligung im ostafrikaweiten Sklaven- und Elfenbeinhandel um 1880 seine Blütezeit erlebte. Die Nyamwezi gründeten die Handelsreiche Urambo, Ukimbu und Unjanjembe. In der Überschwemmungsebene des oberen Sambesi lag das wohlhabende, zentral regierte Reich Lozi und nordöstlich davon Kazembe, ein blühender Agrarstaat. In Angola erweiterten Chokwe-Jäger ihren Elfenbeinexport und legten Kautschukplantagen an.

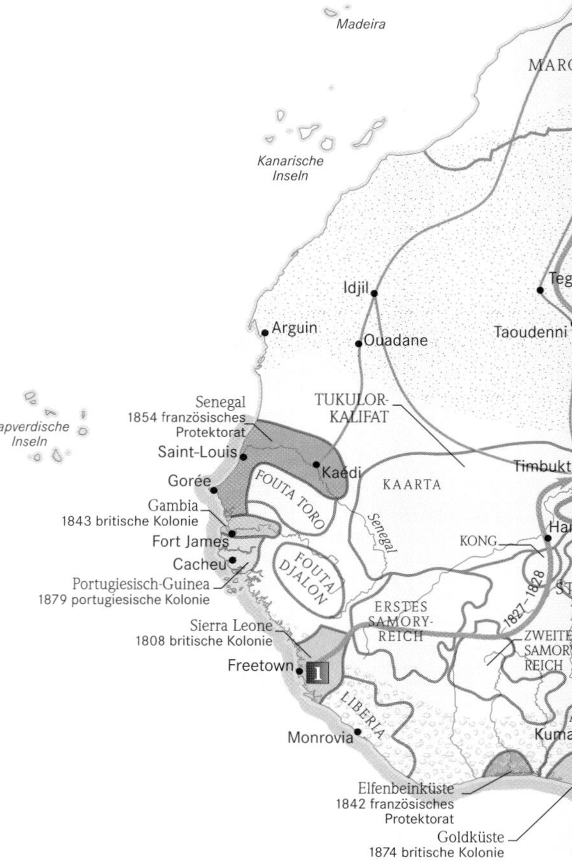
Madeira
Kanarische Inseln
Idjil
Arguin
Ouadane
Taoudenni
Kapverdische Inseln
Senegal
1854 französisches Protektorat
TUKULOR-KALIFAT
Saint-Louis
Kaédi
Timbuktu
Gorée
FOUTA TORO
KAARTA
Gambia
1843 britische Kolonie
Fort James
Senegal
KONG
Cacheu
FOUTA DJALON
Portugiesisch-Guinea
1879 portugiesische Kolonie
ERSTES SAMORY-REICH
Sierra Leone
1808 britische Kolonie
ZWEITES SAMORY-REICH
Freetown
LIBERIA
Monrovia
Elfenbeinküste
1842 französisches Protektorat
Goldküste
1874 britische Kolonie
0 1000 km
0 800 Meilen

1 Sierra Leone wurde im Jahr 1787 von britischen Philanthropen als Niederlassung für befreite Sklaven gegründet und 1808 britische Kolonie.

2 Die Eroberungen des Zulukönigs Chaka (1816–1828) basierten auf seiner Einkesselungstaktik und dem »assegai«, einem neu entwickelten, tödlich wirkenden Speer.

3 Kazembe wurde wegen seines Wohlstands beneidet und war fortwährend Angriffen Utereras, Yekes, Katangas und Bembas ausgesetzt.

4 Auf der Suche nach Gold und Sklaven eroberte 1820 eine ägyptische Armee unter dem Oberbefehl des überaus fähigen Ismail Pascha den Nil-Sudan.

5 Der Journalist H. M. Stanley war der Erste, der Erkundung und Kolonisation miteinander verband: Er reiste 1874 nach Afrika, um für Leopold II. von Belgien geeignete Kolonien zu entdecken.

ZEITLEISTE

WESTAFRIKA

1783 Nach dem Ende des amerikanischen Unabhängigkeitskrieges bekommt Frankreich den Senegal zurück.

1787 In Sierra Leone werden 400 befreite Sklaven angesiedelt.

1821 Hamdallahi wird die Hauptstadt des neuen Reiches Masina.

1822 Gründung Liberias als Heimat für befreite amerikanische Sklaven.

NORD- UND OSTAFRIKA

1804 Osman Dan Fodio beginnt seinen heiligen Krieg.

1806 Sajjid Said stellt in Ostafrika die Vormacht der Omanis wieder her.

1820 Ismail Pascha beginnt seine Invasion des Sudan.

1780 – 1790 – 1800 – 1810 – 1820

SÜDAFRIKA

1810 Das Königreich Merina kontrolliert ganz Madagaskar.

1816 Chaka wird zum »Inkosi«, zum König der Zulu, gekrönt.

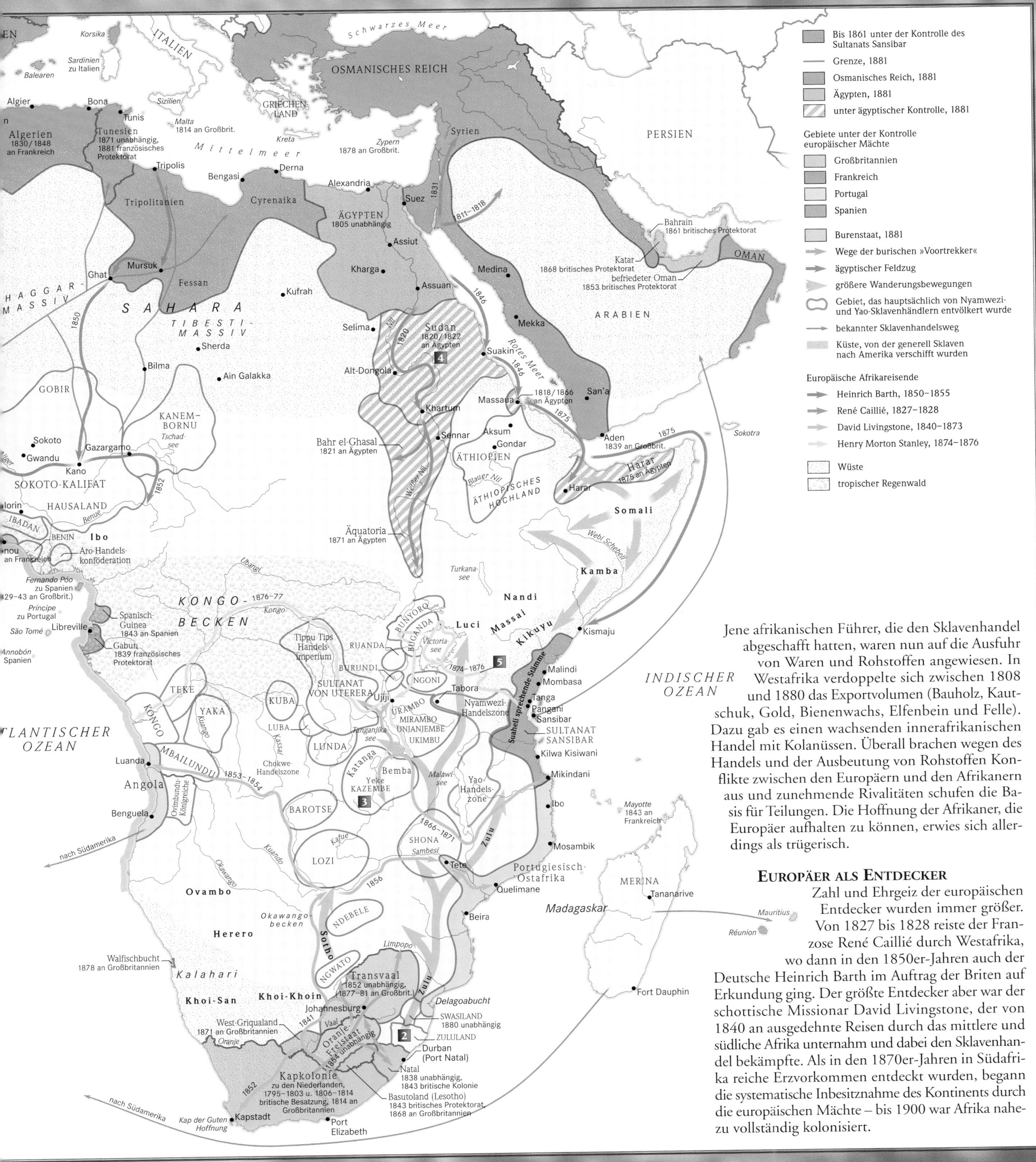

Bis 1861 unter der Kontrolle des Sultanats Sansibar
Grenze, 1881
Osmanisches Reich, 1881
Ägypten, 1881
unter ägyptischer Kontrolle, 1881

Gebiete unter der Kontrolle europäischer Mächte
Großbritannien
Frankreich
Portugal
Spanien

Burenstaat, 1881
Wege der burischen »Voortrekker«
ägyptischer Feldzug
größere Wanderungsbewegungen
Gebiet, das hauptsächlich von Nyamwezi- und Yao-Sklavenhändlern entvölkert wurde
bekannter Sklavenhandelsweg
Küste, von der generell Sklaven nach Amerika verschifft wurden

Europäische Afrikareisende
Heinrich Barth, 1850–1855
René Caillié, 1827–1828
David Livingstone, 1840–1873
Henry Morton Stanley, 1874–1876

Wüste
tropischer Regenwald

Jene afrikanischen Führer, die den Sklavenhandel abgeschafft hatten, waren nun auf die Ausfuhr von Waren und Rohstoffen angewiesen. In Westafrika verdoppelte sich zwischen 1808 und 1880 das Exportvolumen (Bauholz, Kautschuk, Gold, Bienenwachs, Elfenbein und Felle). Dazu gab es einen wachsenden innerafrikanischen Handel mit Kolanüssen. Überall brachen wegen des Handels und der Ausbeutung von Rohstoffen Konflikte zwischen den Europäern und den Afrikanern aus und zunehmende Rivalitäten schufen die Basis für Teilungen. Die Hoffnung der Afrikaner, die Europäer aufhalten zu können, erwies sich allerdings als trügerisch.

Europäer als Entdecker

Zahl und Ehrgeiz der europäischen Entdecker wurden immer größer. Von 1827 bis 1828 reiste der Franzose René Caillié durch Westafrika, wo dann in den 1850er-Jahren auch der Deutsche Heinrich Barth im Auftrag der Briten auf Erkundung ging. Der größte Entdecker aber war der schottische Missionar David Livingstone, der von 1840 an ausgedehnte Reisen durch das mittlere und südliche Afrika unternahm und dabei den Sklavenhandel bekämpfte. Als in den 1870er-Jahren in Südafrika reiche Erzvorkommen entdeckt wurden, begann die systematische Inbesitznahme des Kontinents durch die europäischen Mächte – bis 1900 war Afrika nahezu vollständig kolonisiert.

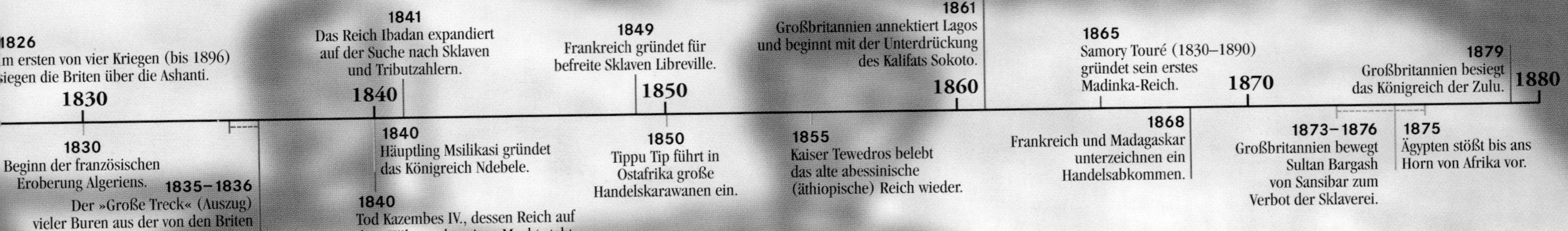
1826
m ersten von vier Kriegen (bis 1896) siegen die Briten über die Ashanti.
1830
1841
Das Reich Ibadan expandiert auf der Suche nach Sklaven und Tributzahlern.
1840
1849
Frankreich gründet für befreite Sklaven Libreville.
1850
1861
Großbritannien annektiert Lagos und beginnt mit der Unterdrückung des Kalifats Sokoto.
1860
1865
Samory Touré (1830–1890) gründet sein erstes Madinka-Reich.
1870
1879
Großbritannien besiegt das Königreich der Zulu.
1880
1830
Beginn der französischen Eroberung Algeriens.
1835–1836
Der »Große Treck« (Auszug) vieler Buren aus der von den Briten beherrschten Kapkolonie beginnt.
1840
Häuptling Msilikasi gründet das Königreich Ndebele.
1840
Tod Kazembes IV., dessen Reich auf dem Höhepunkt seiner Macht steht.
1850
Tippu Tip führt in Ostafrika große Handelskarawanen ein.
1855
Kaiser Tewedros belebt das alte abessinische (äthiopische) Reich wieder.
1868
Frankreich und Madagaskar unterzeichnen ein Handelsabkommen.
1873–1876
Großbritannien bewegt Sultan Bargash von Sansibar zum Verbot der Sklaverei.
1875
Ägypten stößt bis ans Horn von Afrika vor.

Die Welt im 19. Jahrhundert (1783 bis 1914)

Afrika und die europäischen Weltreiche • 1880 bis 1914

Vertreter von 15 europäischen Staaten trafen sich 1884/1885 in Berlin, um auf der Kongo-Konferenz eine Einigung über ihre Interessen in Afrika zu erzielen. Dabei wurden keine bestimmten Gebiete als Kolonien ausgewiesen, sondern allgemeine Grundsätze festgelegt.

Das Hinterland eines von einer europäischen Macht besetzten Küstenstreifens wurde als Einflusssphäre definiert. Um diese beanspruchen zu können, musste die betreffende Macht in der Lage sein, »bestehendes Recht« und die »Freiheit des Handels und Verkehrs« zu schützen. Diese Doktrin der »effektiven Besetzung« ging von einer Kolonisation auch unter Einsatz von Gewalt aus.

Menelik II., 1889 mit italienischer Hilfe zum Kaiser von Äthiopien avanciert, setzte die Anerkennung der Selbstständigkeit seines Reiches durch.

Doktrin der »effektiven Besetzung«

Die Afrikaner sahen sich nun mit einer plötzlichen, »stückchenweise« erfolgenden Kolonisation konfrontiert. Einige europäische Regierungen setzten Handelsunternehmen ein (so die Portugiesen die Njassa-Kompanie, die Deutschen ihre Südwest- beziehungsweise Ostafrika-Kompanie, die Briten die »Imperial British East Africa Company«, die »Royal Niger Company« und die »British South Africa Company«). Diese Handelsgesellschaften bestanden erbarmungslos auf ihren beim Umgang mit Afrikanern gewohnten Methoden (man erklärte etwa bestehende Währungen für ungültig, führte Hüttensteuern ein und schaffte die traditionelle Abwicklung des Handels über Mittelsmänner ab) und säten dadurch den Keim der Konfrontation und des bewaffneten Widerstands. Es kam auch vor, dass Eingeborene selber Europäer herbeiholten, nur um dann festzustellen, dass sie sie nicht wieder loswurden.

Ein belgischer Kolonialbeamter mit seiner eingeborenen Begleitmannschaft; die Skulptur aus dem Kongogebiet wurde aus bemaltem Holz und Leder gefertigt.

Die Europäer veränderten die Lebens- und Arbeitsweise der Afrikaner. Um die neuen Steuern bezahlen zu können, mussten diese Lohnarbeit verrichten. Beim Eisenbahnbau, auf den Kautschuk-, Zuckerrohr- und Kakaoplantagen oder beim Bergbau in Zentral- und Südafrika bestand ein gewaltiger Bedarf an ungelernten Arbeitskräften. Die Europäer zwangen die Afrikaner in diese Arbeiten und raubten ihnen ihre Kultur und ihre Unabhängigkeit.

Anpassung und Widerstand

Die Reaktionen fielen unterschiedlich aus. Einige Völker arbeiteten mit den Weißen zusammen, wie die Buganda mit den Briten bei der Gründung Ugandas (1903). Andere setzten auf ihre Religion: Im Sudan erhob sich Mohammad Ahmed als selbst ernannter Mahdi (islamischer Heilsbringer) gegen die britisch-ägyptische Herrschaft und gründete einen streng islamischen Staat. Aber abgesehen von diesem Aufstand und der Gegenwehr der Ashanti in Westafrika, endete der Widerstand angesichts von Artillerie und Schnellfeuergewehren meist rasch. Nach gleichem Muster unterwarfen sich 1892 die Ijebu, 1896 die Matabele (Ndebele), 1898 die Madinka (unter Samory Touré) und 1908 die Zulu.

Auf der Berliner Kongo-Konferenz von 1884/1885 wurde dem belgischen König Leopold II. ein neutraler Kongo-Staat als Privatbesitz zuerkannt.

Nie im Kampf besiegt wurden die zu den Zulu gehörenden Swasi; ihrem Land garantierten Transvaal und Großbritannien die Unabhängigkeit, bis es 1905 doch britisches Protektorat wurde. Nur ein Land konnte sich widersetzen: Abessinien (Äthiopien). Sein Kaiser Menelik II. besiegte 1896 die Italiener bei Adua. Auch Liberia, der Staat der befreiten Sklaven, konnte überleben, weil es Gebiete an Großbritannien und Frankreich abtrat.

Kolonialimperialismus: Unterdrückung und Ausbeutung

Bis 1914 war praktisch der gesamte Kontinent unter europäischer Kontrolle. Afrikas Rohstoffe und Arbeitskräfte wurden rücksichtslos ausgebeutet. Die Portugiesen verschifften Tausende von Zwangsarbeitern auf die Kakaoplantagen von São Tomé und Príncipe. Leopold II. von Belgien, der 1885 den Kongo-Freistaat zu seinem persönlichen Eigentum erklärte, erwarb mit Kautschuk und Elfenbein ein Vermögen. Als Belgien 1908 den unter Leopolds Herrschaft fast ausgebluteten Kongo annektierte, erreichte dessen Bevölkerung nur noch die Hälfte von 1891.

Dank seiner Präsenz in West-, Süd- und Nordafrika bekam Großbritannien bei der großen Aufteilung die Hälfte der neuen Kolonien und Protektorate. 1895 war seine Kolonie Goldküste der größte Kautschukproduzent der Erde. Wegen der Konkurrenz in Südostasien verlegte man sich dann auf Kakao und war 1914 hier weltweit führend.

Das Deutsche Reich beteiligte sich erst spät an der Kolonisation. Ihm gehörte zum Beispiel Togo, dem dank einer Reform des Gesundheitswesens, Missionsschulen und dem Bau von Straßen und Eisenbahnen einige der Segnungen der Moderne zuteil wurden.

1 Der britische General Charles Gordon, von Ismail Pascha 1873 zum Gouverneur des Sudan ernannt, fiel, als Truppen des Mahdi 1885 Khartum eroberten.

2 1905 schwor bei einem Aufstand gegen die Deutschen der Zauberer Kinjikitele Ngwale seinen Leuten vom Stamm der Ikemba, dass »Maji-Maji« (Zauberwasser) sie vor Gewehrkugeln schützen werde.

3 Die ugandische Eisenbahn, zwischen 1896 und 1901 gebaut, war für die Erschließung des fruchtbaren Gebiets nördlich des Victoriasees von größter Bedeutung.

4 Bernhard von Bülow, Staatssekretär im Auswärtigen Amt, sah 1897 mit den deutschen Kolonien in Afrika den Anspruch Deutschlands auf einen »Platz an der Sonne« erfüllt.

5 1898 führte der Zusammenstoß einer aus Westafrika entsandten französischen Expedition mit britischen Truppen bei Faschoda am Weißen Nil fast zum Krieg. Die Franzosen zogen sich schließlich wieder zurück.

Zeitleiste

Europäische Kolonialpolitik

1880

1881 Der Bei von Tunis akzeptiert die Schutzherrschaft Frankreichs.

1883 Die afrikanischen Kolonien Frankreichs müssen die Kultur der Kolonialmacht übernehmen.

1883 Frankreich beginnt mit der Eroberung Madagaskars.

1884 Eröffnung der Kongo-Konferenz in Berlin.

1885

1889 Eritrea wird die erste italienische Kolonie in Afrika.

1890 Großbritannien tritt Helgoland an Deutschland ab und erhält dafür Pemba und Sansibar.

1890

1894 Großbritannien besetzt das Gebiet des heutigen Uganda.

189

Kriege und Konflikte

1884 Samory Touré begründet eine islamische Theokratie.

1885 Die Briten retten Khartum vor den Truppen des Mahdi.

1889 Hinrichtung von Häuptling Abuschiri, Führer der Suaheli-Völker.

1890 Hendrik Witbooi führt den ersten Aufstand der Nama (Hottentotten) gegen die deutsche Herrschaft in Südwestafrika an.

1892 Frankreich zerstört Tukulor (Mali).

1893 Die Franzosen besiegen die Fonkrieger in Dahomey.

18 In Matabeleland ermorden die Ndeb viele Weiße und ihre afrikanischen Anhän

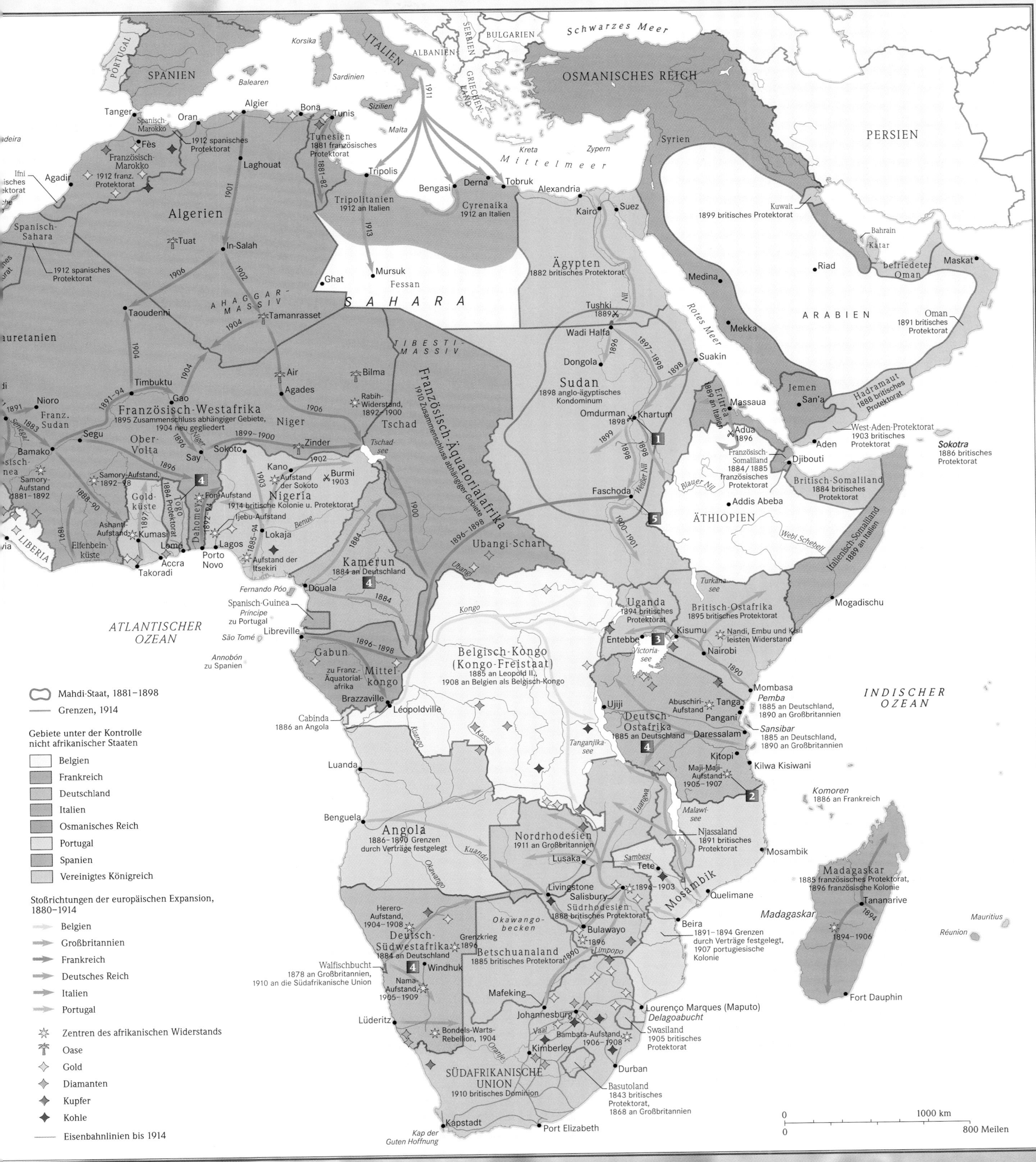

Mahdi-Staat, 1881–1898

Grenzen, 1914

Gebiete unter der Kontrolle nicht afrikanischer Staaten

- Belgien
- Frankreich
- Deutschland
- Italien
- Osmanisches Reich
- Portugal
- Spanien
- Vereinigtes Königreich

Stoßrichtungen der europäischen Expansion, 1880–1914

- Belgien
- Großbritannien
- Frankreich
- Deutsches Reich
- Italien
- Portugal

- Zentren des afrikanischen Widerstands
- Oase
- Gold
- Diamanten
- Kupfer
- Kohle
- Eisenbahnlinien bis 1914

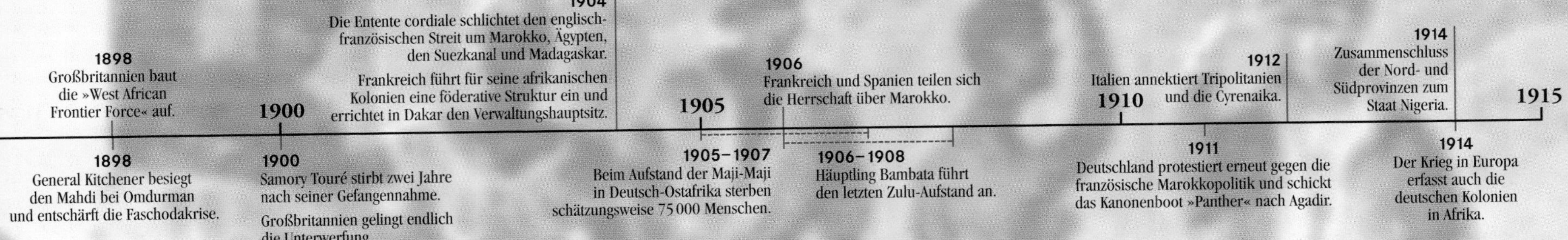
1898
Großbritannien baut die »West African Frontier Force« auf.
1898
General Kitchener besiegt den Mahdi bei Omdurman und entschärft die Faschodakrise.
1900
1900
Samory Touré stirbt zwei Jahre nach seiner Gefangennahme.
Großbritannien gelingt endlich die Unterwerfung der westafrikanischen Ashanti.
1904
Die Entente cordiale schlichtet den englisch-französischen Streit um Marokko, Ägypten, den Suezkanal und Madagaskar.
Frankreich führt für seine afrikanischen Kolonien eine föderative Struktur ein und errichtet in Dakar den Verwaltungshauptsitz.
1905
1905–1907
Beim Aufstand der Maji-Maji in Deutsch-Ostafrika sterben schätzungsweise 75 000 Menschen.
1906
Frankreich und Spanien teilen sich die Herrschaft über Marokko.
1906–1908
Häuptling Bambata führt den letzten Zulu-Aufstand an.
1910
1911
Deutschland protestiert erneut gegen die französische Marokkopolitik und schickt das Kanonenboot »Panther« nach Agadir.
1912
Italien annektiert Tripolitanien und die Cyrenaika.
1914
Zusammenschluss der Nord- und Südprovinzen zum Staat Nigeria.
1914
Der Krieg in Europa erfasst auch die deutschen Kolonien in Afrika.
1915

Die Welt im 19. Jahrhundert (1783 bis 1914)

Die Entwicklung Südafrikas • 1800 bis 1914

Am Kap lebten um das Jahr 1800 rund 15 000 Buren (Siedler niederländischer Herkunft). In dieser Zeit wuchs bereits der Einfluss Großbritanniens; einer kurzen Besetzung des Kaps zur Sicherung ihrer Handelswege während der Französischen Revolutionskriege ließen die Briten 1806 den Bau eines Flottenstützpunkts und 1814 die förmliche Annexion des Gebiets folgen.

Als zehn Jahre später Landreformen durchgeführt wurden, traten Spannungen mit den Kapburen auf, die schließlich auf ihrem »Großen Treck« ins Landesinnere wanderten, um sich der britischen Verwaltung zu entziehen. Einige dieser »Voortrekker« (Pioniere) zogen nach Norden, andere nach Natal im Osten. Dabei kam es immer wieder zu schweren Zusammenstößen mit den Eingeborenen.

Am Ende triumphierte die Kolonialmacht: Der Zuluherrscher Cetshwayo unterbreitet den britischen Truppen ein Friedensangebot; Holzstich, 1879.

Der Treck der Buren

1843 annektierte Großbritannien Natal, worauf sich die Buren erneut auf den Weg machten. Sie zogen über die Drakensberge ins Hohe Veld, wo sie die Republiken Oranje-Freistaat und Transvaal gründeten. Großbritannien erkannte 1852 beziehungsweise 1854 die Unabhängigkeit dieser Burenstaaten an. Deren Wirtschaft basierte auf der Verpachtung großer Güter an afrikanische Farmer, die mit Naturalien und ihrer Arbeitskraft bezahlten. Die Buren, die moderne Waffen besaßen, hielten sich für die überlegene Rasse und beschäftigten meist Haushaltssklaven.

Sicherung britischer Interessen

1871 wurden bei Kimberley in Griqualand Diamanten gefunden und eine Flut europäischer Einwanderer strömte ins Land. Bis 1800 besaß der Export von Diamanten (zunehmend durch die von Cecil Rhodes gegründete »De Beers Consolidated Mining Company« kontrolliert) bereits ein Jahresvolumen von mehr als 20 Millionen US-Dollar. 1886 wurde Witwatersrand Schauplatz eines wahren Goldrauschs, der Scharen von »Uitlanders« (in der Mehrzahl Briten) nach Transvaal lockte. Cecil Rhodes finanzierte Siedlerexpeditionen in den Norden nach Betschuanaland und Sambia. In Matabeleland stießen diese auf die Ndebele-Truppen Lobengulas, erreichten dann das Reich Lozi (von König Lewanika regiert) und nordwestlich des Malawisees das im Niedergang befindliche Königreich Kazembe.

Der Bau von Straßen und Eisenbahnen sorgte für weitere Veränderungen. In den Minen arbeiteten jetzt auch Einwanderer aus Mosambik und Indien. Witwatersrand war bald das größte Goldfeld der Erde; es zog Kapital und Fachkräfte aus dem Ausland an,

Kampfszene im zweiten Burenkrieg; 1901 zwangen die Briten die Buren zur Kapitulation, was im Folgejahr zum Frieden von Vereeniging führte.

so dass in Transvaal rasch ein moderner Staat entstand. Um sich die Vormacht zu sichern und einer deutschen beziehungsweise portugiesischen Expansion zu begegnen, annektierte Großbritannien Transvaal und Zululand. Der Zulukrieg von 1879 begann mit der Niederlage der Briten bei Isandhlwana, endete aber mit ihrem Sieg bei Ulundi. Im folgenden Jahr erhoben sich die Buren in Transvaal; in diesem ersten Burenkrieg siegten sie bei Majuba Hill und erlangten mit der Südafrikanischen Republik die Unabhängigkeit.

Burenkriege

Cecil Rhodes, seit 1890 Premierminister der Kapkolonie, wollte den britischen Herrschaftsbereich vom Kap bis Kairo ausweiten. Zum Sturz der Regierung im strategisch und wirtschaftlich wichtigen Transvaal schickte er 1895 eine bewaffnete Gruppe unter Leander Starr Jameson dorthin. Dieser »Jameson Raid« endete 1896 mit einem Fiasko und belastete die Beziehung zwischen Buren und Briten. Drei Jahre später brach der zweite Burenkrieg aus. Die Buren schlossen Ladysmith, Mafeking und Kimberley ein und siegten im Dezember 1899 bei Magersfontein, Colenso und Stormberg. Doch die Briten befreiten unter dem Kommando der Generäle Roberts und Kitchener die eingeschlossenen Orte und marschierten in die Burenrepubliken ein. Die Buren gingen nun zum Guerillakampf über, während Kitchener gepanzerte Eisenbahnzüge einsetzte. Die Farmen der Buren wurden zerstört und ihre Familien in Konzentrationslager gesperrt. Dies sowie der Einsatz von Eingeborenen-Einheiten und der stetige Zustrom britischer Verstärkungen (insgesamt 300 000 Mann) zwang die Buren 1901 zur Kapitulation.

1 Die Buren opponierten gegen eine menschliche Behandlung der eingeborenen Bevölkerung durch die britischen Missionare, die 1816 am Kap eintrafen, und die Abschaffung der Sklaverei im britischen Weltreich.

2 Die ersten indischen Arbeiter wurden 1860 geholt und auf den Zuckerrohrplantagen Natals eingesetzt.

3 Bei Rorke's Drift hielt eine 100 Mann starke britische Einheit Tausenden von Zulukriegern stand (23. Januar 1879). Nach dem Verlust von 350 Mann zogen sich die Zulu zurück.

4 Lobengula, der König der Ndebele (oder Matabele), räumte den Briten Schürfrechte ein. Als diese sein Königreich annektieren wollten, leistete er vergeblich Widerstand und nahm sich 1893 das Leben.

5 Nach der Vereitelung des »Jameson Raid« bei Krugersdorp (1. Januar 1896) löste ein Glückwunschtelegramm Kaiser Wilhelms II. an Transvaals Präsidenten Ohm Krüger eine Krise in den deutsch-britischen Beziehungen aus.

Die Südafrikanische Union

Der Friede von Vereeniging (1902) verwandelte die Burenrepubliken in britische Kolonien. Großbritannien gewährte eine Aufbauhilfe von zwölf Millionen US-Dollar und gestand Transvaal (1906) und dem Oranje-Freistaat (1907) die Selbstverwaltung zu. 1910 wurde das Dominion »Südafrikanische Union« geschaffen, in dem die Buren die beherrschende weiße Minderheit bildeten; erster Premier wurde der ehemalige Burengeneral Louis Botha.

Legende in Bronze: Paulus (»Ohm«) Krüger, Anführer der Buren, auf dem Church Square in Pretoria

Die eigentlichen Verlierer im Kampf zwischen Buren und Briten waren die Zulu und viele andere Völker. Man raubte ihr Land, siedelte sie in abgetrennte Territorien um und zwang sie, ihren Lebensunterhalt als Wanderarbeiter in den Gruben und Industriezentren zu verdienen. Der neue Staat praktizierte sofort eine systematische Rassendiskriminierung. Ein Gesetz von 1913 verfügte, dass kein Farbiger Land besitzen durfte, es sei denn in vorher festgelegten, meist unfruchtbaren Gebieten.

Swakop
Wa
Walfischbucht
1878 an Großbrit
1910 an die Südafrikan. Unio

ZEITLEISTE

POLITIK UND WIRTSCHAFT

- **1795** Erste Briten siedeln am Kap.
- **1814** Großbritannien erwirbt die Kapkolonie und zahlt den Niederlanden dafür 20 Millionen US-Dollar.
- **1820** Am Kap treffen 20 000 britische Siedler ein.
- **1834** Zum Missfallen der Buren schaffen die Briten in ihrem Weltreich die Sklaverei ab.
- **1835–1837** Die Buren beginnen den »Großen Treck«, überschreiten den Oranje und den Vaal und stoßen nach Natal vor.

1795 — 1800 — 1810 — 1820 — 1830 — 1840

MILITÄRISCHE ENTWICKLUNGEN

- **1806** Die Briten legen in Simonstown einen Flottenstützpunkt an.
- **1836** Die »Voortrekker« besiegen die Ndebele (5000 Krieger) bei Vegkop und noch einmal bei Kapain (1837).
- **1843** Großbritannien bricht den Widerstand der Buren und annektiert Natal.

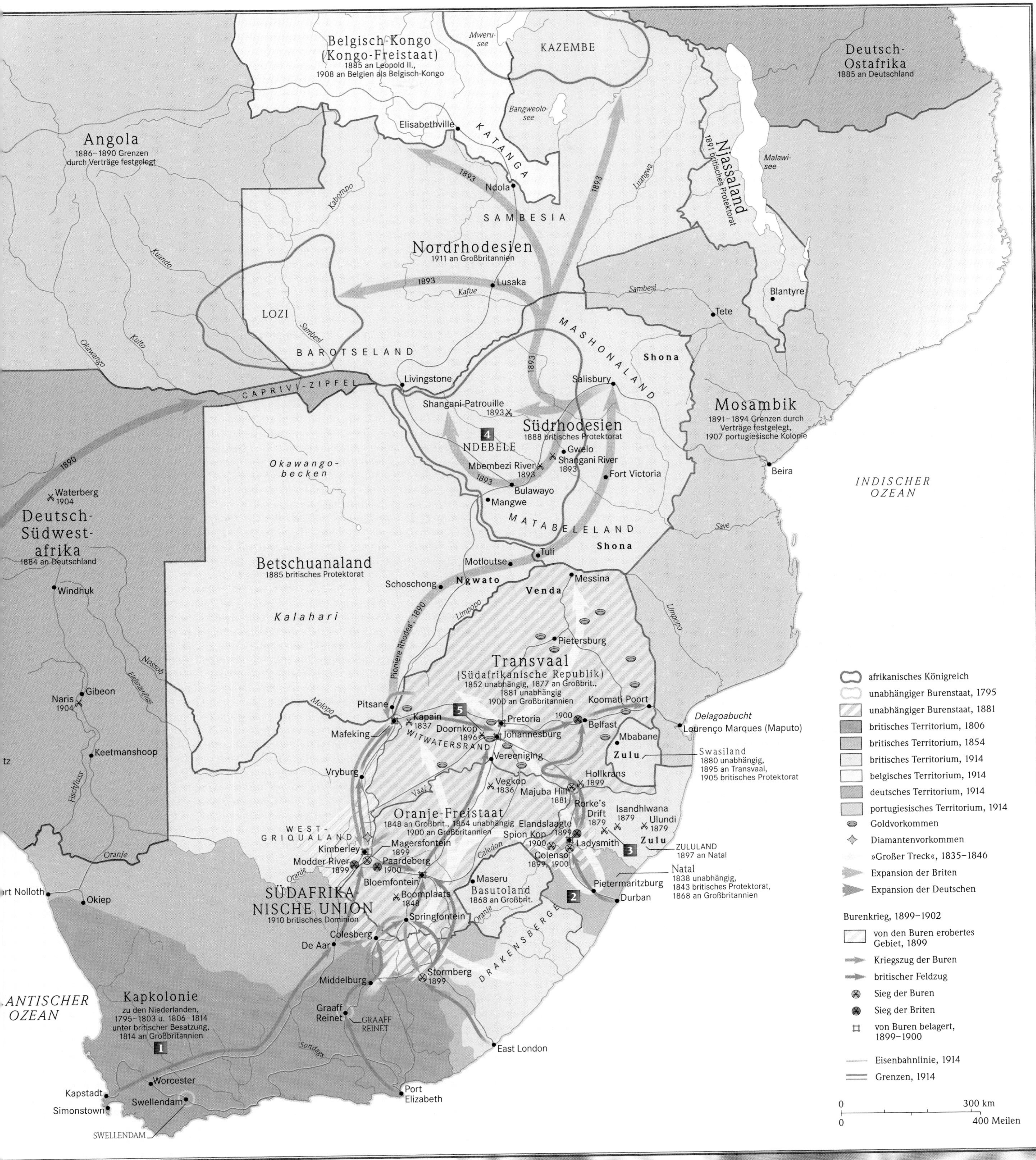

afrikanisches Königreich
unabhängiger Burenstaat, 1795
unabhängiger Burenstaat, 1881
britisches Territorium, 1806
britisches Territorium, 1854
britisches Territorium, 1914
belgisches Territorium, 1914
deutsches Territorium, 1914
portugiesisches Territorium, 1914
Goldvorkommen
Diamantenvorkommen
»Großer Treck«, 1835–1846
Expansion der Briten
Expansion der Deutschen

Burenkrieg, 1899–1902
von den Buren erobertes Gebiet, 1899
Kriegszug der Buren
britischer Feldzug
Sieg der Buren
Sieg der Briten
von Buren belagert, 1899–1900

Eisenbahnlinie, 1914
Grenzen, 1914

0 300 km
0 400 Meilen

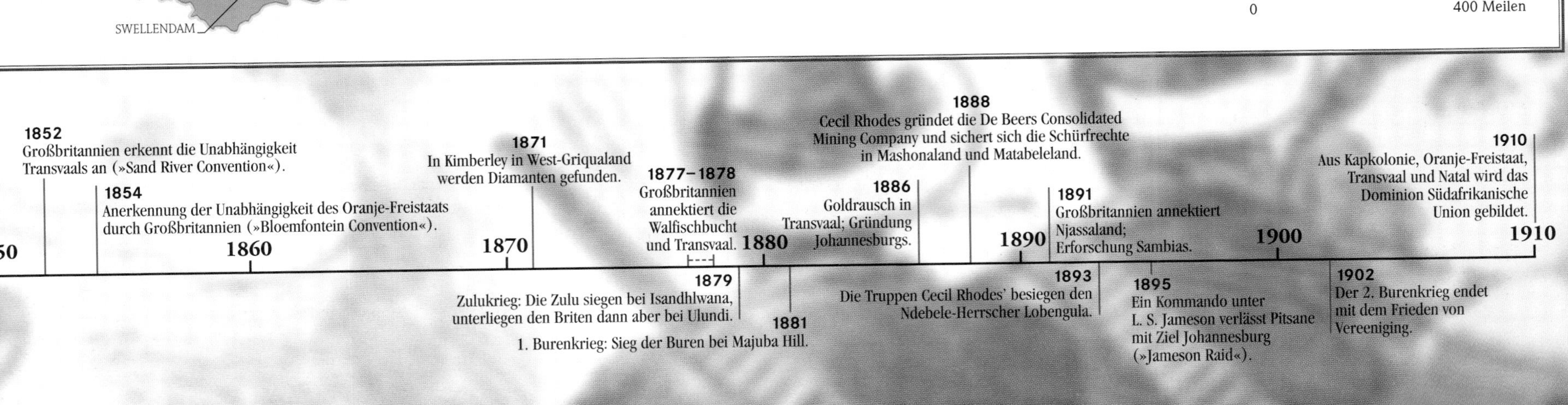

1852 Großbritannien erkennt die Unabhängigkeit Transvaals an (»Sand River Convention«).

1854 Anerkennung der Unabhängigkeit des Oranje-Freistaats durch Großbritannien (»Bloemfontein Convention«).

1871 In Kimberley in West-Griqualand werden Diamanten gefunden.

1877–1878 Großbritannien annektiert die Walfischbucht und Transvaal.

1879 Zulukrieg: Die Zulu siegen bei Isandhlwana, unterliegen den Briten dann aber bei Ulundi.

1881 1. Burenkrieg: Sieg der Buren bei Majuba Hill.

1886 Goldrausch in Transvaal; Gründung Johannesburgs.

1888 Cecil Rhodes gründet die De Beers Consolidated Mining Company und sichert sich die Schürfrechte in Mashonaland und Matabeleland.

1891 Großbritannien annektiert Njassaland; Erforschung Sambias.

1893 Die Truppen Cecil Rhodes' besiegen den Ndebele-Herrscher Lobengula.

1895 Ein Kommando unter L. S. Jameson verlässt Pitsane mit Ziel Johannesburg (»Jameson Raid«).

1902 Der 2. Burenkrieg endet mit dem Frieden von Vereeniging.

1910 Aus Kapkolonie, Oranje-Freistaat, Transvaal und Natal wird das Dominion Südafrikanische Union gebildet.

1850 1860 1870 1880 1890 1900 1910

Die Welt im 19. Jahrhundert (1783 bis 1914)

Die Besiedlung Australiens und Neuseelands durch die Europäer • 1788 bis 1914

Die Besiedlung Australiens durch die Europäer begann, als die britische Regierung 1786 angesichts überfüllter Gefängnisse beschloss, dort eine Strafkolonie zu gründen. Die ersten Gefangenen trafen im Jahr 1788 in der Botany Bay ein, von wo aus sie nach Port Jackson (Sydney) und auf die Norfolk-Inseln gebracht wurden. Die junge Kolonie wuchs, als sich entlassene Soldaten und Strafgefangene ansiedelten und begannen, Ackerbau zu betreiben.

Dies führte allerdings zum Konflikt mit den Aborigines, deren Überfälle Vergeltungsaktionen nach sich zogen, die in dem Massaker von Myall Creek (1838) gipfelten. Auf Van-Diemens-Land (dem heutigen Tasmanien) wollten die Siedler in den 1830er-Jahren sogar alle Aborigines vertreiben und auf Flinders Island ansiedeln.

Sträflinge, Forscher, Abenteurer

Die freie »Swan River Colony« in Perth und Fremantle zog bis 1831 über 1000 Siedler an. Auch hier brachen Feindseligkeiten aus. Die britische Regierung unterstützte die Kolonie, indem sie Sträflinge als Arbeitskräfte schickte. 1868 wurden die Deportationen eingestellt; bis dahin waren über 160 000 Sträflinge nach Australien verbannt worden.

Die Unwirtlichkeit des Landesinneren stand einer vollständigen Erforschung Australiens lange entgegen. Matthew Flinders umsegelte 1802/1803 den Kontinent, Edward John Eyre durchquerte mit Führern von 1839 bis 1841 dessen Süden. Ludwig Leichhardt zog von der Moreton Bay zur Nordküste. Burke und Wills durchquerten den Kontinent von Süden nach Norden, Stuart tat es ihnen 1861/1862 (auf einer anderen Route) nach. Warburton zog von Adelaide aus nach Norden und Westen bis Port Hedland und Giles zog über Perth durch die Gibsonwüste.

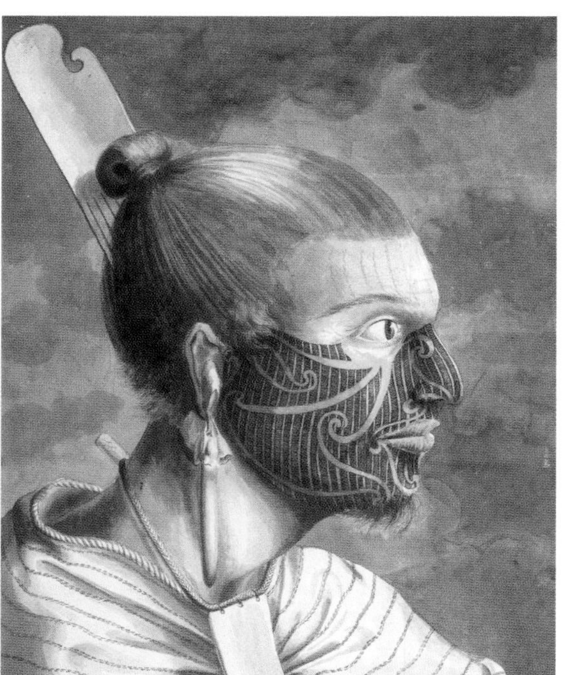

James Cook erforschte ab 1769 die Küsten Neuseelands und brachte dieses Porträt eines Maori mit.

Robert O'Hara Burke und William Wills starten zur Australien-Durchquerung.

Nach 1851 kamen auch verstärkt Einwanderer, die keine Sträflinge waren, nach Australien, weil in Bathurst, Ballarat, Bendigo und Kalgoorlie Gold gefunden worden war. In zehn Jahren wuchs die Bevölkerung auf über eine Million Menschen an und verdoppelte sich in der nächsten Dekade durch den Zustrom asiatischer und chinesischer Arbeitskräfte noch einmal. Rassenkonflikte führten zu strengen Einwanderungsgesetzen (die später Neuseeland übernahm). Bis 1890 besaßen alle australischen Staaten die Selbstverwaltung. 1891 zählte die Bevölkerung mehr als drei Millionen Menschen; fast ein Drittel davon waren Einwanderer der ersten Generation.

Widerstand der Maori

In Neuseeland trafen die ersten Siedler 1792 in der Bay of Islands ein und tauschten bei den eingeborenen Maori Musketen gegen Land ein. Die Folge waren »Musketenkriege« zwischen einzelnen Maoristämmen. Auf der Südinsel gründeten australische Walfänger Küstensiedlungen. Streitigkeiten sollten mit dem Vertrag von Waitangi beendet werden, der den Maori das Recht auf ihr Land zusicherte. Als die Siedler sich nicht daran hielten, kam es zum ersten Maori-Krieg (1843–1848) mit schweren Kämpfen bei Ohaeawai. Die Maori bewiesen ihre Einigkeit in der »Königsbewegung« von 1858 und ab 1860 in einem Guerillakrieg. Zwar beendeten sie 1872 ihren Widerstand gegen die Europäer, doch formell wurde der Frieden erst 1881 geschlossen.

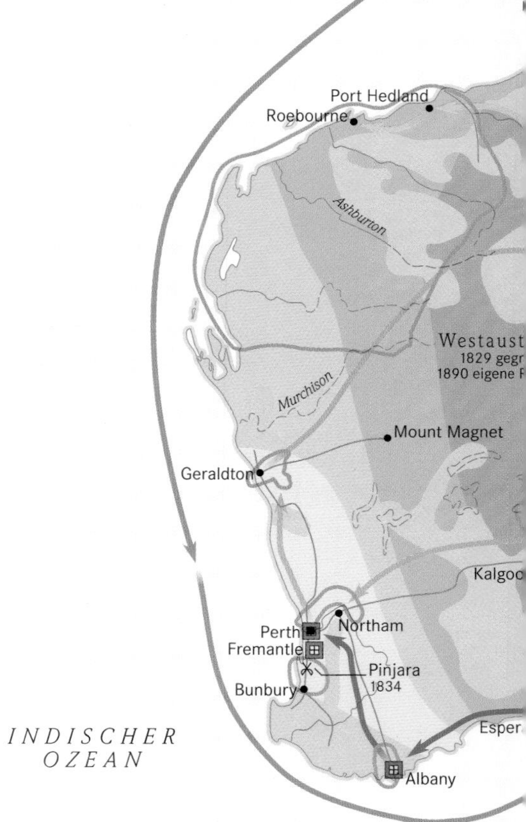

Port Hedland
Roebourne
Ashburton
1829 gegr
Murchison
Mount Magnet
Geraldton
Perth
Northam
Fremantle
Pinjara
1834
Bunbury
Albany
INDISCHER
OZEAN
0 800 km
0 600 Meilen

Hoffnung auf ein besseres Leben

Auch in Neuseeland stieg die Zahl der Einwanderer, nachdem 1861 bei Otago Gold gefunden worden war. Größerer Anreiz zu einer Auswanderung auf diese ferne Doppelinsel oder nach Australien waren

1 Der niederländische Entdecker Abel Tasman erreichte 1642 als erster Europäer Neuseeland.

2 1794 begann John MacArthur damit, in Neusüdwales Merinoschafe zu züchten, und schuf damit die Grundlage für den späteren Wohlstand Australiens.

3 Vor der Kolonisation lebten in Australien 300 000 Aborigines; durch Krankheiten und Gewalttätigkeiten der Siedler wurde ihre Zahl rasch dezimiert.

4 Die Erhebung politischer Gefangener aus Irland, die nach dem Aufstand von 1798 deportiert worden waren, wurde 1804 in Castle Hill brutal niedergeschlagen.

5 Burke und Wills verhungerten bei ihrer Expedition (1860–1861), weil sie einen Suchtrupp verfehlten.

6 Der Widerstand der Maori gegen die Europäer äußerte sich ab 1865 in der Hau-hau-Bewegung, die Christentum und Maori-Mythologie vereinte.

7 Canberra wurde 1908 zur Hauptstadt des »Commonwealth of Australia« erklärt, das dortige Parlamentsgebäude 1927 seiner Bestimmung übergeben.

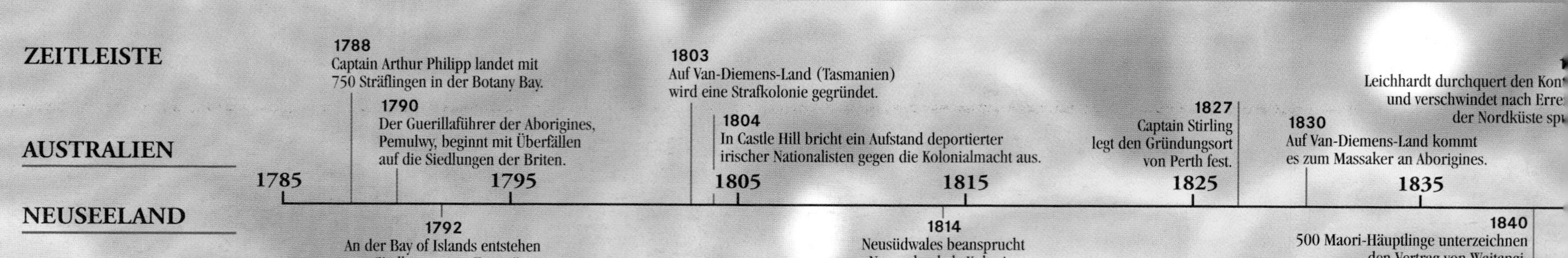

ZEITLEISTE
AUSTRALIEN
NEUSEELAND
1788
Captain Arthur Philipp landet mit 750 Sträflingen in der Botany Bay.
1790
Der Guerillaführer der Aborigines, Pemulwy, beginnt mit Überfällen auf die Siedlungen der Briten.
1803
Auf Van-Diemens-Land (Tasmanien) wird eine Strafkolonie gegründet.
1804
In Castle Hill bricht ein Aufstand deportierter irischer Nationalisten gegen die Kolonialmacht aus.
1827
Captain Stirling legt den Gründungsort von Perth fest.
1830
Auf Van-Diemens-Land kommt es zum Massaker an Aborigines.
1785
1795
1805
1815
1825
1835
1792
An der Bay of Islands entstehen erste Siedlungen von Europäern.
1814
Neusüdwales beansprucht Neuseeland als Kolonie.
1840
500 Maori-Häuptlinge unterzeichnen den Vertrag von Waitangi.

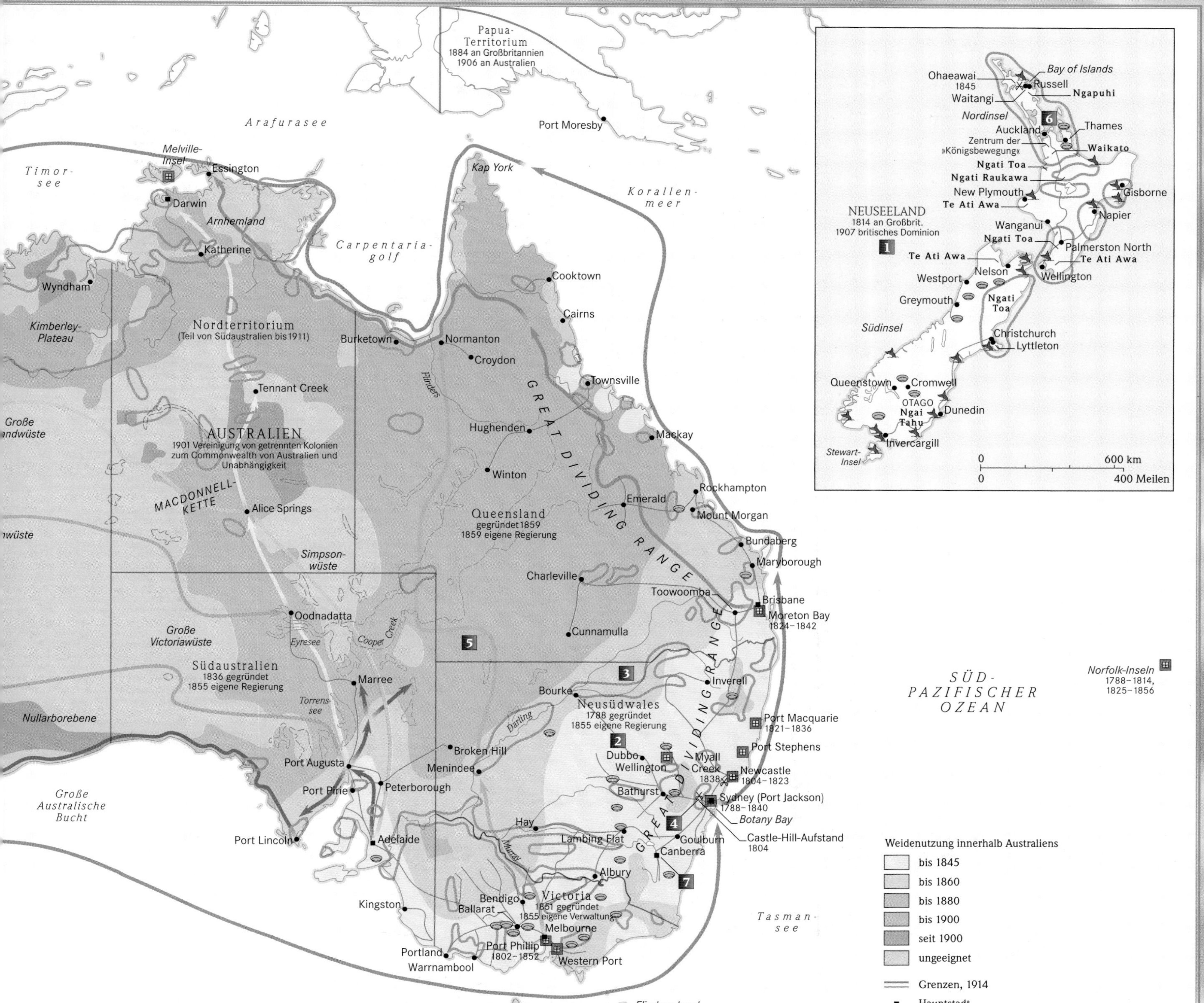

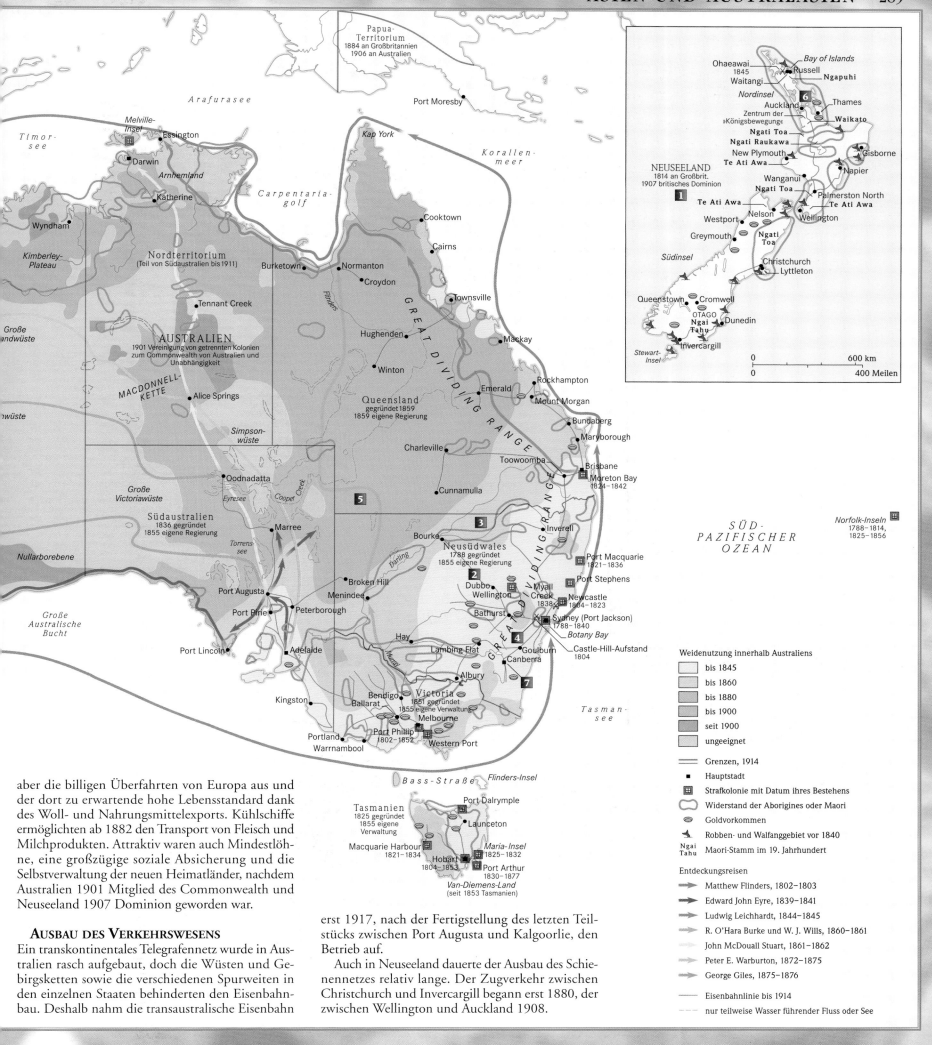

Weidenutzung innerhalb Australiens
- bis 1845
- bis 1860
- bis 1880
- bis 1900
- seit 1900
- ungeeignet

- Grenzen, 1914
- Hauptstadt
- Strafkolonie mit Datum ihres Bestehens
- Widerstand der Aborigines oder Maori
- Goldvorkommen
- Robben- und Walfanggebiet vor 1840
- Ngai Tahu Maori-Stamm im 19. Jahrhundert

Entdeckungsreisen
- Matthew Flinders, 1802–1803
- Edward John Eyre, 1839–1841
- Ludwig Leichhardt, 1844–1845
- R. O'Hara Burke und W. J. Wills, 1860–1861
- John McDouall Stuart, 1861–1862
- Peter E. Warburton, 1872–1875
- George Giles, 1875–1876

- Eisenbahnlinie bis 1914
- nur teilweise Wasser führender Fluss oder See

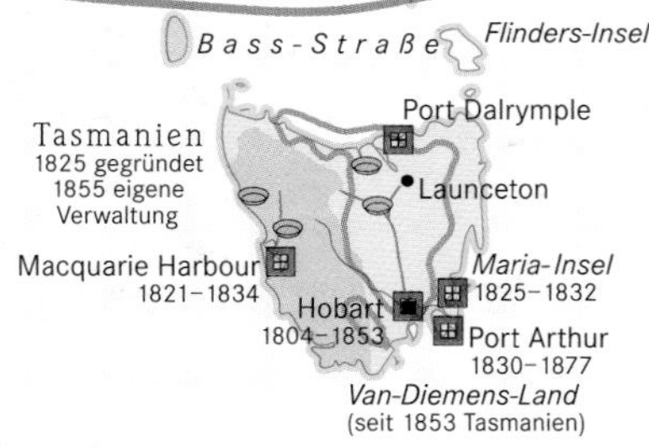

aber die billigen Überfahrten von Europa aus und der dort zu erwartende hohe Lebensstandard dank des Woll- und Nahrungsmittelexports. Kühlschiffe ermöglichten ab 1882 den Transport von Fleisch und Milchprodukten. Attraktiv waren auch Mindestlöhne, eine großzügige soziale Absicherung und die Selbstverwaltung der neuen Heimatländer, nachdem Australien 1901 Mitglied des Commonwealth und Neuseeland 1907 Dominion geworden war.

Ausbau des Verkehrswesens

Ein transkontinentales Telegrafennetz wurde in Australien rasch aufgebaut, doch die Wüsten und Gebirgsketten sowie die verschiedenen Spurweiten in den einzelnen Staaten behinderten den Eisenbahnbau. Deshalb nahm die transaustralische Eisenbahn erst 1917, nach der Fertigstellung des letzten Teilstücks zwischen Port Augusta und Kalgoorlie, den Betrieb auf.

Auch in Neuseeland dauerte der Ausbau des Schienennetzes relativ lange. Der Zugverkehr zwischen Christchurch und Invercargill begann erst 1880, der zwischen Wellington und Auckland 1908.

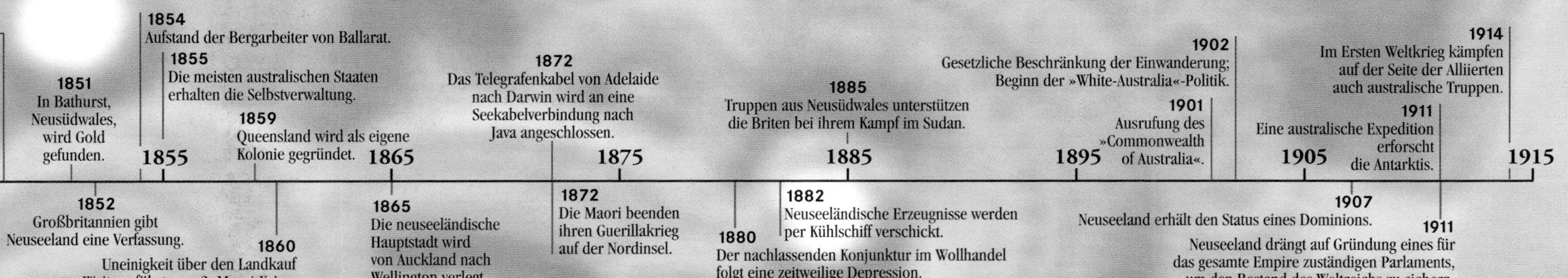
1851
In Bathurst, Neusüdwales, wird Gold gefunden.
1854
Aufstand der Bergarbeiter von Ballarat.
1855
Die meisten australischen Staaten erhalten die Selbstverwaltung.
1859
Queensland wird als eigene Kolonie gegründet.
1872
Das Telegrafenkabel von Adelaide nach Darwin wird an eine Seekabelverbindung nach Java angeschlossen.
1885
Truppen aus Neusüdwales unterstützen die Briten bei ihrem Kampf im Sudan.
1902
Gesetzliche Beschränkung der Einwanderung; Beginn der »White-Australia«-Politik.
1901
Ausrufung des »Commonwealth of Australia«.
1914
Im Ersten Weltkrieg kämpfen auf der Seite der Alliierten auch australische Truppen.
1911
Eine australische Expedition erforscht die Antarktis.
1855
1865
1875
1885
1895
1905
1915
1852
Großbritannien gibt Neuseeland eine Verfassung.
1860
Uneinigkeit über den Landkauf von Waitora führt zum 2. Maori-Krieg.
1865
Die neuseeländische Hauptstadt wird von Auckland nach Wellington verlegt.
1872
Die Maori beenden ihren Guerillakrieg auf der Nordinsel.
1880
Der nachlassenden Konjunktur im Wollhandel folgt eine zeitweilige Depression.
1882
Neuseeländische Erzeugnisse werden per Kühlschiff verschickt.
1907
Neuseeland erhält den Status eines Dominions.
1911
Neuseeland drängt auf Gründung eines für das gesamte Empire zuständigen Parlaments, um den Bestand des Weltreichs zu sichern.

Die Welt im 19. Jahrhundert (1783 bis 1914)

Der Niedergang des chinesischen Mandschu-Reiches • 1783 bis 1912

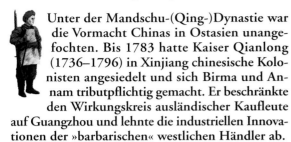

Unter der Mandschu-(Qing-)Dynastie war die Vormacht Chinas in Ostasien unangefochten. Bis 1783 hatte Kaiser Qianlong (1736–1796) in Xinjiang chinesische Kolonisten angesiedelt und sich Birma und Annam tributpflichtig gemacht. Er beschränkte den Wirkungskreis ausländischer Kaufleute auf Guangzhou und lehnte die industriellen Innovationen der »barbarischen« westlichen Händler ab.

Nach Qianlongs Abdankung wuchs der Opiumimport aus dem britischen Indien, was zu zwei so genannten Opiumkriegen (1839 bis 1842 und 1856 bis 1860) führte. Der Erste Opiumkrieg endete mit dem Frieden von Nanking (1842), in dem die Chinesen den Briten Hongkong und fünf »Vertragshäfen« abtreten mussten; auch nach dem Zweiten Opiumkrieg garantierten »ungleiche«, China aufgezwungene Verträge (1858 und 1860) weitere westliche Handelsniederlassungen.

Unter dem Einfluss fremder Mächte

Russland wollte strategisch wichtige Gebiete Chinas unter seine Kontrolle bringen. Zaristische Truppen annektierten die wichtige Region Ili und drangen

南京得勝圖

Kaiserliche Truppen greifen 1864 die Rebellenhauptstadt Nanking an. England und Frankreich unterstützten die Niederschlagung des Taiping-Aufstands.

dann in Xinjiang ein (von wo sie sich 1881 gegen eine Ablösezahlung zurückzogen). Von 1858 bis 1860 annektierte Russland auch Ostsibirien, um sich im Japanischen Meer eisfreie Häfen zu sichern. Eine ähnlich expansionistische Politik verfolgten Briten, Franzosen und Japaner. Großbritannien besetzte 1852 Unter-Birma und annektierte 1886 das gesamte Land. Frankreich suchte für Indochina Handelsverbindungen zur südchinesischen Provinz Yünnan und eroberte nach einem kurzen Krieg Tongking. Japan annektierte ab 1875 die China tributpflichtigen Ryukyu-Inseln und schwächte den Einfluss der Chinesen in ihrem Vasallenstaat Korea. In der Zeit von 1894 bis 1895

揚村大戰

Nach einem Gefecht zerren Boxer europäische Gefangene vor die zu Gericht sitzenden Mandarine.

verlor China auch Taiwan (Formosa) und die Pescadores. Die Qing-Dynastie empfand diese Zugeständnisse und Niederlagen als beispiellose Demütigung.

Aufstände

Weit größere Gefahren drohten im Inneren. Korruption, hohe Steuern und eine anhaltende Landflucht führten zu Aufständen. Hinter vielen standen Geheimbünde mit eigenen Zielen: Der »Weiße Lotos« wollte die Qing-Dynastie stürzen, um die Ming wieder an die Macht zu bringen. Seine Aufstände erschütterten Zentralchina 1796 bis 1804 und zum Teil bis 1813. Nach 1850 entwickelten sich die Revolten zu einer ernsthaften Bedrohung für die Qing-Dynastie. Hung Hsiu-ch'üan, der Anführer des Taiping-Aufstands, verkündete das Ende der Mandschu-Herrschaft und proklamierte das »Himmlische Reich des Großen Friedens«. Dieser Aufstand und seine Niederschlagung durch die Qing kostete rund 20 Millionen Menschen das Leben. Unzufriedenheit mit der Herrschaft der Manchu führte auch zum Aufruhr auf Taiwan, muslimischen Revolten in Xinjiang und Yünnan, zu Bauernprotesten in Henan und Unruhen des Stamms der Miao in Guizhou.

Die kurzlebige »Bewegung der Selbststärkung« des Politikers Li Hongzhang zielte in den 1860er-Jahren auf die Modernisierung des Militärs und der Industrie. Der Plan, im Ausland Waffen zu kaufen und im Land Arsenale und Fabriken zu bauen, fand jedoch bei der Kaiserinwitwe Tz'u Hsi (1862 bis 1908) und ihrem Hof in Peking keinen Anklang. Derweil verstummten die westlichen Forderungen nach weiteren Konzessionen, Land für Niederlassungen, Eisenbahnen und Handelseinrichtungen nie. Unter Tz'u Hsi bekam die antiwestliche Einstellung der Chinesen einen republikanischen Anstrich und kristallisierte sich in der Kuomintang, der Nationalen Volkspartei unter Vorsitz des Arztes Sun Yat-sen.

Der Boxeraufstand

Die Schmach weiterer Gebietsverluste im Jahr 1898 führte zum Boxeraufstand (1900–1901), der sich vor allem gegen die ausländischen Gesandtschaften in Peking richtete. Das Ergebnis dieser von Tz'u Hsi unterstützten Revolte war das internationale Boxerprotokoll (1901), das den ausländischen Mächten noch mehr Handelskonzessionen und hohe Reparationszahlungen einbrachte. Soldaten der Westmächte bewachten die Siedlungen der ausländischen Zivilisten. Handel und Mission nahmen zu. Fast die gesamte chinesische Wirtschaft stand unter der Kontrolle ausländischer Banken, die nun auch Projekte wie den Bau der Transsibirischen Eisenbahn durch die Mandschurei bis Wladiwostok finanzierten.

Sturz der Qing-Dynastie

1911 nutzte Sun Yat-sens Kuomintang die Meuterei der Armee im Industriegebiet Wuhan, um in Zentral- und Südchina die Macht zu übernehmen und

1 Nach dem Erwerb neuer Territorien wie Xinjiang durch die Mandschu wuchs die chinesische Bevölkerung zur Mitte des 19. Jahrhunderts auf mehr als 400 Millionen Menschen an.

2 Opium wurde nicht als Droge nach China geliefert, sondern als Arznei. Die Möglichkeit, es auch als Rauschmittel zu verwenden, führte 1800 zu kaiserlichen Erlassen, die die Produktion und Einfuhr verboten.

3 1841 musste China Hongkong an Großbritannien abtreten (Bestätigung 1842). 1899 unterzeichnete London einen Pachtvertrag über 99 Jahre.

4 Schanghai war 1842 einer der ersten für den Handel mit dem Westen geöffneten »Vertragshäfen«, in denen die Ausländer nicht dem chinesischen Recht unterstanden und von allen Steuern befreit waren.

5 Der Taiping-Aufstand (1850–1864) berief sich auch auf christliches, von den Missionaren verbreitetes Gedankengut. Der Anführer Hung Hsiu-ch'üan behauptete gar, ein jüngerer Bruder Christi zu sein.

6 Die Boxer waren ein fremdenfeindlicher, antichristlicher Geheimbund, der auf der Halbinsel Shandong gegründet worden war.

7 Deutschland schickte 1897 ein Truppenkontingent zum Schutz des Hafens Tsingtao (Tsingtau). Die Deutschen sorgten in dieser Stadt für den Aufbau der Industrie; 1914 fiel Tsingtao an Japan.

Zeitleiste

Handel und Politik

1793 Kaiser Qianlong brüskiert eine britische Handelsdelegation, die von Lord Macartney geleitet wird.

1796 Kaiser Qianlong dankt ab, weil er nicht länger regieren will als sein Großvater.

1816 Ausweisung einer von Lord Amherst geleiteten britischen Handelsdelegation.

1830 Die illegalen britischen und amerikanischen Opiumlieferungen nach China nehmen stark zu.

1839 Der kaiserliche Beauftragte Lin Tse-tsu wird nach Guangzhou geschickt, um den Opiumhandel zu ersticken.

1839–1842 Der erste englisch-chinesische Krieg bringt die Öffnung von fünf Vertragshäfen.

1844 Frankreich und die Vereinigten Staaten unterzeichnen Handelsabkommen mit China.

1790 – 1800 – 1810 – 1820 – 1830 – 1840

Aufstände

1796–1804 Der Aufstand der Gruppe »Weißer Lotos« erfasst ganz Zentralchina.

185[…] Der Taiping-Aufsta[nd] (»taiping« = »himmlisches Königreich«) bricht in Jintian aus und dauert bis 186[…]

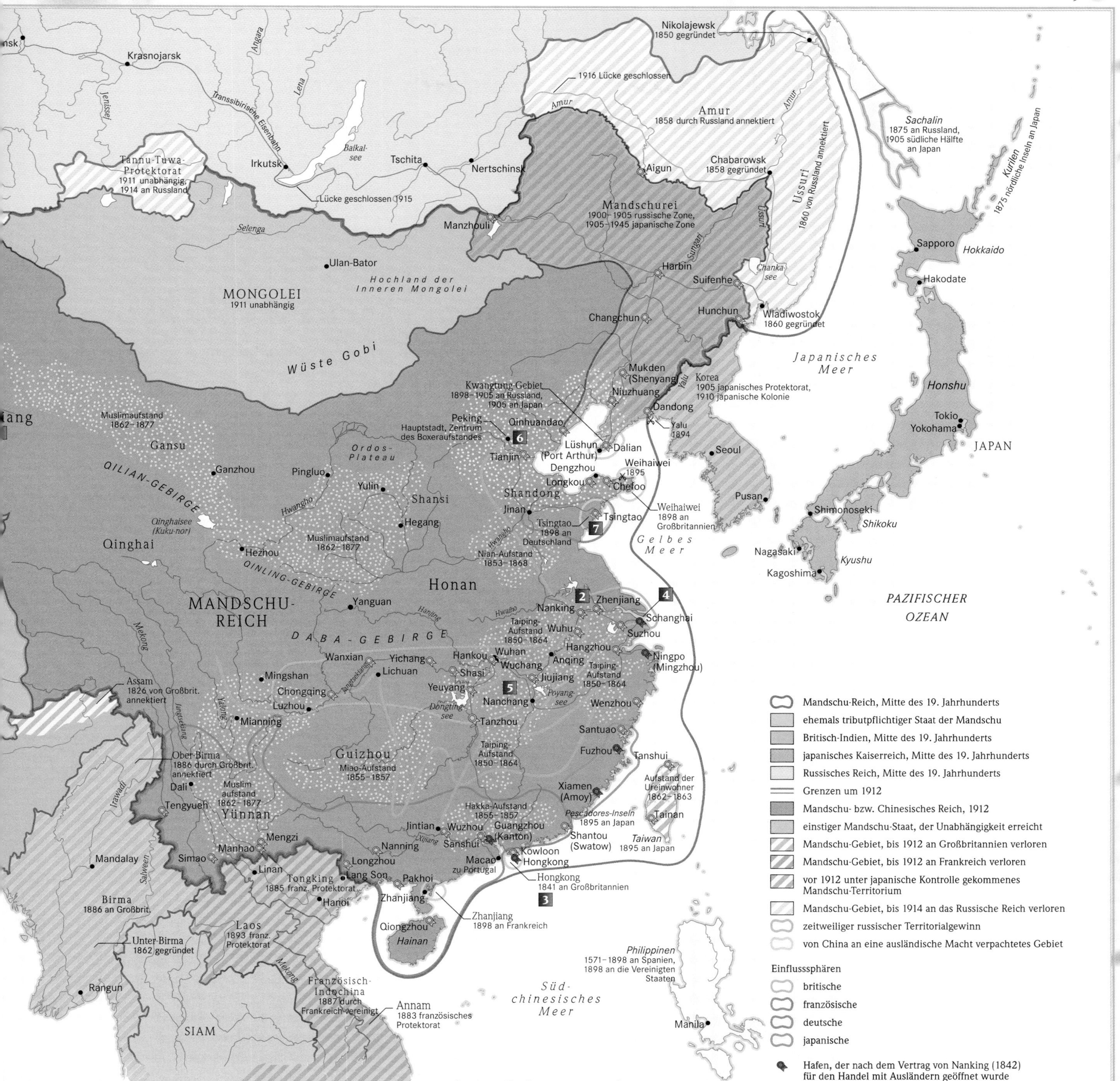

- Mandschu-Reich, Mitte des 19. Jahrhunderts
- ehemals tributpflichtiger Staat der Mandschu
- Britisch-Indien, Mitte des 19. Jahrhunderts
- japanisches Kaiserreich, Mitte des 19. Jahrhunderts
- Russisches Reich, Mitte des 19. Jahrhunderts
- Grenzen um 1912
- Mandschu- bzw. Chinesisches Reich, 1912
- einstiger Mandschu-Staat, der Unabhängigkeit erreicht
- Mandschu-Gebiet, bis 1912 an Großbritannien verloren
- Mandschu-Gebiet, bis 1912 an Frankreich verloren
- vor 1912 unter japanische Kontrolle gekommenes Mandschu-Territorium
- Mandschu-Gebiet, bis 1914 an das Russische Reich verloren
- zeitweiliger russischer Territorialgewinn
- von China an eine ausländische Macht verpachtetes Gebiet

Einflusssphären

- britische
- französische
- deutsche
- japanische

- Hafen, der nach dem Vertrag von Nanking (1842) für den Handel mit Ausländern geöffnet wurde
- »Vertragshafen« seit 1858
- Vorstoß der Taiping-Rebellen, 1850–1864
- Aufstand gegen das Mandschu-Regime, datiert
- Zentrum des Boxeraufstands, 1900–1901
- Eisenbahnlinie bis 1914
- Teil der Transsibirischen Eisenbahn, der 1915 fertig gestellt wurde
- Lücke in der Streckenführung der Transsibirischen Eisenbahn, die 1916 geschlossen wurde

die Qing zu stürzen. Sun Yat-sen kehrte aus dem Exil nach Schanghai zurück, verkündete seine drei Volksprinzipien (Nationalismus, Demokratie und Volkswohlstand) und wurde zum ersten vorläufigen Präsidenten Chinas gewählt.

Am 1. Januar 1912 war das Land eine Republik. Doch nach der offiziellen Abdankung des noch minderjährigen Kaisers Pu Yi am 12. Februar 1912 wurde General Yüan Shi-kai zum Präsidenten nominiert und Sun Yat-sen verzichtete um der nationalen Einheit willen freiwillig auf das Amt.

Yüan Shi-kai wollte allerdings eine neue Kaiserdynastie begründen und unterdrückte deshalb die Kuomintang. Im Jahr 1913 bildete Sun Yat-sen in Guangzhou die erste einer Reihe provisorischer Regierungen.

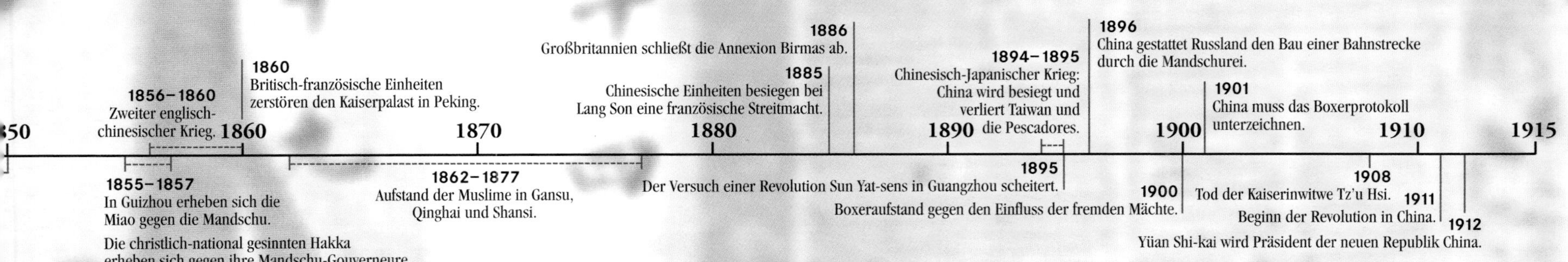
1856–1860
Zweiter englisch-chinesischer Krieg.
1860
Britisch-französische Einheiten zerstören den Kaiserpalast in Peking.
1886
Großbritannien schließt die Annexion Birmas ab.
1885
Chinesische Einheiten besiegen bei Lang Son eine französische Streitmacht.
1894–1895
Chinesisch-Japanischer Krieg: China wird besiegt und verliert Taiwan und die Pescadores.
1896
China gestattet Russland den Bau einer Bahnstrecke durch die Mandschurei.
1901
China muss das Boxerprotokoll unterzeichnen.
1860
1870
1880
1890
1900
1910
1915
1855–1857
In Guizhou erheben sich die Miao gegen die Mandschu.
Die christlich-national gesinnten Hakka erheben sich gegen ihre Mandschu-Gouverneure.
1862–1877
Aufstand der Muslime in Gansu, Qinghai und Shansi.
1895
Der Versuch einer Revolution Sun Yat-sens in Guangzhou scheitert.
1900
Boxeraufstand gegen den Einfluss der fremden Mächte.
1908
Tod der Kaiserinwitwe Tz'u Hsi.
1911
Beginn der Revolution in China.
1912
Yüan Shi-kai wird Präsident der neuen Republik China.

Die Welt im 19. Jahrhundert (1783 bis 1914)

Japan im 19. Jahrhundert • 1800 bis 1914

Baikalsee

Irkutsk

Transsibirische Eis

Das Bakufu (Militärverwaltung), das von Tokugawa Ieyasu zu Beginn des 17. Jahrhunderts in Edo aufgebaut worden war, beherrschte Japan bis Mitte des 19. Jahrhunderts. Der Shogun übte die absolute Macht aus und hielt die Daimyo (Landesfürsten) sowie die zunehmend verarmenden Samuraikrieger unter strenger Kontrolle. Der Kaiser residierte hingegen in göttlicher Entrücktheit im 480 Kilometer von Edo entfernten Kyoto.

Japans geschlossene Gesellschaft lehnte jeden Kontakt mit Fremden ab. Russische und amerikanische Schiffe, die 1791 und 1792 Handelsbeziehungen anknüpfen wollten, wurden vertrieben. Im Zuge der Erschließung Kaliforniens, namentlich nach dem Goldrausch von 1848, erkannten die USA die wirtschaftlichen Möglichkeiten des pazifischen Raums. Als Commander Matthew Perry 1853 vor Uraga ankerte, um den Handel mit Japan in Gang zu bringen, wurde die Frage der Außenkontakte akut. Ein Jahr später kehrte Perry mit einem Marinegeschwader und 4000 Soldaten in die Bucht von Edo zurück und erzwang die ersten eingeschränkten Konzessionen für ausländische Kaufleute in den Hafenstädtchen Shimoda und Hakodate.

Wachsender Widerstand gegen die Fremden

In den nächsten Jahren wuchs der Widerstand junger Samurai gegen die fremden Einflüsse. Attacken gegen Handelsschiffe endeten 1863 beziehungsweise 1864 in der Beschießung der Festungen Kagoshima und Shimonoseki durch einen internationalen Flottenverband. Aus der Fremdenfeindlichkeit entwickelte sich eine konzertierte Opposition gegen die Shogunatregierung. 1867 brach ein Bürgerkrieg aus und Kaiser Mutsuhito trat unter dem neuen Namen Meiji an die Stelle des Shoguns (Meiji-Reform, »aufgeklärte Regierung«). Der Hof zog nach Edo um, das von nun an Tokio hieß.

Die Meiji-Reformen

Unter dem neuen kaiserlichen Regime begann Japan, mit dem Westen zu konkurrieren, das heißt sich zu industrialisieren, moderne Streitkräfte aufzubauen und eine aggressive Außenpolitik mit dem Ziel zu betreiben, die Vorherrschaft in Ostasien zu erringen. Fremden Einflüssen begegnete man jetzt pragmatisch und nutzte beim Aufbau der ersten eigenen Industrieunternehmen westliches Fachwissen. Vor allem die Schwerindustrie erforderte die Einfuhr von Maschinen und Material aus dem Westen (Stahl, Dampflokomotiven und Waggons). Über das Büro eines Samurai-Bankiers lieh sich die Regierung Geld von den vier mächtigen Finanzinstituten Mitsui, Mitsubishi, Sumitomo und Jasuda, die Industrie und Handel beherrschten.

Japans Aufstieg zur Grossmacht

Zwischen 1871 und 1914 stieg Japan zur Großmacht auf und erweiterte sein Territorium um die Ryukyu- und Bonin-Inseln (Ogasawara), den südlichen Teil von Sachalin und die nördlichen Kurilen. 1894 brach wegen sozio-ökonomischer Probleme in Korea der Tonghak-Aufstand aus, der die Intervention Chinas und Japans provozierte und noch im selben Jahr zum Krieg zwischen beiden Mächten führte. Im Gelben Meer zerstörte die japanische die chinesische Flotte und Japans Landheer drang siegreich in der Mandschurei vor. Die Niederlage kostete China Taiwan und die Pescadores. Korea wurde für kurze Zeit unabhängig. Nach einer Intervention der westlichen Großmächte musste Japan allerdings Port Arthur und die Halbinsel Liaodong wieder räumen. Als Russland von China das mandschurische Port Arthur pachtete und seinen Einfluss in Korea zu vergrößern suchte, geriet Japan darüber in größte Sorge. Es verbündete sich deshalb 1902 mit Großbritannien. Tokios Kalkül war, dass die Briten im Kriegsfall das mit Russland assoziierte Frankreich neutralisieren würden. Nun konnte Japan daran gehen, seinen Hauptrivalen niederzuringen.

1904 landeten japanische Truppen in Korea und stießen nach Norden zum Yalu vor. Japanische Kriegsschiffe schlossen die russische Flotte in Port Arthur ein. Der Stützpunkt kapitulierte am 1. Januar 1905 und die zaristische Armee wurde bei Mukden besiegt. Mittlerweile war die veraltete russische Ostseeflotte eingetroffen, kam aber für einen Entsatz Port Arthurs zu spät – Admiral Togo vernichtete sie vor Tsushima. Im Frieden von Portsmouth (USA) trat Russland 1905 die Südhälfte von Sachalin ab, verzichtete auf die Pacht Port Arthurs und die 1904 eröffnete Bahnstrecke durch die südliche Mandschurei. 1910 annektierte Japan das unabhängige Korea. 1914 hatte es sich in Ostasien eine ausgedehnte Einflusssphäre geschaffen.

1 Die Ziele der Expedition Perrys waren eng gesteckt: Er sollte nur eine humane Behandlung schiffbrüchiger amerikanischer Walfänger und den Handelszugang in ein oder zwei Häfen erreichen.

2 Samurai-Aktivisten aus Satsuma und Choshu spielten in der fremdenfeindlichen Bewegung eine zentrale Rolle und beherrschten später das Meiji-Regime.

3 Japans erste Eisenbahn fuhr ab 1872 zwischen Yokohama und Tokio.

4 Die mit Dampfmaschinen arbeitende Baumwollspinnerei von Osaka nahm 1853 die Produktion auf. Bis 1914 entfielen auf die über 80 japanischen Betriebe fast 25 Prozent der Weltproduktion.

5 Die Träger des Tonghak-Aufstands in Korea ließen sich von buddhistischen, konfuzianischen und nationalistisch-fremdenfeindlichen Vorstellungen leiten.

6 Lüshun (Port Arthur), das Russland 1898 von China gepachtet hatte, war als eisfreier Hafen von unschätzbarem Wert für die zaristische Marine.

Der Reform-Kaiser: Meiji-Tenno (rechts; eigentlich Mutsuhito, 1867–1912) im Kreise seiner Familie

ZEITLEISTE

POLITIK UND WIRTSCHAFT

KRIEGE UND KONFLIKTE

1820 · 1830 · 1840 · 1850

1820–1850 Alle Versuche des Westens, mit Japan Kontakt aufzunehmen, werden zurückgewiesen.

1853 Der amerikanische Commander Matthew Perry ankert vor Uraga in der Bucht von Edo.

1854 Perry zwingt den Japanern den Vertrag von Kanagawa auf: Zwei Häfen werden für den Handel geöffnet.

1858 Japan unterzeichnet die »ungleichen Verträge« mit ausländischen Mächten.

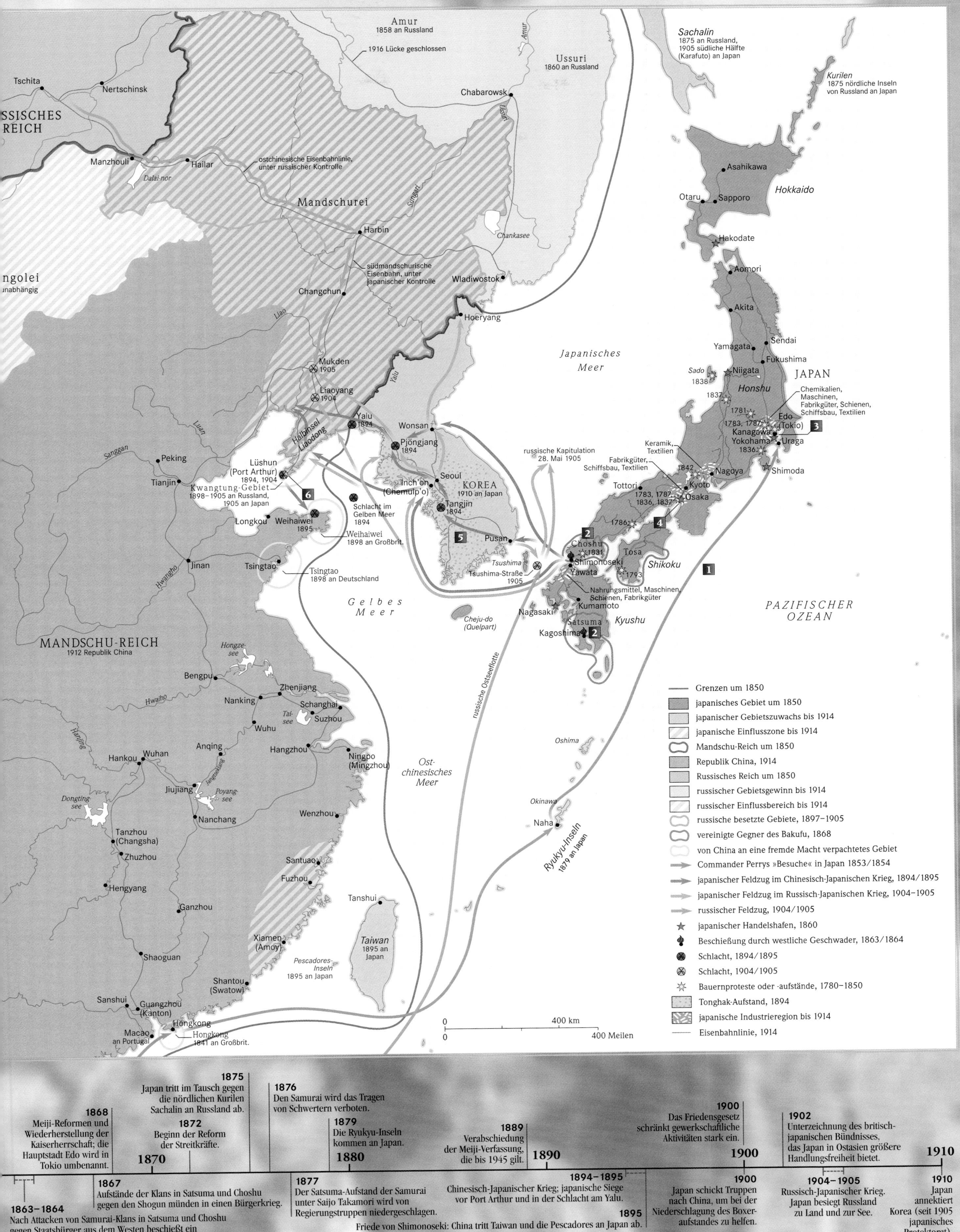

Amur
1858 an Russland
1916 Lücke geschlossen
Ussuri
1860 an Russland
Sachalin
1875 an Russland, 1905 südliche Hälfte (Karafuto) an Japan
Kurilen
1875 nördliche Inseln von Russland an Japan
Tschita
Nertschinsk
Chabarowsk
SSISCHES REICH
Manzhouli
Hailar
Dalai-nor
ostchinesische Eisenbahnlinie, unter russischer Kontrolle
Mandschurei
Sungari
Harbin
Chankasee
südmandschurische Eisenbahn, unter japanischer Kontrolle
Changchun
Wladiwostok
ngolei
unabhängig
Liao
Hoeryang
Mukden 1905
Liaoyang 1904
Yalu
Yalu 1894
Luan
Halbinsel Liaodong
Wonsan
Pjöngjang 1894
Sanggan
Peking
Tianjin
Lüshun (Port Arthur) 1894, 1904
Kwangtung-Gebiet 1898–1905 an Russland, 1905 an Japan
Inch'on (Chemulp'o)
Seoul
KOREA
1910 an Japan
Tangjin 1894
Schlacht im Gelben Meer 1894
Longkou
Weihaiwei 1895
Weihaiwei 1898 an Großbrit.
Pusan
Tsushima
Tsushima-Straße 1905
russische Kapitulation 28. Mai 1905
Jinan
Hwangho
Tsingtao
Tsingtao 1898 an Deutschland
Gelbes Meer
Cheju-do (Quelpart)
Japanisches Meer
Asahikawa
Otaru
Sapporo
Hokkaido
Hakodate
Aomori
Akita
Yamagata
Sendai
Fukushima
Sado 1838
Niigata
JAPAN
Honshu
1837
1781
1783, 1787
Chemikalien, Maschinen, Fabrikgüter, Schienen, Schiffsbau, Textilien
Edo (Tokio)
Kanagawa
Yokohama
Uraga
1836
Keramik, Textilien
Fabrikgüter, Schiffsbau, Textilien
1842
Nagoya
Shimoda
Tottori
Kyoto
1783, 1787
1836, 1837
Osaka
1786
Choshu
1831
Shimonoseki
Yawata
Tosa
Shikoku
1793
Nahrungsmittel, Maschinen, Schienen, Fabrikgüter
Nagasaki
Kumamoto
Kyushu
Satsuma
Kagoshima
PAZIFISCHER OZEAN
MANDSCHU-REICH
1912 Republik China
Hongze-see
Bengpu
Zhenjiang
Hwaiho
Nanking
Schanghai
Tai-see
Suzhou
Wuhu
Hanjiang
Hankou
Wuhan
Anqing
Jangtsekiang
Hangzhou
Ningpo (Mingzhou)
Ostchinesisches Meer
russische Ostseeflotte
Oshima
Jiujiang
Poyang-see
Dongting-see
Nanchang
Wenzhou
Okinawa
Naha
Ryukyu-Inseln
1879 an Japan
Tanzhou (Changsha)
Zhuzhou
Santuao
Fuzhou
Hengyang
Tanshui
Ganzhou
Taiwan
1895 an Japan
Xiamen (Amoy)
Pescadores-Inseln
1895 an Japan
Shaoguan
Shantou (Swatow)
Sanshui
Guangzhou (Kanton)
Hongkong
Hongkong 1841 an Großbrit.
Macao an Portugal
0 400 km
0 400 Meilen
Grenzen um 1850
japanisches Gebiet um 1850
japanischer Gebietszuwachs bis 1914
japanische Einflusszone bis 1914
Mandschu-Reich um 1850
Republik China, 1914
Russisches Reich um 1850
russischer Gebietsgewinn bis 1914
russischer Einflussbereich bis 1914
russische besetzte Gebiete, 1897–1905
vereinigte Gegner des Bakufu, 1868
von China an eine fremde Macht verpachtetes Gebiet
Commander Perrys »Besuche« in Japan 1853/1854
japanischer Feldzug im Chinesisch-Japanischen Krieg, 1894/1895
japanischer Feldzug im Russisch-Japanischen Krieg, 1904–1905
russischer Feldzug, 1904/1905
japanischer Handelshafen, 1860
Beschießung durch westliche Geschwader, 1863/1864
Schlacht, 1894/1895
Schlacht, 1904/1905
Bauernproteste oder -aufstände, 1780–1850
Tonghak-Aufstand, 1894
japanische Industrieregion bis 1914
Eisenbahnlinie, 1914

1863–1864 Nach Attacken von Samurai-Klans in Satsuma und Choshu gegen Staatsbürger aus dem Westen beschießt ein westlicher Flottenverband Kagoshima und Shimonoseki.

1867 Aufstände der Klans in Satsuma und Choshu gegen den Shogun münden in einen Bürgerkrieg.

1868 Meiji-Reformen und Wiederherstellung der Kaiserherrschaft; die Hauptstadt Edo wird in Tokio umbenannt.

1870

1872 Beginn der Reform der Streitkräfte.

1875 Japan tritt im Tausch gegen die nördlichen Kurilen Sachalin an Russland ab.

1876 Den Samurai wird das Tragen von Schwertern verboten.

1877 Der Satsuma-Aufstand der Samurai unter Saijo Takamori wird von Regierungstruppen niedergeschlagen.

1879 Die Ryukyu-Inseln kommen an Japan.

1880

1889 Verabschiedung der Meiji-Verfassung, die bis 1945 gilt.

1890

1894–1895 Chinesisch-Japanischer Krieg; japanische Siege vor Port Arthur und in der Schlacht am Yalu.

1895 Friede von Shimonoseki: China tritt Taiwan und die Pescadores an Japan ab.

1900 Das Friedensgesetz schränkt gewerkschaftliche Aktivitäten stark ein.

1900 Japan schickt Truppen nach China, um bei der Niederschlagung des Boxeraufstandes zu helfen.

1902 Unterzeichnung des britisch-japanischen Bündnisses, das Japan in Ostasien größere Handlungsfreiheit bietet.

1904–1905 Russisch-Japanischer Krieg. Japan besiegt Russland zu Land und zur See.

1910 Japan annektiert Korea (seit 1905 japanisches Protektorat).

Die Welt im 19. Jahrhundert (1783 bis 1914)

Großbritannien und Indien • 1783 bis 1914

Trotz der gegen Ende des 18. Jahrhunderts praktizierten Politik der Eroberung von Territorien sah sich die britische Ostindische Kompanie entsprechend dem Indiengesetz von 1784 auf dem Subkontinent nach wie vor dem Handel verpflichtet. Doch die englische Machtbasis in Indien wuchs weiter, da viele Generalgouverneure »feindliche« Territorien besetzten oder Protektorate errichteten, um Störungen des Handels zu verhindern.

So verlor der Sultan von Mysore, Tipu Sahib, der 1789 Travancore angegriffen hatte, in dem folgenden Krieg die Hälfte seines Gebietes an die Briten.

Die Erstürmung der Stadt Ghasni durch die Briten im ersten afghanischen Krieg (1838–1842)

1803 setzte auch deren Kampf gegen die Marathen wieder ein.

Die Angst vor einem Angriff Napoleons auf Indien veränderte Englands koloniale Politik gründlich. Diese wurde weit aggressiver und viele Fürstentümer – wie Hyderabad – verloren durch die Stationierung britischer Truppen ihre Unabhängigkeit.

Politik und Reformen einer Kolonialmacht

Als die französische Bedrohung nicht mehr bestand, verlegte sich die Ostindische Kompanie auf den Osten, wo sie gegen das aggressive Birma vorging, und den Norden, wo sie die Grenze gegen russische Übergriffe sicherte. Birma nahm man Assam, Arakan und Tenasserim ab und an der Nordwestgrenze begann der erste afghanische Krieg (1838–1842) gegen Emir Dost Mohammed. In diesem wie auch im zweiten afghanischen Krieg (1878–1880) besetzten die Briten zwar Kabul, brachten das Land aber nicht unter ihre Kontrolle. 1843 eroberten sie bei einem Angriff auf Sind den Bolanpass und nach zwei blutigen Feldzügen auch den Pandschab. Lord Dalhousie (Generalgouverneur 1848–1856) entwickelte die Doktrin des »Heimfalls« (hatte ein Hindufürst keine leiblichen Erben, so fiel sein Land an die Kompanie) und annektierte 1856 unter dem Vorwand, die einheimische Regierung sei unfähig, das muslimische Oudh.

Die Ostindische Kompanie setzte aber auch Reformen durch. So führte man eine Landbesteuerung (die Haupteinnahmequelle der öffentlichen Hand) und ein Rechtswesen nach britischem Vorbild ein. Entgegen der Direktive des Londoner Parlaments, indische Rechte und Sitten zu achten, pflegte sich die Kompanie über religiöse und kulturelle Traditionen hinwegzusetzen – vor allem unter Lord Bentinck (Generalgouverneur von 1828 bis 1835), der die Witwenverbrennung, rituellen Raub und Mord sowie die Kindstötung verbot. Bemühungen um Christianisierung, die Pläne zum Ausbau des Straßen- und Schienennetzes sowie die Durchsetzung des Englischen als Sprache der Gebildeten und Geschäftsleute bedrohten die traditionelle Lebensform von Hindus wie auch Muslimen.

Diese Miniatur des 18. Jahrhunderts aus einer Serie von Darstellungen zur Yoga-Technik bildet unter anderem die Chakren (Energiezentren) des Körpers ab.

Unerwarteter Widerstand – der Sepoy-Aufstand ...

Der Widerstand gegen die britische Herrschaft kam unerwartet vonseiten der Sepoys – dreier Heere indischer Soldaten im Dienst der Kompanie. Bei den beiden in Madras beziehungsweise Bombay stationierten Armeen bestanden in Fragen der Kaste und Religion kaum Probleme. Doch bei den bengalischen Sepoys (Hindus aus hohen Kasten und schiitische Muslime) herrschte Unruhe: Gerüchte, dass neue Patronenhülsen, deren Spitzen vor Gebrauch abgebissen werden mussten, mit Schweine- und Rinderfett behandelt seien (was natürlich gegen die Gebote heimischer Religionen verstieß), schürten Feindseligkeiten, die sich zur bis dahin größten Bedrohung der britischen Herrschaft auswuchsen.

Der Sepoy-Aufstand (auch als Erster Unabhängigkeitskrieg bekannt) brach im Januar 1857 bei Regimentern in Meerut aus und griff in Windeseile auf den Norden Mittelindiens über. Die Soldatenrevolte erwies sich als Katalysator für weitere Unruhen – die Meuterer erhielten Unterstützung durch Bauernaufstände und einzelne »heilige« Kriege. Die Besetzung Delhis sowie die Belagerung von Kanpur und Lucknow traf die Briten schwer. Zu ihrem Glück blieben die Armeen in Bombay und Madras weitgehend loyal, auch fehlte die Strategie für einen Volksaufstand.

... und seine Folgen

Trotz seiner kurzen Dauer hatte der Sepoy-Aufstand Folgen. 1858 wurde die Regierungsgewalt von der Ostindischen Kompanie auf die britische Krone übertragen und der »Heimfall« abgeschafft, doch weitere

PERSIEN
1893 an Großbritan
Belutsch
1876 britisches Pro

1 Tipu Sahib, Sultan von Mysore und größter Gegner der Ostindischen Kompanie in Südindien seit 1780, strebte ein Bündnis mit Frankreich an. 1799 fiel er bei der Belagerung Seringapatams.

2 Gurkha-Krieger der Bergstämme Nepals kämpften 1814 bis 1816 gegen die Briten. Seit 1860 dienen Gurkhas in einem Eliteregiment der britischen Infanterie.

3 Der erste afghanische Krieg endete 1842 mit dem Rückzug der Briten aus Kabul. Von 20000 britischen Soldaten überlebten nur 121.

4 Während des Sepoy-Aufstandes ereigneten sich auf beiden Seiten entsetzliche Gewalttaten. Eine britische Vergeltungsmaßnahme war, gefangene Meuterer vor die Mündung von Artilleriegeschützen zu binden.

5 Tee wurde in Indien seit der Mitte des 19. Jahrhunderts angebaut, vor allem in dem regenreichen, fruchtbaren Tal des oberen Brahmaputra in Assam.

6 Die Nordwestgrenze Indiens ließ sich nur äußerst schwer verteidigen. 1897 setzte die britische Kolonialmacht 35000 Mann zur Niederringung eines Aufstandes der Paschtunen-Stämme ein.

7 1903 bis 1904 besetzten die Briten das Hochland von Tibet, um dem russischen Einfluss in dieser Region durch ein Handelsabkommen zu begegnen, das sie dem Dalai-Lama aufzwangen.

8 In Bombay (heute Mumbai) steht das Monument »Gateway of India«, ein 1911 errichteter steinerner Torbogen im Mogul-Stil.

ZEITLEISTE

POLITISCH-SOZIALE ENTWICKLUNGEN

- **1784** Das Indiengesetz des britischen Parlaments hält fest, dass der Nation die »territoriale Expansion« widerstrebe.
- **1798** Ceylon wird Kronkolonie.
- **1813** Die christlichen Missionare erhalten die Erlaubnis zu predigen.
- **1835** Englisch wird Unterrichtssprache.
- **1836** Beginn eines umfangreichen Straßenbauprogramms.

1780 — 1800 — 1820 — 1840

MILITÄRISCHE ENTWICKLUNGEN

- **1799** Der Sultan von Mysore, Tipu Sahib, wird von Lord Cornwallis besiegt und fällt in der Schlacht.
- **1803** Beginn des 2. Marathen-Krieges (er dauert bis 1818).
- **1816** Die Nepalesen beenden ihren Krieg gegen Großbritannien.
- **1838–1842** Der 1. afghanische Krieg wird wegen einer erwarteten Bedrohung durch Russland geführt.

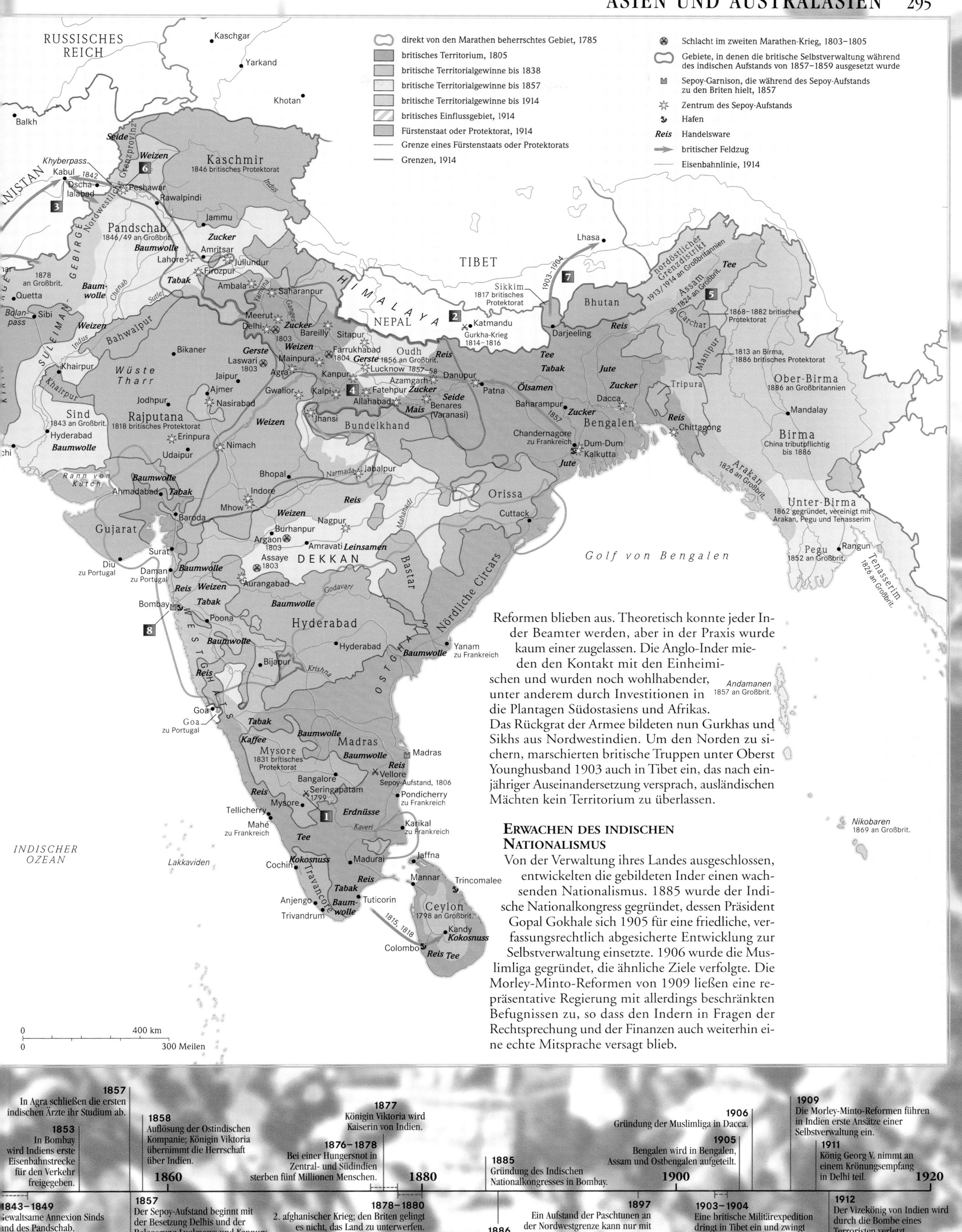

direkt von den Marathen beherrschtes Gebiet, 1785
britisches Territorium, 1805
britische Territorialgewinne bis 1838
britische Territorialgewinne bis 1857
britische Territorialgewinne bis 1914
britisches Einflussgebiet, 1914
Fürstenstaat oder Protektorat, 1914
Grenze eines Fürstenstaats oder Protektorats
Grenzen, 1914
Schlacht im zweiten Marathen-Krieg, 1803–1805
Gebiete, in denen die britische Selbstverwaltung während des indischen Aufstands von 1857–1859 ausgesetzt wurde
Sepoy-Garnison, die während des Sepoy-Aufstands zu den Briten hielt, 1857
Zentrum des Sepoy-Aufstands
Hafen
Reis Handelsware
britischer Feldzug
Eisenbahnlinie, 1914
RUSSISCHES REICH
Kaschgar
Yarkand
Khotan
Balkh
Kaschmir
1846 britisches Protektorat
Khyberpass
Kabul
Dschalalabad
Peshawar
Rawalpindi
Nordwestliche Grenzprovinz
Pandschab
1846/49 an Großbrit.
Jammu
Amritsar
Lahore
Jullundur
Firozpur
Ambala
Saharanpur
Quetta
1878 an Großbrit.
Bolanpass
Sibi
SULEIMAN-GEBIRGE
Bahwalpur
Bikaner
Wüste Tharr
Khairpur
Sind
1843 an Großbrit.
Hyderabad
Rajputana
1818 britisches Protektorat
Jodhpur
Ajmer
Nasirabad
Jaipur
Erinpura
Nimach
Udaipur
Rann von Kutch
Ahmadabad
Gujarat
Baroda
Surat
Diu zu Portugal
Daman zu Portugal
Bombay
Poona
Meerut
Delhi
Bareilly
Sitapur
Laswari 1803
Mainpura
Farrukhabad 1804
Agra
Gwalior
Kalpi
Jhansi
Kanpur
Lucknow 1857–58
Oudh 1856 an Großbrit.
Azamgarh
Fatehpur
Allahabad
Benares (Varanasi)
Danupur
Patna
Bundelkhand
HIMALAYA
NEPAL
Katmandu
Gurkha-Krieg 1814–1816
TIBET
Lhasa
Sikkim 1817 britisches Protektorat
Bhutan
Darjeeling
Nordöstlicher Grenzdistrikt 1913/1914 an Großbritannien
Assam ab 1824 an Großbrit.
Cachar
1868–1882 britisches Protektorat
Manipur
1813 an Birma, 1886 britisches Protektorat
Tripura
Ober-Birma 1886 an Großbritannien
Mandalay
Birma China tributpflichtig bis 1886
Baharampur
Dacca
Bengalen
Chittagong
Chandernagore zu Frankreich
Dum-Dum
Kalkutta
Arakan 1826 an Großbrit.
Unter-Birma 1862 gegründet, vereinigt mit Arakan, Pegu und Tenasserim
Pegu 1852 an Großbrit.
Rangun
Tenasserim 1826 an Großbrit.
Golf von Bengalen
Bhopal
Jabalpur
Indore
Mhow
Orissa
Cuttack
Nagpur
Burhanpur
Argaon 1803
Amravati
Assaye 1803
DEKKAN
Bastar
Aurangabad
Hyderabad
Nördliche Circars
WESTGHATS
OSTGHATS
Bijapur
Yanam zu Frankreich
Goa zu Portugal
Mysore 1831 britisches Protektorat
Madras
Vellore Sepoy-Aufstand, 1806
Bangalore
Seringapatam 1799
Pondicherry zu Frankreich
Tellicherry
Mahé zu Frankreich
Karikal zu Frankreich
Andamanen 1857 an Großbrit.
Nikobaren 1869 an Großbrit.
INDISCHER OZEAN
Lakkaviden
Cochin
Madurai
Jaffna
Travancore
Anjengo
Trivandrum
Tuticorin
Mannar
Trincomalee
Ceylon 1798 an Großbrit.
Kandy
Colombo
1815, 1818
0 400 km
0 300 Meilen

Reformen blieben aus. Theoretisch konnte jeder Inder Beamter werden, aber in der Praxis wurde kaum einer zugelassen. Die Anglo-Inder mieden den Kontakt mit den Einheimischen und wurden noch wohlhabender, unter anderem durch Investitionen in die Plantagen Südostasiens und Afrikas. Das Rückgrat der Armee bildeten nun Gurkhas und Sikhs aus Nordwestindien. Um den Norden zu sichern, marschierten britische Truppen unter Oberst Younghusband 1903 auch in Tibet ein, das nach einjähriger Auseinandersetzung versprach, ausländischen Mächten kein Territorium zu überlassen.

Erwachen des indischen Nationalismus

Von der Verwaltung ihres Landes ausgeschlossen, entwickelten die gebildeten Inder einen wachsenden Nationalismus. 1885 wurde der Indische Nationalkongress gegründet, dessen Präsident Gopal Gokhale sich 1905 für eine friedliche, verfassungsrechtlich abgesicherte Entwicklung zur Selbstverwaltung einsetzte. 1906 wurde die Muslimliga gegründet, die ähnliche Ziele verfolgte. Die Morley-Minto-Reformen von 1909 ließen eine repräsentative Regierung mit allerdings beschränkten Befugnissen zu, so dass den Indern in Fragen der Rechtsprechung und der Finanzen auch weiterhin eine echte Mitsprache versagt blieb.

1843–1849 Gewaltsame Annexion Sinds und des Pandschab.

1853 In Bombay wird Indiens erste Eisenbahnstrecke für den Verkehr freigegeben.

1857 In Agra schließen die ersten indischen Ärzte ihr Studium ab.

1857 Der Sepoy-Aufstand beginnt mit der Besetzung Delhis und der Belagerung Lucknows und Kanpurs.

1858 Auflösung der Ostindischen Kompanie; Königin Viktoria übernimmt die Herrschaft über Indien.

1860

1876–1878 Bei einer Hungersnot in Zentral- und Südindien sterben fünf Millionen Menschen.

1877 Königin Viktoria wird Kaiserin von Indien.

1878–1880 2. afghanischer Krieg; den Briten gelingt es nicht, das Land zu unterwerfen.

1880

1885 Gründung des Indischen Nationalkongresses in Bombay.

1886 Annexion Ober-Birmas durch Großbritannien.

1897 Ein Aufstand der Paschtunen an der Nordwestgrenze kann nur mit Mühe niedergeschlagen werden.

1900

1903–1904 Eine britische Militärexpedition dringt in Tibet ein und zwingt es zum Abschluss eines Handelsabkommens.

1905 Bengalen wird in Bengalen, Assam und Ostbengalen aufgeteilt.

1906 Gründung der Muslimliga in Dacca.

1909 Die Morley-Minto-Reformen führen in Indien erste Ansätze einer Selbstverwaltung ein.

1911 König Georg V. nimmt an einem Krönungsempfang in Delhi teil.

1912 Der Vizekönig von Indien wird durch die Bombe eines Terroristen verletzt.

1920

Die Welt im 19. Jahrhundert (1783 bis 1914)

Südostasien und der Kolonialismus • 1800 bis 1914

Südostasien hatte den Einfluss fremder Mächte bis zum Ende des 18. Jahrhunderts schon hinlänglich zu spüren bekommen. Die Niederländer waren im Inselreich Ostindiens am stärksten vertreten und auch britische Unternehmer besaßen dort Niederlassungen für den Chinahandel. Französische Kaufleute und Missionare engagierten sich seit dem 17. Jahrhundert in Vietnam, wo sie 1787 vertraglich weitere Rechte erhielten.

1858/1859 besetzten die Franzosen Saigon. Trotz einheimischen Widerstands errichteten sie im Mekongdelta in dem buddhistischen Kambodscha ein Protektorat und öffneten die »Vertragshäfen« Hanoi und Tourane (Da Nang). Nach einem nicht erklärten Krieg mit China (1883–1885) brachte Frankreich ganz Indochina unter seine Kontrolle: 1887 entstand aus Cochinchina, Kambodscha, Annam und Tongking die Indochinesische Union (Französisch-Indochina). 1893 kam Laos dazu. Das erste Interesse der Franzosen galt der Modernisierung und Profitmaximierung. Sie drängten die Kleinbauern zum Landverkauf, um die Reisproduktion zu steigern, und entzogen damit den großen Dörfern ihre traditionelle Lebensgrundlage. Die landlosen Bauern mussten nun in der Salz- und Opiumgewinnung oder für die neuen Großgrundbesitzer arbeiten.

Auch Kanonen gehörten im späten 19. Jahrhundert zur Ausrüstung der siamesischen Armee; sie wurden landestypisch von Elefanten befördert.

Die Briten ...

... engagierten sich auf dem südostasiatischen Festland erstmals 1786, als sie dem Sultan von Kedah die Insel Penang abkauften. Während der Napoleonischen Kriege (als die Niederlande von Frankreich besetzt waren) griffen sie Batavia an, um Java zu besetzen und so die eigenen Schiffsrouten nach China zu sichern. 1819 gründete der Kolonialbeamte Sir Stamford Raffles den Freihafen Singapur, der rasch zum Handelszentrum aufstieg und zur Absatzsteigerung der britischen Baumwollstoffe in Südostasien und China beitrug. 1824 tauschte Großbritannien mit den Niederlanden Benkulen und die Ansprüche auf Sumatra gegen die Anerkennung der Oberhoheit über Penang, Port Wellesley, Singapur und Malakka (die »Straits Settlements«). Die Briten bekämpften Piraterie und Sklaverei und schlichteten auf der Malaiischen Halbinsel Streitigkeiten zwischen Fürstentümern und Sultanaten. 1896 entstand unter dem britischen Generalresidenten der Bund der »Federated Malay States«. Dreizehn Jahre später wurden weitere Gebiete in Siam besetzt; sie bildeten die Gruppe der »nicht föderierten Malaienstaaten«. Im frühen 19. Jahrhundert hatte man die Zinnförderung mechanisiert und so eine Exportsteigerung ermöglicht. Auch Kautschuk wurde zum wichtigen Exportgut: 1911 war fast eine halbe Million Hektar (hauptsächlich Plantagen in europäischem Besitz) mit Kautschukbäumen bepflanzt. Der Vertrag von 1824 erlaubte es auch dem »weißen Radscha (Raja)« James Brooke, seinen 1841 in Sarawak gegründeten Staat unter britisches Protektorat zu stellen. In Nordborneo endete das Gerangel um Handelskonzessionen Bruneis und Sulus im Jahr 1881 mit der Gründung der »British North Borneo Company«, der die Nutzung des Gebiets übertragen wurde.

Um die indischen Grenzen zu schützen, annektierte Großbritannien nach drei Kriegen Birma. Der erste britisch-birmanische Krieg (1824–1826) begann mit einer Invasion der Birmanen in Bengalen

Le Petit Journal

SUPPLÉMENT ILLUSTRÉ

Huit pages : CINQ centimes

SAMEDI 12 AOUT 1893

VUE DE BANGKOK

Capitale du royaume de Siam

Bangkok 1893: Obgleich Siam (Thailand) nie eine westliche Kolonie war, prägen christliche Kirchen das Stadtbild.

Kalkutta
Chittagong
Tee
Yandabu
Mandalay
Zinn
Ober-Birma
1886 an Großbrit.
Arakan
1826 an Großbrit.
1825, 52, 85
Laos
1893 an Frankreich
Chiang Mai
Reis
Unter-Birma
1862 gegründet
Tabak
Rangun
Reis
SIAM
6
Elfenbein
Zinn
Tabak
Bangkok
1824
Tenasserim
1826 an Großbrit.
Andamanen
1857 an Großbrit.
Kautschuk
Tenasserim
Phnom Penh
Andamanensee
Nikobaren
1869 an Großbrit.
Kutaraja
Aceh
Aceh-Krieg, 1873–1903
Simeulue
Barus
Nias
Reis Elfenbein
Gewürze
Öl
Padri-Krieg, 1830–1839
Tiku
Indragiri
Padang
Sumatra
Painan
Batang
Indrapura
Minangkabau
Jambi
Siberut
INDISCHER OZEAN
Palembang
Benkulen
1824 an die Niederlande

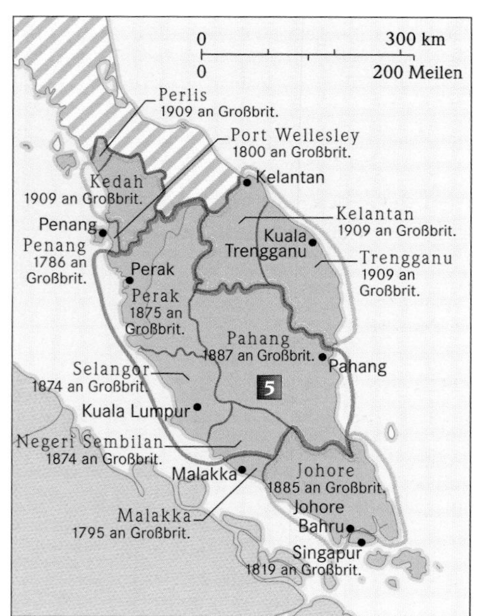

0 300 km
0 200 Meilen
Perlis
1909 an Großbrit.
Port Wellesley
1800 an Großbrit.
Kedah
1909 an Großbrit.
Kelantan
Penang
Penang
1786 an Großbrit.
Kelantan
1909 an Großbrit.
Kuala Trengganu
Trengganu
1909 an Großbrit.
Perak
Perak
1875 an Großbrit.
Pahang
1887 an Großbrit.
Pahang
Selangor
1874 an Großbrit.
5
Kuala Lumpur
Negeri Sembilan
1874 an Großbrit.
Malakka
Johore
1885 an Großbrit.
Johore Bahru
Malakka
1795 an Großbrit.
Singapur
1819 an Großbrit.

ZEITLEISTE

INDOCHINA

SÜDOSTASIATISCHE INSELN

1780

1782–1809 Rama I. gründet Bangkok und vergrößert den Einfluss Siams in Chiang Mai, den laotischen Staaten und Kambodscha.

1786 Großbritannien erwirbt vom Sultan von Kedah die Insel Penang.

1795 Großbritannien entreißt den Niederlanden Malakka.

1800

1802 Nguyen Anh eint Vietnam und regiert das Land als erster Nguyen-Kaiser von Huê aus.

1811 Die Niederländer überlassen englischen Invasionstruppen Java.

1814–1816 Die Niederländer gewinnen Sumatra und Java zurück.

1819 Sir Stamford Raffles gründet Singapur.

1820

1824 Der britisch-niederländische Vertrag bestätigt die britische Vorherrschaft auf der Malaiischen Halbinsel (und über Singapur).

1824–1826 Im 1. britisch-birmanischen Krieg erobern die Briten Rangun.

1820–1842 Der vietnamesische Kaiser Minh-Manh belebt den Konfuzianismus wieder und lässt die Christen verfolgen.

1840

1841 Der Sultan von Brunei tritt Sarawak an den britischen Abenteurer James Brooke ab.

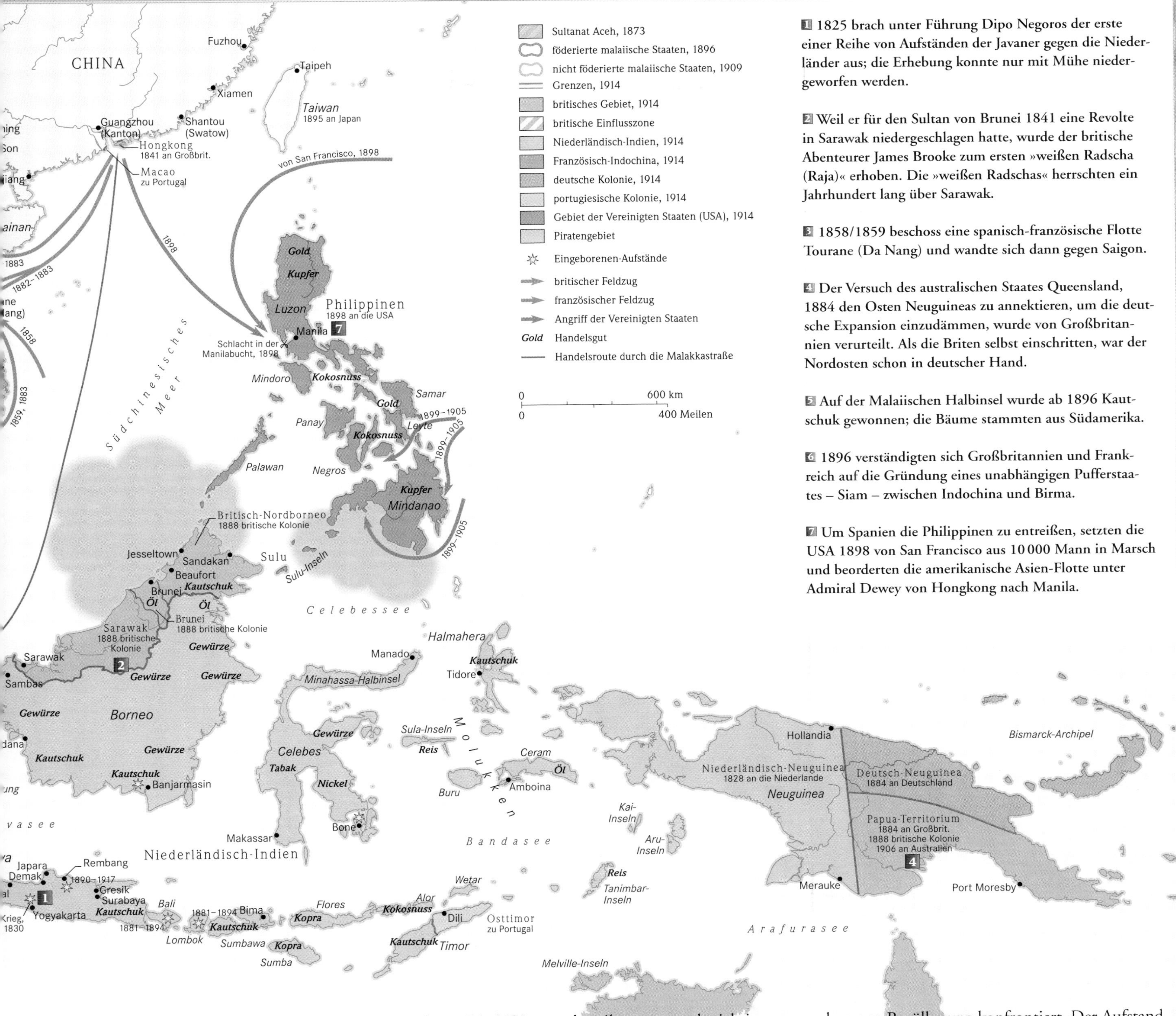

Sultanat Aceh, 1873
föderierte malaiische Staaten, 1896
nicht föderierte malaiische Staaten, 1909
Grenzen, 1914
britisches Gebiet, 1914
britische Einflusszone
Niederländisch-Indien, 1914
Französisch-Indochina, 1914
deutsche Kolonie, 1914
portugiesische Kolonie, 1914
Gebiet der Vereinigten Staaten (USA), 1914
Piratengebiet
Eingeborenen-Aufstände
britischer Feldzug
französischer Feldzug
Angriff der Vereinigten Staaten
Gold Handelsgut
Handelsroute durch die Malakkastraße
0 600 km
0 400 Meilen
CHINA
Fuzhou
Taipeh
Xiamen
Taiwan
1895 an Japan
Guangzhou
(Kanton)
Shantou
(Swatow)
Hongkong
1841 an Großbrit.
Macao
zu Portugal
von San Francisco, 1898
1898
1883
1882–1883
1858
1859, 1883
Südchinesisches Meer
Gold
Kupfer
Luzon
Philippinen
1898 an die USA
Manila
Schlacht in der Manilabucht, 1898
Mindoro
Kokosnuss
Samar
Gold
1899–1905
Leyte
Panay
Kokosnuss
Palawan
Negros
Kupfer
Mindanao
1899–1905
Britisch-Nordborneo
1888 britische Kolonie
Jesseltown
Sandakan
Sulu
Sulu-Inseln
Beaufort
Brunei
Kautschuk
Öl
Öl
Brunei
1888 britische Kolonie
Sarawak
1888 britische Kolonie
Gewürze
Celebessee
Halmahera
Manado
Kautschuk
Tidore
Sarawak
Sambas
Gewürze
Gewürze
Minahassa-Halbinsel
Gewürze
Borneo
Gewürze
Sula-Inseln
Reis
Molukken
Celebes
Tabak
Gewürze
Kautschuk
Kautschuk
Banjarmasin
Nickel
Ceram
Öl
Buru
Amboina
Hollandia
Bismarck-Archipel
Niederländisch-Neuguinea
1828 an die Niederlande
Neuguinea
Deutsch-Neuguinea
1884 an Deutschland
Kai-Inseln
Aru-Inseln
Bone
Makassar
Bandasee
Papua-Territorium
1884 an Großbrit.
1888 britische Kolonie
1906 an Australien
Niederländisch-Indien
Japara
Rembang
Demak
1890–1917
Gresik
Surabaya
Yogyakarta
Kautschuk
Bali
1881–1894
Bima
Kopra
Flores
Alor
Kokosnuss
Dili
Osttimor
zu Portugal
Wetar
Reis
Tanimbar-Inseln
Merauke
Port Moresby
Krieg, 1830
1881–1894
Lombok
Kautschuk
Sumbawa
Kopra
Sumba
Kautschuk
Timor
Melville-Inseln
Arafurasee

1 1825 brach unter Führung Dipo Negoros der erste einer Reihe von Aufständen der Javaner gegen die Niederländer aus; die Erhebung konnte nur mit Mühe niedergeworfen werden.

2 Weil er für den Sultan von Brunei 1841 eine Revolte in Sarawak niedergeschlagen hatte, wurde der britische Abenteurer James Brooke zum ersten »weißen Radscha (Raja)« erhoben. Die »weißen Radschas« herrschten ein Jahrhundert lang über Sarawak.

3 1858/1859 beschoss eine spanisch-französische Flotte Tourane (Da Nang) und wandte sich dann gegen Saigon.

4 Der Versuch des australischen Staates Queensland, 1884 den Osten Neuguineas zu annektieren, um die deutsche Expansion einzudämmen, wurde von Großbritannien verurteilt. Als die Briten selbst einschritten, war der Nordosten schon in deutscher Hand.

5 Auf der Malaiischen Halbinsel wurde ab 1896 Kautschuk gewonnen; die Bäume stammten aus Südamerika.

6 1896 verständigten sich Großbritannien und Frankreich auf die Gründung eines unabhängigen Pufferstaates – Siam – zwischen Indochina und Birma.

7 Um Spanien die Philippinen zu entreißen, setzten die USA 1898 von San Francisco aus 10 000 Mann in Marsch und beorderten die amerikanische Asien-Flotte unter Admiral Dewey von Hongkong nach Manila.

und endete mit der Abtretung bereits großer Teilgebiete Birmas. Im zweiten britisch-birmanischen Krieg (1852–1853) gewannen die Briten Unter-Birma, im dritten (1885–1886) Ober-Birma, das sie als Teil Indiens verwalteten.

Deutschland und die USA …

… bemühten sich erst spät um Kolonien in Südostasien. Die deutsch-britische Rivalität im Osten Neuguineas führte dazu, dass Deutschland den Nordosten und die vorgelagerten Inseln (den »Bismarck-Archipel«) besetzte, während Großbritannien den Südosten der Insel zum Protektorat erhob. 1888 wurde Neuguinea Kronkolonie, die 1906 zu Australien kam. Die USA erwarben ihre erste und wichtigste südostasiatische Kolonie 1898, als Admiral Dewey in der Bucht von Manila eine spanische Flotte besiegte und die Philippinen gewann. Die philippinischen Nationalisten, die die Amerikaner zum Kampf für die Unabhängigkeit von Spanien ermutigt hatten, fühlten sich betrogen. Zwischen 1902 und 1905 brachen auf Mindanao schwere Auseinandersetzungen aus, die die Wirtschaft ruinierten, so dass zu den Kriegstoten noch 100 000 Opfer einer Hungersnot kamen.

Die Niederländer

Nach dem Rückzug der Briten aus Sumatra sahen sich die Niederländer mit dem Widerstand der eingeborenen Bevölkerung konfrontiert. Der Aufstand des Fürsten Dipo Negoro führte zum Java-Krieg (1825–1829). Das Folgejahrzehnt stand im Zeichen von Angriffen des Herrschers von Minangkabau, Tuanku Imam. 1873 folgten Anschläge des Sultanats Aceh auf die Handelsschifffahrt. Sie führten zum Krieg, der sich über 30 Jahre hinzog und die Reserven der Niederländer erschöpfte. So war Sumatra trotz der Versuche von Generalgouverneur J. B. Van Heutsu (1904–1909), Ostindien als einen zusammenhängenden Staat von Batavia aus zu regieren, 1914 noch nicht vollständig besetzt.

1852–1853 2. britisch-birmanischer Krieg; Birma verliert seine Küstenprovinzen.

1855 König Mongkut (1851–1868) öffnet Siam für den Handel mit Großbritannien.

1858–1859 Eine französisch-spanische Flotte beschießt Tourane (Da Nang) und erobert Saigon.

1859 Die Niederlande und Portugal verständigen sich über die Aufteilung der Insel Timor.

1860

1873 Frankreich beginnt mit der Eroberung Tongkings.

1873 Die Niederlande beginnen ihren Krieg gegen das Sultanat Aceh (er dauert bis 1907).

1880

1883 Friede von Huê: Annam und Tongking werden französische Protektorate.

1884 Deutschland annektiert das nordöstliche Neuguinea und den »Bismarck-Archipel«.

1886 Großbritannien annektiert nach dem 3. britisch-birmanischen Krieg Ober-Birma.

1887 Frankreich gründet die Indochinesische Union.

1896 Perak, Selangor, Negeri Sembilan und Pahang bilden den Bund der »Federated Malay States«.

1898–1899 Nach dem Spanisch-Amerikanischen Krieg fallen die Philippinen an die Vereinigten Staaten.

1900

1901 Der Führer der Filipinos, Emilio Aguinaldo, wird gefangen genommen.

1909 Britisch-siamesischer Vertrag: Großbritannien erhält die Kontrolle über Kedah, Perlis, Kelantan und Trenggganu.

1914 100 000 Vietnamesen reisen nach Frankreich und dienen während des Ersten Weltkriegs in Arbeitsbataillonen.

1920

Die Welt im 19. Jahrhundert (1783 bis 1914)

Lateinamerika • 1783 bis 1914

Napoleons Überfall auf die Iberische Halbinsel im Jahr 1808 war der Startschuss für die Unabhängigkeitsbewegungen in den amerikanischen Kolonien Spaniens und Portugals. Kaum war Joseph Bonaparte, der älteste Bruder Napoleons, zum spanischen König gekrönt worden, brachen in Übersee die Befreiungskriege aus.

Der Prinzregent und spätere König Johann VI. floh nach der Besetzung Portugals im Jahr 1807 nach Brasilien. Als er 1821 zurückkam, erklärte Brasilien im folgenden Jahr seine Unabhängigkeit und erhob Johanns Sohn Peter zum Kaiser. Der neue Staat wurde 1825 von Portugal anerkannt.

Nationalhelden: Hidalgo und Bolívar

Mexikos Befreiungskampf begann 1810 unter Führung des Priesters Miguel Hidalgo. In seiner Nachfolge einte Augustín de Itúrbide die Mexikaner und gründete 1822 das Kaiserreich Mexiko, zu dessen erstem Kaiser er sich selbst krönte. Gleichzeitig gründeten die spanischen Kolonien in Mittelamerika eine Konföderation der Vereinten Provinzen, die sich ab 1838 auflöste; ihre Mitgliedsländer wurden souveräne Staaten.

Der bedeutendste Führer der südamerikanischen Unabhängigkeitsbewegungen, Simón Bolívar (»der Befreier«), nahm 1810 den Kampf gegen die Spanier in seiner Heimat Venezuela und in den Nachbargebieten auf. Sein Sieg bei Boyacá führte 1819 zur Gründung der Republik Großkolumbien, der Triumph über die Royalisten im Jahr 1821 bei Carabobo zum Fall von Caracas und zur Unabhängigkeit Venezuelas. In Argentinien wurden die Revolutionstruppen von José de San Martín angeführt. Dieser Veteran des Spanienkrieges bildete eine Armee aus, zog mit ihr 1817 über die Anden und besetzte 1821 Lima. Er erklärte Peru für unabhängig und übergab Bolívar die Verantwortung, der in Lima eine Revolutionsregierung einsetzte. 1824, nach der letzten Schlacht der Befreiungskriege (bei Ayacucho), hatten außer Kuba und Puerto Rico alle ehemals spanischen Besitzungen in Südamerika ihre Unabhängigkeit erlangt.

Simón Bolívar (1783–1830), südamerikanischer Unabhängigkeitskämpfer und Freiheitsidol

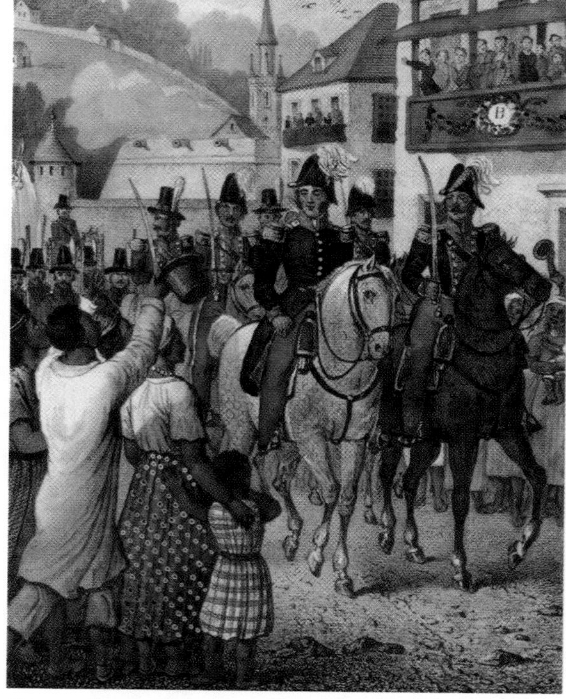

Einzug Simón Bolívars in seine Geburtsstadt Caracas nach Niederschlagung eines Militäraufstands unter Diego Páez im Jahr 1829

Kritisches Erbgut: Koloniale Sozialstrukturen

Die neuen Staaten erbten nicht nur die Grenzen der früheren Verwaltungsregionen, sondern auch deren soziale Strukturen. Da es an Tradition fehlte, blieb die Hautfarbe entscheidend für den gesellschaftlichen Status der Menschen. Die in Spanien geborenen Weißen (»Peninsulares« oder portugiesisch »Reinoís«) dominierten; während die Mehrheit der Mestizen (Indio-Europäer) immerhin einen begrenzten Einfluss besaß, wurden Mulatten (Afro-Europäer), Zambos (Indio-Afrikaner), Schwarze und Indianer diskriminiert. Die Interessen von Militär, Klerus, Industrie, Banken und Großagrariern kollidierten häufig; die Macht geriet immer wieder in die Hände von »Caudillos« (Diktatoren), die mit Unterstützung ihrer Günstlinge und mittels Privatarmeen herrschten.

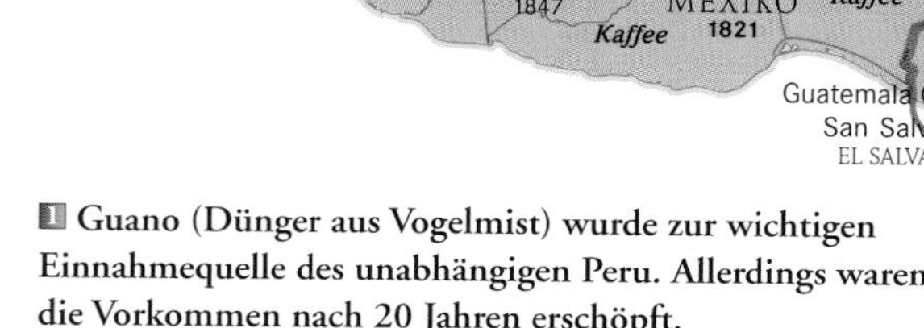

Mexico City
Chapultepec
1847
MEXIKO
1821
Kaffee
Guatemala City
San Salvador
EL SALVADOR
1838

1 Guano (Dünger aus Vogelmist) wurde zur wichtigen Einnahmequelle des unabhängigen Peru. Allerdings waren die Vorkommen nach 20 Jahren erschöpft.

2 1836 kamen im texanischen Unabhängigkeitskrieg 180 Nordamerikaner bei der Verteidigung von Fort Alamo gegen die Mexikaner ums Leben.

3 Der Krieg der Tripelallianz war der blutigste in der Geschichte Lateinamerikas: Paraguay verlor 300 000 Menschen, mehr als 60 Prozent seiner Bevölkerung.

4 Costa Rica war die erste mittelamerikanische Republik, die Kaffee exportierte. Die »United Fruit Company« entwickelte das Land und baute Bahnen und Hafenanlagen. Die ersten Wahlen fanden 1885 statt.

5 Manaus im Amazonasbecken verdankte dem Kautschukboom der Jahre 1890 bis 1920 großen Wohlstand. 1896 wurde das reich ausgestattete Opernhaus der Stadt gebaut.

6 Für den Bau des Panamakanals mussten die Amerikaner von 1904 bis 1914 Gleisanlagen, Dampfbagger und Medikamente zur Malariavorsorge bereitstellen.

Der Caudillo José Francia half Paraguay beim Unabhängigkeitskampf und amtierte von 1814 bis 1840 als Präsident. Bei der Revolution in Chile zeichnete sich Bernardo O'Higgins aus; von 1817 bis 1823 war er »oberster Direktor«. In Mexiko regierte Antonio de Santa Anna nach einer Zeit als gewählter Präsident (1833–1836) bis zu seinem Sturz im Jahr 1854 als Diktator weiter. Während seiner »Amtszeit« führte Mexiko meist erfolglos Krieg gegen die USA und büßte bis 1850 große Teile seines Territoriums ein.

Monroe-Doktrin

Die Einmischung der europäischen Mächte in lateinamerikanische Angelegenheiten wurde 1823 durch die Monroe-Doktrin beendet, die klarstellte, dass die

Zeitleiste

Kriege und Revolutionen

- **1810–1811** Miguel Hidalgo führt in Mexiko einen Volksaufstand an, der aber keinen Umsturz auslöst.
- **1810–1814** In Chile scheitert ein Revolutionsversuch.
- **1819** Simón Bolívar besiegt die Spanier bei Boyacá und gründet die Republik Großkolumbien.
- **1821** Schlacht bei Carabobo; Venezuela wird unabhängig.
- **1836** In der Schlacht von San Jacinto erkämpft sich Texas seine Unabhängigkeit von Mexiko.
- **1836–1839** Bolivien und Peru bilden für kurze Zeit eine Konföderation.
- **1846–1848** Die Annexion Texas' durch die Vereinigten Staaten (1845) führt zum Mexikanischen Krieg. Mexiko verliert seine gesamten nördlichen Territorien.

1800 — 1820 — 1840

Gesellschaft und Politik

- **1807** Die Bragança (portugiesische Königsfamilie) fliehen unter dem Schutz der Briten nach Brasilien.
- **1823** Die Vereinigten Staaten erkennen die unabhängig gewordenen Staaten Lateinamerikas an und verkünden die Monroe-Doktrin.
- **1831** Kaiser Peter I. von Brasilien dankt zugunsten seines Sohnes Peter II. ab.
- **1829–1852** Diktatur von Juan Manuel Rosas in Argentinien.
- **1853** Mexiko verkauft im Gadsden-Vertrag das Mesilla-Tal an die Vereinigten Staaten.

USA keine weiteren Kolonisationsversuche hinnehmen würden. Neue territoriale Veränderungen resultierten also aus Kriegen zwischen den nun souveränen Staaten, so aus dem Salpeterkrieg, in dem Chile die Partner Peru und Bolivien besiegte, oder dem Krieg Paraguays gegen die Tripelallianz Brasilien-Argentinien-Uruguay. Die mexikanische Revolution von 1910/1911 endete in Chaos und Massenmorden, so dass die USA eingriffen. Präsident Wilson unterstützte General Huerta, der die nationalistischen Zapata-Rebellen ausschaltete. Im Norden wüteten derweil die Banditen des Pancho Villa weiter, weshalb Wilson 1914 Kriegsschiffe nach Tampico und Truppen nach Veracruz schickte.

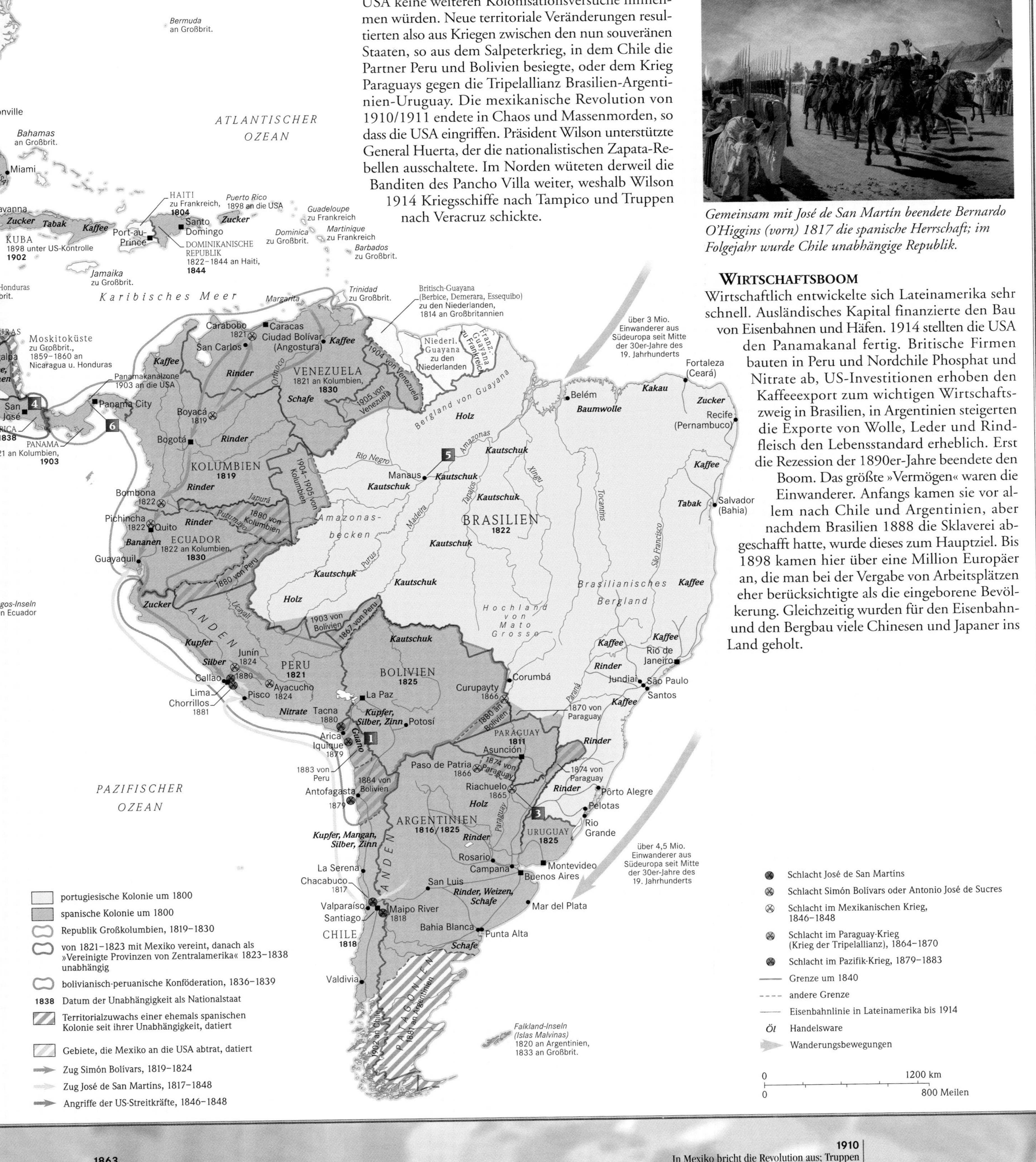

Bermuda an Großbrit.
ATLANTISCHER OZEAN
Bahamas an Großbrit.
Miami
HAITI zu Frankreich, 1804
Puerto Rico 1898 an die USA
Guadeloupe zu Frankreich
Martinique zu Frankreich
Dominica zu Großbrit.
Barbados zu Großbrit.
Zucker
Tabak
Kaffee
Port-au-Prince
Santo Domingo
DOMINIKANISCHE REPUBLIK 1822–1844 an Haiti, 1844
KUBA 1898 unter US-Kontrolle 1902
Jamaika zu Großbrit.
Karibisches Meer
Margarita
Trinidad zu Großbrit.
Britisch-Guayana (Berbice, Demerara, Essequibo) zu den Niederlanden, 1814 an Großbritannien
Moskitoküste zu Großbrit., 1859–1860 an Nicaragua u. Honduras
Panamakanalzone 1903 an die USA
Panama City
PANAMA 21 an Kolumbien, 1903
Carabobo 1821
Caracas
Ciudad Bolívar (Angostura)
San Carlos
VENEZUELA 1821 an Kolumbien, 1830
Niederl. Guayana zu den Niederlanden
Franz. Guayana zu Frankreich
über 3 Mio. Einwanderer aus Südeuropa seit Mitte der 30er-Jahre des 19. Jahrhunderts
Fortaleza (Ceará)
Belém
Baumwolle
Kakau
Recife (Pernambuco)
Boyacá 1819
Bogotá
KOLUMBIEN 1819
Rinder
Schafe
Holz
Bergland von Guayana
Amazonas
Rio Negro
Manaus
Kautschuk
Bombona 1822
Pichincha 1822
Quito
ECUADOR 1822 an Kolumbien, 1830
Guayaquil
Bananen
BRASILIEN 1822
Amazonasbecken
Salvador (Bahia)
Brasilianisches Bergland
Hochland von Mato Grosso
PERU 1821
Junín 1824
Ayacucho 1824
Callao 1880
Lima
Pisco
Chorrillos 1881
Kupfer
Silber
Nitrate
Tacna 1880
Arica
Iquique 1879
Guano
BOLIVIEN 1825
La Paz
Kupfer, Silber, Zinn
Potosí
Curupayty 1866
Corumbá
Rio de Janeiro
São Paulo
Santos
Jundiaí
PARAGUAY 1811
Asunción
Paso de Patria 1866
Riachuelo 1865
Pôrto Alegre
Pelotas
Rio Grande
URUGUAY 1825
Montevideo
Buenos Aires
über 4,5 Mio. Einwanderer aus Südeuropa seit Mitte der 30er-Jahre des 19. Jahrhunderts
PAZIFISCHER OZEAN
Antofagasta 1879
ARGENTINIEN 1816/1825
Kupfer, Mangan, Silber, Zinn
ANDEN
La Serena
Chacabuco 1817
Valparaíso
Santiago
Maipo River 1818
San Luis
Rosario
Campana
Rinder, Weizen, Schafe
Mar del Plata
Bahia Blanca
Punta Alta
CHILE 1818
Valdivia
PATAGONIEN
Falkland-Inseln (Islas Malvinas) 1820 an Argentinien, 1833 an Großbrit.
portugiesische Kolonie um 1800
spanische Kolonie um 1800
Republik Großkolumbien, 1819–1830
von 1821–1823 mit Mexiko vereint, danach als »Vereinigte Provinzen von Zentralamerika« 1823–1838 unabhängig
bolivianisch-peruanische Konföderation, 1836–1839
1838 Datum der Unabhängigkeit als Nationalstaat
Territorialzuwachs einer ehemals spanischen Kolonie seit ihrer Unabhängigkeit, datiert
Gebiete, die Mexiko an die USA abtrat, datiert
Zug Simón Bolívars, 1819–1824
Zug José de San Martins, 1817–1848
Angriffe der US-Streitkräfte, 1846–1848
Schlacht José de San Martins
Schlacht Simón Bolívars oder Antonio José de Sucres
Schlacht im Mexikanischen Krieg, 1846–1848
Schlacht im Paraguay-Krieg (Krieg der Tripelallianz), 1864–1870
Schlacht im Pazifik-Krieg, 1879–1883
Grenze um 1840
andere Grenze
Eisenbahnlinie in Lateinamerika bis 1914
Öl Handelsware
Wanderungsbewegungen
0 1200 km
0 800 Meilen

Gemeinsam mit José de San Martín beendete Bernardo O'Higgins (vorn) 1817 die spanische Herrschaft; im Folgejahr wurde Chile unabhängige Republik.

Wirtschaftsboom

Wirtschaftlich entwickelte sich Lateinamerika sehr schnell. Ausländisches Kapital finanzierte den Bau von Eisenbahnen und Häfen. 1914 stellten die USA den Panamakanal fertig. Britische Firmen bauten in Peru und Nordchile Phosphat und Nitrate ab, US-Investitionen erhoben den Kaffeeexport zum wichtigen Wirtschaftszweig in Brasilien, in Argentinien steigerten die Exporte von Wolle, Leder und Rindfleisch den Lebensstandard erheblich. Erst die Rezession der 1890er-Jahre beendete den Boom. Das größte »Vermögen« waren die Einwanderer. Anfangs kamen sie vor allem nach Chile und Argentinien, aber nachdem Brasilien 1888 die Sklaverei abgeschafft hatte, wurde dieses zum Hauptziel. Bis 1898 kamen hier über eine Million Europäer an, die man bei der Vergabe von Arbeitsplätzen eher berücksichtigte als die eingeborene Bevölkerung. Gleichzeitig wurden für den Eisenbahn- und den Bergbau viele Chinesen und Japaner ins Land geholt.

1860 – 1880 – 1900 – 1920

1863
Glückloser Versuch mexikanischer Konservativer und Frankreichs, ein Kaiserreich Mexiko zu begründen (Maximilian I., 1867 standrechtlich erschossen).

1864–1870
Krieg Paraguays gegen die Tripelallianz Argentinien-Brasilien-Uruguay.

1870–1888
Der Liberale Blanco Guzman regiert als Präsident Venezuela und führt viele soziale und politische Reformen durch.

1879
Gründung einer französischen, von Ferdinand de Lesseps geleiteten Gesellschaft, die in Panama einen Kanal bauen soll.

1879–1883
Salpeterkrieg Chiles gegen Bolivien und Peru.

1889
Dem brasilianischen Kaiserreich folgt die Republik der »Vereinigten Staaten von Brasilien«.

1903
Eine Revolution in Panama bringt dem Land die Unabhängigkeit von Kolumbien.

1904
Amerikanische Ingenieure beginnen mit dem Bau des Panamakanals (fertig gestellt 1914).

1910
In Mexiko bricht die Revolution aus; Truppen des Francisco Madero erheben sich gegen den Diktator Porfirio Díaz (1876–1911).

1914
Amerikanische Marinesoldaten besetzen zur Wahrung nordamerikanischer Interessen Veracruz.

Die Welt im 19. Jahrhundert (1783 bis 1914)

Die Karibik • 1783 bis 1914

Im späten 18. Jahrhundert entwickelten sich die Zuckerrohrplantagen der Briten und Franzosen zu höchst lukrativen Unternehmen. Vor allem auf den französischen Inseln wurden gewaltige Gewinne erzielt. Allein Saint-Domingue (Haiti), wo 37 000 weiße Pflanzer und 450 000 Sklaven Ländereien bewirtschafteten, die zu den fruchtbarsten und größten der Karibik gehörten, bestritt 85 Prozent des französischen Außenhandels.

Dieses Herzstück des französischen Karibikreiches zerstörte ein Sklavenaufstand, der im Jahr 1791 unter der Führung von Toussaint l'Ouverture und Jean-Jacques Dessalines begann: Die Rebellen riefen den unabhängigen Staat Haiti aus und wehrten alle französischen Rückeroberungsversuche ab. Auch die Sklaven auf Jamaika, Guadeloupe, Grenada, Saint Vincent, Santo Domingo sowie auf Barbados erhoben sich, konnten jedoch den Erfolg ihrer Brüder in Haiti nicht wiederholen.

Nach den Napoleonischen Kriegen errang Großbritannien die Vorherrschaft in der Karibik. Die Briten entrissen Frankreich Saint Lucia und Tobago, den Spaniern Trinidad und den Niederlanden Demerara, Essequibo und Berbice (die zu Britisch-Guayana wurden). Rohrzucker aus Westindien blieb bis in die frühen 20er-Jahre des 19. Jahrhunderts der einträglichste Zweig des britischen Überseehandels.

Plantagenwirtschaft und Sklaverei

Je weiter das 19. Jahrhundert fortschritt, desto größer wurden die inneren und äußeren Bedrohungen für die britischen Plantagenbesitzer. Zum einen propagierten die christlichen Missionare die Sklavenbefreiung; zum anderen erhielten die Pflanzer Konkurrenz aus Mauritius und Indien, aus Frankreich und Deutschland, wo Rübenzucker produziert wurde, und vor allem von den riesigen Plantagen, die im spanischen Kuba, im unabhängigen Brasilien sowie in Louisiana entstanden und sämtlich von Sklaven bewirtschaftet wurden. 1834 erfolgte die Abschaffung der Sklaverei im britischen Weltreich. Die Regierung zahlte den Pflanzern zwar einen Ausgleich und räumte eine Übergangsfrist bis 1838 ein, in der die befreiten Sklaven gegen Entlohnung weiter arbeiteten, aber der Niedergang dieses Wirtschaftszweiges war unaufhaltsam.

Den mit Sklaven bewirtschafteten Plantagen anderer Länder ermöglichte die Industrialisierung eine erhebliche Produktionssteigerung. Spanisch-Kuba baute die erste Eisenbahnstrecke der Region und investierte in neue Raffinerien. Brasilien verhielt sich ähnlich fortschrittlich. Viele Inseln, die nun bei der Zuckerproduktion nicht mehr konkurrenzfähig waren, strukturierten um. Jamaika exportierte 1870 die ersten Bananen nach New York, womit ein einträglicher Handel begann. Doch die Kolonien brauchten zum Überleben nicht nur neue Produkte, sondern auch neue Arbeitskräfte. Obwohl die Sklaven auf den Frankreich verbliebenen Inseln erst 1848 be-

Tampa
Golf von Mexiko
Florida
1810/19 an die USA
Miami
Key West
Great-Ab
Insel
Grand-Bahama-
Insel
New Providence
Andros-
Insel
Atlantikflotte der Vereinigten Staaten, 1898
5
Havanna
3
KUBA
1762–1763 britische Besetzung,
1898 unter Kontrolle der USA,
1902 unabhängig
17 000 US-Soldaten, 1898
Isla de Pinos
Trinidad
Camagüe
Little Cayman
zu Großbrit.
Cayman Brac
zu Großbrit.
Grand Cayman
0
400 km
0
300 Meilen

Verkauf von Sklaven in den Straßen von Havanna; Kuba war bis 1898 spanische Kolonie.

1 Toussaint l'Ouverture, der 1791 den Sklavenaufstand auf Haiti anführte, berief sich auf die Ideale der Französischen Revolution.

2 Barbados bestand 1815 zu 90 Prozent seiner Fläche aus Zuckerrohrplantagen und war eines der am dichtesten besiedelten Gebiete der Erde. 1816/1817 kam es zum Sklavenaufstand.

3 Die USA versuchten nach 1860 mehrfach, den Spaniern Kuba abzukaufen. Schließlich gelangte die Insel 1898 durch einen Krieg unter amerikanische Kontrolle.

4 Der Aufstand an der Morant Bay im Jahr 1865 war die Reaktion auf das brutale Vorgehen der örtlichen Miliz gegen friedliche Demonstranten. Er endete mit der Hinrichtung von über 400 Menschen.

5 Die Versenkung des US-Linienschiffs »Maine« im Jahr 1898 forderte 260 Menschenleben und löste den Spanisch-Amerikanischen Krieg aus. Die Ursache der Explosion blieb ungeklärt.

6 Bei den Gefechten auf Kuba im Jahr 1898 zeichnete sich das von dem späteren US-Präsidenten Theodore Roosevelt geführte Freiwilligen-Regiment der »Rough Riders« bei San Juan im Kampf gegen die Spanier aus.

7 Die landwirtschaftlich genutzte Fläche Jamaikas vergrößerte sich, weil viele der früheren Sklaven Kleinbauern wurden.

ZEITLEISTE

KRIEGE UND AUFSTÄNDE

GESELLSCHAFT UND POLITIK

1780 – 1800 – 1820 – 1840

1791 Auf Haiti bricht unter Führung von Toussaint l'Ouverture der Sklavenaufstand aus.

1795 Auf den Kleinen Antillen kommt es zu Sklavenaufständen.

1804 Jean-Jacques Dessalines erhebt sich selbst zum Kaiser von Haiti (er wird 1806 ermordet).

1814 Großbritannien und Frankreich tauschen zum letzten Mal koloniale Besitzungen.

1818–1843 Jean-Pierre Boyer vereinigt Saint-Domingue und Santo Domingo.

1822 Haitianische Truppen überrennen Santo Domingo und halten es 20 Jahre lang besetzt.

1834 Die britischen Kolonien lassen 663 600 Sklaven frei.

1837 Auf Kuba wird die erste Bahnstrecke der Karibik gebaut.

freit wurden, warb man schon vorher Fremdarbeiter aus dem Kongo an. Die Niederländer holten Arbeitskräfte aus Java und Kuba; Puerto Rico heuerte 125 000 Chinesen an. Vor 1914 kamen außerdem 430 000 Inder in die Region.

Kronkolonien

Ein 1865 vom Inselgouverneur brutal niedergeschlagener Aufstand der Kleinbauern an der Morant Bay auf Jamaika veranlasste Großbritannien, die meisten seiner karibischen Kolonien in Kronkolonien umzuwandeln, um so Verwaltung und Wohlfahrt zu verbessern und die Zuckerproduktion zu modernisieren. Die verbliebenen »Zuckerkolonien« überlebten das Jahrhundert, weil sie statt nach Großbritannien in die USA verkauften.

Die USA in der Karibik

Die USA waren 1900 schon tief in karibische Angelegenheiten verwickelt. Die öffentliche Meinung verabscheute unter dem Einfluss der gegen den europäischen Kolonialismus gerichteten Monroe-Doktrin (1823) das spanische Regime auf Kuba und unterstützte die Aufständischen, die 1868 und 1895 immer wieder aktiv wurden. Als 1898 ein US-Kriegsschiff, das Washingtons Interessen schützen sollte, im Hafen von Havanna versenkt wurde, erklärten die USA Spanien den Krieg. Die Vereinigten Staaten blieben Sieger und erhielten im Frieden von Paris die Oberhoheit über Kuba und Puerto Rico.

Eine Zuckermühle auf Antigua im Jahr 1823, als Zuckerrohr das Hauptanbauprodukt dieser Insel der Kleinen Antillen war

1902 setzten die USA auf Puerto Rico eine Zivilregierung ein und 1917 erhielten die Inselbewohner die amerikanische Staatsbürgerschaft. Eine Annexion Kubas lehnte Washington ab, sorgte jedoch für eine Verfassung, die Amerika die Einrichtung von Stützpunkten und das Recht sicherte, sich in innerkubanische Angelegenheiten einzumischen. Davon machte man in den 20 auf die Okkupation folgenden Jahren häufiger Gebrauch, um Aufstände niederzuschlagen. Solche Eingriffe wurden auch an anderen Orten in der Karibik und Mittelamerika inszeniert, um die steigenden US-Investitionen zu schützen; in Nicaragua (1912) und in der Dominikanischen Republik (1914) entstanden Protektorate.

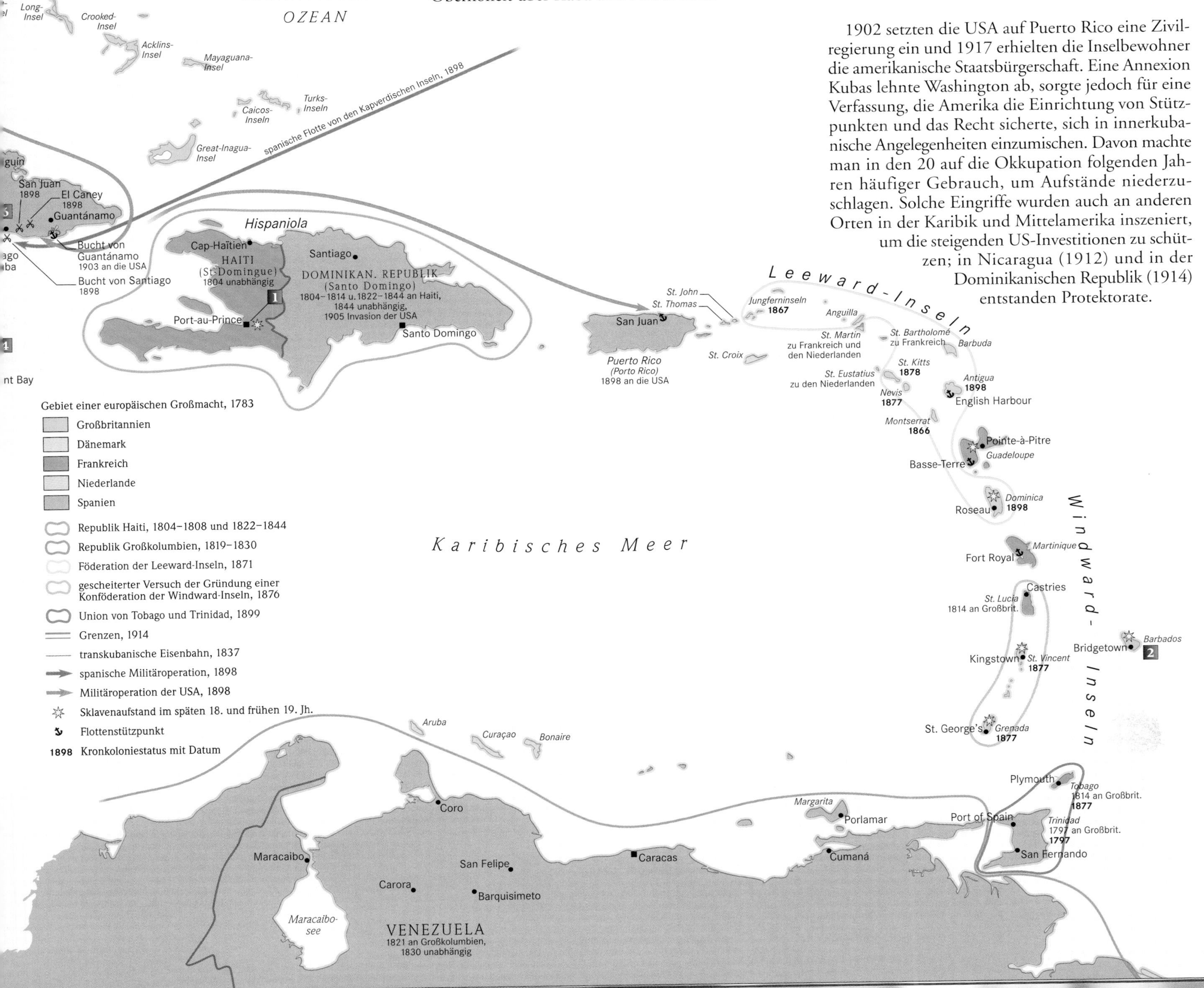

Gebiet einer europäischen Großmacht, 1783
- Großbritannien
- Dänemark
- Frankreich
- Niederlande
- Spanien
- Republik Haiti, 1804–1808 und 1822–1844
- Republik Großkolumbien, 1819–1830
- Föderation der Leeward-Inseln, 1871
- gescheiterter Versuch der Gründung einer Konföderation der Windward-Inseln, 1876
- Union von Tobago und Trinidad, 1899
- Grenzen, 1914
- transkubanische Eisenbahn, 1837
- spanische Militäroperation, 1898
- Militäroperation der USA, 1898
- Sklavenaufstand im späten 18. und frühen 19. Jh.
- Flottenstützpunkt
- 1898 Kronkoloniestatus mit Datum

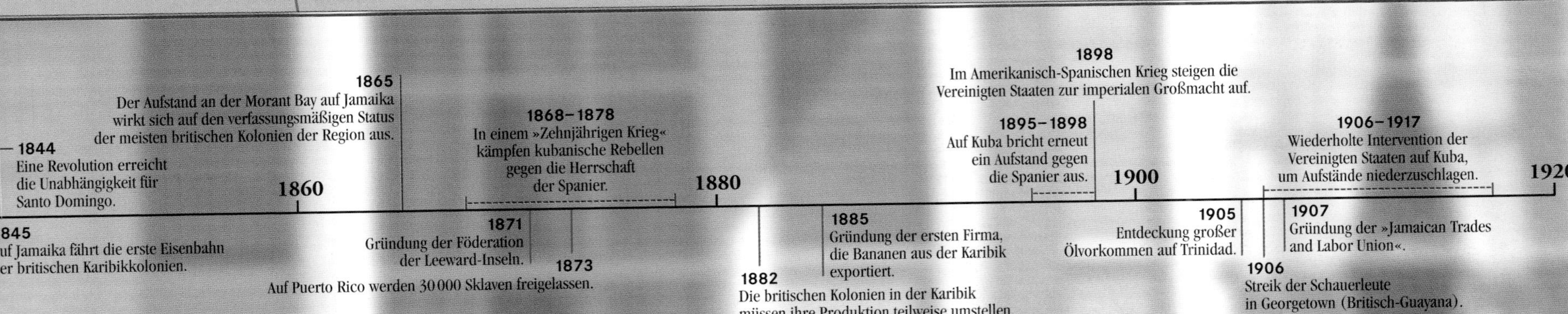
1844
Eine Revolution erreicht die Unabhängigkeit für Santo Domingo.
1845
Auf Jamaika fährt die erste Eisenbahn der britischen Karibikkolonien.
1865
Der Aufstand an der Morant Bay auf Jamaika wirkt sich auf den verfassungsmäßigen Status der meisten britischen Kolonien der Region aus.
1860
1868–1878
In einem »Zehnjährigen Krieg« kämpfen kubanische Rebellen gegen die Herrschaft der Spanier.
1871
Gründung der Föderation der Leeward-Inseln.
1873
Auf Puerto Rico werden 30 000 Sklaven freigelassen.
1880
1882
Die britischen Kolonien in der Karibik müssen ihre Produktion teilweise umstellen.
1885
Gründung der ersten Firma, die Bananen aus der Karibik exportiert.
1898
Im Amerikanisch-Spanischen Krieg steigen die Vereinigten Staaten zur imperialen Großmacht auf.
1895–1898
Auf Kuba bricht erneut ein Aufstand gegen die Spanier aus.
1900
1905
Entdeckung großer Ölvorkommen auf Trinidad.
1906
Streik der Schauerleute in Georgetown (Britisch-Guayana).
1906–1917
Wiederholte Intervention der Vereinigten Staaten auf Kuba, um Aufstände niederzuschlagen.
1907
Gründung der »Jamaican Trades and Labor Union«.
1920

Die Welt im 19. Jahrhundert (1783 bis 1914)

Kanada • 1763 bis 1914

Die Zusammensetzung der kanadischen Bevölkerung änderte sich, nachdem Großbritannien seine 13 amerikanischen Kolonien verloren hatte. Nach der Beilegung des Konflikts zogen englandtreue Siedler, die keine Bürger der Vereinigten Staaten werden wollten, nach Norden. Tausende dieser Loyalisten aus New York und South Carolina siedelten sich zusammen mit den Mohawk, die auf der Seite der Briten gekämpft hatten, in Nova Scotia auf der Kap-Breton-Insel und der Prince-Edward-Insel an.

Auch nach Ober-Kanada (Ontario) strömten neue Siedler, nicht zuletzt aus Großbritannien (besonders aus Schottland). Die französischen Siedler, von denen die meisten nach der Übernahme durch Großbritannien (1763) in Kanada geblieben waren (und denen das britische Parlament im Quebec-Gesetz von 1774 die Erhaltung ihrer Rechte und Sitten zugesagt hatte), sahen sich plötzlich in der Minderheit. Dieser »Rollentausch« spiegelte sich auch im »Canada Act« von 1791, der separate Strukturen politischer Repräsentation für Unter-Kanada (Quebec) und Ober-Kanada (Ontario) vorsah. Die Expansion nach Westen setzte 1812 ein, als Thomas Douglas, Earl of Selkirk, die Red-River-Kolonie (die »Keimzelle« des späteren Manitoba) gründete. Doch eine weitere Ausdehnung in dieser Richtung wurde zunächst durch das unwegsame Bergland des Kanadischen Schilds erschwert.

Unverteidigte Demarkationslinie

Interessenkonflikte zwischen Britisch-Nordamerika und den USA mündeten 1812 in einen englisch-amerikanischen Krieg. Einer US-Invasion Kanadas folgten 1814 ein britischer Angriff auf Washington und 1815 die Schlacht bei New Orleans. Resultat dieses kurzen Krieges war, dass in Kanada aus der Furcht vor einer Einschnürung durch die USA ein neuer Patriotismus wuchs. Von nun an wurden Grenzfragen friedlich geklärt: 1818 einigte man sich auf den 49. Breitengrad als unverteidigte Demarkationslinie zwischen dem Lake of the Woods und den Rocky Mountains (die 1846 durch den Vertrag von Oregon bis Vancouver verlängert wurde).

Einigung zum Dominion

Die Rebellion von 1837 gegen die britische Administration, zu der unter anderem auch die Benachteiligung der Frankokanadier beigetragen hatte, führte zu politischen Veränderungen: Man kam überein, Ober- und Unter-Kanada zusammenzulegen und eine dem britischen Parlament verantwortliche Selbstverwaltung (1840–1847) einzusetzen. Doch der amerikanische Bürgerkrieg war für die Einigung des Landes noch wichtiger. Der Sieg der Union im Jahr 1865, die Angriffe der Fenier auf kanadisches Gebiet (1866–1870) und die stetige Expansion der USA nach Westen veranlassten Kanada, um der nationalen Sicherheit willen auf eine von Küste zu Küste reichende Union zu drängen: 1867 wurden durch den »British North America Act« Nova Scotia, New Brunswick, Quebec und Ontario zum Dominion Kanada vereinigt, dem sich 1870 Manitoba, 1871 British Columbia und schließlich 1873 die Prince-Edward-Insel anschlossen. Die erste Regierung des neuen Dominions verfolgte eine »nationale Politik«, die auf die Besiedlung des Kanadischen Schilds und des »Fernen Westens«, den Bau einer transkontinentalen Eisenbahn und Schutzzölle für Agrarprodukte zielte.

In Dawson im Westen des kanadischen Yukon-Territoriums wartet im Jahre 1900 eine Ansammlung von Goldgräbern auf Post. 1896 hatten Funde in dieser Gegend den »Goldrausch am Klondike« ausgelöst.

Cree Ureinwohner Nordamerikas
Entdeckungsreisen
Hearne, 1770–1771
Mackenzie, 1789–1793
Thompson, 1789–1811
Ausdehnung Kanadas
kanadische Provinzen, 1867
Gebietszuwachs bis 1870
neue Provinzen bis 1873
Gebietszuwachs bis 1880
britische Kronkolonie
an die USA abgetretene kanadische Gebiete, datiert
1867 Jahr, in dem der Provinzstatus erreicht wurde
Méti-Aufstände unter Führung von Louis Riel
Red-River-Aufstand, 1869–1870
Nordwest-Aufstand (Saskatchewan), 1885
anderer Aufstand, 1873
Goldfeld
anderes Edelmetallager
Öl- oder Erdgasfeld
fruchtbarer Präriestreifen in Kanada
Canadian Pacific Railway, 1881–1885
andere Eisenbahnlinie bis 1914
Zug der Mohawk-Indianer und der England-loyalen Siedler, 1783
andere Wanderungsbewegung
Grenzen, 1914
Hauptstadt
Provinzhauptstadt

Beaufortsee
Alaska zu den USA
Yukon
Athapask
Dawson
Yukon-Territorium 1895–1898 Bezirk des Nordwest-Territoriums
Whitehorse
Tlingit
Juneau
KÜSTENGEBIRGE
Kwak
Prince Rupert
Königin-Charlotte-Inseln
Haida
Vancouver-Insel
Nootka Sund
Chinesen und Japaner
PAZIFISCHER OZEAN

Aufstände der Méti

Die Rechte und Ansprüche der Eingeborenen wurden von dem neuen Staat weitgehend missachtet. Viele Irokesen, Cree und Algonkin kamen in Reservate, wo auch Flüchtlinge des amerikanischen Indianerkrieges zu ihnen stießen. Einige Ojibwa nahmen das Angebot an, in unerforschte Gebiete »umzuziehen«. Die Méti in Manitoba (französisch-indianische Mischlinge) sahen ihre Büffeljagdkultur durch die Einwanderer bedroht. Diese Angst verstärkte sich 1869 mit der Übergabe der Provinz durch die »Hudsonbai-Kompanie« an die Krone und war der Hintergrund für den Red-River-Aufstand (1869–1870) und den Nordwest-Aufstand in Saskatchewan (1885); beide Erhebungen wurden von Louis Riel angeführt und stellten vergebliche Versuche der Méti dar, ihre traditionelle Lebensform zu verteidigen.

Wirtschaftsaufschwung und Expansion

1886 ging die »Canadian Pacific Railway« in Betrieb. Auch das war ein wichtiger Beitrag zur Einigung,

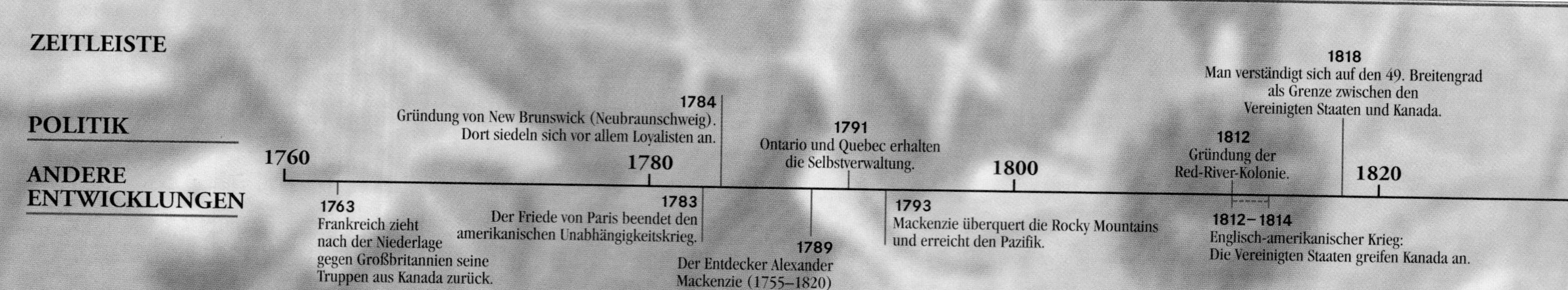
ZEITLEISTE
POLITIK
ANDERE ENTWICKLUNGEN
1760
1780
1800
1820
1763 Frankreich zieht nach der Niederlage gegen Großbritannien seine Truppen aus Kanada zurück.
1783 Der Friede von Paris beendet den amerikanischen Unabhängigkeitskrieg.
1784 Gründung von New Brunswick (Neubraunschweig). Dort siedeln sich vor allem Loyalisten an.
1789 Der Entdecker Alexander Mackenzie (1755–1820) erreicht die Beaufortsee.
1791 Ontario und Quebec erhalten die Selbstverwaltung.
1793 Mackenzie überquert die Rocky Mountains und erreicht den Pazifik.
1812 Gründung der Red-River-Kolonie.
1812–1814 Englisch-amerikanischer Krieg: Die Vereinigten Staaten greifen Kanada an.
1818 Man verständigt sich auf den 49. Breitengrad als Grenze zwischen den Vereinigten Staaten und Kanada.

denn die Eisenbahn »konsolidierte« die Westgrenze, führte zur Gründung neuer Orte entlang der Strecke und schuf eine direkte Verbindung zwischen British Columbia und dem Osten.

Im Norden schob Kanada die Grenzen weiter vor. 1912 wurde Manitoba – wie Alberta und Saskatchewan – bis zum 60. Breitengrad vergrößert, vom selben Jahr an reichte Quebec bis zur Arktis und Ontario bis an die Hudsonbai. Eine neue Grenze entstand im äußersten Norden, in der Heimat der Inuit, wohin zunächst Pelzjäger, dann Goldsucher vordrangen (vor allem 1896 zum Yukon). In Alberta ließen sich Ölgesellschaften nieder, seit man hier zwischen 1912 und 1914 auf Erdöl gestoßen war.

Der erste frankokanadische und katholische Premierminister wurde der Liberale Wilfred Laurier (1896–1911). Er blieb der Expansionspolitik treu und ermutigte Amerikaner und Osteuropäer zur Ansiedlung in der Prärie. In seiner Amtszeit stieg die Zahl der Einwanderer auf fast 400 000 Personen pro Jahr an.

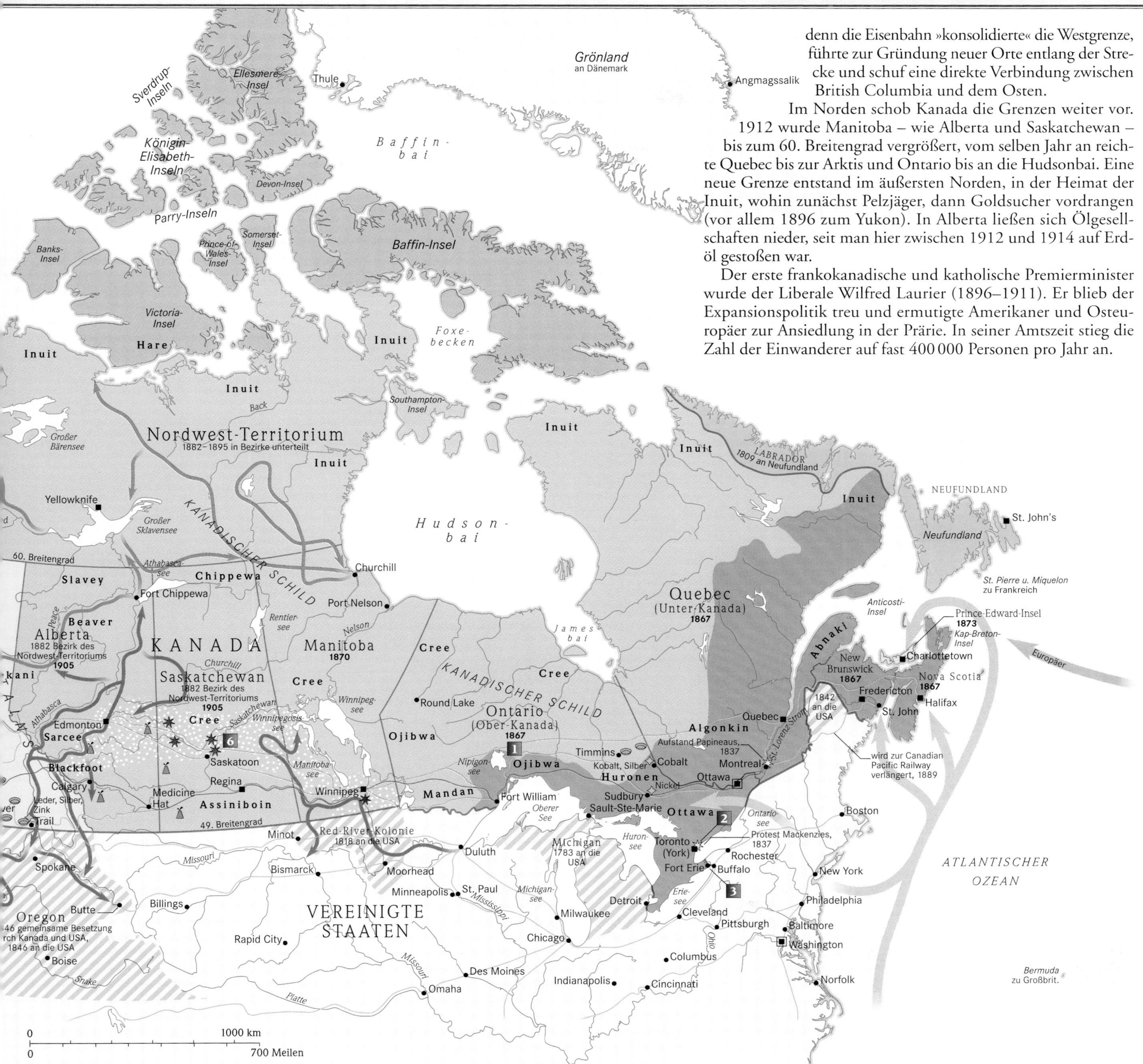

1 Loyalistische Siedler in Ober-Kanada (Ontario) erhielten nach dem amerikanischen Unabhängigkeitskrieg von der britischen Regierung 30 Millionen Dollar.

2 Der erfolglose Aufstand unter William Mackenzie (1837) in Toronto richtete sich gegen den »Familienpakt«, eine Art Ämterpatronage, durch die privilegierte Gesellschaftskreise begünstigt wurden.

3 1866 bis 1870 zogen die Fenier, ein Zweig der »Irish Republican Brotherhood«, die die britische Irlandpolitik gewaltsam zu verändern suchte, raubend durch Kanada. Ihr erster Angriff galt Fort Erie.

4 British Columbia schloss sich 1871 dem Dominion Kanada unter der Bedingung an, dass die durch sein Territorium führende Strecke der »Canadian Pacific Railway« innerhalb von zehn Jahren fertig gebaut würde.

5 Der Goldrausch am Klondike im Yukon-Territorium begann 1896 und dauerte fünf Jahre. Die Stadt Dawson, für die Goldsucher gegründet, hatte 1900 bereits 30 000 Einwohner.

6 Widerstandsfähige neue Weizensorten steigerten die Getreideernten in den Prärien; Kanada stieg bis 1914 zu einem der größten Getreideexporteure der Welt auf.

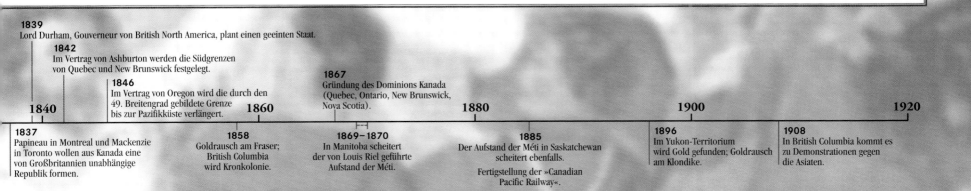

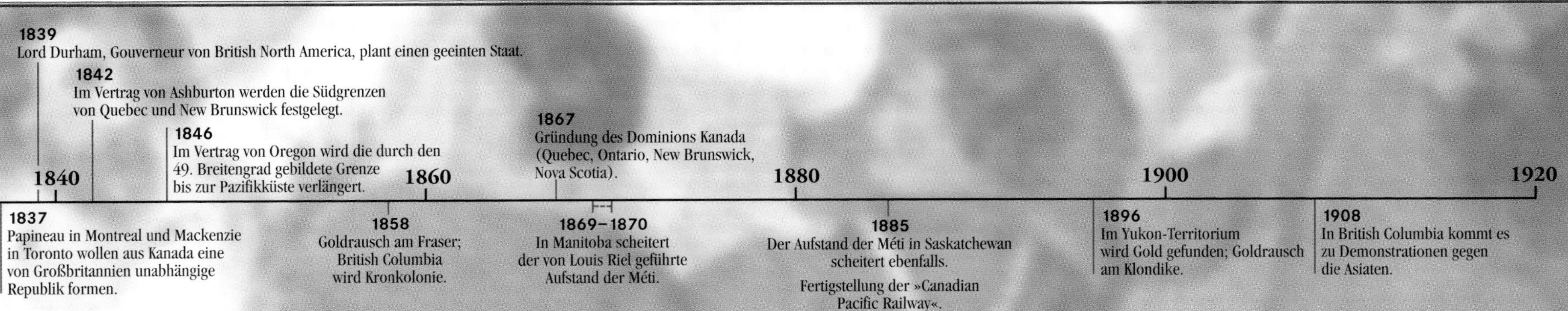
1839
Lord Durham, Gouverneur von British North America, plant einen geeinten Staat.
1842
Im Vertrag von Ashburton werden die Südgrenzen von Quebec und New Brunswick festgelegt.
1846
Im Vertrag von Oregon wird die durch den 49. Breitengrad gebildete Grenze bis zur Pazifikküste verlängert.
1867
Gründung des Dominions Kanada (Quebec, Ontario, New Brunswick, Nova Scotia).
1840
1860
1880
1900
1920
1837
Papineau in Montreal und Mackenzie in Toronto wollen aus Kanada eine von Großbritannien unabhängige Republik formen.
1858
Goldrausch am Fraser; British Columbia wird Kronkolonie.
1869–1870
In Manitoba scheitert der von Louis Riel geführte Aufstand der Méti.
1885
Der Aufstand der Méti in Saskatchewan scheitert ebenfalls.
Fertigstellung der »Canadian Pacific Railway«.
1896
Im Yukon-Territorium wird Gold gefunden; Goldrausch am Klondike.
1908
In British Columbia kommt es zu Demonstrationen gegen die Asiaten.

Die Welt im 19. Jahrhundert (1783 bis 1914)

Die Vereinigten Staaten von Amerika • 1783 bis 1890

Zwei Kongressentscheidungen der noch jungen USA lösten den bald zum Dauerthema stilisierten Konflikt zwischen den weißen Siedlern und der eingeborenen Bevölkerung aus: 1787 versprach man den Eingeborenen, dass ihr Land und Besitz nur mit ihrer Einwilligung von den Siedlern übernommen werden dürfe. Doch schon vier Jahre danach erlaubte George Washington diesen die Expansion entlang dem Ohio ohne Absprache mit den Indianern.

Staatsakt: Am 30. April 1789 leistete George Washington, erster Präsident der Vereinigten Staaten, den Eid auf die Verfassung.

Anfangs wurde das Wachstum der USA durch die Existenz spanischer (beziehungsweise ab 1800 französischer) Besitzungen jenseits des Mississippi beschränkt. Aber schon damals bestanden enge Handelsverbindungen der 13 Staaten der Union bis zum Pazifischen Ozean, die zum weiteren Vordringen nach Westen anspornten.

Gewaltsame Expansion gen Westen

Erste Vorstöße auf das Gebiet der Indianer begannen im späten 18. Jahrhundert. 1791 konnten die Shawnee und Piankashaw eine Truppe unter General Saint Clairs noch vertreiben, doch 1795 legte der Vertrag von Greenville das Muster für die Landnahme der Weißen und die Verdrängung der Eingeborenen in die »leeren« Gebiete im Westen fest. Der Prozess beschleunigte sich, als Thomas Jefferson die französische Kolonie Louisiana kaufte und sich die Fläche der USA damit verdoppelte.

In den folgenden Jahrzehnten gewannen die USA weitere Gebiete durch Kauf oder Krieg hinzu: Texas, Florida, Oregon und das Territorium, das Mexiko abtreten musste oder verkaufte (Gadsden-Vertrag). Gut 400 000 Eingeborene sahen sich mit den über die Great Plains nach Westen drängenden weißen Siedlern konfrontiert, die westlich des Mississippi von Armeeeinheiten unterstützt wurden.

In Florida leisteten die Seminolen bis etwa 1845 erbitterten Widerstand. Die Zwangsumsiedlung der Cherokee (»Trail of Tears«) in das unbesiedelte »Indian Territory« Oklahomas (1838/1839) erfolgte, weil in ihrem Siedlungsgebiet Gold gefunden wurde, und kostete 4000 ihrer Stammesangehörigen das Leben. Die Delaware, Wichita und andere Stämme erlitten ein ähnliches Schicksal. Die Siedler annektierten das Land mit Rückendeckung der Regierung: Kongressgesetze verfügten, dass geringfügige Investitionen durch Landvergabe vergolten wurden, und ermutigten so Gebietsansprüche auf die Great Plains. Dort bedrohte auch der Bau von Eisenbahnen die Lebensgrundlage der Indianer – die einst riesigen, aber nun durch Bejagung stark dezimierten Büffelherden. Die Gewalt eskalierte, als eine US-Kavallerie-Einheit 1864 die am Sand Creek in Colorado zur Unterzeichnung eines Abkommens versammelten Familien der Arapaho- und Cheyennekrieger niedermetzelte.

Blutiges Ende der Indianerkriege

Die US-Bundesregierung setzte eine Friedenskommission ein. Bei der Konferenz von Medicine Lodge Creek (1867) akzeptierten die Kiowa, Comanchen und Arapaho widerstrebend den Reservatsstatus. Auch die in Dakota ansässigen Sioux mit ihrem Häuptling Sitting Bull versprachen – da man ihnen das Reservat Black Hill auf Dauer zugestanden hatte – die Einstellung aller Feindseligkeiten. Doch 1874 provozierten Übergriffe von Goldsuchern Gegenmaßnahmen der Sioux, die in den Folgejahren Unterstützung von den nördlichen Cheyenne erhielten. In der Schlacht am Little Bighorn River vernichteten 1876 die Indianer die über 250 Mann starke Truppe des US-Generals Custer, aber die Häuptlinge Sitting Bull und Crazy Horse konnten den Sieg nicht nutzen und wurden schließlich zur Unterwerfung gezwungen.

Den Blackfoot- und den Crow-Indianern in Wyoming beziehungsweise Montana, den Modoc in Ore-

Swift Bear
Spotted Tail
Red Cloud

Eindrucksvoll, doch machtlos – Nordamerikas Häuptlinge 1890, sitzend v. l. Sitting Bull, Swift Bear, Spotted Tail und Red Cloud

Die Entstehung der Vereinigten Staaten
- die ursprünglich 13 Kolonien
- Siedlungsgebiete der Weißen/Landabtretungen der Indianer, 1783
- Kauf von Louisiana, 1803
- Landabtretungen Großbritanniens, datiert
- Florida, 1813–1819
- Texas, 1845
- Oregon, 1846
- Landverkauf Mexikos, 1848
- Gadsden-Vertrag, 1853
- Alaska, 1867
- 1787 Jahr der Aufnahme in die Union
- Fox Indianerstamm, 1783
- »Indianer-Reservationen«, 1875
- Gebiet der Geistertanzbewegung, 1890
- Rückzug der südlichen Indianerstämme im 19. Jahrhundert
- Schlacht zwischen Weißen und Indianern
- Massaker an Indianern
- Vertrag zwischen den Indianern und den Vereinigten Staaten
- anderer, für Indianer wichtiger Ort
- Hauptstadt
- Hauptstadt eines US-Staats, einer Provinz oder Territoriums
- Kämpfe im englisch-amerikanischen Krieg, 1812–1815
- Goldgräberstadt
- Forschungsreise von Lewis und Clarke, 1804–1806
- Handelsroute
- Strecke der Union Pacific und Central Pacific Railway
- Grenzen, 1914

British Columbia, Fraser, Vancouver, Victoria, Seattle, Olympia, Washington 1889, Fort Clatsop, 1, Columbia, Salem, Oregon 1859, Modoc, Modoc-Krieg 1872–1873, Californian, Reno, Marysville, Sacramento, Carson City, San Francisco, Stockton, Miwok, Kalifo..., Los A...

0 – 900 km
0 – 600 Meilen

1 1792 erkundete Captain Robert Gray den Columbia River und nahm das Gebiet für die USA in Besitz.

2 Meriwether Lewis und William Clarke erhielten 1804 von Thomas Jefferson den Auftrag, die Gebiete jenseits des Mississippi zu erkunden.

3 Die Choctaw, Cherokee, Chickasaw, Creek und Seminolen galten als die »Fünf Zivilisierten Stämme«, weil sie sich der Kultur der Weißen angepasst hatten. Das verhinderte ihre Zwangsumsiedlung im Jahr 1830 jedoch nicht.

4 Das »Indian Territory« entstand in den 30er-Jahren des 19. Jahrhunderts als »Heimat« für die Indianer, wurde aber 1854 und 1890 stark verkleinert und 1907 ganz aufgelöst.

5 Die USA kauften 1867 für 7,2 Millionen Dollar dem russischen Zarenreich Alaska ab.

6 1869 wurden die Eisenbahnlinien »Union Pacific« und »Central Pacific Railway« in Promontory Point in Utah miteinander verbunden.

ZEITLEISTE

Expansion der Vereinigten Staaten

1780

1787 Die »Northwest Ordinance« legt die Regeln für die Regierungsbildung in den neuen Staaten fest.

1800

1804–1806 Lewis und Clarke erforschen das Gebiet westlich des Mississippi und erreichen schließlich den Pazifischen Ozean.

1814 Veteranen des Krieges von 1812 werden mit der Zuteilung von öffentlichem Land im Westen belohnt.

1815 Die Öffnung der europäischen Märkte treibt die Baumwollexporte in die Höhe.

1819 Spanien tritt Florida an die Vereinigten Staaten ab.

1820

Indianische Angelegenheiten

1817–1818 1. Seminolen-Krieg.

1824 Das »Indian Bureau« plant die Bekehrung der eingeborenen Amerikaner.

1830 Präsident Andrew Jacksons »Indian Removal Act« passiert den Kongress.

In Illinois und Wisconsin käm[pft] Häuptling Black Hawk um die Rückgabe von Land.

gon und den Nez Percé in Idaho erging es ähnlich. Die Häuptlinge Cochise und Geronimo von den Chiricahua-Apachen in Arizona und New Mexico führten einen Guerillakrieg, bis sie sich 1872 beziehungsweise 1886 ergeben mussten. Viele verzweifelte Indianer schlossen sich Wovoka an. Dieser »Prophet« der Paiute veranstaltete Geistertänze, die gegen Gewehrkugeln immun machen sollten, und versprach, dass Sitting Bull die Weißen vertreiben würde. Der große Sioux-Häuptling wurde bei seiner Festnahme erschossen; die 7. Kavallerie-Brigade verübte im Dezember 1890 am Wounded Knee Creek ein Massaker an seinem Volk.

Die Wirtschaft gedeiht

Ungeachtet aller Probleme gedieh die Wirtschaft der USA. Im Nordosten siedelten sich weitere Einwanderer aus Europa an und neue Industrien entstanden, um die wachsende Bevölkerung zu versorgen. Im Süden führte der hohe Baumwollpreis zur Anlage riesiger Plantagen. Auch die Erfindung der Entkörnungsmaschine (1792) trug zur Steigerung der Produktion bei. Weil das Plantagensystem auf Sklavenhaltung basierte, wuchsen die Spannungen zwischen Norden und Süden. Hier war man angesichts des steigenden wirtschaftlichen Wertes der Sklaven nicht bereit, diesen die Freiheit zu geben. 1850 sollte ein Kompromiss das Problem lösen: Kalifornien durfte der Union als »freier Staat« beitreten, musste aber versprechen, gegen entlaufene Sklaven streng vorzugehen. Dennoch mündete der Konflikt schon bald in den Bürgerkrieg.

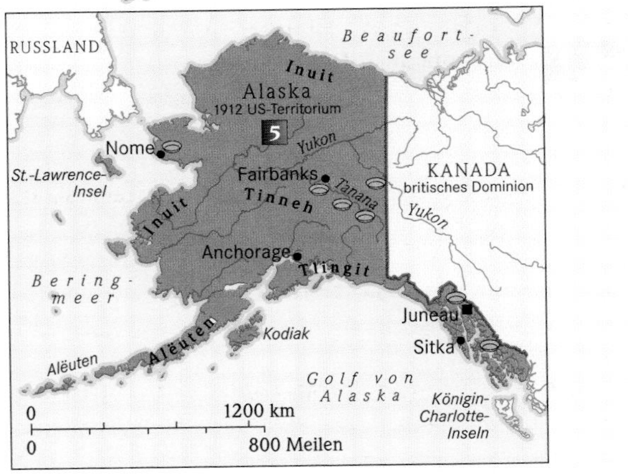

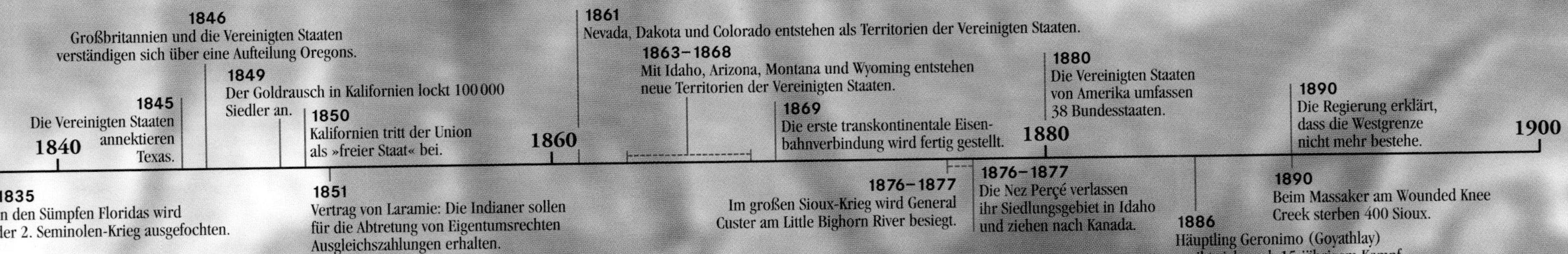
1846
Großbritannien und die Vereinigten Staaten verständigen sich über eine Aufteilung Oregons.
1845
Die Vereinigten Staaten annektieren Texas.
1849
Der Goldrausch in Kalifornien lockt 100 000 Siedler an.
1850
Kalifornien tritt der Union als »freier Staat« bei.
1840
1860
1861
Nevada, Dakota und Colorado entstehen als Territorien der Vereinigten Staaten.
1863–1868
Mit Idaho, Arizona, Montana und Wyoming entstehen neue Territorien der Vereinigten Staaten.
1869
Die erste transkontinentale Eisenbahnverbindung wird fertig gestellt.
1880
Die Vereinigten Staaten von Amerika umfassen 38 Bundesstaaten.
1880
1890
Die Regierung erklärt, dass die Westgrenze nicht mehr bestehe.
1900
1835
In den Sümpfen Floridas wird der 2. Seminolen-Krieg ausgefochten.
1851
Vertrag von Laramie: Die Indianer sollen für die Abtretung von Eigentumsrechten Ausgleichszahlungen erhalten.
1876–1877
Im großen Sioux-Krieg wird General Custer am Little Bighorn River besiegt.
1876–1877
Die Nez Percé verlassen ihr Siedlungsgebiet in Idaho und ziehen nach Kanada.
1886
Häuptling Geronimo (Goyathlay) ergibt sich nach 15-jährigem Kampf.
1890
Beim Massaker am Wounded Knee Creek sterben 400 Sioux.

Die Welt im 19. Jahrhundert (1783 bis 1914)

Der amerikanische Bürgerkrieg • 1850 bis 1865

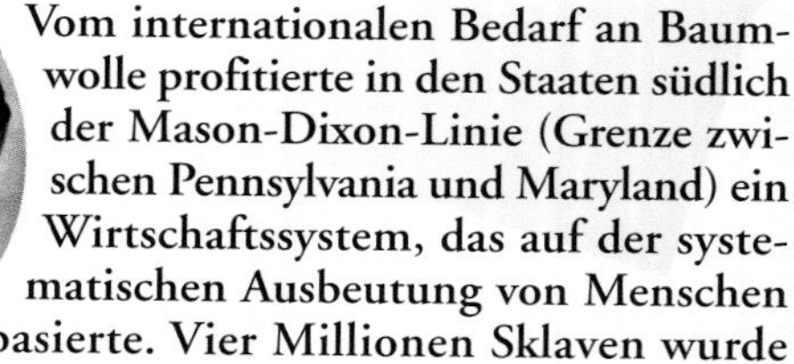

Vom internationalen Bedarf an Baumwolle profitierte in den Staaten südlich der Mason-Dixon-Linie (Grenze zwischen Pennsylvania und Maryland) ein Wirtschaftssystem, das auf der systematischen Ausbeutung von Menschen basierte. Vier Millionen Sklaven wurde das Recht auf eine eigene Familie, auf Bildung und Staatsbürgerschaft vorenthalten.

Die Sklaverei geriet mit der Ausdehnung der USA nach Westen zur politischen Frage. Entgegen den Interessen des Südens verbot der Verfassungskonvent 1787 die »Einfuhr« von Sklaven, schützte aber auch in den einzelnen Staaten die Sklavenhaltung vor Eingriffen der Bundesregierung. 1820 unternahm man mit dem Missouri-Kompromiss einen neuen Versuch, zu einem Interessenausgleich zwischen Abolitionisten (Gegnern der Sklaverei) und Sklavenhaltern zu gelangen: In Missouri wurde die Sklavenhaltung zugelassen, während sie in allen Staaten nördlich von 36° 30' verboten war.

Konflikt um die Sklaverei

Die Sklavenfrage führte zur Polarisierung: Die einen forderten die sofortige und vollständige Abschaffung der Sklaverei, die anderen brachten ökonomische und rassische Gründe für ihre Beibehaltung vor. In den 50er-Jahren des 19. Jahrhunderts spitzte sich die Auseinandersetzung durch eine Reihe von Gesetzen zu. Gemäß dem Kompromiss von 1850 nahm man Kalifornien als »freien« Staat in die Union auf, doch in den von Mexiko nach dem Krieg von 1846 bis 1848

Sklaven bei der Baumwollernte um 1860; die Auseinandersetzung um die Sklavereifrage war wesentlicher Auslöser des amerikanischen Bürgerkriegs.

abgetretenen Gebieten (Utah und New Mexico) wurde die Sklaverei nicht eingeschränkt. Das Kansas-Nebraska-Gesetz sprach 1854 den Siedlern das Recht zu, selbst zu entscheiden, ob sie in einem neu erschlossenen Gebiet die Sklaverei zulassen wollten oder nicht, was in Kansas zum offenen Krieg führte. 1857 entschied der Oberste Gerichtshof, dass weder der Kongress noch die Bewohner eines Territoriums die Sklaverei abschaffen könnten. Damit wurden der Missouri-Kompromiss für nicht verfassungskonform erklärt und der künstlich erreichte Ausgleich zerstört: Die Entscheidung bedrohte das gesamte demokratische Fundament der Union. Derweil flüchteten entlaufene Sklaven mit Hilfe von Gegnern der Sklaverei in den Norden. Bei den Präsidentschaftswahlen im Jahr 1860 siegte in allen »freien« Staaten (außer New Jersey) der Republikaner Abraham Lincoln, der sich weigerte, die Sklaverei auf neue Territorien auszuweiten.

Die Sezession

Am 20. Dezember 1860 trat South Carolina aus der Union aus, Georgia, Alabama, Texas, Florida, Mississippi und Louisiana folgten. Die abtrünnigen Staaten schlossen sich zu einer Konföderation zusammen und wählten Jefferson Davis zum Präsidenten. Am 12. April 1861 beschossen die Truppen der Konfö-

Die erste Seeschlacht zwischen gepanzerten Schlachtschiffen, der »USS Monitor« und der »CSS Virginia«, fand am 9. März 1862 statt; Lithographie (1889).

deration Fort Sumter. Lincoln berief daraufhin im Norden 75 000 Freiwillige ein, was zur Folge hatte, dass sich auch Virginia, North Carolina, Tennessee und Arkansas der Konföderation anschlossen. Doch nicht alle »Sklavenstaaten« verließen die Union; Kentucky erklärte sich für neutral und Delaware, Maryland und Missouri blieben loyal, ebenso die nordwestlichen Bezirke Virginias (aus denen 1863 der Staat West Virginia entstand).

Der Sezessionskrieg

Der Bürgerkrieg, der nun ausbrach, wirkte sich verheerend aus; ein Viertel aller Kämpfer fiel. Die Strategie der Konföderation bestand darin, sich zu verteidigen und die internationale Anerkennung als unabhängiger Staat zu erlangen. Die Unionsregierung musste deshalb den Süden angreifen, um die abtrünnigen Staaten in die Union zurückzuholen. Der Norden verfügte über die größere Bevölkerung, weniger verwundbare Eisenbahnverbindungen und weit mehr industrielle Ressourcen als die Konföderation. Lincoln war deshalb zuversichtlich, seine beiden Hauptziele zu erreichen: die Seeblockade der Konföderation und die Einnahme ihrer Hauptstadt Richmond. Doch die Konföderierten siegten zunächst unter anderem in den beiden Schlachten bei Bull Run und die Union konnte das strategisch wichtige Fredericksburg nicht einnehmen. Im Januar 1863 erklärte Lincoln die Sklaverei in den Staaten der Konföderation für abgeschafft. Derweil drangen konföderierte Truppen nach Pennsylvania ein. Die Wende zugunsten der Union brachte die Schlacht bei Gettysburg im Juli 1863.

Auch im Westen kämpften die Truppen der Union nun erfolgreich. Unter Ulysses Grant drangen sie am Mississippi entlang nach Süden vor und schnitten Arkansas, Louisiana und Texas vom Territorium der Konföderation ab. In Georgia eroberte William Sherman Atlanta und Savannah. Grant besiegte den Oberbefehlshaber der Konföderation, Robert E. Lee, in einer Reihe von Schlachten (Wilderness, Spotsylvania, Cold Harbor und Petersburg). Richmond fiel am 3. April 1865 und am 9. April unterzeichnete Lee in Appomattox die Kapitulation. Fünf Tage später wurde Abraham Lincoln ermordet.

Langwierige Rekonstruktion

Lincoln hatte die Union gerettet und die Sklaven befreit, von denen Tausende für die Union gekämpft

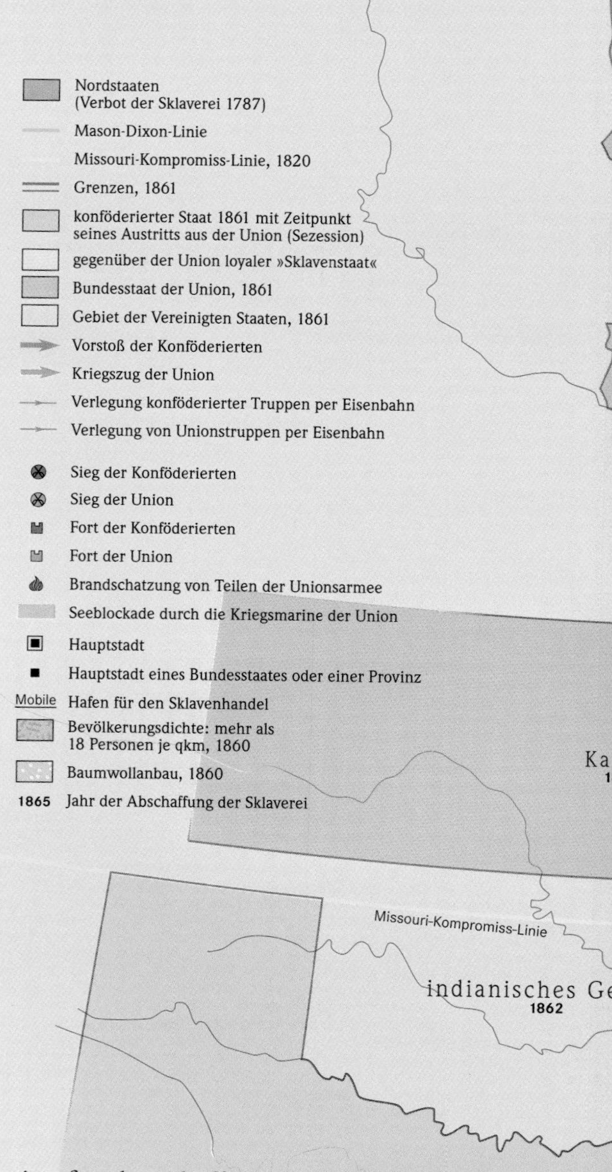
Nordstaaten
(Verbot der Sklaverei 1787)
Mason-Dixon-Linie
Missouri-Kompromiss-Linie, 1820
Grenzen, 1861
konföderierter Staat 1861 mit Zeitpunkt seines Austritts aus der Union (Sezession)
gegenüber der Union loyaler »Sklavenstaat«
Bundesstaat der Union, 1861
Gebiet der Vereinigten Staaten, 1861
Vorstoß der Konföderierten
Kriegszug der Union
Verlegung konföderierter Truppen per Eisenbahn
Verlegung von Unionstruppen per Eisenbahn
Sieg der Konföderierten
Sieg der Union
Fort der Konföderierten
Fort der Union
Brandschatzung von Teilen der Unionsarmee
Seeblockade durch die Kriegsmarine der Union
Hauptstadt
Hauptstadt eines Bundesstaates oder einer Provinz
Mobile Hafen für den Sklavenhandel
Bevölkerungsdichte: mehr als 18 Personen je qkm, 1860
Baumwollanbau, 1860
1865 Jahr der Abschaffung der Sklaverei
Missouri-Kompromiss-Linie
1862
Dallas
Texas
1865
Brazos
Colorado
Austin
San Antonio
Baton Roug

Zeitleiste

Abschaffung der Sklaverei	**1831** Die erste Nummer der proabolitionistischen Zeitung »The Liberator« erscheint. · **1832** William Lloyd Garrison und andere gründen die radikale »Antislavery Society«. · **1840** Die gemäßigte »American and Foreign Antislavery Society« entsteht. · **1848** Gründung der gegen die Sklaverei gerichteten »Free Soil Party«.
Sezession und Bürgerkrieg	1830 · 1840

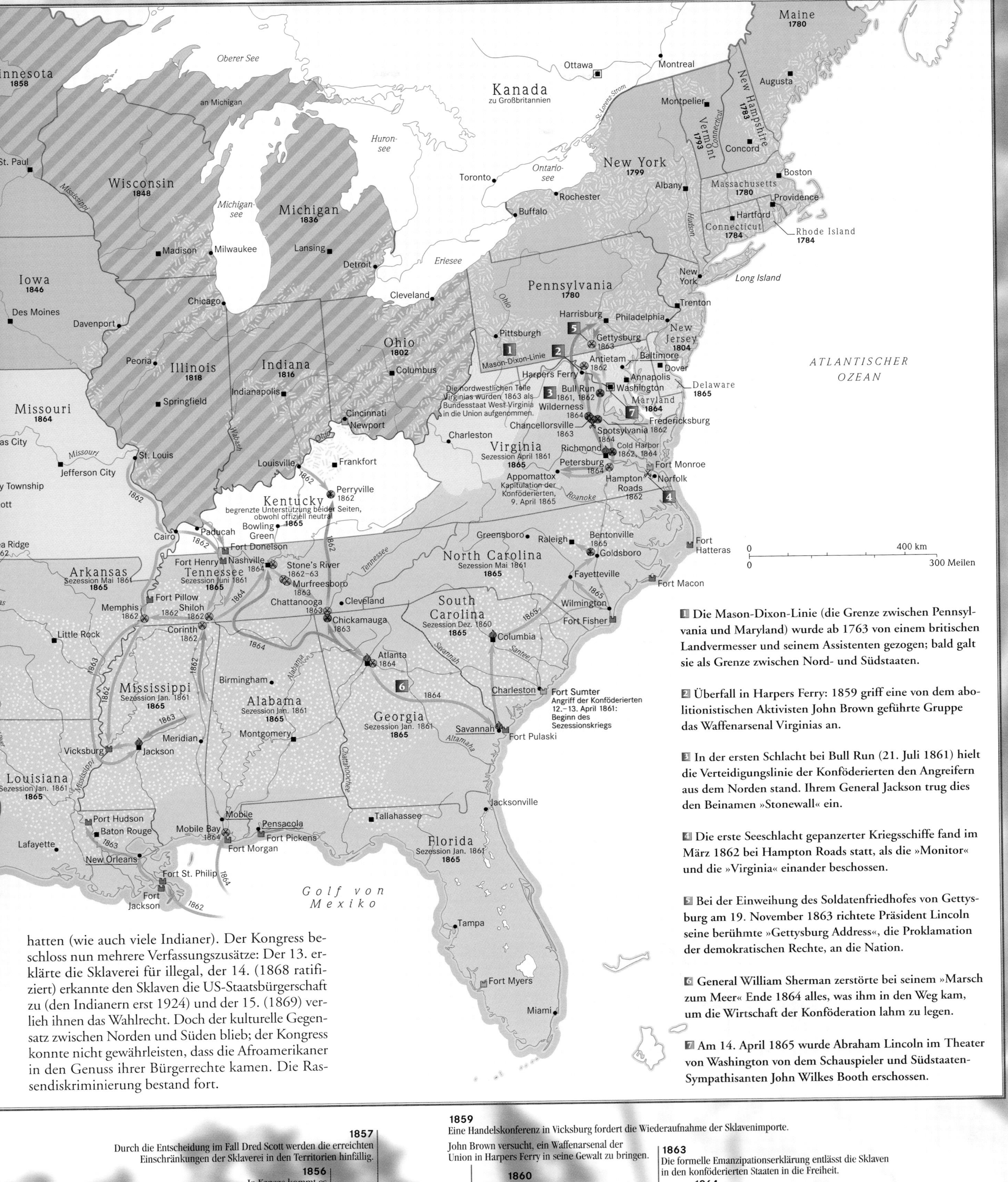
Maine
1780
Oberer See
innesota
1858
Ottawa
Montreal
Augusta
Kanada
zu Großbritannien
an Michigan
St.-Lorenz-Strom
Montpelier
New Hampshire
1783
Vermont
1793
Connecticut
Concord
Huron-
see
St. Paul
Mississippi
Wisconsin
1848
Toronto
Ontario-
see
New York
1799
Albany
Boston
Massachusetts
1780
Providence
Rochester
Michigan-
see
Michigan
1836
Buffalo
Hudson
Hartford
Connecticut
1784
Rhode Island
1784
Madison
Milwaukee
Lansing
Detroit
Eriesee
New
York
Long Island
Iowa
1846
Chicago
Cleveland
Pennsylvania
1780
Trenton
Des Moines
Davenport
Ohio
Harrisburg
Philadelphia
New
Jersey
1804
Pittsburgh
Gettysburg
1863
Ohio
1802
Mason-Dixon-Linie
Antietam
1862
Baltimore
Dover
ATLANTISCHER
OZEAN
Peoria
Illinois
1818
Indiana
1816
Columbus
Harpers Ferry
Annapolis
Delaware
1865
Bull Run
1861, 1862
Washington
Indianapolis
Springfield
Die nordwestlichen Teile Virginias wurden 1863 als Bundesstaat West Virginia in die Union aufgenommen.
Wilderness
1864
Maryland
1864
Missouri
1864
Cincinnati
Newport
Chancellorsville
1863
Fredericksburg
Spotsylvania 1862
1864
Charleston
sas City
Missouri
St. Louis
Wabash
Virginia
Sezession April 1861
1865
Richmond
Cold Harbor
1862, 1864
Jefferson City
Louisville
Frankfort
Petersburg
1864
Fort Monroe
y Township
Appomattox
Kapitulation der Konföderierten, 9. April 1865
Hampton
Roads
1862
Norfolk
cott
Perryville
1862
Roanoke
Kentucky
begrenzte Unterstützung beider Seiten, obwohl offiziell neutral
1865
Bowling
Green
Cairo
Paducah
Greensboro
Raleigh
Bentonville
1865
Goldsboro
Fort Hatteras
ea Ridge
862
Fort Donelson
Tennessee
North Carolina
Sezession Mai 1861
1865
0
400 km
0
300 Meilen
Arkansas
Sezession Mai 1861
1865
Fort Henry
Nashville
1864
Tennessee
Sezession Juni 1861
1865
Stone's River
1862–63
Murfreesboro
1863
Fayetteville
Fort Macon
Fort Pillow
Memphis
1862
Shiloh
1862
Chattanooga
1863
Cleveland
South
Carolina
Sezession Dez. 1860
1865
Wilmington
Fort Fisher
Chickamauga
1863
Little Rock
Corinth
1862
Columbia
Savannah
Santee
Atlanta
1864
Birmingham
Alabama
Mississippi
Sezession Jan. 1861
1865
Charleston
Fort Sumter
Angriff der Konföderierten 12.–13. April 1861: Beginn des Sezessionskriegs
Alabama
Sezession Jan. 1861
1865
Georgia
Sezession Jan. 1861
1865
Meridian
Montgomery
Savannah
Fort Pulaski
Altamaha
Vicksburg
Jackson
Louisiana
Sezession Jan. 1861
1865
Chattahoochee
Jacksonville
Port Hudson
Baton Rouge
1863
Mobile
Mobile Bay
1864
Pensacola
Fort Pickens
Fort Morgan
Tallahassee
Lafayette
New Orleans
Florida
Sezession Jan. 1861
1865
Fort St. Philip
Fort
Jackson
Golf von
Mexiko
Tampa
Fort Myers
Miami

hatten (wie auch viele Indianer). Der Kongress beschloss nun mehrere Verfassungszusätze: Der 13. erklärte die Sklaverei für illegal, der 14. (1868 ratifiziert) erkannte den Sklaven die US-Staatsbürgerschaft zu (den Indianern erst 1924) und der 15. (1869) verlieh ihnen das Wahlrecht. Doch der kulturelle Gegensatz zwischen Norden und Süden blieb; der Kongress konnte nicht gewährleisten, dass die Afroamerikaner in den Genuss ihrer Bürgerrechte kamen. Die Rassendiskriminierung bestand fort.

1 Die Mason-Dixon-Linie (die Grenze zwischen Pennsylvania und Maryland) wurde ab 1763 von einem britischen Landvermesser und seinem Assistenten gezogen; bald galt sie als Grenze zwischen Nord- und Südstaaten.

2 Überfall in Harpers Ferry: 1859 griff eine von dem abolitionistischen Aktivisten John Brown geführte Gruppe das Waffenarsenal Virginias an.

3 In der ersten Schlacht bei Bull Run (21. Juli 1861) hielt die Verteidigungslinie der Konföderierten den Angreifern aus dem Norden stand. Ihrem General Jackson trug dies den Beinamen »Stonewall« ein.

4 Die erste Seeschlacht gepanzerter Kriegsschiffe fand im März 1862 bei Hampton Roads statt, als die »Monitor« und die »Virginia« einander beschossen.

5 Bei der Einweihung des Soldatenfriedhofes von Gettysburg am 19. November 1863 richtete Präsident Lincoln seine berühmte »Gettysburg Address«, die Proklamation der demokratischen Rechte, an die Nation.

6 General William Sherman zerstörte bei seinem »Marsch zum Meer« Ende 1864 alles, was ihm in den Weg kam, um die Wirtschaft der Konföderation lahm zu legen.

7 Am 14. April 1865 wurde Abraham Lincoln im Theater von Washington von dem Schauspieler und Südstaaten-Sympathisanten John Wilkes Booth erschossen.

1850

1854 Das Kansas-Nebraska-Gesetz macht den Missouri-Kompromiss von 1820 rückgängig.

1856 In Kansas kommt es zu Zusammenstößen zwischen Sklavenhaltern und Abolitionisten.

1857 Durch die Entscheidung im Fall Dred Scott werden die erreichten Einschränkungen der Sklaverei in den Territorien hinfällig.

1859 Eine Handelskonferenz in Vicksburg fordert die Wiederaufnahme der Sklavenimporte.
John Brown versucht, ein Waffenarsenal der Union in Harpers Ferry in seine Gewalt zu bringen.

1860

1860 Abraham Lincoln wird US-Präsident.

1860 Präsident James Buchanan schließt die Möglichkeit der Sezession eines Staates aus.

1861 Ausbruch des Bürgerkrieges, als Truppen der Konföderation Fort Sumter beschießen.
»Stonewall« Jackson siegt in der ersten Schlacht bei Bull Run.

1863 Der Vormarsch der Konföderierten wird durch die Schlacht bei Antietam gestoppt; General Lee zieht sich nach Virginia zurück.

1863 Die formelle Emanzipationserklärung entlässt die Sklaven in den konföderierten Staaten in die Freiheit.

1863 General Meade schlägt die Konföderierten bei Gettysburg zurück.

1864 Wiederwahl Präsident Lincolns.

1864 General Sherman zerstört bei seinem Zug durch Georgia Atlanta und Savannah.

1865 Ratifizierung des 13. Verfassungszusatzes, der die Sklaverei beendet.

1865 Kapitulation der Konföderation in Appomattox.

1870

Die Welt im 19. Jahrhundert (1783 bis 1914)

Bevölkerung und Wirtschaft der USA • 1850 bis 1914

Nach dem Ende des Bürgerkrieges erlebten die Nordstaaten einen beispiellosen Wirtschaftsaufschwung. In- und ausländische Spekulanten investierten in eine neue Industrialisierungswelle; auch der Eisenbahnbau trieb die Entwicklung voran. Die Fertigstellung der ersten transkontinentalen Verbindung im Jahr 1869 ermutigte zum Bau neuer Strecken durch Amerika – 1883 gab es bereits drei weitere.

Von dieser Steigerung der Mobilität profitierten die Städte genauso wie die ländlichen Gebiete. Millionen Stück Vieh konnten jetzt in die Schlachthöfe von Chicago und Kansas City transportiert werden. Indem die Eisenbahn den Westen für eine Gewinn bringende Landwirtschaft öffnete, beschleunigte sie auch die politische Entwicklung; bis 1890 waren die meisten westlichen Territorien zu vollberechtigten Staaten der Union geworden. Doch der Eisenbahnboom besaß auch negative Seiten. So löste 1873 eine Aktienmanipulation eine Panik aus, die ausländische Investoren veranlasste, ihr Kapital abzuziehen.

Wiederaufbau der Südstaaten

Den Süden hatte der Bürgerkrieg schwer verwüstet. Die wichtigsten Städte lagen in Trümmern, das Wirtschaftsleben war zerstört. Im Norden bestanden unterschiedliche Ansichten, wie die abtrünnigen Staaten zu behandeln seien. Präsident Andrew Johnson, Lincolns Nachfolger, trat für eine Versöhnung ein, andere rieten zu Repressionen. Nach einer radikalen Periode stellten die Konservativen die Herrschaft der Weißen im Süden fast wieder in altem Umfang her und umgingen damit die den befreiten Sklaven per Verfassung garantierten Rechte. Der Wiederaufbau benötigte Zeit, aber die Südstaaten wurden schrittweise wieder in die Union aufgenommen.

Anstieg der Bevölkerung

Die Städte wuchsen mit erstaunlichem Tempo. 1914 zählte die Stadtbevölkerung der USA 45 Millionen Menschen, die meisten davon Einwanderer. Sie suchten dringend Arbeit und waren bereit, auch schlecht bezahlte Jobs anzunehmen; deshalb wurden sie von den Fabriken in New York, Chicago, Buffalo, Pittsburgh, Cleveland, Milwaukee, Cincinnati und Saint Louis rasch aufgesogen. In den dicht bevölkerten Städten wie in den Fabriken, Bergbausiedlungen und Holzarbeitercamps herrschten schlimme Zustände. Viele Einwanderer erfuhren Diskriminierungen; schon 1871 wurden Chinesen Opfer rassistischer Ausschreitungen. Der weitere Zuzug von Chinesen wurde 1882 per Gesetz (durch den so genannten »Chinese Exclusion Act«) gestoppt.

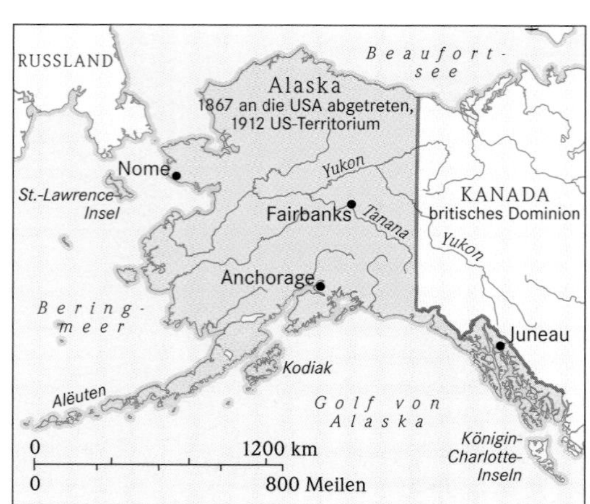

RUSSLAND
Beaufort-see
Alaska
1867 an die USA abgetreten, 1912 US-Territorium
Nome
Yukon
St.-Lawrence-Insel
Fairbanks
Tanana
KANADA
britisches Dominion
Yukon
Anchorage
Bering-meer
Juneau
Kodiak
Aleuten
Golf von Alaska
Königin-Charlotte-Inseln
0
1200 km
0
800 Meilen

Blüte des US-Kapitalismus

Die europäische Rezession Ende des 19. Jahrhunderts wirkte sich auf die USA kaum aus. Es war die Zeit der großen Unternehmer wie John D. Rockefeller (Öl), Philip D. Armour (Fleisch), J. Pierpont Morgan (Eisenbahnen) oder Andrew Carnegie (Stahl); ihnen verdankten die USA ihren Aufstieg zur größten Industrienation der Welt. Sie nutzten das niedrige Zinsniveau, die billigen Arbeitskräfte und den kaum regulierten Markt. Obwohl sich die Arbeitgeber rüder Methoden bedienten und bei Streiks nicht lange fackelten, hatte diese Blütezeit des US-Kapitalismus doch auch gute Seiten. Symbol amerikanischen Unternehmertums und amerikanischer Demokratie war das »Modell T«, das der Automobilproduzent Henry Ford ab 1908 in Detroit baute. Viele Multimillionäre brachten ihr Vermögen in wohltätige Stiftungen ein.

Im Anblick des »gelobten Landes«: Ellis Island vor der Küste von New York City war ab 1892 Durchgangsstation für alle Immigranten.

1 Zwischen 1867 und 1871 wurden etwa 1,5 Millionen Rinder über Hunderte von Kilometern auf dem Chisholm Trail zur Verladestation in Abilene, Kansas, getrieben.

2 Atlanta, das während des Bürgerkriegs von Unionstruppen niedergebrannt worden war, stand im Zentrum des Wiederaufbauprogramms der Bundesregierung.

3 Während des großen Streiks von 1877 kam es in Pittsburgh zu Ausschreitungen, bei denen die Stadt und ihre Eisenbahnanlagen fast völlig zerstört wurden.

4 Im Zuge der Besiedlung von Oklahoma veranstalteten die Siedler 1889 Wettrennen durch die Prärie; jeder wollte als Erster seine Claims abstecken.

5 Von 1892 an war Ellis Island in New York das wichtigste Einwanderer-Durchgangslager des Landes.

6 Utah wurde 1896 in die Union aufgenommen, nachdem seine mormonischen Bewohner versprochen hatten, die Polygamie abzuschaffen.

Zeitleiste

Soziale Entwicklungen

1865 Im Verlauf des Bürgerkriegs sind die Einwanderungszahlen gesunken, aber nach seinem Ende ziehen sie sofort wieder an.

1866 Gründung des Ku-Klux-Klans, der sich dem Wiederaufbau (»Reconstruction«) widersetzt und gegen die Freiheiten der Sklaven opponiert.

1870 Einer Volkszählung zufolge leben 40 Millionen Menschen in den Vereinigten Staaten.

1875 Die Vereinigten Staaten beginnen, die Einwanderung zu drosseln, indem sie unerwünschte Einwanderer ausschließen.

1877 600 000 farbige Schüler besuchen inzwischen die Schulen des Südens.

1882 Die Einwanderungsbehörden weisen jetzt auch Straftäter, geistig behinderte Menschen sowie all jene zurück, die der öffentlichen Hand zur Last fallen könnten.

1860 — 1870 — 1880

Wirtschaftliche Entwicklungen

1866–1867 Dauer der »Reconstruction«, des vom Kongress initiierten Wiederaufbaus des Südens.

1870 John D. Rockefeller gründet in Ohio die »Standard Oil Company«.

1876 Alexander Graham Bell meldet das Telefon zum Patent an.

1877 Thomas Edison erfindet den Phonographen. Der große Streik beginnt in Martinsburg, West Virginia.

1880 Die Stahlproduktion übersteigt 1,4 Millionen Tonnen.

1882 Edisons »Electric Illuminating Company« versorgt New York mit Strom.

1885 Bell und andere gründen die »American Telephone and Telegraph Company« (AT&T).

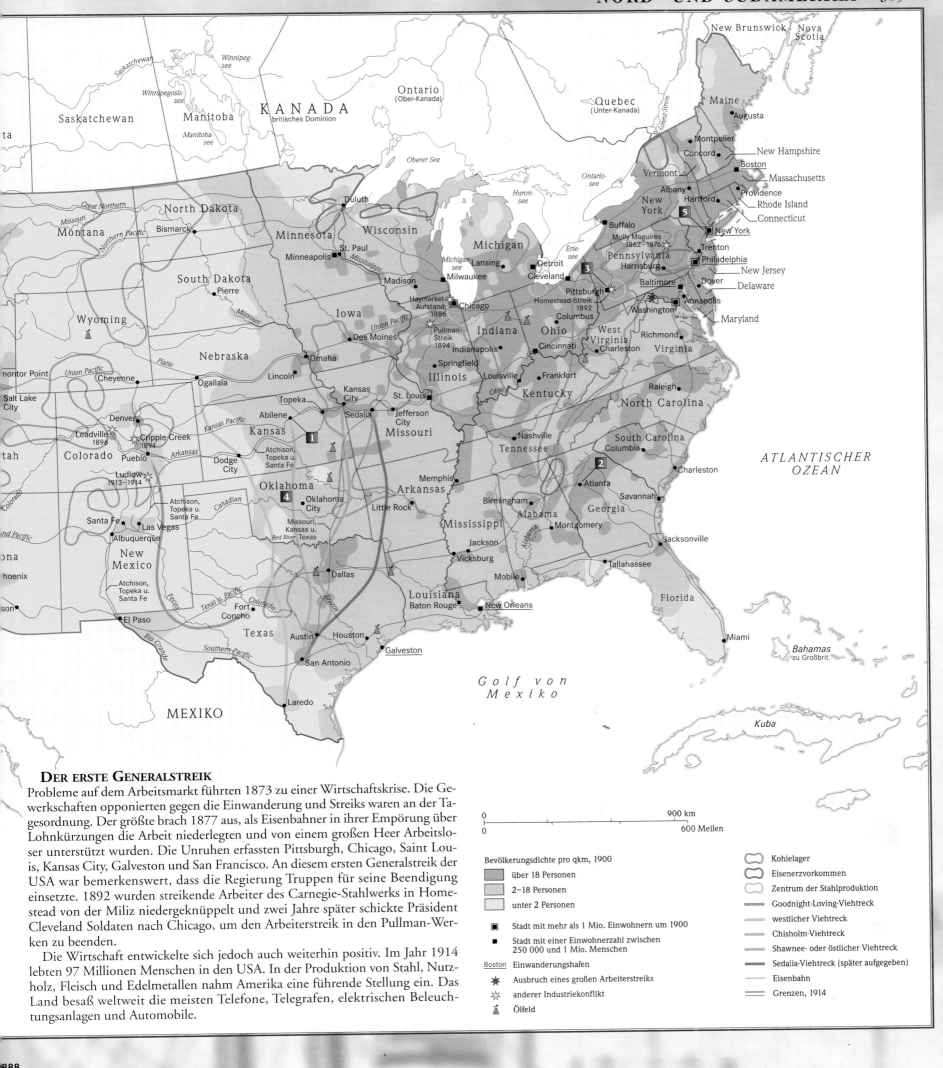

Der erste Generalstreik

Probleme auf dem Arbeitsmarkt führten 1873 zu einer Wirtschaftskrise. Die Gewerkschaften opponierten gegen die Einwanderung und Streiks waren an der Tagesordnung. Der größte brach 1877 aus, als Eisenbahner in ihrer Empörung über Lohnkürzungen die Arbeit niederlegten und von einem großen Heer Arbeitsloser unterstützt wurden. Die Unruhen erfassten Pittsburgh, Chicago, Saint Louis, Kansas City, Galveston und San Francisco. An diesem ersten Generalstreik der USA war bemerkenswert, dass die Regierung Truppen für seine Beendigung einsetzte. 1892 wurden streikende Arbeiter des Carnegie-Stahlwerks in Homestead von der Miliz niedergeknüppelt und zwei Jahre später schickte Präsident Cleveland Soldaten nach Chicago, um den Arbeiterstreik in den Pullman-Werken zu beenden.

Die Wirtschaft entwickelte sich jedoch auch weiterhin positiv. Im Jahr 1914 lebten 97 Millionen Menschen in den USA. In der Produktion von Stahl, Nutzholz, Fleisch und Edelmetallen nahm Amerika eine führende Stellung ein. Das Land besaß weltweit die meisten Telefone, Telegrafen, elektrischen Beleuchtungsanlagen und Automobile.

0 900 km
0 600 Meilen

Bevölkerungsdichte pro qkm, 1900
- über 18 Personen
- 2–18 Personen
- unter 2 Personen
- Stadt mit mehr als 1 Mio. Einwohnern um 1900
- Stadt mit einer Einwohnerzahl zwischen 250 000 und 1 Mio. Menschen
- Boston Einwanderungshafen
- Ausbruch eines großen Arbeiterstreiks
- anderer Industriekonflikt
- Ölfeld
- Kohlelager
- Eisenerzvorkommen
- Zentrum der Stahlproduktion
- Goodnight-Loving-Viehtreck
- westlicher Viehtreck
- Chisholm-Viehtreck
- Shawnee- oder östlicher Viehtreck
- Sedalia-Viehtreck (später aufgegeben)
- Eisenbahn
- Grenzen, 1914

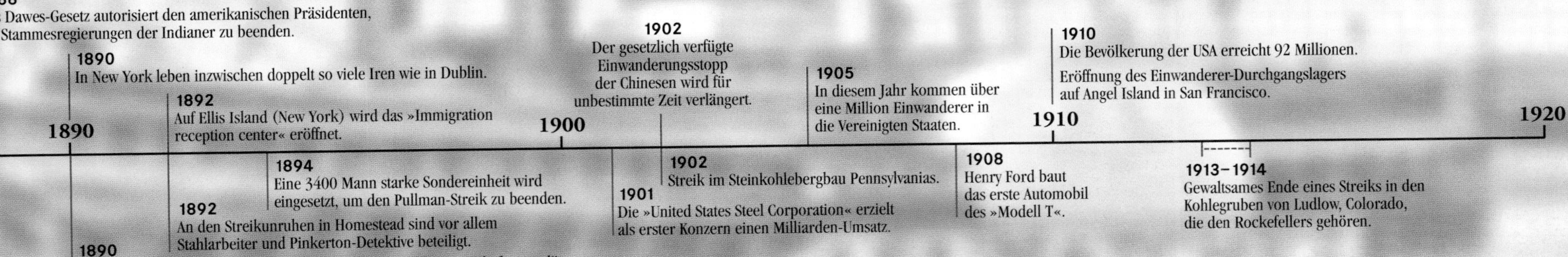
888
as Dawes-Gesetz autorisiert den amerikanischen Präsidenten,
e Stammesregierungen der Indianer zu beenden.
1890
In New York leben inzwischen doppelt so viele Iren wie in Dublin.
1892
Auf Ellis Island (New York) wird das »Immigration reception center« eröffnet.
1902
Der gesetzlich verfügte Einwanderungsstopp der Chinesen wird für unbestimmte Zeit verlängert.
1905
In diesem Jahr kommen über eine Million Einwanderer in die Vereinigten Staaten.
1910
Die Bevölkerung der USA erreicht 92 Millionen.
Eröffnung des Einwanderer-Durchgangslagers auf Angel Island in San Francisco.
1890
1900
1910
1920
1894
Eine 3400 Mann starke Sondereinheit wird eingesetzt, um den Pullman-Streik zu beenden.
1892
An den Streikunruhen in Homestead sind vor allem Stahlarbeiter und Pinkerton-Detektive beteiligt.
1890
Verabschiedung eines Antitrustgesetzes, um die Macht der Wirtschaft einzudämmen.
1902
Streik im Steinkohlebergbau Pennsylvanias.
1901
Die »United States Steel Corporation« erzielt als erster Konzern einen Milliarden-Umsatz.
1908
Henry Ford baut das erste Automobil des »Modell T«.
1913–1914
Gewaltsames Ende eines Streiks in den Kohlegruben von Ludlow, Colorado, die den Rockefellers gehören.

KAPITEL 6

Die Welt vom Ersten Weltkrieg bis heute 1914 bis 2004

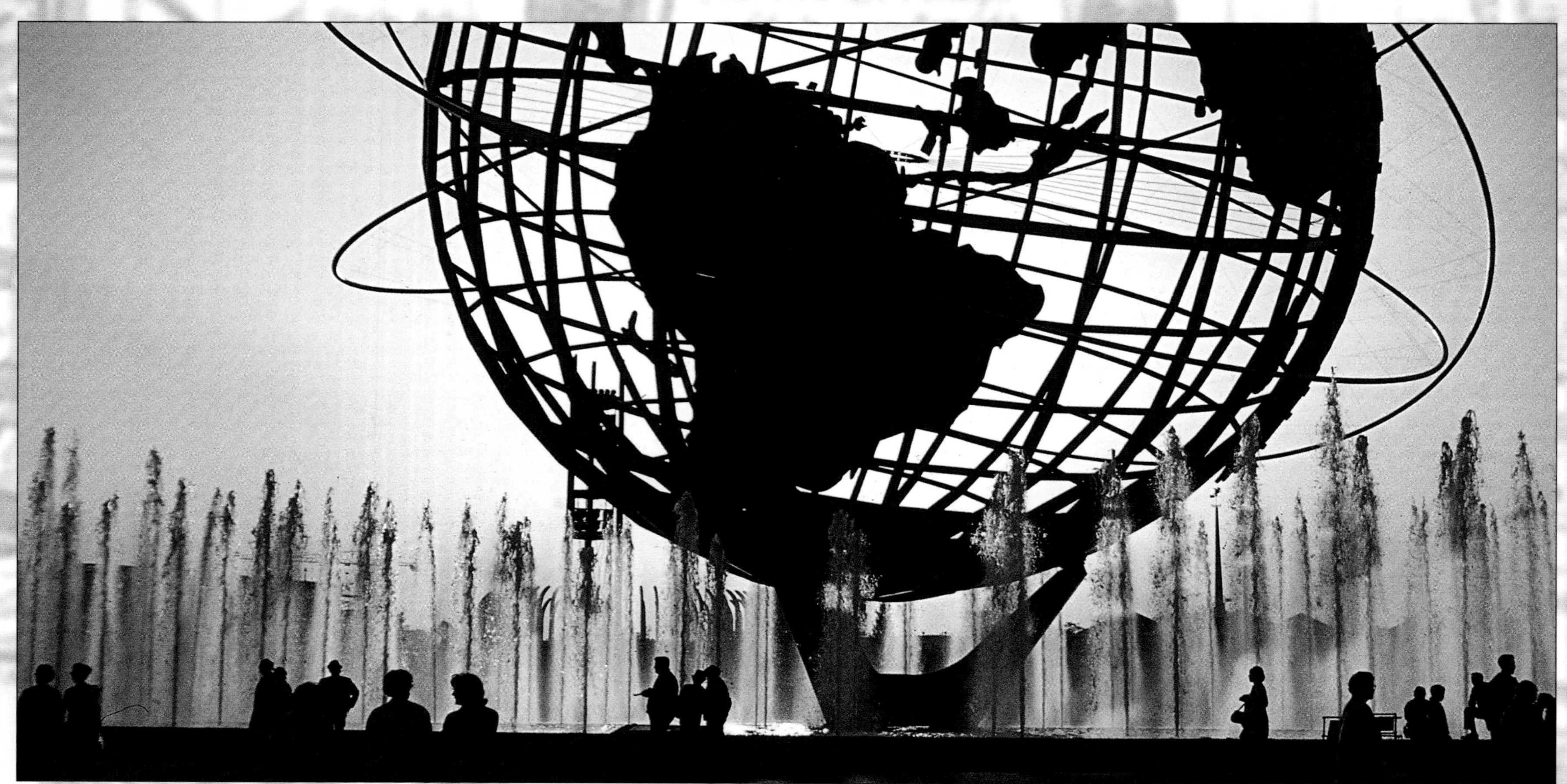

Anlässlich der New Yorker Weltausstellung von 1964 wurde die »Unisphere« aufgestellt, ein 42 Meter hoher Stahlglobus als Symbol für das Zusammenwachsen der Welt.

Viele Männer, die im August des Jahres 1914 in den Kampf zogen, dachten wohl, dass er nur kurz dauern und glorreich enden würde. Der Erste Weltkrieg erwies sich aber als eine harte Auseinandersetzung, die das Durchhaltevermögen der Menschen auf das Äußerste strapazierte. Ein Jahrhundert Industrialisierung hatte den beteiligten Staaten zu den ideologischen, bürokratischen und technologischen Mitteln verholfen, die es zusammen mit dem entsprechenden nationalistischen Eifer den Regierungen ermöglichten, gewaltige menschliche und materielle Ressourcen zu mobilisieren.

Die Nachkriegsordnung basierte auf dem Grundsatz des Selbstbestimmungsrechts der Völker, war aber in sich parteiisch und hielt nicht lange. Die harte Behandlung Deutschlands, der Rückzug der Vereinigten Staaten in den Isolationismus, der Aufstieg der Sowjetunion und die Wirtschaftskrise der 1930er-Jahre: All dies beließ den Frieden brüchig. Im Zuge der unruhigen und unheilvollen Entwicklung gelangten unter anderem in Russland, Italien und Deutschland totalitäre Regimes ans Ruder, die den Gedanken der Revolution beziehungsweise einen bösartigen Nationalismus schürten, um den prekären Status quo unbedingt zu revidieren.

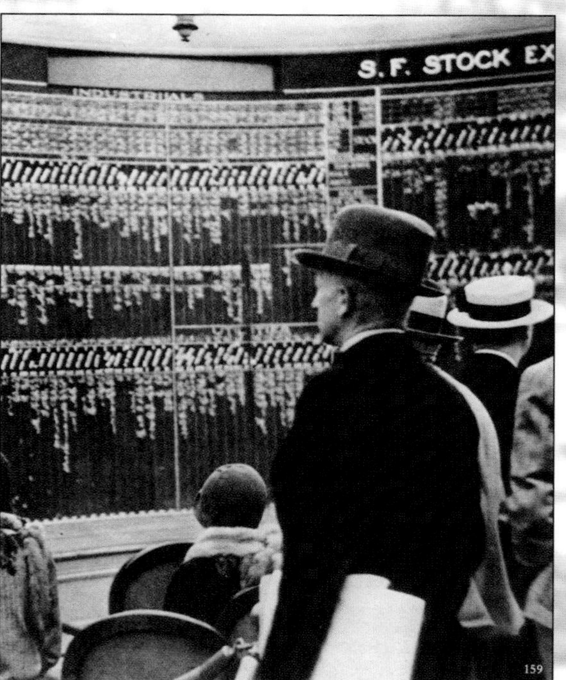
S. F. STOCK EX

Absturz ins Bodenlose: Während der Weltwirtschaftskrise von 1929 beobachten in San Francisco Aktieninhaber die dramatischen Kursbewegungen.

Der Zweite Weltkrieg

Deutschlands Angriff auf Polen im September 1939 löste einen Krieg aus, der sich schon bald in einen echten Weltkrieg verwandelte. Wie schon der Erste, so war auch der Zweite Weltkrieg ein totaler Krieg. Jede Seite erstrebte die bedingungslose Kapitulation der anderen und die alte Unterscheidung zwischen Soldaten und Zivilisten ging schon dadurch verloren, dass die Luftstreitkräfte bis ins Kernland des Feindes eindringen und ihn dort schwer treffen konnten. Diese Strategie gipfelte in den Atombombenabwürfen auf die japanischen Städte Hiroshima und Nagasaki und im Flächenbombardement des nationalsozialistischen Deutschland. Von dort ausgehend hatte die rassistische Vernichtungspolitik Hitlers zu millionenfachem Mord an Europas Juden, an Sinti, Roma und anderen Minderheiten geführt. In erschreckender Weise wurde dadurch die Fähigkeit des modernen totalitären Staates unter Beweis gestellt, Ideologie, Technologie und Bürokratie für die systematische Ausrottung ganzer Volksgruppen nutzbar machen zu können.

Die katastrophale Erfahrung der großen Kriege hatte die Einsicht in die Notwendigkeit neuer Institutionen mit sich gebracht – internationaler Einrichtungen zu Ausweitung und Durchsetzung des Rechts, die dafür sorgen sollten, den fatalen Hang der Staaten zur gegenseitigen Zerstörung zu beenden oder zumindest einzudämmen.

Der Völkerbund, im Jahr 1919 gegründet, hatte zwar weitgehend versagt, aber die Vereinten Nationen, die ihn 1945 ersetzten, nährten die Hoffnung, dass das Zusammenwirken siegreicher Großmächte dazu beitragen könne, Staaten von aggressivem Verhalten abzuschrecken oder andere davor zu schützen. Ein Leitgedanke war, dass Macht mit der Verantwortung für die Erhaltung des Friedens verknüpft sei.

Der Kalte Krieg

Die Nachkriegsjahre standen im Zeichen des Kalten Krieges zwischen den Vereinigten Staaten und der Sowjetunion. Beide Seiten unterstellten einander aggressive Zielsetzungen und errichteten Bündnissysteme, um sich gegenseitig zu kontrollieren – so 1949 die NATO und 1955 den Warschauer Pakt. Die Friedensordnung wurde dadurch zwar aufrechterhalten, aber in den folgenden drei Jahrzehnten immer wieder durch Krisen bedroht, zum Beispiel in Korea und im Nahen Osten; eine atomare Katastrophe konnte dabei manchmal nur knapp vermieden werden. Daneben waren es jedoch auch noch andere Entwicklungen, die die internationalen Beziehungen nachhaltig beeinflussten.

Erstens unterstützten die Vereinigten Staaten die schwer getroffene Wirtschaft Westeuropas beim Wiederaufbau und verteidigten den Kontinent – gleichsam in Umkehrung ihres Isolationismus von 1919. Unter dem Schutzschirm der NATO gedieh rasch das nötige Selbstvertrauen, um mit der Arbeit an der Wirtschaftsintegration zu beginnen und 1957/1958 die Europäische Wirtschaftsgemeinschaft (EWG) zu errichten.

Zweitens ermutigte die Entlassung Indiens, Pakistans, Ceylons und anderer Staaten in die Unabhängigkeit immer mehr Kolonien zur Abnabelung von ihren Kolonialmächten. Allein 1960 erklärten sich 17 afrikanische Staaten für unabhängig. China machte sich nach dem Sieg der Kommunisten im Jahr 1949 auf den langen Marsch zur Großmacht, woran auch ein langer und erbitterter Streit mit der Sowjetunion um die Führung in der kommunistischen Welt Maos Volksrepublik nicht hindern konnte.

Drittens verlor der Grundsatz, dass die Lösung interner Probleme allein Sache eines Staates selbst sei, für bestimmte Konstellationen allmählich an Bedeutung. So kam es zur Ausweitung der rechtlichen Kompetenzen internationaler Institutionen wie der Vereinten Nationen, denen im Falle einer Verletzung von Menschenrechten die Möglichkeit eines Eingreifens zugestanden wurde. Auslöser hierfür war die Politik der »Apartheid« in Südafrika: Eine Reihe von Übereinkünften, hinter denen die Vereinten Nationen standen, beanspruchten für die internationale Gemeinschaft das Recht, die Einhaltung der Menschenrechte einzufordern. Auf diese Weise galten für die Auseinandersetzung zwischen den Staaten neue Normen.

Die Androhung gegenseitiger, zu sicherer Zerstörung führender Vergeltungsschläge führte in den Ost-West-Beziehungen zu einer relativen Stabilität. Beide Blöcke trachteten danach, mit ihren jeweiligen Positionen Einfluss auf die so genannte Dritte Welt zu nehmen. Zunächst verfolgten Wortführer »blockfreier« Staaten, wie Nehru in Indien oder Nasser in Ägypten, noch die Vision einer dritten Kraft, die zwischen Ost und West vermitteln und dem Ungleichgewicht zwischen den reichen Staaten des Nordens und den armen des Südens entgegenwirken könnte. In der Generalversammlung der Vereinten Nationen, wo die asiatischen und afrikanischen Länder eine lautstarke Mehrheit bildeten, konnten dann auch einige Forderungen durchgesetzt werden – beispielsweise die gesetzliche Absicherung der Menschenrechte, die Isolierung Südafrikas oder die Anerkennung der Tatsache, dass die Staaten der Dritten Welt finanzielle Hilfe und praktische Unterstützung brauchten, um ihrer Bevölkerung ein menschenwürdiges Dasein zu ermöglichen.

Abrüstung: 1972 stößt US-Sicherheitsberater Kissinger mit Präsident Nixon auf das SALT-I-Abkommen mit Moskau an. Mitte: Kremlchef Breschnew

Zugleich aber brachen in den Jahren des Kalten Krieges in der Dritten Welt – etwa in Angola, Äthiopien, Somalia und Vietnam – »Stellvertreterkriege« aus, in denen die Supermächte bei der Unterstützung der jeweiligen Bürgerkriegsparteien versuchten, einander zu übertrumpfen. Das Ergebnis waren Konflikte von langer Dauer und mit entsprechenden Zerstörungen. Als die Spannungen zwischen den Supermächten nachließen, verloren auch die blockfreien Staaten an Einfluss, weil es vielen Ländern der Dritten Welt nicht gelungen war, die wirtschaftliche und soziale Lage ihrer Bewohner zu verbessern. Die Entspannung verringerte zudem die Gefahr des Krieges zwischen den Machtblöcken.

»Wirtschaftswunder« in Asien

Wie zuvor schon Japan, hatte vor allem seit den 1970er-Jahren eine Gruppe asiatischer Staaten – wie Südkorea, Singapur, Taiwan, Malaysia und Hongkong – mittels einer Misch-Strategie aus staatlicher Lenkung und privatem Unternehmertum ein wahres »Wirtschaftswunder« exportorientierten Wachstums vollbracht. Auch China steuerte in Richtung einer wirtschaftlichen Liberalisierung, wenn auch unter der strengen Kontrolle der Kommunistischen Partei.

Die Sowjetunion hingegen mit ihrem starren, auf staatlicher Kontrolle basierenden Wirtschaftssystem konnte die Freiheits- und Konsumbedürfnisse ihrer Menschen immer weniger befriedigen. Vor allem das Wettrüsten der 1980er-Jahre setzte ihr zu – zu einer Zeit, als der Westen durch Rationalisierung und technologische Innovationen die Instrumente des freien Markts erfolgreicher denn je zu handhaben vermochte. Die Versuche Staatschef Michail Gorbatschows, das marode Staatswesen zu reformieren, endete in Volksaufständen, der Abkehr ehedem treuer Satellitenstaaten und schließlich der Auflösung des kommunistischen Systems auch in Russland selbst. 1989 bezeichnete der Fall der Berliner Mauer den Beginn einer neuen Zeit, in der die Wirtschaft global operierte und der auf dem freien Spiel der Kräfte basierende Kapitalismus offenbar auch ideologisch gesiegt hatte. Hilfen oder Investitionen seitens der USA kamen nur noch jenen Regierungen zugute, die sich für die Liberalisierung der Märkte und demokratische Spielregeln engagieren wollten. Viele der früher staatswirtschaftlich organisierten Länder mussten die Befriedigung der Bedürfnisse ihrer Bürger aufschieben, bis sie die schmerzhafte Anpassung an die Bedingungen des Marktes vollzogen hatten.

Das Ende der Nationalstaaten?

Je näher die Jahrtausendwende rückte, desto mehr sahen sich die Regierungen in ihrer Handlungsfähigkeit von globalen Wirtschaftskräften eingeengt. Vielen schien der Angriff eines Nachbarstaates plötzlich weit weniger bedrohlich als das organisierte Verbrechen, der Drogen- und Waffenhandel, die illegale Einwanderung, der Terrorismus oder die Zerstörung der Umwelt. Der herkömmliche Nationalstaat erwies sich als nicht mehr geeignet, um Gefahren dieser Art zu begegnen, so dass der Druck in Richtung größerer »Staatenverbände« stieg. Es erscheint immer mehr denkbar, dass regionale Zusammenschlüsse wie die »Europäische Union«, die »North Atlantic Free Trade Association«, die »Asian-Pacific Economic Community« oder die »Southern African Development Community« zu den Bausteinen einer »neuen Weltordnung« für das dritte Jahrtausend zählen könnten.

Zehn neue Fahnen flattern vor dem Europaparlament in Straßburg im Wind: Im Mai 2004 wuchs die Zahl der EU-Mitgliedsstaaten von 15 auf 25.

Die Welt vom Ersten Weltkrieg bis heute (1914 bis 2004)

Die Welt • 1920

Zu Beginn des 20. Jahrhunderts wurde die Erde von europäischen Großmächten beherrscht, an deren Spitze alte Herrscherdynastien standen. Der Erste Weltkrieg (vgl. S. 322/323) erschütterte diese Welt in ihren Grundfesten und Revolutionen fegten das monarchistische Regierungssystem in den Verliererstaaten hinweg, um es – im Fall Deutschlands – durch zerbrechliche Demokratien oder – im Fall Russlands – durch revolutionäre Diktaturen zu ersetzen.

Gleichzeitig mit diesen Entwicklungen setzten sich jetzt auf breiter Front neue Technologien durch, vor allem auf dem Gebiet der Kommunikation: kontinentale und transozeanische Telefonnetze, drahtlose Telegrafie und Funk. Pferde und Dampfmaschinen wichen Benzin- und Dieselmotoren und der Krieg beschleunigte den Aufbau sowohl der militärischen wie der zivilen Luftfahrt.

Oktoberrevolution 1917: Lenin (1870–1924) spricht nach dem Sturm auf das Winterpalais in Petrograd zu seinen Anhängern.

Wechsel in der Führungsrolle

Welche Gefahren den europäischen Reichen drohten, war schon vor 1914 erkennbar. Im Osten hatte sich Japan rasch industrialisiert, Russland besiegt und – begünstigt durch den Zusammenbruch der Mandschu-Dynastie in China – die Mandschurei besetzt (vgl. S. 360/361). Der größte Konkurrent waren jedoch die USA, die nach dem Sieg über Spanien 1898 ganz allein die Entwicklung auf dem amerikanischen Kontinent bestimmen konnten, sich ihr eigenes, gleichsam inoffizielles Weltreich schufen und ihren Willen notfalls mit militärischer Gewalt durchsetzten (vgl. S. 348/349).

Großbritannien und Frankreich stützten sich während des Ersten Weltkriegs auf die Ressourcen ihrer Kolonien und auf die USA; als es 1919 zum Friedensschluss kam, konnten Westeuropas Führungsmächte die Bedingungen nicht mehr allein diktieren. Die USA waren jetzt die führende Finanz-, Industrie- und Militärmacht, denn Aufträge der Alliierten hatten ihrer Industrie zu einem gewaltigen Aufschwung verholfen, während die europäische Wirtschaft daniederlag. Da Großbritannien durch die Finanzierung der Kriegsanstrengungen beinahe bankrott gegangen war, übernahmen die USA die Rolle des Weltbankiers.

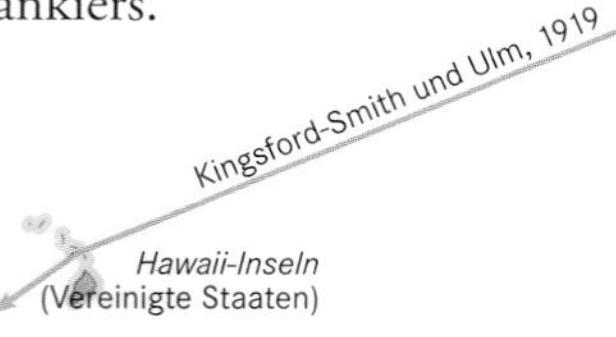
Kingsford-Smith und Ulm, 1919
Hawaii-Inseln
(Vereinigte Staaten)
Französisch-Polynesien

Die Idee eines Völkerbundes

Der amerikanische Präsident Woodrow Wilson nutzte diese Macht, um die internationalen Beziehungen neu zu orientieren. Auf seine Initiative hin wurde der Völkerbund geschaffen, eine Organisation unabhängiger Staaten, die Kriege verhindern und militärische Auseinandersetzungen durch Verhandlungen ersetzen sollte. Wilson trat für das Selbstbestimmungsrecht der Völker ein und förderte die Bildung neuer Staaten wie der Tschechoslowakei, Jugoslawiens und des unabhängigen Polen (vgl. S. 324/325). Er suchte dem Imperialismus entgegenzuwirken und setzte sich dafür ein, dass die deutschen Kolonien nicht als Kriegsbeute behandelt, sondern als Mandatsgebiete an Großbritannien (dessen Weltreich dadurch seine größte Ausdehnung erreichte), Frankreich, Belgien und auch an die aus dem Schatten Europas tretenden Länder Australien, Neuseeland, Japan und Südafrika aufgeteilt wurden. Die Mandatsmächte sollten die ehemaligen Kolonien bis zu deren Selbstständigkeit im Auftrag des Völkerbunds verwalten.

Versailles 1919: die Staatsmänner (v. l.) Lloyd George (Großbritannien), Sonnino (Italien), Clemenceau (Frankreich) und Wilson (USA)

Alaska
(Vereinigte Staaten)
KANADA
Neufundland
VEREINIGTE STAATEN
MEXIKO
Bahamas
(Großbritannien)
HAITI
KUBA
Puerto Rico
(Vereinigte Staaten)
DOMINIKANISCHE REPUBLIK
Britisch-Honduras
Jamaika
(Großbrit.)
GUATEMALA
EL SALVADOR
HONDURAS
NICARAGUA
COSTA RICA
PANAMA
Kanalzone
(Vereinigte Staaten)
VENEZUELA
KOLUMBIEN
Britisch-Guayana
Niederländisch-Guay
Französisch-Guaya
Galápagos-Inseln
(Ecuador)
ECUADOR
BRASILIEN
PERU
BOLIVIEN
PARAGUAY
URUGUAY
CHILE
ARGENTINIEN
Falkland-Inseln
(Großbritanr

Der Kreis der Völkerbundstaaten spiegelte die wachsende Macht jener außereuropäischen Länder wider, die vom Krieg nicht unberührt geblieben waren. Einige – wie Argentinien, Brasilien, Indien oder Japan – hatten die kriegsbedingte Flaute bei den europäischen Exporten zum Aufbau der eigenen Wirt-

ZEITLEISTE

Nord- und Südamerika
Europa
Vorderer und Mittlerer Orient
Afrika
Asien und Australien

1914

1914 (August) Eröffnung des Panamakanals unter der Regie der Vereinigten Staaten.

1914 (August) Ausbruch des Ersten Weltkriegs in Europa.

1914 Australien übernimmt die deutsche Kolonie Kaiser-Wilhelms-Land.
Japan erobert viele der deutschen Kolonien im Pazifik.

1915

1915 Truppen der Alliierten rücken in Mesopotamien vor.

1915 (April) Italien, zunächst zu den Mittelmächten gehörig, schließt sich den Alliierten an.

1915 (April) Die Alliierten versuchen, die Dardanellen unter ihre Kontrolle zu bringen, und landen bei Gallipoli.

1916

1916 Schwere Kämpfe bei Verdun und an der Somme (Westfront).

1916 (Juni) Im Hidjas beginnt ein Aufstand der Araber gegen die Osmanen.

19

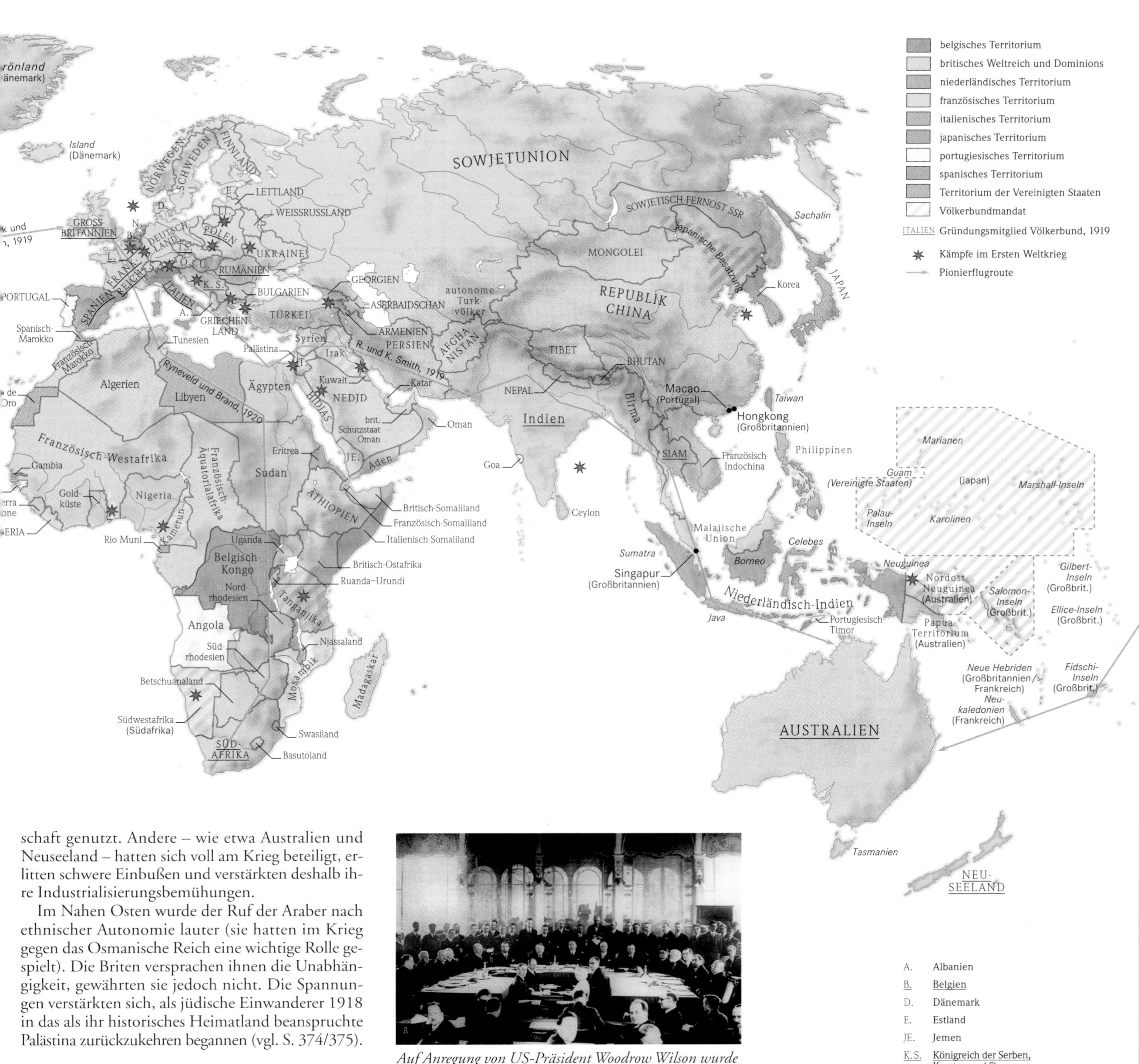

belgisches Territorium
britisches Weltreich und Dominions
niederländisches Territorium
französisches Territorium
italienisches Territorium
japanisches Territorium
portugiesisches Territorium
spanisches Territorium
Territorium der Vereinigten Staaten
Völkerbundmandat
ITALIEN Gründungsmitglied Völkerbund, 1919
Kämpfe im Ersten Weltkrieg
Pionierflugroute
Island (Dänemark)
SOWJETUNION
NORWEGEN
SCHWEDEN
FINNLAND
LETTLAND
WEISSRUSSLAND
GROSS-BRITANNIEN
DEUTSCHLAND
POLEN
UKRAINE
FRANKREICH
RUMÄNIEN
BULGARIEN
ITALIEN
SPANIEN
PORTUGAL
GRIECHENLAND
TÜRKEI
GEORGIEN
ASERBAIDSCHAN
ARMENIEN
PERSIEN
AFGHANISTAN
autonome Turkvölker
SOWJETISCH-FERNOST SSR
Japanische Besatzung
Sachalin
MONGOLEI
REPUBLIK CHINA
Korea
JAPAN
TIBET
BHUTAN
NEPAL
Indien
Birma
Macao (Portugal)
Hongkong (Großbritannien)
Taiwan
Philippinen
SIAM
Französisch-Indochina
Goa
Ceylon
Malaiische Union
Sumatra
Borneo
Celebes
Singapur (Großbritannien)
Niederländisch-Indien
Java
Portugiesisch-Timor
Neuguinea
Nordost-Neuguinea (Australien)
Papua-Territorium (Australien)
Salomon-Inseln (Großbrit.)
Gilbert-Inseln (Großbrit.)
Ellice-Inseln (Großbrit.)
Fidschi-Inseln (Großbrit.)
Neue Hebriden (Großbritannien/Frankreich)
Neukaledonien (Frankreich)
Marianen
Guam (Vereinigte Staaten)
(Japan)
Marshall-Inseln
Palau-Inseln
Karolinen
AUSTRALIEN
Tasmanien
NEUSEELAND
Spanisch-Marokko
Französisch-Marokko
Tunesien
Algerien
Libyen
Ägypten
Palästina
Syrien
Irak
Kuwait
NEDJD
Katar
brit. Schutzstaat Oman
Oman
HIDJAS
JE.
Aden
R. und K. Smith, 1919
Ryneveld und Brand, 1920
Französisch-Westafrika
Gambia
Goldküste
Nigeria
Kamerun
Rio Muni
Französisch-Äquatorialafrika
Sudan
Eritrea
ÄTHIOPIEN
Britisch-Somaliland
Französisch-Somaliland
Italienisch-Somaliland
Uganda
Belgisch-Kongo
Britisch-Ostafrika
Ruanda-Urundi
Nordrhodesien
Tanganjika
Angola
Südrhodesien
Njassaland
Mosambik
Madagaskar
Betschuanaland
Südwestafrika (Südafrika)
Swasiland
Basutoland
SÜDAFRIKA

schaft genutzt. Andere – wie etwa Australien und Neuseeland – hatten sich voll am Krieg beteiligt, erlitten schwere Einbußen und verstärkten deshalb ihre Industrialisierungsbemühungen.

Im Nahen Osten wurde der Ruf der Araber nach ethnischer Autonomie lauter (sie hatten im Krieg gegen das Osmanische Reich eine wichtige Rolle gespielt). Die Briten versprachen ihnen die Unabhängigkeit, gewährten sie jedoch nicht. Die Spannungen verstärkten sich, als jüdische Einwanderer 1918 in das als ihr historisches Heimatland beanspruchte Palästina zurückzukehren begannen (vgl. S. 374/375).

Auf Anregung von US-Präsident Woodrow Wilson wurde 1919 in Genf der Völkerbund gegründet; hier die Delegierten der 58. Versammlung.

Drei grundlegende Entscheidungen ...

... verhinderten die Verwirklichung der Ideale Wilsons durch den Völkerbund. Zum einen konnte sich der US-Präsident nicht von überkommenen Vorstellungen lösen und lehnte den japanischen Antrag ab, die Rassengleichheit in seine Statuten aufzunehmen. Ferner weigerten sich die USA selbst, dem Bund beizutreten, weil sie Wilsons Internationalismus nicht guthießen und sich nach 1919 aus der Weltpolitik zurückzogen. Und schließlich schloss man Sowjetrussland, das bis 1921 einen zerstörerischen Bürgerkrieg durchlebte, von einer Beteiligung an den Friedensregelungen und der Mitgliedschaft im Völkerbund aus (bis 1934).

A. Albanien
B. Belgien
D. Dänemark
E. Estland
JE. Jemen
K.S. Königreich der Serben, Kroaten und Slowenen
LI. Litauen
L. Luxemburg
N. Niederlande
Ö. Österreich
P.G. Portugiesisch-Guinea
S. Schweiz
T. Transjordanien
TS. Tschechoslowakei
U. Ungarn

1918
[Z]usammenbruch des Osmanischen Reiches.

[1]917 (April)
[D]ie Vereinigten Staaten erklären [d]en Mittelmächten den Krieg.

1917 (November)
Bolschewistische Revolution in Russland, die zum Bürgerkrieg führt (bis 1921).

1917 (November)
In der Balfour-Deklaration sagt [Gr]oßbritannien Hilfe bei der Gründung [eine]s jüdischen Staates in Palästina zu.

1918–1920
Japan besetzt Teile der Mandschurei und Sibiriens.

1917 (Dezember)
Britische Truppen besetzen Jerusalem.

1918 (November)
Ende der Herrschaft der Habsburger in Österreich und der Hohenzollern in Deutschland.
Der Erste Weltkrieg endet mit einem Waffenstillstand; einen eindeutigen Sieger gibt es nicht.

1918 (März)
Im Frieden von Brest-Litowsk fallen große Gebiete Russlands an Deutschland.

1919
Der US-amerikanische Senat lehnt den Versailler Vertrag und den Beitritt der Vereinigten Staaten zum Völkerbund ab.

1919
Im Versailler Vertrag wird Europa neu geordnet und Deutschland die Kriegsschuld zugesprochen.

1919 (Juni)
Nonstopflug der Briten Alcock und Brown über den Atlantik.

1920
Die Vereinigten Staaten und Deutschland schließen in Berlin einen Separatfrieden.
Großbritannien und Frankreich legen im Vorderen Orient ihre Interessensphären fest.

1920 (Januar)
Der Völkerbund nimmt die Arbeit auf.

1918 | 1919 | 1920 | 1921

Die Welt vom Ersten Weltkrieg bis heute (1914 bis 2004)

Die Welt • 1942

Die internationale Ordnung, die nach dem Ersten Weltkrieg geschaffen worden war, garantierte entgegen erklärter Absichten nicht allen Völkern das Selbstbestimmungsrecht und stieß in Deutschland, dem man die Alleinschuld am Krieg zugewiesen hatte, auf heftigste Ablehnung. Man erreichte deshalb keine Stabilität und die Regelungen des Versailler Vertrags wurden in der Folgezeit angesichts der Tatsache, dass in vielen Teilen des Erdballs autoritäre Regimes an die Macht gelangten, zunehmend bedeutungslos.

Deutschland und Japan nutzten das Vakuum, das durch den Rückzug der USA und Russlands aus der internationalen Politik und die Auswirkungen der Weltwirtschaftskrise in Großbritannien und Frankreich entstanden war. Obwohl beide miteinander verbündeten »Achsenmächte« 1942 den Höhepunkt ihrer Macht erreichten, machte der von ihnen entfesselte Angriff auf die beiden im Entstehen begriffenen »Supermächte« eine deutsch-japanische »Weltherrschaft« unwahrscheinlich.

Die Sowjetunion beendete den Bürgerkrieg der frühen 1920er-Jahre und konzentrierte sich unter Stalin ganz auf sich selbst und den Ausbau der kommunistischen Diktatur (vgl. S. 354/355). Das Bestreben, die sowjetische Macht zu festigen, war zwar teilweise erfolgreich, zugleich aber auch ungeheuer kostspielig, zumal Stalins Politik mittels Hungersnöten und Terror die eigenen Völker dezimierte.

Die Weltwirtschaft in der Krise

In Europa gelang im Laufe der 1920er-Jahre dank amerikanischer Kredithilfen eine wirtschaftliche Erholung. Der New Yorker Börsenkrach von 1929 löste jedoch die Weltwirtschaftskrise der 1930er-Jahre aus, die unter anderem dazu führte, dass faschistische oder rechtsextreme Bewegungen in jenen Ländern erstarkten, die mit den Friedensregelungen von 1919 bis 1923 nicht einverstanden waren (allen voran Deutschland). Überall versuchten Regierungen, ihre Interessen durch Zollschranken und Abschottung der Märkte zu schützen, was die Weltwirtschaft nur noch tiefer in die Krise trieb.

Die Vereinigten Staaten zogen sich zur Lösung ihrer internen Probleme auf sich selbst zurück. So blieb der Versuch der Eindämmung der faschistischen Expansion Großbritannien und Frankreich überlassen. Obwohl die Weltwirtschaftskrise Ende der 1930er-Jahre allmählich überwunden wurde, waren beide Länder zu schwach und zu sehr mit ihren globalen Verpflichtungen beschäftigt, um effektiv zu handeln (vgl. S. 324/325). London wie Paris fürchteten zudem einen Krieg an drei Fronten – gegen Deutschland in Mitteleuropa, gegen Italien im Mittelmeerraum und gegen Japan in Asien. Ihre Weltreiche waren so instabil wie ihre Wirtschaft und Gesellschaft; den Briten bereitete vor allem Indien Probleme, wo der Indische Nationalkongress (INC) zunehmend an Einfluss gewann (vgl. S. 360/361).

Alaska (Vereinigte Staaten)
KANADA
Neufundland (Großbritannien)
VEREINIGTE STAATEN
MEXIKO
Hawaii-Inseln (Vereinigte Staaten)
Bahamas (Großbritannien)
HAITI
Puerto Rico (Vereinigte Staaten)
D. R.
Barbados (Großbritannien)
Trinidad (Großbritannien)
Britisch-Guayana
Niederländisch-Gu
Französisch-Gu (Freies Frankre
Britisch-Honduras
KUBA
Jamaika (Großbrit.)
GUATEMALA
EL SALVADOR
HONDURAS
NICARAGUA
COSTA RICA
Kanalzone (Vereinigte Staaten)
PANAMA
VENEZUELA
KOLUMBIEN
ECUADOR
BRASILIEN
PERU
BOLIVIEN
PARAGUAY
CHILE
ARGENTINIEN
URUGUAY
Falkland-Inseln (Großbrita
Französisch-Polynesien (Freies Frankreich)

Hilflosigkeit des Völkerbundes

Der Völkerbund zeigte sich in den 1930er-Jahren bei einer Reihe von Krisen hilflos (so bei der italienischen Invasion Äthiopiens und der deutschen Besetzung des entmilitarisierten Rheinlands, Österreichs und der Tschechoslowakei) und verlor seine Glaubwürdigkeit. Frankreich und Großbritannien versuchten vergeblich, den Frieden durch Verhandlungen, Bündnisse und Beschwichtigungen zu erhalten. Als die Deutschen 1939 in Polen einmarschierten, erklärten Paris und London jedoch, entgegen den Erwartungen Hitlers, Deutschland den Krieg. In Asien suchte Japan, das kaum über eigene Erzvorkommen oder

Überfall: Deutsche Soldaten reißen am 1. September 1939 einen polnischen Schlagbaum nieder.

ZEITLEISTE

Nord- und Südamerika ■
Europa ■
Vorderer und Mittlerer Orient ■
Afrika ■
Asien und Australien ■

1920 – 1925 – 1930

1921 Der russische Bürgerkrieg endet mit dem Sieg der Bolschewisten.

1921–1922 Die Washingtoner Konferenz begrenzt die Flottenstärke Japans.

1922 Marsch Mussolinis auf Rom, der dort die erste faschistische Regierung einsetzt.

1923 Frankreich besetzt das Ruhrgebiet; Hyperinflation in Deutschland.

1923 Gründung der Türkischen Republik.

1925 Josef Stalin kommt in der UdSSR an die Macht.

1927 Chiang Kai-shek bildet eine nationalchinesische Regierung.

1928 In Russland wird der erste Fünfjahresplan zur Industrialisierung verabschiedet.

1929 Mit dem Börsenkrach an der Wall Street beginnt die Weltwirtschaftskrise.

Der Mukden-Zwisc[henfall]: Japan besetzt die Mandsc[hurei]

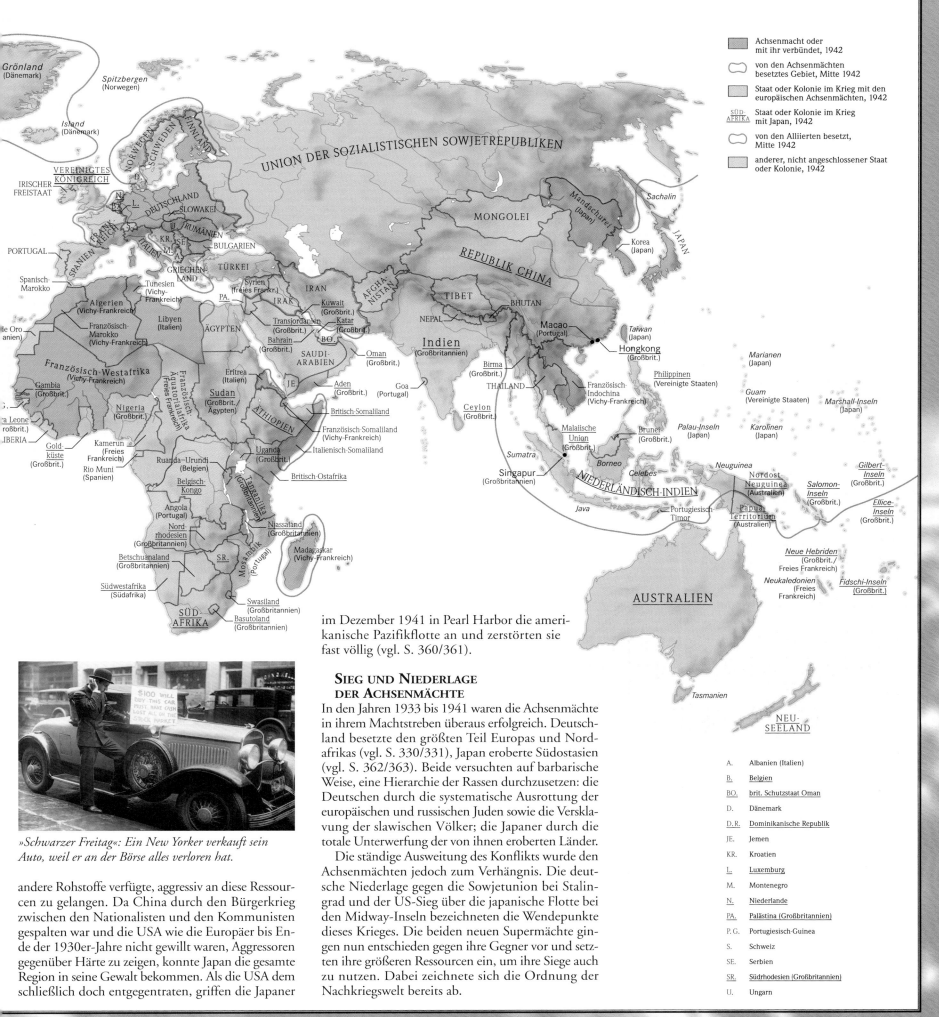

Achsenmacht oder mit ihr verbündet, 1942

von den Achsenmächten besetztes Gebiet, Mitte 1942

Staat oder Kolonie im Krieg mit den europäischen Achsenmächten, 1942

SÜD-AFRIKA Staat oder Kolonie im Krieg mit Japan, 1942

von den Alliierten besetzt, Mitte 1942

anderer, nicht angeschlossener Staat oder Kolonie, 1942

»Schwarzer Freitag«: Ein New Yorker verkauft sein Auto, weil er an der Börse alles verloren hat.*

andere Rohstoffe verfügte, aggressiv an diese Ressourcen zu gelangen. Da China durch den Bürgerkrieg zwischen den Nationalisten und den Kommunisten gespalten war und die USA wie die Europäer bis Ende der 1930er-Jahre nicht gewillt waren, Aggressoren gegenüber Härte zu zeigen, konnte Japan die gesamte Region in seine Gewalt bekommen. Als die USA dem schließlich doch entgegentraten, griffen die Japaner im Dezember 1941 in Pearl Harbor die amerikanische Pazifikflotte an und zerstörten sie fast völlig (vgl. S. 360/361).

Sieg und Niederlage der Achsenmächte

In den Jahren 1933 bis 1941 waren die Achsenmächte in ihrem Machtstreben überaus erfolgreich. Deutschland besetzte den größten Teil Europas und Nordafrikas (vgl. S. 330/331), Japan eroberte Südostasien (vgl. S. 362/363). Beide versuchten auf barbarische Weise, eine Hierarchie der Rassen durchzusetzen: die Deutschen durch die systematische Ausrottung der europäischen und russischen Juden sowie die Versklavung der slawischen Völker; die Japaner durch die totale Unterwerfung der von ihnen eroberten Länder.

Die ständige Ausweitung des Konflikts wurde den Achsenmächten jedoch zum Verhängnis. Die deutsche Niederlage gegen die Sowjetunion bei Stalingrad und der US-Sieg über die japanische Flotte bei den Midway-Inseln bezeichneten die Wendepunkte dieses Krieges. Die beiden neuen Supermächte gingen nun entschieden gegen ihre Gegner vor und setzten ihre größeren Ressourcen ein, um ihre Siege auch zu nutzen. Dabei zeichnete sich die Ordnung der Nachkriegswelt bereits ab.

A. Albanien (Italien)
B. Belgien
BO. brit. Schutzstaat Oman
D. Dänemark
D.R. Dominikanische Republik
JE. Jemen
KR. Kroatien
L. Luxemburg
M. Montenegro
N. Niederlande
PA. Palästina (Großbritannien)
P.G. Portugiesisch-Guinea
S. Schweiz
SE. Serbien
SR. Südrhodesien (Großbritannien)
U. Ungarn

1932
Der amerikanische Präsident F. D. Roosevelt verkündet die Politik des New Deal.
1933
Adolf Hitler wird deutscher Reichskanzler.
1935
Imperialistische Bestrebungen Mussolinis führen zur italienischen Invasion Äthiopiens.
1936
Nach einem Aufstand der Rechten gegen die Regierung bricht in Spanien der Bürgerkrieg aus.
1938
Münchner Abkommen: London, Paris und Rom akzeptieren Hitlers Annexion der Tschechoslowakei.
1939 (August)
Deutschland und die Sowjetunion unterzeichnen einen Nichtangriffspakt.
1940 (April–Juni)
Deutschland besetzt Nordfrankreich, Belgien, die Niederlande, Dänemark und Norwegen.
1940 (Juli–November)
Die »Schlacht um England« beendet die Gefahr einer deutschen Invasion.
1941 (Juni)
Deutschland marschiert in die Sowjetunion ein.
1942 (Januar)
Wannseekonferenz: NS-Administration organisiert die »Endlösung der Judenfrage«.
1942 (Juni)
Schlacht bei den Midway-Inseln – die amerikanische Marine beendet die japanische Expansion.
1935
1940
1945
1932
Gründung des Königreichs Saudi-Arabien.
1934
Die chinesischen Kommunisten begeben sich auf den »Langen Marsch« von Jiangxi nach Yenan.
1937
Japan marschiert in Nordchina ein: Beginn des Chinesisch-Japanischen Krieges.
1939 (September)
Nach dem deutschen Einmarsch in Polen erklären Großbritannien und Frankreich Deutschland den Krieg.
1941 (Dezember)
Der japanische Angriff auf Pearl Harbor veranlasst die Vereinigten Staaten zum Kriegseintritt.
1942
Japan besetzt Indonesien, Indochina, Malaya, die Philippinen, Neuguinea und Singapur.
1942 (Oktober–November)
Landung der Alliierten in Nordafrika; Schlacht bei El Alamein.

Die Welt vom Ersten Weltkrieg bis heute (1914 bis 2004)

Die Welt • 1950

Die USA waren im Jahr 1941 in den Zweiten Weltkrieg eingetreten, als Europa und Asien völlig unter das Joch totalitärer Regimes zu geraten drohten. Dazu kam es auf Dauer zwar nicht, doch 1950 war die Welt erneut gespalten. Der Bruch zwischen den Kriegsverbündeten USA und Sowjetunion ließ Machtblöcke entstehen, deren Rivalität sich im Koreakrieg, der ein Stellvertreterkrieg des demokratisch-kapitalistischen »Westens« gegen den autoritär-kommunistischen »Osten« war, noch vergrößerte.

Mit einer feierlichen Zeremonie wurde am 26. Juni 1945 die »United Nations Organization« gegründet. Am 24. Oktober 1945 trat die Charta der UN in Kraft.

Ab 1942 befanden sich die Achsenmächte auf dem Rückzug. Japan wurde von den letztlich überlegenen amerikanischen Streitkräften im Pazifik zurückgeschlagen, Deutschland von der Sowjetunion bei Stalingrad und Kursk besiegt. Britische und amerikanische Truppen landeten in Italien und in der Normandie, während die Luftwaffe beider Länder deutsche Städte bombardierte (vgl. S. 336/337). Als der Krieg nach den Atombombenabwürfen auf Hiroshima und Nagasaki endete, hatten 50 Millionen Menschen, in der Hauptsache Zivilisten, ihr Leben verloren.

Strukturen der Nachkriegsordnung

Nach der Wende zugunsten der Alliierten waren die Strukturen der Nachkriegsordnung rasch festgelegt. Die »United Nations Organization« (UNO) wurde geschaffen, um in Zukunft internationale Streitigkeiten zu schlichten. Klar war, dass die USA und die Sowjetunion die stärksten Weltmächte sein würden. Amerika und Großbritannien versuchten, das Vertrauen der Sowjets zu gewinnen, die die Deutschen zum Rückzug aus Osteuropa gezwungen hatten. Beide nahmen auch hin, dass sich die Sowjetunion die baltischen Staaten einverleibte, polnisches Territorium annektierte und die Repatriierung russischer Kriegsgefangener erzwang.

Moskau mischte sich schon bald in die inneren Angelegenheiten der osteuropäischen Staaten ein – die Demarkationslinien des Krieges wurden zu Grenzen eines zweigeteilten Nachkriegseuropas. Die USA stellten massive Finanzhilfen zur Verfügung, damit nicht auch die westeuropäischen Länder dem Kommunismus anheim fielen. Als Reaktion darauf entstand im Osten der COMECON, ein Bündnis zur zwischenstaatlichen Wirtschaftsplanung, das Osteuropa fester an Moskau binden sollte. Deutschland blieb geteilt, was durch die Blockade West-Berlins (1948/1949) zementiert wurde, während der Amerikaner und Briten die Stadt aus der Luft versorgten (vgl. S. 338/339; 340/341).

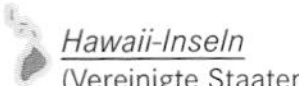
Hawaii-Inseln
(Vereinigte Staaten)
Französisch-Polynesien

Unterstützung des Antikolonialismus

Die amerikanische Hilfe für Europa resultierte aus der Truman-Doktrin von 1947, der zufolge die USA den »freien Völkern« im Kampf gegen den Totalitarismus beizustehen hatten. Anfangs war dieser Kampf ein europäischer, denn in weiten Teilen Asiens ging es zunächst um die Befreiung vom Kolonialismus. Die Anfangserfolge der Japaner gegen die Kolonialmächte der Pazifikregion hatten die Autorität der Weißen unterminiert. Zugleich waren durch den Krieg die Kosten für den Erhalt von Überseebesitzungen gewaltig gestiegen.

Der Antikolonialismus wurde auch von den USA gefördert. Einen lebenswichtigen Kredit an Großbritannien machte man davon abhängig, dass die Briten den Plan aufgaben, ihr Empire zu einem geschlossenen Wirtschaftsblock auszubauen. So kam es nach 1945 zur Entkolonialisierung der britischen Besitzungen. Die Entlassung Indiens in die Unabhängigkeit wurde vorangetrieben (vgl. S. 368/369). In Indochina erkannten die Franzosen Vietnam als autonomen Staat innerhalb der französischen Union an, hielten das Gebiet aber mit militärischer Gewalt unter ihrer Kontrolle. Die Niederlande beugten sich internationalem Druck und gewährten Indonesien die Unabhängigkeit. In Indochina, Indonesien und Malaya waren Kommunisten sehr aktiv, aber noch befürchteten nur wenige, dass die Unterstützung des Antikolonialismus durch die USA in Widerspruch

Kinder bejubeln die »Rosinenbomber«: Während der Blockade durch die Sowjets 1948/1949 wurde West-Berlin komplett aus der Luft versorgt.

Alaska
(Vereinigte Staaten)
KANADA
VEREINIGTE STAATEN
MEXIKO
Bahamas
(Großbrit.)
HAITI
Puerto Rico
(Vereinigte Staaten)
DOMINIKANISCHE REPUBLIK
KUBA
Britisch-Honduras
Jamaika
(Großbrit.)
GUATEMALA
EL SALVADOR
HONDURAS
NICARAGUA
COSTA RICA
PANAMA
Kanalzone
(Vereinigte Staaten)
VENEZUELA
KOLUMBIEN
Britisch-Guayana
Niederländisch-Gua
Französisch-Gua
ECUADOR
BRASILIEN
PERU
BOLIVIEN
PARAGUAY
CHILE
ARGENTINIEN
URUGUAY
Falkland-Inseln
(Großbrit.)

ZEITLEISTE

Nord- und Südamerika ■
Europa ■
Vorderer und Mittlerer Orient ■
Afrika ■
Asien und Australien ■

1942 – 1943 – 1944 – 1945

1942–1943 (Januar) Die Niederlage von Stalingrad beendet die deutsche Expansion im Osten.

1943 (Mai) Die Achsenmächte ziehen sich aus Nordafrika zurück.

1943 (Juni) Die Alliierten landen in Italien.

1943 (Juli) Die Sowjets besiegen die Deutschen bei Kursk.

1944 (Juni) D-Day – eine gewaltige Invasionstruppe der Alliierten landet in der Normandie.

1944 (Juli) Gründung des Internationalen Währungsfonds (IWF).

1945 (Mai) Deutschland kapituliert bedingungslos; der Krieg in Europa ist zu Ende.

1945 (Juli) Churchill verliert die Unterhauswahlen, die Labour Party regiert Großbritannien.

1945 (August–September) Japan kapituliert nach den Atombombenabwürfen auf Hiroshima und Nagasaki.

1945 (September) Nord- und Südkorea werden unabhängig.

1945 (Oktober) Gründung der Arabischen Liga.
Gründung der Vereinten Nationen (UNO).

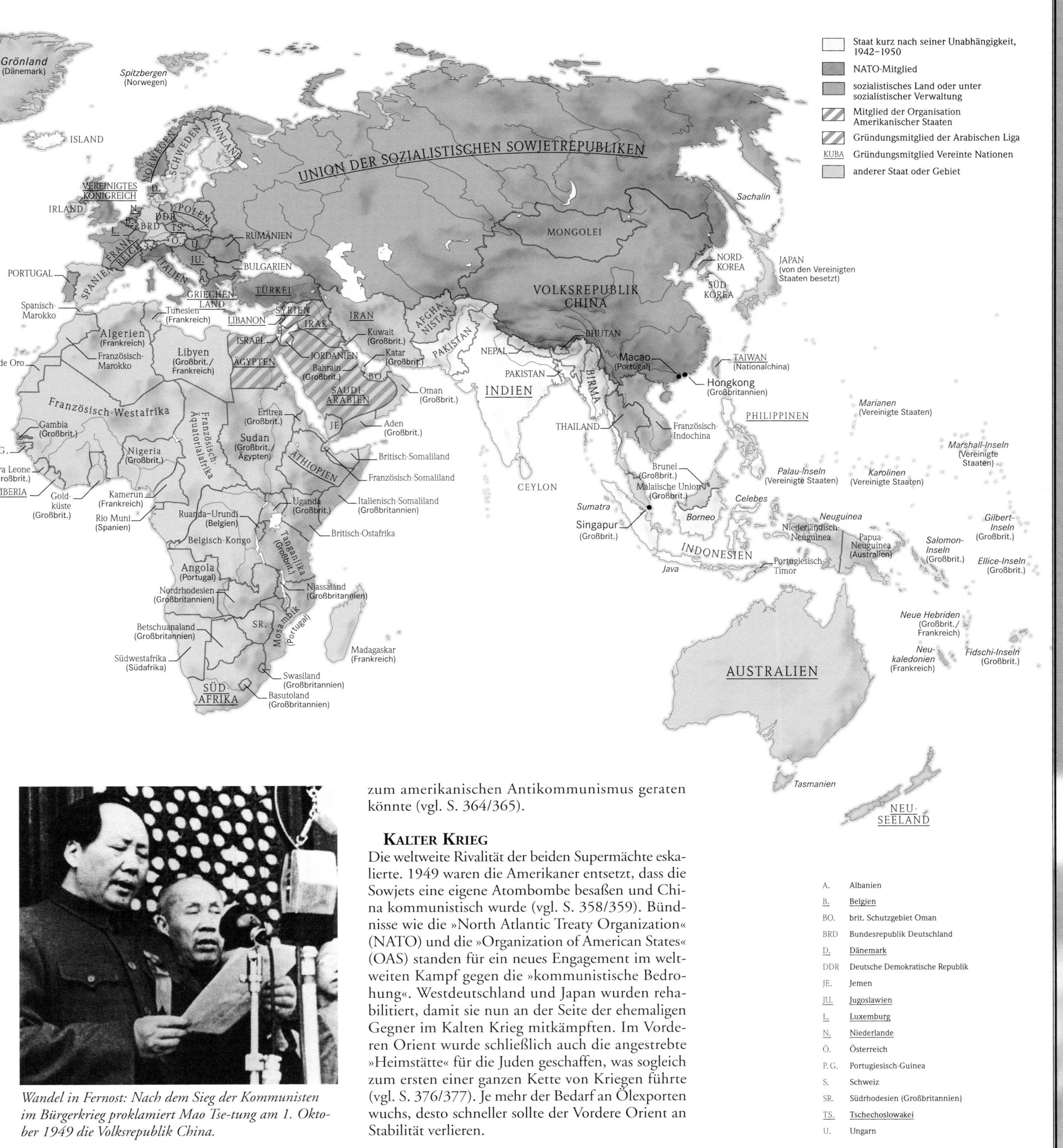
Staat kurz nach seiner Unabhängigkeit, 1942–1950
NATO-Mitglied
sozialistisches Land oder unter sozialistischer Verwaltung
Mitglied der Organisation Amerikanischer Staaten
Gründungsmitglied der Arabischen Liga
KUBA Gründungsmitglied Vereinte Nationen
anderer Staat oder Gebiet
Grönland (Dänemark)
Spitzbergen (Norwegen)
ISLAND
NORWEGEN
SCHWEDEN
FINNLAND
UNION DER SOZIALISTISCHEN SOWJETREPUBLIKEN
VEREINIGTES KÖNIGREICH
IRLAND
POLEN
DDR
BRD
TS.
RUMÄNIEN
BULGARIEN
FRANKREICH
SPANIEN
PORTUGAL
ITALIEN
JU.
GRIECHENLAND
TÜRKEI
SYRIEN
LIBANON
ISRAEL
IRAK
IRAN
AFGHANISTAN
PAKISTAN
Spanisch-Marokko
Tunesien (Frankreich)
Algerien (Frankreich)
Französisch-Marokko
Libyen (Großbrit./Frankreich)
ÄGYPTEN
JORDANIEN
Kuwait (Großbrit.)
Katar (Großbrit.)
Bahrain (Großbrit.)
BO.
SAUDI-ARABIEN
Oman (Großbrit.)
JE.
Aden (Großbrit.)
Französisch-Westafrika
Gambia (Großbrit.)
Französisch-Äquatorialafrika
Eritrea (Großbrit.)
Sudan (Großbrit./Ägypten)
ÄTHIOPIEN
Britisch-Somaliland
Französisch-Somaliland
Nigeria (Großbrit.)
Goldküste (Großbrit.)
Kamerun (Frankreich)
Rio Muni (Spanien)
Uganda (Großbrit.)
Italienisch-Somaliland (Großbritannien)
Ruanda-Urundi (Belgien)
Britisch-Ostafrika
Belgisch-Kongo
Tanganjika (Großbrit.)
Angola (Portugal)
Nordrhodesien (Großbritannien)
Njassaland (Großbritannien)
Betschuanaland (Großbritannien)
SR.
Mosambik (Portugal)
Madagaskar (Frankreich)
Südwestafrika (Südafrika)
Swasiland (Großbritannien)
SÜDAFRIKA
Basutoland (Großbritannien)
MONGOLEI
Sachalin
NORDKOREA
SÜDKOREA
JAPAN (von den Vereinigten Staaten besetzt)
VOLKSREPUBLIK CHINA
BHUTAN
NEPAL
PAKISTAN
INDIEN
BIRMA
Macao (Portugal)
Hongkong (Großbritannien)
TAIWAN (Nationalchina)
Marianen (Vereinigte Staaten)
PHILIPPINEN
THAILAND
Französisch-Indochina
Marshall-Inseln (Vereinigte Staaten)
CEYLON
Brunei (Großbrit.)
Malaiische Union (Großbrit.)
Palau-Inseln (Vereinigte Staaten)
Karolinen (Vereinigte Staaten)
Sumatra
Celebes
Singapur (Großbrit.)
Borneo
Neuguinea
Niederländisch-Neuguinea
Papua-Neuguinea (Australien)
Gilbert-Inseln (Großbrit.)
Salomon-Inseln (Großbrit.)
Ellice-Inseln (Großbrit.)
INDONESIEN
Java
Portugiesisch-Timor
Neue Hebriden (Großbrit./Frankreich)
Neukaledonien (Frankreich)
Fidschi-Inseln (Großbrit.)
AUSTRALIEN
Tasmanien
NEUSEELAND
A. Albanien
B. Belgien
BO. brit. Schutzgebiet Oman
BRD Bundesrepublik Deutschland
D. Dänemark
DDR Deutsche Demokratische Republik
JE. Jemen
JU. Jugoslawien
L. Luxemburg
N. Niederlande
Ö. Österreich
P.G. Portugiesisch-Guinea
S. Schweiz
SR. Südrhodesien (Großbritannien)
TS. Tschechoslowakei
U. Ungarn

Wandel in Fernost: Nach dem Sieg der Kommunisten im Bürgerkrieg proklamiert Mao Tse-tung am 1. Oktober 1949 die Volksrepublik China.

zum amerikanischen Antikommunismus geraten könnte (vgl. S. 364/365).

Kalter Krieg

Die weltweite Rivalität der beiden Supermächte eskalierte. 1949 waren die Amerikaner entsetzt, dass die Sowjets eine eigene Atombombe besaßen und China kommunistisch wurde (vgl. S. 358/359). Bündnisse wie die »North Atlantic Treaty Organization« (NATO) und die »Organization of American States« (OAS) standen für ein neues Engagement im weltweiten Kampf gegen die »kommunistische Bedrohung«. Westdeutschland und Japan wurden rehabilitiert, damit sie nun an der Seite der ehemaligen Gegner im Kalten Krieg mitkämpften. Im Vorderen Orient wurde schließlich auch die angestrebte »Heimstätte« für die Juden geschaffen, was sogleich zum ersten einer ganzen Kette von Kriegen führte (vgl. S. 376/377). Je mehr der Bedarf an Ölexporten wuchs, desto schneller sollte der Vordere Orient an Stabilität verlieren.

1946 (Juli) Die Philippinen werden unabhängig.

1947 (März) Verkündung der Truman-Doktrin.

1947 (Juni) Vorlage des Marshallplans zum Wiederaufbau Europas.

1947 Die Vereinigten Staaten ziehen sich aus China zurück.

1947 (August) Indien und Pakistan werden von Großbritannien unabhängig.

1948 (Februar) In der Tschechoslowakei ereignet sich ein Staatsstreich der Kommunisten.

1948 (April) Gründung der Organisation Amerikanischer Staaten (OAS).

1948–1949 Die Alliierten versorgen das eingeschlossene West-Berlin über eine Luftbrücke.

1948 (Mai) Die Gründung des Staates Israel führt im Nahen Osten zum Krieg.

In Südafrika kommt die für die Apartheid eintretende Nationalpartei an die Macht.

1948 (Juni) Jugoslawien wird aus der Kominform ausgeschlossen.

1949 (April) Mit der Unterzeichnung des Nordatlantikpakts entsteht ein antisowjetisches Bündnis.

1949 (September) Die Sowjetunion zündet ihre erste Atombombe.

1949 (September–Oktober) Gründung der Bundesrepublik Deutschland und der Deutschen Demokratischen Republik.

1949 (Oktober) Die Kommunisten beherrschen China.

1949 (Dezember) Indonesien wird von den Niederlanden unabhängig.

1950 (Juni) Nach dem Einmarsch nordkoreanischer Truppen in Südkorea bricht der Koreakrieg aus.

1947 1948 1949 1950 1951

Die Welt vom Ersten Weltkrieg bis heute (1914 bis 2004)

Die Welt • 1974

Die Welt war 1974 noch immer von der Rivalität der Supermächte UdSSR und USA bestimmt. Moskau bewachte seine europäischen Satelliten eifersüchtig. Als Ungarn 1956 versuchte, aus dem Warschauer Pakt auszubrechen, zerschlug die Rote Armee den Aufstand. 1961 wurde die Berliner Mauer gebaut, um das Ausbluten der DDR abzuwenden.

1968 beendeten Warschauer-Pakt-Truppen den tschechoslowakischen Versuch eines »Sozialismus mit menschlichem Gesicht« (vgl. S. 338/339). Gleichwohl sicherten sich Jugoslawien, Albanien und Rumänien eine gewisse Unabhängigkeit.

Westeuropa gründete Institutionen, die die Wirtschaft der wichtigen Industrienationen integrieren sollten. Die Europäische Wirtschaftsgemeinschaft (EWG) galt als erster Schritt zu einer politischen Union und nährte die Vision eines europäischen Staates. Angesichts der sowjetischen Bedrohung allerdings sah Westeuropa seine Position nur im Schutz der NATO (und damit der USA) als gesichert an.

Der Wettlauf zum Mond war ein Prestigeduell der Supermächte USA und UdSSR: Am 20. Juli 1969 stellte Amerika mit Neil Armstrong den Sieger.

Die Angst vor dem Kommunismus

Offensichtlich war die Rivalität der Supermächte im »Hinterhof« der USA: Die Kuba-Krise von 1962 beschwor die Gefahr eines Nuklearkrieges herauf (vgl. S. 352/353). Die Angst vor dem Kommunismus stand auch hinter dem US-Engagement in Südostasien. Besorgt, auch Nachbarländer würden kommunistisch, wenn Südvietnam in den Dunstkreis der Sowjetunion geriete (»Domino-Theorie«), schickten die USA Soldaten und Geld und stützten ein unpopuläres Regime. Wieder tobte ein Stellvertreterkrieg, aber anders als in Korea führte der schließliche Rückzug der Amerikaner zum Zusammenbruch Südvietnams und zum Bürgerkrieg in Kambodscha (vgl. S. 366/367).

Der Konflikt zwischen China und der UdSSR bewies, dass Amerikas Feinde keinen geschlossenen Block bildeten. Der chinesische Kommunismus unterschied sich vom sowjetischen insofern, als China zeitweise versuchte, eine in Gegensatz zum zentralistischen System der UdSSR stehende lokale, auf Kommunen basierende Wirtschaft aufzubauen. Diese Strategie erwies sich als für noch nicht industrialisierte Länder weit besser, weshalb kommunistische Rebellen, vor allem die in Südostasien (wo der schnellen Dekolonisierung politische Unruhen folgten), vornehmlich Peking um ideelle und materielle Unterstützung angingen. Die USA wiederum nutzten den sowjetisch-chinesischen Gegensatz politisch aus und leiteten eine neue Ära der Entspannung ein (vgl. S. 364/365).

Probleme der Dekolonisierung

In Afrika war die Opposition gegen die Kolonialmächte die treibende politische Kraft. Die Suez-Krise von 1956 offenbarte, wie schwach die alten Mächte inzwischen waren, und als sich in den 1960er-Jahren Großbritannien und Frankreich von ihren überseeischen Besitzungen trennten, kam es schließlich zu einer Dekolonisierungswelle. Häufig folgten Instabilität und Chaos, denn die unerfahrenen Regierungen der neuen Staaten mit den oft willkürlich festgelegten Grenzen waren selten Herr der Lage. Bürgerkriege prägten diese Entwicklungsphase – am schlimmsten im Kongo (Zaire) und in Nigeria. Einige Staaten erhofften sich die Lösung ihrer Probleme zunächst vom Kommunismus, aber 1974 besaß nur noch Äthiopien eine offen marxistische Regierung (vgl. S. 380/381). Im Übrigen kämpften selbst früh unabhängig gewordene Länder wie Indien und Pakistan mit den Folgewirkungen der Dekolonisierung (vgl. S. 368/369).

Ein neues Machtzentrum

1961 gründeten Länder, die von den Supermächten unabhängig sein wollten, die »Bewegung der Blockfreien«. Die UNO verbuchte bei ihrem Eintreten für die jungen Staaten Erfolge. Ein weiteres Machtzentrum entstand, als die Erdöl produzierenden Länder der OPEC – vorgeblich als Reaktion auf die Unterstützung Israels durch den Westen – die Förderung drosselten und den Ölpreis anhoben. Militärisch hatten die arabischen Staaten gegen Israel nicht viel ausgerichtet, aber diese ökonomische Waffe machte sie zu wichtigen Akteuren auf der weltpolitischen Bühne (vgl. S. 376/377).

Die Ölkrise traf vor allem die Entwicklungsländer, denn deren Schuldenlast wuchs noch mehr. Aber die Folgen waren ebenso in Europa und den USA spürbar, wo die Kosten des Wohlfahrtsstaates stetig stiegen. Auch im Ostblock war die Versorgungslage angespannt. 1974 waren die USA und die UdSSR zwar noch dominierende Weltmächte, aber sie begannen doch, die nationale und internationale Politik unter neuen Gesichtspunkten zu interpretieren.

Alaska (Vereinigte Staaten)
KANADA
VEREINIGTE STAATEN
MEXIKO
Hawaii-Inseln (Vereinigte Staaten)
BAHAMAS
HAITI
Puerto Rico (Vereinigte Staaten)
Britisch-Honduras
KUBA
JAMAIKA
D. R.
GRENADA
BARBADOS
TRINIDAD u. TOBAGO
GUATEMALA
EL SALVADOR
HONDURAS
NICARAGUA
COSTA RICA
PANAMA
Kanalzone (Vereinigte Staaten)
VENEZUELA
KOLUMBIEN
GUYANA
Niederländisch-Guaya
Französisch-Guaya
ECUADOR
BRASILIEN
PERU
Französisch-Polynesien
BOLIVIEN
PARAGUAY
CHILE
ARGENTINIEN
URUGUAY
Falkland-Inseln (Großbrit.)

ZEITLEISTE

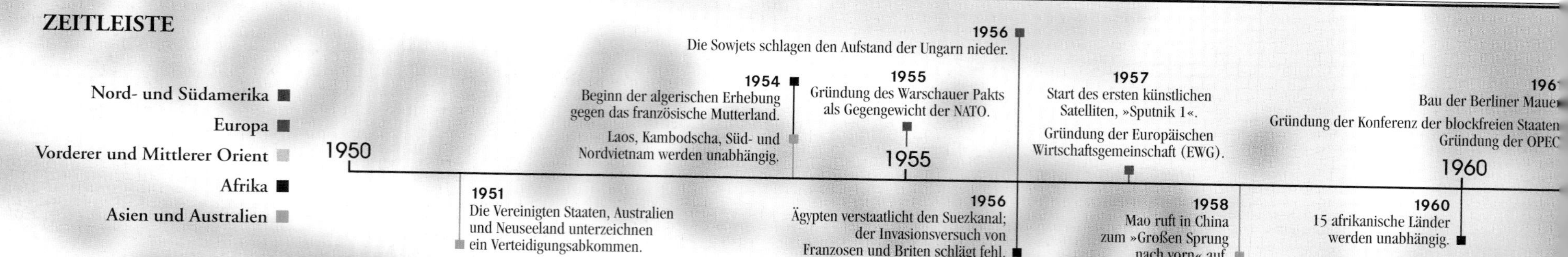
Nord- und Südamerika
Europa
Vorderer und Mittlerer Orient
Afrika
Asien und Australien
1950
1955
1960
1951 Die Vereinigten Staaten, Australien und Neuseeland unterzeichnen ein Verteidigungsabkommen.
1954 Beginn der algerischen Erhebung gegen das französische Mutterland.
Laos, Kambodscha, Süd- und Nordvietnam werden unabhängig.
1955 Gründung des Warschauer Pakts als Gegengewicht der NATO.
1956 Die Sowjets schlagen den Aufstand der Ungarn nieder.
1956 Ägypten verstaatlicht den Suezkanal; der Invasionsversuch von Franzosen und Briten schlägt fehl.
1957 Start des ersten künstlichen Satelliten, »Sputnik 1«.
Gründung der Europäischen Wirtschaftsgemeinschaft (EWG).
1958 Mao ruft in China zum »Großen Sprung nach vorn« auf.
1960 15 afrikanische Länder werden unabhängig.
196
Bau der Berliner Maue
Gründung der Konferenz der blockfreien Staaten
Gründung der OPEC

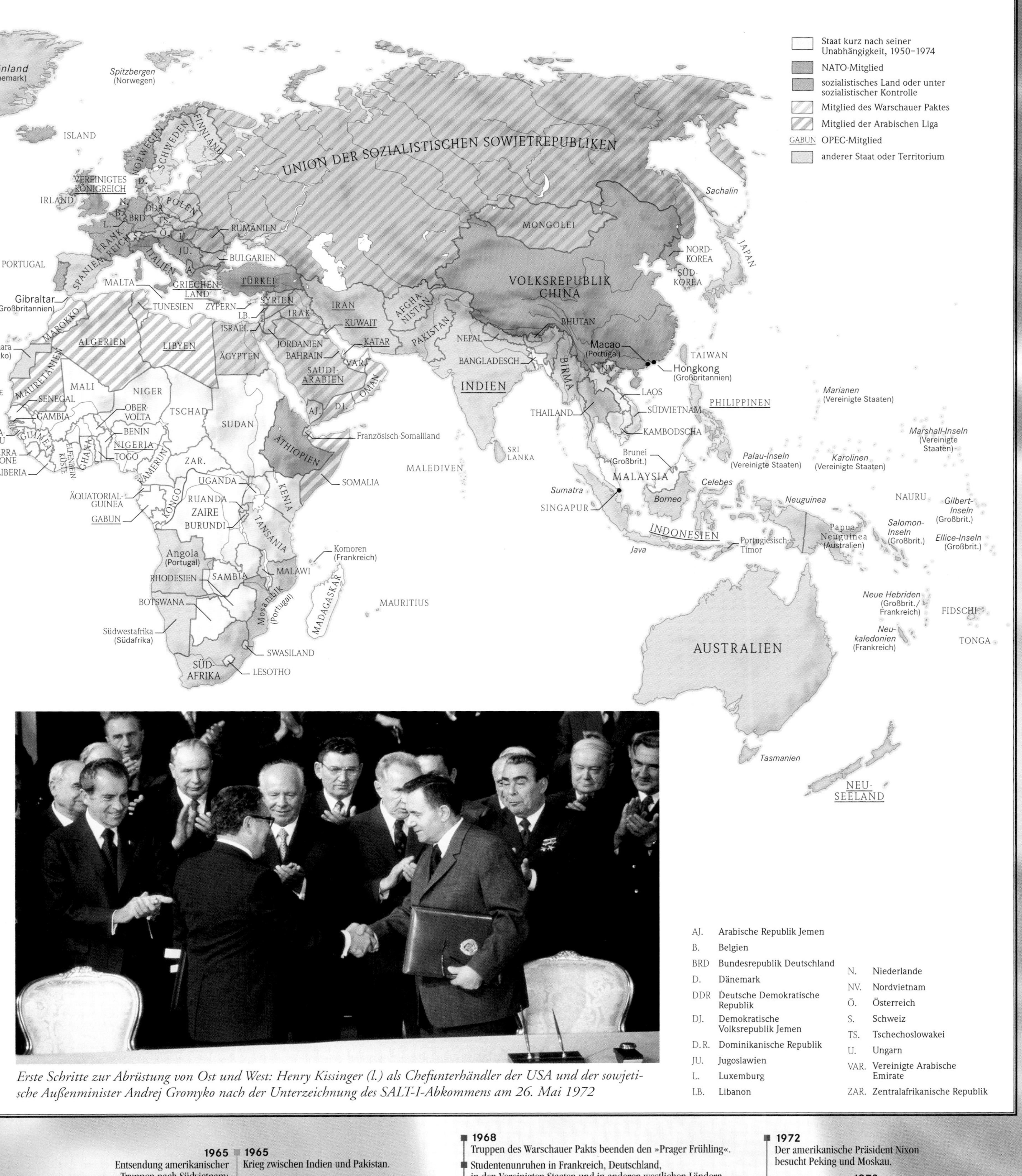
Staat kurz nach seiner Unabhängigkeit, 1950–1974
NATO-Mitglied
sozialistisches Land oder unter sozialistischer Kontrolle
Mitglied des Warschauer Paktes
Mitglied der Arabischen Liga
GABUN OPEC-Mitglied
anderer Staat oder Territorium
Spitzbergen (Norwegen)
ISLAND
IRLAND
VEREINIGTES KÖNIGREICH
NORWEGEN
SCHWEDEN
FINNLAND
UNION DER SOZIALISTISCHEN SOWJETREPUBLIKEN
Sachalin
POLEN
DDR
BRD
RUMÄNIEN
BULGARIEN
MONGOLEI
NORD-KOREA
SÜD-KOREA
JAPAN
PORTUGAL
SPANIEN
FRANKREICH
ITALIEN
JU.
MALTA
GRIECHENLAND
TÜRKEI
VOLKSREPUBLIK CHINA
Gibraltar (Großbritannien)
TUNESIEN
ZYPERN
LB.
SYRIEN
IRAK
IRAN
AFGHANISTAN
ISRAEL
KUWAIT
BHUTAN
MAROKKO
ALGERIEN
LIBYEN
JORDANIEN
BAHRAIN
KATAR
PAKISTAN
NEPAL
Macao (Portugal)
TAIWAN
Hongkong (Großbritannien)
ÄGYPTEN
SAUDI-ARABIEN
VAR
OMAN
BANGLADESCH
INDIEN
BIRMA
MAURETANIEN
MALI
NIGER
AJ.
DJ.
LAOS
Marianen (Vereinigte Staaten)
SENEGAL
GAMBIA
OBER-VOLTA
TSCHAD
SUDAN
THAILAND
SÜDVIETNAM
PHILIPPINEN
GUINEA
BENIN
NIGERIA
TOGO
Französisch-Somaliland
KAMBODSCHA
Marshall-Inseln (Vereinigte Staaten)
LIBERIA
ELFENBEINKÜSTE
GHANA
KAMERUN
ZAR.
ÄTHIOPIEN
SRI LANKA
MALEDIVEN
Brunei (Großbrit.)
Palau-Inseln (Vereinigte Staaten)
Karolinen (Vereinigte Staaten)
UGANDA
SOMALIA
MALAYSIA
KENIA
ÄQUATORIAL-GUINEA
GABUN
KONGO
RUANDA
ZAIRE
BURUNDI
Sumatra
Celebes
NAURU
Borneo
Neuguinea
Gilbert-Inseln (Großbrit.)
SINGAPUR
TANSANIA
INDONESIEN
Papua Neuguinea (Australien)
Salomon-Inseln (Großbrit.)
Ellice-Inseln (Großbrit.)
Java
Portugiesisch-Timor
Angola (Portugal)
Komoren (Frankreich)
RHODESIEN
SAMBIA
MALAWI
BOTSWANA
MAURITIUS
Mosambik (Portugal)
MADAGASKAR
Neue Hebriden (Großbrit./Frankreich)
FIDSCHI
Südwestafrika (Südafrika)
Neukaledonien (Frankreich)
TONGA
AUSTRALIEN
SWASILAND
SÜDAFRIKA
LESOTHO
Tasmanien
NEUSEELAND

Erste Schritte zur Abrüstung von Ost und West: Henry Kissinger (l.) als Chefunterhändler der USA und der sowjetische Außenminister Andrej Gromyko nach der Unterzeichnung des SALT-I-Abkommens am 26. Mai 1972

AJ.	Arabische Republik Jemen
B.	Belgien
BRD	Bundesrepublik Deutschland
D.	Dänemark
DDR	Deutsche Demokratische Republik
DJ.	Demokratische Volksrepublik Jemen
D.R.	Dominikanische Republik
JU.	Jugoslawien
L.	Luxemburg
LB.	Libanon
N.	Niederlande
NV.	Nordvietnam
Ö.	Österreich
S.	Schweiz
TS.	Tschechoslowakei
U.	Ungarn
VAR.	Vereinigte Arabische Emirate
ZAR.	Zentralafrikanische Republik

1962 Kuba-Krise: Präsident Kennedy setzt den Abzug der sowjetischen Atomraketen von der Insel durch.

1962 Entsendung amerikanischer Militärberater nach Südvietnam.

1963 Bruch zwischen China und der Sowjetunion, da Chruschtschow und Mao Tse-tung unterschiedliche Richtungen einschlagen.

1965 Entsendung amerikanischer Truppen nach Südvietnam; Beginn der Bombardierung des Nordens.

1965 Krieg zwischen Indien und Pakistan.

1965

1966 Mao Tse-tung beginnt die Kulturrevolution.

1967 Im »Sechstagekrieg« besiegt Israel Ägypten und seine arabischen Verbündeten.

1968 Truppen des Warschauer Pakts beenden den »Prager Frühling«.

Studentenunruhen in Frankreich, Deutschland, in den Vereinigten Staaten und in anderen westlichen Ländern.

1969 Die NASA bringt die ersten Menschen auf den Mond.

1970

1971 Ostpakistan macht sich als Bangladesch unabhängig.

1972 Der amerikanische Präsident Nixon besucht Peking und Moskau.

1972 Die Vereinigten Staaten und die Sowjetunion vereinbaren eine Rüstungsbegrenzung für strategische Waffen (SALT-I-Vertrag).

1973 Die arabischen Staaten können Israel im Jom-Kippur-Krieg nicht besiegen.

Die OPEC drosselt die Erdölförderung.

1973 In Chile putschen Offiziere mit Unterstützung der Vereinigten Staaten gegen die gewählte sozialistische Regierung.

1974 Der amerikanische Präsident Nixon tritt wegen der Watergate-Affaire zurück.

1975

Die Welt vom Ersten Weltkrieg bis heute (1914 bis 2004)

Die Welt • 2004

Mit dem Ende des Kalten Krieges geriet die Weltpolitik in Bewegung. Langsam ließ die Angst vor einem Atomkrieg nach, auch wenn noch keineswegs klar zu erkennen war, wie die künftige politische Gestalt der Welt aussehen würde.

Entscheidend für diese Entwicklung war der Zusammenbruch der UdSSR. Die Amtszeit Leonid Breschnews (1964–1982) war von Stagnation gekennzeichnet und der Entspannungsprozess der 1970er-Jahre fand 1979 mit dem sowjetischen Einmarsch in Afghanistan ein Ende. Die USA überwanden unter Präsident Ronald Reagan (1981–1989) die auf Vietnam folgende Krise ihres Selbstvertrauens. Angesichts steigender Rüstungskosten und technologischer Defizite sah sich ab 1985 der neue Kremlchef Michail Gorbatschow veranlasst, die Beziehungen zu den USA zu verbessern und das politische System der Sowjetunion zu liberalisieren; damit setzte er Kräfte frei, die er am Ende nicht mehr kontrollieren konnte (vgl. S. 356/357).

Nach dem Zusammenbruch der Sowjetunion

Der Forderung vieler Satellitenstaaten nach mehr Unabhängigkeit mündete im Zuge der Umwälzungen in Osteuropa ab 1989 in die Auflösung der Sowjetunion im Dezember 1991. Ihre Nachfolge trat die »Gemeinschaft Unabhängiger Staaten« (GUS) an. In Jugoslawien ließ sich die alte Ordnung nicht so leicht ersetzen (vgl. S. 344/345): Das Staatsgefüge zerbrach an seinen unlösbaren ethnischen Konflikten.

Inzwischen wuchs in Westeuropa die Europäische Gemeinschaft (EG) zur Europäischen Union (EU), öffnete ihre Grenzen und bewegte sich auf die politische und wirtschaftliche Einheit zu.

Auch Afrika stand im Zeichen des Wandels: Als die USA dem südafrikanischen Apartheid-Regime die Unterstützung entzogen, war dessen Ende absehbar. 1994 wurden unter dem charismatischen Präsidenten Nelson Mandela die Rassentrennung aufgehoben und die Herrschaft der Mehrheit durchgesetzt (vgl. S. 382/383). Auf dem Kontinent häuften sich innerstaatliche Konflikte, die im Zusammenhang mit dem kolonialen Erbe standen. Der Kampf um kostbare Rohstoffe wie Diamanten spielte eine wichtige Rolle im Bürgerkriegschaos der westafrikanischen Staaten Liberia und Sierra Leone. Ungelöst blieb die Frage der Unabhängigkeit der Westsahara, die nach Abzug der Kolonialmacht Spanien völkerrechtswidrig von Marokko annektiert worden war.

Der erstarkende Islam

Im Vorderen Orient fühlten sich sowohl der Westen als auch die UdSSR durch den erstarkenden Islam bedroht – dem Westen ging es um das Öl, den Sowjets um die Loyalität ihrer muslimischen Republiken. Die Lage wurde nach der fundamental-islamischen Machtübernahme im Iran im Jahr 1979 noch schwieriger. Der Irak führte 1980 bis 1988 Krieg gegen den Nachbarn Iran und sah sich dabei von anderen arabischen Staaten unterstützt – um dann nach seinem Angriff auf Kuwait für die ganze Region selbst zur Gefahr zu werden. Im so genannten Golfkrieg unter Führung der USA wurden der Irak besiegt und Kuwait befreit (vgl. S. 378/379). Unter Federführung Washingtons versuchte man mehrfach, den Konflikt zwischen Israel und den Palästinensern zu entschärfen, indem Letzteren eine beschränkte Autonomie zugesagt wurde, doch Kompromisslosigkeit auf beiden Seiten blockierte weiterhin den Fortgang des Friedensprozesses. Afghanistan stand nach dem

Am 9. April 2003 unterzeichnete Präsident Pat Cox im Europaparlament in Straßburg den Vertrag zur Aufnahme zehn neuer Mitgliedsstaaten in die EU. Seit dem 1. Mai 2004 hat »Europa« 25 davon.

ZEITLEISTE

Nord- und Südamerika ■ · Europa ■ · Vorderer und Mittlerer Orient ■ · Afrika ■ · Asien und Australien ■

1975

1975 Helsinki-Schlussakte der KSZE macht Europa sicherer.

1975 Das von den Vereinigten Staaten gestützte südvietnamesische Regime bricht zusammen. Angola und Mosambik werden unabhängig.

1977 Der ägyptische Präsident Sadat besucht Israel und setzt damit den Friedensprozess im Nahen Osten in Gang.

1979 Im Iran bricht unter Führung der schiitischen Muslime die Revolution aus.

1979 Die Sowjetarmee marschiert in Afghanistan ein, um das dortige kommunistische Regime zu unterstützen.

1979 Aufnahme diplomatischer Beziehungen zwischen China und den USA.

1980

1980 Unabhängigkeit von Simbabwe.

1982 Falklandkrieg zwischen Großbritannien und Argentinien.

1984 Ermordung der indischen Premierministerin Indira Gandhi.

1985

1986 In Tschernobyl (UdSSR) explodiert ein Atomreaktor; dadurch entstehen auch in ganz Nordeuropa Strahlungsschäden.

1986 Amerikanische Kampfflugzeuge bombardieren Tripolis.

1987 Die Vereinigten Staaten und die Sowjetunion vereinbaren eine Begrenzung ihrer Mittelstreckenwaffen.

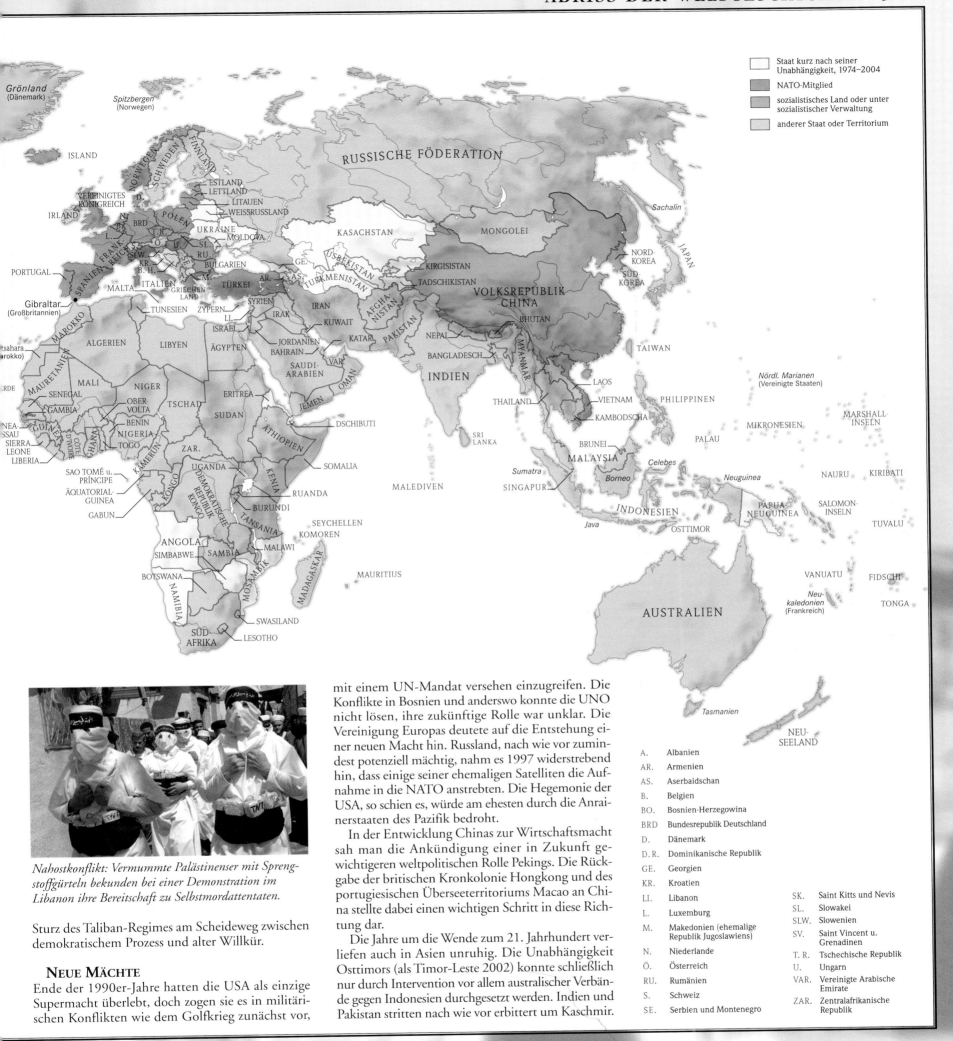

☐	Staat kurz nach seiner Unabhängigkeit, 1974–2004
■	NATO-Mitglied
■	sozialistisches Land oder unter sozialistischer Verwaltung
■	anderer Staat oder Territorium

A.	Albanien
AR.	Armenien
AS.	Aserbaidschan
B.	Belgien
BO.	Bosnien-Herzegowina
BRD	Bundesrepublik Deutschland
D.	Dänemark
D.R.	Dominikanische Republik
GE.	Georgien
KR.	Kroatien
LI.	Libanon
L.	Luxemburg
M.	Makedonien (ehemalige Republik Jugoslawiens)
N.	Niederlande
Ö.	Österreich
RU.	Rumänien
S.	Schweiz
SE.	Serbien und Montenegro
SK.	Saint Kitts und Nevis
SL.	Slowakei
SLW.	Slowenien
SV.	Saint Vincent u. Grenadinen
T.R.	Tschechische Republik
U.	Ungarn
VAR.	Vereinigte Arabische Emirate
ZAR.	Zentralafrikanische Republik

Nahostkonflikt: Vermummte Palästinenser mit Sprengstoffgürteln bekunden bei einer Demonstration im Libanon ihre Bereitschaft zu Selbstmordattentaten.

Sturz des Taliban-Regimes am Scheideweg zwischen demokratischem Prozess und alter Willkür.

Neue Mächte

Ende der 1990er-Jahre hatten die USA als einzige Supermacht überlebt, doch zogen sie es in militärischen Konflikten wie dem Golfkrieg zunächst vor, mit einem UN-Mandat versehen einzugreifen. Die Konflikte in Bosnien und anderswo konnte die UNO nicht lösen, ihre zukünftige Rolle war unklar. Die Vereinigung Europas deutete auf die Entstehung einer neuen Macht hin. Russland, nach wie vor zumindest potenziell mächtig, nahm es 1997 widerstrebend hin, dass einige seiner ehemaligen Satelliten die Aufnahme in die NATO anstrebten. Die Hegemonie der USA, so schien es, würde am ehesten durch die Anrainerstaaten des Pazifik bedroht.

In der Entwicklung Chinas zur Wirtschaftsmacht sah man die Ankündigung einer in Zukunft gewichtigeren weltpolitischen Rolle Pekings. Die Rückgabe der britischen Kronkolonie Hongkong und des portugiesischen Überseeterritoriums Macao an China stellte dabei einen wichtigen Schritt in diese Richtung dar.

Die Jahre um die Wende zum 21. Jahrhundert verliefen auch in Asien unruhig. Die Unabhängigkeit Osttimors (als Timor-Leste 2002) konnte schließlich nur durch Intervention vor allem australischer Verbände gegen Indonesien durchgesetzt werden. Indien und Pakistan stritten nach wie vor erbittert um Kaschmir.

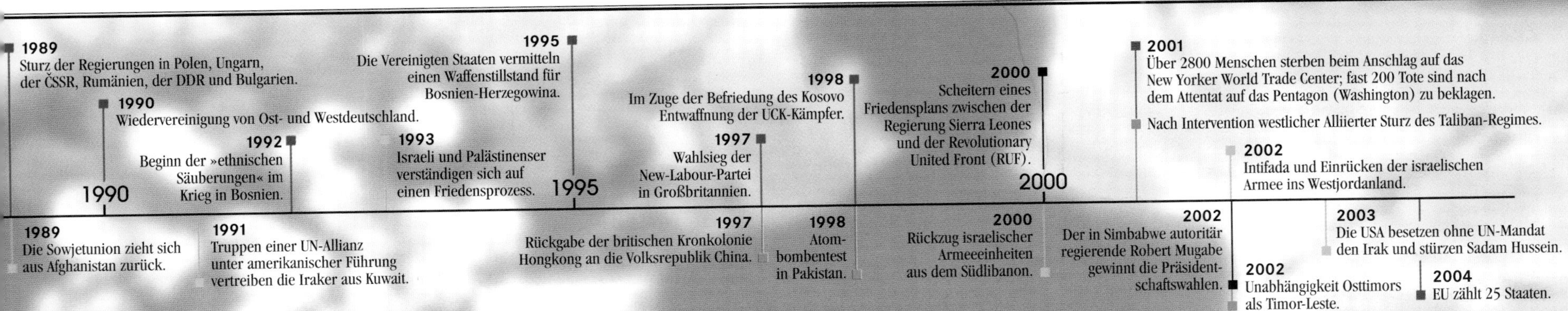

1989
Sturz der Regierungen in Polen, Ungarn, der ČSSR, Rumänien, der DDR und Bulgarien.
1990
Wiedervereinigung von Ost- und Westdeutschland.
1992
Beginn der »ethnischen Säuberungen« im Krieg in Bosnien.
1993
Israeli und Palästinenser verständigen sich auf einen Friedensprozess.
1995
Die Vereinigten Staaten vermitteln einen Waffenstillstand für Bosnien-Herzegowina.
1997
Wahlsieg der New-Labour-Partei in Großbritannien.
1998
Im Zuge der Befriedung des Kosovo Entwaffnung der UCK-Kämpfer.
2000
Scheitern eines Friedensplans zwischen der Regierung Sierra Leones und der Revolutionary United Front (RUF).
2001
Über 2800 Menschen sterben beim Anschlag auf das New Yorker World Trade Center; fast 200 Tote sind nach dem Attentat auf das Pentagon (Washington) zu beklagen.
Nach Intervention westlicher Alliierter Sturz des Taliban-Regimes.
2002
Intifada und Einrücken der israelischen Armee ins Westjordanland.
1990
1995
2000
1989
Die Sowjetunion zieht sich aus Afghanistan zurück.
1991
Truppen einer UN-Allianz unter amerikanischer Führung vertreiben die Iraker aus Kuwait.
1997
Rückgabe der britischen Kronkolonie Hongkong an die Volksrepublik China.
1998
Atombombentest in Pakistan.
2000
Rückzug israelischer Armeeeinheiten aus dem Südlibanon.
2002
Der in Simbabwe autoritär regierende Robert Mugabe gewinnt die Präsidentschaftswahlen.
2002
Unabhängigkeit Osttimors als Timor-Leste.
2003
Die USA besetzen ohne UN-Mandat den Irak und stürzen Sadam Hussein.
2004
EU zählt 25 Staaten.

Die Welt vom Ersten Weltkrieg bis heute (1914 bis 2004)

Der Erste Weltkrieg • 1914 bis 1918

Vorwärts
Der Kaiser hat abgedankt!

Europas hoch entwickelte Industriestaaten erfreuten sich bis 1914 eines relativen Wohlstands. Die Aufrüstung der »Tripelentente«-Staaten Großbritannien, Frankreich und Russland einerseits sowie der »Mittelmächte« Deutschland und Österreich-Ungarn – denen sich bald das Osmanische Reich anschloss – auf der anderen Seite schuf eine spannungsreiche Lage.

Vor allem das Deutsche Reich wollte seine Machtbasis vergrößern. Das Land hatte sich rasch industrialisiert und Großbritannien als Motor der europäischen Wirtschaft abgelöst. Seinen Stärken in der Eisen-, Stahl- und Kohleproduktion sowie in der neuen Elektro- und Chemieindustrie entsprachen die militärischen. Die geographische Mittellage des Landes hatte Vor- und Nachteile: Im Frieden konnten die Deutschen das große Netz der europäischen Schienen- und Seewege nutzen, aber im Krieg mussten sie höchstwahrscheinlich an zwei Fronten kämpfen.

Beim Kampf um Verdun (Februar bis Dezember 1916) blieb die deutsche Offensive in Grabenkämpfen stecken. Insgesamt starben etwa 700 000 Soldaten.

Imperiale Ziele

Deutschlands Regierung befand den politischen Rang des Landes als weit zu gering im Vergleich mit seinen wirtschaftlichen und imperialen Bestrebungen. Eines der ältesten Ziele (das Deutschland mit Russland in Konflikt brachte) war die Expansion nach Osten. Man fühlte sich von feindlichen Mächten umzingelt und wollte seine Interessen (auch die Österreich-Ungarns) in Südosteuropa und im Nahen Osten gewahrt wissen. Die militärische Führung kannte die Folgen eines langen Zweifrontenkriegs. Sie plante daher, Frankreich möglichst schnell auszuschalten und die Kräfte im Osten gegen Russland zu bündeln. Der Plan scheiterte, als im August 1914 vor dem Hintergrund des österreichisch-russischen Interessenkonflikts auf dem Balkan der Krieg ausbrach. Der Vormarsch der deutschen Armee in Frankreich wurde 80 Kilometer vor Paris gestoppt und die französische Armee schnellstens mobilisiert. Der Krieg blieb an der Westfront im Grabenkampf stecken – ein zermürbender, durch Gaseinsatz besonders mörderischer Stellungskampf, der erst endete, als man ab 1917 neue, Panzer und Artillerie effektiver einsetzende Taktiken anwandte. Obwohl den Deutschen im Osten schnelle Anfangserfolge gelangen, kämpften sie schließlich doch an zwei Fronten.

Auf dem Balkan schien sich durch Siege über Serbien und Rumänien und den osmanischen Kriegseintritt 1915 ein Erfolg der Mittelmächte abzuzeichnen. 1917 brach das wirtschaftlich ausgeblutete und politisch zerrüttete zaristische Russland zusammen. Anfang 1918 zog sich die bolschewistische Regierung ganz aus dem Krieg zurück und überließ große Teile der Ukraine und Südrusslands Deutschland. Die deutschen Kolonialziele schienen wenigstens in Europa erreicht.

Unterlegene Mittelmächte

Die Mittelmächte waren den West-Alliierten letztlich aber in jeder Hinsicht unterlegen. Von 1916 an zeigte deren größere Wirtschaftskraft Wirkung. Das

1 Die Ermordung des österreichischen Thronfolgers Erzherzog Franz Ferdinand am 28. Juni 1914 durch einen serbischen Attentäter in Sarajewo löste den Ersten Weltkrieg aus. Innerhalb weniger Tage machten Europas Mächte ihre Truppen mobil.

2 Die deutsche Offensive im Westen begann mit der Überwindung der belgischen Festungen um Lüttich.

3 Die Franzosen stoppten den deutschen Vormarsch am 14. September 1914 (»Wunder an der Marne«).

4 Die Alliierten versuchten erfolglos, die Dardanellen zu kontrollieren und den Seeweg nach Russland zu öffnen.

5 Die Versenkung des amerikanischen Passagierdampfers »Lusitania« durch ein deutsches U-Boot im Mai 1915 trug wesentlich zum Kriegseintritt der USA an der Seite der Alliierten bei.

6 Der Krieg an der Ostfront verkam zwar nicht zum Grabenkampf, aber die Verluste waren keineswegs geringer als im Westen.

7 Die britische Flotte erlitt größere Verluste als die deutsche, die Seeschlacht vor dem Skagerrak bestätigte 1916 aber ihre Überlegenheit.

Der »uneingeschränkte U-Boot-Krieg« der Deutschen fügte dem Gegner großen Schaden zu und führte 1917 zum Kriegseintritt der USA.

1914–1919
Orkney-Inseln
Scapa Flow
Cromarty
No
Glasgow
Rosyth
Edinburgh
Belfast
Newcastle
VEREINIGTES KÖNIGREICH
9,5 Mio.
Dublin
Liverpool
Hull
5
Birmingham
»Lusitania«, von U-Boot versenkt, Mai 1915
Cardiff
Harwich
London
Portsmouth
Dover
Plymouth
Portland
1914
Cherbourg
Le Havre
Brest
Loire
Nantes
FRANKREICH
8,2 Mio.
Bordeaux
Santander
Bilbao
Toulouse
Ebro
ANDORRA
Duero
Saragossa
PORTUGAL
Alliierten macht März 1916
SPANIEN
Madrid
Tajo
Guadiana
Valencia
Lissabon
Balearen zu Spanien
Córdoba
Sevilla
Cádiz
Gibraltar zu Großbritannien
Tanger
Spanisch-Marokko zu Spanien
Algier
Alger
Zeebrugge
April 1918
Dünkirchen
Schelde
Antwerpen
Calais
Ypern
Okt. 1914, April 1915, Juli 1917
Brüssel
BELGIEN
Aug. 1914 deutsche Besatzung
2
DEUTSCHES REICH
Lüttich
Aug. 1914
Arras
Dez. 1914, April 1915, Sept. 1915
Cambrai
Nov. 1917
Mons
Somme
Juli–Nov. 1916
Peronne
Amiens
LUXEMBURG
Oise
Maas
Mosel
Aisne
Champagne
Sept. 1915
Chemin-des-Dames
April 1917
Reims
Marne
Verdun
Febr.–Dez. 1916
Paris
Marne
Sept. 1914
Seine
3
FRANKREICH
Nancy
0 100 km
0 140 Meilen

ZEITLEISTE

ALLGEMEIN

WESTFRONT

OSTFRONT

Juli 1914

1914 (August) Deutschland erklärt Russland und Frankreich den Krieg; Großbritannien, Frankreich und Russland beantworten dies mit der Kriegserklärung an Deutschland und Österreich-Ungarn.

1914 (August) Die deutsche Armee setzt den Schlieffen-Plan um.

Der russische Vorstoß nach Deutschland wird bei Tannenberg gestoppt.

1914 (September) Der deutsche Vormarsch in Frankreich kommt an der Marne zum Stehen.

1915

1915 (April) Truppen der Alliierten landen bei Gallipoli.

Italien tritt an der Seite der Alliierten in den Krieg ein.

1915 (Mai) Ein deutsches U-Boot versenkt den amerikanischen Passagierdampfer »Lusitania«.

1915 (Oktober) Österreich-Ungarn marschiert in Serbien ein.

1916

1916 (Februar–Dezember) Deutsche Offensive bei Verdun.

1916 (April) Osteraufstand irischer Nationalisten in Dublin.

1916 (Mai) Die britische und die deutsche Flotte treffen vor Jütland aufeinander.

Grenzen, 1914
alliierte Mächte und Verbündete, Juni 1917
Mittelmächte, Juni 1917
Mittelmacht, kapituliert vor Nov. 1918
neutraler Staat
weitestes Vordringen der Mittelmächte
weitestes Vordringen der russischen Streitkräfte
Waffenstillstandslinie, 11. Nov. 1918
Westfront
Frontverlauf, 5. Sept. 1914
Frontverlauf, 29. Dez. 1914
Frontverlauf, 11. Nov. 1918
deutsche Offensive, 16. Aug.–5. Sept. 1914
deutsche Offensive, 5. April–17. Juli 1918
weitester deutscher Vorstoß, 17. Juli 1918
alliierte Gegenoffensive, 26. Sept.–10. Nov. 1918
mit dem Vertrag von Brest-Litowsk abgetretenes russisches Territorium
Hauptoperationsgebiete der U-Boote, 1915–1918
Marinestützpunkt
Seeblockade der Alliierten
Rüstungs-, Maschinen- und Metallindustrie
chemische Industrie
Werftindustrie
9,5 Mio. maximal mobilisierte Streitkräfte (in Millionen)
Eisenbahnlinie
Schiffsroute in die Vereinigten Staaten und nach Kanada
Finnland
Helsinki
Petrograd (St. Petersburg)
Christiania
SCHWEDEN
NORWEGEN
Stockholm
Ostsee
Reval
Estland
Lettland
Riga
Sept. 1917
Moskau
Göteborg
Jütland Mai–Juni 1916
DÄNEMARK
Kopenhagen
Memel
Gumbinnen Aug. 1914
Königsberg
Danzig
Litauen
Westliche Dwina
Witebsk
Masurische Seen Sept. 1914, Febr. 1915
Wilna
Minsk
RUSSISCHES REICH
kapituliert Dez. 1917
13,0 Mio.
Kiel
Hamburg
Bremen
Stettin
Tannenberg Aug. 1914
Warschau Sept.–Nov. 1914
Weichsel
Brest-Litowsk
Brussilow-Offensive Juni–Okt. 1916
Berlin
Hannover
Oder
Lodz Nov. 1914
Polen
Kiew
Essen
DEUTSCHES REICH
13,25 Mio.
Köln
Dresden
Gorlice-Tarnow Mai 1915
Dnjepr
Ukraine
Krakau
Frankfurt
LUXEMBURG
Prag
Limanowa Dez. 1914
Przemysl März 1915
Lwow
Dnjestr
ÖSTERREICH-UNGARN
9,0 Mio.
Wien
München
Salzburg
Budapest
Donau
Odessa
Basel
LIECHTENSTEIN
SCHWEIZ
Caporetto Okt.–Nov. 1917
Isonzo-Schlachten Juni 1915–Sept. 1917
Trient
Triest
Sewastopol
Feodosia
Mailand
Vittorio Veneto Okt.–Nov. 1918
Venedig
Pula
Turin
Genua
Bologna
SAN MARINO
Florenz
Belgrad Dez. 1914
Bosnien-Herzegowina
Sarajewo
MONTENEGRO
RUMÄNIEN
1,0 Mio.
Bukarest
Alliiertenmacht Aug. 1916, kapituliert an Mittelmächte Dez. 1917
Schwarzes Meer
SERBIEN
kapituliert an Mittelmächte Okt.–Nov. 1915
1,0 Mio.
Warna
Trabzon April 1916
ITALIEN
Alliiertenmacht April 1915
5,6 Mio.
BULGARIEN
0,95 Mio.
Sofia
Mittelmacht Sept. 1915, kapituliert an Alliierte Mächte Sept. 1918
Edirne
Konstantinopel
Erzurum Febr. 1916
Korsika Frankreich
Rom
Càttaro
Durazzo
ALBANIEN
Brindisi
Doiran April–Mai 1917
Thessaloniki Sept. 1918
Gallipoli April 1915–Jan. 1916
OSMANISCHES REICH
kapituliert Okt. 1918
2,85 Mio.
Neapel
Tarent
GRIECHENLAND
Alliiertenmacht Juni 1917
0,2 Mio.
Athen
Konya
Mosul
Sardinien zu Italien
Palermo
Messina
Sizilien
Aleppo
Euphrat
Tigris
Kreta zu Griechenland
Rhodos
Dodekanes zu Italien
Zypern zu Großbrit.
Bagdad März 1917
Tunis
Tunesien französisches Protektorat
Malta zu Großbritannien
Damaskus Sept. 1918
Kut Dez. 1915–April 1916, Febr. 1917
Mittelmeer
Megiddo Sept. 1918
Jerusalem Dez. 1917
Basra
Kyrene
Port Said
Suez-kanal
Alexandria
Cyrenaika zu Italien
Ägypten unter britischer Besatzung
Kairo
Akaba Juli 1917
0 600 km
0 400 Meilen

Am 11. November 1918, dem Tag des Waffenstillstands, feierte man in Washington mit den Flaggen der Siegermächte das Ende des Ersten Weltkrieges.

finanzstarke Großbritannien stellte die Mittel für den alliierten Kriegseinsatz zur Verfügung; seine Kriegsindustrie produzierte Munition und Kriegsgerät selbst oder bezog sie aus den USA beziehungsweise aus den Kolonien. Die deutsche Marine torpedierte britische Schiffe, um die alliierten Nachschublinien zu unterbrechen. Als Kaiser Wilhelm II. 1917 den »uneingeschränkten U-Boot-Krieg« ankündigte, ließen sich die USA endlich zum Kriegseintritt bewegen (wenn auch zunächst nur als Munitionslieferant). Die Alliierten blockierten jetzt die deutschen Häfen und vergrößerten damit die wirtschaftlichen Schwierigkeiten des Reiches.

Der innere Zusammenbruch

1916 bis 1917 blutete die Westfront in verzweifelten, für beide Seiten äußerst verlustreichen Schlachten aus – vor allem bei Verdun, an der Somme und bei Ypern. Möglich wurden sie durch die gewaltigen Waffenmengen, über die die Alliierten jetzt verfügten. Die Aussicht auf einen »Siegfrieden« der Mittelmächte war im Herbst 1918 erloschen. Die Nahrungsmittel- und Brennstoffknappheit bewirkte den inneren Zusammenbruch. Deutschlands Oberste Heeresleitung überließ es einer neuen zivilen Regierung, die Kapitulation zu unterzeichnen. Das Reich versank in den Wirren einer Revolution.

1916 (September) Die Mittelmächte besiegen Rumänien.

1916 (Oktober) Ende der russischen Brussilow-Offensive.

1916 (Juli–Nov.) Verlustreiche britische Offensive an der Somme.

1917

1917 (März) In Russland dankt Zar Nikolaus II. ab.

1917 (April) Die USA erklären den Mittelmächten den Krieg.

1917 (Juli) Dritte Schlacht um Ypern (Passchendaele). Letzte russische Offensive des Krieges.

1917 (November) Revolution der Bolschewiki in Russland.

1917 (November–Dezember) Die Briten setzen in der Schlacht von Cambrai erstmals Tanks (Panzer) ein.

1917 (Dezember) Russlands neue bolschewistische Regierung schließt einen Waffenstillstand mit Deutschland.

1918

1918 (Januar) Der amerikanische Präsident Wilson veröffentlicht seinen Vierzehn-Punkte-Plan für den Frieden.

1918 (März) Die Offensive Ludendorffs bedroht Paris. Der Friede von Brest-Litowsk beendet den Krieg für Russland.

1918 (August) Die Alliierten durchbrechen die deutschen Linien.

1918 (November) Kaiser Wilhelm II. dankt ab; Deutschland und die Alliierten unterzeichnen ein Waffenstillstandsabkommen.

1919

Die Welt vom Ersten Weltkrieg bis heute (1914 bis 2004)

Europa zwischen den Weltkriegen • 1918 bis 1939

Der Erste Weltkrieg zerstörte Europas alte Ordnung. Dem Sturz der Romanows (Russland), der Habsburger (Österreich) und der Hohenzollern (Deutschland) folgte eine politische Instabilität, die die wirtschaftlichen und sozialen Kriegsfolgen verschlimmerte und Extremismus gedeihen ließ. In vielen großen Städten kam es zu revolutionären Erhebungen und Gegenschlägen von rechten Gruppierungen.

Die Friedensverträge brachten keine Beruhigung, sondern sorgten für Unmut. Der amerikanische Präsident Woodrow Wilson wollte die Ära nationalistischer Rivalitäten durch die Schaffung ethnisch homogener Staaten beendet sehen, doch blieb diese Hoffnung vergeblich. Zwei neue Staaten (die Tschechoslowakei und das Königreich der Serben, Kroaten und Slowenen, später Jugoslawien) sowie ein wiederhergestelltes Polen vereinten in willkürlichen Grenzen diverse ethnische Gruppen, deren nationalistische Führer ihre Ziele nicht verwirklicht sahen. Überall gerieten ganze Bevölkerungen in Bewegung. Italien, das früheren Versprechungen zum Trotz keine neuen Territorien bekam, schickte sich wie auch Polen an, sich diese mit Gewalt zu holen.

Er warb um Vertrauen für Deutschland: Außenminister Gustav Stresemann (1878–1929) vor dem Völkerbund in Genf 1929.

Versailler Vertrag

Der Versailler Vertrag bürdete Deutschland die Kriegsschuld, große Territoriumsverluste und gewaltige Reparationszahlungen auf. Es durfte sich nicht mit Österreich vereinen und musste seine Armee entscheidend verkleinern. Drei Millionen Deutsche lebten außerhalb der Staatsgrenzen.

Der Völkerbund, der Auseinandersetzungen völkerrechtlicher Art friedlich beilegen sollte, blieb handlungsunfähig, weil die USA, die ihm hätten Gewicht geben können, nicht beitraten. Da Russland durch die Wirren der Revolution geschwächt und außenpolitisch handlungsunfähig war, waren Großbritannien und Frankreich auf sich gestellt. London und Paris wollten auch Deutschland schwach halten. Frankreich besetzte 1923 das Ruhrgebiet, um deutsche Reparationen zu erzwingen. Die Hyperinflation der folgenden Jahre förderte in Deutschland extremistische Strömungen. Da das Wohlergehen des Reiches entscheidend für das Wohlergehen Europas war, wurden schließlich die Reparationen reduziert, so dass sich die Wirtschaft – auch dank amerikanischer Kredite – leicht erholte. Den deutschen Groll hätte man vielleicht friedlich besänftigen können. Der Vertrag von Locarno (1925) garantierte Deutschland seine Westgrenzen; er war möglich, weil besonnene Kräfte um Außenminister Stresemann für eine friedliche Revision des Versailler Vertrages eintraten. Mit dem Briand-Kellogg-Pakt (1928) wurde nicht ganz überzeugend, aber offiziell der Krieg als Mittel der Politik geächtet.

Der »Duce« faszinierte die Massen: Italiens Diktator Benito Mussolini (1883–1945) in typischer Rednerpose auf einer Massenveranstaltung in Treviso, 1935.

Die Weltwirtschaftskrise der frühen 1930er-Jahre erschütterte die scheinbare Stabilität. Die in vielen Ländern ungefestigte Demokratie wurde durch Arbeitslosigkeit und politische Unruhen unterminiert und durch autoritäre Regimes ersetzt – in Ungarn gelangte Horthy (1920), in Polen Pilsudski (1926) an die Macht. Auch Bulgarien, Rumänien sowie Jugoslawien erhielten Diktatoren – wenn auch im Königsrang.

Aufkommen des Faschismus

Ein neues Phänomen bedrohte den Frieden: der Faschismus. Benito Mussolini versprach Italien die nationale Erneuerung, klagte die »Schmach« der Friedensregelung an und installierte 1925, drei Jahre nach seinem »Marsch auf Rom«, ein totalitäres Regime. Überall in Europa wurden faschistische Parteien gegründet. In Deutschland kam Adolf Hitler mit seiner NSDAP 1933 an die Macht, wobei ihm die Massenarbeitslosigkeit und die Angst vor dem Kommunismus Millionen Anhänger zutrieben.

Großbritannien und Frankreich blieben vorsichtig. Während die Nationalsozialisten die Arbeitslosigkeit durch öffentliche Programme verringerten, hielt man in Großbritannien an der klassischen Ökonomie fest; die Industrie konnte sich erst Ende der 1930er-Jahre erholen. Zurückhaltung übte man auch außenpolitisch. Da der Völkerbund die Weltwirtschaft nicht durch Kriege oder Sanktionen destabilisieren wollte, schritt er gegen Deutschland und Italien nicht ein. Großbritannien und Frankreich versuchten, die beiden Länder durch territoriale Zugeständnisse zu beschwichtigen, aber die Diktatoren forderten mehr. Italien marschierte 1935 ungestraft in Äthiopien ein, weil Briten und Franzosen sich Mussolini als Verbündeten erhalten wollten. 1936 begann in Spanien mit dem Bürgerkrieg ein blutiger Kampf zwischen »linken« Republikanern und der faschistischen Falange, aus dem 1939 Faschistenführer Franco als Sieger hervorging. Moskau auf der einen, Rom und Berlin auf der anderen Seite hatten die Kriegsparteien unterstützt. Hitler forcierte währenddessen in Deutschland seine antijüdische Politik und ignorierte den Versailler Vertrag – 1935 begann er mit der Wiederbewaffnung Deutschlands, 1936 beendete er die Entmilitarisierung des Rheinlands. 1938 folgten der »Anschluss« Österreichs und die Aufteilung der Tschechoslowakei; Großbritannien und Frankreich stimmten ihr 1938 in München zu.

FINNLAND
ESTLAND
LETTLAND
VEREINIGTES KÖNIGREICH
UNION DER SOZIALISTISCHEN SOWJET-REPUBLIKEN
POLEN
DEUTSCHLAND
BELGIEN
FRANK-REICH
ÖSTERREICH
TSCHECHOSLOWAKEI
RUMÄNIEN
UNGARN
JUGOSLAWIEN
ITALIEN
ALBANIEN
GRIECHENLAND
TÜRKEI
Allianzsystem
französisch
deutsch
italienisch
Vertrag von Locarno, 1925
Balkanpakt, 1934
Baltische Entente, 1922

1 1919 gründete der Kommunist Béla Kun eine kurzlebige ungarische Räterepublik und veranlasste den Einmarsch von Invasionstruppen in die Slowakei und nach Transsilvanien.

2 Nach einer Volksabstimmung wurde die preußische Provinz Schleswig 1920 zwischen Deutschland und Dänemark aufgeteilt.

3 Teilung Irlands 1921: Der vorwiegend protestantische Norden blieb beim Vereinigten Königreich, der katholische Süden wurde Freistaat. Hier lehnten viele die Teilung ab und es kam 1922/1923 zum Bürgerkrieg.

4 Das Saargebiet fiel 1919 als Völkerbundsmandat an Frankreich, wurde aber 1935 nach einer Volksabstimmung an Deutschland zurückgegeben.

5 Deutsche Bombenverbände zerstörten beim ersten massiven Luftangriff gegen Zivilisten die nordspanische Stadt Guernica.

6 Im Sudetenland, seit 1918 Teil der Tschechoslowakei, lebte eine starke deutsche Minderheit. Nach dem Münchner Abkommen von 1938 wurde das Gebiet von Deutschland annektiert.

Zeitleiste

International | Westeuropa | Osteuropa

1919

1919–1920 Die Pariser Friedensverträge bilden das Fundament der Nachkriegsordnung in Europa.

1920 In Deutschland scheitern mehrere Putschversuche der Kommunisten.

1920–1921 Russisch-Polnischer Krieg.

1921 Gründung des Freistaats Irland.

1920–1922 Krieg zwischen Griechenland und der Türkei.

1922 Vertrag von Rapallo zwischen Deutschland und der UdSSR.

1923 Frankreich besetzt das Ruhrgebiet; Hyperinflation in Deutschland.

1924 Verringerung der deutschen Reparationszahlungen im Rahmen des Dawes-Plans.

1924

1925 Im Vertrag von Locarno garantieren die europäischen Mächte die deutschen Westgrenzen.

1926 Generalstreik in Großbritannien unter der Führung der Grubenarbeiter. Aufnahme Deutschlands in den Völkerbund.

1926 In Polen übernimmt Josef Pilsudski die Macht.

1924–1929 Josef Stalin festigt seine Macht in der Sowjetunion.

1928 Unterzeichnung des Briand-Kellogg-Paktes in Paris (Ablehnung des Krieges als politisches Mittel).

1929 Beginn der Weltwirtschaftskrise.

1929 Lateranverträge zwischen Italien und dem Papst sichern die Unabhängigkeit des Vatikanstaates.

1929

ATLANTISCHER OZEAN
Nordsee
Ostsee
Mittelmeer
Schwarzes Meer
FINNLAND unabhängig 1917/1920
NORWEGEN
SCHWEDEN
DÄNEMARK
ESTLAND unabhängig 1918 1933
LETTLAND unabhängig 1918 1934
LITAUEN unabhängig 1918 1926
UNION DER SOZIALISTISCHEN SOWJETREPUBLIKEN 1917–1921 1917
IRISCHER FREISTAAT (Irland ab 1937) 1919–1923, unabhängig 1921
VEREINIGTES KÖNIGREICH
NIEDERLANDE
BELGIEN
LUXEMBURG
DEUTSCHLAND
POLEN 1926
TSCHECHOSLOWAKEI 1938–1939
ÖSTERREICH 1934 1938 an Deutschland 1938
UNGARN 1931–1935
RUMÄNIEN 1938
BULGARIEN 1934
KÖNIGREICH DER SERBEN, KROATEN UND SOWENEN (Jugoslawien ab 1931) 1929
ALBANIEN 1939 an Italien
GRIECHENLAND 1936
TÜRKEI 1924
ITALIEN 1925
FRANKREICH
SCHWEIZ
LIECHTENSTEIN
SPANIEN 1936–1939
PORTUGAL 1930
Baskische Republik unabhängig 1936–1937
Katalonien unabhängig 1932–1938
ANDORRA
MONACO
SAN MARINO
Weißrussland unabhängig 1919–1921
Ukraine unabhängig 1917–1920
SAAR 1919 zum Völkerbund, 1935 an Deutschland
Ostpreußen zu Deutschland
Danzig (Freie Stadt) 1919
Polnischer Korridor
Memel 1939 an Deutschland
Sudetenland 1938 an Deutschland
Böhmen Mähren 1939 an Deutschland
Slowakei 1938 an Ungarn
1939 an Ungarn
Curzon-Linie
Färöer zu Dänemark
Shetland-Inseln zu Großbritannien
Korsika zu Frankreich
Sardinien zu Italien
Balearen zu Spanien
Sizilien
Malta zu Großbrit.
Korfu zu Griechenland
Dodekanes 1920 zu Griechenl., 1923 zu Italien
Rhodos
Kreta
Zypern zu Großbrit.
Gibraltar zu Großbrit.
Tanger (freie Stadt)
spanisches Protektorat
Spanisch-Marokko
Französisch-Marokko französisches Protektorat
Algerien zu Frankreich
Tunesien französisches Protektorat
Tripolitanien zu Italien
Cyrenaika zu Italien
ÄGYPTEN 1922 unabhängig
1919–1922 zu Griechenland, 1923 an die Türkei
deutsche Juden
Russen
Polen
Ungarn
Türken
Griechen
0 600 km
0 400 Meilen
zeitweise unabhängig
Grenzen, 1921
Diktaturen am 1. Sept. 1939
kommunistische
faschistische
weitere autoritäre Regimes
1924 Datum des Beginns einer Diktatur
Demokratien, 1939
britische Territorien und Verwaltungsgebiete
französische Territorien und Verwaltungsgebiete
andere
deutsche Gebietsgewinne, 1935–1. Sept. 1939
ungarische Gebietsgewinne, 1938–1939
italienische Gebietsgewinne, April 1939
türkische Gebietsgewinne, 1923
Spanien der Nationalisten, Ende 1936
Gebietsgewinne der Nationalisten im Dez. 1938
entmilitarisierte Zone, 1919–1935
Gebiet mit wirtschaftlichem Aufschwung
Gebiet wirtschaftlichen Niedergangs
SPANIEN Bürgerkrieg, datiert
Streik, Aufstand oder andere Protestaktionen
Erhebung der Kommunisten, 1919–1923
internationaler Zwischenfall
polnische Militäraktion, 1920
Stadt mit hohem jüdischem Bevölkerungsanteil
Nachschubweg für den spanischen Bürgerkrieg
Auswanderung von mehr als 200 000 Flüchtlingen

Meinungsumschwung

London und Paris wollten Hitler in seinem Eroberungsdrang beschwichtigen – vergeblich: 1939 besetzte Deutschland die Tschechoslowakei. Die beiden Westmächte garantierten zwar anderen europäischen Ländern die Sicherheit, aber das nützte nicht viel. Frankreichs Strategie, Deutschland durch die »Kleine Entente« mit Osteuropa zu umzingeln, stand der deutsch-polnische Nichtangriffspakt von 1934 entgegen. Ein Bündnis der Demokratien mit der Sowjetunion wurde nicht erwogen. Da schloss Stalin im August 1939 einen Nichtangriffspakt mit Hitler; beide Diktatoren teilten Polen unter sich auf. Hitler hatte aber nicht mit dem Meinungsumschwung in Großbritannien und Frankreich nach der Besetzung Polens gerechnet und musste nun im Westen Krieg führen, bevor er noch seine Ziele im Osten erreicht hatte.

1931 Überwältigender Wahlsieg der Republikaner in Spanien; der König flieht.

1932 Ende der deutschen Reparationszahlungen. Frankreich und die UdSSR unterzeichnen einen Nichtangriffspakt.

1933 Wahl Adolf Hitlers zum deutschen Reichskanzler.

1934 Jugoslawien, Rumänien, die Türkei und Griechenland unterzeichnen den Balkanpakt gegen Hitler und Stalin.

1934 Der österreichische Bundeskanzler Dollfuß wird von Nationalsozialisten ermordet. König Alexander von Jugoslawien fällt einem Attentat zum Opfer.

1936 Bildung der »Achse« Rom–Berlin.

1936 Die deutsche Wehrmacht besetzt das entmilitarisierte Rheinland.

1936–1939 Nach einem versuchten Staatsstreich General Francos bricht in Spanien der Bürgerkrieg aus.

1938 Die deutsche Besetzung des Sudetenlandes wird durch das Münchner Abkommen gebilligt.

1938 Deutsche Besetzung Österreichs (der »Anschluss«).

1939 Hitler und Stalin schließen einen Nichtangriffspakt.

1939 Nach der deutschen Besetzung Polens erklären Großbritannien und Frankreich Deutschland den Krieg.

1939 Deutschland und die UdSSR marschieren in Polen ein.

1934 – 1939 – 1944

Die Welt vom Ersten Weltkrieg bis heute (1914 bis 2004)

Die Weimarer Republik • 1919 bis 1933

Die Novemberrevolution beendete 1918 die Ära des Kaiserreichs, Wilhelm II. dankte ab. Erster Reichspräsident der Weimarer Republik wurde 1919 der Sozialdemokrat Friedrich Ebert. Erstmals war deutsche Regierungsgewalt durch Volkswillen legitimiert. Die junge Republik krankte jedoch am mangelnden Vertrauen der Bevölkerung, vor allem der Bauernschaft und des Bürgertums, und am Hass der extremen Parteien von Rechts und Links. Als Folge des Weltkriegs wurde Deutschland territorial beschnitten.

Als der Sozialdemokrat Philipp Scheidemann am 9. November 1918 die Republik ausrief, war seiner Partei die Macht in den Schoß gefallen – unerwartet und nur für kurze Zeit. Angesichts der unabwendbaren Niederlage hatte die Oberste Heeresleitung dafür gesorgt, dass nicht das Militär selbst, sondern eine zivile Autorität die demütigende Kapitulation abwickeln sollte. Die mit diesem Makel behaftete linke Regierung Ebert, die ihre Existenz der Revolution verdankte, verbündete sich sogleich mit der alten Heeresmacht – gegen die Revolution. Nach der Niederschlagung eines Aufstands der äußersten Linken wählte am 11. Februar 1919 die verfassunggebende Nationalversammlung in Weimar Ebert zum Reichspräsidenten (1919–1925). Die bundesstaatliche Konstruktion des aus 18 Ländern bestehenden Reiches wurde beibehalten. Die sehr liberale Weimarer Verfassung machte es in der Folgezeit Feinden der Republik leicht, den Untergang der ersten deutschen Demokratie zu betreiben.

Friedrich Ebert im März 1919. Der Sozialdemokrat war als Reichspräsident bevorzugtes Hassobjekt republikfeindlicher Kreise.

Sieger diktieren neue Grenzen

Mit dem Versailler Vertrag musste Deutschland harte Friedensbedingungen der Alliierten akzeptieren. Das Reich verlor 13 Prozent seines Staatsgebietes, darunter Elsass-Lothringen an Frankreich und Eupen-Malmedy an Belgien. Polen erhielt den Hauptteil der Provinz Posen sowie Westpreußen. Das Saargebiet wurde für 15 Jahre der Souveränität des Völkerbundes unterstellt. Danzig, als Freie Stadt ebenfalls unter Völkerbundmandat, und Ostpreußen waren nun wie Inseln vom deutschen Territorium abgetrennt. Über den Status Nordschleswigs und Oberschlesiens sollten Volksabstimmungen entscheiden, das Hultschiner Ländchen fiel an die Tschechoslowakei, das Memelgebiet kam unter die Kontrolle der Alliierten. Luxemburg schied aus dem deutschen Zollgebiet aus, das Rheinland wurde entmilitarisiert. Deutschland allein musste die Kriegsschuld auf sich nehmen und sollte über viele Jahrzehnte hinweg kaum vorstellbar hohe Reparationsleistungen erbringen.

Der Ausgang des Krieges und die als viel zu hart empfundenen Friedensbedingungen wurden in Deutschland als nationale Demütigung aufgenommen. Die Reparationsforderungen der Siegermächte verhinderten langfristig das Gesunden der deutschen Ökonomie. Die territorialen Abtretungen bildeten wie die von konservativer Seite geschürte Angst vor kommunistischen Entwicklungen und libertären Kulturströmungen den Nährboden für die erfolgreiche Propaganda der revanchistisch gesinnten Rechtsparteien.

Bündnis der Ausgegrenzten: Der deutsche Kanzler Wirth (l.) und der russische Außenminister Tschitscherin handelten 1922 am Rande der Weltwirtschaftskonferenz in Genua den so genannten Rapallovertrag aus.

Die gefährdete Republik

Im Innern rieben sich die staatstragenden Parteien SPD, DDP und Zentrum an den links- wie rechtsextremen Republikfeinden auf. Die Zusammensetzung der Regierung wechselte in 14 Jahren 16-mal. Als Ende 1922 die Reparationsrate nicht mehr gezahlt wurde, besetzten französische und belgische Truppen das Ruhrgebiet. Die Bevölkerung leistete im »Ruhrkampf« passiven Widerstand. Um die Notlage abzuwenden, erhöhte die Regierung die Geldmenge.

ZEITLEISTE

INNENPOLITIK

1915

1918 Novemberrevolution; Wilhelm II. geht ins niederländische Exil.

1919 Gründung der Weimarer Republik.

1920 Der Kapp-Putsch rechtsgerichteter Kräfte scheitert am Generalstreik der Gewerkschaften.

1920

1921 Alliierte Truppen besetzen das Ruhrgebiet.

1922 Reichsaußenminister Walter Rathenau wird von Mitgliedern der rechtsradikalen Organisation Consul ermordet.

1923 Der Hitler-Putsch in München scheitert.

Die Ausgabe der Reichsmark beendet die Inflation.

KULTUR

1918 Das von Walter Gropius gegründete »Bauhaus« feiert in Weimar Eröffnung.

In Berlin gründet sich die Künstlervereinigung »Novembergruppe«.

1920 Einer der bedeutendsten Filme des Expressionismus, »Das Kabinett des Dr. Caligari«, wird in Berlin uraufgeführt.

1924 Thomas Mann veröffentlicht den Roman »Der Zauberberg«.

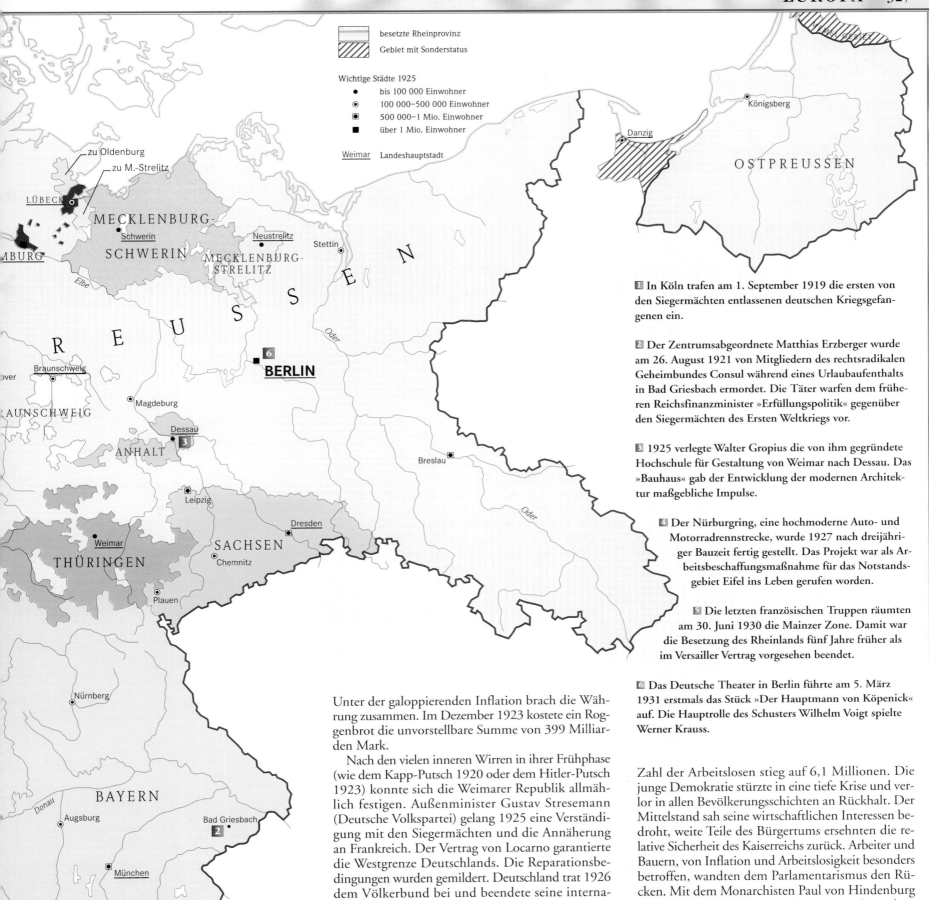

besetzte Rheinprovinz

Gebiet mit Sonderstatus

Wichtige Städte 1925

bis 100 000 Einwohner

100 000–500 000 Einwohner

500 000–1 Mio. Einwohner

über 1 Mio. Einwohner

Weimar Landeshauptstadt

zu Oldenburg

zu M.-Strelitz

LÜBECK

MECKLENBURG-SCHWERIN

Schwerin

Neustrelitz

MECKLENBURG-STRELITZ

Stettin

Danzig

Königsberg

OSTPREUSSEN

PREUSSEN

Elbe

Oder

BERLIN

Braunschweig

BRAUNSCHWEIG

Magdeburg

Dessau

ANHALT

Breslau

Leipzig

Dresden

SACHSEN

Chemnitz

Weimar

THÜRINGEN

Plauen

Nürnberg

BAYERN

Donau

Augsburg

Bad Griesbach

München

1 In Köln trafen am 1. September 1919 die ersten von den Siegermächten entlassenen deutschen Kriegsgefangenen ein.

2 Der Zentrumsabgeordnete Matthias Erzberger wurde am 26. August 1921 von Mitgliedern des rechtsradikalen Geheimbundes Consul während eines Urlaubaufenthalts in Bad Griesbach ermordet. Die Täter warfen dem früheren Reichsfinanzminister »Erfüllungspolitik« gegenüber den Siegermächten des Ersten Weltkriegs vor.

3 1925 verlegte Walter Gropius die von ihm gegründete Hochschule für Gestaltung von Weimar nach Dessau. Das »Bauhaus« gab der Entwicklung der modernen Architektur maßgebliche Impulse.

4 Der Nürburgring, eine hochmoderne Auto- und Motorradrennstrecke, wurde 1927 nach dreijähriger Bauzeit fertig gestellt. Das Projekt war als Arbeitsbeschaffungsmaßnahme für das Notstandsgebiet Eifel ins Leben gerufen worden.

5 Die letzten französischen Truppen räumten am 30. Juni 1930 die Mainzer Zone. Damit war die Besetzung des Rheinlands fünf Jahre früher als im Versailler Vertrag vorgesehen beendet.

6 Das Deutsche Theater in Berlin führte am 5. März 1931 erstmals das Stück »Der Hauptmann von Köpenick« auf. Die Hauptrolle des Schusters Wilhelm Voigt spielte Werner Krauss.

Unter der galoppierenden Inflation brach die Währung zusammen. Im Dezember 1923 kostete ein Roggenbrot die unvorstellbare Summe von 399 Milliarden Mark.

Nach den vielen inneren Wirren in ihrer Frühphase (wie dem Kapp-Putsch 1920 oder dem Hitler-Putsch 1923) konnte sich die Weimarer Republik allmählich festigen. Außenminister Gustav Stresemann (Deutsche Volkspartei) gelang 1925 eine Verständigung mit den Siegermächten und die Annäherung an Frankreich. Der Vertrag von Locarno garantierte die Westgrenze Deutschlands. Die Reparationsbedingungen wurden gemildert. Deutschland trat 1926 dem Völkerbund bei und beendete seine internationale Isolation.

Weltwirtschaftskrise gibt radikalen Kräften Auftrieb

Der kurzen wirtschaftlichen Blüte von 1926 bis 1929 machte am 25. Oktober 1929 der »Schwarze Freitag« der New Yorker Börse auch in Deutschland ein Ende. Die Industrieproduktion brach zusammen, die Zahl der Arbeitslosen stieg auf 6,1 Millionen. Die junge Demokratie stürzte in eine tiefe Krise und verlor in allen Bevölkerungsschichten an Rückhalt. Der Mittelstand sah seine wirtschaftlichen Interessen bedroht, weite Teile des Bürgertums ersehnten die relative Sicherheit des Kaiserreichs zurück. Arbeiter und Bauern, von Inflation und Arbeitslosigkeit besonders betroffen, wandten dem Parlamentarismus den Rücken. Mit dem Monarchisten Paul von Hindenburg als Reichspräsident hatten sich die Deutschen schon 1925 einen »Ersatzkaiser« erwählt. Ab 1930 besaßen die Regierungen keine parlamentarische Mehrheit mehr und regierten mit Hilfe von Notverordnungen, die der Reichspräsident erließ. Nach den Wahlerfolgen der Nationalsozialisten von 1932 ernannte der greise Hindenburg am 30. Januar 1933 Adolf Hitler zum Reichskanzler.

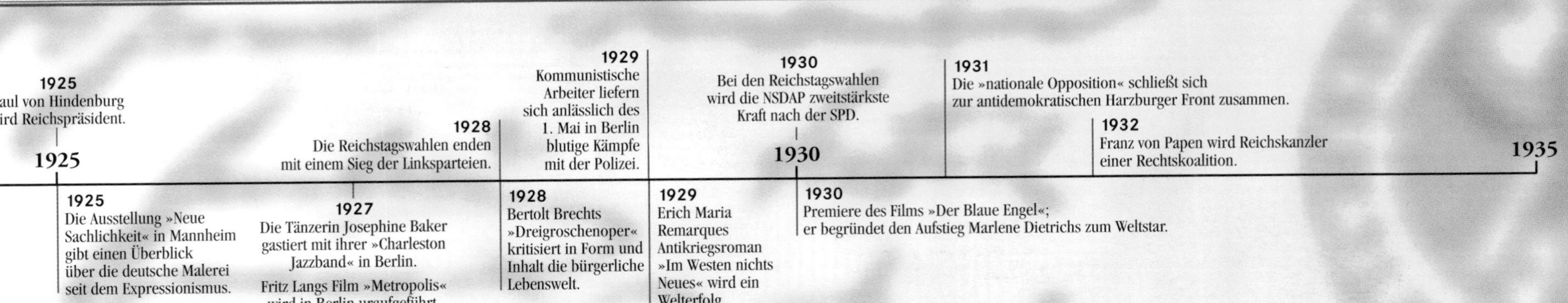
1925
Paul von Hindenburg wird Reichspräsident.
1928
Die Reichstagswahlen enden mit einem Sieg der Linksparteien.
1929
Kommunistische Arbeiter liefern sich anlässlich des 1. Mai in Berlin blutige Kämpfe mit der Polizei.
1930
Bei den Reichstagswahlen wird die NSDAP zweitstärkste Kraft nach der SPD.
1931
Die »nationale Opposition« schließt sich zur antidemokratischen Harzburger Front zusammen.
1932
Franz von Papen wird Reichskanzler einer Rechtskoalition.
1925
1930
1935
1925
Die Ausstellung »Neue Sachlichkeit« in Mannheim gibt einen Überblick über die deutsche Malerei seit dem Expressionismus.
1927
Die Tänzerin Josephine Baker gastiert mit ihrer »Charleston Jazzband« in Berlin.
Fritz Langs Film »Metropolis« wird in Berlin uraufgeführt.
1928
Bertolt Brechts »Dreigroschenoper« kritisiert in Form und Inhalt die bürgerliche Lebenswelt.
1929
Erich Maria Remarques Antikriegsroman »Im Westen nichts Neues« wird ein Welterfolg.
1930
Premiere des Films »Der Blaue Engel«; er begründet den Aufstieg Marlene Dietrichs zum Weltstar.

Städtebau und Verkehrsplanung – das Beispiel Berlin

Unter den politischen, ökonomischen und technischen Veränderungen der letzten eineinhalb Jahrhunderte hat sich kaum eine andere europäische Großstadt so rasant geformt und verändert wie Berlin. Nach 1920 zu einer der größten und attraktivsten Metropolen der Welt avanciert, wurde Deutschlands Hauptstadt im Zweiten Weltkrieg stark zerstört. Im sich anschließenden Kalten Krieg verlief der Eiserne Vorhang, seit 1961 brutal symbolisiert durch die Mauer, mitten durch Berlin. 45 Jahre getrennte Entwicklung beider Stadthälften wurden mit der Wiedervereinigung beendet, doch sind ihre Spuren so schnell nicht völlig zu tilgen.

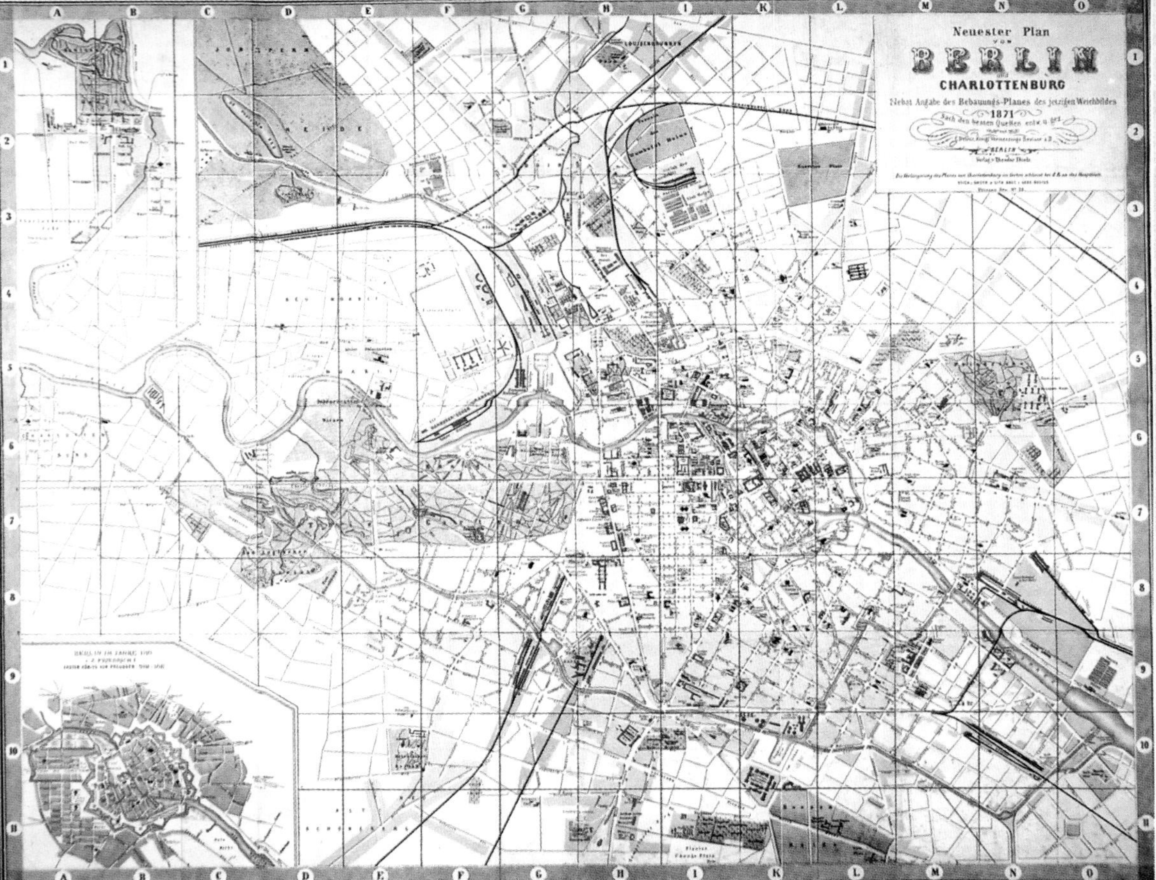
Neuester Plan
BERLIN
CHARLOTTENBURG
1871

Dieser Plan von Berlin und Charlottenburg von 1871 zeigt deutlich die Erschließung durch die Eisenbahn.

Berlins Entwicklung zur Metropole begann, als es im Zuge der industriellen Revolution zu Fabrikansiedlungen (Maschinenbau, Elektrotechnik, chemische Industrie) in großem Stil kam. Vor allem die Zuwanderung aus Brandenburg und aus Preußens Ostprovinzen führte zu einem sprunghaften Anstieg der Bewohnerzahl. Betrug diese 1850 gerade einmal 419 000, so war bereits 1877 die Millionengrenze überschritten. Der Aufschwung beschleunigte sich, als Berlin 1871 Hauptstadt des Deutschen Reiches wurde. Kehrseite dieser Entwicklung war von Beginn an eine große Wohnungsnot. Die Bebauungsplanung der 1860er-Jahre begünstigte die Bodenspekulation und der vorherrschende Gebäudetyp der fünf- bis sechsgeschossigen Mietskaserne inklusive dunklem Hinterhof trug seinen trostlosen Teil zur Lebensmisere der unteren Schichten bei. Erst die Weimarer Republik setzte mit einigen wegweisenden Siedlungs- und Verwaltungsbauten moderner Architekten wie Walter Gropius oder Ludwig Mies van der Rohe Zeichen städtebaulicher Innovation.

Um die infrastrukturellen Probleme der wachsenden Metropole in den Griff zu bekommen, waren schon seit Ende des 19. Jahrhunderts immer wieder Gebietserweiterungen vorgenommen worden. 1920 trat das Gesetz über die Bildung einer neuen Stadtgemeinde Berlin in Kraft. Durch Eingemeindungen entstand auf fast 900 Quadratkilometern Fläche eine Stadt mit insgesamt rund 3,8 Millionen Einwohnern. Und Berlin wuchs weiter: 1925 war die Viermillionengrenze überschritten.

Mitte der 1920er-Jahre der verkehrsreichste Platz Europas: der Potsdamer Platz; im Hintergrund ist der Potsdamer Bahnhof zu erkennen.

TOTALITÄRER GRÖSSENWAHN

1937 wurde der Architekt Albert Speer von »Führer« Adolf Hitler zum Generalbauinspektor ernannt – mit der Aufgabe, die Reichshauptstadt Berlin im Sinne des Nationalsozialismus umzugestalten. Hitlers und Speers größenwahnsinnige Pläne sahen unter anderem vor, zunächst 54 000 Wohnungen in den Bezirken Mitte und Tiergarten abzureißen, um dann – vom Reichstag ausgehend – eine dreieinhalb Kilometer lange und 120 Meter breite Prachtstraße zu bauen, die von monumentalen (Verwaltungs-)Gebäuden gesäumt werden sollte. Nur wenige der Vorhaben wurden vollendet, da das Kriegsgeschehen 1942 zur Einstellung der Baumaßnahmen zwang.

Bombenangriffe, Belagerung und schließlich die Erstürmung Berlins durch die Sowjetarmee vernichteten große Teile der Stadt, mehr als 600 000 Wohnungen wurden zerstört und mehr als ein Drittel der Straßen waren nicht mehr befahrbar.

WIEDERAUFBAU UND TEILUNG

Der Wiederaufbau Berlins gestaltete sich zum Wettbewerb des kommunistischen mit dem westlichen Gesellschaftssystem. Beispiele für die Ost-Berliner Städteplanung waren einerseits pompöse Vorzeigeobjekte wie Stalinallee oder Alexanderplatz, andererseits Wohnsiedlungen in der preisgünstigen Plattenbauweise. Trotz seiner Insellage hatte West-Berlin dem einiges entgegenzusetzen, was sich etwa am vollständigen Umbau des Hansaviertels im Rahmen der Interbau 1957 (unter Beteiligung weltberühmter Baumeister der Moderne wie Alvar Aalto, Max Taut, Oscar Niemeyer oder Egon Eiermann) zeigte. Auch bei der Internationalen Bauausstellung 1987 konnten wichtige Architekten städtebauliche Akzente setzen. – Mit etwa 3,4 Millionen Einwohnern leben heute in der Hauptstadt zwar weniger Menschen als vor dem Krieg, doch bleibt sie die größte Stadt Deutschlands.

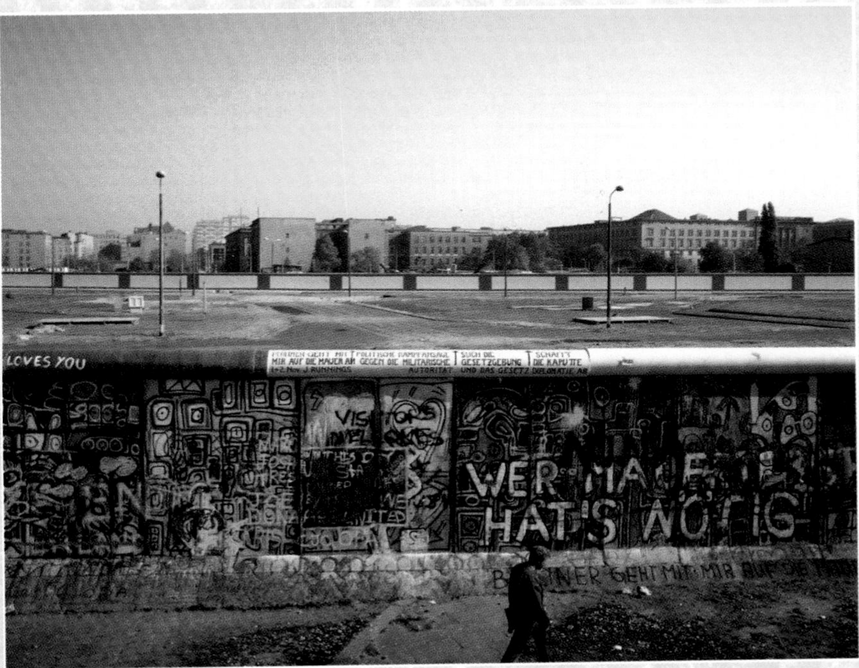
LOVES YOU
WER MAUERN BAUT
HAT'S NÖTIG

Mitte der 1980er-Jahre war der Potsdamer Platz eine Einöde, gekennzeichnet durch die Grenzanlagen der DDR und die Graffiti auf der Westseite der Mauer.

DER ÖFFENTLICHE PERSONENNAHVERKEHR

Berlins Funktion als Preußens Hauptstadt bedingte seine frühe Einbindung in ein deutschlandweites Eisenbahnnetz. Bereits zwischen 1838 und 1846 wurden fünf bedeutende Kopfbahnhöfe innerhalb des Stadtgebiets in Betrieb genommen: Potsdamer, Anhalter, Frankfurter, Stettiner und Hamburger Bahnhof. Die Gleishalle des Anhalter Bahnhofs aus dem Jahre 1880 war die größte der Welt.

Der öffentliche Personennahverkehr begann in Berlin 1839 mit der Eröffnung einer Pferde-Omnibuslinie zwischen Potsdamer Bahnhof und Alexanderplatz. Eine erste Pferdebahn wurde 1865 eingerichtet, die erste elektrische Straßenbahn fuhr 1881. Die Bedeutung der Eisenbahn für den Nahverkehr wuchs erst 1877 mit Inbetriebnahme des westlichen Teils der Ringbahn. Die so genannte Stadtbahn, die einerseits die Kopfbahnhöfe verbinden, zum anderen auch dem innerstädtischen Verkehr dienen sollte, wurde Anfang der 1880er-Jahre eröffnet. Im Februar 1902 nahm die elektrische Hoch- und Untergrundbahn den Verkehr auf – 1914 gab es bereits sechs U-Bahn-Linien. Die Fahrgastzahl des öffentlichen Personennahverkehrs stieg von rund 10 Millionen im Jahre 1870 auf 1290 Millionen im letzten Friedensjahr 1913.

Die mittlerweile elektrifizierte S-Bahn wurde 1937 von etwa 512 Millionen Personen genutzt. 1939 waren die Arbeiten an der verkehrstechnisch wichtigen Nordsüdbahn abgeschlossen.

Am 25. April 1945 musste aufgrund der Kriegssituation der letzte U-Bahn-Betrieb in der Reichshauptstadt eingestellt werden, doch schon Mitte Mai, direkt nach Kriegsende, konnten erste Teilstrecken wieder eröffnet werden. Da 85 Prozent aller Brücken und große Teile der U- und S-Bahn-Schächte zerstört und überdies schwere Baumaschinen kaum vorhanden waren, ging der Aufbau des öffentlichen Personennahverkehr zunächst nur schleppend voran.

Mit Beginn des Kalten Krieges, dem Ende der Viermächteverwaltung und der sowjetischen Blockade der Westsektoren 1948/1949 wurde die Grenze zum russischen Sektor deutlicher spürbar. Als Reaktion auf den Deutschlandvertrag, den 1952 die Westalliierten mit der Bonner Regierung unterzeichnet hatten, kappten die DDR-Oberen die meisten Verkehrsverbindungen Berlins mit seinem Umland. Besonders die Tatsache, dass auch in West-Berlin die S-Bahn von der (unter DDR-Hoheit stehenden) Deutschen Reichsbahn betrieben wurde, führte immer wieder zu Spannungen. Der Mauerbau am 13. August 1961 führte zur weit gehenden Trennung der beiden Systeme des öffentlichen Personennahverkehrs in Ost- und West-Berlin. So unterquerten die U-Bahn-Linien 6 und 8 zwar Ost-Berliner Gebiet, hielten aber hier nicht an. Der zentrale S-Bahnhof Friedrichstraße wurde zum Grenzbahnhof und zur Endstation des Liniennetzes von Ost-Berlin. Getrennt davon fuhren von hier S-Bahn-Züge nach West-Berlin und Interzonenzüge in die Bundesrepublik.

Die Wende 1989 brachte ein schnelles Zusammenwachsen der Verkehrsnetze. Neue Verbindungsstrecken wurden gebaut – so erfolgte neben der Wieder-Verkoppelung einst durchtrennter U- und S-Bahn-Linien sogar eine behutsame Randerweiterung des in Ost-Berlin erhalten gebliebenen Straßenbahnnetzes bis in den West-Stadtteil Wedding hinein. Und wenn auch der Ausbau des Lehrter Bahnhofs zur Fernbahn-Zentralstation der Superlative eindrucksvoll die Zukunft der Schiene demonstriert: Der Renovierungsbedarf sowohl an Berlins Gleisnetz als auch an Fahrzeugen und Gebäuden ist für die notorisch finanzschwache Stadt ein ständiges gigantisches Problem.

TOTGESAGTE LEBEN LÄNGER: DER POTSDAMER PLATZ

Richtig groß war der einstige »Platz vor dem Potsdamer Thore« eigentlich nie. Seine Bedeutung erlangte der Potsdamer Platz als Verkehrsknotenpunkt und Synonym für das pulsierende Leben der Großstadt schlechthin. Hier begann schon 1838 eine der ersten Eisenbahnlinien Deutschlands, hier endete Anfang des 20. Jahrhunderts die erste U-Bahn-Linie Berlins, hier ist für die 1920er-Jahre die höchste Verkehrsdichte Europas bezeugt. Folgerichtig wurde hier 1924 nach New Yorker Vorbild ein Verkehrsturm mit Zeituhr und immerhin der ersten Ampelanlage Europas installiert. Doch auch die Orte geselligen Zusammenkommens – wie das »Grand Hotel Bellevue«, das »Palast-Hotel«, das berühmte »Café Josty«, in dem sich Schriftsteller und Künstler trafen, und das »Haus Potsdam« mit dem beliebten »Café Picadilly« – machten den Platz zum Anziehungspunkt.

HYATT

20 Jahre später kaum wiederzuerkennen: der Potsdamer Platz 2003 mit dem »Sony Center« (links) und Hochhäusern der Deutschen Bahn und der Daimler Chrysler AG

Im Zweiten Weltkrieg stark zerstört, wurde das Gelände im Kalten Krieg von Ost-Berliner Seite eingeebnet, um freie Sicht auf die Grenzmauer zu gewährleisten: Ödnis war die Folge. Nach der Wiedervereinigung avancierte der Potsdamer Platz zunächst zum Grundstück-Spekulationsobjekt, dann zur größten Baustelle Europas. Heute machen das »Sony Center« und die anderen spektakulären Neubauten den Platz zum touristischen Muss. Zwar fließt der Verkehr noch nicht so stark wie einstmals, doch ein Nachbau des fünfeckigen Verkehrsturms steht wieder – ungefähr dort, wo in den »Roaring Twenties« der Puls der Zeit schlug ...

Die Welt vom Ersten Weltkrieg bis heute (1914 bis 2004)

Der Zweite Weltkrieg in Europa • 1939 bis 1942

Die Kriegserklärung Englands und Frankreichs an Deutschland im September 1939 überraschte Hitler, der sich nun mit der bedrohten deutschen Westflanke befassen musste und einen Zweifrontenkrieg kommen sah. Das Hauptziel Hitlers blieb gleichwohl die Eroberung der UdSSR.

Deutsche und Sowjets teilten zunächst gemäß ihrem Nichtangriffspakt (1939) Polen auf und siedelten viele Einheimische, oft auf brutale Weise, um. Sofort begannen deutsche Terrormaßnahmen gegen Juden. Die UdSSR gliederte sich die baltischen Staaten ein, nur Finnland verteidigte in zähem Kampf seine Unabhängigkeit. Die Deutschen eroberten im April 1940 Dänemark und Norwegen. Vergeblich suchten die Alliierten den wichtigen Erzhafen Narvik zu besetzen.

Der Versuch, ein ganzes Volk auszurotten: Juden warten vor Eisenbahnwagons auf den Abtransport in ein Konzentrationslager.

Blitzkrieg

Der Widerstand der Alliierten blieb auch beim deutschen Angriff auf die Niederlande, Belgien und Frankreich im Mai 1940 wirkungslos. Frankreich kapitulierte nach nur sechs Wochen. Deutschland besetzte den nördlichen und mittleren Teil des Landes, während das zur Kollaboration bereite Vichy-Regime den Süden kontrollierte. Die Niederlande und Belgien wurden deutsche Satelliten. Großbritannien zog seine Truppen vom Festland ab, wehrte aber in der »Schlacht um England« (die erste entscheidende Luftschlacht) eine geplante deutsche Invasion ab. Dann trat die mit Deutschland (und Japan) verbündete »Achsen«-Macht Italien in den Krieg ein. Das Mittelmeer war britischen Schiffen versperrt, in Nord- und Ostafrika begannen Kämpfe.

»Unternehmen Barbarossa«

Während der Luftkrieg gegen England zu schweren Luftangriffen auf London (1940/1941) eskalierte, wandte sich Hitler nach Osten. Ab Sommer 1940 plante man das »Unternehmen Barbarossa«; zwar war der Russlandfeldzug erst für Mitte der 1940er-Jahre vorgesehen gewesen, doch wurde er angesichts der deutschen Erfolge und der raschen Wiederaufrüstung der anderen Mächte auf 1941 vorgezogen.

Im Juli 1940 waren nicht nur viele Berliner vom »Endsieg« überzeugt: Truppenparade vor dem Brandenburger Tor nach dem Sieg über Frankreich.

Im April 1941 drangen deutsche, bulgarische und italienische Truppen nach Griechenland und Jugoslawien vor, um dem »Unternehmen Barbarossa« die Südflanke zu sichern. Griechenland hatte zwar im Jahr zuvor Italien besiegt, aber diesmal konnte die Achsenmächte nichts aufhalten. Sie drängten die Briten bis nach Ägypten zurück. Auch dieser Erfolg basierte auf der Strategie des »Blitzkrieges«. Da Deutschlands Rohstoffe begrenzt waren, konnte es sich keinen langen Krieg leisten. Panzer, Sturzkampfbomber und motorisierte Infanterie zerstörten die

Ganz ähnlich wie das im Zuge des deutschen »Blitzkrieges« zerstörte Rotterdam würden wenige Jahre später auch Deutschlands Städte aussehen.

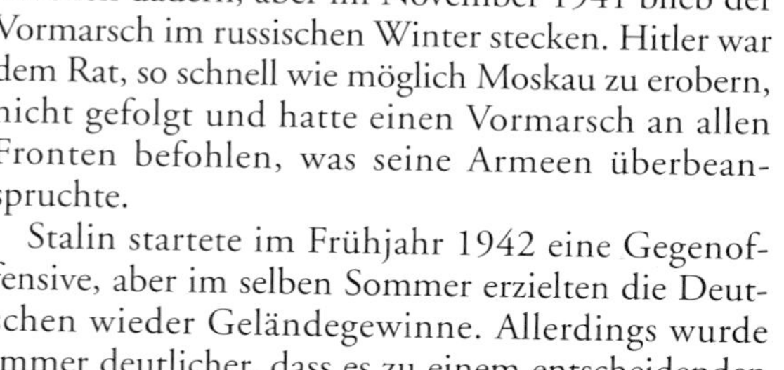

Stellungen des Gegners, bevor dieser Reserven mobilisieren oder einen Zermürbungskrieg beginnen konnte. Das »Unternehmen Barbarossa« sollte sechs Wochen dauern, aber im November 1941 blieb der Vormarsch im russischen Winter stecken. Hitler war dem Rat, so schnell wie möglich Moskau zu erobern, nicht gefolgt und hatte einen Vormarsch an allen Fronten befohlen, was seine Armeen überbeanspruchte.

Stalin startete im Frühjahr 1942 eine Gegenoffensive, aber im selben Sommer erzielten die Deutschen wieder Geländegewinne. Allerdings wurde immer deutlicher, dass es zu einem entscheidenden Schlag nicht reichte – das Land und seine Bevölkerung waren riesig und die Russen hatten wichtige Industriebetriebe rechtzeitig hinter den Ural verlegt. Ende 1942 nahte denn auch die Wende.

0 600 km
0 400 Meilen
ISLAND
Reykjavík
von Kanada und den Vereinigten Staaten
Deutschland, 1937
Gebietsgewinn der UdSSR, 1939–1940
Westfront der UdSSR, Juni 1941
Gebiet der evakuierten Bevölkerung und Industrie, 1941–1942
Grenzen, Juni 1942
Achsenmacht, Juni 1942
Verbündeter einer Achsenmacht, 1942
von einer Achsenmacht besetzt, Juni 1942
von Kanada und den Vereinigten Staaten
Vichy-Regierung, Juni 1942
unter alliierter Kontrolle, Juni 1942
weitestes Vordringen der Achsenmächte, 1941
Frontlinien, Ende Nov. 1942
Maginotlinie
bombardierte Stadt, 1940–1942
U-Boot-Stützpunkt
Belagerung
Grausamkeit oder Massenmord
Lidice Vergeltungsaktionen
Vernichtungslager
Konzentrationslager
deutsche Fallschirmjäger
Überfall eines britischen Kommandounternehmens
Rückzug der Alliierten
Offensive der Achsenmächte
Offensive der Alliierten
Hauptroute von Schiffskonvois, 1941–1942
Belfast
IRLAND
Dublin
Card
Southampto
Plymou
Brest
Lorie
St-Naza
ATLANTISCHER OZEAN
Nov. 1942
Bilbao
Duero
SPANIEN
Madrid
PORTUGAL
Tajo
Guadiana
Lissabon
Sevilla
Cádiz
Gibraltar zu Großbrit.
Nov. 1942
Tanger
zu Spanien
Spanisch-Marokko
Nov. 1942
Fès
Fedala
Französisch-Marokko unter Vichy-Kontrolle bis Nov. 1942
Safi

Kriegseintritt der USA

Die USA hatten bereits Großbritannien und die UdSSR mit Materiallieferungen unterstützt. Als Amerika im Dezember 1941 aktiv in den Krieg eintrat, verlieh dies den Alliierten zusätzlichen Auftrieb. Da es Hitler an strategischer Fantasie mangelte, war die Niederlage unabwendbar. Nur die Angriffe auf den Nachschub aus Amerika bereiteten den Alliierten Sorgen. Die USA wollten Europa so schnell wie

ZEITLEISTE

OST- UND NORDEUROPA

Juli 1939

1939 (August) Unterzeichnung des russisch-deutschen Nichtangriffspakts.

1939 (September) Einmarsch Deutschlands und der UdSSR in Polen.

1939 (November) Einmarsch der Sowjetunion in Finnland.

1940

1940 (März) Finnland und die UdSSR unterzeichnen ein Waffenstillstandsabkommen.

1940 (April) Einmarsch Deutschlands in Dänemark und Norwegen.

1940 (Juni) Die UdSSR annektiert Litauen, Estland und Lettland.

1940 (Oktober) Italien marschiert in Griechenland und Albanien ein. Deutschland und Italien marschieren in Rumänien ein.

1941

WESTEUROPA

1939 (September) Großbritannien und Frankreich erklären Deutschland den Krieg.

1940 (Mai) Deutscher Einmarsch in den Niederlanden und Frankreich.

1940 (Juni) Kriegserklärung Italiens an Großbritannien und Frankreich. Deutsche Truppen besetzen Paris; Kapitulation Frankreichs.

1940 (Juli–Oktober) »Schlacht um England« über dem Süden der Insel.

1 London und andere englische Städte wurden von September 1940 bis Mai 1941 bombardiert, aber der Luftkrieg zerschlug weder die Industrie noch die Moral der Briten.
2 Deutschland besetzte im April 1940 in einem Überraschungsangriff Norwegen, ehe noch britische Hilfe kommen konnte. Nur in Narvik kam es zu kurzer Gegenwehr.
3 Griechenland war schlecht verteidigt und wurde im April 1941 von deutschen Truppen besetzt. Die britischen Hilfskontingente wurden erst nach Kreta und später nach Alexandria evakuiert.
4 Die Sowjets erlitten im November 1939 in Finnland schwere Verluste. Im März 1940 ersuchten sie um einen Waffenstillstand. Obwohl nominell neutral, standen die Finnen im Kampf gegen die UdSSR auf der Seite Deutschlands.
5 Der Kurort Vichy war bis 1944 Sitz der mit Hitler kollaborierenden Regierung Frankreichs.
6 Gegen den strategisch wichtigen britischen Marinestützpunkt auf Malta wurden 1200 Luftangriffe geflogen.
Sommerroute nach Murmansk und Archangelsk
Route nach Murmansk und Archangelsk
Mai–Juni 1940
Lofoten
April 1940
Narvik
1939
Murmansk
1939–40
Archangelsk
Karelien
Nördliche Dwina
Luleå
Umeå
Namsos
Trondheim
Andelsnes
Sundsvall
NORWEGEN
SCHWEDEN
Gävle
FINNLAND
Ladogasee
Onegasee
UNION DER SOZIALISTISCHEN SOWJETREPUBLIKEN
Kotlas
Helsinki
Tallinn
Leningrad
1941–1944
Bergen
Oslo
Shetland-Inseln zu Großbrit.
Vänersee
Stockholm
Stavanger
Vättersee
Göteborg
Peipussee
Demjansk
Riga
Gorki
Moskau
Dez. 1941
Ostsee
Nordsee
Jungenhof
Reichskommissariat Ostland
Westliche Dwina
Witebsk
Smolensk
Katyn
Memel
Pona
Viborg
DÄNEMARK
Kopenhagen
Königsberg
Gdingen
Danzig
Sept. 1939
Minsk
Orel
Kursk
Newcastle
Manchester
Hull
Sheffield
Birmingham
Coventry
London
Dover
Portsmouth
Bergen-Belsen
Lübeck
Rostock
Stettin
Hamburg
Bremen
Ravensbrück
Sachsenhausen
Bydgoszcz
Białystok
Treblinka
Westerburg
Berlin
Warschau
Chelmno
Sobibor
Majdanek
NIEDERLANDE
Rotterdam
DEUTSCHLAND
Mittelbau Dora
Essen
Köln
Dünkirchen
Brüssel
BELGIEN
Generalgouvernement
Babi Jar
Kiew
Charkow
Dobritzky Jar
Stalingrad
Sept. 1942–Febr. 1943
Breslau
Auschwitz
Belzec
Lwow
Reichskommissariat Ukraine
Buchenwald
Frankfurt
Lidice
Prag
Krakau
Janowska
Dnjepr
Dnjepropetrowsk
Rostow
Le Havre
Paris
Protektorat von Böhmen und Mähren
SLOWAKEI
Stuttgart
Straßburg
Dachau
München
Mauthausen
Wien
Transnistrien
Dnjestr
Odessa
Kaspisches Meer
Loire
Bern
SCHWEIZ
LIECHTENSTEIN
UNGARN
Budapest
Transsilvanien
Grosny
Vichy
Lyon
Mailand
Venedig
Save
KROATIEN
Banat
RUMÄNIEN
Bukarest
Donau
Sewastopol
Okt. 1941–Juli 1942
Schwarzes Meer
KAUKASUS
Tiflis
Baku
besetzt von Deutschland Nov. 1942
besetzt von Italien Nov. 1942
MONACO
Genua
Bologna
Zara
SAN MARINO
Split
Belgrad
Kragujevac
SERBIEN
BULGARIEN
Sofia
Jerewan
Trabzon
Toulouse
Toulon
ITALIEN
MONTENEGRO
Kiraljewo
ALBANIEN
Tirana
Edirne
Istanbul
Korsika unter Vichy-Kontrolle bis Nov. 1942
Rom
Ankara
TÜRKEI
Barcelona
Neapel
Tarent
Nov. 1940
IRAN
Sardinien zu Italien
GRIECHENLAND
Izmir
Mosul
Balearen zu Spanien
Athen
Adana
Euphrat
Tigris
Palermo
Sizilien
Rhodos
Dodekanes zu Italien
Zypern zu Großbrit.
Syrien Vichy-Mandat bis Juli 1941
Bagdad
Algier
Tunis
Kap Matapan März 1941
Heraklion
LIBANON 1941 unabhängig
Damaskus
IRAK achsenfreundlich bis Mai 1941
Malta zu Großbrit.
Valletta
Tunesien
Mittelmeer
Kreta
Mai–Juni 1941
Algerien unter Vichy-Kontrolle bis Nov. 1942
Palästina zu Großbrit.
Transjordanien zu Großbrit.
SAUDI-ARABIEN
Kuwait
Tobruk April–Nov. 1941
Bengasi
Tripolis
Libyen
Alexandria
ÄGYPTEN
El Alamein Okt.–Nov. 1942
Kairo

möglich besetzen, aber deutsche U-Boot-Angriffe auf die Schiffskonvois nach England behinderten die Truppen- und Materialtransporte. Ein Vorstoß nach Nordafrika, das von Italien, Vichy-Frankreich und Rommels Afrikakorps besetzt war, ergab zwar einen schnellen Erfolg, aber wenn die Schlacht auf dem Atlantik nicht gewonnen wurde, blieb die Überlegenheit der Amerikaner für den Kampf um Europa bedeutungslos.

Holocaust

In Osteuropa versklavten oder töteten Deutsche währenddessen große Teile der Bevölkerung. Schon bei der Besetzung Polens waren Exekutionen von Zivilisten die Regel und auch in Russland gehörte der Massenmord zur Praxis deutscher Besatzungspolitik. Hitler sprach von der »historischen Feindschaft« zwischen »Ariern« und »minderwertigen Rassen« und wollte eine »neue Ordnung« schaffen. Millionen fielen diesem ideologisch als Kampf um »Lebensraum« ausgewiesenen Terror zum Opfer, wurden erschossen, deportiert, dem Hungertod überlassen oder versklavt. Die so genannte »Endlösung« bedeutete nichts anderes als die Ausrottung der Juden in den Vernichtungslagern der Nazis. Fast die gesamte jüdische Bevölkerung Polens, der baltischen Staaten und der UdSSR bis zum Kaukasus wurde ermordet – rund drei Millionen Menschen.

1941 (April)
Deutscher Einmarsch in Jugoslawien; Griechenland kapituliert nach der Besetzung durch deutsche Truppen.

1941 (Juni)
Deutscher Einmarsch in der Sowjetunion (»Unternehmen Barbarossa«).

1941 (Juli)
Die UdSSR und Großbritannien unterzeichnen einen Beistandspakt.

1941 (August)
Churchill und Roosevelt unterzeichnen die Atlantik-Charta (eines der Grunddokumente der Vereinten Nationen).

1941 (September)
Beginn der Belagerung Leningrads (bis Januar 1944).

1941 (November)
Beginn des sowjetischen Gegenangriffs.

1941 (Dezember)
Deutschland erklärt den USA den Krieg.

1942

1942 (Januar)
Wannseekonferenz über die »Endlösung der Judenfrage«.

1942 (August)
Beginn der Luftangriffe der Alliierten auf deutsche Städte.

1942 (September)
Beginn der deutschen Belagerung Stalingrads (bis Januar 1943).

1942 (November)
Nach den Erfolgen der Alliierten in Nordafrika besetzen die Deutschen auch Vichy-Frankreich.

1943

Die Welt vom Ersten Weltkrieg bis heute (1914 bis 2004)

Das NS-Reich • 1939

Unter Aushöhlung der Weimarer Verfassung errichtete Reichskanzler Adolf Hitler ab 1933 eine blutige Diktatur in Deutschland. Von Anfang an verfolgte der selbst ernannte »Führer« eine rassistische Politik mit dem Ziel der Zusammenführung aller »Deutschblütigen« in einem »Großdeutschen« Reich. Um seine darüber noch weit hinausgehenden Expansionsziele zu erreichen, schreckte der Chef der »Nationalsozialistischen Deutschen Arbeiterpartei« (NSDAP) nicht davor zurück, 1939 einen erneuten Weltkrieg vom Zaun zu brechen.

Sofort nach Amtsantritt baute Hitler mit dem »Ermächtigungsgesetz« das Deutsche Reich zu einem Einparteienstaat um, dessen politische Instanzen rasch zu reinen NS-Vollzugsorganen verschmolzen (»Gleichschaltung«) und in dem er selbst die absolute oberste Machtinstanz darstellte. Parteien wurden verboten, Gewerkschaften aufgelöst, politische Gegner vielfach von der SA (der Kampftruppe der NSDAP) in Konzentrationslagern misshandelt oder gar getötet. Bürgerliche Freiheitsrechte fielen der Polizeiwillkür zum Opfer. Das am »Führerprinzip« orientierte Staatsverständnis ließ auch keinen Raum für föderale Strukturen: 1934 beseitigte man die Landtage. Ohne Hoheitsrechte waren die Länder bloße Verwaltungsbezirke, in denen NS-Statthalter für die Durchsetzung des »Führerwillens« sorgten.

Totale Kontrolle und Terror gegen Juden

Die nationalsozialistische Weltanschauung ergriff in der Folgezeit mehr und mehr alle Bereiche des öffentlichen Lebens. Parteiorganisationen – von der »Hitlerjugend« bis zur »Deutschen Arbeitsfront« – bestimmten Alltag wie Freizeit der Deutschen von Kindesbeinen an. Staatlich subventionierte Radiogeräte (»Volksempfänger«) strahlten die Botschaften eines Propagandaministers Joseph Goebbels in jedes Wohnzimmer. Daneben zeigten Maß-

SCHLESWIG-HOLSTEIN
Kiel
OST-HANNOVER
Hamburg
Schwerin
MECKLENBURG
POMMERN
Stettin
Oldenburg
WESER-EMS
Lüneburg
Elbe
SÜD-HANNOVER-BRAUNSCHWEIG
(KURMARK)
Oder
Stadt des KdF-Wagens bei Fallersleben (Wolfsburg)
Mittellandkanal
Hannover
Weser
BERLIN
Frankfurt/O.
Posen
WARTHELAND
Warthe
Münster
WESTFALEN-NORD
MAGDEBURG-ANHALT
MARK BRANDENBURG
Dessau
Spree
Essen
Bochum
DÜSSELDORF
Düsseldorf
WESTFALEN-SÜD
Kassel
HALLE-MERSEBURG
Halle
NIEDERSCHLESIEN
Köln
KÖLN-AACHEN
KURHESSEN
Weimar
Breslau
THÜRINGEN
SACHSEN
Dresden
Koblenz
HESSEN-NASSAU
(KOBLENZ-TRIER)
MOSELLAND
Rhein
Frankfurt
SUDETENLAND
Reichenberg
LUXEMBURG
MAINFRANKEN
Main
Würzburg
Bayreuth
Prag
Sitz des Reichsprotektors
REICHSPROTEKTORAT BÖHMEN UND MÄHREN
WESTMARK
(SAARPFALZ)
Saarbrücken
(Neustadt)
(LOTHRINGEN)
Nürnberg
FRANKEN
BAYREUTH
(BAYERISCHE OSTMARK)
Karlsruhe
ELSASS
BADEN
Stuttgart
WÜRTTEMBERG-HOHENZOLLERN
Donau
NIEDER-DONAU
OBER-DONAU
(Krems)
Augsburg
SCHWABEN
MÜNCHEN-OBERBAYERN
Dachau
München
Lech
Linz
Inn
WIEN
Bad Wiessee
Salzburg
Innsbruck
TIROL-VORARLBERG
SALZBURG
STEIERMARK
Mur
Graz
KÄRNTEN
Klagenfurt
Drau
SÜD-STEIERMARK
OBERKRAIN
Altreich
Erweiterungen 1938 (Österreich, Sudetenland)
Zerschlagung der »Rest-Tschechei« 1938 (Reichsprotektorat Böhmen und Mähren)
Erweiterungen nach Kriegsbeginn 1.9.1939
Sitz einer Gauleitung
0
200 km
0
100 Meilen

Der Bruch des Münchner Abkommens: Am 15. März 1939 marschierten deutsche Truppen in Prag ein.

ZEITLEISTE

INNENPOLITIK

1933 Reichspräsident Hindenburg ernennt den NSDAP-Führer Adolf Hitler am 30. Januar zum Reichskanzler.
Der Reichstag nimmt das »Ermächtigungsgesetz« an, das die Gesetzgebung ohne parlamentarische Zustimmung ermöglicht.
Die NSDAP beginnt, Organisationen »gleichzuschalten«; sämtliche Parteien werden verboten.

1934 Hitler übernimmt auch das Amt des Reichspräsidenten.

1935 Die Nürnberger »Rassengesetze« stellen die Judenverfolgung auf eine scheinbar legale Grundlage.

1936 Die Nationalsozialisten funktionieren die Olympischen Sommerspiele in Berlin zur Propagandaschau um.

1938 Die NSDAP initiiert in der Nacht vom 9. auf den 10. November einen Pogrom gegen Juden in Deutschland (»Reichskristallnacht«).

1930 — 1933 — 1936

AUSSENPOLITIK

1935 90,5 % der Saarländer stimmen für eine Wiedereingliederung ins Deutsche Reich.

1936 Deutschland und Japan schließen den Antikominternpakt.

1938 Österreich wird per Gesetz dem Deutschen Reich einverleibt.
Frankreich, Großbritannien und Italien stimmen der Abtretung des Sudetenlands an Deutschland zu.

MEMELGEBIET
Königsberg
OSTPREUSSEN
Danzig
Sudauen
(ZU OSTPREUSSEN)
Bialystok
Weichsel
Bug
GENERAL-
GOUVERNEMENT
Kattowitz
Weichsel
San
Krakau
Sitz des Generalgouverneurs
Lemberg
DISTRIKT LEMBERG
Dnjestr

nahmen wie die in großem Stil aufgezogenen »Arbeitsdienst«-Aktionen etwa beim Autobahnbau große Wirkung. Auch viele zunächst skeptische Bürger wandten sich nun Hitler zu, zumal dank anlaufender Rüstungsprogramme auch die Wirtschaft wieder in Schwung kam.

Unter dem Vorzeichen ihrer Rassenideologie bereiteten die Nationalsozialisten die Vertreibung und Vernichtung religiöser und ethnischer Minderheiten vor. Die Nürnberger Gesetze vom 15. September 1935 schufen die juristische Basis für die Diskriminierung und Verfolgung der deutschen Juden. Die Judenhetze kulminierte am 9./10. November 1938 in der »Reichskristallnacht«, einem reichsweit koordinierten Pogrom. In diesem und anderen durch die Obrigkeit veranlassten Willkür- und Terrorakten war der staatlich geplante Massenmord der folgenden Jahre bereits vorgezeichnet.

Appeasement – Die Weltmächte halten still

Konnte Hitler im Innern Deutschlands nach seinen Vorstellungen schalten und walten, so musste er bei außenpolitischen Abenteuern mit internationalen Verwicklungen rechnen. Das Saarland, das gemäß Versailler Vertrag befristet an Frankreich gebunden war, kam nach einer Volksabstimmung 1935 an das Reich zurück und erhielt den Namen »Westmark«. Kurz darauf führte Hitler die allgemeine Wehrpflicht wieder ein und riskierte mit der Besetzung des entmilitarisierten Rheinlands den Konflikt mit den Westmächten. Auf diese Vertragsbrüche reagierte Großbritannien mit »Appeasement«-Politik: Zugeständnisse sollten Hitler von seinem Kriegskurs abbringen. Dadurch ermutigt, fokussierte dieser seine Expansionsziele nun auf Österreich, dem die Alliierten 1919 den Anschluss an Deutschland untersagt hatten. Nach politischer Erpressung Wiens und militärischer Intervention verkündete Hitler am 15. März 1938 in Wien einer jubelnden Menschenmenge den Eintritt seines Heimatlandes in das Reich.

Als Höhepunkt seiner außenpolitischen Erfolge erzwang Hitler noch im selben Jahr mit dem Münchner Abkommen die Zustimmung Großbritanniens, Frankreichs und Italiens zur Abtretung des Sudetenlandes durch die Tschechoslowakei. Gleichzeitig ließ er sich die Annexion Österreichs bestätigen. Bis zu diesem Zeitpunkt hatte der »Führer« stets versichert, es sei ihm ausschließlich an der Vereinigung aller Deutschen in einem Reich gelegen. Am 15. März 1939 jedoch marschierten unter Bruch des Münchner Abkommens deutsche Truppen in Prag ein. Die Gründung eines deutschen Protektorats Böhmen und Mähren machten jedermann Hitlers wahre Absichten deutlich: die Ausdehnung des Reiches nach Osten und die deutsche Vorherrschaft in Europa. Unter dem Druck Berlins musste noch im selben Jahr Litauen das Memelgebiet, das es seit 1924 besetzt hielt, an Deutschland zurückgeben.

Nach »Heimholung« Danzigs ins Reich besuchte Hitler im September 1939 die Weichselstadt.

Der Weg in den Weltkrieg

Als Hitler Ende April 1939 das deutsch-britische Flottenabkommen und den deutsch-polnischen Nichtangriffspakt kündigte, war der Weg in den Krieg vorgezeichnet. Die Appeasement-Politik hatte versagt. London stellte sich mit einer Garantieerklärung gegen einen drohenden deutschen Übergriff auf Polen. Im August aber überraschte Hitler die Welt mit einem Coup: Der im Verborgenen eingefädelte Nichtangriffspakt mit dem sowjetischen Diktator Josef Stalin sicherte Deutschland im Osten freie Hand. Ein geheimes Zusatzprotokoll des Vertrages hatte bereits im Vorfeld die Teilung Polens in eine deutsche und eine sowjetische Interessensphäre festgelegt. Als Soldaten der Wehrmacht am 1. September 1939 die Schlagbäume an der polnischen Grenze niederrissen, war der Zweite Weltkrieg Realität geworden.

1 Am 27. Februar 1933 brach im Gebäude des Reichstags in Berlin ein durch Brandstiftung gelegtes Großfeuer aus. Die genauen Hintergründe der Tat blieben im Dunkeln. Noch in derselben Nacht setzte eine vornehmlich gegen Kommunisten gerichtete Verhaftungswelle ein.

2 Heinrich Himmler, ab 1936 als »Reichsführer SS und Chef der Deutschen Polizei« berüchtigt, ließ am 20. März 1933 bei Dachau ein Konzentrationslager (KZ) für politische Gefangene einrichten – erster Baustein eines ganzen Systems aus Gewalt und Terror.

3 Adolf Hitler ließ in Bad Wiessee am 30. Juni 1934 den SA-Chef Ernst Röhm und weitere Funktionäre verhaften. Röhm, dem Hitler einen Umsturzversuch vorwarf, wurde am 1. Juli 1934 von SS-Angehörigen hingerichtet.

4 Bei einem gescheiterten Putschversuch der Nationalsozialisten in Wien wurde am 25. Juli 1934 der österreichische Bundeskanzler Engelbert Dollfuß, der den Anschluss Österreichs an Deutschland vehement bekämpft hatte, ermordet.

5 1938 rollte der erste »Käfer« vom Band. Der Ort der Produktion, das heutige Wolfsburg, hieß zu dieser Zeit nach seinem Produkt »Stadt des KdF-Wagens«. Erst nach Kriegsende konnte der bis 2003 (zuletzt in Mexiko) gebaute populärste Volkswagen die Welt erobern – friedlich.

6 Am 8. November 1939 scheiterte im Münchner Bürgerbräukeller ein Bombenattentat auf Adolf Hitler. Der Attentäter Georg Elser wurde beim Versuch, in die Schweiz zu fliehen, verhaftet und 1945 im Konzentrationslager Dachau ermordet.

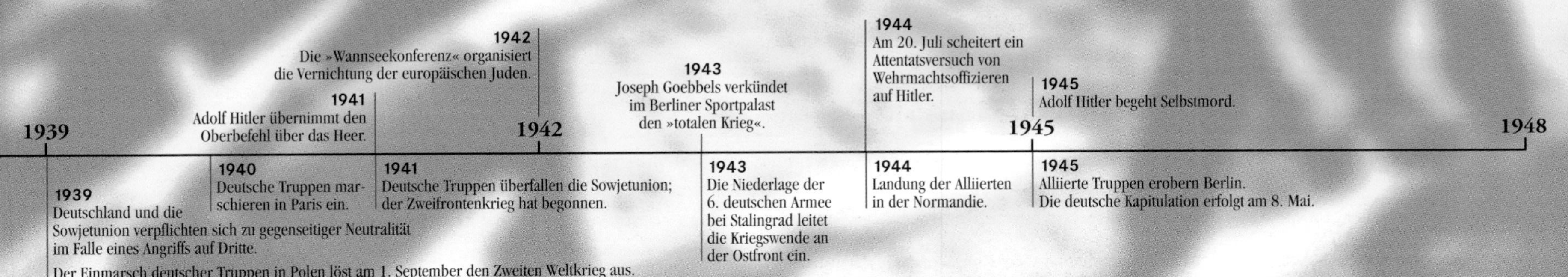
1939
1939
Deutschland und die Sowjetunion verpflichten sich zu gegenseitiger Neutralität im Falle eines Angriffs auf Dritte.
Der Einmarsch deutscher Truppen in Polen löst am 1. September den Zweiten Weltkrieg aus.
1940
Deutsche Truppen marschieren in Paris ein.
1941
Adolf Hitler übernimmt den Oberbefehl über das Heer.
1941
Deutsche Truppen überfallen die Sowjetunion; der Zweifrontenkrieg hat begonnen.
1942
Die »Wannseekonferenz« organisiert die Vernichtung der europäischen Juden.
1942
1943
Joseph Goebbels verkündet im Berliner Sportpalast den »totalen Krieg«.
1943
Die Niederlage der 6. deutschen Armee bei Stalingrad leitet die Kriegswende an der Ostfront ein.
1944
Am 20. Juli scheitert ein Attentatsversuch von Wehrmachtsoffizieren auf Hitler.
1944
Landung der Alliierten in der Normandie.
1945
1945
Adolf Hitler begeht Selbstmord.
1945
Alliierte Truppen erobern Berlin.
Die deutsche Kapitulation erfolgt am 8. Mai.
1948

Die Welt vom Ersten Weltkrieg bis heute (1914 bis 2004)

Konzentrationslager und organisierter Massenmord • 1933 bis 1945

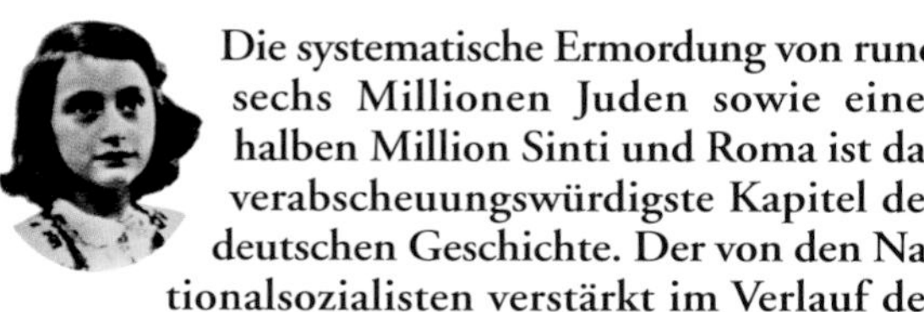

Die systematische Ermordung von rund sechs Millionen Juden sowie einer halben Million Sinti und Roma ist das verabscheuungswürdigste Kapitel der deutschen Geschichte. Der von den Nationalsozialisten verstärkt im Verlauf des Krieges im Osten ins Werk gesetzte Genozid begründete – im Bund mit Terrormaßnahmen gegen ethnische, religiöse und politische Minderheiten, der Verfolgung Homosexueller sowie der Tötung Erbkranker (»Euthanasie«) – den moralischen Totalbankrott des »Landes der Dichter und Denker« für unabsehbare Zeit.

Die auf Grundlage der antisemitischen Weltanschauung der Nationalsozialisten begonnene Verfolgung der Juden erreichte 1942 eine neue Dimension: den bürokratisch organisierten Völkermord. Der Plan, die gesamte jüdische Bevölkerung Europas zu vernichten (»Endlösung«), wurde auf der Berliner Wannseekonferenz am 20. Januar 1942 von hohen Amtsträgern koordiniert und systematisiert. Aus allen von Deutschen besetzten Ländern wurden die Juden in osteuropäische Ghettos und anschließend in Konzentrationslager deportiert, wo sie ein Schicksal als Arbeitssklave oder der Tod in der Gaskammer erwartete.

Konzentrationslager für Regimegegner

Bereits 1933 hatte die SA in ganz Deutschland Internierungslager eingerichtet, um dort Regimegegner zu inhaftieren. Zu den ersten Konzentrationslagern (KZ) zählten Dachau, Lichtenburg und Esterwegen. Bis 1939 wurden, mittlerweile unter der Regie der SS, nach Vorbild des »Musterlagers« Dachau fünf weitere große KZ eingerichtet: Sachsenhausen, Buchenwald, Flossenbürg, Mauthausen und Ravensbrück (Frauen-KZ).

Boykottmaßnahmen, Entlassung, Ausbürgerung und Enteignung bereiteten den Boden für die Vernichtung der deutschen Juden. Die Verhaftungswelle nach dem Reichstagsbrand von 1933 hatte noch in erster Linie politische Nazigegner überwiegend des linken Spektrums betroffen, die man in Lager überführte. Mit dem Inkrafttreten der Nürnberger Rassengesetze im Jahr 1935 und vor allem nach der »Reichskristallnacht« (1938) kamen zunehmend Juden in KZ-Haft. Längst ihrer Rechte entledigt, mussten sie ab 1941 im Reich einen diskriminierenden »Judenstern« an der Kleidung tragen. Auch Sinti und Roma wurden als »rassisch minderwertig« verfolgt.

Die Organisation des Völkermords

Die Tötung von rund 100 000 als »lebensunwert« eingestuften Patienten von Psychiatrien und Heilanstalten, 1941 nach kirchlichen Protesten eingestellt, war ein erster Schritt zur Praxis systematischen Massenmords. Durch den Überfall auf Polen (1939) und die Sowjetunion (1941) besaß Hitler Zugriff auf die außerhalb Deutschlands gelegenen Hauptsiedlungsgebiete der europäischen Juden. Das systematische Morden begann im Juni 1941 in den besetzten Gebieten hinter den Frontlinien. Den Massenerschießungen durch »Einsatzgruppen« fielen etwa 370 000 Juden zum Opfer. Gleichzeitig testete die SS verschiedene Tötungsverfahren mit Gas, da Massenerschießungen »eine zu große Belastung für die SS-Männer« seien, wie es zynisch in einem Befehl aus Berlin an Rudolf Höß, den Lagerkommandanten des KZ Auschwitz, hieß. Zum Einsatz kam schließlich die blausäurehaltige Chemikalie Zyklon B, die zur Ungezieferbekämpfung entwickelt worden war.

Deutsche Bewacher und Ärzte an der Verladerampe in Auschwitz-Birkenau bei der »Selektion« polnischer Juden, die über Leben und Tod der Gefangenen entschied

1 Das Konzentrationslager Ravensbrück war als so genanntes Schutzhaftlager für Frauen errichtet worden. Von den 132 000 Frauen und Kindern aus 40 Nationen, die bis 1945 hier und in Außenstellen gefangen gehalten wurden, kamen rund 93 000 zu Tode.

2 Ab 1940 setzte man verstärkt Zwangsarbeiter und KZ-Häftlinge in der Kriegsproduktion ein. Der Bau einer geheimen Anlage in Peenemünde für die Entwicklung der Rakete V2 kostete Tausende das Leben.

3 Im besetzten Polen ließ die SS ab Herbst 1941 Vernichtungslager ausbauen, die im Unterschied zum KZ des ursprünglichen Typs ausdrücklich dem systematischen, fabrikmäßigen Mord dienten. Auschwitz-Birkenau wurde als größtes Todeslager zum Synonym für den Holocaust.

4 Im ehemaligen Interpolgebäude am Berliner Wannsee wurden am 20. Januar 1942 die Maßnahmen zur Vernichtung der europäischen Juden festgelegt. Leiter der »Wannseekonferenz« war Reinhard Heydrich, Chef des Reichssicherheitshauptamtes.

5 Am 19. April 1943, als die letzten jüdischen Einwohner des hermetisch abgeriegelten Bezirks in Konzentrationslager deportiert werden sollten, brach im Warschauer Ghetto ein Aufstand aus. Erst am 16. Mai konnte die SS die Erhebung beenden – 60 000 Juden hatten dabei den Tod gefunden.

6 Der sudetendeutsche Fabrikant Oskar Schindler bewahrte 1944/1945 rund 1200 jüdische Arbeiter aus dem Lager Płaszów vor dem Tod, indem er seine Kontakte zu deutschen Stellen nutzte. Schindler wurde dafür später von Israel der Ehrentitel »Gerechter unter den Völkern« verliehen.

Nordsee
Bremen
Esterwegen
Wattenscheid
Gelsenkirchen
Herne
Essen
Bochum
Niederhagen (Wewelsburg)
Düsseldorf
Köln
Siegen
Fulda
Biebrich
Frankfurt
Sammellager für Sinti und Roma
Hohena
Natzweiler
Ravensburg
0 200 km
0 100 Meilen

ZEITLEISTE

KONZENTRATIONSLAGER

1933 In der Nähe von Dachau entsteht das erste Konzentrationslager für politische Häftlinge.

1934–1937 Die Konzentrationslager der SA werden geschlossen, die »staatlichen« Lager der SS unterstellt.

1936 Die »Schutzhaft« wird eingeführt.

ab 1938 Die Konzentrationslager werden verstärkt für den Einsatz von Zwangsarbeitern genutzt.

1932 – 1934 – 1936 – 1938

EINZELSCHICKSALE

1933 Der spätere SPD-Vorsitzende Kurt Schumacher wird verhaftet; er verbringt knapp zwölf Jahre in Konzentrationslagern.

1934 Der Schriftsteller Erich Mühsam wird im KZ Oranienburg ermordet.

1935 C. J. Burckhardt besucht als Vertreter des Internationalen Roten Kreuzes den im KZ inhaftierten Publizisten Carl von Ossietzky.

1937 Martin Niemöller, Mitbegründer der Bekennenden Kirche, wird in das KZ Sachsenhausen eingeliefert.

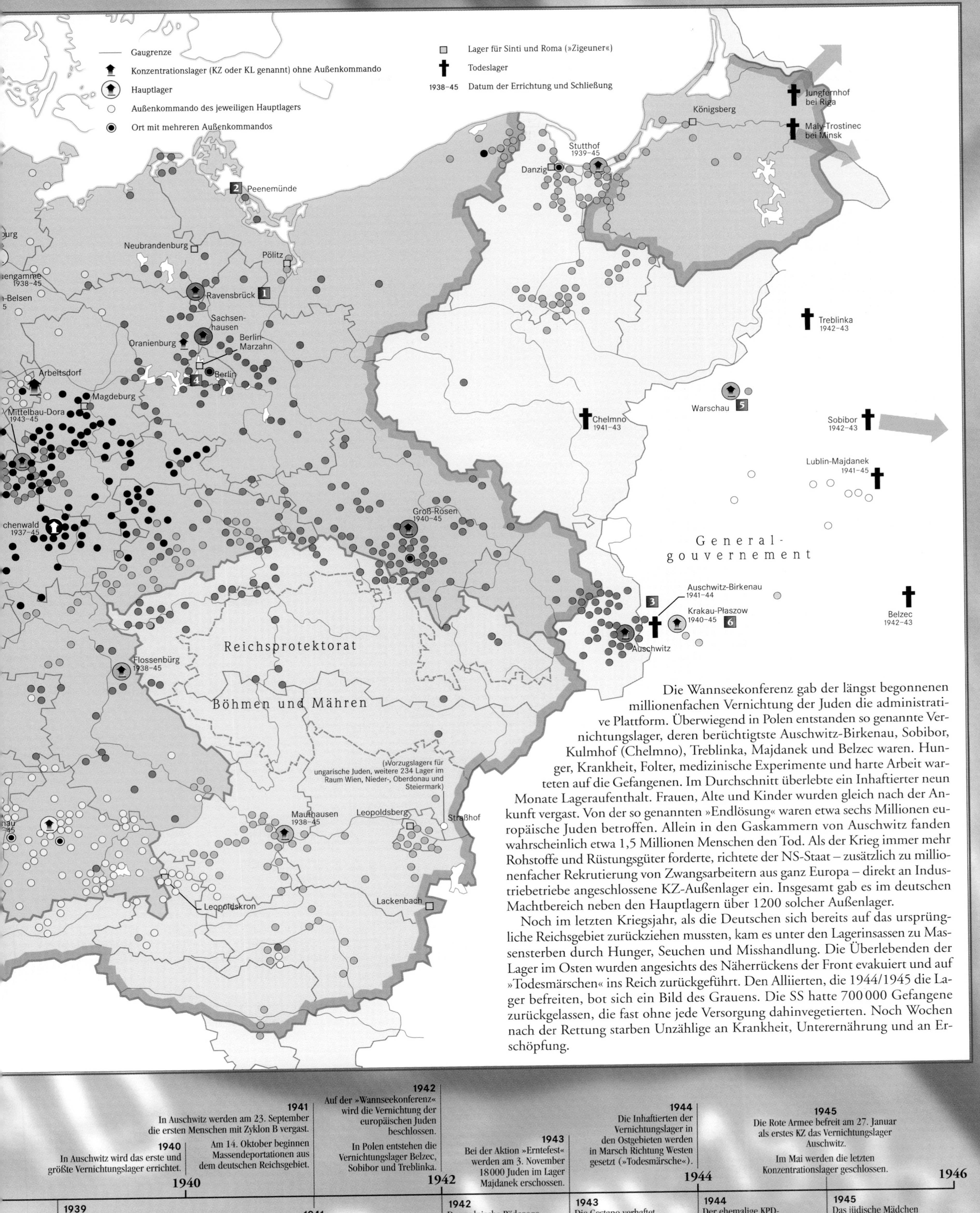

Gaugrenze
Konzentrationslager (KZ oder KL genannt) ohne Außenkommando
Hauptlager
Außenkommando des jeweiligen Hauptlagers
Ort mit mehreren Außenkommandos
Lager für Sinti und Roma (»Zigeuner«)
Todeslager
1938–45 Datum der Errichtung und Schließung
Jungfernhof bei Riga
Königsberg
Maly-Trostinec bei Minsk
Stutthof 1939–45
Danzig
Peenemünde
Neubrandenburg
Pölitz
Ravensbrück
Sachsen-hausen
Oranienburg
Berlin-Marzahn
Berlin
Arbeitsdorf
Magdeburg
Mittelbau-Dora 1943–45
Treblinka 1942–43
Warschau
Chelmno 1941–43
Sobibor 1942–43
Lublin-Majdanek 1941–45
Groß-Rosen 1940–45
General-gouvernement
Auschwitz-Birkenau 1941–44
Krakau-Płaszow 1940–45
Auschwitz
Belzec 1942–43
Reichsprotektorat
Böhmen und Mähren
Flossenbürg 1938–45
(»Vorzugslager« für ungarische Juden, weitere 234 Lager im Raum Wien, Nieder-, Oberdonau und Steiermark)
Mauthausen 1938–45
Leopoldsberg
Straßhof
Leopoldskron
Lackenbach

Die Wannseekonferenz gab der längst begonnenen millionenfachen Vernichtung der Juden die administrative Plattform. Überwiegend in Polen entstanden so genannte Vernichtungslager, deren berüchtigtste Auschwitz-Birkenau, Sobibor, Kulmhof (Chelmno), Treblinka, Majdanek und Belzec waren. Hunger, Krankheit, Folter, medizinische Experimente und harte Arbeit warteten auf die Gefangenen. Im Durchschnitt überlebte ein Inhaftierter neun Monate Lageraufenthalt. Frauen, Alte und Kinder wurden gleich nach der Ankunft vergast. Von der so genannten »Endlösung« waren etwa sechs Millionen europäische Juden betroffen. Allein in den Gaskammern von Auschwitz fanden wahrscheinlich etwa 1,5 Millionen Menschen den Tod. Als der Krieg immer mehr Rohstoffe und Rüstungsgüter forderte, richtete der NS-Staat – zusätzlich zu millionenfacher Rekrutierung von Zwangsarbeitern aus ganz Europa – direkt an Industriebetriebe angeschlossene KZ-Außenlager ein. Insgesamt gab es im deutschen Machtbereich neben den Hauptlagern über 1200 solcher Außenlager.

Noch im letzten Kriegsjahr, als die Deutschen sich bereits auf das ursprüngliche Reichsgebiet zurückziehen mussten, kam es unter den Lagerinsassen zu Massensterben durch Hunger, Seuchen und Misshandlung. Die Überlebenden der Lager im Osten wurden angesichts des Näherrückens der Front evakuiert und auf »Todesmärschen« ins Reich zurückgeführt. Den Alliierten, die 1944/1945 die Lager befreiten, bot sich ein Bild des Grauens. Die SS hatte 700 000 Gefangene zurückgelassen, die fast ohne jede Versorgung dahinvegetierten. Noch Wochen nach der Rettung starben Unzählige an Krankheit, Unterernährung und an Erschöpfung.

1940
In Auschwitz wird das erste und größte Vernichtungslager errichtet.

1941
In Auschwitz werden am 23. September die ersten Menschen mit Zyklon B vergast.
Am 14. Oktober beginnen Massendeportationen aus dem deutschen Reichsgebiet.

1942
Auf der »Wannseekonferenz« wird die Vernichtung der europäischen Juden beschlossen.
In Polen entstehen die Vernichtungslager Belzec, Sobibor und Treblinka.

1943
Bei der Aktion »Erntefest« werden am 3. November 18 000 Juden im Lager Majdanek erschossen.

1944
Die Inhaftierten der Vernichtungslager in den Ostgebieten werden in Marsch Richtung Westen gesetzt (»Todesmärsche«).

1945
Die Rote Armee befreit am 27. Januar als erstes KZ das Vernichtungslager Auschwitz.
Im Mai werden die letzten Konzentrationslager geschlossen.

1940 — 1942 — 1944 — 1946

1939
Nach seinem Attentatsversuch auf Hitler kommt Johann Georg Elser nach Sachsenhausen; 1945 wird er in Dachau ermordet.

1941
Der Franziskanerpater Maximilian Kolbe wird in Auschwitz ermordet.

1942
Der polnische Pädagoge Janusz Korczak begleitet jüdische Waisenkinder auf eigenen Wunsch ins Vernichtungslager Treblinka.

1943
Die Gestapo verhaftet den Widerstandskämpfer Dietrich Bonhoeffer, der 1945 im KZ Flossenbürg ermordet wird.

1944
Der ehemalige KPD-Vorsitzende Ernst Thälmann wird in Buchenwald ermordet.

1945
Das jüdische Mädchen Anne Frank stirbt im KZ Bergen-Belsen.

Die Welt vom Ersten Weltkrieg bis heute (1914 bis 2004)

Der Zweite Weltkrieg in Europa • 1942 bis 1945

Trotz der »Wende« von 1943 dauerte es bis zum Kriegsende noch über zwei Jahre: Die Niederlage von Stalingrad bedeutete für Hitler, der die Stadt unbedingt halten wollte, einen schweren Schlag. Im Juli 1943 schlug die Rote Armee in der größten Landschlacht des Krieges die Deutschen bei Kursk, stieß nach Westen vor und errang bei Charkow einen weiteren Sieg.

Im Mai 1943 kapitulierten die Deutschen in Nordafrika. Bis Mitte des Jahres verlor Deutschland auch die Schlacht auf dem Atlantik – Langstreckenflugzeuge hatten den U-Boot-Angriffen viel von ihrer Wirkung genommen. Die deutschen Anstrengungen verstärkten sich mit dem »totalen Krieg« (der Mobilisierung der gesamten Wirtschaft für die Rüstung), die Alliierten konnten aber im Juli 1943 auf Sizilien landen. Mussolini wurde entmachtet und die Italiener wollten Frieden – woraufhin die Deutschen Nord- und Mittelitalien besetzten, wo der Vormarsch der Alliierten schon durch das bergige Gelände erschwert wurde.

Die »zweite Front«

Der Italien-Feldzug der Alliierten ergab sich eher beiläufig aus dem Sieg in Nordafrika und zog sich bis Kriegsende hin. Der Hauptvorstoß im Westen, die »zweite Front«, die Stalin lange gefordert hatte, sollte gemäß der Teheraner Konferenz der Alliierten vom November 1943 in der Normandie erfolgen. Schon zuvor musste Hitler Truppen aus dem Osten abziehen, um die Verteidigungslinie im Westen zu verstärken. Die Bombardierung deutscher Städte nahm zu, als sich die Amerikaner an den Einsätzen beteiligten: 1943 war Köln Ziel eines Angriffs mit 1000 Flugzeugen. Die schweren Luftangriffe zogen deutsche Kräfte von den Fronten ab und schwächten die Kriegswirtschaft.

D-Day – Landung der Alliierten in der Normandie

Als die westlichen Alliierten im Juni 1944 in der Normandie landeten, stießen sie auf heftigen Widerstand. Dennoch befreite man Frankreich und Belgien. Die Rote Armee nutzte den verstärkten Druck auf Deutschland und besetzte Rumänien und Bulgarien. Die Deutschen zogen sich aus Griechenland zurück, während sie Ungarn, das schon aus dem Krieg ausgeschieden war, zum Weiterkämpfen zwangen; bei Budapest kam es zu schweren Kämpfen.

D-Day: Am 6. Juni 1944 landeten die Truppen der Alliierten in der Normandie.

Politische wie militärische Erwägungen hielten US-Präsident Roosevelt davon ab, Londoner Pläne eines Einmarsches in Südosteuropa zu unterstützen. Anders als Roosevelt traute der britische Premierminister Churchill Stalin nicht und schloss deshalb ein Abkommen mit ihm, worin beide sich über ihre Einflusssphären in dieser Region verständigten. Das Vorgehen der Sowjets in Polen stärkte das Vertrauen in Moskau nicht: Als die Rote Armee 1944 auf Warschau vorstieß, kam es (nach dem Ghetto-Aufstand vom Vorjahr) zum zweiten Warschauer Aufstand gegen die Deutschen. Obwohl vor der Stadt stehend, halfen die Russen den Aufständischen nicht, so dass 250 000 Menschen sterben mussten, als Hitlers Truppen die Erhebung niederschlugen.

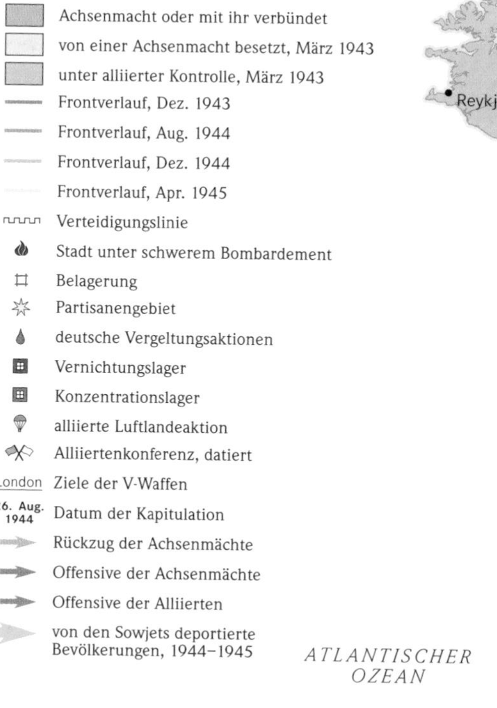

Grenzen, 1943
Achsenmacht oder mit ihr verbündet
von einer Achsenmacht besetzt, März 1943
unter alliierter Kontrolle, März 1943
Frontverlauf, Dez. 1943
Frontverlauf, Aug. 1944
Frontverlauf, Dez. 1944
Frontverlauf, Apr. 1945
Verteidigungslinie
Stadt unter schwerem Bombardement
Belagerung
Partisanengebiet
deutsche Vergeltungsaktionen
Vernichtungslager
Konzentrationslager
alliierte Luftlandeaktion
Alliiertenkonferenz, datiert
London Ziele der V-Waffen
26. Aug. 1944 Datum der Kapitulation
Rückzug der Achsenmächte
Offensive der Achsenmächte
Offensive der Alliierten
von den Sowjets deportierte Bevölkerungen, 1944–1945

Bis zur Kapitulation

Überall in Europa kämpften Partisanen gegen die Achsenmächte. Sie verfolgten unterschiedliche ethnische und politische Ziele, ihre Aktionen zogen immer blutigere Vergeltungsmaßnahmen nach sich. Ein Aufruhr in der Slowakei wurde brutal niedergeschlagen. In Jugoslawien konnten die kommunistischen Partisanen aber beträchtliche Erfolge erzielen und das Fundament für die Nachkriegsregierung Titos legen. In Prag half ein Volksaufstand den Sowjets bei der Eroberung der Stadt. In Griechenland widersetzten sich die Kommunisten, die die Befreiungsbewegung auf dem Land beherrschten, den Briten, die nach dem Abzug der Deutschen im Oktober 1944 die Monarchie wieder einsetzen wollten. Ein Bürgerkrieg brach aus, der erst 1949 mit der Niederlage der Kommunisten endete. Auch in Polen und anderen russisch besetzten Staaten ging der Widerstand nach Kriegsende weiter, richtete sich nun aber gegen die UdSSR.

Hitler glaubte, die Luftangriffe auf Deutschland dadurch stoppen zu können, dass er neuartige »Wunderwaffen« (V-Raketen) gegen Großbritannien einsetzte, doch waren seine Gegner schon zu stark. Die letzte deutsche Offensive in den Ardennen Ende 1944 scheiterte und nach Hitlers Selbstmord kapitulierte Deutschland am 8. Mai 1945.

Die »großen Drei«: Churchill, Roosevelt und Stalin (v. l.) auf der Konferenz von Jalta im Februar 1945

ZEITLEISTE

OST- UND NORDEUROPA

WESTEUROPA

ANDERE GEBIETE

Juli 1942

1942 (Oktober) Amerikanische Bomber zerstören die Gleisanlagen von Lille (Nordfrankreich).

1942 (Oktober–November) Sieg der Briten über die deutschen Truppen bei El Alamein.

1943 (Januar) Kapitulation der deutschen 6. Armee in Stalingrad.

1943

1943 (Januar) Treffen Roosevelts und Churchills in Casablanca.

1943 (April) Aufstand der Juden im Warschauer Ghetto; 60 000 Menschen sterben.

1943 (Juni–August) Nach einer großen Panzerschlacht bei Kursk schlägt die Rote Armee die deutschen Truppen zurück.

1943 (Juli) Die Alliierten landen auf Sizilien.

1943 (September) Italien kapituliert; deutsche Truppen besetzen Mailand und Rom.

1943 (Oktober) Italien erklärt Deutschland den Krieg.

1 Beim deutschen Angriff auf sowjetische Stellungen bei Kursk (Juni 1943) kämpften die leichten, wendigen T-34-Panzer gegen die schweren deutschen »Tiger«. Trotz großer Verluste gelang den Sowjets der Durchbruch.

2 Über 600 Dorfbewohner von Oradour-sur-Glane, unter ihnen rund 200 Frauen und Kinder, wurden im Juni 1944 in der Kirche des Ortes von der SS ermordet.

3 Als sich die deutsche Wehrmacht im September 1944 auf ihre Vorkriegsstellungen (»Siegfriedlinie« beziehungsweise «Westwall«) zurückzog, griffen die Alliierten über die Niederlande an. Der »Westwall« wurde im Februar 1945 durchbrochen.

4 In Peenemünde entwickelten die Deutschen unter Leitung Wernher von Brauns Raketen. Die Geheimdienste der Alliierten wussten seit 1939 davon.

5 Auschwitz war das größte Vernichtungslager der Nationalsozialisten. Bis zur Befreiung starben dort vermutlich 1,5 Millionen Menschen.

6 Churchill, Stalin und Roosevelt trafen sich im Februar 1945 in Jalta, um ihre Strategie zu koordinieren und die Einflusssphären ihrer Staaten in Europa nach dem Krieg zu verabreden.

Opfer des Holocaust und des Krieges

Der Mord an den Juden ging bis zur Befreiung der Vernichtungslager weiter. Als die Sowjets nach Westen vorstießen, wurden die Insassen der polnischen KZ nach Deutschland verlegt und dort – oft zusammen mit Kriegsgefangenen und Zwangsarbeitern – in Massenlagern vielfach dem Seuchen- oder Hungertod preisgegeben (1944 arbeiteten fast acht Millionen Ausländer in Deutschland). Hitlers Verbündete Ungarn, Bulgarien und Italien hatten sich geweigert, ihre jüdische Bevölkerung ganz oder teilweise den Deutschen auszuliefern, was diese aber nicht daran hinderte, ihre Politik einer vollständigen Ausrottung weiter zu betreiben. Bis Kriegsende wurden etwa sechs Millionen Juden ermordet – dazu Millionen anderer Menschen, unter ihnen Ukrainer, Polen, Balten, Weißrussen, Russen, Sinti und Roma.

Von den 5,5 Millionen sowjetischen Soldaten, die die Deutschen gefangen genommen hatten, kamen 3,3 Millionen um. Die Rote Armee beziehungsweise die in den Staaten ihres Machtbereichs ans Ruder gekommenen Regierungen übten Vergeltung: Zwölf Millionen Deutsche wurden aus ihrer Heimat in Mittel- und Osteuropa vertrieben, von denen wahrscheinlich zwei Millionen nicht überlebten. Die Sowjets deportierten fünf Millionen Bürger unterworfener Territorien wegen angeblicher Kollaboration; viele heimkehrende Kriegsgefangene wurden verbannt oder hingerichtet. 1945 waren weite Teile Europas zerstört, Millionen Einwohner tot oder heimatlos.

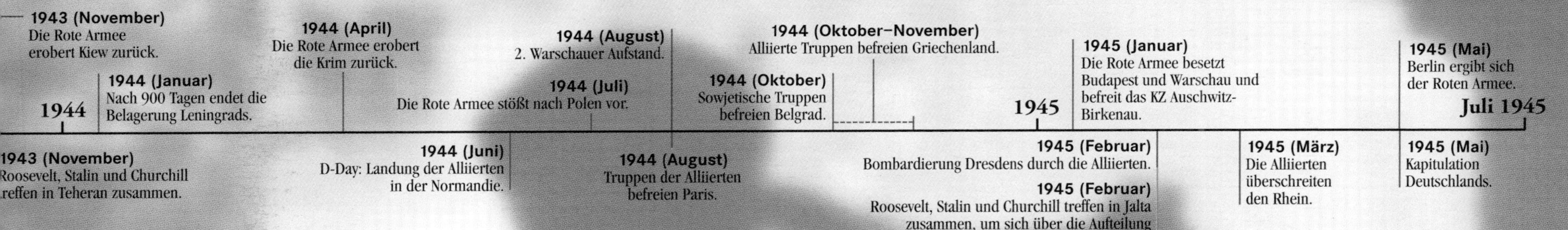
1943 (November) Die Rote Armee erobert Kiew zurück.
1944 (Januar) Nach 900 Tagen endet die Belagerung Leningrads.
1944 (April) Die Rote Armee erobert die Krim zurück.
1944 (August) 2. Warschauer Aufstand.
1944 (Juli) Die Rote Armee stößt nach Polen vor.
1944 (Oktober–November) Alliierte Truppen befreien Griechenland.
1944 (Oktober) Sowjetische Truppen befreien Belgrad.
1945 (Januar) Die Rote Armee besetzt Budapest und Warschau und befreit das KZ Auschwitz-Birkenau.
1945 (Mai) Berlin ergibt sich der Roten Armee.
1944
1945
Juli 1945
1943 (November) Roosevelt, Stalin und Churchill treffen in Teheran zusammen.
1944 (Juni) D-Day: Landung der Alliierten in der Normandie.
1944 (August) Truppen der Alliierten befreien Paris.
1945 (Februar) Bombardierung Dresdens durch die Alliierten.
1945 (Februar) Roosevelt, Stalin und Churchill treffen in Jalta zusammen, um sich über die Aufteilung Nachkriegsdeutschlands zu verständigen.
1945 (März) Die Alliierten überschreiten den Rhein.
1945 (Mai) Kapitulation Deutschlands.

Die Welt vom Ersten Weltkrieg bis heute (1914 bis 2004)

Das geteilte Europa • 1945 bis 1989

Nach dem Krieg entstanden zwei Blöcke: Den westlichen, an den USA orientierten Demokratien standen die von der UdSSR beherrschten kommunistischen Länder Osteuropas gegenüber. Getrennt durch den »Eisernen Vorhang«, lebten zwei Welten im Schatten der Supermächte.

Die Verantwortung für die stetige Verschlechterung der Ost-West-Beziehungen wurde von beiden Seiten jeweils dem anderen Block zugewiesen. Über die sowjetischen Motive ist nur wenig bekannt. Auf jeden Fall trog die amerikanische Hoffnung, es werde nach dem Krieg ein »offenes« Europa entstehen. Stalin dachte nicht daran, Osteuropa aufzugeben, und in Amerika wuchs die Angst, dass auch der Rest Europas kommunistisch würde. Deshalb stellten die USA dem zerstörten Westeuropa 1947 im Rahmen des »Marshallplans« beträchtliche Mittel zur Verfügung, um ein »Gegengewicht« zur Sowjetmacht zu schaffen.

Ende der Eiszeit: Am 8. Dezember 1987 unterzeichneten Kremlchef Michail Gorbatschow und US-Präsident Ronald Reagan den INF-Vertrag, ein Abkommen über die Vernichtung nuklearer Mittelstreckenwaffen.

NATO und Warschauer Pakt

Der Spaltung Europas war die Teilung Deutschlands vorausgegangen. Die einstige ökonomische und militärische Machtbasis des Kontinents war von den Alliierten gemeinsam besetzt worden; keine Seite wollte riskieren, die Kontrolle an die andere zu verlieren. In den deutschen Westzonen entwickelten sich Vorformen der Demokratie, in der Ostzone kündigte sich der Kommunismus an. 1948 verhängten die Sowjets die Blockade Westberlins, 1949 erfolgte die Gründung zweier deutscher Staaten und des antisowjetischen Militärblocks NATO. In Osteuropa entstand der COMECON, ein Wirtschaftsbund, der alle Mitgliedsstaaten auf das sowjetische System der Planwirtschaft verpflichtete und sie eng an die UdSSR band. Nach Ausbruch des Koreakrieges kehrten 1950 amerikanische Soldaten im Rahmen der NATO nach Europa zurück und fünf Jahre später entstand der Warschauer Pakt.

Gemeinschaften Westeuropas

West und Ost entwickelten sich unterschiedlich. In Westeuropa kehrte bald der alte Wohlstand zurück und man schuf Handelszonen zur Wirtschaftsförderung. Der Zollunion der Benelux-Länder (1948) folgte als neue Institution im Kohle- und Stahlsektor die Montanunion (1950), das Fundament der Europäischen Wirtschaftsgemeinschaft (EWG, 1958). Außerdem entstand die locker gefügte Europäische Freihandelszone (EFTA). Die EWG besaß mehr Gewicht; aus ihr entstand die Europäische Union (EU), der es über die wirtschaftliche Einheit hinaus um die politische Gemeinschaft ging.

Die EWG sollte allmählich die nationalen Grenzen und das Gegeneinander, das immer Europas Geschichte bestimmt hatte, überwinden und dem Kontinent auf der Weltbühne zu einer eigenen Rolle verhelfen. Der französische Präsident Charles de Gaulle beklagte das amerikanische Engagement in Europa und zog Frankreich aus der NATO zurück. Die USA ermutigten zwar die westeuropäische Integration, dennoch blieb die Präsenz amerikanischer Truppen von Bedeutung. Großbritannien und Frankreich entwickelten unabhängig voneinander Atomwaffen. Ausdruck einer Tendenz zur Entspannung des Ost-West-Verhältnisses war ab 1970 die »neue« Ostpolitik Westdeutschlands unter Bundeskanzler Willy Brandt. Doch sollte es noch fast 20 Jahre dauern, bis der »Eiserne Vorhang« fiel.

Osteuropa: Verlust der nationalen Souveränität

In Osteuropa gab es kein »Wirtschaftswunder«, wie man es in Westdeutschland erlebte. Mangelwirtschaft, Unfreiheit und nationale Gängelung durch die UdSSR schufen Missstimmung. Am 17. Juni 1953 wurde der Aufstand der Ostdeutschen blutig unterdrückt. Zwar bewahrten sich Jugoslawien und Albanien einen unabhängigen Weg zum Kommunismus – die Ungarn (1956) und die Tschechoslowaken (1968) scheiterten jedoch damit, in Volksaufständen die Freiheit zu erkämpfen und aus dem Ostblock auszubrechen.

Das Abkommen von Helsinki (1975), das die Grenzen der DDR bestätigte und in dem sich Osteuropa zu den Menschenrechten bekannte, intensivierte dort die Aktivitäten von Dissidenten. 1980 wurde in Polen die Gewerkschaft »Solidarität« gegründet. Die alte Ablehnung des Sowjetsystems (geschürt durch die katholische Kirche und Johannes Paul II., den ersten polnischen Papst) äußerte sich in Streiks und Demonstrationen.

Wachsende Unruhen

In Westeuropa kam es immer wieder zu antiamerikanischen Protestbewegungen – etwa gegen den Vietnamkrieg oder die Politik atomarer Aufrüstung. Die Studentenunruhen von 1968 waren Teil einer allgemeinen Auflehnung der Jugend in der westlichen Welt gegen staatliche Autorität. Extremistische Gruppen machten in ihrem Kampf gegen das »System« nicht vor Terroranschlägen halt.

In den 1970er-Jahren führte der durch Inflation, hohe Staatsausgaben und steigende Ölpreise ausgelöste wirtschaftliche Abschwung im Westen zu wachsender Arbeitslosigkeit und Militanz. Die britische Premierministerin Margaret Thatcher beendete 1979 die von der Zusammenarbeit von Arbeitgebern, Arbeitnehmern und Staat geprägte Konsenspolitik der Nachkriegsjahre und betrieb die Rückkehr zur ungezügelten Marktwirtschaft, was zu sozialen Spannungen führte. Andernorts brach in Regionen mit nationalen, durch wirtschaftliche Probleme angeheizten Konflikten Terrorismus und Gewalt aus: Baskische Separatisten warfen Bomben in Spanien, Nordirland balancierte immer am Rande eines Bürgerkrieges.

Ende der 1980er-Jahre veranlasste der ungleich schlechtere Lebensstandard im Ostblock sowie der moralische und wirtschaftliche Bankrott des Kommunismus Kremlchef Michail Gorbatschow zur Lockerung der Fesseln Osteuropas. Bald zeigte sich, dass er die hierdurch freigesetzten Kräfte, die nicht zuletzt

VEREINIGTES KÖNIGREICH
1973 EG-Mitglied
Faslane
Holy Loch
Glasgow
Katholiken u. Protestanten, seit 1968
Belfast
IRLAND
1973 EG-Mitglied
Dublin
Limerick
Cork
Manchester
Liverpool
Birmingham
Cardiff
Greenham Common
in die USA
1945
Brest
Bretonen
Nantes
ATLANTISCHER OZEAN
Bordeaux
Basken, seit 1959
Bilbao
Basken, seit 1959
ANDORRA
Valladolid
Duero
Ebro
Oporto
Saragossa
SPANIEN
1982 NATO-Mitglied, 1986 EG-Mitglied
PORTUGAL
1986 EG-Mitglied
Madrid
Tajo
Valencia
Guadiana
Lissabon
1974, 1975
Córdoba
Murcia
Sevilla
Málaga
1969–1985
Gibraltar zu Großbrit.
Tanger
Ceuta zu Spanien
Melilla zu Spanien

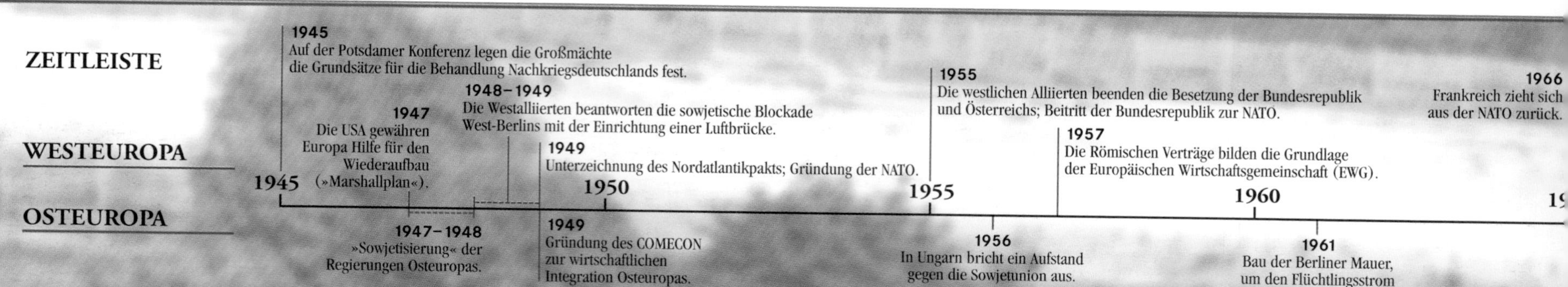
ZEITLEISTE
WESTEUROPA
OSTEUROPA
1945
1950
1955
1960
1945
Auf der Potsdamer Konferenz legen die Großmächte die Grundsätze für die Behandlung Nachkriegsdeutschlands fest.
1947
Die USA gewähren Europa Hilfe für den Wiederaufbau (»Marshallplan«).
1948–1949
Die Westalliierten beantworten die sowjetische Blockade West-Berlins mit der Einrichtung einer Luftbrücke.
1949
Unterzeichnung des Nordatlantikpakts; Gründung der NATO.
1955
Die westlichen Alliierten beenden die Besetzung der Bundesrepublik und Österreichs; Beitritt der Bundesrepublik zur NATO.
1957
Die Römischen Verträge bilden die Grundlage der Europäischen Wirtschaftsgemeinschaft (EWG).
1966
Frankreich zieht sich aus der NATO zurück.
1947–1948
»Sowjetisierung« der Regierungen Osteuropas.
1949
Gründung des COMECON zur wirtschaftlichen Integration Osteuropas.
1956
In Ungarn bricht ein Aufstand gegen die Sowjetunion aus.
1961
Bau der Berliner Mauer, um den Flüchtlingsstrom aus der DDR einzudämmen.

Vorkriegsgrenzen von Polen
North Atlantic Treaty Organization (NATO), gegründet 1949
Warschauer Pakt, gegründet 1955
Besatzungszonen in Deutschland und Österreich, 1945–1955
amerikanische
britische
französische
russische
Grenzen, 1989
NATO-Nuklearbasis (1980er-Jahre)
Nuklearbasis Warschauer Pakt (1980er-Jahre)
nationalistische Spannung oder Gewaltanwendung
Bürgerkrieg, 1945–1989
internationaler Konflikt, 1945–1989
Versuch eines Aufstands, 1945–1989
sowjetische Militärintervention
deutsche Flüchtlinge oder Vertriebene, 1945–1950
Bevölkerungsverlagerungen der Sowjetunion, 1945–1950
weitere Bevölkerungsbewegungen, 1945–1950
Flüchtlingsströme, datiert
ITALIEN Gründungsmitglied der EWG, 1957
1945 Jahr der kommunistischen Machtübernahme
400 km
300 Meilen

einer Belebung der Wirtschaft dienen sollten, nicht mehr im Zaum halten konnte. Die alte Ordnung brach zusammen und in die Freude mischte sich Besorgnis, welche Gestalt Europa nun annehmen würde.

1 Das geteilte Berlin war einer der Brennpunkte des Kalten Krieges. 1948/1949 riegelten die Sowjets seine Westsektoren ab, die nun über eine Luftbrücke versorgt wurden. 1961 wurde die Mauer gebaut, um die Flucht von DDR-Bürgern zu stoppen.

2 Im Nürnberger Kriegsverbrecherprozess wurden 1946 viele führende Nationalsozialisten verurteilt. »Kleinere Fische« blieben oft straffrei. Für den Wiederaufbau Westeuropas wurde ein starkes Westdeutschland gebraucht.

3 Ungarn (1956) und die Tschechoslowakei (1968) versuchten, aus dem Ostblock auszubrechen, wurden jedoch mit militärischen Mitteln daran gehindert.

4 Ganz im Sinne seines traditionell unabhängigen Kurses blieb Jugoslawien auch unter dem Kommunisten Tito neutral. Bis in die 1980er-Jahre hinein konnte dieser die Einheit seines Landes erhalten.

5 Der polnische Widerstand gegen das kommunistische Regime, der für ganz Osteuropa zum Vorbild wurde, konzentrierte sich in den Werften von Danzig.

6 Die Römischen Verträge (1957) – unterzeichnet von Frankreich, Italien, der Bundesrepublik Deutschland, Belgien, den Niederlanden und Luxemburg – bildeten die Basis für die Integration Westeuropas in der EWG (später EG und dann EU).

7 Die sich hinziehenden Versuche des eigenwilligen Diktators Nicolae Ceauşescu, die rumänische Landwirtschaft zu kollektivieren, waren typisch für die Durchsetzung des Stalinismus in Osteuropa – und stießen auf heftigen Widerstand.

8 Noch lange nach 1945 kämpften die Partisanenverbände der »Waldbrüder« im Baltikum gegen die sowjetischen Besatzer.

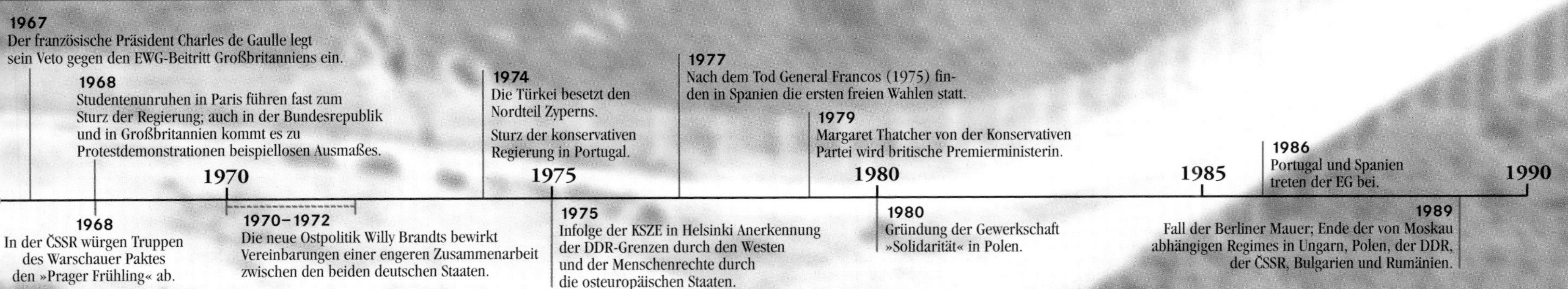
1967
Der französische Präsident Charles de Gaulle legt sein Veto gegen den EWG-Beitritt Großbritanniens ein.
1968
Studentenunruhen in Paris führen fast zum Sturz der Regierung; auch in der Bundesrepublik und in Großbritannien kommt es zu Protestdemonstrationen beispiellosen Ausmaßes.
1968
In der ČSSR würgen Truppen des Warschauer Paktes den »Prager Frühling« ab.
1970
1970–1972
Die neue Ostpolitik Willy Brandts bewirkt Vereinbarungen einer engeren Zusammenarbeit zwischen den beiden deutschen Staaten.
1974
Die Türkei besetzt den Nordteil Zyperns.
Sturz der konservativen Regierung in Portugal.
1975
1975
Infolge der KSZE in Helsinki Anerkennung der DDR-Grenzen durch den Westen und der Menschenrechte durch die osteuropäischen Staaten.
1977
Nach dem Tod General Francos (1975) finden in Spanien die ersten freien Wahlen statt.
1979
Margaret Thatcher von der Konservativen Partei wird britische Premierministerin.
1980
1980
Gründung der Gewerkschaft »Solidarität« in Polen.
1985
1986
Portugal und Spanien treten der EG bei.
1989
Fall der Berliner Mauer; Ende der von Moskau abhängigen Regimes in Ungarn, Polen, der DDR, der ČSSR, Bulgarien und Rumänien.
1990

Die Welt vom Ersten Weltkrieg bis heute (1914 bis 2004)

Die deutsche Teilung • 1945 bis 1949

1945 teilten die drei Westmächte USA, Großbritannien und Frankreich sowie die UdSSR das besiegte Deutschland in vier Zonen auf. Sicherheitspolitisch, gesellschaftlich und ökonomisch wurden die drei Westzonen und die Ostzone in das System ihrer jeweiligen Besatzungsmacht eingebunden. Der rasch eskalierende politisch-ideologische Konflikt zwischen West und Ost schuf bald Strukturen, die die jahrzehntelange staatliche Teilung Deutschlands begründeten.

Am 5. Juni 1945 verkündete die Berliner Viermächteerklärung die Übernahme der obersten Regierungsgewalt durch den »Alliierten Kontrollrat«, bestehend aus den Oberbefehlshabern der vier Zonen. Die Idee, Deutschland in einen Agrarstaat umzuwandeln (Morgenthau-Plan), setzte sich nicht durch. Im Potsdamer Abkommen vom 2. August regelten die Siegermächte neben Wirtschafts- und Verwaltungsproblemen Themenbereiche wie Entmilitarisierung, Entnazifizierung, Demokratisierung und Industriekontrolle. Zwar betrachtete man das Land prinzipiell als Wirtschaftseinheit, doch Reparationsansprüche wollte jede Besatzungsmacht über ihre eigene Zone befriedigen. Mit der Festlegung der deutschen Ostgrenze auf die Oder-Neiße-Linie – die deutsche Bevölkerung der nun polnisch beziehungsweise sowjetisch verwalteten Ostgebiete sollte in »humaner Weise« nach Westen evakuiert werden – gingen 24 Prozent des Reichsgebietes von 1937 verloren. Berlin, Sitz des Alliierten Kontrollrats, erhielt eine Sonderstellung als Viermächtestadt.

Deutschland unter den Siegermächten

Nachdem wegen Uneinigkeit der Sieger deutsche Zentralverwaltungen, wie Potsdam sie vorsah, nicht zustande gekommen waren, bestimmten die einzelnen Zonen und die dort unter alliierter Kontrolle entstehenden Länder die Entwicklung. In der britischen Zone verschmolz Hannover (einstige Provinz des 1947 aufgelösten Preußen) mit Oldenburg, Schaumburg-Lippe und Braunschweig zu Niedersachsen. Westfalen, ein Teil der preußischen Rheinprovinz und Lippe bildeten Nordrhein-Westfalen. Schleswig-Holstein (bis dahin preußisch) war nun ein eigenes Land, ebenso die Stadtstaaten Hamburg (unter britischer Hoheit) und Bremen (unter US-Hoheit). Die US-Zone umfasste Bayern, Hessen und den Nordteil von Württemberg-Baden. Frankreich kontrollierte das aus bayerisch-preußischer »Erbmasse« entstandene Rheinland-Pfalz, Südbaden und Württemberg-Hohenzollern. Mecklenburg, Sachsen und Thüringen sowie die ganz beziehungsweise zu Teilen aus Preußen hervorgegangenen Länder Brandenburg und Sachsen-Anhalt bildeten die sowjetische Zone. Die britische und die US-Zone wurden Ende 1946 zur Bizone zusammengefasst. Das Saarland war wirtschaftlich Frankreich angegliedert.

Der aufbrechende Ost-West-Konflikt forcierte bereits ab 1945 das Auseinanderdriften zweier politischer Systeme auf deutschem Boden. Während in der Ostzone parallel zum Entstehen einer in der Tendenz kommunistischen Herrschaft sowjetische Demontagemaßnahmen einen Aufbau lange entscheidend behinderten, flossen in die (zunächst ebenfalls stark demontierte) Wirtschaft der Bizone ab 1948 Fördermittel des Marshallplans der USA – Voraussetzung für den baldigen Aufschwung. 1949 schlossen sich die drei Westzonen zur Trizone zusammen.

General Lucius D. Clay, hier bei einem Interview, war 1947–1949 Militärgouverneur der amerikanischen Zone und Organisator der Luftbrücke nach Berlin.

Konrad Adenauer, Präsident des Parlamentarischen Rates und späterer Kanzler, unterzeichnet das Grundgesetz, das am 23. Mai 1949 offiziell verkündet wurde.

Im Juni 1945 unterzeichneten die Oberbefehlshaber der vier Besatzungszonen, die den Alliierten Kontrollrat bildeten, das Berliner Viermächteabkommen.

Millionen verlieren die Heimat

Mit dem Potsdamer Abkommen hatten die Westmächte den Zugriff der Sowjetunion auf die deutschen Gebiete östlich von Oder und Neiße ermöglicht. Millionen Menschen wurden gewaltsam vertrieben. Aus Schlesien, Pommern und Ostpreußen, aus dem Sudetenland und anderen Gebieten schoben sich Menschen in Massen nach Westen. Zwei Millionen Deutsche starben unmittelbar vor und auch noch nach der Kapitulation im Zuge von Flucht und Vertreibung durch Kämpfe, Hunger, Seuchen und Übergriffe. Die deutsche Ostsiedlung mit ihrer in fast 1000 Jahren gewachsenen Tradition war durch die Folgen der Kriegspolitik Adolf Hitlers innerhalb weniger Jahre zu ihrem Ende gekommen. Die Flüchtlingsströme verschärften die Not im zerstörten und besetzten Deutschland, wo Hunger, Wohnungsmangel und Arbeitslosigkeit herrschten. Städte wie Berlin, Hamburg, Köln, Dresden oder Stuttgart sowie das Ruhrgebiet waren zu großen Teilen dem Bombenkrieg zum Opfer gefallen.

ZEITLEISTE

WESTLICHE BESATZUNGSZONEN

ÖSTLICHE BESATZUNGSZONE

1942

1944

1943
Dreimächtekonferenz von Teheran; Josef Stalin fordert die Verschiebung der polnischen Westgrenze bis zur Oder.

1945 (Westliche Besatzungszonen)
In Jalta beschließen Großbritannien, USA und UdSSR die Aufteilung Deutschlands in vier Besatzungszonen.
Als letzte Besatzungsmacht gestattet Frankreich am 13. Dezember die Arbeit von politischen Parteien.

1945 (Östliche Besatzungszone)
Sowjetische Truppen erobern die Hauptstadt Berlin.
Eine Bodenreform enteignet am 2. September die Großgrundbesitzer.

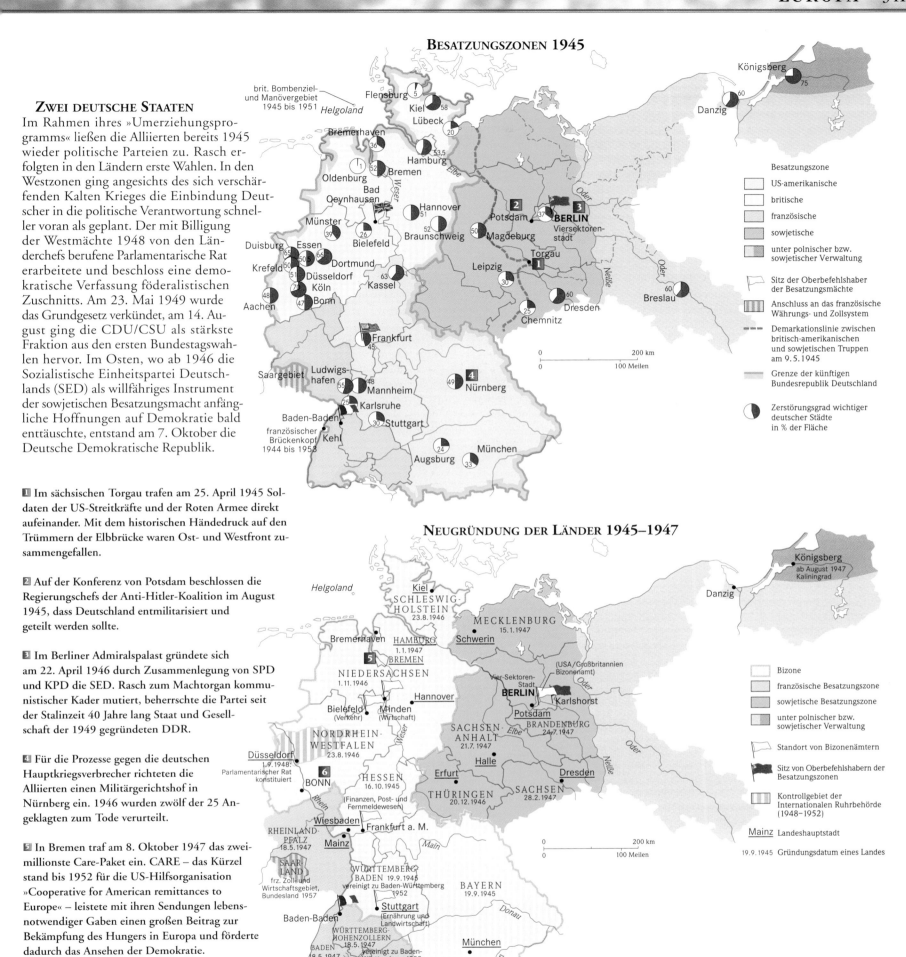

Zwei deutsche Staaten

Im Rahmen ihres »Umerziehungsprogramms« ließen die Alliierten bereits 1945 wieder politische Parteien zu. Rasch erfolgten in den Ländern erste Wahlen. In den Westzonen ging angesichts des sich verschärfenden Kalten Krieges die Einbindung Deutscher in die politische Verantwortung schneller voran als geplant. Der mit Billigung der Westmächte 1948 von den Länderchefs berufene Parlamentarische Rat erarbeitete und beschloss eine demokratische Verfassung föderalistischen Zuschnitts. Am 23. Mai 1949 wurde das Grundgesetz verkündet, am 14. August ging die CDU/CSU als stärkste Fraktion aus den ersten Bundestagswahlen hervor. Im Osten, wo ab 1946 die Sozialistische Einheitspartei Deutschlands (SED) als willfähriges Instrument der sowjetischen Besatzungsmacht anfängliche Hoffnungen auf Demokratie bald enttäuschte, entstand am 7. Oktober die Deutsche Demokratische Republik.

Besatzungszonen 1945

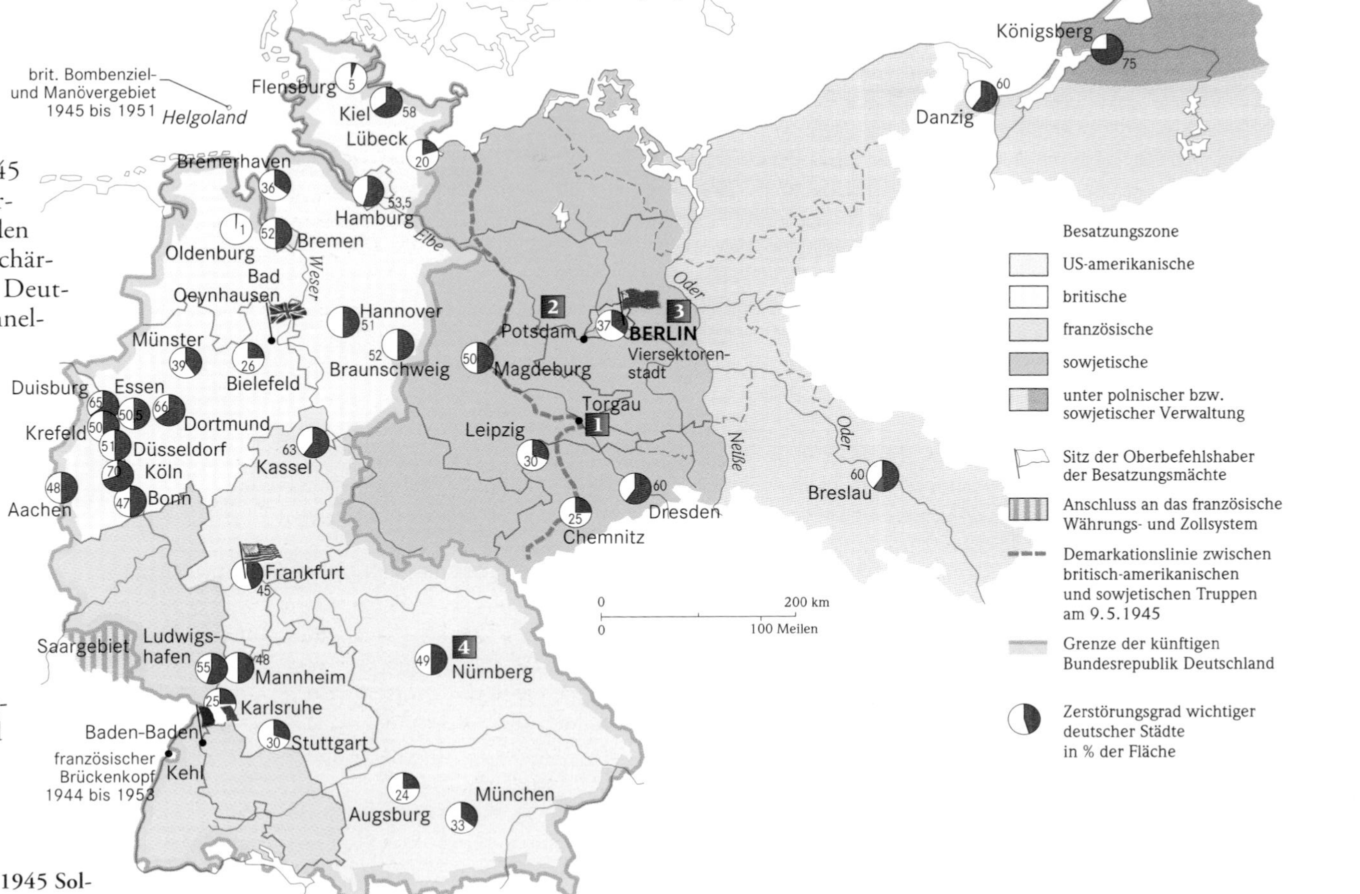

Besatzungszone
- US-amerikanische
- britische
- französische
- sowjetische
- unter polnischer bzw. sowjetischer Verwaltung
- Sitz der Oberbefehlshaber der Besatzungsmächte
- Anschluss an das französische Währungs- und Zollsystem
- Demarkationslinie zwischen britisch-amerikanischen und sowjetischen Truppen am 9.5.1945
- Grenze der künftigen Bundesrepublik Deutschland
- Zerstörungsgrad wichtiger deutscher Städte in % der Fläche

brit. Bombenziel- und Manövergebiet 1945 bis 1951 Helgoland

französischer Brückenkopf Kehl 1944 bis 1953

0 200 km / 0 100 Meilen

1 Im sächsischen Torgau trafen am 25. April 1945 Soldaten der US-Streitkräfte und der Roten Armee direkt aufeinander. Mit dem historischen Händedruck auf den Trümmern der Elbbrücke waren Ost- und Westfront zusammengefallen.

2 Auf der Konferenz von Potsdam beschlossen die Regierungschefs der Anti-Hitler-Koalition im August 1945, dass Deutschland entmilitarisiert und geteilt werden sollte.

3 Im Berliner Admiralspalast gründete sich am 22. April 1946 durch Zusammenlegung von SPD und KPD die SED. Rasch zum Machtorgan kommunistischer Kader mutiert, beherrschte die Partei seit der Stalinzeit 40 Jahre lang Staat und Gesellschaft der 1949 gegründeten DDR.

4 Für die Prozesse gegen die deutschen Hauptkriegsverbrecher richteten die Alliierten einen Militärgerichtshof in Nürnberg ein. 1946 wurden zwölf der 25 Angeklagten zum Tode verurteilt.

5 In Bremen traf am 8. Oktober 1947 das zweimillionste Care-Paket ein. CARE – das Kürzel stand bis 1952 für die US-Hilfsorganisation »Cooperative for American remittances to Europe« – leistete mit ihren Sendungen lebensnotwendiger Gaben einen großen Beitrag zur Bekämpfung des Hungers in Europa und förderte dadurch das Ansehen der Demokratie.

6 Am 1. September 1948 konstituierte sich in Bonn der Parlamentarische Rat. Er hatte die Aufgabe, das Grundgesetz für einen künftigen westdeutschen Staat zu erarbeiten.

Neugründung der Länder 1945–1947

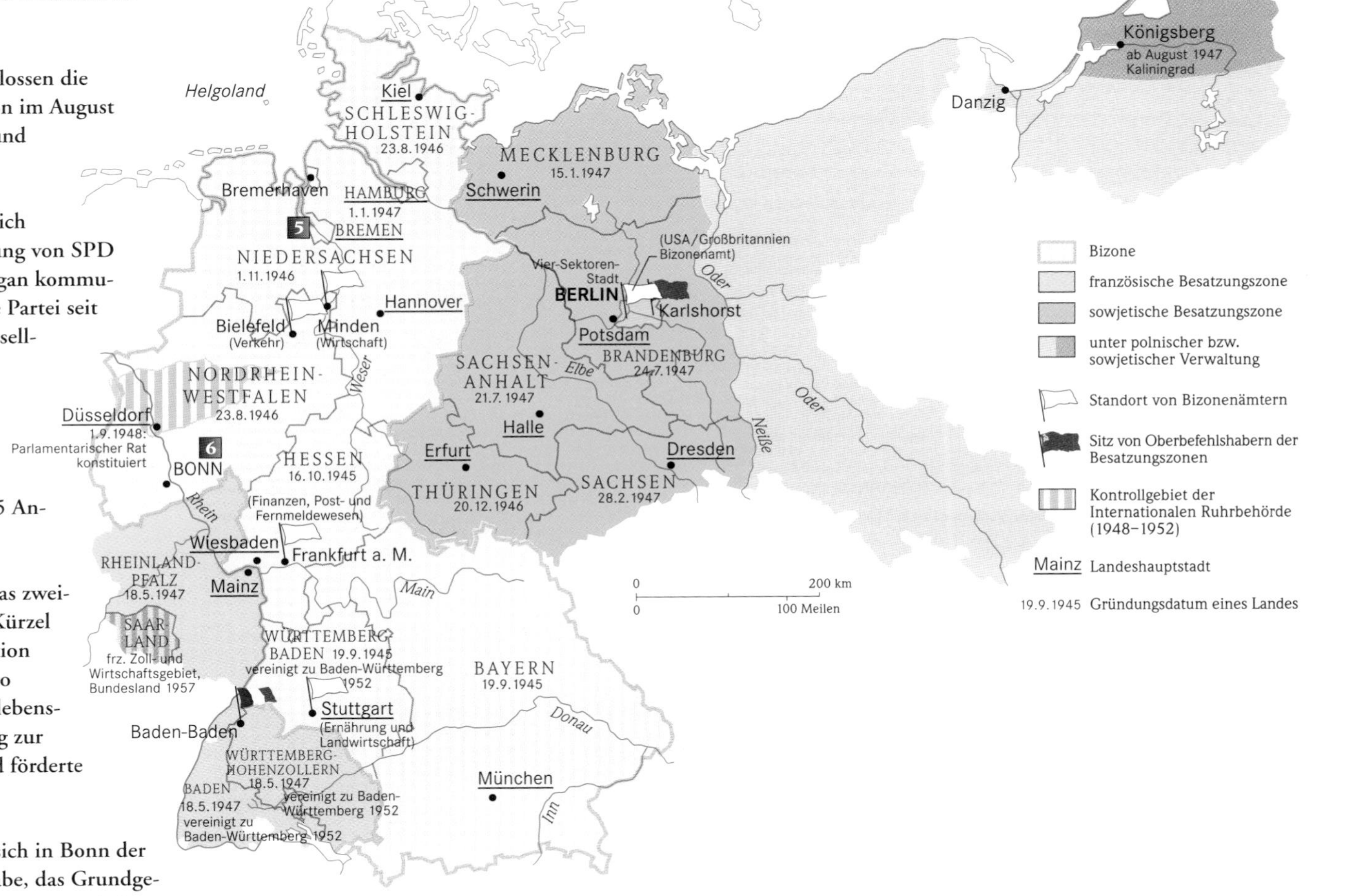

- Bizone
- französische Besatzungszone
- sowjetische Besatzungszone
- unter polnischer bzw. sowjetischer Verwaltung
- Standort von Bizonenämtern
- Sitz von Oberbefehlshabern der Besatzungszonen
- Kontrollgebiet der Internationalen Ruhrbehörde (1948–1952)
- Mainz Landeshauptstadt
- 19.9.1945 Gründungsdatum eines Landes

Königsberg ab August 1947 Kaliningrad

Düsseldorf 1.9.1948: Parlamentarischer Rat konstituiert BONN

0 200 km / 0 100 Meilen

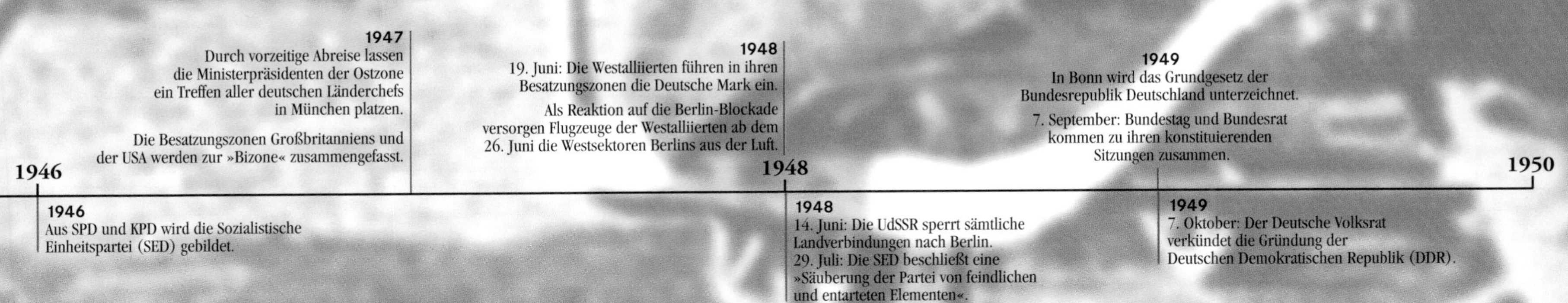
1947
Durch vorzeitige Abreise lassen die Ministerpräsidenten der Ostzone ein Treffen aller deutschen Länderchefs in München platzen.
Die Besatzungszonen Großbritanniens und der USA werden zur »Bizone« zusammengefasst.
1948
19. Juni: Die Westalliierten führen in ihren Besatzungszonen die Deutsche Mark ein.
Als Reaktion auf die Berlin-Blockade versorgen Flugzeuge der Westalliierten ab dem 26. Juni die Westsektoren Berlins aus der Luft.
1949
In Bonn wird das Grundgesetz der Bundesrepublik Deutschland unterzeichnet.
7. September: Bundestag und Bundesrat kommen zu ihren konstituierenden Sitzungen zusammen.
1946
1948
1950
1946
Aus SPD und KPD wird die Sozialistische Einheitspartei (SED) gebildet.
1948
14. Juni: Die UdSSR sperrt sämtliche Landverbindungen nach Berlin.
29. Juli: Die SED beschließt eine »Säuberung der Partei von feindlichen und entarteten Elementen«.
1949
7. Oktober: Der Deutsche Volksrat verkündet die Gründung der Deutschen Demokratischen Republik (DDR).

Die Welt vom Ersten Weltkrieg bis heute (1914 bis 2004)

Deutschland im Kalten Krieg • 1948 bis 1972

Schon bald nach Kriegsende zeichnete sich eine neue, bipolare Weltordnung ab. Die Westmächte unter Führung der USA gerieten in schroffen Gegensatz zur Sowjetunion und zu deren sich formierenden Satellitenstaaten. Während Moskau in der US-Außenpolitik Pläne zur Erringung der Weltherrschaft zu erkennen glaubte, sah Washington sein Handeln als »Eindämmung« des Kommunismus. Ein Brennpunkt im heraufziehenden Kalten Krieg war das geteilte Deutschland.

Die Konfrontation der Supermächte war mit keinem anderen Ort so sehr verbunden wie mit der geteilten »Frontstadt« Berlin. In einem der gefährlichsten Momente des Kalten Krieges standen sich am 27. Oktober 1961 amerikanische und sowjetische Panzer am Grenzübergang Checkpoint Charlie rund 16 Stunden lang direkt gegenüber. Zuvor hatte die DDR-Regierung mit Moskaus Billigung den freien Zugang alliierter Diplomaten zum sowjetischen Sektor unterbunden. Nur knapp konnte eine militärische Auseinandersetzung mit unabsehbaren Folgen abgewendet werden.

Bereits 1948 hatte der Ost-West-Gegensatz auf deutschem Boden einen ersten Höhepunkt erreicht. Die UdSSR war aus dem Alliierten Kontrollrat ausgetreten und hatte die Währungsreform in den Berliner Westsektoren zum Anlass genommen, alle Verkehrswege zwischen den deutschen Westzonen und West-Berlin zu sperren. Die US-Luftwaffe richtete daraufhin mit Unterstützung ihrer Verbündeten eine Luftbrücke ein, über die Berlin mit allem Notwendigen versorgt werden konnte. Von Juli 1948 bis Mai 1949 flogen »Rosinenbomber« fast 1,8 Millionen Tonnen Güter aller Art in die Stadt. Infolge der Blockade wurde die administrative Teilung Berlins vollzogen. Die Gründung der beiden deutschen Staaten im September beziehungsweise Oktober 1949 vertiefte den Graben zwischen den westlichen Siegermächten und der UdSSR noch. Die selbstverwalteten Länder der Sowjetischen Besatzungszone wurden wieder abgeschafft und 1952 durch 14 DDR-»Bezirke« (zuzüglich Ost-Berlin) ersetzt.

10000 DM Belohnung
MORD

West-Berliner Zuschauer beim Mauerbau; in der demonstrativ hoch gehaltenen Zeitung wird der Mord an einem DDR-Flüchtling angeklagt.

Panzer rollen Streikwelle nieder

Erneut brach eine Krise in Berlin aus, als im Juni 1953 die Regierung der DDR die Arbeitsnormen in den verstaatlichten Industrien um zehn Prozent erhöhte. Am 16. Juni zogen 10 000 Menschen mit den Forderungen nach einem Systemwechsel und politischer Freiheit durch Ost-Berlin. Der Streik weitete sich auf 250 Orte in Ostdeutschland aus, etwa 300 000 Menschen legten die Arbeit nieder. Die verunsicherte DDR-Führung rief das sowjetische Militär zu Hilfe. Am 17. Juni rollten russische Panzer den Aufstand nieder. Etwa 200 Demonstranten kamen ums Leben, rund 20 000 wurden festgenommen, Standgerichte verhängten Todesurteile gegen mutmaßliche »Rädelsführer«. Die Westmächte griffen nicht ein und demonstrierten damit, dass sie den Status quo der Interessensphären anerkannten.

Als die Bundesrepublik 1955 dem westlichen Verteidigungsbündnis NATO, die DDR dem Warschauer Pakt beitrat, hatte sich die Nachkriegsordnung der Machtblöcke etabliert. Zwar forderten beide deutschen Regierungen die Wiedervereinigung, doch jede unter Bedingungen, die für die andere Seite unannehmbar waren. Bonn bestand auf freien Wahlen in der DDR und reklamierte ansonsten den deutschen Alleinvertretungsanspruch in der Außenpolitik (»Hallstein-Doktrin«) für sich. Ost-Berlin propagierte indessen eine Umgestaltung Westdeutschlands unter kommunistischen Vorzeichen und dessen Austritt aus der NATO.

Die Mauer teilt Deutschland

In den folgenden Jahren beschleunigte sich in der DDR der ökonomische Umbau im Sinne der sozialistischen Planwirtschaft. Insbesondere durch die Kollektivierung der Landwirtschaft entstand eine neue Krisensituation. Eine Fluchtbewegung in den Westen setzte ein, die dramatische Ausmaße annahm. Allein in den ersten sechs Monaten des Jahres 1961 flohen 155 000 Menschen. Als »Schaufenster der freien Welt« war Berlin Hauptziel der Flüchtlinge. Die DDR-Regierung unter Walter Ulbricht sah angesichts der Entwicklung ihr Heil nur noch in einer vollständigen Abriegelung der Grenzen.

Stacheldraht als Symbol für die Teilung Deutschlands im Kalten Krieg: Ostdeutsche Volkspolizei geht vor dem Brandenburger Tor in Berlin Streife.

In der Nacht vom 12. auf den 13. August 1961 zogen in Ost-Berlin DDR-Polizisten entlang der innerstädtischen Demarkationslinie Stacheldraht, der bald durch eine Mauer ersetzt wurde. Obwohl damit das Viermächtestatut Berlins verletzt war, zeigte der nur schwache Protest der Westmächte, dass sie an der deutschen Einheit nicht wirklich interessiert waren. Sperranlagen wurden auch entlang der gesamten deutsch-deutschen Grenze errichtet. Berlin und Deutschland waren für mehr als 28 Jahre geteilt. Das Land schien endgültig gespalten.

93

Hilflose Wut: Am 17. Juni 1953 bewerfen Ost-Berliner Arbeiter russische Panzer mit Steinen.

ZEITLEISTE

BRD

1951 15. Februar: In Paris beginnen Gespräche zur Gründung einer Europa-Armee.
2. Mai: Die Bundesrepublik wird offizielles Mitglied im Europarat.

1952 26. Mai: Der Generalvertrag beendet weitgehend das Besatzungsstatut.

1954 Der Plan einer Europa-Armee unter Einbeziehung der Bundesrepublik scheitert am Veto der französischen Nationalversammlung.
Das Wehrergänzungsgesetz schafft die Voraussetzungen zur Gründung der Bundeswehr.

1955 27. Februar: Der Bundestag nimmt die Pariser Verträge an.
9. Mai: Die Bundesrepublik tritt der NATO bei.

1956 Das Bundesverfassungsgericht verbietet die Kommunistische Partei Deutschlands (KPD).

1950 — 1952 — 1954 — 1956

DDR

1950 Die Volkskammer billigt die Gründung des Ministeriums für Staatssicherheit.

1951 Der Ost-Berliner Magistrat lässt an der Grenze zum US-Sektor Straßensperren aus Schutt errichten.

1952 Stalin bietet Verhandlungen über ein wiedervereinigtes Deutschland an.
Ost-Berlin leitet Sperrmaßnahmen an der innerdeutschen Grenze und in Berlin ein.

1953 17. Juni: Ein Aufstand gegen die kommunistische Regierung wird von sowjetischen Truppen niedergeschlagen.

1955 14. Mai: Die DDR gehört zu den Gründungsmitgliedern des Warschauer Pakts.

1956 Die DDR beginnt mit der Aufstellung von Streitkräften.

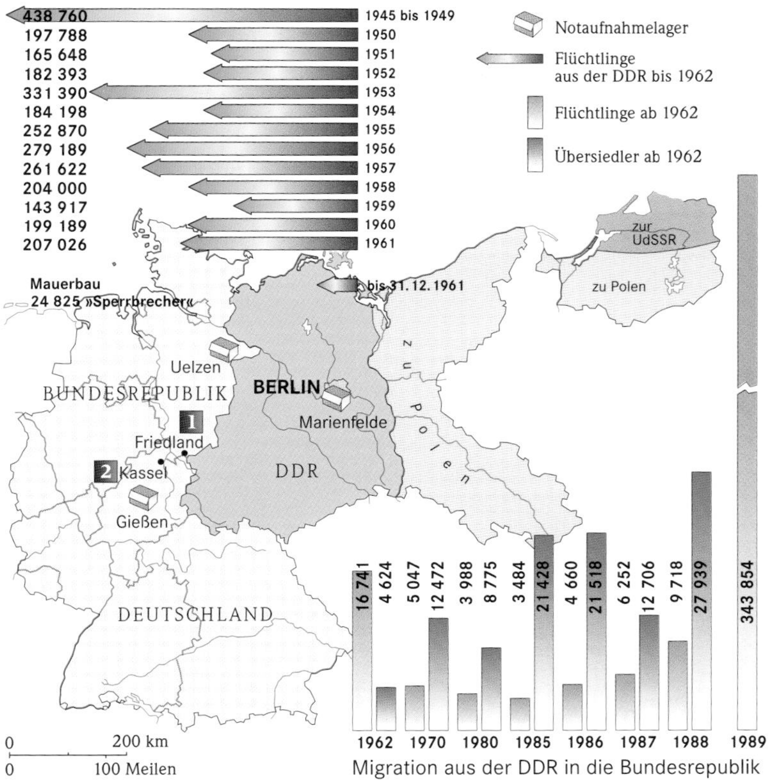

Der Aufstand in der DDR 1953

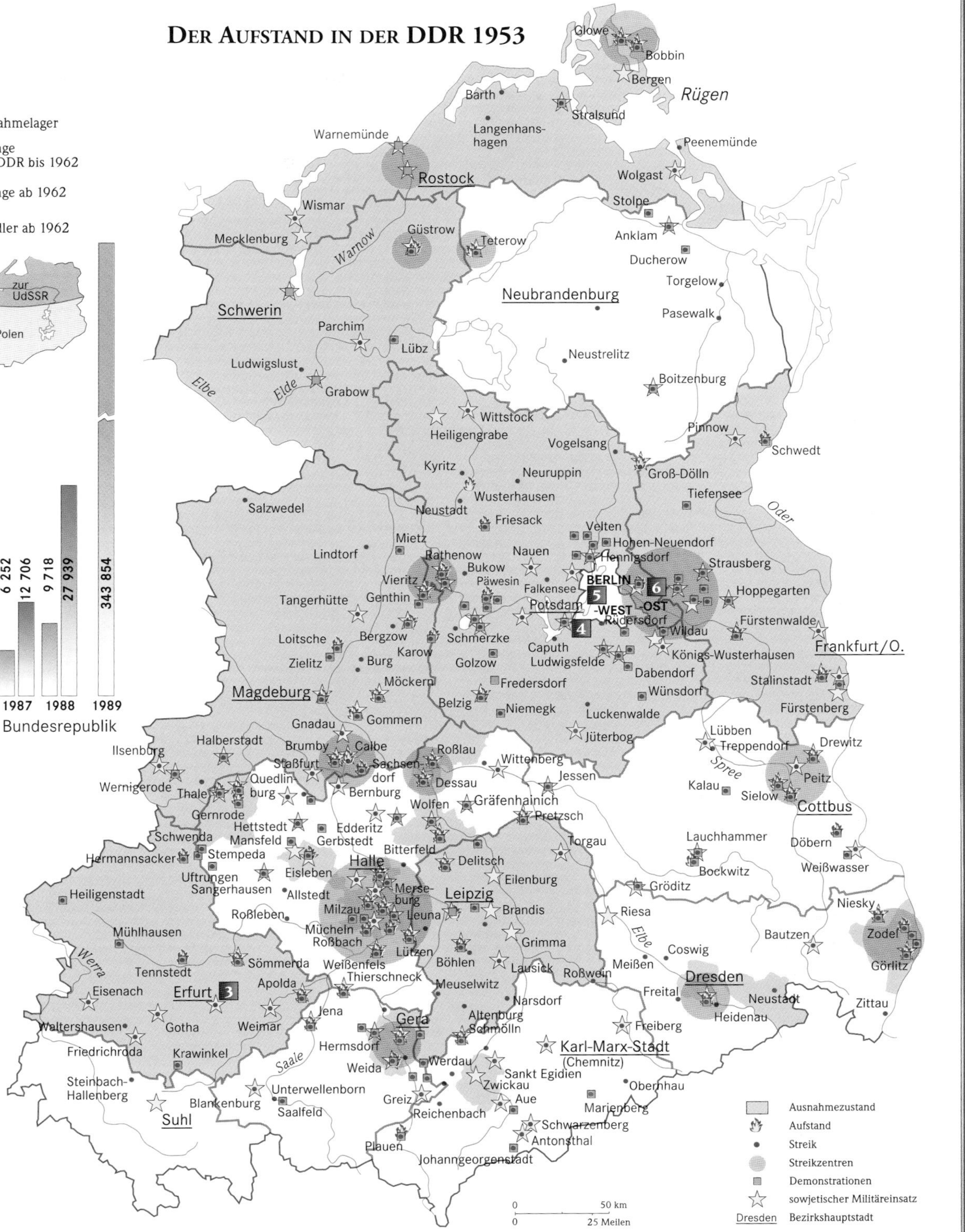

Flüchtlinge aus der DDR bis 1962	
438 760	1945 bis 1949
197 788	1950
165 648	1951
182 393	1952
331 390	1953
184 198	1954
252 870	1955
279 189	1956
261 622	1957
204 000	1958
143 917	1959
199 189	1960
207 026	1961

Mauerbau 24 825 »Sperrbrecher« bis 31. 12. 1961

Notaufnahmelager
Flüchtlinge aus der DDR bis 1962
Flüchtlinge ab 1962
Übersiedler ab 1962

	1962	1970	1980	1985	1986	1987	1988	1989
Flüchtlinge	16 741	5 047	3 988	3 484	4 660	6 252	9 718	343 854
Übersiedler	4 624	12 472	8 775	21 428	21 518	12 706	27 939	

Migration aus der DDR in die Bundesrepublik

Uelzen, BUNDESREPUBLIK, BERLIN, Marienfelde, Friedland, Kassel, Gießen, DDR, DEUTSCHLAND, zu Polen, zur UdSSR

0 200 km / 0 100 Meilen

Ausnahmezustand
Aufstand
Streik
Streikzentren
Demonstrationen
sowjetischer Militäreinsatz
Dresden Bezirkshauptstadt

0 50 km / 0 25 Meilen

Ostpolitik bringt Entspannung

Nach dem Schock des Mauerbaus entwickelte die Bonner Regierung erst mit der Zeit eine neue deutschlandpolitische Strategie. Ab 1966 tat die Bundesrepublik mit aller Vorsicht erste Schritte: Ohne die Westintegration in Frage zu stellen, signalisierten politische Kreise in Bonn allmählich Bereitschaft zum Ausgleich auch mit dem Osten. Doch erst die sozialliberale Regierung unter Bundeskanzler Willy Brandt (SPD) und Außenminister Walter Scheel (FDP) schloss im Rahmen ihrer neuen Ostpolitik – neben Verträgen mit Moskau, Warschau und Prag – ein Abkommen mit der DDR. Der »Grundlagenvertrag« (1972) orientierte sich an den politischen Gegebenheiten und sollte »gutnachbarlichen Beziehungen« den Weg bahnen.

1 Am 7. Oktober 1955 trafen im Aufnahmelager Friedland bei Göttingen die ersten von insgesamt 9628 Spätheimkehrern aus sowjetischer Kriegsgefangenschaft ein. Bundeskanzler Konrad Adenauer hatte ihre Freilassung bei seinem Moskaubesuch im Vormonat erreicht.

2 In Kassel erhielt am 16. Juni 1955 das Publikum der ersten »documenta« Zugang zu avantgardistischer bildender Kunst – in einer Zeit traditionell-restaurativer Tendenzen in der Bundesrepublik und eines antiliberalen Klimas in der DDR ein bemerkenswertes Ereignis.

3 Der Besuch von Bundeskanzler Willy Brandt in Erfurt am 19. März 1970 erweckte bei vielen DDR-Bürgern mancherlei Hoffnungen – 20 Jahre vor der deutschen Wiedervereinigung.

4 Die Glienicker Brücke bei Potsdam war am 10. Februar 1962 Schauplatz eines spektakulären Ost-West-Gefangenenaustauschs: US-Hauptmann Francis G. Powers, als Spionageflieger über der UdSSR abgeschossen, wechselte die Seite mit dem Sowjetagenten Rudolf Abel.

5 Im Gebäude des Alliierten Kontrollrats in West-Berlin regelten am 3. September 1971 die Bonner Botschafter der USA, Großbritanniens und Frankreichs mit Moskaus Gesandtem in der DDR in einem Viermächteabkommen das Verhältnis West-Berlins zur Bundesrepublik.

6 Der Fluchtversuch des 18-jährigen Peter Fechter endete am 17. August 1962 im Kugelhagel der DDR-Grenzer. Der schwer Verwundete verblutete unmittelbar hinter der Mauer im Ost-Berliner Grenzstreifen.

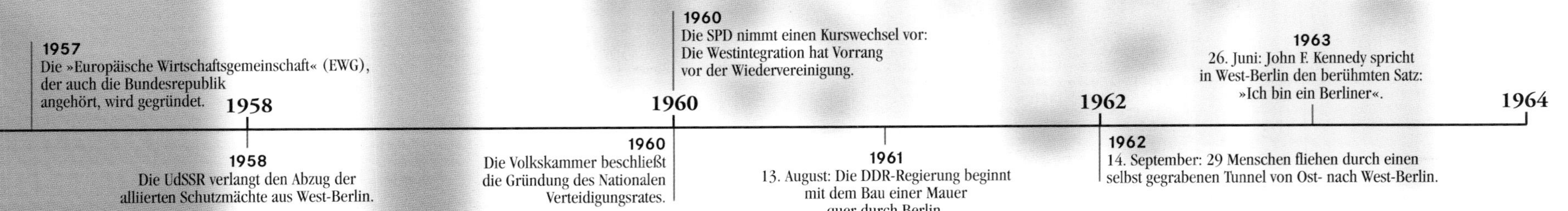
1957
Die »Europäische Wirtschaftsgemeinschaft« (EWG), der auch die Bundesrepublik angehört, wird gegründet.
1958
1958
Die UdSSR verlangt den Abzug der alliierten Schutzmächte aus West-Berlin.
1960
Die SPD nimmt einen Kurswechsel vor: Die Westintegration hat Vorrang vor der Wiedervereinigung.
1960
1960
Die Volkskammer beschließt die Gründung des Nationalen Verteidigungsrates.
1961
13. August: Die DDR-Regierung beginnt mit dem Bau einer Mauer quer durch Berlin.
1962
1962
14. September: 29 Menschen fliehen durch einen selbst gegrabenen Tunnel von Ost- nach West-Berlin.
1963
26. Juni: John F. Kennedy spricht in West-Berlin den berühmten Satz: »Ich bin ein Berliner«.
1964

Die Welt vom Ersten Weltkrieg bis heute (1914 bis 2004)

Europa nach dem Ende des Kalten Krieges • 1989 bis 2004

Mit dem Ende des sozialistischen Staatsdirigismus lösten sich 1989 die Spannungen zwischen NATO und Warschauer Pakt. Der Neuaufbau brachte für viele frühere Satelliten und ab 1991 auch für die ehemaligen Sowjetrepubliken gewaltige Probleme.

Die rasche Wiedervereinigung Deutschlands beendete 1990 die Teilung des Kontinents und deutete zugleich an, wie schwierig die Schaffung eines neuen Europa werden würde. Viele fürchteten, ein wieder erstarktes Deutschland könnte zu mächtig werden und Instabilitäten wie vor 1914 heraufbeschwören. Die Integration der rückständigen DDR-Wirtschaft war mit gewaltigen Kosten verbunden. Die finanzielle Schlüsselrolle Deutschlands in Europa brachte es mit sich, dass diese Belastung auch jenseits seiner Grenzen spürbar wurde. Überall stiegen die Zinsen, 1992 mussten Großbritannien und andere Staaten das Europäische Währungssystem (EWS) verlassen, das die Währungsunion vorbereiten sollte.

Einigkeit, Uneinigkeit

In einigen Mitgliedstaaten kamen wieder Zweifel am Sinn einer gemeinsamen Währung auf. Parallel dazu diskutierte man über die Erweiterung der EU: Während sich viele der früheren Ostblockstaaten eifrigst um eine Aufnahme bemühten, kam es in anderen Ländern (etwa Großbritannien und Dänemark) zu Demonstrationen gegen eine Mitgliedschaft oder – wie 1994 in Norwegen – zu einer Volksabstimmung, die ein klares »Nein« ergab. Die wachsende Angst vor unkontrollierter Einwanderung, vor internationalem Terrorismus sowie vor Drogen- und Waffenschmuggel nährte Zweifel an dem Abkommen, das seit 1992 die ungehinderte Bewegungsfreiheit von Menschen, Waren und Dienstleistungen innerhalb der EU vorsah. 1995 hoben viele Mitgliedstaaten die Kontrollen an ihren Grenzen auf, was andere wiederum sehr beunruhigte. Mit der Einführung des Euro (1999 beziehungsweise 2002) ging in Westeuropa der Einigungsprozess trotz aller Skepsis seinen geplanten Gang – allerdings in der Bevölkerung vielfach vom Wunsch nach einer zunehmenden Abschottung und von wachsendem Rassismus begleitet.

Die neuen osteuropäischen Regierungen stießen beim Umbau der staatlichen Planwirtschaft in eine Marktwirtschaft auf beispiellose Schwierigkeiten. Offen reaktionäre kämpften mit radikal-reformerischen Kräften, Arbeitslosigkeit und Inflation gehörten ebenso zu den Problemen wie das organisierte Verbrechen, Korruption und ethnische Konflikte. Die Aufnahme von zehn überwiegend osteuropäischen Neumitgliedern in die EU zum 1. Mai 2004 zeugt somit von einem großen Vertrauen in eine gute gemeinsame Zukunft.

Der neue Nationalismus ...

... führte im Herzen Europas zu gewaltsamen Auseinandersetzungen. In Jugoslawien waren verschiedene Nationalitäten von einem autoritären Staatsapparat zusammengehalten worden; kaum aber war er verschwunden, zerfiel das Land in einzelne Republiken.

Der Konflikt zwischen militant-nationalistischen Serben und großen Teilen der ethnokulturell wie religiös in Bosnier, Kroaten und Serben zerfallenden Bevölkerung Bosniens konzentrierte sich auf Bosnien-Herzegowina und seine Hauptstadt Sarajewo. Die Länder des ehemaligen Jugoslawien – vor allem Bosnien und Kroatien – erlebten einen vier Jahre dauernden Bürgerkrieg, dessen Gräueltaten und »ethnische Säuberungen« Hunderttausende zur Flucht zwangen. Dieser Krieg zeigte, wie schwer sich Europa noch damit tut, ein gemeinsames politisches und militärisches Vorgehen effektiv zu organisieren. Man überließ die Wiederherstellung des Friedens der UNO. In der darauf folgenden Zeit bekamen die wirtschaftlichen und militärischen Beziehungen Westeuropas besonders zu Russland wachsendes Gewicht.

Am 24. Februar fanden erste freie Wahlen statt; am 11. März 1990 feierte Litauen die Unabhängigkeit.

Die Beziehungen zwischen Europa und den USA blieben unklar. Die Westeuropäische Union (WEU) gewann als Alternative zu der von Amerika dominierten NATO wieder Bedeutung. Andererseits schaffte Washingtons Diplomatie 1995 mit dem Dayton-Abkommen, was Europa nicht gelungen war: in Bosnien Frieden auszuhandeln. 1997 unterzeichneten Russland und die NATO ein Abkommen über deren Osterweiterung: Der Kalte Krieg war endgültig vorüber.

Konfliktpotenzial

Doch nach wie vor blieb die politische Situation in Europa instabil. Auf dem Balkan führten ethnische und politische Konflikte um Minderheitenrechte sowohl im Kosovo als auch in der ehemaligen jugoslawischen Republik Makedonien zu bürgerkriegsähnlichen Zuständen. Um einen Genozid an der albanischen Bevölkerung des Kosovo zu verhindern, gingen die NATO-Staaten 1999 militärisch gegen Jugoslawien vor und stationierten Friedenstruppen in der Region. Nach dem demokratischen Umbruch in Serbien und der Entmachtung des jugoslawischen Präsidenten Milosevic – der 2001 dem UN-Kriegsverbrechertribunal in Den Haag übergeben wurde –, nach den Parlamentswahlen im Kosovo und dem 2001 geschlossenen Friedenspakt zwischen der makedonischen Regierung und den Vertretern der albanischen Minderheit beruhigte sich die Lage. 2002 unterzeichneten der Staat (Rest-)Jugoslawien und seine Teilrepubliken Serbien und Montenegro ein Abkommen, nach dem die bisherige Bundesrepublik fortan als »Serbien und Montenegro« eine Art loser Konföderation bildet. Der Mord an dem Reformer und serbischen Ministerpräsidenten Zoran Djindjic im Jahr 2003 war ein herber Rückschlag für die Demokratie.

Grenzen, 2004
Mitgliedstaat der EU bis 2004
Beitritt zur EU 2004
Bewerbung um EU-Mitgliedschaft
EFTA-Mitgliedstaat
wirtschaftliche Zusammenarbeit mit der EU
1989 Jahr der Bewerbung um die EU-Mitgliedschaft
SPANIEN NATO-Mitgliedstaat bis 2004
LETTLAND Beitritt zur NATO 2004
ehemalige Grenze des Warschauer Paktes
Abkommen der »offenen Grenzen« Schengener Abkommen, 1995
Gebiet mit ethnischen/nationalistischen Spannungen
Ethnische Verteilung in Bosnien-Herzegowina vor 1991
über 60 Prozent Kroaten
über 60 Prozent Muslime
über 60 Prozent Serben
ethnisch gemischtes Gebiet
Bosnisch-Kroatische Föderation, 1995
Republik der bosnischen Serben, 1995
kroatisches Gebiet unter serbischer Kontrolle, 1995
UN-Schutzzonen
ISLAND
Reykjavik
Färöer zu Dänemark
IRLAND
Belfast
Dublin
Liverpool
Birmingham
ATLANTISCHER OZEAN
SPANIEN
PORTUGAL
Lissabon
Madrid
Bilbao
Saragossa
Córdoba
Málaga
Gibraltar zu Großbrit.
MAROKKO
Duero
Tajo

ZEITLEISTE

OSTEUROPA

1989 Zusammenbruch der kommunistischen Regimes in Polen, Ungarn, der ČSSR, Bulgarien, der DDR und Rumänien.

1990 Slowenien sagt sich von Jugoslawien los. Gründung der Europäischen Bank für Wiederaufbau und Entwicklung.

1991 Ein kommunistischer Staatsstreich in der Sowjetunion scheitert.

1992 Bosnien-Herzegowina sagt sich von Jugoslawien los. Beginn der Belagerung Sarajewos durch die bosnischen Serben. Der gemeinsame Markt der EU tritt in Kraft.

1993 Russland erhält eine neue Verfassung, die dem Präsidenten mehr Machtbefugnisse zugesteht.

seit 1994 Die russische Armee bekämpft in Grosny tschetschenische Nationalisten.

1995 Kroatien startet eine Offensive gegen die Serben in der Krajna und in Ostslawonien.

1989 — 1990 — 199…

WESTEUROPA

1991 In Maastricht Festlegung der Richtlinien für die politische und finanzielle Einigung Europas.

1992 Frankreich und Deutschland stellen das »Eurokorps« auf.

1995 Österreich, Schweden und Finnland treten der EU bei. Schengener Abkommen zur Öffnung der Grenzen zwischen den Unterzeichnerstaaten.

1 Berlin, seit 1945 Symbol der Teilung Europas, wurde nach der Wende von 1989/1990 rasch wieder vereint und fungiert heute erneut als deutsche Hauptstadt.

2 1991 einigte sich die EU in Maastricht, gemeinsame wirtschaftliche und soziale Strukturen zu schaffen. Großbritannien lehnte dies für den sozialen Bereich ab.

3 1996 war Venedig Zentrum der von der separatistischen »Lega Nord« angeführten Bewegung für ein unabhängiges »Padanien«.

4 Wie viele andere osteuropäische Städte boomte Prag in den 1990er-Jahren aufgrund des Ansturms der vielen Touristen und Unternehmer, die neue Chancen und niedrige Kosten schätzten.

5 Die überwiegend muslimische Bevölkerung Sarajewos wurde von Truppen der bosnischen Serben von 1992 bis 1995 in ihrer Stadt eingeschlossen.

6 Grosny, Hauptstadt der Tschetschenen, die mehrheitlich ihr Land aus der GUS herauslösen wollten, wurde 1994 von den Russen zerstört. Die Wahlen von 1997 bestätigten den Wunsch der Bevölkerung nach Unabhängigkeit.

7 Ein Waffenstillstand unterbrach 1994 in Nordirland vorübergehend die 25 Jahre währenden Auseinandersetzungen zwischen der protestantischen Mehrheit, den katholischen Nationalisten und der britischen Regierung. 1998 wurde ein Friedensabkommen geschlossen, 1999 erhielt Nordirland die Selbstverwaltung. Diese wurde allerdings bis 2002 mehrfach von Großbritannien aufgehoben, wodurch der Friedensprozess ins Stocken geriet.

8 Moskau und ganz Russland litten in den 1990er-Jahren, einer Ära sich hastig entwickelnder Marktwirtschaft, unter Inflation, Versorgungsmängeln, Kriminalität und Arbeitslosigkeit.

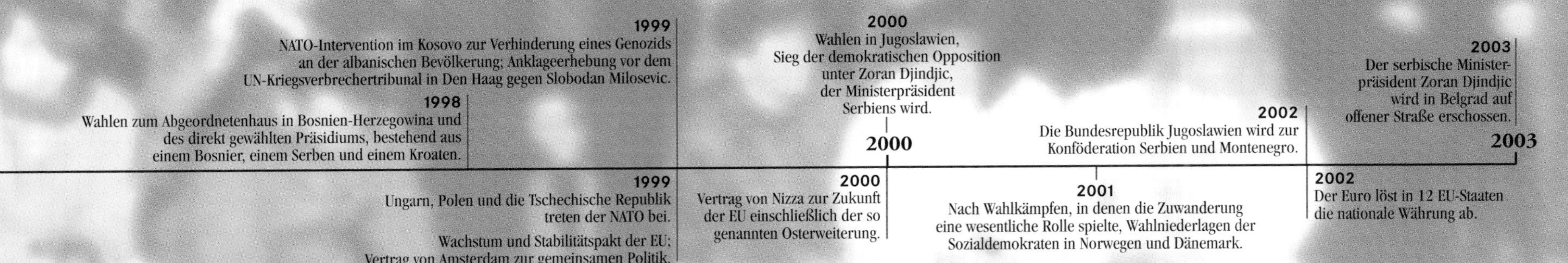
1999
NATO-Intervention im Kosovo zur Verhinderung eines Genozids an der albanischen Bevölkerung; Anklageerhebung vor dem UN-Kriegsverbrechertribunal in Den Haag gegen Slobodan Milosevic.
1998
Wahlen zum Abgeordnetenhaus in Bosnien-Herzegowina und des direkt gewählten Präsidiums, bestehend aus einem Bosnier, einem Serben und einem Kroaten.
2000
Wahlen in Jugoslawien, Sieg der demokratischen Opposition unter Zoran Djindjic, der Ministerpräsident Serbiens wird.
2000
2002
Die Bundesrepublik Jugoslawien wird zur Konföderation Serbien und Montenegro.
2003
Der serbische Ministerpräsident Zoran Djindjic wird in Belgrad auf offener Straße erschossen.
2003
1999
Ungarn, Polen und die Tschechische Republik treten der NATO bei.
Wachstum und Stabilitätspakt der EU; Vertrag von Amsterdam zur gemeinsamen Politik.
2000
Vertrag von Nizza zur Zukunft der EU einschließlich der so genannten Osterweiterung.
2001
Nach Wahlkämpfen, in denen die Zuwanderung eine wesentliche Rolle spielte, Wahlniederlagen der Sozialdemokraten in Norwegen und Dänemark.
2002
Der Euro löst in 12 EU-Staaten die nationale Währung ab.

Die Welt vom Ersten Weltkrieg bis heute (1914 bis 2004)

Deutschland • 1990

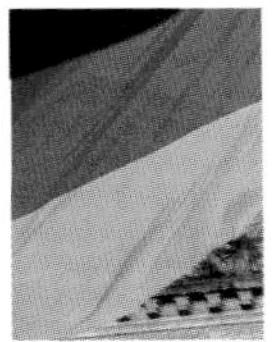

In vier Jahrzehnten deutscher Teilung war die Wiedervereinigung zwar ein oft beschworenes Fernziel westdeutscher Politik, doch schien ihre Verwirklichung angesichts der fest gefügten, unüberwindbaren Gegensätze der Systeme nicht realisierbar zu sein. Erst umwälzende weltpolitische Veränderungen brachten auch in die deutsche Frage Bewegung. Der Fall der Berliner Mauer im Herbst 1989 und der Zusammenbruch des SED-Regimes ließen die Einheit plötzlich in greifbare Nähe rücken.

Seit Amtsantritt des Reformers Michail Gorbatschow als Generalsekretär des Zentralkomitees der KPdSU im Jahr 1985 löste sich das sowjetisch beherrschte Osteuropa mehr und mehr aus dem Klammergriff Moskaus. Zuerst fanden Polen, Ungarn und die Tschechoslowakei zu einer demokratischen Neuorientierung. Im Zuge der Erosion des kommunistischen Machtblocks wurde auch in der DDR die Forderung nach politischen Freiheiten immer lauter, doch blieb die SED-Führung unter Erich Honecker starrsinnig. Ungeachtet noch bestehender Verträge mit Ost-Berlin, öffnete Ungarn am 2. Mai 1989 seine Grenzen zu Österreich und ermöglichte etwa 30 000 DDR-Bürgern die Ausreise in den Westen.

Die Mauer fällt

Im Herbst 1989 stand die DDR im Zeichen des Protests. Was mit Demonstrationen zunächst kleiner, meist kirchlich engagierter Gruppen begonnen hatte, wuchs zu einer landesweiten Volksbewegung gegen das SED-Regime an. Zentren des Widerstands

KEIN VERTRAUEN DEN WAHLBETRUGERN
FREIE WAHLEN
Neue Wahlen für einen neuen Weg

Die berühmten Leipziger Montagsdemonstrationen leiteten das Ende der DDR ein. Am 4. November 1989 protestierten in Ost-Berlin rund eine Million Menschen.

waren Leipzig und Dresden. Besonders durch die Leipziger »Montagsdemos« breitete sich die Parole »Wir sind das Volk!« über die gesamte Republik aus. Dennoch beging Staatschef Erich Honecker den 40. Jahrestag der DDR am 7. Oktober 1989 mit einer Lobrede auf den Sozialismus. Vier Wochen später war sein gesamtes Politbüro unter dem Druck der Ereignisse zurückgetreten. Am 9. November fiel mit der Berliner Mauer das augenfällige Symbol der deutschen Teilung und des Kalten Krieges. Die Grenze öffnete sich in den nächsten Tagen einem Strom von mehr als vier Millionen DDR-Bürgern, die mehrheitlich dem Westen einen Kurzbesuch abstatteten – die zentrale Forderung nach Reisefreiheit hatte sich erfüllt. Am 22. Dezember 1989 war auch das Brandenburger Tor wieder begehbar.

Auf dem Weg zur Wiedervereinigung

Die Bonner Bundesregierung unter der Führung Helmut Kohls trieb in den nächsten Monaten die Einigung voran. Am 28. November hatte der Kanzler ein Zehn-Punkte-Programm vorgelegt, das darauf zielte, nach freien Wahlen in der DDR für eine Übergangsphase einen deutschen Staatenbund zu schaffen. Als nächster Schritt sollte dann die deutsche Wiedervereinigung folgen, zu der im Februar 1990 Kreml-Chef Michail Gorbatschow sein Einverständnis erklärte.

Architekten der Einheit: der sowjetische Staatspräsident Michail Gorbatschow und Bundeskanzler Helmut Kohl im November 1990

In der DDR berieten Regierungsvertreter und Regimegegner am »runden Tisch« über das weitere Vorgehen. Durch die ersten freien Wahlen am 18. März 1990 veränderte sich die politische Landschaft des ostdeutschen Staates von Grund auf. Das konservative Wahlbündnis »Allianz für Deutschland« löste die SED als Regierungspartei ab. Ministerpräsident Lothar de Maizière (CDU) wurde am 12. April der letzte Regierungschef der DDR. Am 5. Mai begannen in Bonn die Außenminister der vier Siegermächte des Zweiten Weltkriegs und der beiden deutschen Staaten ihre (am 12. September in Moskau erfolgreich beendeten) Verhandlungen um die Rahmenbedingungen der deutschen Einheit (»Zwei-plus-vier-Gespräche«).

Am 1. Juli 1990 wurde mit dem Staatsvertrag über die deutsche Währungs-, Wirtschafts- und Sozialunion die Einheit konkret. Die D-Mark, Symbol der Marktwirtschaft schlechthin, hielt Einzug im ostdeutschen Staat. Über Nacht füllten Waren aus dem Westen die Regale. Mit einem Staatsakt in der Berliner Philharmonie und einem Volksfest rund um den Reichstag wurde am 3. Oktober 1990 die Wiedervereinigung zelebriert. Die Nachkriegszeit war beendet.

Fünf neue Länder

Auf dem Gebiet der ehemaligen DDR entstanden fünf neue Bundesländer. Im Kern glichen sie den 1945 in der sowjetischen Besatzungszone gebildeten Ländern, die 1952 aufgelöst worden waren. Brandenburg entstand aus den DDR-Bezirken Potsdam, Cottbus und Frankfurt an der Oder; aus Schwerin, Rostock und Neubrandenburg wurde Mecklenburg-Vorpommern; Dresden, Leipzig und Karl-Marx-Stadt bildeten Sachsen; Halle und Magdeburg wurden zu Sachsen-Anhalt zusammengefasst; Thüringen entstand aus den Bezirken Erfurt, Gera und Suhl. Die Bundesregierung erklärte sich außerdem in einem deutsch-polnischen Vertrag dazu bereit, die Oder-Neiße-Grenze als Westgrenze Polens anzuerkennen. Damit waren die territorialen Grenzen des wiedervereinigten Deutschland festgelegt.

»Aufschwung Ost« kommt stockend voran

Nach dem Jubel der Wendejahre 1989/1990 kehrte bald Ernüchterung ein. Die 41-jährige Teilung hatte erhebliche Altlasten und Folgeprobleme hinterlassen. Viele Deutsche wanderten aus dem Osten ab, die plötzliche Privatisierung und das Wegbrechen der osteuropäischen Absatzmärkte führte zum Zusammenbruch vieler Betriebe. Arbeitslosigkeit und Kaufkraftverlust waren die Folge. Der erhoffte »Aufschwung Ost« ließ trotz bedeutender, von der gesamtdeutschen Bevölkerung aufgebrachter Mittelzuwendungen zunächst auf sich warten.

1 Nach mehr als 44-jähriger Unterbrechung gab es zwischen Hitzacker auf bundesdeutscher und Brandstade/Herrenhof auf DDR-Seite am 19. November 1989 wieder eine Fährverbindung über die Elbe.

2 Auf der Leipziger Montagsdemonstration vom 20. November 1989 tauchten unter der Parole »Wir sind ein Volk!« konkrete Forderungen nach der Wiedervereinigung auf. Die Montagsdemonstrationen im Anschluss an Friedensgebete in der Nikolaikirche waren eine Institution der Wendezeit.

3 Der entmachtete Ex-DDR-Staatschef Erich Honecker fand im Februar 1990 zusammen mit seiner Frau Margot für zehn Wochen Asyl im Pfarrhaus der Gemeinde Lobetal bei Berlin.

4 Am 15. Januar 1990 stürmten Demonstranten die Zentrale des Staatssicherheitsdienstes in der Ost-Berliner Normannenstraße. Das meistgefürchtete Machtinstrument des ostdeutschen Überwachungsstaates war zerschlagen.

5 Das Dorf Mödlareuth wurde am 19. Juni 1990 wiedervereinigt. Durch den als »Klein-Berlin« bekannten Ort genau auf der thüringisch-bayerischen Grenze hatte sich 24 Jahre lang eine Betonmauer gezogen.

6 Der Deutsche Bundestag in Bonn entschied sich am 20. Juni 1991 für Berlin als Parlaments- und Regierungssitz. Ab 1999 zog die Verwaltung der Bundeshauptstadt in großen Teilen vom Rhein an die Spree um.

ZEITLEISTE

DDR

1988

17. Januar 1988
Während der Gedenkfeiern für Rosa Luxemburg und Karl Liebknecht kommt es in Ost-Berlin zu Demonstrationen gegen die DDR-Regierung.

1989

7. Mai 1989
Gegen Wahlfälschungen bei den Kommunalwahlen erstatten mehrere Bürger Anzeige.

4. September 1989
In Leipzig findet die erste »Montagsdemonstration« statt.

10. September 1989
Ungarn öffnet seine Grenzen zu Österreich und lässt mehrere Tausend DDR-Flüchtlinge ausreisen.

19. September 1989
Das »Neue Forum«, die erste politische Oppositionsbewegung in der DDR, wird gegründet.

7. Oktober 19
Während der Feiern zum 40. Jahrestag der Republikgründung demonstrieren mehrere Personen auf dem Alexanderplatz gegen die Regier

BRD

12. Juni 1989
Der sowjetische Staatspräsident Michail Gorbatschow besucht die Bundesrepublik und wird begeistert gefeiert.

30. September
Mehr als 4000 DDR-Flüc in der bundesdeutschen Botschaft i dürfen in den Westen aus

Sylt
Nordfriesische Inseln
Flensburg
Ostsee
Treen
Schleswig
Husum
SCHLESWIG-
Kiel
Nordsee
Rendsburg
Fehmarn
Helgoland
Heide
Neumünster
Eutin
Gr. Plöner See
HOLSTEIN
Itzehoe
Lübeck
Bad Oldesloe
Ostfriesische Inseln
Cuxhaven
Pinneberg
Ratzeburg
Wittmund
Jever
Bremerhaven
Stade
Hamburg
HAMBURG
Wilhelmshaven
Emden
Brake
Westerstede
Osterholz-Scharmbeck
Leer (Ostfriesland)
Oldenburg
BREMEN
Bremen
Delmenhorst
Verden a. d. Aller
Uelzen
Lüneburg
Ilmenau
Elbe
Hitzacker
Lüchow
NIEDERSACHSEN
Meppen
Vechta
Nienburg
Aller
Celle
Diepholz
Steinhuder Meer
Nordhorn
Wolfsburg
Hannover
Braunschweig
Osnabrück
Minden
Weser
Hildesheim
Herford
Bielefeld
Detmold
Hameln
Leine
Salzgitter
Goslar
Steinfurt
Münster
Ems
Bocholt
NORDRHEIN-
Gütersloh
Höxter
Northeim
Rhein
Kleve
Wesel
Lippe
Recklinghausen
Hamm
Paderborn
Bottrop
Oberhausen
Dortmund
Göttingen
Duisburg
Essen
Bochum
Arnsberg
Krefeld
Hagen
Ruhr
Kassel
Düsseldorf
Wuppertal
Lüdenscheid
Korbach
Mönchengladbach
Solingen
Remscheid
Eschwege
WESTFALEN
Köln
Leverkusen
Homberg (Efze)
Siegen
Bad Hersfeld
Düren
Siegburg
Fulda
Aachen
Bonn
Sieg
Marburg
HESSEN
Euskirchen
Bad Neuenahr-Ahrweiler
Limburg a. d. L.
Gießen
Fulda
Neuwied
Montabaur
Koblenz
Friedberg
Daun
Lahn
Cochem
Frankfurt a. M.
Hanau
RHEINLAND-
Wiesbaden
Wittlich
Offenbach
Bitburg
Mainz
Bad Kreuznach
Mosel
Darmstadt
Trier
Alzey
Erbach
PFALZ
Worms
St. Wendel
SAARLAND
Kaiserslautern
Ludwigshafen
Mannheim
Saarlouis
Neunkirchen
Neustadt a. d. W.
Heidelberg
Speyer
Saarbrücken
Pirmasens
Landau i. d. Pfalz
Neckar
Heilbronn
Karlsruhe
BADEN-
Pforzheim
Rastatt
Ludwigsburg
Stuttgart
Esslingen
Baden-Baden
Sindelfingen
Göppingen
Offenburg
Tübingen
Reutlingen
Ulm
Neu-Ulm
WÜRTTEMBERG
Rheine
Rottweil
Balingen
Emmendingen
Donau
Biberach a. d. Riss
Villingen-Schwenningen
Sigmaringen
Freiburg im Breisgau
Ravensburg
Waldshut-Tiengen
Friedrichshafen
Lörrach
Konstanz
Rügen
Bergen
Stralsund
Usedom
Bad Doberan
Rostock
Grimmen
Greifswald
MECKLENBURG-
Wismar
Demmin
Anklam
Güstrow
Grevesmühlen
Schweriner See
VORPOMMERN
Neubrandenburg
Schwerin
Parchim
Waren (Müritz)
Müritzsee
Uecker
Pasewalk
Elde
Ludwigslust
Neustrelitz
Prenzlau
Perleberg
Oder
Neuruppin
Havel
Eberswalde
BRANDEN-
Lobetal
Salzwedel
Rathenow
Seelow
Stendal
BERLIN
Brandenburg a. d. Havel
Frankfurt a. d. Oder
Potsdam
SACHSEN-
BURG
Belzig
Spree
Beeskow
Magdeburg
Luckenwalde
Zerbst
Lübben im Spreewald
Halberstadt
Wittenberg
Forst in der Lausitz
Quedlinburg
ANHALT
Dessau
Herzberg a. d. Elster
Cottbus
Senftenberg
Torgau
Halle a. d. Saale
Hoyerswerda
Nordhausen
Leipzig
Riesa
Sondershausen
Grimma
Bautzen
Görlitz
Mühlhausen (Thüringen)
Meißen
Döbeln
Dresden
Saale
Naumburg a. d. Saale
Neiße
Erfurt
Weimar
SACHSEN
Eisenach
Gotha
Jena
Altenburg
Pirna
Zittau
THÜRINGEN
Gera
Freiberg
Chemnitz
Werra
Zwickau
Suhl
Saalfeld a. d. Saale
Greiz
Aue
Schleiz
Plauen
Oelsnitz
Hildburghausen
Mödlareuth
Coburg
Kronach
Hof
Bad Kissingen
Kulmbach
Lichtenfels
Schweinfurt
Wunsiedel
Aschaffenburg
Bamberg
Bayreuth
Main
Würzburg
Weiden i. d. OPf.
Miltenberg
Kitzingen
Tauberbischofsheim
Erlangen
Naab
Bad Neustadt a. d. Aisch
Fürth
Nürnberg
Amberg
Tauber
Schwandorf
Künzelsau
Ansbach
Neumarkt i. d. OPf.
Cham
Weißenburg in Bayern
Regensburg
Schwäb. Hall
Regen
Aalen
Kelheim
Deggendorf
Altmühl
Straubing
Donauwörth
Schwäb. Gmünd
Ingolstadt
BAYERN
Passau
Landshut
Pfarrkirchen
Günzburg
Lech
Augsburg
Freising
Inn
Erding
Dachau
Wertach
Altötting
Landsberg a. Lech
München
Memmingen
Ammersee
Isar
Chiemsee
Traunstein
Kaufbeuren
Starnberger See
Rosenheim
Weilheim i. OB.
Kempten
Berchtesgaden
Garmisch-Partenkirchen
Sonthofen
1
2
3
4
5
6
Hauptort eines Stadt- oder Landkreises
Sitz einer Bezirksregierung
Landeshauptstadt
Landeshauptstadt und Sitz einer Bezirksregierung
Staatsgrenze
Landesgrenze
Regierungsbezirksgrenze
0
100 km
0
50 Meilen

18. Oktober 1989
Staats- und Parteichef Erich Honecker tritt von seinen Ämtern zurück.

4. November 1989
In Ost-Berlin kommt es mit rund 1 Mio. Menschen zur größten Kundgebung der Demokratiebewegung.

9. November 1989
Auf einer Pressekonferenz wird sofortige Reisefreiheit angekündigt; Tausende DDR-Bürger strömen nach West-Berlin.

7. Dezember 1989
Der »runde Tisch« aus Vertretern der Regierung und der Opposition tritt erstmals zusammen.

1990

18. März 1990
Die konservative »Allianz für Deutschland« gewinnt die ersten und einzigen freien Wahlen in der DDR.

1. Juli 1990
Im Zuge der Wirtschafts- und Währungsunion mit der Bundesrepublik wird die DM als Währung eingeführt.

3. Oktober 1990
Die DDR tritt der Bundesrepublik bei.

1991

28. November 1989
Bundeskanzler Helmut Kohl verkündet seinen Zehn-Punkte-Plan als Fahrplan zur Wiedervereinigung.

10. Februar 1990
Michail Gorbatschow gesteht den Deutschen das Recht zu, über ihre staatliche Einigung zu entscheiden.

12. September 1990
In Moskau werden die außenpolitischen Aspekte der deutsch-deutschen Vereinigung geklärt.

14. Oktober 1990
In den fünf neuen Bundesländern der ehemaligen DDR finden Landtagswahlen statt.

1. Dezember 1990
Gegen den früheren DDR-Staats- und Parteichef Erich Honecker wird Haftbefehl erlassen.

2. Dezember 1990
Die Regierungskoalition aus CDU/CSU und FDP gewinnt die ersten gesamtdeutschen Bundestagswahlen.

9. November 1989
Tausende von Menschen feiern in West-Berlin die Öffnung der innerdeutschen Grenze.

Die Welt vom Ersten Weltkrieg bis heute (1914 bis 2004)

Nord- und Südamerika • 1914 bis 1945

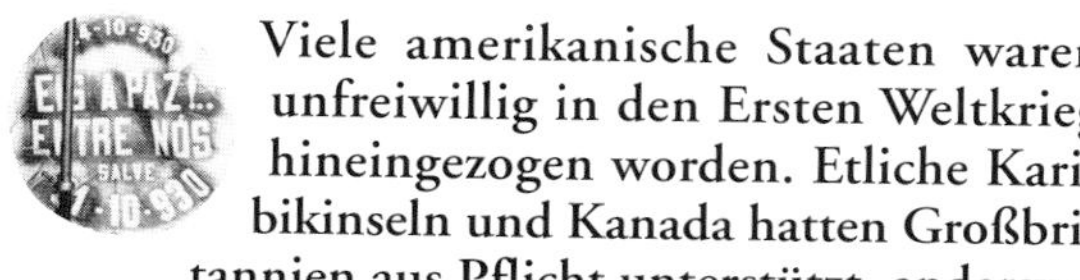

Viele amerikanische Staaten waren unfreiwillig in den Ersten Weltkrieg hineingezogen worden. Etliche Karibikinseln und Kanada hatten Großbritannien aus Pflicht unterstützt, anderswo wollte man möglichst die eigenen Interessen wahren. US-Präsident Woodrow Wilson riet zur Neutralität. Bis 1918 hatten sich Brasilien und einige mittelamerikanische Länder den Alliierten angeschlossen. Die Vereinigten Staaten hielten sich heraus, bis deutsche U-Boot-Angriffe Wilson 1917 zur Kriegserklärung veranlassten.

Die Eisenbahnen in den USA wurden der Regierung unterstellt, Streikenden drohte die Einberufung, Fabriken und Werften stellten die Produktion um und Tausende von Afroamerikanern zogen in die Munitionsfabriken des Nordens.

Nach Kriegsende wollten sich die USA nicht an einer europäischen Friedensregelung beteiligen. Den Vertrag von Versailles und den Beitritt zum – auf Initiative Wilsons entstandenen – Völkerbund lehnte der Kongress ab, da die Amerikaner die heimische »Normalisierung« mehr interessierte. Konsum und materieller Wohlstand prägten das »Jazz-Age« der 1920er-Jahre, woran auch das Prohibitionsgesetz von 1919 nichts änderte. Nur Korruption und Kriminalität wuchsen.

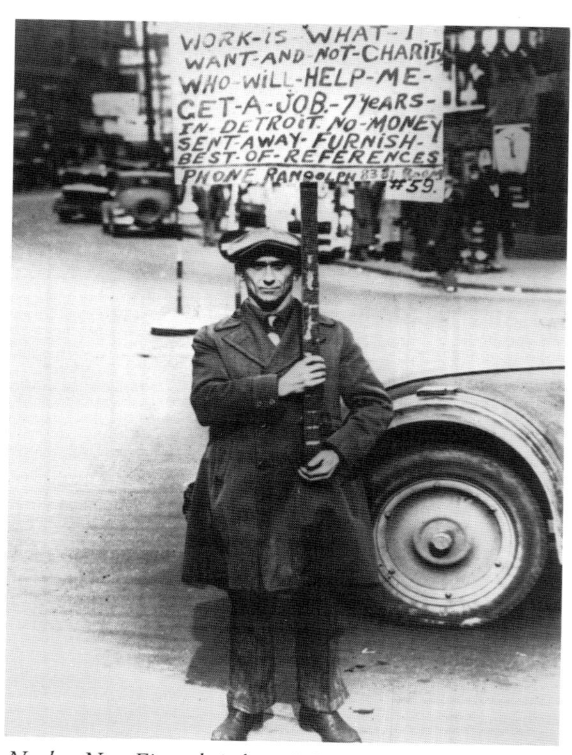
WORK-IS WHAT-I
WANT-AND-NOT-CHARITY
WHO-WILL-HELP-ME-
GET-A-JOB-7 YEARS-
IN-DETROIT-NO-MONEY
SENT-AWAY-FURNISH-
BEST-OF-REFERENCES
#59

Nackte Not: Ein arbeitsloser US-Amerikaner zur Zeit der Weltwirtschaftskrise bittet um Arbeit.

Die Zeit der Weltwirtschaftskrise

1929 stürzte der Börsenkrach das Land in eine tiefe Depression, die sich wegen der globalen Streuung der US-Investitionen und -Kredite schnell zur Weltwirtschaftskrise auswuchs. In den Staaten selbst kamen noch Dürren und Naturkatastrophen hinzu, die Teile von Texas und des Mittleren Westens verwüsteten und die Great Plains ausdörrten. Etwa zwölf Millionen Amerikaner wurden arbeitslos; um die größeren Orte entstanden Barackensiedlungen. Im Jahr 1933 entwarf der Demokrat Franklin D. Roosevelt als neuer Präsident die Politik des New Deal, der die Wirtschaftskrise durch ein groß angelegtes Arbeitsprogramm mildern sollte; Millionen wurden bei Projekten wie dem Bau von Staudämmen und Flughäfen beschäftigt. Der neue Kurs beseitigte aber nicht alle Probleme; Landwirtschaft und Schwerindustrie erholten sich erst nach 1940, als vor allem der Krieg gegen Japan (von Dezember 1941 an) für eine wirtschaftliche Belebung sorgte.

Steuerleute: US-Präsident Franklin D. Roosevelt und Englands Premier Winston Churchill einigen sich 1941 auf die Atlantik-Charta.

Kanada hatte die Teilnahme am Ersten Weltkrieg teuer bezahlt, 60 000 Soldaten waren gefallen. Diese Erfahrung und der relative Wohlstand der 1920er-Jahre förderten ein neues Unabhängigkeitsbewusstsein, bis das Land, das weitgehend vom Getreide- und Holzexport abhing, von der Weltwirtschaftskrise schwer getroffen wurde. Die Dürre von 1934 hatte auch hier für die Präriefarmen verheerende Folgen. Politische Gruppierungen verlangten zur Linderung der Not Verstaatlichungen und eine Umverteilung der Einkünfte, während in Quebec die Separatisten viele Anhänger gewannen. Dank des Anstiegs der Weltmarktpreise nach 1937 und engerer wirtschaftlicher Beziehungen zu den USA wurden diese Vorschläge erst einmal wieder auf Eis gelegt.

Im »Hinterhof« der USA

Die USA betrachteten die Karibik und Mittelamerika als ihren »Hinterhof«, intervenierten dort zum Schutz ihrer Investitionen (etwa in Bezug auf den Panamakanal und die Ölförderung in Mexiko und Venezuela) und richteten in der Bucht von Guantánamo auf Kuba einen Stützpunkt ein. Die Region wurde von der Wirtschaftskrise schwer getroffen, es kam häufig zu Streiks und Demonstrationen. In einigen Ländern kamen Diktatoren an die Macht, die sich teils – wie etwa Lázaro Cárdenas in Mexiko (1934 bis 1940) – ernsthaft um eine Linderung der Not bemühten. Cárdenas enteignete die Großgrundbesitzer, verteilte das Land an die Bauern und verstaatlichte die Eisenbahn- und Ölgesellschaften. In Venezuela regierte von 1908 bis 1935 Juan Vicente Gómez. Er verstaatlichte die Ölvorräte am Maracaibosee, behob aber nicht die strukturelle Schwäche vieler lateinamerikanischer Volkswirtschaften: die Abhängigkeit von einem einzigen Exportgut.

Kolumbien entwickelte sich zum zweitgrößten Kaffeeproduzenten der Welt und versuchte wie sein schärfster Konkurrent Brasilien (nach 1930 von Getúlio Vargas regiert) in den 1930er-Jahren, die Abhängigkeit vom Kaffee durch industrielle Diversifikation und Verringerung der Importe zu verkleinern. Argentinien, das seit dem 19. Jahrhundert dank seiner Getreide- und Fleischexporte zu Wohlstand gelangt war, musste strenge Sparmaßnahmen ertragen. Chile litt unter dem Verfall des Kupferpreises, seine Nitratexporte verringerten sich angesichts neuer chemischer Produktionsmethoden. Einige südamerikanische Staaten trennten Grenzstreitigkeiten: Chile und Peru gerieten wegen der Nitratvorkommen in Konflikt; zwischen Bolivien und Paraguay brach in den 1930er-Jahren der Chacokrieg aus, der weltweit blutigste Krieg zwischen 1918 und 1939; Ecuador verlor 1942 seine Amazonasregion an Peru.

Steuerbare Nike-Raketen: Fließbandproduktion prägt die Rüstungsindustrie seit den 1940er-Jahren, hier im kalifornischen Santa Monica.

Der Krieg als Wirtschaftsmotor

Der Zweite Weltkrieg brachte Nordamerika die Vollbeschäftigung – 1943 produzierten die USA mehr als alle gegnerischen Nationen zusammen. Millionen zogen in die Städte. Schiffskonvois transportierten Truppen und Nachschub an alle Kriegsschauplätze, außerdem brachten sie Hilfsgüter nach Großbritannien und in die UdSSR. Gegen die bis an die amerikanische Küste und in den Golf von Mexiko vorstoßenden deutschen U-Boote wurden Patrouillen bis weit auf den Atlantik hinaus geflogen. Für Lateinamerika waren die Kriegsjahre durch Roosevelts »Politik der guten Nachbarschaft« erträglich: Das Kaffeeabkommen von 1940 garantierte die amerikanischen Absatzmärkte, die USA erhielten im Gegenzug Stützpunkte und militärische Hilfe.

ZEITLEISTE

NORDAMERIKA

- **1914** Eintritt Kanadas in den Krieg gegen Deutschland.
- **1917** Die USA erklären Deutschland den Krieg.
- **1919** Der amerikanische Kongress lehnt den Versailler Vertrag ab. Die USA verbieten per Gesetz Herstellung, Transport und Verkauf alkoholischer Getränke (Prohibition, 1920 bis 1933).
- **1923** Die Ansiedlung von Chinesen in Kanada wird gestoppt.

1910 — 1915 — 1920 — 1925

MITTEL- UND SÜDAMERIKA

- **1917** Die neue Verfassung Mexikos enthält auch den Grundsatz einer Landreform.
- **1921** Guatemala, Honduras und El Salvador bilden die Zentralamerikanische Republik.
- **1925** In Nicaragua kommt es zum Bürgerkrieg und zur Intervention der USA.

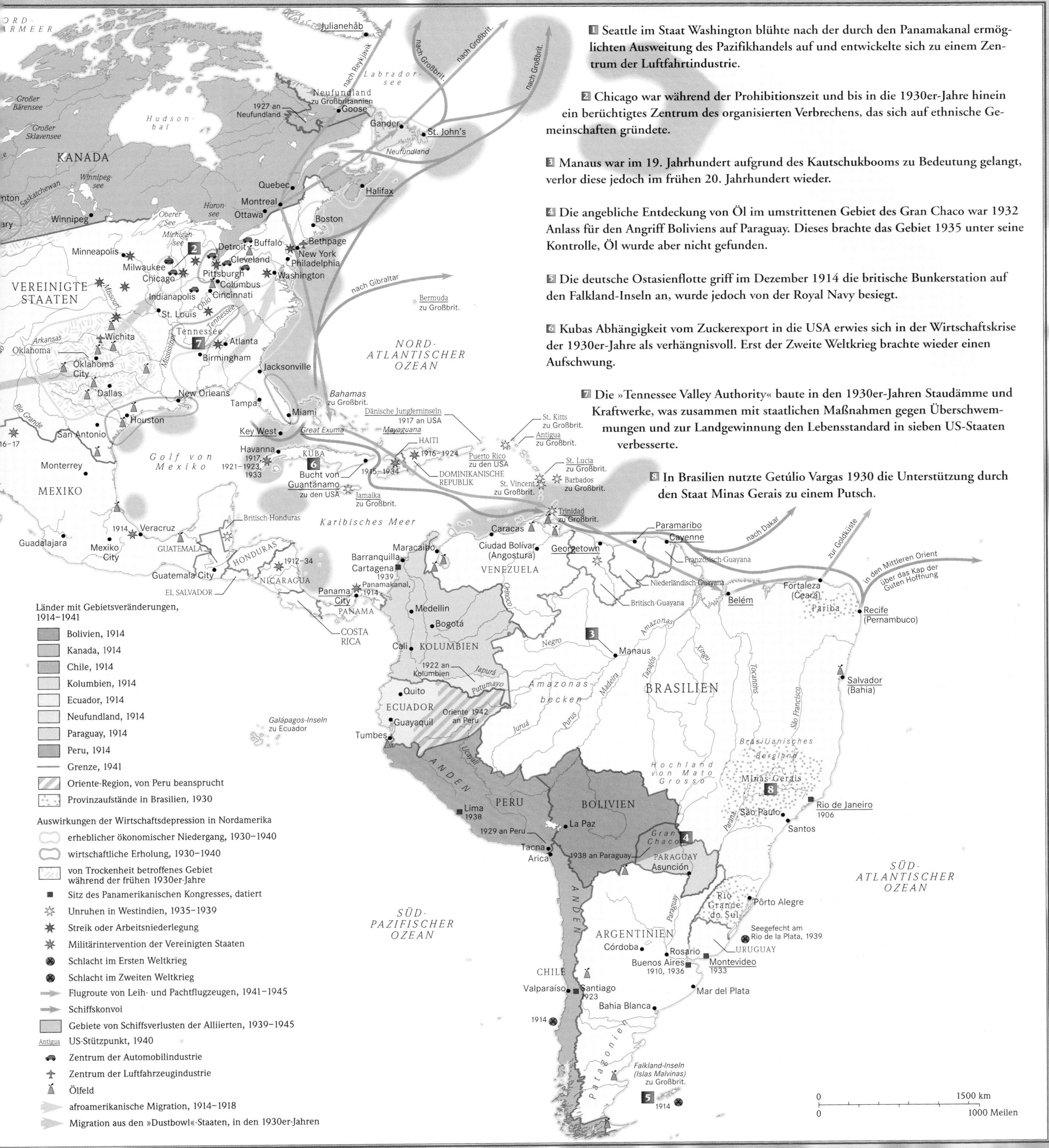

1 Seattle im Staat Washington blühte nach der durch den Panamakanal ermöglichten Ausweitung des Pazifikhandels auf und entwickelte sich zu einem Zentrum der Luftfahrtindustrie.

2 Chicago war während der Prohibitionszeit und bis in die 1930er-Jahre hinein ein berüchtigtes Zentrum des organisierten Verbrechens, das sich auf ethnische Gemeinschaften gründete.

3 Manaus war im 19. Jahrhundert aufgrund des Kautschukbooms zu Bedeutung gelangt, verlor diese jedoch im frühen 20. Jahrhundert wieder.

4 Die angebliche Entdeckung von Öl im umstrittenen Gebiet des Gran Chaco war 1932 Anlass für den Angriff Boliviens auf Paraguay. Dieses brachte das Gebiet 1935 unter seine Kontrolle, Öl wurde aber nicht gefunden.

5 Die deutsche Ostasienflotte griff im Dezember 1914 die britische Bunkerstation auf den Falkland-Inseln an, wurde jedoch von der Royal Navy besiegt.

6 Kubas Abhängigkeit vom Zuckerexport in die USA erwies sich in der Wirtschaftskrise der 1930er-Jahre als verhängnisvoll. Erst der Zweite Weltkrieg brachte wieder einen Aufschwung.

7 Die »Tennessee Valley Authority« baute in den 1930er-Jahren Staudämme und Kraftwerke, was zusammen mit staatlichen Maßnahmen gegen Überschwemmungen und zur Landgewinnung den Lebensstandard in sieben US-Staaten verbesserte.

8 In Brasilien nutzte Getúlio Vargas 1930 die Unterstützung durch den Staat Minas Gerais zu einem Putsch.

Länder mit Gebietsveränderungen, 1914–1941

- Bolivien, 1914
- Kanada, 1914
- Chile, 1914
- Kolumbien, 1914
- Ecuador, 1914
- Neufundland, 1914
- Paraguay, 1914
- Peru, 1914
- Grenze, 1941
- Oriente-Region, von Peru beansprucht
- Provinzaufstände in Brasilien, 1930

Auswirkungen der Wirtschaftsdepression in Nordamerika

- erheblicher ökonomischer Niedergang, 1930–1940
- wirtschaftliche Erholung, 1930–1940
- von Trockenheit betroffenes Gebiet während der frühen 1930er-Jahre
- Sitz des Panamerikanischen Kongresses, datiert
- Unruhen in Westindien, 1935–1939
- Streik oder Arbeitsniederlegung
- Militärintervention der Vereinigten Staaten
- Schlacht im Ersten Weltkrieg
- Schlacht im Zweiten Weltkrieg
- Flugroute von Leih- und Pachtflugzeugen, 1941–1945
- Schiffskonvoi
- Gebiete von Schiffsverlusten der Alliierten, 1939–1945
- Antigua US-Stützpunkt, 1940
- Zentrum der Automobilindustrie
- Zentrum der Luftfahrzeugindustrie
- Ölfeld
- afroamerikanische Migration, 1914–1918
- Migration aus den »Dustbowl«-Staaten, in den 1930er-Jahren

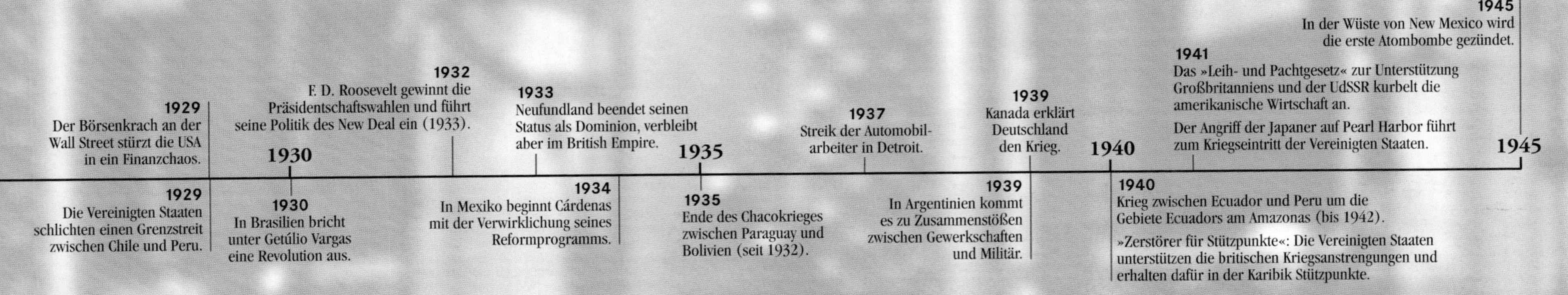
1929 Der Börsenkrach an der Wall Street stürzt die USA in ein Finanzchaos.
1929 Die Vereinigten Staaten schlichten einen Grenzstreit zwischen Chile und Peru.
1930
1930 In Brasilien bricht unter Getúlio Vargas eine Revolution aus.
1932 F. D. Roosevelt gewinnt die Präsidentschaftswahlen und führt seine Politik des New Deal ein (1933).
1933 Neufundland beendet seinen Status als Dominion, verbleibt aber im British Empire.
1934 In Mexiko beginnt Cárdenas mit der Verwirklichung seines Reformprogramms.
1935
1935 Ende des Chacokrieges zwischen Paraguay und Bolivien (seit 1932).
1937 Streik der Automobilarbeiter in Detroit.
1939 Kanada erklärt Deutschland den Krieg.
1939 In Argentinien kommt es zu Zusammenstößen zwischen Gewerkschaften und Militär.
1940
1940 Krieg zwischen Ecuador und Peru um die Gebiete Ecuadors am Amazonas (bis 1942).
»Zerstörer für Stützpunkte«: Die Vereinigten Staaten unterstützen die britischen Kriegsanstrengungen und erhalten dafür in der Karibik Stützpunkte.
1941 Das »Leih- und Pachtgesetz« zur Unterstützung Großbritanniens und der UdSSR kurbelt die amerikanische Wirtschaft an.
Der Angriff der Japaner auf Pearl Harbor führt zum Kriegseintritt der Vereinigten Staaten.
1945 In der Wüste von New Mexico wird die erste Atombombe gezündet.
1945

Die Welt vom Ersten Weltkrieg bis heute (1914 bis 2004)

Nord- und Südamerika • 1945 bis 2004

Der wahre Sieger des Zweiten Weltkriegs waren die USA. Ihr Territorium wurde kaum angegriffen, während ihre Truppen an allen Fronten von Asien bis Westeuropa siegten. Amerikas Wirtschaft boomte durch den Krieg; wegen des Alleinbesitzes von Atomwaffen hoffte Washington, die Nachkriegszeit weltpolitisch zu dominieren und den Wohlstand dauerhaft zu sichern.

Innenpolitisch ging der Traum in Erfüllung. Die Amerikaner lebten in der größten über Privateigentum verfügenden Demokratie der Welt. Ihr Wohlstandsstreben führte zu einer großen Mobilität; hoch motivierte Einwanderer wie Hispanos, Filipinos und Ostasiaten ahmten den amerikanischen »way of life« nach. 1960 gehörten fast 40 Prozent der Familien zur Schicht der gehobenen Berufe oder Facharbeiter.

Handel, Wirtschaft und Rüstung wurden subventioniert. Die Verbraucherausgaben stiegen, die Produktion war selten durch Streiks behindert. Es gelang jedoch nicht, die Armut zu überwinden, unter der noch immer ein Großteil der Bevölkerung litt, oder die Gesundheitsfürsorge und die Bildungschancen zu verbessern. Bürgerrechtskampagnen galten – zunächst in den 1960er-, dann in den 1980er- und 1990er-Jahren – vor allem der Verbesserung der Situation von Afroamerikanern.

Reiche Supermacht im Kalten Krieg

Mit Beginn des Kalten Krieges im Jahr 1947 brach der nukleare Wettstreit zwischen den USA und der UdSSR aus. Eher Prestigegründe hatte ab 1957 der »Wettlauf im All«, der 1969 in der Mondlandung gipfelte. Zugleich sahen sich die USA überall in kostspielige Konflikte verstrickt. Der Kalte Krieg wirkte sich zudem im Land selbst aus, wo ein Senator McCarthy ab 1950 mit seiner »Hexenjagd« auf (angebliche) Kommunisten eine regelrechte Hysterie erzeugen konnte.

Auch in Lateinamerika tobte der Kalte Krieg, vor allem auf der seit 1898 von den USA abhängigen Zuckerinsel Kuba. Nach der sozialistisch-nationalistischen Revolution von 1959 kaum an der Macht, erhielt das Castro-Regime sowjetische Unterstützung. Zur Krise kam es 1962, als die UdSSR Kuba als Abschussbasis für Atomraketen benutzen wollte. Die USA stellten ihre Vormachtstellung zwar wieder her, doch wurde ihre Hegemonie in vielen Ländern der Region mit Ablehnung betrachtet.

Neben dem »grossen Nachbarn«

Kanada, das im späten 20. Jahrhundert mehr Einfluss in der Pazifikregion erstrebte, drückten innere Probleme. So konnte eine Separation der frankokanadischen Provinz Quebec 1992 eben noch abgewendet werden. In Südamerika waren die USA seit langem wirtschaftlich und politisch engagiert. Unter ihrer Einflussnahme wurde 1973 die gewählte sozialistische Regierung Chiles durch einen blutigen Putsch beseitigt – ein Muster, das in Südamerika Tradition hatte. Vergleichsweise maßvoll agierten in den 1940er- und 1950er-Jahren die autoritären Regierungen Brasiliens. In Argentinien erlangten ab 1946 die Sozialreformen des Präsidentenpaares Juan und »Evita« Perón ungeheure Popularität, bis eine Wirtschaftskrise den Nimbus des »Peronismus« zerstörte und 1955 die Militärs die Macht ergriffen. In den Folgejahren gab es mehrere Versuche, unter peronistischen Vorzeichen zur Demokratie zurückzukehren. 1976 bis 1983 herrschte eine brutale Militärjunta, auf deren Konto zahlreiche politische Morde und Verschleppungen sowie der 1982 gescheiterte Versuch gingen, den Briten die Falklandinseln zu entreißen. Die Wirtschaftspolitik des Peronisten Carlos Menem (1989–1999) führte das Land nach Anfangserfolgen in eine Lage, die nach der Jahrtausendwende dem Staatsbankrott nahe kam.

Die Interessen der Reichen ebenso wie die Politik der internationalen Banken, deren Schuldner die meisten Länder Südamerikas waren, standen einem tief greifenden sozialen Wandel entgegen. Folglich wurden die Umwelt- und sozialen Probleme vor dem Hintergrund eines raschen Bevölkerungswachstums ständig größer (vor allem in Brasilien mit São Paulo und Rio de Janeiro als den am rasantesten wachsenden Großstädten). Die indianische Bevölkerung galt

11. September 2001: Auch den zweiten Turm des World Trade Centers trifft ein von Attentätern gesteuerter Jet.

1 Der französische Präsident Charles de Gaulle besuchte 1967 Quebec und ermutigte in einer Rede die Separatisten, deren Bewegung in den 1980er-Jahren an Stärke gewann.

2 Little Rock, Arkansas, war in den späten 1950er-Jahren ein Zentrum der Kampagnen für die Gleichberechtigung der Afroamerikaner.

3 Cape Canaveral (1963 bis 1973 Cape Kennedy) ist seit den 1960er-Jahren Startplatz der US-Raumflüge.

4 In den 1980er-Jahren erwirtschaftete die Elektronikindustrie dem US-Staat Kalifornien neuen Wohlstand – das Santa Clara Valley im Süden San Franciscos wurde als »Silicon Valley« berühmt.

5 Die Grenze am Rio Grande wird von den amerikanischen Einwanderungsbehörden streng bewacht, um den massiven Zustrom illegaler Einwanderer aus Mexiko zu bremsen.

6 Das Wasserkraftwerk von Itaipú gilt als das größte der Welt; Paraguay ist der weltweit größte Exporteur von elektrischem Strom.

7 Der Falklandkrieg von 1982 war dank britischer Übermacht rasch beendet – Argentinien erhob historisch begründete Ansprüche auf die südatlantische Inselgruppe.

8 Uruguay, eines der fortschrittlichsten Länder Lateinamerikas, wurde gleichwohl zwischen 1976 und 1981 von der Stadtguerilla der Tupamaros attackiert.

9 Am 11. September 2001 rasten zwei entführte Passagierflugzeuge in die Türme des New Yorker World Trade Centers. Eine weitere Maschine stürzte auf das Pentagon in Washington, während ein vierter Jet bei Pittsburgh zerschellte. Das WTC wurde völlig zerstört, das Pentagon schwer beschädigt, Tausende von Menschen kamen bei den Anschlägen ums Leben. Als Drahtzieher dieser Terroraktionen, die die Welt erschütterten, gilt Osama Bin Laden, Führer der radikalen muslimischen Al-Qaida-Organisation, dessen Ergreifung eines der Hauptziele amerikanischer Antiterror-Politik wurde.

ZEITLEISTE

NORDAMERIKA

1945 – 1950 – 1960 – 1970

1949 Neufundland wird Provinz Kanadas.

1961 Der amerikanische Präsident John F. Kennedy startet das Programm der bemannten Raumfahrt.

1963 Kennedy fällt in Dallas, Texas, einem Attentat zum Opfer.

1968 Martin Luther King wird in Memphis, Tennessee, ermordet; in den USA demonstrieren viele Jugendliche gegen den Vietnamkrieg.

LATEINAMERIKA

1946 In Argentinien wird Juan Perón zum Präsidenten gewählt.

1954 In Paraguay wird der proamerikanische Alfredo Stroessner Präsident.

1967 Bolivianische Soldaten nehmen Che Guevara, den früheren Mitstreiter Castros, gefangen und töten ihn.

1973 In Chile wird der sozialistische Präsident Allende bei einem von den USA unterstützten Putsch getötet.

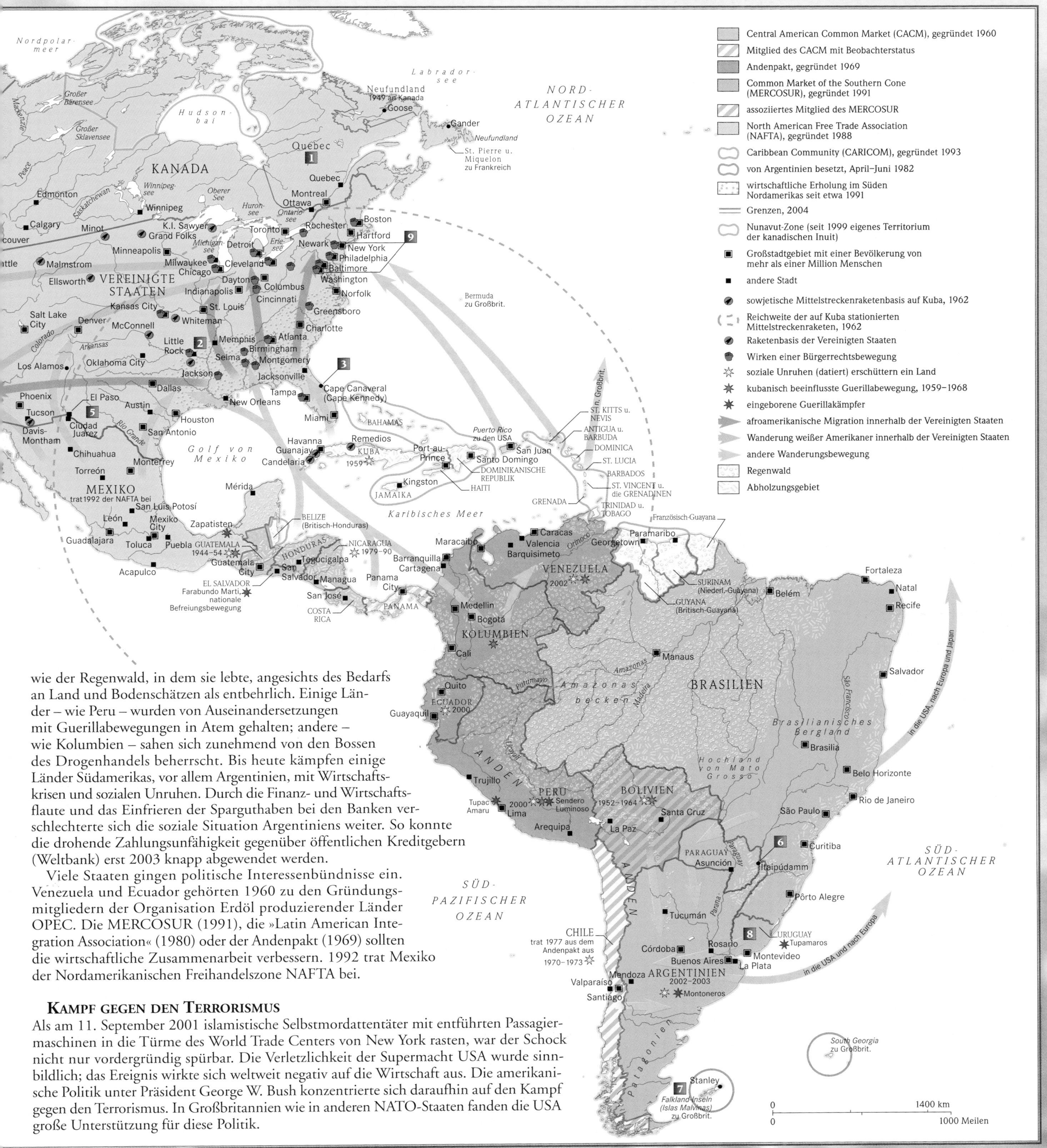

- Central American Common Market (CACM), gegründet 1960
- Mitglied des CACM mit Beobachterstatus
- Andenpakt, gegründet 1969
- Common Market of the Southern Cone (MERCOSUR), gegründet 1991
- assoziiertes Mitglied des MERCOSUR
- North American Free Trade Association (NAFTA), gegründet 1988
- Caribbean Community (CARICOM), gegründet 1993
- von Argentinien besetzt, April–Juni 1982
- wirtschaftliche Erholung im Süden Nordamerikas seit etwa 1991
- Grenzen, 2004
- Nunavut-Zone (seit 1999 eigenes Territorium der kanadischen Inuit)
- Großstadtgebiet mit einer Bevölkerung von mehr als einer Million Menschen
- andere Stadt
- sowjetische Mittelstreckenraketenbasis auf Kuba, 1962
- Reichweite der auf Kuba stationierten Mittelstreckenraketen, 1962
- Raketenbasis der Vereinigten Staaten
- Wirken einer Bürgerrechtsbewegung
- soziale Unruhen (datiert) erschüttern ein Land
- kubanisch beeinflusste Guerillabewegung, 1959–1968
- eingeborene Guerillakämpfer
- afroamerikanische Migration innerhalb der Vereinigten Staaten
- Wanderung weißer Amerikaner innerhalb der Vereinigten Staaten
- andere Wanderungsbewegung
- Regenwald
- Abholzungsgebiet

wie der Regenwald, in dem sie lebte, angesichts des Bedarfs an Land und Bodenschätzen als entbehrlich. Einige Länder – wie Peru – wurden von Auseinandersetzungen mit Guerillabewegungen in Atem gehalten; andere – wie Kolumbien – sahen sich zunehmend von den Bossen des Drogenhandels beherrscht. Bis heute kämpfen einige Länder Südamerikas, vor allem Argentinien, mit Wirtschaftskrisen und sozialen Unruhen. Durch die Finanz- und Wirtschaftsflaute und das Einfrieren der Sparguthaben bei den Banken verschlechterte sich die soziale Situation Argentiniens weiter. So konnte die drohende Zahlungsunfähigkeit gegenüber öffentlichen Kreditgebern (Weltbank) erst 2003 knapp abgewendet werden.

Viele Staaten gingen politische Interessenbündnisse ein. Venezuela und Ecuador gehörten 1960 zu den Gründungsmitgliedern der Organisation Erdöl produzierender Länder OPEC. Die MERCOSUR (1991), die »Latin American Integration Association« (1980) oder der Andenpakt (1969) sollten die wirtschaftliche Zusammenarbeit verbessern. 1992 trat Mexiko der Nordamerikanischen Freihandelszone NAFTA bei.

Kampf gegen den Terrorismus

Als am 11. September 2001 islamistische Selbstmordattentäter mit entführten Passagiermaschinen in die Türme des World Trade Centers von New York rasten, war der Schock nicht nur vordergründig spürbar. Die Verletzlichkeit der Supermacht USA wurde sinnbildlich; das Ereignis wirkte sich weltweit negativ auf die Wirtschaft aus. Die amerikanische Politik unter Präsident George W. Bush konzentrierte sich daraufhin auf den Kampf gegen den Terrorismus. In Großbritannien wie in anderen NATO-Staaten fanden die USA große Unterstützung für diese Politik.

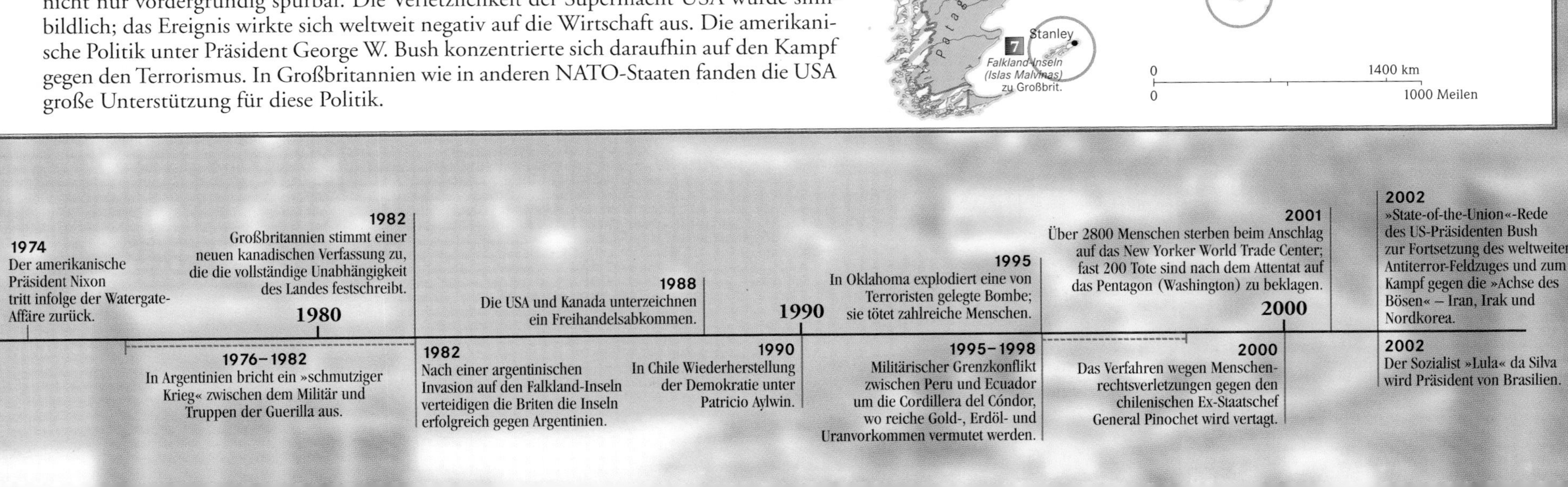
1974
Der amerikanische Präsident Nixon tritt infolge der Watergate-Affäre zurück.
1982
Großbritannien stimmt einer neuen kanadischen Verfassung zu, die die vollständige Unabhängigkeit des Landes festschreibt.
1980
1988
Die USA und Kanada unterzeichnen ein Freihandelsabkommen.
1990
1995
In Oklahoma explodiert eine von Terroristen gelegte Bombe; sie tötet zahlreiche Menschen.
2001
Über 2800 Menschen sterben beim Anschlag auf das New Yorker World Trade Center; fast 200 Tote sind nach dem Attentat auf das Pentagon (Washington) zu beklagen.
2000
2002
»State-of-the-Union«-Rede des US-Präsidenten Bush zur Fortsetzung des weltweiten Antiterror-Feldzuges und zum Kampf gegen die »Achse des Bösen« – Iran, Irak und Nordkorea.
1976–1982
In Argentinien bricht ein »schmutziger Krieg« zwischen dem Militär und Truppen der Guerilla aus.
1982
Nach einer argentinischen Invasion auf den Falkland-Inseln verteidigen die Briten die Inseln erfolgreich gegen Argentinien.
1990
In Chile Wiederherstellung der Demokratie unter Patricio Aylwin.
1995–1998
Militärischer Grenzkonflikt zwischen Peru und Ecuador um die Cordillera del Cóndor, wo reiche Gold-, Erdöl- und Uranvorkommen vermutet werden.
2000
Das Verfahren wegen Menschenrechtsverletzungen gegen den chilenischen Ex-Staatschef General Pinochet wird vertagt.
2002
Der Sozialist »Lula« da Silva wird Präsident von Brasilien.

Die Welt vom Ersten Weltkrieg bis heute (1914 bis 2004)

Mittelamerika und die Karibik • 1945 bis 2004

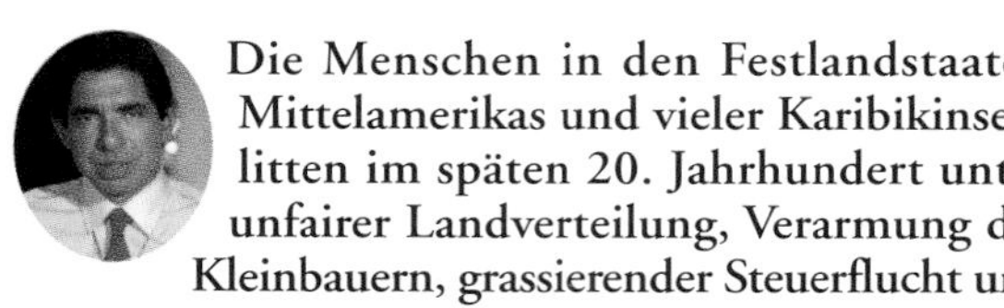

Die Menschen in den Festlandstaaten Mittelamerikas und vieler Karibikinseln litten im späten 20. Jahrhundert unter unfairer Landverteilung, Verarmung der Kleinbauern, grassierender Steuerflucht und dem Fehlen arbeitsintensiver Industrien.

In vielen Ländern bestimmten Unruhen, politische Gewalt und staatliche Repression den Alltag. Auswärtige Unterstützung (vor allem aus den USA) galt in erster Linie korrupten, die Menschenrechte missachtenden, dafür antikommunistischen Militärregierungen.

Der revolutionäre Weg Kubas

Auf Kuba bestimmten bis Ende der 1950er-Jahre die USA die Politik. Solange die Regierung amerikanische Interessen vertrat, mangelte es ihr nicht an Mitteln. Fidel Castros siegreiche Revolution im Jahr 1959 trug der Zuckerinsel die Feindschaft Washingtons und des Internationalen Währungsfonds (IWF) ein. Nun unterstützte die Sowjetunion das Land, vor allem nach der (von den USA geförderten) gescheiterten Landung von exilkubanischen Kämpfern in der Schweinebucht (1961). 1962 erspähte die amerikanische Luftaufklärung auf Kuba russische Mittelstreckenraketen, die den Südosten der USA hätten erreichen können. US-Präsident Kennedy ordnete eine Seeblockade an und dachte sogar an eine Invasion, die unweigerlich zu einem Atomkrieg geführt hätte. Nach dem Abzug der russischen Raketen blieb Castro ein treuer Verbündeter der Sowjets. Als erster Staatsmann der Karibik beeinflusste er spürbar das weltpolitische Geschehen: Kubanische Soldaten griffen in die Bürgerkriege in Angola und Äthiopien ein, um den dortigen sozialistischen Kräften zur Macht zu verhelfen. Nach 1990 aber begann der Niedergang Kubas, das sich harten amerikanischen Sanktionen ausgesetzt sah.

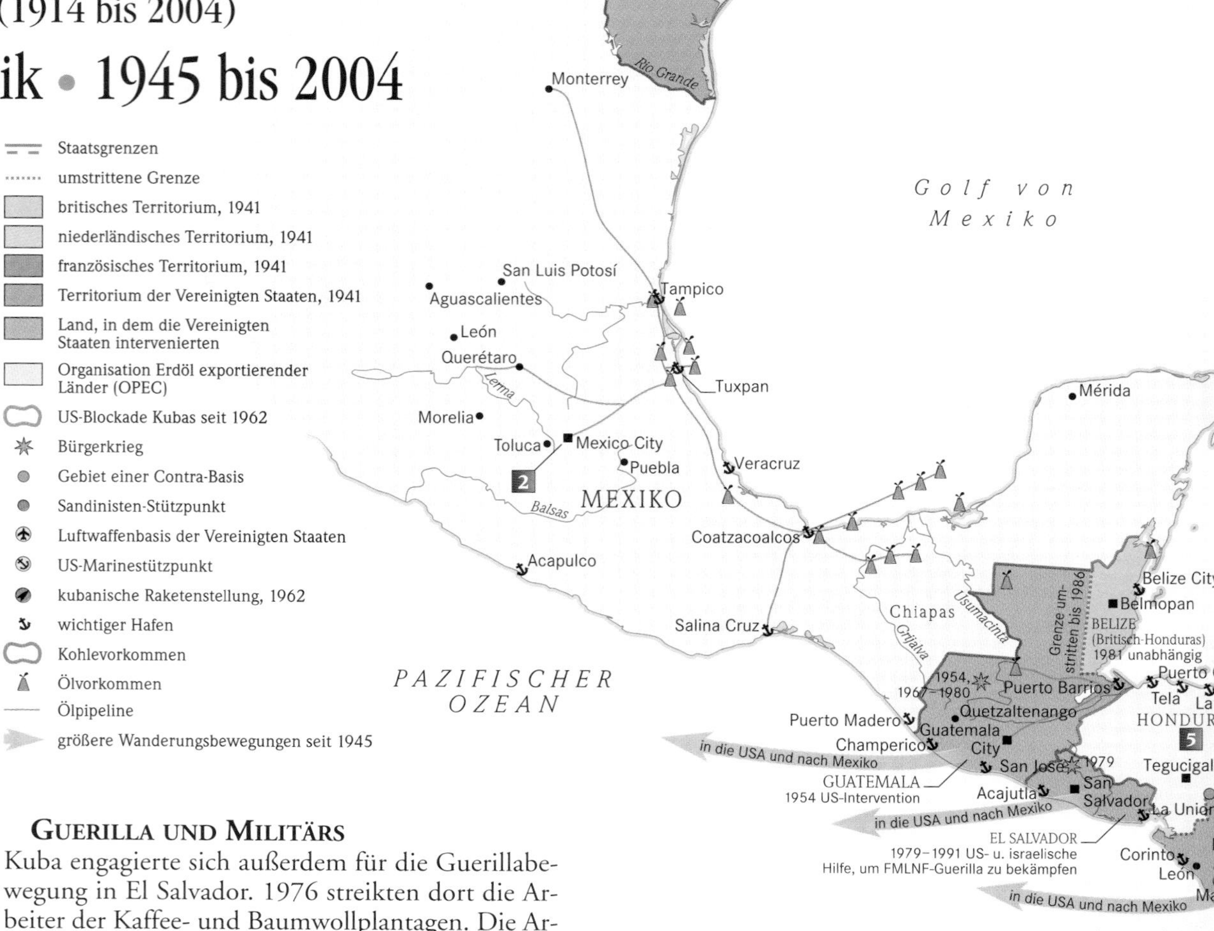

Staatsgrenzen
umstrittene Grenze
britisches Territorium, 1941
niederländisches Territorium, 1941
französisches Territorium, 1941
Territorium der Vereinigten Staaten, 1941
Land, in dem die Vereinigten Staaten intervenierten
Organisation Erdöl exportierender Länder (OPEC)
US-Blockade Kubas seit 1962
Bürgerkrieg
Gebiet einer Contra-Basis
Sandinisten-Stützpunkt
Luftwaffenbasis der Vereinigten Staaten
US-Marinestützpunkt
kubanische Raketenstellung, 1962
wichtiger Hafen
Kohlevorkommen
Ölvorkommen
Ölpipeline
größere Wanderungsbewegungen seit 1945
Monterrey
Rio Grande
Golf von Mexiko
San Luis Potosí
Aguascalientes
Tampico
León
Querétaro
Lerma
Tuxpan
Mérida
Morelia
Toluca
Mexico City
Puebla
Veracruz
Balsas
MEXIKO
Coatzacoalcos
Acapulco
Belize City
Belmopan
BELIZE
(Britisch-Honduras)
1981 unabhängig
Grenze umstritten bis 1986
Chiapas
Usumacinta
Grijalva
Salina Cruz
PAZIFISCHER OZEAN
1954, 1960–1980
Puerto Barrios
Quetzaltenango
Puerto Madero
Guatemala City
Champerico
in die USA und nach Mexiko
San José
1979
Tegucigalpa
Tela
Puerto Cortés
HONDURAS
GUATEMALA
1954 US-Intervention
Acajutla
San Salvador
La Unión
EL SALVADOR
1979–1991 US- u. israelische Hilfe, um FMLNF-Guerilla zu bekämpfen
Corinto
León
seit 1981 Aufstände durch US-unterstützte Contras

Guerilla und Militärs

Kuba engagierte sich außerdem für die Guerillabewegung in El Salvador. 1976 streikten dort die Arbeiter der Kaffee- und Baumwollplantagen. Die Armee übernahm daraufhin die Regierung, Tausende der Junta »verdächtige« Zivilisten wurden getötet. Zu vergleichbaren Ereignissen kam es auch in Guatemala. In Nicaragua, wo die wohlhabende Familie Somoza herrschte, besetzten linke »Sandinisten« Managua und etablierten 1979 ein marxistisch-leninistisches Regime. Als 1990 noch immer ein Drittel der Bevölkerung unter der Armutsgrenze lebte, verlor der Sandinist Daniel Ortega nach freien Wahlen sein Präsidentenamt. Auch Naturkatastrophen wie der Wirbelsturm »Mitch« hatten in den 1990er-Jahren verheerende Auswirkungen auf die Volkswirtschaften Nicaraguas und Honduras'.

Am 24. Januar 1959 spricht Fidel Castro zum kubanischen Volk. Der Nimbus des Befreiers verlor an Glanz, als der »Líder Máximo« selbst diktatorisch herrschte.

Mexiko, dank seines Öls das reichste Land der Region, verteidigte die Sandinisten als »stabilisierendes Element« und gestand ihnen zu, Nicaraguas Verhältnisse durch eine Revolution zu verändern. Das Land selbst besaß über Jahrzehnte kaum interne Probleme, obwohl sich die Bevölkerung seit den 1940er-Jahren vervierfacht hatte und 1984 eine schwere Wirtschaftskrise erlebte. Blutig verliefen die Studentenaufstände von 1968, ebenso gewaltsam wurde die Erhebung in der Provinz Chiapas 1994 niedergeschlagen. Nachdem in Mexiko die PRI (»Partei der institutionalisierten Revolution«) seit 1929 ununterbrochen die Regierung gestellt hatte, verlor sie 1999 die Wahlen gegen die oppositionelle PAN, die trotz einer herben Wahlschlappe 2003 weiterhin den Präsidenten stellte.

Neben Zucker und Kaffee ist Tabak ein wichtiges Agrarprodukt Kubas.

ZEITLEISTE

1945 – 1950 – 1960 – 1970

MITTELAMERIKA

1948 Gründung der Organisation Amerikanischer Staaten (OAS). In Costa Rica bildet die Nationale Befreiungsarmee die Regierung.

1957 Die OAS schlichtet einen Streit zwischen Nicaragua und Honduras.

1964 In der Kanalzone von Panama kommt es zu Tumulten.

1969 Im »Fußball-Krieg« mit El Salvador zerstört die honduranische Luftwaffe die Ölraffinerie von Acajutla.

KARIBIK

1959 Auf Kuba verjagt Fidel Castro den Präsidenten Fulgencio Batista.

1962 Kuba-Krise; Ausschluss Kubas aus der OAS.

1968 Die Karibische Freihandelszone (CARIFTA) wird beschlossen.

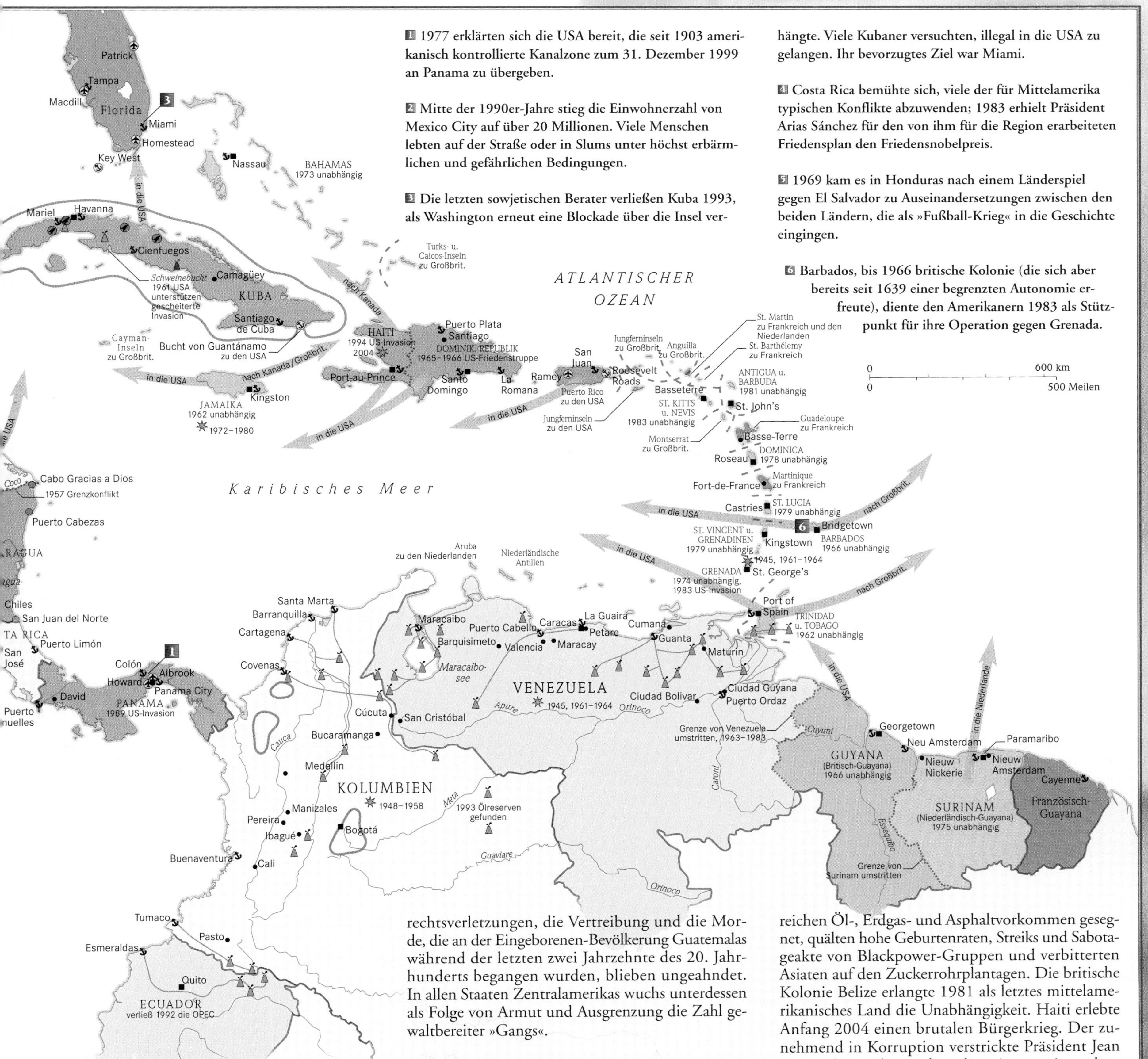

1 1977 erklärten sich die USA bereit, die seit 1903 amerikanisch kontrollierte Kanalzone zum 31. Dezember 1999 an Panama zu übergeben.

2 Mitte der 1990er-Jahre stieg die Einwohnerzahl von Mexico City auf über 20 Millionen. Viele Menschen lebten auf der Straße oder in Slums unter höchst erbärmlichen und gefährlichen Bedingungen.

3 Die letzten sowjetischen Berater verließen Kuba 1993, als Washington erneut eine Blockade über die Insel verhängte. Viele Kubaner versuchten, illegal in die USA zu gelangen. Ihr bevorzugtes Ziel war Miami.

4 Costa Rica bemühte sich, viele der für Mittelamerika typischen Konflikte abzuwenden; 1983 erhielt Präsident Arias Sánchez für den von ihm für die Region erarbeiteten Friedensplan den Friedensnobelpreis.

5 1969 kam es in Honduras nach einem Länderspiel gegen El Salvador zu Auseinandersetzungen zwischen den beiden Ländern, die als »Fußball-Krieg« in die Geschichte eingingen.

6 Barbados, bis 1966 britische Kolonie (die sich aber bereits seit 1639 einer begrenzten Autonomie erfreute), diente den Amerikanern 1983 als Stützpunkt für ihre Operation gegen Grenada.

Die Politik der Einmischung ...

... prägte die Außenpolitik der USA über Jahrzehnte: 1965 wurde die Dominikanische Republik von Fallschirmjägern besetzt, 1983 intervenierte man in Grenada und 1994 in Haiti. Zudem übernahm das amerikanische Militär 1989 zeitweilig die Macht in Panama und setzte Präsident Manuel Noriega wegen illegalen Drogenhandels fest.

Ende 1999 erhielt Panama die vollständige Souveränität über den Panamakanal. Die Menschenrechtsverletzungen, die Vertreibung und die Morde, die an der Eingeborenen-Bevölkerung Guatemalas während der letzten zwei Jahrzehnte des 20. Jahrhunderts begangen wurden, blieben ungeahndet. In allen Staaten Zentralamerikas wuchs unterdessen als Folge von Armut und Ausgrenzung die Zahl gewaltbereiter »Gangs«.

Karibische Konflikte

Nachdem eine Anfang der 1960er-Jahre geplante Föderation westindischer Staaten nicht zustande gekommen war, strebten die meisten Länder nun die Unabhängigkeit an – die viele auch friedlich erlangten, sofern sie nicht bei Großbritannien blieben. Jamaika kämpfte mit Übervölkerung, Arbeitslosigkeit und Rassenkonflikten, bis Bildungsprogramme und der Tourismus eine Wende zum Besseren brachten. Den Zwei-Insel-Staat Trinidad und Tobago, mit reichen Öl-, Erdgas- und Asphaltvorkommen gesegnet, quälten hohe Geburtenraten, Streiks und Sabotageakte von Blackpower-Gruppen und verbitterten Asiaten auf den Zuckerrohrplantagen. Die britische Kolonie Belize erlangte 1981 als letztes mittelamerikanisches Land die Unabhängigkeit. Haiti erlebte Anfang 2004 einen brutalen Bürgerkrieg. Der zunehmend in Korruption verstrickte Präsident Jean Bertrand Aristide, ein ehemaliger Armenpriester, hatte aufkommende Proteste der Bevölkerung jahrelang durch seine »Kannibalen-Armee« niederschlagen lassen. Doch dann wechselte die Truppe nach der Ermordung ihres Anführers die Seite und nannte sich »Revolutionäre Widerstandsfront des Artibonite« (FRRA). Die blutigen Kämpfe zwischen Rebellen und Aristide-Anhängern führten zwar schließlich im Februar zum Sturz des Präsidenten – das Land aber blieb weiterhin gespalten.

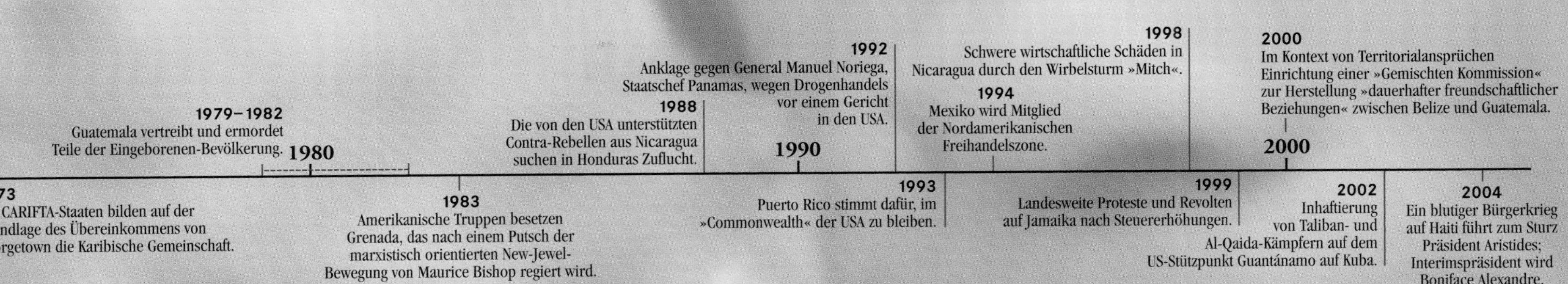
1979–1982
Guatemala vertreibt und ermordet Teile der Eingeborenen-Bevölkerung.
1980
1988
Die von den USA unterstützten Contra-Rebellen aus Nicaragua suchen in Honduras Zuflucht.
1992
Anklage gegen General Manuel Noriega, Staatschef Panamas, wegen Drogenhandels vor einem Gericht in den USA.
1990
1998
Schwere wirtschaftliche Schäden in Nicaragua durch den Wirbelsturm »Mitch«.
1994
Mexiko wird Mitglied der Nordamerikanischen Freihandelszone.
2000
Im Kontext von Territorialansprüchen Einrichtung einer »Gemischten Kommission« zur Herstellung »dauerhafter freundschaftlicher Beziehungen« zwischen Belize und Guatemala.
2000
973
ie CARIFTA-Staaten bilden auf der rundlage des Übereinkommens von eorgetown die Karibische Gemeinschaft.
1983
Amerikanische Truppen besetzen Grenada, das nach einem Putsch der marxistisch orientierten New-Jewel-Bewegung von Maurice Bishop regiert wird.
1993
Puerto Rico stimmt dafür, im »Commonwealth« der USA zu bleiben.
1999
Landesweite Proteste und Revolten auf Jamaika nach Steuererhöhungen.
2002
Inhaftierung von Taliban- und Al-Qaida-Kämpfern auf dem US-Stützpunkt Guantánamo auf Kuba.
2004
Ein blutiger Bürgerkrieg auf Haiti führt zum Sturz Präsident Aristides; Interimspräsident wird Boniface Alexandre.

Die Welt vom Ersten Weltkrieg bis heute (1914 bis 2004)

Die Entstehung der Sowjetunion • 1917 bis 1941

Der Erste Weltkrieg brachte Russland unerträgliche soziale und wirtschaftliche Belastungen. Der Zar, seit 1915 militärischer Oberbefehlshaber, wurde für viele Fehlschläge des Krieges verantwortlich gemacht und dankte im März 1917 nach der Revolution in Petrograd (nach russischem Kalender im Februar) ab. Die bürgerliche »Provisorische Regierung« übernahm die Geschäfte.

Die Entscheidung der Regierung unter dem Fürsten Lwow, den Krieg fortzusetzen, und die Angst vor einer Konterrevolution führten zur Radikalisierung vieler Menschen. In den Industriegebieten gründeten sich Sowjets (Arbeiter-, Soldaten- und Matrosenräte). Viele dieser Räte waren von sozialistischen Kräften dominiert, unter denen die von Lenin geführten Bolschewisten rasch Einfluss gewannen. Im November (Oktober) 1917 stürzten sie die Regierung – die »Oktoberrevolution« hatte gesiegt.

Hitler-Stalin-Pakt: Reichsaußenminister Ribbentrop, Kremlchef Stalin und sein Außenminister Molotow (v. l.) nach Abschluss des deutsch-sowjetischen Nichtangriffspaktes am 23. August 1939

SCHWEDEN
DEUTSCHLAND
Stockholm
LITAUEN 1940 an die UdSSR
LETTLAND 1940 an die UdSSR
FINNLAND 1917 unabhängig
Murmansk
Briten, Frankokanadier, Italiener, Serben, Amerikaner
Tallinn
ESTLAND 1940 an die UdSSR
Danzig
Wien
Riga
Finnen
Litauer
Letten
zu Deutschland
Warschau
POLEN
SLOWAKEI
UNGARN
Pleskau
Leningrad (Petrograd)
Minsk
Polen
Weißrussland 1919–1921 unabhängig
Archangelsk
Nowaja Semlja
JUGOSLAWIEN
RUMÄNIEN
Schitomir
Smolensk
Schenkursk
Rumänen
Kiew
Ukraine 1917–1920 unabhängig
Kaluga
Moskau
Kotlas
Donau
BULGARIEN
Odessa
Orel
Poltawa
Charkow
Workuta
Franzosen
Nikolajew
Jekaterinoslaw
Gorki
Nowyj Port
Istanbul
Sewastopol
Simferopol
Woronesch
Tambow
Dubin
Kasan
Tschechen
Mariupol
Rostow
Nowotscherkassk
Saratow
Simbirsk
Koltschak 1918–1919
Perm (Molotow)
Igarka
TÜRKEI
Noworossijsk
Schwarzes Meer
Briten
Stalingrad
Samara (Kujbyschew)
Ufa
Jekaterinburg (Swertlowsk)
U R A L
Armenien 1918–1921 unabhängig
Kosaken, Ukrainer, Weißrussen
Kosaken
Orenburg
Tscheljabinsk
Tjumen
Tobolsk
UNION DER SOZIALISTISCHEN SOWJETREPUBLIKEN seit 1923
Batumi
Tiflis
Georgien 1918–1921 unabhängig
Astrachan
Magnitogorsk
Irtysch
Gurjew
Aserbaidschan 1918–1920 unabhängig
Omsk
Ob
Jenissej
Euphrat
Tigris
Täbris
Baku
Kaspisches Meer
Aralsk
Akmolinsk
Tomsk
Nowosibirsk
Maklakowo
Aralsee
Kasalinsk
Krasno
Briten
Krasnowodsk
Karaganda
Stalinsk
Teheran
Amu-Darja
Balchaschsee
Aschchabad
Buchara
IRAN
Merw
Samarkand
Taschkent
Frunse
Alma-Ata
Kuschka
Herat
TIEN-SHAN
MONGOLEI 1924 kommunistischer unter russischem Einf
AFGHANISTAN
Kabul
Lanzhou

Bürgerkrieg und Kriegskommunismus

In der verfassunggebenden Versammlung waren die Bolschewisten den Sozialrevolutionären, die die Bauern vertraten, zahlenmäßig weit unterlegen, weshalb Lenin die Versammlung auflöste und mit einem blutigen Bürgerkrieg seine Position sicherte. Die nicht bolschewistischen Sozialisten ebenso wie Liberale, Adel, nationale Minderheiten und Bauern standen in Opposition zum Regime, auch ausländische Mächte intervenierten. Aber die »Weißen«, die antibolschewistischen Truppen, waren sowohl geographisch als auch politisch weit voneinander entfernt: Es gab 19 unabhängige Regierungen. Obwohl die »Weißen« einmal bis auf 400 Kilometer an Moskau herankamen, konnten die bolschewistischen »Roten« die Ukraine, den Kaukasus, Mittelasien und Sibirien zurückerobern. Die Sowjets traten Gebiete an Polen ab und erkannten die Unabhängigkeit der baltischen Staaten an. 1923 wurde die Union der Sozialistischen Sowjetrepubliken (UdSSR) gegründet, die Russland, die Ukraine, Weißrussland und Transkaukasien umfasste.

Ländliche Hungersnot im Jahre 1921: Bauern mit Lebensmittelspenden des Völkerbunds

Während des Bürgerkrieges hatten die Bolschewisten im Rahmen des »Kriegskommunismus« Nahrungsmittel für die Armee und die Städte beschlagnahmt. Dies führte zu heftigen Kämpfen mit den Bauern, die 1920 bis 1922 in vielen Revolten und einer Hungersnot gipfelten. Nach dem Bürgerkrieg führte Lenin 1921 die »Neue Ökonomische Politik« mit dem Ziel der begrenzten Liberalisierung des Handels ein, um die Bauern zur Produktionssteigerung zu ermuntern und das Land zu modernisieren.

Stalins totalitäre Diktatur

Lenin starb 1924 ohne designierten Nachfolger. Josef Stalin nutzte seine Position als Generalsekretär der KP zur Machtübernahme. Die Kommunisten mussten mit dem Widerspruch leben, dass sie als »Arbeitervertreter« ein Land von Bauern regierten. Deshalb kollektivierte Stalin 1929 die Landwirtschaft. Der private Handel wurde abgeschafft, die Bauern waren gezwungen, ihren Landbesitz abzugeben und auf Kolchosen zu arbeiten. Viele reagierten darauf, indem sie ihr Vieh schlachteten und nur noch Getreide für den Eigenbedarf anbauten. Als auch diese Ernteerträge beschlagnahmt wurden, brach erneut

ZEITLEISTE

POLITIK

1915

1917 Die Ukraine, Finnland, Lettland und Litauen erklären ihre Unabhängigkeit.

(März) Erste Revolution; der Zar dankt ab, Einsetzung der Provisorischen Regierung.

(Nov.) Die Bolschewisten übernehmen nach der Oktoberrevolution die Macht.

1918 (März) Die Bolschewisten unterzeichnen das Friedensabkommen von Brest-Litowsk mit Deutschland.

Die Staaten im Kaukasus und Estland erklären ihre Unabhängigkeit.

1920 Die Rote Armee marschiert in Polen ein.

1918–1921 Bürgerkrieg zwischen »Weißen« und »Roten«.

1920

1920–1921 Rückeroberung der Ukraine, der Staaten im Kaukasus und Turkestans; die Mongolen vertreiben die Chinesen aus ihrem Land.

1922 Vertrag von Rapallo zwischen Russland und Deutschland.

1922–1923 Gründung der Union der Sozialistischen Sowjetrepubliken (UdSSR).

1924 Tod Lenins.

1925

1926 Die UdSSR und Deutschland unterzeichnen ein Neutralitätsabkommen.

WIRTSCHAFT

1918 Entvölkerung der Ortschaften und Städte im Bürgerkrieg.

1921 Einführung der »Neuen Ökonomischen Politik«.

1920–1922 In ganz Russland kommt es zu Bauernaufständen.

1928 Verkündung des ersten Fünfjahresplans.

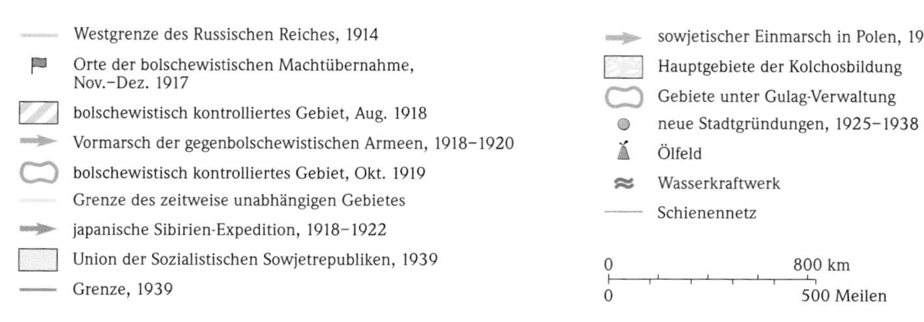
Westgrenze des Russischen Reiches, 1914
Orte der bolschewistischen Machtübernahme, Nov.–Dez. 1917
bolschewistisch kontrolliertes Gebiet, Aug. 1918
Vormarsch der gegenbolschewistischen Armeen, 1918–1920
bolschewistisch kontrolliertes Gebiet, Okt. 1919
Grenze des zeitweise unabhängigen Gebietes
japanische Sibirien-Expedition, 1918–1922
Union der Sozialistischen Sowjetrepubliken, 1939
Grenze, 1939
sowjetischer Einmarsch in Polen, 1939
Hauptgebiete der Kolchosbildung
Gebiete unter Gulag-Verwaltung
neue Stadtgründungen, 1925–1938
Ölfeld
Wasserkraftwerk
Schienennetz
0 800 km
0 500 Meilen

eine Hungersnot aus. Massen von Menschen wurden in Arbeitslager deportiert; 14,5 Millionen starben.

Durch die Kollektivierung sollten aufsässige Bauern zur Räson gebracht und gezwungen werden, genügend Getreide für das Industrialisierungsprogramm zu produzieren, mit dem die UdSSR zur modernen Wirtschaftsmacht aufsteigen wollte. Selbst in der Hungersnot wurde Getreide zur Versorgung der Städte abgezogen und sogar ins Ausland veräußert, um westliche Technologie zu kaufen. 1928 verkündete Stalin den ersten Fünfjahresplan, mit dem er den Westen einholen wollte – welcher, wie der Kremlchef behauptete, der UdSSR »um 50 bis 100 Jahre voraus« war. Der Ausbau alter und der Aufbau neuer Industriezentren steigerten die Produktion rasch – vor allem in der Schwer- und Rüstungsindustrie. Die industrielle Entwicklung wurde jedoch durch Stalins »Säuberungen« ab 1934 schwer behindert. »Subversive« (vor allem altgediente Bolschewisten) wurden in Schauprozessen wegen vermeintlicher Verbrechen abgeurteilt und erschossen oder in Arbeitslager verbannt. Stalins Krieg gegen die eigene Bevölkerung erfasste die gesamte UdSSR, überall suchte der Diktator nach Sündenböcken als Verantwortliche für die Nichterfüllung der Planziele. Angst und Argwohn führten zu massenweiser Denunziation und einer merklichen Dezimierung der höheren Ebenen in Verwaltung und Partei.

1 Sankt Petersburg (1914 in Petrograd, 1924 in Leningrad umbenannt und seit 1991 wieder mit dem alten Namen bezeichnet) war bis 1917 Zarenresidenz und Hauptschauplatz der Revolutionen jenes Jahres.

2 Im Bürgerkrieg hielten die Bolschewisten die Mitte Russlands mit Moskau als Zentrum und kontrollierten das Eisenbahnnetz, was entscheidend zu ihrem Erfolg beitrug.

3 Verschiedenste Kräfte kämpften gegen die Bolschewisten: Die Tschechische Legion etwa, die im Ersten Weltkrieg die Alliierten unterstützt hatte, suchte über Wladiwostok nach Hause zu kommen und kontrollierte daher 1918 die Transsibirische Eisenbahn.

4 Magnitogorsk, ein gigantischer Industriekomplex am Ural, war das Schaustück der sowjetischen Industrialisierung.

5 »Umerziehungslager« oder Gulags wurden erstmals unter Lenin eingerichtet und wurden in der Stalinzeit zu einem wichtigen Instrument der Wirtschaftspolitik und der Ausschaltung der Opposition.

6 Tambow war in den Jahren 1920 bis 1922 das Zentrum von Bauernaufständen.

Symbolischer Akt zu Propagandazwecken: 1928, kurz vor der Kollektivierung der Landwirtschaft, werden Holzpflüge aus der Zarenzeit verbrannt.

Der »Sieg« des Kommunismus

1938 erfasste die »Säuberung« auch die Streitkräfte, die einen großen Teil ihres Offizierskorps verloren. Im folgenden Jahr schloss Stalin den Nichtangriffspakt mit Hitler und besetzte Ostpolen sowie die baltischen Staaten. Der Kremlchef glaubte, Hitler würde die UdSSR erst angreifen, wenn Deutschland Großbritannien und Frankreich besiegt hätte – ein Irrtum, denn die Deutschen marschierten schon 1941 ein. Allerdings konnte das Land dem Aggressor trotz der verheerenden Säuberungen diesmal weit besser als 1914 Widerstand leisten. Der Kommunismus hatte sich im einst rückständigsten Land Europas durchgesetzt. Stalin hielt seine Politik, hauptsächlich eine Fortsetzung des Lenin'schen Kurses, trotz höchster Verluste durch, so dass die sowjetische Strategie letztendlich aufging.

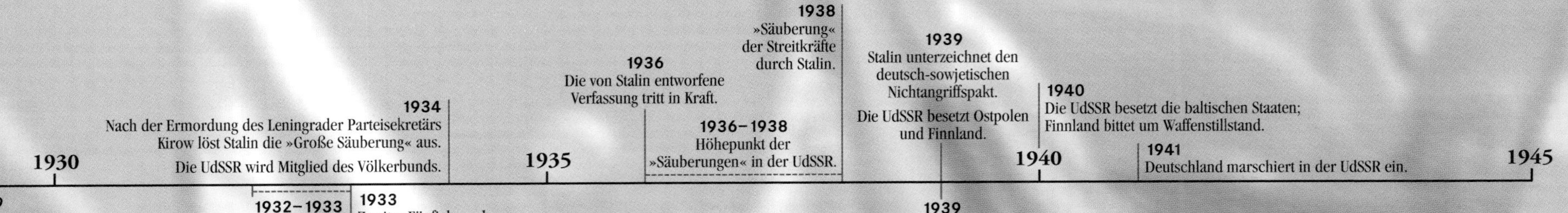
1930
1935
1940
1945
29
inn der Kollektivierung
Landwirtschaft.
1932–1933
Hungersnot
in der Ukraine und
in Zentralasien.
1933
Zweiter Fünfjahresplan.
1934
Nach der Ermordung des Leningrader Parteisekretärs
Kirow löst Stalin die »Große Säuberung« aus.
Die UdSSR wird Mitglied des Völkerbunds.
1936
Die von Stalin entworfene
Verfassung tritt in Kraft.
1936–1938
Höhepunkt der
»Säuberungen« in der UdSSR.
1938
»Säuberung«
der Streitkräfte
durch Stalin.
1939
Stalin unterzeichnet den
deutsch-sowjetischen
Nichtangriffspakt.
Die UdSSR besetzt Ostpolen
und Finnland.
1939
Dritter Fünfjahresplan.
1940
Die UdSSR besetzt die baltischen Staaten;
Finnland bittet um Waffenstillstand.
1941
Deutschland marschiert in der UdSSR ein.

Die Welt vom Ersten Weltkrieg bis heute (1914 bis 2004)

Der Niedergang der Sowjetunion • 1941 bis 1991

Die deutsche Wehrmacht drang tief nach Russland ein, nicht zuletzt weil die Führung der Roten Armee durch Stalins »Säuberungen« geschwächt war. Doch nach den Siegen von Stalingrad und Kursk stießen die Sowjets im April 1945 bis nach Berlin vor. Die UdSSR, die rund 20 Millionen Tote zu beklagen hatte, ging als Supermacht aus dem Krieg hervor und verleibte sich de facto den Großteil Osteuropas ein. 1949 stieg sie in den Rang einer Atommacht auf.

Unberechenbar: Nikita Chruschtschow, Stalins volkstümlicher Nachfolger, erregte 1960 mit einem temperamentvollen Auftritt in der UN-Vollversammlung weltweite Heiterkeit.

Oslo
NORWEGEN
SCHWEDEN
DÄNEMARK
Bonn
BUNDESREPUBLIK DEUTSCHLAND
Kopenhagen
Stockholm
DEUTSCHE DEMOKRATISCHE REPUBLIK
Berlin
FINNLAND
Murmansk
Poljarnije Zori
POLEN
Helsinki
Kaliningrad zu Russland
Warschau
LITAUEN 1991
LETTLAND 1991
ESTLAND 1991
Sosnowij Bor
St. Petersburg (Leningrad)
TSCHECHOSLOWAKEI
ÖSTERREICH
UNGARN
Minsk
Shchkus
Jedrowo
Archangelsk (Archangel)
Nowaja Semlja
Sarajewo
B.-H.
WEISSRUSSLAND 1991
Plessetsk
Belgrad
Kuznetsowsk
Netischjn
JU.
Udomlya
Neneten
Drowjanaja
RUMÄNIEN
MOLDOVA 1991
Tschernobyl
Desnogorsk
Moskau
Kostroma
Sofia
Bukarest
Kostiantyniwka
Kiew
BULGARIEN
GRIECHENLAND
UKRAINE 1991
Koselsk
Tejkowo
Athen
Odessa
Kurchatow
Dnjepropetrowsk (Jekaterinoslaw)
Charkow
Nischnij Nowgorod (Gorki)
Jurja
Komi-Permjaken-Nationalbezirk
Istanbul
Enerhodar
Nowoworonesch
Wolga
Joschkar-Ola
Donezk
Tatarstan
Kasan
1991–1992
Jamal-Nenzen-Nationalbezirk
Ankara
Schwarzes Meer
Tatischtchekowo
Rostow
Balakowo
Samara (Kuijbyschew)
Perm
Werkhnaja Salda
Chanten- und Mansen-Nationalbezirk
TÜRKEI
Wolgograd (Stalingrad)
Kapustin Jar
Jekaterinburg (Swerdlowsk)
Zarechnyy
Tjumen
Tscheljabinsk
Schadrinsk
Irtysch
KAUKASUS
GEORGIEN 1991
Tschetschenien
Grosny
(Dschokar Ghala)
Kartalj
ARMENIEN 1991
Dombarowski
1994–1996
SYRIEN
zu Aserbaidschan
ASERBAIDSCHAN 1991
Kaspisches Meer
1990
1989
Omsk
Ob
IRAK
Bagdad
Euphrat
Tigris
Aralsee
Imeni Gastello
Kosmodrom-Baikonur
Akmolinsk (Astana)
Karaganda
Nowosibirsk
Itatka
Uschur
Alejsk
Teheran
Tjuratam
TURKMENISTAN 1991
Amu Darja
USBEKISTAN 1991
KASACHSTAN 1991
Balchaschsee
Changis Tobe
Aschchabad
KUWAIT
Mary (Merw)
Buchara
IRAN
Samarkand
Taschkent
Bischkek (Frunse)
Alma-Ata (Almaty)
KIRGISIEN 1991
Duschanbe
TADSCHIKISTAN 1991
Herat
TIEN-SHAN
AFGHANISTAN 1979–1989
Kabul
HINDUKUSCH
Hami

Die Probleme des Landes aber blieben. Die Landwirtschaft arbeitete zu teuer und ertragsschwach, die Bürokratie war allgegenwärtig, die Herrschaft, vor allem über nationale Minderheiten, musste mit Gewalt aufrechterhalten werden. Die Rote Armee brauchte Jahre, um polnische und ukrainische Partisanenarmeen auszuschalten; auch die Baltikumstaaten widersetzten sich. Die westlichen Republiken hatten im Krieg die höchsten Verluste erlitten, aber Stalin unterdrückte den wieder erwachten Nationalstolz, indem er ganze Bevölkerungen wegen angeblicher Kollaboration deportieren ließ. Viele Sowjetbürger (auch im Politbüro) empfanden bei Stalins Tod 1953 eher Erleichterung als Trauer.

»Wettlauf zum Kommunismus«

Mit dem Tod des Diktators änderte sich vieles. Schon wenig später wurden zahlreiche politische Gefangene befreit und der gefürchtete Geheimdienstchef Berija nach einem kurzen Gerangel um die Nachfolge gestürzt und erschossen. Neuer Chef im Kreml war Nikita Chruschtschow. Mit seiner berühmten Abrechnung mit dem Stalinismus gab dieser 1956 der »Tauwetterperiode« Ausdruck und startete den »Wettlauf zum Kommunismus«, der laut Plan 1980 beendet sein sollte. Die lahmende Wirtschaft wollte er durch die Konsumgüterproduktion und eine Dezentralisierung der Planung ankurbeln – mit mäßigem Erfolg. Zu Chruschtschows großen Fehlern zählten in der Außenpolitik die Kuba-Krise und der Bruch mit China. Die Vorbereitungen auf einen möglichen Krieg gegen NATO und China zugleich waren eine große Belastung. Schwerindustrie und Raumfahrt (1957 hatte die UdSSR die Welt mit dem Start des ersten künstlichen Satelliten, »Sputnik 1«, erstaunt) verschlangen Gelder, die ursprünglich für anderes bestimmt waren.

Tschernobyl schockte 1986 die Welt: Auf dem Luftbild vom Unglücksreaktor in der Ukraine sind die Zerstörungen deutlich zu erkennen.

Chruschtschow löste auch die Probleme der Landwirtschaft nicht. Die Ernteerträge wurden zwar durch massiven Kunstdüngereinsatz gesteigert und bislang unbestellte Flächen kultiviert, aber trotz anfänglicher Erfolge führte die Überlastung der Böden zu mageren Ernten und Erosion – was die UdSSR 1963 zwang, Getreide aus den USA und Kanada zu importieren. 1964 wurde Chruschtschow gestürzt.

ZEITLEISTE

POLITIK

- **1944** Rückeroberung der baltischen Staaten durch die UdSSR.
- **1945** Nach dem Ende des Zweiten Weltkriegs veranlasst Stalin die Zwangsumsiedlung ganzer Bevölkerungsgruppen.
- **1953** Tod Stalins; Chruschtschow wird Erster Sekretär des Zentralkomitees.
- **1956** Chruschtschow übt auf dem XX. Parteitag Kritik an Stalin.
- **1957** Zunehmende Entfremdung zwischen Moskau und Peking.
- **1961** Chruschtschow startet den »Wettlauf zum Kommunismus«.
- **1964** Sturz Chruschtschows; Breschnew und Kossygin ringen um die Macht.

1940 — 1950 — 1960

ANDERE ENTWICKLUNGEN

- **1949** Die UdSSR zündet ihre erste Atombombe.
- **1954** Chruschtschow startet das Programm »Jungfräuliches Land«.
- **1957** Der Start des sowjetischen Satelliten »Sputnik 1« eröffnet das Rennen um die Eroberung des Weltraums.
- **1961** Der sowjetische Kosmonaut Jurij Gagarin umkreist als erster Mensch die Erde.
- **1964** Zahlung von Subventionen an die Bauern.

1 Die Ermordung des Politbüromitglieds Andrej Schdanow bot Stalin Anlass zur »Säuberung« der Leningrader KP. Die Stadt sagte sich 1991 von ihrer Sowjet-Vergangenheit los und nahm wieder ihren früheren Namen Sankt Petersburg an.

2 1986 explodierte in Tschernobyl ein Atomreaktor; große Teile West- und Nordeuropas wurden einer starken Strahlenbelastung ausgesetzt. Das Unglück stellte weltweit die Zukunft der Kernkraftnutzung in Frage.

3 1980 wurden in Estland nach dem Erfolg der »Solidarität« in Polen, über den das finnische Fernsehen berichtet hatte, erste antisowjetische Proteste laut.

4 Um Bergkarabach, eine armenische Enklave in Aserbaidschan, flammten 1988 schwere Kämpfe auf.

5 Die Ukraine war die »Kornkammer« der UdSSR. Opposition gegen die Russen hatte hier Tradition, wie Partisanenaktivitäten von 1945 bis in die 1950er-Jahre zeigten; 1991 entschied sich das Land für die Unabhängigkeit.

6 Tatarstan erklärte sich 1991 für unabhängig und 1992 für souverän. 1994 schloss die ehemalige Sowjetrepublik einen Bündnisvertrag mit Russland.

0 800 km
0 500 Meilen

Grenzen der UdSSR, 1945
Grenzen, 1991
Mitgliedstaaten der GUS
autonomer Staat in der Russischen Föderation
Grenzen autonomer ethnischer Gebiete
von China beanspruchtes Gebiet
Aufstände gegen die sowjetische Intervention
ethnische Unruhen
Gebiet zwischen 1945–1991 zeitweise unter sowjetischem Einfluss
Stützpunkt für Interkontinentalraketen
Weltraumflughafen
Kernkraftwerk
Gebiet der »Jungfräuliches-Land«-Politik
Weizenanbaugebiet
1991 Jahr der Unabhängigkeit von der UdSSR

A. Albanien
B.-H. Bosnien-Herzegowina
JU. Jugoslawien
KR. Kroatien
M. Makedonien (ehemalige jugoslawische Teilrepublik)
SLW. Slowenien

Neusibirische Inseln
Wrangelinsel
utonomer Bezirk der
olganen und Nenzen
USSISCHE
DERATION
seit 1991
Ewenken
Bilibino
Tschuktschen
Korjaken
Jakutsk
Magadan
Lena
Ust Ordynskij
Burjatischer
autonomer Bezirk
Baikalsee
Irkutsk
Tschita
Aga-Burjaten
Olowjannaja
Svobodnyj
Ochotskisches Meer
NORD-PAZIFISCHER OZEAN
Sachalin
Kurilen
Chabarowsk
Birobidschan
autonome jüdische Region
Ulan-Bator
MONGOLEI
Harbin
VR CHINA
Wüste Gobi
Wladiwostok
Mukden
Hwangho
Peking
NORD-KOREA
Pjöngjang
Japanisches Meer
Seoul
SÜD-KOREA
JAPAN
Tokio

Die Gründungsversammlung der GUS im Dezember 1991 in Alma-Ata (Kasachstan) bedeutete gleichzeitig das Ende der UdSSR und ihres Machtsystems.

Herrschaft der Parteibürokratie

Unter seinem Nachfolger Leonid Breschnew setzte sich der Negativtrend fort. Breschnew verhalf der Bürokratie zur Unanfechtbarkeit. Korruption grassierte, das Wirtschaftswachstum verlangsamte sich, das Wettrüsten mit den USA war kaum noch zu verkraften. Das Wetterleuchten einer Politik der Entspannung in den 1970er-Jahren endete, als die Sowjets 1979 in Afghanistan einmarschierten. Die Rüstungsausgaben explodierten auf beiden Seiten, der technologische Abstand zu den USA aber wurde immer deutlicher. Die Subventionen für den Getreideanbau lagen viermal höher als unter Chruschtschow und überstiegen den Wehretat. 1985 übernahm Michail Gorbatschow als jüngster Parteisekretär seit Stalin die Führung. Sein Ziel waren die Verringerung der Rüstungsausgaben und umfassende Reformen. Glasnost (Offenheit) und Perestroika (Umbau) standen als Schlüsselbegriffe für ein Programm, das er jedoch nicht verwirklichen konnte. Er unterschätzte die internen Spannungen, die das Regime bislang mit harter Hand hatte verbergen können. Öffentliche Diskussionen und die Lockerung der Zensur ließen die sozialen, wirtschaftlichen oder politischen Klagen der Menschen laut werden.

Reformen und Auflösung

Die wirtschaftlichen Schwierigkeiten wuchsen unter Gorbatschow noch, aber als eigentlicher Streitpunkt erwies sich die Nationalitätenfrage. Oppositionelle Kräfte in den Republiken strebten nach Unabhängigkeit und die Staaten im Baltikum und im Kaukasus taten den ersten Schritt. Gorbatschows Position in Russland selbst wurde im Inneren durch die Opposition des Reformpolitikers Boris Jelzin geschwächt. Auch durch Wahlen kehrte keine innere Ruhe ein. Die gesellschaftlichen Widersprüche mündeten in die Unregierbarkeit und schließlich die Auflösung der UdSSR, die auch durch einen letzten Putschversuch reaktionärer Kräfte nicht mehr verhindert werden konnte. An die Stelle der Union trat die Gemeinschaft Unabhängiger Staaten (GUS). Alle Mitgliedsländer mussten ihr System umbauen und die Marktwirtschaft einführen; einige – auch Russland – standen wegen der Nationalitätenfrage am Rand des Bürgerkriegs. Ein Teil der Staaten erbte das verkommende Atomwaffenarsenal und die Umweltprobleme, zu denen auch veraltete Reaktoren wie jene in Tschernobyl (Ukraine) gehörten, wo sich 1986 die bislang größte Atomkatastrophe der Geschichte ereignet hatte.

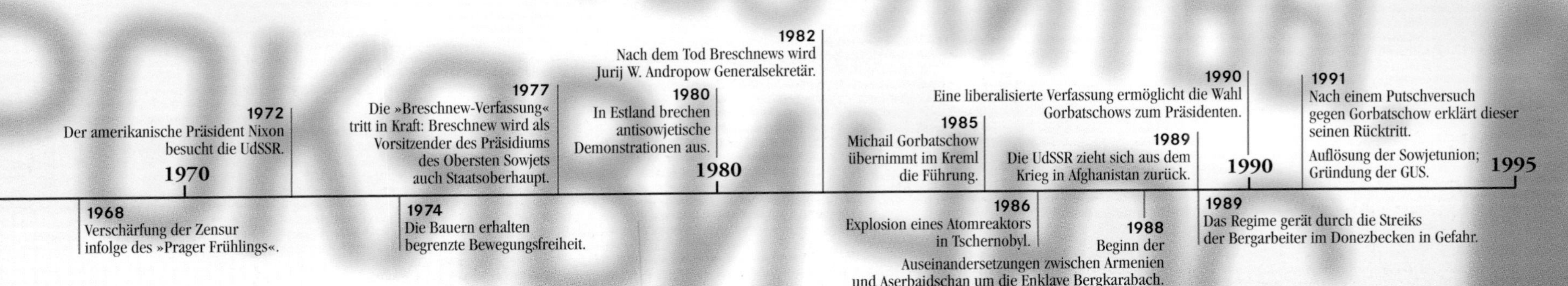
1972
Der amerikanische Präsident Nixon besucht die UdSSR.
1970
1968
Verschärfung der Zensur infolge des »Prager Frühlings«.
1977
Die »Breschnew-Verfassung« tritt in Kraft: Breschnew wird als Vorsitzender des Präsidiums des Obersten Sowjets auch Staatsoberhaupt.
1974
Die Bauern erhalten begrenzte Bewegungsfreiheit.
1982
Nach dem Tod Breschnews wird Jurij W. Andropow Generalsekretär.
1980
In Estland brechen antisowjetische Demonstrationen aus.
1980
1985
Michail Gorbatschow übernimmt im Kreml die Führung.
1986
Explosion eines Atomreaktors in Tschernobyl.
1990
Eine liberalisierte Verfassung ermöglicht die Wahl Gorbatschows zum Präsidenten.
1989
Die UdSSR zieht sich aus dem Krieg in Afghanistan zurück.
1988
Beginn der Auseinandersetzungen zwischen Armenien und Aserbaidschan um die Enklave Bergkarabach.
1990
1989
Das Regime gerät durch die Streiks der Bergarbeiter im Donezbecken in Gefahr.
1991
Nach einem Putschversuch gegen Gorbatschow erklärt dieser seinen Rücktritt.
Auflösung der Sowjetunion; Gründung der GUS.
1995

Die Welt vom Ersten Weltkrieg bis heute (1914 bis 2004)

China – vom Kaiserreich zum Kommunismus • 1911 bis 1949

Nach der überraschenden, aber relativ unblutigen Revolution von 1911 dankte der letzte Mandschu-Kaiser ab. Die neue Republik wurde von Sun Yat-sen (Sun Wen) und ab 1912 von Yüan Shi-kai geführt. Yüan festigte seine Macht mit Terror und verbot 1913 die von Sun gegründete Kuomintang (»Nationale Volkspartei«).

Sun Yat-sen – enttäuscht von dieser Entwicklung – flüchtete nach Japan, das mit Großbritannien und Frankreich gegen Deutschland verbündet war. Japanische Truppen landeten auf der Halbinsel Shandong, besetzten den deutschen Stützpunkt Tsingtao (Qingdao) und verlangten von Yüan Shi-kai Konzessionen. Dieser sah China bedroht und wollte eine neue Dynastie mit sich selbst als Kaiser gründen. Die Antwort war eine weitere Rebellion und Yüans Rückzug nach Peking, wo er 1916 starb.

China versank im Chaos, regionale Freicorpsführer (»Warlords«) plünderten das Land. Als Überschwemmungen und Hungersnöte ausbrachen, kümmerte sich keine Verwaltung darum. Im Ersten Weltkrieg hatte sich China auf die Seite der Alliierten geschlagen, ging in Versailles aber leer aus. Die Japaner wichen nicht aus Shandong und die anderen ausländischen Mächte behielten ihre Gebiete an der Küste und am Jangtsekiang. Marxistische Studenten führten nationalistische Demonstrationen an und initiierten in Schanghai den Aufbau einer Kommunistischen Partei.

Kuomintang gegen Kommunisten

Auch die Sowjetunion half, unterstützte allerdings zugleich Sun Yat-sens Kuomintang und beriet in politischen wie militärischen Fragen zukünftige Kuomintang-Führer wie Chiang Kai-shek, der sich als Nachfolger Suns in der Provinz Guangdong eine starke Basis schuf. Chiang zog gegen die Warlords im Norden zu Felde und schaltete mittels »weißem Terror« die Kommunisten aus. Die Überlebenden flohen nach Jiangxi, wo sie kurz darauf mit Kuomintang-Truppen aneinander gerieten.

Der japanische Einmarsch in der Mandschurei veränderte 1931 die Lage. Chiang mochte sich nicht auf einen Krieg mit Japan einlassen (er nannte die Japaner eine »Hautkrankheit« und die Kommunisten eine »Herzkrankheit«), sondern setzte den Vernichtungskrieg gegen die Kommunisten fort, die er schließlich 1934 zum Ausbruch aus ihrer Hochburg Jiangxi zwang. Nun begann der als »Langer Marsch« berühmt gewordene strategische Rückzug der Kommunisten durch elf Provinzen bis nach Yenan im Norden, in dessen Verlauf sich Mao Tse-tung als Führer profilierte. Chiang war jetzt Herr über das reiche untere Jangtsetal, wo er mit Fachkräften aus Italien, Deutschland und den USA den raschen Aufbau der Industrie, der Arme und der Kommunikationssysteme versuchte.

Gruppenbild zum Abschluss einer Konferenz der Kuomintang im Jahr 1927: Der Tod ihres Vorsitzenden Sun Yat-sen hatte die Partei in eine Krise gestürzt.

Nach der Eroberung der Mandschurei durch japanische Streitkräfte 1931 mussten chinesische Soldaten Zwangsarbeit für die Besatzer leisten.

Chinesisch-Japanischer Krieg

1937 drangen die Truppen Japans von der Mandschurei aus in China ein. Chiang verlegte seine Hauptstadt von Nanking nach Chongqing (Chungking). Da Chinas Überleben von der Versorgung durch westliche Verbündete abhing, unterbrachen die Japaner im französischen Indochina die Bahnverbindung nach Chongqing. Für Chiang kämpften eingezogene Soldaten mit amerikanischem Material, aber auch geworbene und bestochene Warlords. Nachschub kam, bis die Japaner 1942 auch diese Wege unterbrachen, über die Birma- und die Ledostraße, danach mit Transportflugzeugen der Alliierten. Im Norden organisierte Mao Tse-tung einen Guerillakrieg gegen die Japaner, aber die Kämpfe blieben örtlich begrenzt. Als die Amerikaner in Westchina Stützpunkte für eine Bomberflotte anlegten, überrannten die Japaner große Teile Chinas und verwüsteten sie.

Maos Siegeszug

Für die Chinesen bedeutete der Zweite Weltkrieg lediglich eine Variante des ewigen Bürgerkriegs (nur eine kurze Zeit lang bestand eine Einheitsfront gegen die japanischen Aggressoren). Die Kapitulation Japans bot Nationalisten wie Kommunisten Gelegenheit, um die Mandschurei zu kämpfen. Nun stellten aber die USA ihre beiden Seiten gewährte Hilfe ein. Inflation, Korruption und Nahrungsmangel untergruben die Moral der Zivilbevölkerung und die Verzweiflung übertrug sich auf die Kuomintang. Als US-Präsident Truman 1948 wieder Hilfsgüter schickte, marschierte die kommunistische Volksbefreiungsarmee schon nach Süden. 1949 überschritt sie den Jangtsekiang und begann ihren Siegeszug durch die Städte Südchinas. Die Kuomintang-Truppen lösten sich zunehmend auf. Im September war der Bürgerkrieg praktisch zu Ende; Mao verkündete den Sieg über alle äußeren und inneren Feinde – und die Gründung der Volksrepublik China mit ihm selbst als Vorsitzenden der Zentralregierung.

1 Im Mai 1919 protestierten Studenten der Universität Peking vergeblich gegen die Nichtbeachtung der Ansprüche Chinas auf der Friedenskonferenz von Versailles.

2 Kommunisten gründeten 1922 in Haifeng in der Provinz Guangzhou eine Bauerngewerkschaft, griffen Großgrundbesitzer an und bauten eine Bauernarmee auf.

3 Nanking war 1928 bis 1937 Sitz der Kuomintang-Regierung Chiang Kai-sheks, der sich selbst gern »Chinas Hitler« oder »Chinas Stalin« nannte.

4 Um der Einkreisung durch Kuomintang-Truppen zu entgehen, brachen im Oktober 1934 mehr als 100 000 Kommunisten unter Führung Mao Tse-tungs zum Langen Marsch in den Norden auf. Nur etwa 7000 Menschen erreichten das 8000 Kilometer entfernte Ziel.

5 Um die Jahreswende 1948/1949 gelang den Kommunisten bei Xuzhou ein entscheidender Sieg über eine größere, besser ausgerüstete Armee der Nationalisten.

6 Die Schlacht von Kaifeng im Jahr 1948 war der erste »Stellungskampf« zwischen den Nationalisten und den Kommunisten.

7 Chiang Kai-shek wollte sich 1949 bei Xichang den Kommunisten ein letztes Mal entgegenstellen, gab diesen Plan jedoch auf und floh nach Taiwan.

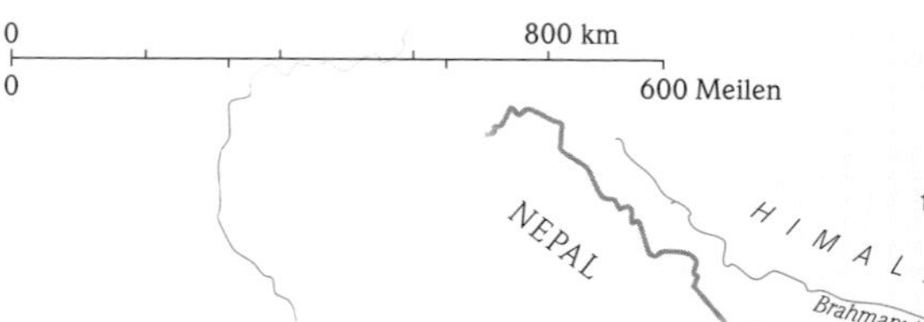
0
800 km
0
600 Meilen
NEPAL
Brahmaputra

Ein separates Nationalchina

Chiang zog sich nach Chengdu, dann auf die Insel Taiwan zurück. Bis zu seinem Tod im Jahr 1975 blieb er Präsident dieses separaten »Nationalchina«. Abgesehen von Taiwan und ein paar anderen Inseln, war ganz China in der Hand der Kommunisten. Die Sowjetunion und der Ostblock erkannten die Volksrepublik China sogleich an, schon 1950 folgte auch Großbritannien. Die USA verweigerten sich jedoch, lehnten die Aufnahme Pekings in die UNO ab und bestanden bis 1971 darauf, dass Chinas Sitz im Weltsicherheitsrat von Taiwan besetzt wurde.

ZEITLEISTE

NATIONALCHINA UND JAPAN

1910

1911 Die Revolution in China beginnt im Gebiet von Wuhan.

1912 Der letzte Mandschu-Kaiser dankt ab; Ausrufung der Republik China.

1914 Japanische Truppen landen auf der Halbinsel Shandong.

1917 Sun Yat-sen legt sein Hauptquartier nach Guangzhou.

1920

1923 Chiang Kai-shek besucht Moskau, um sich über Taktik und Strategie der Roten Armee zu informieren.

1925 Tod Sun Yat-sens.

1926–1928 Feldzug gegen die Warlords im Norden.

KOMMUNISTEN

1921 Die KP Chinas hält in Schanghai ihren ersten Parteitag ab.

1927 Die Einheitsfront von Kommunisten und Nationalisten gegen die Warlords bricht nach dem Einsetzen des »weißen Terrors« wieder auseinander.

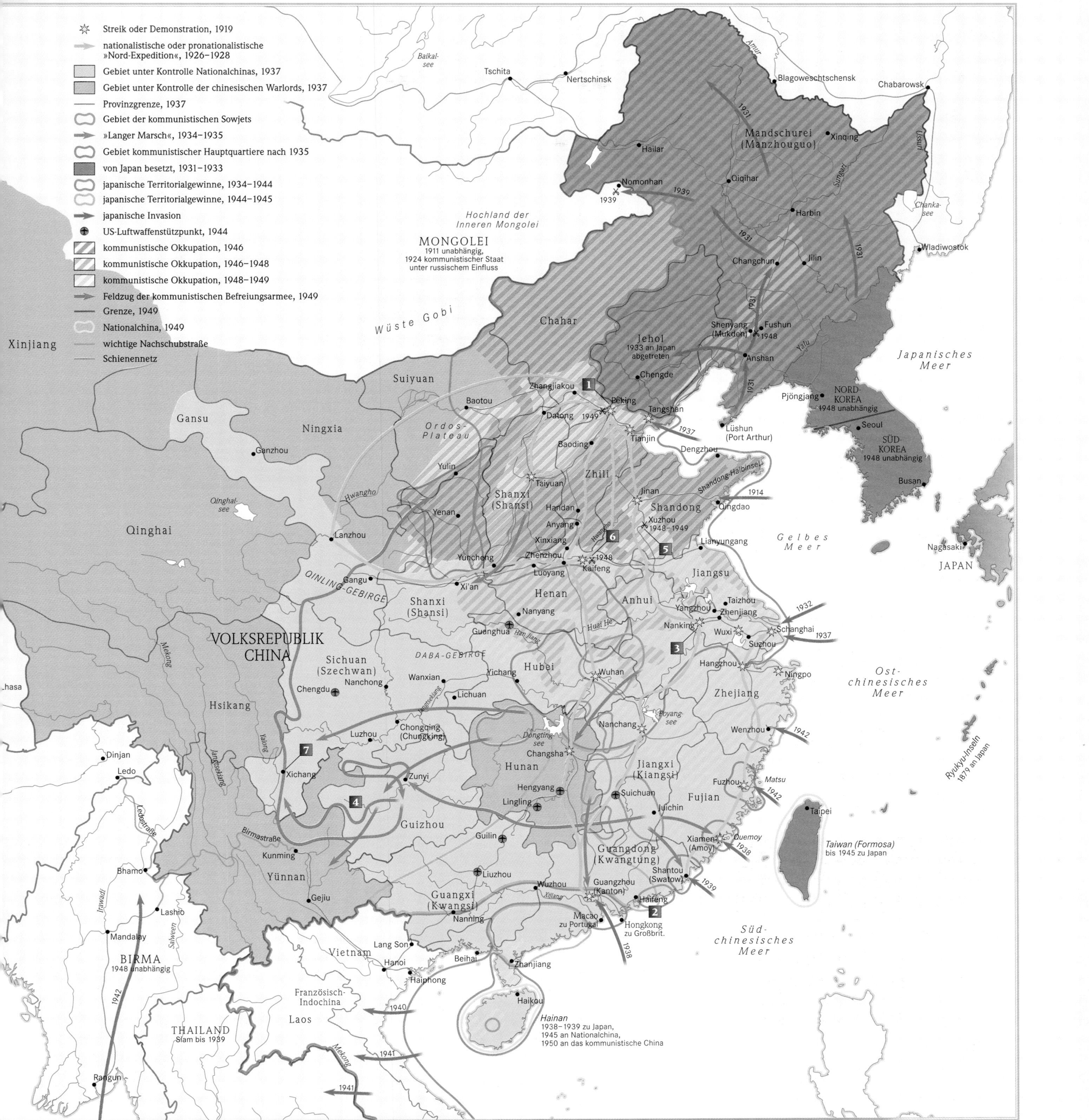

- Streik oder Demonstration, 1919
- nationalistische oder pronationalistische »Nord-Expedition«, 1926–1928
- Gebiet unter Kontrolle Nationalchinas, 1937
- Gebiet unter Kontrolle der chinesischen Warlords, 1937
- Provinzgrenze, 1937
- Gebiet der kommunistischen Sowjets
- »Langer Marsch«, 1934–1935
- Gebiet kommunistischer Hauptquartiere nach 1935
- von Japan besetzt, 1931–1933
- japanische Territorialgewinne, 1934–1944
- japanische Territorialgewinne, 1944–1945
- japanische Invasion
- US-Luftwaffenstützpunkt, 1944
- kommunistische Okkupation, 1946
- kommunistische Okkupation, 1946–1948
- kommunistische Okkupation, 1948–1949
- Feldzug der kommunistischen Befreiungsarmee, 1949
- Grenze, 1949
- Nationalchina, 1949
- wichtige Nachschubstraße
- Schienennetz

MONGOLEI
1911 unabhängig,
1924 kommunistischer Staat
unter russischem Einfluss

Jehol
1933 an Japan
abgetreten

NORD-KOREA
1948 unabhängig

SÜD-KOREA
1948 unabhängig

Taiwan (Formosa)
bis 1945 zu Japan

Ryukyu-Inseln
1879 an Japan

Hainan
1938–1939 zu Japan,
1945 an Nationalchina,
1950 an das kommunistische China

BIRMA
1948 unabhängig

THAILAND
Siam bis 1939

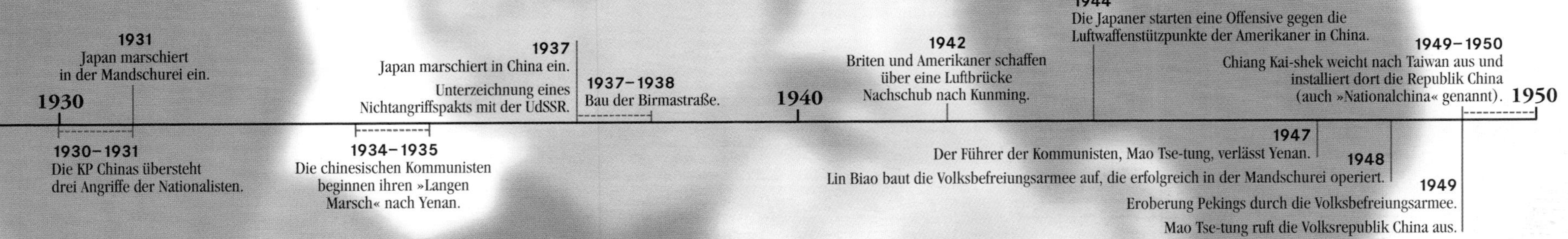

1930

1930–1931 Die KP Chinas übersteht drei Angriffe der Nationalisten.

1931 Japan marschiert in der Mandschurei ein.

1934–1935 Die chinesischen Kommunisten beginnen ihren »Langen Marsch« nach Yenan.

1937 Japan marschiert in China ein. Unterzeichnung eines Nichtangriffspakts mit der UdSSR.

1937–1938 Bau der Birmastraße.

1940

1942 Briten und Amerikaner schaffen über eine Luftbrücke Nachschub nach Kunming.

1944 Die Japaner starten eine Offensive gegen die Luftwaffenstützpunkte der Amerikaner in China.

1947 Der Führer der Kommunisten, Mao Tse-tung, verlässt Yenan.

1948 Lin Biao baut die Volksbefreiungsarmee auf, die erfolgreich in der Mandschurei operiert.

1949 Eroberung Pekings durch die Volksbefreiungsarmee. Mao Tse-tung ruft die Volksrepublik China aus.

1949–1950 Chiang Kai-shek weicht nach Taiwan aus und installiert dort die Republik China (auch »Nationalchina« genannt).

1950

Die Welt vom Ersten Weltkrieg bis heute (1914 bis 2004)

Japan und die Reiche in Asien • 1914 bis 1941

Der Russisch-Japanische Krieg (1904/1905) trug Japan das Protektorat Korea und chinesische Gebiete der südlichen Mandschurei ein. Von dort unternahm die japanische Armee den Versuch, ihren Einfluss auf die gesamte Mandschurei und Nordchina auszuweiten.

Die Reaktion darauf war bei chinesischen Intellektuellen, Geschäftsleuten und Soldaten ein zunehmend militanter Nationalismus, der sich in ähnlicher Form auch in anderen Ländern der Region (zum Beispiel in Indien und Vietnam) beobachten ließ. Die westlichen Mächte waren mit sich selbst beschäftigt und hofften lediglich, ihre Besitzungen in Asien halten zu können.

Japan trat in den Ersten Weltkrieg ein, weil es seine Interessen in China schützen und dem verbündeten Großbritannien helfen wollte. Im August 1914 forderte Tokio Deutschland ultimativ auf, seine Besitzungen in der Provinz Shandong zu übergeben, besetzte den deutschen Außenposten Qingdao (Tsingtao) und danach die gesamte Provinz.

Kritik am Kolonialismus

Japan wurde 1919 als Siegernation zur Versailler Friedenskonferenz eingeladen und durfte Qingdao behalten. Für Großbritannien, Frankreich, die Niederlande und Portugal bedeutete die Konferenz einen Wendepunkt hinsichtlich ihrer Position in Asien. Alle waren durch den Krieg geschwächt. Den russischen Imperialismus hatte die Revolution von 1917 vorerst gestoppt. Der Völkerbund, nach dem Krieg ins Leben gerufen, kritisierte den Kolonialismus. Großbritannien verteidigte zwischen den Kriegen sein Weltreich, suchte aber heimlich nach Wegen, wie man den Kolonien in Asien Dominion- (wie Neuseeland ab 1907) oder Commonwealth-Status (wie Australien) und damit die Selbstverwaltung geben könnte. Auch die Niederländer überlegten, wie sie in ihren Kolonien die Macht an die Einheimischen abtreten könnten.

Die nationalistischen Bewegungen …

… in den Kolonien erlangten durch die Depression der 1930er-Jahre und den kriegsbedingten Prestigeverlust der Europäer ungeheuren Auftrieb. In Indien organisierte der von Mohandas »Mahatma« Gandhi und Jawaharlal Nehru geführte Indische Nationalkongress (INC) in den 1920er- und 1930er-Jahren eine Massenbewegung für Autonomie. Im 1937 von Indien losgelösten und mit eingeschränkter Autonomie versehenen Birma gewannen die Forderungen der Nationalisten durch die Wirtschaftskrise an Schärfe. In Niederländisch-Indien kam es 1926/1927 zu kommunistischen Aufständen; auch das französische Indochina erlebte kommunistische Streiks und Unruhen, hinter denen der Drang nach Unabhängigkeit stand. Weder Franzosen noch Niederländer machten größere Zugeständnisse, zumal – außer in Indien – die nationalen Bewegungen uneins und ziemlich handlungsunfähig erschienen. Dagegen unterstützten die USA die Nationalisten; sie versprachen ihrer philippinischen Kolonie 1935, dass sie nach zehn Jahren unabhängig sein würde.

Der japanische Imperialismus

In einer Situation allgemeiner Unruhe in Ost- und Südostasien konnte sich Japan ab 1931 weiter ausdehnen. Nach Gründung des Marionettenstaates Mandschukuo in der Mandschurei vom Völkerbund kritisiert, verließ das Kaiserreich die Weltorganisation unter Protest. Angesichts der daraus resultierenden internationalen Isolation suchte Tokio nach neuen Verbündeten, die es in Deutschland und Italien fand; gleichzeitig ging man immer aggressiver und kompromissloser gegen die nationalistische Regierung in China vor, die schon gegen die Kommunisten kämpfte. Mitte 1937 brachen ohne Kriegserklärung Kampfhandlungen zwischen Japan und China aus, die, wie die japanischen Generäle stolz erklärten, bis Jahresende beendet sein würden. Die Bombardierung chinesischer Städte und Massaker an der Zivilbevölkerung bei der Eroberung Schanghais und Nankings machten die Welt auf diesen Krieg aufmerksam und weckten die Kritik des Westens.

Pu Yi (1906–1967), im Kindesalter Chinas letzter Kaiser, wurde von den Japanern 1932 als Präsident von Mandschukuo eingesetzt und gelangte 1934 sogar auf den Kaiserthron dieses Marionettenstaates.

1939 landeten die Japaner in Französisch-Indochina, um die Nachschubwege der chinesischen Nationalisten abzuschneiden. Nach der Niederlage Frankreichs im Juni 1940 besetzten die Japaner einen großen Teil der Kolonie, beließen ihr aber die französische Administration. Politisch nutzte Tokio die antieuropäische Stimmung der nationalistischen Gruppen und versprach ihnen die Unabhängigkeit, wie sie etwa Birma erlangt hatte. Ähnlich wurde den Mitgliedern der von Japan geförderten »Greater East Asian Co-Prosperity Sphere« wirtschaftlicher Erfolg zugesagt. Manche asiatischen Nationalisten, zum Beispiel der Inder Subhas Chandra Bose, glaubten der Botschaft, andere hingegen hegten den Verdacht, dass der europäische Imperialismus lediglich durch eine japanische Variante ersetzt werden sollte.

Angriff auf Pearl Harbor

Die USA schlugen 1937 ein Embargo für japanische Produkte vor und untersagten den Verkauf von Schrott (1940) und Öl (1941) an Japan. Briten und Niederländer schlossen sich an, woraufhin die Japaner das ölreiche Niederländisch-Indien sowie die Zinn und Kautschuk produzierenden britischen Kolonien Birma und Malaya als Rohstoffquellen ins Auge fassten. Japans Regierung wusste, dass ein Angriff auf Großbritanniens Außenposten zum Krieg mit den USA führen würde, aber das schreckte sie nicht. Als alle diplomatischen Bemühungen scheiterten, griffen japanische Kampfeinheiten im Dezember 1941 den US-Marinestützpunkt Pearl Harbor und die Philippinen an und stießen weiter in Richtung der britischen und niederländischen Besitzungen vor.

Amritsar 1919
Delhi
Indien
Ahmadabad 1910–
Surat
Dandi
Bombay
Goa
0 1200 km
0 800 Meilen

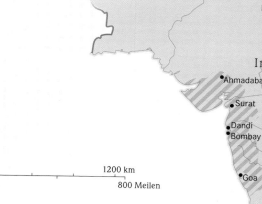

1 Im April 1919 eröffneten Gurkha-Einheiten unter britischem Kommando das Feuer auf eine nationalistische Versammlung in Amritsar (Indien) und töteten fast 400 Hindus.

2 1923 wurde Tokio durch ein Erdbeben stark zerstört. Der Wiederaufbau verstärkte den Willen zu einer radikalen sozialen und industriellen Modernisierung Japans.

3 Scharmützel zwischen Japanern und Nationalchinesen an der Marco-Polo-Brücke bei Peking gelten manchem Historiker als die ersten Kampfhandlungen des Zweiten Weltkriegs.

4 Nach der Eroberung Schanghais im Dezember 1937 verloren bei Plünderungen und Massakern der Japaner rund 250 000 Chinesen das Leben.

5 Mukden war die Hauptstadt des von Japan abhängigen Mandschukuo. Die Japaner setzten dort 1932 Pu Yi, den letzten chinesischen Kaiser, als Regenten ein. 1934 wurde er zum Kaiser erhoben.

6 Die Niederländer installierten in Batavia (Jakarta) einen Volksrat, der 1937 für die Kolonie Niederländisch-Indien den Status eines Dominions beantragte.

ZEITLEISTE

JAPAN

1904–1905 Japan besiegt Russland und bringt Teile der südlichen Mandschurei unter seine Kontrolle.

1910 Japan annektiert Korea.

1914 Japan übernimmt das von Deutschland gepachtete Territorium in der Provinz Shandong.

1919 Die Territorialgewinne Japans in China werden durch den Versailler Vertrag bestätigt.

1918–1922 Japanische Truppen dringen im Rahmen einer Expedition der Alliierten nach Russland in Sibirien ein.

1920 Japan erhält vom Völkerbund die zuvor deutschen Pazifikinseln als Mandatsgebiet übertragen.

1900 — 1910 — 1920

ANDERE MÄCHTE

1915 Australische und neuseeländische Einheiten kämpfen bei den alliierten Angriffen gegen die Türken bei Gallipoli mit.

1920 Mahatma Gandhi übernimmt die Leitung des Indischen Nationalkongresses (INC).

Die vormals deutschen Kolonien im Pazifik werden vom Völkerbund als Mandatsgebiete an Australien, Großbritannien und Japan gegeben.

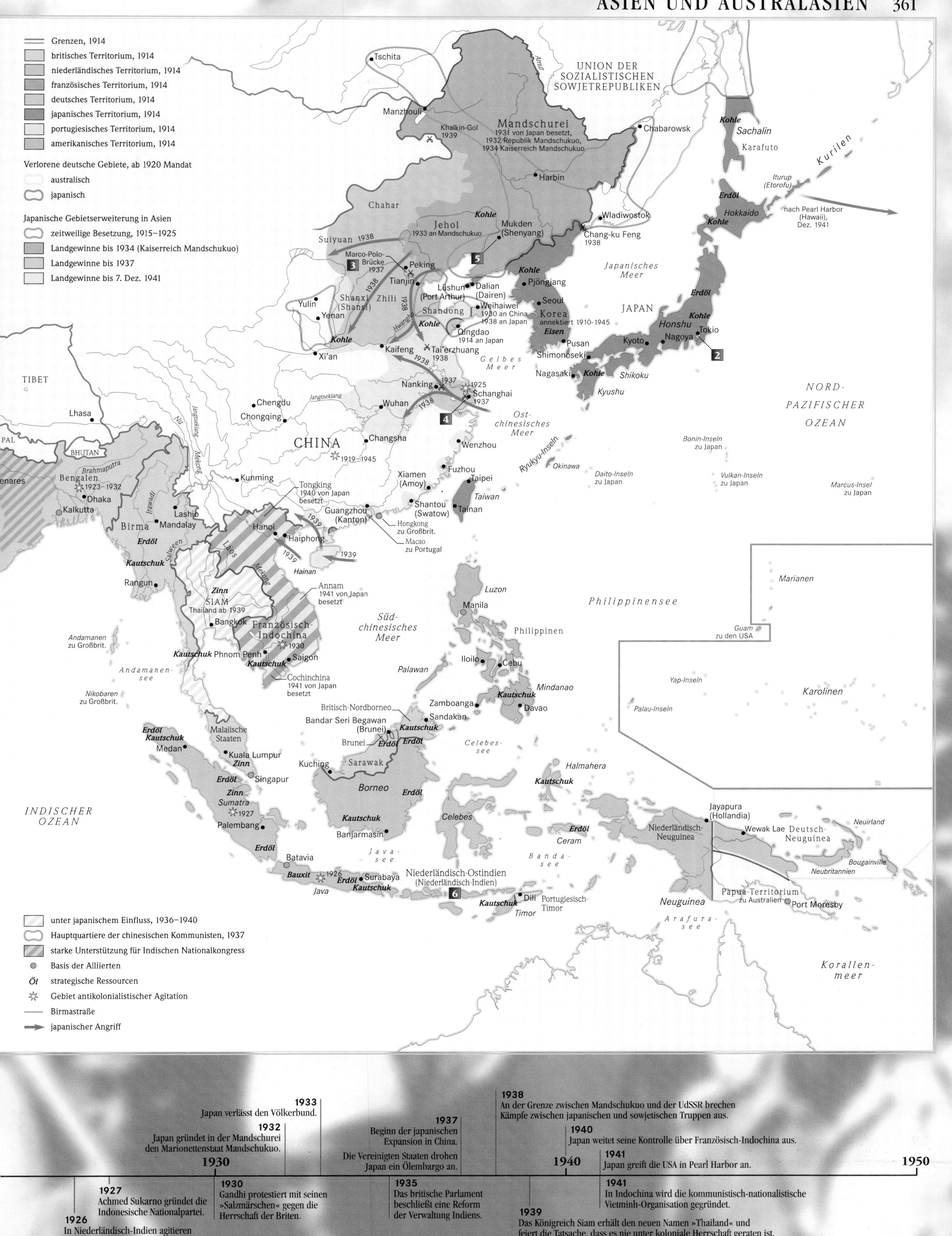
Grenzen, 1914
britisches Territorium, 1914
niederländisches Territorium, 1914
französisches Territorium, 1914
deutsches Territorium, 1914
japanisches Territorium, 1914
portugiesisches Territorium, 1914
amerikanisches Territorium, 1914
Verlorene deutsche Gebiete, ab 1920 Mandat
australisch
japanisch
Japanische Gebietserweiterung in Asien
zeitweilige Besetzung, 1915–1925
Landgewinne bis 1934 (Kaiserreich Mandschukuo)
Landgewinne bis 1937
Landgewinne bis 7. Dez. 1941
unter japanischem Einfluss, 1936–1940
Hauptquartiere der chinesischen Kommunisten, 1937
starke Unterstützung für Indischen Nationalkongress
Basis der Alliierten
Öl strategische Ressourcen
Gebiet antikolonialistischer Agitation
Birmastraße
japanischer Angriff
UNION DER SOZIALISTISCHEN SOWJETREPUBLIKEN
Tschita
Amur
Manzhouli
Khalkin-Gol 1939
Mandschurei
1931 von Japan besetzt, 1932 Republik Mandschukuo, 1934 Kaiserreich Mandschukuo
Chabarowsk
Kohle
Sachalin
Karafuto
Kurilen
Iturup (Etorofu)
Harbin
Chahar
Jehol
1933 an Mandschukuo
Kohle
Mukden (Shenyang)
Wladiwostok
Chang-ku Feng 1938
Erdöl
Hokkaido
Kohle
nach Pearl Harbor (Hawaii), Dez. 1941
Suiyuan 1938
Marco-Polo-Brücke 1937
3
Peking
Tianjin
5
Kohle
Pjöngjang
Japanisches Meer
Lüshun (Port Arthur)
Dalian (Dairen)
Weihaiwei 1930 an China 1938 an Japan
Seoul
Korea annektiert 1910–1945
Eisen
JAPAN
Erdöl
Kohle
Honshu
Tokio
Nagoya
Kyoto
2
Yulin
Shanxi (Shansi)
Zhili
Yenan
1938
Shandong
Hwangho
Kohle
Qingdao 1914 an Japan
Kohle
Kaifeng
Tai'erzhuang 1938
Xi'an
Pusan
Shimonoseki
Gelbes Meer
Nagasaki
Kohle
Shikoku
Kyushu
TIBET
Nanking 1937
1925
Schanghai 1937
Wuhan
1938
4
Chengdu
Jangtsekiang
Chongqing
Lhasa
Ostchinesisches Meer
NORD-PAZIFISCHER OZEAN
Nu
Mekong
Changsha
CHINA
1919–1945
Wenzhou
Ryukyu-Inseln
Okinawa
Bonin-Inseln zu Japan
Daito-Inseln zu Japan
Vulkan-Inseln zu Japan
Marcus-Insel zu Japan
BHUTAN
Brahmaputra
Bengalen
1923–1932
Dhaka
Kalkutta
Kunming
Tongking 1940 von Japan besetzt
Fuzhou
Xiamen (Amoy)
Taipei
Taiwan
Tainan
Shantou (Swatow)
Guangzhou (Kanton)
Hongkong zu Großbrit.
Macao zu Portugal
Lashio
Mandalay
Birma
Erdöl
Irawadi
Salween
Hanoi
Haiphong
1939
Laos
Hainan
Kautschuk
Rangun
Annam 1941 von Japan besetzt
Luzon
Manila
Marianen
Philippinensee
Zinn
SIAM Thailand ab 1939
Bangkok
Französisch-Indochina
1930
Südchinesisches Meer
Philippinen
Guam zu den USA
Andamanen zu Großbrit.
Kautschuk
Phnom Penh
Saigon
Iloilo
Cebu
Andamanensee
Cochinchina 1941 von Japan besetzt
Palawan
Mindanao
Yap-Inseln
Karolinen
Nikobaren zu Großbrit.
Kautschuk
Davao
Britisch-Nordborneo
Zamboanga
Palau-Inseln
Bandar Seri Begawan (Brunei)
Sandakan
Kautschuk
Erdöl
Kautschuk
Medan
Malaiische Staaten
Brunei
Erdöl
Celebessee
Kuala Lumpur
Zinn
Kuching
Sarawak
Halmahera
Singapur
Erdöl
Zinn
Sumatra
1927
Borneo
Erdöl
Kautschuk
INDISCHER OZEAN
Palembang
Kautschuk
Banjarmasin
Celebes
Erdöl
Ceram
Jayapura (Hollandia)
Niederländisch-Neuguinea
Wewak Lae
Deutsch-Neuguinea
Neuirland
Erdöl
Batavia
Javasee
Bandasee
Bougainville
Neubritannien
Bauxit
1926
Erdöl
Surabaya
Kautschuk
Java
Niederländisch-Ostindien (Niederländisch-Indien)
6
Kautschuk
Dili
Timor
Portugiesisch-Timor
Neuguinea
Papua-Territorium zu Australien
Port Moresby
Arafurasee
Korallenmeer

1926 In Niederländisch-Indien agitieren die Kommunisten gegen die Kolonialmacht.

1927 Achmed Sukarno gründet die Indonesische Nationalpartei.

1930

1930 Gandhi protestiert mit seinen »Salzmärschen« gegen die Herrschaft der Briten.

1932 Japan gründet in der Mandschurei den Marionettenstaat Mandschukuo.

1933 Japan verlässt den Völkerbund.

1935 Das britische Parlament beschließt eine Reform der Verwaltung Indiens.

1937 Beginn der japanischen Expansion in China. Die Vereinigten Staaten drohen Japan ein Ölembargo an.

1938 An der Grenze zwischen Mandschukuo und der UdSSR brechen Kämpfe zwischen japanischen und sowjetischen Truppen aus.

1939 Das Königreich Siam erhält den neuen Namen »Thailand« und feiert die Tatsache, dass es nie unter koloniale Herrschaft geraten ist.

1940

1940 Japan weitet seine Kontrolle über Französisch-Indochina aus.

1941 Japan greift die USA in Pearl Harbor an.

1941 In Indochina wird die kommunistisch-nationalistische Vietminh-Organisation gegründet.

1950

Die Welt vom Ersten Weltkrieg bis heute (1914 bis 2004)

Der Zweite Weltkrieg in Asien • 1941 bis 1945

Ende 1941 planten die Japaner eine Reihe aufeinander abgestimmter Angriffe, mit denen sie den Pazifik und Südostasien erobern wollten. Premierminister Hideki Tojo und Marinechef Isoroko Jamamoto, der Stratege des Überfalls auf Pearl Harbor, wollten eine von den Aléuten bis Niederländisch-Indien reichende Verteidigungslinie aufbauen und damit den Bedarf Japans an Erdöl, Kautschuk und Reis sichern. Jamamoto versprach für die ersten sechs Monate Siege am laufenden Band.

Der Überraschungsangriff auf den Marinestützpunkt Pearl Harbor auf Hawaii am 7. Dezember 1941 vernichtete die US-Pazifik-Flotte nicht vollständig; die großen Flugzeugträger waren gerade auf See und blieben unzerstört. Das sollte später von größter Bedeutung sein. Zunächst konnten die Japaner bis Frühjahr 1942 die Philippinen besetzen, die Niederländer aus Ostindien vertreiben, die Briten aus Hongkong, Malaya (mit dem großen Marinestützpunkt Singapur) sowie großen Teilen Birmas verjagen und überdies die Amerikaner zwingen, ihre Stützpunkte Guam, Wake, Attu und Kiska aufzugeben. Weitere Vorstöße über den Pazifik verhinderte die US-Marine mit ihrem Sieg über die japanische Flotte bei den Midway-Inseln.

Die Strategie der Alliierten …

… gegen das japanische Kaiserreich basierte auf den großen Mengen an Menschen und Material, die von den USA und ihren Verbündeten eingesetzt wurden.

Wende im Pazifikkrieg: US-Truppen landeten 1944 auf Saipan, der Hauptinsel der Marianen, die seit 1920 unter japanischer Verwaltung gestanden hatten.

Der Plan sah vor, dass die vom langen Rückzug in Birma geschwächten Briten eine japanische Invasion Indiens verhindern, in Arakan Gegenoffensiven starten und Rangun zurückerobern sollten. Nur begrenzt wurden sie dabei von den USA und den chinesischen Nationalisten in Yünnan unterstützt. Alle Einheiten unterstanden einem neuen Südostasien-Kommando unter Lord Louis Mountbatten. Die US-Verbände im Süd- und Südwestpazifik unter General Douglas McArthur und Admiral William Halsey wollten zunächst Neuguinea und die Salomon-Inseln zurückerobern; General Nimitz sollte in Pearl Harbor erneut Truppen zusammenziehen und die Japaner von den Inseln im mittleren und nördlichen Pazifik vertreiben. Dann wollte man auf den Inseln und in China Stützpunkte für Luftangriffe gegen Japan anlegen.

Im Nordpazifik griffen Amerikaner und Kanadier die besetzten Aléuten an und verdrängten die Japaner. Im mittleren Pazifik eroberten amerikanische Marinesoldaten nach dreitägigen Kämpfen das kleine, 5000 Kilometer von Japan entfernte Atoll Tarawa. Danach beschlossen die Amerikaner, unwichtige Inseln zu ignorieren und viele japanische Stützpunkte einfach zu umgehen. Sie gewannen die Schlacht in der Philippinensee und griffen Kwajalein und Eniwetok auf den Marshall-Inseln an. Schließlich eroberten sie auch Saipan, Guam und Tinian auf den Marianen zurück, von wo aus bis 1945 B-29-Bomber-Angriffe gegen japanische Städte geflogen wurden.

Feuersturm

Amerikanische Truppen kehrten auf die Philippinen zurück und vernichteten in der Bucht von Leyte praktisch die gesamte japanische Flotte. Die Schlacht von

Hiroshima nach dem 6. August 1945 – Trümmer und Ruinen zeugen von dem dämonischen Zerstörungspotenzial der Atomwaffentechnologie.

Iwo Jima (Vulkan-Inseln) verhalf den Amerikanern zu einem Stützpunkt für ihre Kampfflugzeuge, die von dort als Begleitschutz der Bomber bis nach Japan und zurück fliegen konnten. Dann wurden rund 500 000 Mann für den Angriff auf Okinawa aufgeboten; die japanischen Verteidiger setzten Kamikazeflieger und bemannte Bomben gegen die amerikanischen und britischen Schiffe ein.

Vor und während der Operationen von Iwo Jima und Okinawa wurde Japan von den Alliierten gnadenlos bombardiert, Tokio, Nagoya und Osaka waren am Ende verwüstet (der Feuersturm von Tokio im Mai 1945 gilt als verheerendster »konventioneller« Luftangriff der Geschichte). Auf den Philippinen tobte zu dieser Zeit noch der Kampf um Luzon, während in Birma britische, indische, afrikanische, chinesische und US-Einheiten nach großen Schlachten bei Kohima und Imphal entlang dem Irawadi langsam auf Mandalay und Rangun vorstießen.

»Das Unerträgliche zu ertragen«

Trotz Niederlagen an allen Fronten kapitulierte Japan nicht; alle rechneten mit einem Kampf bis zum letzten Mann. Planungen für eine Invasion des Inselreichs wurden vorangetrieben. Stalin versprach, sechs Monate nach der Kapitulation der Nationalsozialisten Japan anzugreifen. Präsident Truman schätzte die vermutlichen Verluste einer Invasion auf eine Million Soldaten und entschied sich schließlich dafür, die in New Mexico getestete neue Atombombe einzusetzen. Im August 1945 fielen die Bomben auf Hiroshima und Nagasaki. Daraufhin erklärte Stalin Japan den Krieg, sowjetische Truppen marschierten in Mandschukuo und Korea ein. Flugzeuge von US-Trägerschiffen verwüsteten Honshu und Kyushu und das, was von Tokio noch übrig war. Am 15. August 1945 endlich bat Kaiser Hirohito das japanische Volk, »das Unerträgliche zu ertragen«, und unterzeichnete am 2. September an Bord des Schlachtschiffes USS »Missouri« die Kapitulationsurkunde.

CHINA
TIBET
Lhasa
BHUTAN
NEPAL
Thimbu
Katmandu
Kohima
südostasiatische Streitkräfte
April–Juni 1944
Indien
zu Großbritannien
Imphal
März–Juni 1944
Kalkutta
Birma
Mandalay
Erdöl
Kautschuk
Vishakhapatnam
April 1942
Arakan
Golf von Bengalen
Kakinada
April 1942
Rangun
Andamanen
Kautschuk
Trincomalee
April 1942
Nikobaren
Colombo
April 1942
Golf von Bengalen
April 1942
Erdöl
Kautschuk
Medan
Kuala Lumpur

Grenzen, 7. Dezember 1941
am 7. Dezember 1941 japanisch besetztes Gebiet
größte Ausdehnung des von Japan besetzten Gebietes, Juni 1942
angestrebte östlichste Grenze des japanischen Territoriums
am 6. August 1945 von Japan besetzt
im September 1945 von Japan besetzt
alliiertes Gebiet, Juni 1942
Gebiete Nationalchinas oder von Warlords beherrscht
Gebiet der chinesischen Kommunisten, 1937

japanischer Vormarsch, datiert
alliierter Vormarsch, datiert
russischer Vormarsch, 9. August 1945
japanischer Stützpunkt, Juni 1942
japanischer Luftangriff außerhalb des besetzten Gebietes
Bombenangriffe der USA auf Japan, 1942–1945
Abwurf einer Atombombe im August 1945
japanischer Sieg
Sieg der Alliierten
Öl für die japanische Kriegsführung wichtiger Grundstoff

ZEITLEISTE

JAPAN

- **1941** Japan und die UdSSR unterzeichnen ein Neutralitätsabkommen.
- **1942 (April)** Amerikanische B-25-Bomber vom Flugzeugträger USS »Hornet« greifen Tokio an.

KRIEG IM PAZIFIK

- **1941 (Dezember)** Japan greift Pearl Harbor und die Philippinen an.
- **1942 (Februar)** Japanische Truppen siegen in der Javasee.
- **1942 (Mai)** Die Schlacht im Korallenmeer stoppt den japanischen Vorstoß auf Port Moresby.
- **1942 (Juni)** Zerstörung der japanischen Flugzeugträger bei den Midway-Inseln.
- **1942 (August)** Amerikanische Marinesoldaten landen auf Guadalcanal.

1941 1942 1943

SÜDOSTASIEN

- **1941 (Dezember)** Japan greift Hongkong und Malaya an.
- **1942** Britischer Rückzug aus Birma.
- **1942 (Februar)** Die britischen Einheiten in Singapur ergeben sich den Japanern.
- **1942 (März)** Die Niederlande geben ihre indonesischen Territorien auf.
- **1943** Die chinesischen Nationalisten stoppen die japanischen Offensiven.

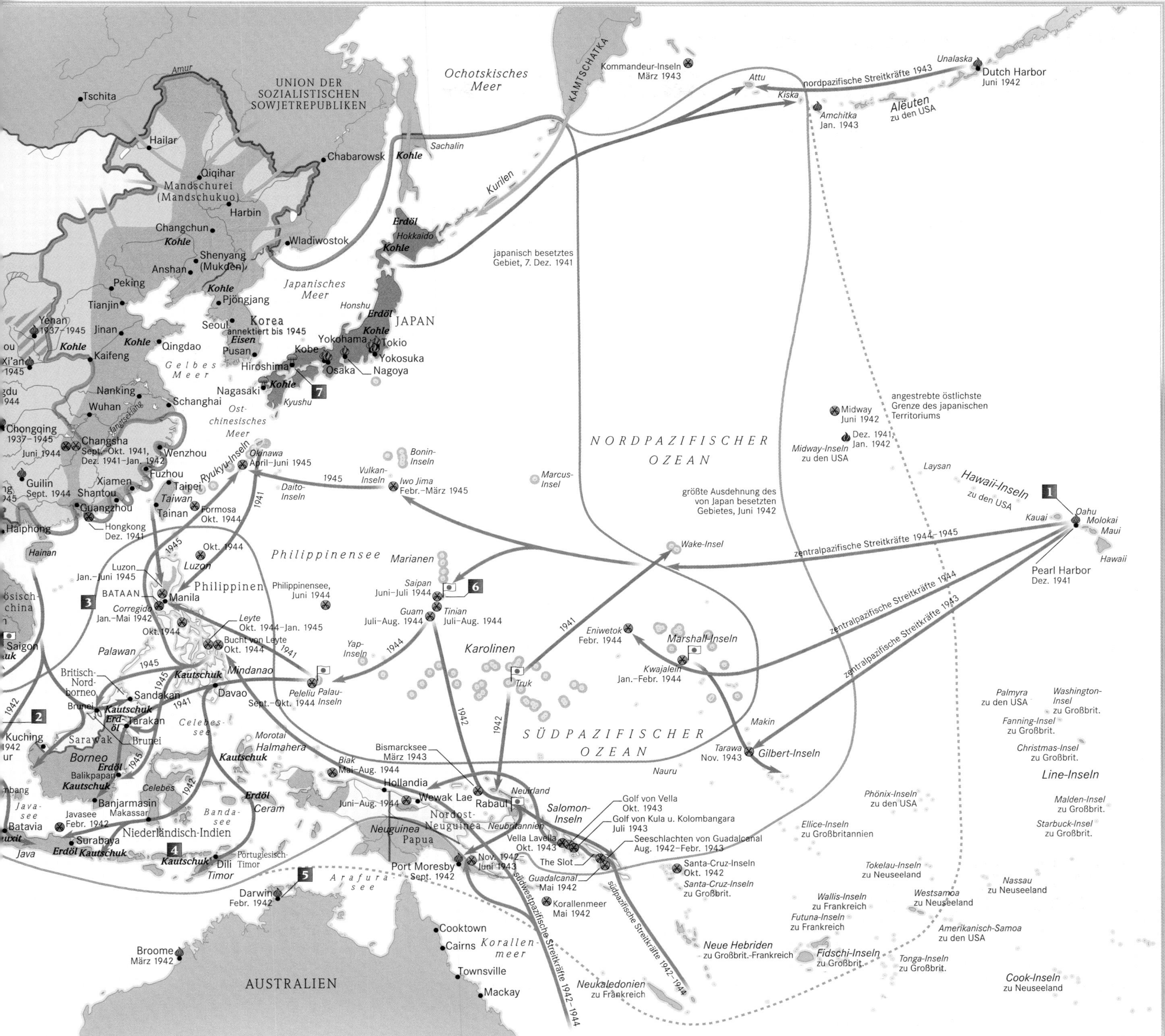

1 Der Angriff auf Pearl Harbor war für Japans Strategie im Pazifik sehr wichtig. Acht amerikanische Schlachtschiffe wurden zerstört, aber die Werftanlagen blieben intakt.

2 Singapur war der beste und neueste britische Marinestützpunkt in der Region. Er fiel im Februar 1942 nach einem Überraschungsangriff über Land an die Japaner.

3 Auf der philippinischen Halbinsel Bataan (Luzon) zwangen die Japaner im April 1942 Zehntausende Gefangene, unter mörderischen Bedingungen in nur sechs Tagen 100 Kilometer durch den Dschungel zu marschieren – ein großer Teil kam dabei um.

4 Achmed Sukarno, Führer der Indonesischen Nationalpartei, begrüßte die japanische Invasion in Niederländisch-Indien.

5 1942 wurden Darwin und andere Orte in Nordaustralien von den Japanern bombardiert. Die Ostküste, die 1943 durch japanische U-Boote blockiert war, wäre für die Amerikaner als Ausgangsbasis für ihre Operationen im Südwestpazifik von größter Bedeutung gewesen.

6 Saipan diente der US-Luftwaffe ab November 1944 als Stützpunkt für die Bombereinsätze gegen Japan.

7 Hiroshima war am 6. August 1945 Opfer des ersten Atombombenabwurfs der Geschichte – etwa 80 000 Menschen starben sofort.

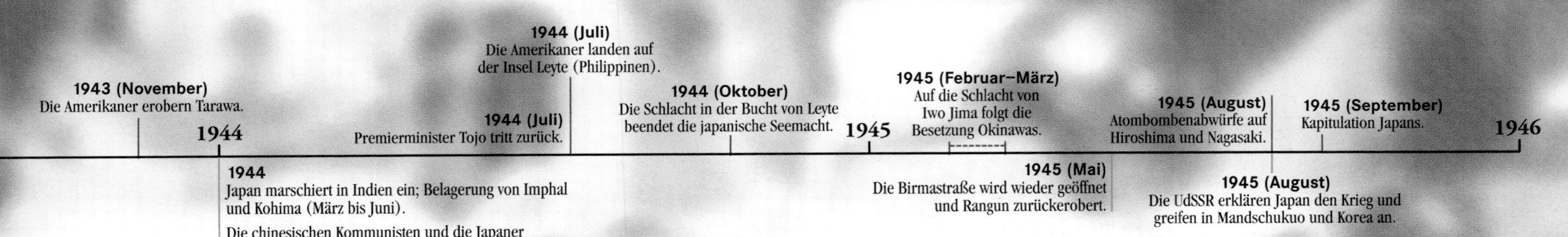
1943 (November)
Die Amerikaner erobern Tarawa.
1944
1944
Japan marschiert in Indien ein; Belagerung von Imphal und Kohima (März bis Juni).
Die chinesischen Kommunisten und die Japaner stellen ihre Kämpfe ein.
1944 (Juli)
Die Amerikaner landen auf der Insel Leyte (Philippinen).
1944 (Juli)
Premierminister Tojo tritt zurück.
1944 (Oktober)
Die Schlacht in der Bucht von Leyte beendet die japanische Seemacht.
1945
1945 (Februar–März)
Auf die Schlacht von Iwo Jima folgt die Besetzung Okinawas.
1945 (Mai)
Die Birmastraße wird wieder geöffnet und Rangun zurückerobert.
1945 (August)
Atombombenabwürfe auf Hiroshima und Nagasaki.
1945 (August)
Die UdSSR erklären Japan den Krieg und greifen in Mandschukuo und Korea an.
1945 (September)
Kapitulation Japans.
1946

Die Welt vom Ersten Weltkrieg bis heute (1914 bis 2004)

Ostasien • 1945 bis 1976

Am Ende des Zweiten Weltkriegs dominierten die USA in Ostasien, aber auch die UdSSR konnte ihre Position stärken. Die chinesischen Bürgerkriege sollten bald entschieden sein. Für die europäischen Kolonien hatte sich durch die japanische Besetzung und die amerikanische Befreiung die Situation grundlegend verändert.

Im Jahr 1945 landeten – als Antwort auf die sowjetische Truppenpräsenz im ehemals japanischen Korea – amerikanische Verbände im Süden des Landes. Korea wurde am 38. Breitengrad geteilt, eine Wiedervereinigung schien nicht möglich und die UNO stimmte Washingtons Plan zu, in Südkorea Wahlen abzuhalten.

NEUORDNUNGEN

So entstanden 1948 die westlich orientierte Republik Korea (Südkorea) und kurz darauf die kommunistische Demokratische Volksrepublik Korea (Nordkorea). Die Sowjets zogen sich 1948, die Amerikaner 1949 aus dem geteilten Korea zurück. Die US-Truppen wurden größtenteils nach Japan verlegt, wo die USA für die Repatriierung von drei Millionen japanischen Soldaten sorgen mussten. Die Amerikaner und ihre Commonwealth-Verbündeten konnten mit den japanischen Behörden überraschend gut zusammenarbeiten. Kaiser Hirohito war nur noch nominell Herrscher, die eigentliche Macht lag bei General MacArthur, dem Oberbefehlshaber der Alliierten. Er führte eine demokratische Verfassung ein, sorgte für eine ausreichende Versorgung mit Lebensmitteln und gewann die Japaner, die den amerikanischen »way of life« zu bewundern begannen, mit Würde und Wohlwollen. 1949 ließ sich Japan in das amerikanische Verteidigungssystem integrieren.

KP-Führer Mao Tse-tung hatte China bis 1950 geeint – nicht zuletzt, weil seine Volksbefreiungsarmee von den kriegsmüden Bauern akzeptiert wurde. Soldaten, Arbeiter, Parteikader und Regierung gaben eine Zeit lang das Erscheinungsbild einer Einheit. Mao versicherte, China sei nicht mehr isoliert, der sowjetisch-chinesische Vertrag (1950) garantiere dem Land seinen Platz innerhalb der kommunistischen Weltbewegung. Er versprach Landreformen, Entwicklungsprogramme und den Schutz der Grenzen. Sein erster Schritt dazu war im Winter 1950/1951 die Invasion Tibets, das die Chinesen als ihre historische Provinz beanspruchten.

KOREAKRIEG

Nordkoreas Truppen marschierten 1950 in Südkorea ein. Die UNO reagierte scharf: Eine von 16 Ländern (an der Spitze die USA) gebildete Armee stellte sich den Invasoren entgegen. US-Truppen überschritten den 38. Breitengrad, einige Einheiten stießen sogar bis zum Yalu an der Grenze zu China vor. Hier aber griff die chinesische Volksbefreiungsarmee ein; ein Stellungskrieg war die Folge. 1953 einigte man sich in Panmunjom auf einen Waffenstillstand; fünf Jahre später zogen sich die Chinesen aus Korea zurück, während die UNO präsent blieb. Nordkorea stabilisierte unter Kim Il Sung das stalinistische System, der Süden baute seine schwer getroffene Wirtschaft wieder auf. Wie Japan nutzte auch Südkorea die Chance, sich nach dem Krieg neuen Wohlstand zu erarbeiten.

Die chinesische Armee beschoss 1954 die Inseln Quemoy und Matsu, die die Nationalchinesen auf Taiwan für sich reklamierten. Um Chiang Kai-shek zu unterstützen, der sich als legitimer Herrscher ganz Chinas betrachtete, schickten die USA eine große Flotte in die Formosastraße. 1962 wollten chinesische Truppen ins indische Assam eindringen; nach kurzen Kämpfen zogen sie sich wieder zurück. 1969 kam es am Ussuri zu Zusammenstößen zwischen Chinesen und Sowjets.

Im Bürgerkrieg von den Kommunisten unter Mao Tse-tung geschlagen, musste sich Chiang Kai-shek 1949 nach Taiwan (Formosa) zurückziehen.

KULTURREVOLUTION

In den 1950er- und 1960er-Jahren strebte Mao Tse-tung eine eigene Version des Marxismus an, die auf der Modernisierung der Wirtschaft (speziell durch den chaotischen »Großen Sprung nach vorn« 1958 bis 1960) und der Kollektivierung der Landwirtschaft basierte. Ab der Mitte der 1960er-Jahre entfachte er die »Kulturrevolution«, indem er jugendliche »Rote Garden« ermunterte, alle Autorität in Frage zu stellen (speziell im Bildungssystem, in der Verwaltung, der Industrie und der Partei selbst) und die Intellektuellen zur Arbeit in die Kommunen zu schicken. Bis nach Maos Tod 1976 war China weitgehend von der Außenwelt abgeschnitten.

KAMPF UM FREIHEIT UND EINHEIT

Viele asiatische Nationen erlangten erst spät Freiheit und Einheit. Die Philippinen wurden 1946 eine unabhängige Republik, Birma 1948. Nach der Loslösung von Indien im Jahr 1947 entstanden West- und Ostpakistan; Letzteres erkämpfte sich 1971 als Bangladesch die Unabhängigkeit. Der Krieg in Hinterindien aber, in den Laos, Kambodscha und Vietnam verwickelt waren, wurde zum längsten Krieg des Jahrhunderts. Im Zweiten Weltkrieg hatten die Franzosen das Gebiet den Japanern überlassen müssen, denen dort nur die Vietminh-Truppen des KP-Führers Ho Chi Minh Widerstand leisteten. 1945 erklärte Ho Vietnam für unabhängig. Die Rückkehr der Franzosen führte zu einem langen Guerillakrieg. Sie konnten den Gegner anfangs aus den größeren Städten vertreiben, unterlagen aber 1954 in der entscheidenden Schlacht bei Dien Bien Phu dem Vietminh-General Vo Nguyen Giap.

Wichtigste Helfer der Aufständischen in Indochina waren die Volksrepublik China und die Kommunisten in Malaysia, die einen langen Guerillakrieg gegen die Briten führten. Die Unabhängigkeit wurde hier jedoch 1957 von den antikommunistischen malaiischen Nationalisten errungen. Indonesien, das 1945 seine Unabhängigkeit erklärt hatte (die die Niederlande erst nach erbittertem Kampf bestätigten), war im Innern lange durch Kämpfe von Kommunisten, »Regionalisten« und Islamisten destabilisiert. In geringerem Maß waren auch auf den Philippinen (noch unter US-Einfluss) sowie in Birma und Thailand kommunistische Bewegungen aktiv.

1 Inch'on wurde im September 1950 nach einem Überraschungsangriff von US-Truppen besetzt.

2 Nach dem Zweiten Weltkrieg wurde Japan zur führenden ökonomischen Macht in Asien. Auftrieb erhielt seine Wirtschaft vor allem durch die Stationierung von UNO-Truppen während des Koreakrieges.

3 Mit dem Hukbalahar-Aufstand protestierten Bauern 1945 auf Luzon gegen eine ungleiche Landverteilung. Die Erhebung wurde 1954 von der Regierung der Philippinen niedergeschlagen.

4 1958 schickte US-Präsident Eisenhower große Truppenkontingente in die Formosastraße, um die Bedrohung Taiwans durch Rotchina abzuwenden.

5 Die Auseinandersetzungen zwischen der UdSSR und der Volksrepublik China an der Amurgrenze unterstrichen ab 1969 die Entfremdung im Verhältnis der ehemaligen Verbündeten.

6 Birma, das sich nach der Unabhängigkeit politisch neutral verhielt, bekam 1962 ein sozialistisches Militärregime mit Ne Win an der Spitze.

7 Osttimor, bis 1975 portugiesische Kolonie, wurde noch im selben Jahr von Indonesien besetzt und 1976 annektiert.

ZEITLEISTE

CHINA, KOREA UND JAPAN

INDOCHINA

SÜDOSTASIEN

1940

1945 Die USA besetzen Japan (bis 1952).

1946 Französische Truppen kehren nach Indochina zurück.

1946 Die Philippinen werden unabhängige Republik.

1948 Gründung getrennter Staaten in Nord- und Südkorea.

1948 Birma wird unabhängig.

1949–1950 Die Nationalchinesen ziehen sich nach Taiwan zurück.

1950

1950 Nordkoreanische Truppen marschieren in Südkorea ein.

1953 In Panmunjom wird der koreanische Waffenstillstand unterzeichnet.

1954 Die Franzosen kapitulieren in Dien Bien Phu. Laos und Kambodscha werden unabhängig. Teilung Vietnams.

1956 Endgültige Loslösung Indonesiens von den Niederlanden.

1958 Kollektivierung der Landwirtschaft in Nordkorea.

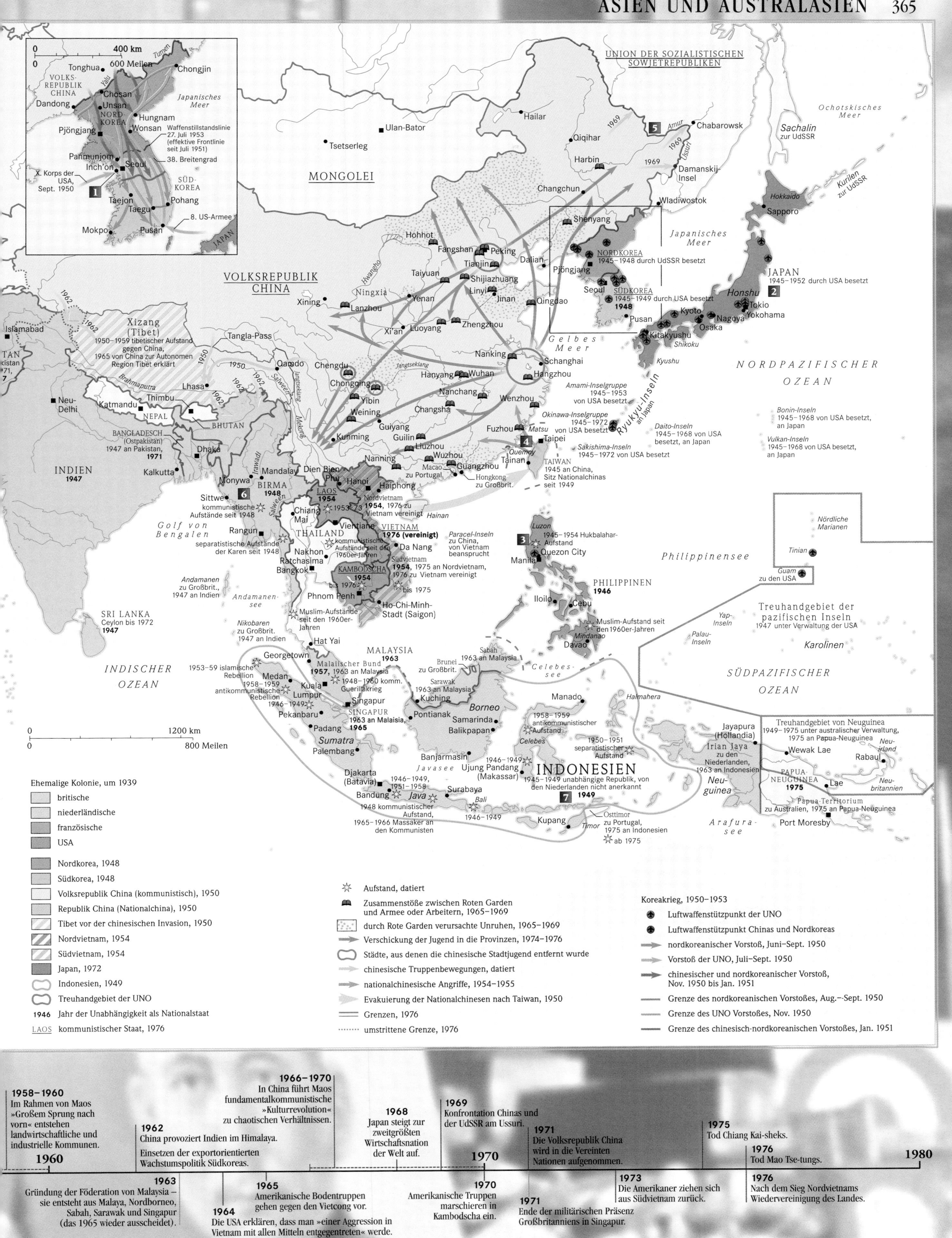

0 400 km
0 600 Meilen
Tonghua
VOLKS-REPUBLIK CHINA
Yalu
Tumen
Chongjin
Chosan
Dandong
Unsan
NORD-KOREA
Japanisches Meer
Hungnam
Wonsan
Waffenstillstandslinie 27. Juli 1953 (effektive Frontlinie seit Juli 1951)
Pjöngjang
Panmunjom
38. Breitengrad
Inch'on
Seoul
X. Korps der USA, Sept. 1950
SÜD-KOREA
Taejon
Pohang
Taegu
8. US-Armee
Mokpo
Pusan
JAPAN
UNION DER SOZIALISTISCHEN SOWJETREPUBLIKEN
Ochotskisches Meer
Sachalin zur UdSSR
Kurilen zur UdSSR
Hailar
Amur
Chabarowsk
Ulan-Bator
Tsetserleg
Qiqihar
1969
Ussuri
Harbin
Damanskij-Insel
MONGOLEI
Changchun
Wladiwostok
Hokkaido
Sapporo
Shenyang
Japanisches Meer
Hohhot
Fangshan
Peking
NORDKOREA 1945–1948 durch UdSSR besetzt
Tianjin
Dalian
Pjöngjang
JAPAN 1945–1952 durch USA besetzt
Taiyuan
Shijiazhuang
VOLKSREPUBLIK CHINA
Hwangho
Ningxia
Linyi
Jinan
Seoul
SÜDKOREA 1945–1949 durch USA besetzt 1948
Honshu
Tokio
Yokohama
Xining
Yenan
Qingdao
Lanzhou
Kyoto
Nagoya
Zhengzhou
Pusan
Osaka
Xi'an
Luoyang
Xizang (Tibet)
1950–1959 tibetischer Aufstand gegen China, 1965 von China zur Autonomen Region Tibet erklärt
Islamabad
Tangla-Pass
Gelbes Meer
Kitakyushu
Shikoku
Kyushu
Nanking
Schanghai
Qamdo
Chengdu
Jangtsekiang
Hangzhou
NORDPAZIFISCHER OZEAN
Brahmaputra
Lhasa
Hanyang
Wuhan
Chongqing
Amami-Inselgruppe 1945–1953 von USA besetzt
Neu-Delhi
Katmandu
Thimbu
Yibin
Nanchang
Wenzhou
Ryukyu-Inseln an Japan
NEPAL
BHUTAN
Weining
Changsha
Okinawa-Inselgruppe 1945–1972 von USA besetzt
Bonin-Inseln 1945–1968 von USA besetzt, an Japan
Guiyang
Fuzhou
Matsu
Daito-Inseln 1945–1968 von USA besetzt, an Japan
BANGLADESCH (Ostpakistan) 1947 an Pakistan, 1971
Kunming
Guilin
Taipei
Vulkan-Inseln 1945–1968 von USA besetzt, an Japan
Mekong
Liuzhou
Sakishima-Inseln 1945–1972 von USA besetzt
Dhaka
Quemoy
INDIEN 1947
Kalkutta
Irawadi
Nanning
Wuzhou
Tainan
Macao zu Portugal
Guangzhou
TAIWAN 1945 an China, Sitz Nationalchinas seit 1949
Mandalay
Dien Bien Phu
Hongkong zu Großbrit.
Monywa
BIRMA 1948
Hanoi
Haiphong
LAOS 1954
Nordvietnam 1954, 1976 zu Vietnam vereinigt
Sittwe
kommunistische Aufstände seit 1948
Salween
Chiang Mai
1953–73
Hainan
Golf von Bengalen
Vientiane
VIETNAM 1976 (vereinigt)
Paracel-Inseln zu China, von Vietnam beansprucht
Luzon
1945–1954 Hukbalahar-Aufstand
Quezon City
Nördliche Marianen
Rangun
THAILAND
kommunistische Aufstände seit den 1960er-Jahren
Da Nang
separatistische Aufstände der Karen seit 1948
Nakhon Ratchasima
Tinian
Philippinensee
Bangkok
Manila
Südvietnam 1954, 1975 an Nordvietnam, 1976 zu Vietnam vereinigt
KAMBODSCHA 1954
Guam zu den USA
bis 1976
bis 1975
Andamanen zu Großbrit., 1947 an Indien
PHILIPPINEN 1946
Phnom Penh
Andamanensee
Iloilo
Cebu
Ho-Chi-Minh-Stadt (Saigon)
Treuhandgebiet der pazifischen Inseln 1947 unter Verwaltung der USA
SRI LANKA Ceylon bis 1972 1947
Muslim-Aufstände seit den 1960er-Jahren
Yap-Inseln
Nikobaren zu Großbrit. 1947 an Indien
Muslim-Aufstand seit den 1960er-Jahren
Palau-Inseln
Mindanao
Davao
Karolinen
Hat Yai
MALAYSIA 1963
Sabah 1963 an Malaysia
Georgetown
Malaiischer Bund 1957, 1963 an Malaysia
Brunei zu Großbrit.
INDISCHER OZEAN
1953–59 islamische Rebellion
Celebessee
SÜDPAZIFISCHER OZEAN
Medan
1948–1960 komm. Guerillakrieg
Sarawak 1963 an Malaysia
1958–1959 antikommunistische Rebellion
Kuala Lumpur
Kuching
Manado
Halmahera
1946–1949
Singapur
Borneo
Pekanbaru
SINGAPUR 1963 an Malaisia, 1965
Pontianak
Samarinda
1958–1959 antikommunistischer Aufstand
Jayapura (Hollandia)
Treuhandgebiet von Neuguinea 1949–1975 unter australischer Verwaltung, 1975 an Papua-Neuguinea
Padang
Balikpapan
Celebes
Neu-irland
0 1200 km
0 800 Meilen
Sumatra
1950–1951 separatistischer Aufstand
Irian Jaya zu den Niederlanden, 1963 an Indonesien
Wewak
Lae
Rabaul
Palembang
Banjarmasin
Djakarta (Batavia)
1946–1949, 1951–1958
Javasee
Ujung Pandang (Makassar)
1946–1949
INDONESIEN
1945–1949 unabhängige Republik, von den Niederlanden nicht anerkannt 1949
Neu-guinea
PAPUA-NEUGUINEA 1975
Lae
Neu-britannien
Bandung
Java
Surabaya
Bali
1948 kommunistischer Aufstand, 1965–1966 Massaker an den Kommunisten
1946–1949
Papua-Territorium zu Australien, 1975 an Papua-Neuguinea
Kupang
Timor
Osttimor zu Portugal, 1975 an Indonesien ab 1975
Arafurasee
Port Moresby
Ehemalige Kolonie, um 1939
britische
niederländische
französische
USA
Nordkorea, 1948
Südkorea, 1948
Volksrepublik China (kommunistisch), 1950
Republik China (Nationalchina), 1950
Tibet vor der chinesischen Invasion, 1950
Nordvietnam, 1954
Südvietnam, 1954
Japan, 1972
Indonesien, 1949
Treuhandgebiet der UNO
1946 Jahr der Unabhängigkeit als Nationalstaat
LAOS kommunistischer Staat, 1976
Aufstand, datiert
Zusammenstöße zwischen Roten Garden und Armee oder Arbeitern, 1965–1969
durch Rote Garden verursachte Unruhen, 1965–1969
Verschickung der Jugend in die Provinzen, 1974–1976
Städte, aus denen die chinesische Stadtjugend entfernt wurde
chinesische Truppenbewegungen, datiert
nationalchinesische Angriffe, 1954–1955
Evakuierung der Nationalchinesen nach Taiwan, 1950
Grenzen, 1976
umstrittene Grenze, 1976
Koreakrieg, 1950–1953
Luftwaffenstützpunkt der UNO
Luftwaffenstützpunkt Chinas und Nordkoreas
nordkoreanischer Vorstoß, Juni–Sept. 1950
Vorstoß der UNO, Juli–Sept. 1950
chinesischer und nordkoreanischer Vorstoß, Nov. 1950 bis Jan. 1951
Grenze des nordkoreanischen Vorstoßes, Aug.–Sept. 1950
Grenze des UNO Vorstoßes, Nov. 1950
Grenze des chinesisch-nordkoreanischen Vorstoßes, Jan. 1951

1958–1960
Im Rahmen von Maos »Großem Sprung nach vorn« entstehen landwirtschaftliche und industrielle Kommunen.

1960

1962
China provoziert Indien im Himalaya.
Einsetzen der exportorientierten Wachstumspolitik Südkoreas.

1963
Gründung der Föderation von Malaysia – sie entsteht aus Malaya, Nordborneo, Sabah, Sarawak und Singapur (das 1965 wieder ausscheidet).

1964
Die USA erklären, dass man »einer Aggression in Vietnam mit allen Mitteln entgegentreten« werde.

1965
Amerikanische Bodentruppen gehen gegen den Vietcong vor.

1966–1970
In China führt Maos fundamentalkommunistische »Kulturrevolution« zu chaotischen Verhältnissen.

1968
Japan steigt zur zweitgrößten Wirtschaftsnation der Welt auf.

1969
Konfrontation Chinas und der UdSSR am Ussuri.

1970

1970
Amerikanische Truppen marschieren in Kambodscha ein.

1971
Die Volksrepublik China wird in die Vereinten Nationen aufgenommen.

1971
Ende der militärischen Präsenz Großbritanniens in Singapur.

1973
Die Amerikaner ziehen sich aus Südvietnam zurück.

1975
Tod Chiang Kai-sheks.

1976
Tod Mao Tse-tungs.

1976
Nach dem Sieg Nordvietnams Wiedervereinigung des Landes.

1980

Die Welt vom Ersten Weltkrieg bis heute (1914 bis 2004)

Die Kriege in Indochina • 1954 bis 1976

Nach den Siegen der Kommunisten Ho Chi Minhs zog sich Frankreich fast ganz aus Indochina zurück. Die Genfer Indochinakonferenz von 1954 teilte Vietnam in den von den Vietminh in Hanoi regierten Norden und den antikommunistischen Süden mit der Hauptstadt Saigon. Laos und Kambodscha wurden neutrale Staaten. Binnen zwei Jahren sollte durch Wahlen in ganz Vietnam die Regierung bestimmt werden, die das Land wieder vereinen würde.

Zu diesen Wahlen kam es nie. Vietnam blieb geteilt und schwach: Der Norden war vom fruchtbaren Mekongdelta abgeschnitten, der Süden litt unter den Vietminh. Dort wäre eine Landreform wichtig gewesen: Zwei Millionen Bauern lebten ohne eigenes Land, noch viel mehr mussten hohe Pachtgebühren zahlen. Saigon schreckte vor Neuverteilung zurück, die Vietminh aber teilten den Bauern Land zu und übertrugen ihnen die Verantwortung für die Lebensmittelproduktion und die örtliche Verwaltung. Die Kommunisten gewannen so die Menschen, die sich von Südvietnams Präsidenten Ngo Dinh Diem im Stich gelassen fühlten.

Die Domino-Theorie

John Foster Dulles, ab 1953 US-Außenminister, war gegen die Genfer Beschlüsse. Er wollte ganz Südostasien vor dem Kommunismus retten und gründete die »South-East Asia Treaty Organization« (SEATO), um in den Mitgliedstaaten jede »Subversion« zu verhindern. Als 1955/1956 in Vietnam Aufstände ausbrachen, schickten die USA Militärberater in den Südteil. Die Guerillas, die sich jetzt »Vietcong« nannten, eroberten die Hälfte von Diems Provinzen. Enttäuschte Armeeoffiziere putschten 1963 und ermordeten den zunehmend diktatorisch regierenden Präsidenten.

Verschiedene Regierungen lösten in Saigon einander ab. Für die USA wurde der Krieg gegen Nordvietnam zur »großen Aufgabe« der 1960er-Jahre. Ihre Führer folgten der »Domino-Theorie«: Wenn Südvietnam an die Kommunisten fiele, würden Laos, Kambodscha, Thailand, Birma und Pakistan folgen. Nach der Ermordung John F. Kennedys im Jahr 1963 überließ Präsident Johnson die Kriegführung Verteidigungsminister McNamara. Dieser schickte immer mehr Truppen nach Vietnam, wo unvermindert Vietcong-Kämpfer und Nachschub über den »Ho-Chi-Minh-Pfad« in den Süden gelangten. Um den Strom von Kriegsmaterial aus China und der UdSSR zu unterbrechen, provozierten die USA 1964 den so genannten Tongking-Zwischenfall: Die Beschießung von US-Zerstörern durch nordvietnamesische Patrouillenboote lieferte den Vorwand für den Bombenkrieg gegen Nordvietnam ab 1965.

Der unsichtbare Feind

Die Luftangriffe beeinträchtigten die Aktivitäten des Vietcong nicht. Amerikanische (wie auch australische und südvietnamesische) Soldaten kämpften gegen einen unsichtbaren Feind, der sich in Dörfern, Urwäldern und Reisfeldern versteckte. Die westlichen Streitkräfte verfügten zwar über enorme Feuerkraft, aber wie man unter solchen Bedingungen einen gut bewaffneten und gut versorgten Gegner besiegen sollte, blieb unbeantwortet. Dem US-Geheimdienst CIA gelang es nicht, die Vietcong-Führung zu unterwandern, und er versäumte es 1968 überdies, vor der »Tet-Offensive« zu warnen: Unbemerkt sickerten Vietcong-Einheiten in Saigon, Huê und andere Städte ein, auch die Truppenkonzentration um den US-Stützpunkt Khe Sanh blieb unbemerkt.

Operation »Linebacker II«

Da zu Hause immer mehr Amerikaner gegen diesen Krieg protestierten, stimmte Präsident Johnson Verhandlungen mit Nordvietnam in Paris zu. Sein Nachfolger Richard Nixon verkündete, er wolle die Truppen in Vietnam reduzieren und den Krieg durch stärkere Einbeziehung der Südvietnamesen »vietnamisieren«. Tatsächlich wurden Truppen abgezogen, aber zugleich billigte Nixon den US-Einmarsch in Kambodscha und Laos sowie die Operation »Linebacker II«, das heißt die Wiederaufnahme der Luftangriffe gegen das Verkehrsnetz Nordvietnams. Die überlegene US-Luftwaffe zerstörte Brücken, LKW-Fabriken und Hafenanlagen. »Linebacker II« veranlasste Le Duc Tho, den nordvietnamesischen Delegationsleiter in Paris, das mit dem US-Sonderbeauftragten Henry Kissinger ausgehandelte Friedensabkommen zu unterzeichnen, während der südvietnamesische Präsident dem Waffenstillstand nur zögernd zustimmte. Die letzten amerikanischen Kampfverbände verließen Vietnam 1973.

Pentagon 1967: Robert McNamara, schon unter Kennedy US-Verteidigungsminister, beantwortet Pressefragen zum Vietnamkrieg, den er später selbst kritisch sah.

Kommunistische Regierungen

Nixons Rücktritt und die Reduktion der amerikanischen Hilfe ermutigten Le Duan, den Nachfolger Ho Chi Minhs, die Wiedervereinigung des Landes anzustreben. Der Ho-Chi-Minh-Pfad stand jetzt nach Süden offen, China und die UdSSR hatten die nordvietnamesische Armee neu ausgerüstet, so dass sie Infanterie, Panzer und Artillerie einsetzen konnte. Die Nordvietnamesen stießen von Norden und Westen her nach Süden vor. 1975 setzte sich Südvietnams Präsident Van Thieu nach Taiwan ab. Als die Panzer des Nordens in Saigon einfuhren, evakuierten US-Hubschrauber die letzten Botschaftsmitarbeiter. Auch Laos und Kambodscha, durch den Vietcong und die US-Luftangriffe destabilisiert, fielen an die Kommunisten – in Laos proklamierte die Pathet-Lao-Bewegung die Demokratische Volksrepublik Laos, in Kambodscha besetzten die Roten Khmer die Hauptstadt Phnom Penh. Vietnam wurde als »Sozialistische Republik Vietnam« wieder vereint.

1 Hanoi, Kolonialmetropole Indochinas und Hauptstadt Nordvietnams, war 1965, 1968 und 1972 schweren amerikanischen Bombenangriffen ausgesetzt.

2 Die Genfer Abkommen sahen eine entmilitarisierte Zone zwischen Nord- und Südvietnam vor.

3 Der US-Stützpunkt Khe Sanh wurde vor der »Tet-Offensive« von Januar bis in den April 1968 hinein von den Nordvietnamesen angegriffen.

4 Im März 1968 töteten US-Soldaten in dem Dorf My Lai 507 Zivilisten. Der Militärprozess gegen den verantwortlichen Offizier entfachte weltweite Empörung.

5 1970 war der Ho-Chi-Minh-Pfad, einst ein Fuß- und Fahrradweg, trotz ständiger Bombardierung zur Straße geworden, auf der schwere Waffen transportiert wurden.

6 Die nationalkommunistischen Roten Khmer übernahmen 1975 die Macht in Kambodscha. Dem Schreckensregiment ihres »Steinzeitkommunismus« fiel ein Viertel der Bevölkerung zum Opfer.

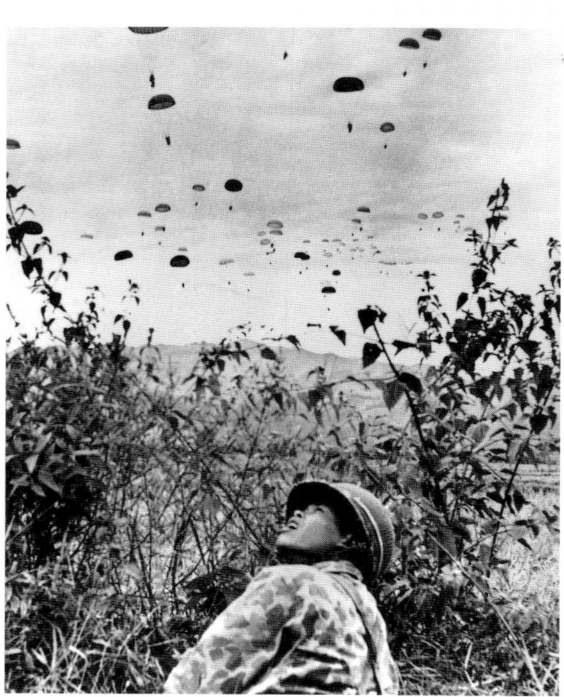

Indochina 1953: Großeinsatz französischer Fallschirmjäger im Kampf gegen die kommunistischen Vietminh

Zeitleiste

Vietnamkrieg

- **1954** Die Genfer Indochinakonferenz beschließt eine zeitlich begrenzte Teilung Vietnams.
- **1955** Ngo Dinh Diem, der neue Präsident Südvietnams, lehnt die Wiedervereinigung ab.
- **1959** Beginn der Infiltration Südvietnams über den Ho-Chi-Minh-Pfad.
- **1960** Hanoi bildet für die Operationen im Süden eine »Nationale Befreiungsfront«.
- **1962** In Vietnam treffen die ersten australischen Einheiten ein.
- **1963** In Südvietnam arbeiten 15 000 amerikanische Berater. Die Volksrepublik China sagt Nordvietnam mehr Militärhilfe zu.

1950 — 1960

Andere Länder

- **1956** Prinz Sihanouk von Kambodscha verfolgt einen neutralitätspolitischen Kurs.
- **1958** Laos nimmt mit amerikanischer Hilfe eine antikommunistische Position ein.
- **1959** Hanoi versorgt die Guerillagruppen in Laos mit Waffen.
- **1960** In Kambodscha werden die Roten Khmer aktiv.

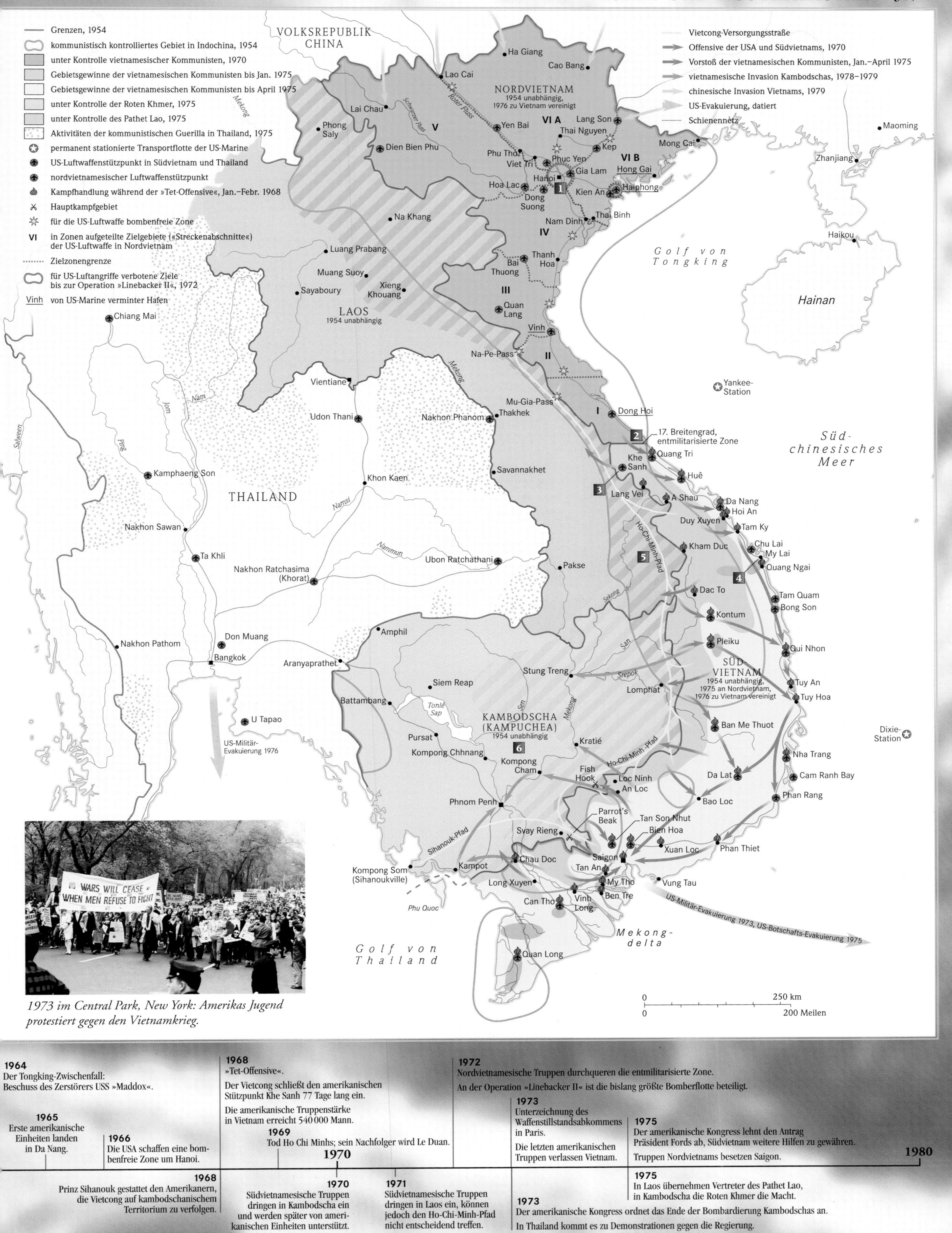

Grenzen, 1954
kommunistisch kontrolliertes Gebiet in Indochina, 1954
unter Kontrolle vietnamesischer Kommunisten, 1970
Gebietsgewinne der vietnamesischen Kommunisten bis Jan. 1975
Gebietsgewinne der vietnamesischen Kommunisten bis April 1975
unter Kontrolle der Roten Khmer, 1975
unter Kontrolle des Pathet Lao, 1975
Aktivitäten der kommunistischen Guerilla in Thailand, 1975
permanent stationierte Transportflotte der US-Marine
US-Luftwaffenstützpunkt in Südvietnam und Thailand
nordvietnamesischer Luftwaffenstützpunkt
Kampfhandlung während der »Tet-Offensive«, Jan.–Febr. 1968
Hauptkampfgebiet
für die US-Luftwaffe bombenfreie Zone
VI in Zonen aufgeteilte Zielgebiete («Streckenabschnitte«) der US-Luftwaffe in Nordvietnam
Zielzonengrenze
für US-Luftangriffe verbotene Ziele bis zur Operation »Linebacker II«, 1972
Vinh von US-Marine verminter Hafen
Vietcong-Versorgungsstraße
Offensive der USA und Südvietnams, 1970
Vorstoß der vietnamesischen Kommunisten, Jan.–April 1975
vietnamesische Invasion Kambodschas, 1978–1979
chinesische Invasion Vietnams, 1979
US-Evakuierung, datiert
Schienennetz
VOLKSREPUBLIK CHINA
NORDVIETNAM
1954 unabhängig, 1976 zu Vietnam vereinigt
LAOS
1954 unabhängig
THAILAND
KAMBODSCHA (KAMPUCHEA)
1954 unabhängig
SÜD-VIETNAM
1954 unabhängig, 1975 an Nordvietnam, 1976 zu Vietnam vereinigt
Golf von Tongking
Süd-chinesisches Meer
Golf von Thailand
Hainan
Mekongdelta
Ha Giang
Cao Bang
Lao Cai
Lai Chau
Phong Saly
Dien Bien Phu
Yen Bai
Lang Son
Thai Nguyen
Kep
Mong Cai
Maoming
Zhanjiang
Phu Tho
Viet Tri
Phuc Yen
Gia Lam
Hong Gai
Hanoi
Hoa Lac
Dong Suong
Kien An
Haiphong
Nam Dinh
Thai Binh
Haikou
Na Khang
Luang Prabang
Muang Suoy
Sayaboury
Xieng Khouang
Thanh Hoa
Bai Thuong
Quan Lang
Vinh
Chiang Mai
Na-Pe-Pass
Vientiane
Yankee-Station
Mu-Gia-Pass
Thakhek
Dong Hoi
Udon Thani
Nakhon Phanom
17. Breitengrad, entmilitarisierte Zone
Quang Tri
Khe Sanh
Huê
Savannakhet
Kamphaeng Son
Khon Kaen
Lang Vei
A Shau
Da Nang
Hoi An
Duy Xuyen
Tam Ky
Nakhon Sawan
Kham Duc
Chu Lai
My Lai
Quang Ngai
Ta Khli
Ubon Ratchathani
Nakhon Ratchasima (Khorat)
Pakse
Dac To
Tam Quam
Bong Son
Kontum
Pleiku
Qui Nhon
Nakhon Pathom
Don Muang
Bangkok
Amphil
Aranyaprathet
Siem Reap
Stung Treng
Lomphat
Tuy An
Tuy Hoa
Battambang
Tonlé Sap
U Tapao
US-Militär-Evakuierung 1976
Pursat
Kompong Chhnang
Kratié
Ban Me Thuot
Dixie-Station
Nha Trang
Kompong Cham
Fish Hook
Loc Ninh
An Loc
Da Lat
Cam Ranh Bay
Phan Rang
Phnom Penh
Bao Loc
Parrot's Beak
Tan Son Nhut
Bien Hoa
Svay Rieng
Xuan Loc
Phan Thiet
Saigon
Tan An
Chau Doc
Kampot
Kompong Som (Sihanoukville)
My Tho
Ben Tre
Vung Tau
Long Xuyen
Can Tho
Vinh Long
Phu Quoc
US-Militär-Evakuierung 1973, US-Botschafts-Evakuierung 1975
Quan Long
Ho-Chi-Minh-Pfad
Sihanouk-Pfad
Mekong
Schwarzer Fluss
Roter Fluss
Salween
Ping
Jom
Nam
Namsi
Nammun
Sekong
San
Srepok
Sen
0 250 km
0 200 Meilen
WARS WILL CEASE WHEN MEN REFUSE TO FIGHT

1973 im Central Park, New York: Amerikas Jugend protestiert gegen den Vietnamkrieg.

1964
Der Tongking-Zwischenfall: Beschuss des Zerstörers USS »Maddox«.

1965
Erste amerikanische Einheiten landen in Da Nang.

1966
Die USA schaffen eine bombenfreie Zone um Hanoi.

1968
Prinz Sihanouk gestattet den Amerikanern, die Vietcong auf kambodschanischem Territorium zu verfolgen.

1968
»Tet-Offensive«.
Der Vietcong schließt den amerikanischen Stützpunkt Khe Sanh 77 Tage lang ein.
Die amerikanische Truppenstärke in Vietnam erreicht 540 000 Mann.

1969
Tod Ho Chi Minhs; sein Nachfolger wird Le Duan.

1970

1970
Südvietnamesische Truppen dringen in Kambodscha ein und werden später von amerikanischen Einheiten unterstützt.

1971
Südvietnamesische Truppen dringen in Laos ein, können jedoch den Ho-Chi-Minh-Pfad nicht entscheidend treffen.

1972
Nordvietnamesische Truppen durchqueren die entmilitarisierte Zone.
An der Operation »Linebacker II« ist die bislang größte Bomberflotte beteiligt.

1973
Unterzeichnung des Waffenstillstandsabkommens in Paris.
Die letzten amerikanischen Truppen verlassen Vietnam.

1973
Der amerikanische Kongress ordnet das Ende der Bombardierung Kambodschas an.
In Thailand kommt es zu Demonstrationen gegen die Regierung.

1975
Der amerikanische Kongress lehnt den Antrag Präsident Fords ab, Südvietnam weitere Hilfen zu gewähren.
Truppen Nordvietnams besetzen Saigon.

1975
In Laos übernehmen Vertreter des Pathet Lao, in Kambodscha die Roten Khmer die Macht.

1980

Die Welt vom Ersten Weltkrieg bis heute (1914 bis 2004)

Mittel- und Südasien • 1945 bis 2004

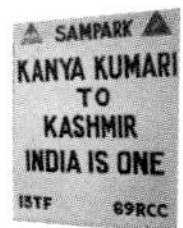
KANYA KUMARI
TO
KASHMIR
INDIA IS ONE

Indien hatte bis 1945 an der Seite der Alliierten gekämpft und erwartete nach dem Krieg politische Veränderungen, doch war der Indische Nationalkongress (INC) unter Jawaharlal Nehru mit der Muslimliga Mohammad Jinnahs verfeindet. Nachdem es in Kalkutta und Delhi sowie im Gangestal 1945 zu Unruhen gekommen war, leitete der britische Vizekönig Indiens, Lord Louis Mountbatten, den Abzug der Engländer ein.

1947 entstanden auf dem Subkontinent zwei unabhängige Republiken – das zweigeteilte muslimische Pakistan und das vorwiegend hinduistische Indien. Im Zuge dieser Aufteilung strömten Muslime aus Indien nach Ost- und Westpakistan, Hindus und Sikhs aus Pakistan nach Indien. Um die Eruption von Gewalttätigkeit zwischen den Volksgruppen zu stoppen, begann Mahatma Gandhi, als legendärer Vorkämpfer der Unabhängigkeit die höchste moralische Autorität Indiens, sein religiöses Fasten. Im Jahr 1948 wurde er von einem fanatischen Hindu ermordet.

Die beiden Schlüsselpersonen der indischen Unabhängigkeitsbewegung: Jawaharlal Nehru und Mahatma Gandhi bei einem Kongresstreffen im Juli 1946

Die neuen Republiken stritten sich um Kaschmir, was 1948 bis 1949 zum Krieg und einer von der UNO quer durch die Provinz gezogenen Demarkationslinie führte. Im Bürgerkrieg in Ostpakistan flohen 1971 Tausende ins indische Westbengalen. Ende 1971 griff Indien in den Konflikt ein und fügte der pakistanischen Armee eine empfindliche Niederlage zu; Ostpakistan wurde als Bangladesch unabhängig.

Konflikte: Indien und Pakistan

Als säkularer Staat wollte Indien die überkommenen Sitten seiner Kulturtradition zum Teil mit Gesetzen ändern. Das Mindestheiratsalter für Mädchen wurde heraufgesetzt, das Recht auf Scheidung zugestanden, die Diskriminierung der Unberührbaren untersagt. Als die INC-Führerin Indira Gandhi 1966 Premierministerin wurde, nahm sie den Kampf gegen die Armut auf, förderte Industrie und Landwirtschaft sowie die Familienplanung (samt Zwangssterilisierungen).

Zu jenem Zeitpunkt war Indien schon eine Industrie- und Militärmacht, beherrschte seit 1974 die Atomtechnologie, hatte einen Satelliten ins All geschossen und verfügte über eine Luftfahrtindustrie sowie eine starke Flotte samt Flugzeugträgern. 1991 wurde Premier Rajiv Gandhi ermordet, in Städten wie Bombay gab es schwere Unruhen, weil radikale Hindu-Fundamentalisten die Verfassungsordnung in Frage stellten.

In Pakistan wollte in den 1970er-Jahren Präsident beziehungsweise Premier Zulfikar Ali Bhutto einen »islamischen Sozialismus« realisieren, sein harter Kurs führte zu seiner Absetzung (1977) und Hinrichtung (1979) nach einem Putsch von General Zia ul-Haq. Bhuttos Tochter Benazir wurde 1988 Premier. Pakistan besaß seit der Unabhängigkeit starke Streitkräfte und erprobte nach indischen Atomwaffentests 1998 ebenfalls Nuklearwaffen. Immer wieder führte der Kaschmir-Konflikt mit Indien zu militärischen Zwischenfällen.

Armut, Unterdrückung und Zerrissenheit

Bangladesch, eines der ärmsten Länder der Welt, machte seit der Unabhängigkeit von 1971 vor allem durch Wirbelstürme und Überschwemmungen Schlagzeilen. Der erste Premierminister, Scheich Mujibur Rahman, der die Jute-, Tee- und Textilindustrie verstaatlichte, wurde ebenso ermordet wie Präsident Zia Rahman. Das benachbarte Birma (Myanmar) erlebte nicht viel von der versprochenen Demokratie, nachdem General Aung San, Vorkämpfer der Unabhängigkeit von 1948, im Jahr zuvor ermordet worden war. Seine Tochter Aung San Suu Kyi, 1991 mit dem Friedensnobelpreis ausgezeichnet, opponierte gegen das Militärregime und stand seit 1989 unter Hausarrest. Nachdem sie 2002 zunächst freigelassen worden war, wurde sie im Mai 2003 erneut festgenommen. Sri Lanka, ebenfalls seit 1948 unabhängig, wurde seit 1983 vom Bürgerkrieg zwischen der tamilischen Minderheit und den Singhalesen zerrissen. Die tamilische Befreiungsarmee »Tamil Tigers« will im Norden der Insel einen unabhängigen Staat errichten; 1991 eroberte sie Jaffna, das die Regierungstruppen 1996 zurückgewannen.

Tibet, 1950 von den Chinesen besetzt, wurde nach dem Scheitern eines Volksaufstandes im Jahr 1959 und der Flucht des Dalai-Lama nach Indien einer Militärregierung unterstellt. China erklärte den Dalai-Lama zum Verräter. Als seinen Statthalter installierte Peking selbst einen Nachfolger des 1989 verstorbenen Pantschen-Lama. Aufgrund der Masseneinwanderung von Han-Chinesen droht die einheimische Bevölkerung Tibets zur Minderheit im eigenen Land zu werden.

Ruheloses Indien: 58 Todesopfer unter Hindu-Pilgern forderte im Februar 2002 ein von Muslimen verübter Eisenbahn-Brandanschlag.

1 Bei der Unabhängigkeit war der Status einiger indischer Fürstentümer noch unklar; der Nisam von Hyderabad etwa wurde 1949 gezwungen, der Union beizutreten.

2 Wegen Grenzstreitigkeiten kämpften 1965 in der Ebene des Rann von Kutch indische gegen pakistanische Truppen.

3 Dharamsala wurde 1959 Sitz des aus Tibet geflohenen Dalai-Lama und seiner Exilregierung.

4 Nach dem Bau des Ganges-Staudamms bei Farakka kam es 1989 wegen wasserrechtlicher Fragen zu langen Auseinandersetzungen zwischen Indien und Bangladesch.

5 Die Explosion in einer Chemiefabrik in Bhopal tötete 1984 rund 3000 Menschen und verletzte weitere 200 000. Da ein US-Konzern an dem Werk beteiligt war, wurden die Sicherheitsmängel solcher Unternehmen weltweit angeprangert.

6 1992 zerstörten Hindus in Ayodhya, dem als heilig verehrten Geburtsort des Hindu-Gottes Rama, die Babris-Moschee. Die öffentlich gestellte Forderung, an ihrer Stelle einen dem Rama geweihten Tempel zu errichten, rief 2002 schwere Unruhen unter empörten Muslimen hervor.

7 Sikh-Extremisten besetzten in den frühen 1980er-Jahren den Goldenen Tempel von Amritsar als ihre Operationsbasis. Sie wurden 1984 von der indischen Armee wieder von dort vertrieben.

Schwieriger Neuanfang für Afghanistan: Im Januar 2002 begrüßt Staatspräsident Hamid Karzai in Kabul US-Außenminister Colin Powell.

Aufstieg und Sturz der »Gotteskämpfer«

Afghanistan versuchte, während des Kalten Krieges unabhängig zu bleiben, aber 1973 gewannen nach dem Sturz der Monarchie die Kommunisten an Einfluss. 1979 rief die Regierung in Kabul die UdSSR gegen die Mudschaheddin-Rebellen zu Hilfe. Die einmarschierten sowjetischen Truppen erlitten gegen diese schwere Verluste und zogen sich nach dem 1988 mit Präsident Nadschibullah ausgehandelten Frie-

ZEITLEISTE

INDISCHER SUBKONTINENT

- **1945** Großbritannien entlässt führende Vertreter der indischen Nationalisten aus der Haft.
- **1947** Der Subkontinent wird in die unabhängigen Republiken Indien und Pakistan aufgeteilt.
- **1948** Birma und Ceylon werden unabhängig.
- **1948–1949** Erster indisch-pakistanischer Krieg: Die Vereinten Nationen legen in Kaschmir eine Waffenstillstandslinie fest.
- **1955** In Indien werden die Rechte der Frauen und der Unberührbaren gesetzlich neu geregelt.
- **1958** Ayub Khan errichtet in Pakistan eine Militärdiktatur.
- **1969** Ayub Khan wird gestürzt und in Pakistan die Demokratie wiederhergestellt.

1940 · 1950 · 1960 · 1970

ANDERE LÄNDER

- **1959** In Tibet werden fünf Millionen Chinesen angesiedelt; der Dalai-Lama flieht nach einem gescheiterten Aufstand in Lhasa nach Indien.
- **1962** Ne Win übernimmt in Birma die Macht.

densabkommen zurück. Ein erbitterter Bürgerkrieg folgte. 1996 brachten die extrem fundamentalistischen Taliban-Milizen Kabul in ihre Gewalt.

Bis 2001 kontrollierten die »Gotteskämpfer« die meisten Provinzen des Landes; nur im Norden konnten sich der gestürzte Präsident Rabbani sowie die regionalen Militärführer Abdul Rashid Dostum und Ahmed Schah Massud mit ihren Gefolgsleuten halten. Nach dem Attentat auf das World Trade Center und das Pentagon im September 2001 holten die US-amerikanischen Streitkräfte, unterstützt von anderen NATO-Verbündeten, zum Schlag gegen die Taliban aus, da diese die Al-Qaida-Organisation des vermuteten Drahtziehers Osama Bin Laden deckten.

Auf der Konferenz auf dem Bonner Petersberg im Dezember 2001 verständigten sich Vertreter der siegreichen Parteien Afghanistans auf eine Übergangsregierung. Bis zur vollständigen Befriedung des Landes und der Bildung einer Regierung wurde eine internationale Schutztruppe stationiert, die auch gegen die noch immer im Lande operierenden Taliban- und Al-Qaida-Verbände zu Felde zog. Das Land blieb unruhig: Im April 2002 konnte ein Umsturzversuch unter Führung des Ex-Präsidenten Hekmatjar vereitelt werden, doch nach der Wahl Hamid Karzais zum Präsidenten fiel im Juli Vizepräsident Abdul Kadir einem Attentat zum Opfer. Karzais erste Schritte zur Durchsetzung der politischen und militärischen Autorität waren die Wiederherstellung der internationalen Kreditfähigkeit und der Aufbau einer neuen Nationalarmee ab 2003.

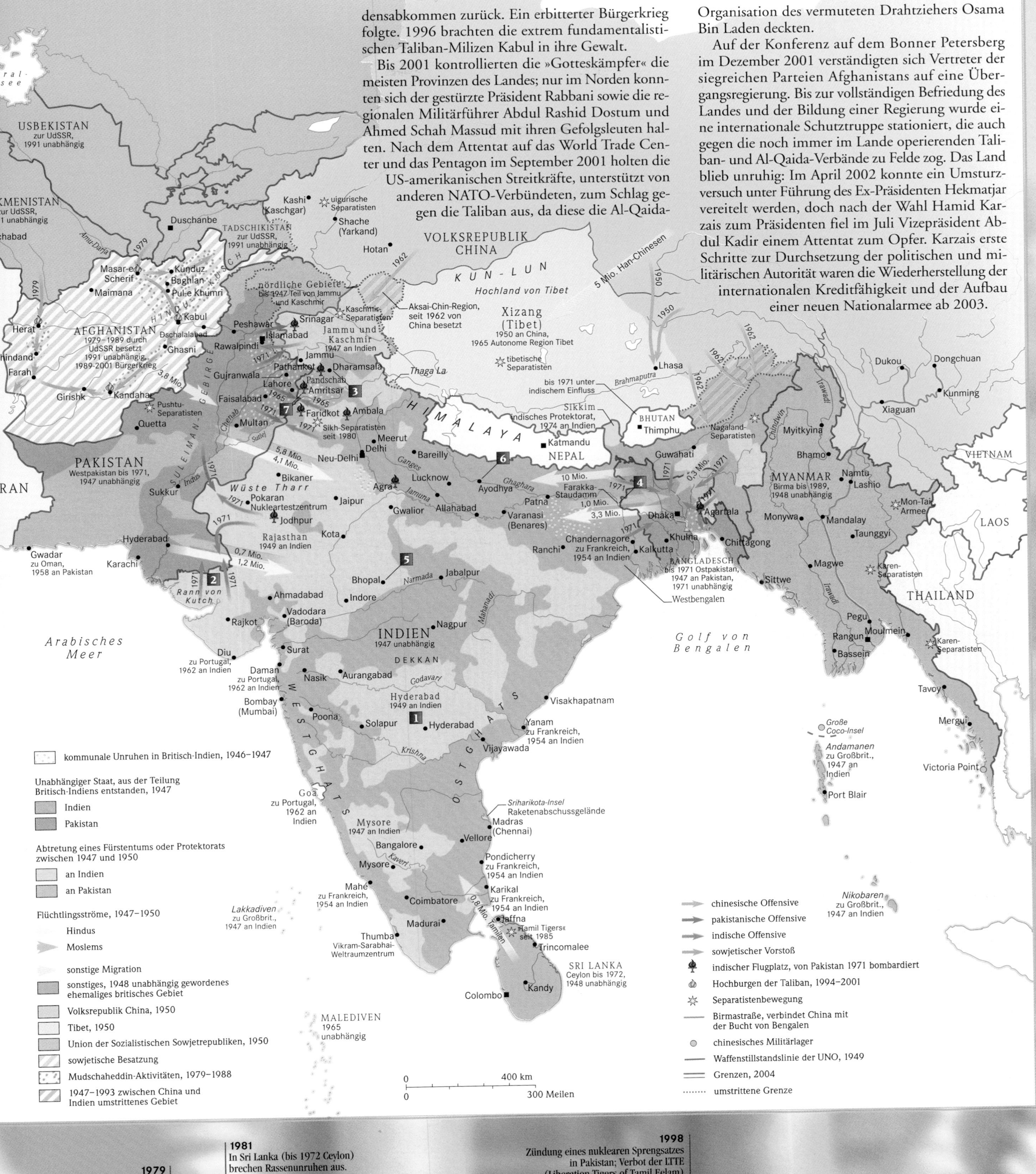
USBEKISTAN
zur UdSSR, 1991 unabhängig
TADSCHIKISTAN
zur UdSSR, 1991 unabhängig
AFGHANISTAN
1979–1989 durch UdSSR besetzt, 1991 unabhängig, 1989–2001 Bürgerkrieg
PAKISTAN
Westpakistan bis 1971, 1947 unabhängig
VOLKSREPUBLIK CHINA
Xizang (Tibet)
1950 an China, 1965 Autonome Region Tibet
Hochland von Tibet
Aksai-Chin-Region, seit 1962 von China besetzt
Jammu und Kaschmir
1947 an Indien
nördliche Gebiete
bis 1947 Teil von Jammu und Kaschmir
HIMALAYA
NEPAL
BHUTAN
Sikkim
indisches Protektorat, 1974 an Indien
INDIEN
1947 unabhängig
BANGLADESCH
bis 1971 Ostpakistan, 1947 an Pakistan, 1971 unabhängig
MYANMAR
Birma bis 1989, 1948 unabhängig
THAILAND
LAOS
VIETNAM
SRI LANKA
Ceylon bis 1972, 1948 unabhängig
MALEDIVEN
1965 unabhängig
Arabisches Meer
Golf von Bengalen
Wüste Tharr
Pokaran
Nuklearteszentrum
Rajasthan
1949 an Indien
Hyderabad
1949 an Indien
Mysore
1947 an Indien
Goa
zu Portugal, 1962 an Indien
Diu
zu Portugal, 1962 an Indien
Daman
zu Portugal, 1962 an Indien
Pondicherry
zu Frankreich, 1954 an Indien
Karikal
zu Frankreich, 1954 an Indien
Mahé
zu Frankreich, 1954 an Indien
Yanam
zu Frankreich, 1954 an Indien
Chandernagore
zu Frankreich, 1954 an Indien
Gwadar
zu Oman, 1958 an Pakistan
Lakkadiven
zu Großbrit., 1947 an Indien
Andamanen
zu Großbrit., 1947 an Indien
Nikobaren
zu Großbrit., 1947 an Indien
Sriharikota-Insel
Raketenabschussgelände
Vikram-Sarabhai-Weltraumzentrum
Tamil Tigers seit 1985
Sikh-Separatisten seit 1980
Pushtu-Separatisten
uigurische Separatisten
tibetische Separatisten
Nagaland-Separatisten
Karen-Separatisten
Mon-Tai-Armee
Farakka-Staudamm
Westbengalen
kommunale Unruhen in Britisch-Indien, 1946–1947
Unabhängiger Staat, aus der Teilung Britisch-Indiens entstanden, 1947
Indien
Pakistan
Abtretung eines Fürstentums oder Protektorats zwischen 1947 und 1950
an Indien
an Pakistan
Flüchtlingsströme, 1947–1950
Hindus
Moslems
sonstige Migration
sonstiges, 1948 unabhängig gewordenes ehemaliges britisches Gebiet
Volksrepublik China, 1950
Tibet, 1950
Union der Sozialistischen Sowjetrepubliken, 1950
sowjetische Besatzung
Mudschaheddin-Aktivitäten, 1979–1988
1947–1993 zwischen China und Indien umstrittenes Gebiet
chinesische Offensive
pakistanische Offensive
indische Offensive
sowjetischer Vorstoß
indischer Flugplatz, von Pakistan 1971 bombardiert
Hochburgen der Taliban, 1994–2001
Separatistenbewegung
Birmastraße, verbindet China mit der Bucht von Bengalen
chinesisches Militärlager
Waffenstillstandslinie der UNO, 1949
Grenzen, 2004
umstrittene Grenze
0 400 km
0 300 Meilen

1974
Indien zündet in der Wüste Tharr unterirdisch einen Atomsprengkörper.

1979
Hinrichtung von Premierminister Bhutto in Pakistan.

1979
Die UdSSR marschiert in Afghanistan ein.

1980

1981
In Sri Lanka (bis 1972 Ceylon) brechen Rassenunruhen aus.
In Bangladesch wird Präsident Zia Rahman ermordet.

1981
Der größte Teil Afghanistans ist in der Hand der Mudschaheddin.

1984
Ermordung der indischen Premierministerin Indira Gandhi.

1988
Rangun erlebt prodemokratische Demonstrationen.

1989
Die UdSSR zieht sich aus Afghanistan zurück.

1990

1991
In Zentralasien werden acht Sowjetrepubliken unabhängig.

1993
Ermordung des Präsidenten von Sri Lanka, Premadasa.

1998
Zündung eines nuklearen Sprengsatzes in Pakistan; Verbot der LTTE (Liberation Tigers of Tamil Eelam) in Sri Lanka.

1998
Taliban-Kämpfer ermorden Tausende schiitischer Hazara in Masar-e-Scherif (Afghanistan).

1999
UN-Sanktionen gegen das Taliban-Regime.

2000

2001
Anschlag vermutlich pakistanischer Extremisten auf das indische Parlament in Neu-Delhi.

2001
Sturz des Taliban-Regimes.

2002
Ein Komplott gegen die afghanische Übergangsregierung wird vereitelt.
Hamid Karzai wird zum Präsidenten Afghanistans gewählt; Vizepräsident Abdul Kadir fällt einem Attentat zum Opfer.

Die Welt vom Ersten Weltkrieg bis heute (1914 bis 2004)

Der Aufschwung der Pazifikregion • 1976 bis 2004

Die Weltwirtschaft wurde durch den Aufschwung in vielen asiatischen Ländern im letzten Viertel des 20. Jahrhunderts stark verändert. Die Region verfügte über ein großes Reservoir billiger, aber hoch qualifizierter Arbeitskräfte. Infrastruktur, Schwer- und Textilindustrie wie Hochtechnologie expandierten parallel, so dass sich Staaten wie Südkorea oder China, die noch Mitte des Jahrhunderts schlimme Unruhen erlebt hatten, in wenigen Jahrzehnten von der Armut befreien und auf dem Weltmarkt behaupten konnten.

Die treibende Wirtschaftsmacht dahinter war Japan, das in vielen ost- und südostasiatischen Ländern seine Investitionen verdreifachte, als 1985 die eigenen Waren durch eine Neubewertung des Yen nicht mehr wie in den Jahren zuvor konkurrenzfähig waren. Ende der 1990er-Jahre überholten die asiatischen Länder die USA als wichtigster Handelspartner Japans; Malaysia, Hongkong, Taiwan und zunehmend auch China waren die Hauptnutznießer der Entwicklung.

Aufschwung in den »Tigerstaaten«

Der wirtschaftliche Aufschwung zog weitere Länder mit. Japan und Südkorea konkurrierten um den Markt des sich öffnenden Vietnam, dessen Verkehrs- und Energiewirtschaft nach dem 1975 beendeten Krieg daniederlag.

Die Wirtschaft der »Tigerstaaten« (darunter Südkorea, Hongkong, Taiwan, Malaysia und Singapur) entwickelte sich parallel zu der Japans. Seit den 1950er-Jahren baute man hier mit Regierungsunterstützung Industrien auf und wandte sich in den 1960er- und 1970er-Jahren der exportorientierten Leichtindustrie zu. In den 1980er-Jahren hatte Südkorea seine Produktion mit hohen Wachstumsraten auf Hochtechnologie, Fahrzeugbau und Schwerindustrie umgestellt. Allmählich traten südkoreanische Firmen auch mit dem kommunistischen Nordkorea in Verbindung, aber die Beziehungen blieben gespannt.

Das Fundament für den wirtschaftlichen Aufschwung Taiwans wurde Ende der 1970er-Jahre von Chiang Ching-kuo gelegt. Dieser Sohn Chiang Kaisheks förderte den Schiffsbau, die petrochemische und die elektronische Industrie (vor allem Computerbau). Bis Mitte der 1990er-Jahre war aus der kleinen Insel die achtgrößte Wirtschaftsmacht der Welt geworden. China betrachtete Taiwan allerdings nach wie vor als Teil der Volksrepublik; die Wahlen 1987 und 1996 auf der Insel, die eine auf Unabhängigkeit setzende Führung bestätigten, verstärkten die Spannungen. Hongkong, das Großbritannien bis 1997 von China gepachtet hatte, konzentrierte sich auf den Handel und die Finanzwirtschaft.

Chinas wirtschaftliche Integration

1975 gab es in China noch so gut wie keine Investitionen oder Kredite aus dem Ausland. Direkte Handelsbeziehungen zu nicht kommunistischen Ländern, Japan ausgenommen, waren rar. 1978 leitete Vizepremier Deng Xiaoping Wirtschafts- und Bildungsreformen ein, um eine wirtschaftliche Modernisierung des Landes auf den Weg zu bringen. Zu politischer Entspannung kam es jedoch nicht, die Demokratiebewegung wurde 1989 brutal zerschlagen. Trotz weltweiter Proteste wegen Missachtung der Menschenrechte bemühte sich Peking weiter um Auslandsinvestitionen, Handelsbeziehungen und Technologie. Südkorea errichtete in den neuen chinesischen Sonderwirtschaftszonen Fabriken und Maschinen, aber die »Tigerstaaten« Singapur und Taiwan – obwohl Handelsbeziehungen mit der Insel offiziell illegal blieben – verband politisch und ethnisch am meisten mit der Volksrepublik. Ab 1984 verlagerte Hongkong große Teile der Produktion wegen der dortigen niedrigeren Arbeitskosten zunehmend ins chinesische Umland. Die Rückgabe der britischen Kronkolonie an China im Jahr 1997 bedeutete einen weiteren Schritt auf dem Weg zu ihrer wirtschaftlichen Integration.

Trendwenden

Japan blieb dank seiner technologischen Überlegenheit die wirtschaftliche Supermacht, obwohl sich das Wachstum in den 1990er-Jahren verlangsamte. Neben China industrialisierten sich auch Thailand, Malaysia und Indonesien, das dank seiner reichen Erdöl- und Erdgasvorkommen den Ausbau von Industriezweigen wie Petrochemie, Schiffbau oder Stahlproduktion finanzieren konnte. Einige Länder der Region nahmen freilich am »asiatischen Wunder« nicht teil, beispielsweise Kambodscha und Myanmar (vormals Birma).

Politisch überlebte in der Region – trotz zunehmender Weltmarkteinflüsse – der Kommunismus. Außer China, Vietnam und Nordkorea standen auch die Rebellen auf den Philippinen zur marxistischen Lehre. Nordkorea nutzte die Irak-Krise, um seinerseits 2003 die USA mit einem forcierten Atomprogramm herauszufordern. Hongkong erlebte in den Jahren vor 1997, als es galt, die Rechte seiner Einwohner nach der Rückgabe an China zu schützen, eine verspätete Demokratisierung. Bei den älteren Demokratien rund um den Pazifik – Kanada, Australien, Neuseeland und USA – wandelte sich die Einstellung zu den neuen asiatischen Wirtschaftsmächten.

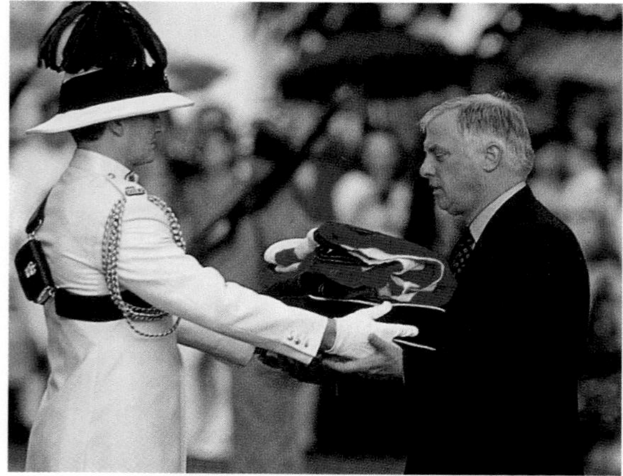

Hongkong wieder chinesisch: Chris Patten, der letzte britische Gouverneur, 1997 bei der Übergabezeremonie

Auch deutsche Firmen schätzen zunehmend den Produktionsstandort Asien: Fertigung von Hörgeräten bei Siemens in Singapur.

Waren sie bislang die Investoren und Lieferanten gewesen, so bezogen sie nun zunehmend Waren von dort. 2000 geriet die restriktive Asylpolitik der australischen Regierung in die Kritik. Flüchtlinge, die auf dem Seeweg nach Australien gelangen wollten, hielt man mit militärischen Mitteln von den eigenen Gewässern fern, in den Internierungslagern für Asylsuchende kam es immer öfter zu Unruhen. Zudem wurde 2000 die Diskriminierung der australischen Ureinwohner von einem UN-Komitee scharf gerügt. Während Australien im konservativen Fahrwasser segelte, erlebte Neuseeland eine politische Trendwende zu mehr Liberalität und Modernität. Hier errangen erstmals zwei Frauen die höchsten Staatsämter.

»Krisenmanagement«

In Südostasien suchten sich die Volkswirtschaften von der Wirtschaftskrise der letzten Jahre zu erholen; am besten gelang dies dem autoritär regierten Singapur, das sich seit 1999 mittels einer Bildungsoffensive bemühte, hoch qualifizierte Arbeitskräfte als Lockmittel für ausländische Investoren einzusetzen. Andere Länder waren weniger erfolgreich. Laos etwa blieb auf Entwicklungshilfe angewiesen, aus der 40 Prozent des Landeshaushaltes bestritten wurden. Im Nachbarland Kambodscha, von Postkommunisten und Königstreuen regiert, war der wirtschaftliche Aufschwung allenfalls bescheiden. Nach wie vor sind die Narben aus der Zeit des Pol-Pot-Regimes nicht verheilt: 1,7 Millionen Menschen sind im Rahmen der Umsiedlung- und Umerziehungspolitik durch Anhänger der Roten Khmer ermordet worden.

Die Wirtschaftsgiganten Ostasiens, Japan und Südkorea, wurden in den letzten Jahren von wirtschaftlichen und politischen Krisen gebeutelt. Vor allem die Automobilindustrie Südkoreas litt unter schmerzhaften Einbußen und gewährte ausländischen Unternehmen Anteilskäufe zur eigenen Rettung. Im Rahmen der um Ausgleich bemühten »Sonnenscheinpolitik« wurden 2003 – fünfzig Jahre nach dem Koreakrieg – die erste Straßenverbindung nach Nordkorea sowie eine Eisenbahnverbindung eröffnet.

Zeitleiste

Ostasien

- **1975** Auf Taiwan strebt Chiang Ching-kuo ein schnelles Wirtschaftswachstum an.
- **1978** In China setzt sich Deng Xiaoping für Wirtschaftsreformen ein; China und Japan unterzeichnen ein Handelsabkommen.
- **1979** China und die USA normalisieren ihre Beziehungen.
- **1987** Demokratische Wahlen auf Taiwan; das seit 1949 bestehende Kriegsrecht wird aufgehoben.

Südostasien/Australien

- **1975** In Kambodscha übernehmen die Roten Khmer die Macht und verüben Massenmorde. Zusammenbruch Südvietnams und Schaffung eines einzigen vietnamesischen Staates unter kommunistischer Führung.
- **1977** Laos unterzeichnet einen Freundschaftsvertrag mit Vietnam.
- **1978–1979** Vietnam marschiert in Kambodscha ein, um die Roten Khmer zu vertreiben; China marschiert in Nordvietnam ein.
- **1986** Nach Präsidentschaftswahlen auf den Philippinen wird die prodemokratische Corazon Aquino Nachfolgerin von Ferdinand Marcos.
- **1988** In Birma kommt eine Militärjunta an die Macht.

1970 · 1980

MONGOLEI
VR CHINA
NORD-KOREA
SÜD-KOREA
JAPAN
TAIWAN
MYANMAR Birma bis 1989, 1997 ASEAN-Beitritt
LAOS 1997 ASEAN-Beitritt
THAILAND
VIETNAM 1995 ASEAN-Beitritt
KAMBODSCHA 1999 ASEAN-Beitritt
PHILIPPINEN
MALAYSIA
SINGAPUR
BRUNEI 1984 unabhängig
INDONESIEN
OSTTIMOR 2002 unabhängig
PAPUA-NEUGUINEA
PALAU in freiem Zusammenschluss mit den USA, 1994 unabhängig
FÖDERIERTE STAATEN VON MIKRONESIEN in freiem Zusammenschluss mit den USA, 1990 unabhängig
MARSHALL-INSELN in freiem Zusammenschluss mit den USA, 1990 unabhängig
NAURU
KIRIBATI 1979 unabhängig
SALOMONEN 1978 unabhängig
TUVALU 1978 unabhängig
VANUATU 1980 unabhängig
FIDSCHI
Neukaledonien zu Frankreich
AUSTRALIEN
NEUSEELAND
INDISCHER OZEAN
SÜDPAZIFISCHER OZEAN
Philippinensee
Ostchinesisches Meer
Korallenmeer
Hongkong 1997 an China
Macao 1999 an China
Nördliche Marianen zu den USA
Guam zu den USA
zu den USA
Grenze 2004
ursprünglich neu industrialisierte Wirtschaft
aufstrebende neu industrialisierte Wirtschaft
chinesische Sonderwirtschaftszone
geringe Industrialisierung
Organisation für wirtschaftliche Zusammenarbeit und Entwicklung (OECD)
ASEAN-Mitgliedstaat (Zusammenschluss der südostasiatischen Nationen)
japanischer Investitionsfluss
über 1 Mio. Einwohner
Hafen
Manila Industriezentrum
chinesische prodemokratische Demonstration
Separatistenbewegung
Glasfaserkabel, 1996
Hauptrohstoffquelle
Gold
Kupfer
Nickel
Zinn
andere Metalle
Ölfeld
0 1200 km
0 800 Meilen

1 Taiwans Erfolg basierte auf massiven Investitionen in seine Menschen – 1995 genossen vier Fünftel der 18-Jährigen eine Hochschulausbildung.

2 Singapur erwirtschaftete seinen Wohlstand in der Ära Lee Kuan Yew (Premierminister 1959 bis 1990). Dessen viel kritisierte autoritäre Innenpolitik sollte die gesellschaftliche Ordnung sichern.

3 Die Kluft zwischen Arm und Reich war in Thailand trotz der Bemühungen der Regierung größer als in anderen neuen Industrieländern Asiens.

4 Ende der 1990er-Jahre erlebte Japan erstmals seit 1945 eine anhaltende Rezession, weil die anderen asiatischen Industrieländer nun mit ihm konkurrierten.

5 Australien, das in den späten 1990er-Jahren seine letzten Verbindungen zur britischen Krone löste, war ein gewichtiger Förderer des 1989 geschaffenen »Asia Pacific Economic Cooperation Forum« (APEC).

6 Das Massaker auf dem »Platz des Himmlischen Friedens« in Peking im Juni 1989 stellte Deng Xiaopings Antwort auf die Forderung nach mehr Demokratie dar, die im Zuge der wirtschaftlichen Liberalisierung aufkam.

1989
Eine prodemokratische Studentendemonstration auf dem Tiananmen-Platz in Peking wird äußerst brutal aufgelöst.

1993
In Japan verliert zum ersten Mal seit 1945 die Liberaldemokratische Partei die Macht.

1994
Tod Kim Il Sungs, des Präsidenten Nordkoreas.

seit 1996
Auf Befehl der »Demokratischen Verwaltungskomitees« müssen über 11 000 Mönche und Nonnen ihre Klöster in dem von China annektierten Tibet verlassen.

1997
Tod Deng Xiaopings; Rückgabe Hongkongs an China.

2000
Friedensnobelpreis für den südkoreanischen Präsidenten Kim Dae Jung.

2002
Regierungskrise in Japan nach Entlassung der Außenministerin Makiko Tanaka.

2003
»Taipeh 101«, das mit 508 m bislang höchste Gebäude der Welt, wird in Taiwans Hauptstadt fertig gestellt.

1990 — **2000**

1989
Australien regt die Schaffung des »Asia Pacific Economic Cooperation Forum« an.

1992
Vietnam eröffnet mit finanzieller Unterstützung Taiwans eine Freihandelszone.

1999
In Indonesien erste freie und demokratische Wahlen seit 1955; Präsident wird Abdurrahman Wahid (2001 abgesetzt).

2000
In Kambodscha wird ein unabhängiges Tribunal zur Aburteilung der am Genozid (1975–1978) Beteiligten eingerichtet.

2001
Auf den Philippinen wird Präsident J. Estrada wegen Korruption entmachtet und verhaftet. Erste demokratische Wahlen in Osttimor.

2001–2002
In Australien werden rund 3000 Erwachsene und Kinder in fünf Lagern interniert, etwa 800 dieser Menschen auf dem früheren Raketentestgelände in Woomera.

Von oben betrachtet: die Möglichkeiten der Satellitenfotografie

»Sputnik 1« war der erste künstliche Satellit der Welt. Die Sowjets schossen ihn 1957 in eine Erdumlaufbahn und leiteten so das Zeitalter der Raumfahrt ein.

»Sehe die Erde ... Über der Erde breitet sich immer stärkere Bewölkung aus ... Jetzt sieht man wieder die Falten der Berge und Wälder.« Nur dreieinhalb Jahre, nachdem am 4. Oktober 1957 mit »Sputnik 1« ein erster künstlicher Satellit die Erde umkreist hat, beschreibt der erste Mensch im Weltall, der russische Kosmonaut Jurij Gagarin, begeistert seine Sicht auf den unter seiner Raumkapsel »Wostok I« vorbeiziehenden blauen Planeten.

Die Vorstellung, von hoch oben auf die Erde herabzuschauen, übte schon immer eine ungeheure Faszination auf die Menschheit aus. Als 1858 Gaspard-Félix Tournachon, genannt Nadar (1820–1910), von einem Ballon aus ein erstes Foto seiner Heimatstadt Paris schoss, konnten auch weniger Wagemutige einen Eindruck vom Anblick ihrer Welt aus der Vogelperspektive erlangen. – Eher wenig interessiert an schönen Bildern, doch umso mehr begeistert von den Möglichkeiten der Luftfahrt waren schon bald auch militärische Kreise. Bereits 1910 nutzte die französische Armee ein Flugzeug für die Luftaufklärung, die seit dem Ersten Weltkrieg ein unverzichtbarer Teil der Kriegführung geworden ist. Es überrascht daher nicht, dass das amerikanische Militär Mitte der 1950er-Jahre unter strenger Geheimhaltung ein Programm für den Einsatz von Spionagesatelliten im Kalten Krieg startete.

ERSTE SATELLITEN AM HIMMEL

Zwar waren die UdSSR den USA mit ihrem Aufbruch in den Weltraum noch zuvorgekommen, doch schon im Januar 1961 hatten die Amerikaner einen militärischen Erdbeobachtungssatelliten im All, der mit hochauflösenden Spezialkameraobjektiven ausgerüstet war. Und bereits ein Jahr zuvor war ein erster US-Wettersatellit in die Erdumlaufbahn geschossen worden.

Natürlich nutzten auch die verschiedenen bemannten Weltraummissionen die Möglichkeit, Fotos von der Erde zu machen. Da zunächst jedoch an einer systematischen fotografischen Erfassung des blauen Planeten kein Interesse bestand, hatten diese Aufnahmen für die Geographie oder die Kartographie nur begrenzten Wert. Es sollte noch bis 1972 dauern, bis ERTS 1 (später umbenannt in Landsat 1), der erste zivile experimentelle Trabant, seine Erkundungen aufnahm. Seit dieser Zeit umkreisen immer mehr Satelliten die Erde und Geographen wie Kartographen konnten in bisher nicht vorstellbarem Maße von dieser Technologie der Fernerkundung des Naheliegenden profitieren.

DER LEIBWÄCHTER HÄLT ABSTAND

Von einer Trägerrakete in eine Umlaufbahn geschossen oder zum Beispiel von einem Spaceshuttle ausgesetzt, halten Satelliten gleich Leibwächtern – so die deutsche Übersetzung des lateinischen Wortes »satelles« – einen genau definierten Abstand zur Erde ein. In der relativen Nähe von mindestens 400 Kilometern muss ein künstlicher Trabant – um nicht wieder auf die Erde herabzustürzen oder ins All davonzusausen – rund 7,9 Kilometer in der Sekunde zurücklegen; das bedeutet, dass er den Planeten in 88 Minuten einmal umrundet.

Ab 1972 im NASA-Programm: Erdbeobachtungssatellit der Serie ERTS (Earth Resources Technology Satellite), die später in Landsat umbenannt wurde.

Je weiter er von der Erde entfernt ist, desto stärker sinkt diese so genannte Kreisbahngeschwindigkeit. In der geostationären Umlaufbahn – jenen rund 36 000 Kilometern Höhe, in der ein Flugkörper »einmal rundherum« genau 24 Stunden braucht und deshalb immer über derselben Stelle der Erdoberfläche bleibt – beträgt das Tempo »nur« noch 3,065 Kilometer pro Sekunde.

Neben militärischen Zwecken dient die Satellitentechnologie den unterschiedlichsten Forschungsaufgaben. So konnte beispielsweise das 1990 mit einem Satelliten in eine Erdumlaufbahn geschossene Hubble-Weltraumteleskop ohne störende atmosphärische Turbulenzen ferne Galaxien in der Frühphase des Kosmos beobachten und die gewonnenen Daten zur Erde funken.

Die Möglichkeiten der Fernuntersuchung der Erde kommen gleichermaßen land- und forstwirtschaftlichen Forschungen zugute, wie etwa der Wasser-, Gletscher- und Meereskunde, der Klima- und Wettererforschung. So kann aus dem All die infolge Brandrodung voranschreitende Verminderung tropischer Urwaldbestände, können die Wanderbewegungen von Eisbergen oder kann das Abschmelzen von Gletschern beobachtet werden. Das Phänomen des von Jahr zu Jahr an Umfang zunehmenden so genannten Ozonlochs über der Südhalbkugel wäre ohne Satellitentechnik kaum konkret zu beschreiben.

Darüber hinaus haben im medialen Zeitalter besonders die Möglichkeiten der Nachrichten- und Navigationssatelliten eine große Bedeutung. Oft sind Satelliten so ausgerüstet, dass sie mehrere Aufgaben gleichzeitig übernehmen können, beispielsweise die Übermittlung sowohl von Telefongesprächen als auch von Fernsehbildern.

SATELLITENGESTÜTZTE ERD-ERKUNDUNG

Die meisten Satellitenaufnahmen entstehen inzwischen längst nicht mehr mittels traditioneller Fototechnik. Die Digitaltechnik macht es möglich, dass ein Scanner einen Ausschnitt der Erde abtastet. Oft kommen Multispektralscanner zum Einsatz, wobei Daten in unterschiedlichen Wellenlängenbereichen – meist gleichzeitig – aufgenommen beziehungsweise gespeichert werden können: als Aufnahmen im sichtbaren Lichtbereich, in unterschiedlichen Infrarotbereichen, im Radarwellenbereich und im Bereich langwelliger Mikrowellen. Bei entsprechender Beschaffenheit von Scanner, Software und Übertragungsmöglichkeiten wird ein Auflösungsvermögen von

Einen Tag nach den Flugzeugattentaten vom 11. September 2001 zeigt eine Satellitenaufnahme Rauch über den Ruinen des New Yorker World Trade Centers.

Die Schweizer Alpen aus dem Weltall betrachtet: Zu erkennen sind oben der Thuner und der Brienzer See, im Zentrum der Aufnahme das Jungfraumassiv mit dem Aletschgletscher, dem größten und längsten Alpengletscher.

weniger als zwei Metern erreicht, was bedeutet, dass zum Beispiel ein PKW aus dem Weltall problemlos zu erkennen ist.

Die Detailgenauigkeit mag beeindruckend sein und manch faszinierende Ansicht der Erde aus dem All ermöglichen, doch für die Forscher liegt der Fortschritt auf einem anderen Gebiet: Durch genaue Auswahl und Kombination von Aufnahmen unterschiedlicher Wellenlängen können die unterschiedlichsten Daten über die Erde und die Erdatmosphäre gewonnen werden. Dies führt zu Ergebnissen, die in dieser Präzision durch bisherige Verfahren nicht zu erreichen sind. Mittlerweile wurden hoch spezialisierte Softwareprogramme entwickelt, die es Kartographen ermöglichen, beispielsweise am Rechner Satellitenaufnahmen mit bereits digital vorliegenden Karten abzugleichen, um etwa Umweltveränderungen zu beschreiben.

»BIG BROTHER AUS DEM ALL«

Die Satellitenfotografie kann zu ganz praktischen Erkenntnissen führen. So vermag sich selbst ein von der Welt abgeschotteter Staat bestimmter Kontrollen von außen nicht zu entziehen: Ende April 2004 kam es im nordkoreanischen Ryongchon, nahe der Grenze zu China, bei Rangierarbeiten zu einem verheerenden Zugunglück. Zahlreiche Waggons, mit hochexplosiven Düngemitteln beladen, explodierten und zerstörten im weiten Umkreis Wohnhäuser, Industrieanlagen sowie zwei Schulen. Mehr als 160 Tote und über 1300 Verletzte waren zu beklagen. Eine der ersten konkreten Informationen über das Ausmaß der Katastrophe lieferten Satellitenaufnahmen des Bahnhofs von Ryongchon. Auch aufgrund dieser eindeutigen Anhaltspunkte sah sich die Regierung in Pjöngjang genötigt, das Unglück einzugestehen und sogar um internationale Hilfe nachzusuchen.

SATELLITENTECHNOLOGIE ALS KATASTROPHENHELFER

Bei großen Waldbränden konnten bislang aufgrund der starken Rauchentwicklung häufig keine gezielten Löschmaßnahmen durchgeführt werden. Satellitenaufnahmen, die auf einer Kombination verschiedener Wellenlängen im Infrarot- und im Thermalbereich basieren, ermöglichen nicht nur eine Aufnahme des Brandherdes, ohne dass der Rauch im Bereich des sichtbaren Lichts abgebildet wird – sie können sogar die heißesten und die weniger heißen Stellen des Feuers anzeigen und so die effektive Brandbekämpfung erleichtern. – Auch bei anderen Natur- oder Umweltkatastrophen setzt man mittlerweile auf die Satellitentechnik: Mit Hilfe der satellitengestützten Beobachtung unseres Planeten kann oft rechtzeitig erkannt werden, wo sich Gefahren wie Überschwemmungen oder Wirbelstürme anbahnen, so dass entsprechende Warn- oder Hilfsmaßnahmen für gefährdete Gebiete eingeleitet werden können.

Ausbruch auf Sizilien: Das Satellitenfoto vom 5. November 2002 zeigt die starke Aktivität des Ätna.

Die Welt vom Ersten Weltkrieg bis heute (1914 bis 2004)

Der Vordere Orient und Nordafrika • 1914 bis 1948

Die Alliierten trugen 1914 den Krieg auch in die deutschen Kolonien in Afrika. Die Militäroperationen in Togo, Kamerun und Deutsch-Südwestafrika waren 1916 beendet, die in Deutsch-Ostafrika (später Tanganjika) endeten erst eine Woche nach Unterzeichnung des Waffenstillstands im Jahr 1918.

Das Bündnis der Türkei mit Deutschland führte zu Angriffen der Türken auf den Suezkanal und Basra, die von den Alliierten abgewehrt wurden. Die Briten unterstützten arabische Aufstände gegen die Türken, besetzten 1917 Jerusalem, dann die Ölfelder in Mesopotamien. Auch das Öl Südpersiens wollte man sich 1918 durch Einrichtung eines De-facto-Protektorats sichern.

Neuverteilung der Territorien

Der Völkerbund verpflichtete die siegreichen Nationen, Völkern unterentwickelter Kulturen dabei zu helfen, die »schwierigen Bedingungen der modernen Welt« zu meistern. Die ehemaligen deutschen Kolonien und einstige Territorien des nicht mehr bestehenden Osmanischen Reiches wurden als Mandate verwaltet. Einige der Gebiete sollten rasch unabhängig werden; deshalb bekam Großbritannien das Mandat über Palästina, den Irak (vormals Mesopotamien) und Transjordanien. Frankreichs Zuständigkeit erstreckte sich über Syrien und den Libanon. Weniger entwickelte Gebiete wie Togo (an Großbritannien) und Kamerun (an Frankreich) konnten nicht mit baldiger Unabhängigkeit rechnen. Großbritannien erhielt zudem Tanganjika und Belgien die Region Ruanda-Urundi.

Strategisch wie ökonomisch hochbedeutend: der Suezkanal; Werbetafel aus den 1920er-Jahren

Palästina

Durch die Neuverteilung der Territorien wuchsen die Kolonialreiche der Briten und Franzosen erheblich; die eingeborene Bevölkerung wurde nicht gefragt, ob sie unabhängig sein wollte. Einen Sonderfall bildete Palästina, wo man, wie die britische Regierung 1917 erklärte, die Einrichtung einer »Heimstätte« für die Juden vorsah. Dies widersprach der früheren Zusage an die Araber, dass die Region, deren Bevölkerung zu 90 Prozent aus Muslimen bestand, zum Kreis der neuen arabischen Länder gehören sollte. In den 1920er-Jahren wanderten nur wenige Juden ein, aber in den 1930er-Jahren wuchs ihre Zahl erheblich, als die Briten erstmals die Aufteilung Palästinas in einen jüdischen und einen arabischen Staat vorschlugen. Nach dem Zweiten Weltkrieg trug das Entsetzen der Welt über den Holocaust dazu bei, dass die UNO 1947 die Teilung unterstützte und der Gründung eines Staates Israel zustimmte, der 1948 entstand.

Kolonialpolitik im Vorderen Orient: Nichteinmischung, Milde

Großbritannien, 1918 die beherrschende Macht im Vorderen Orient, mischte sich in Arabien nicht ein und ließ 1932 die Gründung des Königreichs Saudi-Arabien zu. Im Irak endete das Mandat der Briten 1932, doch behielt London das Recht, seine militärischen und wirtschaftlichen Interessen mittels zweier Luftwaffenstützpunkte zu wahren. In Persien übernahm 1925 die Dynastie der Pahlewi die Macht und benannte das Land 1935 in Iran um. Bei Ausbruch des Zweiten Weltkriegs förderte der Iran mehr Öl als der übrige Vordere Orient; wegen der Beziehungen des Schahs zu Deutschland besetzten die Alliierten 1941 das Land. Schah Resa musste abdanken und sein Sohn Mohammed Resa folgte ihm nach. In der Zwischenkriegszeit stieg die Nachfrage nach Öl, doch die Ölfelder im Vorderen Orient wurden erst in den 1950er-Jahren voll erschlossen. Die französische Herrschaft über Syrien und den Libanon war milde, geriet aber durch die Niederlage Frankreichs 1940 ins Wanken. Truppen des »Freien Frankreich« und Großbritanniens hielten beide Länder während des Krieges besetzt, erst 1946 erhielten sie ihre Unabhängigkeit.

Die Geburt des Staates Israel: Der künftige Ministerpräsident David Ben Gurion (1886–1973) verliest am 14. Mai 1948 die Unabhängigkeitserklärung.

1 In Masjid-i Suleiman wurde 1908 erstmals im Vorderen Orient Öl gefunden. In Libyen stieß man erst in den 1920er-Jahren auf den begehrten Rohstoff, in Kuwait 1932.

2 Tel Aviv wurde 1909 von Zionisten als Vorort der alten Stadt Jaffa gegründet. Die Türken ließen die Ansiedlung 1916/1917 räumen, doch in den 1920er- und 1930er-Jahren wurde sie zum Zentrum der jüdischen Einwanderung.

3 Die für die Indienroute wichtige Bunkerstation Aden verwalteten die Briten zunächst von Indien aus. 1937 wurde das Gebiet zur Kronkolonie erklärt.

4 Abd Al Asis Ibn Saud (1901–1953) eroberte 1901 Riad. Nachdem er 1916 seine Kontrolle über den Nedjd und 1926 über den Hidjas gefestigt hatte, gründete er 1932 das Königreich Saudi-Arabien. Ölvorkommen wurden 1938 entdeckt.

5 Der Sennardamm wurde 1925 fertig gestellt; mit ihm ließ sich der Plan realisieren, den Sudan zu bewässern, um dort Baumwolle für den Export anzubauen.

6 Der italienische Einmarsch in Äthiopien 1935 begann mit einem Land- und Luftangriff auf Adua, jenen Ort, an dem Italiens Truppen 1896 besiegt worden waren.

7 Tripolis bildete das Zentrum der von Mussolini geförderten Industrialisierung Libyens; bis 1939 hatten dort über 700 Fabriken mit der Produktion begonnen.

Zeitleiste

Vorderer Orient
- 1916 Aufstand der Araber im Hidjas gegen die osmanische Herrschaft.
- 1917 Balfour-Deklaration: Großbritannien verspricht den Juden einen eigenen Staat in Palästina.
- 1918 Großbritannien besetzt den Irak.
- 1922 Der Völkerbund stimmt dem Palästina-Mandat zu.
- 1924 Großbritannien besteht auf der Kontrolle über Transjordanien.

Nordafrika
- 1914 Ägypten wird britisches Protektorat.
- 1921–1926 In Marokko brechen Aufstände gegen die französische und spanische Herrschaft aus.
- 1922 Ägypten wird unter König Fuad I. unabhängig.
- 1928 Gründung der »Muslimischen Bruderschaft« in Ägypten.

Südlich der Sahara
- 1914 Afrikanische, britische und französische Truppen besetzen Togo, Kamerun und Deutsch-Ostafrika.
- 1920 Die ehemaligen deutschen Kolonien kommen als Mandatsgebiete an Großbritannien, Frankreich, Belgien und Südafrika.

1910 — 1920

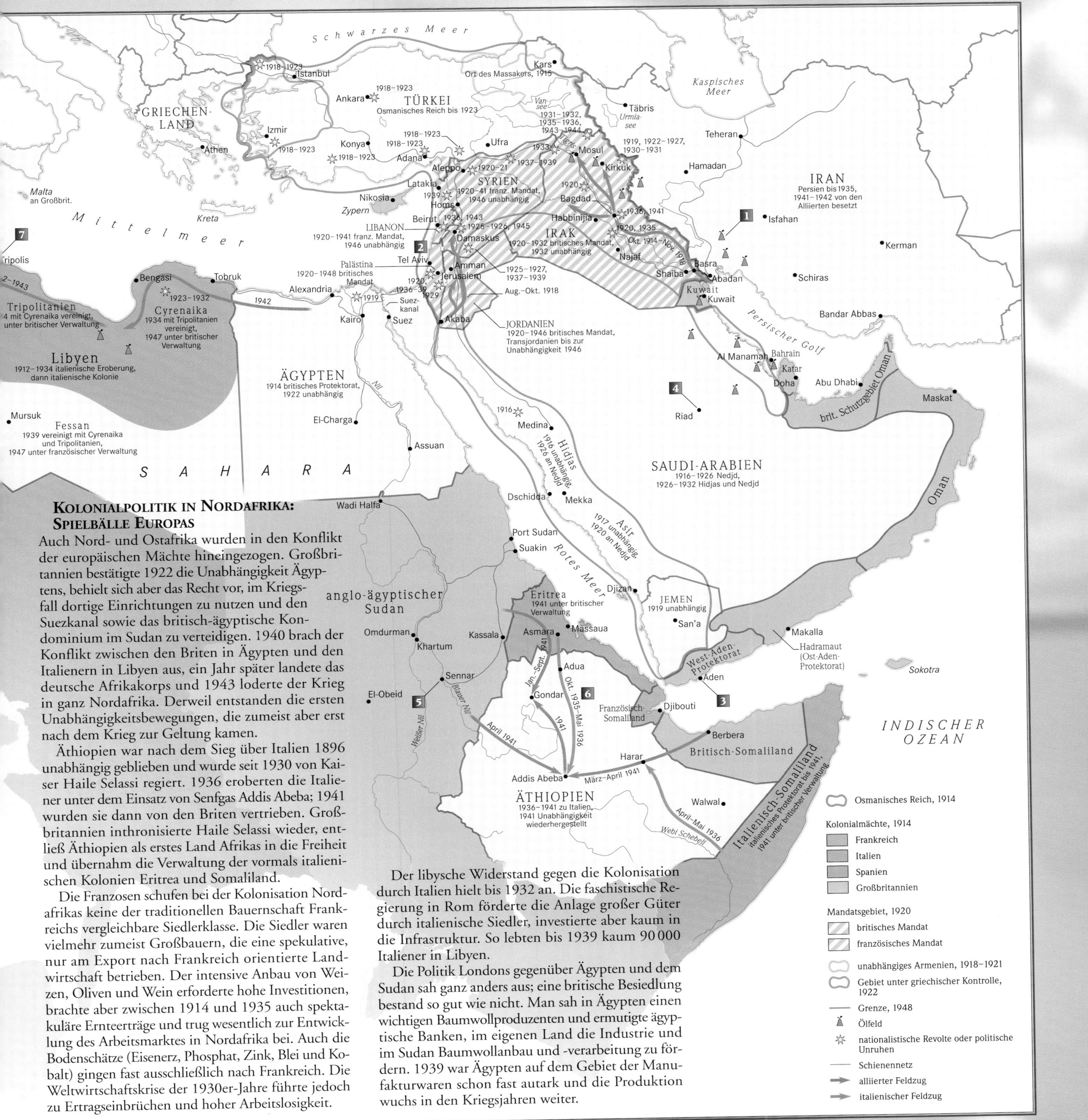

Kolonialpolitik in Nordafrika: Spielbälle Europas

Auch Nord- und Ostafrika wurden in den Konflikt der europäischen Mächte hineingezogen. Großbritannien bestätigte 1922 die Unabhängigkeit Ägyptens, behielt sich aber das Recht vor, im Kriegsfall dortige Einrichtungen zu nutzen und den Suezkanal sowie das britisch-ägyptische Kondominium im Sudan zu verteidigen. 1940 brach der Konflikt zwischen den Briten in Ägypten und den Italienern in Libyen aus, ein Jahr später landete das deutsche Afrikakorps und 1943 loderte der Krieg in ganz Nordafrika. Derweil entstanden die ersten Unabhängigkeitsbewegungen, die zumeist aber erst nach dem Krieg zur Geltung kamen.

Äthiopien war nach dem Sieg über Italien 1896 unabhängig geblieben und wurde seit 1930 von Kaiser Haile Selassi regiert. 1936 eroberten die Italiener unter dem Einsatz von Senfgas Addis Abeba; 1941 wurden sie dann von den Briten vertrieben. Großbritannien inthronisierte Haile Selassi wieder, entließ Äthiopien als erstes Land Afrikas in die Freiheit und übernahm die Verwaltung der vormals italienischen Kolonien Eritrea und Somaliland.

Die Franzosen schufen bei der Kolonisation Nordafrikas keine der traditionellen Bauernschaft Frankreichs vergleichbare Siedlerklasse. Die Siedler waren vielmehr zumeist Großbauern, die eine spekulative, nur am Export nach Frankreich orientierte Landwirtschaft betrieben. Der intensive Anbau von Weizen, Oliven und Wein erforderte hohe Investitionen, brachte aber zwischen 1914 und 1935 auch spektakuläre Ernteerträge und trug wesentlich zur Entwicklung des Arbeitsmarktes in Nordafrika bei. Auch die Bodenschätze (Eisenerz, Phosphat, Zink, Blei und Kobalt) gingen fast ausschließlich nach Frankreich. Die Weltwirtschaftskrise der 1930er-Jahre führte jedoch zu Ertragseinbrüchen und hoher Arbeitslosigkeit.

Der libysche Widerstand gegen die Kolonisation durch Italien hielt bis 1932 an. Die faschistische Regierung in Rom förderte die Anlage großer Güter durch italienische Siedler, investierte aber kaum in die Infrastruktur. So lebten bis 1939 kaum 90 000 Italiener in Libyen.

Die Politik Londons gegenüber Ägypten und dem Sudan sah ganz anders aus; eine britische Besiedlung bestand so gut wie nicht. Man sah in Ägypten einen wichtigen Baumwollproduzenten und ermutigte ägyptische Banken, im eigenen Land die Industrie und im Sudan Baumwollanbau und -verarbeitung zu fördern. 1939 war Ägypten auf dem Gebiet der Manufakturwaren schon fast autark und die Produktion wuchs in den Kriegsjahren weiter.

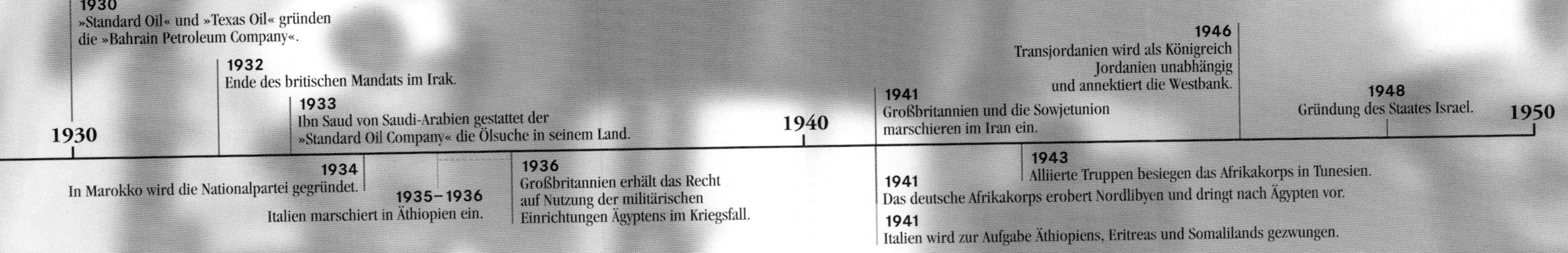
1930
1930 »Standard Oil« und »Texas Oil« gründen die »Bahrain Petroleum Company«.
1932 Ende des britischen Mandats im Irak.
1933 Ibn Saud von Saudi-Arabien gestattet der »Standard Oil Company« die Ölsuche in seinem Land.
1934 In Marokko wird die Nationalpartei gegründet.
1935–1936 Italien marschiert in Äthiopien ein.
1936 Großbritannien erhält das Recht auf Nutzung der militärischen Einrichtungen Ägyptens im Kriegsfall.
1940
1941 Großbritannien und die Sowjetunion marschieren im Iran ein.
1941 Das deutsche Afrikakorps erobert Nordlibyen und dringt nach Ägypten vor.
1941 Italien wird zur Aufgabe Äthiopiens, Eritreas und Somalilands gezwungen.
1943 Alliierte Truppen besiegen das Afrikakorps in Tunesien.
1946 Transjordanien wird als Königreich Jordanien unabhängig und annektiert die Westbank.
1948 Gründung des Staates Israel.
1950

Die Welt vom Ersten Weltkrieg bis heute (1914 bis 2004)

Der arabisch-israelische Konflikt • 1948 bis 1977

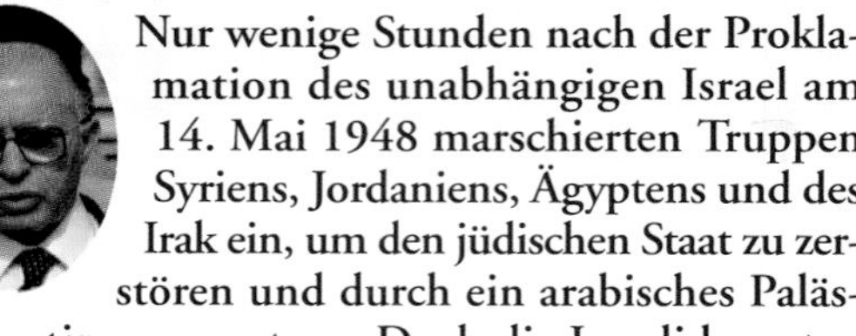

Nur wenige Stunden nach der Proklamation des unabhängigen Israel am 14. Mai 1948 marschierten Truppen Syriens, Jordaniens, Ägyptens und des Irak ein, um den jüdischen Staat zu zerstören und durch ein arabisches Palästina zu ersetzen. Doch die Israeli konnten erfahrene Soldaten aufbieten, die Araber besiegen und einen bis Westjerusalem reichenden Streifen Land dazugewinnen.

Als im folgenden Jahr Ostjerusalem und die Westbank zu Jordanien kamen, bedeutete dies das Ende Palästinas. Kein arabischer Staat erkannte die neuen Grenzen an (aber man nahm sie beim Waffenstillstand 1949 als gegeben hin). Nach dem israelischen Sieg zogen Tausende von Juden in ihre neue »Heimstätte«. Über eine Million Palästinenser wurden zu Flüchtlingen im eigenen Land, was politischen Sprengstoff in der Region, speziell in Jordanien, lieferte.

Die Suez-Krise

In Ägypten führte die Niederlage im Jahr 1952 zu einem Aufstand der Nationalisten. 1953 wurde die Herrscherfamilie vertrieben und die Republik ausgerufen. Oberst Nasser, ab 1954 Präsident des Landes, verließ sich beim Bau des gewaltigen Assuan-Staudamms, der als äußerst wichtig für die wirtschaftliche Entwicklung des Landes galt, auf US-Hilfe. Als sich die Amerikaner wegen der zunehmend antiwestlichen Politik Nassers zurückzogen, verstaatlichte dieser den Suezkanal, den für Briten und Franzosen strategischen Schlüssel zum Osten. Die beiden alten Kolonialmächte beschlossen eine Invasion und sicherten sich heimlich die Unterstützung Israels. Im Oktober 1956 rückten israelische Einheiten auf dem Sinai vor, eine Woche später folgten britische und französische Truppen. Auf Druck der USA zogen sie sich zurück und UN-Soldaten rückten nach, während Nasser den Suezkanal mit versenkten Schiffen blockierte.

Präventivschlag – Der Sechstagekrieg

Einer allgemeinen Verurteilung der Suez-Invasion der Briten und Franzosen folgte ein verstärktes Engagement der Supermächte: Die arabischen Staaten bezogen Waffen aus der UdSSR, Israel erhielt Rüstungsgüter aus den USA. In dem Glauben, Ägypten könne im Verein mit Syrien (beide bildeten 1958 bis 1961 die Vereinigte Arabische Republik) Israel besiegen, sammelte Nasser eine Allianz arabischer Staaten und provozierte durch die Schließung des Golfs von Akaba eine Krise. Israel antwortete mit dem wirkungsvollsten Präventivschlag der Geschichte, indem es im Juni 1967 alle ägyptischen Militärflugplätze angriff und die meisten Kampfflugzeuge dort zerstörte. Syrien und Jordanien ereilte ein ähnliches Schicksal. Als es sechs Tage später zum Waffenstillstand kam, hatte Israel den Gazastreifen und die gesamte Sinaihalbinsel besetzt. Jordanien verlor Ostjerusalem, Bethlehem und Hebron, Syrien die Golanhöhen.

PLO: Wortführer des palästinensischen Nationalismus

Die UNO verabschiedete nun Resolutionen, in denen sie Israel zur Räumung der besetzten Gebiete aufforderte, den Verlust der Bürgerrechte der Palästinenser missbilligte und deren Selbstbestimmungsrecht bestätigte. Dies beleuchtete die tiefe Spaltung in Israel, wo die Palästinenser als Bürger zweiter Klasse behandelt wurden. Viele von ihnen pendelten täglich von der Westbank und dem Gazastreifen, wo sie in Flüchtlingslagern lebten, zur Arbeit in israelische Betriebe. Seit 1964 gab es die »Palestinian Liberation Organization« (PLO), die Anfang der 1970er-Jahre durch Terrorismus und moralischen Druck zu einer mächtigen politischen Instanz geworden war. Da die PLO die Sicherheit Jordaniens bedrohte, mussten ihre Kämpfer 1970 das Königreich verlassen. Sie gingen in den Libanon, wo sich die wachsende Zahl palästinensischer Flüchtlinge bald destabilisierend auswirkte und zum Ausbruch des Bürgerkriegs von 1975 beitrug.

Zu diesem Zeitpunkt hatten die israelischen Truppen den Sechstagekrieg bereits gewonnen: Am 13. Juni 1967 winken Frauen und Kinder einem Truppenkonvoi zu.

Der Jom-Kippur-Krieg

Der ägyptische Präsident Anwar As Sadat startete im Oktober 1973 am jüdischen Versöhnungstag (Jom Kippur) einen Überraschungsangriff auf den von Israel besetzten Sinai. Die Israeli konzentrierten sich erst auf die Verteidigung der Golanhöhen gegen syrische Panzerangriffe und schlugen dann innerhalb von drei Wochen die Angreifer an beiden Fronten zurück. Die Supermächte hatten nicht aktiv in den Kampf eingegriffen.

Das Erdöl als politische Waffe

Als Antwort auf die Lieferung von US-Rüstungsgütern an Israel setzte Saudi-Arabien (dessen Einnahmen aus dem Ölgeschäft seit 1945 steil gestiegen waren und das zu den führenden Mitgliedern der OPEC gehörte) Sanktionen gegen den Westen durch: Die OPEC verringerte ihre Liefermengen und hob den Ölpreis drastisch an. Trotzdem blieben Saudi-Arabien und die Golfstaaten einschließlich des Iran (wo man wegen der Besetzung während des Zweiten Weltkriegs Verbitterung gegenüber den »Imperialisten« empfand) proamerikanisch und fürchteten den wachsenden Einfluss der Sowjetunion. Die wichtigsten OPEC-Staaten zögerten, Maßnahmen gegen Israel militärisch zu unterstützen. Einige arabische Länder schlugen einen USA-kritischen Kurs ein. Syrien und der Irak etwa wurden ab 1963 beziehungsweise 1968 von der »antiimperialistischen«, arabisch-nationalistischen Baath-Partei kontrolliert. Auch in Libyen, ebenfalls ein wichtiger Ölproduzent, übernahm 1969 unter Führung Muammar al Gaddhafis ein strikt antiamerikanisches Regime die Macht, das sich durch Nassers Erfolg beflügelt sah.

Menachim Begin, seit 1972 israelischer Ministerpräsident, erkannte, dass auch Sadat einen Abbau der arabisch-israelischen Spannungen wollte. Deshalb lud er Ägyptens Präsidenten nach Jerusalem ein, wodurch ein Friedensprozess in Gang kam, den beide 1979 mit einem Friedensvertrag besiegelten.

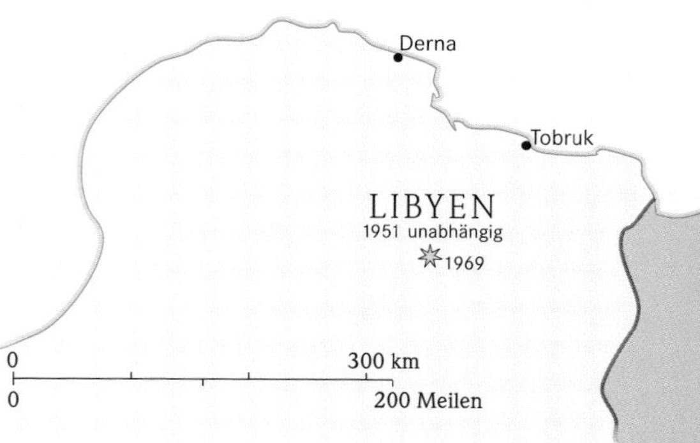
Derna
Tobruk
LIBYEN
1951 unabhängig
1969
0
300 km
0
200 Meilen

1 Jerusalem, für Juden, Muslime wie Christen eine heilige Stadt, wurde nach dem gescheiterten arabischen Angriff im Jahr 1948 geteilt. 1967 besetzte Israel die ganze Stadt, doch die Konflikte gingen weiter.

2 1953 unterstützte der CIA einen Putsch gegen Irans Premier Mossadegh, der 1951 die Ölindustrie verstaatlicht hatte. Der Schah kehrte aus dem Exil zurück.

3 Das strategisch wichtige Scharm el-Scheich an der Südspitze des Sinai, das die Einfahrt in die Straße von Tiran kontrolliert, wurde 1956 von den Israeli erobert und von 1957 bis 1967 von UN-Einsatztruppen besetzt gehalten.

4 Diese neutrale Zone wurde 1966 zwischen Kuwait und Saudi-Arabien aufgeteilt.

5 Israel bombardierte 1968 Palästinenser-Stützpunkte in Jordanien und besiegte in der Schlacht von Karama Gruppen der Al Fatah, des militärischen Zweiges der PLO.

6 Jordanien wies 1970 die Al-Fatah-Kämpfer aus. Viele ihrer Gruppen schufen sich im Südlibanon neue Stützpunkte.

7 Nach ethnischen Konflikten in den 1950er-Jahren und der UN-Intervention vor 1964 kam es 1974 zur Teilung der lange britisch verwalteten Insel Zypern in eine griechische und eine türkische Zone.

ZEITLEISTE

ARABISCH-ISRAELISCHE KRIEGE

- 1940
- **1948** Auf die Gründung des Staates Israel folgt ein arabischer Angriff.
- **1949** Eine Million Palästinenser fliehen aus Israel.
- 1950
- **1956** Nassers Verstaatlichung des Suezkanals löst eine britisch-französisch-israelische Invasion aus.
- **1958** Sturz der Monarchie im Irak.

ANDERE ENTWICKLUNGEN

- **1951** Mohammed Mossadegh wird Ministerpräsident des Iran und verstaatlicht die Ölindustrie.
- **1952** Sturz der ägyptischen Monarchie.
- **1953** Mit Hilfe des CIA kommt es im Iran zu einem Staatsstreich und zur Wiedereinsetzung Schah Resa Pahlewis.

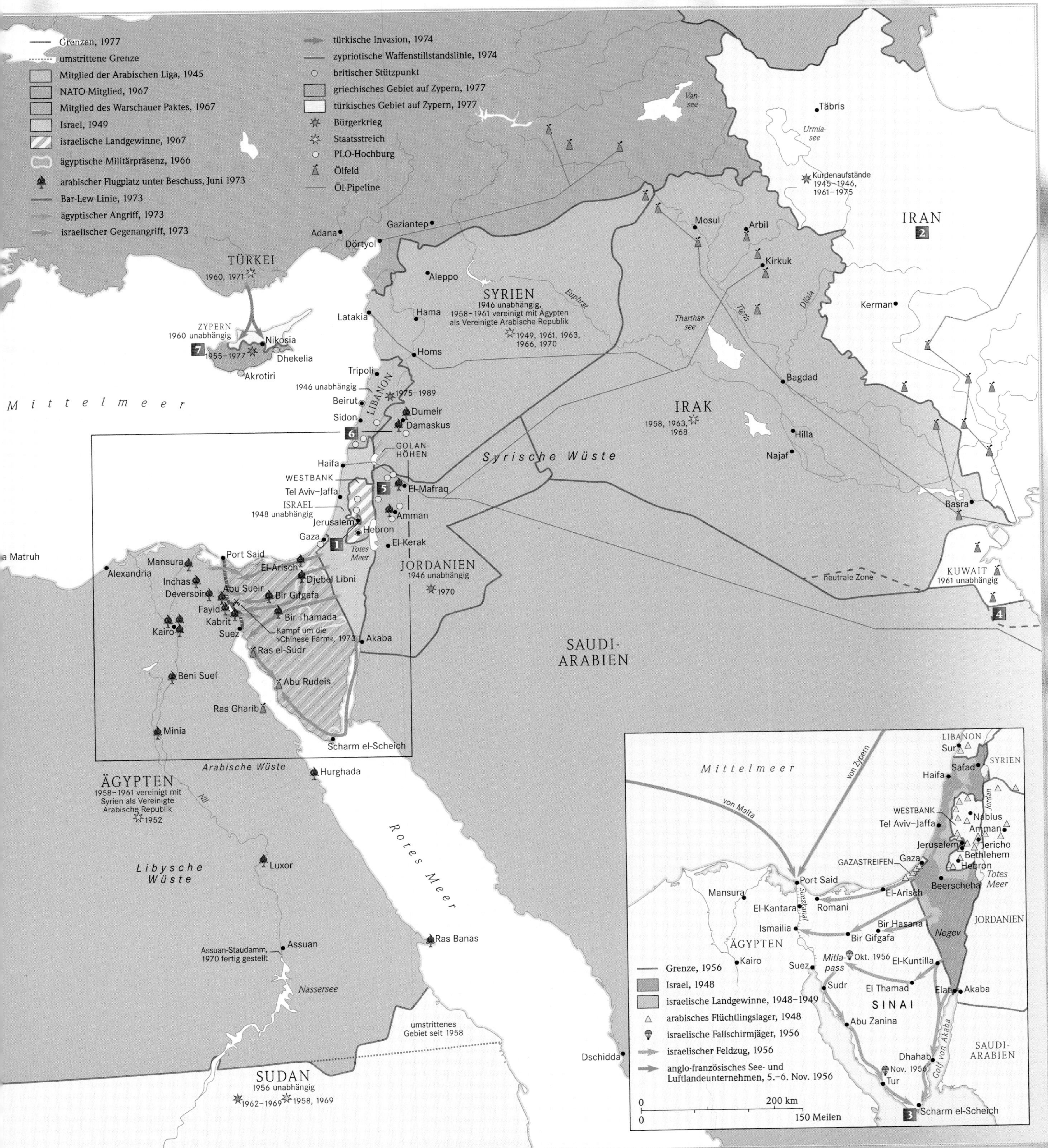

- Grenzen, 1977
- umstrittene Grenze
- Mitglied der Arabischen Liga, 1945
- NATO-Mitglied, 1967
- Mitglied des Warschauer Paktes, 1967
- Israel, 1949
- israelische Landgewinne, 1967
- ägyptische Militärpräsenz, 1966
- arabischer Flugplatz unter Beschuss, Juni 1973
- Bar-Lew-Linie, 1973
- ägyptischer Angriff, 1973
- israelischer Gegenangriff, 1973
- türkische Invasion, 1974
- zypriotische Waffenstillstandslinie, 1974
- britischer Stützpunkt
- griechisches Gebiet auf Zypern, 1977
- türkisches Gebiet auf Zypern, 1977
- Bürgerkrieg
- Staatsstreich
- PLO-Hochburg
- Ölfeld
- Öl-Pipeline

TÜRKEI 1960, 1971 · ZYPERN 1960 unabhängig, 1955–1977 · SYRIEN 1946 unabhängig, 1958–1961 vereinigt mit Ägypten als Vereinigte Arabische Republik, 1949, 1961, 1963, 1966, 1970 · LIBANON 1946 unabhängig, 1975–1989 · IRAK 1958, 1963, 1968 · IRAN · ISRAEL 1948 unabhängig · JORDANIEN 1946 unabhängig, 1970 · KUWAIT 1961 unabhängig · SAUDI-ARABIEN · ÄGYPTEN 1958–1961 vereinigt mit Syrien als Vereinigte Arabische Republik, 1952 · SUDAN 1956 unabhängig, 1962–1969, 1958, 1969 · Kurdenaufstände 1945–1946, 1961–1975 · Assuan-Staudamm, 1970 fertig gestellt · umstrittenes Gebiet seit 1958 · Kampf um die »Chinese Farm«, 1973

- Grenze, 1956
- Israel, 1948
- israelische Landgewinne, 1948–1949
- arabisches Flüchtlingslager, 1948
- israelische Fallschirmjäger, 1956
- israelischer Feldzug, 1956
- anglo-französisches See- und Luftlandeunternehmen, 5.–6. Nov. 1956

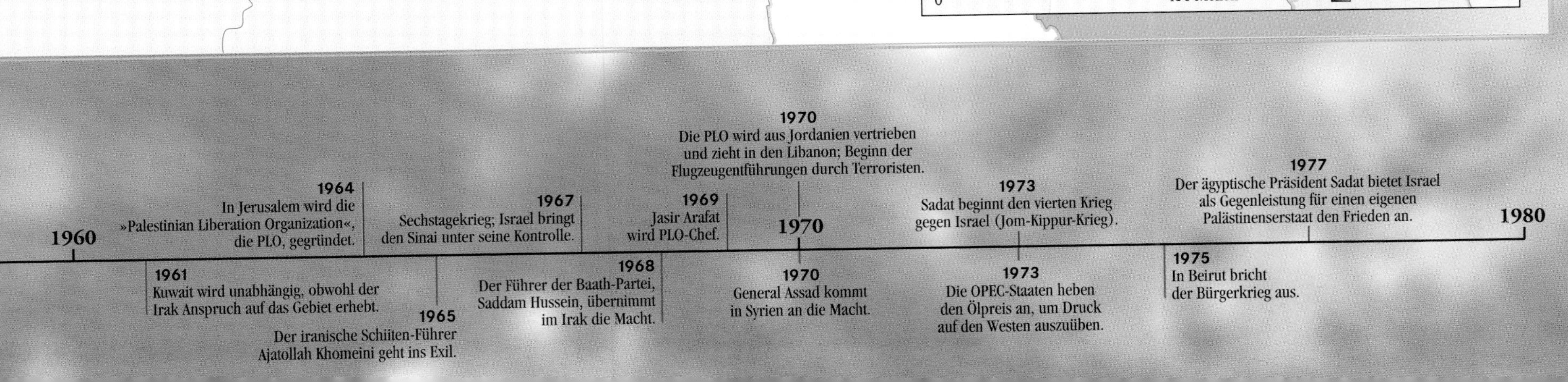
1960
1964 In Jerusalem wird die »Palestinian Liberation Organization«, die PLO, gegründet.
1961 Kuwait wird unabhängig, obwohl der Irak Anspruch auf das Gebiet erhebt.
1965 Der iranische Schiiten-Führer Ajatollah Khomeini geht ins Exil.
1967 Sechstagekrieg; Israel bringt den Sinai unter seine Kontrolle.
1968 Der Führer der Baath-Partei, Saddam Hussein, übernimmt im Irak die Macht.
1969 Jasir Arafat wird PLO-Chef.
1970 Die PLO wird aus Jordanien vertrieben und zieht in den Libanon; Beginn der Flugzeugentführungen durch Terroristen.
1970
1970 General Assad kommt in Syrien an die Macht.
1973 Sadat beginnt den vierten Krieg gegen Israel (Jom-Kippur-Krieg).
1973 Die OPEC-Staaten heben den Ölpreis an, um Druck auf den Westen auszuüben.
1975 In Beirut bricht der Bürgerkrieg aus.
1977 Der ägyptische Präsident Sadat bietet Israel als Gegenleistung für einen eigenen Palästinenserstaat den Frieden an.
1980

Die Welt vom Ersten Weltkrieg bis heute (1914 bis 2004)

Der Nahe Osten • 1977 bis 2004

Nach dem Besuch des ägyptischen Präsidenten Sadat 1977 in Jerusalem arrangierte US-Präsident Carter 1978 ein Treffen mit diesem und Israels Premier Begin, das zu einer israelisch-ägyptischen Verständigung führte.

Das Abkommen von Camp David fixierte neben der Anerkennung Israels durch Kairo die Zusagen Begins, den Palästinensern im Gazastreifen und in der Westbank Autonomie zu gewähren und den Sinai an Ägypten zurückzugeben.

Bürgerkrieg im Libanon

Die Palästinensische Befreiungsorganisation (PLO) setzte mit Terroraktionen und Angriffen von Stützpunkten im Libanon aus ihren Kampf gegen Israel fort. Im Libanon herrschte derweil Bürgerkrieg zwischen christlichen Milizen und islamischen Truppen; die eigentliche Macht übte dort seit 1976 jedoch Syrien aus. 1981 wurde Sadat von islamischen Aktivisten ermordet, doch der Nachfolger Hosni Mubarak setzte seine Politik fort. Der Bürgerkrieg im Libanon wurde Anfang der 1990er-Jahre beendet. Vom Südlibanon aus griffen dort beheimatete »Hisbollah«-Milizen weiterhin israelische Siedlungen an.

Islamische Republik Iran

Die politische Macht des Islam zeigte sich im Iran, wo 1979 der Schah nach mächtigen, das ganze Land erfassenden Demonstrationen gestürzt wurde. Die Aufständischen waren Anhänger des im Pariser Exil lebenden schiitischen Religionsführers Ajatollah Khomeini. Dieser kehrte nach Teheran zurück und stellte als Präsident der neuen theokratischen Republik die diplomatischen Beziehungen zu Israel ein, hieß PLO-Chef Jasir Arafat im Iran willkommen und bezeichnete die USA als »Hauptfeind der Menschheit«. Nach über zwanzigjährigem Bestehen seiner Islamischen Republik hat sich der Iran mit seinen Verbindungen zum terroristischen Al-Qaida-Netzwerk, dem Aufbau eines Atomprogramms und seinem menschenverachtenden Repressionsapparat – zum Beispiel gegen Studentenproteste 1999 und 2003 – international isoliert.

Golfkriege

Die Wiederbelebung des schiitischen Islam durch Khomeini und sein Vormachtstreben im Nahen Osten veranlassten 1980 Saddam Hussein, Baath-Führer und Staatschef des Irak, zum Einmarsch in den Iran. Der nun folgende Krieg dauerte acht Jahre, wurde vorwiegend im Erdölgebiet Abadan geführt und hatte keinen klaren Sieger. Nach dem Waffenstillstand von 1988 erneuerte Saddam seinen alten Anspruch auf das reiche, prowestliche Emirat Kuwait und ließ es 1990 überfallen. Mit Billigung der UNO gingen 1991 US-amerikanische und britische Verbände gegen die irakischen Invasoren vor. Kuwait wurde befreit, Saddam Husseins Regime in Bagdad jedoch noch nicht gestürzt.

Konflikt um Waffenkontrolle

Die Aufstände irakischer Schiiten (die die Bevölkerungsmehrheit stellen) im Süden und der bewaffnete Kampf der Kurden im Norden gegen die Zentralregierung sahen einen Sieger: Saddam blieb an der Macht, zerstörte die Basis der Schiiten und zwang zwei Millionen Kurden zur Flucht in den Iran und in die Türkei, bevor die UN erneut einschritten und Waffenkontrollen, eine Flugverbotszone sowie Schutzgebiete für die Kurden durchsetzten. Auch ein zehntägiges Bombardement durch die US-amerikanische Luftwaffe blieb 1998 erfolglos. Die US-Regierung, die den Irak zur »Achse des Bösen« (Iran–Irak–Nordkorea) zählte, baute derweil mit Großbritannien eine »Koalition der Willigen« auf. Gegen weltweite Demonstrationen, trotz der Verweigerung von Frankreich, Deutschland, Russland und China und ohne UN-Auftrag führte die Koalition 2003 den Irakkrieg.

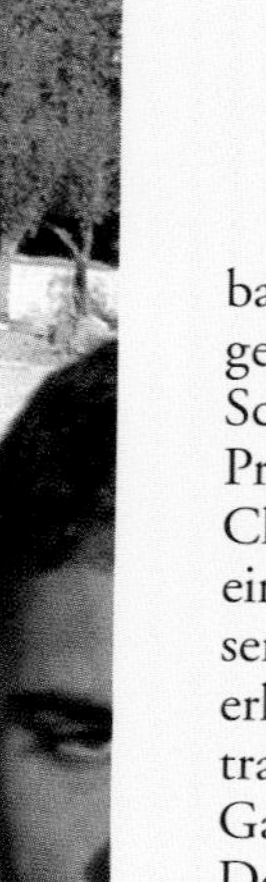

Provokation der Palästinenser: Der israelische Außenminister und spätere Ministerpräsident Scharon besuchte am 28. September 2000 den Jerusalemer Tempelberg.

Der alliierten Militärverwaltung und der irakischen Übergangsregierung (seit Juli 2003) gelang allerdings weder die schnelle Befriedung des Landes vor Terroranschlägen noch die sofortige Festsetzung Saddam Husseins, der nach achtmonatiger Flucht erst Ende 2003 gefasst werden konnte.

Stockender Friedensprozess

Die Absprachen von Camp David zwischen Israel und Ägypten hatten 1978 hinsichtlich der Palästinenser keine greifbaren Ergebnisse gebracht – vielmehr zogen jüdische Siedler in die Westbank und bauten sich dort praktisch Festungen. 1987 begannen die Palästinenser deshalb im Gazastreifen und in der Westbank mit der Intifada (Aufstand) gegen die Unnachgiebigkeit der Israeli. Schließlich verständigten sich Israels Premier Yitzhak Rabin und PLO-Chef Jasir Arafat 1993 erneut auf einen Friedensprozess, der den phasenweisen Rückzug der Israeli und die Anerkennung einer palästinensischen Administration zunächst in Jericho, später auch in Gaza und anderen Gebieten vorsah. Doch als Rabin 1995 ermordet wurde, kam es in Israel zu einem Rechtsruck. Das Friedensabkommen von Wye weckte Hoffnungen auf Frieden in der Region – vergebens. Kompromisslosigkeit auf beiden Seiten beendete den bereits zuvor stockenden Friedensprozess. Selbstmordattentate in Jerusalem und Tel Aviv sowie – in Reaktion darauf – das Vorrücken der israelischen Armee in die palästinensischen Autonomiegebiete mit Zerstörungen am Hauptquartier Arafats führten 2002 erneut zur Eskalation. Auch der international ausgearbeitete, von der Scharon-Regierung gebilligte Friedensplan »Road Map«, der bis 2005 einen unabhängigen Palästinenserstaat etablieren soll, kam nur zögerlich voran. Mit der Ermordung Scheich Jassins, Führer der palästinensischen Extremistenorganisation Hamas, durch die israelische Armee Anfang 2004 spitzte sich der Konflikt wieder gefährlich zu.

1 Khomeinis schiitische Revolution führte im Iran zur Abkehr von westlich-liberalen Lebensformen, wie sie unter dem Schah-Regime üblich gewesen waren, und zwang den Frauen die traditionelle Kleidung wieder auf.

2 1979 hielten militante Islamisten die Große Moschee von Mekka drei Tage lang besetzt, um gegen die Korruptheit des saudischen Systems zu protestieren.

3 Die libanesische Hauptstadt Beirut war im Bürgerkrieg (1975–1989) als Schauplatz erbitterter Kämpfe zwischen Christen und Muslimen verschiedener Glaubensrichtungen auch ein Schlachtfeld des Palästinakonflikts.

4 Die Straße von Hormus, eine der wichtigsten Wasserstraßen der Welt, wurde im Ersten Golfkrieg trotz Patrouillen der amerikanischen Marine vermint und teilweise durch versenkte Schiffe blockiert.

5 Bei dem Angriff der UN-Koalition von 1991 war Bagdad massivem Raketenbeschuss ausgesetzt.

6 Vor allem an Bauprojekten beider Seiten entzündete sich 1996/1997 neuer Konfliktstoff zwischen Israeli und Arabern – so an einem Tunnel unter dem Tempelberg, einer Untergrundmoschee und Siedlungsaktivitäten in Ostjerusalem.

Zeitleiste

1975 – 1980 – 1990

Arabisch-israelischer Konflikt

- **1978** Erster israelischer Einmarsch im Libanon; Unterzeichnung des Abkommens von Camp David.
- **1981** Israel annektiert die Golanhöhen.
- **1982** Israelische Invasion im Libanon: Die PLO zieht sich aus Beirut zurück; christliche Milizionäre töten über 1000 palästinensische Flüchtlinge.
- **1983** Bei einem Selbstmordattentat der PLO in Beirut sterben über 300 amerikanische und französische Soldaten.
- **1985** Israel stimmt dem Rückzug seiner Armee aus dem Libanon zu.
- **1989** Der israelische Premierminister Yitzhak Schamir widersetzt sich der Errichtung eines Palästinenser-Staates.

Die Golfregion

- **1979** Im Iran wird der Schah von den islamischen Nationalisten gestürzt und Khomeini übernimmt die Macht.
- **1981** Israelische Bombenflugzeuge zerstören im Irak einen Atomreaktor.
- **1980–1988** Krieg zwischen Iran und Irak.
- **1988** Der Irak bekämpft die Kurden im Norden des Landes mit chemischen Waffen. Die Vereinten Nationen vermitteln einen Waffenstillstand zwischen Iran und Irak.

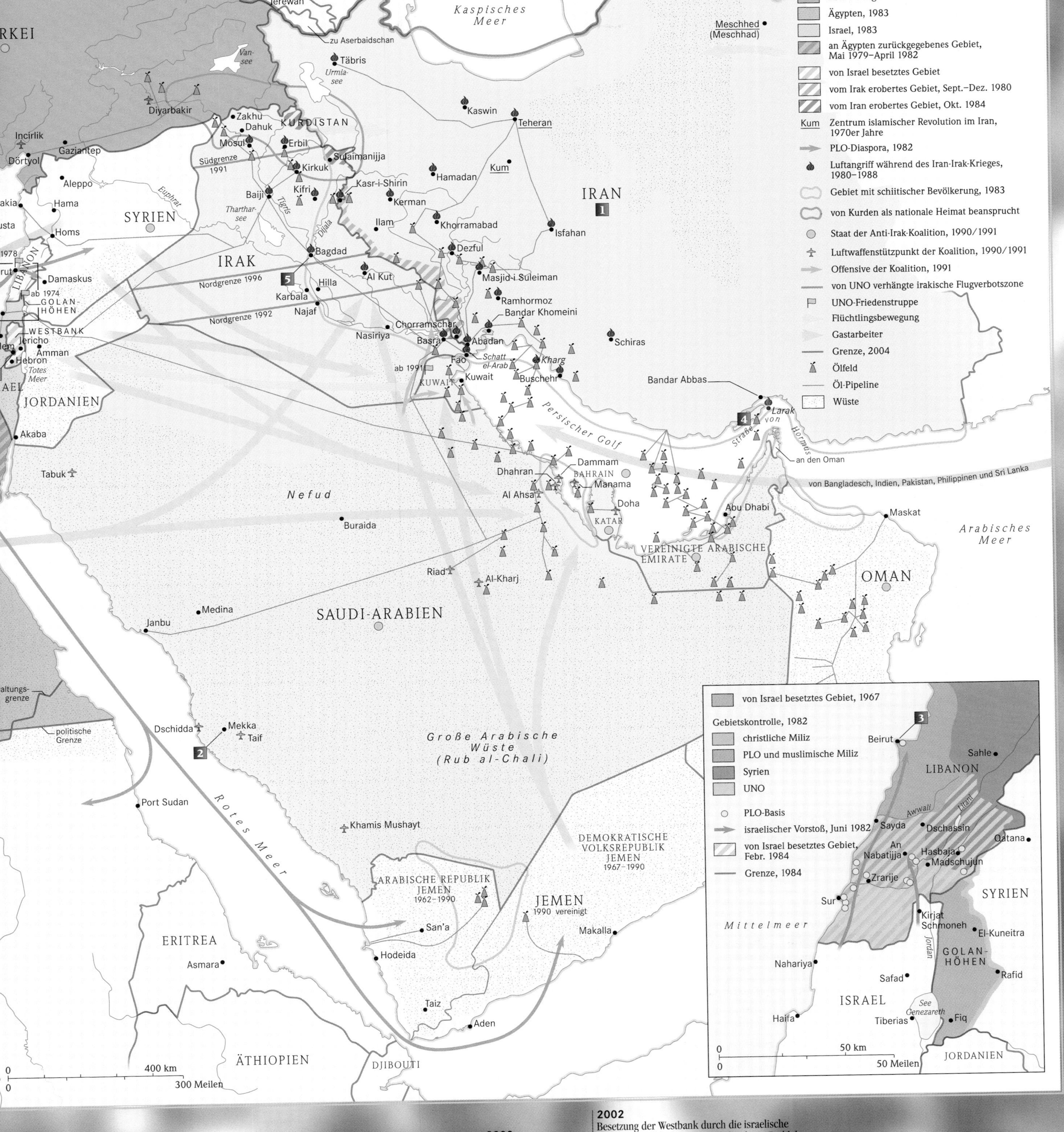

Grenze der Sowjetunion bis 1991
OPEC-Mitglied
NATO-Mitglied
Ägypten, 1983
Israel, 1983
an Ägypten zurückgegebenes Gebiet, Mai 1979–April 1982
von Israel besetztes Gebiet
vom Irak erobertes Gebiet, Sept.–Dez. 1980
vom Iran erobertes Gebiet, Okt. 1984
Kum Zentrum islamischer Revolution im Iran, 1970er Jahre
PLO-Diaspora, 1982
Luftangriff während des Iran-Irak-Krieges, 1980–1988
Gebiet mit schiitischer Bevölkerung, 1983
von Kurden als nationale Heimat beansprucht
Staat der Anti-Irak-Koalition, 1990/1991
Luftwaffenstützpunkt der Koalition, 1990/1991
Offensive der Koalition, 1991
von UNO verhängte irakische Flugverbotszone
UNO-Friedenstruppe
Flüchtlingsbewegung
Gastarbeiter
Grenze, 2004
Ölfeld
Öl-Pipeline
Wüste
TURKMENISTAN
ARMENIEN
ASERBAIDSCHAN
Baku
Jerewan
Kaspisches Meer
Meschhed (Meschhad)
zu Aserbaidschan
Täbris
Urmia-see
Van-see
Diyarbakir
Incirlik
Gaziantep
Dörtyol
Zakhu
Dahuk
KURDISTAN
Mosul
Erbil
Sulaimanija
Südgrenze 1991
Kirkuk
Aleppo
Hama
Homs
Baiji
Kifri
Kasr-i-Shirin
Kerman
Hamadan
Kum
Kaswin
Teheran
IRAN
SYRIEN
Euphrat
Tigris
Tharthar-see
Dijala
Ilam
Khorramabad
Isfahan
Bagdad
Dezful
IRAK
Damaskus
Nordgrenze 1996
Al Kut
Masjid-i-Suleiman
Hilla
Karbala
Najaf
Nordgrenze 1992
Ramhormoz
Bandar Khomeini
GOLAN-HÖHEN
ab 1974
LIBANON
WESTBANK
Jericho
Amman
Hebron
Totes Meer
Nasiriya
Chorramschar
Basra
Abadan
Fao
Schatt el-Arab
Kharg
Schiras
ab 1991
KUWAIT
Kuwait
Buschehr
Bandar Abbas
Larak
JORDANIEN
Akaba
Persischer Golf
Straße von Hormus
an den Oman
Tabuk
Dammam
Dhahran
BAHRAIN
Manama
Nefud
Al Ahsa
Doha
KATAR
von Bangladesch, Indien, Pakistan, Philippinen und Sri Lanka
Abu Dhabi
Maskat
Buraida
Arabisches Meer
VEREINIGTE ARABISCHE EMIRATE
Riad
Al-Kharj
OMAN
Medina
SAUDI-ARABIEN
Janbu
Mekka
Dschidda
Taif
politische Grenze
Große Arabische Wüste (Rub al-Chali)
Port Sudan
Rotes Meer
Khamis Mushayt
DEMOKRATISCHE VOLKSREPUBLIK JEMEN 1967–1990
ARABISCHE REPUBLIK JEMEN 1962–1990
JEMEN 1990 vereinigt
San'a
Makalla
ERITREA
Hodeida
Asmara
Taiz
Aden
ÄTHIOPIEN
DJIBOUTI
400 km
300 Meilen
von Israel besetztes Gebiet, 1967
Gebietskontrolle, 1982
christliche Miliz
PLO und muslimische Miliz
Syrien
UNO
PLO-Basis
israelischer Vorstoß, Juni 1982
von Israel besetztes Gebiet, Febr. 1984
Grenze, 1984
Beirut
Sahle
LIBANON
Awwali
Sayda
Dschassin
Qatana
An Nabatija
Hasbaja
Madschujun
Zrarije
Sur
SYRIEN
Mittelmeer
Kirjat Schmoneh
El-Kuneitra
Jordan
GOLAN-HÖHEN
Nahariya
Rafid
Safad
ISRAEL
See Genezareth
Haifa
Tiberias
Fiq
50 km
50 Meilen
JORDANIEN

1991 Ende des Bürgerkriegs im Libanon.

1993 In der Erklärung von Oslo verständigen sich Israel und die PLO über die Errichtung eines palästinensischen Staates.

1995 Israel stimmt dem Rückzug aus Städten in der Westbank zu; Premierminister Yitzhak Rabin wird ermordet.

1996 Israel greift Stellungen der Hisbollah im Südlibanon an.

1998 Friedensabkommen von Wye zwischen Israel und PLO.

1999 Der ranghöchste schiitische Ajatollah des Irak, Sadiq al-Sadr, wird ermordet; schwere Unruhen in den südirakischen Städten Karbala und Nasiriya sowie in Bagdad.

2000

2000 Etwa 40 Prozent der Westbank unter vollständiger oder teilweiser palästinensischer Verwaltung.

2000 Die regierende Baath-Partei wird bei Parlamentswahlen stärkste politische Kraft im Irak.

2002 Besetzung der Westbank durch die israelische Armee; Belagerung der Geburtskirche in Bethlehem.

2003 Jasir Arafat gibt das Amt des Ministerpräsidenten der Autonomiebehörde im September an Ahmed Kureia ab, bleibt aber hinter den Kulissen an der Macht.

2003 Militärischer Angriff einer von den USA und Großbritannien geführten Koalition auf den Irak; Saddam Hussein wird gestürzt.

2004 Die israelische Armee tötet Hamas-Führer Jassin. Vertreter der Hamas drohen daraufhin mit weiteren Attentaten, die ägyptische Muslimische Bruderschaft ruft zum »heiligen Krieg gegen die Zionisten« auf.

2010

Die Welt vom Ersten Weltkrieg bis heute (1914 bis 2004)

Dekolonisierung und Nationalismus in Afrika • 1945 bis 2004

Afrikaner nahmen am Zweiten Weltkrieg aktiv teil. Sie kämpften auf Seiten der Alliierten, bauten Straßen, Bahnstrecken, Werften und Treibstofflager; sie entdeckten, dass imperiale Mächte nicht unbesiegbar waren, und identifizierten sich mit der demokratischen Freiheit, in deren Namen sie kämpften – man konnte ihnen die Unabhängigkeit also nicht mehr lange vorenthalten.

Im britisch dominierten Westafrika verlief die Machtübergabe relativ problemlos. An der Goldküste arbeitete der Führer der »Convention People's Party«, Kwame Nkrumah, mit dem britischen Gouverneur zusammen. Beide testeten den Plan eines unabhängigen Staates 1956 per Wahl. Die Goldküste wurde als Ghana ein Jahr später unabhängig und Nkrumah ihr erster Premier.

Der Wille zur Unabhängigkeit

1960 erklärten sich die meisten Kolonien Großbritanniens in Afrika für unabhängig. In Kenia ermordete die Mau-Mau-Bewegung 20 000 Menschen, zumeist den Weißen freundlich gesonnene Kikuyu. Die britische Streitmacht musste eingreifen, ehe 1963 die Unabhängigkeit gewährt und Mau-Mau-Führer Jomo Kenyatta als Ministerpräsident eingesetzt werden konnte. 1965 erlangten Sierra Leone und Gambia die Eigenstaatlichkeit.

Als Hoffnungsträger für Afrika galt der kongolesische Ministerpräsident Patrice Lumumba (m.; 1925 bis 1961). Die genauen Umstände seiner Ermordung sind bis heute nicht geklärt.

Frankreich hatte in beiden Weltkriegen viele Afrikaner für seine Armeen rekrutiert; die Kolonien in Nordafrika wurden zu »überseeischen Territorien« erklärt, das heißt, die Bevölkerung erhielt die französische Staatsbürgerschaft. Dennoch regte sich in Algerien nach dem Zweiten Weltkrieg der Wille zur Unabhängigkeit. 1958 kam es dort zum Konflikt zwischen Siedlern und den Freiheitskämpfern der FNL. Der französische Präsident Charles de Gaulle entließ das Land 1962 nach einem blutigen Krieg in die Unabhängigkeit. Die anderen Kolonien Frankreichs in Afrika waren schon 1960 unabhängig geworden.

Blutiges Ende

Das Ende des belgischen wie des portugiesischen Kolonialreiches verlief blutig. Brüssel hatte seine Kolonie Belgisch-Kongo nicht auf den Machtwechsel vorbereitet. Die Folge war ein verheerender Krieg, in den UN-Truppen eingriffen und in dessen Verlauf der Premierminister und Hoffnungsträger Lumumba 1961 ermordet wurde. 1965 übernahm Armeechef Mobutu Sese Seko die Macht und regierte das in Zaire (seit 1998 »Demokratische Republik Kongo«) umbenannte Land diktatorisch. Guinea-Bissau, Angola und Mosambik (Moçambique) erhielten nach dem politischen Wandel in Portugal 1974 beziehungsweise 1975 die Unabhängigkeit.

Ethnische Konflikte, Wirtschaftsprobleme und Aids

Nur wenigen afrikanischen Staaten brachte der neue Status Stabilität und Wohlstand. In vielen brachen ethnische Konflikte aus. Ursache waren die Grenzziehungen der Kolonialmächte, die nicht den ethnischen, sozialen oder ökonomischen Realitäten entsprachen. Die rapide wachsende Bevölkerung der neuen Staaten war arm und schlecht ausgebildet, die Wirtschaft von multinationalen Konzernen abhängig, denen es vorab darum ging, Bodenschätze auszubeuten. Die staatlichen Institutionen waren schwach und Rüstungsfabrikanten lieferten gerne Waffen an alle Seiten. Bürgerkriege waren die Folge und in deren Gefolge Hungersnöte (wie 1967 in Nigerias Provinz Biafra), Massaker und despotische Militärdiktaturen. Kommunistische Bewegungen (einige mit Unterstützung der UdSSR oder Kubas) kämpften in vielen Ländern, unter anderem in Mosambik und Angola. 1975 wurde Äthiopien sozialistisch. Andernorts nutzten Despoten wie Jean-Bédel Bokassa (Zentralafrikanische Republik) oder Idi Amin (Uganda) den Terror zur persönlichen Bereicherung. Zum Mangel an Wasser und Holz aufgrund der Ausweitung der Sahara nach Süden trat in den 1980er-Jahren die Verbreitung des HI-Virus (des Erregers von Aids) in Zentral- und Ostafrika. Die »Organization of African Unity« (OAU) und regionale Gruppen bemühten sich zwar um Lösungen für den Kontinent, aber angesichts von Korruption und Bereicherung der Eliten, riesiger Wirtschaftsprobleme, Stammeskriegen, Naturkatastrophen und Plünderung der Ressourcen, zum Teil im Interesse westlicher Kapitalgeber, blieben sie meist erfolglos. In Ruanda mündeten alte ethnische Rivalitäten zwischen den Hutu und den Tutsi 1994 in Völkermord und Vertreibung. Fluchtziel war Zaire, das selbst unter einem Bürgerkrieg litt – Aufständische wollten das alte Mobutu-Regime stürzen.

Ein UN-Soldat inspiziert 1988 ein Lager in Ruanda nach einem Massaker der Tutsi an den Hutu. Sechs Jahre später waren Tutsi die Opfer.

Nach Rückkehr von bis zu 700 000 geflohenen Tutsi nach Ruanda waren nun Hutu auf der Flucht nach Ostzaire. Von dort aus entwickelte sich eine Erhebung gegen Mobutu, die die Rebellen unter Laurent Désiré Kabila für sich entschieden. Kabila wurde 1997 Präsident Zaires, das in Demokratische Republik Kongo umbenannt wurde. Nach der Ermordung Kabilas folgte 2001 sein Sohn Joseph in das Amt. Er etablierte nach einem Friedensvertrag mit den von Ruanda unterstützten Rebellen 2003 eine bis zu freien Wahlen gültige Verfassung und Regierung.

In Algerien kam es immer wieder zu Massakern an der Zivilbevölkerung durch militante Islamisten, die sich 2003 auch verlustreiche Schlachten mit Regierungssoldaten lieferten und monatelang Touristen in die Sahara entführten. In der mehrheitlich von nicht arabischen Berbern bewohnten Kabylei rief die Unterdrückung durch die Zentralregierung lang andauernde Unruhen hervor.

1 Der Anspruch Marokkos auf die Westsahara wurde von der Befreiungsbewegung POLISARIO, die eine arabische Republik Sahara anstrebte, angefochten.

2 Eritrea, 1952 von Äthiopien annektiert, setzte nach einem Bürgerkrieg 1993 seine Unabhängigkeit durch.

3 Sambia wurde von der Unabhängigkeit 1964 bis 1991 von Kenneth Kaunda, einem der führenden Vertreter der OAU, regiert.

4 Im Kongo intervenierten 1960 etwa 20 000 UN-Soldaten, um Chaos und Kämpfe nach der Unabhängigkeitserklärung zu beenden.

5 Liberia war als einziges afrikanisches Land nie Kolonie. 1989 brach hier ein besonders brutaler Bürgerkrieg aus.

6 Das italienische und das britische Somaliland wurden 1960 zu Somalia vereint. Ende der 1970er-Jahre führte der Streit mit Äthiopien um das Grenzgebiet Ogaden zum Krieg.

ZEITLEISTE

Nord- und Ostafrika

- **1946** Félix Houphouet-Boigny gründet in der Elfenbeinküste das »Rassemblement Démocratique Africain« (»Afrikanische Demokratische Union«).
- **1952** In Kenia wütet die Mau-Mau-Bewegung.
- **1954** Die algerische Nationale Befreiungsfront FNL sagt den Franzosen den Kampf an.

West- und Zentralafrika

- **1954** In der Kolonie Goldküste wird die Nationale Befreiungsbewegung gegründet.
- **1956** Nigeria wird die Selbstverwaltung zugesagt.
- **1960** Unabhängigkeit Belgisch-Kongos als République Démocratique du Congo.
- **1961** In den portugiesischen Kolonien beginnen die Unabhängigkeitskämpfe.
- **1965** Die Weißen in Südrhodesien erklären einseitig die Unabhängigkeit des Landes.
- **1967–1970** Der Biafra-Krieg löst in Nigeria eine Hungersnot aus.

1940 · 1950 · 1960 · 1970

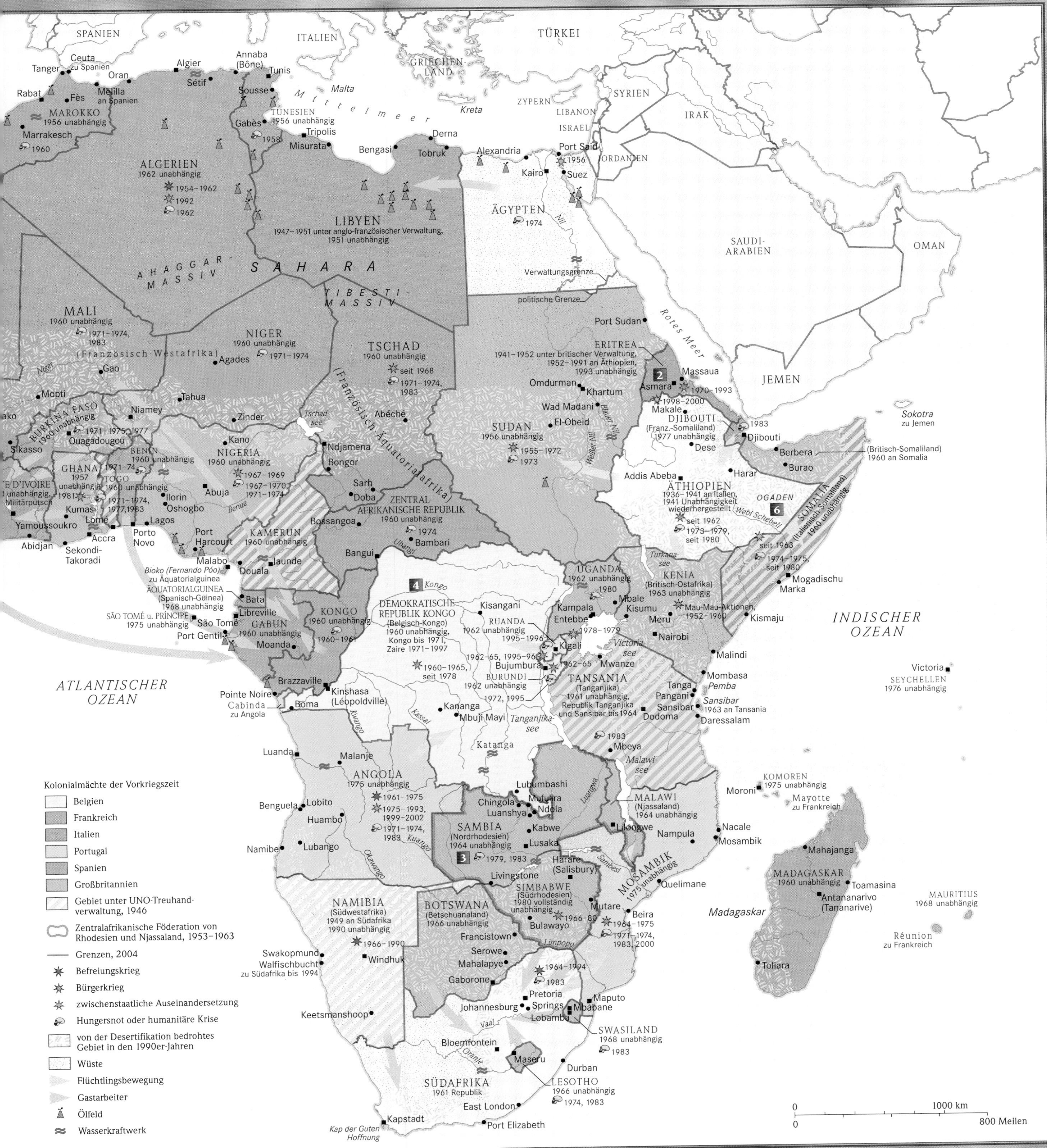

Kolonialmächte der Vorkriegszeit

- Belgien
- Frankreich
- Italien
- Portugal
- Spanien
- Großbritannien
- Gebiet unter UNO-Treuhandverwaltung, 1946
- Zentralafrikanische Föderation von Rhodesien und Njassaland, 1953–1963
- Grenzen, 2004
- Befreiungskrieg
- Bürgerkrieg
- zwischenstaatliche Auseinandersetzung
- Hungersnot oder humanitäre Krise
- von der Desertifikation bedrohtes Gebiet in den 1990er-Jahren
- Wüste
- Flüchtlingsbewegung
- Gastarbeiter
- Ölfeld
- Wasserkraftwerk

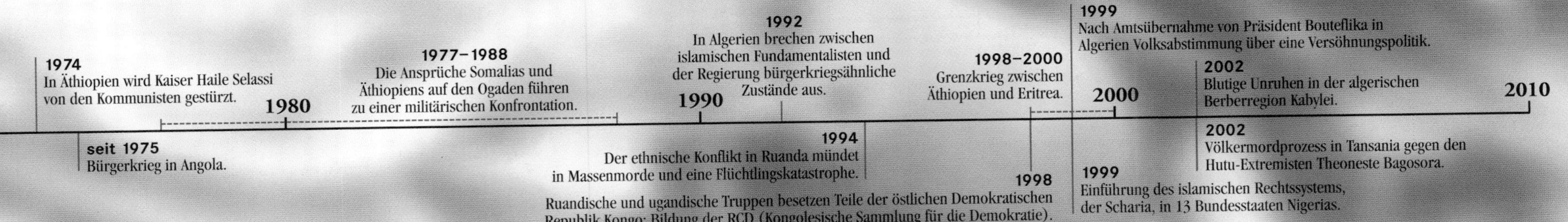
1974
In Äthiopien wird Kaiser Haile Selassi von den Kommunisten gestürzt.
seit 1975
Bürgerkrieg in Angola.
1980
1977–1988
Die Ansprüche Somalias und Äthiopiens auf den Ogaden führen zu einer militärischen Konfrontation.
1990
1992
In Algerien brechen zwischen islamischen Fundamentalisten und der Regierung bürgerkriegsähnliche Zustände aus.
1994
Der ethnische Konflikt in Ruanda mündet in Massenmorde und eine Flüchtlingskatastrophe.
1998
Ruandische und ugandische Truppen besetzen Teile der östlichen Demokratischen Republik Kongo; Bildung der RCD (Kongolesische Sammlung für die Demokratie).
1998–2000
Grenzkrieg zwischen Äthiopien und Eritrea.
2000
1999
Nach Amtsübernahme von Präsident Bouteflika in Algerien Volksabstimmung über eine Versöhnungspolitik.
1999
Einführung des islamischen Rechtssystems, der Scharia, in 13 Bundesstaaten Nigerias.
2002
Blutige Unruhen in der algerischen Berberregion Kabylei.
2002
Völkermordprozess in Tansania gegen den Hutu-Extremisten Theoneste Bagosora.
2010

Die Welt vom Ersten Weltkrieg bis heute (1914 bis 2004)

Das südliche Afrika • 1914 bis 2004

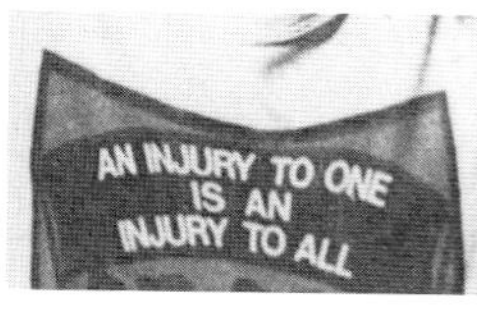
AN INJURY TO ONE
IS AN
INJURY TO ALL

Im Jahr 1910 wurde die Südafrikanische Union – mit Louis Botha als erstem Premier – gegründet; die Spannungen zwischen Buren und Briten blieben jedoch bestehen. Zehn Jahre nach Gründung der Union fiel das ehemals deutsche Südwestafrika (heute Namibia) dieser als Mandatsgebiet zu.

Die Weigerung des Burenstaates, den Afrikanern Selbstbestimmung zuzubilligen, ging einher mit Enteignungen, einer Rassengesetzgebung und zwangsweiser Urbanisierung. Der »African National Congress« (ANC, 1912 gegründet) setzte sich mit allen Mitteln gegen die Diskriminierung der schwarzen Mehrheit des Landes zur Wehr.

Die Politik der Apartheid

1945 waren noch alle anderen Länder südlich des Sambesi extern regierte Kolonien, während Südafrika versuchte, die Herrschaft der Weißen durch die Politik der »Apartheid«, der »getrennten Entwicklung«, zu institutionalisieren. 1948 brachten Ängste, die der verstärkte Zuzug von Schwarzafrikanern in Gebiete der Weißen ausgelöst hatte, die Nationalpartei an die Macht. Daraufhin wurde die Bewegungsfreiheit der Schwarzen stark eingeschränkt: Weiße und Schwarze sollten in verschiedenen Territorien leben: »Homelands« wurden eingerichtet – nominell unabhängig, meist aber ohne territoriale Integrität, Bodenschätze und Beschäftigungsmöglichkeiten.

Kampf um Freiheit und Macht

1960 kam es weltweit zu Protesten gegen Südafrika. Bei einer ANC-Kundgebung in Sharpeville starben 69 Menschen. Als die Briten signalisierten, in ihren afrikanischen Besitzungen die Macht auf demokratischem Weg an die einheimischen Bevölkerungen übergeben zu wollen, verließ Südafrika das Commonwealth. Der Freiheitskampf nahm an Gewalt zu. Die Dekolonisierung Tanganjikas (Tansania) verlief relativ friedlich, doch in Südrhodesien erklärte die weiße Minderheit, entsetzt über die Aussicht auf eine »schwarze« Regierung, 1965 einseitig die Unabhängigkeit von Großbritannien und übernahm die Macht.

Südafrika hoffte, es wäre durch die portugiesischen Kolonien Mosambik und Angola sowie Südrhodesien gegen die Entwicklungen im Norden abgeschottet. Doch auch dort gewannen die Freiheitsbewegungen rasch an Stärke und 1975 erhielten Mosambik und Angola – nach dem Sturz der Diktatur in Portugal im Vorjahr – die Unabhängigkeit. Die afrikanischen Freiheitskämpfer profitierten von den Auseinandersetzungen zwischen den rivalisierenden Gruppierungen im portugiesischen Mutterland.

Gezielte Destabilisierung und Isolation

Südafrika beteiligte sich aktiv an der Destabilisierung der neuen afrikanischen Nachbarstaaten: In Angola griff man 1975 materiell und militärisch zugunsten der Rebellenvereinigung UNITA ein. In Mosambik unterstützten die Südafrikaner die gegen die Regierung operierende MNR. Zudem kontrollierten sie die Investitionen und den Abbau der Bodenschätze und sorgten für den Ausbau der Verkehrsverbindungen, um die Länder der Region an die südafrikanische Wirtschaft zu binden.

In Rhodesien endete die Herrschaft der Weißen 1980 nach freien Wahlen mit der Gründung des unabhängigen Simbabwe; im selben Jahr gründeten die »Frontstaaten« im Süden die »Entwicklungsgemeinschaft« SADCC, um – unabhängig von Südafrika – ihre wirtschaftliche Entwicklung zu koordinieren. Die Apartheidspolitik führte Südafrika zunehmend in die Isolation: Ab 1984 wurden umfangreiche Sanktionen gegen das Land verhängt, so dass sich viele der multinationalen Konzerne zurückzogen. Mitte der 1980er-Jahre lösten Vorschläge zu einer begrenzten Wahlrechtsreform nur Massenproteste aus.

Sieg der Demokratie

Mit dem Ende des Kalten Krieges endete auch die US-Unterstützung der südafrikanischen Aktivitäten in Angola. Südafrika zog sich aus dem kostspieligen Engagement in Namibia zurück. 1990 kündigte Präsident F. W. de Klerk von der Nationalpartei Verhandlungen über eine neue demokratische Verfassung an. Trotz der Opposition der Zulu und weißer Extremisten wurde im April 1994 die Mehrparteien-

Ende der Apartheid: Südafrikas neuer Staatspräsident Nelson Mandela (r.) und Vizepräsident Frederik Willem de Klerk im Mai 1994

Demokratie eingeführt und der ANC-Führer Nelson Mandela zum Staatspräsidenten (bis 1999, seitdem Thabo Mbeki) gewählt. Die ersten Jahre der neuen »Regenbogen-Nation« berechtigten zu Hoffnungen, da Mandela aktiv für eine Aussöhnung eintrat und den internationalen Ruf des Landes wiederherstellte. Doch die Aufgabe, den Lebensstandard der so lange benachteiligten Bevölkerungsgruppen zu heben, blieb; zudem wirkten sich die Veränderungen in Südafrika kaum auf die übrige Region aus.

Herausforderungen

Eines der größten Probleme im südlichen Afrika ist die Ausbreitung von Aids. So sind zum Beispiel in Botswana und Swasiland – laut Bericht der WHO 2003 die Länder mit der höchsten Infektionsrate – fast 40 Prozent der Erwachsenen HIV-infiziert. Neben Aids sind die sozialen Verwerfungen die wesentlichen Herausforderungen im südlichen Afrika. Das koloniale Erbe scheint nur bedingt abgeschüttelt worden zu sein; einstige Befreier gebärden sich nun als selbstgefällige Herrscher, die sich demokratisch legitimieren lassen, wie Samuel Nujoma in Namibia und Robert Mugabe in Simbabwe. Folterungen, Plünderungen und Enteignungen weißer Großgrundbesitzer im Zuge der Landreform ließen 2002 in Simbabwe die Nahrungsmittelversorgung zusammenbrechen und führten 2003 zu brutal niedergeschlagenen Hungeraufständen. In Südafrika bemühte sich eine »Wahrheitskommission«, Straftaten wie Folter, politisch begründeten Mord und das Verschwinden zahlreicher Personen während der Apartheid aufzuklären. Sie legte 2003 ihren Abschlussbericht vor und empfahl Wiedergutmachungszahlungen an 22 000 Opfer.

Insbesondere um den Zugriff auf die wichtigsten Bodenschätze wie Erdöl, Eisenerz, Mangan, Kupfer, Uran und vor allem Diamanten im Norden Angolas ging es bei dem unerbittlichen Kampf zwischen der einstigen Befreiungsbewegung UNITA und der Regierung der einstigen portugiesischen Kolonie in der letzten Dekade des 20. Jahrhunderts. Erst ab 2002 gelang eine Einigung über die Integration ehemaliger Rebellen und einen Verfassungsentwurf.

1 Soweto (South Western Township) stand 1976 als größtes von Afrikanern bewohntes Vorortgebiet Johannesburgs wie zehn Jahre zuvor Sharpeville im Brennpunkt schwerer Unruhen.

2 Das an landwirtschaftlichen und industriellen Ressourcen arme Basutoland stellte auch nach seiner Unabhängigkeit als Lesotho im Jahr 1966 der Republik Südafrika Wanderarbeiter in großer Zahl zur Verfügung.

3 Swasiland konnte sich im wirtschaftlichen Kraftfeld Südafrikas dank günstiger natürlicher Gegebenheiten immer eine gewisse Autonomie erhalten.

4 Südafrika schürte in den Nachbarstaaten Bürgerkriege, um sie zu destabilisieren. Vor allem in Mosambik und Angola mussten Millionen Menschen vor dem Krieg und den damit verbundenen Hungersnöten fliehen.

5 Der ANC-Führer Nelson Mandela wurde 1964 des Terrorismus beschuldigt und inhaftiert – er verbrachte viele Jahre im Zuchthaus auf Robben Island.

ZEITLEISTE

SÜDAFRIKA

1920

1926 In Bloemfontein und Kimberley finden Parteiversammlungen des ANC statt.

1936 Den Schwarzafrikanern in der Kapprovinz wird das Wahlrecht entzogen.

1940

1949 Einführung des Apartheid-Systems; Beschränkung des Wahlrechts auf die Weißen.

1955 Per Gesetz werden den Afrikanern begrenzte Wohngebiete zugewiesen.

1959 Einrichtung von »Homelands«.

ÜBRIGE REGION

1924–1927 In Nordrhodesien werden 60 000 Afrikaner von fruchtbarstem Ackerland vertrieben.

1935 Im Kupfergürtel von Nordrhodesien brechen Streiks aus.

1947 Südafrika verweigert seine Zustimmung, das Mandatsgebiet Südwestafrika der Treuhandverwaltung der Vereinten Nationen zu unterstellen.

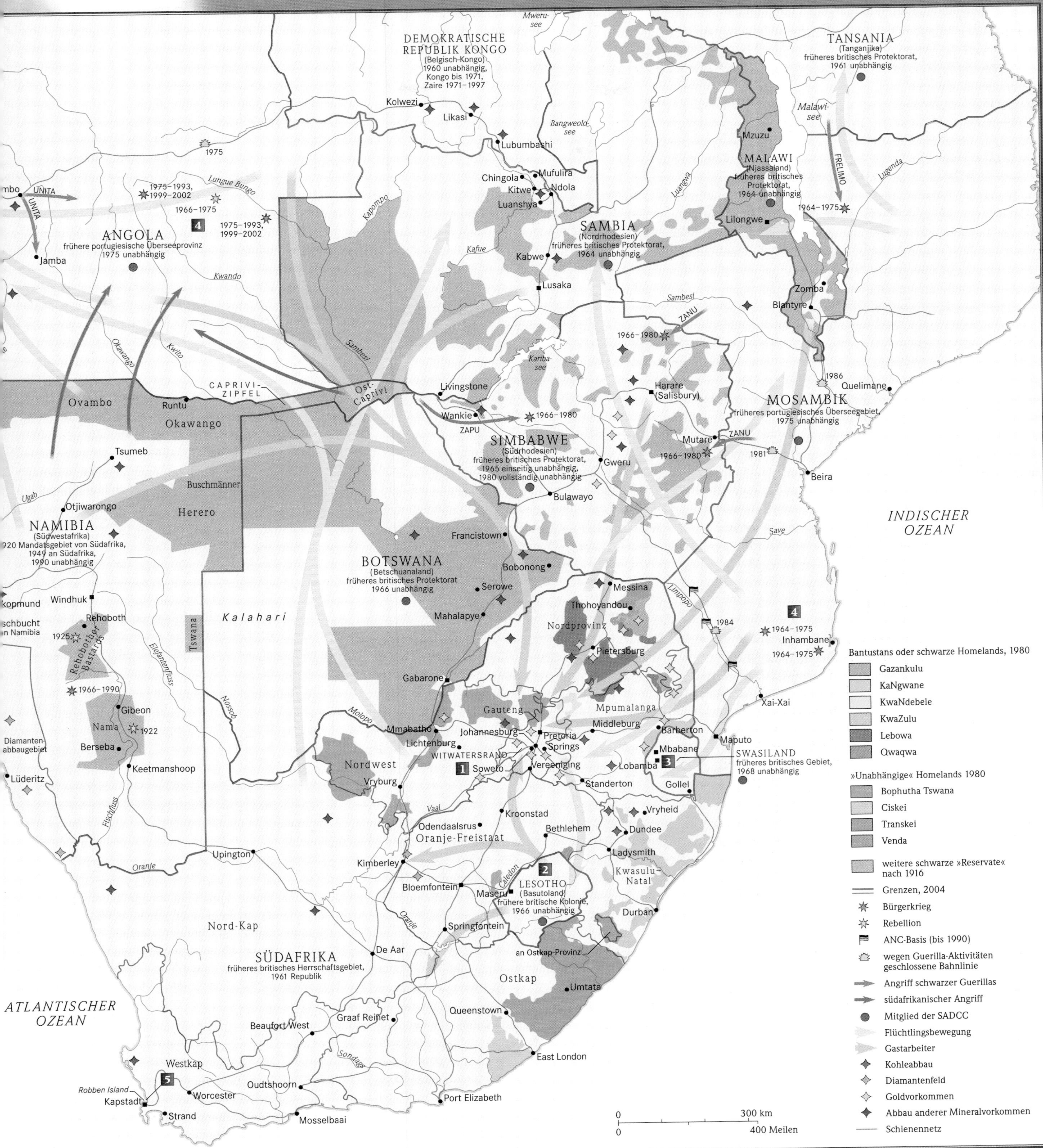

DEMOKRATISCHE REPUBLIK KONGO
(Belgisch-Kongo)
1960 unabhängig,
Kongo bis 1971,
Zaire 1971–1997

TANSANIA
(Tanganjika)
früheres britisches Protektorat,
1961 unabhängig

MALAWI
(Njassaland)
früheres britisches Protektorat,
1964 unabhängig

ANGOLA
frühere portugiesische Überseeprovinz
1975 unabhängig

SAMBIA
(Nordrhodesien)
früheres britisches Protektorat,
1964 unabhängig

MOSAMBIK
früheres portugiesisches Überseegebiet,
1975 unabhängig

SIMBABWE
(Südrhodesien)
früheres britisches Protektorat,
1965 einseitig unabhängig,
1980 vollständig unabhängig

NAMIBIA
(Südwestafrika)
1920 Mandatsgebiet von Südafrika,
1949 an Südafrika,
1990 unabhängig

BOTSWANA
(Betschuanaland)
früheres britisches Protektorat
1966 unabhängig

SWASILAND
früheres britisches Gebiet,
1968 unabhängig

LESOTHO
(Basutoland)
frühere britische Kolonie,
1966 unabhängig

SÜDAFRIKA
früheres britisches Herrschaftsgebiet,
1961 Republik

INDISCHER OZEAN

ATLANTISCHER OZEAN

Bantustans oder schwarze Homelands, 1980
- Gazankulu
- KaNgwane
- KwaNdebele
- KwaZulu
- Lebowa
- Qwaqwa

»Unabhängige« Homelands 1980
- Bophutha Tswana
- Ciskei
- Transkei
- Venda

- weitere schwarze »Reservate« nach 1916
- Grenzen, 2004
- Bürgerkrieg
- Rebellion
- ANC-Basis (bis 1990)
- wegen Guerilla-Aktivitäten geschlossene Bahnlinie
- Angriff schwarzer Guerillas
- südafrikanischer Angriff
- Mitglied der SADCC
- Flüchtlingsbewegung
- Gastarbeiter
- Kohleabbau
- Diamantenfeld
- Goldvorkommen
- Abbau anderer Mineralvorkommen
- Schienennetz

0 300 km
0 400 Meilen

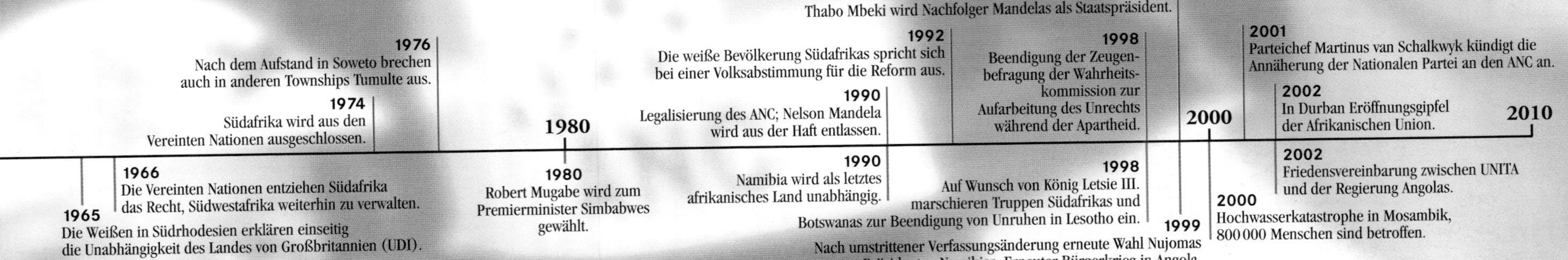
1999
Thabo Mbeki wird Nachfolger Mandelas als Staatspräsident.
1976
Nach dem Aufstand in Soweto brechen auch in anderen Townships Tumulte aus.
1974
Südafrika wird aus den Vereinten Nationen ausgeschlossen.
1992
Die weiße Bevölkerung Südafrikas spricht sich bei einer Volksabstimmung für die Reform aus.
1990
Legalisierung des ANC; Nelson Mandela wird aus der Haft entlassen.
1998
Beendigung der Zeugenbefragung der Wahrheitskommission zur Aufarbeitung des Unrechts während der Apartheid.
2001
Parteichef Martinus van Schalkwyk kündigt die Annäherung der Nationalen Partei an den ANC an.
2002
In Durban Eröffnungsgipfel der Afrikanischen Union.
1980
2000
2010
1966
Die Vereinten Nationen entziehen Südafrika das Recht, Südwestafrika weiterhin zu verwalten.
1965
Die Weißen in Südrhodesien erklären einseitig die Unabhängigkeit des Landes von Großbritannien (UDI).
1980
Robert Mugabe wird zum Premierminister Simbabwes gewählt.
1990
Namibia wird als letztes afrikanisches Land unabhängig.
1998
Auf Wunsch von König Letsie III. marschieren Truppen Südafrikas und Botswanas zur Beendigung von Unruhen in Lesotho ein.
1999
Nach umstrittener Verfassungsänderung erneute Wahl Nujomas zum Präsidenten Namibias. Erneuter Bürgerkrieg in Angola.
2002
Friedensvereinbarung zwischen UNITA und der Regierung Angolas.
2000
Hochwasserkatastrophe in Mosambik, 800 000 Menschen sind betroffen.

Die Ziffern geben die Seitenzahl der jeweiligen Themen-Doppelseite an, auf der das Stichwort im Text behandelt und/oder auf der Karte dargestellt wird. So verweist die Angabe »254f« auf »Seite 254 und folgende« (= Doppelseite 254/255). Die **halbfett** hervorgehobenen Ziffern weisen auf umfangreiche Informationen hin, die *kursiv* gesetzten auf Abbildungen.

A

Aachen 136f, 148f
  Aachener Frieden 198f
Aalto, Alvar 328f
Abaelardus, Petrus 140f
Abasgien 88f
Abbas I. 192f, 194f, 222f, *222f*
Abbasiden-Kalifen 126f–130f, 138f, **158f,** 164f, 170f
  Zerstörung der Dynastie 174f
Abd Al Asis Ibn Saud 342f
Abd Ar Rahman 158f
Abd El Kader 280f
Abdali 228f
Abdallah Ibn Yasin 166f
Abdul Hammid II. 280f
Abel, Rudolf 342f
Abilene 308f
Ablasshandel 204f
Abolitionisten 306f
Aborigines *siehe* australische Ureinwohner
Abrittus 104f
Abu Al Razi 160f
Abu Bakr (erster Kalif, »Nachfolger«) 156f
Abu Nuwas 158f
Abukir, Schlacht bei 260f, 262f
Abul Abbas As Saffah 158f
Abuschiri (Häuptling) 284f
Acadia 194f–196f, 244f
  siehe auch Nova Scotia
Acajutla 352f
Acapulco 236f
Aceh 132f, 180f, 190f–196f, 236f, 296f
Achaia, Achäer 54f–56f, 80f–82f, 92f
Achaimenes 38f
Achaimeniden-Reich (Achämeniden-Reich) **38f,** 60f, 66f, 68f, **80f**
  Ägypten 68f, 108f
  Indien 68f
  Persische Kriege 68f
Acheuléen-Kultur 16f
Achsenmächte 314f–316f, 324f, 330f–336f
»Act of Union« (Unionsgesetz) 262f
Actium 92f
Adab 28f
Adadnirari I. 32f
Adadnirari II. 34f
Adal, Ahmed Gran von 190f, 224f
Adams, John *246f*
Addis Abeba 374f
Adelaide 252f, 288f
Adelheid (Römisch-Deutsche Kaiserin) 142f
Aden 192f, 252f, 256f, 312f–314f, 374f
  siehe auch Jemen
Adena 66f, 68f–70f
Adenauer, Konrad *340f*
Adhur Guschnasp (Feuertempel-Komplex) 88f
Adrianopel (Hadrianopolis)
  Osmanen-Reich 162f
  Schlacht von 96f
Adua 374f
  Schlacht bei 256f, 284f
Adulis 108f
Aegyptus (römische Provinz) 70f, 86f, 92f–94f, 98f
»Aeneis« 92f
Aethelbald 136f
Aëtius 96f
Afanasjewo-Kultur 22f
Affen, hominide 16f–18f
Afghanistan, Afghanen 162f, 168f, 190f–192f, 196f, 198f, 222f, 226f–228f, 252f–256f, 276f, 294f, 314f–318f, 356f, **368f**
  afghanische Kriege 252f, 294f
  Mudschaheddin-Rebellen 368f
  sowjetischer Einmarsch 320f, 356f, 368f
  Taliban 368f
»African National Congress« (ANC) 382f
Afrika 68f, 70f, **166f, 224f, 282f–284f**
  Afrikakorps 330f
  arabische Eroberungen 68f, 160f, 166f
  Ashanti-Kriege 252f–254f, 282f
  britische Kolonien 250f–254f, 282f, 284f
  Burenkriege 256f, 286f, *286f*
  Dekolonisierung und Nationalismus 316f–320f, **380f,** 382f
  deutsche Kolonien 284f
  Eisenzeit 74f–76f, **108f**
  Entdeckungsreisen **282f**
  französische Kolonien und Handelsbasen 196f, 224f, 252f–254f, 282f–284f
  Handel mit Europa 132f, 166f
  indische Einwanderer 286f
  Kongo-Konferenz (Berlin) 256f, 284f, *284f*
  Menschenfunde 16f
  Missionsarbeit, christliche 224f, 238f, 242f
  niederländische Kolonien 196f, 198f, 224f, 250f–254f
  Nomadenstämme, Invasion von 74f
  Osmanisches Reich 190f, 196f, 218f, 224f
  portugiesische Kolonien 192f–198f, 224f
  Rangelei um Kolonien 254f–256f, 282f, **284f**
  römische Provinz 92f, 98f
  Sklaven und Sklavenhandel **224f,** *224f,* 238f, 250f–252f, **282f,** 286f
  Staatenbildung 166f
  Steinbau (Steinarchitektur) 166f
  südlich der Sahara **224f**
  Ursprung der Menschheit 16f–18f
  Welthandel 258f
  Zweiter Weltkrieg 314f–316f, 330f, 336f, 380f
Afrikaner 252f, 256f, 282f, **286f,** 382f
  Burenkriege 256f, 286f, *286f*
Afrikanische Demokratische Union 380f
afrikanisches Grabensystem 16f
Afroamerikaner **306f,** 308f, 348f–350f
Agade 30f
Agadir-Krise 278f
Agamemnon 52f
  »Goldmaske des« *52f*
Aghlabiden-Emirate 126f, 138f, 158f
Agra 226f–228f, 294f
Aguinaldo, Emilio 296f
Agung 236f
Ägypten (Zivilisation) 26f, 28f, 34f–38f, 54f
  1. Dynastie 22f, 40f
  4. Dynastie 40f
  5. Dynastie 40f
  11. Dynastie 42f
  12. Dynastie 42f
  17. Dynastie 42f
  18. Dynastie 42f
  21. Dynastie 42f
  25. Dynastie 42f
  1. Zwischenzeit 40f
  2. Zwischenzeit 42f, 50f
  3. Zwischenzeit 42f
  Altes Reich 20f, 22f, 40f
  assyrische Eroberung von 34f, 42f
  Bronzezeit 30f
  babylonischer Feldzug gegen 34f
  britische Besetzung 256f, 280f, 284f
  Expansion 282f
  frühdynastische Zeit 40f
  Grundlage 22f, **40f,** 66f
  griechische Kolonien 54f
  Herrschaft Kuschs 66f
  Invasion von Juda und Israel 36f
  Landwirtschaft 34f, 40f
  Mittleres Reich 22f, 26f, **42f**
  Nakada 40f
  Napoleonische Kriege 250f, 260f
  Neues Reich 26f, 32f, 42f, 108f
  Osmanisches Reich 252f, 280f
  Pyramiden 22f, *40f,* 40f–42f, 44f
  persische Eroberung von 38f, 42f, 66f
  Seevölker 26f, 32f, 42f
Ägypten 44f, 68f, 84f–86f, 126f–128f, 156f–158f, 162f, 218f–220f, 254f–256f, 260f, 282f–284f, 312f–320f, 374f–380f
  achaimenidische Perser 68f
  Alexander der Große 84f
  arabische Eroberung 160f
  Fatimiden 128f–130f, 162f
  Griechen in 68f
  Kreuzzüge 164f
  Mamluken 190f, 260f
  Muslimische Bruderschaft 374f, 378f
  Nationalisten, Aufstand der 376f
  Nubien 108f
  Ptolemäer 68f–70f, 84f–86f
  Römisches Reich 70f, 86f, 92f–94f, 98f
  Sassaniden 88f
  Sechstagekrieg 318f, 376f
  seleukidische Invasion 86f
  Suez-Krise 318f, 374f–376f
  Unabhängigkeit 374f
  Vereinigte Arabische Republik 376f
  Zweiter Weltkrieg 330f, 336f
  siehe auch Ägypten (Zivilisation)
Ah Cacau 122
Ahab 36f
Ahhijava 32f
Ahmad Lobbo 282
Ahmadabad 228f
Ahmadnagar 226f
Ahmed Durrani (Schah) 198f, 228f
Ahmed Gran von Adal 190f, 224f
Ahmose 42f
Ahura Masda 78f
Aids 380f, 382f
Aigina 80f
Aigospotamoi 82f
Aijubiden-Dynastie 162f, 174f
Ain Dschalut, Schlacht bei 130f, 136f–138f, 174f
Ainu 126f–132f, 178f, 250f–252f
Aischylos 80f
Aix-en-Provence 102f
Ajanta 110f
  Höhlenmalereien *110f*
Ajmer 226f–228f
Akaba
  Schlacht von 322f
  Golf von 376f
Akademie 82f, 98f
Akarnanien 56f, 80f–82f
Akbar 192f, 226f, 228f
Akkad 22f, 28f–30f
  3. Dynastie 30f
  Sargon »der Große« von Akkad 22f, 30f
  siehe auch Babylon, Babylonier
Akkon 130f, 164f
Akrotiri 52f
Akschak 28f
Aksum, Aksumer 70f, 74f–76f, 78f, 88f, 108f, 126f–128f, 156f–158f, 166f *siehe auch* Sabäer
Al Battani 158f
Al Biruni 158f
Al Fatah 376f–378f
al Gaddhafi, Muammar 376f
Al Jaliz 158f
Al Kahira (Kairo) 158f
Al Maghrib 156f–158f
Al Mansur 158f
Al Mina 54f
Alabama 244f, 306f–308f
Alamo, Schlacht von 298f
Alamut 162f
Alanen 70f, 76f, 96f–98f, 104f, 140f, 156f, 164f
Alarich 74f–76f, 96f
Alaska 198f, 208f, 242f, 250f, 254f, 276f, 304f, 308f
Ala-ud-Din 168f
Alaungpaja 236f
Alba, Herzog von 206f
Albanien 154f, 256f, 270f, 278f–280f, 312f–320f, 324f, 330f, 336f–338f, 344f, 356f
  Zweiter Weltkrieg 330f
Albazin 232f
Alberta 302f
Albrecht II. von Österreich 154f
Albuquerque, Afonso de 190f
Alcazarquivir, Schlacht von 192f, 206f, 218f
Alcock, John 312f
Aleppo 32f, 130f
Aletschgletscher *372f*
Alëuten 22f, 26f, 66f–68f, 70f, 74f–76f, 182f, 242f, 362f
Alexander I. (Zar) 252f, 276f
Alexander II. (Zar) 254f, 276f, *276f*
Alexander III. (Zar) 276f
Alexander III. (Papst) 144f
Alexander der Große 42f, *64f,* 68f, *68f,* 82f, **84f,** *84f,* 86f–88f, 110f
»Alexanderwall« **88f**
Alexandria 44f, 84f–86f, 96f, 108f, 158f, 330f
  arabische Eroberung 156f
  Bibliothek 84f
  Leuchtturm 86f
  Stadtansicht *100f*
»Alexiade« 160f
Alexios I. Komnenos 160f, 164f
Alfred von Wessex (König) 138f
Algeçiras, Konferenz von 278f
Algerien, Algerier 190f, 196f, 198f, 218f–220f, 252f–256f, 280f–284f, 312f–320f, 330f, 336f, 374f, 380f
  Aufstand 318f, 380f
  Bürgerkrieg 380f
  französische Eroberung 252f–254f, 280f–282f
  Nationale Befreiungsfront (FLN) 380f
Algonkin 302f
Ali Pascha 218f
Ali, Kalif 156f
Allende, Salvador 350f
Allia, Schlacht von 102f
Allianz für Deutschland 346f
Alliierter Kontrollrat 340f, 342f
Alluvialboden 28f
Alma-Ata 356f
Almeida, Francisco de 226f
Almoraviden-Emirat 166f
Alodia (Alwah) 76f–78f, 108f, 126f–132f, 156f–158f, 166f
Alp Arslan 162f
Alpaka 62f
Alpen, Schweizer *372f*
Alphabet *siehe* Schrift
al-Qaida 350f, 368f
Al-Qasr al-Kabir *siehe* Alcazarquivir, Schlacht von
Alt, Georg 152f
Altai 106f
Altamira 46f
Altan Khan 192f, 230f
Althen 272f
Altsteinzeit *siehe* Paläolithikum
Amal 378f
Amalaswintha, Königin 98f
Amalekiter 36f
Amaravati 110f
Amboina 194f, 236f
Amenemhet I. 42f
Amenophis IV. 32f, 42f
Amerika 66f
  1914–1945 **348f**
  1945–2004 **350f–352f**
  Andenzivilisation *siehe* Andenzivilisation
  archaische Zeit 26f
  britische Kolonien 196f, 198f, 216f, 238f, 242f, **244f,** 246f
  Entdeckung durch Kolumbus 154f, 182f
  erste Hochkulturen **62f**
  Erster Weltkrieg **348f**
  europäische Kolonisation 132f, 138f, 182f, 242f
  französische Kolonien 192f–196f, 198f, 216f, 238f, 242f–246f
  Indianer *siehe* Indianer
  Kanada *siehe* Kanada
  Krankheiten, europäische 238f, 242f
  Landwirtschaft 20f
  Lateinamerika *siehe* Lateinamerika
  Mesoamerika *siehe* Mesoamerika
  Monroe-Doktrin 252f, 298f–300f
  Päläoindianer 18f, 22f, 182f
  Portugiesen 190f, 194f, **238f, 242f**
  russische Pioniere 198f, 208f, 242f, 250f, 254f, 276f
  Sklaverei 196f, 224f, 238f, 246f
  Spanier 190f–196f, 198f, 210f, 224f, **238f, 242f,** 250f–252f
  Vereinigte Staaten *siehe* Vereinigte Staaten von Amerika
  Zweiter Weltkrieg **348f**
  siehe auch individuelle Staaten und Menschen, Neue Welt
Amerikanische Revolution (Unabhängigkeitskrieg) 198f, 216f, 238f, **246f,** 260f, 282f, 302f
Almherst, Lord 290f
Amiens, Frieden von 262f
Amin, Idi 380f
Amman, Jost 200f
Ammon 36f
Ammoniter 100f
Amoriter 22f, 30f, 34f
Amphiktyonie 56f
Amphitheater *72f, 82f*
Amritsar 368f
Amsterdam 196f, 210f, 216f
Amun (Gott) 42f
Amur 196f, 198f, 208f, 232f, 276f, 290f–292f
An Lushan 170f
Anarchismus 270f
Anasazi-Kultur 126f–132f, 182f
Anastasius 98f
Anatolien 22f, 26f, 30f–34f, 70f, 86f, 92f–96f, 102f, 106f, 136f–138f, 158f, 162f–164f, 216f–220f, 280f
  arabische Eroberung 156f
  Alexander der Große 84f
  Byzantinisches Reich 160f
  Kelten 102f
  Kreuzzüge 164f
  Seldschuken 130f, 162f
  türkische Osmanen 132f
Anawratha 130f
ANC *siehe* »African National Congress«
Andenpakt 350f
Andenzivilisation 20f, **62f,** 66f, 68f, 70f, 74f–76f, **120f, 186f**
  archaische Zeit 26f
  »früher Horizont« 62f, 120f
  frühe Zwischenperiode 120f
  Frühzeit 62f, 120f
  »mittlerer Horizont« 120f, 186f
  präkeramische Zeit 62f
  »später Horizont« 186f
  späte Zwischenperiode 186f
  spanische Eroberung 190f–192f, **238f**
Andropow, Jurij 356f
Angel Island 308f
Angeln 76f, 96f, 104f
Angeln und Sachsen 76f–78f, 98f, 102f–104f, 126f, 136f
  siehe auch Sachsen 138f–140f
Angkor 128f, 180f
  Angkor Vat *128f, 180f*
anglikanische Kirche 202f, 206f
anglo-niederländischer Krieg 196f, 214f, 216f, 244f
Angola 192f–196f, 198f, 224f, 250f–256f, 282f–284f, 312f–320f, 352f, 380f–382f
  Bürgerkrieg 380f–382f
Anhwei 232f
Aniba 42f
Anjou 140f
Anjou-Dynastie 140f
Ankara 176f
  Schlacht von 132f, 162f, 176f
Anna (Königin von England) 214f
Annam 128f–132f, 170f–176f, 180f, 190f–196f, 198f, 236f, 250f–254f, 290f, 294f–296f
  siehe auch Dai Viet, Vietnam
Ansbach 206f, 210f
Anschluss (Österreich) 324f, 332f
Antarktis 288f
Antietam, Schlacht bei 306f
Antigonos 84f
Antigua und Barbuda 300f, *300f,* 320f, 352f
Anti-Hitler-Koalition 340f
Antikominternpakt (1936) 332f
Antiochien, Antiochia 44f, 88f, 98f, 158f–160f
  Fürstentum Antiochia 164f
  persische Eroberung 98f
  Schlacht von Antiochia 164f, *164f*
Antiochos I. 86f
  Grabstätte des *86f*
Antiochos III. 86f
Antiochos IV. 86f
Antipater 84f
Antonius 92f
Antwerpen 192f, 200f, 218f
  Plünderung 192f, 206f
Anuradhapura 110f, 168f
Anzincourt, Schlacht von 154f
Anzio 336f
Äolien, äolische Griechen 54f–56f
Aotearoa 118f, 128f *siehe auch* Neuseeland
Apachen 238f–242f, 304f
Apartheid 382f
APEC *siehe* »Asia Pacific Economic Cooperation Forum«
Aphrodisias *64f*
Apollonius von Athen 86f
Appalachen 242f–244f
Appeasement-Politik 332f
Appomattox 306f
Apsara *128f*
Aquae Sextiae (Aix-en-Provence), Schlacht von 104f
Aquileia 104f, 138f–140f
Aquino, Corazon 370f
Aquitanien 92f, 96f, 102f, 136f, 140f, 146f
Arabien, Araber 38f, 66f, 68f, 70f, 74f–76f, 88f, 96f–98f, 100f, 112f, 128f, 140f, 142f, 156f–166f, 218f, 282f–284f
  arabische Eroberungen 68f, 98f, 126f, 136f, 140f, **156f,** 160f, 166f–170f
  arabisch-israelischer Konflikt *siehe* arabisch-israelischer Konflikt
  Einheit 126f–130f, 156f, **158f**
  Islam 126f, 156f, 160f
  Nomaden 128f–132f, 138f, 192f–196f, 198f, 250f–256f
  römische Provinz 92f
  Saba *siehe* Saba
Arabische Liga 316f–318f, 376f
arabische Revolte 312f, 374f
arabische Schrift 156f
arabisch-israelischer Konflikt 316f, 320f, **376f–378f**
  Camp-David-Abkommen 378f
  Friedensprozess 320f, 378f
  Jom-Kippur-Krieg 318f, 376f
  Oslo, Erklärung von 378f
  Sechstagekrieg 318f, 376f
Arachosia 38f, 84f
Arafat, Jasir 378f
Aragón 130f–132f, 138f–140f, 146f, 150f, 154f, 202f
Arakan 180f, 194f–196f, 198f, 226f–228f, 236f, 250f–252f, 294f–296f
Aram 26f, 32f–36f
Aramäer 100f

aramäisches Damaskus 36f
aramäische Sprache und Alphabet 26f, 38f, 94f
Aram-Zobah 36f
Arausio (Orange), Schlacht von 104f
Archäologie 24f, 44f, 100f
  Landesamt für 24f
  Luftbildarchäologie 72f
Arcot 228f
Ardaschir I. 88f
  Palast des *88f*
Ardipithecus ramidus 16f
Arganthonios 58f
Argentinien 252f–256f, 258f, 298f, 312f–320f, 348f–350f
  Dreibund 252f, 298f
  Falklandkrieg 320f, 350f
  »schmutziger Krieg« 350f
  Unabhängigkeit 252f, 298f
Argos 56f, 82f
Arianer 98f
Arier 26f, 60f, 66f, 78f
Arikamedu 112f
Ariovist 104f
Aristagoras von Milet 80f
Aristarchos von Samos 44f, 86f
Aristoteles 44f, 82f, 84f, 200f
Arizona 304f, 308f
Arkadien 56f, 80f–82f
Arkansas 304f–308f
Arles 44f
Armagnac-Dynastie 154f
Armbrust 114f
Armenien, Armenier 38f, 78f, 86f–88f, 92f, 156f–158f, 162f–164f, 218f–222f, 280f, 344f, 354f–356f
  Byzantinisches Reich 160f
  Satrapen, persische 84f
Arminius 104f
  Denkmal bei Detmold *104f*
Armour, Philip D. 308f
Armstrong, Neil *318f*
Arrapha 34f
Arretium (Arezzo) 58f
Arsakes I. 86f, 88f
Arsakiden 86f–88f
Artois 322f
Aruak-Indianer 238f
Arwad 32f, 36f
Arzawa 32f
Aschikaga-Shogunat 178f, 234f
Aschkalon 36f
Aschoka 78f, 110f
ASEAN *siehe* »Association of Southeast Asian Nations«
Aserbaidschan 158f, 192f, 218f– 222f, 312f, 320f, 344f, 354f–356f
Ashanti 196f, 198f, 224f, 250f–254f, 282f
  Ashanti-Kriege 250f–254f, 282f–284f
  Kunsthandwerk *224f*
»Asia Pacific Economic Cooperation Forum« (APEC) 370f
Asia (röm. Provinz) 92f
Asiento, Vertrag von 196f
Askalon, Schlacht bei 164f
Askia Mohammed 224f
Asklepios (griech. Gott) *64f*
Äskulapstab *64f*
Asow 196f, 208f, 220f
Aspero-Kultur 22f, 62f
Assad, Hafezal 376f
As Sadat *siehe* Sadat, Muhammad Anwar As
Assam 228f, 236f, 294f–296f
Assarheddon 34f
Assassinen (»Haschischraucher«) 162f–164f
»assegai« (Speer) 282f
»Association of Southeast Asian Nations« (ASEAN) 370f
Assuan-Staudamm 376f
Assur 26f, 30f–34f
Assurbanipal II. 34f, 38f
Assurdan II. 34f
Assurnassirpal II. 34f
Assyrien 30f–34f
assyrisches Reich 26f, **34f**, 36f–38f, 42f, 54f, 66f, 108f
  altassyrisches Reich **30f**
  mittelassyrisches Reich **32f**
assyrisches Relief *32f*
Astrachan-Tataren 190f–192f, 208f, 222f
Asturien 126f, 136f–138f, 158f
Astyages 38f
Atahualpa 186f
Athen, Athener 38f, 52f, 56f, 66f, 68f, **80f**, 82f–86f, 154f
  Akademie 98f
  Akropolis 80f, 220f
  Belagerung (1687) 220f
  Bundeskasse von Delos 80f–82f
  Demokratie 68f, 80f–82f
  Peloponnesischer Krieg 68f, 80f, **82f**
  Perikles 80f, 82f
  Perserkriege **80f**
Äthiopien 66f, 130f–132f, 166f, 192f–196f, 198f, 224f, 250f–256f, 282f, 312f–320f, 374f, 380f
  Christentum 224f
  Eritrea, Bürgerkrieg von 380f
  heiliger Krieg von Ahmed Gran 190f, 224f
  Hochland 70f, 74f, 108f
  italienische Invasion 256f, 284f, 314f, 324f, 374f
  Unabhängigkeit 256f, 374f
Athos, Berg 160f
Ätna *372f*
Atlanta 306f–308f
Atlantik, Schlacht auf dem 330f
Atomkraft 320f, 356f
Atomwaffen 316f–320f, 338f, 348f–350f, 356f, 362f, 368f
  Rüstungsabkommen 320f
Aton (»Sonnenscheibe«) 42f
Atropatene 84f–88f
Attaliden 86f
Attalus I. 102f
Attika 56f, 80f–82f
Attila 76f, 96f, 106f, *106f*
Attisch-Delischer Seebund 80f–82f
Attu 362f
Auckland 288f
Auerstedt, Schlacht bei 262f, 264f
Aufschwung Ost 346f
Augsburg 148f, 150f, 202f
  Augsburger Allianz 214f
  Religionsfrieden 202f, 204f, 212f
Augsburger Allianz, Krieg der 214f
Augsburgisches Bekenntnis 204f
August II. (König von Polen) *196f*, 208f
Augustulus, Romulus 76f, 96f
Augustus, Gaius Julius Cäsar Octavian 70f, 74f, 92f, 102f
Aung San 368f
Aung San Suu Kyi 368f
Aunjetitz-Kultur 22f, 50f
Aurangabad 226f
Aurangseb, Großmogul 196f, 226f, 228f
Aurignacien 46f
Ausbildung
  buddhistische Universitäten 168f
  chinesisches Prüfungssystem 170f
  Medrese Nisamija (Akademie) 162f
Auschwitz 334f, *334f*, 336f
Ausculum 90f
Auslandsreiseverbot (China) 132f, 176f
Austerlitz, Schlacht bei 250f, 262f, 264f
Australien 118f, 252f–258f, **288f**, 296f, 312f–320f, 360f–362f, 370f
  Commonwealth 370f
  Einwanderung 270f, **288f**
  Erster Weltkrieg 312f, 322f, 360f–362f
  europäische Erforschung 194f
  Goldrausch 254f
  Kaiser-Wilhelms-Land 312f
  Mandatsgebiete 360f
  Strafkolonien 250f–252f, 288f
  Vietnamkrieg 366f
australische Ureinwohner (Aborigines) 18f, 22f, 26f, 66f–68f, 70f, 74f–76f, 118f, 126f–128f, 180f, 190f–196f, 198f, 250f, **288f**
Australiden 118f
Australopithecus afarensis 16f
Australopithecus africanus 16f
Australopithecus robustus 16f
austroasiatische Völker 68f–70f, 118f
Austronesier 22f, 26f, 66f–68f, 70f, 74f–76f, 108f, 118f, 126f, 180f
austronesische Sprachen 118f
Automobile 256f, 258f, 270f, 308f
Ava 194f–196f
Avaris 42f, 52f
Avignon, Papstsitz 132f, 146f, 154f
Awaren 76f, 98f, 104f–106f, 136f, 156f–160f
Ay Khanum 86f
Ayacucho, Schlacht bei 298f
Aylwin, Patricio 350f
Ayodhya 368f
Ayub Khan 368f
Ayutthaya 132f, *132f*, 180f, 190f–196f, 236f
  Vat Ratchaburana *236f*
Azcapotzalco 184f
Azteken 120f, 132f, 184f, 190f, 238f, 240f
  Sonnenuhr *240f*
Azuchi-Momoyama-Periode 234f

B

Baader-Meinhof-Gruppe 338f
Baath-Partei 376f–378f
Babur, Großmogul 168f, 190f, 222f, 226f, *226f*
Babylon, Babylonier 26f, 30f–32f, **34f**, 36f–38f, 44f, 54f, 66f, 84f
  Akkad *siehe* Akkad
  Alexander der Große 84f
  altbabylonische Zeit 30f
  dunkle Zeit 30f
  Eroberung Babylons 30f–32f
  Neubabylon **34f**
  persische Eroberung 38f
babylonische Weltkarte 44f, *44f*
Bach, Johann Sebastian 216f
Bacon, Roger 140f
Bad Griesbach 326f
Bad Kissingen 274f
Bad Wiessee 332f
Baden (Großherzogtum) 266f
Baden (Kurfürstentum) 264f
Baekeland, L. H. 270f
Baffin, William 242f
Bagdad 126f–130f, 158f, 162f, 194f, 220f–222f, 280f, 378f
  Mongolen, Eroberung durch 174f
  Seldschuken, Eroberung durch 162f
Bagirmi 224f
Bahadur Schah 228f
Bahamas 352f
Bahia 238f
Bahmani (Sultanat) 132f, 168f
Bahrain 30f, 220f, 280f, 314f–320f, 374f, 378f
Bajesid I. 176f
Bakelit 270f
Baker, Josephine 326f
Bakhti-Bewegung 168f
Baktrien, Baktrer 70f, 84f–88f, 110f–112f
Balambangan 236f
Balathista, Schlacht von 160f
Balchaschsee 222f
Balearen 50f, 54f, 58f, 90f
Balfour-Deklaration 312f, 374f
Balkan 66f, 76f, 96f–98f, 104f, 132f, 146f, 160f
  Kelten 102f
  Osmanen 196f, 218f
  Slawen 104f
Balkankrieg 256f, 278f, **280f**
Balkh 176f, 222f, 228f
  Schlacht bei 158f, 176f
Ballarat 288f
Balten 96f–98f, 104f, 126f–128f, 136f–140f, 336f
Bambara 196f, 224f
Bambata (Häuptling) 284f
Banas-Kultur **60f**
Banda Oriental 238f
Bandkeramik-Kultur 20f, 48f
Bangkok 236f, **370f**
  Stadtansicht *296f*
Bangladesch 318f–320f, 364f, 368f
  siehe auch Ostpakistan, Pakistan
Bannockburn, Schlacht von 146f
Bantam 194f–196f, 236f
Banteay Srei, Tempel *128f*
Bantusprache 68f–70f, 74f–76f, **108f**, 166f
Baol 224f
Barbados 300f, 318f–320f, 348f, 352f
Barbaren 76f, 96f–98f
Barbareskenküste 202f, 218f, 250f
Barbareskenpiraten 250f
Barcelona 188f, 258f, 270f
Bargash (Sultan) 282f
Barger Oosterveld 50f
Bar-Lew-Linie 376f
Barrekup (aramäischer König) 34f
Barth, Heinrich 282f
Bartholomäusnacht 206f, *206f*
Barygaza 110f
Basel 24f
Basileios II. (»Bulgarentöter«) 160f
Basken 94f, 96f–98f, 136f, 156f
  baskische Separatisten 338f
Basketmaker-Kultur *siehe* Korbmacher-Kultur
Basra 374f
Bastille, Sturm auf die 260f
Basutoland 252f, 256f, 282f–286f, 312f–316f, 382f
  siehe auch Lesotho
Bataan 362f
Batavia 194f, 236f, 296f
  Stadtansicht *236f*
Batavische Republik 260f, 286f
Bathurst 288f
Batu 176f
Bauernbefreiung (Preußen) 264f
Bauernkrieg 202f, 204f
  Bundschuhaufstand 204f
Bauhaus 326f
Baumwolle 20f, 60f, 62f, 230f, 258f, 280f, 304f–306f
Bautzen, Schlacht bei 262f
Bay of Islands 250f, 288f
Bayern 138f–140f, 146f, 206f, 210f, 214f, 216f, 260f, 268f–270f, 340f
  Herzogtum 142f, 144f
  Königreich 266f
  Kurfürstentum 212f
Bayeux, Teppich von 140f, *140f*
Becherkulturen 48f
Becket, Thomas 140f
Beda Venerabilis 136f
Bedolina, Karte von 44f
Beduinen 156f
Befreiungskriege 266f
Begin, Menachim 376f, 378f
Behaim, Martin **200f**
Beijing *siehe* Peking
Beirut, Bürgerkrieg von 376f–378f
Bei von Tunis 284f
Belgien 252f–256f, 268f–270f, 278f, 312f–320f, 324f, 326f, 338f, 344f, 376f
  afrikanische Kolonien 284f
  Erster Weltkrieg 322f
  Revolte der Österreichischen Niederlande 260f
  Unabhängigkeit 252f, 268f
  Zweiter Weltkrieg 314f, 330f, 336f
Belgisch-Kongo 256f–258f, 284f–286f, 312f–316f, 380f
  siehe auch Kongo, Zaire
Belgrad 190f, 220f, 278f, 336f
  Frieden von 220f
  Schlacht von 162f–164f
Belisar 98f
Belize 194f–196f, 198f, 320f, 350f–352f
Bell, Alexander Graham 258f, 308f
Bellini, Gentile 162f
Belutschistan 60f, 222f, 226f, 252f, 294f
Belvoir 164f
Belzec (KZ) 334f
Bemba 282f
Benares 228f *siehe auch* Varanasi
Bendigo 288f
Benedikt, Heiliger 98f
Benediktinerregel 98f
Benelux-Länder 338f
Bengal, Bengalen 132f, 168f, 190f–192f, 198f, 226f–228f, 236f, 294f–296f, 360f
Ben Gurion, David *374f*
Benin 130f–132f, 166f, 186f, 192f–194f, 224f, 254f, 282f, 380f
Benkulen 296f
Bentinck, Lord William Cavendish 294f
Benz, Carl 270f
Berber 22f, 26f, 54f, 58f, 66f, 90f, 108f, 136f, 156f, 166f
Berbice 300f
Berengar II. 142f
Bergen 150f
Bergen-Belsen (KZ) 334f
Berija, Lawrentij 356f
Bering, Vitus Jonassen 242f
Beringia 18f
Berlichingen, Götz von 204f
Berlin 134f, 264f, 272f, 274f, 326f, 342f, 344f, 346f
  Berliner Mauer 318f, 328f, *328f*, 338f, 342f, *342f*, 346f
  Berliner Viermächteabkommen 340f, *340f*, 342f
  Blockade und Luftbrücke 316f, *316f*, 328f, 388f, 340f
  Brandenburger Tor 264f, *264f*, *330f*, *342f*, 346f
  Eroberung durch die Rote Armee 336f, 340f
  Frieden von 312f
  Karte des Eisenbahnnetzes *328f*
  Kongo-Konferenz 256f, 284f, *284f*
  Kongress von 254f, 274f, 276f, 278f, *278f*, 280f
  Pergamon-Museum 34f
  Potsdamer Bahnhof *328f*
  Potsdamer Platz 328f, *328f*
  Reichstagsbrand 332f
  Städtebau und Verkehrsplanung **328f**
Berliner Erlasse 250f, 262f
Bernsteinhandel 94f
Bertram von Minden 148f
Berzem, Schlacht bei 162f
Bessarabien 262f, 280f
Bessemer, Henry 258f
Bestattungsriten, prähistorische 22f, 26f, 46f–50f, 60f, 66f
Bethlehem 36f, 78f, 376f
Betschuanaland 256f, 284f–286f, 312f–314f, 316f *siehe auch* Botswana
Bevölkerungswachstum 20f, 28f, 48f, 254f
  Asien 192f, 198f, 232f
  Europa 192f, 198f, 206f, 216f, 254f
  Vereinigte Staaten **308f**
Bewässerung 20f, 40f, 60f, 62f
Bhonsle 228f
Bhopal 368f
Bhutan 228f, 232f, 250f–256f, 294f, 312f–314f, 364f
Bhutto, Benazir 368f
Bhutto, Zulfikar Ali 368f
Biafra-Krieg 380f
Bibel
  Altes Testament 28f, 36f, 100f
  »Buch der Richter« 36f
  Evangelien 78f
  Gutenberg-Bibel 154f
  »Vulgata«, lateinische Übersetzung 78f
Bihar 168f, 198f, 226f–228f
Bijapur 194f, 226f
Bilbao 270f
Bilderstreit 160f
Bimbisara 60f, 110f
Bindusara 110f
Birgany, Felipe 154f
Birkenau *siehe* Auschwitz
Birma 176f, 190f, 198f, 228f, 232f, 236f, 250f–256f, 290f, 312f–318f, 360f–366f
  britische Annexion 290f, 294f–296f
  Militärregime 368f–370f
  Unabhängigkeit 364f, 368f
  siehe auch Myanmar
Birmastraße 358f–362f
Bishop, Maurice 352f
Bismarck, Otto Fürst von 266f, 272f, 278f, *278f*
Bismarck-Archipel 26f, 296f
Bismarckreich *siehe* Deutschland
Bison 66f, 132f, 242f
Bithynien 84f–86f, 92f
Bizone 340f
Black Hawk 304f
Black-Hill-Reservat 304f
Blackfoot (Indianer) 242f, 302f–304f
Blake, Admiral Robert 214f
»Blauhelme« (UN-Soldaten) *380f*
Blitzkrieg 330f, *330f*
Bloemfontein 382f
Bloemfontein Convention 286f
Blücher, Gebhard Leberecht von 262f
Bluefish Cave (Alaska) 18f
Boccaccio, Giovanni 146f
Bochum 272f
Bocskai, Istvan 218f
Bodendenkmäler (Archäologie) 72f
Bodenmosaik *94f*, *100f*
  siehe auch Mosaiktechnik
Bodh Gaya 110f
Bogazköy 32f
Bogomilen 218f
Böhm, Hans 204f
Böhmen, Böhmer 136f–140f, 146f, 148f, 154f, 202f, 204f, 206f, 210f, 212f, 214f, 216f, 260f, 266f *siehe auch* Römisch-Deutsches Reich
  Hussiten 148f, 154f–164f
  Protektorat (NS-Reich) 332f
Bojaren (hohe Adlige) 208f
Bokassa, Jean-Bédel 380f
Bolanpass 294f
Bolívar, Simón 252f, 298f, *298f*
Bolivien 252f–256f, 298f, 348f–350f
  Chacokrieg 348f
Bolschewiken 312f–314f, 322f, 354f
Bombay 196f, 226f, 294f, 368f
Bonampak 122f
Bonaparte, Joseph 298f
Bonaparte, Napoleon *siehe* Napoleon I.
Bonhoeffer, Dietrich 334f
Bonn 346f
Bononia (Bologna), Schlacht von 102f
Booth, John Wilkes 306f
Bootsbau 18f, 40f
  Auslegerboot 26f, 118f
  griechische Kolonien 54f
  siehe auch Seefahrt
Borgia-Familie 202f
Borneo 118f, 296f
Borobudur (Java) 128f, 180f, *180f*
Borodino, Schlacht bei 262f
Borsig, August 272f
Bose, Subhas Chandra 360f
Bosnien 146f, 154f, 162f, 214f, 218f
Bosnien-Herzegowina 278f–280f, 356f
  Rebellion gegen Türkei 278f–280f
  Bürgerkrieg 320f–322f, 344f
Bosporus 38f, 80f, 88f
  Königreich 68f, 84f–86f
Boston 246f
  Tea Party 246f
Botany Bay 288f
Botha, Louis 286f, 382f
Botswana 318f–320f, 380f, 382f
  siehe auch Betschuanaland
Botticelli, Sandro 154f
Bougainville, Louis Antoine de 198f
Boulanger, Georges 278f
Boulogne 262f
Bourbonen-Dynastie 202f, 206f, 214f, 216f, 268f
Bouvines, Schlacht von 130f, 140f, 144f
Boxeraufstand 256f, 290f, *290f*
Boyacá, Schlacht bei 298f

Boyer, Jean-Pierre 300f
Brahe, Tycho 200f
Brahmagiri 60f
Brahmanen 78f
Brahmaputra 294f
Bramah, Joseph 270f
Brandenburg 140f, 146f, 148f, 154f, 202f, 206f, 210f–212f, 214f, 216f, 340f, 346f
Brandenburger Tor 264f, *264f, 330f, 342f,* 346f
Brandstade/Herrenhof 346f
Brandt, Willy 338f, 342f
Brasidas 82f
Brasilien 192f, 254f, 290f, 298f–300f, 312f–320f, 348f–350f
  Dreibund 254f, 298f
  Erster Weltkrieg 348f
  Niederländer 194f
  Portugiesen 190f, *190f,* 194f, 198f, 238f
  Reich 298f
  Republik 256f, 298f
  Sklaverei 224f, 238f, 250f–252f
  Unabhängigkeit 252f, 298f
Braun, Wernher von 336f
Braunschweig 272f, 340f
Brecht, Bertolt 326f
Bremen 212f, 340f
  Erzbistum 210f
Brennofen 20f
Breschnew, Leonid *310f,* 320f, 356f
Brest-Litowsk, Frieden von 312f, 322f, 354f
Bretagne 58f, 102f, 138f–140f, 146f, 154f–158f, 202f
Bretigny, Vertrag von 146f
Bretislaw I. (Herzog von Böhmen) 142f
Brienzer See *372f*
Briand-Kellogg-Pakt 324f
Britannien 26f, 54f, 94f, 196f, 198f, 214f, 216f
  »Act of Union« (1800) 262f
  Angeln und Sachsen 76f, 96f–98f, 102f–104f, 126f, 136f, 140f
  anglo-niederländische Kriege 196f, 214f, 216f, 244f
  Auswanderung 102f
  Christentum, Bekehrung zum 78f
  Commonwealth 194f, 210f, 214f
  Französische Revolutionskriege 260f
  Glorreiche Revolution 214f
  Hannover-Dynastie 208f, 214f
  industrielle Revolution 270f
  Jakobiter 214f, 216f, 246f
  Kelten 70f, 76f, 94f, 102f, 126f, 136f
  Napoleonische Kriege 250f, 260f–262f, 294f–296f
  Normannen 140f
  Österreichischer Erbfolgekrieg 198f, 244f
  Römer 70f, 92f, 102f
  Schlacht um 314f, 330f
  Seekrieg 250f, 262f
  Siebenjähriger Krieg 198f, 216f, 238f, 244f
  Sklavenhandel 196f, 224f, *224f,* 238f
  Skoten 102f
  Stuart-Dynastie 210f, 214f, 216f
  Wikinger 138f
  siehe auch Großbritannien, England, Schottland, Wales
Britisch-Guayana 250f–256f, 298f–300f
Britisch-Honduras 250f–256f, 298f
Britisch-Neuguinea 296f
britisch-niederländischer Vertrag 296f
Britisch-Ostafrika 256f, 284f
britisch-siamesischer Vertrag 296f
Britisch-Somaliland 256f, 284f
Britisch-Westafrika 380f
British Columbia 254f, 302f
»British South Africa Company« 284f
Bronzegusstechnik 22f, 48f–50f
Bronzeverarbeitung 20f–22f, 26f, 42f, 52f–54f, 66f, 138f, 166f
Bronzezeit 22f, 24f, 26f, 28f, 48f, 66f
  Europa **50f,** 58f, 102f
  Südasien **60f**
  Vorderer Orient **30f–32f**
Brooke, James 296f
Brown, Arthur 312f
Brown, John 306f
Brügge 150f
Brukterer 104f
Brunei 296f, 320f, 360f–362f, 370f
Brunelleschi, Filippo 154f
Brussilow-Offensive 322f
Buchanan, James 306f
Buchara *174f,* 276f
  Khanate von 222f, 228f
Buchenwald (KZ) 334f
Buchführungssystem 150f
Bucht von Leyte, Schlacht in der 362f
Bucht von Quiberon, Schlacht in der 216f, 260f
Budapest 324f, 336f
Buddha (Siddharta Gautama) 60f, 66f, 68f, 78f, 110f
Buddha-Figur *112f, 180f*
Buddhismus 60f, 66f, 74f, 110f–114f, 126f–132f, 180f
  Aschoka 110f
  Ausdehnung 78f
  Ceylon 78f, 110f
  Ch'an (Zen) 178f
  China 114f–116f, 170f
  3. buddhistisches Konzil 110f
  Gandhara 112f
  Indien 78f, 110f–112f, 168f
  iranische Religion 78f
  Japan 116f, 178f
  Kloster 78f, 112f
  Korea 116f
  Mahayana 78f
  Mathura 112f
  »Neues Land« 178f
  Pazifik und Südostasien 78f, 118f
  Südostasien 180f
  Tibet 112f
  Zen *siehe* Ch'an
Buffalo 308f
Buganda 250f–252f, 282f
Bugenhagen, Johannes *202f*
Buhen 40f
Bujiden 128f, 158f, 162f
Bukephalos *84f*
Bulgarien, Bulgaren 98f, 126f–128f, 136f–140f, 150f, 156f–164f, 174f–176f, 202f, 216f–220f, 254f–256f, 270f, 278f–280f, 338f, 344f
  Osmanisches Reich 254f, 280f
  Russisches Reich 276f–280f
  Unabhängigkeit 254f
Bull Run, Schlacht bei 306f
Bülow, Bernhard von 284f
Bund lombardischer Städte 140f, 146f (Verteidigungsbündnis)
»Bundesgenossenkrieg« 92f
Bundesrepublik Deutschland 316f–320f, 338f, 340f, **342f,** 344f, **346f**
  Aufschwung Ost 346f
  Grundlagenvertrag (1972) 342f
  Hallstein-Doktrin 342f
  Kalter Krieg 342f
  Oder-Neiße-Grenze 346f
  Ostpolitik 342f
  Ost-West-Konflikt 342f
  Pariser Verträge 342f
  Staatsvertrag zur Währungs-, Wirtschafts- und Sozialunion 346f
  Teilung 346f
  Wehrergänzungsgesetz 342f
  Westintegration 342f
  Wiedervereinigung 346f
  Zehn-Punkte-Programm 346f
  Zwei-plus-vier-Gespräche 346f
Bündnis (Österreich, Frankreich, England, Niederlande) 216f
Bündnissysteme (Erster Weltkrieg) 278f, 312f, 322f–324f, 354f, 360f
Bündnissysteme (Zweiter Weltkrieg) 314f–316f, 330f–332f, 336f, 338f, 348f, 362f
Bundschuhaufstand 204f
Bunker Hill, Schlacht bei 246f
Burckhardt, Carl Jacob 334f
Buren *siehe* Afrikaner
Burenkrieg 256f, **284f,** *286f*
Bürgerrechtskampagnen 350f
Burgund 96f–98f, 104f, 202f
  Herzogtum von 146f, 154f, 164f, 204f
  Königreich von 96f–98f, 138f–140f, 142f, 148f, 154f
  siehe auch Römisch-Deutsches Reich
Burke, Robert O'Hara 288f, *288f*
Burundi 250f, 282f, 318f–320f, 380f
Bush, George W. 350f
Byron, George Gordon 268f
Byzanz, Byzantinisches Reich 44f, 76f, 86f, **98f,** 128f–132f, 136f–140f, 150f, 154f, 158f, **160f,** 174f–176f
  arabische Eroberung 126f, 156f–162f
  makedonische Dynastie 160f
  osmanische Eroberung 160f
  Untergang 154f, 162f
  Ureinwohner **98f**
  siehe auch Konstantinopel

C

Cabeço da Arruda 46f
Cabot, John 242f
Cabral, Pedro Alvares 190f, 238f
Cádiz 206f *siehe auch* Gades
Cahokia 182f
Caillié, René 282f
Caizhou 170f
Cajamarca 186f
Calais 154f, 202f
Calakmul 122f
Calvin, Johannes 202f, 204f
Calvinismus 202f, 206f, 210f, 212f
Cambrai, Schlacht von 322f
Campbell, Archibald 212f
Camp-David-Abkommen 378f
Campoformio, Frieden von 260f
»Canadian Pacific Railway« 256f, 302f
Canberra 288f
Candia 220f
Cannae, Schlacht bei 90f
Canossa, Burg 142f
  Gang nach Canossa 142f, *142f*
Cape Breton 302f
  siehe auch Ile Royale
Cape Canaveral (Cape Kennedy) 350f
Cape Cod 194f, 242f
Capet, Hugo *siehe* Kapetinger
Capilla Real (Granada) 154f
Carabobo, Schlacht von 298f
Caracas 298f
Caracol 122f
Carakener 90f
Cárdenas, Lázaro 348f
CARE 340f
  Care-Pakete 340f
Caria 38f
CARICOM *siehe* Karibische Gemeinschaft
CARIFTA *siehe* Karibische Freihandelszone
Carnac 48f
Carnegie, Andrew 308f
Carnuntum 94f
Carolina 246f
Carrhae, Schlacht von 88f, 92f
Cartagena 238f
Carter, Jimmy 378f
Cartier, Jacques 242f
Cartwright, Edmund 270f
Casa Grande 182f
Casablanca, Treffen von 336f
Cäsar, Gaius Julius 70f, 92f, *92f,* 102f, 104f
Castello Eurialo *82f*
Castle Cavern 108f
Castle Hill, Aufstand von 288f
Castro, Fidel 350f, 352f, *352f*
Çatal Hüyük 20f
Cateau-Cambrésis, Frieden von 202f
Caudiner 90f
Cavour, Camillo di 254f, 268f
Caxton, William 154f
Ceauşescu, Nicolae 338f
»Central Intelligence Agency« (CIA) 366f
Cernunnos (keltischer Gott) *102f*
Cervantes, Miguel 218f
Çesme, Schlacht von 216f, 220f
Cetshwayo (Herrscher der Zulu) *286f*
Ceuta 132f, 154f
Ceylon 78f, 110f, 168f, 314f–316f
  britisch 294f
  Niederländer 194f–196f, 226f–228f
  Unabhängigkeit 368f
  siehe auch Sri Lanka
Ch'an-(Zen-)Buddhismus 178f
Chac Mool *184f*
Chaco Canyon 182f
Chacokrieg 348f
Chaireddin 218f
Chaironeia 82f
Chaka 252f, 282f
Chaldäer 32f–34f
Chaldiran, Schlacht von 190f, 218f, 222f
Chalkedon, Konzil zu 96f
Chalkidike 80f
Cham (Champa) 74f, 118f, 126f, 170f, 174f–176f, 180f, 236f
  siehe auch Vietnamesen
Chamaven 104f
Chambord, Schloss 202f, *202f*
Champagne 150f
  Schlacht von 322f
Champlain, Samuel 242f
Chan Chan 186f
Chanaten 76f
Chanaten, türkische 76f
Chandella-Reich 168f
Chandragupta I. 112f
Chandragupta II. 74f, 112f
Chandragupta Maurya 68f, 110f
Chang'an 76f, 116f, 170f
Chania 52f
Chaplin, Charlie 200f
Charism-Schahs 158f, 162f, 174f
Charkow, Schlacht bei 336f
Charleston 246f
Charoneia, Schlacht von 82f
Chasaren 76f, 126f–128f, 156f–158f, 162f
Chasuarier 104f
Châtelperronien-Kultur 46f
Chaucer, Geoffrey 146f
Chauken 104f
Chavín de Huántar 62f, 66f, 120f
Chedis (Pagoden) *132f*
Cheju (Quelpart) 178f
Chelmno *siehe* Kulmhof
Chemie 158f
Chemnitz 346f
Chendjer 42f
Cheng Ch'eng-Kung (Koxinga) 196f, 228f, 232f
Cheng Ching-zhong 232f
Chengdu, Schlacht von 116f
Cheng Qing 232f
Cheops (ägypt. Chufu) 40f
Chephren (ägypt. Chafre) 40f
Chernoles-Kultur 104f
Chesowanja (Kenia) 16f
Cheyenne-Krieger 242f–244f, 304f
Chiang Ching-kuo 370f
Chiang Kai-shek 314f, 358f, 364f, *364f,* 370f
Chiang Mai 236f
Chiapas 352f
Chicago 308f
Chichén Itzá 122f, 184f
  Chac Mool *184f*
  »Tempel der Krieger« *184f*
Chichimeken 184f
Chikasaw 244f, 304f
Childschi-Dynastie 168f
Chile 252f–258f, 298f, 312f–320f, 348f–350f
Chimú-Reich 128f–130f, 186f
China 20f–22f, 26f, 106f, 118f, 290f, 296f, **358f,** 362f, **364f, 370f**
  Auslandsreiseverbot 132f, 176f
  Auswanderung 298f, 308f
  Boxeraufstand 256f, *290f,* 308f
  Boxerprotokoll 290f
  Bürgerkrieg 314f–316f, 358f, 364f
  siehe auch Mandschu-Reich
  chinesische Revolution 256f
  Chinesisch-Japanischer Krieg (1894–1895) 256f, 290f–292f
  Chinesisch-Japanischer Krieg (1937) 314f
  Erstes Kaiserreich 114f
  Frühere Han-Dynastie **114f**
  »Frühling-und-Herbst-Periode« 66f
  Große Mauer 114f, 176f, 222f, 230f–232f
  Großer Kanal 170f, *170f,* 230f–232f
  Hakka-Rebellion 252f, 290f
  Han-Dynastie *siehe* Han-Dynastie
  Han-Zeit **114f**
  japanische Invasion 358f–360f
  Kanalsysteme 170f–172f, 230f–232f
  Königreich Yüeh 68f
  Kommunismus 314f–318f, **358f,** 360f, 364f
  Kuomintang 290f, 358f, *358f*
  »Langer Marsch« 314f, 358f
  Lung-Shan-Kultur 22f, 26f
  Mandschu-Reich *siehe* Mandschu-Reich
  Miao-Aufstand 290f
  Ming-Dynastie *siehe* Ming-Dynastie
  Mongolen 132f, 172f–176f
  Nanking, Frieden von 290f
  Nationalisten 314f–316f, 358f–364f
  Nichtangriffspakt mit Russland 358f
  Nördliche Zhou 116f
  Opiumhandel 232f, *252f*
  Opiumkriege 252f–254f, 258f, 290f
  Qin-Dynastie 68f, **114f**
  Republik 256f, 290f, 312f, 358f
  Revolution 290f, **358f**
  Shang-Dynastie 26f
  Spätere Han-Dynastie 114f
  Sui-Dynastie 76f, 116f, 126f, **170f**
  Taiping-Aufstand 290f, *290f*
  Taiwan 196f, 232f
  Tang-Dynastie *siehe* Tang-Dynastie
  Tibet 198f, 232f
  Tuoba-Reich Wei (Nomaden) 106f
  Vereinigung **114f,** 116f
  Versailles, Friedenskonferenz 358f
  »Vertragshäfen« 252f, 290f
  Wachstum 198f, 232f
  »Weidenzaun« 230f–232f
  »Weißer-Lotos«-Aufstand 290f
  Yüan-Dynastie 176f
  »Zeit der Drei Reiche« **114f**
  »Zeit der Fünf Dynastien« 128f, 170f–172f
  »Zeit der Streitenden Reiche« 68f, **74f**
  »Zeit der Zehn Reiche« 128f, 170f–172f
  Zweiter Weltkrieg 358f–362f
Chinampas 184f, 240f
Chinchoros-Kultur 22f, 26f, 38f, 62f, 66f
chinesische Sprache und Schrift 22f, 116f
Chinesisch-Japanischer Krieg (1894–1895) 256f, 290f–292f
Chinesisch-Japanischer Krieg (1937) 314f
chinesisch-sowjetischer Bruch 318f, 356f, 364f
Chioggia, Schlacht von 146f
Chíos, Massaker von *280f*
Chiricahua-Apachen 304f
Chiripa-Kultur 26f, 62f
Chisholm Trail 308f
Chittaurgarh 226f
  Schlacht von 226f
Chiwa 222f, 276f
Chlodwig 76f, 98f
Chlothar I. 98f
Chnum-hotep, Grab des *20f*
Choctaw 238f, 242f–244f, 304f
Chokwe 252f–254f
Chola-Reich 110f, 128f–130f, 168f, 180f
Cholula 120f
Chongqing 358f
Chorrera-Kultur 26f, 62f, 66f–68f
Choshu (Klan) 292f
Chosrau I. Anoschirwan 76f, 88f
Chosrau II. 88f
Christentum 78f, 98f
  Afrika 76f, 108f, 132f, 166f, 224f
  Aksum 76f
  Arianer 98f
  Armenien 78f, 88f
  Ausdehnung **78f,** 136f
  bewaffnete Pilgerfahrten 164f
  Bibel 78f
  Bilderstreit 136f, 160f
  Britannien 78f
  China 170f, 290f
  Erzbischöfe 136f–138f
  Franken 98f
  Gegenreformation **206f,** 210f, 218f
  Häresie 146f, 154f, 164f
  Indien 294f
  Irland 102f, 136f–138f
  Japan 234f
  Klosterkultur 78f, 98f, 102f, 136f–138f, 160f–164f
  Kreuzzüge *siehe* Kreuzzüge
  Missionare 224f, 238f, 282f, 296f, 300f
  Mönchstum 78f
  Nubien 76f, 108f
  Ordensregeln 98f
  Patriarchen, Patriarchat 98f, 136f
  Polen 138f
  Reformation 190f, 194f, **202f, 204f,** 206f, 218f
  Römisches Reich 74f, 78f, 92f
  Skandinavien 138f
  Ungarn (Volk) 138f
Christian IV. (König von Dänemark) 210f
Christian IX. (König von Dänemark) 266f
Christine (Königin von Schweden) 212f
Christlich Demokratische Union Deutschlands (CDU) 340f
Christlich Soziale Union in Bayern (CSU) 340f
Chruschtschow, Nikita 318f, 356f, *356f*
Churchill, Winston 316f, 336f, *336f, 348f*
CIA *siehe* »Central Intelligence Agency«
Cincinnati 308f
Cixi (Kaiserin) *siehe* Tz'u Hsi
Clarke, William 304f
Claudius 94f
Clay, Lucius D. *340f*
Clemenceau, Georges Benjamin *312f*
Clermont, Konzil von 140f, 164f
Cleveland 308f
Clive, Robert 228f
Clovis-Kultur 18f
Cluny, Klosterreform 138f
Cobá 122f
Cochinchina 236f, 250f–254f, 296f, 360f
Cochise 304f
Coco-Insel 368f
Cocom-Dynastie 184f
Code Napoléon 262f
Codex Mendoza 240f, *240f*
Colbert, Jean Baptiste 214f
Cold Harbor, Schlacht von 306f
Colenso, Schlacht von 286f
Colorado 304f, 308f
Columbia River 304f
Comanchen 238f, 304f
COMECON 316f, 338f
Commonwealth, englisch 210f, 216f
Condé, Louis 216f
Connecticut 244f–246f, 304f–308f
Consul (Geheimbund) 326f
Contra-Rebellen 352f
Cook, James 198f, *198f,* 242f, 288f

»Cooperative for American remittances to Europe« *siehe* CARE
Copán 122f
Córdoba 98f, 136f, 158f, *158f*
Corinthus 96f
Cornwall 58f
Cornwallis, Lord Charles 294f
Coronado, Francisco 192f, 238f, 242f
Coronelli, Vinzento Maria 200f
Cortés, Hernándo 132f, 184f, 188f, 190f, 238f, 240f
Corvinus, Matthias 154f
Costa Rica 252f–256f, 298f, 312f–320f, 348f–352f
Cotabambas 186f
Côte d'Ivoire 320f, 380f
siehe auch Elfenbeinküste
Cotrone, Schlacht von 142f
Cottbus 346f
Cova Toralla 22f
Covadonga, Schlacht von 136f, 156f
Covilhão, Pedro de 190f
Cox, Pat *320f*
Cranach, Lucas der Jüngere 202f
Crassus 92f
Crawford, Osbert Guy Stanhope 72f
Crazy Horse 304f
Crécy, Schlacht bei 146f
Cree 242f–244f, 302f
Creek 242f–244f, 304f
Cromwell, Oliver 210f, 214f
Crow 242f–244f, 304f
Crown Point 244f
Cruciger, Caspar *202f*
»CSS Virginia« *306f*
Cuauhtémoc 240f
Cumaná 238f
Custer, George Armstrong 304f
Cuzco 186f
Cyrenaika 54f, 92f, 218f–220f, 280f–284f, 374f

D

Da Nang *siehe* Tourane
Dachau 212f
KZ 332f, 334f
Dadu 174f–176f
Dagoba *110f*
siehe auch Stupas
Dagobert I. 136f
Dahomé 284f
Dahomey 198f, 224f
siehe auch Benin
Dai Viet 128f, 180f, 236f
chinesische Besetzung 128f, 180f
siehe auch Annam, Vietnam
Daimler, Gottlieb 258f, 274f
Dakar 284f
Daker 102f
Dakien (Dacia) 70f, 92f–94f, 102f
Dakota 304f
Dalai-Lama 294f, 368f
Dalhousie, James Andrew Broun-Ramsay 294f
Dali, Schlacht von 170f
Dallas, Texas 350f
Dalmacherry, Schlacht von 228f
Dalmatien 96f, 160f
Daman 226f
Damaskus 32f–36f, 126f, 156f–158f, 280f
Schlacht von (1148) 164f
Schlacht von (1918) 322f
Damiette 164f
Dampfmaschine *248f*, 272f
Dandenakan, Schlacht bei 162f
Dänemark 46f, 128f–132f, 138f–140f, 146f–150f, 154f, 206f, 252f–256f, 262f, 266f–270f, 278f, 282f, 312f–324f, 338f, 344f
Dreißigjähriger Krieg 194f, 212f
Erster Nordischer Krieg 212f
Großer Nordischer Krieg 208f
Kalmarer Union 132f
Livländischer Krieg 208f
Zweiter Weltkrieg 314f, 330f
siehe auch Dänen
Dänemark-Norwegen 190f–198f, 202f–210f, 214f, 216f, 250f, 260f–262f
Dänen 96f–98f, 104f, 136f, 140f, 146f
Wikinger 138f
»Danegeld« 138f
»Danelaw« 138f
Daniel Daniil Alexandrowitsch (Fürst von Moskau) 146f
Dänisch-Holstein 264f
Danischmendiden-Emirat 162f
Dannoura, Schlacht von 178f
Dante Alighieri 146f
Danzig 326f, *332f*, 338f *siehe auch* Gdansk
Dardanellen 146f, 322f
Dareios I. 38f, *38f*, 80f
Dareios III. 84f
Darlington 272f
Daulatabad 168f
David (König) 36f, 100f
Davis, Jefferson 306f
Davis, John 242f
Dawes-Plan 324f
Dawson *302f*
Dayton-Abkommen 344f
Daza, Hilarión *254f*
D-Day 316f, 336f, *336f*
DDR *siehe* Deutsche Demokratische Republik
De Beers 286f
Debereis *siehe* »Herren der Täler«
Decius 104f
Dei *siehe* Janitscharen
Dekabristenaufstand 276f
Dekkan 168f, 196f, 226f, 292f
Delacroix, Eugène 280f
Delaware 244f–246f, 306f–308f
Delaware-Stamm 244f, 304f
Delhi 228f, 294f
Eroberung von 198f, 228f
Sultanat 130f–132f, **168f**, 174f–176f, 222f, 226f
Delos 56f, 64f, 80f
Delphi 56f, 102f
Demagogenverfolgung 266f
Demerara 300f
Demokrit 82f
Demosthenes 82f
demotische Sprache 94f
Deng Xiaoping 370f
Depardieu, Gérard *188f*
Der 32f
Derwisch-Orden 162f
Desertifikation 20f, 380f
Deshima, Insel 234f
Dessalines, Jean-Jacques 300f
Dessau 326f
Detmold, Arminius-Denkmal *104f*
Detroit 348f
Dettingen, Schlacht bei 216f
Deutsch-Dänische Kriege 266f, 268f
Deutsche Arbeitsfront 332f
Deutsche Bundesakte 266f
Deutsche Demokratische Partei (DDP) 326f
Deutsche Demokratische Republik (DDR) 316f–320f, 338f, 340f, **342f**, 344f, **346f**, 356f
»Neues Forum« 346f
»runder Tisch« 346f
Grundlagenvertrag (1972) 342f
Juniaufstand (17. Juni 1953) 342f, *342f*
Ministerium für Staatssicherheit 342f, 346f
Nationaler Verteidigungsrat 342f
Ost-West-Konflikt 342f
sozialistische Planwirtschaft 342f
Staatsvertrag zur Währungs-, Wirtschafts- und Sozialunion 346f
Teilung 340f
Wiedervereinigung 346f
deutsche Teilung **340f**
Deutscher Bund **266f**, 268f, 274f
Bundestag (Bundesversammlung) 266f, *266f*
Deutsch-Dänische Kriege 266f
Deutsche Bundesakte 266f
Deutscher Krieg 254f, 266f, 268f
französisch-russischer Krieg 254f
Wiener Kongress *248f*, 252f, 262f, 266f, 268f, *268f*
Deutscher Orden 130f–132f, 140f, 146f, 150f, 154f, 164f, 176f
Deutscher Zollverein 258f, 266f, 268f–270f
Deutsches Weltreich 270f, 278f, 322f
Afrika **284f**
Erster Weltkrieg 312f, 360f, **374f**
Qingdao (Tsingtao) 290f
Südostasien 296f, 360f
Völkerbundstaaten 312f, 324f, 360f, 374f, 382f
Deutsch-Französischer Krieg (1870/71) 274f
Deutschland 128f, 136f–140f, 196f, 254f–256f, 268f, 312f–314f, 320f, 324f, 344f
Achse Rom–Berlin 324f
Afrikakorps 330f
Alliierter Kontrollrat 340f, 342f
Antikominternpakt (1936) 332f
»Anschluss« Österreichs (NS-Reich) 332f
Arbeiterbewegung 274f
Arbeitsdienst (NS-Reich) 332f
Bauernkrieg 202f, 204f
Befreiungskriege 266f
Besatzungspolitik (nach 1945) 340f, 342f
Bismark'sches Bündnissystem 274f
Bizone 340f
Bodenreform (1945) 340f
Brest-Litowsk, Frieden von 312f, 354f
Deutsche Arbeitsfront (NS-Reich) 332f
Deutsche Demokratische Partei 326f
Deutscher Zollverein 266f
Deutsch-Französischer Krieg (1870/71) 274f
Dreibund 256f, 274f, 278f
Dreikaiserabkommen 274f, 278f
Dreißigjähriger Krieg 194f, 206f, **210f**, *210f*, 212f, 214f
»drittes« Deutschland« 264f
»Drittes Reich« *siehe* NS-Reich
Einigung 266f, **274f**
Entnazifizierung 340f
Ermächtigungsgesetz (NS-Reich) 332f
Erster Weltkrieg **278f**, 312f, **322f**, 326f, **374f**
Flottenabkommen (1935) 332f
Flüchtlinge 340f
Frieden von Sèvres 280f
»Gleichschaltung« (NS-Reich) 332f
großdeutsche Lösung (Reichseinigung) 266f, 274f
»Gründerzeit« 274f
Grundgesetz 340f
Habsburger-Dynastie *siehe* Habsburger-Dynastie
Hitlerjugend (NS-Reich) 332f
Hitler-Putsch (1923) 326f
Hohenzollern (Dynastie) 312f, 324f
Hyperinflation 314f, 324f
Inflation 326f
»Interregnum« 140f
Kalter Krieg 342f
Kapp-Putsch (1920) 326f
Karolinger *siehe* Karolinger-Reich
Karolinger-Reich, Ende des 138f
kleindeutsche Lösung (Reichseinigung) 266f, 274f
Kommunistenrevolution 324f
»Kulturkampf« 274f
Märzrevolution (1848/1849) 266f
Morgenthau-Plan 340f
Münchner Abkommen (1938) 332f
Nationalsozialisten 324f, 326f, 330f, **332f–334f**, 336f–338f
Nichtangriffspakt (Deutschland/Polen, 1939) 332f, 324f
Nichtangriffspakt (Hitler–Stalin) 324f, 330f–338f, 344f, 354f
Novemberrevolution (1918) 326f
NSDAP 324f–326f, 332f–338f
Nürnberger Rassengesetze (NS-Reich) 332f, 334f
Oder-Neiße-Grenze 340f
Olympische Sommerspiele (1936) 332f
Osten *siehe* Deutsche Demokratische Republik (DDR)
Ostpolitik 338f–340f, **342f**
Ost-West-Konflikt 340f
Parlamentarischer Rat 340f
Rapallo, Vertrag von 324f, 326f, 354f
Reformation 194f, **202f–204f**, 206f
Reparationszahlungen nach dem Ersten Weltkrieg 324f, 326f
Rückversicherungsvertrag 274f
Ruhrgebiet 326f
Sächsische Dynastie 138f
SA (NS-Reich) 332f, 334f
Saargebiet 326f
Sozialdemokratische Arbeiterpartei 274f
Sozialdemokratische Partei Deutschlands 270f, 326f
Sozialistische Arbeiterpartei Deutschlands 274f
SS (NS-Reich) 334f
»System Bismarck« 274f
Teilung 336f, **340f–342f**
Trizone 340f
»Umerziehung« 340f
Vertreibung 336f, **340f**
Währungsreform (1948) 340f, 342f
Wannseekonferenz (NS-Reich) 332f, 334f
Weberaufstand 266f
Weimarer Republik **326f**
Westen *siehe* Bundesrepublik Deutschland
Wiedervereinigung 320f, 344f
Zentrum 326f
Zollverein 258f, **266f**, 268f–270f
Zweibund 274f, 278f
Zweiter Weltkrieg *314f*, 314f–316f, 324f, 330f, 332f–334f, 336f, 354f, 374f
»zweites« Deutsches Reich 254f, 268f, 274f
siehe auch Römisch-Deutsches Reich
Deutsch-Ostafrika 374f
siehe auch Tanganjika, Tansania
Devolutionskrieg 214f
Dewaputra 112f
Dewey, George 296f
Dezimalsystem 112f
Dhaka 294f
Dharamsala 368f
Dharmarajika, Klosteranlage *76f*
Diadochen 84f–86f
Kriege der 84f–86f
Diamanten 258f, 286f
Diaspora 36f, 78f
Diaz, Bartholomëu 132f
Diaz, Porfirio 292f
Diem, Ngo Dinh 366f
Dien Bien Phu, Schlacht bei 364f
Dietrich, Marlene 326f
Dilmun 30f
Diokletian 74f, 98f
Edikt von 94f
Dionysios I. 82f
Diu 192f, 226f
Djelal Ad Din Rumi 162f
Djenné 76f, 108f
Große Moschee *166f*
Djindjic, Zoran 344f
Djoser 40f
Dnjepr-Kosaken 208f
»documenta« 342f
Doggerbank, Seeschlacht an der 216f, 322f
Dollfuß, Engelbert 332f
Dominikanische Republik 252f–256f, 298f–300f, 312f–320f, 348f, 352f
siehe auch Hispaniola, Santo Domingo
Dominion Kanada 254f
»Domino-Theorie« 318f, 366f
Don 104f
Don Juan d'Austria 218f
Donatello 154f
Donau 92f–94f, 104f, 138f, 160f
Donezbecken 356f
Donkosaken 208f
Doppelbogen 42f
Dorer 32f, 52f–56f
Dorestad 138f
Dorgun 230f, 232f
Dorset-Inuit 182f
Dost Mohammed Khan 294f
Dostum, Abdul Rashid 368f
Douglas, Thomas 302f
Drake, Francis 192f, *192f*, 242f
Segelroute *192f*
Drangania 38f, 84f
Draviden 22f, 26f, 60f, 66f
»drei Lehnsleute« 232f
drei Reiche (China) **114f**
drei Reiche (Korea) 178f
Dreibund (Brasilien, Argentinien, Uruguay) 254f, 298f
Dreibund (Deutschland, Österreich-Ungarn, Italien) 256f, 274f, 278f
Dreikaiserabkommen 274f, 278f
Dreikaiserschlacht bei Austerlitz 264f
Dreimächtekonferenz in Teheran
siehe Teheraner Beschluss
Dreißigjähriger Krieg 194f, 206f, **210f**, *210f*, **212f**, 214f, 220f
Dreistädtebund (Mesoamerika) 184f
Dresden 272f, 346f
Bombardierung von 336f, 340f
Schlacht bei 262f
»drittes Deutschland« 264f
»Drittes Reich« *siehe* NS-Reich
Druck 202f
bewegliche Lettern 152f, 154f, 204f
Gutenberg-Bibel 154f
Handdruck (China) 170f
Holzschnitte 152f
Renaissance Europa 154f
Drusen-Milizen 378f
Dschahan (Schah) 194f, 226f
Dschingis Khan *130f*, 130f–132f, 162f, **172f–174f**, *174f*, **176f**
Dschurdschen (Mandschu) 128f, 132f, 172f, 178f, 230f–232f
Dsungaren 222f, 232f, 290f
Dublin 138f, 322f
Dubois, François D. de Amiens 206f
Dubrovnik 344f
Dulles, John Foster 366f
Dumu 176f
Dünkirchen 210f, 214f
Dupleix, Joseph 228f
Dura Europos 88f
Dürer, Albrecht 152f, 204f
Durham, Lord 302f
Dur-Scharrukin 34f
Dušan, Stephan 146f
Dvaravati 76f, 126f, 180f
siehe auch Mon-Reich
Dyukhtai-Höhle 18f

E

Eannatum von Lagasch 28f
Ebenen von Abraham 244f
Eberle, Adam 76f
Ebert, Friedrich 326f, *326f*
Ebstorf, Benediktinerinnenkloster 134f
Ebstorfer Weltkarte **134f**, *134f*
Ecuador 252f–256f, 298f, 312f–320f, 348f–352f
Edessa 88f, 92f, 162f–164f
Edinburgh, Vertrag von 146f
Edington, Schlacht bei 138f
Edirne 162f *siehe auch* Adrianopel
Edison, Thomas 308f
Edo 194f, 234f, 292f
siehe auch Tokio
Edom 34f–36f
Eduard VII. (König von England) 278f
Eduard der Bekenner 138f
EFTA *siehe* Europäische Freihandelszone
EG *siehe* Europäische Gemeinschaft
»Ehegattensarkophag« *58f*
Eiermann, Egon 328f
Einsiedlergemeinschaften 78f
Eisenach, Wartburg bei 204f
Eisenbahn **272f**
Entwicklung des deutschen Eisenbahnnetzes 272f
Eisenbahnstrecken 254f, *254f*, 256f, **258f**, 270f, **272f**, *272f*, 276f, 284f, 288f–290f, 294f, 300f–304f, 308f
Karten der *272f*, *328f*
Eisenhower, Dwight David 364f
Eisenverarbeitung 20f, 26f, 32f, 42f, 50f, 66f–68f, 108f, 114f, 166f
Eisenzeit 50f, 56f, 66f
Afrika **108f**
China 114f
Europa 58f, 66f, 104f
Südasien **60f**
Vorderer Orient 32f
»Eiserner Vorhang« 328f, 338f
Eiskappen, polare 16f
Eiszeit 16f–20f, 42f, 46f
Ekbatana 38f
El Alamein, Schlacht von 314f, 336f
El Baul 122f
El Hadj Omar 282f
El Mirador 122f
El Salvador 252f–256f, 298f, 312f–320f, 348f–352f
»Fußball-Krieg« 352f
Elam, Elamiter 22f, 26f, 28f–34f, 38f
El-Amarna 42f
Elba 58f, 262f
Elcano, Juan Sebastián de 190f
Elfenbein 108f
Elfenbeinküste 252f–254f
siehe auch Côte d'Ivoire
Elias (Prophet) 36f
Elis 56f, 80f–82f
Elisa (Prophet) 36f
Elisabeth I. (Königin von England) 206f
Ellis Island 308f, *308f*
Elmina 166f, 224f
Elora 78f
El-Paraiso-Kultur 26f, 62f
Elsass 274f
Elsass-Lothringen 210f, 214f, 268f, 278f, 326f
Elser, Johann Georg 332f, 334f
Elteke 36f
Emutbal 30f
»Endlösung« *siehe* Holocaust
Engels, Friedrich 270f
England 128f–132f, 138f, 190f–194f, 202f, 206f, 210f, 264f, 266f
anglo-niederländische Kriege 196f, 214f, 244f
Bauernaufstand 146f
Bürgerkrieg 210f
Glorreiche Revolution 214f
Hundertjähriger Krieg 132f, 146f, 154f, 162f
normannische Eroberung 140f
protestantische Reformation 192f, **202f**, 206f
Rosenkrieg 154f, 202f
spanische Armada 192f, 206f
Tudor-Dynastie 202f, 206f
siehe auch Britannien, Großbritannien
englisch-amerikanischer Krieg 250f, 302f
englische Guayana-Kompanie 224f
englische Neufundland-Kompanie 244f
englisch-japanisches Bündnis 278f, 292f
Enlil (sumerischer Gott) 30f
Entente cordiale 256f, 278f, 284f
Entnazifizierung 340f
Entremont, keltische Stele *102f*
Enver Pascha 280f
Epidauros, Theater von *82f*
Epidemien
Beulenpest (»schwarzer Tod«) 132f, 146f, *146f*, 162f, 176f
Seuchen 194f–196f, 214f
Syphilis 238f
tödliche Seuchen von Europa nach Amerika 184f–186f, 238f, 242f
Epikur 84f
Epirus, Epiroten 54f, 90f
Eran 112f
Eratosthenes 86f

Erasmus von Rotterdam *202f*
»Erdapfel« (Globus) 200f, *200f*
Erdwall 114f
Erfurt 342f, 346f
»Erhebung der acht Prinzen« 116f
Eridu 28f–30f
Erik der Rote 138f
Eritrea 256f, 284f, 312f–316f, 320f, 374f, 380f
  Bürgerkrieg 380f
»Erklärung der Menschenrechte« 260f
Ermanarich 104f
Ernst August (König von Hannover) 266f
ERST 1 *siehe* Landsat 1
erste Koalition 260f
Erster Nordischer Krieg 212f
Erster Weltkrieg 256f–258f, 276f, **278f**, 296f, 312f, **322f**, 326f, **348f**, 350f, 360f, **374f**
  arabische Revolte 280f, 312f, 374f
  Waffenstillstand *322f*
Erzberger, Matthias 326f
Eschnunna 30f
Escorial 206f, *206f*
Essex, Graf von 207
Esterwegen (KZ) 334f
Estland, Esten 140f, 202f, 206f–208f, 216f, 220f, 312f, 316f, 320f–324f, 330f, 338f, 344f, 354f–356f
Etrusker 54f, **58f**, 66f–68f, 90f, 102f
etruskische Kultur 58f
EU *siehe* Europäische Union
Euböa 154f
Eugen von Savoyen 214f, *214f*, 220f
Eupen-Malmedy 326f
Euphrat 28f–32f
Eurialo, Castello *82f*
Euripides 82f
Eurokorps 344f
Europa
  Ancien Régime **216f**, 250f, 260f
  Berliner Kongress 254f, 274f, 276f, 278f, *278f*, 280f
  Bronzezeitalter 24f, **50f**, 102f
  Bündnissystem (1871–1914) **278f**
  Bündnissystem (1918–1939) 324f
  Eisenzeit 102f–104f
  erste Mittelmeerkulturen **52f**
  Europa-Armee 342f
  europäische Kolonien 132f, 154f, 166f
  »europäisches Konzert« 268f
  Europarat 342f
  Feudalismus **140f**
  Frieden von Versailles 312f–314f, 324f, 348f
  Gegenreformation **206f**, 210f, 218f
  industrielle Revolution **270f**
  Kalter Krieg 316f–320f, 338f *siehe auch* Kalter Krieg
  Nachkriegsteilung **338f**, 344f
  Napoleonische Kriege *siehe* Napoleonische Kriege
  Nationalismus 250f–252f, **268f**
  Neolithikum **48f**
  Osmanen 190f–196f, 202f, 206f, 214f, 216f–220f
  Paläolithikum **46f**
  Reformation 190f, 194f, **202f**, 206f, 218f
  Renaissance **154f**
  Revolutionsjahr (1848) 252f, 268f, 274f
  Staaten 128f–130f
  Völkerwanderung 270f, **288f**, 298f, 302f, 308f
  Wiener Kongress *248f*, 252f, 262f, 266f–268f, *268f*, 276f
  Wikinger, Zeit der **138f**
  Wirtschaft 146f, **150f**, 192f–194f, 216f
  Zeitalter der Aufklärung 216f, 260f
  zwischen den Weltkriegen **324f**
Europäische Bank für Wiederaufbau und Entwicklung 344f
Europäische Freihandelszone (EFTA) 338f
Europäische Gemeinschaft (EG) 320f, 338f
Europäische Union (EU) 320f, 338f, 344f
Europäische Wirtschaftsgemeinschaft (EWG) 318f, 338f, 342f
Europäisches Währungssystem (EWS) 344f
Europaparlament *310f*, *320f*
»Euthanasie« 334f
evangelische Kirche 204f
EWG *siehe* Europäische Wirtschaftsgemeinschaft
EWS *siehe* Europäisches Währungssystem
Eyck, Jan van 154f
Eyre, Edward 288f
Ezana 108f
Ezion-geber 36f
Ezo 178f

F

Falkland-Inseln 252f–254f, 298f, 312f, 350f
Falklandkrieg 320f, 350f
Faraday, Michael 270f
Faschismus 314f, 324f
Faschodakrise 278f, 284f
Fatehpur Sikri 226f
Fatimiden 128f–130f, 158f, 162f–164f
Faustkeile 16f
Fechter, Peter 342f
Feddersen Wierde 104f
Fehrbellin, Schlacht von 212f, 214f
Felsgravierungen *44f*
Felszeichnungen *14f*, *20f* *siehe auch* Höhlenmalerei
Fenier 268f, 302f
Ferdinand I. (Römisch-Deutscher Kaiser) 202f, 204f, 218f
Ferdinand, Prinz von Braunschweig *198f*
Ferdinand von Aragón 154f, *154f*, 202f
Fergana 156f, 170f, 190f, 222f, 226f
Feudalismus **140f**, 178f
Feuer 16f
Feuer, früheste Nutzung 16f
Feuerwaffen 154f, 172f, 224f, 230f, 234f
Fidschi-Inseln 118f, 256f, 314f, 318f–320f, 370f
Finnland 276f, 312f–324f, 336f–338f, 344f, 354f–356f
  Winterkrieg 330f, 354f
Firdausi 158f
Firuzabad 88f
Fischfang 22f, 46f, 62f, 244f
Fischgottheit 46f
Flagler Bay 182f
Flandern 146f, 150f, 210f
Fleury, André Hercule de (Kardinal) 216f
Flinders Island 288f
Flinders, Matthew 288f
FLN *siehe* Algerien, Nationale Befreiungsfront
Flodden, Schlacht von 202f
Florenz 154f
  Stadtansicht *124f*, *154f*
Florida 192f–198f, 238f, 242f–246f, 250f–254f, 298f–300f, 304f–308f, 352f
Flossenbürg (KZ) 334f
Flöte 18f
Flottenabkommen (1935) 332f
Flottenrüstung (ab 1904) 278f, *278f*
föderierte malaiische Staaten 296f
Folsome-Kultur 18f
Fon 284f
Fontainebleau 196f
Fontenay 216f
Ford, Gerald R. 366f
Ford, Henry 258f, 308f
Formosa 230f, 236f, 364f *siehe auch* Taiwan
Forschungsreisen
  Bougainville 198f
  Cabot 242f
  Cabral 238f
  Cartier 192f, 242f
  Cook 198f, 242f
  Coronado 192f, 238f
  Cortés 184f, 190f, 238f
  da Covilhão 190f
  da Gama 154f, 190f, 226f
  Drake 192f, *192f*, 238f, 242f
  Ibn Battuta 162f
  Kolumbus 132f, 154f, 182f, 190f, 238f, 242f
  La Salle 196f, 242f
  Neue Welt 132f, 154f, 182f–184f
  Pizarro 186f, 190f–192f, 238f
  Polo 140f, 174f–176f
  Tasman 194f
  Vespucci 238f
Forster, Johannes *202f*
Fort Caroline 242f
Fort Dauphin 196f
Fort Duquesne 244f
Fort Erie 302f
Fort St. David, Schlacht bei 228f
Fort Sumter 306f
Fort Zeelandia 232f
Fouta Djalon 282f
Fouta Toro 282f
Franche-Comté 146f, 154f, 202f, 206f, 210f, 214f
Francia José 298f
Franco, Francisco 324f
Franco, Guzman 298f
Frank, Anne 334f
Franken 76f, 96f–98f, 104f, 138f–140f
Franken (Herzogtum) 142f
Frankenhausen, Schlacht bei 204f
Frankfurt am Main 148f, 264f, 266f
  »Frankfurter Verfassung« 266f
  Frühjahrsmesse 148f
  Nationalversammlung 266f, *266f*
Frankfurt an der Oder 346f
Fränkisches Königreich 126f, 136f–138f, 142f, 156f
Franklin, Benjamin 246f, *246f*
Frankreich 128f–132f, 138f–140f, 142f, 154f, 164f, 192f–196f, 198f, 202f, 206f, 210f, 214f, 216f–220f, 250f–256f, 260f–262f, 264f, 268f–270f, 278f, 312–324f, 326f, 338f, 340f, 344f
  Ancien Régime 250f, 260f
  Bourbonen (Dynastie) 206f, 214f, 216f, 268f
  Deutsch-Französischer Krieg (1870/71) 274f
  Dreißigjähriger Krieg 194f, **210f**, 212f, 214f
  Entente cordiale 256f, 278f, 284f
  Erster Weltkrieg **278f**, 312f, 322f, 360f
  französisch-russische Allianz 256f, 278f
  französisch-russischer Krieg 254f, 268f, 278f
  »Freies Frankreich« 374f
  Gallien *siehe* Gallien
  Hugenotten 192f, 206f, 210f, 214f
  Hundertjähriger Krieg 132f, 146f, 154f, 162f
  italienischer Krieg 154f, 202f
  Intervention in Mexiko 254f
  »Jacquerie«-Bauernaufstand 146f
  Julirevolution 268f
  Karolinger *siehe* Karolinger-Reich
  Kolonien *siehe* französische Kolonien und Handelsbasen
  Krieg der Augsburger Allianz 214f, 244f
  Krimkrieg 254f, 276f, *276f*, 280f
  Napoleonisch *siehe* Napoleon I., Napoleonische Kriege
  Nationalversammlung 260f
  Österreichischer Erbfolgekrieg 198f, 244f
  Religionskriege 194f, 206f, 216f
  Reparationszahlungen nach dem Deutsch-Französischen Krieg 274f
  Revolution 250f, **260f**, *260f*, 264f
  Revolutionskriege *siehe* Französische Revolutionskriege
  Saarland 332f, 340f
  Siebenjähriger Krieg 198f, 216f, 238f, 244f
  Studentenunruhen 318f, 338f
  Suez-Krise 318f, 374f–376f
  Vichy-Regime 330f
  Wiener Kongress 252f, 262f, 266f–268f
  Zweiter Weltkrieg 314f–316f, 324f, **330f**, **336f**
  Zweites Kaiserreich 254f
Franz Ferdinand (Erzherzog) 256f, *256f*, 322f
Franz I. (König von Frankreich) 202f, 218f
Franz I. (Kaiser von Österreich) *siehe* Franz II. (Römisch-Deutscher Kaiser)
Franz II. (Römisch-Deutscher Kaiser) 264f
Franz Josef I. (Kaiser von Österreich und König von Ungarn) 322f
Französisch-Äquatorialafrika 256f, 284f, 312f–316f
französische Kolonien und Handelsbasen 198f, 324f
  Afrika 196f, 224f, 252f–254f, 280f–284f, 318f, 374f, 380f
  Algerien 252f–254f, 280f–282f, 318f, 380f
  Amerika 192f–198f, 216f, 238f, 242f–246f, 250f, 302f, 352f
  Indien 198f, 226f–228f
  Indochina 254f–256f, 290f, **296f**, 316f
  Karibik 194f, 198f, 300f, 352f
  »Louisiana Purchase« 250f, 304f
  Mandate 312f, 324f, 374f
  Marokko 278f, 374f
  Mauritius 198f
  Senegal 282f
  Sklaverei 282f, 300f
  Südostasien 236f, **296f**, 312f–316f, 360f–364f
  Tunesien 280f
Französische Revolution 250f, **260f**, *260f*, 264f
Französische Revolutionskriege **260f**, 286f
  Ägypten 250f
  Austerlitz 250f, 262f, 264f
  Lunéville, Frieden von 264f
  Sieg über die Russen bei Friedland 250f
französische Sprache 94f
französisch-indianischer Krieg 244f
Französisch-Indochina 254f–256f, **296f**, 312f–316f, 358f–364f
Französisch-Marokko 256f, 280f–284f, 312f–316f, 324f, 330f, 336f, 374f
französisch-russische Allianz 256f, 278f
französisch-russischer Krieg 254f, 268f, 278f
Fraser, Goldrausch am 302f
Fremont-Tradition 182f
Freundschaftsinseln 198f
Friaul 266f
Friedland (Aufnahmelager für Kriegsgefangene) 342f
Friedland, Schlacht bei 250f, 262f
Friedrich I. Barbarossa (Römisch-Deutscher Kaiser) 140f, 144f, *144f*
Friedrich II. (König von Preußen, der Große) 198f, 216f, 264f
Friedrich II. (Römisch-Deutscher Kaiser) 140f, 144f, 164f
Friedrich III. (Deutscher Kaiser) 274f
Friedrich von Büren 144f
Friedrich von Schwaben *siehe* Friedrich I. Barbarossa
Friedrich Wilhelm I. (König von Preußen) 216f
Friedrich Wilhelm III. (König von Preußen) 264f
Friedrich Wilhelm IV. (König von Preußen) 266f
Friedrich Wilhelm, der Große Kurfürst 212f, *212f*, 214f
Friesen 136f
Fronde 214f
Fruchtbarer Halbmond 20f, 32f
frühe Karten **44f**
Fuad I., König von Ägypten 374
Fugger, Hans 150f
Fujian 232f, 358f
Fujiwara (Familie) 178f
Fulani-Völker 166f, 196f, 224f, 250f
Funan 74f–78f, 118f
Funj 132f, 166f, 190f–196f, 198f, 224f
Fürth 272f
»Fußball-Krieg« 352f
Fustat (Kairo) 156f
  Schlacht von 156f

G

Gabun 252f–254f, 282f–284f, 318f–320f, 380f
Gaddhafi *siehe* al Gaddhafi
Gades 54f, 58f *siehe auch* Cádiz
Gadja Mada 180f
Gadsden-Vertrag 254f, 298f, 304f
Gagarin, Jurij 356f, 372f
Gaixia, Schlacht von 114f
Galápagos-Inseln 254f, 298f
Galatien 92f, 102f
Galizien 266f
Galla 166f, 190f, 224f
Gallia 58f
  Cisalpina 90f–92f, 102f
  Narbonensis 92f
  siehe auch Gallien
Gallien 54f, 76f, 86f, 90f–98f, 102f
  Belgien 102f
  Franken 76f
  germanische Invasion 76f, 104f
  Kelten 90f, 102f
  Römisches Reich 70f, 98f, 102f, 154f–156f
  Teutonen 104f *siehe auch* Gallia
Gallier *siehe* Kelten, Gallien
Gallipoli 146f, 312f, 322f, 360f
  Osmanisches Reich 162f
Galveston 308f
Gama, Christoph da 224f
Gama, Vasco da 124f, 190f
  Segelroute *190f*
Gambia 252f–256f, 282f–284f, 312f–320f, 380f
Gandhara 86f, 112f
Gandhi, Indira 320f, 368f
Gandhi, Mohandas »Mahatma« 360f, 368f, *368f*
Gandhi, Rajiv 368f
Ganges 84f, 368f
Ganges-Ebene 20f, 26f, 66f–68f, 110f–112f, 168f
Gansu 222f, 232f, 290f
  Gansu-Korridor 94f, 170f–172f
Gaoping, Schlacht von 114f
Garibaldi, Guiseppe 268f, *268f*
Garneray, Louis 228f
Gascogne 140f, 146f, 150f, 154f
Gaturmukha 180f
Gaugamela, Schlacht von 84f
Gaulle, Charles de 338f, 350f, 380f
Gaza 376f–378f
Gdansk 338f
Gegenreformation **206f**, 210f, 218f
Gelber Fluss *siehe* Hwangho
Gelbes Meer, Schlacht im 292f
Gemeinschaft Unabhängiger Staaten (GUS) 356f
  Gründungsversammlung *356f*
Gempei-Krieg 178f
Generalstände 260f
Genfer Indochina-Konferenz 366f
Genfer Reformation *siehe* Calvinismus
Gent 150f
  Pazifikation von 206f
Genua 140f, 142f, 146f, 150f, 154f, 160f, 192f–196f, 206f, 210f, 214f, 216f, *326f*
  Stadtansicht *152f*
Geographie 44f, 372f
geophysikalische Prospektionsmethode *siehe* Luftbildarchäologie
Georg I. (König von England) 214f
Georg V. (König von England) 278f, *294f*
Georgetown 300f
Georgetown, Abkommen von 352f
Georgia (USA) 244f–246f, 304f–306f
Georgien 128f–132f, 140f, 146f, 150f, 154f, 158f–162f, 174f–176f, 194f, 208f, 218f–222f, 276f, 308f, 312f, 320f, 354f–356f
Gepiden 96f–98f, 104f
Gera 346f
Gerasa 100f
Germanen 70f, 74f–76f, 92f–94f, 102f, **104f**
  Einfälle ins Römische Reich 76f, 96f–98f
Germanien 92f
Geronimo (Goyathlay) 304f
Gerste 20f
Gertrud von Supplinburg 144f
Gervasius von Tilbury 134f
»Gettysburg Address« 306f
Gettysburg, Schlacht bei 306f
Gewerkschaften 270f, 292f, 300f, 308f, 338f, 348f
Ghana 126f–128f, 166f, 320f, 380f
Ghasnawiden-Reich 128f–130f, 158f, 162f, 168f
Ghasni, Erstürmung von *294f*
Ghazi (islamischer Krieger) 162f
Ghazipur 228f
Ghilsai 228f
Ghoriden 168f
Giap, General 364f
Gibraltar 314f–320f
  Landung der Araber bei *126f*
Gilboa, Schlacht von 36f
Giles, Ernest 288f
Giotto 134f, 154f
Giusto di Giovanni de' Menabuoi 134f
Gizeh 40f, *40f*
Glas 32f, 94f
Globus 200f, *200f*
Glockenbecher-Kultur 22f, 48f–50f
Glockendon, Georg 200f
Gnesen
  Erzbistum 142f
  Gniezno 138f
Goa 192f–196f, 226f–228f, 250f–256f, 294f, 312f, 368f
Gobind Singh 228f
Go-Daigo 178f
Godavari 60f
Goebbels, Joseph 332f
Goethe, Johann Wolfgang von 272f
Gokhale, Gopal 294f
Golanhöhen 376f–378f
Gold 20f, 42f, 50f–52f, 108f–112f, 122f, 184f–186f, 252f, 256f, 258f, 288f, 304f
  Goldrausch 254f–256f, 286f–288f, 292f, 302f, *302f*, 304f
  »Digger« *258f*
»Goldene Bulle« 146f, **148f**
Goldene Horde 130f–132f, 146f, 150f, 154f, 176f, 222f
»Goldener Pavillon« *siehe* Kinkakuji (Tempel)
Goldküste 224f, 252f–256f, 282f–284f, 312f–316f, 380f
Golfkriege
  Erster (Iran–Irak) 320f, **378f**
  Zweiter 320f, **378f**
Golkonda 192f–194f, 226f–228f
Gómez, Juan Vincente 348f
Gorbatschow, Michail 310f, 320f, 338f, *338f*, 346f, *346f*, 356f
Gordion 34f
Gordon, Charles 284f
Goten 96f–98f, 104f, 136f *siehe auch* Ostgoten, Westgoten *76f*, 138f
Gotland 138f
Göttingen 342f
Gracchus, Tiberius 92f
Gräkobaktrer 86f, 110f
Gran (Erzbistum) 142f
Gran Chaco 348f
Granada 130f, 140f, 146f, 150f, 154f, 164f, 190f, 202f
  Reconquista 164f

Granikos 82f
Grant, Ulysses 306f
Granville, George 246f
Grasse, François Joseph Paul 246f
Gravettien-Kultur 46f
Great Plains 128f, 132f, 182f, 242f
»Greater East Asian Co-Prosperity Sphere« 360f
Greenville, Vertrag von 304f
Gregor V. (Papst) 142f
Gregor VII. (Papst) 98f, 142f
Gregor X. (Papst) *176f*
Gregor von Tour 98f
Grenada 202f, 300f, 318f–320f, 352f
Griechenland 252f–256f, 270f, 278f–280f, 312f–324f, 338f, 344f, 374f
  Aristokratie 56f
  Balkanpakt 324f
  Bundeskasse von Delos 80f–82f
  Bund mit Sparta 80f
  Bürgerkrieg 336f
  Kultur 22f, 26f, 38f, 48f, 54f, 66f, 80f
  Demokratie 38f, 56f, 68f, 80f, 84f
  dunkles Zeitalter 26f, 52f–56f
  hellenistische Welt 70f, **86f**
  Kelten 102f
  Kolonien 54f–58f
  Korinthischer Bund 82f
  Krieg mit der Türkei 324f
  Monarchie 56f
  Mykener *siehe* Mykener, mykenische Kultur
  Oligarchie 56f
  Panhellenischer Bund 68f
  panhellenische Feste 56f
  Peloponnesische Kriege 68f, **82f**
  Perserkriege 68f, **80f**
  persische Eroberung 54f
  Stadtstaaten 38f, **56f**, 66f, 68f, 82f, 86f
  Tradition 54f–56f
  Trojanischer Krieg 52f
  Tyrannen 56f
  Unabhängigkeitskrieg 252f, 268f, 280f
  westgotische Invasion 96f
  Zweiter Weltkrieg 330f, 336f
  Zwölftafelgesetze 90f–92f
  siehe auch Athen, Baktrien, Sparta
griechische Sprache 86f–88f, 94f, 98f
»griechisches Feuer« 160f
Grimm, Jacob und Wilhelm 266f
Grimmelshausen, Hans Jakob Christoffel von 212f
Griqualand 286f
Gromyko, Andrej *318f*
Grönland 138f, 182f, 314f
Gropius, Walter 326f, 328f
Grosny 344f
Großbritannien 190f, 194f, 246f, 250f–256f, 262f, 268f–270f, 278f, 312f–324f, 338f, 340f, 344f
  Abendländisches Schisma 132f, 146f, 154f, 162f
  Abschaffung der Sklaverei 282f, 286f, 300f
  Ägypten 256f, 280f, 284f
  Afrika 224f, 250f–254f, 282f, **284f**, 318f, 374f, 380f–382f
  Amerika 196f, 198f, 216f, 238f, **242f**, 244f–246f, 352f
  Appeasement-Politik 332f
  Australien 250f–252f, **288f**
  Birma 290f, 294f–296f
  Ceylon 294f
  Chartisten 268f
  Dreibund 278f
  englisch-amerikanischer Krieg 250f, 302f
  englisch-japanisches Bündnis 278f
  Entente cordiale 256f, 278f, 284f
  Erster Weltkrieg **278f**, 312f–322f, 348f
  Entkolonialisierung 316f–318f
  Falkland-Inseln 252f
  Falklandkrieg 320f, 350f
  Flottenabkommen 332f
  Frieden von Utrecht 244f
  Generalstreik (1926) 324f
  Gurkhas 250f–252f, 294f, 360f
  Hongkong 252f, 290f
  Indien 196f, 198f, 226f–228f, 236f, 252f–256f, **294f**, 314f–316f, 360f, 368f
  industrielle Revolution **270f**
  Irak 374f
  Jamaika 196f, 238f
  Java 296f
  Kanada **302f**, 348f–350f
  Kapkolonie 286f
  Karibik 300f, 348f, 352f
  Kornzölle 270f
  Krimkrieg 254f, 276f, *276f*, 280f
  Mandatsgebiete 312f, 324f, 360f, 374f
  Mittelmeerstützpunkte 256f
  Mittlerer Osten 312f, 374f
  Neuseeland 252f–254f, **288f**
  Nordamerika **242f–244f**
  Nordirland 324f, 338f–344f
  Ostindische Kompanie 194f–196f
  Rhodesien 382f
  Singapur 296f
  Sklaverei 250f
  »splendid isolation« 278f
  »Straits Settlements« 296f
  Südafrika 382f
  Südostasien 236f, **296f**, 360f, 364f
  Suez 254f–256f, 280f
  Suez-Krise 318f, 374f–378f
  Unionsgesetz (1800) 262f
  Westindien 194f–196f, 238f, 244f
  Zweiter Weltkrieg 314f–316f, 324f, **330f**, **336f**, 374f
  Zypern 374f
  siehe auch Britannien, England, Irland, Nordirland, Schottland, Wales
Große Mauer von China 114f, 176f, 222f, 230f–232f
Große Oase (El-Kharga) 38f
Großer Kanal *170f*, 230f–232f
Großer Nordischer Krieg 196f, 208f
»Großer Sprung nach vorn« 318f, 364f
Großer Treck 252f, 282f, 286f
Grosseto 66f
Großherzoglich Oldenburgische Eisenbahn 272f
Großkammer-Rasterelektronen-mikroskop *24f*
Großkhan 130f, 174f–176f
Großkolumbien 252f, 298f–300f
Grundbesitzer-System 150f
Grünewald, Matthias 204f
Guadalcanal, Schlacht auf 362f
Guadalquivir 58f
Guadeloupe 300f
Guam 256f, 360f–362f, 370f
  Schlacht von 362f
Guan Yin *siehe* Kwannon
Guanahani *siehe* San Salvador
Guangdong 230f–232f, 358f, 370f
Guangzhou 232f, 290f, 358f
Guano 298f
Guantánamo, Bucht von 300f, 348f
Guatemala 252f–256f, 298f, 312f–320f, 348f–352f
Guernica 324f
  Schlacht von 324f
Guinea 192f, 224f, 318f–320f, 380f
Guizhou 230f–232f, 290f, 358f
Gujarat 168f, 226f–228f, 236f, 294f
Gulnabad, Schlacht bei 222f
Gundestrup 102f
Gupta-Reich 74f, 106f, **112f**
  Niedergang 76f, 112f
Gurjara-Pratihara 126f, 156f–158f, 168f–170f
Gurkha-Krieg 294f
Gurkhas 226f–228f, 250f–252f, 294f, 360f
Gustav I. Wasa (König von Schweden) 202f
Gustav II. Adolf (König von Schweden) 194f
Gutäer 32f–34f
Gutenberg, Johannes 132f, 152f, 204f
Guyana 22f, 196f, 198f, 318f–320f, 350f–352f
Gymnasium 86f

H

Habsburger-Dynastie 146f, 148f, 154f, 204f, 212f, 214f, 216f, 264f, 312f, 324f
  Dreißigjähriger Krieg 194f, 206f, **210f**, *210f*, 212f, 214f
  Frieden von Utrecht 208f, 216f
  Karl V. 190f, 202f, 204f, 218f
  Österreich 202f, 204f, 210f
  Spanien 202f, 204f, 210f, 214f
  siehe auch Österreich, Österreich-Ungarn, Römisch-Deutsches Reich, Spanien
Habsburgerreich 254f, 260f, 268f
  Französische Revolutionskriege 260f
  Napoleonische Kriege 260f–262f
  »zweites« Deutsches Reich 274f
Habsburgische Lande 264f
habsburgische Niederlande *siehe* Österreichische Niederlande
Habuba Kabira 28f
Hadar 16f
Hadramaut 68f, 156f, 190f–194f, 280f, 374f
Hadrian 88f, 92f
Hadrian IV. (Papst) 144f
Hadsch 166f
Hafer 20f, 50f
Hagia Sophia *64f*, *98f*
Haifeng 358f
Haile Selassi 374f
Haithabu 72f, *72f*
Haiti 250f–256f, 298f–300f, 312f–320f, 348f, 352f *siehe auch* Saint-Domingue, Santo Domingo
Hakka-Aufstand 290f
Hakodate 292f
Halifax (Nova Scotia) 244f
Halikarnassos 82f–84f
Halle 346f
Hallstattkultur **58f**, *58f*, 66f, 102f
Hallstein-Doktrin 342f
Halsey, William 362f
Hamadan 34f, 38f
Hamas 378f
Hamasi 28f
Hamath 36f
Hambacher Fest *266f*
Hambacher Schloss 266f
Hamburg 340f
Hamdallahi 282f
Hammertechnik 16f
Hammurabi 30f, *30f*
Hamwih 136f
Han-Chinesen 230f–232f
Handel 80f, **258f**, 338f
  Ägypten 40f–42f
  Afrika 76f, 108f, 126f–130f, 166f, 224f, 282f
  Amerika 120f
  Araber 156f
  Assyrien 30f
  Australien 288f
  Baltikum 138f, 208f
  Britannien 54f, 58f, 220f–222f, 250f–252f
  Bronzezeit 24f, 50f
  Byzantinisches Reich 160f
  China 132f, 170f–172f, 176f, 190f–192f, 222f, 230f–232f, 250f–252f, 290f
  Deutscher Zollverein 266f
  Eisenzeit Afrika 108f
  erste Kulturen im Mittelmeerraum 52f
  europäische Messen 150f
  Gilden 150f
  Griechen **54f–56f**
  Handelsverbindungen (Kolonien) 26f, 54f, 66f
  Hanse 148f, 150f, 208f
  Hudsonbai-Kompanie 242f
  Indien 110f–112f, 190f, 224f–228f, 232f
  Industal 60f
  industrielle Revolution **270f**
  Japan 192f–194f, 234f, 254f, 292f
  Karawanenstraßen 190f, 218f–220f
  Karibik 300f
  Karolinger-Reich 136f
  Kontinentalsperre 250f, 262f
  Kreuzzüge und Heiliges Land 164f
  Malakkastraße 118f
  Maya 122f
  mittelalterliches Europa 150f
  Mykener 50f
  Neuseeland 288f
  Niederländer 192f–198f, 220f, 224f–226f, 230f, 234f–238f, 242f–244f
  nordamerikanische Kolonien 242f–246f
  Nordeuropa 136f
  Olmeken 62f
  Osmanisches Reich 218f–220f
  Ostindische Kompanie 194f–196f, 198f, 220f–222f, **226f–228f**, 234f–236f
  Pazifik und Südostasien 118f
  Pelzhandel 208f, 242f
  Phönizier 26f, 34f, 54f
  »pochtecas« (bewaffnete Händler) 120f
  Portugiesisches Reich 190f–194f, 218f, 222f–226f, 230f, 234f–236f
  Römisches Reich 74f, 92f, **94f**, 102f–104f, 108f, 112f
  Russland 194f, 208f, 222f
  Sahara 126f, 130f, 166f
  Schwarzes Meer 82f
  Seidenstraße 66f, 146f, 176f, 222f
  Sklavenhandel 196f, 224f, *224f*
  Spanisches Reich 230f, 236f
  Südostasien **296f**
  Sumerer 28f
  Teotihuacán 120f
  Venedig 146f
  Welthandel 194f, 236f
  Weltwirtschaftskrise *310f*, 314f, *314f*, 324f, 326f, 348f, *348f*
  Wikinger 138f
  Zollverein 258f, 268f–270f, 274f
Han-Dynastie 70f, 74f, 106f, **114f**, 116f, 170f
Hangzhou 172f
Hanlin-Akademie (China) 174f
Hannibal 90f
Hannover 134f, 216f, 260f, 266f, 268f, 340f
  Kurfürstentum 214f
Hanoi 296f, 366f
Hanse 148f, **150f**, 208f
Harald II. (König von England) 140f
Harald »Blauzahn« (König von Dänemark) 138f
Harappa-Kultur 60f *siehe auch* Induskultur
Hardenberg, Karl August Freiherr von 264f
Häresie 146f, 154f, 164f
Harpers Ferry, Überfall in 306f
Harsha von Kanauj 112f, 126f, 168f
Harun Al Raschid (Kalif) *124f*, 158f, *158f*
Harzburger Front 326f
Hassan Gungu 168f
Hatschepsut 42f
Hatti 32f
Hattin, Schlacht bei 140f, 164f
Hattusa *26f*, 32f, *32f*
Hau-hau-Bewegung 288f
Hausa-Land 250f, 282f
Hausa-Staaten 130f–132f, 166f, 190f–198f, 224f
Hausbau
  glasierte Tonziegel 32f
  Zikkurat (Tempelturm) *14f*, 30f
»Hausmeier« 136f
Havanna 198f, 238f, 240f, 244f, 300f, *300f*
Hawaii 74f, 118f, 254f
Haymarket-Aufstand (Chicago) 308f
Hebron 36f, 376f
Hedschra 76f, 126f, 156f
Heian(-kyo)-Zeit 126f, 178f
Heidelberg, Universität 148f
Heidschi-Aufstand 178f
Heilige Liga 218f–220f
heiliger Krieg (Dschihad) 162f, 190f, 224f
Heiliges Land 130f, 162f
  Kreuzzüge *siehe* Kreuzzüge
Heim, Heinrich 272f
Hein, Piet 214f, 238f
Heinrich I. (deutscher König) 142f
Heinrich II. (König von England) 140f
Heinrich II. (Römisch-Deutscher Kaiser) 142f
Heinrich III. (Römisch-Deutscher Kaiser) 140f, 142f
Heinrich IV. (Römisch-Deutscher Kaiser) 140f, 142f, *142f*
Heinrich IV. (König von Frankreich) 206f, 210f
Heinrich V. (König von England) 154f
Heinrich V. (Römisch-Deutscher Kaiser) 144f
Heinrich VI. (Römisch-Deutscher Kaiser) 144f, 202f
Heinrich VII. (König von England) 154f
Heinrich VIII. (König von England) 202f
Heinrich X., der Stolze (Herzog von Bayern) 144f
Heinrich der Löwe (Herzog von Sachsen und Bayern) 140f, 144f, *144f*
Hekmatjar 368f
Hekataios (Historiker) 102f
Helgoland 262f, 278f, 284f
  Schlacht von 322f
Heliodoros 86f
Hellebarden 50f
Hellenen 56f
hellenistisches Griechenland 70f, **86f**
Hellespont 58f, 80f
Helsinki, Abkommen von 320f, 338f
Henan 170f, 230f–232f, 290f, 358f
Hephtaliten (»Weiße Hunnen«) 74f–76f, 88f, 106f, 112f
Heraclea, Schlacht von 90f
Heraion (Hera-Tempel) *56f*
Herakleios 76f, 88f, 98f, 126f, 160f
Herat 228f
Herdenhaltung 20f–22f, 26f, 66f
Herodot 44f, 80f
Herold von Würzburg *144f*
»Herren der Täler« (»Debereis«) 220f
Herrscher-Han 114f
Herzegowina 268f
Hessen 204f, 340f
Hessen-Kassel (Kurfürstentum) 264f
Hethiter 22f, 26f, 30f, **32f**, 34f–36f, 42f, 50f–52f
  Neuhethiter 34f–36f
Heuneburg 58f
Heydrich, Reinhard 334f
Hidalgo, Pater Miguel 250f, 298f
Hidetada 234f
Hideyori 234f
Hideyoshi, Toyotomi 192f, 230f, 232f, 234f
Hidjas 280f, 312f, 374f
Hierakonpolis 40f
Hieronymus 78f
Hildebrand *siehe* Gregor VII. (Papst)
Himeji (»Burg des weißen Reihers«) 178f
Himiko von Wa 116f
Himmelsatlas *200f*
Himmelsglobus *200f*
Himmelsscheibe von Nebra **24f**, *24f*
  Fundort *24f*
Himmler, Heinrich 332f
Hinayana-Buddhismus 78f
Hindenburg, Paul von *256f*, 326f, 332f
Hinduismus 60f, 66f, 70f, 74f–76f, 110f–112f, 126f–132f, 168f, 226f–228f, 368f
  Ausdehnung **78f**, 180f
  Bhakti Marga 168f
  Brahmanen 78f, 110f
  dravidische Tradition 78f
  Indonesien 112f
  Karma 78f
  Kastensystem 78f
  »Mahabharata« 78f, 112f
  Mathura 112f
  Pazifik und Südostasien 118f
  »Ramayana« 78f, 112f
  und Buddhismus 78f
  Upanishaden 78f
  Wallfahrt 168f
Hindukusch 60f, 110f–112f, 158f
Hippias 56f
Hirado, Insel 230f
Hiram 54f
Hirohito (Kaiser) 362f, 364f
Hiroshima 316f, 362f, *362f*
Hirpiner 90f
Hirse 20f
Hisbollah 378f
Hiskia 36f
Hispaniola 132f, 190f, 238f, 300f
  siehe auch Haiti, Saint-Domingue, Santo Domingo
Hit 28f
Hitler, Adolf 314f, 324f, 326f, 328f, 330f, 332f, *332f*, 336f, 340f, 354f
Hitler-Putsch (1923) 326f
Hitler-Stalin-Pakt 324f, 330f–332f, 354f
Hitzacker 346f
Hjortspring 104f
»HMS Dreadnought« 278f
Ho Chi Minh 364f, 366f
Ho-Chi-Minh-Pfad 366f
Hochtal von Mexiko 120f, 184f
Hochwasser 28f
Hoffmann von Fallersleben, August Heinrich 266f
Hogen-Aufstand 178f
Hohenstaufen-Dynastie *siehe* Staufer
Hohenstaufen, Burg 144f
Hohenzollern-Dynastie 268f, 312f, 324f
Höhlenmalerei *14f*, 18f, 44f, 46f
Hohokam-Kultur 74f–76f, 126f–130f, 182f
Holland 146f, 214f, 260f–262f
Holocaust 272f, 330f, *330f*, **334f**, *334f*, 336f, 374f
Holstein 140f, 154f, 266f, 268f
Holy Island 138f
Holzabbau 350f
Holzschnitte, Druck 152f
Holzwerkzeuge 16f
Homer *56f*
Homestead, Streik von 308f
Hominiden 16f
Homo erectus 16f–18f
Homo habilis 16f
Homo sapiens 16f–18f
Homo sapiens neanderthalensis 16f–18f, *18f*, 46f
Homo sapiens sapiens 16f–18f
Hondschoote, Schlacht bei 260f
Honduras 252f–256f, 298f, 312f–320f, 348f–352f
  »Fußball-Krieg« 352f
Honecker, Erich 346f
Honecker, Margot 346f
Hongkong 290f, 296f, 314f–318f, 364f, 370f
  Rückgabe an China 320f, 370f, *370f*
  Zweiter Weltkrieg 362f
Hong Xiuquan *siehe* Hung Hsiu-ch'üan
Honorius 96f
Honshu 74f, 116f, 172f, 178f
Hood, Samuel 246f
Hopewell-Kultur 70f, 74f *siehe auch* Missouri-Tal, Ohio-Tal 126f–128f
Hormus, Straße von 194f, 222f
Hosea 36f
Höß, Rudolf 334f
Houphouet Boigny, Félix 380f
Houzhu 172f, 178f
Howard, Graf von 206f
Howe, Richard (Admiral Lord) 246f
Howe, William (Sir) 246f
Huari-Reich 76f, 120f, 126f–128f, 186f

Huarpa-Kultur 120f
Huáscar 186f
Huayna Capac 186f, 190f
Hubble-Weltraumteleskop 372f
Hubertusburg, Friedensschluss von 216f
Hudson (Fluss) 244f–246f
Hudson, Henry 242f, *242f*
Hudsonbai 244f
Hudsonbai-Kompanie 242f, 302f
Huê 366f
Frieden von 296f
Huelva 58f
Huerta, Victoriano 298f
Hugenotten 192f, 206f, 210f, 214f
Hugo von Cluny *142f*
Huitzilopochtli (Kriegsgott) 240f
Hukbalahar-Aufstand 364f
Hülegü 176f
Hultschiner Ländchen 326f
Humajun 192f, 226f
Humanismus 134f, 204f
Humboldt, Wilhelm Freiherr von 264f
Hunac Ceel 184f
Hunan 232f, 358f
Hund 20f
Hundertjähriger Krieg 132f, 146f, 154f, 162f
Hungersnot 132f, 146f, 162f, 194f–196f
Hung Hsiu-ch'üan 290f
Hunnen 74f–76f, 96f, 104f–106f, 112f *siehe auch* Hephtaliten
Hunnenreich 76f
Huronen 242f–244f, 302f
Hurriter 22f, 30f–32f
Hus, Jan 154f
Hussein 156f
Hussein, Saddam 378f
Hussiten 148f, 154f, 164f
Hwangho (Gelber Fluss) 172f
Hydaspes, Schlacht am 84f
Hyderabad 228f, 294f, 368f
Hyksos 42f

I

Ibadan 252f–254f, 282f
Iberische Halbinsel, Iberer 58f, 102f, 160f
Ibn Battuta 162f
Ibn Ruschd (Averroes) 162f
Ibn Saud, Abd Al Asis 374f
Ibn Sina (Avicenna) 158f
Ibn Tughlak 132f, 168f
Ibo 108f, 380f
Ibrahim, Sultan 220f
Icener 102f
Iconium 162f
Idaho 304f, 308f
Idris III. Aloma 192f, 224f
Idrisiden 126f, 138f, 158f
Ieyasu Tokugawa *siehe* Tokugawa Ieyasu
Ife 166f
Ifrikija 156f–160f
Ijebu 284f
Ile Royale 244f
Iletmisch 168f
Ili (Dsungarei) 232f, 290f
Ilkhane 130f–132f, 150f, 176f
Illinois 304f–308f
Illyrer 54f–56f, 90f
Ilopango 122f
Imad Ad Din Sengi 162f, 164f
Immerwährender Reichstag 264f
Imphal, Schlacht bei 362f
Inch'on 364f
Indiana 304f–308f
Indianer 182f, 242f, 244f, 302f–306f
Dawes-Gesetz 308f
»Fünf Zivilisierte Stämme« 304f
Kriege 302f, **304f**
Territorium 304f–306f
»Trail of Tears« 304f
Indien 20f, 66f, 74f, 78f, 168f, 224f, **228f**, 250f–256f, 300f, 312f–314f, 318f–320f, 360f–364f, 368f
achaimenidisches (achämenidisches) Reich 68f
arabische Eroberung 158f, 168f
arische Invasion 78f
Auseinandersetzung mit Bangladesch 364f, 368f
britisch 196f–198f, 236f, 252f–256f, **294f**, 314f–316f, 360f, 368f
Chola-Reich 128f
Delhi, Sultanat von 132f
erster Unabhängigkeitskrieg 254f, 294f
europäische Erforschung 154f
französisch 196f, 198f, 226f–228f
Grenzstreitigkeiten mit China 364f, 368f
Gupta-Reich *siehe* Gupta-Reich
Hephtaliten 76f, 112f
Indisch-Pakistanischer Krieg 318f, 368f
Islam 180f
Kanauj (Harsha) 112f, 126f, 168f
Kastensystem 78f
Kushana, Reich der 74f, 110f, **112f**
Magadha *siehe* Magadha
Marathen *siehe* Marathen
Maurya-Reich *siehe* Maurya-Reich
mittelalterliches **168f**
Muslimliga 368f
Nationalkongress (INC) 314f, 368f
niederländisch 194f–196f, 228f
portugiesisch 218f, 226f
Rechte der Frauen (1955) 368f
Rechte der Unberührbaren (1955) 368f
Religionen 78f, 110f
Saken 70f, 110f
Satavahanihara 70f, 110f–112f
Sur-Dynastie 192f, 226f
Suren 88f
Teilung 364f, 368f
Unabhängigkeit 316f–316f, 368f
Zweiter Weltkrieg 362f
siehe auch Buddhismus, Hinduismus, Islam, Jainismus 168f
siehe auch Induskultur
Indischer Ozean 154f
Indochina **366f**
Französisch 312f–316f, 360f–364f, **366f**, *366f*
japanische Kontrolle 360f
Vietminh 360f, 364f–366f
Zweiter Weltkrieg 314f
indoiranische Völker 34f
Indonesien 118f, 126f, 132f, 316f–320f, 360f, 364f, 370f
Buddhismus 110f
Hinduismus 112f
Unabhängigkeit 316f, 364f
Zweiter Weltkrieg 314f, 362f
Indravarman I. 180f
Indus 126f, 168f
Induskultur 22f, 26f, **60f**, *60f*
Industal 86f
Alexander der Große 68f, 82f, 84f, 110f
Gräkobaktrer 86f, 110f
Maurya-Reich 84f–86f, 110f
Partherreich 88f
Sassaniden-Reich 88f
Suren 88f
industrielle Revolution **270f**
Inka-Zivilisation 132f, **186f**, 190f–192f, 238f
Inka-Gold *186f*
Machu Picchu *186f*
Inkosi 282f
Innozenz II. (Papst) 144f
Innozenz III. (Papst) 140f, 144f, 164f
Innozenz IV. (Papst) 144f
Innviertel 266f
Inquisition 206f
Inseln über dem Wind, Föderation der 300f
Internationaler Währungsfond (IWF) 316f, 352f
Interregnum 144f
Intifada 378f
Inuit 182f, 242f–244f, 302f
traditionelles Handwerk *182f*
Investiturstreit 130f, 140f, 142f, 148f
Wormser Konkordat 142f
Ionien, ionische Griechen 38f, 54f–56f, 80f–84f
Iowa 304f–308f
Ipsos, Schlacht von 84f
Iquique 254f
Irak 312f–320f, 330f, 336f, 374f–378f
Baath-Partei 376f
britisches Protektorat 374f
Bürgerkrieg 378f
Erster Golfkrieg (Iran–Irak) 320f, **378f**
Dritter Golfkrieg **378f**
Kurden 378f
Mandat von Großbritannien 374f
Sturz der Monarchie 376f
Zweiter Golfkrieg 320f, **378f**
siehe auch Mesopotamien
Iran 26f, 28f–30f, 34f, 38f, 66f, 88f, 128f–130f, 314f–320f, 374f–378f
Erster Golfkrieg (Iran–Irak) 320f, **378f**
Großbritannien und Sowjetunion, Einmarsch von 374f
schiitische Revolution 320f, 378f
Wiedereinsetzung des Schahs durch die USA 376f
siehe auch Persien
iranische Nomaden 70f, 86f, 106f
siehe auch Parner
iranische Sprache 106f
Irawadibecken 180f
irische Rebellion 210f
Irischer Freistaat 314f, 324f
Bürgerkrieg 324f
»Irish Republican Brotherhood« (Fenier) 268f, 302f
Irland 50f, 146f, 154f, 202f, 216f, 250f, 260f, 268f, 316f–320f, 330f, 336f–338f, 344f
»Act of Union« (Unionsgesetz, 1800) 262f
Aufstand 250f, 260f, 288f
Auswanderung 308f
Christentum 102f
Hungersnot 268f
Irisches Königreich 136f–140f
»Irish Republican Brotherhood« (Fenier) 268f, 302f
Kelten 102f
O'Neills Aufstand 206f
Oster-Aufstand 322f
Skoten 102f
Ulster Protestanten 210f
Unabhängigkeit 154f
Wikinger 138f
siehe auch Irischer Freistaat, Nordirland
Irland, Erhebung politischer Gefangener 250f, 260f, 288f
Irokesen 182f, 242f–244f, 302f
Isabella von Kastilien 132f, 154f, *154f*, 202f
Isandhlwana, Schlacht bei 286f
Ischtar-Tor *34f*
Isfahan 162f, 176f, 220f–222f, *222f*
Isidor von Sevilla 136f
Isis-Tempel (Delos) *64f*
Iskenderun 218f
Isla de Cozumel 184f
Islam 76f, 88f, 126f–128f, 132f, 138f, 202f
Afrika 130f, 166f, 196f, 224f, 250f
Araber 126f, 156f, 160f
Ausbreitung 156f, 164f
China 232f, 290f
Hadsch 166f
Hedschra 76f, 126f, 156f
heiliger Krieg (Dschihad) 162f, 190f, 224f
Indien 130f, 168f, **226f**
Kalender 126f, 156f
Kalifen 156f
Koran 88f, 126f, 156f
Mogul-Reich 192f, **226f**
Osmanisches Reich **218f**
Schiiten 156f–158f, 162f, 320f, 378f
Sowjetunion 320f
Spanien 126f–130f, 136f, 140f, 156f–158f, 164f
Südostasien 132f, 180f, 236f
Sufismus 168f
Sunniten 156f–158f, 162f, 378f
Wiedererstarken 320f, 378f–380f
Island 132f, 138f–140f, 312f–320f, 330f, 336f, 344f
Island, Sagaliteratur 140f
ismaelitischer Geheimbund (»Assassinen«) 162f–164f
Ismail Pascha 282f, 284f
Ismail, Schah 190f, 222f
Israel 18f, 26f, 34f–36f, 66f, 316f–320f, 376f–378f
ägyptische Invasion 36f, 42f
arabisch-israelischer Konflikt 316f–320f, **376f–378f**
Besiedlung 36f
Camp-David-Abkommen 376f
Eroberung durch Assyrien 34f
Gründung des Staates 316f, 374f, *374f*, 376f
Jom-Kippur-Krieg 318f, 374f
Sechstagekrieg 100f, 318f, 376f
Suez-Krise 376f
Trennung von Juda 36f
Westbank, jüdische Siedler 378f
Israeliten 26f, 32f–36f, 42f, 54f, 78f, 100f
Exil 36f
siehe auch Juden
Issos, Schlacht von *68f*, 84f
Istanbul *siehe* Konstantinopel
Isthmus von Korinth 80f
Isthmus von Kra 118f
Itaipú, Wasserkraftwerk von 350f
Italien 54f, 92f, 138f–140f, 142f–144f, 146f, 148f, 250f–256f, 262f, 270f, 278f, 312f–324f, 332f, 338f, 344f
Achse Rom–Berlin 324f
afrikanische Kolonien 284f
Byzantinisches Reich 136f, 160f
Dreibund 256f, 274f, 278f
Einigung 252f–254f, 268f
Erster Weltkrieg 278f, 312f, 322f
Etrusker *siehe* Etrusker
Faschismus 314f, 324f
Griechen 82f, 90f
Habsburger-Macht 202f
Invasion von Äthiopien 256f, 314f, 324f, 374f
italienische Kriege 202f
Kelten 68f, 102f
Kimbern 104f
Lateranverträge 324f
»Lega Nord« 344f
Lombarden 76f, 96f–98f, 104f, 136f, 160f
Napoleonische Kriege 260f
Normannen 140f
Odoaker 96f, 98f
Ostgoten 96f
Renaissance 132f, 154f, 202f
Risorgimento 268f
Römer *siehe* Römisches Reich, Römische Republik, Rom
»Rothemden« 268f
Verteidigungsbündnis 140f
Zweiter Weltkrieg **316f, 336f**, 374f
italienische Kriege 154f, 202f
italienische Sprache 94f
Italienisch-Somaliland 256f, 284f, 312f–316f
Italiker 54f, 58f, 82f, 102f
Itzcoatl 132f, 184f
Ivry, Schlacht von 206f
Iwan III. (Großfürst von Moskau, der Große) 140f, 154f, 208f
Iwan IV. (Zar von Russland, der Schreckliche) 208f
IWF *siehe* Internationaler Währungsfond
Iwo Jima, Schlacht von 362f

J

Jackson, Andrew 304f
Jackson, Thomas »Stonewall« 306f
Jacobus Philippus Foresta von Bergamo 152f
»Jacquerie«-Bauernaufstand 146f
Jaffa 374f
Jaffna 368f
Jäger und Sammler 16f–22f, 26f, 46f–48f, 66f, 68f, 70f, 74f–76f, 118f
Jaguarpranke (König) 122f
Jahangir (Schah) 226f, *226f*
Jahr der Revolutionen (1848) 252f, 268f
Jahwetempel 36f, *36f*
Jainismus 60f, 110f, 168f
Jakob I. (König von England, als Jakob VI. König von Schottland) 210f
Jakob II. (König von England) 214f
Jakobiter 214f, 216f, 246f
Jalta-Konferenz 336f, 340f
Jalu 292f *siehe auch* Yalu
Jamaika 196f, 238f, 300f, 312f–320f, 348f, 352f
Jamamoto, Isoroko 362f
Jamato-Reich 74f–76f, 116f, 178f
»Jameson Raid« 286f
Jameson, Leander Starr 286f
Jamestown 242f
Jan van Leiden *204f*
»Janapadas« 60f
Jangtsekiang (Jangtse) 170f–172f, 230f
Janiden-Dynastie 222f
Janitscharen 162f, 218f–220f, *220f*
Jankau, Schlacht bei 212f
Japan 20f, 126f–132f, 176f, **178f**, 190f–196f, 198f, 230f–232f, **234f**, 250f–256f, 276f, 290f, 292f, 312f–320f, 354f, **360f–364f, 370f**
Antikominternpakt (1936) 332f
Aschikaga-Shogunat 178f, 234f
Azuchi-Momoyama-Periode 192f, 234f
Besetzung der Mandschurei und Sibiriens 312f–314f, 358f, *358f*
Besetzung durch die USA 364f
Chinesisch-Japanischer Krieg (1894–1895) 256f, 290f–292f
Chinesisch-Japanischer Krieg (1937) 314f
deutsche Pazifikkolonien 312f, 360f
Edo-Periode 234f
Einmarsch in China 358f–360f
englisch-japanisches Bündnis 278f, 292f
Erster Weltkrieg 312f, 360f
erste Staaten 74f, **116f**
europäische Handelsstationen 192f–194f, 234f
Heian(-kyo)-Zeit 126f, 178f
Industrialisierung 292f, 312f, **370f**
Jamato-Zeit 116f
Kamakura-Shogunat 178f
Krieg mit China 362f
Kurilen 254f
Meiji-Dynastie 254f, 292f
Mittelalter **178f**
»neue Ordnung« 314f
Onin-Krieg 234f
Russisch-Japanischer Krieg 256f, 276f, 292f, 360f
Satsuma-Aufstand 292f
Tokugawa-Shogunat 194f, **234f**, 254f
Welthandel 254f, 258f
Washingtoner Konferenz 314f
Yayoi-Kultur 70f, 74f–76f, 116f
Zweiter Weltkrieg 314f–316f, 360f, **362f**
Jarmuk, Schlacht am 156f, 160f
Jashovarman I. 128f
Jasin, Abdallah Ibn 166f
Jassin, Scheich 378f
Jassy, Frieden von 280f
Jasuda 292f
Java 118f, 128f, 180f, 194f, 236f, 296f, 300f
Javasee, Schlacht in der 362f
Jayavarman I. 180f
Jayavarman II. 180f
Jeanne d'Arc 154f
Jebel Barkal 108f
Jebusiter 36f
Jefferson, Thomas *188f, 246f*, 304f
Jelzin, Boris 356f
Jemappes, Schlacht von 260f
Jemen 76f, 88f, 108f, 128f–132f, 156f, 190f–196f, 198f, 218f–220f, 224f, 312f–316f, 320f, 374f, 378f
siehe auch Aden
Jena, Schlacht von 262f, 264f
Jena, Universität 204f
Jerusalem 32f, 36f, 54f, 78f, 100f, 144f, 158f, 376f
britische Besetzung 312f, 374f
Eroberung 36f
Eroberung durch Araber 98f, 130f, 140f, 156f, 162f–164f
israelische Besetzung 376f–378f
israelitische Gefangene 36f
Königreich von 164f
Kreuzzüge 130f, 140f, 160f–164f
Krimkrieg 280f
religiöser Glauben 36f
Schlacht von (1917) 322f
Teilung 376f
Tempel 36f, *36f*
und Christentum 164f
Jesaia 36f
Jesdegerd III. 156f
Jesuitenorden 202f, 206f, 224f, 232f, 238f, 242f
Jesus von Nazareth 74f, 78f
Jiang jing 230f
Jiang Jieschi *siehe* Chiang Kai-shek
Jiangxi 230f–232f, 358f
Jiangzhou 172f
Jin 74f, 114f–116f, 130f, 172f–174f
Jin-Dynastie 116f
Johann (König von England) 140f
Johann II. (Herzog von Burgund) 146f
Johann III. (König von Portugal) 190f
Johann VI. (König von Portugal) 298f
Johann ohne Furcht (Herzog von Burgund) 146f, 154f
Johann von Luxemburg (König von Böhmen) 146f
Johannes XII. (Papst) 142f
Johannes, Mönch 160f
Johannes Paul II. (Papst) 338f
Johannes Tzimiskes (Kaiser von Byzanz) 142f
Johannesburg 286f, 382f
Johanniter 146f, 150f, 154f, 164f, 202f, 218f
Johnson, Andrew 308f
Johnson, Lindon Baines 366f
Jom-Kippur-Krieg 318f, 376f
Jonas, Justus *202f*
Jordaens, Jacob 212f
Jordan 26f
Jordanien 100f, 316f–320f, 374f–378f
arabisch-israelischer Konflikt **376f**
siehe auch Transjordanien
Joseph II. (Römisch-Deutscher Kaiser) 216f
Josia 36f
Josua 36f
Juan-juan 74f–76f, 106f, 116f
Juda 34f–36f, 42f
Judäa 86f, 92f
Aufstand des Judas Makkabäus 86f
Unabhängigkeit 86f
Judaismus *siehe* Juden
Juden 36f, 78f, 324f
Altes Testament 16f, 36f
Aufstand des Judas Makkabäus 86f
Balfour-Deklaration 312f, 374f
Diaspora 36f
»Endlösung« 314f, 330f, *330f*, 336f, 374f
Exil 36f
Holocaust (NS-Reich) 332f, **334f**
Israel 316f, 374f
Jom-Kippur-Krieg 318f, 376f
Judenstern 334f
jüdischer Staat in Palästina 312f, 374f
Land der Bibel 36f
Massaker von 146f
Menora *78f*
Russland 276f, 356f
Verschleppung durch Nebukadnezar II. 34f (»Babylonische Gefangenschaft«)

Vertreibung aus Spanien 154f
zionistische Bewegung 374f
Zwangsbekehrung 154f
siehe auch Hebräer
Jugoslawien 312f, 316f–320f, 324f, 338f, 344f, 356f
Balkanpakt 324f
Bürgerkrieg 320f, 344f
Tito 336f, 338f
Zweiter Weltkrieg 330f, 336f
Julirevolution 268f
Julius II. (Papst) 202f
Julius Nepos 96f
»Junges Italien« 268f
Jungsteinzeit *siehe* Neolithikum
»Jungtürken«-Rebellion 280f
Justin 98f
Justinian 64f, 76f, 98f, *98f,* 104f
Jüten 96f, 104f
Jütland 104f
Schlacht von 322f

K

Kaarta 196f, 198f, 224f, 250f–252f, 282f
Kabila, Laurent Désiré 380f
Kabul 222f, 226f–228f, 294f, 368f
Kadesch 32f
Schlacht von 32f, 42f
Kadisija, Schlacht bei 88f, 156f, 160f
Kaegyong 178f
Kaesong 178f
Schlacht von 358f
Kaffa 146f, 176f
Kaffee 348f
Kagoshima 292f
Kaifeng 172f–174f
Schlacht von 358f
Kairo (Al Kahira) 128f, 156f–158f, 162f
Kaiser-Wilhelms-Land 312f
Kalach 34f
Kaledonier 102f
Kalender
chinesischer 116f
islamischer 126f, 156f
Langzeitkalender 62f, 120f–122f
Maya-Kalender 122f
Mittelamerika 70f
Monte Albán 120f
Kalgoorlie 288f
Kalibangan 60f
Kalifen 156f
Kalifornien 256f, 258f, 292f, 304f–308f, 348f–350f
Kalinga 70f, 110f
Kalinikos 160f
Kalkutta 196f, 228f, 236f
Stadtansicht *228f*
Kallias-Friede 80f
Kalmar, Union von 132f, 146f, 154f
Kalmücken 176f, 190f–196f, 222f, 230f–232f
Kalter Krieg 316f–320f, 328f, 338f, 340f–342f, **344f**, 346f, 350f, 368f, 382f
Kamakura-Shogunat 176f
Kambodscha 118f, 132f, 180f, 190f–196f, 198f, 236f, 250f–252f, 296f, 318f–320f, 364f, **366f**, 370f
Bürgerkrieg 366f
Unabhängigkeit 364f
vietnamesische Invasion 366f, 370f
Kambyses II. 38f
Kamel 20f, 70f, 76f, 108f, 166f
Kamerun, Kameruner 108f, 256f, 284f, 312f–318f, 374f, 380f
Kamikaze 176f
Kammermeister, Sebastian 152f
Kammu (Kaiser von Japan) 126f, 178f
Kan'ami Kyotsugo 178f
Kanaan, Kanaaniter 16f, 32f, **36f,** 54f
Kanada 198f, 246f, 250f–256f, 258f, **302f,** 304f, 312f–320f, 348f–350f, 370f
Britisch-Kolumbien 254f
Einigung 254f, 302f
Einwanderung **302f**
Erster Weltkrieg 348f
Franzosen 194f, 244f
Herrschaftsgebiet von 254f, 302f
Quebec *siehe* Quebec
Staatsgrenze USA 252f, 302f
Verfassung 350f
Zweiter Weltkrieg 348f, 362f
siehe auch Nordamerika
Kanalsystem
Ägypten 40f
China 170f–172f, 230f–232f
Kiel 258f
Mittelamerika 62f
Nil zum Roten Meer 38f
Panamakanal *siehe* Panamakanalzone
Schleusenkammern 170f
Suez-Kanal *siehe* Suez-Kanal
Kanauj (Harsha) Königreich 76f, 112f, 126f, 156f, 168f
Kandahar 222f, 226f–228f
Schlacht von 222f
Kandy 228f, 250f
Kanem-Bornu 130f, 166f, 190f–192f, 224f, 250f–254f, 282f
Kanghwa 178f
Kanischka 112f
Kanone 170f
Kanpur 294f
Kansas 238f, 304f–308f
Kansas City 308f
Kao Tsung 170f
Kap Bojador 108f
Kap der Guten Hoffnung 74f, 132f, 250f
Kapain, Schlacht bei 286f
Kapetinger 138f
Kapitalismus 308f
Kapkolonie 198f, 224f, 250f–254f, 282f, **286f**
Großer Treck 254f, 282f, 286f
Südafrikanische Union 256f
Kappadokien 38f, 84f–86f, 92f, 160f
Kapp-Putsch (1920) 326f
Kapprovinz 382f
Kapstadt 196f, 224f
Kara 168f
Kara-Kitai 174f
Kara Mustafa 214f, 220f
Karakhaniden 158f, 162f
Karakorum 174f–176f
Karama, Schlacht von 376f
Karasuk-Kultur 26f
Karelien 208f, 216f, 330f
Karibik 132f, 238f, 250f, **300f,** 348f, **352f**
britische Kolonien 196f, 238f
französische Kolonien 194f
spanische Kolonien 190f, 196f, **238f**
US-Stützpunkte 348f
siehe auch Westindien
Karibische Freihandelszone (CARIFTA) 352f
Karibische Gemeinschaft (CARICOM) 352f
Karibu 182f
Karkar, Schlacht von 34f–36f
Karkemisch 32f–34f
Schlacht von 34f–36f
Karl I., der Große (Fränkisch-Römischer Kaiser) 126f, *126f,* 128f, 136f, *136f,* 142f
Karl I. (König von England) 194f, 210f, 212f
Karl I. von Anjou (König von Neapel-Sizilien) 144f
Karl II. (König von England) 214f
Karl II. (König von Spanien) 214f
Karl III. (König von Frankreich) 138f
Karl III. (Fränkisch-Römischer Kaiser, »der Dicke«) 128f, 138f
Karl IV. (Römisch-Deutscher Kaiser) 146f, **148f**, *148f*
Karl V. (Römisch-Deutscher Kaiser) 190f, 202f, 204f, 218f, 240f
Karl VI. (König von Frankreich) 154f
Karl VIII. (König von Frankreich) 202f
Karl X. (König von Frankreich) 268f
Karl XII. (König von Schweden) 208f
Karl der Einfältige 142f
Karl der Kühne (Herzog von Burgund) 154f
Karl Martell 136f
Karl von Lothringen 220f
Karlmann 136f
Karl-Marx-Stadt *siehe* Chemnitz
Karlowitz, Frieden von 214f, 220f
Karlsbader Beschlüsse 266f
Demagogenverfolgung 266f
Karlsschrein *142f*
Karma 78f
Karmaten 158f
Karnak 42f, *42f*
Karnal, Schlacht bei 222f, 228f
Karnatik 228f
Kärnten 266f
Karolinger-Reich 126f–128f, **136f,** 142f
Ende des 138f
Feudalismus 140f
kirchliche Zentren 136f
päpstliche Lehen 140f
Vertrag von Verdun 128f, 138f
Karthago 54f, **58f,** 66f, 68f–70f, 82f, 86f, 90f–92f, 96f, 102f, 108f, 126f, 156f
Punische Kriege 70f, **90f,** 92f, 108f
Zerstörung 92f
Kartoffeln 62f
Kartographie 24f, 44f, 72f, 100f, 134f, 152f, 200f, 240f, 272f, 328f, 372f
Bedolina, Karte von 44f
Entwicklung 44f, 134f
Frühzeit **44f**
Globus, ältester 200f
»orbis terrarum« 134f
römische Karten 44f
Satellitenfotografie 372f
Stadtansichten 152f
»terra australis« 44f
»terra australis incognita« 134f
»terra incognita« 200f
T-gegliederte Radkarte (»T-Karte«) *44f,* 134f
Kas 52f
Karzai, Hamid 368f, *368f*
Kasachen 132f, 208f, 222f
Kaschmir 130f, 156f–158f, 168f–170f, 222f, 226f–228f, 252f, 294f, 368f
Kasimir IV. (König von Polen-Litauen) 154f
Kaskäer 32f
Kasr-i-Shirin, Frieden von 218f
Kassander 84f
Kassel 342f
Kassiten 22f, 28f–32f
Kastell, römisches *72f*
Kastilien 130f–132f, 140f, 146f, 150f, 154f, 202f, 214f
Kastri 52f
Kataban 68f
Katakombengrab-Kultur 22f, 50f
Katalaunische Felder, Schlacht auf den 96f, 106f
Katalonien 214f, 246f, 262f, 324f, 338f
Aufstand in 210f
Katanga 282f, 286f, 380f
Katharer 164f
Katharina II. (die Große, russische Zarin) 208f, 260f, 276f, 280f
katholische Liga 210f, 212f
Kato Kiyomasa 234f
Kaukasus 106f, 354f–356f
Kaunda, Kenneth 380f
Kausambi 60f
Kautschuk 258f, 282f–284f, 296f–298f
Kazembe 250f, 282f, 286f
Kedah 296f
Keilschrift *14f,* 28f, *28f,* 38f
Kelantan 296f
Kelheim 50f
Kelsey, Henry 242f
Kelten 54f, 58f, 66f–70f, 76f, 84f, **102f,** 104f, 126f–128f, 136f
Kirche 136f
Keltiberer 26f, 54f, 58f, 66f–68f, 90f, 102f
keltiberische Kultur 58f
keltische Sprache 94f, 102f
Kemal Atatürk, Mustafa 280f, *280f*
Kenia 318f–320f, 380f
Unabhängigkeit 380f
Kennedy, John F. 318f, 342f, 352f, 366f
Kentucky 242f, 304f–308f
Kenyatta, Jomo 380f
Kepler, Johannes 200f
Keramik 22f, 28f, 66f
Ägypten 40f
Afrika 166f
Amerika 62f
Brennofen 20f, 170f
China 170f–172f, 176f
früheste 20f
glasierte 32f
Griechenland 80f
Japan 20f
Lapita 118f
Maya 122f
Moche-Reich 70f, 120f
neolithisch 20f–22f, 48f
Nordamerika 182f
Porzellan 170f–172f, 230f
Römisches Reich 94f
Südasien 60f
Teotihuacán 120f
Töpferscheibe 20f, 60f, 102f
Kerbela 156f
Schlacht von 156f
Kerma 42f, 108f
Khajuraho 168f, *168f*
Khalkha 132f, 176f, 196f
Khanat Kaschgar 220f–222f, 226f
Khanat Kokand 222f
Khandesh 226f–228f
Khan Muan 122f
Kharawela 110f
Khartum 284f
Khe Sanh 366f
Khilakku 34f
Khmer 126f–130f, 174f–176f, 180f, 236f
Khoi-San 22f, 26f, 66f, 70f, 74f, 108f, 126f–132f, 166f, 190f–194f, 198f, 224f, 250f–252f
Khomeini, Ajatollah 378f
Khorasan 156f–158f, 162f, 222f
Khotan 110f
Schlacht von 112f
Kiel (Nord-Ostsee-Kanal) 258f
Kiew 138f, 208f, 362f
Fürstentümer 140f
Kiewer Rus 128f, 138f–140f
Kikuju 224f, 282f, 380f
Kilikien 34f, 38f, 84f–86f, 92f, 160f
Kilke-Tradition 186f
Kilwa Kisiwani 166f
Kim Il Sung 364f, 370f
Kimberley 286f, 382f
Kimbern 104f
Kimmerier 26f, 34f, 106f
King George's War 244f
King, Martin Luther 350f
Kinkakuji-Tempel 178f
Kinkjikitele Ngwale 284f
Kiowa 304f
Kiptschak 174f
Kirgisen 76f, 126f–128f, 190f–196f, 208f, 222f
Kirow, Sergei M. 254f
Kisch 28f–30f
Kiska 362f
Kissinger, Henry *310f, 318f,* 366f
Kitan-Nomaden 106f, 116f, 126f–128f, 170f–172f, 178f
Kitchener, Horatio Herbert, Lord 286f
Kition 54f
Kizzuwadna 32f
Kjachta 222f
Vertrag von 232f
»Kleine Entente« 324f
Kleisthenes 56f
Klemens III. (Gegenpapst) 142f
Kleopatra 70f, 92f
Klerk, Frederik Willem de 382f, *382f*
Klimaveränderungen 16f–20f, 46f, 194f, 206f
Klondike, Goldrausch am 256f, 302f, *302f*
KMT *siehe* Kuomintang
Knossos *26f,* 52f
Knotenschrift 186f
Knowth, Grabhügel von *48f*
Knut der Große 138f
Koalitionskrieg
1. K. 264f
2. K. 264f
3. K. 262f
4. K. 262f, 264f
Koberger, Anton 152f
Kodiak 208f
Koguryo 70f, 74f–76f, 114f–116f, 170f, 178f
Kohima, Schlacht bei 362f
Kohl, Helmut 346f, *346f*
Kolbe, Maximilian 334f
Kolchis 38f, 54f, 68f
Kolchosen 354f
Köln 326f, 340f
Dom 144f, 274f, *274f*
Kurfürstentum 148f
Kolumbien 238f, 298f, 312f–320f, 348f–350f
Kolumbus, Christoph 124f, 132f, *132f,* 154f, 182f, 188f, 190f, 200f, 238f
Santa Maria (Schiff) *188f*
Komchen 62f
Kominform 316f
Kommagene 86f
Kommunismus 270f, 318f–320f, 324f, 324f, 346f
Afrika 318f
Albanien 338f
Bruch China–Sowjetunion 318f, 356f, 364f
Chile 318f
China 314f–318f, **358f,** 360f, **364f**
Deutschland 324f
»Domino-Theorie« 318f, 366f
Griechenland 336f
Jugoslawien 338f
Kalter Krieg 316f–320f, 338f, 340f, 350f
Koreakrieg 316f, 364f
Kuba 350f–352f
Nordkorea 364f
Osteuropa 316f–320f, 336f–338f, 344f, 356f
Südostasien 316f, 360f, 364f, **366f,** 370f
Tschechoslowakei 316f–318f, 338f, 356f
UdSSR 318f, **354f**
Vietnam 360f, 364f–366f
Warschauer Pakt 318f
Kommunistische Partei Deutschlands (KPD) 342f
Konferenz der blockfreien Staaten 318f
Konföderation (USA) **306f**
Konföderation (Südamerika) 298f
Konfuzianismus 78f, 114f, 170f, 178f
Neokonfuzianismus 172f
Konfuzius 68f, 78f
Kongo 132f, 166f, 190f–196f, 198f, 224f, 250f, 300f, 318f, 380f *siehe auch* Belgisch-Kongo, Zaire
Kongo, Demokratische Republik 380f
Kongresspolen 276f
Königgrätz, Schlacht bei 266f
Königlich Bayrische Staatsbahn 272f
Königlich Preußische Eisenbahn-Verwaltung 272f
»Königsbewegung« 288f
Konishi Yukinaga 234f
Konrad I. 142f
Konrad II. (Römisch-Deutscher Kaiser) 142f
Konrad III. (Römisch-Deutscher Kaiser) 144f
Konrad IV. (Römisch-Deutscher König) 144f
Konrad von Megenberg 148f
Konradin 144f
Konsonantenalphabet 56f
Konstantin VII. (Kaiser von Byzanz) 160f
Konstantin der Große 72f, 78f, 96f, 98f
Konstantinopel 76f, 96f–98f, 126f, 132f, 154f–156f, 218f–220f, 270f, 280f
Belagerungen 132f, 156f, 160f–164f
osmanische Eroberung 162f, *162f,* 218f
Rus, Angriff der 160f
Stadtmauern 96f
Topkapi-Serail 162f
siehe auch Byzanz, Byzantinisches Reich
Konstanz, Konzil von 148f
Kontinentalsperre 250f, 262f
Konya, Schlacht bei 280f
Konzentrationslager 330f–332f, **334f,** 336f
Konzil von Trient 202f
Kopenhagen
Schlacht von (1801) 262f
Schlacht von (1807) 262f
Köprülü (Dynastie) 220f
Korallenmeer, Schlacht im 362f
Koran 88f, 126f, 156f
Korbmacher-Kultur 70f, 74f–76f
Korczak, Janusz 334f
Korea 170f–176f, 230f–234f, 250f–256f, 276f, 290f–292f, 312f–314f
Annektierung durch Japan 256f, 292f, 360f
Koreakrieg 316f, 338f, 364f
Koguryo *siehe* Koguryo
mittelalterliches **178f**
Mongoleninvasion 174f, 178f
Silla *siehe* Silla
Teilung 364f
Tonghak-Aufstand 292f
Unabhängigkeit 256f, 292f
Zweiter Weltkrieg 362f–364f
siehe auch Nordkorea, Südkorea
Korinth 52f, 80f–84f
Korkyra 82f
Korsika 50f, 58f, 90f–92f
Koryo (Dynastie und Reich) 170f, 178f
Kosaken 208f, 218f–222f, 354f
Kosciuszko, Tadeusz 260f
Kosovo, Schlacht von 162f
Kossygin, Alexej 356f
Kotosch-Kultur 62f
Kotzebue, August Friedrich von 266f
Krain 266f
Kraina 344f
Kratos von Mallos 200f
Krauss, Werner 326f
Kreta 26f, 48f, 52f, 56f, 160f, 196f, 220f, 278f–280f, 330f
minoische Kultur 22f, 26f, *26f,* 48f, 52f
mykenische Kultur 26f, 52f, *52f,* 54f
Kreuzfahrerstaaten 162f–164f, 174f
Kreuzzüge 130f, 140f, 144f, **164f**
1. K. 130f, 140f, 144f, 160f–164f
2. K. 140f, 164f
3. K. 160f, 164f
4. K. 160f, 164f
Katharer 164f
Nikopolis 146f, 162f–164f
Krim 54f, 146f, 276f, 280f
Khanate von 162f, 208f, 216f–222f
Krimkrieg 254f, 276f, *276f,* 278f–280f
Krimtataren 176f
Zweiter Weltkrieg 336f
Krimtataren 190f
Krishna III. 168f
Kroatien, Kroaten 136f–138f, 218f, 268f, 314f, 320f, 330f, 336f, 344f, 356f
Krösus 38f
Krüger, Paul (»Ohm«) 286f, *286f*
Krugersdorp 286f
Krum (Khan der Bulgaren) *160f*
Ktesiphon 88f
Kuba 132f, 166f, 190f, 224f, 240f, 252f–256f, 282f, 298f–300f, 348f–352f, 380f
Castro, Fidel 350f, 352f, *352f*

Guantánamo, Bucht von 348f, 352f
Kuba-Krise 318f, 352f, 356f
spanische Kolonisierung 190f, 238f
Tabakanbau *352f*
Zehnjähriger Krieg 300f
Kuban 280f
Kublai Khan 130f, 176f
Kues, Nikolaus von *siehe* Nikolaus von Kues
Kujala Kadphises 112f
Ku-Klux-Klan 308f
Kukulcán 184f
Kulikowo, Schlacht von 146f, 176f
Kulli 60f
Kulmhof (KZ) 334f
Kültepe 30f
Kulturrevolution (China) 318f, 364f
Kumbi Saleh 166f
Kummuch (Kommana) 34f
Kun, Béla 324f
Kunming, Luftbrücke nach 358f
Künzing, Amphitheater *72f*
Kuomintang (KMT) 290f, 358f, *358f*
Kupferverarbeitung 20f, 28f, 40f, 48f, 60f, 66f
Kuraisch 156f
Kurden 162f, 378f
Kurdistan 218f–222f, 378f
Kurfürsten 148f
Kurgane (Hügelgräber) 106f
Kurilen 254f, 292f, 362f
Kursachsen (Kurfürstentum Sachsen) 204f
Kursk, Schlacht von 316f, 336f, 356f
Kurupedion, Schlacht von 86f
Kusch 26f, 42f, 66f, 74f, 108f
Kushana 74f–76f, 86f–88f, 106f–110f, **112f**
Kushinagara 60f
Kutub-ud-Din 168f
Kuwait 256f, 280f, 312f–320f, 374f–378f
irakische Invasion 320f, **378f**
Unabhängigkeit 376f
Küyük 174f
Kwajalein, Schlacht von 362f
Kwannon (buddhistische Göttin) *116f*
Kyme (Cumae) 54f, 58f
Kynoskephalai, Schlacht von 70f, 86f, 92f
Kynuria 56f
Kyoto 126f, 178f, 234f
Kyros I. 80f
Kyros II. (»der Große«) **34f–36f,** 66f
Kyros, Satrap von Kleinasien in Sardes 82f
Kyroschata 38f
Kythera 52f, 56f
Kyushu 116f, 234f, 290f–292f, 360f–364f

L

La Rochelle 210f
La Salle, René-Robert 196f, 242f
Labrador 250f–256f, 302f
Ladakh 222f, 226f–228f, 232f
Ladysmith, Schlacht bei 286f
Lagasch 28f
Lagos 216f
Laibach, Kongress von 268f
Laieninvestitur *siehe* Investiturstreit
Lakonien 56f
Lalibela 166f
Lamas 62f
Lambayeque, Rio de 186f
Lancaster-Dynastie 154f
Lan Chang 180f, 236f
Land der Bibel **36f**
Landkarten 44f
Landsat 372f, *372f*
Landwirtschaft **20f,** 66f
Ägypten 20f, 40f
Afrika 76f, 108f
Amerika 20f, 62f, 122f, 186f, 258f
Bewässerung 22f, 40f, 62f, 70f, 110f, 120f, 128f, 182f
Brandrodung 62f
Bronzezeit in Europa 50f
China 116f, 172f
»Chinampas« (trockengelegte Sumpfgebiete) 184f, 240f
Dreifelderwirtschaft 150f
»Fruchtbarer Halbmond« 20f
Gemüse 48f
Getreide 20f, 26f, 48f, 62f, 150f
Hirtennomaden 26f, 66f
Japan 116f
Karibische Inseln 70f
Kulturpflanzen 20f, 48f–50f, 62f, 76f
Mesoamerika 184f
mittelalterliches Europa 150f
Mittelmeerraum 52f
Mogul-Reich, indisches 226f
Neolithikum und Frühneolithikum 46f–48f
Nordamerika 126f–128f, 132f, 182f, 242f–246f, 258f
Polynesien 118f
Südasien **60f**
Tierhaltung 20f, 26f, 30f, 46f–48f, 60f, 62f, 66f–68f, 70f, 108f, 118f
und Desertifikation 22f
Lang, Fritz 326f
Lang Son, Schlacht bei 290f
Langer Marsch 314f, 358f
Langhans, Carl Gotthard 264f
Langhaus 48f
Langobarden 136f, 160f
Laos 132f, 180f, 190f–194f, 198f, 232f, 236f, 250f–254f, 296f, 318f–320f, 358f, 364f–366f, 370f
Laotse 78f
Lapita-Kultur 26f, 66f, 68f, 118f
Laramie, Vertrag von 304f
Las Casas, Bartholomé de 238f, *238f*
Lascaux 46f
Lateinamerika **298f**
Einwanderung 298f
Krieg der Tripelallianz gegen Paraguay 254f, 298f
Salpeterkrieg 254f, 298f
lateinische Sprache und Alphabet 94f, 98f, 102f
Lateinisches Kaiserreich 150f, 162f–164f
La-Tène-Kultur 68f, 102f
Lateranverträge 324f
»Latin American Integration Association« 350f
Latinische Stadtstaaten, Latiner 58f, 90f
Lauenburg (Herzogtum) 266f
Laureion 80f
Laurier, Wilfred 302f
La-Venta-Kultur *14f, 62f*
Lawrence, T. E. (»Lawrence von Arabien«) 280f
Le Duan 366f
Le Duc Tho 366f
Le Moustier 16f
Lechfeld, Schlacht auf dem 138f, 142f
Ledostraße 358f
Lee Kuan Yew 370f
Lee, Robert E. 306f
Legaspi, Miguel Lopez de 236f
Leibeigenschaft 146f, 150f, 216f, 254f, 276f
Leicester, Robert Dudley (Graf von) 206f
Leichhardt, Ludwig 288f
Leinen 20f
Leipzig 272f, 346f
Montagsdemonstrationen 346f
Völkerschlacht bei 262f, 266f
Lenin, Wladimir 276f, *312f,* 354f
Leningrad 356f
Belagerung von 314f, 330f, 336f
siehe auch Petrograd, St. Petersburg
Leo III. (Papst) *126f,* 136f
Leo VI. (Kaiser von Byzanz) 160f
Leo X. (Papst) 204f
León 128f, 138f–140f
Leonardo da Vinci 154f
Leonidas von Sparta 76f
Leopold II. (König von Belgien) 282f, 284f
Lepanto, Schlacht von 192f, 206f, 218f, *218f*
Lepenski Vir 46f
Lesotho 282f, 318f–320f, 380f, 382f
siehe auch Basutoland
Lesseps, Ferdinand de 298f
Lettland 312f, 316f, 320f–324f, 330f, 338f, 344f, 354f–356f
Leubingen 50f
Leutemann, Heinrich 96f
Levante 30f–36f, 42f, 54f, 70f, 280f
Aurignacien 42f, 46f
Lewanika 286f
Lewis, Meriwether 304f
Leyte 362f
Schlacht von 362f
Lhasa 222f
Aufstand 368f
Li Bai 170f
Li Hua 358f
Li Tzu-ch'eng 230f
Li Yüan 170f
Liao 128f, 172f
Liaodong 230f–232f, 292f
Liaoyang 230f
Libanon 316f–320f, 330f, 336f, 374f–378f
arabisch-israelischer Konflikt *320f,* 376f–378f
Bürgerkrieg 376f–378f
französisches Mandat 374f
palästinensische Flüchtlinge 378f
Zweiter Weltkrieg 374f
»liber chronicarum« *siehe* Weltchronik
Liberia 254f–256f, 282f–284f, 312f–320f, 380f
Bürgerkrieg 380f
Libreville 282f
Libyen, Libyer 32f, 108f, 156f–162f, 256f, 284f, 312f–320f, 336f, 374f–376f, 380f
al Gaddhafi 376f
Italien, Konflikt mit 374f
Zweiter Weltkrieg 374f
libysche Sprache 94f
Licchavi (Volk) 112f
Lichtenburg (KZ) 334f
Liebknecht, Karl 326f, 346f
Liegnitz, Schlacht von 174f
Ligurer 54f, 58f, 90f
Lilybaeum 58f, 90f
Lille 336f
Lima 120f
Schlacht von 298f
Limerick 138f
Limpopo 166f
Lin Biao 358f
Lincoln, Abraham 254f, 306f, 308f
Lindisfarne 136f–138f, *138f*
Linear-A-Schrift 52f
Linear-B-Schrift 52f
»Linebacker II«, Operation 366f
Lingjiu (»Geiergipfel«) 78f
Lin Tse-tsu 290f
Liparische Inseln 58f
Lippe 340f
Lissabon 140f, 164f, 200f, 206f
Schlacht von 262f
Litauen 146f, 154f, 164f, 176f, 202f, 216f, 312f, 316f, 322f–324f, 330f, 332f, 338f, 344f, *344f*
Little Bighorn River, Schlacht am 304f
Little Eva 272f
Little Rock, Arkansas 350f
Liu Bang 70f, 114f
Liudolfinger *siehe* Ottonen
Liverpool 258f, 272f
Livingston, Robert *246f*
Livingstone, David 282f, *282f*
Livius 92f
Livland 202f, 206f–208f, 214f, 216f
Livländischer Krieg 208f
Lloyd George, David *312f*
Lobengula 286f
Locarno, Vertrag von 324f, 326f
Lochner, Stephan 204f
Lodi-Dynastie 168f, 190f–192f, 226f
Lohan *172f*
Lokomotive *siehe* Eisenbahn
Lollarden 146f
lombardischer Städtebund 144f
London 150f, 330f
Pestepidemie 196f, 214f
»großes Feuer« 214f
Los Alamos 350f
Lothal 60f
Lothar III. (Römisch-Deutscher Kaiser) 144f
Lothringen 138f–140f, 142f, 214f, 216f, 270f, 274f
siehe auch Elsass-Lothringen
Louis Napoleon *siehe* Napoleon III.
Louis Philippe (König von Frankreich) 268f
Louisbourg 244f
Louisiana 196f, 238f, 244f, 300f, 304f–308f
»Louisiana Purchase« 250f, 304f
Louvois, François Michel le Tellier 214f
Loyang 114f–116f, 170f–172f
Lozi 166f, 224f, 250f–254f, 282f, 286f
Luanda 224f
Luang Prabang 196f, 236f
Lübeck 144f, 148f, 150f
Lucknow 294f
»Lucy« (Australopithecus afarensis) 16f
Ludditen 270f
Ludendorff, Erich *256f*
Ludendorff-Offensive 322f
Ludlow (USA) 308f
Ludwig I. (der Fromme, König von Frankreich) 136f, 138f
Ludwig II. (König von Ungarn) 202f
Ludwig (IV.), das Kind 142f
Ludwig IV. (der Bayer, Römisch-Deutscher Kaiser) 146f, 148f
Ludwig IX. (der Heilige, König von Frankreich) 164f
Ludwig Wilhelm I. von Baden (»Türkenlouis«) 220f
Ludwig XI. (König von Frankreich) 154f, 202f
Ludwig XIII. (König von Frankreich) 210f
Ludwig XIV. (König von Frankreich) 194f, 196f, *196f,* 200f, **214f,** 244f
Ludwig XV. (König von Frankreich) 216f
Ludwig XVI. (König von Frankreich) 216f, 260f
Luftbildarchäologie (Luftbildprospektion) **72f** *siehe auch* Archäologie
Luftfahrt 312f
Luftwaffe 330f
Lugal (»großer Mann«) 28f
Lugalsaggesi 28f, 30f
Lugano 140f
Lullubäer 30f
Lumbini 60f
Lumumba, Patrice 380f, *380f*
Lunda 166f, 190f–196f, 198f, 224f, 254f, 282f
Lüneburg 134f
Lunéville, Frieden von 264f
Lung-Shan-Kultur 22f, 26f
Luolang (*heute siehe* Pjöngjang) 114f–116f
»Lusitania« 322f
Lusitanien, Lusitaner 58f, 90f–92f, 102f
Luther, Martin 202f, *202f,* **204f,** *204f*
Luthertum 202f–206f
Lutter, Schlacht von 210f
Lüttich, Schlacht um 322f
Lützen, Schlacht bei 210f, 262f
Luwier 26f, 32f
Luxemburg 202f, 206f, 214f, 268f–270f, 278f, 314f, 318f–324f, 326f, 338f, 344f
Luxemburg, Rosa 326f, 346f
Luxemburger (Dynastie) 146f, 148f, 154f
Luxeuil (Kloster) 138f
Luzon 364f
Schlacht auf 362f
Lydien, Lyder 38f, 54f–56f, 80f
Lykien, Lykier 32f, 54f–56f, 92f
Lyon 144f
Lysimachos 84f, 86f
Lysippos von Sikyon 84f

M

Maastricht, Vertrag von 344f
Macao 192f, 230f, 236f, 296f, 314f–320f, 364f, 370f
MacArthur, Douglas 364f
MacArthur, John 288f
Macartney, Lord 290f
Machu Picchu 186f, *186f*
Mackenzie, William 302f
Madaba, Mosaikkarte in **100f,** *100f*
Madagaskar 118f, 196f, 224f, 282f–284f, 312f–320f, 380f
Madinka 284f
Madras 198f, 228f, 294f
Madrid 206f, 214f
Verträge von 238f
Mafeking, Belagerung von 286f
Magadha 60f, 66f–68f, 110f–112f
siehe auch Maurya-Reich
Magdalénien 46f
Magdeburg 346f
Erzbistum 142f
Eroberung von 210f
Magellan, Ferdinand 190f, 236f
Magersfontein, Schlacht bei 286f
Maginotlinie 330f
Magna Charta 140f
Magna Mahumeria 164f
Magnesia, Schlacht von 86f, 92f
Magnetogramm *72f siehe auch* Luftbildarchäologie
Magnitogorsk 354f
Magyaren *siehe* Ungarn (Volk)
»Mahabharata« 78f, 112f
»mahajanapadas« 60f
Mahayana-Buddismus 78f
Mahavira 60f
Mahdi 282f–284f
Mahmud II. 280f
Mahmud von Ghasni 128f, 158f, 168f
Mähren 266f
Protektorat (NS-Reich) 332f
Mailand 142f, 144f, 210f, 214f, 216f, 266f, 336f
Maine 244f, 304f–308f
Mainz 144f, 154f, 264f, 326f
Kurfürstentum 148f
Reichstag 142f
Mais 22f, 26f, 62f, 66f–68f, 70f, 74f–76f, 126f–128f, 182f
Maizière, Lothar de 346f
Majapahit-Dynastie 180f
Majdanek (KZ) 334f
Maji-Maji-Aufstand 284f
»major domus« 136f
Majuba Hill, Schlacht bei 286f
Makassar 180f, 236f
Makedonien, Makedonier 38f, 54f–58f, 68f, 80f–86f, 90f–92f, 160f, 256f, 280f, 324f
Aufstieg 68f, **82f**
1. Makedonischer Krieg 86f
Griechischer Bund 68f, 82f
Korinthischer Bund 82f
siehe auch Alexander der Große
makedonische Dynastie 160f
makkabäische Revolte 86f
Makuria 76f, 78f, 108f, 118f, 126f–132f, 156f–158f, 166f
Malabar 226f–228f
Malaien 76f, 180f, 250f–256f, 296f, 312f–314f, 360f
Malaiische Staaten 190f–192f, 250f–256f, 296f, 312f–316f
Zweiter Weltkrieg 314f
Malaiopolynesier 22f
Malakka 132f, 180f, 190f, 194f, 236f, 296f
Malakkastraße 118f
Malan, D. F. 382f
Malawi 286f, 318f–320f, 380f–382f
Malaya 314f, 360f–364f
Malaysia 318f–320f, 364f, 370f
Malediven 318f
Mali 128f–132f, 166f, 190f–196f, 284f, 352f, 380f
Malik Schah 162f
Malinke-Reich 166f
Mallet, Gebrüder 242f
Mallia 52f
Mallorca 140f, 150f
Malta 164f, 202f, 206f, 218f–220f, 260f–262f, 330f, 336f–338f, 344f
Maltia 32f
Mamluken *130f*
Mamluken-Sultanate 130f–132f, 146f, 150f, 162f–164f, 174f–176f, 190f, 218f, 226f
Napoleonische Kriege 260f–262f
Mammut 18f
Mammutjäger *46f*
Mammutknochen 46f
Managua 352f
Manaus 298f
Manchester 272f
Manchester–Liverpool, Eisenbahnlinie 258f
Manching 102f
Manco Capac 186f
Mandalay 362f
Mandela, Nelson 320f, 382f, *382f*
Mandingo 224f
Mandschu 172f, 176f, *232f*
siehe auch Mandschu-Reich
Mandschukuo 314f, 358f–362f
Mandschurei 106f, 172f, 232f, 276f, 290f–292f, 360f
japanische Besetzung 312f–314f, 358f, *358f,* 360f
Mandschukuo 314f, 358f–362f
Mukden-Zwischenfall 314f
Zweiter Weltkrieg 362f
Mandschu-Reich 194f–196f, 198f, 208f, **222f,** 230f, **232f,** 236f, 250f–254f, 276f, 292f, 360f
Sturz und Niedergang 256f, **290f,** 312f, 358f–360f
Manhattan Island 242f–244f
Mani 88f
Manichäismus 128f
Manila 236f–238f, 296f
Bucht von 296f
Manitoba 302f
Mann, Thomas 326f
Mannea 34f
Mansu Khan 222f
Mantineia 82f
Schlacht von 82f
Mantua 154f, 210f
Manzikert, Schlacht von 130f, 160f–162f
Mao Tse-tung 316f, *316f,* 318f, 358f, 364f
Maori 118f, 132f, 190f–196f, 198f, 252f, **288f,** *288f*
Maori-Kriege 252f–254f, 288f
Mar, Earl of 214f
Maranhão 238f
Marathen 196f, 198f, 226f, **228f, 294f**
Marathon, Schlacht von 38f, 80f, *80f*
Marburger Religionsgespräch 204f
siehe auch Luther, Martin
Marconi, Guglielmo 248f, *248f*
Marco-Polo-Brücke, Scharmützel an der 360f
Marcos, Ferdinand 370f
Mardonios 80f
Marduk (babylonischer Gott) 38f
Marengo, Schlacht bei 260f
Mari 28f–30f
Maria I. (Königin von England) 206f
Maria II. Stuart (Königin von England) 214f
Maria Stuart (Königin von Schottland) 206f
Maria Theresia von Österreich 216f, *216f*
Marianen 118f, 318f, 360f
Marignano, Schlacht bei 202f
Marius, Gaius 92f, 104f
Marj Dabik, Schlacht bei 190f, 218f
Markomannen 104f
Marlborough, John Churchill Herzog von 214f, *214f*
Marne, Schlacht an der 322f

Marokko 126f, 132f, 190f–192f, 196f, 198f, 218f–220f, 224f, 250f–254f, 260f–262f, 268f, 278f–284f, 312f–320f, 330f, 336f, 344f, 374f, 380f
Aufstände 374f
Marokkokrise 278f
siehe auch Französisch-Marokko und Spanisch-Marokko
maronitische Christen 280f
»Marsch zum Meer« 306f
Marshall-Inseln 318f–320f, 362f, 370f
Marshallplan 316f, 338f, 340f
Martin V. (Papst) 148f
Martinsburg 308f
Marx, Karl 270f, 274f
Maryland 242f–246f, 304f–308f
Märzrevolution (1848/1849) 266f
Masaccio 154f
Masdakiten 88f
Masdjed-i Imam (Moschee) *222f*
Masina 252f, 282f
Mason-Dixon-Linie 306f
Massachusetts 194f, 244f–246f, 304f–308f
Massalia (Marseille) 54f, 58f
Massawa 192f, 282f
Massinissa 90f
Massud, Ahmed Schah 368f
Mastabas (Gräber) 40f
Masulipatam 194f
Maswati 282f
Mataban 236f
Matabele, Matabeleland 198f, 284f–286f *siehe auch* Ndebele
Matanzas 238f
Mataram 126f, 192f–196f, 236f
Mathilde von Tuszien *142f*
Mathura 110f–112f
Maudslay, Henry 270f
Mau-Mau-Bewegung 380f
Maupertuis-Poitiers, Schlacht von 146f, 156f
Mauretanien 92f, 108f
Maurikios 98f
Mauritius 192f, 198f, 300f, 318f–320f
Maurya-Reich 68f–70f, 84f–86f, **110f**
Mausoleum 82f
Mausolos 82f
Mauthausen (KZ) 334f
Maximilian I. (Römisch-Deutscher Kaiser) 154f, 202f
Maximilian (Kurfürst von Bayern) 212f
Maya-Kultur 62f, 66f–70f, 74f–76f, 120f, **122f**, *122f*, 126f–132f, 186f, 238f
klassische Phase 74f
Mayapán 184f
Mazarin (Kardinal) 210f
Mazzini, Guiseppe 268f
Mbeki, Thabo Mvuyelwa 382f
McNamara, Robert 366f, *366f*
Meade, George Gordon (General) 306f
Mecklenburg 340f
Herzogtum 144f
Mecklenburg-Vorpommern 346f
Medellín 240f
Meder 34f, 38f, 66f
Medici (Geschlecht) 150f, 154f
Medici, Cosimo von 154f
Medicine Lodge Creek, Konferenz von 304f
Medina 108f, 126f, 156f, 280f
medisches Königreich 38f
Meerut 294f
Megalithgräber 22f, *22f*, 48f–50f, 60f
Megara 82f
Megiddo 36f
Schlacht von 42f, 322f
Mehmed II. (Sultan) 188f, 218f
Mehmed III. (Sultan) 218f
Mehmet Ali 280f
Mehrgarh 60f
Meiji-Dynastie 254f, 292f
Meiji-Tenno *292f*
Reformen 292f
Mekka 76f, 126f, 130f, 156f, 226f, 378f
Scherif von 218f
Mekong 118f, 296f, 366f
Melanchthon, Philipp *202f*, 204f
Melanesien 22f, 26f, 68f
Melanesier 70f, 74f–76f, 118f, 126f–128f, 190f–196f, 198f, 250f
Meluhha 60f
Memelgebiet (Memelland) 326f, 332f
Memphis 34f, 38f, 40f, 84f, 108f
Memphis, Tennessee 350f
Mendoza, Antonio de 240f
Codex Mendoza 240f, *240f*
Menelik II. 284f, *284f*
Menem, Carlos 320f, 350f
Mengzi 114f
Menora 78f, *78f*
Menschenrechte, Erklärung der *260f*
Mentuhotep I. 42f
»Mercado Común del Cono Sur« *siehe* Mercosur 350f
Mercator, Gerhard 200f
Mercia 136f
Mercosur 350f
Merina 250f, 282f
Meroë 38f, 66f–68f, 70f, 74f
Pyramiden *74f*
Merowinger-Dynastie 136f
Merw 156f–158f
Schlacht bei 222f
Mesilim von Kisch 28f
Mesoamerika 68f, 74f–76f, 120f–122f, 182f
archaische Zeit und frühe Zeit 20f, 26f, **62f**, 66f, 120f
»früher Horizont« 120f
frühe Zwischenperiode 120f
klassische Zeit 74f, 120f–122f, 126f–128f
»mittlerer Horizont« 120f
mittlere vorklassische Zeit 120f
postklassische Periode 122f, 128f, **184f**
spanische Eroberung 190f, **238f**
späte vorklassische Zeit 120f–122f
spätklassische Zeit 120f
Mesolithikum 46f–48f
Mesopotamien 20f, 32f, 44f, 66f, 84f, 88f, 156f, 160f, 374f
siehe auch Irak
Amoriter 30f
arabische Belagerung 156f
Aramäer 26f
Bronzezeitalter **30f–32f**
Eisenzeit 32f
Erster Weltkrieg 312f
erste Städte **28f**
frühdynastische Zeit 28f
Parner 86f–88f
Römisches Reich 88f, 92f, 98f
Seleukiden 86f
Uruk-Periode 22f, 28f
siehe auch Abbasiden, Akkad, assyrisches Reich, Babylon, Chaldäer, Hethiter, Kassiten, Osmanisches Reich
Messapier 58f, 90f
Messenien 56f
Metallindustrie 270f, 308f
Bessemer-Verfahren 258f
Metallverarbeitung
Afrika 166f
Bronzeguss 28f, 166f, 184f
siehe auch Bronzeverarbeitung, Kupferverarbeitung, Gold, Eisenverarbeitung, Silber, Zinn
Méti-Aufstand, Kanada 302f
Metternich, Clemens Wenzel Fürst von 266f, 268f
Metz 136f
Mexic'a *siehe* Azteken
Mexico City 184f, 240f, 352f
Mexiko **120f**, 122f, 240f, 252f–256f, 298f, 314f–320f, 348f–352f
Französischer Krieg 254f
Gadsden-Streifen 254f, 298f, 304f
Grabkulturen 120f
Landreform 348f
Mexikanisch-Amerikanischer Krieg 252f, 298f, 306f
Revolution 250f, 298f
spanische Eroberung 190f, **238f**
Unabhängigkeitskrieg von Texas 298f
Unabhängigkeitskrieg 250f, 298f
siehe auch Azteken, Mesoamerika, Tolteken
Mexiko, Hochtal von 68f, 120f, 184f
Mezhirich 46f
Mezquita, Moschee *158f*
»Mfecane« 252f, 282f
Miao-Aufstand 290f
Michael I. Romanow (Zar) 208f
Michigan 302f–308f
Midas 34f
Midway-Inseln, Schlacht bei den 314f, 362f
Mies van der Rohe, Ludwig 328f
Mikrolithen 46f
Mikronesien 70f, 74f, 118f, 126f–128f, 190f–196f, 198f, 250f
Milet 52f, 80f, 84f
»Millennium-Mensch« *siehe* Orrorin tugenensis
Milosevic, Slobodan 344f
Miltiades 80f
Mimbres Valley 182f
Minamoto Yoritomo 178f
Minas Gerais 348f
Minck, Johann Daniel 212f
Mindanao 296f
Minden, Schlacht bei *198f*, 216f
Ming-Dynastie 132f, 176f, 190f–196f, 222f, **230f**, 232f–236f
Minnesota 304f–308f
Minogue, Kylie 272f
Minsk, Schlacht von 336f
Min-Yüeh 70f, 114f
Miozän 16f
Mir Jafar Khan 228f
Mississippi 196f, 242f–244f, 304f–308f
Mississippi-Kultur 126f–132f, 182f, 190f
Missolonghi 268f
Missouri 304f–308f
Missouri-Kompromiss 306f
Missouri-Tal 74f
siehe auch Hopewell-Kultur
Mitanni 32f, 42f
Mithras-Kult 78f
Mithridates I. 88f
Mithridates VI. 92f
Mitsubishi 292f
Mitsui 292f
Mittelberg 24f
Mittelmeerraum, erste Kulturen im **52f**
Mittlerer Osten, arabisch-israelischer Konflikt *siehe* arabisch-israelischer Konflikt
mixtekische Kultur 130f–132f, 184f, 238f
Moab, Moabiter 34f–36f
Moawija, Kalif 126f, 156f
Mobutu, General 380f
Moche-Reich 70f, 74f–76f, 120f
Moche-Kultur *120f*
Modena 202f, 206f, 210f, 214f, 268f
Mödlareuth (»Klein-Berlin«) 346f
Modoc (Indianer) 304f
Mogador 54f
Mogholistan 298f
Mogollon-Tradition 74f–76f, 126f–130f, 182f
Moguln 190f–196f, 198f, *228f*
Mogul-Reich 168f, 176f, 190f–196f, 198f, **222f**, **226f**
Zerfall **228f**
Mohács, Schlacht von 190f, 202f, 214f, 218f–220f
Mohammad Ahmed 284f
Mohammed 76f–78f, 124f, 126f, 156f, *156f*
Mohammed Ibn Musa 158f
Mohammed Ibn Tughlak 132f, 168f
Mohammed Schaibani 222f
Mohammed von Ghor 168f
Mohenjo-Daro 60f, *60f*
Mohi, Schlacht von 174f
Moldau (Fstm.) 146f, 154f, 202f, 216f–220f, 262f, 268f, 276f, 280f
Molotow, Wjatscheslaw *354f*
Mombasa 224f
Mondlandung 318f, *318f*, 350f
Mondpyramide 120f
Möngke (Khan) 174f, 176f
Mongolei, Mongolen 74f, 126f–130f, *130f*, 132f, 140f, 150f, 162f–164f, **174f–176f**, 178f–180f, 222f, 230f–232f, 256f, 276f, 290f–292f, 312f–318f
Goldene Horde 130f–132f, 146f, 150f, 154f, 174f, **176f**
Ilkhanate 130f–132f, 150f, 164f, **176f**
in China 132f, 172f–176f
Tschagatai-Khanate 130f–132f, **176f**
siehe auch Juan-juan, Turkmongolen, Xiongnu
Monmouth, Geoffrey von 140f
Monomotapa 166f
Monotheismus 156f
Mon-Reich 74f–78f, 126f–128f, 180f, 236f
Monroe-Doktrin 252f, 298f–300f
Mons Graupius, Schlacht am 102f
Montana 304f, 308f
Montcalm, General 244f
Monte Albán 62f, *62f*, 68f–70f, 74f–76f, 98f, 126f, 184f
Montenegro 154f, 202f, 210f, 214f, 216f–220f, 260f, 278f–280f, 314f, 322f, 330f, 336f–338f, 344f
Montezuma II. *132f*, 184f, 240f
Montreal 244f–246f
Morant-Bay-Aufstand 300f
Morea 202f, 206f, 216f–220f, 268f
siehe auch Griechenland
Morgan, Henry 238f
Morgan, John Pierpont 308f
Morgenthau-Plan 340f
Mori 234f
Morisken 206f
Mormonen 304f, 308f
Morosow, Boris 212f
Mosaikkarte in Madaba **100f**, *100f*
Mosaiktechnik 100f
Mosambik 224f, 256f, 286f, 312f–320f, 380f–382f
Bürgerkrieg 382f
Moshoeshoe 282f
Moskau 208f, 256f, 318f, 344f, 346f, 354f
Belagerung (1382) 176f
Napoleons Besetzung 250f, 276f
Plünderung (1572) 208f
Schlacht von (1812) 262f
Schlacht von (1941) 330f
Moskau, Großfürstentum 132f, 146f, 208f
territoriale Expansion 146f
siehe auch Moskowiter
Moskitoküste 196f, 198f, 250f, 298f
Moskowiter 146f, 154f
territoriale Expansion 146f
siehe auch Moskau, Großfürstentum
Mossadegh, Mohammed 376f
Mossi-Staaten 132f, 166f, 190f, 194f–196f, 224f, 250f, 254f, 282f
Mosul 162f–164f, 194f, 222f
Schlacht von 162f
Motun (Khan) 106f
Motya 58f
Mountbatten, Lord Louis 362f, 368f
Moustérien 16f, *16f*, 46f
Msilikasi 282f
Mubarak, Hosni 378f
Mudschaheddin 368f
Mugabe, Robert 320f, 382f
Mühlberg, Schlacht bei 202f, 204f
Mühsam, Erich 334f
Muin-ud-Din Chishti 168f
Mujibur Rahman (Scheich) 368f
Mukden 230f, 360f
Schlacht von 292f
Mukden-Zwischenfall 314f
Müller, Harald 24f
Multan 176f, 226f–228f
Schlacht von 176f
Multscher, Hans 148f
München 144f
Attentat auf Hitler im Bürgerbräukeller 332f
Münchner Abkommen (1938) 332f
Münchner Konferenz 314f, 324f
Munichen *siehe* München
Münster 202f, 204f, 212f
Müntzer, Thomas 204f
Münzer, Hieronymus 152f
Münzgeld 56f
Murad I. (Sultan) 162f
Murad IV. (Sultan) 194f, 218f
Murasaki Shikibu 178f
Murmansk 330f
Mursili I. 30f
Muschki (Mysier) 32f
Muskat 130f–132f, 190f–192f, 218f
»Musketenkriege« 288f
Muslimische Bruderschaft 374f, 378f
Mussolini, Benito 314f, 324f, *324f*, 336f, 374f
Mutsuhito *siehe* Meiji-Tenno
»Mutterleib der Völker« 104f
Mu-ti (Verteidigungswall) 30f
Muwatallis II. 32f
My Lai, Massaker von 366f
My Son *118f*
Myall Creek, Massaker von 288f
Myanmar 320f, 368f–370f
siehe auch Birma
Mykener, mykenische Kultur 26f, 32f, **50f–54f**
Gräberrund A *52f*
Löwentor der Burg von Mykene *26f*
»Maske des Agamemnon« *52f*
Mylae, Schlacht von 90f
Mylasa 82f
Myriokephalum, Schlacht bei 160f–162f
Mysien 68f
Mysier *siehe* Muschki
Mysore 198f, 226f–228f, 294f

N

Nabonidus 38f
Nabupolassar 34f
nachklassische Zeit 122f
Nadar 372f
Nadir (Schah) 198f, **220f–222f**, 228f
NAFTA *siehe* Nordamerikanische Freihandelszone
Nagasaki 234f–236f
Atombombenangriff 316f, 362f
Nagorny-Karabach 356f
Nagoya 356f
Naimlap 186f
Naissus, Schlacht bei 96f, 104f
Nakada 40f
Nakbe 62f
Nalanda 112f, 168f
Namibia 320f, 380f–382f
siehe auch Südwestafrika
Nanak, Guru 168f
Nan-Chao 126f–128f, 170f–174f, 180f
Nanda-Dynastie 68f, 110f
Nanking (Jiankang) 116f, 176f, 190f, 230f, *290f*, 358f–360f
Frieden von 290f
Nantes, Edikt von 206f, 214f
Napoleon I. 164f, 250f, *250f*, 260f, **262f**, 264f, 268f, 280f, 294f, 298f
Berliner Erlasse 250f, 262f
Kaiser 250f, 262f
Kontinentalsperre 250f, 262f
Waterloo, Niederlage bei 250f, 262f, *262f*
Napoleon III. *248f*, 254f, 268f
Napoleonische Kriege 260f–262f, 266f, 294f–296f, 300f
Iberische Halbinsel 250f, 262f
Kontinentalsperre 250f, 262f
Wiener Kongress *248f*, 252f, 262f, 266f, 268f, *268f*
Naqsh-i Rostam 88f
Nara 178f
Naramsin 30f
Narbonne 44f, 158f
Narmada 168f
Narmer 40f
Narses 98f
Narvik 330f
Narwa 208f
Schlacht bei 208f
NASA (»National Aeronautics and Space Administration«) 318f
Nassau 206f
Nasser, Gamal Abdel 310f, 376f
Natal 252f, 282f, 286f
Republik 252f
Nationalsozialistische Arbeiterpartei Deutschlands (NSDAP) 324f, 326f, 330f–338f
NATO (»North Atlantic Treaty Organization«) 316f–320f, 338f, 342f, 344f *siehe auch* »North Atlantic Treaty Organization«
Natuf-Kultur 20f
Navarino, Schlacht von 268f, 280f
Navarra, Heinrich von 206f, 210f
Navas de Tolosa, Schlacht bei 140f
Navigation
magnetischer Kompass 172f
Phöniker und Griechen 54f, *54f*
Polynesier 74f, 118f
Portugiesen 132f
Nazca 70f, 74f, 120f, 238f
Scharrbilder 72f, 120f, *120f*
Ndebele 252f–254f, 282f–286f *siehe auch* Matabele, Matabeleland
Ndongo 224f
Ne Win 364f
Neandertaler 16f–18f, *18f*, 46f
Neantropiden 18f
Neapel 146f, 150f, 154f, 202f, 206f, 210f, 214f, 216f–220f, 260f–262f, 268f
Nearchos 84f
Nebra, Himmelsscheibe von **24f**, *24f*
Fundort *24f*
Nebraska 304f, 308f
Nebukadnezar II. 34f, 36f, 78f
Necho II. 34f
Nedao, Schlacht am 96f
Nedjd 220f, 250f, 312f, 374f
Negade-Kultur 40f
Negeri Sembilan 296f
Negoro, Dipo 296f
Nehawend, Schlacht von 88f, 156f, 220f–222f
Nehru, Jawaharlal 310f, 358f, 366f, *368f*
Nelson, Lord 260f, 262f
Nemrut Dag *86f*
Neokonfuzianismus 172f
Neolithikum 20f–22f, 28f, 46f, 66f
Europa 48f
Nepal 198f, 228f, 232f, 250f–256f, 294f, 312f–318f, 362f–364f, 368f
Nertschinsk, Vertrag von 196f, 208f, 232f
Nestorianer 128f, 170f
Neuamsterdam 194f–196f, 242f, 244f
siehe auch New York
Neubabylon 34f
Neubrandenburg 346f
Neu-Delhi, Indisches Nationalmuseum 112f
Neue Welt 132f, 154f, 182f–186f
Entdeckung durch Kolumbus 154f
grönländische Wikinger 138f
Neuengland 242f–244f
Neufrankreich 194f–196f, 198f, 244f
Neufundland 138f, 242f–244f, 250f–256f, 302f, 312f–314f, 348f–350f
Kabeljaufang *244f*
Neuguinea *siehe* Papua-Neuguinea
Neuhethiter 34f–36f
Neuilly, Vertrag von 324f
Neukaledonien 118f, 254f–256f, 318f, 370f
Neumexiko 242f, 304f–308f, 348f–350f
Neuniederlande 242f–244f
Neuschweden 242f–244f
Neuseeland 128f, 194f, 252f–256f, 288f, 312f–320f, 370f
Erster Weltkrieg 312f, 360f
Maori *siehe* Maori
weiße Siedler 250f, 270f, **288f**
siehe auch Aotearoa

Neusüdwales 250f, 288f
Nevada 304f, 308f
New Albion 242f
New Brunswick 252f, 302f
New Deal 314f, 348f
New Jersey 244f–246f, 304f–308f
New Orleans 196f
 Schlacht von 302f
New South Wales *siehe* Neusüdwales
New York 242f–246f, 258f, 304f–308f, *308f*
 Central Park *366f*
 »Unisphere« *310f*
 World Trade Center 320f, 350f, *350f*, 368f, *372f*
Newa 140f
Newskij, Alexander 140f
Nez Perçé 242f, 304f
Nguyen Anh 296f
Nicaragua 252f–256f, 298f–300f, 312f–320f, 348f–352f
 Bürgerkrieg 348f, 352f
Nicäa 162f–164f
nicht föderierte malaiische Staaten 296f
Niederlande 150f, 154f, 194f–196f, 198f, 202f, 206f, 214f, 216f, 252f–256f, 260f, 268f–270f, 278f, 312f–320f, 324f, 330f, 336f–338f, 344f
 anglo-niederländischer Krieg 196f, 214f, 216f, 244f
 Batavische Republik 260f
 französische Kriege gegen 214f
 Französische Revolutionskriege 260f
 Genter Pazifikation 206f
 Napoleonische Kriege 296f
 Österreich 216f, 260f, 268f
 protestantische Reformation 194f, **202f**, 206f
 Spanische Niederlande 192f–194f, 202f, 206f, 210f, 214f
 Unabhängigkeit 210f
 Zweiter Weltkrieg 314f, 330f
 siehe auch Holland, Vereinigte Niederlande
Niederlande, Handelsbasen und Kolonien
 Afrika 196f, 198f, 224f, 250f, 254f, 286f
 Amerika 194f–196f, 238f, 242f–244f
 Ceylon 194f–196f, 226f–228f
 China 230f
 englisch-niederländischer Frieden 296f
 Holländisch-Guayana 352f
 Indien 228f
 Japan 192f–194f, 234f
 Kapkolonien 286f
 Karibik 300f
 Mauritius 198f
 Ostindien 192f–196f, 226f
 »Straits Settlements« 296f
 Südostasien 236f, **296f**, 316f, 360f–364f
 Taiwan 194f–196f
niederländischer Aufstand 206f
Niederländisch-Indien 250f–256f, 296f, 360f–362f
 siehe auch Niederlande, Handelsbasen und Kolonien
Niederlausitz 148f
Niedersachsen 340f
Niemeyer, Oscar 328f
Niemöller, Martin 334f
Niger (Fluss) 76f, 224f
Niger (Staat) 318f–320f, 380f
Nigeria 284f, 380f
 Biafra-Krieg 380f
 Bürgerkrieg 318f, 380f
 Ibo-Aufstand 380f
 Unabhängigkeit 380f
nigerkordofanische Sprachengruppe 108f
Nikephoros I. (byzantin. Kaiser) 160f
Nikolaus I. (Zar) 252f, 276f
Nikolaus II. (Zar) 276f
Nikolaus II. (Papst) 142f
Nikolaus von Kues 204f
Nikomedia, Schlacht bei 164f
Nikopolis 160f
 Kreuzzüge 146f, 150f
 Schlacht von (68 v. Chr.) 92f
 Schlacht von (1396) 162f–164f
Nil 40f, 108f, 164f
 Kanal zum Roten Meer 38f
 Nildelta 40f
 Nilkatarakt 40f
Nimitz, Chester William 362f
Nina 28f
Nindowari 60f
Ninive 30f, 32f–34f
 Eroberung 34f, 38f
 Reliefplatte *30f*
 Schlacht von 88f, 98f
Nippur 30f–32f
Nirwana 172f
Nisa 108f
Nisam (Fürst) von Hyderabad 228f, 368f
Nisam Shahis 226f
Nisamija-Akademie 162f
Nischapur, Schlacht bei 162f
Nisib, Schlacht bei 280f
Nixon, Richard M. *310f*, 318f, 366f
Njassa-Kompanie 284f
Njassaland 256f, 284f–286f, 312f–316f, 380f
Nkrumah, Kwame 310f, 380f
Nobatia 76f–78f, 80f, 108f, 156f
Nobunaga 192f, 234f
Nog (Ölpflanze) 38f
Nok-Kultur 108f, *108f*
Nomadentum 20f, 66f, 70f, 74f–76f, 98f, 104f, **106f**, 112f–116f, 170f–172f, 178f, 182f
Nonoalken 184f
Nordamerika 68f, 70f, 74f–76f
 amerikanische Revolution 216f, 238f, **246f**
 anglo-niederländische Kriege 214f, 244f
 Einwanderung 246f
 europäische Erforschung und Kolonien *siehe* Amerika
 King William's War 244f
 Krieg zwischen Franzosen und Briten 244f
 Pilgerväter 194f, 242f
 Proklamationslinie 246f
 Sklaverei 224f, 246f
 siehe auch Amerika, Kanada, Vereinigte Staaten von Amerika
Nordamerikanische Freihandelszone (NAFTA) 350f
Nordborneo 296f, 364f
Norddeutscher Bund 266f, 274f
Nordirland 324f, 338f, 344f
Nordkorea 316f–318f, 364f, 370f, 372f
 Koreakrieg 316f, 364f
nördliche Niederlande 260f
Nördlingen, Schlacht bei 210f
Nordmänner-Kolonie 126f–128f, 136f–138f, 182f
Nordrhein-Westfalen 340f
Nordrhodesien 256f, 284f, 312f–316f, 382f
 siehe auch Sambia
Nordschleswig 326f
Nordvietnam 318f, 364f–366f
 Unabhängigkeit 318f
 Vietnamkrieg 318f, 338f, 364f, **366f**
Nordwest-Aufstand 302f
Nordwestküsten-Kultur 26f, 66f–70f, 74f–76f, 126f–132f, **182f**, 190f–196f, 250f–252f
Noreia, Schlacht von 104f
Norfolk-Inseln 288f
Noriega, Manuel 352f
Normandie 138f–140f, 154f
 Landung in der 332f, 336f, *336f*
Normannen 140f, *140f*, 142f–144f
 Eroberung des byzantinischen Italien 160f
 Königreich Sizilien 144f
 Sizilien 146f
»North Atlantic Treaty Organization« (NATO) 316f–320f, **338f, 344f**, 356f
North Carolina 244f–246f, 304f–308f
Northumbria 136f–138f
»Northwest Ordinance« 304f
Norwegen 132f, 138f, 146f, 268f–270f, 330f, 344f
 Dänemark-Norwegen *siehe* Dänemark-Norwegen
 Kalmarer Union 132f
 Zweiter Weltkrieg 314f, 330f, 336f
Nova Scotia 196f, 244f–246f, 302f
 siehe auch Acadia
Novemberrevolution (1918) 326f
Nowgorod 128f–130f, 138f–140f, 146f, 150f, 154f, 176f, 208f
NS-Reich **332f** *siehe auch* Deutschland
Nubien 26f, 38f, 42f, 74f–76f, 108f, 166f, 224f
Nuklearbomben *siehe* Atomwaffen
Nuklearenergie *siehe* Atomkraft
Numantia 108f
 Schlacht von 102f
Numidien 90f, 108f
Nur Ad Din 162f
Nuraghen (Verteidigungstürme) 50f, *50f*
Nürburgring 326f
Nurhachi 194f, 232f
Nürnberg 200f, 272f
 Stadtansicht *152f*
Nürnberger Exekutionstag 212f
Nürnberger Prozesse 338f, 340f
Nürnberger Rassengesetze 332f, 334f
Nuwas, Abu 158f
Nyamwezi 282f
Nzinga Nkuwu 132f

O

O'Higgins, Bernardo 298f, *298f*
O'Neills Aufstand 206f
OAS *siehe* Organisation Amerikanischer Staaten
OAU *siehe* »Organization of African Unity«
Oaxaca-Tal 62f, 120f
Oberschlesien 326f
Obsidian 62f, 118f–122f
Oc Eo 118f
Ochakow 280f
Ockergrabkultur *siehe* Katakombengrab-Kultur
Octavian *siehe* Augustus, Gaius Julius Cäsar Octavianus
Oda Nobunaga *siehe* Nobunaga
Oda-Klan 234f
Odin (Gott) *138f*
Odoaker 96f, 98f
Offa, König von Mercia 136f
 Offas Schutzwall 136f
Ögädäi (Khan) 174f, 176f
Ogaden 380f
ogusischer Klan 128f–130f, 158f
Ohaeawai 288f
Ohio 304f–308f
Ohio-Tal 74f *siehe auch* Hopewell-Kultur
Oiraten (Westmongolen) 132f, 176f, 222f
Ojibwa (Indianer) 242f–244f, 302f–304f
Oka 62f
Okinawa 362f
Oklahoma 304f, 308f, 348f–350f
Öl 258f, 270f, 300f–302f, 308f, 318f–320f, 348f, 374f
 Mittlerer Osten 374f–376f
Old-Bering-Sea-Zeit 182f
Oldenburg 340f
Oldowan-Kultur 16f, *16f*
Olduwai-Schlucht 16f
Oleneostrawski 46f
Olivàres, Gaspar de Guzmán (spanischer Minister) 210f
Oliven 52f
Olmeken-Kultur 26f, **62f**, 68f–70f, 120f
Olympia 56f
 Bau des Zeustempels 80f
 Hera-Tempel *56f*
 Olympische Spiele 56f
Olympische Sommerspiele (1936) 332f
Omajjaden-Kalifate 126f–128f, 136f–138f, 156f–158f
 Zerfall 138f
Oman, Omanis 158f, 196f, 218f, 224f, 250f–256f, 280f–282f, 312f–320f, 374f, 378f
Omar (Kalif) 126f, 156f
Omar Al Khajani 162f
Omdurman, Schlacht bei 284f
Omo 16f
Omri 36f
Onin-Krieg 178f, 234f
Ontario (Ober-Kanada) 302f
OPEC *siehe* Organisation Erdöl produzierender Länder
Opis 38f
Opiumhandel 232f, *252f*
Opiumkriege
 Erster 252f, 258f, 290f
 Zweiter 254f, 258f, 290f
Oppida 102f
Oradour-sur-Glane 336f
Orakel
 Ammonion 84f
 Delphi 56f
Orange, Triumphbogen *104f*
Oranje-Freistaat 254f, 282f, 286f
Orchan 162f
Ordos-Plateau 106f
Oregon 252f, 302f–304f, 308f
Organisation Amerikanischer Staaten (OAS) 316f, 352f
Organisation Erdöl produzierender Länder (OPEC) 318f, 350f, 376f
»Organization of African Unity« (OAU) 380f
Orientexpress 270f, 280f
Orissa 130f, 168f, 190f, 226f–228f, 294f
Orkney-Inseln 48f, 138f–140f, 154f
Orléans 106f, 140f, 154f
Orléans, Henri d' 212f
Oronsay (Colonsay) 46f
Orontes 32f
Orrorin tugenensis (»Millennium-Mensch«) 16f
Ortega, Daniel 352f
orthodoxe Kirche 98f, 208f, 280f
 Bilderstreit 136f, 160f
 griechisch-orthodoxes Schisma 136f, 160f
 Kloster 160f
Osaka 292f
 Festung 234f, *234f*
 Schlacht von 234f
Osei Tutu 224f
Osker 58f
Oslo, Erklärung von 378f
Osman I. 132f, 162f, *162f*
Osman Dan Fodio 250f, 282f
Osmanische Dynastie 132f
Osmanisches Reich 132f, 136f, 146f, 154f, **162f**, 176f, 190f–196f, 198f, 202f, 206f, 210f–216f, **218f–220f**, 222f, 226f, 250f–256f, 260f, 268f–270f, 276f–278f, **280f**, 312f, 322f, 374f
 Ägypten 252f, 280f
 Afrika 190f, 196f, 218f, 224f
 Algerien 280f
 arabische Revolte 280f, 312f
 Balkankriege 256f, 278f, **280f**
 Berliner Kongress 254f, 274f, 276f–280f
 Bulgarien 254f, 280f
 Erster Weltkrieg 322f
 Fortschritt gegenüber christlichem Europa 162f, 190f–196f, 202f, 206f, 214f, 216f–220f
 griechischer Unabhängigkeitskrieg 252f, 268f, 280f
 »Jungtürken« 280f
 Kapitulation von Konstantinopel 162f
 Kreuzzüge 164f
 Krieg mit Russland 208f, 220f
 Krieg mit Spanien 206f
 Krieg mit Venedig 220f
 Krimkrieg 254f, 276f, *276f*, 280f
 Niedergang **220f**, 312f, *374f*
 Safawiden-Kriege 190f–194f, 198f, 218f–222f
 Vasallenstaaten 162f
 siehe auch Türkei, Türken
Osnabrück 212f
Ossietzky, Carl von 334f
Ostanglien 136f, 146f
Ostbengalen 294f
Ostdeutschland *siehe* Deutsche Demokratische Republik
Oster-Aufstand 322f
Österreich 140f, 146f, 154f, 220f, 250f–252f, 260f–262f, 264f–266f, 268f, 312f–320f, 324f, 338f, 344f
 »Anschluss« 314f, 324f, 332f
 Deutscher Bund 252f
 Deutscher Krieg 266f, 268f
 Erhebung ungarischer Nationalisten 252f
 Französische Revolutionskriege 260f
 Herzogtum 144f
 Italien 268f
 Napoleonische Kriege 250f, 260f–262f
 Niederlande 260f
 österreichisch-russischer Krieg 254f
 Putschversuch der Nationalsozialisten 332f
 Schleswig-Holstein, Krieg um 268f
 Türkisch-Ägyptischer Krieg 280f
 siehe auch Österreich-Ungarn
Österreichische Niederlande 216f, 266f
Österreichischer Erbfolgekrieg 198f, 216f, 244f
Österreich-Schlesien 266f
Österreich-Ungarn 256f, 270f, 278f–280f
 Berliner Kongress 274f, 278f
 Dreibund 256f, 274f, 278f
 Dreikaiserabkommen 274f, 278f
 Erster Weltkrieg 256f, **278f**, 312f, 322f
 Habsburger-Dynastie 324f
 Zusammenbruch 256f
 Zweibund 274f, 278f
Ostfront (Erster Weltkrieg) 322f
Ostgoten 96f–98f, 104f *siehe auch* Goten
Ostia 94f
Ostindien 198f
 Niederländer 192f–196f, 226f, 236f
Ostindische Kompanie 194f–198f, 220f–222f, 226f–228f, 234f–236f, 294f
Ostpakistan 318f, 364f, 368f *siehe auch* Bangladesch, Pakistan
Ostpolitik 338f, 342f *siehe auch* Brandt, Willy
Ostpreußen 324f, 326f
Ostrakon *56f*
Ostsee 138f–140f, 150f
 Gründung der Hanse 150f
Ostslawonien 344f
Osttimor 316f–318f, 364f, 370f
Ost-West-Konflikt 342f
Otago 288f
Othman (3. Kalif) 156f
Otrar 174f
Ottawa 244f, 302f–304f
Otto I. (der Große, Römisch-Deutscher Kaiser) 128f, 138f, 140f, 142f, *142f*
Otto II. (Römisch-Deutscher Kaiser) 142f
Otto III. (Römisch-Deutscher Kaiser) 142f
Otto IV. (Otto von Braunschweig; Römisch-Deutscher Kaiser) 140f, 144f
Otto, Nikolaus August 270f, 274f
Ottonen (Dynastie) **142f**, 144f, 148f
Otumba, Schlacht von *188f*
Ötztaler Alpen (»Mann im Eis«) 48f
Ouagadougou 224f
»Out-of-Africa«-Theorie 18f
Ovid 92f
Oyo 132f, 166f, 190f–196f, 198f, 224f
Özbeg 176f
Ozonloch 372f

P

Pacal 122f
Pachacamac (Gott) 186f
Pachacutec Yupanqui 132f, 186f
Padanien 344f
Padua, Arena-Kapelle 146f
Padua, Baptisterium *134f*
Paekche 74f–76f, 114f–116f, 178f
Páez, Diego 298f
Pagan 78f, 130f, 180f, 236f, 296f
Pahlewi-Dynastie 374f–378f
Pakistan 316f–320f, 364f–368f
 Abspaltung Ostpakistan 318f, 364f
 Indisch-Pakistanischer Krieg 318f, 368f
 islamischer Sozialismus 368f
 Militärdiktatur 368f
 Unabhängigkeit 316f–318f, 368f
 siehe auch Bangladesch, Ostpakistan, Westpakistan
Paläoindianer 18f, 182f
Paläolithikum
 Altpaläolithikum 16f
 Europa **46f**
 Jungpaläolithikum 46f
 Mittelpaläolithikum 16f–18f, 46f
Palästina 86f, 128f–130f, 156f–162f, 312f–316f, 330f, 336f, 374f
 arabische Belagerung 126f
 arabisch-israelischer Konflikt 316f–320f, *320f*, **376f–378f**
 Balfour-Deklaration 312f, 374f
 Camp-David-Abkommen 378f
 christliche Fürstentümer 130f, 162f
 eingeschränkte Selbstbestimmung 320f
 »Intifada« 378f
 jüdischer Staat 312f, 374f–376f
 Kreuzzug-Staaten 164f
 Oslo, Erklärung von 378f
 osmanische Eroberung 190f
 Palästina-Mandat 374f
 Römisches Reich 98f
 Sassaniden-Reich 88f
 Teilung 374f–376f
 Zionisten 374f
Palästina (Land der Philister) 34f–36f
Palastkultur (Kreta) 22f, 26f, 48f, **52f**
Palenque 122f
Palermo 144f
»Palestine Liberation Organization« (PLO) 376f–378f
Pallawa-Dynastie 76f, 126f–128f
Palmyra 94f, *94f*
Pampa Grande 120f
Panama 190f, 238f, 256f, 298f, 312f–320f
Panamakanalzone 256f, 258f, 298f, 312f–318f, 348f, 352f
Pandja 168f
Pandschab 228f, 252f, 294f
Panhellenischer Bund 68f, 82f
Panipat
 Schlacht bei (1526) 190f, 226f
 Schlacht bei (1761) 198f, 228f
Panmunjom 364f
Pannonien 102f, 138f
Pantschen-Lama 368f
Papen, Franz von 326f
Paphlagonien 84f–86f, 160f
Papineau, Louis Joseph 302f
Papsttum 144f, 148f, 204f
 Abendländisches Schisma 132f, 146f–148f, 162f
 Avignon 146f
 Investiturstreit 140f, 142f, 148f
 Jesuitenorden *siehe* Jesuitenorden
 Lateranverträge 324f

Papua-Neuguinea 26f, 68f–70f, 74f–76f, 118f, 180f, 256f, 296f, 314f–320f, 360f–364f, 370f
Paracas-Kultur 62f, 68f, 72f
  Scharrbilder *72f*
Paraguay 250f, 254f, 298f, 348f
  Chacokrieg 348f
  Krieg gegen Tripelallianz 298f
Parhae 178f
Paris 138f–140f, 216f, 270f, 332f, 342f, 372f
  Abkommen (1973) 366f
  Befreiung durch die Alliierten 336f
  deutsche Besetzung 330f
  Frieden von (1763) 216f, 244f
  Frieden von (1783) 246f, 302f
  Ludendorff-Offensive 322f
  Musée du Louvre 136f
  Pariser Friedensverträge (1919/1920) 324f
  Pariser Verträge (1954) 342f
  Sturm auf die Bastille 260f
Parisier 102f
Parlamentarischer Rat 340f
Parler, Peter 148f
Parma 202f, 210f, 216f, 268f
Parma, Herzog von 206f
Parner 84f–86f, 88f *siehe auch* iranische Nomaden
Parsismus 38f, 78f
Parther 70f, 74f, 84f–86f, **88f**, 92f, 106f
Pasargadae, Schlacht von 38f
Passchendaele (dritte Schlacht um Ypern) 322f
Pasyryk 106f
Patagonien 18f, 298f
Pataliputra 86f, 110f
Patani 236f
Patayan-Tradition 182f
Pathet Lao 366f
Patriarchat 98f
Pattala 84f
Patten, Chris *370f*
Paul I. (Zar) 276f
Paulistas 238f
Paulus 78f
Pavia 136f–138f, 150f, 202f
  Eroberung durch die Ungarn 138f
  Schlacht bei 202f
Pazifik-Krieg (Zweiter Weltkrieg) 362f, *362f*
Pazifische Inseln 118f
Pearl Harbor, Angriff auf 314f, 348f, 360f–362f
Peenemünde 334f, 336f
Pegu 180f, 190f, 236f, 294f
Peisistratos 56f
Peking 172f–176f, 190f, 230f–232f, 290f, 318f–320f, 358f
  Kaiserpalast (Verbotene Stadt) *230f*
Peloponnes 22f, 52f, 56f, 268f
Peloponnesische Kriege 68f, 80f, **82f**
Pelusium 84f
  Schlacht von 38f
Pemba 284f
Pemulwy 288f
Penang 296f
Penn, William (Admiral) 196f
Pennsylvania 244f–246f, 304f–308f
Peñon d'Argel 218f
Penträer 90f
Pequer, Constantin 272f
Perak 236f, 296f
Perdikkas 84f
Pergamon *68f*, 86f, 102f
  Römisches Reich 92f
  Schlacht von 102f
Perikles 80f, 82f
Perlen 110f
Perlis 296f
Perón, Eva 350f
Perón, Juan 350f
Peros 98f
Perry, Matthew 254f, 292f
Persepolis 38f
  Erstürmung 84f
  Xerxes-Palast 38f
Perserkriege 68f, **80f**
Persien, Perser 34f, 38f, 42f, 56f–58f, 66f–68f, 82f–86f, 98f, 100f, 110f, 128f, 162f, 198f, 208f, 222f, 228f, 250f–256f, 280f, 374f
  Achaimeniden-Reich *siehe* Achaimeniden-Reich
  Angriff von Awaren und Persern 98f
  Eroberung von Ägypten 108f
  Eroberung von Phönikien 54f
  Ilkhanate 130f–132f, 150f, 176f
  Krieg mit Römischem Reich 98f
  Mongoleninvasion 174f
  osmanische Eroberung von Bagdad 194f
  Parner *siehe* Parner
  Safawiden-Reich *siehe* Safawiden-Reich
  Sassaniden-Reich *siehe* Sassaniden-Reich
  Verbündung mit Sparta 82f
  »Weiße Hammel« 222f *siehe auch* Iran
Perth (Australien) 252f
Peru 20f–22f, 26f, 68f–70f, 74f–76f, 120f, 252f–256f, 298f, 312f–320f, 348f–350f
  spanische Eroberung 190f–192f, **238f**
  siehe auch Inka-Zivilisation
Pescadores 290f–292f
Peshawar 158f
Peshawar, Marathen von 228f
Pest 132f, **146f**, 162f, 176f, 194f–196f, 214f
  große Pest von London 196f, 214f
  Römisches Reich 94f
  schwarzer Tod 132f, *146f*, 162f, 176f
Petén-Maya 184f
Peter I. (Kaiser von Brasilien) 298f
Peter I. (der Große, Zar) 196f, *196f*, 208f
Peter II. (Kaiser von Brasilien) 298f
Peter III. (Zar) 216f
Peter von Amiens 124f
Petersburg, Schlacht von 306f
Peterwardein, Schlacht bei 220f
Petrarca 154f
Petrograd 354f *siehe auch* Leningrad, St. Petersburg
Peutinger, Konrad 44f
  Peutinger'sche Tafel 44f, *44f*
Pfalz 206f, 210f, 214f, 218f, 264f
  Kurfürstentum 148f
Pfeil und Bogen 42f, 106f, 114f, 174f, 182f
Pferde 20f, 30f, 46f–52f, 66f, 106f, 114f–116f, 182f
  Kavallerie 146f, 174f
Pflug 20f, 48f–50f, 150f
Phaistos 52f
Phalangisten, christliche 378f
Pharaone 42f
Pharsalos, Schlacht von 92f
Phidias 82f
Philadelphia 246f
Philipp II. (König von Makedonien) 68f, 82f, 84f
Philipp II. (König von Spanien) 188f, 192f, *192f*, 206f, 236f
Philipp II. August (König von Frankreich) 140f, 144f, 164f
Philipp III. (König von Spanien) 206f
Philipp IV. (König von Frankreich) 146f
Philipp V. (König von Spanien) 214f, 216f
Philipp der Gute (Herzog von Burgund) 154f
Philipp der Kühne (Herzog von Burgund) 146f
Philipp von Hessen 204f
Philipp von Schwaben (Römisch-Deutscher König) 144f
Philipp, Arthur 146f
Philippinen 118f, 230f, 236f–238f, 256f, 296f, 312f–320f, 364f, 370f
  Hukbalahar-Aufstand 364f
  Unabhängigkeit 316f, 364f
  USA, Kontrolle von 360f
  Zweiter Weltkrieg 314f
Philippinensee, Schlacht in der 362f
Philister 26f, 32f, 36f
Phnom Penh 180f
Phokas 98f
Phokis 56f
Phönikien, Phöniker 26f, 34f–36f, 56f, 66f
  Alexander der Große 84f
  Eroberung durch Babylonier 54f
  Eroberung durch Griechen 54f
  Handel und Kunst *54f*
  Kolonien 26f, 34f, **54f**, 58f
Phrygien, Phryger 26f, 32f–34f, 52f–54f
phrygische Sprache 94f
Piankashaw 304f
Pickawillany 244f
Piemont 214f, 254f, 268f
Pikten 136f
Pilgerreisen
  Hadsch 166f
  Hindu 168f
  Islam 156f, 166f, 226f
  Kreuzzüge 164f
  Sonnenkult (Inka) 186f
Pilgerväter (Pilgrim fathers) 194f, 242f, *244f*
Pilsen 278f
Pilsudski, Josef 324f
Pippin II. von Herstal 136f
Pippin III. 136f
Pisa 140f, 142f, 154f
  Stadtansicht *152f*
Pisac 186f
Pithecantropus-Gruppe 16f
Pithekusai 54f
Pitsane 286f
Pittsburgh 308f
Pizarro, Francisco 186f, 190f, 192f, 238f
Pjöngjang 114f, 178f, 372f
  siehe auch Luolang
Plantagenet, Heinrich von Anjou *siehe* Heinrich II. (König von England)
Plassey, Schlacht von 198f, 228f
Płaszów (Arbeitslager) 334f
Platää 38f, 68f
  Schlacht von 38f, 68f, 80f
Plataiai 68f
Platon 82f
Plautus 92f
»Platz des Himmlischen Friedens«, Massaker auf dem 370f
Pleistozän 16f–18f
Pleydenwurff, Hans 152f
Pleydenwurff, Wilhelm 152f
Pliozän 16f
Pliska 160f
PLO *siehe* »Palestine Liberation Organization«
Ploiesti 270f
Plymouth 244f
»pochtecas« 120f
Podolien 208f, 216f–220f
Po-Ebene 68f
Poeni (Phöniker) 90f
Poidebard, Antoine 72f
Point Barrow 182f
Poitiers, Schlacht bei (732) 126f, 136f, 156f
  Schlacht bei (1356) 146f
Pokomam-Maya 184f
Polen 128f–132f, 140f, 146f, 150f, 154f, 174f–176f, 194f–196f, 198f, 202f, 206f, 208f, 214f, 216f, 220f, 264f, 268f–270f, 312f–326f, 330f, 336f–338f, 344f, 346f, 354f–356f
  Dritte Teilung 260f, 264f
  Erste Teilung 208f, 216f
  Großer Nordischer Krieg 208f, 212f
  Invasion (Deutschland/Sowjetunion) *314f*, 324f, 330f–336f, 354f
  Juden 330f, 336f
  Kongress 276f
  Kosciuszko-Aufstand 260f
  Krieg mit der Sowjetunion 324f
  Nichtangriffspakt (Deutschland/Polen) 324f, 332f
  Oder-Neiße-Grenze 340f, 346f
  Pilsudski-Regierung 324f
  Russisches Reich 276f
  »Solidarität« 338f, 356f
  sowjetische Übermacht 336f–338f, 344f, 356f
  Unabhängigkeit 312f
  Zweiter Weltkrieg 314f, 324f, **330f**, 332f, **336f**
  Zweite Teilung 260f
Polen-Litauen 154f, 190f, 208f
Polis 56f
POLISARIO 380f
Polnische Teilung 260f, 264f
Polnischer Korridor 324f
Polnischer Thronfolgekrieg 216f
Polo, Marco **174f**, **176f**, *176f*
Poltawa, Schlacht von 176f, 196f, *196f*, 208f, *208f*
Polyklet 82f
Polynesien, Polynesier 26f, 66f, 68f–70f, 74f–76f, 118f, 126f–130f, 190f–196f, 198f, 250f
Polyteismus 42f
Pombal, Sebastiao 216f
Pommern 136f–138f, 144f, 210f, 214f, 216f, 262f, 340f
Pompeji 100f
Pompejus 92f
Ponce de León, Juan 238f, 242f
Pondicherry 196f, 198f
  Schlacht von 228f
Pontiacs Rebellion 244f
Pontos 86f, 92f
Populonia 58f
Poros 84f
Port Arthur 276f, 292f
  Schlacht von 292f
Port Augusta 288f
Port-au-Prince 300f
Port Hedland 288f
Port Jackson *siehe* Sydney
Port Moresby 362f
Port Royal 244f
Port Wellesley 296f
Porto Bello 238f
Portsmouth, Frieden von 292f
Portugal 130f–132f, 140f, 146f, 150f, 154f, 190f, 194f–196f, 198f, 202f, 210f, 214f, 216f, 250f–256f, 260f–262f, 268f–270f, 278f, 312f–324f, 336f–338f, 344f, 360f
  spanische Herrschaft 192f–194f, 210f, 238f
  spanischer Unabhängigkeitskrieg 250f, 262f
portugiesische Sprache 94f
portugiesisches Ostafrika 192f–962f, 198f, 224f
portugiesisches Weltreich 132f, 154f, 166f, 180f, 190f–194f, 224f–226f, 234f
  Abschaffung der Sklaverei 250f, 282f
  Afrika 192f–198f, 224f, 282f, 380f–382f
  Brasilien 190f, 194f, **238f**, **242f**
  Ceylon 196f
  Guinea 252f–256f
  Guinea, portugiesisches 224f, 312f–316f, 380f
  Hormus 222f
  Indien 218f, 226f
  Lateinamerika 252f, **298f**
  Niederländisch-Portugiesische Kriege 192f–194f, 238f
  Ostafrika 250f–254f, 282f
  São Vicente 238f
  Südostasien 236f
  Timor 296f
  Befreiungskriege 380f
Posen (Großherzogtum) 326f
Postsystem 34f
Poteidaia 82f
Potosí-Minen 192f, 238f
Potsdam 272f, 342f, 346f
Potsdamer Abkommen 340f
Potsdamer Konferenz 338f
Potsdamer Platz (Berlin) *328f*
Poverty-Point-Komplex 26f
Powell, Colin *368f*
Powers, Francis G. 342f
Praetorius, Johannes 200f
Prag 146f, 148f, 212f, 332f, 336f, 344f
  deutscher Einmarsch in *332f*
  Frieden von 266f
Prager Frühling 318f
Prä-Sapiens-Gruppe 16f–18f
Pratisthana 110f
Praxiteles 82f
Prayaga 112f
Prednosti 46f
Premadasa, Ranasinghe 368f
Pretoria *286f*
Preußen 198f, 208f, 214f, 216f, 220f, 250f–252f, 260f–262f, 264f–266f, 268f, 274f, 340f
  Bauernbefreiung 264f
  Deutsch-Dänische Kriege 266f, 268f
  Deutscher Bund 252f, **266f**, 274f
  Deutscher Krieg 254f, 266f
  Dritte Polnische Teilung 260f, 264f
  Einigung Deutschlands **274f**
  Französisch-Preußischer Krieg 254f, 268f, 278f
  Napoleonische Kriege 250f, 260f–262f
  Norddeutscher Bund 266f
  preußische Reformen 264f
  Schleswig-Holstein, Krieg um *siehe* Deutsch-Dänische Kriege
  Sonderfrieden von Basel (1795) 264f
  Vereinigter Landtag 266f
Preußisch Eylau, Schlacht von *250f*
Prevesa, Schlacht bei 202f, 218f
Priestertum 28f, 40f
Prince-Edward-Insel 244f, 302f
Proklamationslinie 246f
Promontory Point 254f
Prospektion *siehe* Luftbildarchäologie
protoelamische Strichinschrift 28f
proto-kanaanitisch-phönikisches Alphabet 26f
Provence 138f, 146f, 202f, 210f
Pruzzen 138f–140f, 164f
»Psalterum Egberti« *36f*
Psammetich III. 38f
Psellos, Michael 160f
Pskow 146f, 202f, 208f
Pteria 38f
Ptolemaios I. 84f
Ptolemaios IV. 86f
Ptolemäus, Claudius 44f, 200f, *200f*
Ptolemäisches Ägypten 68f–70f, 84f–86f
Pu Yi 290f, 360f, *360f*
Pueblos 132f, 182f, 190f–196f
Puerta del Sol *120f*
  siehe auch Tiahuanaco
Puerto Rico 190f, 238f, 256f, 298f–300f, 320f, 350f–352f
»Puffing Billy« *272f*
Pugatschows Aufstand 208f
Pullman-Streik 308f
Punische Kriege 86f, **90f**
  Erster 90f
  Zweiter 70f, 90f–92f, 108f
  Dritter 70f, 92f
Puritanische Revolution 210f
Pusan 234f
Puschimitra Schunga 110f
Putin, Wladimir 344f
Putún-Maya 184f
Pydna, Schlacht von 86f, 92f
Pylos 52f
Pyöngyang *siehe* Pjöngjang
Pyramiden
  Ägypten 22f, **40f**, *40f*, **42f**
  Maya 122f
  Mesoamerika 62f
  Nubien 108f
  Teotihuacán 74f, 120f
Pyramiden, Schlacht bei den 260f
Pyrrhus 90f
Pytheas von Massalia 104f
Pyu 70f, 74f, 118f, 126f–128f, 170f, 180f

Q

Qafzeh 18f
Qianlong (Kaiser) 290f
Qin 114f
Qing 232f
Qingdao (Tsingtao) 290f–292f, 358f–360f
Qinghai (Tsinghai) 232f, 290f, 358f
Quartär 16f
Quebec 194f, 198f, 244f–246f, 302f, 348f–350f
  amerikanischer Unabhängigkeitskrieg 246f
  Schlacht von 198f
  Separatisten 350f
Quechua-Sprache 186f
Queensland 288f, 296f
Quemoy 364f
Quentowic 136f
Quetzalcóatl (»Gefiederte Schlange«) 184f, 240f
Quicab 184f
Quiché-Maya 184f
Quinua 62f
Quipu-Schnüre *siehe* Knotenschrift
Quirigua 122f

R

Rabbani, Burhanuddin 368f
Rabin, Yitzhak 378f
Rad 28f, 48f–50f, **106f**
Radschput, Radschputen 168f, 190f, 226f–228f, 294f
Raffles, Sir Stamford 296f
Raghuji Bhonsle 228f
Ragusa 146f, 154f, 220f, 260f
Rajputen *siehe* Radschputen
Raleigh, Walter 242f
Rama Thiboldi II. (König) 132f
»Ramayana« 78f, 112f
Ramses II. 32f, 42f
Ramses III. 42f
Rangun 296f, 362f, 368f
Rann von Kutch 368f
Rapallo, Vertrag von 324f, 326f, 354f
Rashtrakuta-Dynastie 168f
Räter 58f
Rathenau, Walter 326f
Ravenna 96f–98f, 100f, 142f
  Exarchat von 136f
Ravensbrück (KZ) 334f
Reagan, Ronald 320f, *338f*, 356f
Recuay-Kultur 120f
Red Cloud *304f*
Red-River-Aufstand 302f
Red-River-Kolonie 302f
Reformation (Protestanten) 190f, 194f, **202f**, **204f**, 206f, 218f
Regenbogenschlange (Gottheit) *118f*
Regensburg
  Immerwährender Reichstag 264f
  Reichstagsabschied 212f
Regenwald 16f
»regnum teutonicum« (»Reich der Deutschen«) 142f
Rehabeam (König) 36f
Reichsdeputationshauptschluss 264f
Reichsfürsten 144f
Reichskirchensystem 142f
Reichskristallnacht 332f, 334f
Reichstag, Brand des 332f, 334f
Reis 20f, 60f, 116f–118f
Religion 28f
  Ahnenverehrung 78f
  Ausbreitung der Weltreligionen 78f
  Gegenreformation **206f**, 210f, 218f
  Paläolithikum 46f
  Pilgerreisen *siehe* Pilgerreisen
  Reformation **202f–204f**
  Tempel 30f
Religionskriege 210f
Remarque, Erich Maria 326f
Renaissance 132f, 134f, **154f**, 202f, 204f
Rentier 18f, 46f
Republik China *siehe* China, Volksrepublik China
Republik Korea *siehe* Südkorea
Resa Pahlewi, Mohammed 374f
Restitutionsedikt 210f

Reuchlin, Johannes 204f
Reuß ältere Linie (Fürstentum) 274f
Rhapta 108f
Rhee, Syngman 364f
Rhein 46f, 94f–96f, 138f
Rheinbund 264f
Rheinland 146f, 264f, 326f, 332f
  Besetzung 314f, 324f
Rheinland-Pfalz 340f
Rheinprovinz 340f
Rhode Island 246f, 304f–308f
Rhodes, Cecil 286f
Rhodesien 318f, 380f, 382f *siehe auch* Nordrhodesien, Südrhodesien, Sambia, Simbabwe
Rhodos 52f, 86f
  Johanniter 164f, 202f, 218f
Ribbentrop, Joachim von *354f*
Riben *siehe* Japan
Ribla 34f
Richard I. (König von England) 160f, 164f
Richelieu, Kardinal 210f
Richmond 306f
Riebeck, Jan van 224f
Riel, Louis 302f
Riemenschneider, Tilman 204f
Rio de Janeiro 238f, 350f
Rio de la Plata 198f, 238f
Rio Grande 348f–350f
Risorgimento 268f
Roanoke Island 242f
Robben Island 382f
Roberts (General) 286f
Robespierre, Maximilien 260f
Rockefeller, John D. 308f
Rocroi, Schlacht bei 210f
Rodney, George 246f
Rogers, William Pierce *310f*
Rohilkhand 228f
Röhm, Ernst 332f
Rolandslied 140f
Rom 44f, 58f, 68f, **90f**–98f, 100f, 102f, 144f, 252f, 336f
  als Zentrum des Christentums 98f
  Annexion von Italien 268f
  Etrusker 58f, 108f
  Frieden von 336f–338f
  Gründung 58f, 90f
  Papstsitz 136f
  Patriarchat 98f
  Stadtwälle 90f
  Trajan 88f, 92f, 94f
  Zerstörung 387 v. Chr. 102f
  Zerstörung 410 n. Chr. 74f–76f, 96f
  Zerstörung 455 n. Chr. 96f, *96f*
  Zerstörung (1527) 202f
romanische Sprachen 94f
Romanow-Dynastie 208f, 324f, 354f
Römerkastell Ruffenhofen *72f*
Römisch-Deutsches Reich 128f–132f, 138f–140f, **142f–144f**, 146f, **148f**, 150f, 154f, 164f, 174f–176f, 190f–194f, 202f, **204f**, 206f–210f, **212f**, 214f, 216f–220f, 260f–**264f**
  Augsburger Religionsfrieden 202f–206f, 212f
  Dreißigjähriger Krieg 194f, 206f, 210f, *210f*, 212f, 214f
  Goldene Bulle 146f, 148f
  Gottesfriede 142f
  Gründung 128f, 138f
  Habsburger-Kaiser 154f
  »Heiliges Reich« 144f
  Interregnum 144f
  Kurfürsten 148f
  Reformation 202f, 204f
  Reichsfürsten 144f
  Zerfall 130f, 140f, **264f**
  siehe auch Deutschland
Römische Republik 58f, 66f–68f, **90f**, 260f
  »Bundesgenossenkrieg« 90f–92f
  Bürgerkrieg 92f
  Kolonien 90f–92f
  Punische Kriege 70f, **90f**, 92f, 108f
  Samnitenkriege 90f
  soziale Konflikte 92f
  Tribuni (Volkstribunen) 90f
  Vorherrschaft in Griechenland 70f, 86f, 90f–92f
  Zusammenbruch 70f, 92f
  Zwölftafelgesetz 90f
Römisches Reich 70f, 74f–76f, **92f**, **96f**, 104f, 112f
  Afrika 92f, 98f
  Ägypten 70f, 92f–94f
  Arabien 92f
  Armenien 92f
  Asien 92f
  Barbaren 76f, 96f–98f
  Britannien 70f, 92f, 102f
  Christentum 74f, 78f, 92f
  Dakien (Dacia) 92f
  Galatien 92f
  Gallien 70f, 90f–92f, 98f, 102f
  Germanen und Slawen 76f, 92f, 96f, **104f**
  Gesellschaft 90f, **94f**, 98f
  Grenzen 104f
  größte Ausdehnung 74f
  Handel 74f, 92f, **94f**, 102f–104f, 108f, 112f
  Kelten 102f
  Kolonien 90f–92f
  Makedonien 86f, 92f
  Mesopotamien 88f, 92f, 98f
  Mithras-Kult 78f
  Osthälfte 74f–76f, 94f–98f, 158f
  Provinzen **92f**
  Reichsaufbau 94f
  Spanien 90f–94f, 98f
  Sassaniden-Kriege 88f
  Sprachen 94f, 98f
  Staatsbürgerschaft 90f, 94f
  Steuern 94f
  Teilung 74f, 96f
  Westhälfte 74f–76f, 94f, **96f**
  Wirtschaft **94f**
  siehe auch Byzanz, Byzantinisches Reich
römisch-katholische Kirche
  Abendländisches Schisma 132f, 146f, 148f, 154f, 162f
  Gegenreformation **206f**, 210f, 218f
  Konkordat mit Frankreich 262f
  Polen 324f
  Restitutionsedikt 210f
  römisch-orthodoxes Schisma 136f, 160f
  Spanien 324f
  siehe auch Papsttum
Rommel, Erwin 330f
Romulus Augustulus 76f, 96f
Roosevelt, Franklin D. 314f, 336f, *336f*, 348f, *348f*
Roosevelt, Theodore 300f
Rorke's Drift, Schlacht bei 286f
Rosas, Juan Manuel 298f
Rosenkrieg 154f, 202f
»Rosinenbomber« *316f*, 342f
Rostock 346f
Rote Garden 364f
Rote Khmer 366f, 370f
»Rote« (Russland) 354f
Rotterdam *330f*
»Rough Riders« 300f
Roxolanen 70f
Ruanda 250f, 380f
  Bürgerkrieg 380f
Ruanda-Urundi 374f
Rubens, Peter Paul 192f
Rückversicherungsvertrag 274f
Rudna Glava 48f
Rudolf II. (Römisch-Deutscher Kaiser) 212f
Rudradaman 112f
Ruffenhofen 72f
Ruhrgebiet 270f, 314f, 324f, 326f, 340f
  »Ruhrkampf« 326f
Rumänien, Rumänen 270f, 276f–280f, 312f, 318f, 324f, 336f–338f, 344f, 354f–356f
  Balkanpakt 324f
  Erster Weltkrieg 322f
  Unabhängigkeit 254f, 280f
  Zweiter Weltkrieg 330f, 336f
rumänische Sprache 94f
Rumelien 280f
Rum-Sultanate (Seldschuken) 162f–164f
Ruprecht I. 148f
Ruprecht III. (Römisch-Deutscher König) 148f
Rurik 128f
Rusellae *66f*
russische Großfürstentümer 130f, 150f, 154f, 174f–176f
Russisches Reich 250f–256f, 260f–262f, 268f–270f, **276f**, 278f–280f, 290f–294f
  afghanischer Krieg 252f, 294f
  Amerika 198f, 208f, 242f, 250f, 254f, 276f, 304f
  Bodenschätze **276f**
  Bulgarien 276f, 280f
  Eisenbahn (Mandschurei) 364f
  Frieden von San Stefano 278f–280f
  Mandschu (China) 232f
  Polen 208f, 216f, 260f, 276f, 350f
  Russisch-Japanischer Krieg 276f
  Russisch-Türkischer Krieg 274f, 280f
  Sachalin 254f, 276f, 292f
  Schwarzes Meer 208f
  Sibirien 192f–194f, 208f, 220f–222f
  Tataren-Khanate 208f, 220f–222f
  Transsibirische Eisenbahn 256f, 276f, 290f–292f
Russland 128f, 160f, 190f, 202f, 206f–**208f**, 216f–220f, 264f, 320f, 338f
  Abschaffung der Leibeigenschaft 254f, 276f
  Berliner Kongress 274f, 276f–280f
  bolschewistische Revolution 312f, 322f, 354f, 360f
  Brest-Litowsk, Frieden von 312f, 322f, 354f
  Bürgerkrieg 312f–314f, 354f
  Dreikaiserabkommen 274f
  Erster Weltkrieg 276f, **278f**, 312f, 322f
  Februarrevolution 354f
  französisch-russische Allianz 256f, 280f
  Gemeinschaft Unabhängiger Staaten (GUS) 356f
  Großer Nordischer Krieg 196f, 208f
  Juden 276f
  Kiewer Rus 128f, **138f–140f**, 160f
  Krimkrieg 254f, 276f, *276f*, 278f–280f
  Livländischer Krieg 208f
  Mongolensturm 174f
  Napoleonische Kriege 250f, 260f–262f, 276f
  Postkommunismus 344f
  Pugatschows Aufstand 208f
  Revolution von 1905 276f
  Romanow-Dynastie 208f, 324f, 354f
  »Rote« (Russland) 260f
  Rückversicherungsvertrag 274f, 278f
  Siebenjähriger Krieg 198f, 208f, 216f
  Zaren 154f
  »Zeit der Wirren« 194f, 208f
  siehe auch Russisches Reich, UdSSR
Rüstungsbegrenzung 318f
Ruvanveliseya-Dagoba *110f*
Ryongchon 372f
Ryukyu-Inseln 290f–292f, 358f, 364f

S

SA (»Sturmabteilung« der NSDAP) 332f–334f
Saargebiet 326f
Saarland 332f, 340f
Saba 68f, 108f
Sabäer 70f, 108f *siehe auch* Aksum, Aksumer
Sabah 364f
sabäische Schrift 108f
Sabiner 58f, 90f
Sachalin 254f, 276f, 290f–292f, 362f–364f
Sachsen 76f, 96f, 104f, 136f *siehe auch* Angeln und Sachsen
Sachsen 138f–140f, 142f–144f, 148f, 202f, 206f, 210f, 214f, 216f, 262f, 264f, 268f, 304f, 346f
Sachsen-Anhalt 24f, 340f, 346f
Sachsen-Dynastie 138f
Sachsenhausen (KZ) 334f
Sadat, Muhammad Anwar As 320f, 376f, 378f
SADCC 382f
Saddam Hussein *siehe* Hussein, Saddam
Sadowa *siehe* Königgrätz
Safawiden-Dynastie 190f–196f, **222f**
  osmanische Kriege 190f–194f, 218f–222f
  Verfall 194f–196f, 198f, 218f, 222f
Saffariden-Emirate 158f
Safi (Schah) 194f
Sagartia 38f
Saguntum 90f
Sahara 18f–22f, 70f, 108f, 126f, 130f, 166f
Sahel 20f, 126f, 186f, 224f
Sahelanthropus tchadensis 16f
Saigon 296f, 366f
  Frieden von 296f
Saint-Denis 140f
Saint-Domingue 196f, 198f, 244f, 306f *siehe auch* Haiti
Saint-Germain 270f
  Frieden von 324f
Saipan 362f, *362f*
  Schlacht von 362f
Sajiden-Dynastie 168f
Sajjid Said 250f
Sakastane 86f–88f
Saken 38f, 66f, 70f, 84f–88f, 110f–112f
  nördliche 110f–112f, 116f
  westliche 110f–112f
Sakkara 22f, 40f
  Relief *20f*
Saladin 130f, 144f, 162f, 164f
Salamis 80f
  Schlacht von 38f, 54f, 56f, 68f, 80f
Salier (Dynastie) **142f**, 148f
Salisbury, Lord 278f
Salmanassar I. 32f
Salmanassar III. 34f, 36f
Salmanassar V. 34f, 36f
Salomo **36f**
Salomoniden (Dynastie) 166f
Salomon-Inseln 18f, 118f, 256f, 362f, 370f
Saloniki 160f, 280f
  Schlacht von 322f
Salpeterkrieg 254f, 298f
SALT-I-Abkommen, Unterzeichnung *318f*
Salz 166f
Salzburg 210f, 214f, 264f, 266f
Samaniden-Emirat 158f
Samaria 36f
Samarkand 126f, 132f, 174f–176f
Samarra 158f
Sambesi 166f
Sambia 318f–320f, 380f, 382f *siehe auch* Nordrhodesien, Rhodesien
Samniten 58f, 90f
Samoa 26f, 118f
Samory Touré 282f, 284f
Samory-Reich 254f, 282f
Samudra 180f
Samudragupta 74f, 112f
Samurai *234f*, 292f
San 224f
San Francisco 242f, 308f, 310f
San Ildefonso, Frieden von 238f
San Jancinto, Schlacht von 298f
San Juan *siehe* Puerto Rico
San Juan, Schlacht bei 300f
San Lorenzo 62f
San Marco 160f
San Martín, José de 298f
San Salvador 132f, *238f*
San Stefano, Frieden von 278f–280f
Sanacht 40f
Sánchez, Arias 352f
Sanchi 110f
Sand, Karl Ludwig 266f
Sand Creek 304f
»Sand River Convention« 286f
Sandinisten 352f
Sangiden 130f
Sangiden-Emirat 130f, 162f
Sangiden-Sultanat 166f
Sangu (Schatzmeister) 28f
Sanherib 34f
Sankt-Lorenz-Strom 192f–196f, 242f–244f
Sansibar 250f–254f, 278f, 284f
  Sultanat 196f, 224f, 282f
  siehe auch Tansania
Sanskrit 112f
Sanssouci (Schloss) 216f
Santa Anna, Antonio de 298f
Santa Fe 242f, 304f, 308f
Santiago *siehe* Jamaika
Santo Domingo 196f, 198f, 244f, 300f *siehe auch* Haiti
Santo Domingo 300f *siehe auch* Dominikanische Republik
Santorin *siehe* Thera
São Paulo 238f, 350f
São Tomé und Príncipe 284f, 320f, 380f
São Vicente 238f
Saporoger Kosaken 208f, 216f
Sarajewo 256f, 278f, 322f, 344f
Sarawak 296f, 360f–364f
Sardes 38f, 80f–82f
Sardinien 50f, 54f, 90f–92f, 210f, 214f, 216f–220f, 260f, 268f
Sardinien-Piemont 216f, 260f, 268f
Sargon II. 34f
Sargon von Akkad 22f, **30f**
Sarmaten 66f, 70f, 86f, 104f–106f
Saskatchewan 242f–244f
Sassaniden 88f
Sassaniden-Reich 74f–76f, **88f**, 96f–98f, 106f–108f, 112f, 156f, 160f
  größte Ausdehnung 76f
  Zerstörung 116f, 156f
Satavahanihara 70f, 110f–112f
Satelliten, künstliche 318f, 372f, *372f*
Satellitenfotografie **372f**, *372f*
Satellitentechnologie **372f**
Saudi-Arabien 314f–320f, 374f–378f
  arabisch-israelischer Konflikt 378f
Saul (König) 36f
Savannah 246f, 306f
Savoyen 146f, 154f, 202f, 206f, 210f, 214f
Schabako 108f
Schafe 20f, 48f, 52f, 106f–108f
Schah Dschahan *siehe* Dschahan (Schah)
Schaibani (Mohammed) 222f
Schamasch (Sonnengott) *30f*
Schamir, Yitzak 378f
Schamschi-Adad I. 30f
Schanghai 290f, 358f–360f
»Schanzen«-Bau 116f
Schapur I. 88f, 112f
Schapur II. 88f
Scharm el-Scheich 376f
Scharon, Ariel *378f*
Schaumburg-Lippe 340f
Schdanow, Andrej 357f
Schedel, Hartmann **152f**, 204f
  Schedel'sche Weltchronik **152f**, *152f*
Scheel, Walter 342f
Scheidemann, Philipp 326f
Schengener Abkommen 344f
Scher Schah 226f
Scherbengericht 56f
Scheschonk I. 36f
Schießpulver 170f–172f
Schill, Ferdinand von 264f
Schindler, Oskar 334f
Schiras 158f
Schisma, Abendländisches 132f, 146f, 148f, 154f, 162f
Schlesien 146f, 148f, 198f, 202f, 206f, 210f, 214f, 216f, 260f, 340f
Schleswig 266f, 268f, 324f
Schleswig-Holstein 340f
Schleswig-Holstein, Krieg um *siehe* Deutsch-Dänische Kriege
Schlieffen, Alfred von 278f
  Schlieffen-Plan 278f
Schliemann, Heinrich 52f
»Schlüssellochgräber« 116f
Schmalkaldischer Bund 202f, 204f
Schmalkaldischer Krieg 204f
Schöner, Johann 200f
Schöningen 16f
Schönsperger, Johann 152f
Schottland, Schotten 102f, 128f–132f, 136f–140f, 146f, 150f, 154f, 202f, 206f, 210f, 216f
  Bündnis 210f
  Calvinismus 206f
  Flodden, Schlacht bei 202f
  keltische Stämme 102f
  Unionsakte 214f
  siehe auch Britannien, England, Großbritannien
Schreyer, Sebald 152f
Schrift 22f, 28f, 48f
  aramäisches Alphabet 26f, 38f
  chinesische Bilderschrift 116f
  griechisches Alphabet 56f
  Hieroglyphen 40f, 52f, 62f, 66f, 120f–122f, 184f
  kanaanitisches Alphabet 32f
  Keilschrift 14f, 28f, *28f*, 38f
  Konsonantenalphabet 56f
  lateinische 94f, 98f, 102f
  Linear-A-Schrift 52f
  Linear-B-Schrift 52f
  mykenische 56f
  Pergament 38f
  phonetische 26f
  phönikisches Alphabet 26f, 54f–58f
  piktographische 28f, 60f, 118f
  protoelamische Strichinschrift 28f
  proto-kanaanitisch-phönikisches Alphabet 26f
  sabäisches Alphabet 52f
  Sanskrit 112f
  Silbenalphabet 52f
  sumerische Piktogrammschrift 28f, 40f
Schubat-Enlil 30f
Schumacher, Kurt 334f
Schunga-Dynastie 110f
Schuppenpanzer 42f
Schuschenskoje 276f
Schu-Sin (König von Ur) 30f
»Schutzhaft« 334f
Schwaben (Herzogtum) 142f
Schwäbischer Städtebund 148f
Schweden, Schweden 128f–132f, 138f–140f, 146f, 150f, 154f, 190f–196f, 198f, 202f, 206f–210f, 214f–216f, 256f, 260f–262f, 268f–270f, 312f–324f, 330f, 336f–338f, 344f
  Dreißigjähriger Krieg 194f, **210f**, *210f*, **212f**
  Erster Nordischer Krieg 212f
  Großer Nordischer Krieg 208f
  Kalmarer Union 132f
  Livländischer Krieg 208f
  Napoleonische Kriege 262f
  nordamerikanische Kolonien 242f
  schwedische Wikinger 160f
  Siebenjähriger Krieg 208f
  Wasa-Dynastie 202f
Schwedisch-Pommern 264f
Schweine 20f
Schweinebucht 352f
Schweiz, Schweizer 268f–270f, 322f, 344f
Schweizer Eidgenossenschaft 146f, 154f, 202f, 206f, 210f, 212f, 214f–216f, 260f
  Calvinismus 202f, 212f
Schwerin 346f
Scipio Africanus 90f
Scott, Ridley 188f
SEATO *siehe* »South-East Asia Treaty Organization«
Sebastian I. (König von Portugal) 192f
Sechstagekrieg 100f, 318f, 376f

Sedan, Schlacht von 274f
Sedeka 36f
Seefahrt
byzantinische 160f
Dampfantrieb 258f
Dreadnought-Klasse 256f, 278f
europäische Handelsrouten 150f
Klipper 258f
Koggen 150f
Kühlschiffe 258f, 288f, 298f
Römisches Reich 94f
Schaufelradantrieb 172f
wasserdichte Schotten 172f
siehe auch Bootsbau
»Seevölker« 26f, 32f, 42f, 52f
Segesta 82f
»Segmentärgesellschaften« 22f
Segu 196f, 198f, 224f, 252f
Seidenstraße 66f, 146f, 174f–176f, 222f
Sekenenre II. 42f
Seldschuken-Sultanat 162f–164f, 176f
Besetzung von Anatolien 160f
Seldschuken-Sultanat von Rum 162f–164f
Seleukiden-Reich 70f, 84f, 88f
Ägypten 86f
Niedergang 86f
Seleukos 84f, 86f, 110f
Selim I. (Sultan, der Grimmige) 218f
Selim II. (Sultan) 218f
Selim III. (Sultan) 280f
Selkirk, Thomas Douglas, Earl of 302f
Seminolen-Kriege 304f
Semiten 22f
Senegal 198f, 224f, 250f–254f, 282f, 318f–320f, 380f
Sennardamm 374f
Sentium, Schlacht von 90f
Serben, Kroaten und Slowenen
Königreich der 324f
siehe auch Jugoslawien
Serbien, Serben 136f–138f, 160f–164f, 176f, 216f–220f, 268f–270f, 276f–280f, 322f, 330f, 336f, 344f
Byzantinisches Reich 160f
Erster Weltkrieg 256f, 322f
Osmanisches Reich 162f
Unabhängigkeit 254f, 268f, 280f
Seringapatam, Schlacht bei 294f
Sesostris III. (ägypt. Senwosret) 42f
Sethos I. 42f
Sevilla 238f
Sèvres, Frieden von 280f
Shaanxi 230f–232f, 358f
Shahjahanapur 226f
Shan 180f, 226f–228f, 230f
Shan-Staaten 190f–196f
Shanda Sahib 228f
Shandong (Shantung) 230f–232f, 256f, 290f, 358f–360f
Shang Tzhi-xin 232f
Shang Yang 114f
Shangdu 176f
Shang-Dynastie 26f
Shanxi 230f–232f, 256f, 290f, 358f
Sharpeville, Massaker von 382f
Shawnee 242f–244f
Shen Gua 172f
Sherman, Roger *246f*
Sherman, William 306f
Shi-Huangdi (»Erster erhabener und göttlicher Kaiser«) 114f, 170f
Terrakotta-Armee der Grabstätte *114f*
Shikoku 116f
Shimoda 292f
Shimonoseki, Frieden von 292f
Shintoismus 178f
Shiva (Gottheit) *168f*
Shivaji 228f
Shorthugai 60f
Shotoku 116f, 178f
Shu 116f
Shvedagon (Stupa) *78f*
Sialkot 112f
Siam, Siamesen 198f, 232f, 236f, 296f, *296f*, 312f, 360f
siehe auch Thailand, Thailänder
Sibirien 208f, 220f–222f, 276f
japanische Besatzung 312f, 354f, 360f
Sibirien, Khanat 132f, 222f
Sicán (Staat) 186f
Sichem 36f
Siddharta Gautama *siehe* Buddha
Sidon 36f
Siebenbürgen 24f
Siebenjähriger Krieg 198f, 208f, 216f, 238f, 244f
»Siegfriedlinie« 336f
Siemens, Friedrich und Karl Wilhelm 270f
Siemens AG (Elektronikunternehmen) 370f
Sierra Leone 250f–256f, 282f–284f, 312f–320f, 380f
Sigismund (Römisch-Deutscher Kaiser) 148f
Sihanouk, Prinz 366f
Sikander Lodi 168f
Sikaner 58f
Sikhs 294f, 368f
Sikkim 232f, 294f, 368f
Sikuler 58f
Silbenalphabet 52f
Silber 80f–82f, 238f
»Silicon Valley« 350f
Silla 74f–76f, 114f–116f, 126f, 170f, 178f
Sima Qian 114f
Simbabwe 130f, 166f, 320f, 380f–382f
»großer Mauerring« 130f, 166f
Unabhängigkeit 320f, 382f
siehe auch Rhodesien, Südrhodesien
Simonstown 250f, 286f
Sinai 40f, 376f
Sind 38f, 156f–158f, 168f, 252f, 294f
Singapur 296f, 318f–320f, 364f, 370f
britische Militärpräsenz, Ende der 364f
Zweiter Weltkrieg 314f, 362f
Singhalesen 110f, 126f, 130f–132f, 368f
Singhasari-Dynastie 180f
Sinope, Schlacht von 280f
Sintflut 28f
Sinti und Roma 330f, 334f, 336f
Sioux 242f–244f, 304f
Siraj ud-Dawlah 198f, 228f
Sitting Bull 304f, *304f*
Siwa, Oase 38f, 84f
Sixtus V. (Papst) 206f
Sizilien 54f–58f, 66f, 82f, 90f–92f, 98f, 130f, 140f, 144f, 146f, 150f, 154f, 158f–160f, 202f, 206f, 210f, 216f–218f, 250f, 260f, 268f, 280f, 322f–324f, 330f, 336f–338f, 344f
arabische Eroberung 160f
Königreich 140f, 160f
Königreich Neapel-Sizilien 218f, 260f
Königreich beider Sizilien 268f
Normannisches Königreich 144f, 160f, 164f
Sjællands Odde 50f
Skandinavien, Skandinavier 76f, 104f, 126f–128f, 136f–138f, 146f
skandinavische Wikinger *siehe* Wikinger
Sklaverei 28f
Afrika 166f, **224f**, 238f, 250f–252f, 282f
Amerika 196f, 224f, **238f**, 246f, 250f, 254f, 282f
Asiento, Vertrag von 196f
Brasilien 238f, 252f
Buren 286f
Europa 138f
Großbritannien 196f
Karibik 250f, 300f
Kolonien für freigelassene Sklaven 250f, 282f–284f
Paulistas 238f
Römer 92f–94f
Sklavenhandel 196f, 224f, *224f*, 250f–252f, 282f, *300f*
Toussaint l'Ouverture, Sklavenaufstand 250f, 300f
Vereinigte Staaten 250f, 254f, 282f, 304f, **306f**, *306f*
Westindien 224f
Skoda-Werk 278f
Skudra 38f
Skylitzes, Johannes 160f
Skythen 38f, 54f, 66f, 68f–70f, 102f–106f
Kaspisches Meer 38f
Schwarzes Meer 38f
»skythische Bauern« 104f
»Spitzhütige Skythen« 38f
Slankamen, Schlacht von 198f, 220f
Slawen 66f–70f, 74f–76f, 96f–98f, **104f**, 126f–128f, 136f–140f, 142f–144f, 156f–158f, 330f
slawische Sprache 104f, 278f
Sleipnir *138f*
Slowakei, Slowaken 138f, 314f, 320f, 324f, 330f, 336f, 344f
siehe auch Tschechoslowakei, Tschechische Republik
Slowenien 344f, 356f
Smerdis 38f
Smith, Adam 216f
Smolensk 146f, 208f
Fürstentum von 140f
Snaketown 182f
Sobibor (KZ) 334f
Sobieski, Johann III. 220f
Sogdiana, Sogdien 38f, 88f, 156f–158f, 162f, 170f
Soissons, Schlacht von 98f
Sokoto-Kalifat 252f–254f, 282f–284f
Sokrates 68f, 82f
»Solidarität« (poln. Gewerkschaft) 338f
Solomon-Inseln 18f, 362f
Solon 56f
Solutréen-Kultur 46f
Somalia, Somali 166f, 282f, 318f, 380f
Somaliland 374f, 380f
Somme, Schlacht an der 312f, 322f
Songhai 128f, 132f, 166f, 190f–196f, 198f, 224f
Song-Reich 128f–130f, **172f**, 174f
Song Tai Tsu 172f
Song Taizong 170f, 172f
Sonnenpyramide 74f
Sonnenwagen von Trundholm *50f*
Sonni Ali 224f
Sonnino, Giorgio Sydney *312f*
Sophie von Hohenberg *256f*
Sophokles 82f
Soto, Hernando de 242f
Soufflot, Jacques-Germain 216f
South Carolina 244f–246f, 304f–308f
»South-East Asia Treaty Organization« (SEATO) 366f
Soweto 382f
sowjetisch-chinesische Auseinandersetzungen 364f
sowjetisch-chinesischer Vertrag 364f
Sowjetunion *siehe* UdSSR
Sozialdemokratische Partei Deutschlands (SPD) 326f
Sozialismus 270f, 288f, 314f, 354f
Sozialistische Einheitspartei Deutschlands (SED) 340f, 346f
Spalatin, Georg *202f*
Spanien 96f, 190f–196f, 206f, 210f, 216f–220f, 250f–256f, 260f–262f, 268f–270f, 278f, 312f–324f, 330f, 336f–338f, 344f
Armada gegen England 192f, 206f
Bourbonen (Dynastie) 214f, 216f
Bürgerkrieg 314f, **324f**
Byzantinisches Reich 136f
Dreißigjähriger Krieg 194f, **210f**, 212f, 214f
Ferdinand und Isabella 154f, *154f*, 202f
Feudalstaaten 140f
Franco (General) 324f
Französische Revolutionskriege 260f
freie Wahlen 338f
Frieden von Utrecht 216f
griechische Kolonien 54f
Habsburger-Dynastie 202f, 204f, 214f
Islam 126f–130f, 136f, 140f, 156f–158f, 164f
italienische Kriege 202f
Juden in Spanien 154f
Keltiberer 102f
Kimbern 104f
Marokko 374f
Morisken 206f
Napoleonische Kriege 250f–252f, 262f, 298f
Philipp V. 214f, 216f
Phöniker und Karthager 58f
Reconquista 136f, 140f, 154f, 164f, 190f, 202f
Republikaner, Wahlsieg der 324f
Römisches Reich 90f–94f, 98f
Siebenjähriger Krieg 198f, 238f, 244f
Spanischer Erbfolgekrieg 196f, 214f, 238f, 242f–244f
Westgoten 76f, 156f
Spanisch-Marokko 256f, 278f–280f, 284f, 312f–316f, 322f–324f, 330f, 336f
Spanisch-Sahara 284f
Spanisch-Amerikanischer Krieg 256f, 296f, 300f
spanische Sprache 94f
spanisches Weltreich 132f, 184f–186f, 190f, 194f–196f, 202f, 210f, 224f, 246f
Afrika 192f, 282f–284f
Amerika 190f–192f, 196f–198f, 210f, 224f, **238f**, **242f**, 244f, 250f–252f, **298f**, 304f
Argentinien 252f
Florida 192f, 238f, 242f, 246f
Handelsstützpunkte in Südostasien 230f, 236f
Karibik 300f
König-Philipps-Krieg 244f
Kuba 190f, 198f, 238f
»Manila-Galeonen« 230f
mexikanische Revolution 250f, 298f
Niederlande 192f–194f, 202f, 206f, 210f, 214f
Philippinen 296f
Portugal 192f, 238f
Puerto Rico 190f, 238f
Santiago (Jamaika) 196f, 238f
Sklaverei 196f
Südostasien 236f, 296f
Texas 238f
Sparta 56f, 68f, 80f–82f, 86f
Bündnis gegen Persien 80f
Helotenaufstände 80f
Peloponnesischer Krieg 68f, 80f, **82f**
Verfassung 80f
Speer, Albert 328f
Speyer 264f
Dom 142f
Sphinx *34f*
Spithead-Meuterei 260f
Spotsylvania, Schlacht von 306f
Spotted Tail *304f*
»Sputnik 1« 318f, 356f, 372f, *372f*
Sri Lanka 318f–320f, 368f
Bürgerkrieg 368f
»Tamil Tigers« 368f
siehe auch Ceylon
Srividjaja 126f–130f, 180f
Sron-btsan-sgampo 170f
SS (»Schutzstaffel« der NSDAP) 334f
St. Augustine 192f, 242f–246f
St. Clairs, General 304f
St. Gotthard, Schlacht am 220f
St. Helena 262f
St. Kitts und Nevis 246f, 300f, 352f
St. Louis (Senegal) 224f
St. Louis (USA) 308f
St. Lucia 300f, 320f, 348f, 352f
St. Petersburg 208f, 276f *siehe auch* Leningrad, Petrograd
Stadt des Kdf-Wagens *siehe* Wolfsburg
Stadtansichten 152f *siehe auch* Kartographie
Städtebau **328f**
Städtebildung 22f, **28f**, 66f, 254f, 270f
Städtebund, lombardischer 144f
Städtebund, Schwäbischer 148f
Städtehanse 148f
Stalin, Josef 276f, 314f, 316f, 324f, 330f, 332f, 336f, *336f*, 338f–342f, 354f, *354f*, 356f, 358f, 360f, 362f
Stalingrad, Schlacht von 314f–316f, 330f, 332f, 336f, 356f
Stamford Bridge, Schlacht bei 130f, 140f
Stanislasti, Schlacht bei 208f, 220f
Stanley, Henry Morton 282f
Staraja Lagoda 136f
Starcevo 48f
Staufer (Dynastie) 140f, **144f**, 148f
Stein, Heinrich Friedrich Karl Reichsfreiherr vom und zum 264f
Steinzeit *siehe* Mesolithikum, Neolithikum, Paläolithikum
Stelen *102f*, 122f, *138f*
Stephan Dušan (Zar der Serben und Griechen) 146f
Stephenson, George *258f*, 270f, 272f
Steppen 18f–22f, 26f, 46f, 66f, 76f, **106f**
europäische 76f
iranische Steppenvölker 106f
kaspische 76f, 88f
russische 106f
Steppennomaden 76f, 86f, 104f, **106f**, 116f, 128f–130f, 172f, 176f
Steppennomaden-Kultur 22f, 26f
Sternkarte 24f *siehe auch* Kartographie
Stevns (Halbinsel) 104f
Stilicho 96f
Stirling, Captain 288f
Stoa 84f
Stockton–Darlington, Eisenbahnlinie 270f, *270f*, *272f*
Stolypin, Pjotr 276f
Stonehenge 22f, *22f*, 24f, 48f
Stoß, Veit 204f
»Straits Settlements« 296f
Stralsund, Friede von 148f
Straßburg 212f, 214f
Belagerung von *274f*
Europaparlament *310f*, *320f*
Straße von Hormus 378f
Straßennetze
Huari 120f
Inka-Reich 186f
Römisches Reich 90f, **94f**
»Streitende Reiche« 68f, **114f**
Streitwagen 32f, 42f, 52f
Stresemann, Gustav 324f, *324f*, 326f
Stroessner, Alfredo 350f
Stuart, Charles Edward 216f
Stuart, James 288f
Stuart-Dynastie 210f, 214f, 216f
Stufenpyramide 40f
Stupas 78f, *78f*, *180f*
»stupor mundi« *siehe* Friedrich II. (Römisch-Deutscher Kaiser)
»Stürmischer Himmel« (König) 122f
Stuttgart 340f
Suaheli 282f
Südafrika 256f–258f, 284f, **286f**, 312f–320f, 374f, 380f, **382f**
Apartheid 382f
Bantu-Homelands 382f
Buren 256f, *282f*, 286f
Einwanderung 286f
Südafrikanische Union 256f, 268f
Sudan 256f, 280f–282f, 312f–320f, 374f, 380f
Südbaden 340f
Sudetenland 324f, 332f, 340f
Südkorea 316f–320f, 364f, 370f
demokratische Wahlen 370f
Koreakrieg 316f, 364f
Vietnamkrieg 366f
»Südlicher Kult« 182f
Südrhodesien 256f, 284f–286f, 314f–316f, 380f, 382f
siehe auch Simbabwe
Südvietnam 318f–320f, 364f–366f, 370f
Vietnamkrieg 318f, 338f, 364f, **366f**
Südwestafrika 312f–318f, 382f *siehe auch* Namibia
Suezkanal 254f–256f, 258f, *258f*, 280f, 284f, 318f, 374f, *374f*, 376f
Suez-Krise 318f, 374f–378f
Sufismus 168f
Suhl 346f
Sui-Dynastie 76f, 116f, 126f, **170f**
Sukarno, Achmed 362f
Sukhothai 130f–132f, 180f
Sulawesi 180f
Süleyman II. (der Prächtige) 190f, 218f, *218f*, 220f
Sumatra 118f, 180f, 236f, 296f
Sumer, Sumerer 22f, 28f–30f
frühdynastische Zeit 28f
Handel 28f
König List 28f
sumerische Piktogrammschrift 28f
Sumitomo 292f
Sun Diata Keita 130f
Sun Yat-sen (Sun Wen) 290f, 358f
Sun Tzu 114f
Sunniten 156f–158f, 162f, 378f
Suppiluliuma I. 32f
Supplinburger (Dynastie) 144f
Surat 226f–228f
Surcouf, Robert 228f
Sur-Dynastie 192f, 242f
Suren 70f, 86f–88f
Surinam, Surinamesen 194f, 320f, 350f–352f
Suryavarman I. 180f
Suryavarman II. 180f
Susa 28f, 30f, 34f, 38f, 84f
Süßkartoffel 118f
Sven I. »Gabelbart« 138f
»Swan River Colony« 288f
Swartkrans 16f
Swasiland 252f–256f, 282f–286f, 312f–320f, 380f–382f
Sweben 96f–98f, 104f
Swift Bear *304f*
Syagrius 96f, 98f
Sydney 250f, 288f
Syphilis 238f
Syrakus 82f
Syriam 236f
Syrien 34f, 38f, 84f–88f, 92f, 128f–130f, 156f–162f, 218f–222f, 280f, 312f–320f, 330f, 336f–338f, 374f–378f
arabisch-israelischer Konflikt **376f**
Baath-Partei 376f
Byzantinisches Reich 160f
französisches Mandat 374f
Kreuzzug-Staaten 164f
libanesischer Bürgerkrieg 378f
Römisches Reich 92f–94f
Sassaniden-Reich 88f
Sengiden 162f
Vereinigte Arabische Republik 376f
Zweiter Weltkrieg 374f
Szechwan 230f–232f, 358f

T

Tabak 246f
Tabin Schweti 236f
Tacitus 92f
Tadmor 32f, 36f
Tadsch Mahal *226f*
Tafel, Peutinger'sche 44f, *44f*
Tahiti 118f
Taiho-Kodex 178f
Taika-Reform 178f
Taiping-Aufstand 290f, *290f*
Taira-Klan 178f
Taiwan 118f, 232f, 236f, 250f, 256f, 290f–292f, 314f, 318f–320f, 358f–360f, 364f, 370f
chinesische Kontrolle 196f, 232f
demokratische Wahlen 370f
Kuomintang-Regierung im Exil 358f
niederländische Niederlassungen 194f–196f, 230f
siehe auch Formosa
Taiyuan 170f–172f
Tai Tsu *siehe* Song Tai Tsu
Taizong *siehe* Song Taizong
Takamori, Saijo 292f
Takhtamisch 176f
»Tal der Könige« 42f
Talas, Schlacht am 126f, 158f, 170f

Taliban 368f
Tamar 36f
Tambo Colorado 186f
Tambow 354f
Tamilen 168f, 368f
Tampico 298f
Tanegashima 192f, 234f
Tanganjika 312f–316f, 374f, 380f, 382f
 siehe auch Tansania
Tang-Dynastie 76f, 126f–128f, 132f, 158f, **170f**, 172f
Tanguten-Völker 128f, 172f
Tannenberg, Schlacht von 154f, 276f, 322f
Tansania 16f, 318f–320f, 380f, 382f
 siehe auch Tanganjika, Sansibar
Taoismus 78f
»Tao-Te-ching« 78f
Tarain, Schlacht bei (1191, 1192) 168f
Tarawa, Schlacht von 362f
Tarent 90f
Tarimbecken 106f, 170f
Tartaren *siehe* Tataren
Tartaria 48f
Tartessia 58f
Tartessos, Tartessier 54f, 58f, 102f
Taruga 108f
Tarxien 48f
Taschkent 170f, 176f, 276f
Tasman, Abel 194f, 288f
Tasmanien 22f, 26f, 66f–70f, 74f, 118f, 190f–196f, 198f, 288f
 siehe auch Van-Diemens-Land
Tassili-Bergland 20f
Tataren 130f–132f, 154f, 174f–176f, 190f–192f, 208f, 220f–222f, 226f, 230f
Tataren-Khanate 190f–192f, 208f, 222f
Tatarstan 356f
Taurisker 104f
Taurus-Gebirge 156f–158f
Taut, Max 328f
Taxila *76f*, 86f, 110f
Tayasal 184f
Taylor, Zachary *252f*
Teheraner Beschluss 336f, 340f
Tel Aviv 374f
Tel el-Kebir, Schlacht bei 280f
Telegrafenverbindung 254f, 258f, 288f
Tell al-Fakharijeh 32f
Temudjin *siehe* Dschingis Khan
Tenasserim 236f, 252f, 294f
Tenkterer 104f
Tennessee 242f, 304f–308f, 348f
Tenochtitlán 184f, **240f**
 Karte von **240f**, *240f*
Teotihuacán 70f, 74f–76f, 120f–122f, 126f, 184f
 klassische Phase 74f
 Niedergang 120f
Tepe Jaja 28f
Ternate 236f
Terra Amata 16f
Tertiär 16f
Tet-Offensive 366f
Tetzel, Johann 204f
Teutonen 104f
Tewedros (Kaiser) 282f
Texas 238f–244f, 252f, 298f, 304f–308f, 348f
 Annexion durch die Vereinigten Staaten 298f, 304f
 Unabhängigkeitskrieg 298f
Texcoco 184f
Texcoco-See 240f
Textilien 20f, 28f
 Baumwolle 20f, 60f, 62f, 230f, 258f, 280f, 304f
 europäische Produktion 150f
 Industrialisierung **270f**, 292f, 304f
 Leinen 20f
 Seide 20f, 66f
 spinnen 20f
 Textilmaschinen mit Wasserantrieb 172f
 weben 20f, 28f
 Webmaschinen *270f*
Tezcatlipoca (Gott) 184f
Tezozomoc 184f
Thailand, Thailänder 22f, 26f, 66f, 70f, 74f–76f, 116f–118f, 126f–128f, 132f, 170f, 180f, 236f, 360f–366f, 370f
 siehe auch Siam, Siamesen
thaisprachige Völker 114f–116f
Thälmann, Ernst 334f
Thaneswar 168f
Thasos 80f
Thatcher, Margaret 338f
The Saintes, Schlacht vor 246f
Theben 34f, 38f, 40f–42f, 82f, 108f
Themistokles 80f
Themse 46f
Theoderich 98f
Theodosius I. 96f
Theophanu (Römisch-Deutsche Kaiserin) 142f
Thera (Santorin) 52f, 56f
Thermopylen, Schlacht von 80f
Thessalien 56f–58f, 80f–82f, 280f
Thieu Nguyen Van 336f
Tholoi (Kuppelgräber) 52f
Thon Buri (Bangkok) 236f
Thrakien, Thraker 26f, 32f, 38f, 54f–58f, 66f, 82f–86f, 96f, 102f, 160f–162f, 280f
Thukydides 82f
Thule, Karte von *70f*
Thule-Inuit 182f
Thuner See *372f*
Thüringen 340f, 346f
Thutmosis I. 32f, 42f
Thutmosis III. 42f
Thutmosis IV. 32f
Tiahuanaco-Kultur 62f, 70f, 74f–76f, 120f, *120f*, 126f–128f, 186f
Tiananmen-Platz *siehe* »Platz des Himmlischen Friedens«
Tiber 58f
Tiberius 74f, 92f
Tibet, Tibetaner, Tibeter 26f, 66f, 74f–76f, 116f, 128f–132f, 158f, 170f–176f, 222f, 226f, 290f, 294f, 364f
 Besetzung durch China 364f, 368f
 Kontrolle durch Mandschu 198f, 232f, 256f
 Lhasa, Aufstand in 368f
Tibetobirmanen 22f
Ticonderoga, Schlacht bei 244f
»Tigerstaaten« **370f**
Tiglatpilesar I. 32f
Tiglatpilesar III. 34f, 36f
Tigranes I. 86f
Tigris 28f–32f
Tikal 122f, *122f*
Tilly, Johann Tserclaes Graf von 210f
Tilsit, Frieden von 250f, 262f, 264f
Timbuktu 130f, 166f, 224f
Timor 118f, 194f, 236f, 256f, 296f
Timuriden-Emirat 132f
Timur Leng (»der Lahme«) 132f, 162f, **176f**, 222f, 226f
Tingis 54f
Tingzhou, Schlacht bei 170f
Tinian 362f
 Schlacht von 362f
Tippu Tip 282f
Tipu Sahib, Sultan 294f
Tirana, Straße von 376f
Tirol 148f, 154f, 202f, 206f, 210f, 214f, 266f, 268f
Titicacasee 62f, 74f, 120f
Tito, Josip Broz 336f, 338f
Tlacopán 184f
Tlaloc (Regengott) 240f
Tlatelcoco 240f *siehe auch* Tenochtitlán
Tlaxcallan 184f
Tobago 300f, 352f
»Todesmärsche« *siehe* Holocaust
Toghrylbeg 162f
Togo 284f, 318f, 374f, 380f
Togo, Heihachiro 292f
Tojo, Hideki 362f
Tokio 234f, 292f, 362f
 Erdbeben (1923) 360f
 siehe auch Edo
Tokugawa Ieyasu 234f, 292f
Tokugawa-Shogunat 194f, **234f**, 254f
Toledo, Francisco de 238f
Tolteken 122f, 126f–130f, 184f
Tomebamba 186f
Tondibi, Schlacht von 192f, 224f
Tone, Wolf 250f, 260f
Tonga-Inseln 26f, 68f, 118f
Tonghak-Aufstand 292f
Tongking 232f, 236f, 290f, 296f, 360f
Tongking-Zwischenfall 366f
Tontafeln 30f, 48f
Töpferscheibe 20f
Topiltzin-Quetzalcóatl 184f
Tordesillas, Vertrag von 190f, 238f
Torgau 340f
Toronto, Aufstand in 302f
Toskana 146f, 216f, 220f
Totila 98f
Toulon 214f
Toulouse 44f, 140f
 Schlacht von 262f
Toungo (Dynastie) 180f, 192f, 226f, 236f
Tourane (Da Nang) 118f, 296f, 366f
Touré, Samory 282f, 284f
Tournachon, Gaspard-Félix *siehe* Nadar
Toussaint l'Ouverture, François 250f, 300f
Trafalgar, Schlacht bei 262f
»Trail of Tears« 304f
Trajan 88f, 92f, 94f
Transhumanz 26f, 66f–70f, 106f
Transjordanien 312f–314f, 330f, 336f, 374f
 siehe auch Jordanien
Transkaukasien 198f, 220f, 354f
Transoxanien 176f
Transport
 Räderkarren 18f, 48f–50f
 siehe auch Bootsbau, Kanalsystem, Straßennetze, Seefahrt
Transsibirische Eisenbahn 256f, 290f–292f
Transsilvanien 202f, 206f, 214f, 218f–220f, 324f, 330f, 336f
Transvaal 254f–256f, 282f–286f
Travankore 228f, 294f
Treblinka (KZ) 334f
Trensen und Zügel 106f
Tres Zapotes 62f
Treviso 324f
Trevithick, Richard 272f
Trianon, Frieden von 324f
Trichinopoly, Schlacht bei 228f
Trier (Kurfürstentum) 148f
Triest 266f
Trinidad 300f, 352f
Tripelentente 278f
Tripolis, Grafschaft 164f
Tripolitanien, Tripolis 218f–220f, 280f–284f, 374f
Tripolje- und Cucuteni-Kultur 48f
Trizone 340f
Trois Frères, Höhle von *14f*
Troja 52f
Trojanischer Krieg 52f
Troppau, Kongress von 268f
Trotzki, Leo 276f
Truman, Harry S. 358f, 362f
Truman-Doktrin 316f
Trundholm 50f
 Sonnenwagen von *50f*
Tschagatai-Khanat 130f–132f, 176f, 222f
Tschalukja 76f, 168f
Tschechien *siehe* Tschechische Republik
Tschechische Legion 354f
Tschechische Republik, Tschechien 320f, 344f
Tschechoslowakei 312f, 316f–318f, 324f, 326f, 338f, 346f, 356f
 deutsche Besetzung 314f, 324f
 Kommunismus 316f, 320f, 344f
 Prager Frühling 318f, 338f, 356f
 Sudetenland 324f, 332f
 siehe auch Slowakei
Tschernobyl, Atomreaktorunfall 320f, 344f, 356f, *356f*
Tschirikow, Aleksej 242f
Tschitscherin, Georgi Wassiljewitsch *326f*
Tschoe-Dynastie 178f
Tsinghai *siehe* Qinghai
Tsingtao (Tsingtau) *siehe* Qingdao
Tsushima 178f
Tuamotu-Inseln 118f
Tudor-Dynastie 154f, 202f, 206f
Tu Fu 170f
Tughlak, Firoz (Schah) 168f
Tughlak, Mohammed Ibn 132f, 168f
 Dynastie 168f
Tukulor-Kalifat 254f, 282f–284f
Tukulti-Ninurta I. 32f
Tula 130f, 184f, 208f
Tuluniden-Emirate 128f, 158f
Tumuli (Grabhügel) 50f
Tundra 18f–20f
Tunesien, Tunis 54f, 126f–128f, 158f, 164f, 190f, 196f, 206f, 218f–220f, 254f–256f, 280f–284f, 312f–314f, 318f–320f, 330f, 336f, 374f, 378f–380f
 Zweiter Weltkrieg 374f
Tung Cho 114f
tungusischer Stamm 126f–132f
Tuoba 76f, 116f
Tuoba-Wei 74f–76f, 106f, 116f
Tupac Yupanqui 186f
Tupamaros 350f
Turdetani 58f
Turenne, Henri de la Tour d'Auvergne, Graf von 212f, 214f
Turfan-Khanate 222f, 226f
Türkei 20f, 314f–320f, 324f, 330f, 336f–338f, 344f, 374f–378f
 Anatolien *siehe* Anatolien
 Balkanpakt 324f
 Erster Weltkrieg 312f, 374f
 Invasion von Zypern 338f
 Osmanisches Reich *siehe* Osmanisches Reich
 Republik 314f
Türken 76f, 106f, 130f–132f, 158f, **162f**, 174f, 198f
 Expansion 158f
 Karakhaniden 158f
 Kirgisen *siehe* Kirgisen
 Konversion zum Islam 158f
 Mamluken 130f–132f, 146f, 150f, 162f
 Osmanen *siehe* Osmanisches Reich
 Seldschuken *siehe* Seldschuken
 Uiguren 128f, 170f
 »Weiße Hammel« 132f, 222f
Turkestan 232f, 276f, 354f
Türkisch-Ägyptischer Krieg 280f
türkische Emirate 146f, 154f
türkische Sprache 146f
turkmenische Herrscher (»Weiße Hammel«) 222f
Turkmongolen 26f, 70f, 106f, 222f
 siehe auch Xiongnu
Turkvolk 76f, 106f, 126f–132f
Tuscarora-Indianer 244f
Tutanchamun 42f
 Grab des *42f*
Tyrone (Aufstand) 206f, 210f
Tyros, Tyrus 34f–36f, 54f, 58f
Tz'u-Hsi (Kaiserin) 290f

U

U Nu 364f
Uaxactún 122f
U-Boot-Krieg (Erster Weltkieg) *322f*
UdSSR 312f–318f, 324f, 330f, 332f, 336f–338f, 340f, **354f–356f**, 364f, 368f
 Afghanistan-Invasion 320f, 356f, **368f**
 Auflösung 356f
 Auseinandersetzung mit China 318f, 364f
 baltische Staaten 314f–316f, 320f, 324f, 330f, 336f–338f, 344f
 deutsche Invasion 330f
 Fünfjahresplan 314f, 354f
 Gemeinschaft Unabhängiger Staaten (GUS) 356f
 Grenzauseinandersetzung mit China 356f, 364f
 Gründung 354f
 Gulag 354f
 Helsinki, Abkommen von 320f
 Hungersnot (1921) *354f*
 »Jungfräuliches Land«, Programm 356f
 Kalter Krieg 316f–320f, 338f, 340f–342f, 350f
 Kollektivierung 354f
 Kuba-Krise 318f, 352f, 356f
 »Neue Ökonomische Politik« 354f
 Nichtangriffspakt mit China 358f
 Nichtangriffspakt mit Hitler 324f, 330f, 332f, 354f
 Niedergang 320f, 344f, **356f**, 368f
 osteuropäische Satelliten 316f–320f, 336f–338f, 344f, 356f
 Rüstungsbegrenzung 320f
 sowjetisch-chinesischer Vertrag 364f
 Vietnamkrieg 366f
 Warschauer Pakt 318f
 Zweiter Weltkrieg 314f–316f, 324f, **330f**, 334f, **336f**, 354f, 362f
 siehe auch Russland
Uganda 256f, 284f, 312f–320f, 380f
Uiguren 128f, 170f–174f
Uitlanders 286f
Ujjain 60f
Ukimbu 282f
Ukraine 54f, 208f, 216f, 312f, 320f, 354f–356f
Ulan-Bator, Schlacht von 222f, 232f
Ulbricht, Walter 342f
Ulluluku 62f
Ulm 148f
 Schlacht von 262f
Ulster 210f *siehe auch* Nordirland
Ulu Burun (gefundenes Schiffswrack) 52f
Ulundi, Schlacht von 286f
Umma 28f
Ungarn 128f, 138f, 162f–164f, 174f, 190f, 202f, 206f, 214f, 216f–220f, 268f, 318f–320f, 324f, 336f–338f, 344f, 346f
 Aufstand in 318f, 338f
 Habsburgerreich 266f, 268f
 Königreich 148f
 Räterepublik (Kun, Béla) 324f
 Russisches Reich 276f
 Zweiter Weltkrieg 330f, 336f
 siehe auch Ungarn (Magyaren; Volk)
 siehe auch Österreich-Ungarn
Ungarn (Magyaren; Volk) 126f–128f, 136f–138f, 142f, 160f
»ungleiche Verträge« 292f
Unionsgesetz *siehe* »Act of Union«
UNITA 382f
»United Nations Organization« (UNO) 316f–320f, 364f
 arabisch-israelischer Konflikt 376f
 Bosnien 344f
 Gründungsakt *316f*
 Indisch-Pakistanischer Krieg 368f
 Naher Osten, Konflikte 378f
Unjanjembe 282f
UNO *siehe* »United Nations Organization«
»Unternehmen Barbarossa« 330f
»Upanishaden« 78f
Ur 22f, 28f–32f
 chaldäische Besetzung 32f
 Dritte Dynastie 30f
 Eroberung 30f
 Tontafel *28f*
Urabi Pascha 280f
Uraga 292f
Ural-Kosaken 208f
Urambo 282f
Urartu, Urartäer 34f
Urban II. (Papst) 142f, 164f
Urban VI. (Papst) 146f
Urbino 154f
Urnammu 30f
Urnenfelderkultur 26f, 50f, 58f, 66f, 102f
Uruguay 254f, 298f, 348f–350f
Uruk 22f, 28f–32f, 100f
Urukagina 28f
USA *siehe* Vereinigte Staaten von Amerika
Usbeken 222f, 226f
»USS Monitor« *306f*
Ussuri 364f
Utah 304f–308f
Uterera 282f
Utrecht, Frieden von 208f, 214f, 216f, 244f

V

Vaal 252f
Vakataka 112f
Val Camonica 44f
 Felsgravierungen *44f*
Valdivia-Kultur 22f, 62f
Valens 96f
Valentian III. 96f
Valerian 88f
Valley Forge 246f
Vallon Pont d'Arc 46f
Valmy, Schlacht bei 260f, 264f
Van-Diemens-Land 250f, 288f *siehe auch* Tasmanien
Vancouver 250f
Vanuatu 26f, 118f, 320f, 370f
Varanasi 112f, 228f
Vargas, Getúlio 348f
»Varusschlacht« 92f, 104f
Vat Ratchaburana (Ayutthaya) *236f*
Vatikan 324f
 Plünderung 138f
Vauban, Sebastien le Prestre de 214f
Veden, vedische Hymnen 60f, 78f, 110f
vedische Arier 26f, 60f, 66f
Veduten 152f
Vegkop, Schlacht bei 286f
Veji 90f
Velázques, Diego 240f
Veltlin 210f
Venables, Robert 196f
Vendée 260f
Venedig 132f, 140f, 144f, 146f, 150f, 154f, 160f, 164f, 176f, 190f–196f, 198f, 206f, 210f–214f, 216f–218f, 240f, 344f
 Heilige Liga 218f
 Napoleonische Kriege 260f
 Republik 218f–220f
Venetien 266f, 268f
 siehe auch Venedig
Venezuela 250f–256f, 298f, 312f–320f, 348f–352f
Venus von Willendorf 46f
Veracruz 120f, 238f, 298f
Verbrennungsmotor 258f
Vercellae (Vercelli), Schlacht von 104f
Vercingetorix 102f
Verdun
 Schlacht von 312f, 322f, *322f*
 Vertrag von 128f, 138f
Vereeniging, Friede von 286f
Vereinigte Arabische Emirate 318f–320f, 378f
Vereinigte Arabische Republik 378f
Vereinigte Niederlande 210f
 Dreißigjähriger Krieg 194f, **210f**, 212f
 siehe auch Niederlande
Vereinigte Staaten von Amerika 198f, 246f, 250f–256f, 298f, **304f**, **308f**, 312f–320f, 340f, **348f–350f**, 370f
 Afroamerikaner *siehe* Afroamerikaner
 Alaska 254f, 276f, 304f
 amerikanische Unabhängigkeit 216f, **246f**
 arabisch-israelischer Konflikt 376f
 Bevölkerung und Wanderungsbewegung 304f, **308f**, **348f–350f**
 Bürgerkrieg 254f, 302f–304f, **306f**, 308f

»Chinese Exclusion Act« (1882) 308f
Einwanderung und Völkerwanderung 304f, **308f, 348f–352f**
englisch-amerikanischer Krieg (1812) 250f
Erster Weltkrieg 312f, 322f, 348f
Expansion **304f**, 306f
Florida 252f, 304f
Gadsden-Vertrag 252f, 298f, 304f
Golfkrieg 378f
Helsinki, Abkommen von 320f
»Indian Bureau« 304f
Indianer-Kriege 302f, **304f**
Indianer *siehe* Indianer
Kalifornien 304f–306f
Kalter Krieg 316f–320f, 338f, 340f–342f, 350f
kanadische Grenze 252f
Koreakrieg 316f, 338f, 364f
Kuba 300f
Kuba-Krise 318f, 350f–352f
»Louisiana Purchase« 250f, 304f
McCarthy, Joseph R. 350f
Mexikanisch-Amerikanischer Krieg 252f, 298f
Monroe-Doktrin 252f, 298f–300f
Naturkatastrophen 348f
New Deal 314f, 348f
Oregon 252f, 304f
Philippinen 296f
Prohibition 348f
Puerto Rico 300f, 348f–352f
Rüstungsbegrenzung 318f
Rüstungsindustrie (1940er-Jahre) *348f*
Sklaverei 282f, **306f**
Spanisch-Amerikanischer Krieg 256f, 296f, 300f
Studentenunruhen 318f
Texas 252f, 298f, 304f
Truman-Doktrin 316f
Unabhängigkeitserklärung 214f, 246f
Unabhängigkeitskrieg 246f, 302f
Vietnamkrieg 318f, 338f, 364f, **366f**
Wall Street, Börsenkrach an der 314f, 348f
Zweiter Weltkrieg 314f–316f, **330f, 336f**, 348f–350f, 362f
siehe auch Nordamerika
Vérendrye, Gebrüder de la 242f
Vergil 92f
Vergina 82f
Verkehrsplanung **328f**
Vermont 304f–308f
Vernichtungslager 330f–332f, **334f**, 336f
siehe auch Holocaust
Verona, Kongress von 268f
Verrazano, Giovanni de 242f
Versailles 214f, 254f, 274f
Frieden von 312f–314f, 324f, 326f, 332f, 348f, 358f–360f
Verteidigungswall von Mu-ti 30f
Vertreibung, Vertriebene 336f, **340f**
Vespucci, Amerigo 134f, *134f*, 190f, 238f
Via Appia *70f*
Vichy-Frankreich 330f
Vicksburg 306f
Victoriasee 284f
Vidisha 86f
Vierkaiserjahr 92f
Viermächteabkommen (Berlin) 340f, 342f
vierte Koalition 262f
Vietcong 364f
Vietminh 360f, 364f–366f
Vietnam 118f, 296f, 316f, 320f, 364f, **366f**, 370f
chinesische Invasion 366f, 370f
Teilung 364f–366f
Wiedervereinigung 364f, 370f
siehe auch Annam, Dai Viet, Nordvietnam, Südvietnam
Vietnamesen 114f–116f, 172f, 180f
siehe auch Annam, Cham (Champa)
Vietnamkrieg 318f, 338f, 364f, 366f
Protest gegen *366f*
Vijayanagar 132f, 168f, 226f
Viktor Emanuel II. (König von Sardinien) 268f
Viktoria (Königin von England; Kaiserin von Indien) 252f, 254f, 278f
Villa, Pancho 298f
Villanova-Kultur 58f
Villars, Claude Louis Hector 214f
Vima Kadphises 112f
Vinča-Kultur *48f*
Virginia 194f, 242f–246f, 304f–308f
Vishnu (Gottheit) 180f
Vix 54f
Völkerbund 312f, *312f*, 314f, 324f, *324f*, 326f, 348f, 354f, 360f
Mandate 312f, 324f, 360f, 374f, 382f
Völkerschlacht *siehe* Leipzig, Völkerschlacht bei
Volksbefreiungsarmee 358f, 364f
Volksrepublik China 316f–320f, **358f, 364f**, 366f–370f
Bruch zwischen China und Sowjetunion 318f, 356f
Grenzzwischenfall mit Indien 364f, 368f
Grenzzwischenfall mit der Sowjetunion 356f, 364f
»Großer Sprung nach vorn« 318f, 364f
Kollektivierung der Landwirtschaft 364f
Koreakrieg 364f
Kulturrevolution 318f, 364f
prodemokratische Demonstration 320f, 370f
sowjetisch-chinesischer Vertrag 364f
Vietnam-Invasion 366f
Vietnamkrieg 364f–366f
Wirtschaftsreformen 370f
siehe auch China
Voltaire 216f
»Voortrekker« 252f, 282f, 286f
Vorarlberg 266f
Vouillé, Schlacht von 98f
Vulkan-Inseln 362f
V-Waffen (Raketen) 334f, 336f

W

Wachan 276f
Wachsschmelzverfahren 28f
Wadai 190f–196f, 198f, 224f
Wagram, Schlacht bei 262f
Wahhabiten 220f, 280f
Wairan, Zwischenfall am 288f
Waitangi, Vertrag von 252f, 288f
Waitara 288f
Wake-Inseln 362f
Wako-Piraten 230f
Walachei 146f, 154f, 162f, 202f, 206f, 216f–220f, 268f, 276f, 280f
Wales 154f *siehe auch* Britannien, England, Großbritannien
walisische Fürstentümer 136f–140f
Walfischbucht 282f–286f
Wall Street, Börsenkrach an der 314f, 348f
Wallenstein, Albrecht von 210f
Walpole, Robert 216f
Walther, Johann 212f
Wang Anshi 172f
Wang Mang 114f
Wandalen 76f, 96f–98f, 104f
Wanggun 178f
Wannseekonferenz 332f, 334f
Warburton, Peter 288f
Warschau 260f, 336f
Juden, Aufstand der 334f, 336f
Schlacht von (1914) 322f
zweiter Warschauer Aufstand 336f
Warschauer Ghetto 334f
Warschauer Pakt 318f, **338f**, 342f
Wartburg 204f
Washington 302f–304f, 308f, 322f
Konferenz von 314f
Washington, George 246f, 304f, *304f*
Wasserbüffel 20f
Wassuganni 32f
Waterford 138f
Watergate-Affaire 318f, 350f
Waterloo, Schlacht bei 252f, 262f, *262f*
Watt, James 248f, 272f
Dampfmaschine *248f*
Wattignies, Schlacht bei 260f
Waywaka 62f
Weben 20f, 28f
Weberaufstand, Schlesischer 266f
Webmaschinen *270f*
Wei 114f–116f
»Weidenzaun« 230f–232f
Weimar 326f
Nationalversammlung 326f
Weimarer Republik **326f**, 332f *siehe auch* Deutschland
Weimarer Verfassung 332f
»Weiße Hammel« (Türken) 222f
Emirat der 132f
Weiße Hunnen *siehe* Hephtaliten
Weißenfels (Sachsen-Anhalt) *24f*
»Weißer Lotos« 290f
Weißrussland 354f
Weizen 20f, 48f, 52f
Welfen 140f, 144f
Wellington 288f
Wellington, Arthur Wellesley 262f
Weltbild, mittelalterliches 134f
Weltchronik, Schedel'sche **152f**, *152f*
Weltkarte, babylonische 44f
Weltkarte, Ebstorfer **134f**, *134f*
Weltraumforschung (Raumfahrt) 318f, *318f*, 350f, 356f
Weltwirtschaftskrise *310f*, 314f, *314f*, 324f, 326f, 348f, *348f*, 374f
siehe auch Wall Street
Wen (Kaiser) 170f
»Wendejahre« 346f
Wenden 140f, 164f
Wenzel (Römisch-Deutscher König) 148f
Wercholensk 276f
Werkzeughersteller 18f–20f, 46f–48f
Wessex (Königreich) 136f, 138f
Wessex-Kultur 26f
West Virginia 304f–308f
Westbank 374f–378f
Westdeutschland *siehe* Bundesrepublik Deutschland (BRD)
Westeuropäische Union (WEU) 344f
Westfalen 210f, 340f
Königreich 264f
Westfälischer Frieden 194f, 210f, **212f**
Postillion von Münster *194f*
Vertragsurkunde *194f*
Westfranken 138f
Westfront (Erster Weltkrieg) 312f, 322f
Westghats 226f–228f
Westgoten 74f–76f, *76f*, 96f–98f, 104f, 126f *siehe auch* Goten
Westindien, Westindische Inseln 132f
amerikanischer Unabhängigkeitskampf 198f, 238f, 246f
britische Kolonien 238f, 244f
Föderation Britisch-Westindiens 352f
französische Kolonien 194f
Schlacht vor »The Saintes« 246f
Sklaverei 224f
spanische Kolonien 194f–196f, 198f, 238f
siehe auch Karibik
Westmark 332f
»Westminster Confession« 212f
Westminstersynode 212f
Westpakistan 368f
siehe auch Pakistan
Westpreußen (Provinz) 326f
Westsahara 318f–320f, 380f
WEU *siehe* Westeuropäische Union
Wexford 138f
Weyden, Rogier van 154f
Whitby, Synode von 136f
Wichita (Indianer) 238f, 242f, 304f
Wiedertäufer 202f, 204f
Wien 190f, 202f, 214f, 220f, 264f, 332f
Belagerung (1529) 190f, 202f, 218f
Belagerung (1683) 196f, 214f, 220f
Kongress *248f*, 252f, 262f, 266f, 268f, *268f*, 276f
Wiener Konkordat 204f
Wikinger 126f–130f, 136f, **138f**
Rus 160f
Stele *138f*
Wikingerschiff *138f*
Überfälle, Handel und Kolonisation 126f, **138f**
Wilderness, Schlacht von 306f
Wilhelm der Eroberer (Herzog der Normandie) 140f
Wilhelm I. (Deutscher Kaiser) 254f, 266f, 274f, *274f*, 326f
Wilhelm II. (Deutscher Kaiser) 256f, *256f*, 274f, 278f, 280f, 286f, 322f, 326f
Willhelm III. (Wilhelm von Oranien, König von England) 214f
Willendorf, Venus von 46f
Wills, William John 288f, *288f*
Wilson, Woodrow 298f, 312f, *312f*, 324f, 348f
Winnipegsee 244f
»Winterkrieg« 330f
Wirth, Joseph *326f*
Wisconsin 304f–308f
Witbooi, Hendrik 284f
Witte, Sergej Graf 276f
Wittelsbacher (Dynastie) 144f–148f
Wittenberg 202f
Witwatersrand 286f, 382f
Wiyaja (König) 110f
Wladiwostok 276f, 290f–292f
Wolfe, James 198f, 244f, *244f*
Wolfenbüttel 272f
Wolfsburg 332f
Wolga 138f
Wolgemut, Michael 152f
Wolle 20f, 52f, 258f
Woollett, William 244f
World Trade Center 320f, 350f, *350f*, 368f, *372f*
Worms 264f
Wormser Konkordat 142f
Wormser Reichstag 204f
Wounded Knee Creek 304f
Wovoka 304f
Wrangel, Carl Gustav 212f
Wu (Reich) 116f, 172f
Wudi (Sima Yen) 116f
Wuhan 358f
Württemberg 206f, 264f, 266f, 268f
Württemberg-Baden 340f
Württemberg-Hohenzollern 340f
Würzburger Residenz *144f*
Wu Sangui 230f, 232f
Wye, Friedensabkommen von 378f
Wyoming 304f, 308f

X

Xenophon 82f
Xerxes 38f, 68f, 80f
Xiamen 232f
Xiang Yu 114f
Xianyang 114f
Xiao 114f
Xiazhou-Klan 172f
Xinjiang 232f, 250f, 290f
Xiongnu 70f, 74f, 114f–116f
Xi-Xia 172f–174f
Xoconochco 184f
Xuzhou, Schlacht bei 358f

Y

Yaishan, Schlacht vor 172f
Yak 20f
Yalu 178f, 292f, 364f
siehe auch Jalu
Yamassee 244f
Yang 170f
Yang Jian 76f, 116f, 170f
Yang Jian *siehe* Sui-Dynastie, Wen
Yangzhou, Schlacht von 176f
Yao 282f
Yaxchilán 122f
Yaxuná 122f
Yaya-Mama-Kult 62f, 66f
Yayoi-Kultur 70f, 74f–76f, 116f
Yeha 108f
Yeke 282f
Yenan 314f, 358f
Yi Songgye 178f
Yi-Dynastie 178f
Yoga *294f*
Yokohama 292f
York 138f–140f
Yorktown, Schlacht von 246f, *246f*
Yoruba 108f, 166f, 198f, 224f, 284f
Yoshimune 234f
Younghusband, Colonel Francis Edward 294f
Ypern, Schlacht bei 322f
Yüan-Dynastie 176f
Yüan Shi-kai 290f, 358f
Yucatán 62f, 122f, 128f, 184f, 298f
Yüeh 68f
Yüeh-chih (Tocharer) 66f, 70f, 74f, 106f, 112f–114f
Yukon 302f
Yukon-Territorium 302f
Yünnan 170f, 230f–232f, 290f

Z

Zab, Schlacht am 158f
Zacharias (Papst) 136f
Zagros-Gebirge 20f, 30f
Zaire 318f, 380f–382f
Bürgerkrieg 380f
siehe auch Belgisch-Kongo, Kongo
Zama, Schlacht von 90f, *90f*
Zapata, Emiliano 298f
Zapatisten 352f
zapotekische Kultur 62f, 66f–68f, 74f, 120f, 126f–130f, 184f
Zara 164f
Zarathustra 38f, 78f
Zaren 154f
Zehlendorf 272f
»Zehnjähriger Krieg« 300f
»Zehntausend, Marsch der« 82f
Zehn Reiche (China) 170f–172f
Zeitalter der Aufklärung 216f, 260f
»Zeit der Fünf Dynastien« (China) 128f, 170f–172f
»Zeit der Wirren« 194f
Zenon (byz. Kaiser) 96f, 98f
Zenon von Kition 84f
Zenta, Schlacht bei 214f, 220f
Zentralafrikanische Republik 318f–320f, 380f
Zentrum (Zentrumspartei) 326f
Zhao 114f
Zhao Mengfu 174f
Zheng (Kaiser von China) *siehe* Shi-Huangdi
Zheng He (Admiral) 230f
Zhou 68f, 114f–116f
Zhou-Reich 26f, 66f–68f, 114f–116f
Zhu Xi 172f
Zia ul-Haq 368f
Zia Rahman 368f
Ziegelrodaer Forst 24f
Ziegen 20f, 48f
Zikkurat *14f*, 30f
Zinn 28f, 50f, 54f, 58f
Zinsbauern 150f
Zionisten 374f
Zobah 36f
Zollverein, Deutscher 266f
Zoroastrismus 78f, 88f
Zucker 258f, 300f
Zulu 252f–254f, 282f–284f, 382f
»Mfecane« 252f, 282f
Reich 250f–254f
Zulu-Krieg 282f, 284f
Zürich, Schlacht von 260f
Zutphen, Schlacht bei 206f
Zweibund 274f, 278f
Zweiter Weltkrieg 314f–316f, **330f**, 332f, **336f**, 348f, 354f, 360f, **362f**, 374f, 380f
Zwingli, Huldrych 204f
Zwölftafelgesetz 90f
Zyklon B *siehe* Holocaust
Zypern 26f, 38f, 52f–54f, 80f, 92f, 150f, 160f, 164f, 218f, 278f–280f, 318f–320f, 338f, 344f, 374f–378f
arabische Eroberung 160f
Byzantinisches Reich 160f
Königreich von 164f
Kreuzzüge 160f
Teilung (griechisch/türkisch) 338f, 376f

Agentur für Bild und Text, Freiburg: 118 u./Gruschke; **ANP, Amsterdam:** 316 l. u.; **Archiv für Kunst und Geschichte, Berlin:** 14 r., 14/15, 18 o., 19, 20 o., 20 u., 28 o., 28 u., 32 o., 34 o. r., 37, 42 u. l., 44 r., 45 o., 45 u., 46/47, 48 o. l., 48 u., 50 o. l., 52 o. r., 52/53, 54 r., 54/55, 56 o. l., 58 u. r., 60 u. l., 60 u. r., 66 o., 66 u., 74 o., 75, 77, 78 u. r., 80 o., 80 u., 82 l., 84 l., 86 o., 88 o., 90 u., 90/91, 94 o., 94 u. l., 96 r., 96/97, 98 o. l., 98 o. r., 101, 102 o. l., 102 u. l., 106 u. l., 106/107, 110 u. r., 114 o., 120 u. r., 120/121, 122 o. l., 136 r., 138 u. l., 140 l., 140 r., 140/141, 142/143, 144 o. l., 146 o. l., 146 r., 146/147, 150 u., 150/151, 153 l., 153 r., 154 u. l., 154/155, 156 o., 156/157, 160 u. r., 162 u. l., 164 o., 164 u. r., 174 o., 174 u. l., 176 o., 178 o., 180 o. l., 182 o., 190/191, 192 o., 194 o., 196/197, 200 l., 200 r., 202 r., 206 r., 208 r., 208/209, 210 o., 210 r., 214 r., 218 u. r., 220 o., 220/221, 224 u. l., 224 u. r., 224/225, 226 o., 226 u. M., 228 u. l., 230/231, 234 o. r., 234 u., 236 o. r., 238 u., 242/243, 249 o. r., 250 u., 259, 262 l., 262/263, 264 u., 264/265, 266 l. u., 266 u. r., 266/267, 270 o. r., 270 u., 272 o., 273, 278 l. u., 278/279, 280/281, 282 o. l., 282 o. r., 282 u., 284 o. r., 284 u. l., 284 u. r., 286 u. l., 292 u., 294 u. r., 298 u. r., 300 u., 302/303, 304 u. l., 310 u., 322/323, 324/325, 328 o., 328 u., 329 l., 330 o. r., 334 r., 336 o. l., 336 u., 348 u. l., 354 o., 355, 376/377; **Associated Press GmbH, Frankfurt:** 72 u. l., 368 u. M., 368 u. r./Marquez; **Helmut Becker, Bayer. Landesamt für Denkmalpflege:** 73 l.; **Biblioteca Apostolica Vaticana, Città del Vaticano:** 160 u. l.; **Bibliothèque nationale de France, Paris:** 125 l., 158 u., 162 u. r., 162/163; **Bildarchiv Preußischer Kulturbesitz, Berlin:** 1, 2/3, 34 o. l., 46 u., 70 o., 88 u., 96 o., 176 r., 216 r., 216/217, 226 u. l., 228 u. r., 253, 258 o., 268 o., 277, 294 u. l., 294/295; **Bildarchiv Steffens, Mainz:** 292 o.; **Prof. Dr. Günter Bräuer, Heidmühlen:** 16 u.; **Bridgeman Art Library, London:** 112 r., 232 r., 286/287, 296/297; **British Museum, London:** 44 l., 54 u. l.; **Bundesarchiv Koblenz:** 317; **Caro Fotoagentur GbR, Berlin:** 329 r./Hechtenberg, 330 o. l./Hechtenberg; **Cinetext Bild- und Textarchiv GmbH, Frankfurt:** 188 o.; **Bruce Coleman Coll., Uxbridge:** 202 l. u./Croucher; **Corbis GmbH, Düsseldorf:** 22 M., 300 o.; **Corbis-Bettmann, New York:** 254 u., 256 l. u./UPI, 256 o., 256 r., 256/257, 257, 258/259, 276/277, 278 o. r., 280 l. u., 280 o./UPI, 302 u., 304 o., 304 r., 304/305, 308 u./UPI, 311 l./UPI, 312 u. r./UPI, 314 o./UPI, 314/315/UPI, 315/UPI, 316 u. r., 316/317/UPI, 318 o./Reuters, 318/319/UPI, 322 l. u., 322 r., 323/UPI, 324 o./UPI, 324 u. r.,/UPI, 326 o. r./UPI, 330 u. r./UPI, 330/331, 332/333, 334 o. l./UPI, 336 o. r.,/UPI, 336/337, 338 u./Reutes, 340 l. u./UPI, 340 r. o./UPI, 340 r. u./UPI, 342 o. l./UPI, 342 o. r./UPI, 342 u. l./UPI, 342/343/UPI, 346 u. r./Reuters, 348 o./UPI, 348 u. M./UPI, 348 u. r., 348/349/UPI, 352 u. r./UPI, 354 u./UPI, 354 M./UPI, 356 l. u./UPI, 356 o./Reuters, 358 l. u./UPI, 358 r./UPI, 362 u. l., 362 u. r./UPI, 362/363/UPI, 364 l./UPI, 364 r./UPI, 366 M./UPI, 366 r./UPI, 368 u. l./UPI, 370 o. l./Reuters, 370 u., 374 u. r., 374/375/UPI, 376 r./UPI, 380 o./Reuters, 380 u. l./UPI, 382 l./Reuters, 382 r./Reuters; **Deutsche Bundesbank, Frankfurt:** 326 o. l., 326/327; **Document Vortragsring e.V., München:** 67/Blasy, 69/Offermann, 71/Haberland, 76/77/Utzerath, 78 u. l./Hey, 78/79/Utzerath, 86/87/Offermann, 110 o. l./Utzerath, 148/149/Blasy, 168 u. l./Utzerath, 230 l./Matthäi-Latocha; **Dorling Kindersley, London:** 332 o.; **dpa, Frankfurt:** 24 u./Schutt, 25/Schulze, 320 o./Okten, 320 u./Cerles, 333 r., 350 u./AFP, 368 o./Mukherjee, 372 r., 373 u./NASA, 378 r./Awad, 380/381/European Press; **Dr. Georg Gerster, Zumikon/Zürich:** 74 u.; **Giraudon Bridgeman, Paris:** 280 r.; **Kulturgeschichtliches Bildarchiv Hansmann, München:** 30 o.; **Robert Harding Picture Library Ltd., London:** 282/283; **Thomas Höfler, Hüsingen:** 296 u. l., 296 u. r.; **Gerhard Huber, Graz:** 48 o. r., 64 r., 118 M.; **Interfoto, München:** 6/7, 15 u., 18 M., 26 M., 70 u., 92 u. l., 106 u. r., 108 u., 112 l., 124 l., 124 r., 128 o., 130 r., 131, 135 u., 136 o. l., 138 r., 138/139, 144 u. r., 148 o., 148 u., 152, 164 u. l., 166 u. r., 170 o. l., 170 o. r., 172 r., 172 u. l., 174 r., 182/183, 190 o., 190 u., 196 u., 198 u., 201 l., 201 r. o., 201 r. u., 212 o., 212 u., 228 o. l., 238 o. r., 242 u., 244 o. l., 248 u., 248/249, 249 u., 252/253, 258 u. l., 262 r., 268 r., 272 u., 274 o. r., 288 u. r., 292/293, 306 l. u., 306 r., 310 o., 322 o.; **International Society for Education Information, Tokio:** 234 o. l.; **Jürgens Ost + Europa Photo, Berlin:** 354/355; **Peter Eising/MAGAZIN Bildagentur, München:** 108 o.; **mediacolor's, Zürich:** 102 u. r./Lessing; **Kai Ulrich Müller, Berlin:** 232 l., 232/233; **Verlag Müller und Schindler, Stuttgart:** 240 o.; **Museum für das Fürstentum Lüneburg, Lüneburg:** 134/Krenzien; **Museum für Kunst und Gewerbe, Hamburg:** 116 l.; **Nationalmuseum Kopenhagen:** 50 u.; **Novosti, London:** 338 o.; **Photos 12, Paris:** 170 u., 170/171; **picture-alliance, Frankfurt:** 24 o./Wüstneck, 72 o./Leidorf, 290/291/epa AFP, 311 r./Haid, 321/Seklawi; **Presse- und Informationsamt der Bundesregierung, Bundesbildstelle, Berlin:** 338/339; **Rheinisches Bildarchiv, Köln:** 274 l. u.; **Roger Viollet, Paris:** 290 u. l.; **Sakamoto Photo Research, Tokio:** 116 r.; **Schleswig-Holsteinisches Landesmuseum f. Vor- und Frühgeschichte, Schleswig:** 72 u. r.; **Peter Schröder, Leonberg:** 166 o.; **Siemens AG, München:** 370 o. r.; **Silvestris online, Dießen:** 104 u./Korall; **Sipa Press, Paris:** 320/321/Laski, 344 r./Laski, 344/345/Alfred, 346 o./Lehr, 346 u. l./Stevens, 356 r./East News, 356/357, 357/East News, 358/359/Hioglu, 360/361/Vithalbhai/Dinodia, 366 l./Bowden, 367/Save, 376 l./Trippelt, 378/379/Manoocher, 380 u. r./Nauzer, 382/383/Moctar, **Staatl. Museum für Völkerkunde, München:** 186 u.; **Georg Stiller, Gütersloh:** 188 u.; **TopFoto, Kent:** Vorsatz, 16/17, 34 u./ARPL, 100 o., 135 o., 182 u., 188/189, 232 M., 242 o./Science Museum, 244 u. l., 254/255, 288 u. l./British Library, 301, 350 o./Sohm/The Image Works, 352 o./Bonnay/The Image Works, 373 o./Photri, 374 u. l., Hintersatz; **Topkapi Sarayi Museum, Istanbul:** 162 o.; **Transglobe Agency, Hamburg:** 350/351; **TXT Redaktionsbüro, Lünen:** 346/347; **Ullstein Bild, Berlin:** 220 u., 228 o. r., 290 u. r., 308 o., 333 l.; **Wissen Media Verlag GmbH, Gütersloh:** 20 M., 30 u. r., 30/31, 36 o., 90 o., 92 r., 112/113, 142 o., 158 o., 172 o., 194 u., 195, 204 o., 204 r., 204 u. l., 204/205, 210/211, 212/213, 228/229, 241 r., 254 o., 255, 264 o., 266 o., 274 o. l., 274 r. u., 274/275, 298 o. l., 314 u., 318 u., 324 u. l., 330 u. l., 340 o. l., 340/341, 344 l., 358 o., 360 u., 362 o., 372 l., 374 o.; **zefa visual media gmbh, Hamburg:** 312 o.

Die übrigen hier nicht aufgeführten Abbildungen stammen von: aisa, Barcelona.

Abbildungen auf dem Einband: Karte: Bildarchiv Preußischer Kulturbesitz, Berlin; Segelschiffe: Scala, Antella; Walther von der Vogelweide: Archiv für Kunst und Geschichte, Berlin; Ludwig XIV., Alexander der Große, Sphinx: aisa, Barcelona.

Abgebildete Personen in den Einleitungsabsätzen:
S. 30 Sargon, König von Akkad; S. 36 Sargon II., König von Assyrien; S. 40 Djoser, König von Ägypten; S. 42 Mentuhotep I., König von Oberägypten; S. 68 Alexander der Große, makedonischer König und Eroberer; S. 80 Perikles, athenischer Staatsmann; S. 82 Philipp II., König von Makedonien; S. 84 Nearchos, griechisch-makedonischer Admiral; S. 86 Antiochos III., der Große, makedonischer König; S. 90 Hannibal, karthagischer Feldherr; S. 92 Augustus, römischer Kaiser; S. 96 Attila, König der Hunnen; S. 132 Bartholomëu Diaz, portugiesischer Entdecker; S. 140 Wilhelm der Eroberer, König von England; S. 142 Otto II., Römisch-Deutscher Kaiser; S. 144 Friedrich I. Barbarossa, Römisch-Deutscher Kaiser; Philipp der Kühne, Herzog von Burgund; S. 150 Cosimo de'Medici (der Alte), florentinischer Patrizier und Staatsmann; S. 162 Mehmed II., türkischer Sultan; S. 172 Huizong, chinesischer Kaiser; S. 190 Vasco da Gama, portugiesischer Entdecker; S. 192 Yoritomo, japanischer Feldherr; S. 194 Jan van Riebeeck, Gründer der niederländischen Kapkolonie; S. 198 James Cook, englischer Entdecker; S. 202 Johannes Calvin, schweizerischer Reformator; S. 204 Johannes Calvin, schweizerischer Reformator; S. 206 Philipp II., König von Spanien; S. 208 Peter der Große, Zar von Russland; S. 210 Albrecht von Wallenstein, kaiserlicher Feldherr und Herzog; S. 212 Friedrich Wilhelm von Brandenburg, der Große Kurfürst; S. 214 Ludwig XIV., König von Frankreich; S. 216 Voltaire, französischer Philosoph; S. 226 Schah Dschahan, Großmogul von Indien, und seine Lieblingsfrau Mumtaz Mahal; S. 228 Schah Nadir, persischer Herrscher; S. 234 Oda Nobunaga, japanischer Feldherr und Staatsmann; S. 244 Tecumseh, nordamerikanischer Indianerhäuptling der Shawnee; S. 250 Napoleon I., Kaiser der Franzosen; S. 252 Nikolaus I., Zar von Russland; S. 254 Wilhelm I., Deutscher Kaiser; S. 260 Tadeusz Kosciuszko, polnischer Nationalheld; S. 262 Joseph Bonaparte, König von Neapel und Spanien; S. 264 Wilhelm von Humboldt, deutscher Gelehrter und Staatsmann; S. 266 August von Kotzebue, deutscher Theaterdichter und Publizist; S. 268 Clemens Wenzel Fürst von Metternich, österreichischer Staatskanzler; S. 270 Karl Marx und Friedrich Engels, deutsche sozialistische Theoretiker; S. 278 Otto Fürst von Bismarck, deutscher Reichskanzler; S. 280 Enver Pascha, türkischer General und Politiker; S. 282 Heinrich Barth, deutscher Afrikaforscher; S. 286 Paulus (»Ohm«) Krüger, Präsident der Burenrepublik Transvaal; S. 304 George Washington, Präsident der USA; S. 306 Abraham Lincoln, Präsident der USA; S. 314 Feisal, König von Saudi-Arabien; S. 318 Augusto Pinochet, chilenischer Diktator; S. 324 Francisco Franco, spanischer Diktator; S. 334 Anne Frank, von den Nazis ermordete deutsch-niederländische Jüdin; S. 342 Willy Brandt, Bundeskanzler; S. 352 Oscar Arias Sánchez, Präsident von Costa Rica; S. 356 Michail Gorbatschow, Staatspräsident der UdSSR; S. 358 Mao Tse-tung, chinesischer KP-Führer und Staatschef; S. 360 Mohandas »Mahatma« Gandhi, indischer Staatsmann; S. 362 Hideki Tojo, japanischer Ministerpräsident; S. 366 Richard Nixon, Präsident der USA; S. 374 Haile Selassie I., Kaiser von Äthiopien; S. 376 Menachem Begin, israelischer Ministerpräsident; S. 378 Jasir Arafat, Führer der PLO.

CLAVDII PTHOLOMEI ALLEX
ANDRINI COSMOGRAPHI
ZEPHIR
ASIA
AFRICA
TERRA VLTERI' INCOGNITA
PARIAS
OCEANVS OCCIDENTALIS
CIRCVLVS ARTICVS
MARE GLACIALE SIVE CONGELA
SPAGNOLLA INSVLA
TOTA ISTA PROVINCIA INVENTA EST PER MANDATVM REGIS CASTELLE
TERRA VLTRA INCOGNITA
AMERICA
ELIBIA INTERIOR
EQVINOCTIA
AFFRICA
ETHIOPIA INTERIOR
LYBONOTH
NOTVS
VNIVERSALIS COSMOGRAPHIA SECVNDVM PTHOLOMÆI TRA DITIONEM

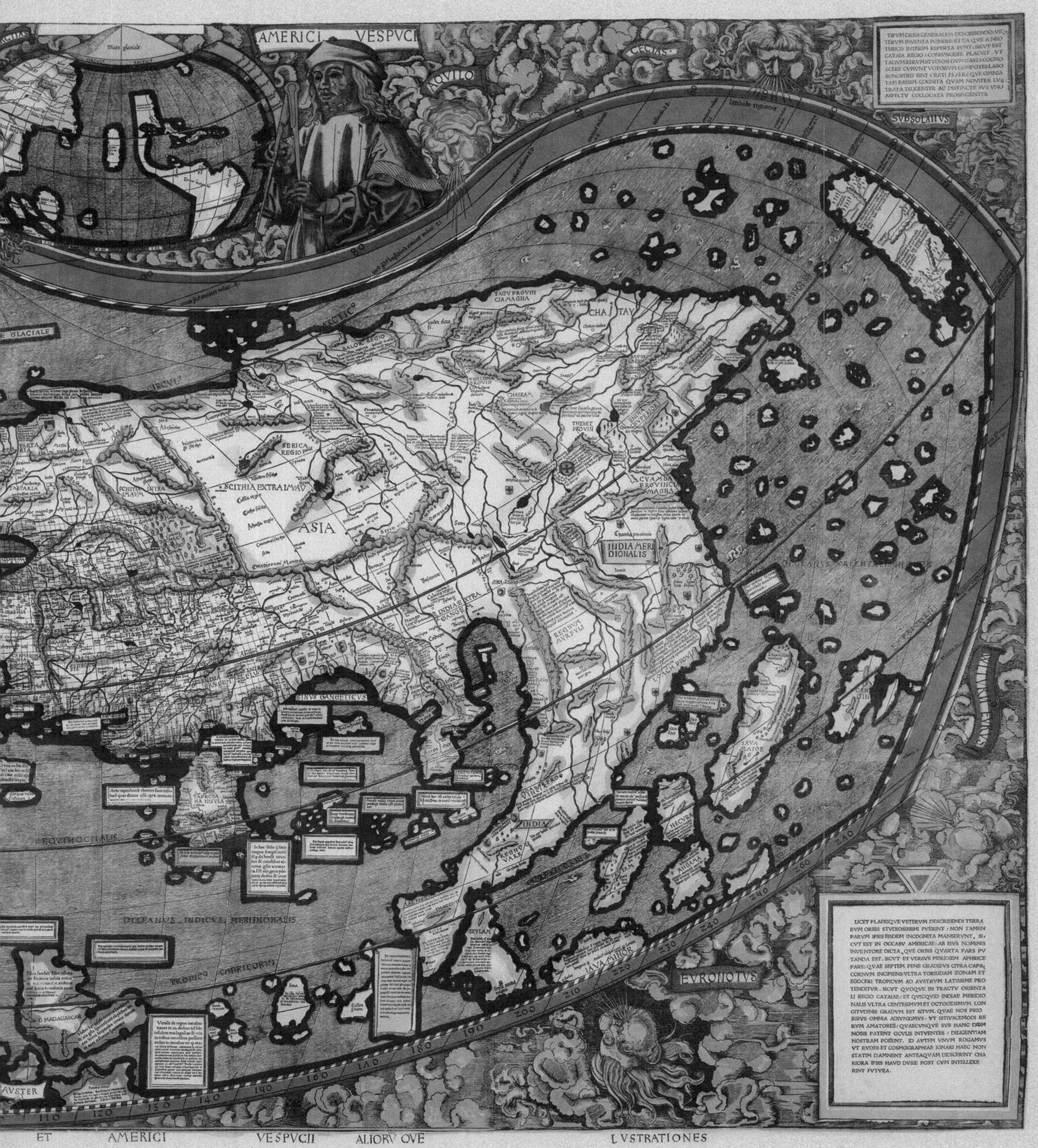
AMERICI VESPVCI
CECIAS
AQVILO
TIPVM ORBIS GENERALEM DESCRIBENDO VE-
TERVM INVENTA PONERE ET EA QVE A NEO
TERICIS INTERIM REPERTA SVNT; SICVT EST
CATAIA REGIO; CONIVNGERE PLACVIT. VT
TALIVM RERVM STVDIOSI DVM VARIA COGNO
SCERE CVPIVNT VOTORVM COMPOTES LABO
RI NOSTRO SINT GRATI FLARI; QVI OMNIA
TAM PASSIM COGNITA QVAM NOVITER LVS
TRATA DILIGENTER AC DISTINCTE SVB VNO
ASPECTV COLLOCATA PROSPICIENTES.
SVBSOLANVS
CHATAY
SERICA REGIO
SCITHIA EXTRA IMAVM
ASIA
INDIA MERIDIONALIS
INDIA EXTRA GANGEM
SINVS GANGETICVS
EQVINOCTIALIS
OCCEANVS INDICVS MERIDIONALIS
PROPICVS CAPRICORNI
IAVA MAIOR
IAVA MINOR
SEYLAM
MADAGASCAR
AVSTER
EVRONOTVS
LICET PLAFRIQVE VETERVM DESCRIBENDI TERRA
RVM ORBIS STVDIOSISSIMI FVERINT; NON TAMEN
PARVM IPSIS EISDEM INCOGNITA MANSERVNT, SI-
CVT EST IN OCCASV AMERICAE; AB EIVS NOMINIS
INVENTORE DICTA, QVE ORBIS QVARTA PARS PV
TANDA EST. SICVT ET VERSVS MERIDIEM APHRICE
PARS; QVAE SEPTEM PENE GRADIBVS CITRA CAPRI
CORNVM INCIPIENS, VLTRA TORRIDAM ZONAM ET
EGOCERI TROPICVM AD AVSTRVM LATISSIME PRO
TENDITVR. SICVT QVOQVE IN TRACTV ORIENTA
LI REGIO CATAIAE; ET QVICQVID INDIAE MERIDIO
NALIS VLTRA CENTESIMVM ET OCTOGESIMVM LON
GITVDINIS GRADVM EST SITVM. QVAE NOS PRIO
RIBVS OMNIA ADIVNXIMVS; VT ISTIVSCEMODI RE
RVM AMATORES; QVAECVNQVE SVB HANC DIEM
NOBIS PATENT OCVLIS INTVENTES; DILIGENTIAM
NOSTRAM PONENT. ID AVTEM VNVM ROGAMVS
VT RVDES ET COSMOGRAPHIAE IGNARI HAEC NON
STATIM DAMNENT ANTEAQVAM DIDICERINT CHA
RIORA IPSIS HAVD DVBIE POST CVM INTELLEXE
RINT FVTVRA.
ET AMERICI VESPVCII ALIORV QVE LVSTRATIONES